Enciclopédia
da
Língua de Sinais Brasileira

Fernando César Capovilla

Walkiria Duarte Raphael

Enciclopédia da Língua de Sinais Brasileira

O Mundo do Surdo em Libras

Volume 2

Artes e Cultura, Esportes e Lazer

Como avaliar o desenvolvimento da

Compreensão de sinais

(vocabulário em Libras)

de escolares surdos de 1ª a 8ª série do Ensino Fundamental

edusp imprensaoficial

Ficha catalográfica elaborada pelo Departamento
Técnico do Sistema Integrado de Bibliotecas da USP

Enciclopédia da Língua de Sinais Brasileira : O Mundo do Surdo em Libras / Fernando César Capovilla, Walkiria Duarte Raphael (editores). – São Paulo : CNPq : [Fundação] Vitae : Fapesp : Capes. Editora da Universidade de São Paulo, Imprensa Oficial do Estado de São Paulo, 2004.
832 p. : il. ; 21 x 28 cm.

Conteúdo: v. 2. Sinais da Libras e o universo das artes e cultura, esportes, e lazer; e como avaliar o desenvolvimento da compreensão de sinais (vocabulário em Libras) de escolares surdos de 1ª a 8ª série do Ensino Fundamental.

ISBN 85-314-0849-0 (Editora da Universidade de São Paulo)
ISBN 85-7060-276-6 (Imprensa Oficial do Estado de São Paulo)

1. Língua de sinais – Enciclopédia. 2. Surdos – Educação. 3. Surdos – Meios de Comunicação. I. Capovilla, Fernando César, 1960- II. Raphael, Walkiria Duarte, 1956- III. Título. IV. Título: O Mundo do Surdo em Libras.

CDD 371.903

Edusp – Editora da Universidade de São Paulo
Av. Prof. Luciano Gualberto, Travessa J, 374
6º andar – Ed. da Antiga Reitoria – Cidade Universitária
05508-900 – São Paulo – SP – Brasil
Divisão Comercial: tel. (0xx11) 3091-4008 / 3091-4150
SAC (0xx11) 3091-2911 – Fax (0xx11) 3091-4151
www.usp.br/edusp – e-mail: edusp@edu.usp.br

Imprensa Oficial do Estado de São Paulo
Rua da Mooca, 1921 – Mooca
03103-902 – São Paulo – SP – Brasil
Tel.: (0xx11) 6099-9800 – Fax: (0xx11) 6099-9674
SAC 0800-123 401
www.imprensaoficial.com.br
e-mail: livros@imprensaoficial.com.br

Printed in Brazil 2004

Foi feito o depósito legal

EDITORES

Fernando César Capovilla

Psicólogo (1982) e Mestre em Psicologia da Aprendizagem e do Desenvolvimento pela Universidade de Brasília (1984), Ph. D. em Psicologia Experimental pela *Temple University of Philadelphia* (1989), com medalha de *Outstanding Achievement Award* pela *Pennsylvania Psychological Association*, e Livre Docente em Neuropsicologia pelo Departamento de Psicologia Clínica da Universidade de São Paulo (2000), com tese em Libras. Ex-professor da *Temple University*, da Universidade do Estado do Rio de Janeiro, da Universidade Estadual de Londrina, da Universidade de Brasília, da Universidade Federal de Uberlândia, e da Pontifícia Universidade Católica de Campinas. Professor Associado (MS–5) do Instituto de Psicologia da USP e orientador de Mestrado e de Doutorado em Psicologia Experimental. Chefe do *Laboratório de Neuropsicolingüística Cognitiva Experimental*, do *Laboratório de Tecnologia e Reabilitação Cognitiva*, e do *Centro de Atendimento Clínico em Distúrbios de Comunicação e Linguagem* do Instituto de Psicologia da USP. Editor chefe do periódico *Ciência Cognitiva: Teoria, Pesquisa e Aplicação*, e membro do Conselho Editorial de vários periódicos científicos nacionais e internacionais, como *Temas sobre Desenvolvimento* e *Augmentative and Alternative Communication*. *President-elect* do *Brazilian Chapter, International Society for Augmentative and Alternative Communication*. Coordenador nacional de inclusão e alfabetização da Capes. *Consultor científico do Conselho Nacional de Desenvolvimento Científico e Tecnológico* (CNPq), da *Coordenação de Aperfeiçoamento de Pessoal de Ensino Superior* (Capes), da *Fundação de Amparo à Pesquisa do Estado de São Paulo* (Fapesp) e *do Estado do Rio de Janeiro* (Faperj), e da *Agencia Nacional de Promoción Científica, Tecnológica y de Innovación de Argentina*. Autor de 60 projetos de pesquisa financiados por CNPq, Fapesp, Faperj, Capes, Fundação Vitae, e *National Institute of Mental Health and Child Development* (NIMHCH), dentre outros. Pesquisador Associado do *Centre for the Study of Learning and Performance* da *Concordia University* financiado pelo governo canadense, e da *British Dyslexia Association*. Autor de 32 livros e de 400 trabalhos científicos publicados, e co-autor de 200 sistemas especialistas de multimídia para diagnóstico, comunicação e reabilitação cognitiva em distúrbios neuromotores (e.g., paralisia cerebral e esclerose lateral amiotrófica), neurolingüísticos (e.g., dislexia e afasia) e neurossensoriais (e.g., surdez congênita profunda). Membro da *Comissão Internacional de Especialistas em Alfabetização* da Câmara dos Deputados. Membro fundador da Sociedade Brasileira de Neuropsicologia (SBNp). *Research Fellow* do NIMHCD. Bolsista de Produtividade nível 1 (mais elevado) do CNPq. Autor laureado pela Câmara Brasileira do Livro na categoria Psicologia e Educação. Consultor de dezenas de Secretarias de Educação nas áreas de alfabetização e inclusão escolar. Co-autor de livros como: 1) *Alfabetização infantil: Os novos caminhos (2ª. ed.)*; 2) *Enciclopédia da Língua de Sinais Brasileira: O mundo do surdo em Libras, Volumes 1 a 19*; 3) *Alfabetização fônica: Construindo competência de leitura e escrita (2ª. ed.)*; 4) *Neuropsicologia e aprendizagem: Uma abordagem multidisciplinar (2ª. ed.)*; 5) *Compêndio de avaliação da linguagem da criança surda*; 6) *Tecnologia em (re)habilitação cognitiva 2002: Um novo olhar para avaliação e intervenção*; 7) *Enciclopédia eletrônica da Libras, CDs 1 e 2*; 8) *Alfabetização: Método fônico (3ª. ed.)*; 9) *Dicionário enciclopédico ilustrado trilíngüe da Língua de Sinais Brasileira, Volumes 1 e 2 (2ª. ed.)*; 10) *Tecnologia em (re)habilitação cognitiva 2000: A dinâmica clínica, teoria e pesquisa*; 11) *Problemas de leitura e escrita: Como identificar, prevenir e remediar numa abordagem fônica (4ª. ed.)*; 12) *Neuropsicologia cognitiva da leitura: Novos modelos teóricos e implicações diagnósticas*; 13) *Manual ilustrado de sinais e sistema de comunicação em rede para surdos*; 14) *Tecnologia em (re)habilitação cognitiva: Uma abordagem multidisciplinar;* 15) *Primeiro dicionário ilustrado Português – Inglês;* 16) *Primeiro dicionário ilustrado Inglês – Português, Volumes 1 a 4*; 17) *Alfabetização em paralisia cerebral, Volumes 1 a 3*; 18) *Temas multidisciplinares em neuropsicologia e aprendizagem*; 19) *Adaptação brasileira do Teste de Vocabulário por Figuras Peabody*. Endereço eletrônico: capovilla@usp.br.

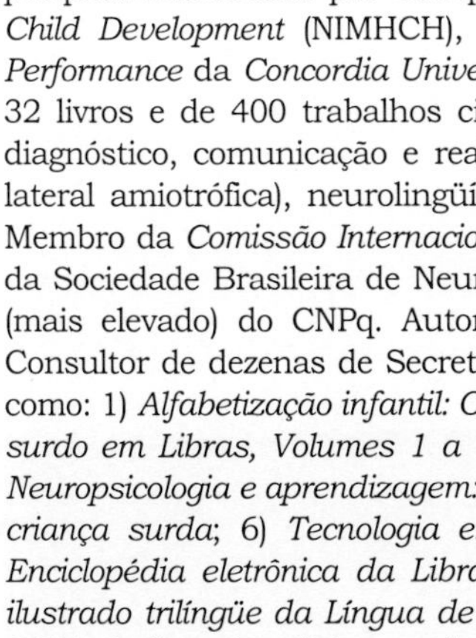

Walkiria Duarte Raphael

Psicóloga, Mestre em Psicologia Experimental pelo Instituto de Psicologia da Universidade de São Paulo (IP–USP) com dissertação laureada versando sobre Libras, e Supervisora de Equipe do *Laboratório de Neuropsicolingüística Cognitiva Experimental* (Lance) do IP–USP. Autora laureada pela Câmara Brasileira do Livro na categoria Psicologia e Educação. Co-autora do livro *Manual ilustrado de sinais e sistema de comunicação em rede para Surdos*, e do livro *Dicionário Enciclopédico Ilustrado Trilíngüe da Libras, Volumes 1 e 2 (2ª. ed.)*; além de diversos trabalhos na área de Surdez e Língua de Sinais, bem como de avaliação cognitiva. Membro fundador da Organização Não-Governamental *Grupo de Atuação em Psicologia e Surdez* (Gaps). Endereço eletrônico: wduarte@usp.br.

Sumário

Agradecimentos

À comunidade surda do Brasil, pela abertura de seu mundo, sua cultura e sua Língua à pesquisa que resultou nesta Enciclopédia e à sua extraordinária receptividade;

Ao corpo discente de 1.158 educandos surdos, por sua participação nos estudos de validação e normatização dos instrumentos de avaliação do desenvolvimento de linguagem;

À Fundação Vitae de Apoio à Cultura e à Promoção Social (Vitae), em especial ao gerente de projetos Dr. Eduardo Marino, pela aprovação do projeto e concessão de vultoso auxílio à publicação, sem o qual a publicação desta Enciclopédia jamais teria sido possível;

À Coordenação Aperfeiçoamento de Pessoal de Nível Superior (Capes), em especial à Professora Izabel Lima Pessoa, Coordenadora de Programas Especiais, pela aprovação do projeto Proesp 2003 que resultou na concessão de auxílio para materiais de pesquisa e bolsas de mestrado e doutorado de orientandos do primeiro editor na preparação dos capítulos de pesquisa sobre desenvolvimento de linguagem da população escolar surda da Enciclopédia;

Ao Conselho Nacional de Desenvolvimento Científico e Tecnológico (CNPq), pela aprovação do projeto de pesquisa e concessão da bolsa de produtividade em pesquisa ao primeiro editor;

À Secretaria de Educação Especial do Ministério da Educação (Seesp-Mec), em especial à Professora Marlene Gotti, pela aprovação do projeto de pesquisa do primeiro editor que envolve a publicação desta Enciclopédia;

À Fundação de Apoio à USP (Fusp), em especial ao presidente Dr. Antonio Massola, pela aprovação do projeto e administração das verbas necessárias à condução da pesquisa, e pelo constante apoio na administração dos recursos necessários à viabilização das publicações em benefício da criança deficiente;

À Fundação de Apoio à Pesquisa do Estado de São Paulo (Fapesp), em especial ao diretor científico José Perez, pelo apoio à pesquisa que resultou nesta Enciclopédia;

À Editora da Universidade de São Paulo (Edusp), em especial ao presidente, Prof. Plínio Martins Filho, pela aprovação do projeto de publicação da Enciclopédia na íntegra;

Ao Instituto de Psicologia da USP, em especial ao diretor César Ades, pelo apoio operacional;

Ao Serviço de Biblioteca e Documentação do Instituto de Psicologia da USP, em especial à diretora Imaculada Sampaio, à chefe da seção de multimeios Angélica Sabadini, às bibliotecárias Célia Rosa, Maria Peixoto, Ana Rita Linguanotto, e secretárias Fernanda Silva e Hélina Araújo, pelo competente auxílio operacional na distribuição dos livros em todo o território nacional;

À Federação Nacional de Educação e Integração dos Surdos (Feneis), pelo apoio à pesquisa que resultou nesta Enciclopédia;

Ao Instituto Nacional de Educação de Surdos (Ines), pelo apoio à divulgação do trabalho por meio de sua publicação semestral, a *Revista Espaço: Informativo Técnico – Científico do Ines*;

À Escola Municipal de Educação Especial Anne Sullivan, em especial à diretora Adriana Rodrigues, à coordenadora Marília Moraes, e à professora Silvana Drago, por disponibilizar a sua população escolar para a coleta de dados, que resultou na validação e normatização dos 11 testes de desenvolvimento da linguagem de sinais, leitura e escrita;

À Escola Municipal de Educação Especial Helen Keller, em especial à diretora Ernestina Celani, à assistente Teresa Proença, e às coordenadoras Izilda Striuli e Maria Rodrigues, por disponibilizar a sua população escolar para a coleta de dados, que resultou na validação e normatização dos 11 testes de desenvolvimento da linguagem de sinais, leitura e escrita;

À Escola Municipal de Educação Especial Madre Lucie Bray, à diretora Jussara Henriques, à coordenadora Eliana Souza, e às auxiliares Cláudia Ricci, Zuleide Lino e Vera Souza, por disponibilizar a sua população escolar para a coleta de dados, que resultou na validação e normatização dos 11 testes de desenvolvimento da linguagem de sinais, leitura e escrita;

À Escola Municipal de Educação Especial Profa. Neusa Bassetto, à diretora Aurelisa Carvalho, e à coordenadora pedagógica Cleide Alvares, por disponibilizar a sua população escolar para a coleta de dados, que resultou na validação e normatização dos onze testes de desenvolvimento da linguagem de sinais, leitura e escrita;

À Escola Especial para Crianças Surdas da Fundação Rotarianos, de Cotia – SP, por disponibilizar a sua população escolar para a coleta de dados, que resultou na validação e normatização dos 11 testes de desenvolvimento da linguagem de sinais, leitura e escrita;

À Associação de Estimulação Auditiva e Linguagem, de Jundiaí – SP, por disponibilizar a sua população escolar para a coleta de dados, que resultou na validação e normatização dos 11 testes de desenvolvimento da linguagem de sinais, leitura e escrita;

À fonoaudióloga Lenora Ávila, pelo auxílio na confecção e revisão dos volumes desta Enciclopédia;

Ao psicólogo Ricardo Vieira, pela colaboração na revisão do Português;

Aos alunos de treino em pesquisa, Gustavo Valentim e Daniel Polo, pelo auxílio na tabulação de dados.

Apresentação da Presidência da Federação Nacional de Educação e Integração dos Surdos (Feneis)

Diretor vice-presidente surdo Antônio Campos de Abreu (Feneis)

Ao escrever essa obra, a *Enciclopédia da Língua de Sinais Brasileira: O mundo do surdo em Libras*, o Prof. Fernando Capovilla e sua equipe contribuíram expressivamente para a luta da comunidade surda. Durante anos os surdos brasileiros vêm reivindicando, legalmente, o direito de se comunicarem por meio da Língua de Sinais Brasileira, a Libras. Ressalto aqui a importância do uso dessa nomenclatura, que é parte da identidade e da luta dessa comunidade.

Assim, a Libras vem contribuir para uma reformulação na educação dos surdos e em sua metodologia. Sendo sua língua materna, as crianças surdas percebem o mundo e internalizam as informações advindas dele através do canal visual. Sentem vibrações que não as permitem compreender a pronúncia, por isso utilizam outro meio não convencional, o espaço visual.

Todas as crianças possuem uma língua natural de referência, adquirida por um modelo de identificação adulta. Crianças ouvintes se espelham no modelo dos pais ouvintes, utilizam os sons e fazem deles um canal de identificação com a família e com o restante da sociedade. Elas têm sua curiosidade estimulada através das informações que recebem e respondem ao estímulo, balbuciando. Já as crianças surdas, filhas de ouvintes, não possuem esse vínculo sonoro e, consequentemente, não possuem um modelo de identificação, embora possam receber e responder a estímulos por meio de sua língua natural.

Por outro lado, se estas fossem iniciadas numa educação adaptada às suas necessidades, receberiam estímulos e responderiam a eles, formando assim uma visão crítica do mundo. Seriam livres.

A liberdade, para os surdos, é usar a Libras como meio de comunicação e fazer com que a sociedade a reconheça. Isso seria o fim das imposições do oralismo, que insiste em colocar o Português como primeira língua.

Não sou contra o oralismo e o uso de prótese auditiva, desde que se mostrem os caminhos para uma boa educação e que se respeite a vontade daquela criança. Muitas vezes essa escolha é influenciada pelo preconceito da sociedade através de filosofias eugenistas, que buscam a padronização das pessoas sem respeitar as diferenças.

O modelo de inclusão social imposto pelas políticas públicas deve ser repensado de modo a instituir uma real educação para o surdo. A metodologia de inserção no Ensino Regular deve priorizar o uso da Libras e capacitar professores para um atendimento eficaz.

Acredito que com o uso da Libras as crianças surdas terão melhores escolas e estarão mais preparadas para a vida. Quando houver a aceitação da diferença e a crença na capacidade dos surdos, seu meio de comunicação certamente será reconhecido e, assim, eles poderão mostrar o que têm para oferecer à sociedade, construindo uma melhor qualidade de vida.

Hoje, a conquista da regulamentação da Libras em âmbito nacional não é só minha, é da Feneis (Federação Nacional de Educação e Integração dos Surdos) e, principalmente, da comunidade. É importante que haja uma divulgação dessa vitória, para que sejam respeitados os direitos dos surdos.

Agradeço, em nome da comunidade surda, pais e profissionais, ao Prof. Fernando Capovilla e sua equipe a oportunidade de colaborar com seus trabalhos, que são, sem dúvida, uma grande contribuição para as pesquisas realizadas na área da surdez.

Antônio Campos de Abreu, surdo, ex-diretor presidente e atual diretor primeiro vice-presidente da Feneis, ex-presidente da Associação dos Surdos de Minas Gerais, ex-presidente da Federação Mineira Desportiva dos Surdos, ex-vice-presidente da Confederação Brasileira Desportiva dos Surdos e ex-membro da diretoria da Federação Mundial de Surdos, e-mail: feneis@feneis.com.br

Apresentação da Diretoria do Instituto Nacional de Educação de Surdos (Ines)

Diretora geral Stny B. F. Santos (Ines)

Inicialmente, queremos parabenizar a equipe responsável pela publicação do *Dicionário enciclopédico ilustrado trilíngüe da Língua de Sinais Brasileira – Libras*, e cumprimentá-la pela presente realização, com a publicação da *Enciclopédia da Língua de Sinais Brasileira: O mundo do surdo em Libras*.

Sabemos que a tarefa, de relevante importância para o surdo e para aqueles que com eles lidam, não é fácil.

Na área da surdez, a complexidade é sempre maior, por força da dificuldade de comunicação, uma vez que não há domínio social da Libras. E os mais prejudicados são os surdos.

Grandes foram as conquistas da comunidade surda no que se refere à legislação, em especial no que diz respeito à Libras. Em 09 de janeiro de 2001, a Lei n° 10.172, que aprova o Plano Nacional de Educação, estabelece como objetivo e meta a implantação, em cinco anos, e a generalização, em dez, do ensino da Língua de Sinais Brasileira para os alunos surdos e, sempre que possível, para seus familiares.

Em 25 de abril de 2002, a comunidade surda festeja o reconhecimento da Libras como meio legal de comunicação e expressão, por meio da publicação da Lei n° 10.436, sancionada em 24 de abril de 2002. Porém, há ainda um longo caminho a percorrer, o qual, sem sombra de dúvidas, será facilitado por esta produção.

A presente produção vem consolidar o momento histórico vivido por essa comunidade.

Temos a certeza de que *Enciclopédia da Língua de Sinais Brasileira: O mundo do surdo em Libras*, em seus dezenove volumes, será instrumento de relevante significado para surdos, familiares, profissionais e comunidade. Oferecerá maior segurança nas relações entre surdo e ouvinte e sua contribuição como agente desmistificador do surdo garantirá uma nova e mais fortalecida ótica da pessoa surda e de suas necessidades, gerando, consequentemente, mudanças de atitudes nas relações humanas.

Estão de parabéns, principalmente os surdos, com esta significativa ampliação do acervo bibliográfico na área da surdez, fruto da determinação e do ideal de seus autores.

Rio de Janeiro, 26 de abril de 2002.

Stny Basilio Fernandes dos Santos, diretora geral do Instituto Nacional de Educação de Surdos, e-mail: dirge@ines.org.br

Apresentação da Diretoria da Divisão de Educação e Reabilitação dos Distúrbios da Comunicação da Pontifícia Universidade Católica de São Paulo (Derdic–PUC–SP)

Diretor Alfredo Tabith Jr.; diretora da Clínica Kathryn Harrison; diretora da Escola Especial de Educação Básica Maria Cruz (Derdic–PUC–SP)

Introdução

O convite para prefaciar uma enciclopédia da Língua de Sinais Brasileira (Libras) – uma iniciativa pioneira no Brasil, muito nos honra, ao mesmo tempo em que nos faz refletir sobre a importância de que ela se torne um instrumento de amplo acesso, seja nas escolas, nas casas ou clínicas.

Nos 48 anos de existência da Derdic, como se poderá constatar no histórico a seguir, o estatuto da Libras foi se modificando, tal como ocorreu em todo o mundo, até o momento atual, no qual há um consenso sobre a importância de se ter cada vez mais material específico disponível em Libras que permita que crianças, jovens e adultos surdos tenham acesso aos conhecimentos do mundo.

Vale a pena ressaltar que a realização da *Enciclopédia da Língua de Sinais Brasileira* se deve a um esforço conjunto de pesquisadores ouvintes e surdos, que vêm trabalhando já há alguns anos com o objetivo de oferecer informações de qualidade, tanto científica, quanto lingüística.

Em uma instituição como a Derdic, que conta com uma escola para crianças e jovens surdos e uma clínica fonoaudiológica atuante, a possibilidade de contar com a *Enciclopédia da Língua de Sinais Brasileira* será de grande valia, tanto do ponto de vista de trabalho com conceitos novos, como das articulações entre a Libras e o português escrito e, possivelmente, também colaborando com o desenvolvimento da linguagem oral, a partir de uma base lingüística mais sólida.

Aguardamos ansiosos o lançamento da *Enciclopédia da Língua de Sinais Brasileira* para podermos dar início a seu uso e, assim, conhecer no dia a dia as múltiplas possibilidades de trabalho com este material inovador.

História

Em Assembléia realizada à Rua Iguatemi n° 774, sob a direção da Sra. Renata Crespi da Silva Prado, no dia 18 de outubro de 1954, um grupo de pais e amigos funda o Instituto Educacional São Paulo (Iesp) destinado à educação especializada para crianças surdas.

Aprovam todos os presentes, considerados sócios fundadores, o "Estatuto do Instituto Educacional São Paulo", o qual define os objetivos principais do Instituto, entre os quais estão um compromisso com a educação formal de crianças surdas, uma preocupação com a formação de profissionais especializados em sua educação e a facilitação do acesso dos surdos a atividades culturais, artísticas e recreativas.

De 1955 a 1961 o Iesp funcionou na Rua Maranhão, 1.025, com sete alunos que cursavam o que hoje denomina-se Educação Infantil e Ensino Fundamental até 4ª série.

Em 1962, instala-se o Iesp em prédio próprio, em terreno doado pela Prefeitura na Alameda dos Tupiniquins 997, e edificado com recursos advindos de campanhas de sócios contribuintes, bazares e outras doações.

O aumento da demanda Institucional e dificuldades de sua manutenção, levam o Conselho de Curadores a decidir por sua doação à Fundação São Paulo – Pontifícia Universidade Católica de São Paulo, cuja escritura de doação foi lavrada em 16 de junho de 1969.

Com a doação à PUC–SP surge a Derdic – Divisão de Educação e Reabilitação dos Distúrbios da Comunicação que, além da escola para crianças surdas desenvolve atendimento clínico a portadores de distúrbios da audição, da voz e da linguagem e alavanca o início de estudos sistematizados e interdisciplinares sobre estes distúrbios. Estas atividades ampliam significativamente as ações institucionais e permitem o surgimento da pesquisa no campo da comunicação humana e seus distúrbios como uma de suas ações fundamentais.

No início de 1977, por decisão da Reitoria da PUC–SP, deu-se a mudança da Derdic para o atual endereço, à Rua Dra. Neyde Apparecida Sollitto, 435.

Tendo como prioridade o atendimento de famílias socioeconomicamente desfavorecidas, a Derdic oferece educação, capacitação e encaminhamento profissional a crianças, adolescentes e adultos surdos, além de atendimento clínico a portadores de distúrbios da audição, voz e linguagem. Dedica-se também a formação de profissionais e à pesquisa e desenvolve programas de prevenção de perdas auditivas decorrentes de riscos ambientais.

São ações fundamentais da instituição:

- Prestação de serviços, considerando possibilitar à comunidade, através de práticas sociais, acesso a cuidados necessários para os problemas que afetam a comunicação humana, em atividades clínicas e/ou educacionais.
- Formação e capacitação de profissionais, através de várias práticas que incluem estágios, grupos de estudos teórico-práticos, participação em cursos de especialização e extensão, assessorias, visitas assessoradas, pesquisas bibliográficas.
- Produção de conhecimentos através de projetos de pesquisa desenvolvidos por seus profissionais ou em parceria com outras instituições acadêmico-científicas, cujo resultado é um significativo acervo de publicações nacionais e internacionais.

Em novembro de 1999, a Derdic, junto à empresas parceiras, lança a campanha de captação de recursos para o projeto *Derdic Futuro* que tem por objetivos a projeção da imagem institucional e o levantamento de recursos para a ampliação de suas instalações. Estão previstas a construção de um prédio para instalação da clínica especializada da Derdic, de parte do curso de fonoaudiologia e do programa de estudos pós-graduados em fonoaudiologia e edificações para a brinquedoteca e biblioteca escolar e para as oficinas de capacitação de jovens surdos.

Clínica

Como foi relatado no histórico da Derdic, a incorporação da escola para surdos pela PUC–SP, em 1969, coincide com a criação da clínica, com o propósito de atender pessoas com problemas de audição, voz e linguagem, servindo como campo de estágios da Faculdade de Fonoaudiologia da PUC–SP, ao mesmo tempo oferecendo terapias fonoaudiológicas para os alunos do Iesp.

A partir de sua criação, a clínica se orienta pelos três objetivos gerais da instituição, ou seja, a formação de profissionais na área dos distúrbios da comunicação, o atendimento médico, fonoaudiológico e psicológico, e o desenvolvimento de pesquisas ligadas ao campo dos distúrbios da audição, voz e linguagem.

Desde então, a clínica vem expandindo seus serviços, realizando atualmente cerca de 34.000 procedimentos por ano, contando com estrutura para atender à demanda do profissionais, aprimorandos e estagiários da Derdic, bem como da Faculdade de Fonoaudiologia.

A clínica e o atendimento a pessoas com perda de audição

No final da década de 1960 e durante quase toda a década de 1970, o olhar da clínica para pessoas com perdas de audição congênitas ou adquiridas antes da aquisição da linguagem oral era baseada na visão da perda como deficiência auditiva, que precisava ser tratada e compensada, através do aproveitamento dos resíduos auditivos e do desenvolvimento da linguagem oral. Esta visão era compartilhada por professores da Faculdade e fonoaudiólogos da Derdic.

No final da década de 1970 e começo da década de 1980, teve início uma diversificação desta visão única de trabalho com pessoas com perda de audição, que acarretou na tomada de dois caminhos diferentes e simultâneos.

Por um lado, a disciplina Audiologia Educacional, cuja parte prática era desenvolvida na Santa Casa de Misericórdia de São Paulo foi definitivamente transferida para a Derdic, e em 1982 surge o Programa de Audiologia Educacional da Derdic, seguindo as abordagens de reabilitação baseadas nos estudos de D. Pollak e D. Sanders, de linha aural-oral, dando continuidade ao trabalho até então desenvolvido.

Este Programa foi desenhado para atender a crianças com perdas auditivas, de 0 a 5 anos de idade, que não tinham idade para entrar na escola ou que não poderiam ser absorvidas pela pré-escola. Com o passar dos anos, o Programa de Audiologia Educacional foi se expandindo, e atualmente atende a crianças, adolescentes e adultos, realizando um trabalho amplo, que inclui acompanhamento e terapia para pacientes que usam implante coclear, oficinas de leitura e escrita para jovens, além de trabalho fonoaudiológico, sempre baseado no aproveitamento da audição residual e no desenvolvimento da linguagem oral.

Por outro lado, alguns profissionais da Derdic foram conhecer um trabalho que estava sendo desenvolvido nos Estados Unidos, no Kendall Institute, escola para surdos ligada à Universidade Gallaudet, em Washington. Estes profissionais tiveram contato com uma experiência educacional para surdos baseada na filosofia da comunicação total. Esta filosofia propunha expor as crianças a diversas modalidades de estímulos (auditivo, tátil, escrito, oral, visual e o uso de sinais simultâneos à fala) com o objetivo de que cada criança pudesse apreender as informações apresentadas pela modalidade que lhe fosse mais efetiva. Impressionados com os resultados obtidos com esta nova proposta, voltaram para a Derdic com o propósito de realizar um trabalho a partir desta filosofia. Assim, em 1977, tem início um projeto piloto, realizado na escola e na clínica, baseado na comunicação total.

Esta primeira experiência com a inclusão dos sinais da Língua de Sinais Brasileira na educação e na reabilitação de crianças e jovens surdos provocou uma mudança nos rumos da escola (como relatado no histórico do Iesp) e das possibilidades do trabalho clínico com surdos. Na escola, a comunicação total foi introduzida gradualmente, começando com os adolescentes com importante defasagem entre idade e série escolar e as crianças da pré-escola, abrangendo as classes do Ensino Fundamental, à medida que as crianças entravam na 1ª série.

Na clínica, o uso de sinais pelo fonoaudiólogo deu ensejo a muitas discussões, relacionadas com o papel do clínico, da escola e do surdo, no atendimento ao surdo. Estas discussões foram caminhando para o amadurecimento na compreensão da concepção da surdez como diferença e não de deficiência. Considera-se a importância da língua de sinais, como uma língua completa e imprescindível para o acesso aos conhecimentos construídos pela humanidade, e a necessidade da convivência com adultos surdos para a construção de uma identidade plena por parte das crianças e jovens surdos.

Como resultado destas discussões, foi iniciado um tipo de atendimento a bebês e crianças pequenas em que o trabalho com a língua de sinais é realizado por um pedagogo surdo e o trabalho com a linguagem oral pelo fonoaudiólogo da clínica. É uma experiência recente, cujos resultados serão analisados posteriormente.

O uso crescente de sinais pelas escolas e classes especiais para surdos faz das experiências clínicas fonoaudiológicas baseadas no uso da Libras uma necessidade. Como a formação das alunas na faculdade não oferece acesso a esta concepção de trabalho com a surdez, em 2001 foi elaborado um curso de aprimoramento (denominado *Língua de sinais, linguagem e surdez*), destinado a pedagogos e fonoaudiólogos, com o objetivo de propiciar a discussão a respeito do trabalho clínico e educacional com o surdo, e do papel exercido pela Libras na constituição de um sujeito da linguagem. Por acreditar no papel do surdo adulto como referencial de identidade e de língua, estamos preparando dois instrutores de Libras para atuarem com estes pacientes, auxiliando os profissionais da pedagogia e da fonoaudiologia no trabalho de colocá-los na língua.

A realidade dos pacientes atendidos no aprimoramento, que chegam à adolescência ou à idade adulta sem escrita, fala ou língua de sinais indica que muito ainda há a ser feito, tanto nas escolas quanto nas clínicas, para que esta condição não se repita no futuro.

Iesp

O Iesp – Instituto Educacional São Paulo – escola especializada no atendimento a crianças e adolescentes surdos, tem propostas educacionais que se diferenciam de acordo com as necessidades e faixa etária da clientela. Em todos os atendimentos realizados a escola vem adotando, cada vez mais, uma postura de respeito à língua (língua de sinais) e cultura das pessoas surdas, elegendo como prioridade construir um espaço educativo privilegiado onde esses aspectos sejam trabalhados com os alunos e suas famílias.

Até 1987 a escola realizou seu trabalho com base em métodos orais de educação de surdos, mas a partir dessa data iniciou um projeto piloto com algumas classes no sentido de pesquisar o efeito do uso de Sinais no processo de aprendizagem dos alunos. Os resultados obtidos mobilizaram os profissionais no sentido de repensar toda metodologia até então utilizada, de forma que em 1988 a escola faz a opção pela adoção da abordagem bimodal, inserida dentro da filosofia da comunicação total, ou seja, o uso do Português por sinais (uso simultâneo das modalidades oral-gestual obedecendo a ordem do Português) e a exposição ao maior número de informações possíveis (auditiva, oral, sinalizada, escrita, desenho).

Mais recentemente, reconhecendo a importância da língua de sinais na educação do surdo, iniciou-se um trabalho sistemático com essa língua em todos os níveis de ensino, introduzindo profissionais surdos como professores e instrutores, bem como disciplinas que tratam da língua de sinais e da cultura surda. Um projeto com classe bilíngüe está sendo realizado atualmente.

O Iesp atende por volta de 160 alunos distribuídos nos seguintes níveis de Ensino:

Educação Infantil oferece dois Programas distintos:

- PAB (Programa de Atendimento a Bebês): Atende individualmente crianças de 0 a 3 anos e suas famílias em três sessões semanais de uma hora cada, com o objetivo de inserir a criança e sua mãe num contexto de linguagem onde a língua de sinais está presente, visando abrir a possibilidade de diálogo entre elas e a reformulação, pela mãe, da representação que ela tem da surdez e da criança.
- *Grupos classe*: Visa dar atendimento pré-escolar de 20 horas semanais para grupos classe de até oito alunos cada, na idade de 2 anos e 6 meses a 7 anos.

Ensino Fundamental oferece dois Programas distintos:

- *Regular*: Organizado de 1ª à 8ª séries para alunos a partir de 7 anos de idade, que já tenham passado por um processo de estimulação e aprendizagem pré-escolar.
- *Programa alternativo*: Organizado para alunos a partir de 10 anos de idade, que apresentem acentuada defasagem na relação idade/série escolar, necessitando de uma abordagem metodológica mais voltada para o aspecto de formação para o trabalho.

Programas educacionais complementares:

- *Programa de Orientação Ocupacional e Escolar* (POOE): Realiza serviço de cadastramento, orientação e treinamento ocupacional para surdos adultos. O POOE proporciona à comunidade surda a integração no mercado de trabalho realizando atividades de sensibilização e orientação às Empresas, informando-as sobre as características da surdez e das habilidades do surdo para ocupar vários cargos com eficiência. Além da captação de vagas e do encaminhamento do surdo de acordo com as vagas disponibilizadas, oferece assessoria durante o processo de seleção e treinamento e período de experiência do candidato, sendo que, periodicamente, faz a avaliação do desempenho dos surdos contratados. Esses trabalho é oferecido gratuitamente para os surdos e as empresas. O POOE conta com cerca de 1800 surdos inscritos dos quais: 941 fazem parte do cadastro ativo, e destes, 635 estão empregados e 306 aguardam vaga.
- *Projeto Viver*: Oferece um programa de atividades corporais e culturais a pessoas surdas da comunidade em geral, independentemente da idade e nível de escolaridade. Tem como objetivo contribuir para o desenvolvimento integral dos indivíduos através dessas práticas e para a divulgação e conhecimento da língua de sinais e da cultura dos surdos.
- *Cursos de capacitação profissional*: A capacitação para o trabalho sempre foi uma preocupação do Iesp. Desde 1970 foram realizados vários cursos com diferentes subsídios, promovendo a gradual abertura de mercado de trabalho para os surdos, o que era praticamente inexistente até o final da década de 1960. Existem, entretanto, muitas dificuldades para se conseguir parceiros que subsidiem os custos de cada curso (infra-estrutura e recursos materiais e humanos). Neste sentido o Iesp encaminha freqüentemente projetos a diversos parceiros que se interessem em subsidiar recursos para montagem desses cursos, o que nos tem permitido dar continuidade a esse trabalho. Dentre os cursos já realizados podemos destacar Artes Gráficas; Artesanato; Gastronomia e Hotelaria. O público alvo são jovens surdos alunos do Iesp e de outras escolas da Grande São Paulo, e nos últimos três anos foram capacitados 120 jovens surdos.

São Paulo, setembro de 2002.

Alfredo Tabith Jr., diretor geral; **Kathryn Harrison**, diretora da clínica especializada; **Maria C. Cruz**, diretora da Escola Especial de Educação Básica, da Derdic, PUC–SP, Rua Dra. Neyde Apparecida Sollitto, 435, Vila Clementino, São Paulo, SP, 04022-040, tel.: (11) 5549-9488, fax: (11) 5579-7502, e-mail: derdic@pucsp.br

Apresentação da Presidência da Confederação Brasileira de Desportos de Surdos (CBDS)

Presidente surdo José T. R. Rocha (CBDS)

A CBDS – Confederação Brasileira de Desportos de Surdos congrega, em nível nacional, as Federações Estaduais e Liga Regional, as quais congregam as Associações nos respectivos níveis estaduais e regional. Pela sua importância e atuação no incentivo da prática de esportes entre os surdos, a CBDS possui o reconhecimento dos órgãos federais como entidade máxima no Brasil. É filiada ao Consudes – Confederação Sulamericana de Desportos de Surdos – no âmbito da América do Sul e ao CISS – *Comité International des Sports des Sourds* em termos mundiais em competições globais.

As Associações, por sua vez, congregam pessoas portadoras de surdez nos assuntos de seus interesses: Associativo, esportivo, lazer, recreação, cultura, educação e trabalho. O principal pólo de encontro para a troca de idéias e sobretudo conversação ilimitada na sua própria língua é a Libras, ou Língua de Sinais Brasileira.

A disputa de modalidades desportivas entre os surdos é de salutar importância, congregadora, e altamente participativa, seja nas escolas ou nas associações. Nos esportes, as pessoas surdas não possuem limitações, sendo equiparadas às ouvintes. Elas apenas não escutam, daí a arbitragem substituir o apito por bandeirolas. O entusiasmo é contagiante, resultando num interesse maior nos esportes do que no ensino escolar formal. Afinal, nos esportes a língua usual é a própria língua de sinais.

O desenvolvimento da prática de esportes entre os surdos brasileiros vem de longa data. Com a evolução do tempo, dos usos e costumes, a CBDS sucedeu a antiga Federação Carioca de Surdos, que até então era considerada a maior instituição no Brasil. Tanto uma como a outra contaram com o idealismo de Sentil Delatorre. A CBDS foi fundada em 1984, consolidando-se na profícua administração de Mário Júlio M. Pimentel

A educação dos surdos no decorrer dos tempos passou por várias vertentes filosóficas, com altos e baixos no aproveitamento do aprendizado por parte dos alunos surdos, com percalços por parte do professorado em entender a comunicação com esses alunos e em se fazerem entender também. Costumo dizer que a nossa barreira na integração social é a barreira da comunicação. A mudez é conseqüência natural da surdez. A pessoa portadora de surdez procura se comunicar e, para isso, utiliza o que dispõe: As mãos e as expressões corpóreo-faciais, que ensejam naturalmente o seu primeiro meio de comunicação: A língua de sinais. É muito importante que o professorado saiba o máximo possível sobre a Língua de Sinais Brasileira e que o alunado saiba, por sua vez, o correspondente de Libras na Língua Portuguesa praticada no Brasil. Ambos, alunos e professores, devem se esforçar por alcançar domínio pleno nas duas línguas. Assim será possível estabelecer o verdadeiro elo da comunicação, que se estende a todos os níveis, inclusive o da família. De todos os segmentos de pessoas portadoras de deficiência, os surdos são os mais segregados socialmente, pela falta do principal elemento socializador inerente ao ser humano: A comunicação.

Foi a partir de 1981, ano internacional da pessoa portadora de deficiência, instituído pela ONU, que nós surdos começamos a nos mobilizar mais ativamente, e a lutar pelos nossos direitos. Antes disso não tínhamos voz ativa. Os ouvintes falavam pela gente. Éramos ignorados. Os ouvintes não permitiam que expressássemos os nossos sentimentos, nossos interesses, e que decidíssemos sobre o que nos convinha em termos de educação escolar. De lá para cá as conquistas foram se ampliando, a ponto de contarmos com a oficialização da Libras em todo o Brasil. Ao longo desses anos os nossos ideais frutificaram, surgindo mais Associações, a Feneis, a Copavi e a CBDS dentre outras.

De minha parte a minha interação social é diferente da do surdo congênito, pois nasci ouvinte. Perdi a audição entre os 5 e os 7 anos de idade, quando já possuía a memória lingüística e auditiva. Trabalho no estado da Bahia, onde coloco em prática minha formação em administração de empresas. Atualmente curso pós-graduação em Administração Pública. Durante muitos anos atuei como presidente do Centro de Surdos da Bahia. Tive atuação no Conselho de Representantes e na Diretoria da Feneis. Estou na CBDS desde a sua fundação e, no momento, exerço a Presidência. Participo, também, em outras entidades.

A convivência nessas instituições com pessoas surdas consolidou minha fluência em Libras, e proporcionou-me a oportunidade paralelamente de ministrar aulas em cursos de capacitação para professores de pessoas portadoras de surdez, em Libras e na explanação da problemática da pessoa surda.

Salvo engano, o primeiro trabalho compilado, publicado, de acesso amplo e irrestrito sobre a língua de sinais no Brasil, foi de autoria do Padre Eugenio Oates, com participação do Monsenhor Vicente de Paulo Penido Burnier. A esses dois a comunidade surda brasileira deve a primazia da divulgação da nossa Libras. E também, se hoje temos reconhecido o direito à habilitação automobilística, foi pelos esforços dos mesmos, peregrinando pelos Departamentos Estaduais de Trânsito e Contran em defesa da capacidade do surdo.

Por oportuno, cabe-nos aplaudir e parabenizar, pela árdua, laboriosa e exemplar pesquisa, o Dr. Fernando Capovilla e sua equipe pela iniciativa de consolidar em amplo manual, baseado em seu Dicionário de Libras, o significado dos sinais da Libras, em especial no livro sobre Artes e Cultura, Esportes, e Lazer desta *Enciclopédia da Língua de Sinais Brasileira: O mundo do surdo em Libras.*

Salvador, Bahia, junho de 2002.

José Tadeu Raynal Rocha
Presidente da Confederação Brasileira de Desportos de Surdos, e-mail: rochatadeu@ig.com.br

Apresentação da Escola Municipal de Educação Especial Anne Sullivan

Diretora Adriana Rodrigues; coordenadora pedagógica Marília Moraes; professora Silvana Drago (EMEE-AS)

É com muito orgulho que participamos desse trabalho contribuindo com um pequeno histórico da educação dos surdos na escola pública do município de São Paulo e relatando a nossa trajetória na Escola Municipal de Educação Especial (EMEE) Anne Sullivan.

O atendimento público à criança surda na cidade de São Paulo surgiu de um movimento de pais que queriam ver seus filhos surdos freqüentando uma escola especializada que possibilitasse o seu desenvolvimento integral.

Em 1951 foi instituído o primeiro Núcleo Educacional para Crianças Surdas, conhecido hoje como EMEE Helen Keller. Com o decorrer do tempo, uma única escola pública na cidade não absorvia a demanda de pessoas surdas.

Em 1987, pais, professores, sociedades de amigos de bairro e associações de surdos lutaram junto à Câmara

Municipal para que se aprovasse a criação das Escolas Especiais, sendo uma em cada região da cidade. A força desse movimento resultou na aprovação da Lei n.º 10.567 de 04/07/88, em sessão extraordinária, contando com a presença de todos os vereadores e obtendo 100% de aprovação.

Resultaram quatro Escolas Municipais de Educação Infantil e de Primeiro Grau para Deficientes Auditivos (Emeda): Anne Sullivan (zona Sul), Neusa Basseto (Leste), Professora Vera Lúcia Aparecida Ribeiro (Oeste) e Madre Lucie Bray (Norte).

No ano de 1999, essas escolas passaram a ser denominadas EMEE, ou Escola Municipal de Educação Especial, e no mesmo ano foi criada a EMEE Professor Mário Pereira Bicudo, na zona Norte.

A EMEE Anne Sullivan atende toda a região sul da Grande São Paulo. Conta atualmente com trezentos alunos surdos distribuídos nas modalidades de Educação Infantil e Ensino Fundamental I e II. Para garantir esse atendimento, contamos com uma equipe especializada na educação de surdos, composta por uma diretora, duas coordenadoras pedagógicas e 38 professores.

O currículo desenvolvido na escola atende as determinações da Lei de Diretrizes e Bases da Educação Nacional. Com o objetivo de adequar o currículo às necessidades de nossos alunos, os profissionais de ensino das escolas especiais reivindicaram junto a Secretaria Municipal de Educação a inclusão do componente língua de sinais no quadro curricular, através da Portaria 4595/99.

O projeto político pedagógico da Escola Anne Sullivan tem como objetivo desenvolver uma pedagogia centrada nas necessidades sociais, culturais e éticas dos alunos surdos e garantir a esses alunos acesso a uma educação bilíngüe. Considerando ser esse um objetivo bastante ambicioso e cientes de que sozinhos não iríamos alcançá-lo, fomos em busca de parcerias com as universidades, as associações de surdos, os institutos de educação e as empresas privadas. A partir dessas parcerias desenvolvemos pesquisas, elaboramos projetos envolvendo a formação de pais, professores e funcionários, e participamos da elaboração de eventos junto às associações de surdos.

Durante os quatro anos da pesquisa *Projeto de integração das tecnologias da comunicação ao processo de letramento do surdo*, subvencionada pela Fapesp e realizada em parceria com a Escola do Futuro/USP, a EMEE Anne Sullivan e a Câmara Americana de Comércio, coordenada pelo Prof. Dr. Leland Emerson McCleary (USP) e pela Profª. Drª. Maria Cecília Bonini Trenche (PUC–SP), desencadeou-se na escola uma série de reflexões que foram além da questão do letramento do surdo. Começamos a perceber o quão distantes estávamos em relação à compreensão da relação entre professor e aluno, devido à proficiência precária em língua de sinais; que era preciso repensar o ensino, principalmente o de português; que a formação dos professores e dos pais precisava ser priorizada; e, principalmente, que as representações que os professores e as famílias faziam do surdo precisavam ser modificadas.

Uma das ações desencadeadas pelo projeto de pesquisa foi a contratação de um instrutor surdo de Libras por meio de uma empresa privada, para dar aulas aos professores e aos pais. As aulas causaram uma mudança marcante na relação entre pai e filho. O filho, ao sentir-se prestigiado pelo fato do pai querer aprender sua língua, acabava por reforçar a sua participação no curso, o que auxiliava os pais na aprendizagem da Língua de Sinais Brasileira (Libras). Com isso, foi nítida a repercussão na sala de aula: Os alunos demonstravam estar mais dinâmicos, comunicativos e participativos. Constatamos que o curso de Libras, desde seu inicio há seis anos, tem crescido a cada ano, em número de participantes da comunidade escolar.

Por meio da pesquisa, tivemos, ainda, acesso a várias outras pesquisas na área de educação de surdos, e tivemos a felicidade de conhecer o projeto do *Dicionário enciclopédico ilustrado trilíngüe da Língua de Sinais Brasileira* desenvolvido pelo Prof. Dr. Fernando C. Capovilla, pela psicóloga Walkiria D. Raphael, e por seus colaboradores. Esse projeto, desde o seu início, vislumbrou a garantia de que educadores e outros profissionais interessados no trabalho com surdos tivessem acesso a material que os ajudaria a desenvolver com segurança suas atividades educacionais, por meio do acesso aos sinais mais utilizados nos grandes centros, todos associados a imagens e descrições detalhadas, a fim de que tanto surdos quanto ouvintes pudessem se beneficiar

Hoje, com esse material em mãos, observamos que os professores têm avançado no trabalho educacional utilizando-o não apenas como dicionário, mas também como material de estudo e pesquisa. O Dicionário tem facilitado a preparação de aulas nos conteúdos tratados em todos os componentes curriculares. Em relação ao aluno, é emocionante perceber sua alegria ao manusear um trabalho tão bem elaborado e cuidado sobre a sua língua.

Consideramos como um presente para a educação a *Enciclopédia da Língua de Sinais Brasileira: O mundo do surdo em Libras*, pois seremos brindados com mais um valioso recurso didático que irá contribuir sobremaneira às atividades desenvolvidas pelos educadores em sala de aula.

Parabenizamos e agradecemos ao Prof. Dr. Fernando C. Capovilla e à sua dedicada equipe por mais esse trabalho de fundamental importância para a educação dos surdos.

São Paulo, 15 de maio de 2002.

Adriana S. Rodrigues, diretora; **Marília G. Moraes**, coordenadora pedagógica; **Silvana S. Drago**, professora.
EMEE Anne Sullivan, Rua Rodrigues Pais, 512, Chácara Santo Antônio, São Paulo, SP.
tel.: (11) 5182-9778 e 5182-4492, e-mail: sullivan@amcham.com.br

Apresentação da Escola Municipal de Educação Especial Helen Keller

Diretora Ernestina Celani; assistente Teresa Proença;
coordenadoras Izilda Striuli e Maria Rodrigues (EMEE–HK)

Caro Prof. Dr. Fernando C. Capovilla e equipe,

A história da Escola Municipal de Educação Especial Helen Keller teve início na década de 1950, a partir da necessidade de uma família, com três crianças surdas, cujo pai era inconformado com a situação da educação do surdo no Brasil e no Município de São Paulo. Essa luta resultou na criação do primeiro Núcleo Educacional para crianças surdas.

Em junho de 1956, foi criado o Instituto Municipal dos Surdos-Mudos que, em agosto desse ano, passou a fazer parte da Rede de Ensino Municipal. No ano de 1960, a escola passou a funcionar em prédio próprio.

Ao resgatar a história de nossa escola, vimos quantas lutas, barreiras e dificuldades foram transpostas e o quanto ainda temos que lutar para vencer os desafios, visando sempre à valorização da educação do surdo no Brasil, a importância de conscientizá-lo de suas limitações, e trabalhando para que ele próprio descubra suas potencialidades e se conscientize de seus deveres e lute por seus direitos.

A Escola Municipal de Educação Especial, no decorrer de sua história, vem aumentando gradativamente o número de alunos, especialmente no Ensino Fundamental do 1° ao 4° ano ciclo II, e de maneira acelerada, no período noturno, atendendo à modalidade do Ensino Supletivo para o aluno anteriormente evadido da escola e trabalhador. Sendo a primeira escola, tornou-se referência para os surdos, desde a sua fundação. Hoje são 428 matriculados, distribuídos nas modalidades de Educação Infantil, Ensino Fundamental – Regular e Supletivo, nos períodos da manhã, da tarde e da noite, cujo horário de funcionamento é das 7h15m às 22h30m. A escola acompanhou todas as mudanças educacionais, partindo do oralismo, passando pela comunicação total, e atualmente, com o aprimoramento dos profissionais na filosofia Bilíngüe.

"Nunca se deve engatinhar, quando se tem o impulso de voar", parafraseando Helen Keller, surdocega, a escola, por meio do esforço de toda equipe ao longo de sua história, acolhe o surdo e constrói conhecimento.

O Decreto 41.986 de 14 de maio de 2002 regulamenta a Lei 13304 de 21 de janeiro de 2002 que reconhece, no âmbito do Município de São Paulo, a Língua de Sinais Brasileira (Libras), como língua de instrução de comunicação objetiva e de uso corrente da comunidade surda. Vem de encontro a uma antiga e justa solicitação da comunidade surda brasileira, atualmente contando com duzentos mil surdos reconhecidos oficialmente.

A Libras é uma língua com gramática e léxico próprios, que possibilita ao surdo apreender conceitos, ampliar sua visão de mundo, comunicar-se com seu semelhante e fazer-se entender. A importância da Libras para a comunicação surda se efetiva e a comunicação do surdo passa a ser ouvida por todo Brasil, objetivando a sua real inclusão.

À medida que o surdo se faz entender por meio dos sinais que possibilitam a comunicação rápida e inequívoca, efetiva-se maior possibilidade de solução de suas questões. Por outro lado, a Libras é uma aliada da escola, favorecendo o processo de ensino e aprendizagem na aquisição e na construção do conhecimento pela criança surda.

A comunicação, fio condutor de qualquer relacionamento humano, por meio da Libras permite ao educador realizar o seu trabalho de forma mais efetiva. É um avanço na educação do surdo que, exposto a Libras desde pequeno, pode atingir pleno desenvolvimento cognitivo e lingüístico, o que nem sempre era facilitado pela exposição à língua Portuguesa apenas, seja na modalidade oral ou escrita. A Libras permite ao educador estar atento às diferenças de cada indivíduo ao desenvolver o processo educativo.

A linguagem permite ao homem estruturar seu pensamento, traduzir o que sente, registrar o que conhece e comunicar-se com outros homens. Com a Libras, todos envidam esforços para que se estabeleça um real relacionamento humano, e, consequentemente, a humanidade sai ganhando.

A conquista do reconhecimento da Libras como a primeira língua do surdo e a iniciativa desta *Enciclopédia da Língua de Sinais Brasileira: O mundo do surdo em Libras* alegram-nos e pontuam uma nova etapa da comunicação e educação do surdo brasileiro.

Ernestina Celani, diretora; **Teresa Cristina de Oliveira Proença,** assistente de direção;
Izilda P. Leite Corrêa Striuli e Maria Inês de C. C. Albuquerque Rodrigues, coordenadoras pedagógicas.
Escola Municipal de Educação Especial Helen Keller, Rua Pedra Azul, 314, Aclimação.
tel.: (011) 5573-4189, 5573-0667, e-mail: helenkeller@ig.com.br

Apresentação da Escola Municipal de Educação Especial Madre Lucie Bray

Diretora Jussara Henriques; coordenadora pedagógica Eliana Souza; e auxiliares Cláudia Ricci, Zuleide Lino, e Vera Souza (EMEE–LB)

Enquanto houver dois surdos no mundo e eles se encontrarem, haverá o uso de sinais.
J. Schuyler Long (1910). *The Sign Language.*

Gostaríamos de deixar aqui registrado o quanto nos honra participar do lançamento da *Enciclopédia da Língua de Sinais Brasileira: O mundo do surdo em Libras.*

Há quatorze anos trabalhamos com alunos surdos da Educação Infantil ao Ensino Fundamental e temos uma trajetória marcada pela defesa dos interesses da comunidade surda. Sentimos de perto o quanto é importante a valorização e o uso da língua de sinais para o desenvolvimento do surdo no ambiente escolar e familiar a fim de possibilitar seu reconhecimento enquanto indivíduo capaz de se colocar no mundo, expressando suas vontades e tendo acesso ao conhecimento.

A *Enciclopédia da Língua de Sinais Brasileira: O mundo do surdo em Libras* aparece em um momento muito importante para a comunidade surda do Brasil, em especial do município de São Paulo, em que a Língua de Sinais Brasileira passou a ser reconhecida sob amparo legal por meio da lei n° 323/01 de 21 de Janeiro de 2002 que "*... reconhece, no âmbito do município de São Paulo a Língua de Sinais Brasileira – Libras – como língua de instrução e meio de comunicação objetiva e de uso corrente da comunidade surda...*"

Nós, enquanto educadores, temos clareza do quanto ainda é preciso lutar e buscar a concretização desta lei na vida diária de nossos alunos e de toda a comunidade surda, fazendo real o uso da língua de sinais com toda sua riqueza e complexidade. É preciso que todos nós busquemos constantemente o aprimoramento em seu conhecimento e uso.

A *Enciclopédia da Língua de Sinais Brasileira: O mundo do surdo em Libras*, juntamente com o *Dicionário enciclopédico ilustrado trilíngüe da Língua de Sinais Brasileira – Libras*, de que já fazemos uso, poderá ser usada como instrumento de consulta e material didático riquíssimo, atendendo nossas expectativas a fim de aumentar as possibilidades de acesso do surdo ao mundo do conhecimento e do despertar de suas emoções e sentimentos.

Assim, a língua de sinais poderá ser verdadeiramente valorizada e utilizada para o relacionamento humano de surdos e ouvintes, respeitando suas individualidades e diferenças enquanto seres humanos com os mesmos direitos.

Agradecemos à equipe da USP envolvida neste grandioso projeto pela iniciativa e interesse em publicar mais esta obra tão rica e importante para todos nós. Que seja somente o início de muitas outras realizações em benefício do surdo em busca de seus ideais e direitos.

São Paulo, maio de 2002.

Jussara I. C. Henriques, diretora; **Eliana C. de Souza**, coordenadora pedagógica;
Cláudia R. Ricci, **Zuleide C. de Lino**, **Vera Lúcia de Souza**, auxiliares de período.
Equipe da EMEE Madre Lucie Bray, e-mail: luciebray@ig.com.br

Apresentação da Escola Municipal de Educação Especial Prof[a]. Neusa Bassetto

Diretora Aurelisa Carvalho; coordenadora pedagógica Cleide Alvares (EMEE–NB)

Termos sido convidadas para colaborar com a apresentação deste volume da *Enciclopédia da Língua de Sinais Brasileira: O mundo do surdo em Libras*, elaborado pela mesma equipe que produziu o *Dicionário enciclopédico ilustrado trilíngüe da Língua de Sinais Brasileira – Libras*, constituiu motivo de honra e orgulho. Participamos do processo de valorização da cultura surda há anos, atuando em diversas escolas de educação especial e ocupando diferentes cargos, desde a docência até a direção.

Acompanhamos de forma ativa as lutas pelo reconhecimento da Libras como língua oficial do surdo, bem como por sua integração no mercado produtivo, e temos nítidas, em nossos pensamentos, as reivindicações, necessidades, dificuldades e anseios pelos quais passou a comunidade surda em busca de sua identidade.

Organizar um *Dicionário enciclopédico ilustrado trilíngüe da Língua de Sinais Brasileira – Libras*, constituiu um dos avanços mais significativos na busca pelo reconhecimento da Língua de Sinais Brasileira como língua oficial dos surdos do país.

Como afirmou Rousseau (1981),

> Assim que um indivíduo viu noutro um ser com sensações e pensamento semelhantes ao seus, o desejo ou a necessidade de entrar em contato com ele, de lhe comunicar os seus pensamentos e sentimentos, levou-o a procurar os meios de o fazer. Esses meios só nos podem vir dos sentidos, que constituem os únicos instrumentos que o homem possui para poder agir sobre os outros. Os signos sensíveis foram assim colocados em situação de exprimir o pensamento. Embora os inventores da linguagem não tenham raciocinado nestes termos, o instinto conduziu-os a isso. (pp. 39–40).

Os signos, como sabemos, são medidos por códigos culturais e, através da percepção e da cognição humana, interpretam a natureza.

Como disse Peirce (1984),

> Um signo é algo que, sob certo aspecto ou de algum modo, representa alguma coisa para alguém. Dirige-se a alguém, isto é, cria na mente dessa pessoa um signo equivalente ou talvez um signo melhor desenvolvido. Ao signo assim criado, denomino interpretante do primeiro signo. O signo representa alguma coisa, seu objeto. Coloca-se no lugar desse objeto, não sob todos os aspectos, mas com referência a um tipo de idéia que tenho, por vezes, denominado o fundamento do signo. (p. 94).

Se partirmos da conceituação de Peirce veremos os transtornos que podem ser ocasionados pela falta de uma língua oficial dos surdos. A comunicação truncada e a falta de signos comuns entre a coletividade surda fizeram com que a comunicação entre os pares não se estabelecesse e, consequentemente, a linguagem do surdo se desenvolvesse de forma precária.

A linguagem não é apenas uma cadeia de sons articulados, ou uma rede de marcas escritas, mas é também um jogo de gestos, uma gestualidade que exprime aquilo que chamamos de pensamento. É o único modo de ser do pensamento, a sua realidade e a sua realização. Se a linguagem é a matéria do pensamento, é também o próprio elemento da comunicação social.

Não há sociedade sem linguagem, como não há sociedade sem comunicação. Tudo que se produz como linguagem tem lugar na troca social para ser comunicado.

Discutimos muitas vezes qual a real função da linguagem. Será que é apenas a de produzir um pensamento, a de comunicar um pensamento ou ainda todas estas funções simultaneamente não permitindo a existência de uma dessas funções sem o aparecimento da outra? Como a comunicação entre os indivíduos surdos se estabelece sem a aquisição de uma língua oficial? Como preservar uma cultura sem os elos de ligação entre os indivíduos? Como se apropriar do significado na ausência do signo (significante)?

O sistema de signos convencionais a que denominamos *língua*, e que constitui a mais específica particularidade da espécie humana, constitui a parte social da linguagem e é exterior ao indivíduo, não podendo ser modificada. Obedece a leis do contrato social que é reconhecido por todos os membros da comunidade.

Para todos nós, especialistas na educação de surdos, o *Dicionário enciclopédico ilustrado trilíngüe da Língua de Sinais Brasileira* serviu como referencial para unificação dos gestos, e a presente *Enciclopédia da Língua de Sinais Brasileira: O mundo do surdo em Libras* organiza esse material unificado de modo a permitir verter o currículo escolar para a criança surda brasileira.

Ao recebermos a informação de que a nova coletânea de sinais da Libras, organizados em temas gerais, categorias, subcategorias, e sub-subcategorias semânticas está sendo editada possibilitando a aquisição de um material pedagógico de ensino de Libras, aumenta a possibilidade de um trabalho sistematizado, organizado e competente. Assim, a presente obra proporciona não só aprendizagem de conceitos significativos como também coopera para a interação e comunicação entre os surdos.

Estamos vivendo um marco na educação da criança surda. Nunca os direitos e deveres dos surdos foram tão debatidos. Em nenhuma outra época, um grupo de psicólogos com aptidões lingüísticas como os da Universidade de São Paulo se prontificou a estudar os códigos estabelecidos por esta língua gestual-espacial com tanto ardor. Avanços poderosos têm sido realizados no sentido de oficializar a Libras como língua estruturalmente organizada e detentora de códigos especiais.

A comunidade surda, por meio de sua língua, busca o reconhecimento de sua grandeza enquanto produtora de indivíduos sensíveis, criativos e produtivos. Entra neste século para a história como agente construtor de sua própria cultura.

Muitos avanços ainda são necessários, principalmente nos campos político e social.

A participação dos indivíduos surdos ainda é tímida nestes campos e aponta para um horizonte repleto de lutas.

Fazer parte da apresentação da *Enciclopédia da Língua de Sinais Brasileira: O mundo do surdo em Libras* não só nos envaideceu como também nos tornou participantes deste momento histórico. Fez com que nós tomássemos posse de um sonho que buscamos realizar há anos – contribuir para que o surdo se reconheça como agente produtor de sua própria cultura.

São Paulo, junho de 2002.

Aurelisa B. G. S. de Carvalho, diretora; **Cleide C. Alvares**, coordenadora pedagógica.
Escola Municipal de Educação Especial Professora Neusa Bassetto.
Rua Taquari, 459, Moóca, São Paulo, SP, tel.: (11) 6694-6923, e-mail: emeeneusabassettosp@ig.com.br

Referências bibliográficas

Peirce, C. S. (1984). *Semiótica e filosofia*. São Paulo, SP: Editora Cultrix.
Rousseau, J. J. (1981). *Ensaio sobre a origem das línguas*. Lisboa, Portugal: Editorial Estampa.

Apresentação do Instituto Santa Terezinha (IST)

Diretora pedagógica Marli Amaral (IST)

Um pouco da história do Instituto Santa Terezinha

O Instituto Santa Terezinha é uma Escola de Educação Especial para surdos, confessional, católica que pertence à Congregação das Irmãs de Nossa Senhora do Calvário, fundada pelo Padre Pierre Bonhomme, em 1833, em Gramat, na França, que tem os portadores de surdez como destinatários primeiros de sua missão e de sua razão de existir.

O Instituto Santa Terezinha foi pensado por duas religiosas brasileiras e duas francesas. Foi inaugurado em 1929, inicialmente em Campinas.

Em 1933, o Instituto foi instalado na cidade de São Paulo numa casa alugada. Logo em 1935 a instituição recebeu um terreno situado no bairro Bosque da Saúde com a condição única e formal de ser construído um prédio para atender as crianças surdas. Essa proposta veio ao encontro do objetivo pelo qual o Instituto foi fundado.

Portanto, é uma escola filantrópica que mantém a Educação Infantil, Ensino Fundamental, Médio e o Curso Auxiliar de Prótese Dentária, que estão abertos para acolher os alunos portadores de surdez de diversas raças, credos, classes sociais que respeitem a manifestação da fé cristã, os princípios e os valores próprios do carisma da Congregação fundada por Pierre Bonhomme.

A escola conta com 120 alunos e outros em triagem. Conforme o regimento interno, as salas de aula são formadas de cinco a dez alunos. Um dos objetivos é favorecer a Língua de Sinais Brasileira (Libras) e conta com os seguintes serviços específicos: Assistência social, acompanhamento psicológico, atendimento médico de otorrinolaringologia e pediatria, instrutor de língua de sinais e fonoaudiologia.

O setor de fonoaudiologia é equipado com aparelhagem e fonoaudiólogas especializadas que realizam audiometria, impedanciometria, terapias individuais, estimulação precoce e programas computadorizados.

Por ser uma escola que atende na sua maioria famílias de baixa ou sem renda, sua manutenção advém de aluguéis, festas beneficentes, e pessoas de boa vontade em ajudar o surdo.

O Instituto realiza também um trabalho religioso e cultural com a comunidade surda, promovendo encontros de casais, encontros de jovens, celebrações religiosas e culturais, evidenciando as datas comemorativas como Natal, Semana Santa e Festa Junina, dentre outras.

Esses encontros têm por objetivo levar o portador de necessidade especial, a pessoa em potencial, a integrar-se no meio social considerando sua formação religiosa, moral, cultural, a formação de conteúdos, proporcionando ao educando surdo condições para o desenvolvimento de suas habilidades e potencialidades.

A importância da língua de sinais

Quando eu aceito a língua de outra pessoa, eu aceito a pessoa...
Quando eu rejeito a língua, eu rejeito a pessoa porque a pessoa é parte de nós mesmos...
Quando eu aceito a língua de sinais, eu aceito os surdos, e é importante ter sempre em mente que o surdo tem o direito de ser surdo. Nós não devemos mudá-lo, devemos ensiná-lo, ajudá-lo, mas temos que permitir-lhe ser surdo.
Terje Basiler (psiquiatra surdo, norueguês)

Toda criança surda deveria ter o direito de crescer dentro de um ambiente que possibilitasse o aprendizado natural da língua de sinais como primeira língua, permitindo assim o desenvolvimento de suas capacidades cognitivas, lingüísticas e sociais, análogo ao de crianças que ouvem, podendo descobrir sem problemas o mundo ao seu redor.

Porém, muitas vezes a língua de sinais não é aceita pelos seus familiares e outros profissionais que convivem com a criança, levando a um aprendizado pautado mais no concreto. Em conseqüência, a criança surda criada sem língua de sinais apresenta muita dificuldade para internalizar conceitos abstratos que dependem de um maior domínio da linguagem.

A escola não pode se eximir da responsabilidade das orientações feitas aos pais. Cabe à escola, na maioria das vezes, levar os pais a perceber a importância da língua de sinais, pois esses usualmente carecem de orientação e informação sobre como esse aprendizado se processa para a criança.

O Instituto Santa Terezinha reconhece e valoriza essa aprendizagem. As ações como contratação de docentes e instrutores surdos vêm beneficiando esse processo a toda a comunidade escolar, pois todos têm a oportunidade de conviver ativamente no mundo dos surdos, aprendendo mais sobre a sua língua e a sua cultura.

Nesse momento o Instituto não pode deixar de reconhecer a importância do Professor Fernando Capovilla e sua equipe, que por meio de seu conteúdo bem fundamentado, seu respeito e interesse em divulgar a importância e a riqueza da Língua de Sinais Brasileira, vem certamente beneficiar a todos que estão envolvidos com a educação dos surdos no Brasil.

Sobre o Dicionário de Libras

O Instituto Santa Terezinha, em nome de sua Diretoria, Equipe Técnica, Corpo Docente e Alunos, agradece ao Dr. Fernando Capovilla e à psicóloga Walkiria Raphael a valiosíssima doação do *Dicionário enciclopédico ilustrado trilíngüe da Língua de Sinais Brasileira,* que foi recentemente incorporado ao acervo da biblioteca da escola. Todos os alunos, principalmente os da 5ª à 8ª séries do Ensino Fundamental e os do Ensino Médio estão tendo um grande aproveitamento. Aproveitamos para ressaltar a importância do mesmo e esperamos que, um dia, todos os surdos também tenham acesso a este importante dicionário. Renovamos nosso agradecimento desejando-lhes muito sucesso em todos os seus empreendimentos.

Abraços da Equipe Técnica e Diretoria, dos Professores, Alunos e Irmãs que dirigem o nosso Instituto.

Marli F. Amaral, diretora pedagógica, e-mail: ist_sp@terra.com.br

Apresentação da Escola Especial para Crianças Surdas da Fundação Rotarianos de São Paulo (EECS–FR–SP)

Coordenadora técnica Sabine Vergamini (EECS–FR–SP)

As atividades da Escola Especial para Crianças Surdas da Fundação Rotarianos de São Paulo iniciaram-se no ano de 1977 com a implantação de uma classe especial que tinha como principal propósito a oralização dos alunos.

Na década de 1990 ocorreram grandes transformações. Houve uma mudança da proposta da escola e a introdução da filosofia de ensino da comunicação total, que objetivava o desenvolvimento de toda e qualquer forma de comunicação. Nessa década foi enfatizado o trabalho com os pais oferecendo a eles os primeiros contatos com uma comunicação gestual.

Em 1996, a escola foi oficializada com a implantação da 1ª série. Nos anos subseqüentes foram gradativamente implantadas a 2ª, 3ª e 4ª séries.

No final de 1999, após a formatura da primeira turma de 4ª série, desenvolvemos o projeto *Continuidade de escolaridade* objetivando permitir aos alunos prosseguir seus estudos de 5ª série. Para tanto firmamos uma parceria com uma escola municipal, e o grupo de alunos foi inserido em uma classe de ouvintes, acompanhado por intérpretes de Libras, custeados pela Fundação Rotarianos de São Paulo. No outro período, o grupo continuou a receber apoio pedagógico na Escola Especial para Crianças Surdas para sanar dúvidas e dificuldades.

Em 2001 iniciamos o programa *Estimulação do desenvolvimento* objetivando atender crianças surdas na faixa etária de 0 a 3 anos, oferecendo contato com adulto surdo usuário da Libras, assim como orientação e acompanhamento fonoaudiológico, possibilitando o desenvolvimento de linguagem condizente com a faixa etária. Aos pais também foram oferecidas orientações e aulas de Libras semanais, a fim de que pudessem entender as necessidades da criança surda e acompanhar o desenvolvimento dos filhos sem o obstáculo da língua.

Atualmente a Escola Especial para Crianças Surdas oferece escolarização para 87 alunos, objetivando prepará-los culturalmente e contribuir para formação da cidadania, bem como fortalecer sua identidade enquanto pessoa surda.

Durante mais de dez anos trabalhando e convivendo com surdos, pude compreender o papel fundamental da língua de sinais em suas vidas. Desde o nascimento, a experiência da criança surda é essencialmente visual, fato este determinante na sua forma de comportar-se, comunicar-se e entender o mundo. A visão é o sentido que lhe permite receber, efetivamente, as informações. Assim, se o canal visual está em pleno funcionamento e muito mais aguçado, é inegável que o surdo tem maior habilidade para a língua de sinais do que para a língua oral, já que o adequado desenvolvimento desta depende do canal auditivo.

Os primeiros anos de vida são determinantes na vida da pessoa e neles acontecem significativas mudanças neurológicas e psicológicas. Quando a criança surda é exposta desde cedo à língua de sinais, assim como acontece com os filhos de surdos, ela aprende a língua em tempo e modo similares ao da criança ouvinte que aprende a língua falada. Se traçarmos um paralelo, observaremos que na criança ouvinte os sons vão se transformando até se converterem em palavras, enquanto nos surdos os movimentos vão recebendo significados até chegarem aos sinais. Garantir que os surdos interajam de modo precoce e constante com outros usuários de língua de sinais, preferencialmente surdos, e tenham acesso a uma comunidade que use essa língua significa proporcionar o desenvolvimento das habilidades lingüísticas e do raciocínio. Ao contrário, privar a criança surda do uso da língua de sinais significa restringir seu crescimento, limitar seu aprendizado, e criar obstáculos que dificilmente poderão ser transpostos mais tarde.

É preciso respeitar as etapas de desenvolvimento e garantir que a criança surda construa uma auto imagem positiva, e entenda-se como indivíduo capaz de comunicar-se, de compreender o mundo e as informações que a circundam. Como os surdos, em sua grande maioria, são filhos de ouvintes, não têm a possibilidade de estabelecer trocas e adquirir a língua de forma natural. Assim, é fundamental que no ambiente familiar e, posteriormente escolar, seus parceiros aprendam a língua de sinais, possibilitando que as interações sejam mediadas por ela e a comunicação efetivamente aconteça.

Isto não significa, de modo algum, negar o aprendizado da língua majoritária na sociedade, que acontecerá numa etapa posterior. Só não podemos concordar que os surdos passem anos e anos compreendendo apenas situações corriqueiras até que consigam aprender uma língua. Temos que permitir, o quanto antes, que consigam, através de uma língua gestual-visual, expressar seus sentimentos, expor suas idéias e opiniões e comunicar seus pensamentos mais complexos. Não podemos ignorar suas necessidades e negar-lhes este direito.

A língua de sinais permite desenvolver a capacidade de pensar e argumentar. Assim, é natural que os surdos queiram utilizar a língua de sinais o tempo todo e em todo lugar. Daí a importância de materiais como o *Dicionário enciclopédico ilustrado trilíngüe da Língua de Sinais Brasileira* e da presente *Enciclopédia da Língua de Sinais Brasileira: O mundo do surdo em Libras.*

São Paulo, julho de 2002.

Sabine Vergamini, fonoaudióloga e psicopedagoga, coordenadora técnica.
Escola Especial para Crianças Surdas, Fundação Rotarianos de São Paulo, e-mail: sabine@eecs.org.br

Apresentação do Centro de Estudos e Pesquisas em Reabilitação Prof. Dr. Gabriel O. S. Porto (Cepre) da Universidade Estadual de Campinas (Unicamp)

Profª. Drª. Zilda M. Gesueli e Profª. Ivani R. Silva (Cepre–FM–Unicamp)

Língua de sinais e identidade surda: O que muda no processo de escolaridade

O Centro de Estudos e Pesquisas em Reabilitação “Prof. Dr. Gabriel de Oliveira da Silva Porto” (Cepre) foi inaugurado em 19 de maio de 1973, como "Centro de Reabilitação", vinculado à Faculdade de Ciências Médicas da Unicamp. Seu primeiro coordenador foi o médico otorrinolaringologista e Professor Titular de otorrinolaringologia Dr. Gabriel de Oliveira da Silva Porto que iniciou o trabalho com duas áreas de assistência: Área de deficiência visual e área da surdez (na época, deficiência auditiva).

Dos objetivos atuais do Cepre destacam-se o ensino, a pesquisa e a assistência voltados às deficiências sensoriais (surdez, cegueira e baixa visão) favorecendo de um lado a reflexão sobre os fundamentos teóricos das práticas de reabilitação, a proposição de novos modelos de intervenção baseados nessa reflexão, a sistematização de dados e sua divulgação e, de outro, a formação de profissionais e de pesquisadores na área.

No que se refere à surdez, o trabalho do Cepre tem como meta preparar a criança ou o adolescente surdo para sua inserção na comunidade maior, oferecendo a ele a reflexão sobre a leitura e a escrita como práticas sociais, oferecendo assessoria e supervisão a seus professores do Ensino Regular e Especial da cidade de Campinas e região, além de oferecer às suas famílias informações sobre o que é a surdez e os direitos da população surda junto à sociedade.

Na questão da surdez, o Cepre divulga seus métodos e conhecimentos por meio de orientações a profissionais das mais variadas instituições, supervisionando entidades, ministrando cursos de especialização e extensão para a formação de pessoal em todo o Brasil, realizando pesquisas e intervindo junto à comunidade por meio de seus programas da área de Assistência: Programa de orientação à família de crianças surdas, programa linguagem e surdez e programa escolaridade e surdez.

São atendidos nestes programas cerca de cem pessoas surdas. Além disso são realizadas triagens em cerca de quatrocentas crianças pelos projetos de pesquisas na Área de Prevenção, Detecção e Diagnóstico Audiológico, desenvolvidos por uma equipe multidisciplinar constituída por profissionais do Cepre, do Centro de Atendimento Integrado da Saúde da Mulher, e do Setor de Neurologia do Hospital de Clínicas da Unicamp.

Os programas têm diferentes objetivos levando em conta as necessidades de cada faixa etária e contexto familiar. O primeiro programa envolve a faixa etária de 0–3 anos e está voltado para o atendimento familiar, com objetivo de conscientização dos pais sobre a questão fundamental em relação à criança surda: Aquisição da linguagem.

O segundo programa atende a faixa etária de 4 a 7 anos e objetiva propiciar contexto lingüístico para a construção da narrativa em língua de sinais, com a participação de instrutores surdos. Caracteriza-se pelo trabalho educacional, favorecendo o processo de aquisição e desenvolvimento da linguagem oral, leitura, escrita, raciocínio lógico matemático, relevantes para o processo de escolarização. Nesse sentido, são propostas diferentes situações de interação, incluindo projetos de arte educação.

O terceiro programa atende crianças acima de 7 anos, adolescentes e adultos e objetiva acompanhar e apoiar o aluno surdo que freqüenta escolas comuns no Ensino Fundamental. Enfatiza a aquisição e desenvolvimento da leitura e da escrita, da linguagem oral e da construção e/ou desenvolvimento da língua de sinais. Este programa oferece, também, alfabetização para adolescentes e adultos, com o objetivo de inseri-los nos cursos supletivos oferecidos pela comunidade. Apresenta noções básicas da língua escrita, conhecimentos básicos de matemática e introdução à língua de sinais.

Mais recentemente o Cepre implantou, em parceria com o Instituto de Estudos da Linguagem da Unicamp, o Curso de Fonoaudiologia que já nasceu diferenciado dos demais, por marcar a interdiciplinaridade no campo da

Biologia, da Física e dos estudos lingüísticos.

Pela própria natureza dos serviços oferecidos pelo Cepre à comunidade, a extensão, a pesquisa e a docência têm caminhado de forma bastante articulada. Seus diversos programas de atendimento à população com surdez ou com deficiência visual têm fornecido rico campo para estudos, produção de conhecimento e divulgação de avanços na área de avaliação e prevenção de deficiências, de desenvolvimento em crianças e adolescentes surdos, bem como sobre questões relacionadas à inclusão, educação especial, família, políticas públicas e cidadania. As linhas de pesquisa do Cepre podem ser subdivididas em três grandes áreas, a saber: 1) Avaliação e prevenção de deficiências, 2) Desenvolvimento Humano: Surdez e deficiência visual e 3) Família, comunidade e diferença.

Em relação à surdez, o trabalho do Cepre acompanha as mudanças ocorridas, principalmente nos últimos anos, momento em que o campo da surdez tem sido rediscutido e a proposta de ensino bilíngüe para sujeitos surdos tem sido avaliada. Há um novo horizonte que se descortina na área da surdez com propostas de mudanças e novas reflexões sobre o surdo e a surdez. Os trabalhos realizados no Cepre mostram essas novas tendências no campo escolar com a criança e o adolescente surdo, na orientação à família, na supervisão aos seus professores e em relação à comunidade envolvente, uma vez que o Cepre se caracteriza como um centro que congrega vários profissionais de diferentes áreas de atuação, como a fonoaudiologia, a pedagogia, a lingüística, a psicologia e o serviço social, cujo trabalho interdisciplinar visa atingir, não só a criança e o adolescente surdo, mas sua família e a comunidade maior em que essa família está inserida.

Nos últimos anos temos sido testemunhas de mudanças na área da surdez. Até alguns anos atrás a língua de sinais utilizada pelos nossos alunos surdos era designada pela família e mesmo pelos professores como mímica ou apenas gestos, atestando o estatuto lingüístico neglicengiado das línguas de sinais entre a comunidade em geral. Somente depois de pesquisas atestarem o papel da língua de sinais junto à comunidade surda e descreverem a língua de sinais, como por exemplo no *Dicionário enciclopédico ilustrado trilíngüe da Língua de Sinais Brasileira* (F. Capovilla, & Raphael, 2001a, 2001b) é que mudanças reais ocorreram. Assim o surdo deixou de ser o deficiente auditivo para se transformar potencialmente num sujeito bilíngüe. As discussões promovidas pelo Cepre retratam, de alguma forma, esse cenário.

Além disso, no que diz respeito à surdez o Cepre tem se voltado principalmente para as questões de aquisição e desenvolvimento da linguagem, privilegiando a língua de sinais, a escrita e a oralidade. Desde 1991 o Cepre tem contado com a participação de professores surdos inseridos em sala de aula e no trabalho com as famílias, enfatizando o uso da língua de sinais e a constituição da identidade surda. Essa necessidade resultou de um processo de reflexão sobre a identidade lingüística do surdo. Ou seja, se aceitamos a língua de sinais como língua natural, devemos nos voltar, também, para a aceitação da identidade surda, pois língua e identidade estão intrinsecamente aliadas.

Tal trabalho, baseado na concepção enunciativo-discursiva da linguagem, assume que o desenvolvimento da criança se dá na troca com interlocutores, uma vez que sua experiência verbal evolui em íntima relação com os enunciados do outro. Assim, o sujeito não é considerado como uma tabula rasa, mas sempre responsivo ao meio e à interação com o outro: "*O desejo de tornar seu discurso inteligível é apenas um elemento abstrato da intenção discursiva em seu todo*" (Bakhtin, 1992, p. 291).

Desta forma, se o nosso foco está voltado para a construção de conhecimento, não há como desconsiderar o papel importante do adulto surdo e da língua de sinais no processo educacional da criança surda pois, ao significar, o sujeito se significa, o que significa que o interlocutor privilegiado da criança surda deve ser o próprio surdo. Além disso, se a construção de sentido não acontece fora do sujeito, os mecanismos de produção de sentidos são também os mecanismos de produção dos sujeitos: Sentido e sujeito se configuram ao mesmo tempo e nisto consistem os processos de identificação (Orlandi, 2001).

O Cepre tem se empenhado em propiciar contexto lingüístico apropriado para o uso da língua de sinais por meio da inserção do professor surdo em sala de aula, favorecendo o contato das famílias com a comunidade surda e, além disso, realizando pesquisas sobre o uso da língua de sinais na sala de aula e sobre a própria estrutura da língua de sinais. Tais pesquisas, iniciadas na instituição a partir do início do trabalho com o surdo adulto proficiente em língua de sinais, têm mostrado uma maior conscientização da identidade surda pelas crianças e os adolescentes surdos que freqüentam nossos programas de atendimento. Anteriormente surdos adultos costumavam mostrar falta de consciência de sua condição como surdo e as implicações sociais da surdez. Era também comum o surdo referir-se à sua própria língua como mímica ou caricatura de linguagem. Felizmente isto mudou e a língua de sinais foi alçada a uma elevada posição no seio das famílias e dos surdos, tanto crianças quanto adolescentes. Hoje em dia crianças de 6 a 7 anos já estão habituadas a conversar sobre suas possibilidades e dificuldades diante da sociedade ouvinte sem, necessariamente, se sentirem inferiores aos ouvintes.

O contato com a comunidade surda tem, além disso, propiciado fortes mudanças na imagem da pessoa surda e a circulação da língua de sinais nos espaços educacionais tende a contribuir para a sua valorização e para o aumento da compreensão da surdez. É necessário discutir em âmbito nacional a questão da inserção de alunos surdos no Ensino Regular e o uso da Libras como ferramenta no ensino de surdos.

Por outro lado, o reconhecimento das línguas de sinais não produz necessariamente a solução dos problemas dos surdos nas salas de aulas. É preciso refletir sobre o conceito de surdez e as implicações político pedagógicas a ele subjacentes, e discutir as relações entre língua e identidade.

Neste sentido, a *Enciclopédia da Língua de Sinais Brasileira: O mundo do surdo em Libras* tem um alcance social muito grande, não só porque assinala e sinaliza a mudança de papel do surdo na nossa sociedade, levando sua "voz" para dentro dos muros escolares e possibilitando maior visibilidade para o surdo e suas lutas em direção a uma educação mais justa, como também por vir ao encontro da necessidade que professores e alunos surdos têm por materiais impressos em língua de sinais, ferramentas realmente importantes para os escolares surdos e seus professores, que permitirão aos sujeitos surdos se situarem melhor dentro da comunidade maior, por meio de sua língua de sinais.

Em suma, a *Enciclopédia da Língua de Sinais Brasileira* que o Prof. Capovilla e seus colaboradores ora apresentam ao público vem preencher essa lacuna existente na área da educação de surdos, e suprir a carência de obras destinadas a esse propósito, abrindo, com certeza novas perspectivas para que outros pesquisadores possam avançar em seus estudos na área.

Prof[a]. Dr[a]. **Zilda M. Gesueli**; Prof[a]. **Ivani R. Silva**.
Cepre, Faculdade de Ciências Médicas, Unicamp.
Av. Adolfo Lutz, s/n., Campinas, SP, 13084-880,
tel.: (19) 3788-8813, fax: (19) 3788-8814, e-mail: cepre@fcm.unicamp.br

Referências bibliográficas

Bakhtin, M. (1992). *Estética da criação verbal.* (tradução do francês por M. H. G. Pereira, originais russos de 1952–53). São Paulo, SP: Martins Fontes.

Capovilla, F. C., & Raphael, W. D. (2001a). *Dicionário Enciclopédico Ilustrado Trilíngüe* da *Língua de Sinais Brasileira. Volume I: Sinais de A a L* (Vol. 1, pp. 1–834). São Paulo, SP: Edusp, Fapesp, Fundação Vitae, Feneis.

Capovilla, F. C., & Raphael, W. D. (2001b). *Dicionário Enciclopédico Ilustrado Trilíngüe* da *Língua de Sinais Brasileira. Volume II: Sinais de M a Z* (Vol. 2, pp. 835–1620). São Paulo, SP: Edusp, Fapesp, Fundação Vitae, Feneis.

Orlandi, E. P. (2001). Identidade lingüística escolar. In I. Signorini (Org.), *Linguagem e identidade.* Campinas, SP: Mercado de Letras.

Apresentação da Lingüística da Universidade de São Paulo (FFLCH–USP)

Prof. Dr. Leland E. McCleary (FFLCH–USP)

O dicionário e a padronização

É um fato surpreendente que, num país da extensão do Brasil, no qual até tão pouco tempo a língua sinalizada dos surdos não recebia qualquer apoio oficial e – pior – sofria repressão no âmbito educacional em função do oralismo, a Língua de Sinais Brasileira tenha atingido um alto grau de unificação nacional. Apesar de os surdos comentarem sobre as diferenças regionais da língua, não há barreiras dialetais que impeçam a compreensão mútua entre surdos de todos os grandes centros urbanos brasileiros.

Para essa unidade lingüística, circulam duas explicações. Em primeiro lugar, o Instituto Nacional de Educação dos Surdos (Ines), fundado em 1857, ainda em pleno Império, criou um pólo nacional de sociabilidade dos surdos: Uma escola interna que recebia surdos de toda parte do Brasil. Sem ter sido incentivada oficialmente pela escola, a Língua de Sinais Brasileira se enraizou entre os surdos ali abrigados como meio de comunicação informal e de expressão espontânea, como acontece em qualquer situação em que surdo convive com surdo. Ao voltarem para seus locais de origem, os alunos do Ines levavam consigo esse legado de uma língua de sinais em rápido processo de desenvolvimento.

A segunda explicação, que complementa a primeira, é que os surdos brasileiros costumam viajar pelo país afora em função das comemorações das associações regionais de surdos. Essas comemorações congregam grande número de falantes da língua de sinais de todos os pontos do Brasil, que passam alguns dias contando histórias e conversando. Mais do que uma festa de aniversário, essas celebrações são grandes ocasiões de troca e de unificação do maior patrimônio dos surdos brasileiros: Sua língua. Em culturas ágrafas, como tem sido a cultura surda, a língua é mantida e desenvolvida no seu uso face a face. Dessa forma, sinais que se originam num local acabam migrando para outras comunidades.

Paralelamente, o contrário também acontece: À medida que grupos de surdos ficam isolados de outros grupos, variedades diferenciadas da língua aparecem. Não é raro ouvir comentários do tipo "na escola tal, eles falam diferente". Esse processo é perfeitamente normal, principalmente numa língua que depende do face a face para se manter: Quem conversa mais entre si acaba falando de forma mais parecida. Até rixas entre associações podem acabar gerando variedades da língua; e dentro da mesma cidade, podem ser constatados vários "dialetos" da língua de sinais em função do convívio das pessoas nos seus pontos de encontro. Esses dois processos opostos, de homogeneização e de diferenciação, são absolutamente naturais e universais. Acontecem em todas as línguas, sinalizadas ou não.

Para as línguas orais, o precário equilíbrio entre homogeneização e diferenciação tem sido influenciado por duas tecnologias: A escrita e a impressão tipográfica. Em todas as línguas modernas de grande alcance, primeiro a escrita e depois a impressão tipográfica contribuíram historicamente para sua padronização e prestígio. Hoje em dia, no mundo pós-colonial, outras línguas até agora sem escrita estão sendo padronizadas para uso oficial na vida pública, principalmente na educação. Sempre, nesses processos de padronização, a publicação de um dicionário é o evento decisivo, de peso prático e simbólico. O dicionário estabelece um ponto de referência para a língua.

O *Dicionário enciclopédico ilustrado trilíngüe da Língua de Sinais Brasileira* aparece num momento histórico da Língua de Sinais Brasileira, o momento em que a Libras está ganhando reconhecimento oficial em níveis federal, estadual e municipal, e está sendo aceita como a língua mais apropriada para a educação fundamental de crianças surdas. O Dicionário e os outros produtos decorrentes dele, como a presente *Enciclopédia da Língua de Sinais Brasileira: O Mundo do surdo em Libras*, fazem uma enorme contribuição para a consolidação desses ganhos. Eles colocam à disposição de educadores, surdos ou não, materiais que servem de apoio didático e põem literalmente nas mãos das novas gerações de surdos a massa bruta lingüística sobre a qual vão exercer a sua criatividade.

A Língua de Sinais Brasileira vai mudar. Muitos sinais vão ser criados, outros sinais vão cair em desuso e ainda outros sinais vão mudar de formação ou de sentido. Isso é uma marca da vitalidade da língua e da capacidade de a língua se adaptar aos novos usos que estão se abrindo para ela. É um processo completamente normal que acontece com todas as línguas do mundo. O Dicionário não põe fim a esse processo de criação; ele o incentiva, contribuindo para a divulgação, prestígio e expansão dessa tão bela forma de expressão.

São Paulo, 16 de maio de 2002.

Prof. Dr. **Leland McCleary**, Departamento de Letras Modernas,
Faculdade de Filosofia, Letras e Ciências Humanas, Universidade de São Paulo, e-mail: mccleary@usp.br

Apresentação do Curso de Fonoaudiologia da Faculdade de Medicina da USP e do Pós-Graduação em Educação Especial da Faculdade de Educação da USP

Profª. Drª. Maria S. Cárnio (CF–FM–USP, FE–USP)

É com imenso prazer que escrevo esta apresentação para a *Enciclopédia da Língua de Sinais Brasileira: O mundo do surdo em Libras.*

Trata-se de um material importante para ajudar a comunidade surda, suas famílias e os profissionais da área interessados em conhecer e se aprofundar sobre o universo do surdo.

Fazendo minhas as palavras de Webster (1986), enfatizo que, para aprender sobre surdez é preciso desmistificar os medos, conter a angústia da ignorância, aprender, compreender e consequentemente, mudar de atitude. Para tanto, é preciso acesso detalhado a informação que possibilite o conhecimento e a tomada de decisão.

As pesquisas no mundo todo demonstram que as línguas de sinais têm todos os requisitos necessários para a constituição de uma língua, incluindo suas regras de funcionamento e suas possibilidades combinatórias dos sinais, dentro de uma modalidade visoespacial.

No Brasil, a Língua de Sinais Brasileira – Libras foi oficialmente reconhecida pelo Presidente da República dia 24 de abril de 2002 através da lei nº 10.436, como sendo um meio legal de comunicação e expressão das comunidades surdas.

Com a publicação desta lei, também foi reconhecida a importância da utilização da Libras como parte integrante dos Parâmetros Curriculares Nacionais - PCNs, garantindo aos surdos o acesso real ao conhecimento advindo da educação, seja ela especial ou não.

A história da educação dos surdos é pontuada de dificuldades e fracassos no seu processo de escolarização, principalmente pelo não domínio da linguagem e da língua das comunidades ouvintes, buscando-se desenvolver "métodos e técnicas" para levar os surdos a atingirem a normalidade.

Como enfatizou Jim Kyle em seu ciclo de conferências realizadas na Faculdade de Educação da Universidade de São Paulo em 2001, o surdo tem uma língua própria – a língua de sinais – que o diferencia do ouvinte em sua experiência de vida e de comunicação, fato este que merece nosso respeito e conhecimento.

A importância da comunicação visual para o surdo é inegável. Além da utilização desta comunicação por meio da língua de sinais, os surdos também podem se beneficiar por meio da aquisição da língua escrita.

Entretanto pesquisas demonstram que a aquisição da leitura e escrita é feita da forma mais rápida e eficiente quando se tem uma base lingüística bem fundamentada.

Além de aprender a relacionar fonema e grafema, os surdos precisam compreender as funções e usos sociais da escrita, de forma que o texto possa ser visto como uma unidade funcional da língua.

Nesse sentido, a família tem um papel muito importante no letramento e aquisição de leitura e escrita do surdo. Devido ao contato constante com o surdo, a família possui o poder de estimular seu desenvolvimento cognitivo, ao mesmo tempo que pode estabelecer uma saudável relação de afetividade, importante para qualquer processo de aprendizagem, desde que aceite suas diferenças e possibilidades.

Estar aberto e atento às informações científicas e a busca por materiais que possibilitem uma melhor apreensão do conhecimento de mundo e das expressões utilizadas tanto por surdos como por ouvintes é uma ponte inegável para o conhecimento, crescimento e fortalecimento da comunicação entre surdos e ouvintes.

Finalizo, parabenizando os autores, pela contribuição de mais uma obra tão significativa para a comunidade surda e para todos nós, profissionais diretamente envolvidos na educação do surdo.

Um abraço.

Profª. Drª. **Maria Silvia Cárnio**, Curso de Fonoaudiologia da Faculdade de Medicina, e
Pós-graduação em Educação Especial da Faculdade de Educação da USP, e-mail: mscarnio@usp.br

Referência bibliográfica

Webster, A. (1986). *Deafness development and literacy.* London, UK: Methuen.

Apresentação do Curso de Fonoaudiologia da Faculdade de Medicina da USP

Profª. Associada Drª. Ida Lichtig (CF–FM–USP)

Fonoaudiologia e educação bilíngüe do surdo

A habilidade para se comunicar de acordo com a própria necessidade pessoal é a essência da vida humana. A complexidade e o poder desta habilidade coloca o ser humano à parte de outras formas de vida neste planeta e quando esta habilidade está deficiente, resulta num processo de desumanização. Esta desumanização atinge o âmago da identidade da pessoa e o significado de sua existência.

A comunicação é um processo interativo que tem início no período do nascimento. Quando se pensa em comunicação humana em geral se pensa apenas na fala, mas o ser humano se comunica de várias formas. A fala é apenas uma delas. A língua escrita, o desenho, o sorriso, o choro, o contato de olho, os gestos, os sinais, a expressão facial são outras modalidades de comunicação utilizadas pelo ser humano. A comunicação é o processo pelo qual as pessoas se relacionam com sua comunidade e com sua família. Uma criança que não se comunica desde tenra infância ficará isolada, frustrada e poderá apresentar dificuldades tanto no seu relacionamento social como no seu processo de aprendizagem. Esta criança poderá se tornar agressiva e apresentar alterações em seu comportamento por não ser compreendida e pelas dificuldades em compreender o que ocorre ao seu redor.

No caso de crianças surdas, filhas de pais surdos, estudos demonstraram que estas crianças apresentam um desenvolvimento lingüístico semelhante ao dos ouvintes, sendo a interação entre pais surdos e seus filhos surdos real e eficiente. Porém nas crianças surdas filhas de pais ouvintes, que representam 95% dos casos, a comunicação é ineficiente e muitas vezes inexistente. Em geral há falta de motivação da criança surda em se comunicar, causando uma situação de frustração que prejudica, assim, seu desenvolvimento.

Porém sua comunicação poderá ocorrer eficientemente por meio de outra modalidade de língua, a língua de sinais. A língua de sinais, por ser uma língua de modalidade visoespacial, é totalmente acessível e adequada para ser adquirida sem impedimentos pelas crianças surdas pois se dá por via de canais sensoriais que estão íntegros nos indivíduos surdos. Esta língua de sinais servirá de suporte lingüístico e propiciará o desenvolvimento cognitivo e biopsicossocial destas crianças. Vários estudos demonstraram que as crianças surdas que aprenderam a língua de sinais em tenra idade, obtêm bom desempenho acadêmico.

A aquisição de uma língua gestual-visual, a língua de sinais, terá função semelhante à da língua oral para o desenvolvimento de uma criança ouvinte. Ela funcionará como suporte do pensamento, como meio de comunicação e será por meio dela que o surdo poderá fazer uma "leitura do mundo".

A aceitação da diferença, em vez da deficiência, favorece a integração do surdo na comunidade ouvinte. O reconhecimento de pontos em comum entre surdos e ouvintes, a mudança de atitudes e a anulação de preconceitos são fatores decisivos para a integração dos surdos, talvez mais importantes e necessários do que o simples fato de falarem a mesma língua. O reconhecimento de que o surdo tem a mesma capacidade lingüística que o ouvinte, mas em outra modalidade de língua, a mesma capacidade comunicativa, e a mesma potencialidade para a realização e a participação em tarefas sociais e intelectuais resultará em sua integração na comunidade majoritária ouvinte.

Nesse sentido a educação dos surdos deu um grande avanço com os estudos sobre o bilingüismo, o qual pressupõe, além da aquisição de duas línguas, uma mudança filosófica de postura política, cultural, social e educacional.

O fonoaudiólogo, conhecedor da importância da aquisição da língua de sinais pela criança surda, deverá discutir este fato com os familiares dessa criança que são ouvintes, e também incentivá-los ao aprendizado desta língua, garantindo real acesso à comunicação.

No Laboratório de Investigação Fonoaudiológica sobre Surdez e Linguagem do Curso de Fonoaudiologia da Faculdade de Medicina da Universidade de São Paulo, a Língua de Sinais Brasileira e a Língua Portuguesa são valorizadas e respeitadas, pois o fonoaudiólogo atua em parceria com o surdo adulto. Este surdo adulto, usuário competente da Língua de Sinais Brasileira, é o instrutor da língua de sinais tanto para a criança surda como para sua família ouvinte.

Atualmente no Brasil estamos vivenciando um momento histórico em que os profissionais das áreas da educação e da saúde estão reconhecendo a importância da língua de sinais na educação da criança surda e o ensino desta pelo professor surdo. Consequentemente, a constatação da precariedade de material didático e de apoio para o ensino desta língua se faz evidente.

A *Enciclopédia da Língua de Sinais Brasileira: O Mundo do surdo em Libras*, obra apresentada em dezenove volumes contendo milhares de sinais da Libras organizados em temas gerais, categorias, subcategorias, e sub-subcategorias semânticas, vem preencher esta lacuna, e será de inestimável utilidade para os professores surdos, para as crianças surdas e para os ouvintes que queiram aprofundar seus conhecimentos em Libras.

Prof[a]. Associada Dr[a]. **Ida Lichtig**, Curso de Fonoaudiologia, Faculdade de Medicina da USP, e
Laboratório de Investigação Fonoaudiológica sobre Surdez e Linguagem, e-mail: idalichtig@yahoo.com.br

Apresentação da Universidade Luterana do Brasil (Ulbra) e da Coordenação do Grupo de Trabalho *Língua de Sinais e Surdez* da Associação Nacional de Pesquisa e Pós-Graduação em Letras e Lingüística (Anpoll)

Prof[a]. Dr[a]. Lodenir Karnopp (Ulbra, Anpoll)

Aquisição inicial da linguagem por crianças surdas: Aspectos intermodais

Estudos sobre a aquisição da linguagem de crianças surdas são relevantes sobretudo por proporcionarem um entendimento acerca da natureza e do desenvolvimento da linguagem humana.

Inicialmente cabe salientar que crianças surdas expostas à língua de sinais adquirem de forma natural tal língua. Neste contexto, crianças surdas adquirem a língua de sinais que está à sua volta sem nenhuma instrução especial. Elas começam a produzir sinais mais ou menos na mesma idade em que as crianças ouvintes começam a falar, e apresentam os mesmos estágios de desenvolvimento lingüístico das línguas naturais.

Considerando os aspectos universais das línguas humanas, é natural que surdos expostos às línguas de sinais apresentem balbucio manual, enunciados com um único sinal, enunciados com dois sinais e que, a partir da combinação de sinais, comecem a formar sentenças simples.

O período do desenvolvimento pré-lingüístico

O período pré-lingüístico inclui o desenvolvimento da linguagem a partir do nascimento da criança até o aparecimento dos primeiros sinais. Estudos realizados durante o primeiro ano de vida registram que a criança passa por mudanças que vão de um simples choro a um complexo balbucio manual.

Uma descrição detalhada sobre o desenvolvimento pré-lingüístico deveria, além de discutir aspectos da produção gestual da criança, incluir também informações sobre a percepção de sinais pela criança e sobre a interação entre o adulto e o bebê. Aqui, entretanto, nos limitamos a discutir prioritariamente os aspectos ligados à produção.

O balbucio de bebês surdos adquirindo a língua dos sinais precede a produção de seus primeiros itens lexicais, isto é, eles produzem gestos que são, quanto à forma, semelhantes aos sinais, mas que não possuem significado (Newport & Meier, 1986, p. 888). Esse período caracteriza-se pela produção do que é denominado *balbucio manual*, pelos gestos sociais e pela utilização do apontar (Karnopp, 1999). O input visual é, obviamente, necessário para que o bebê passe para etapas posteriores no desenvolvimento da linguagem. Aspectos como o contato visual entre os interlocutores, isto é, o olhar fixo do bebê surdo na face da mãe e/ou do pai, o uso de expressões faciais, a atenção que o bebê surdo coloca no meio visual, a produção de um complexo balbucio manual, de gestos sociais e do "apontar" são aspectos relevantes para o desenvolvimento lingüístico da criança. Muitos dos aspectos das produções pré-lingüísticas continuam sendo produzidos no período lingüístico; por exemplo, o contato visual, as expressões faciais e o apontar (lexicalizado). Outros, embora com baixa freqüência de ocorrência, também continuam sendo produzidos; por exemplo, os gestos sociais.

Em relação à percepção e compreensão dos sinais pela criança, os registros referem que a criança surda, por estar impossibilitada de captar estímulos auditivos, presta maior atenção ao meio visual do que a criança ouvinte e capta indícios sutis no rosto humano que lhe servirão para atribuir significado ao léxico de sua língua. Indagações sobre o início da compreensão, sobre a diferença entre compreensão e produção em sinais, e sobre a percepção categorial permanecem como aspectos a serem investigados.

Amostras longitudinais do balbucio vocal de bebês ouvintes têm mostrado que este não consiste de uma produção de 'barulhos', mas que há um padrão de desenvolvimento nos sons que são produzidos (Stark, 1979). Embora ocorram diferenças individuais entre as crianças, há tendências universais na produção, que refletem a maturação gradual de estruturas articulatórias e do sistema nervoso central que controla a área da linguagem. Nesse sentido, as produções de bebês surdos e bebês ouvintes neste período de desenvolvimento são equiparáveis, no que diz respeito à produção referente às trinta primeiras semanas, por exemplo: Choro reflexo, sons vegetativos, arrulhos, gestos, risos e brincadeiras vocais (que incluem a produção de alguns segmentos isolados). Locke (1983, apud Ingram 1989), acredita que a produção pré-lingüística tanto de bebês ouvintes quanto de bebês surdos são frutos de estímulos internos e não externos, já que bebês surdos e ouvintes apresentam produções semelhantes. Para Ingram (1989) o bebê está intencionalmente explorando suas capacidades de produção lingüística, pois a criança é um participante ativo no processo e é sensível ao ambiente lingüístico. Esse período é relevante para o desenvolvimento das habilidades lingüísticas da criança e que o input lingüístico é necessário para que o bebê passe para estágios posteriores. Para Petitto e Marentette (1991), o balbucio é uma expressão de uma capacidade lingüística mental (*brain-based*) e não-modal do processamento da fala ou do sinal. O balbucio manual e o balbucio vocal contêm unidades e combinações de unidades que são organizadas de acordo com as propriedades silábicas e prosódicas da linguagem humana. As autoras concluem que a forma e a organização do balbucio estão ligadas à estrutura lingüística da língua.

Surdos e ouvintes produzem gestos manuais muito similares durante o primeiro ano, tornando-se difícil a distinção entre o balbucio manual compartilhado entre bebês surdos e ouvintes, e as produções manuais que são específicas dos bebês surdos: Situações em que as crianças produzem gestos que representam algum objeto ou evento aos quais elas se referem, tais como abrir e fechar a mão para pedir algo, ou mover os braços para indicar um pássaro, são comuns em crianças surdas e ouvintes (Acredolo & Goodwyn, 1988; Petitto, 1988; Shore et al., 1990). Isto torna complexa a distinção entre sinais e gestos, pois ambos são referenciais, comunicativos e produzidos manualmente (Acredolo & Goodwyn, 1988; Bates et al., 1979; Petitto, 1988; Shore et al., 1990).

O período de desenvolvimento lingüístico

A maioria dos estudos realizados durante o desenvolvimento dos enunciados de um e dois sinais focalizam, em especial, a produção, negligenciando a compreensão. Assim sendo, necessita-se de investigações em relação ao desenvolvimento da compreensão da língua de sinais que observem, entre outras coisas, o início da compreensão; em que medida a compreensão antecede a produção de sinais; a diferença na extensão dos vocabulários receptivo e produtivo; a dependência e/ou independência entre produção e compreensão de sinais; a média de palavras compreendidas no início da produção e em estágios posteriores.

Os primeiros estudos sobre a aquisição da língua de sinais, realizados por Schlesinger e Meadow (1972), Klima e Bellugi (1979), Prinz e Prinz (1981) e Brown (1977), entre outros, investigaram o processo de aquisição da American Sign Language por crianças surdas ou ouvintes, expostas desde o nascimento a essa língua de sinais (Deuchar, 1984, p. 154). Os resultados de Schlesinger e Meadow (1972) fornecem dados importantes sobre o tamanho do vocabulário e sobre o período em que o primeiro sinal foi produzido. Os autores relatam que as crianças inicialmente produzem enunciados com um só sinal e então começam a produzir dois ou mais sinais em combinação. Mostraram que uma das crianças, Ann, tinha um amplo vocabulário em sinais aos 19 meses, se comparado com o vocabulário de crianças ouvintes. Em diários da aquisição da linguagem de duas crianças ouvintes, expostas ao inglês e à ASL, eles verificaram que o primeiro sinal surgiu antes da primeira palavra, sendo que, para uma das crianças, o primeiro sinal apareceu aos cinco meses e meio. Pode-se, entretanto, questionar os critérios utilizados pelos autores para identificar a produção do primeiro sinal. Uma das alternativas utilizadas para se evitar este tipo de objeção é investigar não somente a produção do primeiro sinal, mas a produção dos dez primeiros sinais. Utilizando essa alternativa, a maioria dos estudos de aquisição da linguagem registra que o aparecimento das primeiras palavras/sinais ocorre em torno dos 10 meses.

Por outro lado, a hipótese de que a aquisição da língua de sinais se iniciaria mais cedo do que a aquisição das línguas orais gerou discussões entre alguns pesquisadores sobre a questão da iconicidade nas línguas de sinais, sobre o desenvolvimento motor das mãos, sobre a questão da visibilidade dos articuladores e a interferência dos pais na produção dos sinais.

Um exemplo dessa polêmica é encontrado em Prinz e Prinz (1981) que, em um estudo comparativo feito com uma criança ouvinte que estava adquirindo o inglês e a American Sign Language (pois tinha a mãe surda e o pai ouvinte), demonstraram que:

(a) Os sinais eram adquiridos mais cedo do que as palavras;
(b) Entre os 7 e 21 meses o número de sinais era mais amplo que o número de palavras;
(c) A produção de sentenças simples incluía, às vezes, sinais e palavras e, mais tarde, dependendo do interlocutor, a criança começou a usar somente sinais ou somente fala, distinguindo os dois sistemas lingüísticos;
(d) A aquisição da linguagem em duas diferentes modalidades (oral-auditiva e gestual-visual) apresentou

um paralelo com o desenvolvimento lingüístico de crianças ouvintes adquirindo simultaneamente duas ou mais línguas faladas.

Brown (1977) afirma que a iconicidade das línguas de sinais favorece o aparecimento do primeiro sinal antes que a primeira palavra. Seu argumento baseia-se no fato de que os primeiros itens do vocabulário das crianças estão no "nível básico do objeto" (isto é, referem-se aos objetos básicos do ambiente da criança, como leite, mesa, maçã) e que os sinais para tais objetos teriam um alto grau de iconicidade. Um contra-argumento para a suposição de Brown aparece em Prinz e Prinz (1981), que questionam a idéia de que os sinais que são icônicos para os adultos também o seriam para as crianças, apontando para o fato de que a percepção da iconicidade em muitos sinais depende de sua etimologia (por exemplo, na Libras, o sinal LEITE vem da noção de tirar leite de uma vaca).

Bonvillian et al. (1983) sugerem que o aparecimento acelerado dos primeiros sinais pode ser devido não à iconicidade, mas a três outros fatores:

(i) As mãos das crianças podem ser moldadas e guiadas pelos pais (enquanto isso não ocorre de um modo pleno para os órgãos vocais);

(ii) As crianças surdas recebem diferentes respostas (feedback) visuais em suas produções, e

(iii) O controle dos músculos manuais ocorre mais rapidamente que o desenvolvimento dos músculos da cavidade oral (sistema articulatório da fala).

Entretanto, para os autores, tais fatores são operativos nos primeiros estágios pois, no desenvolvimento posterior da língua dos sinais, há um paralelo entre o desenvolvimento das línguas orais e das línguas de sinais, já que "ambos os sistemas refletem as habilidades cognitivas subjacentes" (Bonvillian et al., 1983, p. 124). Do mesmo modo, Klima e Bellugi conduziram um estudo da aquisição da American Sign Language e concluíram que "alguns dos processos básicos da aquisição da linguagem são os mesmos independentemente da modalidade" (Klima & Bellugi, 1979, p. 96).

Das discussões realizadas sobre a questão da produção dos primeiros sinais e das primeiras palavras no vocabulário da criança e sobre as possíveis implicações da iconicidade na aquisição de sinais, pode-se concluir que, apesar das diferenças individuais dos informantes, das diferenças entre as línguas e entre as modalidades de línguas, há um certo paralelo no processo de aquisição e desenvolvimento da linguagem que independe da distinção língua gestual-visual ou oral-auditiva. Em termos gerais, pode-se dizer então que os primeiros sinais ou as primeiras palavras aparecem entre os dez meses e o primeiro ano de idade.

Segundo Smith (1926, apud Ingram, 1989) o tamanho do vocabulário em crianças adquirindo o Inglês foi o seguinte: A primeira palavra surgiu aos 10 meses, com 1;3 (i.e., 1 ano e 3 meses) constavam dezenove palavras, e com 1;9 118 palavras no vocabulário infantil. Benedict (1979, apud Ingram, 1989) acompanhou durante seis meses o desenvolvimento do vocabulário de oito crianças adquirindo o Inglês: E revelou um vocabulário de vinte palavras com 1;3, de trinta palavras com 1;4, de quarenta palavras com 1;5, e de cinqüenta palavras com 1;9.

McIntire (1977) examinou a produção de sinais na American Sign Language de uma criança surda, filha de pais surdos, e registrou que, no início da investigação, quando a criança estava com a idade de 1;1, o vocabulário estava em torno de 85 sinais e que, ao final da investigação, com 1;9, ela estava produzido mais de duzentos sinais.

Marentette (1995, p. 75) realizou um estudo de caso, acompanhando longitudinalmente uma menina ouvinte, filha de pais surdos, que apresentou a seguinte média de aquisição na American Sign Language: Com 1;0 (cinco sinais), com 1;3 (onze sinais), com 1;5 (dezoito sinais), com 1;6 (42 sinais), com 1;9 (63 sinais), e com 2;1 (setenta sinais).

A comparação acima demonstra que há um certo paralelo entre as línguas de sinais e as línguas orais no que diz respeito à correlação entre o número de itens lexicais produzidos (palavras e sinais) e a idade da criança. Cabe salientar, entretanto, que as investigações cujos resultados foram descritos acima diferem em alguns aspectos, se forem considerados os objetivos de cada pesquisa, a metodologia utilizada e as diferenças no input.

Conclusão

O interesse em relação ao estudo das línguas de sinais é crescente, pois até bem pouco tempo as concepções e investigações acerca da linguagem humana eram proporcionadas apenas pelo estudo das línguas orais. Entretanto, as línguas de sinais fornecem novas perspectivas teóricas sobre as línguas humanas, sobre os determinantes da linguagem e sobre o processo de aquisição e desenvolvimento de uma língua que apresenta certas particularidades em relação às línguas orais.

Prof[a.] Dr[a.] **Lodenir Becker Karnopp**, doutora em lingüística aplicada pela Pontifícia Universidade Católica do Rio Grande do Sul, professora da Universidade Luterana do Brasil, e intérprete de Libras (Feneis, RS), coordenadora do Grupo de Trabalho Língua de Sinais e Surdez da Associação Nacional de Pesquisa e Pós-Graduação em Letras e Lingüística, pesquisadora em aquisição da linguagem e fonologia da Libras, e-mail: karnopp@cpovo.net

Referências bibliográficas

Acredolo, L., & Goodwyn, S. (1988). Symbolic gesturing in normal infants. *Child Development, 59,* 450–466.

Bonvillian, J. et. al. (1983). Early sign language acquisition and its relation to cognitive and motor development. In J. Kyle, & B. Woll (Eds.), *An international perspective on sign language* (pp. 116–125). London, UK: Croom Helm.

Brown, R. N. (1977). Introduction: In C. E. Snow, & C. A. Ferguson (Eds.), *Talking to children.* Cambridge, MA: Cambridge University Press.

Deuchar, M. (1984). *British Sign Language.* London, UK: Routledge, & Kegan Paul.

Ingram, D. (1989). *First language acquisition: Method, description and explanation.* Cambridge, MA: Cambridge University Press.

Karnopp, L. B. (1999). *Aquisição fonológica na Língua Brasileira de Sinais: Estudo longitudinal de uma criança surda.* Tese de Doutorado não publicada, Pontifícia Universidade Católica do Rio Grande do Sul, Porto Alegre, RS.

Klima, E., & Bellugi, U. (1979). *The signs of language.* Cambridge, MA: Harvard University Press.

Marentette, P. F. (1995). *It's in her hands: A case study of the emergence of phonology in American Sign Language.*

Unpublished Ph.D. Dissertation, Department of Psychology, McGill University, Montreal, Canada.

McIntire, M. (1977). The acquisition of American Sign Language hand configurations. *Sign Language Studies, 16,* 247–266.

Newport, E., & Meier, R. (1986). The acquisition of American Sign Language. In D. I. Slobin (Ed.), *Cross-linguistic study of language acquisition.* Hillsdale, NJ: Erlbaum.

Petitto, L. A., & Marentette, P. F. (1991). Babbling in the manual mode: Evidence for the ontogeny of language. *Science, 251,* 1493–1496.

Petitto, L. A. (1988). "Language" in the pre-linguistic child. In F. S. Kessel (Ed.), *The development of language and language researchers* (pp. 187–222). Philadelphia, PA: LEA.

Prinz, P. M., & Prinz, E. A. (1981). Acquisition of ASL and spoken English by a hearing child of a deaf mother and a hearing father – Phase II: Early combinatorial patterns. *Sign Language Studies, 30,* 78–88.

Schlesinger, H., & Meadow, K. (1972). *Sound and sign: Childhood deafness and mental health.* Berkeley, CA: University of California.

Shore, C. et al. (1990). Vocal and gestural symbols: Similarities and differences from 13 to 28 months. In V. Volterra, & C. J. Erting (Eds.), *From gesture to language in hearing and deaf children* (pp. 79–91). New York, NY: Springer-Verlag.

Stark, R. E. (1979). Pre-speech segmental feature development. In P. Fletcher, & M. Gardman (Eds.), *Language acquisition.* Cambridge, MA: Cambridge University.

Apresentação do Departamento de Psicologia da Aprendizagem e do Desenvolvimento, Instituto de Psicologia, Universidade de São Paulo (IP–USP)

Prof. Associado Dr. José Fernando B. Lomônaco (IP–USP)

Ensinar conceitos de maneira competente é, sem dúvida, uma das principais características do ensino de boa qualidade. Estratégias de ensino e recursos tecnológicos têm sido desenvolvidos, ao longo dos anos, por psicólogos educacionais, fundamentados em resultados de pesquisa, visando auxiliar os professores a ensinar conceitos de maneira eficiente. Ou seja, de forma a que todos os alunos, independentemente de suas diferenças individuais em capacidades e habilidades, sejam capazes de aprendê-los, ao menos em seus aspectos principais.

Renomados autores da Psicologia, tais como Vygotsky, Piaget, Skinner, Gagné, Bruner e Ausubel, para citar apenas uns poucos, têm reservado em suas concepções teóricas um espaço para discutir a aprendizagem e o ensino de conceitos. A enumeração de tantos nomes ilustres da ciência psicológica preocupados com o processo de formação de conceitos reflete a importância atribuída por esses autores aos conceitos e ao seu papel na aquisição do conhecimento.

Todavia, todas essas construções teóricas e recursos tecnológicos têm sido desenvolvidos pensando no indivíduo que se desenvolve normalmente. Quando os estudiosos procuram avaliar a adequação de seus modelos teóricos e/ou a efetividade de seus recursos tecnológicos, geralmente empregam como sujeitos de suas pesquisas pessoas sem qualquer tipo de deficiência de desenvolvimento ou adquirida.

Assim sendo, uma parcela da população – os atualmente denominados indivíduos portadores de necessidades especiais – acaba sendo negligenciada em tais estudos o que, de certa maneira, contribui ainda mais para perpetuar as dificuldades do ensino e da aprendizagem desta população que, embora minoritária, é constituída por milhões de pessoas em todo o mundo. Se muitas são as dificuldades para ensinar conceitos e habilidades de maneira efetiva a crianças sem maiores deficiências, é fácil aquilatar que tais dificuldades serão ainda maiores quando se trata de ensinar conceitos a pessoas com alguma espécie de deficiência mais severa. Ajudar tais pessoas a superar suas dificuldades e levá-las a desenvolver todo o seu potencial de aprendizagem é contribuir decisivamente para sua inclusão nos diversos segmentos da sociedade.

Neste sentido, esta coleção de livros dedicada a pessoas com surdez severa e profunda, especialmente pré-lingual, é extremamente bem-vinda em nosso meio, uma vez que vem amenizar as dificuldades de todos aqueles envolvidos na tarefa de ensinar conceitos e habilidades a essas crianças.

Resultado de uma invulgar capacidade de trabalho e de um profundo conhecimento teórico a respeito do processamento cognitivo de informações por pessoas surdas, aliado a um louvável desejo de amenizar o sofrimento de nosso semelhante e de auxiliá-lo a superar suas deficiências, esta preciosa coleção de livros elaborados pelo Professor Fernando Capovilla e seus orientandos colaboradores, Walkiria Raphael e Renato Luz, virá, sem dúvida, tornar mais fácil, agradável e eficiente o ensino de conceitos e habilidades às crianças e jovens surdos brasileiros.

Além disso, trabalhos como este ajudam a estabelecer a tão necessária ponte entre a pesquisa acadêmica e suas aplicações práticas. Com a publicação desta coleção de livros, a Editora da Universidade de São Paulo (Edusp) mostra-se sensível à crítica tão comumente feita (e, não sem alguma razão), da existência de uma indesejável lacuna entre a universidade pública e a sociedade que a mantém. Que outros trabalhos com esta mesma preocupação de socializar e/ou aplicar o conhecimento, oriundos de nosso trabalho de pesquisa de campo e de laboratório, continuem encontrar guarida nesta Editora. No tocante à Psicologia, tenho certeza de que o Professor Capovilla e seus colaboradores no Laboratório de Neuropsicolingüística Cognitiva Experimental do Departamento de Psicologia Experimental do Instituto de Psicologia da USP, ainda terão muitas contribuições a serem feitas. O trabalho do Professor Capovilla e colaboradores se, de um lado, mostra a qualidade, o rigor, o vigor e a produtividade dos pesquisadores brasileiros aninhados no Instituto de Psicologia desta universidade, por outro lado, reflete também a preocupação em transformar as conclusões de suas pesquisas acadêmicas em trabalhos com claras implicações sociais. Que a Edusp continue sensível a este tipo de trabalho, tão útil quanto necessário.

São Paulo, junho de 2002.

Prof. Associado Dr. **José Fernando B. Lomônaco**, Instituto de Psicologia, USP, e-mail: jfblusp@usp.br

Apresentação da Faculdade de Fonoaudiologia da Pontifícia Universidade Católica de São Paulo (FF–PUC–SP)

Prof[a]. Dr[a]. Maria Cecília de Moura (FF–PUC–SP)

É com imenso prazer e muito orgulho pelo convite para apresentar esta obra que venho aqui tentar descrever a minha trajetória na área da surdez. Antes de qualquer coisa quero parabenizar o Prof. Dr. Fernando Capovilla e sua equipe por esta formidável obra que irá ajudar de forma incontestável todos aqueles que se debruçam sobre a surdez, sejam eles profissionais, familiares ou os próprios surdos. Na minha trajetória, como veremos a seguir, muitas e muitas vezes tive de recorrer aos surdos para que pudesse aprender a Língua de Sinais Brasileira. Uma publicação como esta *Enciclopédia da Língua de Sinais Brasileira* irá facilitar em muito o trabalho daqueles que desejam aprender a Libras. Teria sido muito bom se eu pudesse ter tido a oportunidade de poder contar com um trabalho deste porte quando iniciei a minha trajetória pelo mundo dos surdos e dos sinais. Mas tenho consciência de que as mudanças são fruto de um processo e que aquilo que é possível hoje não aparece como uma magia engendrada por visionários, mas é produto de mudanças sociais e históricas. Entretanto, sabemos que alguns pesquisadores são responsáveis por mudanças e entre eles posso citar o Prof. Dr. Fernando Capovilla. Se, neste momento, temos a possibilidade de publicação deste trabalho, isto se deve à compreensão da importância da Libras na vida do surdo. Este é um momento muito importante na área da surdez e como pessoa e pesquisadora envolvida na área da surdez há tanto tempo, só posso parabenizar o Prof. Capovilla e sua equipe e agradecer a oportunidade de estar presente nesta apresentação.

Desejo agora descrever um pouco da minha trajetória que, já percebi pelas minhas andanças por este Brasil, é o caminho de muitos outros profissionais que atuam na área da surdez.

Meu trabalho com crianças surdas iniciou-se há muito tempo, em 1972, quando ainda era estagiária do Curso de Fonoaudiologia da Pontifícia Universidade Católica de São Paulo. Apesar de estudar e de tentar todas as técnicas possíveis de um trabalho oralista com as crianças surdas, os resultados eram, na maioria dos casos, desalentadores. O objetivo desse trabalho, conforme eu aprendi, era fazer com que a criança deficiente auditiva desenvolvesse a língua oral. Para que? Para que ela se integrasse à sociedade. Não se questionava, nem se cogitava, que sociedade seria essa. Nem se poderia fazê-lo. Era senso comum que só existia uma sociedade: A dos ouvintes. O trabalho a que me propunha, com fins tão humanitários, tal como me era passado, seria o de transformar o "deficiente" auditivo em um indivíduo feliz, igual ao ouvinte, com oportunidades iguais e, acima de tudo, não diferente daquele que ouve. A sua perda auditiva seria compensada de alguma forma e ela teria, assim, a sua "deficiência anulada".

Já graduada, continuei meu trabalho com crianças deficientes auditivas. Foram tantas as tentativas de alcançar os objetivos desejados! Quando nenhum sucesso era conseguido, surgiam os rótulos médicos: Afasia, disfasia, problemas centrais (neurológicos), distúrbio específico de linguagem associado à surdez. A criança e a família falhavam. Nós, os especialistas, não. As crianças que desenvolviam fala e comportamentos "normais" serviam como exemplo das possibilidades de trabalho. Elas eram as "deficientes – não deficientes" e as outras eram as "deficientes – deficientes". As últimas representavam o "fracasso", não do método, mas delas mesmas. Elas tinham outros problemas, as famílias eram culpadas.

As minhas insatisfações e angústias aumentavam. Foi quando, em 1974, tive a oportunidade de saber como as coisas aconteciam nos Estados Unidos. A partir de um convite inter-institucional, fui conhecer uma nova forma de trabalho (nova, pelo menos, para mim). Era a comunicação total. Foi lá que eu fui aprender que a comunicação total era uma filosofia que defendia o uso de toda e qualquer forma de comunicação com a criança deficiente auditiva. Isto incluía fala, leitura orofacial, treinamento auditivo, expressão facial e corporal, mímica, leitura e escrita, e Sinais.

O que me chocou num primeiro momento, e me encantou logo a seguir, foi a possibilidade de utilização de Sinais na educação do deficiente auditivo. Não somente gestos de apoio ou mímica. Sinais que representavam objetos, ações e idéias. Eu já sabia da existência de uma língua usada por adultos deficientes auditivos para se comunicar. Era chamada língua de sinais e, para mim, era uma língua de segunda categoria, usada por deficientes auditivos adultos que não tinham acesso a uma educação, a um trabalho que os "elevasse" à condição de "ouvintes" (na realidade, pseudo-ouvintes).

Na comunicação total esses sinais não eram empregados como língua de sinais, mas apenas como suporte para tornar mais visível o que era falado oralmente para as crianças. Desta forma as crianças teriam uma imagem visual da fala, ao mesmo tempo em que "ouviriam" fazendo leitura orofacial. Pensava-se, então, que, por meio dessa forma de comunicação, a criança viria a ter uma via de acesso extremamente facilitado para aquisição de linguagem.

Nas escolas que visitei, observei crianças e pude verificar que elas realmente se comunicavam, trocavam idéias, expunham sentimentos, tanto entre si como com os profissionais que dominavam essa forma de comunicação. E além disto, ou melhor, mais importante para mim naquele momento, observei que elas também se comunicavam oralmente. E isso tudo com crianças que estavam expostas a esse trabalho havia apenas dois anos! Que diferença das crianças com as quais eu trabalhava no Brasil!

Aprendi outras coisas nessa viagem. Descobri que os deficientes auditivos de lá eram chamados de surdos, que eles promoviam uma política de identidade própria, não mais uma cópia do modelo ouvinte, que muitos trabalhavam com os pais e com as crianças surdas (ainda deficientes auditivas para mim).

Foi o meu primeiro contato real com adultos surdos. Até esse momento, eu os via de longe, com a minha visão preconceituosa. Era um paradoxo: Apesar de trabalhar com crianças deficientes auditivas, eu não conhecia deficientes auditivos adultos e não sabia como eles viviam, trabalhavam, e se integravam (ou não).

Acho que naquele momento comecei a despertar para uma realidade que só veio a me atingir plenamente anos depois. Tive de passar por uma grande transição para chegar ao momento atual. A familiaridade que eu imaginava ter com o deficiente auditivo era, em verdade, uma pseudo-familiaridade que não reduzia necessariamente o menosprezo. Menosprezo pela sua condição de deficiente, razão pela qual eu deveria transformá-lo em pseudo-igual ao ouvinte.

Foram muitas as descobertas naquele momento, mas a que me tomou toda a atenção relacionava-se com as minhas frustrações. Os profissionais dos Estados Unidos também haviam estado insatisfeitos com seu trabalho, com relação à consecução da fala pelas crianças, à aquisição de linguagem e ao domínio da leitura e da escrita. Conseqüentemente, haviam pesquisado e proposto que a utilização de Sinais poderia facilitar o aprendizado das crianças. Assim, a insatisfação não era só minha.

Veio a idéia, então, de trazer para o Brasil essa nova forma de trabalho, chamada de comunicação total. O objetivo continuava sendo a fala, como no oralismo, mas com a ressalva de que algumas crianças poderiam não atingir o pleno desenvolvimento da fala. Isto não as impediria de ter acesso a uma forma de comunicação e elas poderiam ter acesso à leitura e à escrita por meio dessa forma diferente de comunicação.

Este foi o primeiro momento em que se colocou, para mim, que a falta de fala não implicaria num fracasso no trabalho com crianças deficientes auditivas. Entretanto, a busca da fala continuava aliada a todas as técnicas já utilizadas anteriormente no oralismo.

Mas aconteceu, então, outro momento importante para mim: Foi meu contato com surdos adultos no Brasil em 1976. Foi por meio desses surdos que comecei a aprender os sinais, ainda que não fosse a Libras, mas os Sinais que poderiam me ajudar em meu trabalho. Realizei uma pesquisa com outros colegas da universidade. Iniciei meu trabalho clínico usando as técnicas do que eu chamava, na ocasião, da comunicação total (mas que, agora, prefiro chamar de bimodalismo). Os Sinais eram para mim, naquele momento, um instrumento de trabalho, mas eles simbolizavam muito mais. Eram os retratos de um mundo novo, desconhecido. Então fui me dando conta de onde eu poderia encontrar a resposta para as minhas angústias profissionais: Para eu poder trabalhar, teria de conhecer melhor a comunidade dos surdos. Não poderia continuar a esconder de mim mesma a existência desses surdos porque, afinal, os meus deficientes auditivos também viriam a ser adultos um dia. Foi nesse momento que entrei em contato com o bilingüismo para os surdos. Em conseqüência, passei a considerar que a educação da criança surda (não deficiente auditiva) deveria ser bilíngüe, contemplando tanto a língua de sinais quanto a língua oral. O indivíduo surdo teria que ter a sua língua respeitada. E teria que ter acesso à mesma, já a partir da descoberta de sua surdez. Assim, poderia adquirir linguagem e desenvolver competência comunicativa em contextos sociais significativos. A partir da língua de sinais, a língua dominante (oral) seria ensinada como segunda língua. Além disto, no bilingüismo, a cultura do surdo seria preservada e a criança poderia desenvolver-se com um sentimento positivo com relação à sua identidade enquanto pessoa surda.

Passei a endereçar meus esforços a partir dessa nova compreensão da surdez e do indivíduo surdo. Decidi entender, afinal, quem era esse indivíduo surdo que vivia numa sociedade ouvinte. Procurei compreender como ele se representava e era representado pelos outros, qual o papel da educação na sua vida, e o que seria essa comunidade de surdos e essa língua de sinais. A resposta a estas questões foi obtida em minha dissertação de doutorado em Psicologia Social na Pontifícia Universidade Católica de São Paulo, que se transformou no livro intitulado *O surdo: Caminhos para uma nova identidade* (Moura, 2000). Quero, aqui, agradecer ao surdo que me possibilitou conhecer mais a respeito de tantos outros surdos: Ricardo. Ele me ensinou Libras e continua ensinando até hoje. Ele também me ensinou que um indivíduo pode constituir-se como sujeito inteiro desde que as diferenças sejam respeitadas, e me mostrou caminhos que até então me eram desconhecidos. Sem a sua ajuda, talvez hoje muito do que se fala e se pensa sobre a surdez não tivesse tomado o caminho que tomou.

Atualmente respeito o surdo, a sua língua, a sua comunidade. Mas tive de lutar contra os meus próprios preconceitos e pré-conceitos, contra tudo o que me havia sido ensinado, e aprender com a teoria, com a vivência e com a convivência com as minhas angústias, que existe uma forma mais humana e real de enxergar o surdo. Muito mais do que aprender a língua de sinais, tive a possibilidade de conhecer uma outra cultura que convive com a nossa cultura majoritária. Esta obra que o leitor tem em mãos tem o grande mérito de facilitar imensamente o aprendizado da língua de sinais, e aconselho a todos aqueles que desejarem conhecer a língua e a cultura dos surdos que procurem a comunidade surda de sua região. Os frutos a serem colhidos valerão a pena, garanto!

Meu trabalho, hoje, continua relacionado à busca da melhor compreensão do surdo. A preocupação maior, neste momento, é buscar estratégias de atuação com o surdo, principalmente no que se refere ao letramento. Devo enfatizar que este letramento deve passar necessariamente pela língua de sinais e que a *Enciclopédia da Língua de Sinais Brasileira: O mundo do surdo em Libras*, elaborada pelo Prof. Dr. Fernando Capovilla e seus colaboradores, será de grande importância para que possamos encontrar os melhores caminhos em nosso trabalho. Atualmente desenvolvo, junto com a Profª. Drª. Maria Cristina da Cunha, a Profª. Kathyrin Harrison e a Profª. Maria Inês Vieira, um curso de aprimoramento na Derdic da Pontifícia Universidade Católica de São Paulo, que visa transmitir os conhecimentos por nós adquiridos no decorrer de todos estes anos. Paralelamente a esse curso, ministramos também um curso teórico-prático em que propiciamos o atendimento a surdos de diferentes idades com o uso de Sinais.

O panorama da educação do surdo mudou muito nestes últimos anos. Uma obra como a *Enciclopédia da Língua de Sinais Brasileira: O mundo do surdo em Libras* que venho aqui apresentar só poderia acontecer após todas essas mudanças. Mas muito ainda temos que caminhar. Espero que os resultados sejam aqueles que almejamos: Surdos respeitados na sua diferença e capazes de lutar pela igualdade de direitos nesta sociedade tão injusta com as diferenças.

Profª. Drª **Maria Cecilia de Moura**.
Faculdade de Fonoaudiologia da Pontifícia Universidade Católica de São Paulo, e-mail: alce55@uol.com.br

Referência bibliográfica

Moura, M. C. (2000). *O surdo: Caminhos para uma nova identidade*. Rio de Janeiro, RJ: Editora Revinter, Fapesp.

Apresentação do Curso de Inteligência Artificial e Informática a Educação do Instituto Tecnológico de Aeronáutica (ITA)

Prof. Titular Dr. Nizam Omar (ITA)

Apresentar uma obra é sempre uma honra. Apresentar um marco nos leva a extrapolar para além da obra, considerar sobre os seus desdobramentos e sobre as motivações do autor dessa obra. O dicionário de Libras, agora em sua versão digital, a *Enciclopédia Digital da Língua de Sinais Brasileira* é, mais que uma obra, o início de um novo tempo nas interações entre homem e computador ao permitir que a língua de sinais do surdo brasileiro possa vir a ser usada com o auxílio de uma máquina.

Todo dicionário abre caminho para um inexplorado mundo da comunicação entre os homens, permitindo com isso que o aprendizado de um povo seja transmitido a outro com significado preciso.

Deus em seu infinito amor distribuiu dons aos homens, o dom maior é o da vida e enquanto esta permanece os outros dons podem ser exercitados. Não conseguimos entender a falta de algum dom em alguém, como a visão ou a audição. Deus no seu infinito amor e na sua infinita misericórdia possibilitou a alguns serem seus colaboradores e utilizarem os seus dons para influenciar a vida de seus semelhantes. A uns constitui atalaias, portadores de mensagens de vida, a outros lhes deu sabedoria, conhecimento e capacidades para criar não só para o seu bem estar, mas para compartilhar com outros alegrias, tristezas e o aprendizado adquirido. Jesus nos deixou um legado, a vida eterna e o reino de Deus, e incumbiu-nos de proclamá-lo a toda criatura até os confins do mundo.

Jó, ao reconhecer a existência de Cristo e declarar sua fé em Deus disse "Sei que o meu redentor vive" e desejou que suas palavras fossem gravadas em pedra para que outros a pudessem receber. Como Jó teve o seu desejo satisfeito com o advento da imprensa, do mesmo modo este trabalho que hoje é entregue por Fernando Capovilla e sua dedicada equipe amplia a realização desse desejo permitindo que surdos possam desenvolver-se cada vez mais, obter pleno acesso à palavra de Deus e verter a Bíblia em língua de sinais, agindo assim como missionários entre nações e construindo pontes entre os povos. Para isso juntaram diversos de seus dons: Amor, perseverança, ousadia, determinação e, sobretudo fé; para disponibilizar, agora também em formato digital, uma ponte entre idiomas e mundos, e um instrumento de comunicação entre ouvintes e surdos, combinando conhecimentos humanos de áreas distintas e distantes como psicologia e informática, e contribuindo significativamente a todas elas.

Este novo ambiente de ensino e aprendizagem mostra um caminho inovador para a interação homem computador e oferece a todos os educadores engajados no uso da informática e profissionais da informática que atuam em educação por computador mecanismos que quebram paradigmas tradicionais de busca e visualização.

Sem dúvida nenhuma estamos vendo um alvorecer para a amada comunidade surda brasileira para que se manifeste a glória de Deus.

São José dos Campos, maio de 2002.

Prof. Titular Dr. **Nizam Omar**, Instituto Tecnológico de Aeronáutica e Universidade Presbiteriana Mackenzie. Atua desde 1975 em inteligência artificial e informática na educação com dezenas de publicações nacionais e internacionais, já formou mais de trinta doutores e mestres, e-mail: omar@comp.ita.br

Apresentação da Faculdade de Educação da Universidade Estadual de Campinas (FE–Unicamp)

Prof[a]. Dr[a]. Regina M. Souza (FE–Unicamp)

Serão, sem dúvida, privilegiados os leitores da *Enciclopédia da Língua de Sinais Brasileira: O mundo do surdo em Libras*, obra única em nosso país, quer pelo cuidado e seriedade acadêmica com que foi compilada pelo professor Fernando Capovilla e seu grupo de pesquisadores do Departamento de Psicologia Experimental da Universidade de São Paulo, quer por sua extensão. Ao todo, são dezenove volumes com 350 a 1.000 páginas cada um, cuidadosamente elaboradas e abrangendo milhares de itens lexicais da Libras (Língua de Sinais Brasileira), meticulosamente classificados por campo semântico. Um trabalho extremamente útil a professores, pesquisadores, fonoaudiólogos, às pessoas surdas e a todos aqueles que se interessam e atuam na área de educação de surdos.

Uma obra que reflete o esforço incansável do professor Capovilla e de seu grupo em demonstrar que a educação de surdos pode ser digna e produtiva se as singularidades lingüísticas – portanto, culturais e identitárias – da pessoa surda forem o ponto de partida para o estabelecimento de políticas educacionais voltadas às comunidades surdas. Um percurso inovador que, no Brasil, ainda se inicia, não obstante estarmos em pleno terceiro milênio!

A lentidão no estabelecimento de tais políticas se deve, em parte, ao fato de a educação de surdos ainda se confundir com os discursos que constituem a área da Educação Especial. Discursos esses que, como sabemos, se ancoram no pressuposto de que a surdez é uma patologia e que aqueles que a possuem são, por definição, deficientes da audição. Postos na categoria geral dos "portadores de deficiências" ou de "necessidades especiais", os alunos surdos acabam, em geral, submetidos a recomendações e práticas educacionais derivadas dos estudos sobre as deficiências mentais. O *PCNs* de *Adaptações Curriculares*, publicados pelo MEC, em 1999, ilustram bem essa lógica. Neles pode-se ler, por exemplo, que "*O professor – e/ou a escola – pode decidir, de modo legítimo, pela eliminação de conteúdos que, embora essenciais no currículo, sejam inviáveis de aquisição por parte do aluno.*" (p. 39).

Partindo da "natural" competência cognitivo-lingüística das pessoas qualificadas como normais, teóricos, educadores e políticos têm defendido, desde o século passado, que o convívio de "normais" com "portadores de deficiências" criaria, nestes, novas áreas de desenvolvimento a partir da ajuda que ("os deficientes") poderiam ter de companheiros mais capazes na realização de tarefas escolares. Se não por isto, os alunos "normais" para audição, visão e inteligência poderiam lhes oferecer bons modelos de aprendizagem ou, pelo menos, situações mais desafiadoras em termos cognitivos.

Neste aspecto, as pesquisas do professor Capovilla têm contribuído para que novos saberes sobre a surdez possam romper com essas práticas normalizadoras. Mais do que isto, oferecem elementos adicionais para que novos modos de compreensão da pessoa surda possam ganhar materialidade em outro espaço discursivo, isto é, no bojo das discussões que se faz sobre o caráter multilingüe e multicultural do que chamamos, genericamente, de povo brasileiro. Os surdos, nesta perspectiva, constituem uma das inúmeras minorias que formam nossa nação.

Essa nova forma de entender a pessoa surda não é apenas tributária das pesquisas que têm sido feitas na área por profissionais ouvintes, mas, e acima de tudo, também é caudatária dos saberes que, ao longo da história, os surdos têm registrado sobre suas experiências escolares. Entre eles, e para citar um trabalho recente, tem-se o estudo realizado pela pesquisadora surda Gladis Perlin[1]. Essa autora mostrou que, submetidos a uma conformação escolar que lhes nega o direito de se valerem da própria língua, boa parte dos surdos acaba abandonando a escola, e/ou desenvolvendo forte sentimento de ressentimento contra o grupo que os obrigou a se sujeitarem, durante a infância, a práticas pedagógicas ortopédicas ou, o que é pior, a uma mordaça simbólica.

Por outro lado, depoimentos de educadores e educadoras mostram como a escola inclusiva se encontra despreparada não apenas no quesito relacionado à formação de seus professores mas, também, no que se refere a materiais e recursos didáticos que possam auxiliar a escola a considerar, de modo cidadão, uma população que fala com as mãos e ouve com os olhos, como é o caso de muitos surdos. [2]

O papel central que a língua de sinais deve ocupar na escola pensada para surdos não é, absolutamente, uma discussão atual e, muito menos, como supõem alguns *experts*, uma tese defendida por lingüistas, psicólogos ou educadores ouvintes para, supostamente, poderem conquistar fama e glória. De um lado, um pensamento desse tipo constitui um elucidativo exemplo de como esses mesmos *experts* consideram negativamente a pessoa surda – ou seja, como seres incapazes de reivindicar, por si mesmos, o que lhes seria mais adequado em termos educacionais. Por outro lado, exemplifica a necessidade de ser conhecida a história da educação de surdos narrada por surdos. Vejamos alguns de seus fragmentos.

Em 1779, Pierre Desloges foi a primeira pessoa surda a publicar uma defesa em favor da tese de ser a língua de sinais o "veículo" mais apropriado para a instrução das pessoas surdas. Em seu texto *Observations d'un sourd et muet sur "Un Cours Élémentaire d'éducation des sourds et mueits", publié en 1779 par M. L'Abbé Deschamps*[3], Desloges rebate a crítica, feita por Deschamps, de que os sinais comporiam uma linguagem primitiva e rudimentar:

> *Ele* (Deschamps) *cometeu um erro maior ao sugerir que, para o surdo, a língua de sinais se limita às coisas físicas e às necessidades corporais.*
> *Isto é verdadeiro apenas para aqueles que são privados da companhia de outros surdos ou que são abandonados em asilos ou isolados em algum lugar em suas cidades. Isto também é uma prova inquestionável de que usualmente não aprendemos a língua de sinais de pessoas ouvintes.* (p.37).
> *De fato, uma vez que l'Epée concebeu o nobre projeto de se devotar à educação dos surdos, ele sabiamente observou que eles possuem uma língua natural para se comunicarem uns com os outros. Uma vez que essa língua não é outra senão a língua de sinais, ele percebeu que se ele conseguisse aprendê-la, o triunfo de seu empreendimento estaria assegurado. Esta compreensão foi coroada de sucesso. Então, o abade de l'Eppé não foi o inventor ou criador dessa linguagem; muito pelo contrário, ele a aprendeu com os surdos.* (p.34).

Em 1803, o abade (ouvinte) Sicard fez crítica a l'Épée por este ter inventado sinais para criar os seus famosos Sinais Metódicos (uma espécie de francês sinalizado) em vez de ter se valido da própria língua de sinais dos surdos para ensiná-los. Entretanto, reconhece que, para poder se valer da língua de sinais própria dos surdos, o professor deveria conhecê-la profundamente[4]. Segundo o abade, o mestre teria mais facilidade nesta tarefa se pudesse contar com um dicionário da língua de sinais (o próprio Sicard teria elaborado um).

Em 1840, o surdo Ferdinand Berthier, em *Les Sourds-muets avant et depuis l'abbé de L'Épée*[5], faz a seguinte afirmação sobre a língua de sinais:

> *Tudo o que eu posso dizer sobre a linguagem dos gestos é que, ainda hoje, poucas pessoas falantes têm uma idéia precisa em que consiste a linguagem* (dos gestos) *e seu caráter especial. Longe de ser simples, como usualmente suposto, ela possui um número limitado de constituintes em um número infinito de realizações, e é avivada pelo jogo da fisionomia.* (p. 175).

Mais de um século depois, Chomsky afirmará algo semelhante em relação às línguas de um modo geral. Cada língua, segundo ele, deveria ser entendida como constituindo um sistema composto por um número limitado de elementos que se combinariam segundo *um conjunto finito de regras que permitem a criação de uma infinidade de frases* (p.8, grifo do autor)[6].

---

[1] Perlin, G. (1998). *Histórias de vida surda: Identidades em questão.* Dissertação de Mestrado, Programa de Pós-graduação em Educação, Universidade Federal do Rio Grande do Sul.

[2] Paiva e Silva, A. (2000). *O aluno surdo na escola regular: imagem e ação do professor.* Dissertação de Mestrado, Programa de Pós-graduação em Educação, Universidade Estadual de Campinas.

[3] Parte deste trabalho pode ser lido em H. Lane, & F. Philip (1984). *The Deaf Experience,* Cambridge, MA: Harvard University Press, pp. 29–48.

[4] Sicard, R. A. (1803). *Cours d'instruction d'un sourd-muet de naissance.* In H. Lane, & F. Philip (1984). *The Deaf Experience,* Cambridge, MA: Harvard University Press, pp. 81–126.

[5] Idem, pp. 161–203.

[6] Chomsky, N. (sem data). *Diálogos com Mitsou Ronat,* São Paulo, SP: Cultrix.

Inúmeros trabalhos, entre eles os de Capovilla, têm demonstrado que tal definição de língua também se aplica no caso das línguas de sinais.

Em síntese, os surdos, de fato, sabem, ao menos desde o século XVIII, que a língua de sinais é o sistema lingüístico que deve subsidiar sua educação. E porque ela deve ser a língua principal, a de instrução na escola, mais apropriadamente sua escolaridade deveria se dar em escolas que a tomassem como ponto de partida (e não de chegada). Portanto, em escolas próprias para atendê-los. Essa reivindicação, que incomoda a tantos *experts*, é, todavia, compatível com o artigo 21 da Declaração de Salamanca (1994) e sugerida por um outro PCN, o de *Língua Estrangeira* (Brasil, 1999). Nele pode ser lido:

> *Em comunidades indígenas e em comunidades de surdos, nas quais a língua materna não é o Português, justifica-se o ensino de Língua Portuguesa como segunda língua.* (p.23).

Nesta direção segue, de modo competente, o professor Fernando Capovilla. Seu trabalho faz um resgate histórico: Ao nos contemplar com um estudo cuidadoso e pioneiro da Língua de Sinais Brasileira, ao elaborá-lo de modo a ser, cada sinal, compreendido em Inglês, expresso em SignWriting e explicado pela escrita do Português, Capovilla oferece um rico material de ajuda a professores que, como Sicard, têm a consciência teórica e ética de que, para ser professor ou professora de surdos é necessário, no mínimo, e como ponto de saída, conhecer a língua de sinais em profundidade. Caso contrário, como me disse uma amiga surda, a escola será apenas mais um espaço disciplinar, e de silenciamento, de uma população de alunos que não fala a língua da maioria. E, certamente, *isso* está longe de ser, para eles, uma escola inclusiva.

Unicamp, 20 de novembro de 2001.

Prof[a]. Dr[a]. **Regina Maria de Souza**, ex-coordenadora do grupo de trabalho surdez e língua de sinais da Associação Nacional de Pós-Graduação em Lingüística, e-mail: monobere@unicamp.br

Apresentação da Faculdade de Educação da Unicamp e da Faculdade de Filosofia da Pontifícia Universidade Católica de Campinas (Puccamp)

Prof. Titular Dr. Régis de Morais (Unicamp e Puccamp)

A ciência como voz solidária da cultura

A despeito da enorme importância desta obra (*Enciclopédia da Língua de Sinais Brasileira: O mundo do surdo em Libras*), não quisera dar ao texto de apresentação, que ora inicio, o estridor dos clarins. Move-me o desejo de escrever como se tocara uma música de câmara, em meditativo violoncelo. Isto porque os verdadeiros sentimentos de alegria são serenos, o regozijo vindo das nascentes mais profundas e ocultas do espírito. Quem me dera pudesse ser, este texto, lido como uma calma meditação sobre o colorido maravilhoso que resulta da junção entre ciência e solidariedade, quando a ética da compaixão, que não é piegas mas fiel à etimologia (*cum pati:* Saber sofrer com ou no lugar de), põe-se a caminhar de braços dados com a ciência.

Se compreendermos que o saber científico é uma das vozes da cultura, ante esta obra nos veremos remetidos, por primeiro, ao seu significado antropológico. Toda vida social objetiva um conjunto de valores, crenças e convicções, que é a cultura. Ora, como nos lembrava Darcy Ribeiro em uma retomada de Malinowski, a cultura é uma realidade trissistêmica, sendo composta - de forma dinâmica e não estanque de: a) Um *sistema adaptativo*, assim chamado em razão de quanto o ser humano adapta a si o mundo, do mesmo modo que se adapta, ele próprio, à natureza que o envolve; o sistema adaptativo cuida, fundamentalmente, da sobrevivência básica do ser humano; b) um *sistema associativo*, que se ocupa da interatividade, a qual vai desde relações interpessoais até às internacionais; este segundo sistema cuidando da coexistência e da convivência, e apresentando gradações, pois nosso saudoso Alceu Amoroso Lima sempre repetia que *"civilização deve ser entendida apropriadamente como o ultrapassamento da coexistência para alcançar-se a convivência"*; e c) um *sistema ideológico*, não aqui no sentido dado à ideologia por Karl Marx, mas significando as produções elaboradas da cultura (teologia, arte, filosofia e ciência-tecnologia, por exemplo).

Tal visão trissistêmica faz-se especialmente importante quando, ao nos voltarmos para o mundo de nossos semelhantes surdos, discernimos que eles estão expostos a problemas de inadaptação por motivo de uma como que "falha" em sua relação com os sons e ruídos do mundo de em volta. Por razão do desconhecimento do mundo em relação às peculiaridades da surdez, podem viver dificuldades associativas, às vezes caindo em um desagradável sentimento de rejeição, ou mesmo exclusão, relativamente aos outros que não experienciam o mundo da mesma ótica. Eis por que freqüentemente as cidades apresentam lugares onde os surdos se reúnem para celebrar a normalidade dentro de seu próprio grupo. Deste desencontro dos dois mundos talvez resulte que, só de raro em raro, vemos um deles destacar-se nos campos de produção cultural elaborada; escapa-lhes, muito provavelmente, que Beethoven e Helen Keller não são facilmente encontráveis em *todas* as sociedades: O que tomam para comparação com eles, na verdade vale para todos nós. Quantíssimos ouvem perfeitamente sem nem se aproximarem de um Beethoven, e quantos escrevem muito bem sem virem a ser uma Helen Keller?

A fenomenologia, em campo filosófico, apresenta-nos interessante seqüência de afirmações, estabelecendo que: a) O homem é um ser-*no*-mundo, nisto não apenas situando o ser humano em linha de obviedade, mas já apontando a interdependência fundamental entre o homem e o mundo, este último não como conjunto de coisas, mas como o *âmbito* em que se mostra possível o fenômeno humano; b) o homem é um ser-*com-o*-mundo, com isto avançando para o dimensionamento de uma *comunhão*; interatividade do ser humano com seu ambiente físico e com o mundo humano propriamente; e c) o homem é um ser-*pelo-outro*, no sentido forte segundo o qual nenhum de nós teria possibilidade de desenvolver a própria humanidade, a não ser no contato com nossos semelhantes. Este é um encadeamento do pensar que me tem fascinado desde que o conheci.

Vê-se, nesta bela obra que ora apresentamos, que os cientistas e pensadores que nela trabalharam visaram, acima de tudo, facilitar a condição do surdo como ser-*no*-mundo, como ser-*com-o*-mundo e, especialmente, como ser-*pelo-outro* na plenitude possível. Em meio a tantas e tão vultosas verbas que se perdem em exotismos acadêmicos, bem como nessa judiação de inúmeras mentes privilegiadas perdidas por labirintos estéreis do saber, precisa haver muito regozijo quando as verbas e as inteligências são empenhadas, como nesta obra, em ciência competente aliada à solidariedade humana mais cristalina.

Em sua tragédia *Antígona*, o poeta e dramaturgo grego Sófocles põe na boca do coro trágico os seguintes versos: *"Há muitas coisas estranhas sobre a terra, mas nenhuma há mais estranha do que o homem"*. E, aqui, o estranhamento do dramaturgo é o mesmo do filósofo ao pensar que o ser humano existe; mais: Que *só* o homem existe, pois, o verbo existir é formado pela expressão latina *ex sistere*, a qual, numa tradução mais livre, quer dizer: Pôr-se para fora de si, comunicar-se, significar. Então dizemos: Há muitas árvores, há muitas pedras; *existem* muitas pessoas. Comunicação é pista de mão dupla: Eu me dirijo à sensibilidade e à consciência dos outros, assim como recebo em mim as significações dos meus semelhantes.

O biólogo e pensador chileno, de nomeada mundial, Humberto Maturana lembra-nos de que o espaço propriamente humano é o espaço da *conversação*, de vez que, abolida ou impedida a interatividade, nega-se o fundamentalmente humano. Percebemos, então, que existir é conversar, que a conversação é fundamento de cidadania pelas riquezas da linguagem abstrativa do homem. Logo, urge que se possa conversar sem que seja obrigatório poder ouvir, e sem que a fala articulada seja vista como único elemento do discurso humano.

É isto que a presente equipe de pesquisadores, liderada pelo Prof. Dr. Fernando César Capovilla, perseguiu em um ágape de generosidade e excelente competência científica. É pena que, não sendo cientista da área trabalhada nesta obra, eu não logre mais do que bordejar as paisagens litorâneas da sua relevância; no entanto, emociono-me com o que vejo e rendo graças a Deus por me deixar constatar que há jovens pesquisadores que andam pela ciência com profundo amor humano, à semelhança do que nos encanta no Irmão Francisco de Assis em sua poética religiosa.

Nesta *Enciclopédia da Língua de Sinais Brasileira: O mundo do surdo em Libras*, vejo uma vez mais um dos meus especialmente queridos ex-alunos, o Dr. Capovilla, cercar-se de colaboradores muito bem afinados com seu espírito arguto e compassivo, para que juntos auxiliem a elevar a imagem do Brasil entre os que sabem muito bem para quê se faz pesquisa, deixando para trás ambições pequenas de simples enriquecimento curricular.

Como a seringueira que, cortada, deixa escorrer silenciosamente o látex leitoso, assim escrevo esta apresentação; medito acerca do forte teor espiritual que podem ter os avanços científicos, desde que não pensemos o espírito como fumacinhas imponderáveis, mas como a melhor força interior do homem e de sua consciência reflexa, partícipe da Grande Força na qual creio com firmeza e sem ímpetos proselitistas. Sinto estar tecendo uma meditação que louva o autêntico sentido da ciência na cultura.

Vejo, mesmo como leigo no assunto, que após produções como a presente obra de Língua de Sinais Brasileira para surdos, as possibilidades humanas e sociais destes últimos não mais serão as mesmas. Anne Sullivan, em seu frêmito humanitário, ou Valerie Sutton, em seu humanitarismo ativo e investigador, certamente poderiam encantar-se com as sementes que, junto com outros, lançaram para as terras destas bandas tropicais e subtropicais. Quanto aos especialistas brasileiros, seu apoio já vem sendo dado aos pesquisadores que se têm reunido em torno do professor Capovilla.

A atenção dada a minorias, que por séculos foram deixadas nas franjas nebulosas de certa marginalidade, é algo que traz ricas promessas de combate competente às exclusões sociais, sejam estas relativas aos bens culturais, sejam relativas à carga emocional-simbólica das relações interpessoais e intergrupais. Que os surdos deste nosso país se possam situar melhor nos contextos familiar, de relações sociais amplas e de participação nacional – eis a música nítida e boa que podemos "ouvir" nesta obra que estamos tendo o privilégio e a honra de apresentar.

Que os leitores e usuários desta obra sejam complacentes com este pesquisador de outras paragens que tão longamente escreveu nestas páginas de prefácio. Acontece que não devemos calar as melodias que nascem da conjunção entre razão e emoção; acontece que testemunhos de outras áreas costumam ter uma significação específica; e, sobretudo, acontece que os pesquisadores que produziram a *Enciclopédia da Língua de Sinais Brasileira: O mundo do surdo em Libras* instigaram-nos a racional avaliação científica e feriram, com fino corte, o tronco da seringueira de nossas emoções.

Vocês serão mais do que leitores e usuários; serão testemunhas de um momento histórico de renovação na crônica brasileira sobre as novas possibilidades de cidadania para nossos surdos.

O que ficamos pedindo à vida é que o respeito das instituições (escolares ou não) aos brasileiros surdos se ponha à altura dos que se empenharam nesta obra, e se traduza por gestos administrativos de real responsabilidade para com essa minoria plena de direitos, como as demais minorias. Isto em razão de que, se facultamos o acesso a importantes livros, fazemos muito mas não fazemos todo o necessário. Animadores, docentes e intérpretes não podem faltar sob a escusa de faltarem verbas, pois esses são os que dinamizam o aproveitamento de obras como a que ora apresentamos.

Nos horizontes desta Pátria apesar de tudo promissora, desenha-se com nitidez e forte luz esta obra feita de vida, sangue e dezenas de milhares de horas nem sempre bem remuneradas. Nos horizontes da linguagem, configuram-se novas possibilidades idiomáticas que aumentarão as comunicações entre consciências e expandirão intercâmbios emocionais. Retomando Maturana: O ser humano celebrará novas dimensões do espaço propriamente humano: O da conversação.

Deixemos o seguinte pensamento de Santo Agostinho, para encerramento destas nossas páginas simples:

"O que o amor faz em benefício próprio chama-se utilidade. O que faz pelo bem do próximo chama-se benevolência.

Estas são as duas faces do amor como virtude. A utilidade, entretanto, tem uma precedência lógica: Ninguém pode dar a outro aquilo que não tem". (*A Doutrina Cristã, 3,* 10–16).

Campinas, 2002.

Prof. Titular Dr. **J. F. Regis de Morais**, filósofo, educador e escritor, professor titular aposentado da Unicamp, professor titular da Puccamp, e-mail: regismorais@hotmail.com

Apresentação do Departamento de Lingüística da Universidade Federal de Santa Catarina (UFSC)

Prof[a]. Dr[a]. Ronice Müller de Quadros (DL–UFSC)

Como diz J. Schuyler Long (apud Sacks, 1989, p. 6),

> *A língua de sinais é, nas mãos de seus mestres, uma língua das mais belas e expressivas, para a qual, no contato entre si e como um meio de alcançar de forma mais fácil e rápida a mente do surdo, nem a natureza nem a arte proporcionaram um substituto satisfatório. (...) Enquanto houver dois surdos no mundo e eles se encontrarem, haverá o uso de sinais.*

É interessante que Long usou alguns dos adjetivos que muitos surdos utilizam para falar sobre a língua de sinais – a língua que causa um impacto fantástico na vida dos surdos – são eles, *bela, expressiva, fácil, rápida.* A esses adjetivos, gostaria de acrescentar mais alguns que são comumente usados pelos surdos ao expressarem as razões que os levam a se identificarem enquanto sujeitos, com identidade surda, ao mergulharem no mundo dos surdos utilizando a língua de sinais. *Alívio, tranqüilidade, possível, completa, perfeita, suave, leve.* Esses adjetivos ditos em sinais captam a representação que os surdos têm da própria língua. É uma língua essencialmente visual, isto é, sem referência sonora. As experiências visuais são as que perpassam a visão.

O que é importante é ver, estabelecer as relações de olhar (que começam na relação que os pais surdos estabelecem com os seus bebês), usar a direção do olhar para marcar as relações gramaticais, ou seja, as relações entre as partes que formam o discurso. O visual é o que importa. A experiência é visual desde o ponto de vista físico (os encontros, as festas, as estórias, as casas, os equipamentos...) até o ponto de vista mental (a língua, os sonhos, os pensamentos, as idéias...). Como conseqüência é possível dizer que a cultura é visual. As produções lingüísticas, artísticas, científicas e as relações sociais são visuais. O olhar se sobrepõe ao som mesmo para aqueles que ouvem dentro de uma comunidade surda.

A língua de sinais apresenta riqueza gramatical, pois apresenta todos os níveis de análise da lingüística. Mas não é somente nesse sentido que ela é considerada *completa.* Ela dá conta das representações dos surdos de forma específica. Ela capta o diferente que é determinado pela experiência visual. A língua de sinais é fundamental para as comunidades surdas. É o que conecta os surdos, é o que os torna comuns, é o que garante a compreensão e a expressão das idéias, sentimentos e representações. Essa língua torna *possível* o uso da linguagem por prazer de forma criativa, de forma *perfeita.* Assim, permite que a conversa jogada fora, que a reflexão e que a própria análise seja *leve* e *suave.* Ao descobrir e adquirir a língua de sinais, os surdos sentem-se, de fato, *aliviados* e *tranqüilos,* pois ela abre as portas do mundo para os surdos de forma *fácil.* Além de tudo isso, ela é *belíssima.*

Incluo a esses comentários, a reflexão de Wrigley (1996), ao abordar a questão das línguas de sinais:

> *Gerações de surdos sinalizadores têm demonstrado a existência de uma língua rica suficiente para ser expressa de diferentes formas, inclusive por meio de poesia e de estórias. Os surdos criam sistemas de significados para explicar como entender seu espaço no mundo. O que a cultura surda tem feito é mostrar que uma necessidade humana básica para a linguagem e para a simbolização são essenciais.*

Porto Alegre, maio de 2002.

Prof[a]. Dr[a]. **Ronice Müller de Quadros**, e-mail: ronice@cpovo.net

Referências bibliográficas

Sacks, O. (1989). *Vendo vozes: Uma jornada pelo mundo dos surdos.* Rio de Janeiro, RJ: Imago Editora.

Wrigley, O. (1996). *The politics of deafness.* Washington, DC: Gallaudet University Press.

Apresentação do Departamento de Educação da Universidade Federal do Rio Grande do Sul (UFRGS)

Prof. Dr. Carlos Skliar (UFRGS)

I

Faz muito tempo que sabemos que não existe tal coisa como a *Linguagem,* assim em maiúsculas: Essa é uma invenção dos filósofos. E sabemos, também, que o que temos é uma língua. Mas não uma língua só – o Português, o Espanhol, a Língua de Sinais Brasileira, etc. – senão uma multiplicação babélica de línguas em cada uma das línguas. E sabemos ainda que em cada uma dessas multiplicações ocorrem as mudanças, as disseminações, os equívocos, a ilusão secular de tradução, o esquecimento, as reivindicações, as lutas, os massacres.

Toda língua, e as suas sementes, tem uma história que nunca poderá ser contada. Uma vibração que não poderá ser registrada. Um movimento que não poderá ser capturado. Uma vida que não poderá jamais ser colonizada.

Temos falado muito dos surdos, da surdez e da língua de sinais. *Nós* temos falado muito. Nesse sentido nos representamos aos surdos como uma alteridade maléfica. E incluímos nesse malefício todo o que os surdos faziam ou iam a fazer. Era maléfica a sua língua, a sua comunidade, a sua cultura. Era maléfico o seu olhar, as suas associações, os seus matrimônios. Eram maléficos seus gestos, os seus comportamentos exóticos, as suas rebeliões. A partir dessa invenção determinamos que a educação dos surdos devia estar baseada em um princípio fundamental: "Está mal ser o que és (ser surdo) e está bem ser outra coisa daquilo que és (ser ouvinte)". Com esses princípios a pedagogia para surdos não podia ser outra coisa que uma sistemática hostilidade, uma permanente negação do outro e uma incessante violência – física e simbólica.

Mais recentemente percebemos, alguns de nós com muita dor e outros sem sequer se olhar no espelho, que os surdos e que as suas línguas de sinais não eram maléficas. O maléfico era a nossa invenção da surdez e dos surdos. *Inventamos* a surdez, os surdos e as línguas de sinais para nos sentir mais seguros, confiáveis, equilibrados na nossa falsa e toda poderosa identidade de ser *ouvintes*.

Com muita leviandade, então, decidimos entrar em relação com a surdez, os surdos e a língua de sinais. Decidimos, nós, que aí começava a verdadeira biografia deles, que esse era o início da *nossa* história em comum. Decidimos que a partir de *agora* não era errado ser surdo, não era errado usar a língua de sinais. E convidamos os surdos a fazer parte das *nossas* decisões, dos *nossos* projetos, das *nossas* necessidades. Queríamos nos relacionar com eles sem sentir nenhuma culpa, sem fazer nenhuma crítica, sem olhar para o passado. Por isso, às vezes, a troca foi impossível, cheia de incompreensões, de perplexidades. Tratava-se de uma relação de oposição em que os surdos sempre ocupavam esse segundo lugar, obscuro, negativo, colonizado. E a pedagogia tornou-se uma fronteira de exclusão e de inclusão, um território vigiado pelos especialistas – que talvez agora não eram tão clínicos nem tão cínicos.

Quem sabe se neste momento já compreendemos que a surdez, os surdos e a língua de sinais não são maléficos, não são produto de uma invenção maléfica, nem são parte de uma relação de obrigatoriedade conosco. Quem sabe se agora já entendemos que os surdos e a língua são, serão e têm sido sempre irredutíveis à nossa identidade e à nossa língua. Quem sabe se, finalmente, já percebemos que esse outro surdo pode distanciar-se com o seu mistério e voltar quando quiser, quando ele quiser. E que a educação negue aquele princípio anterior: "Está mal ser o que és (ser surdo) e está bem ser outra coisa daquilo que és (ser ouvinte)", e se encarne em outro princípio bem diferente: "Está bem ser o que se és e não está mal ser, além disso, outra coisa daquilo que já és". Só assim a língua de sinais será finalmente livre e não só oficializada. Só assim os surdos serão finalmente o que já estão sendo: Sendo surdos que amam, choram, sofrem, vivem, discutem, namoram e sonham com a língua de sinais.

II

Já não existem as escusas, as lamentações, os castigos divinos, a racionalidade centralizadora da ciência. Existem as possibilidades, as afirmações, a autonomia, e os diferentes discursos para se fazer e se pensar as ciências. Se é verdade aquilo que diz Baudrillard (1999) [7]: "El objeto ya no es lo que era" (p. 29) e também aquilo de que "El objeto nos piensa" (p. 93), então chegou a hora de dar as boas-vindas a aquelas pessoas, a aqueles grupos, cuja tentativa é a de ajudar a continuar vibrando com o outro.

Temos visto muitas infantilizações, normalizações e colonizações das língua de sinais. Pequenos manuais, ínfimos textos e grotescos desenhos que faziam da língua uma simples caricatura dela mesma.

Materiais como este livro que o leitor tem em mãos vão muito além da questão da completude ou incompletude da sua descrição; da perfeição ou imperfeição dos seus traçados. São necessários como o ar, como a terra, como a água, como o fogo. Como tem sido para todos nós *o Dicionário enciclopédico ilustrado trilíngüe da Língua de Sinais Brasileira – Libras*, realizado pela mesma equipe.

A partir desta nova produção, a *Enciclopédia da Língua de Sinais Brasileira: O mundo do surdo em Libras* já nada na educação dos surdos poderá ser como era antes.

Pois deveremos, com ela, nos olhar face a face e saber quem está vibrando e quem não, quem está sonhando e quem não, quem está sentindo e quem não.

Em nome de todos, surdos e ouvintes, obrigado.

Mais uma vez, obrigado.

Porto Alegre.

Prof. Dr. **Carlos Skliar**, pesquisador de Libras e professor da UFRGS, e-mail: skliar@piaget.edu.ufrgs.br

Apresentação do Deaf Action Committee (DAC) for SignWriting, California, EUA

Inventora Valerie Sutton (DAC–SW, EUA)

As línguas de sinais são sistemas lingüísticos visoespaciais das comunidades surdas nativas de todo o mundo. Elas não são línguas inventadas, mas evoluem naturalmente à medida que as pessoas surdas congregam-se em grupos, usualmente a partir das escolas. As línguas de sinais não são internacionais, já que normalmente as pessoas surdas têm um contato relativamente limitado com outros países. Portanto, cada país tem pelo menos uma e, às vezes, várias línguas de sinais culturalmente únicas, com vocabulários ricos e múltiplas variações dialetais.

Historicamente, as pessoas surdas sempre tiveram as suas línguas e culturas nos países em que a maioria ouvinte deu aos surdos congênitos permissão para congregar-se e comunicar-se entre si. Durante todo esse tempo, a maioria ouvinte sequer se deu conta do desenvolvimento e evolução dessas belas línguas, sendo que algumas têm existido há séculos. A maior parte dos ouvintes simplesmente presumia que uma língua tivesse que ser falada com sons para ser uma língua de verdade. Eles nunca perceberam que uma língua pode ser codificada e transmitida por meio de movimentos das mãos também.

Curiosamente, as pessoas surdas sinalizadoras não são deficientes em sua relação umas com as outras, precisamente porque elas compartilham da mesma língua. É apenas quando as pessoas surdas entram em contato com a maioria ouvinte que a comunicação pode tornar-se difícil. Nunca ocorreu aos ouvintes que a deficiência bem pode ser, pelo menos parcialmente, deles mesmos.

---

[7] Baudrillard, J. (1999). *El intercambio imposible.* Madrid, Espanha: Cátedra.
Nota de Capovilla: A filosofia pós-modernista do filósofo francês Jean Baudrillard baseia-se na crítica ao pensamento científico convencional que substitui a realidade pela ilusão da verdade.

E é por isso que admiro pioneiros como o lingüista Dr. William Stokoe da Universidade Gallaudet em Washington DC que, em seus dias, confrontou o tremendo preconceito de lingüistas e educadores ouvintes. O Dr. Stokoe dispôs-se a demonstrar que as línguas de sinais são línguas "de verdade". Ele documentou esse fato científico pela primeira vez em seu *Dictionary of American Sign Language* publicado em 1960. Tal livro levou ao reconhecimento mundial que as línguas de sinais são línguas plenas, e disparou uma revolução na pesquisa científica. Pela primeira vez as pessoas ouvintes estavam reconhecendo a estatura real das línguas de sinais e que elas eram objeto digno de investigação científica. Em conseqüência, a pesquisa intensiva sobre diferentes línguas de sinais espalhou-se por todo o mundo.

Quatorze anos mais tarde, em 1974, comecei o meu trabalho na área, mas a partir de uma profissão diferente. Eu era uma notadora de movimentos coreográficos. Inventei um sistema de escrita genérico de movimentos corporais chamado Escrita de Movimento Sutton. Eu nada sabia acerca de pesquisa lingüística nesse tempo. Eu nunca havia ouvido falar do Dr. Stokoe, e não tinha idéia sobre as dificuldades vividas pelas comunidades surdas de todo o mundo. Eu estava inspirada pela beleza dessas línguas baseadas em movimento, como um dançarino embevecido escrevendo a coreografia de uma dança, ou uma câmara que objetivamente captura o movimento, fotograma a fotograma.

Comecei com a Língua de Sinais Dinamarquesa enquanto ensinava a escrever movimentos a partir de videotape em Copenhague, Dinamarca. Decidi dedicar minha vida a, dia após dia, escrever as línguas de sinais das comunidades surdas de todo o mundo, preservando-as e dando-lhes forma escrita. Este foi o início do SignWriting.

Vinte e sete anos depois, a Língua de Sinais Brasileira, que é a língua natural da população surda brasileira, foi documentada pela primeira vez no *Dicionário enciclopédico ilustrado trilíngüe da Língua de Sinais Brasileira*. Cada sinal é explicado em Português e Inglês escritos, ilustrações, diagramas, e também em escrita de língua de sinais por meio de SignWriting. O dicionário, publicado em 2001 pelos psicólogos Fernando Capovilla e Walkiria Raphael, começou uma revolução no Brasil, abrindo o mundo do surdo à pesquisa, à lingüística, à psicologia e à educação. Ele deu ao povo surdo brasileiro uma forma de escrever cada um dos seus sinais em SignWriting e explicou detalhadamente como fazê-lo. Graças a isto, os surdos passaram a poder consultar os seus sinais no dicionário e ensinar-se a si mesmos como escrevê-los. Em outros países, SignWriting tem sido usado para aperfeiçoar as habilidades de leitura de surdos congênitos porque, ao ler e escrever a sua língua nativa, os surdos conseguem compreender melhor as outras línguas e como elas são escritas.

Assim, é com minha mais profunda admiração que escrevo esta apresentação para congratular o Professor Capovilla e sua valente equipe por mais esta histórica contribuição: A *Enciclopédia da Língua de Sinais Brasileira: O mundo do surdo em Libras*, que irá beneficiar grandemente a comunidade surda brasileira. O Dicionário da Libras tem tido excelente aceitação, e uma segunda edição já foi lançada em menos de um ano após a primeira! A Enciclopédia em dezenove volumes é igualmente válida e confiável e ainda mais completa. Seu propósito é servir como uma ferramenta eficaz para a aprendizagem de Libras e para o seu ensino em contextos temáticos de conversação como esportes e jogos, viagens e lugares, transporte e hospedagem, cuidado com higiene e saúde, educação sexual e prevenção, artes e espetáculos, economia e finanças, profissões e empregos. Sem dúvida, uma grande realização!

Depois de trabalhar por 28 anos com educadores surdos e sinalizadores nativos em trinta países diferentes, creio que uma educação bilíngüe verdadeira baseada em ambas as línguas de um país, a falada e a sinalizada, é de fundamental importância para que crianças surdas congênitas possam vir a tornar-se surdos adultos verdadeiramente educados e plenamente proficientes no domínio competente da língua escrita.

As línguas de sinais agora não são mais línguas ágrafas, mas sim línguas escritas. E a Libras está se tornando uma língua escrita também devido ao árduo trabalho do Dr. Capovilla e de seu valoroso grupo de pesquisa e desenvolvimento na Universidade de São Paulo. Esta publicação está tornando esta realidade ainda mais palpável e concreta ao introduzir SignWriting nesta vasta série de volumes completos, práticos e fáceis de usar por professores e estudantes.

Assino esta apresentação com espanto e admiração, e envio a todos os brasileiros o meu amor e as minhas bênçãos.

La Jolla, Califórnia, março de 2002.

Valerie Sutton, inventora do SignWriting e criadora do Sistema de Escrita de Movimento Sutton, Deaf Action Committee (DAC) for SignWriting, California, EUA, e-mail: sutton@signwriting.org

Apresentação da Coordenadoria Nacional de Cursos de Libras da Federação Nacional de Educação e Integração dos Surdos (Feneis)

Prof. surdo Eduardo Sabanovaite, coordenador nacional de cursos de Libras (Feneis)

É uma grande honra estar participando do projeto da *Enciclopédia da Língua de Sinais Brasileira: O mundo do surdo em Libras* em dezenove volumes que vem sendo desenvolvido pela equipe muito especial do Dr. Fernando Capovilla, dedicada a documentar e divulgar a primeira língua visoespacial dos surdos brasileiros, que é Libras, Língua de Sinais Brasileira.

A história de uma pessoa surda se reflete nos seus momentos históricos, com as barreiras, as dificuldades que tem a cada instante para construir a sua Identidade enquanto sujeito. Esta história está relacionada com o ser social, político e histórico que tem seus momentos refletidos ao longo dos tempos.

O meu desejo é que este projeto seja válido para aqueles que trabalham com surdos e que estes possam, ao ler, pensar e refletir sobre o que estão realizando, suas razões e objetivos. Quando reflito um pouco sobre a educação de surdos, a língua de sinais, e a comunidade de surdos, não posso deixar de falar um pouco sobre a construção da identidade da pessoa surda.

Sem a construção da Identidade como pessoa surda, seria difícil pensar ou refletir sobre como é a relação entre o indivíduo surdo e a sociedade como algo básico para sua construção enquanto sujeito com uma identidade própria, questionadora e inovadora de si mesma. Mas para isso acontecer, é preciso que cada um se questione se está pronto para fazer isso, sobre a possibilidade de estar reformulando, ou melhor, transformando a sua própria identidade enquanto sujeito surdo ou profissional surdo.

Ao usar o termo *profissional* surdo, tento referir um pouco da minha experiência na área de educação. Desde 1991, venho atuando como instrutor de Libras da Feneis–SP (Federação Nacional de Educação e Integração dos Surdos, escritório regional de São Paulo) e, com o passar do tempo, tenho percebido que o trabalho dos instrutores tem sido muito importante, tanto para a comunidade surda como também para a sociedade.

O leitor agora deve estar se perguntando: Como construir essa identidade como sujeito e profissional? Acho que a maioria não conhece essa língua própria da comunidade surda, e que ela é uma das minorias. A resposta seria: *Todos nós devemos seguir por etapas, quando queremos alcançar um objetivo de curto, médio e longo prazo.* Foi isso o que aconteceu com a Feneis de São Paulo. Lá éramos em quatro instrutores, que tentávamos divulgar a língua dos surdos como primeira língua visoespacial, mas fomos rejeitados e discriminados diversas vezes até chegar ao ponto de nos sentirmos excluídos da sociedade. Mas não desistimos de qualquer um de nossos objetivos. Ao contrário, fomos atrás de muitos surdos, com o sonho de ver o número de instrutores crescendo e alcançando nosso objetivo de curto prazo: Mostrar a todos que somos seres humanos diferentes e, não "deficientes". Conseguimos e, de 1996 a 2000, o número cresceu de apenas quatro para quinze instrutores.

Fui nomeado como Coordenador Nacional de Libras, pelo Sr. Presidente Antonio Campos de Abreu. Conheci muitos instrutores de diversos estados do Brasil, com seus dialetos diferentes, e a sua criação de métodos diferentes para a ministração das aulas. Tive uma experiência constante nesta área, mas estava sempre sentindo um vazio dentro de mim... até encontrar um caminho mais importante que tem a ver com o objetivo de prazo médio: Ter uma lei nacional para oficializar a nossa língua, desenvolver as metas dos surdos na sociedade e, principalmente, reformular as escolas especiais para surdos.

Então, decidi ingressar na Faculdade de Matemática, com a vontade de lecionar numa escola de surdos, pois, para que o movimento dos surdos que desejam ver sua língua e cultura reconhecidas tenha sucesso, é preciso implantar um sistema de educação que considere e acredite que a primeira língua a ser adquirida pela criança surda seja a língua de sinais. Aqui no Brasil há muitos profissionais que sofreram com as mudanças de filosofias educacionais adotadas pelas escola, outros não têm interesse em melhorar o seu ensino, outros têm medo de cometer erros em seu trabalho, outros não aceitam a língua de sinais, enfim, todos eles acabam indecisos quanto ao que é melhor para as crianças surdas. Isto tudo acontece porque no Brasil ainda não há suficiente divulgação sobre a educação de surdos do Brasil, a sua história, a sua cultura, os seus movimentos, os seus eventos, as suas pesquisas, etc... Em suma, sobre todas as atividades e movimentos representativos daquilo que é a surdez, em seu significado amplo.

Aqui no Brasil, podemos ver que a nossa comunidade surda ainda não é totalmente reconhecida, como pessoas que compõem a cultura da língua de sinais e que deveriam ter direito ao acesso pleno à mesma. Não se trata somente do reconhecimento da língua de sinais, mas dos surdos como representantes de um grupo minoritário que têm direito de receber educação em sua própria língua.

Outro ponto mais importante que não podemos deixar de citar é que não basta ser surdo e dominar a língua de sinais para poder trabalhar com a criança, mesmo no nível pré-escolar. Há necessidade de conhecer bem as etapas de desenvolvimento das crianças, as propostas pedagógicas e, principalmente, querer trabalhar com crianças surdas. Isso não está acontecendo nos dias de hoje, pois, a maioria dos surdos se vê apenas como uma nova possibilidade no mercado de trabalho. Muitas pessoas acham que, só porque é surdo, pode lecionar Libras. Trata-se de um problema que pode aparecer no trabalho, na relação com crianças, pais e outros profissionais envolvidos. Tal problema pode decorrer das frustrações da pessoa enquanto surdo que não teve oportunidades de adquirir a língua de sinais ou que não foi respeitado na sua diferença quando era criança. Assim é preciso que as pessoas tenham muito cuidado quando forem escolher um surdo para trabalhar nas escolas especiais, muito embora este tenha o seu papel importante como um modelo de adulto surdo para as crianças surdas.

Terminando, a Língua de Sinais Brasileira, nos dias de hoje, está sendo reconhecida como meio legal de comunicação e de expressão, utilizada como meio de comunicação objetiva e de uso corrente das comunidades surdas do Brasil, sendo que, por lei, a administração pública deve assegurar o atendimento aos surdos na Língua de Sinais Brasileira por meio de intérpretes qualificados na mesma. A nova lei nacional aprovada pelo Sr. Presidente Fernando Henrique Cardoso contempla também o ensino da língua de sinais nos cursos da área de educação especial, fonoaudiologia e magistério, sendo optativa para o aluno e obrigatória para a instituição de ensino. Esta lei permitirá que os direitos dos surdos sejam respeitados, pois estabelece que os surdos têm condições de expressar sua vontade, e os intérpretes da língua de sinais terão condições de ser reconhecidos.

Este é um caminho a longo prazo, que está sendo importante, e espero que possa levar a uma mudança real na educação e na condição do surdo enquanto cidadão.

É importante lembrar sempre que todos nós somos produtos da História. A História nos produz e se reproduz em cada um de nós. Enquanto para alguns ela é amável, para outros ela é madrasta e tenta impedir o desenvolvimento, a autonomia e a autoria de cada um, criando todo tipo de empecilhos para que estes seus enteados não possam se rebelar contra ela. O surdo é um destes enteados, presenteados, através de uma máscara de benevolência, com as algemas da falta da linguagem e com todas as conseqüências deste presente momento.

Parabenizo a equipe do Dr. Fernando Capovilla que tem a força de vontade de levar a comunidade surda para que o Brasil todo reconheça o quanto ela é importante e digna de respeito, com a publicação dos dezenove volumes desta *Enciclopédia da Língua de Sinais Brasileira: O mundo do surdo em Libras.*

São Paulo, 24 de junho de 2002.

Prof. surdo **Eduardo Sabanovaite**, ex-coordenador nacional de cursos de Libras da Federação Nacional de Educação e Integração dos Surdos (Feneis), e-mail: sabanovaite@ig.com.br

Apresentação de professora surda do Instituto Santa Terezinha e pesquisadora da Escola Especial para Crianças Surdas da Fundação Rotarianos de São Paulo

Profª. surda Sylvia Lia G. Neves (IST, EECSFR–SP)

Fiquei feliz quando fui convidada para escrever uma apresentação deste livro da série *Enciclopédia da Língua de Sinais Brasileira: O mundo do surdo em Libras*, ainda mais tendo participado da equipe que elaborou o *Dicionário enciclopédico ilustrado trilíngüe da Língua de Sinais Brasileira*, na qual trabalhei com a criação de ortografias na escrita de sinais, e depois na revisão.

Ao ser convidada pela equipe da Universidade de São Paulo a trabalhar com a escrita de sinais, me senti num grande dilema, pois no início havia alguns sinais que desconhecia, outros sinais que faltavam, e ainda outros sinais com diferentes sentidos, devido à diversidade de procedência dos informantes surdos até então.

Para obter um resultado mais harmonioso e válido, propus para a equipe fazer parceria com a Federação Nacional de Educação e Integração dos Surdos, cujos instrutores surdos poderiam ajudar como informantes e revisores. E assim foi feito.

Hoje posso dizer que sinto um grande orgulho de ter contribuído para fazer um dicionário melhor. A língua de sinais precisa ser estudada e documentada, e esse trabalho é muito grande. Daí a necessidade de termos sempre surdos e ouvintes trabalhando juntos o tempo todo.

Atualmente, sou bibliotecária da Escola Especial para Crianças Surdas, da Fundação Rotarianos de São Paulo, e também trabalho no Instituto Santa Terezinha, de manhã como instrutora para crianças de 3ª série do Ensino Fundamental até 2ª série do Ensino Médio, e à tarde, como bibliotecária.

As crianças surdas com pais ouvintes desconhecem sinais e vêm para a escola sem conhecer a língua de sinais. É importante que as crianças tenham a língua ao entrar na escola para que não se atrasem.

Muitos profissionais e mães de surdos vão à biblioteca em busca de informação sobre sinais. Com os materiais, os pais já podem conhecer os sinais, e ter comunicação com os filhos. Posso afirmar que o *Dicionário enciclopédico* tem sido fundamental.

Também sou instrutora da língua de sinais, e percebo que os ouvintes são ansiosos para aprender Libras, e que querem ter algum suporte para poder consultar e estudar. O *Dicionário enciclopédico* ajudou muito aos pais, aos profissionais e aos alunos de língua de sinais.

É necessário ter mais materiais específicos de Libras e sobre Libras, para facilitar a aprendizagem das pessoas: Profissionais, pais, crianças e amigos de surdos. O Brasil ainda está no começo desse processo, e o *Dicionário Enciclopédico* representou um grande passo. Agora, um ano depois de lançado o *Dicionário Enciclopédico*, a presente série *Enciclopédia da Língua de Sinais Brasileira: O Mundo do surdo em Libras*, elaborada pela mesma equipe, dá prosseguimento a esta caminhada rumo a um futuro melhor para a criança surda brasileira.

São Paulo, 2002.

Profª. surda **Sylvia Lia G. Neves**, professora do Instituto Santa Terezinha e pesquisadora da Escola Especial para Crianças Surdas da Fundação Rotarianos de São Paulo, e-mail: sylvialia@yahoo.com.br

Apresentação de pesquisadora surda da Faculdade de Educação da Universidade Federal do Rio Grande do Sul (FE–UFRGS)

Profª. surda e mestre Gladis Perlin (FE–EFRGS)

"Hoje não se usam mais a fala e a escrita?" Esta é a pergunta feita geralmente diante das novas mudanças que estão ocorrendo com o uso da língua de sinais como meio de comunicação com o surdo.

De saída, é normal que os ouvintes tenham sua língua falada e escrita alfabética como forma de comunicação e realmente reconhecida como única, visto que são a maioria. As palavras de quem ouve e fala são sonoras, têm estruturas rítmicas, perfumes onomatopéicos, rastros panorâmicos indescritíveis para alguém que é surdo. Inclusive, cada palavra escrita é pensada por sons. É normal que ao escrever, os lábios do ouvinte se mexam, sussurrem palavras, pois o cérebro ouvinte pensa em sons. Tudo tão incrivelmente rápido. Da mesma forma rápida como é a fala e a escrita. A fala é uma emissão de sons predeterminados e, em certo sentido, a escrita é a sombra das palavras murmuradas e faladas.

É evidente que existe uma outra língua. E a língua de sinais é esta outra língua, o inverso da constituição lingüística do ouvinte. Seu aspecto visual se destaca. As imagens visuais que o surdo capta se constituem em pequenos signos ou símbolos visuais que vão constituir o sinal visual. Vão constituir o sinal repleto de significados perceptíveis. O surdo constrói conceitos, idéias de forma visual. O sinal e a palavra são muito diferentes. Então os surdos não constróem palavras, eles constróem sinais. Os registros de sinais em sua forma original que surgem hoje são registros de sinal sem intermediação da palavra. Eles registram o símbolo que é a representação do sinal ou a representação visual, usada de forma presencial, do signo construído original e visualmente e que pode, também, ser registrado graficamente pela escrita da língua de sinais SignWriting (F. Capovilla & Sutton, 2001).

É evidente que entramos em uma temporalidade em que temos uma necessidade nova: Olhar para o outro surdo como o diferente e lhe atribuir a capacidade de ser diferente do ouvinte. Ser diferente não implica numa falta, numa deficiência, uma menos valia. Ser diferente e não deficiente é dizer: *Meu corpo é habitável assim como é.* Importa deixar o outro ser diferente, sair destes egoísmos que atribuem a certas pessoas o privilégio da beleza, da superioridade, da perfeição e implica em aceitar neste diferente também, inclusive, privilégios de superioridade, de perfeição inerentes a sua subjetividade.

É verdadeiramente obvio que diante desta língua escrita e falada, como surda, me sinto em dificuldades. O Português não é a minha língua. Sinto-me no embaraço e, pelo imenso vocabulário de Português, perco muitos sinais e facilmente chego a equívocos no uso de palavras e frases, o que causa desconforto a quem lê. Diante do efeito de soar estrangeiro o Português, e do desconforto que isto causa na escrita a mim e aos surdos, faz-se necessário que se desenvolvam e publiquem outros aspectos diferenciais. A pesquisa e o desenvolvimento da tecnologia hoje já possibilitam novas formas para a comunicação.

Talvez isto poderia nos ajudar a rever o ranço que temos de que a fala e a escrita são os meios privilegiados de se transmitir, estabelecer, descobrir e dizer coisas privilegiadas para gente também privilegiada. Enfatizo que o presente trabalho ajuda a reconhecer estes meios e a propor outros como forma de conhecimento.

Diante deste quadro surgiu no ano passado a maravilha do *Dicionário enciclopédico ilustrado trilíngüe da Língua de Sinais Brasileira* e igualmente surgem, agora, a *Enciclopédia da Língua de Sinais Brasileira: O mundo do surdo em Libras* e a *Enciclopédia Digital da Libras*. Um louvor aos autores de todos esses trabalhos na Universidade de São Paulo pelo trabalho árduo e demorado. Souberam dar uma postura de dignidade e captar o melhor possível a língua de sinais utilizada desde tempos remotos pelos surdos brasileiros. E, igualmente, souberam dar posições para expandir as possibilidades de contribuição através de esforço pessoal e profissional.

A divulgação desta obra será de relevância no Brasil tanto nos meios da comunidade surda quanto nos da sociedade em geral devido à diferença que caracteriza sua abordagem e acesso à teoria, e também o saber singular e inusitado da sinalização nesta língua e a fina escrita de sinais SignWriting.

Porto Alegre, RS, abril de 2002.

Profª. surda **Gladis Perlin**, mestre em educação com dissertação sobre surdez pela Universidade Federal do Rio Grande do Sul (UFRGS) e pesquisadora da Faculdade de Educação da UFRGS, e-mail: gladisp@cpovo.net

Referências bibliográficas

Capovilla, F. C., & Sutton, V. (2001). Como ler e escrever os sinais da Libras: A escrita visual direta de sinais SignWriting. In F. C. Capovilla, & W. D. Raphael (Eds.), *Dicionário enciclopédico ilustrado trilíngüe da Língua de Sinais Brasileira* (Vol. 1, pp. 55–126). São Paulo, SP: Edusp, Fundação Vitae, Fapesp, Feneis.

Perlin, G. (1998). *Histórias de vida surda: Identidades em questão.* Dissertação de Mestrado, Programa de Pós-graduação em Educação, Universidade Federal do Rio Grande do Sul.

Apresentação da Disciplina de Libras do Instituto Nacional de Educação de Surdos, e do Centro Educacional de Ensino Fundamental Pillar Velásquez

Prof. surdo Marcus Vinícius F. Pinheiro (Ines e CEEF–PV)

Nos últimos tempos a educação dos surdos tem concentrado atenção no bilingüismo que, em minha opinião, é a abordagem mais adequada. O bilingüismo defende a idéia de que a Língua de Sinais Brasileira (Libras) e a Língua Portuguesa (seja falada ou escrita) sejam ensinadas em situações diferenciadas, sem que uma interfira na outra.

Com a aprovação da Lei Federal nº 10.436 de 24 de abril de 2002, que regulamenta e reconhece a Libras como língua, a língua de sinais passa a ter valor ainda maior para os surdos em todos os aspectos de sua interação com os meios social, educacional e cultural.

Como professor da disciplina interdisciplinar de Libras do Instituto Nacional de Educação de Surdos (Ines), considero isto uma grande vitória. A língua de sinais é utilizada pelos surdos nos ambientes domiciliar, escolar e nas diversas situações do dia-a-dia, e é vital ao seu bem estar social.

Quando os surdos não conhecem um determinado sinal, eles soletram a palavra correspondente. Contudo, às vezes, eles não conseguem fazer esta soletração. Constatei que isso ocorre com freqüência na sala de aula, tanto no Ines, que é o principal centro de referência para pesquisas na área da surdez, como em outras instituições e nas associações de surdos.

A chegada da *Enciclopédia da Língua de Sinais Brasileira: O mundo do surdo em Libras* é de grande importância para os surdos, pois permite aos surdos, ao mesmo tempo, encontrar as palavras e seus significados, e aprender os sinais. Desta forma, logo eles deverão ver a *Enciclopédia da Língua de Sinais Brasileira: O mundo do surdo em Libras* como ferramenta indispensável às instituições de educação que trabalham com surdos.

Até alguns anos, não havia um só material que pudesse ser utilizado como ferramenta educacional. Os alunos desconheciam tais materiais e não tinham respaldo para usá-los.

Confio na importância deste trabalho para o desenvolvimento do bilingüismo dos surdos e também ao seu aprendizado no dia-a-dia, e espero que possa abrir portas para novos horizontes aos indivíduos surdos.

A todos, meu grande abraço.

Prof. surdo **Marcus Vinicius Freitas Pinheiro**, pedagogo, pós-graduado em administração e planejamento da educação pela Universidade do Estado do Rio de Janeiro, professor de Libras do Ines, e professor do Ensino Fundamental do Centro Educacional Pillar Velásquez, e-mail: marvineduc@yahoo.com.br

Apresentação da Universidade Luterana do Brasil (Ulbra)

Profª. surda Marianne R. Stumpf, pesquisadora em SignWriting (Ulbra)

Esta publicação *Enciclopédia da Língua de Sinais Brasileira: O mundo do surdo em Libras* vai ajudar muito na educação dos surdos especialmente nas aulas de escrita da língua de sinais.

As escolas de surdos precisam inserir a disciplina de escrita de língua de sinais em seus currículos o que provocará uma revolução, para melhor, como aconteceu quando a Língua de Sinais Brasileira – Libras foi reconhecida como a mais importante língua para os surdos, aquela em que eles se expressam perfeitamente.

Nós da comunidade surda do Rio Grande do Sul estamos participando da construção de uma nova pedagogia da diferença junto a Federação Nacional de Educação e Integração dos Surdos – Feneis. Para a prática desta pedagogia é de vital importância a escrita de nossa língua pois as crianças surdas que se comunicam por sinais precisam representar pela escrita a fala própria delas que é visoespacial. Diferente do português cuja escrita representa o som das palavras que nós não podemos ouvir.

Todos sabem a importância da invenção da escrita para o desenvolvimento cultural da humanidade. Os surdos e as comunidades surdas também precisam dar esse salto.

Esta publicação vem de encontro a necessidade de recursos para apoio ao professor e ao aluno e também para esclarecer muitos surdos e mais ainda aos ouvintes sobre o verdadeiro significado e importância das línguas de sinais. Ela oportuniza a aprendizagem de muitos assuntos que fazem parte do cotidiano das pessoas e está organizada por centros de interesse tornando seu uso muito prático.

A escrita de língua de sinais valoriza a cultura surda. Nós os surdos podemos ler a nossa própria língua em uma escrita que reproduz os sinais. Neste momento, nós precisamos escrever e ler com a escrita de língua de sinais, pois nossa comunidade já atingiu essa maturidade.

O desenvolvimento da escrita de sua língua pelo indivíduo surdo é condição de crucial importância para que ele possa se integrar, sem perder sua identidade, à cultura dominante de seu próprio país cujo meio de expressão é a língua portuguesa.

A escrita da língua de sinais implica aumentar na comunidade surda sua identidade lingüística que está se processando depois de muitos anos de submissão a uma forma de comunicação que ela não consegue dominar com eficiência, e tem funcionado como uma barreira para a expressão dos surdos em todos os campos.

A maioria das pessoas pensa que a língua de sinais é mínima, limitada. Para nós, surdos que conhecemos a língua de sinais é o contrário. A língua portuguesa é que sempre é pouca, fica curta para expressar nossos pensamentos, nossos sentimentos.

O *Dicionário enciclopédico ilustrado trilíngüe da Língua de Sinais Brasileira* foi um marco importante, e este novo trabalho, a coleção de dezenove livros intitulada *Enciclopédia da Língua de Sinais Brasileira: O mundo do surdo em Libras* também merece os aplausos e a gratidão da comunidade surda.

Agradeço a equipe que realizou esse trabalho e com amor a Valerie Sutton pelo seu grande apoio a comunidade surda criando um sistema capaz de representar o pensamento e os sinais dos surdos.

Rio Grande do Sul, 2002.

Prof[a.] surda **Marianne R. Stumpf**, professora e pesquisadora da Universidade Luterana do Brasil; especialista em SignWriting e autora de inúmeros trabalhos sobre a escrita de sinais SignWriting, e-mail: stumpf@qbnet.com.br

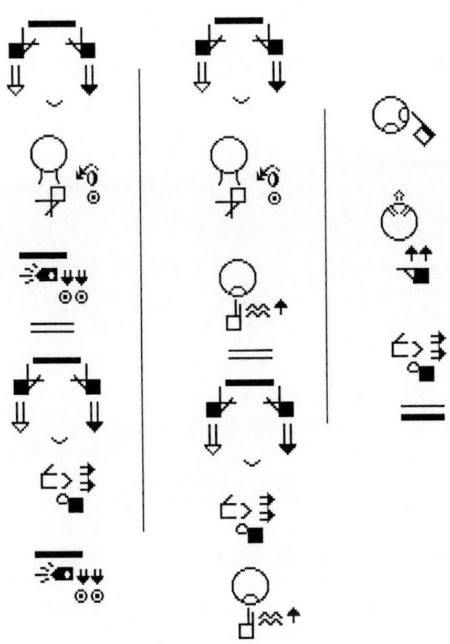

A pessoa que fala português, escreve em português.
A pessoa que fala inglês, escreve em inglês.

Marianne Rossi Stumpf

Apresentação de surdo do Conselho Estadual para Assuntos da Pessoa Portadora de Deficiência, e da Cooperativa Padre Vicente Penido Burnier

Conselheiro, representante e matemático surdo Neivaldo Zovico (Copavi–SP)

Quando nasci em 15 de novembro de 1965 eu já era surdo. Meu primeiro irmão, Nelson, também. Ele é três anos mais velho do que eu. Meus pais são ouvintes e não tinham nenhuma doença que pudesse causar a surdez. O médico concluiu que a nossa surdez é hereditária por parte de pai.

Eu e Nelson estudamos numa escola onde havia classe especial para surdos na cidade de Limeira, no interior de São Paulo. Na classe havia colegas surdos com diferentes idades. A professora ensinava a cada criança individualmente, pois elas tinham idades difcrentes e também capacidades diferentes. Na escola, eu treinava a fala em frente ao espelho e não tinha nenhum aparelho auditivo.

Aos 7 anos de idade, meus pais resolveram que nossa família deveria mudar-se para São Paulo para que eu e meu irmão pudéssemos estudar na escola especial para surdos Helen Keller, no bairro da Aclimação. Nós nos mudamos em 1973, quando eu e meu irmão Nelson ingressamos na escola. Essa escola tinha classe separada para cada idade e capacidade. Isto facilitava com que todos os colegas pudessem assistir às aulas juntos. A escola oferecia treinamento de fala com a fonoaudióloga e dava acesso a equipamentos para audição. Na época em que estudamos nessa escola, os alunos surdos não podiam se comunicar por meio da língua de sinais, pois isto era proibido. Mesmo assim, na hora do intervalo ou quando terminavam as aulas da escola, os alunos surdos se encontravam e continuavam se comunicando com língua de sinais.

Em casa eu conversava com meu irmão também com língua de sinais. Como o diretor da escola disse que eu podia ingressar em uma escola regular (isto é, para ouvintes), em 1975 eu comecei a estudar na escola regular chamada Brigadeiro Faria Lima, ao lado da escola Helen Keller. Assim, de manhã eu estudava na escola especial, à tarde eu corria para o outro lado para estudar na escola regular, e só chegava em casa no final da tarde. Em 1979, o diretor da escola Helen Keller, Prof. Mário Braga, disse que eu poderia deixar aquela escola e continuar meus estudos até o ano final do ano na escola regular. Assim, nesse ano de 1979, em que estava na quinta série, sai da Helen Keller, e continuei meus estudos na escola regular. Nessa escola, senti-me isolado convivendo somente com a comunidade de ouvintes e me forçava muito a falar com os ouvintes, tanto dentro quanto fora da escola. Neste período, até formar-me na oitava série em 1982, dificilmente encontrava com os amigos surdos. Uma vez formado, fui cursar o segundo grau (hoje chamado de *Ensino Médio*) na escola Caetano de Campos, também no bairro Aclimação, onde me formei em 1985. Nesse período de 1983 a 1985, comecei novamente a encontrar meus amigos surdos que haviam estudado comigo na escola especial, e passei a conhecer e a freqüentar associações de surdos. Nessas associações, conversava em língua de sinais, que é minha primeira língua. Freqüentava muito a Associação dos Surdos do Estado de São Paulo (ASSP) e a Confederação Brasileira Desportiva de Surdos (CBDS), em que participava das atividades na diretoria, além dos jogos e excursões. Comecei a participar das atividades políticas da comunidade dos surdos e aprendi muito com a convivência com os fundadores das associações e federações. Tais fundadores tinham muita experiência e também se comunicavam em língua de sinais, o que facilitou muito o meu desenvolvimento pessoal.

Em 1985, comecei a trabalhar como desenhista mecânico em uma fábrica de motobomba em São Bernardo do Campo. No ano de 1993, casei-me e continuei freqüentando associações de surdos. Nessa época, viajava muito e fui convidado para ser tesoureiro da Confederação Brasileira Desportiva de Surdos. Em 1997, divorciei-me. Continuei trabalhando na empresa e fui promovido para desenhista projetista. Fazia projetos de gabinetes para transformadores e estabilizadores de tensão no bairro Limão, na cidade de São Paulo.

Em 1999 resolvi ingressar na faculdade para cursar Matemática. Meu objetivo era garantir um futuro melhor para mim. Ao mesmo tempo, também queria dar aula para crianças surdas, já que sabia, por experiência própria, que a língua de sinais facilita muito a comunicação entre o professor e seus alunos surdos. No mesmo ano fiquei desempregado e participei da fundação da cooperativa de surdos chamada Copavi–SP, a Cooperativa Padre Vicente de Paulo Penido Burnier, cuja sede fica em Belo Horizonte. Continuei a faculdade até 2001, quando me formei. Em 2000 comecei a trabalhar na empresa Koller, que vende produtos especiais para surdos. Além disso, também procuro informações sobre a área de surdez e língua de sinais, e sou responsável pela página de surdos na Internet no site http://www.surdo.com.br. Finalmente, no mesmo ano, atuei como representante surdo no Conselho Estadual Para Assuntos da Pessoa Portadora Deficiência do Estado de São Paulo, CEAPPD.

Em 2001 fui convidado para participar como coordenador de comunicação na primeira Conferência dos Direitos e Cidadania dos Surdos do Estado de São Paulo. Essa conferência teve grande sucesso, com muitos participantes das cidades do interior, profissionais e pais de surdos interessados em conhecer melhor os direitos dos surdos e os deveres do governo.

A Língua de Sinais Brasileira é muito importante para a comunidade surda, bem como para os ouvintes. Ela torna muito mais fácil a comunicação entre surdos e entre surdos e ouvintes, já que muitos surdos não conseguem oralizar. A Língua de Sinais Brasileira é a primeira língua da comunidade surda. A segunda língua é o Português.

A criança surda freqüentemente não consegue aprender a oralizar nem a fazer a leitura labial para compreender a fala, pois tais atividades são de difícil aprendizado, especialmente para crianças pequenas. O mesmo aconteceu comigo. Quando eu era pequeno, meus pais, faziam gestos caseiros pois, na época, não sabiam da existência da língua de sinais. Mesmo assim, eu sabia o que aqueles gestos significavam. Quando minha mãe falava alguma palavra em Português e eu não entendia o que ela queria dizer, ela fazia gestos para que eu compreendesse melhor, e isto ajudava muito. Na mesma época, um policial, que era amigo de meu pai, costumava se comunicar comigo por gestos. Isto me fazia sentir à vontade, sorrir e brincar com ele. Essa comunicação visual, mesmo que seja por gestos, é muito boa para a criança. Ela é ainda melhor quando usa não apenas gestos, como também língua de sinais. Quando a criança conhece a Língua de Sinais Brasileira e vê surdos conversando em Língua de Sinais Brasileira, ela se maravilha, quer participar da conversação e, assim, passa a não mais se sentir isolada.

Apesar da existência de polêmica sobre a língua de sinais, minha experiência pessoal como surdo de nascença aguçou a minha sensibilidade para perceber claramente a enorme importância da língua de sinais para a pessoa surda. Uso a Língua de Sinais Brasileira para conviver com velhos amigos que estudaram no Instituto Nacional de Educação de Surdos (Ines), do Rio de Janeiro, e tenho aprendido muito com eles. Quando deixei a escola de surdos e fiquei apenas com amigos ouvintes, senti muita falta da convivência com a comunidade surda. Quando encontrei velhos amigos da escola e eles me levaram para conhecer a associação dos surdos, eu fiquei muito feliz, me apeguei a todos, e fiz grandes amizades.

Eu gostaria que todos os profissionais pudessem conhecer e reconhecer a Língua de Sinais Brasileira. Há profissionais que se formaram há muito tempo, que se acomodaram e deixaram de evoluir e de aprender. Esses profissionais precisam voltar a evoluir, aprender Língua de Sinais Brasileira, e passar a fazer uso dela para melhorar o ensino do aluno surdo.

Descobri desde cedo que a língua de sinais é muito importante para a criança surda. Quando eu era criança, certa vez estava com minha mãe e meu pai perto de um ponto de ônibus. Como eles conversavam em Português, eu ficava de fora, sozinho. De repente, olhei para o lado e vi surdos no ponto de ônibus conversando em Língua de Sinais Brasileira. Chamei minha mãe e meu pai e apontei, "Olhe! Eles são surdos!". Minha mãe me disse então: "Sim! São iguais a você!". A partir daí, eu ficava ansioso, querendo ver os surdos conversando no ponto de ônibus para que eu pudesse ver a Língua de Sinais Brasileira. E encontramos essa língua quando viemos a São Paulo para procurar escolas para surdos.

Um fato interessante aconteceu comigo. Quando era criança, ensaiava a dança na festa junina junto com os outros surdos acompanhados pelos professores que me orientavam. Todos os anos, depois do ensaio, nós surdos dançávamos sempre na festa junina. Só mais tarde, cerca de cinco anos atrás, é que descobri o que estava acontecendo. Minha ex-namorada me disse que, enquanto nós dançávamos, tinha uma música que era acompanhada pelas pessoas, e que explicava o que estava acontecendo. Por exemplo, quando todos os surdos viravam de costa é porque a música tinha dito que a ponte tinha caído. Quando os surdos carregavam as surdas é porque a música tinha dito que tinha cobra por perto. Quando os surdos cobriam as surdas é porque a música tinha dito que estava chovendo. Fiquei chateado porque ninguém tinha me explicado isso antes. Desde que era pequeno com 7 anos até os 14 anos fiquei sem saber a letra da música que explicava porque a dança era daquele jeito. Fiquei com vergonha quando percebi que durante boa parte de minha vida ficava decorando os passos da dança sem saber o que estava acontecendo, só para que os outros vissem que o surdo conseguia acompanhar a música. Isso só aconteceu porque na época os professores não usavam a Língua de Sinais Brasileira, e, assim, deixavam os alunos sem saber o significado daquela dança que eles tinham que fazer.

Mais tarde, quando já tinha 14 anos, ganhei aparelho para surdez que o patrão do meu pai me deu, e fiquei usando esse aparelho até agora. Não consigo entender todas as palavras, mas somente meu nome, quando a pessoa me chama em ambiente silencioso. Na rua, não consigo escutar meu nome. Tentei usar telefone e não entendi nada. Só escuto o barulho quando a pessoa está falando e dá para perceber quando está ocupado. Mas não me preocupo com isso. Sou surdo mesmo e estou fazendo minha vida normal como a dos outros. Os surdos precisam de outros meios de comunicação, como sinalizadores, telefones para surdos, relógios despertadores com luz e estimulação de tato, etc.

Fico muito triste que os surdos que conheci em minha infância, quando ainda estava em Limeira, até agora ainda não compreendem muito por leitura labial e entendem somente alguns sinais. Infelizmente não deu certo para eles, pois a escola do interior em que eles estudaram continuou usando o método antigo (oralista) enquanto eu pude entrar em contato com a Língua de Sinais Brasileira em São Paulo. Por isso eles não puderam desenvolver-se muito, e até hoje sua vida é limitada a trabalhar e depois ir para casa dormir. Eu gostaria que eles, os surdos, pudessem se divertir como os ouvintes, indo a festas, bailes e viagens. Mais tarde, fiquei sabendo que eles costumam freqüentar a Associação dos Surdos em Piracicaba. Eles me contaram que lá há muitos surdos. Isto é muito importante pois, nestas associações, os surdos podem reunir-se e conviver, não mais ficando isolados. Isto lhes permite desenvolver-se e conhecer muitas coisas, como os fatos do dia a dia, e principalmente aprender a comunicar-se em Língua de Sinais Brasileira. É preciso deixar claro que não adianta forçar o surdo a oralizar. Na verdade, nem todos os surdos conseguem oralizar. Depende de caso a caso. Alguns surdos conseguem oralizar e outros não, embora todos possam comunicar-se em Língua de Sinais Brasileira.

Na minha opinião, não adianta forçar o surdo a conviver na sociedade dos ouvintes. Se eles nasceram surdos ou ficaram surdos e conviveram com amigos surdos e seguiram com a cultura da comunidade surda, então eles (como é o meu caso) têm uma cultura surda. Claro que há pessoas que perdem a audição com uma idade maior e não agüentam conviver com a comunidade surda. Como não estão acostumados a conviver com surdos, podem sentir-se impacientes e não aceitar sua identidade como pessoa surda.

Fico muito feliz e admirado que alguns psicólogos e fonoaudiólogos tenham reconhecido a Língua de Sinais Brasileira e descoberto como ela é importante para a comunicação dos surdos. Claro que é importante ir ao fonoaudiólogo para treinar a fala e aprender a controlar e abaixar a voz. Contudo, não adianta querer falar exatamente como os ouvintes, com voz perfeita, pois isto é muito difícil mesmo.

A lingüista Lucinda Brito relatou que existem índios surdos no Brasil que sabem comunicar-se em língua de sinais até com os índios ouvintes, e que esses índios ouvintes respeitam a língua própria dos surdos. Por isso é que a sociedade de ouvintes começa a aceitar e utilizar a língua de sinais, para poder apoiar os surdos a entender as informações importantes, tanto na cidade quanto no campo.

Espero que tenham gostado da minha história e opinião, pois eu tenho sensibilidade para sentir e comunicar a verdade a todos nessa área. Desejo que as pesquisas que geraram este livro e livros como este continuem a aumentar cada vez mais, que todos possam envolver-se cada vez mais com a comunidade surda, e que a comunidade surda possa continuar trabalhando e prosperando cada vez mais.

Abraços.

Neivaldo Augusto Zovico, matemático formado pela UniFai, membro do Conselho Estadual para Assuntos da Pessoa Portadora de Deficiência, CEAPPD, participante da ABNT – Associação Brasileira de Normas Técnicas CB-40 sobre acessibilidade para a comunidade surda conforme Lei n.º 10.098 de 19/12/2000, coordenador da I Conferência dos Direitos e Cidadania do Estado de São Paulo, "Comunicação", representante e fundador da Copavi-SP (Cooperativa Pe. Vicente de Paulo Penido Burnier), presidente do Conselho Fiscal da Confederação Brasileira de Desportos de Surdos, conselheiro fiscal suplente da Associação dos Surdos de São Paulo, responsável pelo conteúdo do site de surdos http://www.surdo.com.br, responsável pelos produtos especiais para surdos na Empresa Koller & Sindicic, responsável pelo atendimento aos surdos sobre a acessibilidade da comunidade surda, fundador da Sociedade Cultural e Esportiva do Deficiente Auditivo do ABC, ex-tesoureiro da Confederação Brasileira de Desportos de Surdos, ex-conselheiro Fiscal da Confederação Sulamericana Desportiva de Surdos, ex-vice-presidente da Federação Paulista Desportiva de Surdos, ex-vice-presidente da Sociedade Cultural e Esportiva do Deficiente Auditivo do ABC, e ex-secretário da Sociedade Cristóvão Colombo dos surdos do ABC, e-mail: neizovico@hotmail.com

Apresentação de ator surdo, professor e pesquisador da Libras

Ator surdo Nelson Pimenta (LSB Vídeo)

Ao ser convidado para participar da apresentação deste trabalho, primeiramente fiquei lisonjeado. Em seguida me veio a dúvida sobre o que escrever: Sobre a obra, sobre a cultura surda... resolvi escrever sobre mim mesmo, pois acredito que haja, entre nós surdos, uma grande carência de referenciais positivos. Sou uma pessoa comum, um brasileiro que vem conseguindo realizar algumas coisas interessantes com meu trabalho, como qualquer outro surdo pode fazer.

Nasci em Brasília em 6 de setembro de 1963. Mudei-me com a família para o Rio de Janeiro em 1976. Fui o primeiro ator surdo a se profissionalizar no Brasil. Estudei no *National Theatre of the Deaf* de Nova Iorque. Estudo Cinema na Universidade Estácio de Sá, no Rio de Janeiro. Sou pesquisador de língua de sinais e já atuei como instrutor de teatro e de Língua de Sinais Brasileira em diversas instituições de ensino, entre elas o Ines (Instituto Nacional de Educação de Surdos) e a Feneis (Federação Nacional de Educação e Integração de Surdos). Em 1999 criei, com Luiz Carlos Freitas, a LSB Vídeo, empresa com a missão de contribuir para o aprimoramento da educação dos surdos. Foi montada uma equipe de trabalho com profissionais da área de educação que acreditam que a situação de exclusão social em que muitos surdos brasileiros se encontram poderia ser evitada a partir da construção da identidade surda nos indivíduos, possibilitando a luta por seus direitos e promovendo a conscientização de seus deveres.

É uma trajetória de sucesso da qual me orgulho, e que começou na família, com a absoluta aceitação da diversidade da minha natureza com relação à surdez e audição, principalmente por parte de minha mãe que, desde a descoberta da surdez, teve a intuição de que o mais importante em sua relação comigo seria termos uma comunicação satisfatória, partindo do princípio de que ela, e não eu, deveria se adequar à forma mais fácil de comunicação para mim. Logo minha mãe descobriu que os sinais eram essa forma e adotou a língua de sinais, definitivamente, em casa.

Certamente que eu, como criança, cresci acreditando que a comunicação do mundo era desta forma, através dos sinais e, portanto, nunca cogitei que pudesse ter alguma deficiência porque, aliás, de fato, não tinha. Meu referencial nunca foi a audição e, sim, a surdez, o que contribuiu, definitivamente, para a construção de um indivíduo com elevada auto-estima e auto-confiança, ao contrário de outras crianças que se lhe são impostos modelos de comportamento adequados a quem tem audição e, com isso, passam a ter os ouvintes como referência. Invariavelmente, crescem com baixa auto-estima, acreditando serem deficientes por não conseguirem a mesma performance que os ouvintes na fala e na escrita.

O Brasil tem mudado muito nos últimos anos, para melhor, eu acredito. Há inúmeras possibilidades para os surdos que há apenas alguns poucos anos atrás nem se poderia pensar. Eu espero que este trabalho possa ser mais uma dessas boas oportunidades que nós, surdos, temos que saber aproveitar para tirar o maior proveito possível e ajudar a alavancar, de alguma maneira, a trajetória de nossas vidas.

Nelson Pimenta, e-mail: npimenta@lsbvideo.com.br, lsb@lsbvideo.com.br

Apresentação de professora do Instituto Nacional de Educação de Surdos (Ines)

Profª. mestre Solange Rocha (Ines)

Tempo de Libras

Flausino José da Gama, na segunda metade do século XIX, andou desenhando. Era aluno do Imperial Instituto de Surdos Mudos. Ainda mudo. Mudez entendida como incapacidade de se expressar. No entanto, em 1873, desenhou as ilustrações do primeiro dicionário de língua de sinais de que se tem notícia no Brasil, chamado *Iconographia dos Signaes dos Surdos Mudos* [8]. Língua essa em que os surdos fartam-se em comunicar-se, em contar piada, em brigar, em amar, em sonhar, enfim em ser. Ser simplesmente como podemos ir sendo.

Quase dois séculos depois, outros surdos enlaçados com ouvintes perseguem o rastro de Flausino. Daquele projeto impresso, registro magnífico para todos nós, até a publicação da igualmente magnífica obra, o *Dicionário enciclopédico ilustrado trilíngüe da Língua de Sinais Brasileira* (F. Capovilla & Rafael, 2001), e da presente série de dezenove livros intitulada *Enciclopédia da Língua de Sinais Brasileira: O Mundo do surdo em Libras*, a língua de sinais recebeu e ainda recebe tratamento diferenciado em corações, mentes e políticas públicas.

O Plano Nacional de Educação prevê sua necessária expansão em dez anos a todas as escolas brasileiras [9]. Portanto, a grandeza desse trabalho caminha na consolidação dessa proposta. As escolas poderão contar com esse material para a construção de seus projetos pedagógicos.

A Libras sai da clandestinidade e entra na legalidade. Já anda em Brasília preparando-se para a grande festa do seu reconhecimento federal [10]. Uma outra língua em território brasileiro.

Em grandes espasmos irregulares, atravessou o tempo e espalha-se irreversivelmente.

Das crianças da pré-escola com suas mãozinhas aos senhores da terceira idade, esse trabalho aportará nas

---

[8] Nota de Capovilla: Flausino José da Gama era aluno do *Instituto Nacional dos Surdos Mudos* (hoje Instituto Nacional de Educação de Surdos – ou Ines) quando, inspirado no livro do surdo francês Pellisier na biblioteca do Ines, publicou, em 1873, o livro *Iconographia dos Signaes dos Surdos-Mudos*, de que há somente a edição original na Biblioteca Nacional e cópia em microfilmes disponíveis na biblioteca do Ines.

[9] Nota de Capovilla: Em 09 de janeiro de 2001, a Lei Federal nº 10.172 foi aprovada estabelecendo um Plano Nacional de Educação (Ministério da Educação, 2002a) que objetiva implantar em cinco anos e generalizar em dez anos o ensino da Língua de Sinais Brasileira para os alunos surdos e, sempre que possível, para seus familiares.

[10] Nota de Capovilla: Finalmente, no dia 24 de abril de 2002, o Presidente Fernando H. Cardoso sancionou a Lei nº. 10.436 que oficializa a Língua de Sinais Brasileira em todo o território nacional (Ministério da Educação, 2002b).

mais diversas realidades com força instauradora de cidadania. Cidadania aqui entendida não somente no âmbito legal de direitos e deveres como também no do estar pleno no mundo sem constrangimento.

Existências inteiras, antes e até então relegadas à margem, podendo refazer suas trajetórias, refazendo, portanto, o mundo.

O quanto pode o espraiamento desta língua trazer!

Outros olhares, outros campos da subjetividade humana estarão enriquecendo a trama de nossas vidas. Imaginemos as pessoas surdas, a maneira como observam o mundo, socializando suas percepções, entrando no mundo das interações de forma genuína. Entrando no mundo com sua diversidade.

Celebremos os neoflausinos presentes nesse trabalho, celebremos o enlace entre surdo e ouvinte que o viabilizou, celebremos a organização científica desta língua.

Produto e processo contêm a dimensão de seu atual momento histórico e salpicos de sua histórica clandestinidade.

Que venham, e nos inundem de seus poderes!

Profª. **Solange Rocha**, mestre em educação pela Universidade do Estado do Rio de Janeiro, historiadora pela Universidade Federal Fluminense, e professora do Ines, e-mail: sol@ines.org.br

Referências bibliográficas

Capovilla, F. C., & Raphael, W. D. (2001). *Dicionário enciclopédico ilustrado trilíngüe da Língua de Sinais Brasileira – Libras*. São Paulo, SP: Edusp, Feneis, Fapesp, Vitae.

Ministério da Educação (2002a). Legislação específica/documentos internacionais: Leis: Lei nº 10.172, de 9 de janeiro de 2001. Disponível na Internet em: *http://www.mec.gov.br/seesp/legislacao.shtm*. Consultado em 19 de junho de 2002.

Ministério da Educação (2002b). Legislação específica/documentos internacionais: Leis: Lei nº 10.436, de 24 de abril de 2002. Disponível na Internet em: *http://www.mec.gov.br/seesp/legislacao.shtm*. Consultado em 19 de junho de 2002.

Apresentação da Coordenadoria de Projetos Educacionais e Tecnológicos do Instituto Nacional de Educação de Surdos (Ines)

Profª. Mônica Campello, coordenadora de projetos educacionais e tecnológicos (Ines)

Estar apresentando este volume da *Enciclopédia da Língua de Sinais Brasileira: O mundo do surdo em Libras* deixa-me extremamente feliz por motivos que mexem bastante com minha emoção e vida profissional. Primeiro porque tive a oportunidade de acompanhar, mesmo que distante, o processo de elaboração do *Dicionário enciclopédico ilustrado trilíngüe da Língua de Sinais Brasileira*, desta mesma equipe e, assim, aos poucos conhecê-los e criar laços de carinho e grande admiração por todos, profissionais extremamente preocupados com a questão desses cidadãos surdos que muito lutaram para ver sua língua oficializada.

Sua língua... língua... Libras.

O processo de conhecimento e aprofundamento da Libras por mim foi bastante curioso. Da formação clínica e estudiosa das questões relativas ao aproveitamento do potencial residual auditivo e de sua primordial importância em um trabalho voltado para o desenvolvimento da modalidade oral da língua na pessoa surda, vi-me totalmente despreparada quando, por ter sido convidada a atuar no Departamento de Desenvolvimento Humano, Científico e Tecnológico (DDHCT) do Ines (Instituto Nacional de Educação de Surdos), ampliei o meu convívio profissional e social com diversas pessoas surdas.

Com o objetivo de melhor poder me comunicar com aqueles que não possuíam a modalidade oral da língua, matriculei-me em um curso de Libras.

Comunicação... interação... comunicar-me com o outro.

Reportando-me ao começo de minha vida profissional, recordo-me dos questionamentos relativos ao ser profissional. Nos atendimentos fonoaudiológicos iniciais, um grande vácuo na comunicação distanciava-me dos alunos que atendia, pois "falávamos" línguas diferentes. Isso causou-me grande frustração, pois não conseguia alcançar os objetivos propostos pelo trabalho. Eu desconhecia a Libras e eles, em sua quase totalidade, a modalidade oral e, muitas vezes, também a escrita da Língua Portuguesa. Lembro-me ainda que a interação originou-se na troca, de ambas as partes, por estarmos abertos ao novo aprendizado e ao motivo maior de todos nós que era a aproximação, a possibilidade de comunicação, a de nos relacionarmos com o outro, com o nosso diferente. Essa experiência possibilitou-me uma inserção em um mundo totalmente novo, em uma língua que até então, por desconhecimento, eu rejeitava... quanto aprendizado!!!

Lembro-me que na época buscava por uma bibliografia, mas nada me dava o conhecimento que tanto almejava.

Foi aí que, mais uma vez, aprendi que esses "gestos", esses "sinais" faziam parte de uma língua com estrutura própria; que um sinal gestual correspondia a um conceito, não existindo uma correspondência termo a termo com a língua oral; que a língua de sinais é uma língua de dimensão espacial e corporal e que para aprendê-la eu precisaria vivenciá-la, rompendo assim com alguns pensamentos e posturas profissionais que estavam enraizados, fechados, guardados no meu saber.

Esse processo de descoberta, aqui retratado e vivenciado, reflete muitas das histórias ouvidas nesses anos de trabalho; da angústia de alguns profissionais por terem de trabalhar com seus alunos surdos e não conhecerem a língua de sinais; da frustração de cidadãos surdos que chegam para escolaridade, por vezes tardiamente, sem serem fluentes em Libras ou até mesmo sem conhecê-la.

Sabemos que quanto mais cedo se aprende uma língua mais fácil se torna sua aprendizagem e que a língua, como nos diz a lingüista Lucinda Ferreira Brito (1993) " ..*além de ser o principal veículo de comunicação, é também o mais importante meio de identificação do indivíduo com sua cultura e o suporte do conhecimento da realidade que nos circunda...".*

Felizmente, todo esse sofrer profissional, vivenciado por muitos, amplia conhecimentos e nos aproxima ainda mais desses cidadãos especiais; especiais de coração, especiais de emoção, e especiais em sua luta, por quererem e agora conseguirem ver sua língua reconhecida.

E é nessa ebulição de lutas e processos e nesse período histórico da educação de surdos que surge a *Enciclopédia da Língua de Sinais Brasileira: O mundo do surdo em Libras* preenchendo uma grande lacuna bibliográfica e auxiliando como importante material de pesquisa e estudos para tantas pessoas – surdas e ouvintes – que necessitam desse conhecimento por questões profissionais e/ou sociais, para melhor conviverem com o cidadão surdo.

Com certeza vivenciaremos, em cada página deste livro, um pouco de uma língua que começa oficialmente a ser respeitada e disseminada em todo país. E todos os leitores, assim como eu, poderão experimentar esses "sinais" e, mais do que isso, viver o milagre que se encontra em suas entrelinhas.

Rio de Janeiro, 2002.

Profa. **Mônica A. C. Campello**, fonoaudióloga, pós-graduada em audiocomunicação pela Unesa, especializada na metodologia audiofonatória de Guy Perdoncini, diretora-fundadora do Centro de Dança e Estudo do Deficiente Auditivo – RJ, coordenadora de projetos educacionais e tecnológicos do Ines, e integrante da comissão de publicação da Revista Espaço, publicação técnico-científica na área da surdez, e-mail: monicaac@gbl.com.br

Referência bibliográfica

Brito, L. F. (1993). *Integração social e educação de surdos.* Andaraí, RJ: Babel Editora.

Apresentação por psicóloga e intérprete de Libras

Geralda E. Ferreira, psicóloga e especialista em educação de surdos pelo Ines

A importância da língua de sinais na comunicação dos surdos

A voz do intelecto é baixa, mas não tem descanso até se fazer ouvida. (S. Freud, citado por Behares, 1996)

Ao receber o convite para participar desse encontro acadêmico, cujo objetivo visa apresentar, junto com outros estudiosos brasileiros, a *Enciclopédia da Língua de Sinais Brasileira: O Mundo do surdo em Libras*, destinado à comunidade surda brasileira, e, na qualidade de profissional especializada na área da surdez, sentimo-nos duplamente honrados. Primeiro, por ver, em nossas mãos, um antigo sonho dessa comunidade transformando-se em realidade, mesmo que depois de tantos impedimentos metodológicos, clínicos e sociais; segundo, por constatar, materialmente, uma situação que temos defendido através de estudos acerca dos sujeitos que tomam parte desse imenso palco comunicativo chamado vida.

Partimos da revisão de nossa incursão nessa comunidade como membros instrumentais da mesma, uma vez que funcionamos como canais de comunicação entre dois pólos culturais distintos. Pontuamos que nos resta principalmente agradecer a iniciativa do Laboratório de Neuropsicolingüística Cognitiva e Experimental do Instituto de Psicologia da USP, por um investimento tão alto nesse campo. Este fato merece aplauso, visto ser um passo pioneiro por parte dos idealizadores do trabalho e cujo ato trata de aproximar sujeitos através de mentes, corações e mãos... Ao lembrar dos educadores que viajam há tanto tempo na tentativa de encontros humanos (e pensando somente nisso), só nos falta considerar que esse momento constituirá mais um grande salto para a conquista da cidadania dos sujeitos privados do sentido da audição. Todos estes constituintes de nosso desejo e amor profissional congregam esforços anônimos ou declarados, rumo ao fazer científico e humano da comunicação.

Durante muitos anos tais brasileiros viveram afastados da sociedade devido à barreira de comunicação responsável por outros atrasos em suas vidas, o que repercutiu de forma a deixá-los distantes de todas as informações de que esta mesma sociedade dispunha enquanto valores sociais (incluindo aqui os parâmetros culturais e lingüísticos). Enquanto a maioria ouvinte considerava-os incapazes e diferentes dos outros portadores de deficiências, profissionais tecnicistas tentavam, clinicamente, restabelecer a igualdade em termos de restituir-lhes a voz perdida devido à instalação da surdez; mais um fator determinante do grande trauma dos surdos e que resiste até os dias atuais. As próteses e outros equipamentos secundários buscavam satisfazer as expectativas e necessidades dos profissionais que atuavam na área da reabilitação da fala; estes sequer atentaram para a necessidade básica de comunicação, priorizando apenas a língua oral como foco do trabalho realizado. Familiares também eram orientados nesse sentido, o que ilhava ainda mais os sujeitos considerados não falantes.

Nesse caminho, os surdos não existiam enquanto portadores de um desejo. Faltava-lhes o direito, pois ficavam distantes da informação, fonte de conhecimento, de argumentação e contra-argumentação, de direito a perguntas e a respostas; enfim, faltava-lhes acesso aos conteúdos que nós outros já tínhamos conquistado rumo à humanidade propriamente dita. Contudo, o "povo" surdo só conseguiu fazer sua "hora" através de um longo e árduo processo de conscientização, divulgação e argumentação. Ele se fez ouvido em sua necessidade básica de comunicação, passando a ocupar um outro lugar, um lugar distinto daquele que ocupou por mais de cem anos de proibição de sua língua, o que prejudicou a manutenção de sua cultura, empobrecendo o seu vocabulário, o acesso à vida em comunidade e ao conhecimento, segregando-o e discriminando-o frente a uma sociedade maior.

Porém, eles já sabiam desde esta época, que a língua de sinais é, nesse aspecto, não só fundamental a sua comunicação grupal. Ela é condição *sine qua non* à educação, pois todo o processo de educação é, em si mesmo, um processo de comunicação e de integração entre quem ensina e quem aprende, entre quem dá e quem recebe conhecimento, entre aqueles que partilham "coisas", dentro e fora da escola. Enquanto conjunto de códigos formado de "palavras" e regras que regem tais vocábulos, a língua de sinais é composta de características completas como qualquer outro idioma. William Stokoe prova em 1960 que ela é uma língua autônoma, viva e adquirida como reflexo de vivência, onde o indivíduo apreende símbolos em contato com outro "nativo". É formada de signos lingüísticos e, como sistema de códigos convencionados e arbitrários, possibilita representar o objeto ausente, o que permite que os surdos evoquem o significado a partir dos significantes.

Como instrumento lingüístico, a língua de sinais é o primeiro agente facilitador de contatos entre surdos e ouvintes, possibilitando a expressão de conteúdos internos, só possíveis para nativos de um mesmo idioma. Deste modo, é genuína forma de luta com a qual as pessoas surdas reivindicam, argumentam, contestam, perguntam e aprendem. Trata-se, fundamentalmente, de um instrumento que atua na manutenção da cultura transmitida pelos adultos para as crianças, agindo também como forma de persuasão, no domínio e manipulação da opinião do outro.

Com relação à aquisição da língua de sinais pela criança surda, podemos clarear algumas questões fundamentais, a saber: A língua é, para nós humanos, a primeira ordem em todas as instâncias (quer psicológica, social, cultural, lingüística e material). Sendo vista nesse prisma, a linguagem é a prática e o fenômeno com que acessamos o mundo interno e externo a partir do grupo a que pertencemos.

A aquisição de uma língua tem a ver com as relações entre ela (a língua) e o povo que a utiliza, pois são os sujeitos que têm relação de aquisição e aprendizagem frente ao que vivem interna ou externamente. É para a língua que todos os seres caminham no que se refere ao contato social, não existindo apropriação de língua sem se considerar o fato de que ela tenha importância e significado para esses mesmos sujeitos que a utilizam em suas vidas. Portanto, a importância do tema da aquisição da linguagem pelo surdo é específica devido à descrição da mesma. O estudo da língua de sinais tem suporte teórico na lingüística e em outras ciências da linguagem (como a comunicação, a psicologia e outras...) e para que haja uma maior divulgação e conhecimento da mesma pontuamos que o mero treinamento (artifício) é diferente de aquisição (aspecto natural). É na interação entre mãe e criança que ocorre uma negociação comunicativa psicológica, e que passa a existir a linguagem a que todos nós temos direito enquanto humanos.

Assim, a língua é o instrumento onde acontecem "coisas"... A origem da língua está no paradoxo entre sujeito e efeito, em que o sujeito é efeito da língua e vive o discurso. Do ponto de vista psicológico, a língua captura o falante e impõe uma "economia metafórico-metonímica". A língua de sinais é tudo isso, e mais... Por isso, tomamos aqui emprestado uma simples contribuição teórica, mas que poderá reafirmar nossa defesa em favor da importância da língua de sinais. Mesmo porque, a partir de um pressuposto científico definido por ciências das interfaces, ficará melhor determinada a relevância dessa língua na vida dos sujeitos surdos. Acreditamos que, ao inventar sinais em suas primeiras tentativas de comunicação em casa e na escola, a criança surda está firmando e confirmando sua posição humana frente à necessidade de entender e de ser entendida. Afinal, em um ambiente de comunicação existe sempre a segurança do que é dito. Na prática e na teoria observamos que as crianças que podem desenvolver as habilidades de aprendizagem e comunicação interpessoal afetiva e efetiva tendem a encontrar-se mais motivadas para a vida, enquanto que aquelas que não tiveram essa oportunidade tendem a desenvolver comportamentos compensatórios e, mesmo, patológicos. Estudos realizados desde 1960 demonstram que crianças que crescem em ambiente de comunicação apresentam mais habilidades para comunicação e êxito na escola, nos lares e na sociedade em geral.

Para Elliot (citado por Bishop & Mogford, 2001) "A linguagem possibilita à criança a passar do registro do ser para o de ter: Ter um desejo limitado, legislável que a faz engajar-se na procura dos objetos cada vez mais afastados do objeto inicial do seu desejo (... a mãe). Normatiza-se dando forma social ao seu desejo". Tal citação vem, a nosso ver, sugerir que a língua de sinais é fundamental para a comunidade formada pelos surdos brasileiros. Ao se tornarem conscientes e aptos para uma luta social, que hoje completa 120 anos, bem como instrumentalizados pelo conhecimento que acumularam e fortalecidos pelas influências oriundas de outras minorias, os surdos legitimam sua condição de cidadãos e aguardam que a sociedade maior entenda que a língua de sinais é, no seu aspecto mais profundo, não só fundamental para uma comunicação grupal minoritária. Ela é condição vital para uma fonte inesgotável de pesquisa e compreensão. Daí a urgência em vê-la, o mais rápido possível, reconhecida, oficializada e divulgada.

Como via facilitadora de contatos entre surdos e ouvintes, permitindo de maneira concreta a expressão de conteúdos, conceitos, pensamentos, sentimentos e emoções, a língua de sinais se transforma em liberdade. Para nós, liberdade deixa de ser sonho e passa a ser realidade; deixa de ser ilusão e passa a ser possibilidade de entender e de ser entendido. Vislumbra céus e viagens das mãos. Atinge alturas mesmo sem sons e alcança a perplexidade de olhos que se satisfazem em plena compreensão. Assim, seres, antes ilhados, são percebidos como agentes de comunicação e sujeitos portadores de desejos satisfeitos no seu sentido mais objetivo. Afinal, o agir pode comunicar mais do que um mero ato de fala...

Esta apresentação finaliza-se ao mostrar a estreita relação entre possibilidade de entendimento e a liberdade de comunicação, a partir da defesa da língua de sinais, caminhando através de laços entre teoria e prática, uma vez que minha posição de psicóloga, educadora e intérprete de língua de sinais confirma na prática tal necessidade. Reafirmamos que a livre expressão tão falada nestes últimos anos deve chegar a quem também possui uma outra maneira de abordar o próprio sentido da comunicação, bem como atingir aspectos quase nunca conhecidos pela sociedade maior. Pensando assim, concluímos que, como sujeito de ação sociocultural, o surdo precisa que sua peculiar forma de entrar em contato com o mundo possa ser respeitada e entendida por todos que fazem parte desse grande movimento humano em prol do espaço confortável de interação e diálogo. E, como seres humanos, devemos apontar uma diretriz única em nossa existência: Abrir frentes de trabalho para obter ganhos significativos dirigidos aos sujeitos portadores do desejo concreto e real, simbólico e lingüístico; pois as gerações anteriores já construíram algumas coisas. A partir daí, nós construímos também mais coisas novas... e avançamos rumo a concepções inovadoras.

Geralda E. Ferreira, psicóloga clínica e educacional especializada em educação de surdos pelo Ines–RJ, pós-graduada em psicologia da educação pelo Instituto de Educação de Minas Gerais, e em educação especial pela Universidade Federal do Mato Grosso do Sul, especialista em psicopedagogia pela Universidade de Havana, mestranda em psicopedagogia pela Unipac de Bom Despacho, MG, intérprete de Libras, psicóloga da Secretaria de Estado da Educação de Minas Gerais, APAE de Caeté, MG, e-mail: rudersonmf@ig.com.br

Referências bibliográficas

Behares, L. E. (1996). Aquisição da linguagem e interações mãe ouvinte – criança surda. In *Anais do Seminário Repensando a educação da pessoa surda.* Rio de Janeiro, RJ: Teatral.

Bishop, D., & Mogford, K. (2001). *Desenvolvimento da linguagem em circunstâncias excepcionais.* São Paulo, SP: Ed. Revinter.

Apresentação pelo ex-coordenador dos intérpretes de Libras do Rio Grande do Sul, e especialista em pastoral ecumênica de surdos pela Gallaudet University

Prof. e intérprete Ricardo Sander

A importância de deixar o surdo pensar

Estamos finalmente vivendo a era pós-oficialização da Libras em nosso país, após longos esforços de surdos e ouvintes. Profissionais da educação, psicologia e lingüística envidaram muitos esforços para o advento desta nova realidade, e ela finalmente chegou.

Agora, podemos nos perguntar para onde vamos. É preocupante constatar que ainda há profissionais e membros da comunidade de deficientes auditivos (não me refiro a surdos), que vêem a língua de sinais apenas como um código inferior, e não como língua. Ainda encontramos escolas, professores e famílias com uma visão paternalista do surdo. E com uma filosofia de "fazer por ele", a pretexto de que ele não ouve.

A Lei Federal 10.436 de 24 de abril de 2002 é um marco divisor. Agora, a história se dá em dois tempos: Um período antes da Lei e um período depois da Lei. Para muitos profissionais, a questão da importância da língua de sinais já estava resolvida. Mas somente a partir desta Lei é que podemos estar legalmente respaldados e lutar mais ainda contra a menosvalia da língua de sinais do Brasil, a Libras.

A Libras é uma língua que permite aos seus usuários pensar, construir significados e interagir como os outros seres humanos que usam alguma língua oral. A surdez não implica em deficiência mental. Pensar em Libras permite aos surdos construir sua visão de mundo, seus significados a respeito das coisas e da vida. E permite o mesmo aos ouvintes. A Libras é mais complexa em detalhes e expressões, pela rapidez com que é sinalizada, do que a língua oral. É mais complexo traduzir de uma língua de sinais para uma língua oral, do que *vice-versa.* Tal tradução não é só mais complexa como, também, muitas vezes, impossível. Como tradutor, muitas vezes nos deparamos com uma complexidade de sinais que são tão rapidamente articulados que impedem a tradução em sua totalidade para a língua oral. Isto ocorre devido ao tempo e à falta de conceitos apropriados. Apesar de seus recursos sofisticados, a língua oral não expressa a mesma complexidade da língua de sinais.

Os intérpretes certamente compreendem o que queremos dizer.

Quando falamos sobre a importância de deixar o surdo pensar, estamos nos referindo especialmente a aqueles que nasceram surdos e que não tiveram *input* lingüístico adequado em língua de sinais em sua tenra idade. A grande maioria dos surdos nasceu em famílias de ouvintes. Isso significa que usualmente os pais, irmãos e amigos da família não sabem língua de sinais. Além disso, com grande freqüência tais crianças são encaminhadas a clínicas de fonoaudiologia e outros tipos de tratamento. Esta é a visão clínica, e seu propósito é criar oportunidade ao deficiente de adquirir a língua oral o quanto antes. Mas isto é difícil ao surdo. A ausência de *input* lingüístico adequado em sinais tende a comprometer sua habilidade de formar conceitos, pensar, articular, construir seu mundo e sua perspectiva, interagir satisfatoriamente, manifestar sua opinião, e fazê-la valer. Esta situação o leva a permanecer como ouvinte disfarçado e surdo sem identidade.

Essa visão sociocultural do surdo como sujeito capaz de se articular lingüisticamente e de viver em seu mundo normalmente (mundo que inclui os ouvintes) é a única saída para nós todos, surdos e ouvintes. A nova Lei ratifica a legitimidade da Libras e abre possibilidades para que ela e seus usuários sejam vistos a partir de outro prisma. O prisma de uma comunidade aberta para surdos e ouvintes, lingüisticamente complexa e rica, com todas as possibilidades e competências para pensar e se comunicar, e para se fazer ouvir.

Agora, já em plena era pós-oficialização da Libras, estando respaldados pela Lei, vemos o quanto ainda temos a fazer em nosso país. Vemos a necessidade de escolas para surdos, com professores surdos, e currículo voltado aos surdos. Vemos profissionais da área que ainda não aprenderam a respeitar a língua de sinais. Vemos também discursos complexos e trabalhos estafantes tentando explicar o melhor método para levar o surdo a aprender a falar, e que acabam comprometendo a capacidade lingüística e o desenvolvimento da comunidade surda.

Como nação, estaremos caminhando concretamente rumo à cidadania plena apenas quando nossos surdos tiverem oportunidade de acesso ao conhecimento em sua língua e as condições necessárias ao seu desenvolvimento social e profissional. Esta enciclopédia é um passo neste sentido.

São Paulo, outubro de 2002.

Ricardo Sander, intérprete de Libras, pedagogo com habilitação em supervisão escolar e disciplinas pedagógicas, pós-graduado em teologia com especialização na pastoral ecumênica de surdos pela Gallaudet University, ex-coordenador dos intérpretes de Libras do Rio Grande do Sul, ex-diretor da Escola Luterana São Mateus de Ensino Fundamental de Sapiranga, RS, e pesquisador no projeto surdo do Núcleo de História Oral da USP, e-mail: ricsander@uol.com.br

Prefácio

Esta *Enciclopédia da Língua de Sinais Brasileira: O mundo do surdo em Libras* é um desdobramento e uma ampliação do intenso trabalho de pesquisa e desenvolvimento científico que produziu o premiado[1] e amplamente empregado *Dicionário enciclopédico ilustrado trilíngüe da Língua de Sinais Brasileira* (F. Capovilla & Raphael, 2001b, 2001c). Lançado há três anos, aquele *Dicionário de Libras* empreendeu, pela primeira vez na história da cultura brasileira, uma cuidadosa e extensa documentação científica do léxico de sinais do surdo brasileiro, tendo recebido a chancela de aprovação pela Coordenação Nacional de Cursos de Libras da *Federação Nacional de Educação e Integração dos Surdos* (Feneis), após mais de um ano de extensa e cuidadosa revisão por uma grande equipe de experientes e credenciados professores surdos de Libras.

Lançada agora, esta *Enciclopédia da Língua de Sinais Brasileira: O mundo do surdo em Libras* constitui um poderoso instrumento para promover e avaliar o desenvolvimento da linguagem escrita e de sinais da criança e do jovem surdo brasileiro. Verdadeira bateria de ferramentas para o ensino e a avaliação de Libras e Português, esta Enciclopédia contribui de modo decisivo para adaptar o currículo escolar em Libras nos níveis Infantil, Fundamental e Médio, e implementar um ensino bilíngüe de qualidade internacional para a criança surda brasileira. A legitimidade de seu conteúdo lingüístico vem sendo atestada pela chancela de aprovação da comunidade surda brasileira por intermédio de suas muitas federações e organizações; e a legitimidade de seu conteúdo científico, pela chancela de aprovação da comunidade científica nacional por intermédio dos principais órgãos federais e estaduais de fomento à pesquisa científica, e da comunidade científica internacional que tem acompanhado com grande interesse esses extraordinários desenvolvimentos no Brasil.

A *Enciclopédia da Língua de Sinais Brasileira: O mundo do surdo em Libras* é composta de dezenove volumes e três CDs.

O conteúdo de cada um dos dezenove volumes encontra-se apresentado na relação a seguir:

Vol. 01: Sinais da Libras e o universo da educação; e Como avaliar o desenvolvimento da competência de leitura de palavras (processos de reconhecimento e decodificação) em escolares surdos do Ensino Fundamental ao Médio;

Vol. 02: Sinais da Libras e o universo das artes e cultura, esportes e lazer; e Como avaliar o desenvolvimento da compreensão de sinais da Libras em escolares surdos de 1ª. a 8ª. série do Ensino Fundamental;

Vol. 03: Sinais da Libras e a vida em família, relações familiares e casa; e Como avaliar o desenvolvimento da competência de leitura de sentenças (processamento sintático e semântico) de escolares surdos do Ensino Fundamental ao Médio;

Vol. 04: Sinais da Libras e o universo da comunicação, religião, e eventos; e Como avaliar a competência de leitura (processamento quirêmico e ortográfico) de escolares surdos do Ensino Fundamental ao Médio;

Vol. 05: Sinais da Libras e a vida das pessoas; e Como avaliar a competência de escrita de escolares surdos do Ensino Fundamental ao Médio;

Vol. 06: Sinais da Libras e o universo das relações humanas, objetos pessoais, documentos e vestuário; e Como avaliar em conjunto compreensão de sinais e de leitura (processos quirêmicos e ortográficos) de escolares surdos do Ensino Fundamental ao Médio;

Vol. 07: Sinais da Libras e o mundo dos verbos; e Como avaliar em conjunto competência de escrita e compreensão de sinais em escolares surdos do Ensino Fundamental ao Médio;

Vol. 08: Sinais da Libras e o mundo das palavras de função gramatical; e Como acompanhar o desenvolvimento da competência de leitura (processos quirêmicos e ortográficos) de escolares surdos do Ensino Fundamental ao Médio;

Vol. 09: Sinais da Libras e o mundo dos adjetivos; e Como acompanhar o desenvolvimento da competência de escrita de escolares surdos do Ensino Fundamental ao Médio;

Vol. 10: Sinais da Libras e o mundo dos substantivos; e Apanhado histórico da educação de surdos no Brasil: 150 anos de alternância entre oralismo e sinal;

Vol. 11: Sinais da Libras e o mundo da natureza, cores e animais, e Como acompanhar o desenvolvimento conjunto da compreensão de leitura e sinais (processos quirêmicos e ortográficos) de escolares surdos do Ensino Fundamental ao Médio;

Vol. 12: Sinais da Libras e o universo do corpo humano, medicina e saúde, e sexualidade e reprodução; O surdo e o implante coclear: Pesquisa, indicações e contra-indicações;

Vol. 13: Sinais da Libras e o mundo da alimentação, quantidades, números e medidas; e Como ler e escrever os sinais da Libras em *SignWriting*: Manual completo do sistema de escrita visual

---

1 Menção honrosa da Câmara Brasileira do Livro, 2002.

direta de sinais;

Vol. 14: Sinais da Libras e tudo que se refere a lugares, orientação espacial, e orientação temporal; e Como acompanhar o desenvolvimento conjunto da produção de escrita e compreensão de sinais em escolares surdos do Ensino Fundamental ao Médio;

Vol. 15: Sinais da Libras e o mundo dos transportes, economia, finanças e negócios; e Questões na educação de surdos: Sobre oralismo, comunicação total, bilingüismo, escrita de sinais e escrita alfabética;

Vol. 16: Sinais da Libras e o universo do trabalho, dos profissionais e dos equipamentos; e Como permitir comunicação em Libras por surdos tetraplégicos: *SignoFone* – (tele)comunicação por sinais falantes acionáveis pelo piscar;

Vol. 17: Sinais da Libras e o mundo das leis e política, preocupações sociais, violência e drogas; e a importância da língua de sinais e de seu registro para a pessoa surda;

Vol. 18: Enciclopédia digital da Libras, Sistema de busca quirêmica de sinais, e Decodificador quirossemântico – Interface alfabética, e Interface gráfica;

Vol. 19: Compêndio de avaliação do desenvolvimento de linguagem de sinais, leitura e escrita no surdo de 6 a 45 anos de idade.

A descrição a seguir sumaria brevemente o conteúdo dos volumes.

Volumes 1 a 17: Enciclopédia impressa da Libras

Os Volumes 1 a 17 (F. Capovilla & Luz, 2004a, 2004b, 2004c, 2004d, 2004e, 2004f, 2004g; F. Capovilla & Raphael, 2004a, 2004b, 2004c, 2004d, 2004e, 2004f, 2004g, 2004h, 2004i, 2004j) constituem a *Enciclopédia impressa* da Libras. Esses volumes contêm todos os sinais do *Dicionário enciclopédico ilustrado trilíngüe da Libras* indexados pelos campos semânticos a que pertencem os sinais, de modo que, para buscar e resgatar um dado sinal do vasto léxico, basta consultar o volume que aborda os temas pertinentes ao sinal desejado. Por exemplo, para localizar o sinal BOMBEIRO, basta procurar no volume sobre *profissões*; para encontrar o sinal GIRAFA, basta procurar no volume sobre *animais*; para encontrar o sinal CÉREBRO, basta procurar no volume sobre *partes do corpo*; para encontrar o sinal AVIÃO, basta procurar no volume sobre *meios de transporte*, e assim por diante. Esses volumes apresentam o universo lexical do surdo brasileiro nos mais variados temas. Cobrindo uma ampla gama de áreas de conhecimento, documentam boa parte dos principais sinais pertinentes a cada uma delas. Dentre tais áreas, destacam-se os mundos dos substantivos, dos verbos, dos adjetivos e das palavras de função gramatical, a vida das pessoas, as relações humanas, a vida em família e as relações familiares, a educação, as artes e cultura, os esportes e o lazer, o universo da comunicação, da religião e dos eventos, o corpo humano, a medicina e a saúde, a sexualidade e a reprodução, a alimentação, as quantidades, a natureza, as cores e os animais, os números e as medidas, os lugares, a orientação espacial e a orientação temporal, os transportes, a economia, os negócios e as finanças, o trabalho, os profissionais e os equipamentos, a casa, os objetos pessoais, os documentos e o vestuário, as leis e a política, as preocupações sociais, a violência e as drogas. Assim, esses volumes segmentam o universo lexical dos sinais pertinentes às mais variadas áreas do conhecimento, apresentando-os organizados em campos semânticos hierarquizados, e são de inestimável valor para favorecer o ensino da Libras e em Libras, permitindo aos educadores programar aulas de conversação em sinais e verter o currículo escolar para a língua de sinais da comunidade surda brasileira. Esse rico material de ensino, permite ampliar o conhecimento da Libras e do Português, bem como o conhecimento do mundo por meio da Libras e do Português.

Estrutura dos volumes

Cada um desses volumes divide-se em duas partes, sendo que a primeira parte compila os sinais de uma dada área, e a segunda parte apresenta um capítulo com dois tipos de conteúdo possíveis diferentes. Em seis dos dezessete volumes (i.e., Volumes 10, 12, 13, 15, 16, 17), a segunda parte é composta por um capítulo que aborda um tema relevante à educação do surdo. Nos outros onze volumes (Volumes 1 a 9, 11, e 14), a segunda parte é composta de um capítulo que apresenta um instrumento de avaliação de linguagem de sinais e da leitura e escrita do surdo.

Nos seis volumes em que o capítulo da segunda parte apresenta um tema relevante à educação dos surdos, os temas abrangidos são os seguintes:

Vol. 10: Apanhado histórico da educação de surdos no Brasil: 150 anos de alternância entre oralismo e sinal;

Vol. 12: O surdo e o implante coclear: Pesquisa, indicações e contra-indicações;

Vol. 13: Como ler e escrever os sinais da Libras em *SignWriting*: Manual completo do sistema de escrita visual direta de sinais;

Vol. 15: Questões na educação de surdos: Sobre oralismo, comunicação total, bilingüismo, escrita de sinais e escrita alfabética;

Vol. 16: Como permitir comunicação em Libras por surdos tetraplégicos: *SignoFone* – (tele)comunicação por sinais falantes acionáveis pelo piscar;

Vol. 17: A importância da língua de sinais e de seu registro para a pessoa surda.

Nos demais onze volumes, a segunda parte apresenta um instrumento de avaliação do desenvolvimento da linguagem, validado e normatizado para a população escolar surda de 1.158 crianças, jovens e adultos surdos de 6 a 45 anos de idade, estudantes da 1ª. série do Ensino Fundamental à 1ª. série do Ensino Médio. Os volumes e as respectivas questões respondidas pelos instrumentos são os seguintes

Vol. 01: Como avaliar o desenvolvimento da competência de leitura de palavras (processos de reconhecimento e decodificação) em escolares surdos do Ensino Fundamental ao Médio: Versão original do Teste de Competência de Leitura de Palavras (TCLP1.1);

Vol. 02: Como avaliar o desenvolvimento da compreensão de sinais (vocabulário em Libras) de escolares surdos do Ensino Fundamental;

Vol. 03: Como avaliar o desenvolvimento da competência de leitura de sentenças (processamento sintático e semântico) de escolares surdos do Ensino Fundamental ao Médio;

Vol. 04: Como avaliar a competência de leitura (processamento quirêmico e ortográfico) de escolares surdos do Ensino Fundamental ao Médio;

Vol. 05: Como avaliar a competência de escrita de escolares surdos do Ensino Fundamental ao Médio;

Vol. 06: Como avaliar em conjunto compreensão de sinais e de leitura (processos quirêmicos e ortográficos) de escolares surdos do Ensino Fundamental ao Médio;

Vol. 07: Como avaliar em conjunto competência de escrita e compreensão de sinais em escolares surdos do Ensino Fundamental ao Médio;

Vol. 08: Como acompanhar o desenvolvimento da competência de leitura (processos quirêmicos e ortográficos) de escolares surdos do Ensino Fundamental ao Médio;

Vol. 09: Como acompanhar o desenvolvimento da competência de escrita de escolares surdos do Ensino Fundamental ao Médio;

Vol. 11: Como acompanhar o desenvolvimento conjunto da compreensão de leitura e sinais (processos quirêmicos e ortográficos) de escolares surdos do Ensino Fundamental ao Médio;

Vol. 14: Como acompanhar o desenvolvimento conjunto da produção de escrita e compreensão de sinais em escolares surdos do Ensino Fundamental ao Médio.

Para cada volume, as habilidades avaliadas, os nomes dos testes e as respectivas referências encontram-se listados a seguir:

Vol. 01: *Competência de leitura silenciosa de palavras isoladas em Português*, por meio da versão 1.1 do Teste de Competência de Leitura de Palavras (TCLP1.1: F. Capovilla, Viggiano, A. Capovilla, Raphael, Maurício, & Bidá, 2004);

Vol. 02: *Vocabulário receptivo visual de sinais da Libras*, por meio da versão 1.1 do Teste de Vocabulário Receptivo de Sinais da Libras (TVRSL1.1: F. Capovilla, Viggiano, A. Capovilla, Raphael, Bidá, & Maurício, 2004);

Vol. 03: *Competência de leitura de sentenças em Português*, por meio da versão 1.1 do Teste de Competência de Leitura de Sentenças (TCLS1.1: F. Capovilla, Viggiano, A. Capovilla, Raphael, Bidá, Neves, & Maurício, 2004);

Vol. 04: *Habilidade de escolher palavras escritas para nomear figuras* conhecidas, por meio da versão 1.1 do Teste de Nomeação de Figuras por Escolha de palavras escritas (TNF1.1–Escolha: F. Capovilla, Viggiano, Raphael, Bidá, A. Capovilla, Neves, & Maurício, 2004);

Vol. 05: *Competência de escrita de palavras em Português para nomear figuras* conhecidas, por meio da versão 1.1 do Teste de Nomeação de Figuras por Escrita (TNF1.1– Escrita: F. Capovilla, Viggiano, Raphael, Bidá, A. Capovilla, Maurício, & Neves, 2004);

Vol. 06: *Habilidade de escolher palavras escritas para nomear sinais* da Libras, por meio da versão 1.1 do Teste de Nomeação de Sinais por Escolha de palavras escritas (TNS1.1–Escolha: F. Capovilla, Viggiano, Raphael, Maurício, A. Capovilla, & Bidá, 2004);

Vol. 07: *Competência de escrita de palavras em Português para nomear sinais* da Libras, por meio da versão 1.1 do Teste de Nomeação de Sinais por Escrita (TNS1.1–Escrita: F. Capovilla, Viggiano, Bidá, Raphael, A. Capovilla, & Maurício, 2004);

Vol. 08: *Habilidade de escolher palavras escritas para nomear figuras* conhecidas, por meio da versão 2.1 do Teste de Nomeação de Figuras por Escolha de palavras escritas (TNF2.1–Escolha: F. Capovilla, Viggiano, Bidá, A. Capovilla, Raphael, Neves, & Maurício, 2004);

Vol. 09: *Competência de escrita de palavras em Português para nomear figuras* conhecidas, por meio da versão 2.1 do Teste de Nomeação de Figuras por Escrita (TNF2.1–Escrita: F. Capovilla, Viggiano, Raphael, Bidá, A. Capovilla, & Neves, 2004);

Vol. 11: *Habilidade de escolher palavras escritas para nomear sinais* da Libras, por meio da versão 2.1 do Teste de Nomeação de Sinais por Escolha de palavras escritas (TNS2.1–Escolha: F. Capovilla, Viggiano, Bidá, Luz, A. Capovilla, & Neves, 2004);

Vol. 14: *Competência de escrita de palavras em Português para nomear sinais* da Libras, por meio da versão 2.1 do Teste de Nomeação de Sinais por Escrita (TNS2.1–Escrita: F. Capovilla, Viggiano, Luz, A. Capovilla, Bidá, & Maurício, 2004).

Como se constata na listagem acima, os três primeiros testes têm apenas uma versão; e os quatro últimos, duas versões. O objetivo da segunda versão é permitir controlar o efeito de carreamento ao longo de avaliações repetidas. As habilidades avaliadas por meio das duas versões, e seus respectivos volumes, são as seguintes:

- *Habilidade de escrever palavras em Português para nomear figuras* conhecidas, nos Volumes 5 e 9;
- *Habilidade de escrever palavras em Português para nomear sinais* da Libras, nos Volumes 7 e 14;
- *Habilidade de escolher palavras escritas para nomear figuras* conhecidas, nos Volumes 4 e 8;
- *Habilidade de escolher palavras escritas para nomear sinais* da Libras, nos Volumes 6 e 11.

Cada um dos onze capítulos individuais dedica-se com maior profundidade a um teste específico, sendo que esses capítulos apresentam sempre os seguintes itens:

- A versão na ordenação original aplicada de cada uma das onze variações;
- A tabela de dados normativos por série escolar resultante da aplicação dessa versão da 1ª série do Ensino Fundamental até a 1ª série do Ensino Médio;
- Os dados de desempenho nos vários subtestes que permitem analisar em profundidade o processamento cognitivo envolvido;
- Os dados de validação obtidos a partir do cruzamento das informações de cada versão original com cada uma das outras dez variações; e finalmente
- A versão derivada, com itens reordenados por grau de dificuldade crescente, de cada um dos onze instrumentos desenvolvidos a partir da aplicação de cada um deles.

Assim, esses volumes oferecem um poderoso arsenal de instrumentos de avaliação que permite acompanhar o desenvolvimento da linguagem de sinais, bem como da leitura e escrita em Português.

O amplo emprego desses instrumentos em pesquisa, educação e clínica na área de surdez passa a ser possível a partir de sua publicação. A publicação integral dos onze instrumentos validados e normatizados possibilita acompanhar de perto o desenvolvimento das competências lingüísticas e acadêmicas de educandos surdos desde a 1ª série do Ensino Fundamental até a 1ª série do Ensino Médio, e comparar sistematicamente a eficácia de diferentes programas, estratégias e procedimentos de ensino, de modo a descobrir como melhor aperfeiçoar e calibrar esses procedimentos e materiais de ensino às necessidades e potencialidades específicas de diferentes segmentos dessa população. Por isso, é de interesse central a pesquisadores, educadores, clínicos, administradores de ensino, e autoridades responsáveis pelo estabelecimento de políticas de ensino.

Volume 18: Enciclopédia digital da Libras

A *Enciclopédia digital* da Libras consiste em dois CDs e um manual de operações, sendo que o Volume 18 que acompanha os CDs consiste nesse manual do usuário dos CDs (F. Capovilla, Duduchi, & Rozados, 2004). A *Enciclopédia digital* contém todos os sinais do *Dicionário da Libras* indexados pelos componentes quirêmicos da estrutura sublexical dos sinais, de modo que, para buscar e resgatar um dado sinal do vasto léxico, basta selecionar uma das características quirêmicas que o compõem. Por exemplo, para localizar o sinal DESCULPE, basta selecionar uma ou mais de suas características quirêmicas como *mão direita em* ***Y****, palma para trás, tocar queixo*; para localizar o sinal AVIÃO, basta selecionar uma ou mais de suas características quirêmicas como *mão direita em* ***Y****, palma para baixo, movimento para frente e para o alto.*

A *Enciclopédia digital* incorpora dois outros sistemas auxiliares: O *Sistema de indexação quirêmica de sinais* e o *Sistema de busca quirêmica de sinais.* O *Sistema de indexação* desmembra a estrutura sublexical de cada um dos sinais em seus quiremas componentes. Por exemplo, a estrutura sublexical do sinal DESCULPE compreende três componentes: *Mão direita em* ***Y****, palma para trás,* e *tocar queixo.* Além de analisar a estrutura sublexical de cada sinal, o sistema codifica esses componentes sublexicais numa seqüência alfanumérica em que as letras representam quiremas (e.g., forma da mão, orientação da palma, movimento, local, expressão facial) e os números representam alóquiros (i.e., *mão em* ***Y****, palma para trás, movimento para trás, próximo ao queixo, expressão triste*). O *Sistema de busca* faz uso dessa seqüência de códigos alfanuméricos que indexa os sinais para recuperar todos sinais cuja estrutura contém uma dada característica selecionada pelo usuário.

O *Sistema de busca* emprega duas interfaces diferentes para permitir ao usuário recuperar sinais: A *Interface alfabética* e a *Interface gráfica*. Para buscar e resgatar um dado sinal do vasto léxico, basta selecionar, por meio da *Interface alfabética* ou da *Interface gráfica*, uma das características quirêmicas que o compõem. Tal seleção é feita por meio do mouse, apontando e clicando sobre menus desdobráveis. No menu da *Interface alfabética*, as características quirêmicas selecionáveis pelo mouse encontram-se escritas em Português; já no menu da *Interface gráfica*, as características quirêmicas selecionáveis pelo mouse encontram-se ilustradas por meio de desenhos que representam partes componentes de sinais. Por exemplo, enquanto na *Interface alfabética* o usuário clica sobre menus com listas de palavras escritas contendo nomes e descrições de características como formas de mão, orientação da palma, e locais do sinal em relação ao corpo; na *Interface gráfica* o usuário clica sobre menus com ilustrações gráficas das próprias formas de mão, orientação da palma, e locais do sinal em relação ao corpo. Ou seja, enquanto a *Interface alfabética* depende do Português como meio de busca e ponte de acesso aos sinais da Libras, a *Interface gráfica* prescinde da necessidade do Português e permite localizar os sinais diretamente pela seleção das suas propriedades formais quirêmicas que são diretamente visíveis.

Esse *Sistema de busca quirêmica de sinais* constitui um autêntico *Decodificador quirossemântico*, uma vez que permite descobrir o significado de qualquer sinal que se encontre indexado no sistema. Para descobrir o significado de um dado sinal desconhecido, basta que o usuário vá selecionando as características quirêmicas mais conspícuas do sinal que está observando, e que solicite ao sistema que liste todos os sinais que contêm aquelas características selecionadas. De início, quando apenas uma característica é selecionada, usualmente o número de sinais listados que apresentam aquela característica é grande. Contudo, à medida que mais e mais características forem sendo selecionadas, o número de sinais que satisfazem todas aquelas características tende a reduzir-se drasticamente, de modo a restar apenas o sinal que se procura. Quando, ao término da busca, o sinal desejado aparece na tela, o usuário tem diante de si não apenas a forma desse sinal desconhecido que estava procurando como, também, o seu significado, que se encontra ilustrado por meio de figuras, além de descrito e explicado em Português.

Esse software pode ser empregado tanto como um sistema de busca de sinais conhecidos quanto como um sistema de busca do significado de sinais desconhecidos. Neste último caso, como o sistema permite chegar ao significado de sinais desconhecidos a partir da seleção das características conspícuas desses sinais e da busca dos sinais que contêm a combinação dessas características, ele pode ser concebido como uma espécie de decodificador quirossemântico. O sistema pode ser empregado como *Sistema de busca quirêmica de sinais* já que permite localizar e recuperar os sinais desejados a partir do vasto léxico da Libras a partir da seleção de características quirêmicas da estrutura sublexical desses sinais. Além disso, o sistema também ser empregado como *Decodificador quirossemântico* já que permite descobrir o significado de qualquer sinal desconhecido que se possa observar (desde que ele pertença ao léxico da Libras documentado no sistema), sendo que tal descoberta de significado requer apenas que se faça a seleção, uma a uma, de algumas das características quirêmicas que o compõem.

Deste modo, os três materiais: O *Dicionário*, a *Enciclopédia impressa* e a *Enciclopédia digital* contêm o mesmo léxico de sinais, sendo que a única diferença entre eles é o modo como os sinais se encontram indexados e, assim, o modo como podem ser recuperados:

- O *Dicionário* indexa os sinais pela ordem alfabética dos verbetes correspondentes em Português;
- A *Enciclopédia impressa* indexa os sinais por suas características semânticas (i.e., de significado); e
- A *Enciclopédia digital* indexa os sinais por suas características quirêmicas (i.e., de elementos sublexicais que compõem sua estrutura formal aparente, como forma de mão, orientação de palma, localização do sinal em relação ao corpo, movimento de mão, expressão facial).

Uma das muitas vantagens da *Enciclopédia* (tanto impressa quanto digital) em relação ao *Dicionário* é que ela não requer que se conheça, de antemão, a palavra em Português que corresponde a um dado sinal da Libras para que se possa buscar e encontrar esse sinal. De fato, quando se deseja encontrar um dado sinal na *Enciclopédia impressa*, pode-se encontrá-lo mesmo que se desconheça a palavra correspondente em Português, bastando apenas que se pense em seu significado e que se busque o sinal desejado próximo a sinais que sejam aparentados a ele em termos de significado (i.e., que pertençam ao mesmo campo semântico como cores, números, partes do corpo, meios de transporte, e assim por diante). Do mesmo modo, quando se deseja encontrar um dado sinal na *Enciclopédia digital*, pode-se encontrá-lo mesmo que se desconheça a palavra correspondente em Português, bastando apenas que se pense em suas características formais aparentes (e.g., forma de mão, orientação de palma, local, movimento, e expressão facial) e que se solicite à *Enciclopédia digital* em CD para selecionar todos os sinais que apresentam uma ou mais dessas características.

Em suma: O *Dicionário da Libras* indexa os sinais pela ordenação alfabética dos verbetes em Português que correspondem a esses sinais; a *Enciclopédia impressa da Libras* em dezessete volumes indexa os sinais pela sua classificação semântica; e a *Enciclopédia digital da Libras* em dois CDs e um manual impresso indexa os sinais pela sua composição sublexical quirêmica. Juntas, as três estratégias de indexação (i.e., a alfabética do *Dicionário*, a semântica da *Enciclopédia impressa*, e a quirêmica da *Enciclopédia digital*) compõem um sofisticado sistema reticular cruzado de acesso ao vasto léxico de sinais da Libras que permite resgatar, de modo rápido e fácil, qualquer sinal do léxico documentado dessa fascinante língua.

Volume 19: Compêndio de avaliação do desenvolvimento da linguagem da criança surda

O Volume 19 consiste no *Compêndio de avaliação do desenvolvimento da linguagem da criança surda* (F. Capovilla & Viggiano, 2004). Esse volume de amplo escopo apresenta, de modo conciso e sistemático, a bateria completa de onze instrumentos desenvolvidos, aplicados, validados e normatizados para acompanhar o desenvolvimento de linguagem do educando surdo brasileiro, disponibilizando integralmente todos os onze testes juntamente com seus dados de confiabilidade e validade por referência cruzada uns com os demais, e suas tabelas de dados normativos por nível de escolaridade desde a 1ª. série do Ensino Fundamental até a 1ª. série do Ensino Médio.

Além disso, esse volume também apresenta e ilustra um sofisticado modelo teórico sobre o desenvolvimento da linguagem de sinais, leitura e escrita na criança surda que subjaz a essa bateria e que foi elaborado a partir de achados experimentais rigorosos da neuropsicologia no último quarto de século. Ancorado na abordagem teórica de processamento de informação, esse modelo analisa o processamento psicolingüístico no surdo, analisa as origens de paralexias e paragrafias quirêmicas, ortográficas e semânticas cometidas por leitores surdos, explica as razões de suas dificuldades de aquisição de leitura e escrita alfabéticas e apresenta alternativas para a superação dessas dificuldades.

Finalmente, o volume também apresenta e discute os resultados da aplicação dessa bateria à população escolar surda do estado de São Paulo numa série de onze estudos paramétricos rigorosos que retrata, pela primeira vez na história, o desenvolvimento de linguagem dessa população escolar. Tal retrato sistemático constitui um documento de inestimável valor para permitir descobrir soluções cada vez mais eficazes para promover e aperfeiçoar o desenvolvimento das competências acadêmicas dessas crianças. Assim, esse Volume 19 constitui um autêntico arsenal de recursos instrumentais para acompanhar o desenvolvimento das crianças surdas ao longo do Ensino Fundamental e Médio. E é de inestimável utilidade para selecionar os métodos e as técnicas, os procedimentos e os implementos de ensino mais adequados para promover o desenvolvimento de crianças surdas com as mais variadas características (e.g., tipo e grau de perda auditiva).

Deste modo, esta *Enciclopédia da Língua de Sinais Brasileira: O mundo do surdo em Libras* constitui um vasto arsenal de avançados recursos de ensino e avaliação para a educação do surdo brasileiro e, ao mesmo tempo, um retrato histórico do estado da educação do surdo brasileiro a partir de dados coletados no limiar do novo século, nos anos de 2001, 2002, 2003 e 2004. Uma vez retratado, com sensibilidade, precisão e fidelidade, o estado atual de desenvolvimento lingüístico do educando surdo brasileiro, e uma vez disponibilizados todos esses poderosos recursos de avaliação e intervenção, o desafio que nos confronta a todos, agora, é o de trabalhar muito, e com o mais profundo envolvimento e discernimento. As motivações para tanto são extraordinárias pois, pela primeira vez na história, podemos avaliar objetivamente os resultados de nossos esforços em nível nacional e, assim, descobrir como melhor aperfeiçoar os métodos, procedimentos e práticas de ensino no Brasil. A possibilidade objetiva de acompanhar os resultados de nossas práticas e de calibrá-las parametricamente às necessidades particulares de segmentos mapeados da população escolar surda nos deve encher a todos de entusiasmo, esperança e determinação em nossos esforços sinceros como verdadeiros e genuínos educadores.

Do mesmo modo como esta Enciclopédia enche os olhos da criança surda curiosa das maravilhas do mundo do conhecimento, ela também enche as mãos de educadores sinceros, sequiosos de recursos para auxiliar essa criança a habitar este mundo. Isto, por sua vez, nos deve encher, a todos, de profunda e madura esperança quanto à Nação que ainda podemos vir a ser, e em que já estamos começando a nos tornar.

Esta *Enciclopédia da Língua de Sinais Brasileira: O mundo do surdo em Libras* é um testemunho de fé, amor, generosidade, determinação, sinceridade, esperança, fidelidade, tenacidade e coragem. Sua elaboração demandou extraordinário e prolongado esforço, sólida fundamentação científica em modelos teóricos da Neuropsicolingüística Cognitiva de Processamento de Informação, rigorosa metodologia experimental, avançados recursos tecnológicos de programação de computadores e construção de instrumentos, dentre tantas coisas. A *Enciclopédia* só foi possível graças aos esforços entusiasmados e generosos de muitas pessoas abnegadas que se entregaram a uma causa em comum, que é muito maior do que os interesses pessoais de qualquer uma delas. É, por isso, símbolo daquilo que podemos fazer quando nos unimos e encaramos os problemas de frente, sabedores, como Tiago (2:17) que a fé, sem obras, é morta. E é, assim, também, motivo de inspiração para superar nossos próprios limites, com gratidão e alegria, arregaçando as mangas e orando, concreta e proficuamente, com as mãos.

CONTEÚDO

Como usar este volume sobre sinais da Libras para Artes e cultura, Esportes, e Lazer

Fernando C. Capovilla, Walkiria D. Raphael, e Renato D. Luz

(Instituto de Psicologia, Universidade de São Paulo)

Visão geral

Este volume é parte da *Enciclopédia da Língua de Sinais Brasileira: O mundo do Surdo em Libras*, e concentra-se nos sinais relacionados aos temas **Artes e cultura**, **Esportes**, e **Lazer**. O tema **Artes e cultura** traz sinais referentes a profissões artísticas e culturais em relação a dança e música, teatro e cinema, circo, comunicação, artes gráficas, ciência e educação. Traz também sinais referentes a atividades artísticas e culturais, bem como a locais em que são executadas, nas áreas de dança e música, teatro e cinema, circo, artes plásticas e gráficas, e literatura. Aborda também os aspectos envolvidos nas atividades artísticas e culturais bem como as características e conseqüências dessas atividades. Traz também os sinais referentes a instrumentos musicais. Por último, descreve os verbos relacionados ao tema, bem como outros sinais pertinentes.

O tema **Esportes**, aborda os sinais dos profissionais do esporte e esportistas e das modalidades e atividades esportivas, nas áreas de esportes olímpicos, de campo, de quadra, ao ar livre, de luta, de salão, e de academia. Aborda também os instrumentos e acessórios do esporte, as etapas do esporte e as características do esportista e do esporte, ressaltando os itens de que o esportista precisa, o que pode prejudicá-lo, as suas conquistas, e como o esporte pode ser. Por último, traz os sinais referentes a verbos relativos ao esporte e ao esportista, bem como outros sinais pertinentes.

O tema **Lazer**, aborda os sinais relativos a locais de lazer na natureza, na alimentação, na cultura, nos esportes e atividades físicas, nas compras, no turismo e nas diversões. Em seguida, apresenta os tipos de lazer relacionados a atividades físicas, a cultura, a turismo, a relaxamento e descanso, a distração, a comemorações e a jogos. Apresenta também sinais de equipamentos e objetos para lazer, relacionados a atividades físicas e esportivas, a distração, a comemorações, e a objetos pessoais. Traz também sinais de lazer infanto-juvenil relativos a brinquedos, a brincadeiras, e a jogos. Por último traz os verbos referentes a lazer na natureza, nas comemorações, na cultura, no relaxamento e descanso, na diversão, na distração, nas brincadeiras e jogos, bem como outros sinais relacionados a lazer.

Este volume compõe-se das seguintes seções:

- **Apresentações**;
- **Prefácio**;
- **Conteúdo geral**;
- **Como usar o volume**;
- **Corpo principal de sinais distribuídos semanticamente**;
- **Índice semântico-gramatical**;
- **Índice alfabético**;
- **Capítulo sobre avaliação da linguagem em surdos**;
- **Índice geral**.

O **Conteúdo geral** lista todas as seções deste volume. O **Corpo principal de sinais** distribui os 802 sinais deste volume em temas, categorias semânticas e subcategorias. Tais agrupamentos encontram-se ordenados de maneira didática, de modo a facilitar a compreensão global do tema principal e permitir uma busca simplificada de qualquer verbete. O **Índice semântico-gramatical** agrupa todos os nomes dos sinais em suas respectivas categorias e subcategorias temáticas, na ordem em que os sinais encontram-se distribuídos no corpo principal. O **Índice alfabético** apresenta todos os 802 sinais indexados alfabeticamente. O **Capítulo sobre avaliação da linguagem em surdos** explica como avaliar o desenvolvimento da compreensão de sinais (vocabulário em Libras) de escolares surdos de 1ª. a 8ª. série do Ensino Fundamental. Esse capítulo apresenta o Teste de Vocabulário Receptivo de Sinais da Libras (TVRSL1.1), juntamente com dados de validade e tabelas de dados normativos.

Corpo principal de sinais

Examinemos agora mais detidamente o **Corpo principal de sinais** deste volume que é composto de três temas: **1. Artes e cultura**, **2. Esportes**, e **3. Lazer**. Esses temas são divididos em categorias e subcategorias semânticas ordenadas seqüencialmente. As categorias derivadas do tema apresentam-se em dois níveis numéricos (e.g., 1.1., 1.2., 1.3., e assim por diante). Por exemplo, **1.1. Profissões artísticas e culturais**, **2.1. Profissionais do esporte e esportistas**, e **3.1. Locais de lazer**. Já as subcategorias apresentam-se em três níveis numéricos (e.g., 1.1.1., 1.1.2., 1.1.3.; 1.2.1., 1.2.2., 1.2.3.; 1.3.1., 1.3.2., 1.3.3., e assim por diante). Por exemplo, **1.1.1. Em relação a dança e música**; **2.2.1. Esportes olímpicos**, e **3.1.1. Locais relacionados a natureza**.

Assim, os sinais encontram-se distribuídos nas categorias e subcategorias, agrupados em seqüências de acordo com seu significado, mas não indexados alfabeticamente. Por exemplo, na categoria **1.8. Verbos referentes a artes e cultura**, a **subcategoria 1.8.7. Em relação a conseqüências das atividades artísticas e culturais** arrola sinais como INTERESSAR, CONHECER, APRENDER, MELHORAR, PROGREDIR, e DESENVOLVER-SE. Pode ser observado que tal ordenação temporal dos sinais na seqüência corresponde aproximadamente à ordenação temporal dos eventos que se almeja produzir como conseqüências positivas das atividades artísticas e culturais. Tal arranjo seqüencial dos sinais nas categorias almeja facilitar a aprendizagem dos sinais, na medida que os sinais compõem uma estória com significado que retrata parte da vida real.

Com o objetivo de promover a aprendizagem da Libras, os agrupamentos dos sinais em seqüências foram feitos a partir de princípios como os de contigüidade e oposição, dentre outros. O princípio de contigüidade é responsável pela inclusão de sinais em subcategorias de itens relacionados (i.e., entre todos os aspectos positivos das relações humanas, ou entre todos os aspectos negativos das relações humanas), ao passo que o princípio de oposição é responsável pela organização de sinais opostos em subcategorias de contrários (i.e., entre qualquer um dos aspectos positivos das relações humanas de um lado, e qualquer um dos aspectos negativos das relações humanas de outro lado). Tomado isoladamente, cada um dos dois agrupamentos descreve uma contigüidade ou ordenação de eventos positivos ou negativos, o que facilita a aprendizagem dos sinais por afinidade semântica e contigüidade contextual. Tomados os dois tipos de agrupamento (i.e., o positivo e o negativo) como um todo, o contraste entre eles revela o princípio organizador de oposição que facilita a aprendizagem por contraste dos sinais. Isto fica claro nos exemplos a seguir:

Na categoria **1.8. Verbos referentes a artes e cultura**, a subcategoria **1.8.6. Em relação a reações do público e da crítica** compreende um agrupamento positivo de sinais como GOSTAR, PREFERIR, APLAUDIR, e ASSOBIAR, seguido de um agrupamento negativo de sinais como ODIAR, DETESTAR, CRITICAR, PROIBIR, e CENSURAR. Tomado isoladamente, cada um dos dois agrupamentos descreve uma contigüidade ou ordenação de eventos que acompanham o gostar e o desgostar, respectivamente, o que facilita a aprendizagem dos sinais por afinidade semântica e contigüidade pelo contexto. Tomados os dois tipos de agrupamento (o positivo e o negativo) como um todo, o contraste entre eles revela o princípio organizador de oposição que facilita a aprendizagem por contraste dos sinais.

Além disso, uma vez que os sinais encontram-se agrupados conforme seu significado, os sinônimos de cada um dos sinais encontram-se apresentados em seqüência, um após o outro. Por exemplo, na categoria **1.8. Verbos referentes a artes e cultura**, a subcategoria **1.8.4. Em relação a artes plásticas e gráficas** contém sinais como FOTOGRAFAR, RETRATAR, TIRAR FOTOGRAFIA. Destes, somente o sinal matriz (i.e., FOTOGRAFAR) encontra-se acompanhado da ilustração da forma, do significado, do desenho do sinal e da escrita visual direta do sinal. Os sinônimos do sinal FOTOGRAFAR (i.e., RETRATAR, e TIRAR FOTOGRAFIA) aparecem abaixo, somente com o nome do verbete, sua classificação gramatical, sua definição lexical, e exemplos que ilustram seu uso lingüístico apropriado. Do mesmo modo, na categoria **3.2. Tipos de lazer**, a subcategoria **3.2.6. Lazer relacionado a comemorações** contém sinais como FESTA, CELEBRAÇÃO, COMEMORAÇÃO. Destes, somente o sinal matriz (FESTA) contém caixa de ilustração, sendo que os seus sinônimos (i.e., CELEBRAÇÃO e COMEMORAÇÃO) seguem imediatamente abaixo da mesma caixa de ilustração. Isto economiza espaço útil, evitando a repetição da caixa de ilustrações a cada verbete, ao mesmo tempo que permite apreciar, de um relance, os vários significados do Português que se aplicam a um dado sinal da Libras.

Em cada categoria semântica os sinais da Libras encontram-se acompanhados dos respectivos verbetes em Inglês e Português. Para cada sinal há:

- 1.) Uma ilustração do significado, que permite à criança surda apreender diretamente o sentido do sinal sem depender do Português, o que facilita sua memorização e uso;
- 2.) Uma ilustração da forma do sinal; e

- 3.) A escrita visual direta do sinal em *SignWriting*, cuja decodificação sinaliza diretamente à mente do surdo, assim como a da escrita alfabética fala diretamente à mente do ouvinte.

  Há também:

- 4.) Os verbetes em Português e em Inglês que correspondem ao sinal, permitindo indexar alfabeticamente os sinais e traduzir da Libras para o Português e o Inglês;
- 5.) Sua classificação gramatical, que permite ao surdo compreender o comportamento das palavras em Português;
- 6.) Sua definição lexical, que permite ao surdo usar a Libras para conhecer melhor o mundo e o Português;
- 7.) Exemplos que ilustram seu uso lingüístico apropriado, que permite ao surdo usar corretamente as palavras correspondentes aos sinais e, aos ouvintes, os sinais correspondentes às palavras; e finalmente:
- 8.) A descrição detalhada da forma do sinal, que permite ao leigo reproduzir fielmente cada um dos sinais da Libras.

O presente capítulo explica como usar este volume sobre sinais da Libras para **Artes e cultura**, **Esportes**, e **Lazer** e concentra-se no **Corpo principal de sinais**. Neste volume, cada sinal da Libras tem uma entrada individual e é documentado em uma série de formas:

1.) A **representação pictórica do significado**, que retrata o sentido dos sinais;

2.) A **representação pictórica da forma do sinal**, que retrata a composição quirêmica dos sinais em estágios e com setas indicando as características do movimento envolvido (e.g., forma, direção, sentido, freqüência, intensidade, amplitude);

3.) A **escrita visual direta da forma do sinal**, que mostra como o sinal é escrito por meio do sistema *SignWriting*;

4.) A **escrita alfabética dos sinônimos em Inglês**, que oferece os sinônimos do sinal conforme as suas classificações gramaticais e definições semânticas em Português;

5.) A **escrita alfabética dos sinônimos em Português**, que oferece os sinônimos do sinal e, para cada um desses sinônimos:

   5.1.) As *classificações gramaticais*;

   5.2.) As *definições semânticas*;

   5.3.) Os *exemplos de uso* pertinente em Libras e Português; e finalmente:

6.) A **descrição da forma do sinal** (i.e., a composição quirêmica) que descreve, de modo detalhado e sistemático, a articulação das mãos e dos braços, a orientação das palmas, o tipo, a direção e a amplitude do movimento, e a expressão facial associada.

A Figura 1 ilustra a entrada do sinal BAILARINA. Nessa entrada, bem como em todas as demais entradas do presente volume, aparece uma tarja ilustrada contendo os itens 1, 2 e 3 da classificação acima. Ao centro aparece a ilustração artística da forma (i.e., composição quirêmica) do sinal BAILARINA. À esquerda aparece a ilustração em vida real de uma bailarina, para ajudar a criança a entender o significado do sinal, ou seja, a saber aquilo a que ele se refere. À direita aparece a escrita do sinal de um modo visual direto, reproduzindo a posição da mão e o movimento que ela executa durante o sinal.

Abaixo da tarja aparece o verbete em Português que serve para indexar alfabeticamente o sinal. O verbete consiste numa palavra em Português cujo significado corresponde, o mais proximamente possível, ao significado do sinal em Libras.

Após cada verbete em Português aparece o verbete correspondente em Inglês. Em seguida, aparece a classificação gramatical do verbete, sua definição e conceitos a ele associados, além de um exemplo de uso pertinente, consistente com seu emprego tanto em Português quanto em Libras. Finalmente, aparece uma descrição quirêmica detalhada do sinal que elimina qualquer ambigüidade eventualmente resultante da ilustração artística da forma (i.e., composição quirêmica) e que, juntamente com ela, permite a qualquer consulente reproduzir a forma do sinal de modo fácil e fidedigno.

bailarino(a) *(inglês: ballet dancer)*:
s. m. (f.) Pessoa que pratica balé. Pessoa que dança bem. Ex.: A bailarina executou lindos passos de danças.
Fazer o sinal de **balé**. (Mãos horizontais abertas, palmas para dentro, diante do peito. Mover a mão direita em um arco para a direita e para cima, virando a palma para baixo, e a mão esquerda para baixo e para a esquerda, virando a palma para cima.)

Figura 1. Ilustração da entrada do sinal BAILARINA.

O presente capítulo foi escrito tendo em mente as perguntas mais freqüentes dos leitores. O capítulo divide-se em quatro seções, estruturadas conforme os itens que compõem cada entrada de sinal:

- A primeira seção descreve a tarja ilustrada que introduz cada sinal, e explica os propósitos das ilustrações artísticas do significado e da forma precisa do sinal, bem como o propósito da inclusão da escrita visual direta de sinais *SignWriting* ao lado de cada ilustração;
- A segunda seção concentra-se nos verbetes em Português e Inglês deste volume que correspondem aos sinais da Libras. Explica como é feita sua codificação de gênero (i.e., masculino e feminino), o significado do uso da numeração entre parênteses, e os motivos para a inclusão de complementos entre parênteses após alguns verbetes. Explica a inclusão de sinais de diferentes regiões do Brasil, e a especificação de sua procedência, por meio das siglas de seus estados e capitais de origem, além do uso de siglas de organizações e de marcas registradas de produtos. Explica, também, o conceito de *classificador* em Libras, bem como os conceitos de *verbete usual* e de *verbete sugerido*;
- A terceira seção explica a classificação gramatical, a definição e a exemplificação dos verbetes correspondentes aos sinais. Arrola todas as abreviaturas usadas neste volume e o seu significado. Explica o uso de siglas, expressões, definições e exemplificações. Explica, também, o sistema de numeração dos verbetes que é usado sempre que tais verbetes se referirem a sinais diferentes;
- A quarta seção concentra-se na descrição da forma dos sinais. Apresenta sistematicamente os elementos da composição quirêmica: A articulação das mãos e dos braços, a orientação das palmas, o local da articulação, o movimento envolvido e a expressão facial associada. Explica sob que circunstâncias um sinal faz referência à descrição quirêmica de outro sinal. Explica, também, a razão pela qual, em determinados verbetes, é usada a soletração digital em lugar do sinal lexical.

1.) Ilustrações do significado e da forma dos sinais, e a escrita dos sinais da Libras em *SignWriting*

1.1.) Ilustração pictórica do significado do sinal

Na tarja, à esquerda, aparece inicialmente a representação pictórica que corresponde ao sentido do sinal. Trata-se de uma *ilustração em vida real do significado do sinal.* Tal ilustração permite o processamento visual direto desse significado, prescindindo da mediação por qualquer código escrito. Favorece o reconhecimento visual direto do significado do sinal pela criança surda e reduz as ambigüidades que estariam envolvidas se ela tivesse de depender apenas da leitura dos verbetes correspondentes aos sinais e de suas definições e exemplos. Além disso, fornece também um elemento de motivação adicional ao estudo, despertando a curiosidade da criança surda, engajando sua imaginação e experiência, e ensejando ricas interações de valor pedagógico com seus professores.

1.2.) Ilustração pictórica da forma do sinal

Na tarja, ao centro, aparece a representação pictórica que retrata a forma (i.e., composição quirêmica) do sinal. Trata-se da *ilustração em vida real da forma do sinal.* Tal ilustração permite o reconhecimento visual direto do sinal e a aprendizagem de sua composição quirêmica, prescindindo da mediação de descrições quirêmicas complexas que seriam impraticáveis para a criança surda, embora sejam de grande interesse para o leitor ouvinte. Tal retrato ocorre em estágios de movimento, de 1 a 8, dependendo da complexidade dos movimentos envolvidos no sinal. Aparecem, também, setas ilustrando o tipo de movimento, sua direção, seu formato e sua amplitude, bem como as partes do corpo envolvidas. Nas ilustrações da forma do sinal, a estilização do modelo de sinalização objetiva levar a criança a concentrar-se puramente na forma do sinal, o que reduz elementos periféricos de importância secundária que, de outro modo, poderiam acarretar confusão ou distração.

1.3.) Escrita visual direta do sinal em *SignWriting*

Na tarja, à direita, aparece a escrita visual direta da forma do sinal por meio do sistema *SignWriting*. Trata-se de um sistema internacional de escrita visual direta dos sinas que permite registrar a forma do sinal do ponto de vista expressivo, isto é, do sinalizador. Assim como a escrita alfabética transcreve os fonemas que compõem a fala (i.e., as unidades básicas das línguas faladas), a escrita visual direta *SignWriting* transcreve os quiremas que compõem a sinalização (i.e., as unidades básicas das línguas de sinais). Assim como a escrita alfabética beneficia o ouvinte porque ela transcreve os sons da fala que ele usa para pensar e comunicar-se oralmente, a escrita visual direta de sinais beneficia o surdo porque ela transcreve as articulações e movimentos das mãos da sinalização que ele usa para pensar e comunicar-se em sinais. A escrita visual direta de sinais beneficia o surdo porque é muito mais fácil escrever na língua com que se pensa. Quando o surdo escreve o que pensa na língua em que se dá seu pensar, tal pensar torna-se mais claro, preciso e formalizado. Os maiores benefícios da escrita visual direta de sinais para a herança cultural da língua de sinais e para o desenvolvimento cognitivo e lingüístico do surdo advêm quando as crianças surdas aprendem a ler e escrever em sinais na mesma época em que as crianças ouvintes aprendem a ler e escrever alfabeticamente. Um dos objetivos da presente *Enciclopédia da Língua de Sinais Brasileira: O Mundo do Surdo em Libras* é auxiliar os professores a tornar isto possível para as crianças surdas.

2.) Verbetes

2.1.) Distinção de gênero (*i.e., modo como aparecem os verbetes no feminino*)

Os verbetes aparecem sempre no gênero masculino, seguido do feminino.

Quando, em Português, a distinção entre os gêneros masculino e feminino envolve apenas a última letra, o verbete aparece no masculino seguido de **(a)**. Por exemplo:

publicitário(a) significa *publicitário* e *publicitária.*

Quando, em Português, a distinção entre os gêneros masculino e feminino não consiste apenas na troca da última letra, o verbete aparece no masculino seguido do feminino entre parênteses. Por exemplo:

autor (autora) significa *autor* e *autora.*

2.2.) Números entre parênteses após os verbetes

Quando houver mais de um sinal para o mesmo verbete, os sinais são numerados como **(1)**, **(2)**, **(3)**, etc.

Tal numeração para sinais sob um mesmo verbete diferencia entre os sinais:

- Que têm o mesmo significado, mas diferentes freqüências de uso em São Paulo. Por exemplo:

  livro (1) e **livro (2)**.

- Que têm o mesmo significado, mas diferentes procedências em termos de estados ou capitais de origem. Por exemplo:

  faculdade (1) e **faculdade (2) (*RJ*)**.

  Neste caso, aparece entre parênteses a sigla do estado ou da capital de origem do sinal, como, no exemplo, a de Rio de Janeiro (RJ). Quando não houver qualquer sigla especificada, trata-se de um sinal de São Paulo;

- Que têm significados diferentes. Por exemplo:

  cultura (2) (*desenvolver a mente*)

  cultura (3) (*de um povo*).

2.3.) Explicação ou complemento entre parênteses após os verbetes

Alguns verbetes são seguidos de uma explicação ou de um complemento que aparece entre parênteses, em negrito e itálico. Seus propósitos são:

- Especificar o significado preciso do verbete para evitar ambigüidades. Por exemplo:

  atirar (*lançar objetos*).

- Estabelecer distinção entre verbetes iguais com significados diferentes. Por exemplo:

  tênis (*calçado*) e **tênis (*esporte*)**.

- Especificar a natureza informal de um sinal que é usado como gíria. Sempre que um sinal tenha sido criado por um determinado grupo social e estendido a outros devido à sua expressividade, a palavra ***gíria*** aparece ao seu lado, entre parênteses, em negrito e itálico. Por exemplo:

  bronca (1) (*gíria*).

2.4.) Verbos seguidos de substantivo entre parênteses

Alguns verbos aparecem seguidos de substantivos entre parênteses. Tais substantivos não se encontram em itálico porque são parte essencial do significado do sinal, juntamente com os verbos. O propósito dos parênteses é separar os substantivos dos verbos para auxiliar o leitor a concentrar-se no verbo ao estudar sua classificação gramatical em Português. Assim, as classificações gramaticais referem-se sempre aos verbetes fora dos parênteses. Por exemplo:

jogar (damas).

2.5.) Verbetes que são nomes de organizações

Algumas organizações e empresas podem ser conhecidas mais por sua sigla ou por seu nome completo. Ambas as formas são usadas no presente volume para facilitar a sua localização e a compreensão clara do significado da sigla. Assim, quando a indexação alfabética é feita pela sigla, esta é seguida do nome completo da organização ou empresa, entre parênteses, em negrito e sem itálico. Reciprocamente, quando a indexação alfabética é feita pelo nome da organização ou empresa, esta é seguida da sigla, entre parênteses, em negrito e sem itálico. Por exemplo:

USP (Universidade de São Paulo) e

Universidade de São Paulo (USP).

2.6.) Siglas de estados e capitais entre parênteses após os verbetes

Verbetes de sinais oriundos de fora de São Paulo são seguidos da sigla do estado ou da capital correspondente, entre parênteses, em itálico e negrito. Os estados ou capitais citados são Rio de Janeiro (RJ), Belo Horizonte (BH), Rio Grande do Sul (RS), Goiás (GO), e Bahia (BA). Por exemplo:

elogiar (*BH*).

2.7.) Classificadores

O conceito de classificador diz respeito aos diferentes modos como um sinal é produzido, dependendo das propriedades físicas específicas do referente que ele representa. Os classificadores geralmente representam algumas características físicas do referente como seu tamanho e forma, ou seu comportamento ou movimento, o que confere grande flexibilidade denotativa e conotativa aos sinais. O sinal ASSOBIAR, por exemplo, é classificador, pois sua forma varia de acordo com a maneira que o assobio é produzido. Quando um sinal funciona como classificador, sendo que sua forma específica varia dependendo das circunstâncias particulares de seu uso, a sigla ***CL*** aparece após o verbete, entre parênteses, em negrito e itálico. Por exemplo:

assobiar (*CL*).

2.8.) Inglês

Os verbetes em Inglês encontram-se em itálico, entre parênteses e precedidos da palavra *inglês:*, também em itálico. Por exemplo:

gostar (1) *(inglês: to like, to enjoy, to be fond of, to be pleased with, to fancy, to get on well with)*:

.2.9.) Verbetes que se referem a marcas registradas

Quando os verbetes correspondem a nomes de marcas registradas, eles são seguidos por ® sempre que se encontram em Português, e por ™, que significa *trademark*, quando se encontram em Inglês. Por exemplo:

xerox ® *(inglês: Xerox ™)*:

2.10.) Verbetes usuais e verbetes sugeridos

Os **verbetes usuais** são as palavras mais conhecidas pela comunidade surda e cujo significado em Português mais se aproxima ao significado dos sinais da Libras que se encontram ilustrados. Há, no entanto, outros verbetes muito importantes em Português, cujo significado está relacionado ao dos verbetes usuais, mas cuja ocorrência é um pouco mais rara na comunidade surda. Dada a importância desses verbetes, tomamos a liberdade de inclui-los como **verbetes sugeridos**. Tal inclusão objetiva contribuir para aumentar o vocabulário em Português da criança surda, e para aumentar o intercâmbio entre a Libras e o Português. Nestes casos, ao término da entrada, aparece uma nota entre parênteses especificando quais são os verbetes usuais e quais são os sugeridos. A nota traz, primeiramente, os verbetes usuais e, depois, os sugeridos. Ela aparece entre parênteses, logo após a transcrição em Inglês. Por exemplo:

> **significativo(a) (*importante*)** *(inglês: significant, considerable, relevant, important)* (usuais: importante, importância; sugestões: significativo, significativa)**:**

3.) Classificação gramatical, definição e exemplificação dos verbetes

3.1.) Classificação gramatical

Os verbetes encontram-se classificados gramaticalmente segundo as normas do Português. Tal classificação encontra-se em itálico na linha abaixo do verbete, precedendo a definição. Por exemplo:

> **contextual** *(inglês: contextual, situational)***:**
> *adj. m. e f. Pertencente ou relativo(a) ao contexto ou à situação circunstancial, e que é capaz de variar em contextos ou situações diferentes. Circunstancial. Situacional. Ex.: A variação no entendimento dos sinais é contextual.*

Foram usadas as seguintes abreviações:

adj.: adjetivo;
adj. m.: adjetivo masculino;
adj. f.: adjetivo feminino;
adj. m. e f.: adjetivo masculino e feminino (quando o verbete é comum aos dois gêneros);
adj. m. (f.): adjetivo masculino (feminino) (quando o verbete feminino está entre parênteses);
adv.: advérbio;
fem.: feminino;
interj.: interjeição;
loc.: locução;
loc. adv.: locução adverbial;
loc. pron.: locução pronominal;
loc. prep.: locução prepositiva;
masc.: masculino;
num.: numeral;
pl.: plural;
pop.: popular;
prep.: preposição;
pron.: pronome;
pron. poss.: pronome possessivo;
s. m.: substantivo masculino;
s. f.: substantivo feminino;
s. m. e f.: substantivo masculino e feminino (quando o verbete é comum aos dois gêneros);
s. m. (f.): substantivo masculino (feminino) (quando o verbete feminino está entre parênteses);
v. int.: verbo intransitivo;
v. pr.: verbo pronominal;
v. t. d.: verbo transitivo direto;
v. t. d. i.: verbo transitivo direto e indireto;
v. t. i.: verbo transitivo indireto;
v. lig.: verbo de ligação.

Em alguns casos, os verbetes são classificados como expressão, que corresponde a um conjunto de palavras com um sentido completo. Por exemplo:

> **andar na corda bamba (*CL*)** *(inglês: to walk in the slack rope)***:**

expressão. Deslocar-se ao longo de uma corda (ou cabo de aço) estendida acima do solo, presa pelas extremidades em dois mastros. Ex.: A apresentação do acrobata equilibrista no circo consiste em andar na corda bamba.

Em outros casos, os verbetes são apresentados como sigla. Isto significa que se trata de uma abreviatura conhecida, usualmente de entidade. Por exemplo:

Libras (Língua de Sinais Brasileira) (*inglês: Brazilian Sign Language*)**:**
sigla, s. f. Língua autônoma, independente da língua falada, que tem mecanismos próprios de natureza visoespacial para relacionar a forma ao significado, e que é o idioma natural da comunidade surda brasileira. Ex.: Os surdos brasileiros precisam divulgar mais a Libras.

3.2.) Definição do verbete

Após a classificação gramatical do verbete, é fornecida a definição, em itálico, conforme o seu significado em Libras. Por exemplo:

contextual (*inglês: contextual, situational*)**:**
adj. m. e f. Pertencente ou relativo(a) ao contexto ou à situação circunstancial, e que é capaz de variar em contextos ou situações diferentes. Circunstancial. Situacional. Ex.: A variação no entendimento dos sinais é contextual.

3.3.) Exemplificação do verbete

Após a classificação gramatical e a definição de cada verbete, aparece um exemplo de uso cotidiano. Tal exemplo objetiva aumentar a compreensão do significado específico do sinal e do verbete correspondente, permitindo empregá-los no sentido adequado em situações práticas de comunicação do dia-a-dia. O exemplo aparece em itálico, e é precedido pela abreviatura "*Ex.:*" que significa *exemplo*. Por exemplo:

contextual (*inglês: contextual, situational*)**:**
adj. m. e f. Pertencente ou relativo(a) ao contexto ou à situação circunstancial, e que é capaz de variar em contextos ou situações diferentes. Circunstancial. Situacional. Ex.: A variação no entendimento dos sinais é contextual.

3.4.) Verbetes com mesmo significado que aparecem mais de uma vez (*quando há mais de um sinal na Libras para o mesmo verbete em Português*)

Quando há mais de um sinal da Libras para o mesmo verbete do Português, as ocorrências desse verbete são numeradas seqüencialmente. Nestes casos, em vez de ter repetidas a classificação e a definição, aparece o termo *Idem*, em itálico, seguido do nome e número do verbete, em negrito e em itálico. Por exemplo:

idéia (1) (*inglês: idea, thought, mental image or concept, concept, imagination, plan, opinion, project, model*)**:**
s. f. Representação mental de uma coisa concreta ou abstrata. Imagem. Modelo eterno e perfeito do que existe. Ex.: Tivemos uma idéia ótima para o cenário do filme.

idéia (2) (*inglês: idea, thought, mental image or concept, concept, imagination, plan, opinion, project, model*)**:**
*Idem **idéia (1)**. Ex.: A idéia de fazer o dicionário de língua de sinais é muito boa.*

4.) Descrição da forma dos sinais

4.1.) Os quatro elementos da descrição quirêmica (i.e., da forma) dos sinais

As descrições quirêmicas aparecem por último, depois da classificação, da definição e da exemplificação do sinal. Elas descrevem detalhadamente como articular o sinal e especificam os seguintes elementos: A articulação da(s) mão(s) e dos braços, a orientação das palmas, o local dessa articulação em relação ao corpo, o movimento no espaço da sinalização, e a expressão facial associada.

Na classificação a seguir, para cada elemento básico dos sinais, são fornecidas as principais variáveis e seus respectivos valores:

4.1.1.) Articulação da mão e do braço, e orientação da palma

4.1.1.1.) Articulação da mão

Mão direita e/ou esquerda: Em números (1 a 9), em letras (A a Z), aberta, curvada, fechada, horizontal ou vertical;

Dedos direitos e/ou esquerdos: Abertos, cruzados, curvados, distendidos, dobrados, entrelaçados, flexionados, indicador destacado, indicadores destacados, indicador distendido, indicadores distendidos, ligeiramente curvados, paralelos, polegar destacado, polegares destacados, polegar distendido, polegares distendidos, pontas unidas, separados, soltos ou unidos;

Relação entre as mãos e/ou dedos: À direita e à frente, à direita e abaixo, à direita e acima, à direita e atrás, à esquerda e à frente, à esquerda e abaixo, à esquerda e acima, à esquerda e atrás, abaixo de, abaixo e à direita, abaixo e à esquerda, abaixo e à frente, abaixo e atrás, acima de, acima e à direita, acima e à esquerda, acima e à frente, acima e atrás, cruzadas, diante de, lado a lado ou próxima a;

Mãos tocando-se: Entre os dedos, pelas bases das palmas ou mãos, pelas laterais dos dedos, pelas palmas, pelas palmas dos dedos, pelas pontas dos dedos, pelas unhas, pelos dedos, pelos dorsos, pelos dorsos dos dedos ou pelos pulsos.

4.1.1.2.) Articulação do braço

Braço esquerdo e (ou) direito: Horizontal distendido, horizontal dobrado, vertical distendido ou vertical dobrado.

4.1.1.3.) Orientação das palmas

Mão esquerda e/ou direita: Palma a palma, para a direita, para a esquerda, para baixo, para cima, para dentro, para frente, para os lados opostos ou para trás.

4.1.2.) Local da articulação

acima, abaixo, sobre, sob, ao lado, à esquerda, à direita, à frente, em frente, diante, atrás ou tocando em relação as seguintes partes do corpo:

Abdome, antebraço ou antebraços, barriga, boca, bochecha ou bochechas, braço ou braços, cabeça, cintura (lado esquerdo ou direito), corpo, costas, cotovelo ou cotovelos, coxa ou coxas (lado esquerdo ou direito), dedos, dente ou dentes, dobra do braço ou dobra dos braços, dorso da mão ou dorso das mãos, lábio ou lábios (superior ou inferior), laterais da cabeça, lateral do corpo (esquerda ou direita), língua, nariz (lateral ou ponta), olho ou olhos, ombro ou ombros, orelha ou orelhas, palma ou palmas, parte interna do braço ou parte interna dos braços, parte superior do braço ou parte superior dos braços, peito, pescoço, ponta da língua, quadril ou quadris (lado esquerdo ou direito), queixo, rosto ou face.

4.1.3.) Movimento

Mãos e braços: Balançar, em curvas, em espiral, ondulatório, para a direita, para a esquerda, para baixo, para cima, para dentro, para frente, para trás, tremular ou zigue-zague;

Dedo ou dedos: Balançar ou oscilar;

Língua ou ponta da língua: Passando;

Dobrar a(s) mãos(s) pelo(s) pulso(s): Para baixo, para cima, para dentro (ou trás), para direita, para esquerda ou para frente;

Girar a mão pelo pulso para ou as mãos pelos pulsos: Para baixo, para cima, para dentro (ou trás), para direita, para esquerda ou para frente;

Girar a palma para ou as palmas: Para baixo, para cima, para dentro (ou trás), para direita, para esquerda ou para frente;

Em círculos horizontais: Para a direita, para a esquerda, para trás (ou para dentro), para frente, para a esquerda e para frente, para a esquerda e para trás (ou para dentro), para trás (ou dentro) e para a esquerda, para trás (ou dentro) e para a direita, para direita e para frente, para direita e para trás (ou para dentro), para frente e para a esquerda, para frente e para direita;

Em círculos verticais: Para a direita, para a esquerda, para baixo, para cima, para frente, para trás (ou dentro), para a esquerda e para baixo, para a esquerda e para cima, para baixo e para a direita, para baixo e para a esquerda, para baixo e para frente, para baixo e para trás (ou dentro), para cima e para a direita, para cima e para a esquerda, para cima e para a frente, para cima e para trás (ou dentro), para direita e para baixo, para direita e para cima, para frente e para baixo, para frente e para cima, para trás (ou dentro) e para baixo, ou para trás (ou dentro) e para cima;

Em arcos: Para a direita e para baixo, para a direita e para cima, para a direita e para frente, para a direita e para trás (ou para dentro), para a esquerda e para baixo, para a esquerda e para cima, para a esquerda e para frente, para a esquerda e para trás (ou para dentro), para baixo e para direita, para baixo e para esquerda, para baixo e para frente, para baixo e para trás (ou para dentro), para cima e para a frente, para cima e para direita, para cima e para esquerda, ou para cima e para trás (ou para dentro);

Diagonalmente: Para a direita e para baixo, para a direita e para cima, para a direita e para frente, para a direita e para trás (ou para dentro), para a esquerda e para baixo, para a esquerda e para cima, para a esquerda e para frente, para a esquerda e para trás (ou para dentro), para baixo e para direita, para baixo e para esquerda, para baixo e para frente, para baixo e para trás (ou para dentro), para cima e para a frente, para cima e para direita, para cima e para esquerda, ou para cima e para trás (ou para dentro);

Intensidade do movimento: Velocidade e/ou freqüência: Alternado ou alternados, alternadamente, com força, duas vezes, lenta, lentamente, rápida, rapidamente ou várias vezes.

4.1.4.) Expressão facial (*quando aplicável*)

alegre, alegria, boca aberta, boca semi-aberta, bochechas infladas, bochechas sugadas, brava, contraída, dentes cerrados, lábios cerrados, lábios protrusos, lábios protuberantes, língua para fora, mostrando a ponta da língua, mostrando os dentes, olhos arregalados, olhos fechados, olhos semi-abertos, sobrancelhas arqueadas, sorriso, sorrindo, testa franzida, triste ou tristeza, etc.

4.2.) Fazer o sinal de (*quando há mais de um verbete para o mesmo sinal*)

Quando vários verbetes em Português aparecem em seguida sob uma mesma entrada em Libras, não é repetida a descrição quirêmica. Em vez disso, aparece a instrução "Fazer o sinal de" (sem itálico ou negrito), seguida do nome do verbete (em negrito). Isto indica que o sinal em questão corresponde a um sinal cuja descrição quirêmica já foi imediatamente apresentada. Por exemplo:

> **alegria** *(inglês: happiness, gladness, delight, cheerfulness)*:
> *s. f. Contentamento. Júbilo. Satisfação. Regozijo. Ex.: A alegria era contagiante.*
> Mãos horizontais abertas, palmas para dentro. Movê-las para cima, tocando as pontas dos dedos nos ombros, várias vezes e sorrindo.
>
> **animação** *(inglês: liveliness, joy, enthusiasm, animation)*:
> *s. f. Ato ou efeito de animar ou animar-se. Alegria. Entusiasmo. Ex.: Havia uma grande animação na festa.*
> Fazer o sinal de **alegria**.

Quando o sinal de um determinado verbete em Português inclui um sinal de um outro verbete qualquer, é feita referência a esse outro verbete como "Fazer o sinal de" (sem itálico ou negrito), seguida do nome do verbete (em negrito). É também feita a descrição, contida entre parênteses, da forma desse sinal referido em negrito. Em seguida, como se trata de um sinal composto (ou seja, o sinal do verbete inclui um sinal referido), são acrescentados itens quirêmicos complementares referentes à outra parte do sinal. Por exemplo, como o sinal GASTAR inclui o sinal DINHEIRO, na entrada do sinal GASTAR, é feita referência ao sinal DINHEIRO e, em seguida, aos elementos quirêmicos complementares.

> **gastar (2)** *(inglês: to spend, to disburse, to expend, to dispose)*:
> *v. t. d., e v. int. Despender (dinheiro, bens, etc.). Ex.: Não conseguiu esperar e gastou todo o seu dinheiro. Ex.: Gastava mais do que ganhava.*
> Fazer o sinal de **dinheiro** (Mão direita horizontal fechada, palma para cima, inclinada para dentro, dedos indicador e polegar distendidos para cima. Esfregar para os lados as pontas do indicador e polegar.). Em seguida, mão esquerda horizontal aberta, palma para cima, dedos apontando para a frente; mão direita horizontal aberta, palma para baixo, dedos apontando para a esquerda, tocando a palma esquerda. Mover a mão direita para a frente, separando os dedos.

Quando o mesmo sinal se aplica a verbetes diferentes em Português (e.g., ENVERGONHAR, ENVERGONHADO, VERGONHA), num determinado verbete, pode ser feita referência a outro verbete que compartilha o mesmo sinal. Neste caso, aparece a expressão "Fazer o sinal de" (sem itálico ou negrito), seguida do nome do verbete (em negrito). É também feita a descrição, contida entre parênteses, da forma desse sinal referido em negrito. Como se trata do mesmo sinal, não há itens quirêmicos complementares. Por exemplo, como o sinal ENVERGONHAR é o mesmo sinal VERGONHA, na entrada do sinal ENVERGONHAR, é feita referência ao sinal VERGONHA. Por exemplo:

envergonhar *(inglês: to spend, to disburse, to expend, to dispose)*:
v. t. d., e v. int. Despender (dinheiro, bens, etc.). Ex.: Não conseguiu esperar e gastou todo o seu dinheiro. Ex.: Gastava mais do que ganhava.
Fazer o sinal de **vergonha** (Mão direita em **5**, palma para a esquerda, pontas dos dedos tocando o lado direito do queixo. Mover a mão para cima, sobre a bochecha.)

4.3.) Soletrar

Às vezes, não há sinal lexical específico para designar um certo significado. Nesses casos, a Libras emprega a soletração digital da palavra escrita em Português que corresponde a esse significado, ou a de parte dessa palavra. Neste volume, esta prática é registrada. Por exemplo:

nunca (2) *(inglês: never, at no time, ever)*:
Idem ***nunca (1)***. *Ex.: Nunca vi pintura mais bonita do que essa.*
Soletrar **N**, **U**, **N**, rapidamente.

Capítulo sobre avaliação da linguagem em surdos

Examinemos agora mais detidamente o capítulo sobre avaliação da linguagem em surdos, que apresenta o Teste de Vocabulário Receptivo de Sinais da Libras (i.e., TVRSL): Trata-se de parte de uma bateria de onze testes de desenvolvimento da linguagem de sinais e de competência de leitura e escrita, desenvolvida especialmente para a população escolar surda brasileira, e já validada e normatizada com uma amostra de 1.158 escolares surdos. O TVRSL avalia o desenvolvimento da compreensão de sinais da Língua de Sinais Brasileira (Libras) em escolares surdos por meio da escolha de figuras para corresponder a sinais da Libras. Ele se apresenta em três versões: A original (TVRS1.1) com 139 itens; a reordenada (TVRSL1.2) com os mesmos 139 itens ordenados por grau de dificuldade crescente; e a abreviada (TVRSL1.3) com apenas os 66 itens mais importantes, também ordenados por grau de dificuldade crescente. Em cada uma das três versões do TVRSL, o item é composto de um sinal da Libras e de quatro figuras alternativas de escolha. A tarefa consiste em escolher, dentre as quatro figuras, a que melhor corresponde ao sinal, e marcá-la com lápis. O teste produz um escore geral do vocabulário receptivo visual de sinais da Libras que indica quão bem o examinando surdo compreende esses sinais. O sinal pode ser apresentado tanto por meio de articulação ao vivo pelo examinador quanto por meio de ilustrações padronizadas retiradas do Dicionário de Libras (F. Capovilla & Raphael, 2001b, 2001c).

O capítulo disponibiliza integralmente as três versões do teste (i.e., TVRSL1.1, TVRSL1.2 e TVRSL1.3), bem como tabelas de dados normativos do TVRSL1.1, e dados de validade por comparação com todos os demais dez testes de desenvolvimento da linguagem. No estudo de normatização e validação, a versão original TVRSL1.1 de 139 itens foi aplicada com sinalização ao vivo a 505 crianças, jovens e adultos surdos, de 6 a 41 anos idade, estudantes da 1ª. série do Ensino Fundamental até a 1ª. série do Ensino Médio, provenientes de seis escolas. Dessas, quatro eram escolas municipais de educação especial (i.e., Emee) de São Paulo (i.e., Anne Sullivan, Helen Keller, Madre Lucie Bray, e Professora Neusa Bassetto) e duas eram escolas filantrópicas do interior do estado de São Paulo (i.e., Escola Especial para Crianças Surdas da Fundação Rotarianos, e Associação Terapêutica de Estimulação Auditiva e Linguagem).

Dos 505 estudantes, quatrocentos estudavam em escolas especiais para crianças surdas, oitenta em classes regulares de escolas regulares, e 25 em classes especiais. Esses últimos 105 não recebiam ensino em Libras, mas apenas ensino comum em Português, e seu contato com a Libras restringia-se ao convívio com membros da comunidade surda em clubes e associações. Desses 505 escolares, 479 tinham série escolar definida. Dos 26 restantes sem série definida, 25 pertenciam a classes especiais que seguem programas e regimes diferentes, e um tinha problema de registro. A escolaridade média desses 479 escolares era de quatro anos, ou seja, 4ª. série do Ensino Fundamental. Dos 505 estudantes, 498 tinham idade conhecida a partir dos prontuários, que variou de 6 a 41 anos, com média de 13a11m (i.e., 13 anos e 11 meses). O número de escolares e a idade média por série escolar foi de setenta com idade média de 10a2m na 1ª. série, 71 com 10a6m na 2ª., 76 com 12a6m na 3ª., 68 com 14a na 4ª., 53 com 15a7m na 5ª., 63 com 17a6m na 6ª. série, 41 com 17a10m na 7ª., 23 com 18a5m na 8ª., e 7 com 17a8m na 1ª. série do Ensino Médio.

A vasta maioria dos 505 escolares era de sinalizadores com surdez profunda pré-lingual e perilingual. Nos seus prontuários constava o grau de perda auditiva de 482 deles, dos quais 338 tinham perda profunda; 97, severa; 44, moderada; e três, leve. Em termos de perda auditiva por série, dos 71 estudantes da 1ª. série, 51 tinham perda profunda; dezesseis, severa; e três, moderada. Dos 73 de 2ª. série, 44 tinham perda profunda; dezoito, severa; e nove, moderada. Dos 76 da 3ª., 56 tinham perda profunda; nove, severa; e cinco, moderada. Dos 70 da 4ª., 48 tinham perda profunda; nove, severa; oito, moderada; e um, leve. Dos 53 da 5ª., quarenta tinham perda profunda; dez, severa; e três, moderada. Dos 63 da 6ª., 38 tinham perda profunda; quatorze, severa; nove, moderada; e um, leve. Dos 42 da 7ª., 25 tinham perda profunda; nove, severa; cinco, moderada; e um, leve. Dos 24 da 8ª., onze tinham perda profunda; quatro, severa; e dois, moderada. E dos sete estudantes da 1ª série do Ensino Médio, quatro tinham perda profunda; e três, severa. Dos 505 estudantes, só havia informações sobre uso de aparelho auditivo nos prontuários de 336 deles. Desses 336, 281 usavam aparelho auditivo, e 55 não. Dos três estudantes com perda leve, um usava aparelho e dois não. Dos 44 com perda moderada, 27 usavam e seis não. Dos 97 com perda severa, sessenta usavam e onze não. Dos 338 com perda profunda, 191 usavam e 36 não. Em termos de tipo de perda auditiva (i.e., congênita *versus* adquirida), dos 505 estudantes, apenas 387 sabiam de seu tipo de perda, dos quais 288 tinham perda congênita (quatro casos de grau de perda ignorada, três casos de perda leve, 28 de perda moderada, sessenta de perda severa, e 193 de perda profunda) e 99 tinham perda adquirida (oito casos de perda moderada, 21 de severa, e setenta de profunda). Em termos de modo de comunicação (i.e., oralização, gesticulação, sinalização) em diferentes contextos, foi constatada nessa amostra uma importância crescente de sinalização e importâncias decrescentes de oralização e de gesticulação com a passagem do surdo da família para a escola e, desta, para a comunidade. Conforme os prontuários dos 505 escolares, nessa passagem a preponderância da sinalização aumentou de 52,76% para 62,13% para 68,75%, respectivamente; enquanto a da oralização declinou de 36,20% para 32,54% para 28,90%, respectivamente; e a da gesticulação declinou de 11,04% para 5,32% para 2,34%, respectivamente.

Nesse estudo de validação e normatização do TVRSL1.1, a amostra obteve pontuação variando de 39 a 133 pontos, com média de 106,21 pontos (*DP* = 17,15), sendo que a análise de covariância revelou um aumento sistemático na compreensão de sinais da Libras desde a 1ª até a 8ª série do Ensino Fundamental (i.e., de 91,60 a 97,70 a 102,79 a 107,46 a 115,86 a 116,62 a 118,53 a 119,41 pontos, respectivamente). Como a pontuação cresceu mas não chegou a alcançar o teto (i.e., 139 pontos), a escala superior pode ser expandida para além do Ensino Fundamental. Com base nesses dados, o estudo normatizou o TVRSL1.1 por série escolar e o validou por comparação com os resultados em dez outros testes de desenvolvimento da linguagem de sinais e escrita, igualmente normatizados para a mesma população escolar surda.

Em termos de validade por critério de correlação com outros testes, os resultados revelaram que a versão original (TVRSL1.1) apresentou: (1) Correlações mais altas (i.e., *r* = 0,59 a 0,60) com as duas versões originais do Teste de Nomeação de Sinais por Escrita (i.e., TNS1.1–Escrita e TNS2.1–Escrita) e com as duas versões originais do Teste de Nomeação de Sinais por Escolha (i.e., TNS1.1–Escolha e TNS2.1–Escolha); (2) Correlações mais baixas (i.e., *r* = 0,30 a 0,41) com as duas versões originais do Teste de Nomeação de Figuras por Escolha (i.e., TNF1.1–Escolha e TNF2.1–Escolha), com as duas versões originais do teste de Nomeação de Figuras por Escrita (i.e., TNF1.1–Escrita e TNF2.1–Escrita), com a versão original do Teste de Competência de Leitura de Sentenças (i.e., TCLS1.1), e com a versão original do Teste de Competência de Leitura de Palavras (i.e., TCLP1.1). Ou seja, a compreensão de sinais da Libras esteve mais correlacionada com os desempenhos de nomeação de sinais por escrita e escolha do que com os desempenhos de nomeação de figuras por escrita ou escolha, ou com a competência de leitura de palavras e de sentenças.

Além da tabela de normatização e dos dados de validação, a partir da análise do grau de dificuldade de cada um dos 139 itens, o estudo disponibilizou a versão reordenada (TVRSL1.2), com os 139 itens ordenados por grau de dificuldade crescente. A partir dessa mesma análise do grau de dificuldade dos 139 itens, o estudo disponibilizou, também, a versão abreviada (TVRSL1.3), composta pelos 66 itens mais discriminativos do vocabulário receptivo visual da Libras, mais importantes para uma avaliação rápida e eficaz desse vocabulário receptivo. Para a elaboração de TVRSL1.3, foram eliminados todos os itens que tinham um mesmo grau de dificuldade baixo e médio, e preservados apenas itens com grau de dificuldade diferente, capazes de cobrir toda a escala. Por fim, o estudo também apresentou o modelo teórico de F. Capovilla (no prelo) sobre processamento de leitura em surdos que discute, a partir dos achados presentes e da bibliografia, as relações entre competências de leitura, escrita e sinalização, bem como as paralexias e paragrafias cometidas por surdos ao lidar com o código alfabético. A partir do estudo torna-se possível acompanhar o desenvolvimento do vocabulário receptivo de sinais da Libras (i.e., de compreensão de sinais) por escolares surdos do Ensino Fundamental, o que permite identificar e propiciar as condições mais eficazes ao desenvolvimento e à aquisição das competências lingüísticas, cognitivas e escolares. O estudo demonstrou que, em conjunto com os outros dez testes que compõem a bateria de avaliação de desenvolvimento da linguagem escrita e de sinais no surdo, a versão original do teste de compreensão de sinais da Libras (TVRSL1.1) constitui um instrumento de inestimável valor para a educação da criança surda brasileira.

Este capítulo emprega quatro formatações de fonte diferentes para designar coisas diferentes: Nomes de figuras a serem nomeadas aparecem em fonte normal (e.g., como em selecionar a figura de padre); nomes de sinais a serem nomeados aparecem em caixa alta (e.g., como em nomear o sinal PADRE); palavras escritas a serem lidas ou selecionadas aparecem em letras maiúsculas (e.g., como em selecionar a palavra PADRE); e palavras a serem escritas pelos examinandos (quer para designar figuras, quer para designar sinais) aparecem em itálico (e.g., como em escrever *padre*).

1. ARTES E CULTURA

1.1. Profissões artísticas e culturais

1.1.1. Em relação a dança e música

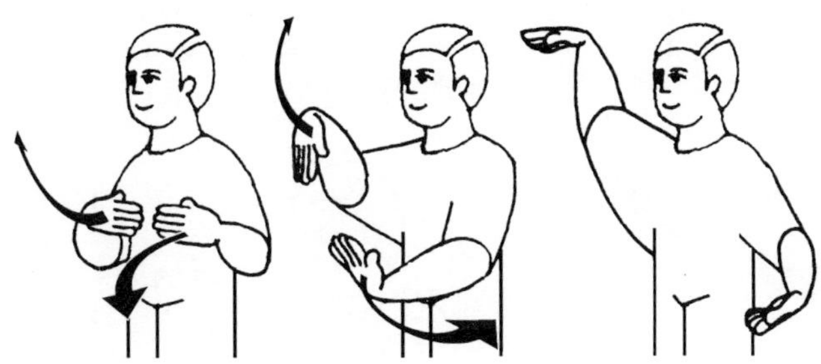

bailarino(a) *(inglês: ballet dancer)*:
s. m. (f.) Pessoa que pratica balé. Pessoa que dança bem. Ex.: A bailarina executou lindos passos de danças.
Fazer o sinal de **balé**. (Mãos horizontais abertas, palmas para dentro, diante do peito. Mover a mão direita em um arco para a direita e para cima, virando a palma para baixo, e a mão esquerda para baixo e para a esquerda, virando a palma para cima.)

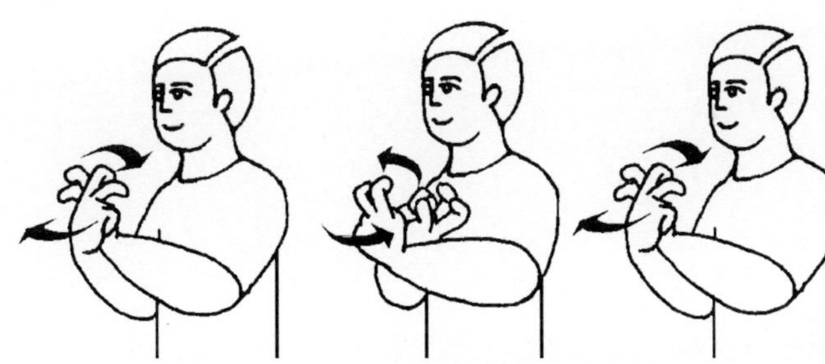

capoeirista *(inglês: Capoeira practitioner, Afro-Brazilian martial dancer)*:
s. m. e f. Indivíduo que pratica essa arte marcial. Jogador de capoeira. Ex.: O capoeirista tem ritmo.
Mãos em **5**, palma a palma, tocando-se pelos pulsos. Girar as mãos pelos pulsos, inclinando-as para os lados opostos.

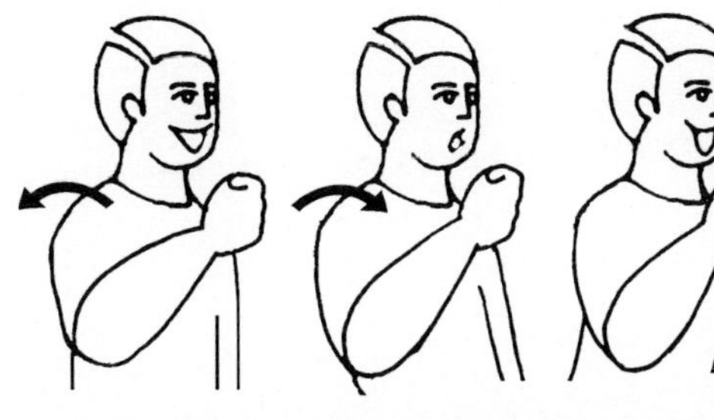
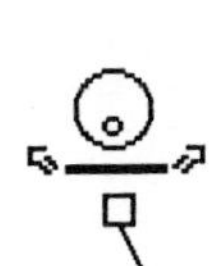

cantor (cantora) *(inglês: singer)*:
s. m. (f.) Pessoa que canta com freqüência ou tem como profissão o canto. Ex.: Ela, com a prática, tornou-se uma excelente cantora.
Fazer o sinal de **cantar (2)**. (Mão direita em **S** horizontal, palma para dentro, próxima à boca. Balançar o corpo, movimentando a boca.)

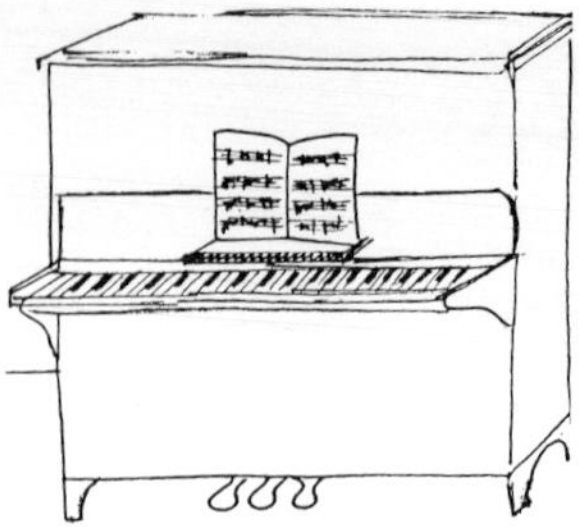

pianista *(inglês: pianist, piano player)*:
s. m. e f. Pessoa que sabe tocar piano. Ex.: O pianista fará um concerto no teatro municipal.
Mãos horizontais abertas, palmas para baixo, dedos separados e curvados. Afastar e aproximar as mãos para a esquerda e para a direita, oscilando os dedos.

violinista *(inglês: violinist, fiddler)*:
s. m. e f. Músico(a) especializado(a) em tocar violino. Ex.: O violinista da orquestra sinfônica de São Paulo executará uma obra de Vivaldi.
Mão esquerda horizontal aberta, palma para cima, dedos curvados, em frente ao lado esquerdo do corpo; mão direita horizontal, palma para baixo, pontas dos dedos unidas, lado esquerdo do rosto tocando o ombro esquerdo. Mover a mão direita para a esquerda e para cima, enquanto oscila os dedos esquerdos.

1.1.2. Em relação a teatro e cinema

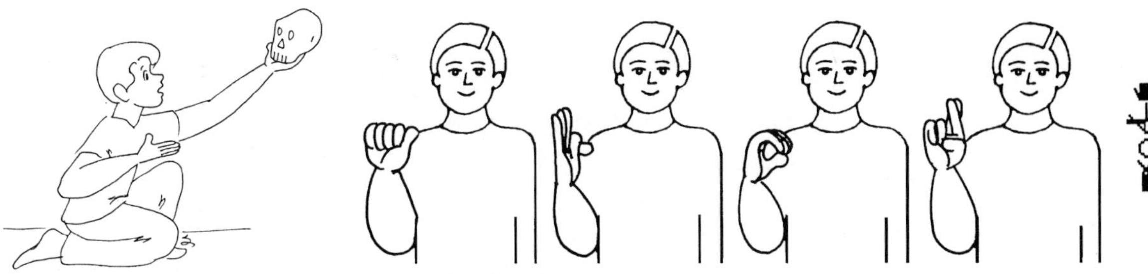

ator (1) *(inglês: actor, performer, player, simulator)*:
s. m. O artista que representa personagens cômicos ou dramáticos em peças teatrais, filmes cinematográficos, programas de televisão e outros espetáculos. Astro. Intérprete. Comediante. Ex.: O ator gostou muito de ter participado da peça de Shakespeare.
Soletrar **A**, **T**, **O**, **R**.

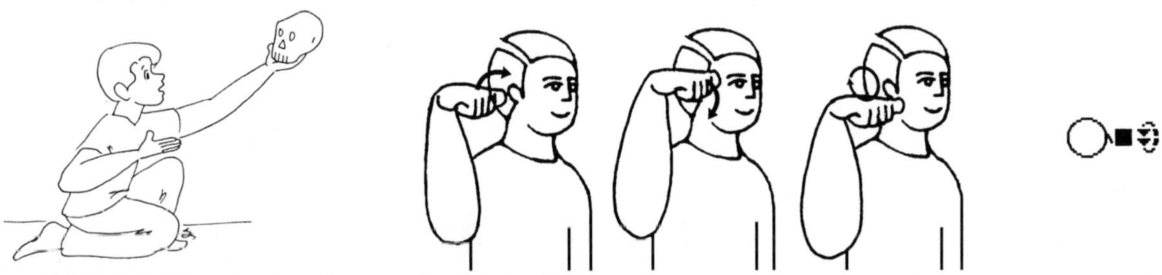

ator (2) (***RJ***) *(inglês: actor, performer, player, simulator)*:
Idem ***ator (1)****. Ex.: O ator foi aplaudido de pé após sua apresentação na estréia da peça de teatro.*
Mão direita em **A** horizontal palma para baixo, mão apontando para frente, próxima à orelha direita. Mover a mão em um pequeno círculo vertical para frente e para baixo, várias vezes.

autor (autora) (1) *(inglês: author)*:
s. m. (f.) Aquele(a) que é causa primária ou principal, que originou, criou, descobriu, documentou, inventou ou concebeu algo. Aquele(a) de que alguém ou alguma coisa nasce ou procede. Escritor (escritora) de obra literária, científica ou artística. Inventor (inventora), descobridor (descobridora). Ex.: O autor do livro fez uma homenagem às crianças surdas.
Soletrar **A**, **U**, **T**, **O**, **R (A)**.

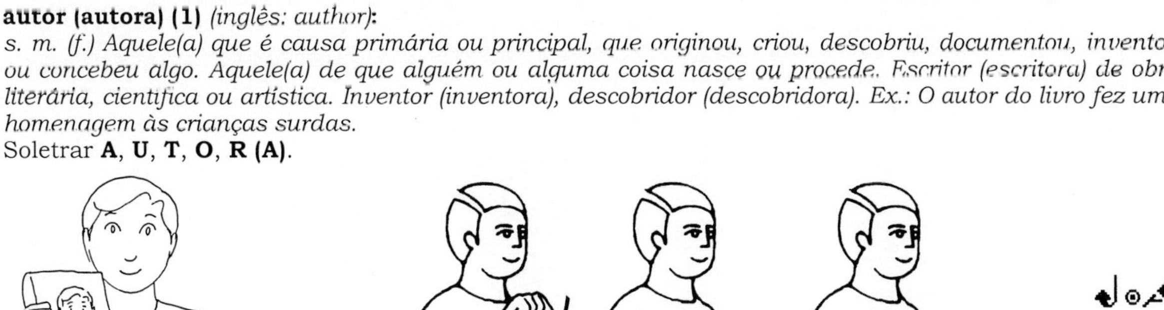

autor (autora) (2) *(inglês: author)*:
Idem ***autor (autora) (1)****. Ex.: As autoras do livro doaram alguns volumes às bibliotecas públicas.*
Fazer o sinal de **assinar**, **assinatura**. (Mão direita em **S** vertical, palma para a esquerda, na altura da face. Mover rapidamente a mão em um arco para frente e para baixo, com a testa franzida e os dentes cerrados.)

1.1.3. Em relação a circo

acrobata (1) (*andador de corda bamba*) (*CL*) *(inglês: acrobat, tightrope walker)* (usual: corda bamba; sugestão: acrobata)**:**
s. m. e f. O(a) artista de circo que faz demonstrações de equilíbrio e habilidades a grande altura do solo, usualmente em corda bamba. Equilibrista. Malabarista. Ex.: O acrobata andou na corda bamba a 15 metros de altura acima do picadeiro.
Fazer o sinal de **corda bamba**. (Fazer o sinal de **fino(a) (2) (*largura*), finura (1)**. (Mãos verticais abertas, palmas para frente, indicador e polegar de cada mão unidos pelas pontas, mãos tocando-se pelos lados. Afastar lentamente as mãos para os lados opostos.) Em seguida fazer o sinal de **andar a pé (1)** sobre o indicador esquerdo. (Mão direita em **V** invertido, palma para dentro, dedos para baixo. Mover a mão para frente, oscilando alternadamente os dedos.))

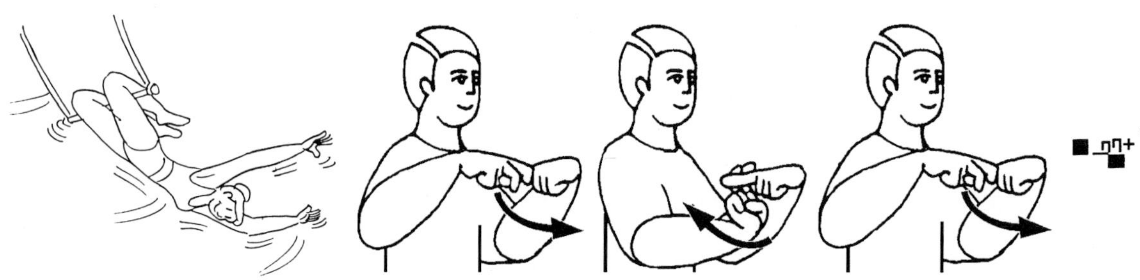

trapezista (*CL*) *(inglês: trapeze acrobat)***:**
s. m. e f. O(a) artista de circo ou ginasta que faz manobras e acrobacias em trapézio. Ex.: A parte mais emocionante do circo é a apresentação dos trapezistas.
Mão esquerda em **1** horizontal, palma para baixo, indicador apontando para a direita; mão direita em **5** horizontal, palma para baixo, palmas dos dedos indicador e médio direitos apoiadas no indicador.

acrobata (2) (*trapezista*) (*CL*) *(inglês: trapeze acrobat)* (usual: trapezista; sugestão: acrobata)**:**
s. m. e f. O(a) artista de circo que faz demonstrações de equilíbrio e habilidades a grande altura do solo, usualmente em trapézio. Trapezista. Malabarista. Ex.: A acrobata deu saltos mortais no trapézio a 15 metros de altura acima do picadeiro.
Fazer o sinal de **trapezista**.

palhaço *(inglês: clown)***:**
s. m. Artista de circo que tem a função de divertir o público com trejeitos e simulação de situações engraçadas. Ex.: O palhaço divertiu as crianças do orfanato.
Mão direita vertical, palma para dentro, dedos unidos e curvados, com as pontas quase se tocando, próxima à ponta do nariz. Balançar a mão para os lados, rapidamente.

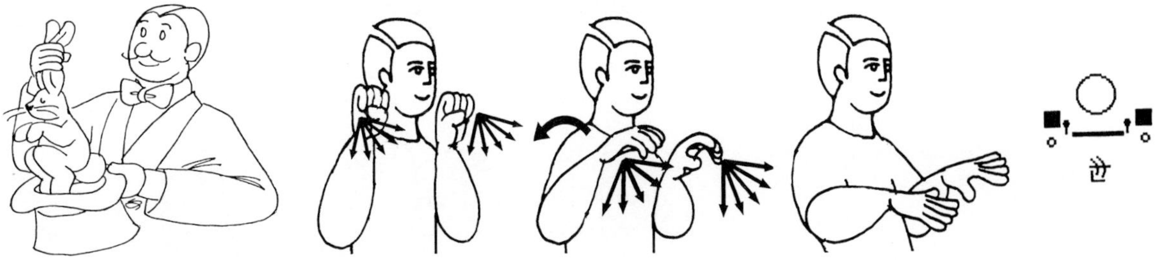

mágico(a) *(inglês: magician, conjurer, juggler)*:
s. m. (f.) Pessoa que pratica magia. Ex.: O mágico do circo fez aparecer uma moeda da orelha do menino, depois de dizer a palavra mágica "abracadabra."
Mãos verticais fechadas, palmas para frente, a cada lado da face. Movê-las para frente e para baixo, abrindo os dedos, palmas para baixo, inclinando o corpo para trás.

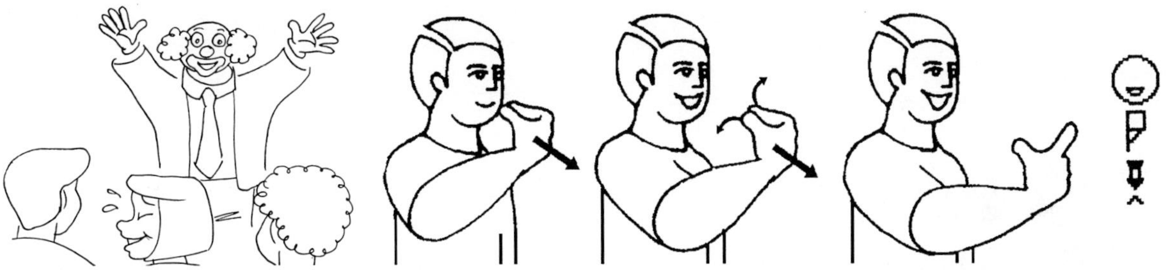

cômico(a) *(inglês: comic, comical, funny, humorous; comedian, comic actor)* (usuais: engraçado, engraçada; sugestões: cômico, cômica, comicidade):
adj. m. (f.) Relativo(a) ao humor e à comédia. Que faz rir. Que provoca riso espontâneo. Hilariante. Espirituoso(a). Burlesco(a). Ridículo(a). Ex.: Ele é cômico quando conta piadas.
Fazer o sinal de **engraçado(a)**. (Mão direita horizontal fechada, palma para dentro, indicador e polegar distendidos e unidos pelas pontas, diante da boca. Mover a mão para frente e para baixo, distendendo os dedos indicador e polegar, e sorrir.)

1.1.4. Em relação a comunicação

repórter *(inglês: reporter, journalist, news writer)*:
s. m. e f. Profissional que entrevista as pessoas em busca de notícias para a imprensa periódica. Noticiarista dos jornais e periódicos, do rádio e da televisão. Ex.: O repórter entrevistou o pesquisador americano.
Mão direita horizontal fechada, palma para a esquerda, diante da boca. Movê-la para frente e para trás parando-a um pouco a cada vez, e movimentando a boca.

jornalista *(inglês: journalist, reporter, news writer)*:
s. m. e f. Profissional que entrevista as pessoas em busca de notícias para a imprensa periódica. Noticiarista dos jornais e periódicos, do rádio e da televisão. Ex.: A jornalista entrevistou o pesquisador canadense.
Fazer o sinal de **repórter**.

comentarista (*CL*) *(inglês: commentator, columnist, interpreter)*:
s. m. e f. Aquele(a) que faz comentários. Pessoa que explica e interpreta determinado fato. Ex.: O comentarista do jogo de futebol explicou o lance do impedimento.
Mão direita em **S** horizontal, palma para dentro, diante da boca. Movimentar os lábios. Em seguida, fazer o sinal de **explicar, explicar-se, explicação**. (Mãos horizontais fechadas, palmas para dentro, na altura da face. Baixar as mãos, abrindo os dedos um a um, iniciando pelos mínimos.)

propagandista *(inglês: propagandist, person who works in the advertising field)*:
s. m. e f. Pessoa formada em propaganda, marketing e publicidade. Ex.: Alguns propagandistas são especializados em propaganda política e promoção de candidatos.
Mãos em **Y**, palma a palma, ponta dos polegares tocando o queixo. Movê-las para frente e para os lados opostos, com movimentos em ziguezague.

publicitário(a) *(inglês: propagandist, person who works in the advertising field)*:
s. m. (f.) Pessoa formada em publicidade ou propaganda. Ex.: Alguns publicitários não trabalham em propagandas políticas por questões éticas.
Fazer o sinal de **propaganda, propagandista**.

1.1.5. Em relação a artes gráficas

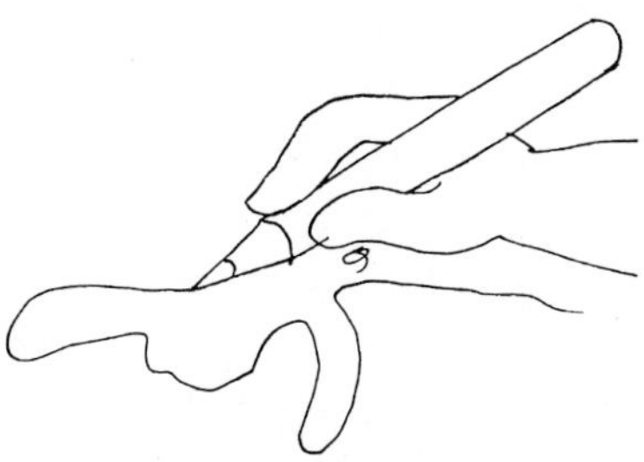

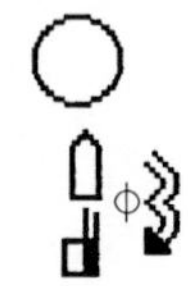

desenhista *(inglês: drawer, designer, draftsman, sketcher)*:
s. m. e f. Pessoa que exerce a arte de desenhar; desenhador. Ex.: A desenhista deste livro é muito dedicada.
Mão esquerda vertical aberta, palma para dentro, na altura da face; mão direita em **U**, palma para a esquerda. Mover a mão direita para baixo, diante da palma esquerda, com movimentos ondulatórios.

gráfico(a) *(inglês: typographer, printing plan worker, printer)*:
s. m. (f.) Empregado(a) que trabalha em artes gráficas. Ex.: O gráfico terminou seu trabalho com antecedência.
Mão esquerda em **B** horizontal, palma para dentro; mão direita horizontal aberta, palma para baixo, dedos flexionados, polegar paralelo aos demais dedos, acima da mão esquerda. Baixar a mão direita envolvendo os dedos esquerdos.

1.1.6. Em relação a ciência e educação

cientista *(inglês: scientist)*:
s. m. e f. Profissional de alta formação científica que se dedica à realização de pesquisas científicas experimentais, no laboratório ou na natureza, dedicadas a desvendar os princípios e as leis que regem a natureza (no caso da pesquisa básica) bem como a derivar soluções tecnológicas para resolver os urgentes problemas que afetam a vida da humanidade, como os de saúde, educação, energia, habitação e alimentação (no caso da pesquisa aplicada). Ex.: Devido à política adotada na maioria dos países do Terceiro Mundo, os cientistas carecem de verbas para desenvolver suas pesquisas, o que é tragicamente irônico, pois tais pesquisas seriam uma das melhores formas de elevar os padrões de vida da população e o desenvolvimento do país.
Fazer o sinal de **estudar (1), estudo (1), estudante**. (Mãos horizontais abertas, palmas para cima, inclinadas para dentro, dedos inclinados uns para os outros. Bater duas vezes o dorso dos dedos direitos, sobre a palma dos dedos esquerdos.) Em seguida, fazer o sinal de **pesquisar, pesquisa**. (Mão esquerda horizontal aberta, palma para a direita; mão direita em **D** horizontal, palma para baixo, indicador apontando para frente, lateral do indicador direito tocando a base do pulso esquerdo. Mover a mão direita para frente e para trás, com movimentos curtos.)

inventor (inventora) *(inglês: inventor, originator)*:
s. m. (f.) Pessoa que inventa, que tem talento para inventar. Ex.: Os inventores do cinema foram os irmãos Lumière.
Mão direita em **D**, palma para dentro, ponta do indicador tocando a testa. Mover a mão para frente e para cima, curvando o dedo indicador.

filósofo(a) *(inglês: philosopher)*:
s. m. (f.) Pessoa que cultiva a Filosofia, que pensa profundamente sobre o significado da vida, e sobre a natureza do mundo e do povo que nele vive. Ex.: Gostaria de fazer faculdade de Filosofia para estudar os grandes filósofos, como Platão, Sócrates e Aristóteles.
Fazer o sinal de **teoria**. (Mão direita horizontal aberta, palma para baixo, dedos para a esquerda, diante do lado direita da testa. Mover a mão para frente, oscilando os dedos, duas vezes.)

autor (autora) (1) *(inglês: author)*:
s. m. (f.) Aquele(a) que é causa primária ou principal, que originou, criou, descobriu, documentou, inventou ou concebeu algo. Aquele(a) de que alguém ou alguma coisa nasce ou procede. Escritor (escritora) de obra literária, científica ou artística. Inventor (inventora), descobridor (descobridora). Ex.: O autor do livro fez uma homenagem às crianças surdas.
Soletrar **A**, **U**, **T**, **O**, **R (A)**.

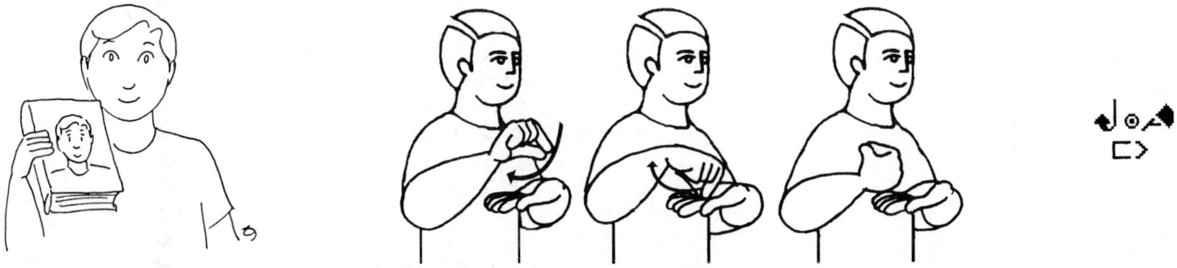

autor (autora) (2) *(inglês: author)*:
*Idem **autor (autora) (1)**. Ex.: As autoras do livro doaram alguns volumes às bibliotecas públicas.*
Fazer o sinal de **assinar**, **assinatura**. (Mão direita em **S** vertical, palma para a esquerda, na altura da face. Mover rapidamente a mão em um arco para frente e para baixo, com a testa franzida e os dentes cerrados.)

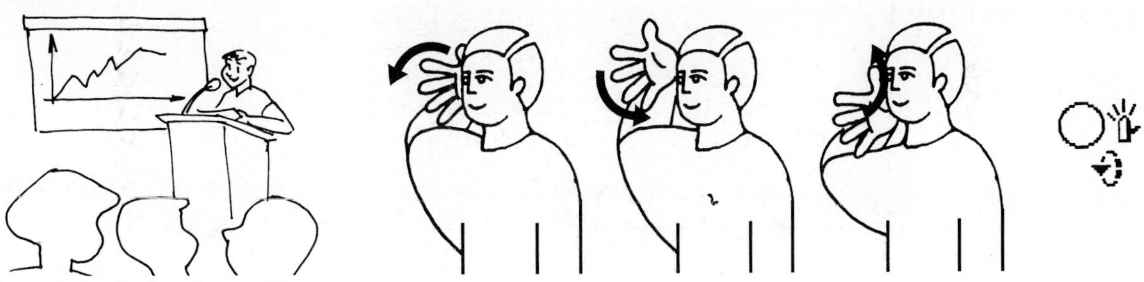

palestrante *(inglês: lecturer)*:
s. m. e f. Aquele(a) que palestra. Ex.: O palestrante era bastante didático e agradou o público presente.
Mão direita horizontal aberta, palma para a esquerda, dedos separados, ao lado direito da cabeça. Mover a mão descrevendo círculos verticais para frente.

conferencista *(inglês: public speaker, lecturer)*:
s. m. e f. Indivíduo que participa de conferência como expositor e debatedor. Aquele(a) que faz conferências, palestras ou explanações orais ou em sinal, discursando sobre um determinado tema durante uma reunião formal de pessoas. Ex.: O conferencista foi aplaudido de pé ao final de sua exposição.
Fazer o sinal de **palestrante**.

congressista *(inglês: member of the assembly, participant of the congress)*:
s. m. e f. Indivíduo que toma parte em congressos como orador, representante, assistente ou apenas audiência. Ex.: O congressista teve apenas dez minutos para falar.

Mãos verticais abertas, palmas para frente, dedos separados e ligeiramente curvados, tocando-se pelas pontas dos polegares e indicadores. Separá-las, movendo-as em um arco horizontal para os lados e para frente. Finalizar com as palmas para trás tocando-se pelos mínimos.

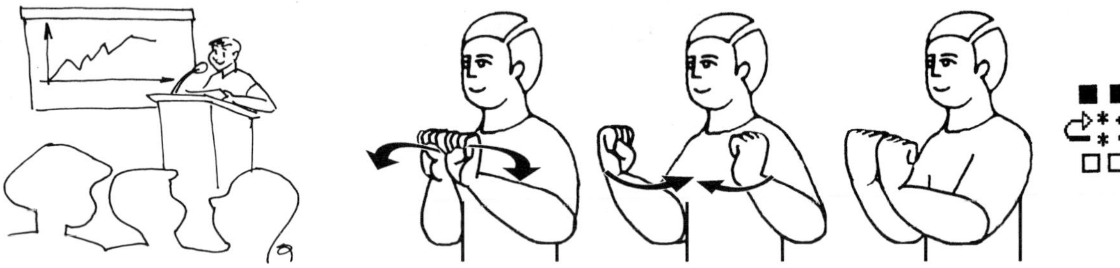

seminarista *(inglês: lecturer, public speaker)*:
s. m. e f. Aquele(a) que apresenta um seminário. Ex.: O seminarista expôs belos argumentos e dados sobre o papel da escrita visual direta de sinais (SignWriting) na educação de crianças surdas.
Mãos em **S** vertical, palmas para frente, tocando-se. Movê-las em um arco para os lados opostos e para frente, virando as palmas para dentro, e tocá-las pelos dedos mínimos.

professor (professora) *(inglês: teacher, instructor, educator)*:
s. m. (f.) Profissional do ensino, que se dedica a ensinar e a oferecer condições para que os estudantes aprendam. Ex.: O professor deve ser tratado com respeito e admiração.
Mão direita em **P**. Mover a mão em um arco para cima e para a direita.

instrutor (instrutora) *(inglês: instructor, teacher, coach)*:
adj. m. (f.) e s. m. (f.) Que, ou aquele(a) que dá instruções ou ensino. Que, ou aquele(a) que adestra. Ex.: Trabalha como instrutora há dez anos.
Mão direita em **I** vertical, palma para a esquerda, mover a mão para frente, e num arco para a direita e para frente.

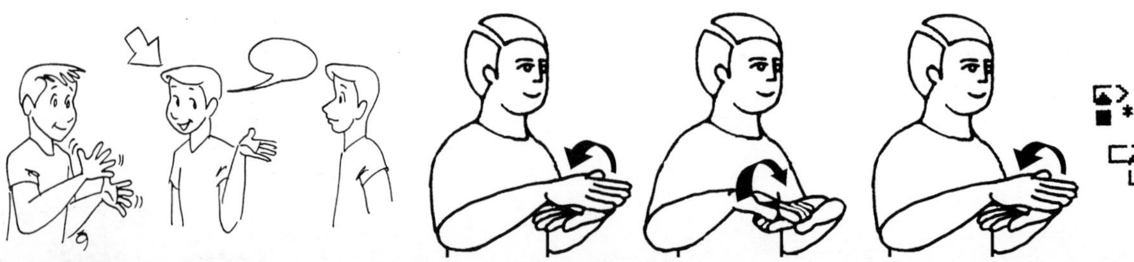

intérprete *(inglês: interpreter, translator)*:
s. m. e f. Pessoa que interpreta. Pessoa que traduz a outrem, na língua que este fala, o que foi dito ou escrito por outra pessoa em língua diferente. Tradutor (tradutora). Ex.: Nos congressos sobre surdez, os intérpretes traduzem as falas para a língua de sinais.
Mão esquerda horizontal aberta, palma para cima, dedos inclinados para a direita; mão direita horizontal aberta, palma para baixo, dedos inclinados para a esquerda, tocando a palma esquerda. Girar a mão direita pelo pulso para cima e para baixo, rapidamente, duas vezes.

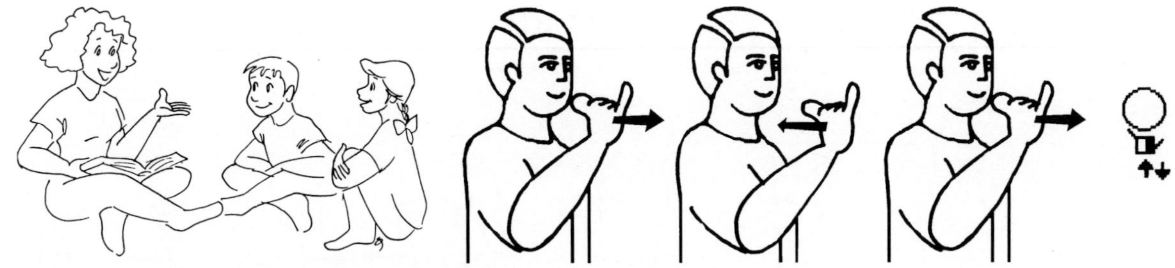

contador (contadora) (*de estórias*) *(inglês: taleteller, storyteller)*:
s. m. (f.) Aquele(a) que narra acontecimentos fatuais ou fictícios. Ex.: O contador de estórias da cidadezinha encantou a todos com seus contos folclóricos. Ex.: O contador de histórias narrou todos os fatos que levaram à independência do Brasil.
Mão direita em **Y**, palma para a esquerda, diante da boca. Mover ligeiramente a mão para frente e para trás.

1.2. Locais de atividades artísticas e culturais

biblioteca *(inglês: library)*:
s. f. Coleção de livros, dispostos ordenadamente por assunto e ordem alfabética de seus títulos e autores. Edifício público ou particular onde se instalam grandes coleções de livros destinados à leitura de freqüentadores ou sócios. Ex.: Vamos até a biblioteca? Eu preciso devolver um livro.
Fazer o sinal de **livro (1)**. (Mãos horizontais abertas, palma a palma, tocando-se. Separar as mãos inclinando as palmas para cima, mantendo-as unidas pelas laterais dos dedos mínimos.) Em seguida, mãos em **B**, palma a palma. Mover as mãos rapidamente para os lados opostos, balançando-as para frente e para trás.

sala de aula *(inglês: classroom)*:
s. f. Compartimento amplo de instituições educacionais dedicado ao ensino coletivo de matérias escolares a turmas de estudantes que encontram-se no mesmo nível de aprendizado. Ex.: Os alunos daquela sala de aula estavam bastante concentrados na explicação do professor.
Fazer o sinal de **estudar (1), estudo (1), estudante**.(Mãos horizontais abertas, palmas para cima, inclinadas para dentro, dedos inclinados uns para os outros. Bater duas vezes o dorso dos dedos direitos, sobre a palma dos dedos esquerdos.) Em seguida, fazer o sinal de sinal de **área**. (Mãos em **1** horizontal, palmas para baixo, tocando-se pelas laterais, à frente do corpo. Movê-las para os lados opostos, em seguida para trás em direção ao corpo, e então, aproximá-las até que se toquem pelas laterais dos indicadores.)

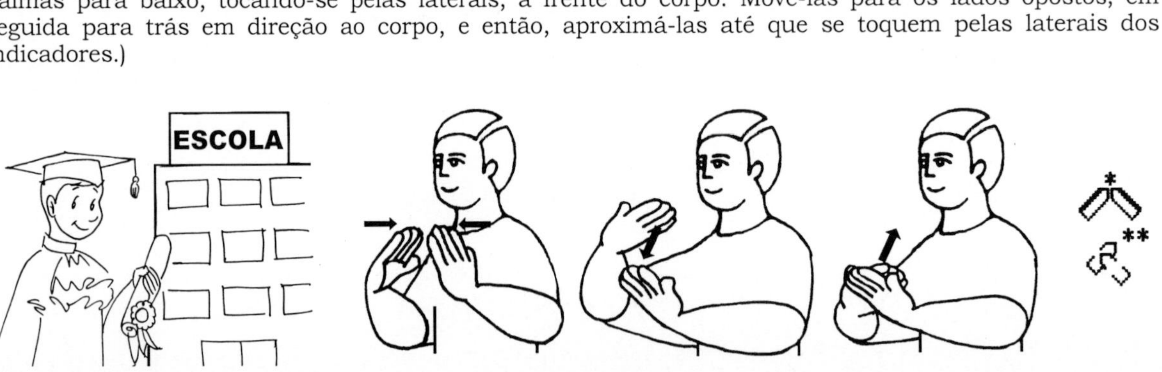

escola *(inglês: school, schoolhouse)*:
s. f. Casa ou estabelecimento em que se ministra ensino de ciências, letras ou artes. Conjunto dos alunos e professores. Ex.: Estas crianças deveriam estar na escola para aprender a ler e escrever.
Fazer o sinal de **casa**. (Mãos verticais abertas, palma a palma, dedos inclinados uns para os outros. Tocar as mãos pelas pontas dos dedos.) Em seguida o sinal de **estudar (1), estudo (1), estudante**. (Mãos horizontais abertas, palmas para cima, inclinadas para dentro, dedos inclinados uns para os outros. Bater duas vezes o dorso dos dedos direitos, sobre a palma dos dedos esquerdos.)

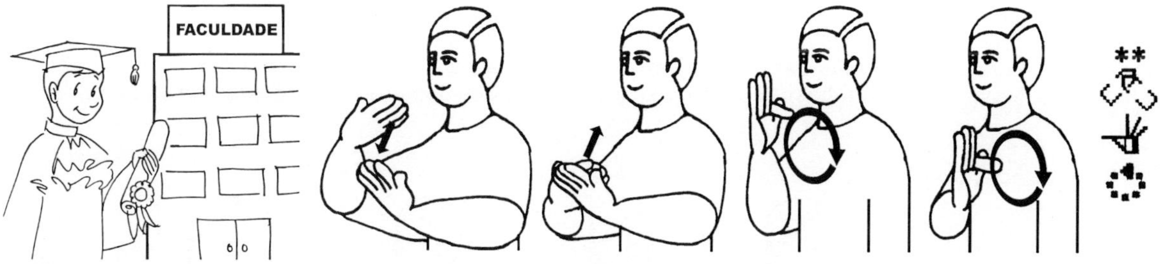

faculdade (1) *(inglês: college, any department at a university, establishment of higher education)*:
s. f. Escola de ensino superior. Estabelecimento de ensino de terceiro grau. Conjunto de professores numa escola superior. Universidade. Ex.: Ele cursou a faculdade de Pedagogia.
Fazer o sinal de **estudar (1), estudo (1), estudante**. (Mãos horizontais abertas, palmas para cima, inclinadas para dentro, dedos inclinados uns para os outros. Bater duas vezes o dorso dos dedos direitos, sobre a palma dos dedos esquerdos.) Então, mão direita em **F**, palma para a esquerda, movê-la em círculos verticais para a esquerda.

faculdade (2) (*RJ*) *(inglês: college, any department at a university, establishment of higher education)*:
*Idem **faculdade (1)**. Ex.: Se você estudar bastante este ano, tenho certeza de que conseguirá entrar em uma boa faculdade.*
Mão esquerda horizontal fechada, palma para baixo, apontando para a direita; mão direita em **F** horizontal, palma para a esquerda, sobre a mão esquerda. Mover a mão direita para frente.

universidade *(inglês: university, college)*:
s. f. Conjunto de escolas e institutos de ensino superior, denominadas faculdades, destinadas ao ensino, pesquisa e extensão, com formação científica e profissional nos níveis de graduação e pós-graduação (especialização, mestrado e doutorado) numa universalidade de áreas e ramos do saber. Ex.: A Universidade de São Paulo é responsável pela maior produção científica e formação acadêmica de qualidade da América do Sul.
Fazer o sinal de **estudar (1), estudo (1), estudante**. (Mãos horizontais abertas, palmas para cima, inclinadas para dentro, dedos inclinados uns para os outros. Bater duas vezes o dorso dos dedos direitos, sobre a palma dos dedos esquerdos.) Em seguida, mão direita em **U**, palma para frente. Movê-la em um círculo vertical para a esquerda.

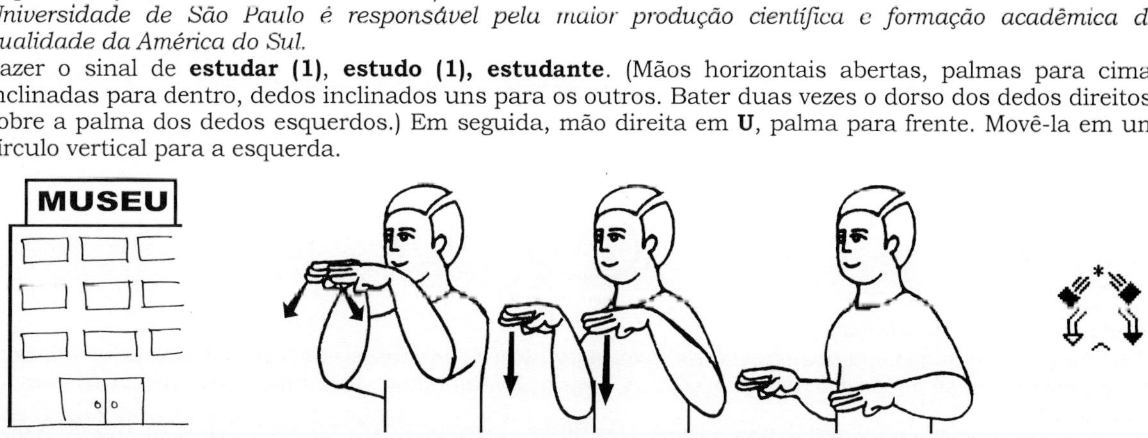

museu *(inglês: museum)*:
s. m. Coleção de objetos de artísticos, culturais, científicos e tecnológicos que são preservados por seu

interesse histórico. Lugar destinado ao estudo e, principalmente, à reunião desses objetos. Ex.: Os museus deveriam receber maior atenção do governo para sua manutenção e conservação.
Mãos em **M** horizontal, palmas para baixo e inclinadas uma para a outra, tocando-se pelas laterais dos indicadores. Movê-las diagonalmente para baixo e para os lados opostos, em seguida, para baixo.

clube (*CL*) *(inglês: club, club-house, guild)*:
s. m. Local que sedia uma sociedade de pessoas (os membros associados) que se reúnem habitualmente juntamente com suas famílias para atividades culturais, esportivas, recreacionais e de lazer variado. Grêmio. Associação. Ex.: Gosto de passar meus fins-de-semana no clube, praticando esportes.
Fazer o sinal de **sócio(a) (1) (*membro*)**. (Mão esquerda horizontal aberta, palma para a direita, inclinada para cima; mão direita em **A** invertido, palma para dentro. Tocar a ponta do polegar direito na palma esquerda, pressionando-a, e balançar ligeiramente a mão direita, para frente e para trás.) E o sinal de nadar ou jogar ou dançar. No exemplo, o sinal é de **nadar, nadador (nadadora)**. (Mãos horizontais abertas, palmas para baixo, dedos unidos e curvados. Mover as mãos, alternadamente, em círculos verticais para frente.)

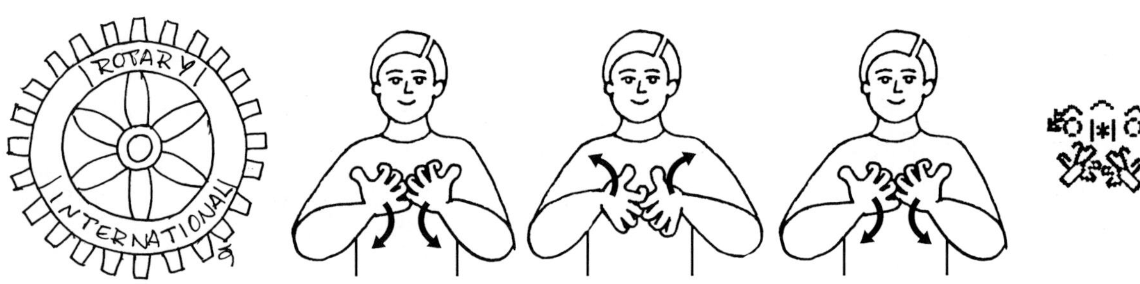

Rotary Clube *(inglês: Rotary Club)*:
s. m. Clube com sede em diversas partes do mundo, patrocinador de empreendimentos culturais e sociais. Ex.: Eu sou sócio do Rotary Clube há dez anos.
Mãos horizontais abertas, palmas para dentro, dedos separados e curvados, mãos entrelaçadas pelos dedos. Balançar as mãos pelos pulsos para cima e para baixo.

fundação *(inglês: foundation)*:
s. f. Criação, por doação ou testamento, de uma instituição de interesse público dedicada à beneficência ou ao ensino. Essa própria instituição. Ex.: A Fundação colaborou de forma muito generosa com as crianças de rua.
Mão esquerda em C horizontal, palma para dentro, em frente ao peito; mão direita vertical aberta, palma para dentro, ponta dos dedos unidas, abaixo do C esquerdo. Mover a mão direita para cima, distendendo os dedos.

federação (*inglês: federation, union, confederation*)**:**
s. f. Associação de entidades afins para multiplicar forças na consecução de um objetivo em comum. Associação de clubes que praticam o mesmo esporte. Agrupamento de sindicatos ou corporações. Grupo de partidos, clubes políticos. Agremiação. Ex.: A Federação Nacional de Educação e Integração do Surdo trabalhou na revisão do dicionário.
Soletrar **F**.

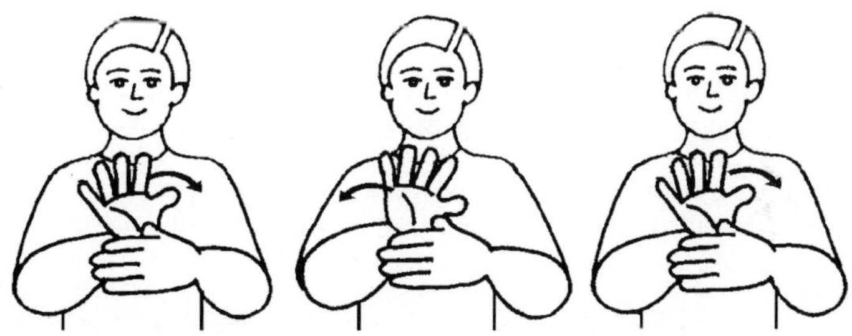

cinema *(inglês: cinema, movies, motion picture)***:**
s. m. Arte de fazer filmes cinematográficos. Estabelecimento ou sala para a exibição de projeções cinematográficas. Ex.: Quase todos os cinemas do Brasil exibiram o filme "Central do Brasil." Ex.: O cinema é chamado de "a sétima arte."
Mão esquerda horizontal aberta, palma para dentro; mão direita vertical aberta, palma para frente, tocando, pelo pulso, o indicador esquerdo. Balançar a mão direita para a esquerda e para a direita.

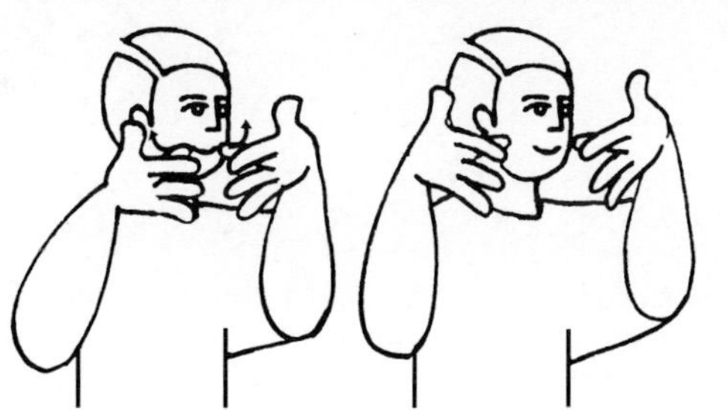

teatro *(inglês: theater, playhouse)***:**
s. m. Edifício ou local aberto destinado à exibição pública de espetáculos de drama ou comédia, encenados por atores e atrizes. Ex.: Fui ao teatro assistir a uma peça infantil.
Mãos horizontais abertas, palmas para trás, dedos médios flexionados, tocando cada canto da boca. Mover ligeiramente as mãos para trás, em direção às bochechas, várias vezes.

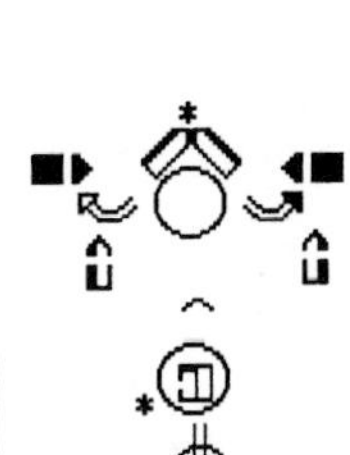

circo (*CL*) *(inglês: circus)* (usual: circo; sugestão: circense)**:**
s. m. Grande espetáculo acrobático, mágico, cômico e eqüestre formado por animais exóticos e artistas performáticos como malabaristas, trapezistas, mágicos, palhaços, domadores de tigres e leões, e amestradores de ursos e elefantes que se deslocam de maneira itinerante numa caravana de caminhões fazendo temporadas de cidade em cidade, e apresentando-se num grande pavilhão cilíndrico formado por uma armação desmontável e coberta de lona impermeável. Entre os antigos romanos, o termo designava o lugar destinado aos jogos públicos. Ex.: A criança divertiu-se com as atrações do circo.

Mãos em **B**, palma a palma, dedos inclinados uns para os outros, tocando-se pelas pontas, na altura da cabeça. Baixá-las para os lados opostos, palmas para baixo e dedos para frente; girar as mãos, palma a palma, e movê-las para baixo. Em seguida fazer o sinal de **palhaço**. (Mão direita vertical, palma para dentro, dedos unidos e curvados, com as pontas quase se tocando, próxima à ponta do nariz. Balançar a mão para os lados, rapidamente.)

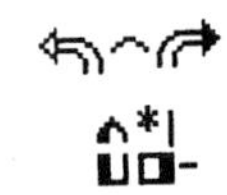

jornal *(inglês: newspaper, daily news)*:
s. m. Folha diária, gazeta, qualquer periódico informativo. Ex.: O primeiro jornal impresso no Brasil foi a Gazeta do Rio de Janeiro, publicado em setembro de 1808.
Mão esquerda horizontal aberta, palma para a direita; mão direita em **L** horizontal, palma para a direita. Aproximar as mãos até que se toquem, e então movê-las em um arco para cima e para os lados opostos.

gráfica *(inglês: printing press, printing shop, printery)*:
s. f. Oficina especializada em artes gráficas. Tipografia. Ex.: A gráfica ainda não terminou a composição do livro.
Mão esquerda em **B** horizontal, palma para dentro; mão direita horizontal aberta, palma para baixo, dedos flexionados, polegar paralelo aos demais dedos, acima da mão esquerda. Baixar a mão direita envolvendo os dedos esquerdos.

oficina gráfica *(inglês: printing press shop, printing plant, printing shop)*:
s. f. Oficina especializada em artes gráficas. Tipografia. Ex.: A oficina gráfica ainda não terminou a composição do livro.
Fazer o sinal de **gráfica**.

rádio (*CL*) *(inglês: radio receiver)*:
s. m. Aparelho radiofônico que converte as ondas de amplitude modulada ou freqüência modulada, dentre outras, em som audível. Ex.: O torcedor acompanhou o jogo pelo rádio.
Mão direita vertical aberta, palma para a esquerda, dedos curvados, tocando a orelha direita.

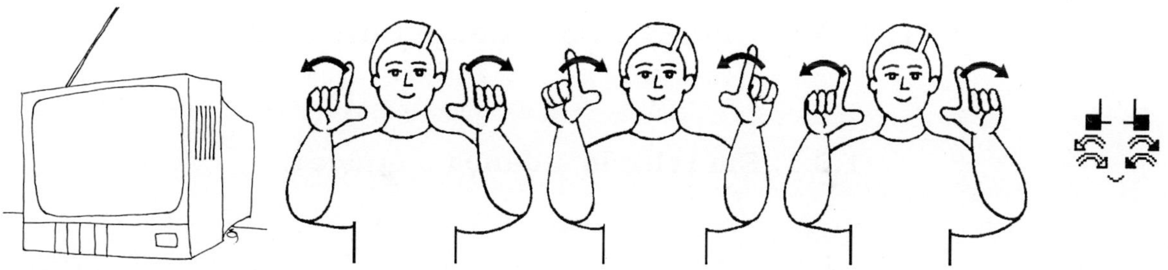

televisão *(inglês: television, TV set)*:
s. f. Aparelho eletrodoméstico de imagens e sons. Televisor. Sistema eletrônico de codificação, transmissão e decodificação de imagens e sons através de cabos ou ondas eletromagnéticas. Estação geradora e (ou) transmissora de programação televisiva. Abreviação: TV. Ex.: A primeira transmissão por televisão feita no Brasil foi em 1950, pela extinta Televisão Tupi.
Mãos em **L**, palmas para frente. Aproximar e afastar as mãos, balançando-as para a esquerda e para a direita.

TV *(inglês: TV)*:
s. f. Abreviação para televisão. Aparelho eletrodoméstico de imagens e sons. Televisor. Sistema eletrônico de codificação, transmissão e decodificação de imagens e sons através de cabos ou ondas eletromagnéticas. Ex.: Comprei minha TV no shopping center. s.f. Estação geradora e (ou) transmissora de programação televisiva. Ex.: A TV Bandeirantes televisionará o jogo, ao vivo.
Fazer o sinal de **televisão**.

1.3. Atividades artísticas e culturais

1.3.1. Em relação a dança e música

dança *(inglês: dance, dancing)*:
s. f. Série ritmada de gestos e de passos, ordinariamente ao som e ao compasso da música. Modo de dançar. Ex.: O espetáculo de dança foi muito emocionante.
Mão esquerda horizontal aberta, palma para cima, dedos apontando para a direita; mão direita em **V** invertido, palma para dentro, acima da palma esquerda e próxima a ela. Balançar a mão direita para os lados.

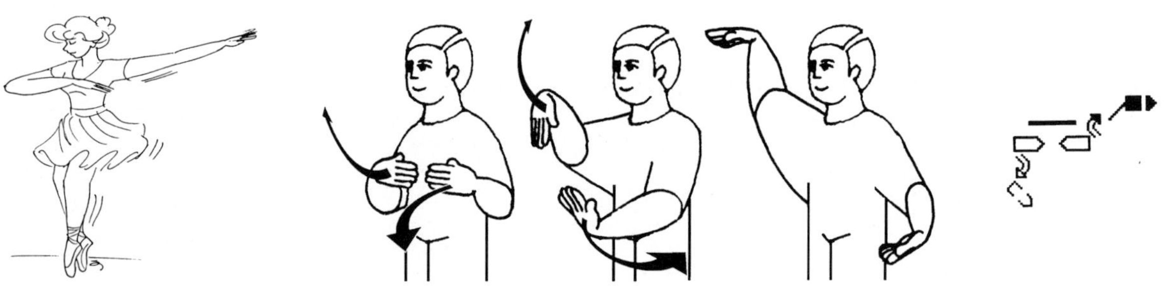

balé (*CL*) *(inglês: ballet)*:
s. m. Encenação artística e teatral em forma de dança com acompanhamento musical e num cenário apropriado, em que um ou vários bailarinos apresentam passos de dança, gestos, mímica e pantomina, e que ocorre como apresentação coreográfica independente ou como parte da representação de um enredo numa ópera ou peça teatral. Ex.: Uma das primeiras apresentações de balé foi feita em 1581, na França.
Mãos horizontais abertas, palmas para dentro, diante do peito. Mover a mão direita em um arco para a direita e para cima, virando a palma para baixo, e a mão esquerda para baixo e para a esquerda, virando a palma para cima.

banda *(inglês: band)*:
s. f. Conjunto de músicos pertencentes a um mesmo grupo e formado por instrumentos complementares para a execução de apresentações musicais. Ex.: Muitas bandas hoje em dia fazem uso de instrumentos de cordas, além dos tradicionais instrumentos de sopro e percussão.
Mãos em **A** horizontal, palmas para dentro. Movê-las alternadamente para cima e para baixo, balançando os ombros.

música *(inglês: music, melody, harmony)*:
s. f. Arte de combinar sons de maneira agradável ao ouvido e a sensibilidade emocional. Composição musical. Execução de qualquer peça musical. Ex.: As crianças gostam de aprender cantando músicas.
Mãos em **D** horizontal, palmas para baixo, próximas uma da outra. Movê-las em arcos para baixo e para os lados opostos, duas vezes.

melodia *(inglês: melody, music, harmony)* (usual música; sugestão: melodia):
s. f. Musicalidade. Sonoridade. Sucessão rítmica de sons simples, numa ordem crescente ou decrescente, e a diferentes intervalos, compondo uma combinação agradável ao ouvido e à sensibilidade emocional. Ex.: As melodias mais lindas podem ser encontradas nas obras dos compositores clássicos.
Fazer sinal de **música**.

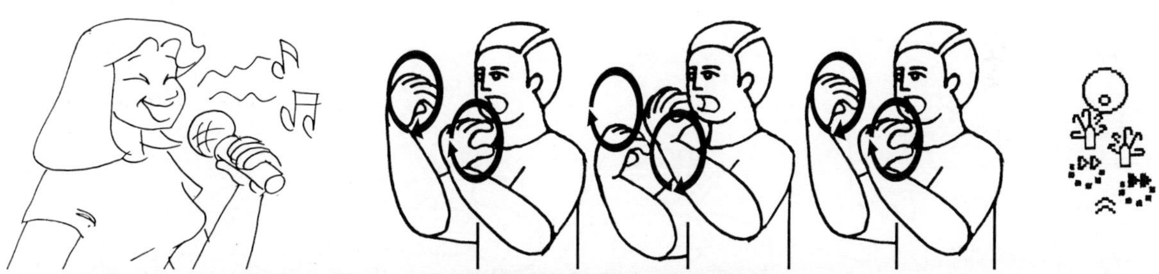

canto (1) *(inglês: singing, melodious and rhythmical sounds and songs)*:
s. m. Ato de cantar. Emitir com a voz sons ritmados e musicais. Produção de sons melodiosos ou cadenciados. Ex.: Seu canto era ritmado e melodioso.
Mãos verticais abertas, palmas para dentro, dedos curvados, diante da boca aberta. Mover as mãos alternadamente em círculos verticais, aproximando-as.

canto (3) (*músicas religiosas*) *(inglês: religious singing, religious hymns and songs)*:
*Idem **canto (1)**, usado para corais religiosos, canto em coral. Ex.: Na cerimônias do casamento, o canto do coral emocionou a todos.*
Mãos em **C**, palma a palma, diante da boca aberta. Girar as palmas alternadamente para frente, duas vezes.

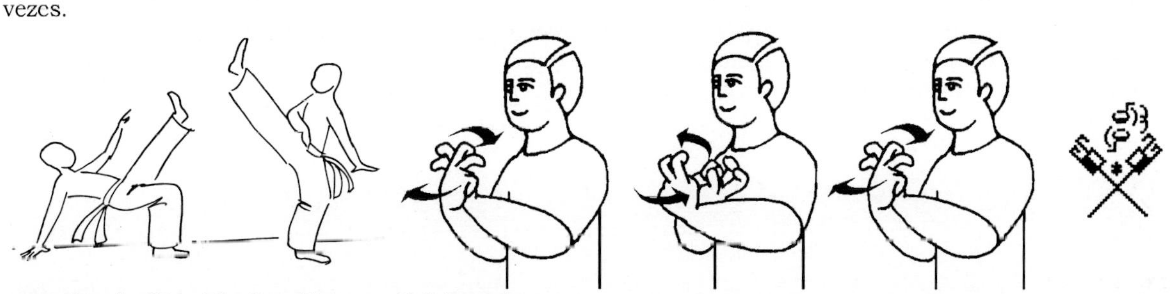

capoeira *(inglês: Afro-Brazilian martial dance)*:
s. f. Espécie de arte marcial afro-brasileira, muito comum na Bahia, que foi criada por escravos fugidos para defender os quilombos, na época da escravidão. Ex.: Pratico capoeira em uma academia.
Mãos em **5**, palma a palma, tocando-se pelos pulsos. Girar as mãos pelos pulsos, inclinando-as para os lados opostos.

1.3.2. Em relação a teatro e cinema

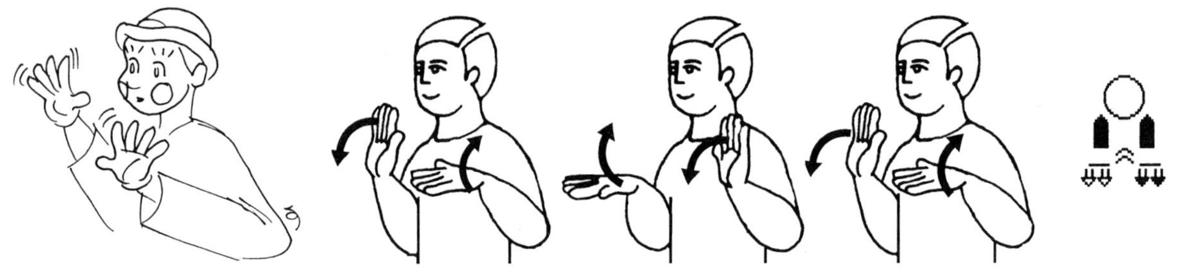

mímica *(inglês: mimic)*:
s. f. Arte de expressar significados por meio da gesticulação e das expressões da fisionomia. Gesticulações. Ex.: A peça de teatro foi encenada com mímica.
Mãos verticais abertas, palmas para frente. Dobrá-las, alternadamente, pelos pulsos para cima e para baixo.

cinema *(inglês: cinema, movies, motion picture)*:
s. m. Arte de fazer filmes cinematográficos. Ex.: O cinema é chamado de "a sétima arte."
Mão esquerda horizontal aberta, palma para dentro; mão direita vertical aberta, palma para frente, tocando, pelo pulso, o indicador esquerdo. Balançar a mão direita para a esquerda e para a direita.

teatro *(inglês: dramaturgy, theater acting, playhouse acting)*:
s. m. A profissão de ator ou atriz. Arte de compor ou encenar obras dramáticas. Ex.: O teatro sempre foi sua grande paixão.
Mãos horizontais abertas, palmas para trás, dedos médios flexionados, tocando cada canto da boca. Mover ligeiramente as mãos para trás, em direção às bochechas, várias vezes.

1.3.3. Em relação a circo

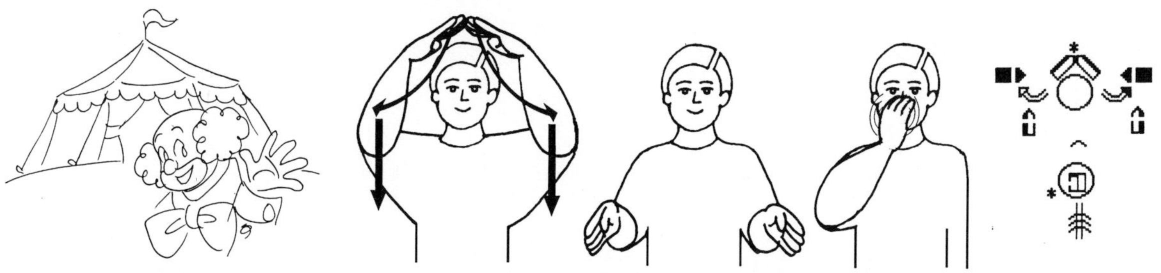

circense *(inglês: circensian, circensial, relative to the circus)* (usual: circo; sugestão: circense)**:**
adj. m. e f. Relativo(a) ou pertencente a circo. Ex.: Nos anos românticos antes da televisão a cabo, do videocassete, da televisão comercial, e mesmo do cinema, os espetáculos circenses costumavam ser anunciados como "O maior espetáculo da Terra."
Mãos em **B**, palma a palma, dedos inclinados uns para os outros, tocando-se pelas pontas, na altura da cabeça. Baixá-las para os lados opostos, palmas para baixo e dedos para frente; girar as mãos, palma a palma, e movê-las para baixo. Em seguida fazer o sinal de **palhaço**. (Mão direita vertical, palma para dentro, dedos unidos e curvados, com as pontas quase se tocando, próxima à ponta do nariz. Balançar a mão para os lados, rapidamente.)

andar na corda bamba (*CL*) *(inglês: to walk in the slack rope)* (usual: corda bamba; sugestão: andar na corda bamba)**:**
expressão. Deslocar-se ao longo de uma corda (ou cabo de aço) estendida acima do solo, presa pelas extremidades em dois mastros. Ex.: A apresentação do acrobata equilibrista no circo consiste em andar na corda bamba.
Fazer o sinal de **corda bamba**. (Fazer o sinal de **fino(a) (2) (*largura*), finura (1)**. (Mãos verticais abertas, palmas para frente, indicador e polegar de cada mão unidos pelas pontas, mãos tocando-se pelos lados. Afastar lentamente as mãos para os lados opostos.) Em seguida fazer o sinal de **andar a pé (1), andar (1) (*a pé*)** sobre o indicador esquerdo. (Mão direita em **V** invertido, palma para dentro, dedos para baixo. Mover a mão para frente, oscilando alternadamente os dedos.)

acrobacia (*CL*) *(inglês: acrobatics, tightrope walking)* (usual: corda bamba: sugestão: acrobata, acrobacia)**:**
s. f. A arte do acrobata que faz demonstrações de equilíbrio e habilidades a grande altura do solo, usualmente em corda bamba. Equilibrismo . Malabarismo. Ex.: A acrobacia foi realizada a 15 metros de altura acima do picadeiro.
Fazer o sinal de **andar na corda bamba**.

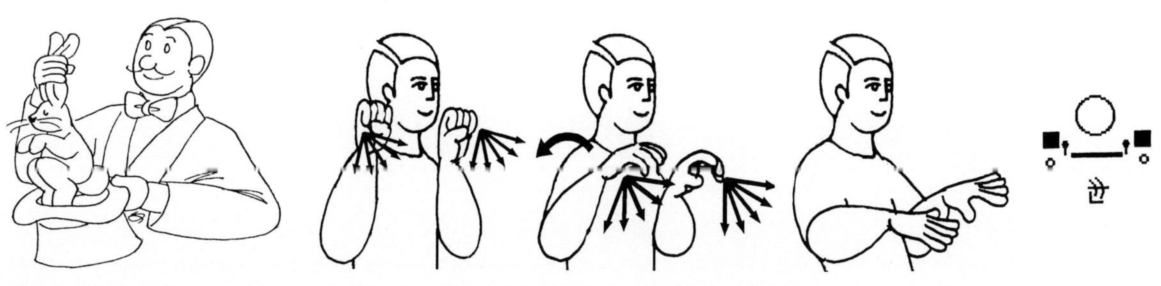

mágica (*CL*) *(inglês: magic, enchantment)*, **magia** *(inglês: magic, enchantment)*:
Mágica: *s. f. O mesmo que magia. Tudo aquilo que não pode ser explicado racionalmente, que tem origem inexplicável ou sobrenatural. Ex.: As crianças ficaram encantadas com as mágicas.* Magia: *s. f. Arte de*

iludir os sentidos por meio de técnicas de ilusionismo como a da prestidigitação. Ex.: Todos ficaram encantados com a magia realizada.
Mãos verticais fechadas, palmas para frente, a cada lado da face. Movê-las para frente e para baixo, abrindo os dedos, palmas para baixo, inclinando o corpo para trás.

1.3.4. Em relação a artes plásticas e gráficas

desenho *(inglês: drawing, picture, draft, design, sketch, outline)*:
s. m. Arte de representar objetos por meio de linhas e sombras. Objeto desenhado. Delineação dos contornos das figuras. Delineamento ou traçado geral de um quadro. Ex.: Seu desenho ficou muito bonito.
Mão esquerda vertical aberta, palma para dentro, na altura da face; mão direita em **U**, palma para a esquerda. Mover a mão direita para baixo, diante da palma esquerda, com movimentos ondulatórios.

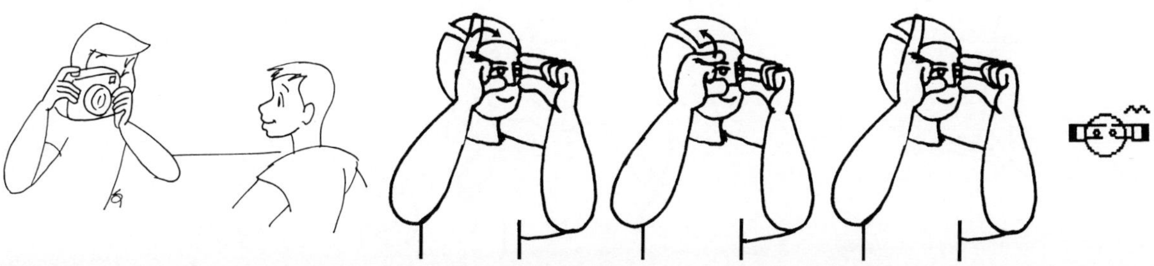

fotografia (1) *(inglês: photograph, picture)*, **foto (1)** *(inglês: photo, picture, snapshot)*:
Fotografia: *s. f. Processo que, por ação da luz, fixa em chapa sensível, no interior de uma câmara escura, a imagem de objetos iluminados diante dessa câmara, dotada de um dispositivo óptico. Fotografia tirada de alguém ou alguma coisa. Ex.: Vou revelar as fotografias somente na segunda-feira.* Foto: *s. f. Forma abreviada para a palavra fotografia. Foto tirada de alguém ou alguma coisa. Ex.: Mandei ampliar a foto.*
Mão esquerda vertical fechada, palma para a direita, polegar e indicador distendidos e paralelos; mão direita em **L**, palma para a esquerda, mãos diante dos olhos. Flexionar o indicador direito e depois distendê-lo novamente.

tirar fotografia (*fotografar*) *(inglês: to photograph, to take pictures, to take snapshots)*:
expressão. Fotografar. Fazer o retrato de. Tirar foto. Tirar retrato. Ex.: Esta paisagem é muito linda e eu quero tirar uma fotografia dela.
Fazer o sinal de **fotografia (1)**, **foto (1)**.

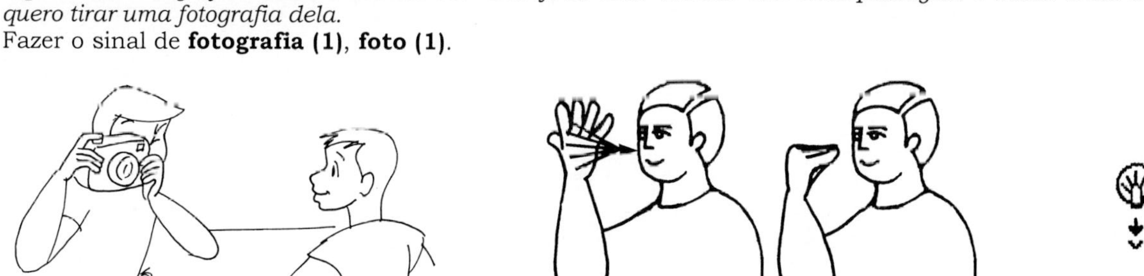

fotografia (2) (*fotografia tirada do sinalizador*) *(inglês: photograph, picture)*, **foto (2) (*foto tirada do sinalizador*)** *(inglês: photo, picture, snapshot)*:
Fotografia: *s. f. Imagem do sujeito, foto tirada do emissor por outra pessoa. Ex.: Meu pai adorava tirar fotografias minhas quando eu era criança.* Foto: *s. f. Forma abreviada para a palavra fotografia. Imagem do sujeito, foto tirada do emissor por outra pessoa. Ex.: Essa minha foto é muito antiga.*
Mão direita vertical aberta, palma para dentro, dedos separados, diante do rosto. Mover a mão ligeiramente para trás, unindo as pontas dos dedos.

ser fotografado(a) (*o sinalizador serve de modelo para a foto, ele é fotografado*) *(inglês: to be photographed)*:
expressão. O sinalizador é retratado. É tirada uma foto sua. (Obs.: Este sinal deve ser usado na primeira pessoa: Eu sou, fui ou serei fotografado(a).) Ex.: Quando os repórteres chegaram, fui fotografado várias

vezes.
Fazer o sinal de **fotografia (2), foto (2)**.

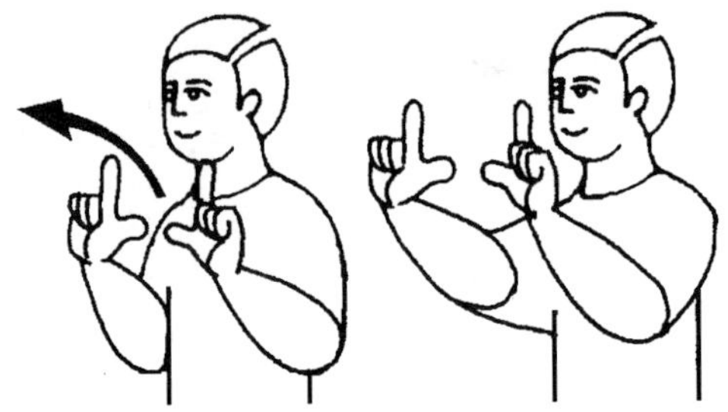

quadro (*CL*) *(inglês: picture, canvas, painting, image, portrait, figure)*:
s. m. Obra de arte como pintura, fotografia, litografia, xilografia, gravura etc. executada em tela e guarnecida de moldura, que é normalmente exibida presa à superfície da parede para fins decorativos. Ex.: Pendure os novos quadros na parede da sala.
Mãos em **L**, palmas para frente, lado a lado. Movê-las em um arco para cima e para frente.

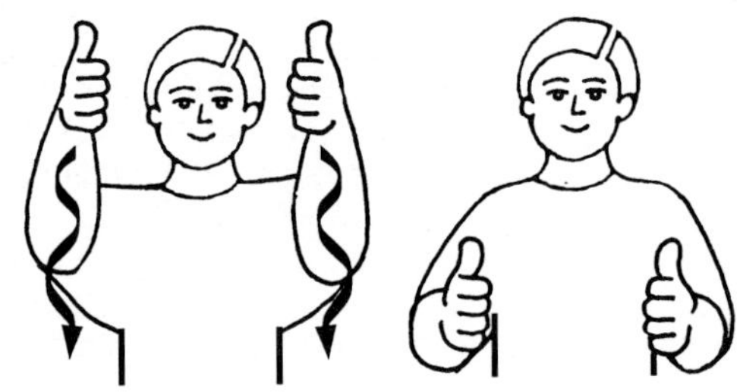
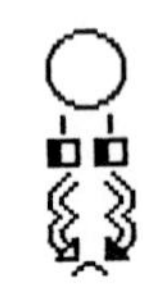

estátua *(inglês: statue)*:
s. f. Figura inteira, esculpida ou moldada em uma substância sólida, como mármore, bronze ou cera, representando um homem, uma mulher, um animal ou uma divindade. Ex.: A estátua do Cristo Redentor é o cartão postal do Rio de Janeiro.
Mãos em **A** horizontal, palma a palma, polegares distendidos, em frente à face. Movê-las para baixo, com um movimento ondulatório para os lados.

1.3.5. Em relação a literatura

escrita *(inglês: writing, handwriting, writing system; written)*:
s. f. Sistema de representação de idéias que faz uso de código alfanumérico ou pictórico. Ato de escrever. Ex.: A escrita japonesa é composta de dois tipos de código: um ideográfico baseado nos caracteres chineses denominado "Kanji" e um silábico denominado "Kana." adj. f. Que é representada por meio da escrita. Que é redigida ou composta por meio de um código alfanumérico (de letras ou dígitos) ou de outros símbolos. Que é gravada ou registrada em papel ou outra superfície. Que é inscrita. Ex.: A polícia descobriu a identidade do seqüestrador porque ele sempre enviava cartas escritas com tinta verde.
Mão esquerda horizontal aberta, palma para dentro, inclinada para cima; mão direita horizontal fechada, palma para baixo, dedos indicador e polegar unidos pelas pontas, tocando a base da palma esquerda. Mover a mão direita em direção às pontas dos dedos esquerdos, balançando-a para frente e para trás.

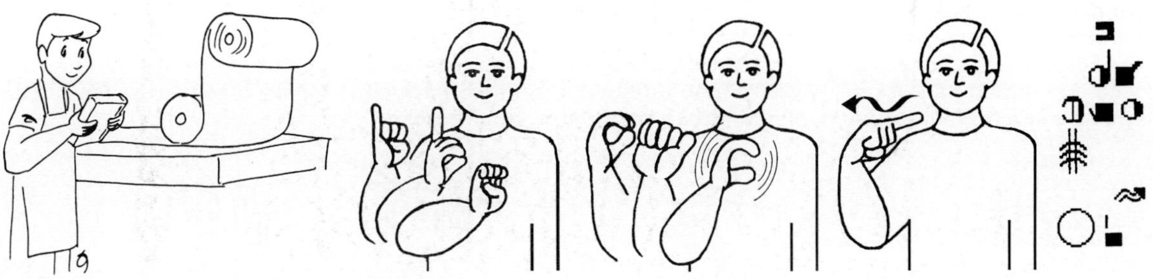

edição *(inglês: edition, editing, publication)*:
s. f. Ato ou efeito de editar. Publicação de obra literária, científica ou artística. Conjunto dos exemplares de uma obra, impressos na mesma ocasião. Ex.: É importante citar na bibliografia a edição do livro utilizado.
Soletrar **E**, **D**, **I**, **Ç**, **A**, **O**, em seguida, fazer o sinal de **til (*acento gráfico*)**. (Mão direita em **1**, palma para baixo, indicador apontando para frente, na altura da cabeça. Mover a mão para o lado direito, com um pequeno movimento ondulatório.

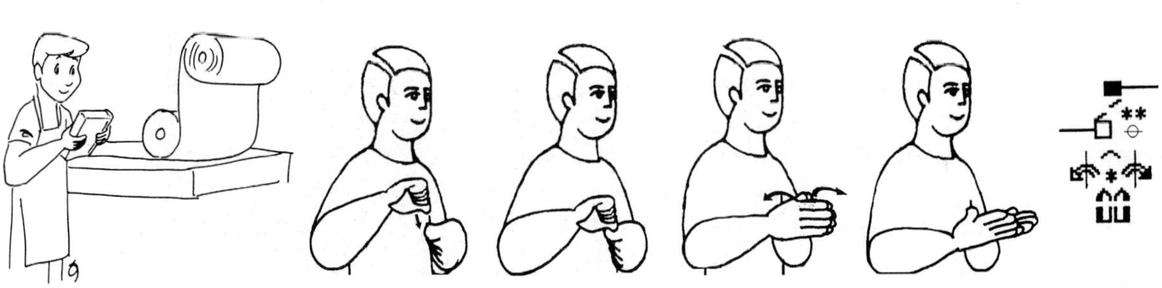

publicação *(inglês: publication of books)*:
s. f. Ato ou efeito de publicar. Publicação de obra literária, científica ou artística. Conjunto dos exemplares de uma obra, impressos na mesma ocasião. Ex.: A história se faz por meio de publicações.
Fazer o sinal de **fazer**. (Mão esquerda em **A** horizontal, palma para dentro; mão direita em **A** horizontal, palma para baixo. Bater os polegares um contra o outro, próximo às unhas, duas vezes.) Em seguida, fazer o sinal de **livro (1)**. (Mãos horizontais abertas, palma a palma, tocando-se. Separar as mãos inclinando as palmas para cima, mantendo-as unidas pelas laterais dos dedos mínimos.) Ou o sinal de **livro (2)**. (Mãos horizontais abertas, palmas para cima, lado a lado, mão esquerda apontando para a direita, mão direita apontando para frente. Mover a mão direita em um arco para cima e para a esquerda, em direção ao pulso esquerdo, inclinando a palma direita para baixo, duas vezes.)

livro (1) *(inglês: book)*:
s. m. Publicação não periódica, impressa, contendo pelo menos 48 páginas, excluída a capa. Ex.: As crianças devem ser incentivadas a ler bons livros.
Mãos horizontais abertas, palma a palma, tocando-se. Separar as mãos inclinando as palmas para cima, mantendo-as unidas pelas laterais dos dedos mínimos.

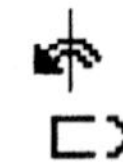

livro (2) *(inglês: book)*:
*Idem **livro (1)**. Ex.: Os livros preservam a cultura de um país.*
Mãos horizontais abertas, palmas para cima, lado a lado, mão esquerda apontando para a direita, mão direita apontando para frente. Mover a mão direita em um arco para cima e para a esquerda, em direção ao pulso esquerdo, inclinando a palma direita para baixo, duas vezes.

estória *(inglês: story, tale)*:
s. f. Narrativa de ficção; exposição romanceada de fatos puramente imaginários. Distinta da palavra história, que se baseia em documentos ou testemunhos. Conto, fábula. Ex.: Crianças gostam muito de ouvir estórias antes de dormir.
Mão direita em **V**, palma para frente. Passar lentamente a lateral do indicador para frente, no lado direito da testa.

conto *(inglês: tale, story, fable, narrative)*:
s. m. Narração falada ou escrita de fatos imaginários ou fictícios. Ficção. Fábula. Estória ou estorieta imaginada. Ex.: Crianças adoram contos antes de dormir.
Fazer o sinal de **estória**.

fábula *(inglês: story, legend, myth, fable, fictitious narrative)*:
s. f. Breve narrativa em que a ficção alegórica sugere uma verdade e que contém uma lição de ordem moral. Os personagens podem ser pessoas, animais, objetos inanimados e até plantas. Narração imaginária. Ficção artificiosa. Mitologia. Narrativa ou conjunto de narrativas de caráter mitológico. Ex.: Nas fábulas de Esopo, a essência das estórias era resumida na última frase, a "moral da estória".
Fazer o sinal de **estória**.

lenda *(inglês: story, legend, myth, folk-tale, fable, fictitious narrative)*:
s. f. Narrativa fictícia de acontecimentos fantásticos. Narração imaginária. Ficção artificiosa. Mitologia. Narrativa ou conjunto de narrativas de caráter mitológico. Ex.: Há uma linda lenda escrita sobre esta floresta e os camponeses que nela viviam.
Fazer o sinal de **estória**.

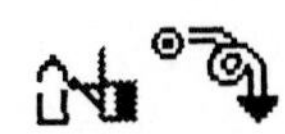

poesia *(inglês: poetry)*:
s. f. Arte de escrever em verso. Conjunto das obras em verso escritas numa língua. Cada um dos gêneros poéticos. Ex.: A poesia de Castro Alves pertence ao período romântico da literatura brasileira.
Mão esquerda horizontal aberta, palma para cima, inclinada para a direita; mão direita em **P** horizontal, palma para a esquerda, ponta do dedo médio tocando a palma esquerda. Mover ligeiramente a mão direita para a direita e para baixo, com um movimento espiral.

poema *(inglês: poem)*,
s. m. Obra em verso. Composição poética mais ou menos extensa e com enredo. Ex.: Ler os poemas de Fernando Pessoa ilumina nossa alma.
Fazer o sinal de **poesia**.

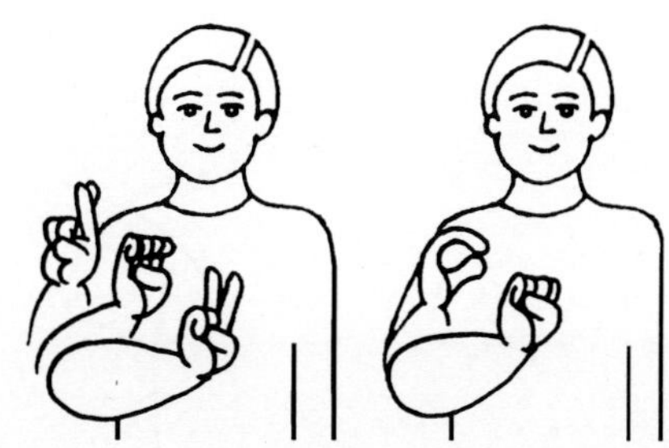

verso *(inglês: verse)*:
s. m. Cada uma das linhas que compõem uma poesia ou poema, sujeitas a certas regras convencionais de medida e cadência. Composição poética em geral. Ex.: Nesta poesia há rima, ou seja, há identidade entre as terminações das palavras finais dos versos, conferindo sonoridade agradável.
Soletrar **V**, **E**, **R**, **S**, **O**.

1.4. Aspectos que envolvem as atividades artísticas e culturais

idéia (1) *(inglês: idea, thought, mental image or concept, concept, imagination, plan, opinion, project, model)*:
s. f. Representação mental de uma coisa concreta ou abstrata. Imagem. Modelo eterno e perfeito do que existe. Ex.: Tivemos uma idéia ótima para o cenário do filme.
Mão direita em **1**, palma para frente e inclinada para a esquerda, com a ponta do indicador tocando o lado direito da testa. Mover a mão para cima e para a direita, arregalando os olhos.

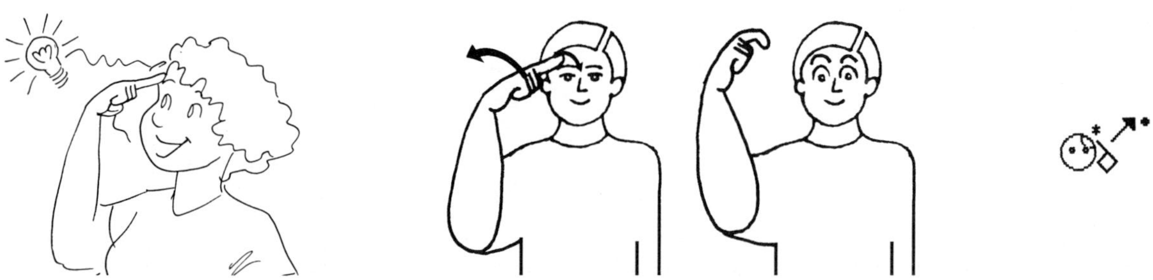

idéia (2) *(inglês: idea, thought, mental image or concept, concept, imagination, plan, opinion, project, model)*:
*Idem **idéia (1)**. Ex.: A idéia de fazer o dicionário de língua de sinais é muito boa.*
Mão direita em **1**, palma para frente e inclinada para a esquerda, com a ponta do indicador tocando o lado direito da testa. Mover a mão para frente e para a direita, curvando o indicador e arregalando os olhos.

imaginação *(inglês: imagination, whim, fantasy, fancifulness)*:
s. f. Criação de imagens mentais com visualização de fatos fictícios ou futuros. Invenção. Idéia fantasiosa. Ex.: Durante a aula de geometria, o menino visualizou-se como um bombeiro valente resgatando as vítimas de um incêndio, mas era apenas imaginação.
Mão direita em **4** horizontal, palma para baixo, lateral do indicador tocando o lado direito da testa. Movê-la diagonalmente para frente e para a direita, oscilando os dedos durante o movimento.

fantasia *(inglês: whim, fantasy, fancifulness, unreality, delusion, imagination)* (usuais: imaginar, imaginação; sugestões: fantasiar, fantasia, fantasioso, fantasiosa):
s. f. Criação da imaginação. Invenção. Idéia fantasiosa. Ex.: Imaginou-se uma linda princesa a ser resgatada da miséria por um príncipe encantado, mas era apenas fantasia.
Fazer o sinal de **imaginação**.

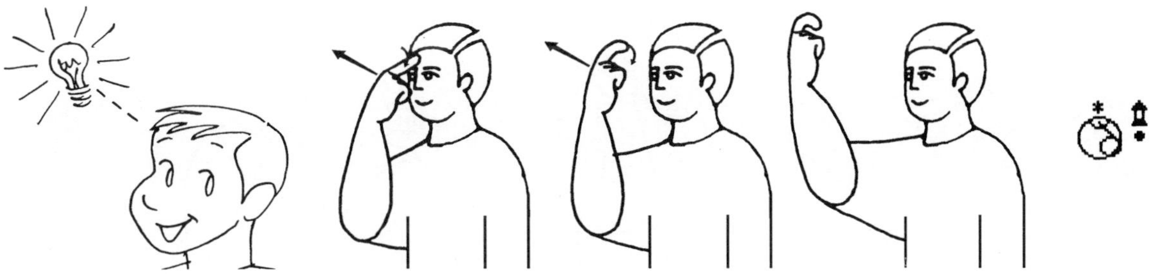

invenção *(inglês: invention)*, **invento** *(inglês: invention)*:
Invenção: *s. f. Ato ou efeito de inventar. Ex.: A linha de produção automobilística foi uma invenção de Henry Ford.* Invento: *s. m. Coisa inventada. Ex.: O tanque de guerra foi um invento de Leonardo da Vinci.*
Mão direita em **D**, palma para dentro, ponta do indicador tocando a testa. Mover a mão para frente e para cima, curvando o dedo indicador.

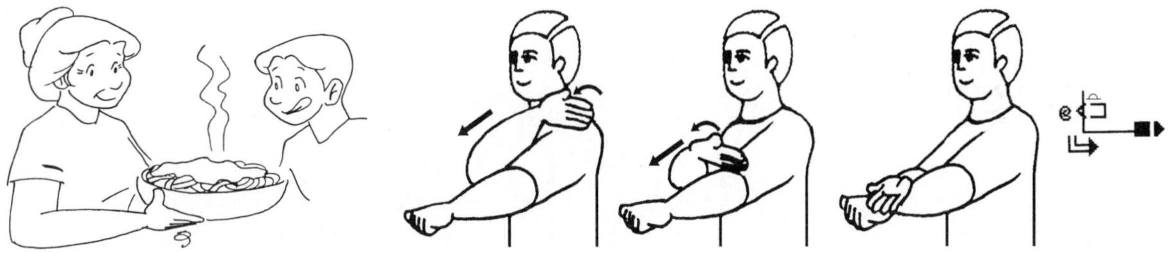

costume *(inglês: habit, customary behavior, tradition)*:
s. m. Tradição. Prática antiga e geral acerca de crenças não escritas e costumes que passam oralmente de geração a geração. Hábito. Particularidade. Regras ou práticas que se observam nos diferentes países. Ex.: Tenho o costume de ler os jornais logo que acordo.
Fazer o sinal de **acostumar, acostumar-se, acostumado(a)**. (Braço esquerdo distendido com a mão em **A** horizontal, palma para baixo; mão direita horizontal aberta, palma para trás, tocando o ombro esquerdo. Passar a mão direita pelo braço esquerdo, virando a palma para cima.)

tradição *(inglês: tradition, habit, customary behavior)*:
s. m. Costume. Prática antiga e geral acerca de crenças não escritas e costumes que passam oralmente de geração a geração. Hábito. Particularidade. Regras ou práticas que se observam nos diferentes países. Ex.: Minha família italiana tem a tradição de almoçar macarronada aos domingos.
Fazer o sinal de **costume**.

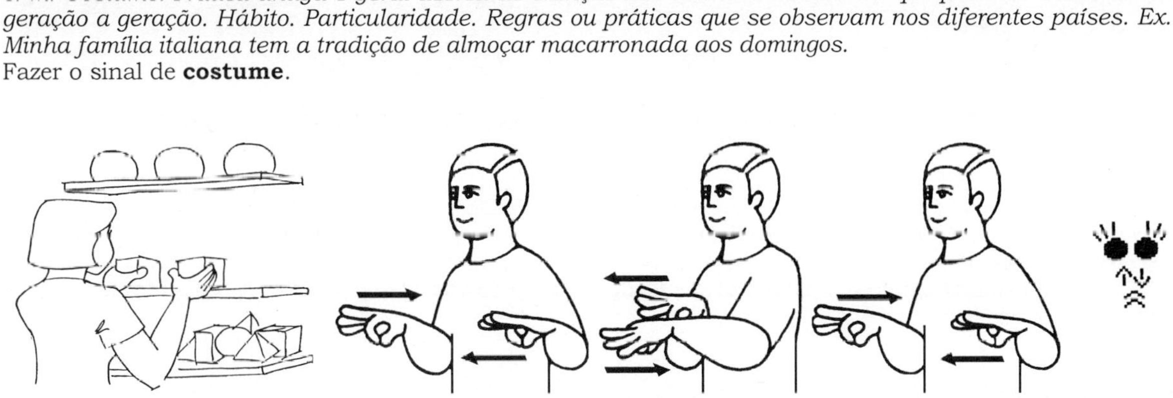

planejamento *(inglês: planning)*:
s. m. Delineamento das condições e etapas envolvidas na realização de um empreendimento proposto. Projeto. Ex.: Um bom planejamento é o primeiro passo de um empreendimento bem sucedido.
Mãos horizontais abertas, palmas para baixo, polegar e indicador de cada mão unidos pelas pontas. Mover as mãos, alternadamente, para frente e para trás.

projeto *(inglês: project, scheme, design, sketch, draft, plan)*:
s. m. Delineamento das condições e etapas envolvidas na realização de um empreendimento proposto. Planejamento. Ex.: O arquiteto elaborou um projeto para a escola modelo.
Fazer o sinal de **planejamento**.

interesse *(inglês: interest, attention)*:
s. m. Vantagem ou utilidade que alguém encontra em alguma coisa. Sentimento que acompanha a atenção dirigida para um conteúdo específico. Ex.: A palestra foi acompanhada com muito interesse.
Mão direita vertical fechada, palma para a esquerda, dedos polegar e indicador curvados, tocando ao redor do olho direito. Mover a mão diagonalmente para frente e para baixo, arregalando os olhos.

crítica *(inglês: criticism, critique, censure)*:
s. f. Censura. Apreciação detalhada. Parecer desfavorável. Exame para elucidar fatos e avaliar textos. Ex.: Há críticas edificantes e críticas destrutivas.
Mãos em **P** horizontal, palma para dentro, diante da boca. Movê-las, alternadamente, em círculos verticais para frente, com expressão facial negativa.

progresso *(inglês: progress, improvement, growth, advancement, development)*:
s. m. Desenvolvimento sociocultural e econômico com evolução gradual das condições de vida de uma comunidade, nação, civilização ou da humanidade como um todo. Ex.: É preciso que o progresso seja acompanhado pela preservação.
Mãos verticais abertas, palma a palma, dedos flexionados, mão direita acima da esquerda. Mover as mãos para cima, alternando a posição das mãos.

desenvolvimento *(inglês: development, growth, up-growth, improvement, evolution, progress)*:
s. m. Ato ou efeito de desenvolver. Crescimento ou expansão gradual. Passagem gradual de um estágio inferior a um estágio mais aperfeiçoado. Adiantamento, progresso. Ex.: O Brasil é considerado um país em desenvolvimento.
Fazer o sinal de **progresso**.

1.5. Como são as atividades artísticas e culturais

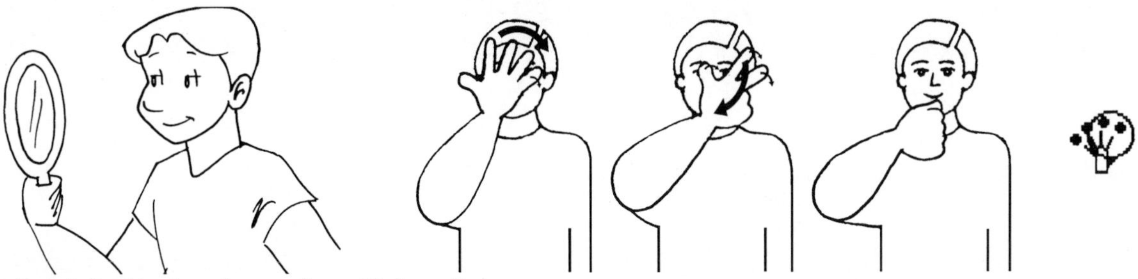

bonito(a) *(inglês: handsome, beautiful, pretty)*:
adj. m. (f.) Belo(a). Agradável à vista, ao ouvido ou ao espírito. De boa aparência. De rosto agradável. Formoso(a), gentil. Nobre, generoso(a). Bom (boa), apetecível. Ex.: O pintor brasileiro Cândido Portinari pintou quadros muito bonitos.
Mão direita vertical aberta, palma para dentro, em frente à face. Girar os dedos da mão para a esquerda, fechando-os um a um começando pelo mínimo. Finalizar com mão em **A** horizontal, palma para dentro.

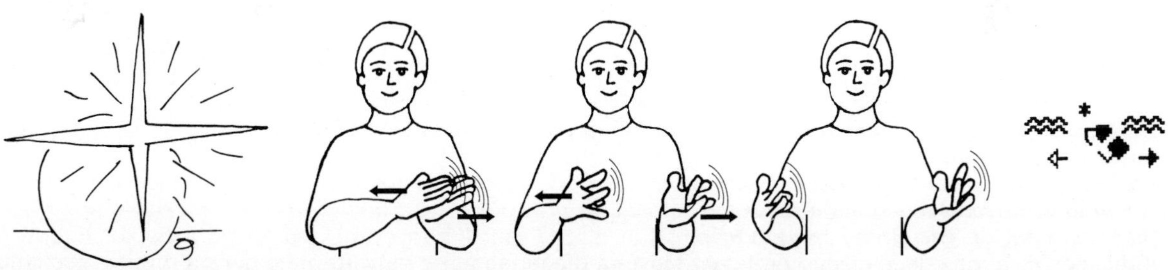

brilhante (1) *(inglês: bright, sparkling, shining, dazzling, brilliant, radiant)*:
adj. m. e f. Que brilha, reluz e cintila. Ex.: O metal polido é brilhante, o bruto é fosco e apagado.
Mãos horizontais postas, inclinadas para a esquerda. Separá-las movendo-as para os lados opostos, oscilando os dedos.

brilhante (2) *(inglês: bright, sparkling, shining, dazzling, brilliant, radiant)*:
*Idem **brilhante (1)**. Ex.: Duas demãos de verniz tornaram brilhante aquele velho móvel da vovó.*
Mão direita vertical aberta, palma para a esquerda, dedos separados e inclinados para frente. Mover a mão para a direita e para cima, balançando-a rapidamente, piscando os olhos e com as sobrancelhas levantadas.

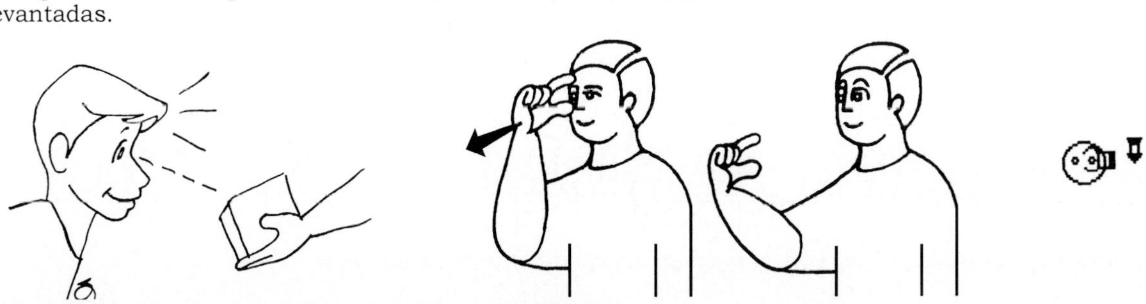

interessante *(inglês: interesting, engaging, stimulating)*:
adj. m. e f. Que oferece interesse; digno(a) de atenção. Ex.: O assunto era interessante.
Mão direita vertical fechada, palma para a esquerda, dedos polegar e indicador curvados, tocando ao redor do olho direito. Mover a mão diagonalmente para frente e para baixo, arregalando os olhos.

maravilhoso(a) *(inglês: wonderful, marvelous)*:
adj. m. (f.) Que maravilha ou causa admiração. Fora do comum. Extraordinário(a). Admirável. Prodigioso(a). Excelente. Surpreendente. Ex.: É maravilhoso observar Surdos conversando em língua de sinais.
Mãos em **O**, palmas para dentro, tocando cada lado da boca. Movê-las para frente, abrindo-as e oscilando os dedos, suavemente. Opcionalmente, expressão de admiração.

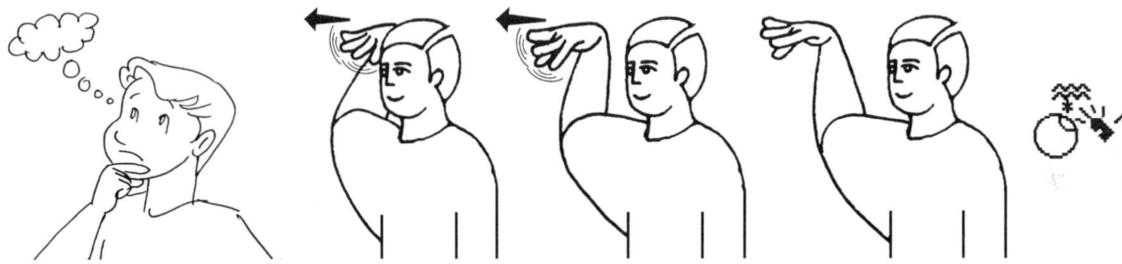

fantasioso(a) *(inglês: fanciful, to be prone to reveries)* (usuais: imaginar, imaginação; sugestões: fantasiar, fantasia, fantasioso, fantasiosa):
adj. m. (f.) Em que há fantasia. Quimérico(a). Ex.: Tinha sonhos fantasiosos de ver todo o sofrimento humano na terra esvair-se num passe de mágica.
Fazer o sinal de **imaginar, imaginação**. (Mão direita em **4** horizontal, palma para baixo, lateral do indicador tocando o lado direito da testa. Movê-la diagonalmente para frente e para a direita, oscilando os dedos durante o movimento.)

positivo(a) *(inglês: positive, ok, all right, well, fine, cool, nice)*:
adj. m. (f.) Afirmativo(a), decisivo(a). Que não admite dúvida; indiscutível. Certo(a), real, verdadeiro(a). Ex.: É muito positivo que você tenha feito tudo conforme a lei..
Mão direita horizontal fechada, palma para dentro, polegar distendido na altura do ombro direito. Mover a mão, ligeiramente, mas com firmeza, para frente.

difundido(a) *(inglês: widespread, broadcast, divulged, diffused, scattered)*:
adj. m. (f.). Comum. Anunciado(a). Propagado(a). Divulgado(a). Ex.: Este dicionário é de uso bastante difundido nas Comunidades Surda e acadêmica.
Fazer o sinal de **anunciar, anunciar-se, anúncio**. (Mãos em **Y**, palma a palma inclinadas para frente, pontas dos polegares tocando cada lado do queixo. Mover as mãos diagonalmente para frente e para os lados opostos.)

falsificado(a) ***(coisa falsificada)*** *(inglês: false, fake, counterfeit, falsified)*, **falso(a) (1)** *(inglês: false, fraudulent, bogus, feigned, mock)*:
Falsificado(a): *adj. m. (f.) Que se falsificou. Adulterado(a). Ex.: Pediram-me para trocar um dinheiro e, mais tarde, percebi que a nota era falsificada.* Falso(a): *adj. m. (f.) Adulterado(a). Falsificado(a). Não verdadeiro(a). Inexato(a). Oposto(a) à verdade. O termo e o sinal são usados para fazer referência a coisas que são feitas para se passar por aquilo que não são, enganando os incautos. Que apenas tem a aparência da coisa real. Que sofreu falsificação. Ex.: O quadro apreendido pela polícia era falso.*
Mão direita em **S**, palma para a esquerda, na altura do ombro direito. Movê-la para a esquerda, virando a palma para baixo, e distendendo o dedo indicador.

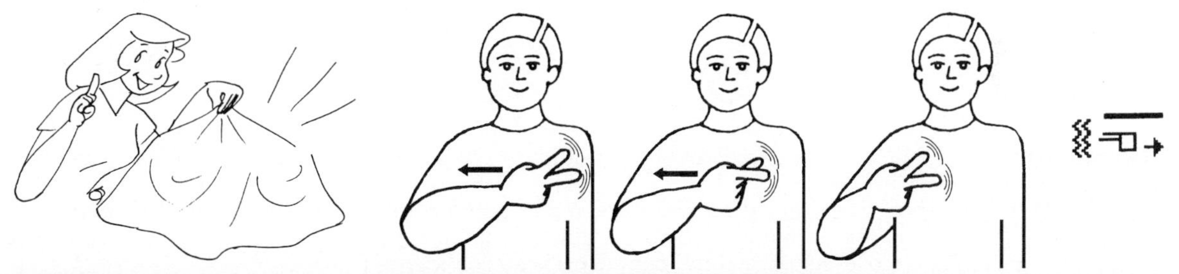

novidade *(inglês: novelty, latest fashion, newness, recentness, innovation)*:
s. f. Qualidade do que é novo. Informação inédita sobre um acontecimento recente ou que se desconhecia. Notícia nova. Ex.: Estou ansioso para saber as novidades da feira de livros para este ano.
Mão direita em **N** horizontal, palma para dentro, ao lado esquerdo do corpo. Movê-la para a direita, oscilando os dedos.

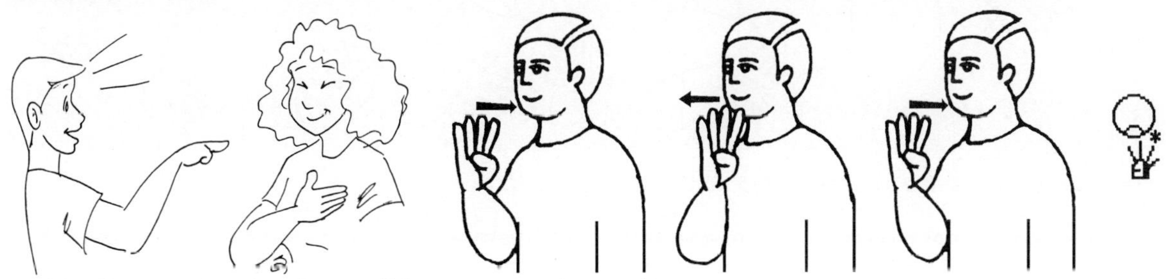

conhecido(a) *(inglês: familiar, well known, acquaintance)*:
adj. m. (f.) Que muitos conhecem. Com que ou com quem muitos estão familiarizados. Que é entendido ou compreendido. Ex.: Ele é um professor bem conhecido. Ex.: A resolução desse problema de trigonometria é bem conhecida pelos alunos.
Mão direita em **4**, palma para a esquerda, em frente ao queixo. Bater a lateral do indicador próximo ao lado direito do queixo.

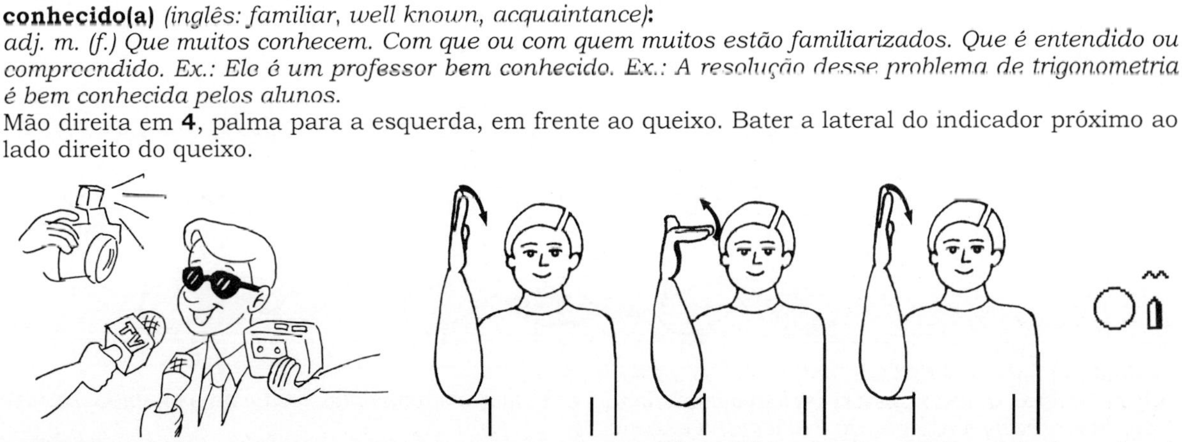

famoso(a) *(inglês: notorious, famous, renowned, notable, widely known, distinguished, eminent, prestigious)*:
adj. m. (f.) Que tem fama. Que é muito popular. Notável. Que é muito conhecido(a). Célebre. Notório(a). Glorioso(a). Excelente. Ex.: Ele era famoso por sua bondade.

Mão direita vertical aberta, palma para a esquerda, dedos unidos, ao lado direito da cabeça. Flexionar, várias vezes, os dedos.

célebre *(inglês: notorious, famous, renowned, notable, widely known, distinguished, eminent, prestigious, noted)*:
adj. m. e f. Famoso(a). Distinto(a). Notável. Renomado(a). Eminente. Notório(a). Que tem muita fama. Ex.: O célebre cantor fez uma visita à creche na última quinta-feira.
Fazer o sinal de **famoso(a)**.

renomado(a) *(inglês: notorious, famous, renowned, notable, widely known, distinguished, eminent, prestigious)*:
adj. m. (f.) Que tem fama. Que é muito popular. Notável. Que é muito conhecido(a). Célebre. Notório(a). Glorioso(a). Excelente. Ex.: Ele era um profissional renomado..
Fazer o sinal de **famoso(a)**.

comemorativo(a) *(inglês: commemorative)* (usuais: comemorar, comemoração; sugestões: comemorativo, comemorativa):
adj. m. (f.) Que comemora. Ex.: O evento comemorativo da abertura das Olimpíadas foi muito bonito.
Fazer o sinal de **festejar, festa**. (Mãos horizontais abertas, palmas para baixo, à frente do corpo. Girar as palmas para cima, e movê-las para cima, com expressão sorridente.)

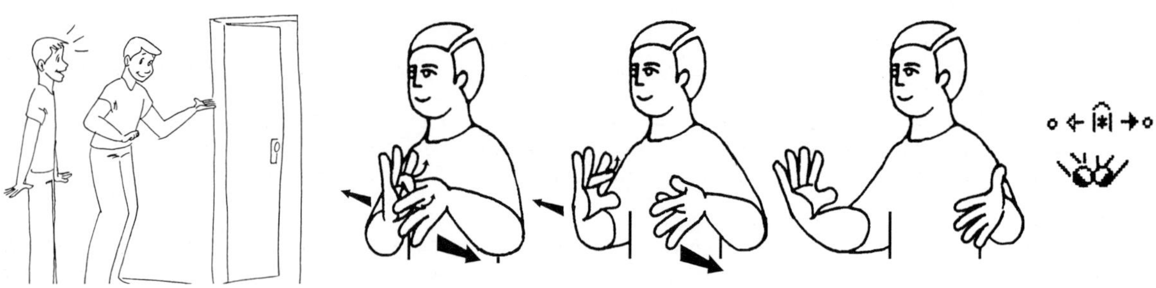

permitido(a) *(inglês: allowed, permitted, authorized, granted)*:
adj. m. e f. Autorizado(a). Concedido(a). Ex.: Não é permitido fumar em recintos fechados.
Fazer o sinal de **livrar, livre**. (Mão direita vertical, palma para a esquerda, dedos médio e polegar unidos pelas pontas; mão esquerda horizontal aberta, palma para a direita, dedos médio e polegar unidos pelas pontas, mãos entrelaçadas pelos polegares e médios. Separar as mãos para os lados opostos, distendendo os dedos.)

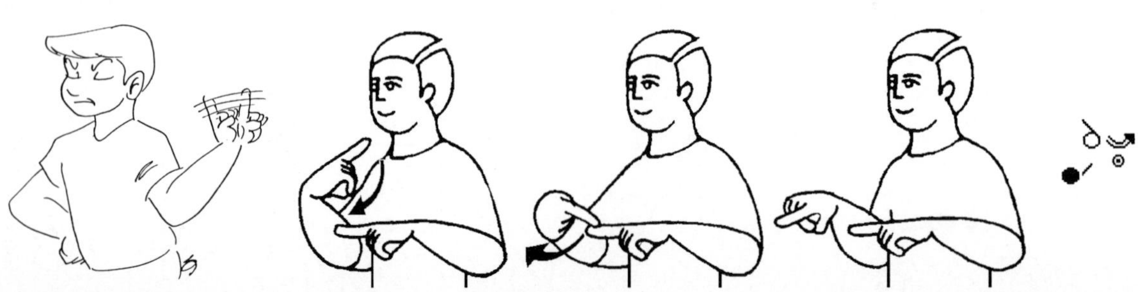

proibido(a) *(inglês: forbidden, prohibited, unauthorized)*:
adj. m. (f.) Que se vedou, vetou, proibiu ou indeferiu. Ex.: Fumar em ambientes fechados é proibido. Ex.: Ele foi proibido, pelo presidente, de freqüentar a associação.
Mão esquerda em **D** horizontal, palma para baixo, dedo indicador inclinado para a direita; mão direita em **D** vertical, palma para dentro, diante do ombro esquerdo. Mover a mão direita em um arco para baixo e para a direita, tocando a ponta do indicador na ponta do indicador esquerdo, e virando a palma direita para baixo.

censurado(a) *(inglês: censured)*:
adj. m. (f.) Reprovado(a). Proibido(a). Vetado(a). Ex.: O filme foi censurado para menores de 18 anos.
Fazer o sinal de **proibido(a)**.

principal *(inglês: main, principal, essential)*:
adj. m. e f. Que é mais importante, mais relevante, considerável e digno(a) de atenção dentre um grupo de elementos (coisas, pessoas) comparáveis. Ex.: Investir em educação deve ser a principal meta de qualquer governo.
Mão direita em **B**, palma para a esquerda inclinada para baixo. Tocar a lateral do indicador no lado direito da testa, e mover a mão diagonalmente para frente e para a direita.

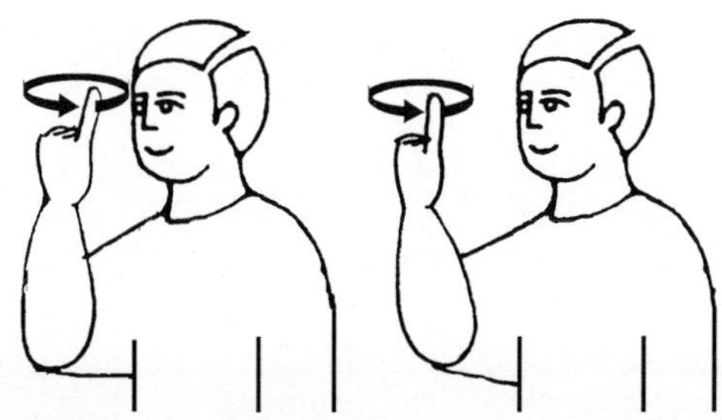

importante *(inglês: important, essential, significant, substantial)*:
adj. m. e f. Que tem importância. Que não se pode esquecer ou deixar de atender. Digno(a) de nota, de apreço, de estima, de consideração. Que tem grandes créditos, que exerce notável influência. Que tem muito valor ou preço notável. Útil, necessário(a). Valioso(a), essencial. Ex.: É muito importante para o desenvolvimento cognitivo que as crianças surdas aprendam a língua de sinais desde pequenas.
Mão direita em **I**, palma para dentro. Mover a mão descrevendo círculos horizontais.

relevante *(inglês: relevant, important, considerable, significant)*:
adj. m. e f. Importante. Significativo(a). Que releva ou fica em relevo. De grande valor. De importância considerável. Ex.: É relevante para o desenvolvimento cognitivo que as crianças surdas aprendam a Língua de Sinais desde pequenas.
Fazer o sinal de **importante**.

significativo(a) (*importante*) *(inglês: significant, considerable, relevant, important)* (usuais: importante, importância; sugestões: significativo, significativa):
adj. m. (f.) Importante. Relevante. Considerável. Digno de nota. Que releva ou fica em relevo. De grande valor. De importância. Ex.: Este remédio produziu um efeito significativo para a redução da doença, enquanto que todos os outros medicamentos haviam sido inócuos.
Fazer o sinal de **importante**.

preciso(a) *(inglês: needed, necessary, required, indispensable)*:
adj. m. (f.) Necessário(a), indispensável. Ex.: Pode colocá-la para trabalhar no outro departamento, ela não é precisa aqui.
Mãos em **A** horizontal, indicadores destacados, palmas para dentro lado a lado. Dobrar as mãos pelos pulsos para baixo, duas vezes, com a testa franzida.

necessário(a) *(inglês: needed, necessary, requisite, required, indispensable)*:
adj. m. (f.) Que satisfaz necessidade. Que é requerido(a), demandado(a), exigido(a) e reclamado(a). Que é oportuno(a), importante, essencial, indispensável e urgente. Que é útil, proveitoso(a) e conveniente. Que não pode deixar de ser ou de se fazer. Que é de absoluta necessidade. Que falta, carece, necessita, requer, demanda, urge e reclama. Ex.: Para a manutenção da vida, é necessária a disponibilidade de água.
Fazer o sinal de **preciso(a)**.

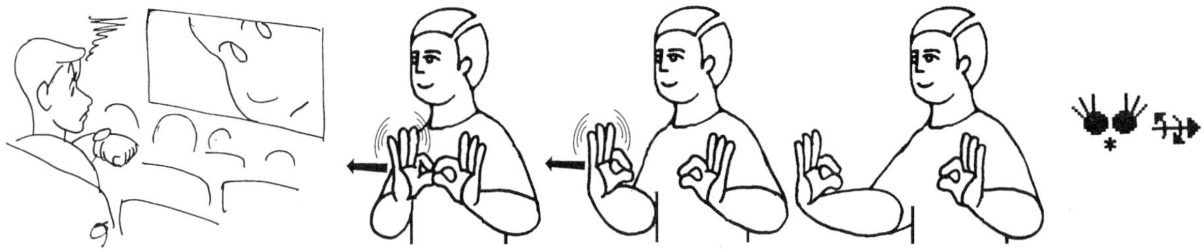

comprido(a) (***filme, discurso***) *(inglês: long (film, speech))*:
adj. m. (f.) Extenso(a). Longo(a). Enorme em relação ao tempo. Prolongado(a). Duradouro(a). Ex.: O palestrante fez um discurso muito comprido.
Mãos verticais abertas, palmas para frente e inclinadas uma para a outra, indicadores e polegares unidos pelas pontas, tocando-se. Mover a mão direita para a direita, balançando-a rapidamente para os lados. Opcionalmente expressão facial de descontentamento.

extenso(a) (***filme, discurso***) *(inglês: prolonged, delayed, extended, long, lengthy, lengthened)* (usuais: comprido, comprida; sugestões: extenso, extensa):
adj. m. (f.) Longo(a). Comprido(a) no sentido da duração. Prolongado(a). Que dura muito. Duradouro(a). Que demora a vencer. Demorado(a). Ex.: O palestrante fez um discurso muito extenso e cansativo.
Fazer o sinal de **comprido(a)** (***filme, discurso***).

longo(a) (***filme, discurso***) *(inglês: lengthy, long, prolix)*:
adj. m. (f.) Extenso(a) no sentido da duração. Comprido(a). Que dura muito. Duradouro(a). Que demora a vencer. Demorado(a). Ex.: O palestrante fez um discurso muito longo.
Fazer o sinal de **comprido(a)** (***filme, discurso***).

prolongado(a) (***filme, discurso***) *(inglês: prolonged, delayed, extended, long, lengthy, lengthened)*:
adj. m. (f.) Extenso(a). Longo(a). Enorme em relação ao tempo. Prolongado(a). Duradouro(a). Ex.: O palestrante fez um prolongado discurso.
Fazer o sinal de **comprido(a)** (***filme, discurso***).

contextual *(inglês: contextual, situational)*:
adj. m. e f. Pertencente ou relativo(a) ao contexto ou à situação circunstancial, e que é capaz de variar em contextos ou situações diferentes. Circunstancial. Situacional. Ex.: A variação no entendimento dos sinais é contextual.
Mãos verticais abertas, palmas para frente, mãos entrelaçadas pelos dedos indicadores e polegares unidos. Mover as mãos para a direita, separando-as e entrelaçando-as.

social *(inglês: social, pertaining to or characteristic of society)*:
adj. m. e f. Pertencente ou relativo(a) à sociedade. Que diz respeito a uma sociedade. Ex.: A criminalidade é um problema social.
Mão esquerda em **1**, palma para frente, apontando para cima; mão direita em **S**, palma para frente, atrás da mão esquerda. Mover a mão direita em um arco para a direita e para frente, ao redor da mão esquerda, finalizando com a palma para dentro.

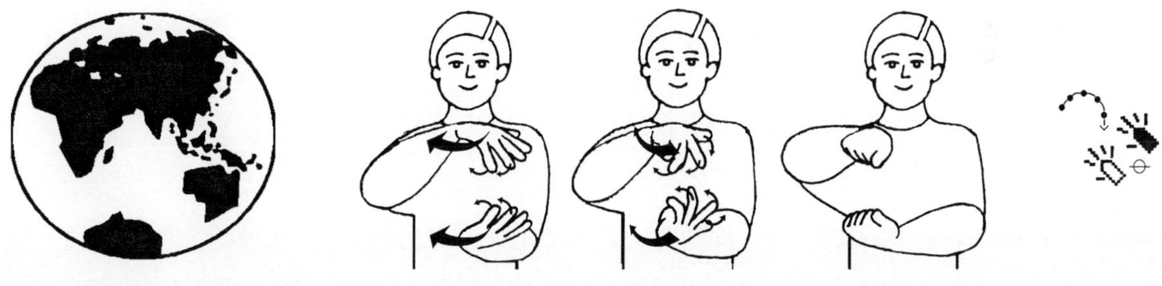

mundial *(inglês: world-wide)*:
adj. m. e f. Relativo ao mundo todo. Ex.: Dentre os campeonatos mundiais de futebol, a Copa do Mundo e as Olimpíadas são os mais importantes.
Mão esquerda horizontal aberta, palma para cima, dedos para frente e inclinados para a esquerda; mão direita horizontal aberta, palma para baixo, dedos para a frente e inclinados para a esquerda, acima da esquerda. Girar as mãos pelos pulsos para a direita, fechando os dedos um a um, iniciando pelos dedos mínimos.

internacional (1) *(inglês: international)*:
adj. m. e f. Relativo(a) às relações entre nações. Que se faz entre nações. Que se estabelece de nação para nação. Que reúne ou interessa representantes de todas as nações. Ex.: Foi assinado ontem um acordo internacional de livre comércio entre os presidentes do Brasil e Argentina.
Fazer o sinal de **mundial**.

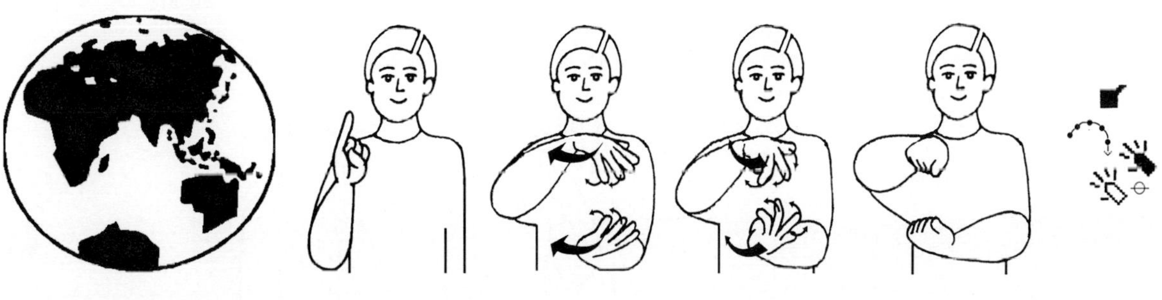

internacional (2) *(inglês: international)*:
Idem ***internacional (1)****. Ex.: Seu livro foi um sucesso internacional.*
Soletrar **I** e fazer o sinal de **mundo, mundial**. (Mão esquerda horizontal aberta, palma para cima, dedos para frente e inclinados para a esquerda; mão direita horizontal aberta, palma para baixo, dedos para a frente e inclinados para a esquerda, acima da esquerda. Girar as mãos pelos pulsos para a direita, fechando os dedos um a um, iniciando pelos dedos mínimos.)

nacional (*brasileiro*) *(inglês: national, Brazilian)*:
adj. m. e f. Que pertence à nação. Ex.: Prefiro produtos nacionais aos importados para que os empregos fiquem no Brasil. Ex.: A bandeira é um símbolo nacional.
Fazer o sinal de **Brasil, brasileiro(a)**. (Mão direita em **B**, palma para a esquerda, diante da face. Movê-la para baixo com um movimento ondulatório para os lados.)

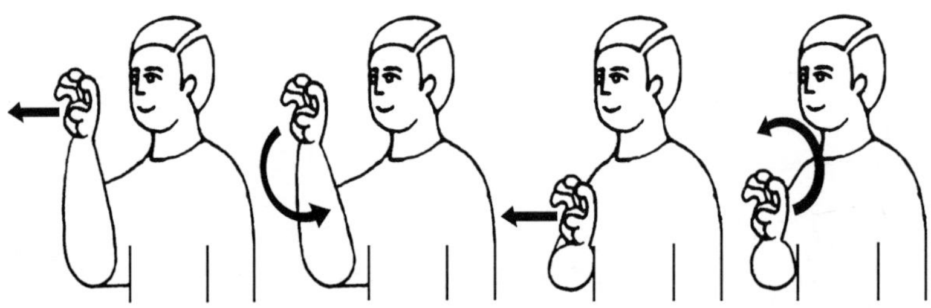

regional *(inglês: regional, local, sectional)*:
adj. m. e f. O(a) que pertence ou está ligado(a) a uma região. Próprio(a) de uma região, local. Ex.: A seca do Nordeste é um grave problema regional.
Mão direita vertical aberta, palma para frente, dedos curvados e separados. Movê-la em um círculo vertical para a direita, movimentando-a ligeiramente para frente, em diversos lugares durante o movimento.

reservado(a) *(inglês: stored, stocked, reserved, set apart)*:
adj. m. (f.) Que se reservou. Ex.: Este lugar está reservado.
Mão esquerda horizontal fechada, palma para baixo, apontando para a direita; mão direita em **A**, palma para frente, tocando o lado interno do pulso esquerdo. Mover as mãos, ligeiramente, para frente.

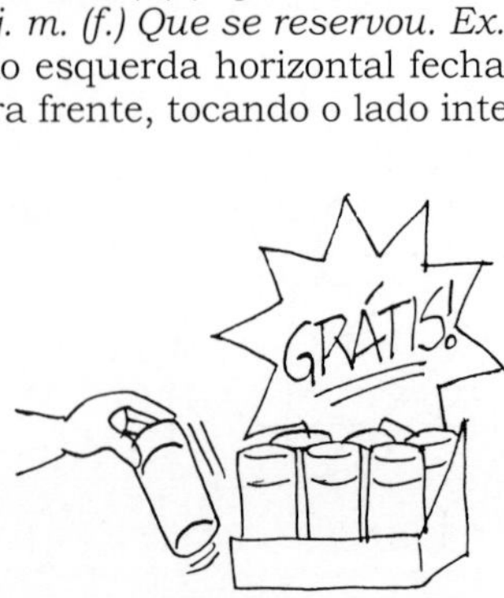

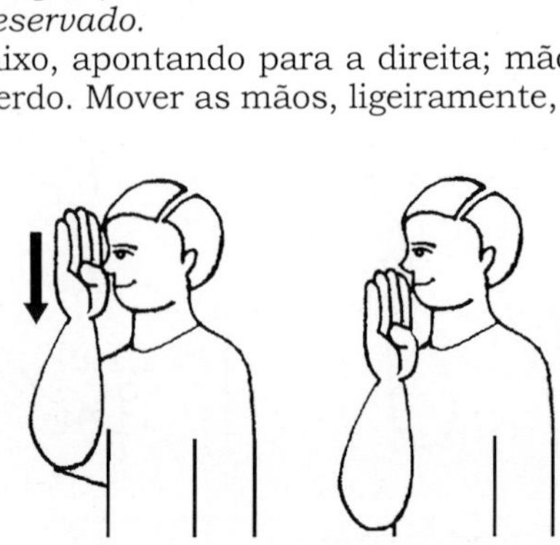

gratuito(a) *(inglês: free, costless, gratuitous)*:
adj. m. (f.) Feito(a) ou dado(a) de graça ou espontaneamente, grátis. Desinteressado(a). Ex.: Os idosos têm direito ao transporte gratuito.
Mão direita em **B,** palma para a esquerda, lado do indicador tocando a testa. Baixar a mão até o queixo.

1.6. Conseqüências das atividades artísticas e culturais

cultura (1) (*RJ*) *(inglês: culture, arts and sciences)*:
s. f. Aplicação do espírito a uma coisa; estudo. Desenvolvimento que, por cuidados assíduos, se dá às faculdades naturais. Desenvolvimento intelectual. Adiantamento, civilização. Sistema de idéias, conhecimentos, técnicas e artefatos, de padrões de comportamento e atitudes que caracteriza uma determinada sociedade. Ex.: O especialista demonstrou sua cultura por meio do debate.
Mão direita em **5**, palma para a esquerda. Tocar as pontas dos dedos no lado direito da testa e mover a mão diagonalmente para cima e para a direita.

cultura (2) (*desenvolver a mente*) *(inglês: culture, intellectual development, refinement)*:
s. f. Desenvolvimento que, por cuidados assíduos, se dá às faculdades naturais. Desenvolvimento intelectual. Ex.: O interesse em aprender coisas novas aumenta nossa cultura.
Mão direita vertical fechada, palma para a esquerda, dedos indicador e polegar distendidos e unidos, tocando o lado direito da testa. Abrir o dedo indicador, apontando-o para cima.

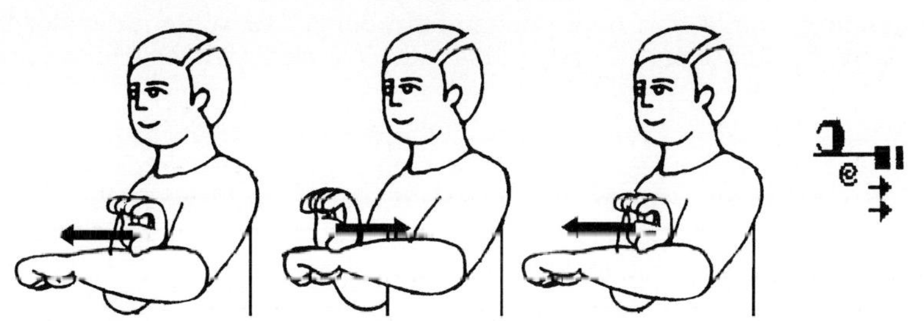

cultura (3) (*de um povo*) *(inglês: culture, traditions)*:
s. f. Sistema de idéias, conhecimentos, técnicas e artefatos, de padrões de comportamento e atitudes que caracteriza uma determinada sociedade. Ex.: A cultura indígena deve ser preservada.
Braço esquerdo horizontal dobrado em frente ao corpo, mão fechada, palma para baixo, apontando para a direita; mão direita em **C**, palma para frente, acima do braço esquerdo. Mover a mão direita para a direita, passando o dorso do polegar no antebraço esquerdo, duas vezes.

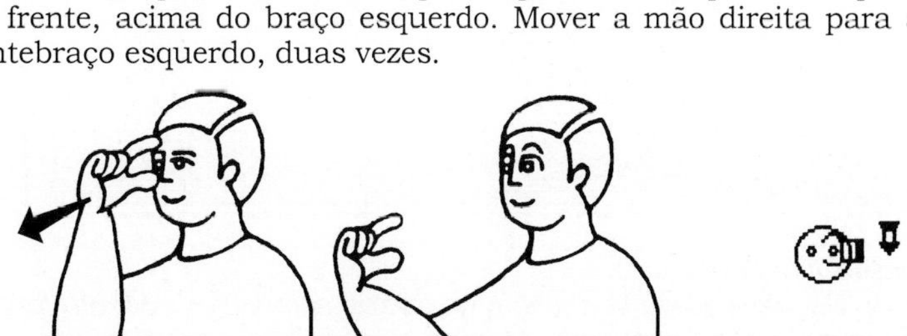

interesse *(inglês: interest, attention)*:
s. m. Vantagem ou utilidade que alguém encontra em alguma coisa. Sentimento que acompanha a atenção

dirigida para um conteúdo específico. Ex.: A palestra foi acompanhada com muito interesse.
Mão direita vertical fechada, palma para a esquerda, dedos polegar e indicador curvados, tocando ao redor do olho direito. Mover a mão diagonalmente para frente e para baixo, arregalando os olhos.

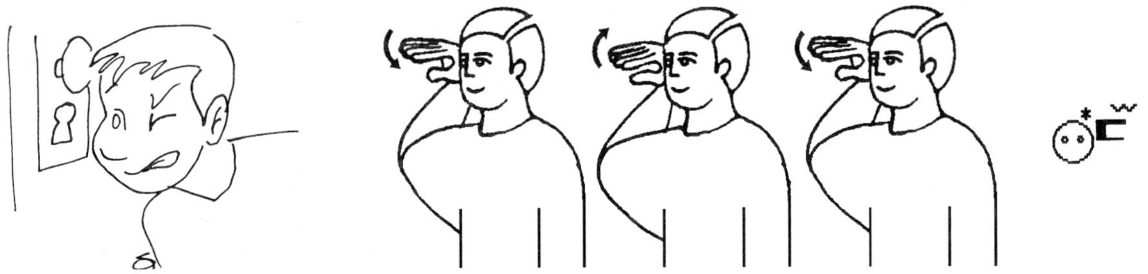

curiosidade *(inglês: curiosity)*:
s. f. Qualidade de curioso; desejo de desvendar, saber ou ver. Ex.: Ele estava com tanta curiosidade que foi até a última página do livro para descobrir quem era o assassino.
Mão direita vertical aberta, palma para frente, dedos flexionados, polegar paralelo aos demais dedos ao lado do olho direito. Aproximar e afastar os dedos do polegar, duas vezes.

imaginação *(inglês: imagination, whim, fantasy, fancifulness)*:
s. f. Criação de imagens mentais com visualização de fatos fictícios ou futuros. Invenção. Idéia fantasiosa. Ex.: Durante a aula de geometria, o menino visualizou-se como um bombeiro valente resgatando as vítimas de um incêndio, mas era apenas imaginação.
Mão direita em **4** horizontal, palma para baixo, lateral do indicador tocando o lado direito da testa. Movê-la diagonalmente para frente e para a direita, oscilando os dedos durante o movimento.

fantasia *(inglês: whim, fantasy, fancifulness, unreality, delusion, imagination)* (usuais: imaginar, imaginação; sugestões: fantasiar, fantasia, fantasioso, fantasiosa):
s. f. Criação da imaginação. Invenção. Idéia fantasiosa. Ex.: Imaginou-se uma linda princesa a ser resgatada da miséria por um príncipe encantado, mas era apenas fantasia.
Fazer o sinal de **imaginação**.

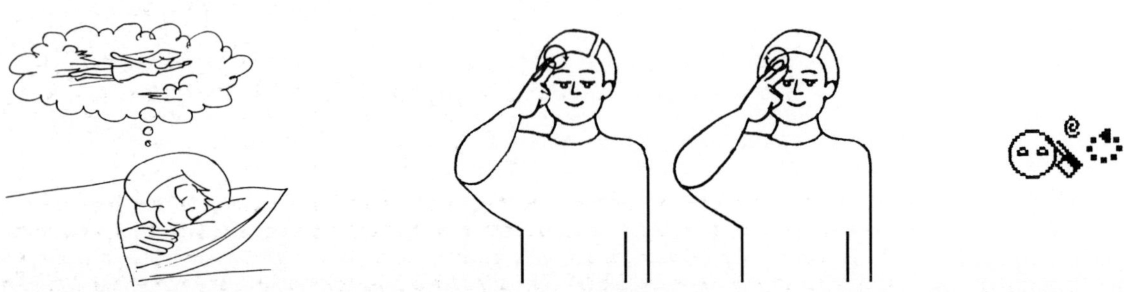

sonho *(inglês: dream)*:
s. m. Seqüências de imagens e de outras sensações que são formadas e manipuladas espontaneamente, e experimentadas enquanto dormimos, compondo estórias um tanto sem sentido das quais, geralmente, lembramos pouco quando acordamos. Ex.: Geralmente, ao acordar, lembro-me dos sonhos que tive durante a noite.
Mão direita em **U**, palma para a esquerda, pontas dos dedos tocando o lado direito da testa. Descrever pequenos círculos na testa, com os olhos semi-abertos.

pensamento *(inglês: thought, thinking)*:
s. m. Ato ou efeito de pensar. Ex.: O mesmo pensamento lhe passava pela cabeça todos os dias.
Mão direita em **1**, palma para a esquerda, ponta do indicador tocando o lado direito da testa.

reflexão *(inglês: thought, thinking)*:
v. int., v. t. i. Pensar, ponderando apropriadamente. Ex.: Acho melhor parar e refletir. Ex.: É preciso refletir s. m. Ato ou efeito de refletir, de pensar, de meditar. Ex.: Entregou-se a uma profunda reflexão.
Fazer o sinal de **pensamento**.

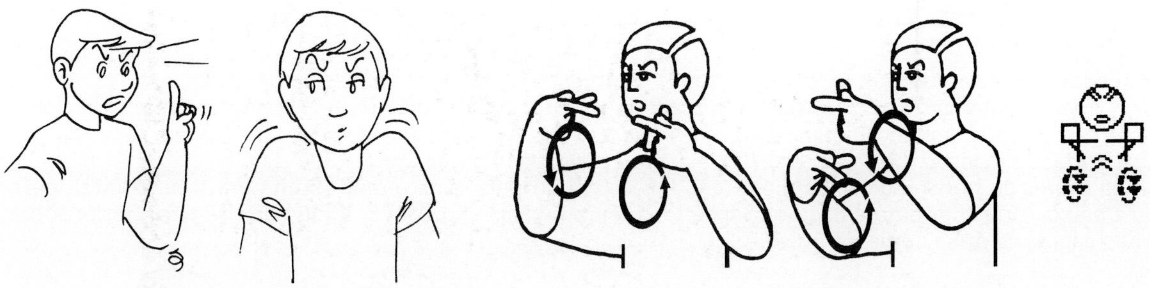

crítica *(inglês: criticism, critique, censure)*:
s. f. Censura. Apreciação detalhada. Parecer desfavorável. Exame para elucidar fatos e avaliar textos. Ex.: Há críticas edificantes e críticas destrutivas.
Mãos em **P** horizontal, palma para dentro, diante da boca. Movê-las, alternadamente, em círculos verticais para frente, com expressão facial negativa.

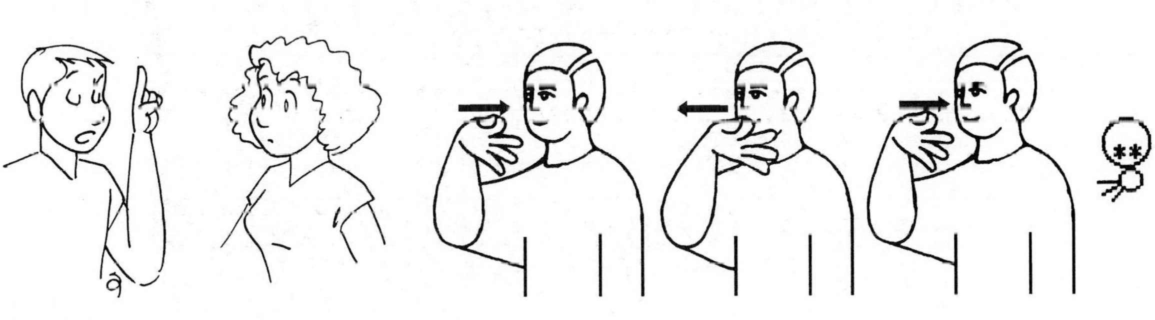

opinião *(inglês: opinion, point of view, judgement, impression, feeling)*:
s. f. Maneira de opinar; modo de ver pessoal. Parecer emitido ou manifestado sobre certo assunto. Ex.: Gostaria de saber a sua opinião sobre o livro que leu.
Mão dircita horizontal aberta, palma para dentro, polegar e indicador unidos pelas pontas. Tocar as pontas dos dedos, nos lábios, duas vezes.

sugestão *(inglês: suggestion, proposal, insinuation, opinion, cue, hint, tip)*:
s. f. Ato ou efeito de sugerir. Instigação. Recomendação. Proposta. Insinuação. Lembrete. Ex.: Minha sugestão baseia-se em muitos anos de experiência.
Fazer o sinal de **opinião**.

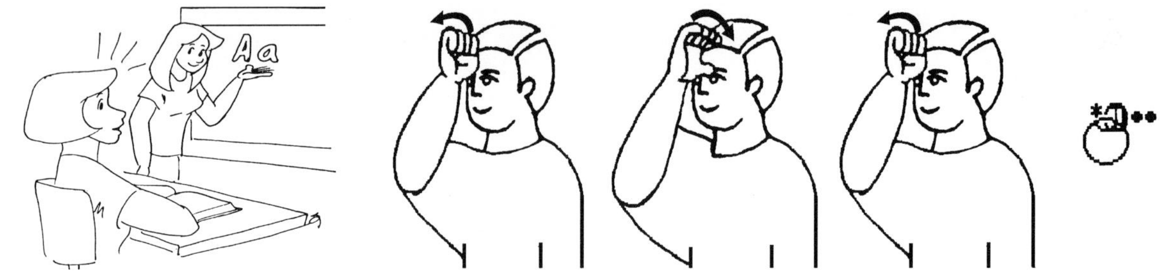

aprendizagem *(inglês: learning, apprenticeship)*:
s. f. Ato ou efeito de aprender. Aprendizado. Ex.: O dicionário é essencial à aprendizagem da Língua de Sinais.
Mão direita em **S** vertical, palma para a esquerda, tocando a testa. Abrir e fechar ligeiramente a mão, duas vezes.

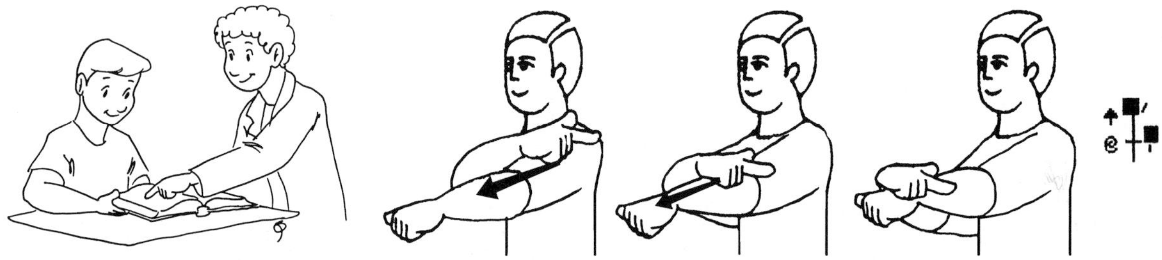

educação *(inglês: education, breeding, rearing, instruction, teaching, culture, knowledge)*:
s. f. Aperfeiçoamento das faculdades físicas, intelectuais e morais do ser humano. Treino disciplinar, instrução, ensino. Formação consciente das novas gerações segundo os ideais de cultura de cada povo. Civilidade. Delicadeza. Cortesia. Ex.: Ela teve uma educação rígida.
Braço esquerdo horizontal distendido, mão em **A**, palma para baixo; mão direita em **L** horizontal, palma para baixo, indicador para a esquerda tocando o ombro esquerdo. Mover a mão direita para frente sobre o braço esquerdo até o dorso do pulso.

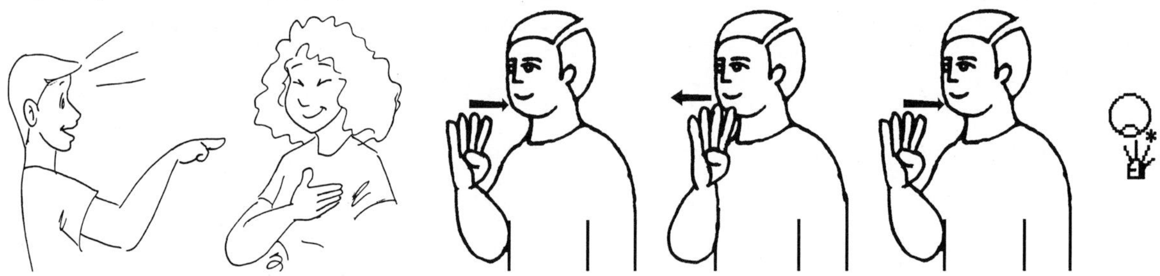

conhecimento *(inglês: knowledge, familiarity)*:
s. m. Ato ou efeito de conhecer. Ciência. Consciência. Informação. Idéia. Noção. Notícia. Ex.: Tenho conhecimento da importância da Língua de Sinais para a educação do Surdo. Ex.: Você conhece o novo professor de Português? Sim. Eu tenho conhecimento dele.
Mão direita em **4**, palma para a esquerda, em frente ao queixo. Bater a lateral do indicador próximo ao lado direito do queixo.

progresso *(inglês: progress, improvement, growth, advancement, development)*:
s. m. Desenvolvimento sociocultural e econômico com evolução gradual das condições de vida de uma comunidade, nação, civilização ou da humanidade como um todo. Ex.: É preciso que o progresso seja acompanhado pela preservação.
Mãos verticais abertas, palma a palma, dedos flexionados, mão direita acima da esquerda. Mover as mãos para cima, alternando a posição das mãos.

desenvolvimento *(inglês: development, growth, up-growth, improvement, evolution, progress)*:
s. m. Ato ou efeito de desenvolver. Crescimento ou expansão gradual. Passagem gradual de um estágio inferior a um estágio mais aperfeiçoado. Adiantamento, progresso. Ex.: O Brasil é considerado um país em desenvolvimento.
Fazer o sinal de **progresso**.

melhora, melhoria *(inglês: improvement, amelioration, change for the better)*:
s. f. Passagem para um estado ou condições melhor. Ex.: Contratei um empreiteiro para fazer melhorias na casa.
Mão direita horizontal fechada, palma para dentro, polegar destacado. Elevar a mão.

maravilha *(inglês: marvel, wonder, marvelous thing)*:
s. f. Coisas extraordinária. Algo que provoca admiração por sua perfeição, excelência, beleza ou grandeza. Ex.: A criança disse que este dicionário é uma maravilha!
Mãos em **O**, palmas para dentro, tocando cada lado da boca. Movê-las para frente, abrindo-as e oscilando os dedos, suavemente. Opcionalmente, expressão de admiração.

alegria *(inglês: happiness, gladness, delight, cheerfulness)*:
s. f. Contentamento. Júbilo. Satisfação. Regozijo. Ex.: A alegria era contagiante.
Mãos horizontais abertas, palmas para dentro. Movê-las para cima, tocando as pontas dos dedos nos ombros, várias vezes e sorrindo.

animação *(inglês: liveliness, joy, enthusiasm, animation)*:
s. f. Ato ou efeito de animar ou animar-se. Alegria. Entusiasmo. Ex.: Havia uma grande animação na festa.
Fazer o sinal de **alegria**.

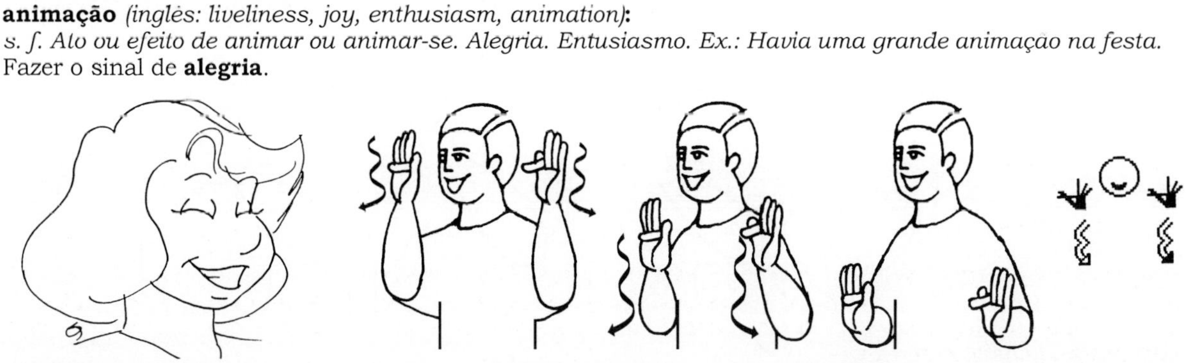

felicidade *(inglês: happiness, contentment, felicity, good fortune, bliss, satisfaction)*:
s. f. Qualidade ou estado de quem é feliz, contente e venturoso. Satisfação. Alegria. Sensação de bem-estar

e plenitude. Bem-aventurança. Ex.: A verdadeira felicidade é encontrada na apreciação das pequenas coisas, na contemplação das virtudes que possuímos e no exercício de seu desenvolvimento e crescimento pessoal e espiritual.
Mãos em **F**, palmas para frente, a cada lado da cabeça. Baixar as mãos com um movimento ondulatório.

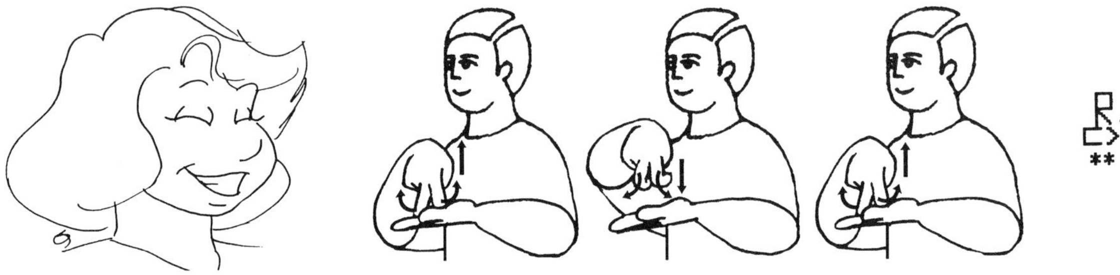

contentamento *(inglês: satisfaction, contentment)*:
s. m. Ato ou efeito de contentar, contentar-se. Sentimento ou estado subjetivo de quem está jubiloso(a), agradado(a), alegre, contente, satisfeito(a) e feliz. Júbilo. Alegria. Agrado. Satisfação. Felicidade. Prazer emocional. Ex.: Encheu-se de contentamento ao ver seu nome na lista dos aprovados no vestibular.
Fazer o sinal de **pular, pulo**. (Mão esquerda horizontal aberta, palma para cima; mão direita em **V** invertido, palma para dentro, pontas dos dedos tocando a palma esquerda. Mover a mão direita para cima dobrando as pontas dos dedos médio e indicador, duas vezes.)

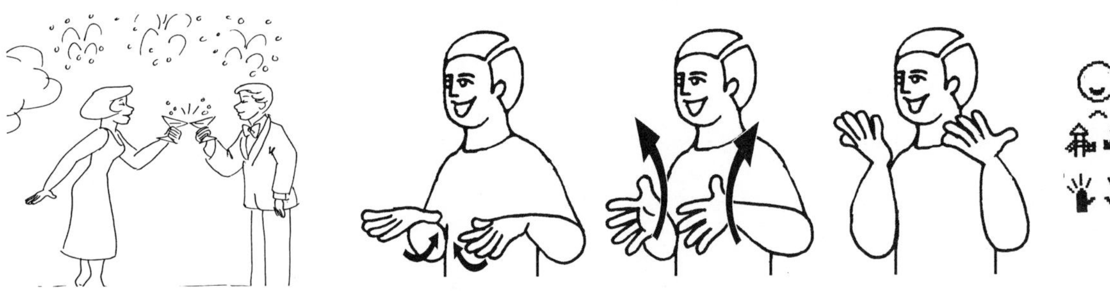

festa *(inglês: party, celebration, commemoration, feasting, festival)*:
s. f. Comemoração alegre ou cerimônia solene para celebrar um fato auspicioso, como um noivado ou casamento, uma data de aniversário, uma passagem de ano, uma formatura, uma vitória, uma realização importante. Solenidade. Cerimônia. Festividade. Comemoração. Ex.: Sua admissão à faculdade foi comemorada com uma grande festa.
Mãos horizontais abertas, palmas para baixo, à frente do corpo. Girar as palmas para cima, e movê-las para cima, com expressão sorridente.

comemoração *(inglês: commemoration, celebration)*:
s. f. Celebração. Cerimônia realizada em memória de um acontecimento importante. Ex.: No dia sete de setembro acontece a comemoração da independência do Brasil..
Fazer o sinal de **festa**.

riso *(inglês: laughter)*:
s. m. Ação ou efeito de rir. Risada. Ex.: A comédia provocou risos em toda a platéia.
Mão direita em **L** horizontal, palma para dentro, diante do queixo. Tremular a mão e sorrir.

aplauso (1) *(inglês: acclamation, applause (by listeners))*:
s. m. Ato ou afeito de aplaudir por gestos ou palmas. Demonstração pública e sonora de aprovação, aclamação, elogio e louvor, sendo que a força freqüente e duração das palmas normalmente indica o grau de aprovação. Ex.: O aplauso é o reconhecimento do artista.
Mãos abertas, palma a palma. Bater as palmas várias vezes.

aplauso (2) *(inglês: acclamation, applause (by the deaf))*:
Idem ***aplauso (1)****, usado para pessoas surdas. Ex.: Quando a encenação de Shakespeare em língua de sinais acabou, os aplausos emocionaram os atores surdos.*
Mãos verticais abertas, palma a palma, a cada lado da cabeça. Girá-las pelos pulsos virando as palmas para frente e para trás, várias vezes, com expressão facial de alegria.

assobio *(inglês: whistle)*:
s. m. Sibilo, silvo, som agudo obtido soprando pelos lábios semi-abertos ou pelo orifício de algum instrumento. Ex.: O assobio faz companhia ao solitário.
Expirar o ar com os lábios unidos e protuberantes (salientes).

fama *(inglês: notoriety, fame, notoriousness, honor, renown, prominence, prestige, glory, reputation)*:
s. f. Renome. Popularidade. Celebridade. Glória. Ex.: Sua fama transcende a esfera nacional.
Mão direita vertical aberta, palma para a esquerda, dedos unidos, ao lado direito da cabeça. Flexionar, várias vezes, os dedos.

celebridade *(inglês: celebrity, famous person, notoriety, fame, notoriousness, honor, renown, prominence, prestige, glory, reputation)*:
s. f. Qualidade do que é célebre. Grande fama. Notoriedade. Pessoa célebre, famosa, distinta, renomada, eminente e notória. Ex.: Ele tornou-se uma celebridade graças à sua coragem, talento e generosidade.
Fazer o sinal de **fama**.

notoriedade *(inglês: notoriety, fame, notoriousness, honor, renown, prominence, prestige, glory, reputation)*:
s. f. Renome. Popularidade. Celebridade. Glória. Ex.: Sua notoriedade transcende a esfera nacional.
Fazer o sinal de **fama**.

renome *(inglês: notoriety, fame, notoriousness, honor, renown, prominence, prestige, glory, reputation)*:
s. m. Popularidade. Celebridade. Glória. Fama. Ex.: Ele possui renome internacional devido ao seu belíssimo trabalho.
Fazer o sinal de **fama**.

convencimento *(inglês: self-importance)*:
s. m. Presunção exagerada de si e dos próprios méritos. Vaidade. Falta de modéstia ou humildade. Enfatuamento. Afetação. Exaltação pública de amor-próprio. Ex.: Não há qualquer razão para convencimento, mas sim para humildade, pois todos viemos do pó e ao pó retornaremos.
Mão direita em **Y** horizontal, palma para dentro, tocando o lado direito do corpo. Passar a ponta do dedo mínimo para cima, sobre o peito.

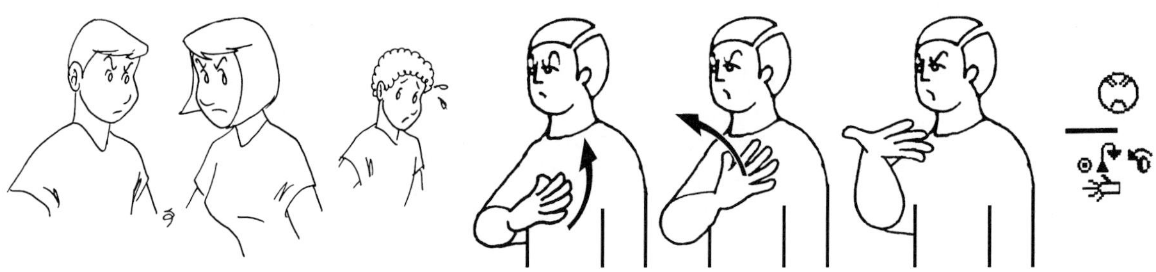

preconceito (*negativo*) *(inglês: prejudice, bias, pre-opinion)*:
s. m. Conceito e opinião desfavoráveis formados de antemão, antes de ter os conhecimentos adequados e a experiência necessária. Atitude emocional socialmente modelada, baseada em crenças, opinião ou generalização arbitrárias e parciais, determinando antipatia para com indivíduos ou grupos, geralmente pertencentes a minorias étnicas, culturais, religiosas etc. Ex.: O preconceito racial é crime previsto por lei.
Mão direita horizontal aberta, palma para dentro e inclinada para a esquerda, tocando o peito. Passar a lateral do polegar e a base da mão para cima sobre o peito, virando a palma para cima, com expressão facial negativa.

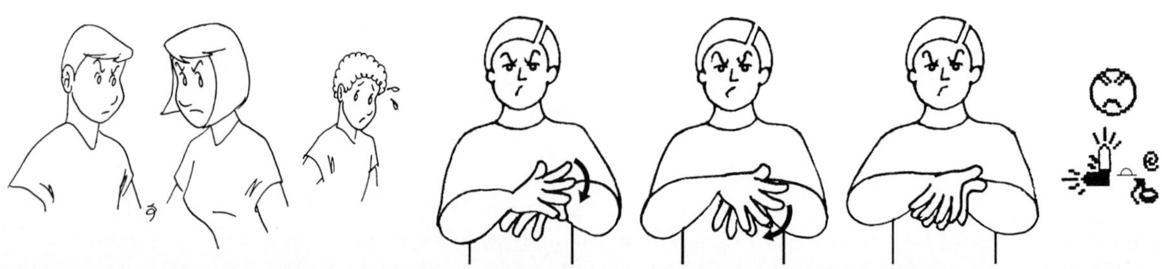

discriminação *(inglês: discrimination, prejudice)*:
s. f. Tratamento diferente dado a pessoas portadoras de características diferentes da norma de determinado grupo. Segregação. Ex.: A discriminação racial é um crime previsto pela lei.
Mão esquerda horizontal aberta, palma para cima, dedos separados e inclinados para baixo; mão direita horizontal aberta, palma para baixo, dedos separados apontando para a esquerda, palma direita tocando a palma esquerda. Girar a mão direita pelo pulso, com força, apontando os dedos para frente, com expressão facial contraída.

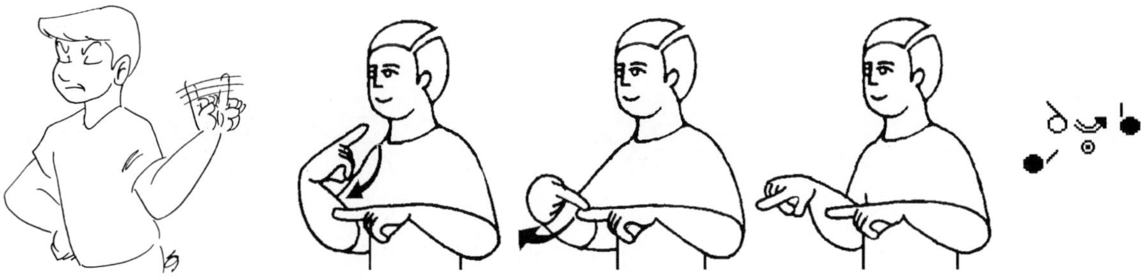

proibição *(inglês: prohibition, forbidding, forbiddance, veto, ban, interdiction)*:
adj. m. (f.) Que se vedou, vetou, proibiu ou indeferiu. Ex.: Fumar em ambientes fechados é proibido. Ex.: Ele foi proibido, pelo presidente, de freqüentar a associação.
Mão esquerda em **D** horizontal, palma para baixo, dedo indicador inclinado para a direita; mão direita em **D** vertical, palma para dentro, diante do ombro esquerdo. Mover a mão direita em um arco para baixo e para a direita, tocando a ponta do indicador na ponta do indicador esquerdo, e virando a palma direita para baixo.

censura *(inglês: censure, censorship)*:
s. f. Ato ou efeito de censurar. Exame de obras de ficção ou de vida real, e de produções artísticas ou jornalísticas feito por censor a fim de ajuizar sobre a adequação de sua publicação e exibição e de condicioná-las à realização de cortes e modificações. Ex.: A censura tinha um grande poder durante o regime militar.
Fazer o sinal de **proibição**.

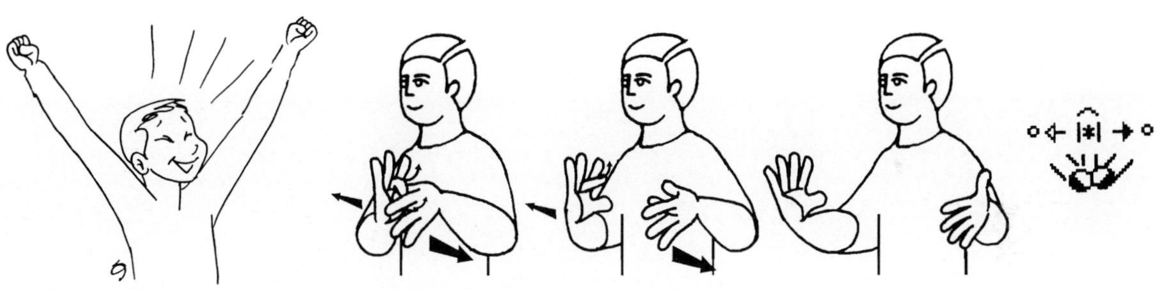

liberdade (*livre*) *(inglês: freedom, liberty, autonomy)*:
s. f. Faculdade de fazer ou de não fazer qualquer coisa, de escolher. Independência. Ex.: Finalmente consegui ter a paz e a liberdade que eu precisava.
Fazer o sinal de **livrar, livre**. (Mão direita vertical, palma para a esquerda, dedos médio e polegar unidos pelas pontas; mão esquerda horizontal aberta, palma para a direita, dedos médio e polegar unidos pelas pontas, mãos entrelaçadas pelos polegares e médios. Separar as mãos para os lados opostos, distendendo os dedos.)

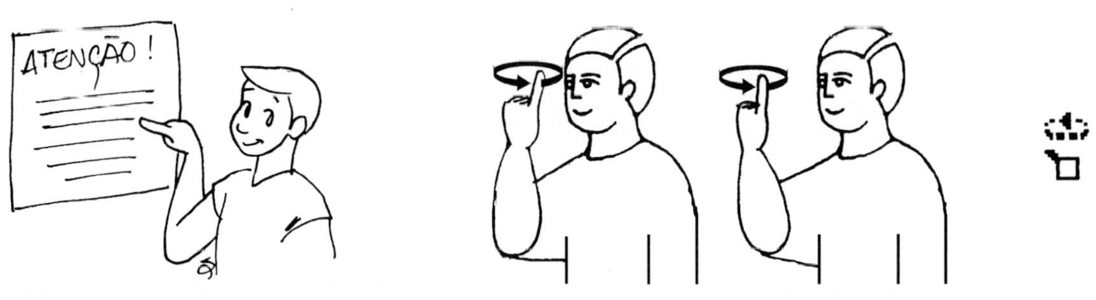

importância *(inglês: importance, significance, interest, preciousness, seriousness)*:
s. f. Qualidade do que é importante. Valor. Relevância. Ex.: A língua de sinais é de importância vital à educação e integração dos Surdos.
Mão direita em **I**, palma para dentro. Mover a mão descrevendo círculos horizontais.

relevância *(inglês: relevance, importance, significance, prominence)*:
s. f. Qualidade de relevante. Importância. Vantagem. Ex.: A Língua de Sinais é de relevância vital à educação e integração dos Surdos.
Fazer o sinal de **importância**

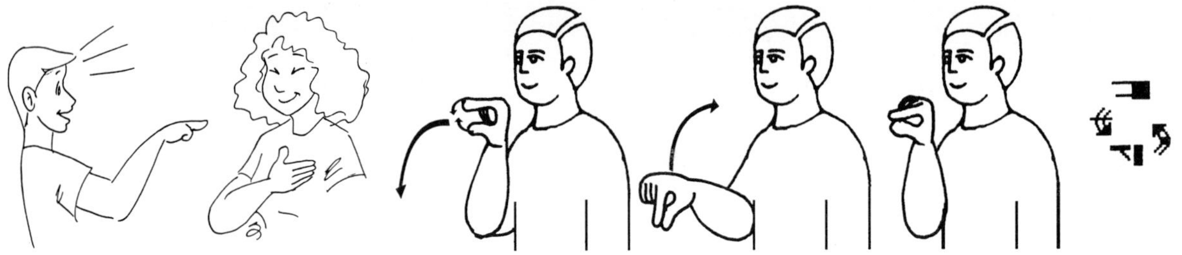

preferência *(inglês: preference, predilection)*:
s. f. Ação ou efeito de preferir uma alternativa a outra. Predileção. Ex.: Tenho preferência pelos filmes de suspense.
Fazer o sinal de **escolher**. (Mão direita vertical fechada, palma para frente, dedos indicador e polegar distendidos para frente, diante do ombro direito. Mover a mão para frente e para baixo, unindo as pontas dos dedos, e movê-la para trás, em direção ao corpo.)

1.7. Instrumentos musicais

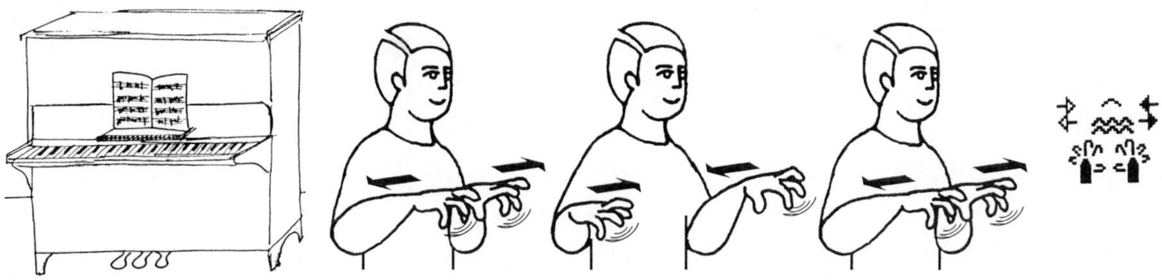

piano *(inglês: piano, pianoforte)*:
s. m. Instrumento composto de uma grande caixa sonora que, quando tem seu teclado acionado, movimenta um sistema especial de cordas que emitem sons. Ex.: O som de um piano de cauda é maravilhoso. Pianista: *s. m. e f. Pessoa que sabe tocar piano. Ex.: O pianista fará um concerto no teatro municipal.*
Mãos horizontais abertas, palmas para baixo, dedos separados e curvados. Afastar e aproximar as mãos para a esquerda e para a direita, oscilando os dedos.

violão *(inglês: guitar)*:
s. m. Instrumento musical de seis cordas que se dedilham com as duas mãos, a não-dominante (geralmente a esquerda) prendendo as cordas, perto das clavilhas, e a dominante (geralmente a direita) ferindo as cordas, perto da abertura da caixa de ressonância, que tem forma de oito. Ex.: O curso de violão clássico costuma durar seis anos.
Mão esquerda horizontal aberta, palma para cima, dedos curvados, ao lado esquerdo do corpo; mão direita horizontal aberta, palma para dentro, dedos curvados diante do peito. Mover a mão direita, ligeiramente, para cima e para baixo, oscilando os dedos.

violino *(inglês: violin, fiddle)*:
s. m. Instrumento musical de quatro cordas (sol, ré, lá, mi) que são vibradas por meio de um arco de madeira guarnecido com crinas de cavalo previamente tratadas com resina. Rabeca, rebeca. Ex.: Einstein gostava de tocar violino.
Mão esquerda horizontal aberta, palma para cima, dedos curvados, em frente ao lado esquerdo do corpo; mão direita horizontal, palma para baixo, pontas dos dedos unidas, lado esquerdo do rosto tocando o ombro esquerdo. Mover a mão direita para a esquerda e para cima, enquanto oscila os dedos esquerdos.

harpa *(inglês: harp)***:**
s. f. Instrumento de cordas, de forma triangular, tocado com os dedos; conhecido desde a mais remota antigüidade e ainda hoje em uso, aperfeiçoado e provido de pedais para a elevação cromática dos sons fundamentais. Ex.: O som da harpa me encanta.
Mãos horizontais abertas, palma a palma, em frente ao corpo. Mover a mão direita para trás e para frente, oscilando os dedos de ambas as mãos.

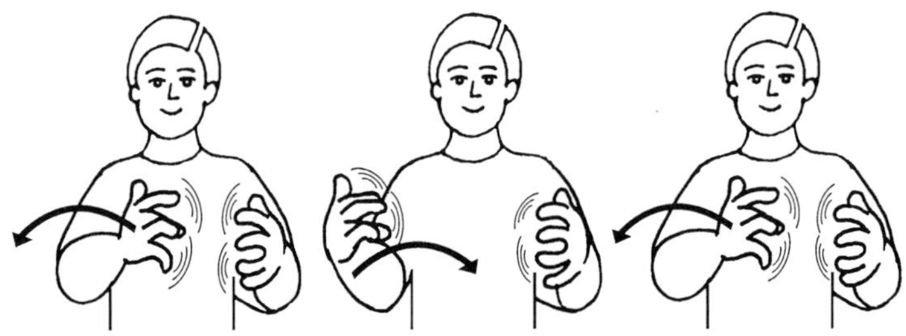

sanfona *(inglês: accordion)***:**
s. f. Instrumento musical, composto de um fole de vaivém e de um ou dois teclados, cuja ação faz vibrar as lâminas metálicas em forma de palhetas livres que vibram à passagem do ar. Foi criado em 1822, numa adaptação da gaita de boca. Ex.: A sanfona é um dos instrumentos usados no forró e nas músicas sertaneja e gaúcha típicas.
Mãos horizontais abertas, palmas para dentro, dedos separados e ligeiramente curvados. Mover a mão direita em um arco para cima e para a direita, oscilando os dedos das mãos duas vezes.

acordeão (*acordeon*) *(inglês: accordion)* (usual: sanfona; sugestão: acordeon)**:**
s. m. Instrumento musical, composto de um fole de vaivém que insufla ar através de lâminas metálicas que vibram à passagem do ar, e de um ou dois teclados e conjunto de chaves, cuja ação regula a passagem do ar através de diferentes conjuntos de palhetas, modulando assim, o som. Foi criado em 1822, numa adaptação da gaita de boca. Ex.: O acordeão é um dos instrumentos utilizados no forró, e nas músicas sertaneja e gaúcha típicas.
Fazer o sinal de **sanfona**.

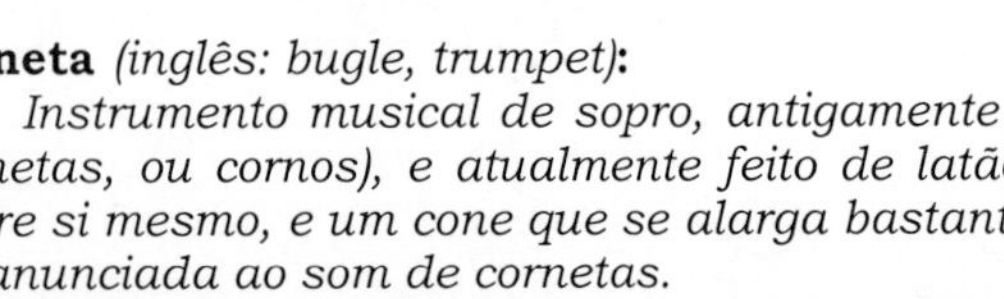
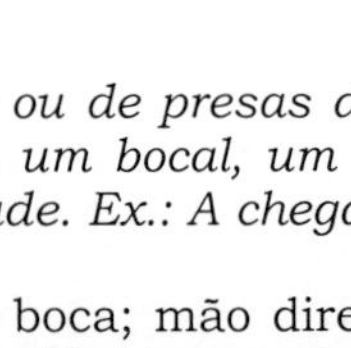
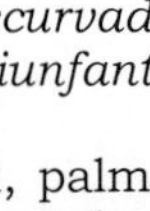

corneta *(inglês: bugle, trumpet)***:**
s. f. Instrumento musical de sopro, antigamente feito de chifre ou de presas de marfim (donde o nome cornetas, ou cornos), e atualmente feito de latão. Consiste em um bocal, um tubo cilíndrico recurvado sobre si mesmo, e um cone que se alarga bastante na extremidade. Ex.: A chegada do príncipe triunfante foi anunciada ao som de cornetas.
Mão esquerda em **S** vertical, palma para a direita, tocando a boca; mão direita em **S** vertical, palma para a esquerda, indicador direito tocando o mínimo esquerdo. Manter a cabeça inclinada para trás e as bochechas cheias de ar.

trombeta (*CL*) *(inglês: bugle, trumpet, horn, clarion)* (usual: corneta; sugestão: trombeta)**:**
s. f. Instrumento musical de sopro, antigamente feito de chifre ou de presas de marfim e atualmente feito de latão. Consiste em um bocal, um tubo cilíndrico recurvado sobre si mesmo, e um cone que se alarga bastante na extremidade. Ex.: A chegada do príncipe triunfante foi anunciada ao som da trombeta.
Fazer o sinal de **corneta**.

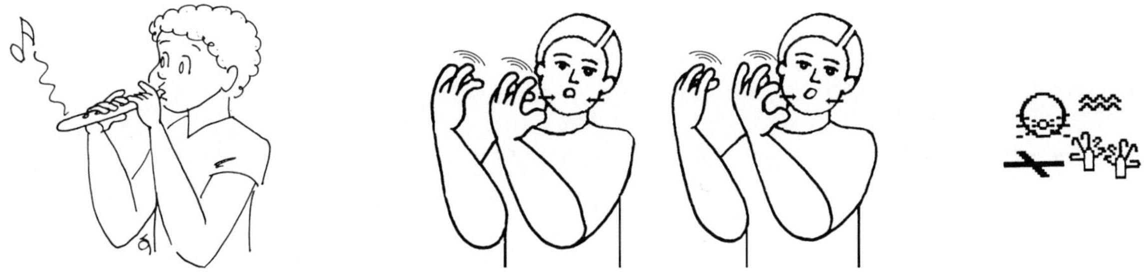

flauta *(inglês: flute, fife, flue pipe, pipe)*:
s. f. Instrumento musical de sopro, sem palheta, com buracos abertos que são fechados com os dedos. É um dos mais antigos instrumentos que se conhece. Ex.: O som da flauta entrava pelas janelas e enchia a sala de melodia.
Mãos verticais abertas, palmas para dentro, dedos curvados, ao lado direito do corpo. Virar um pouco a cabeça para a esquerda, soprar com a boca ligeiramente aberta, e oscilar os dedos.

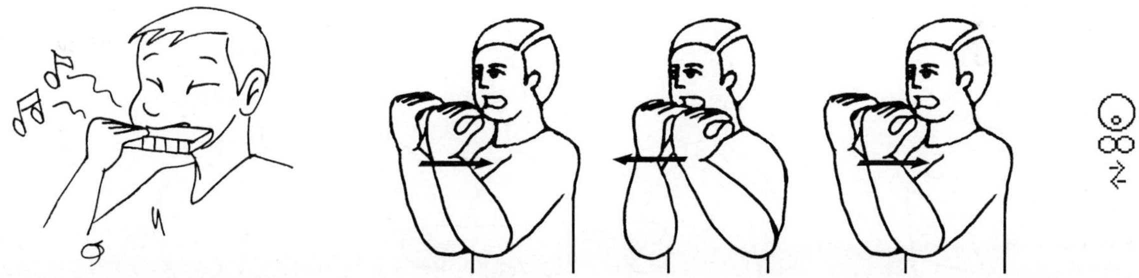

gaita de boca *(inglês: harmonica, mouth organ)*:
s. f. Pequeno instrumento musical de sopro com vários orifícios, e que se toca fazendo-o correr por entre os lábios, de uma extremidade a outra. Harmônica. Ex.: Quando sentia saudades de sua terra natal, sentava-se no quintal e tocava sua gaita.
Mãos em **O**, palmas para dentro, próximas uma da outra, diante da boca semi-aberta. Movê-las para a esquerda e para a direita.

harmônica *(inglês: harmonica, mouth organ)*:
s. f. Gaita de boca. Ex.: Quando sentia saudade de sua terra natal, sentava-se no quintal e tocava harmônica.
Fazer o sinal de **gaita de boca**.

agogô *(inglês: sort of Afro-Brazilian percussion musical instrument)*:
s. m. Instrumento musical de percussão usado em ritmos africanos. Compõe-se de duas campânulas de metal de tamanhos diferentes, que são percutidas por meio de uma haste metálica. Ex.: Toque o agogô para acompanhar este samba.
Mão esquerda em **A** horizontal, palma para baixo, apontando para frente; mão direita em **A**, palma para a esquerda, acima e à direita da mão esquerda. Mover a mão direita para frente, dobrando-a pelo pulso para frente. Baixá-la um pouco e repetir o movimento.

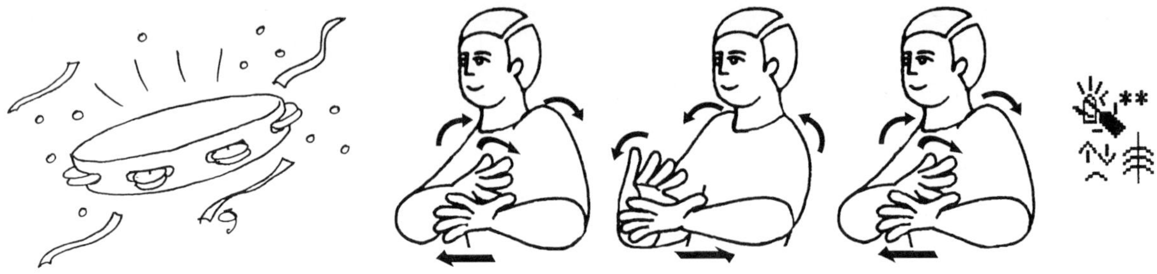

pandeiro *(inglês: tambourine)*:
s. m. Instrumento de percussão formado por uma só pele e rodeado de guizos. É muito utilizado em músicas de origem africana, como o samba. Ex.: Os tocadores de pandeiro animavam a escola de samba.
Mão esquerda horizontal aberta, palma para cima, dedos separados; mão direita horizontal aberta, palma para baixo, dedos separados, tocando a palma esquerda. Mover as mãos ligeiramente, para frente e para trás, balançando a mão direita.

tambor (*CL*) *(inglês: drum, tambour, drummer, tom-tom)*:
s. m. Instrumento de percussão que consiste numa forma cilíndrica de metal ou madeira, com uma pele esticada nas extremidades do cilindro, onde se percute com baquetas de madeira ou com as mãos. Ex.: Na bateria das escolas de samba sempre há percussionistas que tocam tambor.
Mãos horizontais abertas, palmas para baixo, lado a lado. Balançar as mãos para cima e para baixo, com força, movendo-as para a esquerda e para a direita alternadamente.

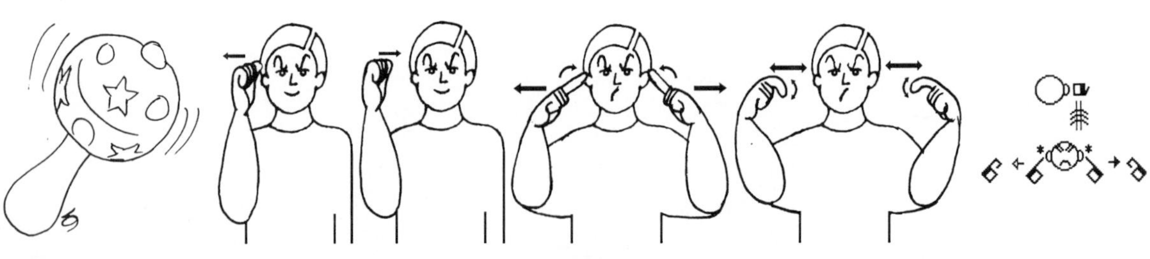

chocalho (*CL*) *(inglês: rattle)*:
s. m. Instrumento de percussão, composto de cabaça presa a um cabo e contendo sementes ou pedras em seu interior, que, quando agitado, produz um som característico muito usado para manter o ritmo de músicas e danças afro-brasileiras e folclóricas. Objeto de metal, madeira ou plástico oco contendo pecinhas soltas em seu interior e destinado para a distração e estimulação de bebês. Guizo para brinquedo infantil. Ex.: Os bebês gostam de brincar com chocalhos. Ex.: O guizo da cascavel produz um som de chocalho.
Mão direita em **A**, palma para a esquerda, próxima à orelha direita. Balançar a mão para os lados, duas vezes. Em seguida fazer o sinal de **barulho**. (Mãos em **1**, palma a palma. Tocar as pontas dos indicadores em cada orelha e afastá-las para os lados, curvando os indicadores, duas vezes. Opcionalmente, expressão facial contraída.) Opcionalmente, expressão facial contraída.

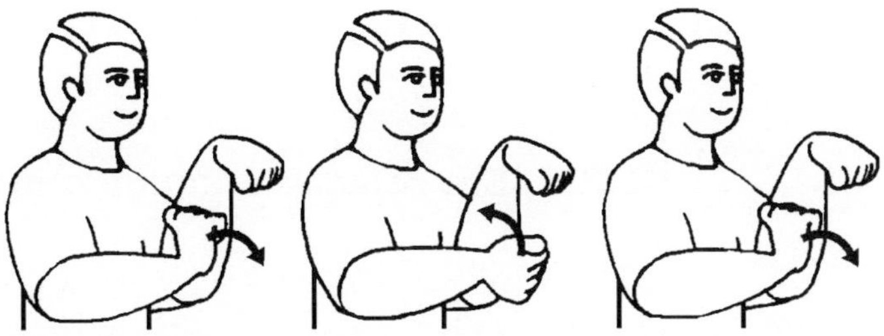

triângulo (*instrumento musical*) *(inglês: triangle-shaped percussion musical instrument)*:
s. m. Instrumento musical de percussão, feito de uma barra de aço curvada em forma de triângulo, aberto em um vértice. É suspenso e percutido com uma barrinha de metal. Ex.: Todos os instrumentos são importantes numa orquestra, do triângulo ao prato.
Mão esquerda em **A** horizontal, palma para baixo; mão direita em **A**, palma para a esquerda, abaixo e à direita da mão esquerda. Dobrar a mão direita pelo pulso para frente, várias vezes.

bateria (*instrumento musical*) *(inglês: battery, a set of percussion instruments of a band)*:
s. f. Conjunto articulado de instrumentos musicais de percussão de uma banda ou orquestra, composto de tambor, pratos, caixa, caixeta e vassourinha, e percutido por um só músico. Ex.: Ele toca bateria desde os sete anos.
Mãos em **A** horizontal, palma a palma. Balançá-las para cima e para baixo, acompanhando o movimento com os ombros.

1.8. Verbos referentes a artes e cultura

1.8.1. Em relação a dança e música

dançar (1) (*dançar junto, colado*) *(inglês: to dance (couple dancing))*:
v. t. i., v. int. Executar junto com uma pessoa uma sucessão rítmica de passos e movimentos do corpo, comumente ao compasso de música. Ex.: Dancei com ele a noite toda. Ex.: Ele gosta de dançar.
Mão esquerda horizontal aberta, palma para dentro, diante do peito; mão direita em **A**, palma para a esquerda, à altura do ombro direito. Balançar o corpo para a esquerda e para a direita.

dançar (2) (*dançar separado ou perto*) *(inglês: to dance (single dancing))*:
v. t. i., v. int., v. t. d. Executar só ou perto de uma ou mais pessoas uma sucessão rítmica de passos e movimentos do corpo, comumente ao compasso de música. Ex.: Quero dançar com ele. Ex.: Dançaram toda noite e não se cansaram. Ex.: Gosto de dançar samba.
Mãos horizontais fechadas, palmas para dentro, próximas ao corpo. Balançar as mãos para cima e para baixo, alternadamente, acompanhando os movimentos com o corpo.

dançar (3) *(inglês: to dance)*:
Idem ***dançar (1)*** *e* ***(2)****. Ex.: Ela se sente extremamente bem quando está dançando.*
Fazer o sinal de **dança**. (Mão esquerda horizontal aberta, palma para cima, dedos apontando para a direita; mão direita em **V** invertido, palma para dentro, acima da palma esquerda e próxima a ela. Balançar a mão direita para os lados.)

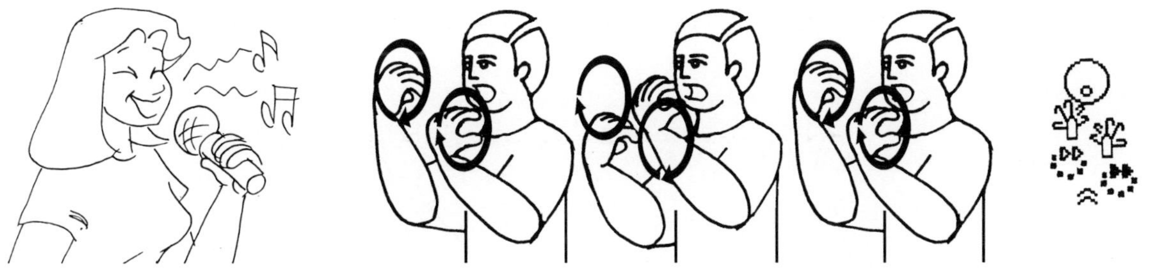

cantar (1) *(inglês: to sing, to vocalize melodious and rhythmical sounds and songs)*:
v. int. Emitir com a voz sons ritmados e musicais. Produzir sons melodiosos ou cadenciados. Ex.: Ela cantou muito bem. v. t. d. Dizer ou exprimir por meio de canto ou poesia. Executar cantando um trecho de música. Ex.: A vocalista desse grupo cantou três músicas.
Mãos verticais abertas, palmas para dentro, dedos curvados, diante da boca aberta. Mover as mãos alternadamente em círculos verticais, aproximando-as.

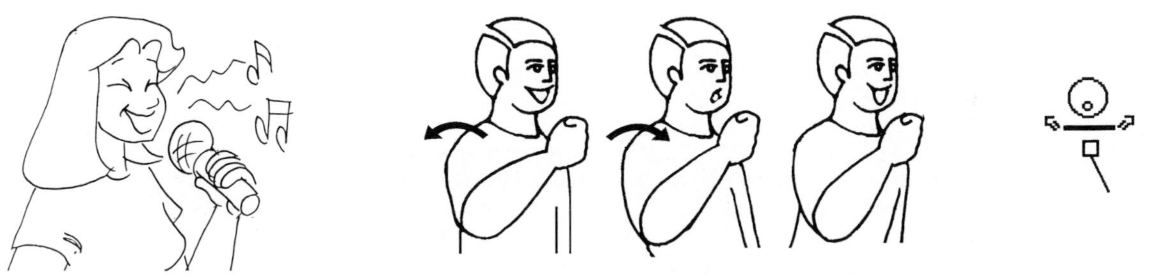

cantar (2) *(inglês: to sing, to vocalize melodious and rhythmical sounds and songs)*:
*Idem **cantar (1)**. Ex.: Gosto de cantar música popular brasileira.*
Mão direita em **S** horizontal, palma para dentro, próxima à boca. Balançar o corpo, movimentando a boca.

cantar (3) (*músicas religiosas*) *(inglês: to sing, to celebrate and praise the Lord with religious hymns and songs)*:
*Idem **cantar (1)**, usado para corais religiosos, canto em coral. Ex.: Nas cerimônias de casamentos, canto no coral da igreja.*
Mãos em **C**, palma a palma, diante da boca aberta. Girar as palmas alternadamente para frente, duas vezes.

1.8.2. Em relação a teatro e cinema

assistir *(inglês: to watch, to attend, to stand by)*:
v. t. i. Ver, observar, testemunhar, ser espectador. Ex.: Assisti à palestra sobre Língua de Sinais Brasileira.
Mão direita horizontal fechada, palma para a esquerda, dedos indicador e polegar curvados, tocando abaixo do olho direito.

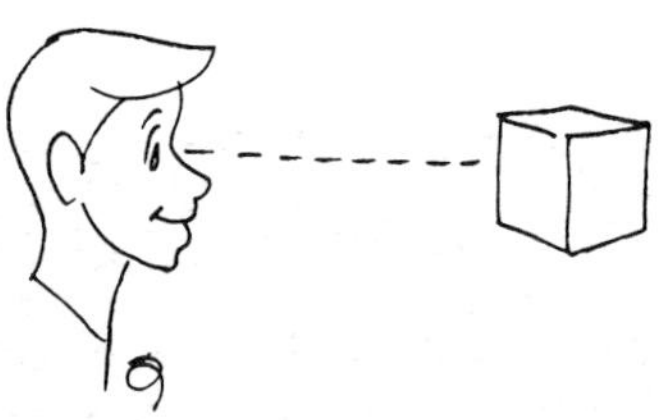

olhar (*CL*) *(inglês: to look, to gaze, to stare at; look, glance, countenance)*:
v. t. d., v. t. i., v. int. Ver. Observar. Fitar. Mirar. Fixar os olhos em. Contemplar. Ex.: Gostava de olhar os pombos na praça. Ex.: Passava horas olhando ao mar. Ex.: Quando passou em frente ao local do acidente, não quis olhar.
Mão em **V**, lado do indicador tocando próximo ao olho direito. Movê-la para frente.

ver *(inglês: to see, to behold, to observe, to watch, to regard, to notice, to look at, to sight, to scrutinize, to perceive)*:
v. t. d. Avistar, distinguir pela visão. Enxergar. Alcançar ou perceber pelo sentido da visão. Ser espectador ou testemunha ocular de. Presenciar. Observar, notar. Ex.: Não consigo ver meu carro daqui. v. int. Enxergar. Perceber as coisas pelo sentido da visão. Ex.: O pior cego é aquele que não quer ver.
Fazer o sinal de **olhar**.

escutar *(inglês: to listen, to hear)*:
v. int. Prestar atenção para ouvir. Ex.: Continue a falar, estou escutando. v. t. d. Dar atenção a. Ex.: As crianças escutavam a estória.
Mão direita vertical aberta, palma para frente, dedos unidos e curvados, tocando atrás da orelha.

ouvir *(inglês: to hear, to listen, to perceive by hearing)*:
v. t. d., v. t. i. Perceber e discriminar pelo sentido da audição. Ex.: Ouvi comentários elogiosos a respeito do dicionário. Ex.: Ouviu aos apelos das crianças. v. int. Ter o sentido da audição. Ex.: Ele ouve muito bem.
Mão direita vertical aberta, palma para frente, acima do ombro direito. Movê-la em direção à orelha direita, fechando-a em **S** vertical e com a palma para frente.

sinalizar (*usando língua de sinais*) *(inglês: to sign, to use sign language, to engage in signing)* (usuais: Língua de Sinais, sinalizar; sugestões: sinalizador, sinalizadora):
v. t. d. Expressar por meio da Língua de Sinais. Pronunciar. Ex.: Todos os Surdos e intérpretes presentes sinalizavam (falavam) o que pensavam. v. t. d., v. t. i., v. t. d. i. Discursar sobre. Manifestar idéias acerca de. Discorrer, fazendo uso de língua de sinais. Ex.: O pai surdo sinalizou o quanto estava feliz com o nascimento de seu filho. Ex.: Todos os alunos surdos estavam sinalizando (falando) sobre futebol. Ex.: O pai surdo sinalizou-nos o quanto estava feliz com o nascimento de seu filho.
Fazer o sinal de **Língua de Sinais**. (Mãos horizontais abertas, palma a palma. Movê-las alternadamente em círculos verticais para frente, oscilando os dedos.)

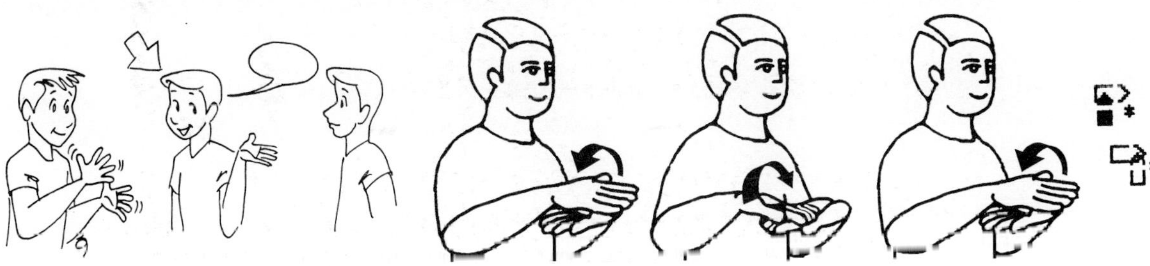

interpretar *(inglês: to interpret, to translate, to act as an interpreter)*:
v. t. d. Traduzir, verter de uma língua a outra, exprimindo a mesma mensagem. Ex.: Interpretou muito bem a palestra.
Mão esquerda horizontal aberta, palma para cima, dedos inclinados para a direita; mão direita horizontal aberta, palma para baixo, dedos inclinados para a esquerda, tocando a palma esquerda. Girar a mão direita pelo pulso para cima e para baixo, rapidamente, duas vezes.

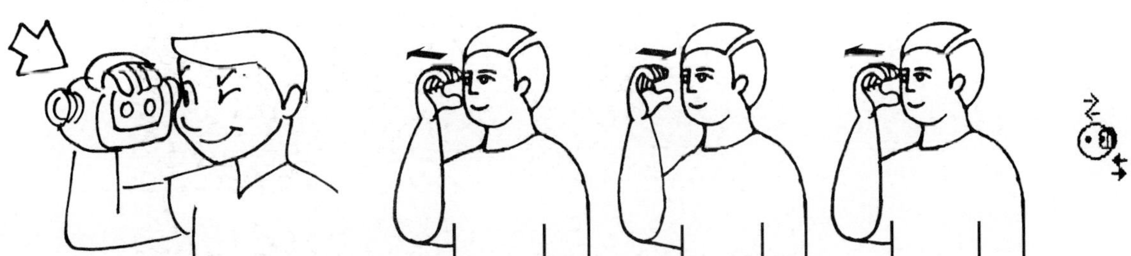

filmar (1) (*usando filmadora manual*) *(inglês: to film, to shoot)*:
v. t. d. Registrar (cenas e sons), com auxílio de filmadora, em fita de vídeo VHS, 8 mm ou, mais raramente, em filme cinematográfico. Ex.: Eu filmarei o parto do meu filho. v. int. Fazer um filme. Ex.: Acabei de

comprar a filmadora e não me sinto apto para filmar.
Mão direita em **C**, palma para a esquerda, diante do olho direito. Mover a mão ligeiramente para os lados, duas vezes, lentamente.

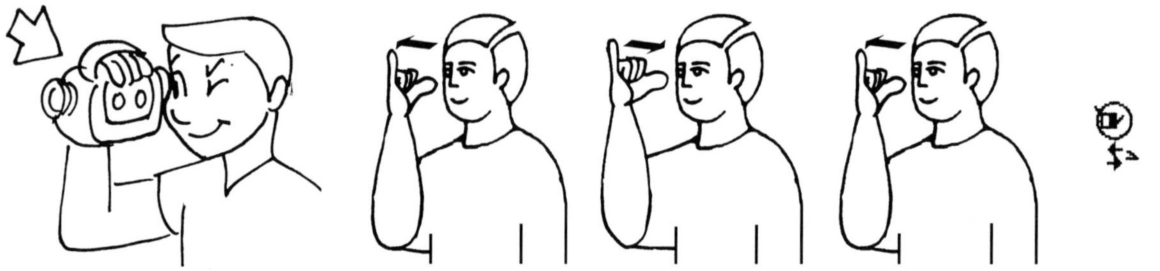

filmar (2) (*usando filmadora manual*) *(inglês: to film, to shoot)*:
*Idem **filmar (1)**. Ex.: Comecei a filmar quando tinha apenas dez anos.*
Mão direita em **Y**, palma para a esquerda, diante do olho direito. Mover a mão ligeiramente para os lados, duas vezes, lentamente.

1.8.3. Em relação a atividades circences

andar (na corda bamba) *(inglês: to walk (in the slack rope))* (usual: corda bamba; sugestão: andar na corda bamba)**:**
v. int. Deslocar-se numa corda ou cabo de aço presa pelas extremidades entre os topos de dois mastros, acima do picadeiro do circo, mas não demasiadamente retesada. Ex.: O acrobata equilibrista andou na corda bamba com muito controle enquanto fazia malabarismos e danças suaves para a platéia. v. t. d. Percorrer uma dada distância deslocando-se numa corda ou cabo de aço presa pelas extremidades entre os topos de dois mastros, acima do picadeiro do circo. Ex.: O acrobata malabarista andou quinze metros na corda bamba.
Fazer o sinal de **corda bamba**. (Fazer o sinal de **fino(a) (2) (*largura*), finura (1)**. (Mãos verticais abertas, palmas para frente, indicador e polegar de cada mão unidos pelas pontas, mãos tocando-se pelos lados. Afastar lentamente as mãos para os lados opostos.) Em seguida fazer o sinal de **andar a pé (1), andar (1) (*a pé*)** sobre o indicador esquerdo. (Mão direita em **V** invertido, palma para dentro, dedos para baixo. Mover a mão para frente, oscilando alternadamente os dedos.))

imitar *(inglês: to imitate, to mimic, to use as a copy or model of, to reproduce)***:**
v. t. d. Fazer ou reproduzir alguma coisa à semelhança de. Tomar como modelo. Ex.: O artista imitou a obra de arte.
Fazer o sinal de **copiar, cópia**. (Mão esquerda em **C** horizontal, apontando para direita, palma para cima, na altura do ombro esquerdo; mão direita aberta, palma para baixo, dedos apontando para a frente e inclinados para cima, pulso direito acima da mão esquerda. Mover mão direita para baixo e por dentro do **C** esquerdo, unindo as pontas dos dedos e fechando a mão esquerda.)

imaginar *(inglês: to imagine, to indulge in dreams, to daydream, to fantasy, to fancy)***:**
v. t. d. Conceber, criar na imaginação; fantasiar. Idear, inventar, projetar, traçar. Fazer idéia de. Ex.: Ela passou horas imaginando sua festa de formatura.
Mão direita em **4** horizontal, palma para baixo, lateral do indicador tocando o lado direito da testa. Movê-la diagonalmente para frente e para a direita, oscilando os dedos durante o movimento.

fantasiar *(inglês: to indulge in dreams, to daydream, to fantasy, to fancy, to imagine)* (usuais: imaginar, imaginação; sugestões: fantasiar, fantasia, fantasioso, fantasiosa)**:**
v. t. d. Imaginar. Idealizar. Inventar. Criar fantasias na imaginação. Ex.: Fantasiava sua festa de casamento.
Fazer o sinal de **imaginar**.

1.8.4. Em relação a artes plásticas e gráficas

desenhar *(inglês: to draw, to trace, to ouline, to sketch, to design, to draft, to picture)*:
v. t. d. Fazer o desenho de. Ex.: O artista desenhou as feições da menina. v. int. Traçar desenhos. Ex.: Eu gosto de desenhar.
Mão esquerda vertical aberta, palma para dentro, na altura da face; mão direita em **U**, palma para a esquerda. Mover a mão direita para baixo, diante da palma esquerda, com movimentos ondulatórios.

fotografar *(inglês: to photograph somebody, to take pictures of someone, to take snapshots)*:
v. t. d. Reproduzir por meio de fotografia uma imagem qualquer. Retratar. Tirar fotografias ou retratos com máquina fotográfica. Ex.: Fotografei todos os monumentos visitados.,
Mão esquerda vertical fechada, palma para a direita, polegar e indicador distendidos e paralelos; mão direita em **L**, palma para a esquerda, mãos diante dos olhos. Flexionar o indicador direito e depois distendê-lo novamente.

retratar (*tirar retratos*) *(inglês: to photograph, to take pictures, to take snapshots)*:
v. t. d. Fazer o retrato de, tirar fotografia, fotografar. Ex.: Tenho retratado todos os momentos da minha formatura.
Fazer o sinal de **fotografar**.

tirar (fotografia) *(inglês: to photograph, to take (pictures), to take (snapshots))*:
v. t. d. Fotografar. Fazer o retrato de. Tirar foto. Tirar retrato. Ex.: Durante a formatura, tirei fotografia dos colegas de turma.
Fazer o sinal de **fotografar**.

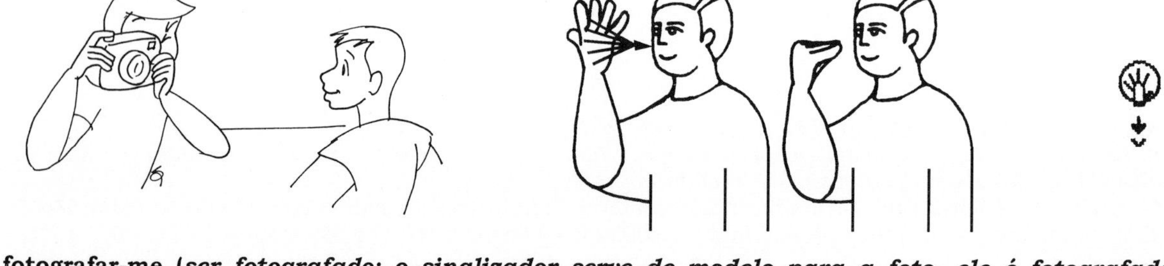

fotografar-me (*ser fotografado: o sinalizador serve de modelo para a foto, ele é fotografado*) *(inglês: to be photographed, to be taken pictures of)*:
v. t. d. Retratar-me. Tirar uma foto minha. Ex.: Ele fotografou-me na festa.
Mão direita vertical aberta, palma para dentro, dedos separados, diante do rosto. Mover a mão ligeiramente para trás, unindo as pontas dos dedos.

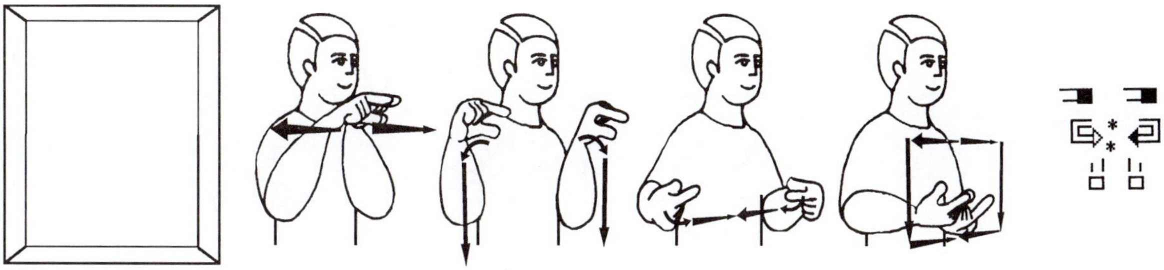

moldurar (*CL*) *(inglês: to frame)*:
v. t. d. Guarnecer com moldura. Ex.: É preciso moldurar a tela, antes de chamá-la de quadro.
Mãos horizontais fechadas, palmas para baixo e inclinadas para frente, indicadores e polegares distendidos e paralelos, mãos tocando-se. Mover as mãos descrevendo um quadrado vertical para baixo, finalizando com as palmas para cima e mão tocando-se.

emoldurar (*CL*) *(inglês: to frame, to make mouldings)* (usual: moldura; sugestão: emoldurar):
v. t. d. Guarnecer com moldura. Ex.: É preciso emoldurar a tela antes de chamá-la de quadro.
Fazer o sinal de **moldurar**.

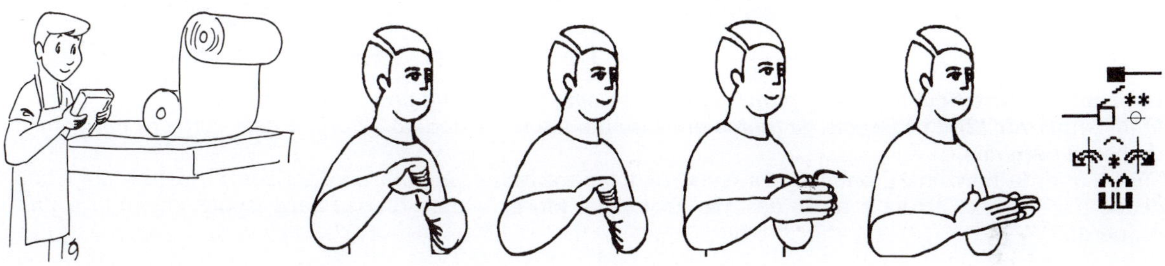

publicar (*livros*) *(inglês: to publish or edit books)*:
v. t. d. Confeccionar e editar (livros) para publicação. Ex.: Estou publicando um livro com 15 colaboradores.
Fazer o sinal de **fazer**. (Mão esquerda em **A** horizontal, palma para dentro; mão direita em **A** horizontal, palma para baixo. Bater os polegares um contra o outro, próximo às unhas, duas vezes.) Em seguida, fazer o sinal de **livro (1)**. (Mãos horizontais abertas, palma a palma, tocando-se. Separar as mãos inclinando as palmas para cima, mantendo-as unidas pelas laterais dos dedos mínimos.) Ou o sinal de **livro (2)**. (Mãos horizontais abertas, palmas para cima, lado a lado, mão esquerda apontando para a direita, mão direita apontando para frente. Mover a mão direita em um arco para cima e para a esquerda, em direção ao pulso esquerdo, inclinando a palma direita para baixo, duas vezes.)

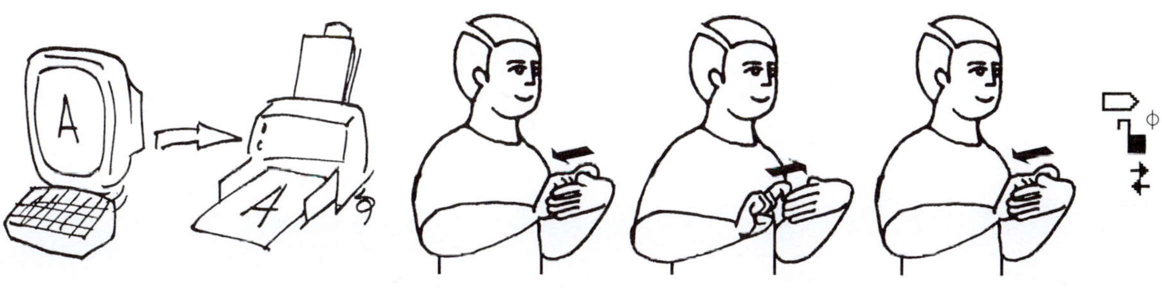

imprimir (1) *(inglês: to print, to produce a paper copy using a printer)*:
v. t. d. Passar um conteúdo de uma máquina para o papel por meio de uma impressora. Ex.: Preciso imprimir o relatório.
Mão esquerda horizontal aberta, palma para dentro inclinada para cima; mão direita em **X** vertical, palma para frente, atrás da mão esquerda. Mover a mão direita para a esquerda e para a direita.

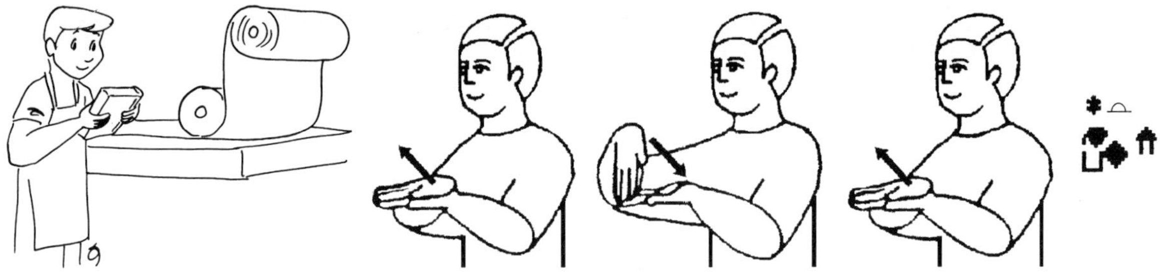

imprimir (2) (*gráfica*) *(inglês: to print, to produce using the printing press, to engrave)*:
v. t. d. Estampar por meio de pressão do prelo. Publicar pela imprensa. Passar um conteúdo de uma máquina para o papel por meio de uma impressora. Ex.: Imprimiram o livro em duas semanas.
Mão esquerda horizontal aberta, palma para cima, dedos para frente; mão direita horizontal aberta, palma para baixo, dedos para frente, tocando a palma esquerda. Elevar a mão direita pela base, mantendo as pontas dos dedos tocando-se, duas vezes.

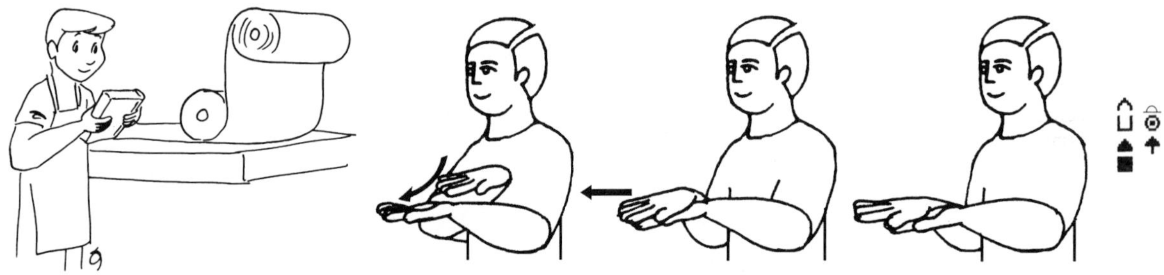

imprimir (3) (*gráfica*) *(inglês: to print, to produce using the printing press, to engrave)*:
*Idem **imprimir (2)**. Ex.: Depois de tantos anos de tão intenso trabalho, imprimir este livro era uma questão de honra para nós.*
Mão esquerda horizontal, palma para cima, dedos para frente; mão direita horizontal, palma para baixo, dedos para frente, acima e atrás da mão esquerda. Mover a mão direita para frente, tocando a palma esquerda.

1.8.5. Em relação a ciência e educação

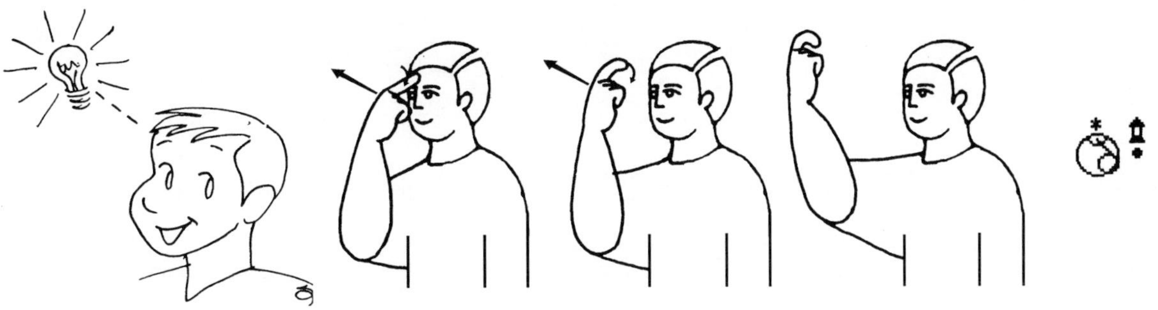

inventar *(inglês: to invent, to ideate, to devise, to originate, to contrive, to create)*:
v. t. d. Criar na imaginação, idear, ser o primeiro a ter a idéia de. Excogitar, idear. Ex.: Em 1878 Thomas Edison inventou a lâmpada elétrica. v. t. d. Contar mentiras, faltar com a verdade, contar lorotas. Ex.: Você sempre inventa alguma desculpa para não trabalhar.
Mão direita em **D**, palma para dentro, ponta do indicador tocando a testa. Mover a mão para frente e para cima, curvando o dedo indicador.

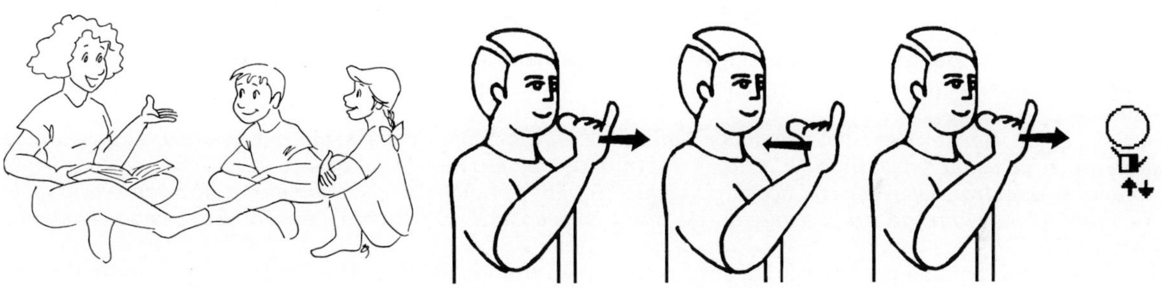

contar (estórias ou histórias) *(inglês: to tell (tales))*:
v. t. d., v. t. d. i. Narrar fato ou ficção. Relatar acontecimento ou enredo a alguém. Ex.: Um antigo morador da cidade contou a história sobre como ela foi fundada. Ex.: O escritor contou às crianças uma linda estória infantil..
Mão direita em **Y**, palma para a esquerda, diante da boca. Mover ligeiramente a mão para frente e para trás.

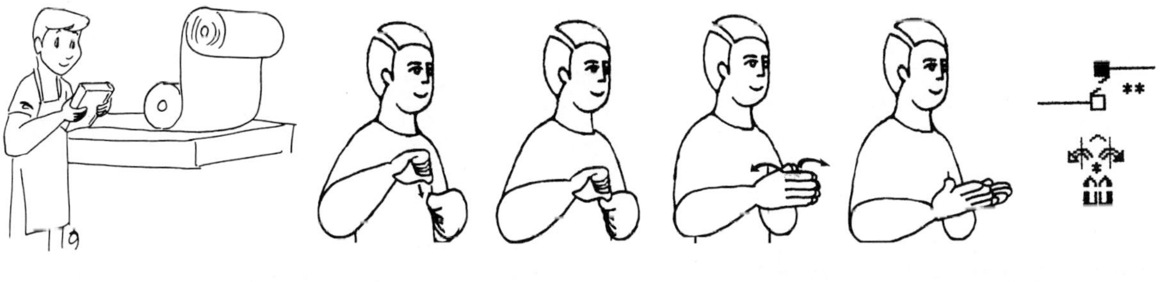

editar (*livros*) *(inglês: to publish, to edit)*:
v. t. d. Publicar (livros). Organizar capítulos de autores num mesmo volume. Patentear. Ex.: Estou editando um livro com 15 colaboradores.
Fazer o sinal de **fazer**. (Mão esquerda em **A** horizontal, palma para dentro; mão direita em **A** horizontal, palma para baixo. Bater os polegares um contra o outro, próximo às unhas, duas vezes.) Em seguida fazer o sinal de **livro (1)**. (Mãos horizontais abertas, palma a palma, tocando-se. Separar as mãos inclinando as palmas para cima, mantendo-as unidas pelas laterais dos dedos mínimos.)

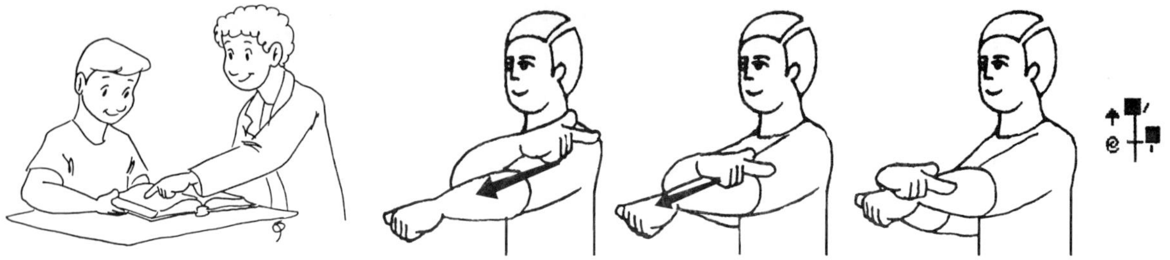

educar *(inglês: to educate, to bring up, to rear, to instruct, to teach, to train)*:
v. t. d. Ministrar educação a. Formar a inteligência, o coração e o espírito de. Doutrinar, instruir. Ex.: Educou os filhos com esmero.
Braço esquerdo horizontal distendido, mão em **A**, palma para baixo; mão direita em **L** horizontal, palma para baixo, indicador para a esquerda tocando o ombro esquerdo. Mover a mão direita para frente sobre o braço esquerdo até o dorso do pulso.

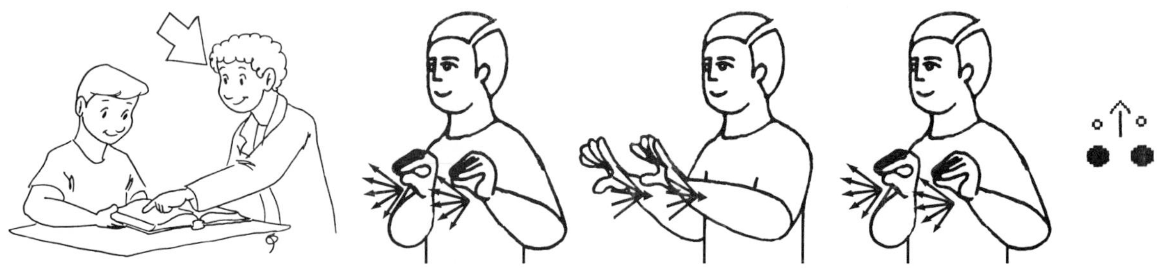

ensinar (*o sinal parte de quem ensina em direção a quem é ensinado; no exemplo o sinalizador ensina*) *(inglês: to teach, to instruct, to train, to educate, to explain (the object of the action is not the signer))*:
v. t. d., v. int. Ministrar ensino, transmitir conhecimento, dar aula. Ex.: Ensino matemática. Ex.: Sou recém formado e já estou ensinando. v. t. d. i. Instruir sobre; lecionar. Dar ensino a. Educar. Dar ensino a (animais); adestrar. Oferecer condições para que alguém aprenda. Ex.: Eu ensinei a lição ao aluno. (Obs.: Na ilustração, a direção da articulação do sinal corresponde à primeira pessoa: Eu ensino, ensinei ou ensinarei.)
Mãos verticais, palmas para frente, dedos de cada mão unidos pelas pontas, lado a lado, diante do peito. Movê-las para frente, distendendo e separando os dedos, duas vezes.

instruir (*o sinal parte de quem instrui em direção a quem recebe a instrução; no exemplo o sinalizador instrui*) *(inglês: to teach, to educate, to coach, to instruct (someone) (the object of action is not the signer))*:
v. t. d. Dar instrução a. Ensinar. Educar. Treinar. Preparar. Ex.: Eu instruí o aluno. v. t. d. i. Informar, esclarecer. Ex.: Instrua-o dos acontecimentos. (Obs.: Na ilustração, a direção da articulação do sinal corresponde à primeira pessoa: Eu instruo, instruí ou instruirei.)
Fazer o sinal de **ensinar**.

ensinar-me (*ser ensinado: o sinalizador recebe os ensinamentos, ele é ensinado*) *(inglês: to be taught, to be instructed, to be trained)*:
v. t. d. i. Instruir-me, educar-me. Ex.: O professor ensinou-me a Língua de Sinais.
Mãos em **O** horizontal, palmas para dentro, mão esquerda acima da mão direita, em frente ao corpo. Movê-las, ligeiramente, para trás, distendendo os dedos, duas vezes.

instruir-me (*ser instruído: o sinalizador recebe instrução, ele é instruído*) *(inglês: to be instructed, to be taught, to be coached)*:
v. t. d., v. t. d. i. Ser ensinado(a). Ser instruído(a). Receber instrução. O sinalizador é ensinado. Ex.: Ele me instruiu. Ex.: Instruiu-me a sinalizar com o apoio de vídeos educativos.
Fazer o sinal de **ensinar-me**.

filosofar *(inglês: to philosophize)*:
v. int. Meditar profundamente, raciocinar logicamente e discorrer sistematicamente acerca das coisas referentes à filosofia. Ex.: É preciso filosofar. v. t. i. Inquirir com perspicácia, argumentar com sabedoria e dissertar com clareza sobre assuntos filosóficos. Ex.: É interessante filosofar sobre a origem e o propósito das coisas.
Fazer o sinal de **teoria**. (Mão direita horizontal aberta, palma para baixo, dedos para a esquerda, diante do lado direita da testa. Mover a mão para frente, oscilando os dedos, duas vezes.)

1.8.6. Em relação a reações do público e da crítica

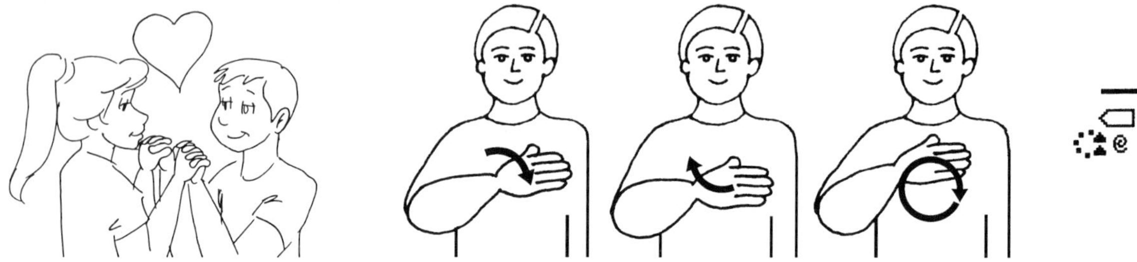

gostar (1) *(inglês: to like, to enjoy, to be fond of, to be pleased with, to fancy, to get on well with)*:
v. t. i. Achar bom gosto ou sabor em. Saborear, tomar o gosto. Achar bom ou belo. Ex.: Ele gosta de comer chocolate branco.
Mão direita horizontal aberta, palma para dentro, tocando o peito. Movê-la, descrevendo círculos horizontais, para a esquerda.

gostar (3) *(inglês: to like, to enjoy, to be fond of, to be pleased with, to fancy, to get on well with)*:
*Idem **gostar (1)**. Ex.: Eu gosto de trabalhar com crianças surdas.*
Mão direita horizontal aberta, palma para dentro. Tocar a palma no centro do peito.

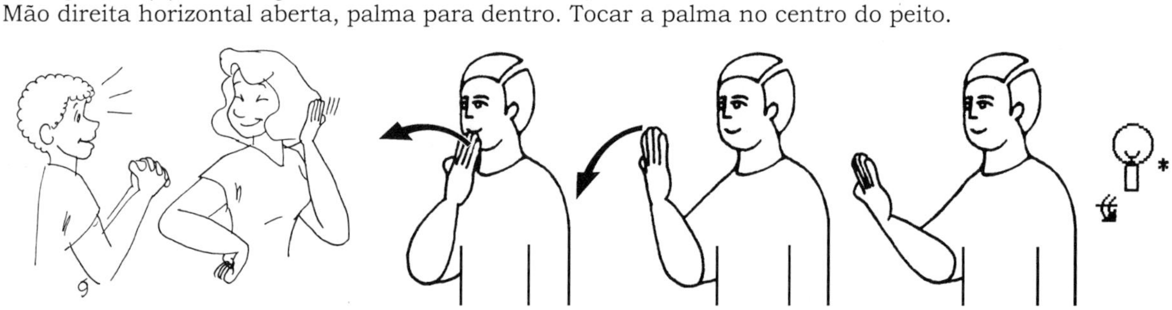

elogiar (*BH*) *(inglês: to praise, to eulogize, to commend, to exalt, to laud)*:
v. t. d. Fazer elogio de; aplaudir, louvar, gabar, falar bem de. Ex.: Para incentivá-lo, procure elogiar sua capacidade de liderança.
Mão direita vertical aberta, palma para dentro, pontas dos dedos tocando os lábios. Mover a mão em um arco para frente e para baixo, inclinando a palma para cima.

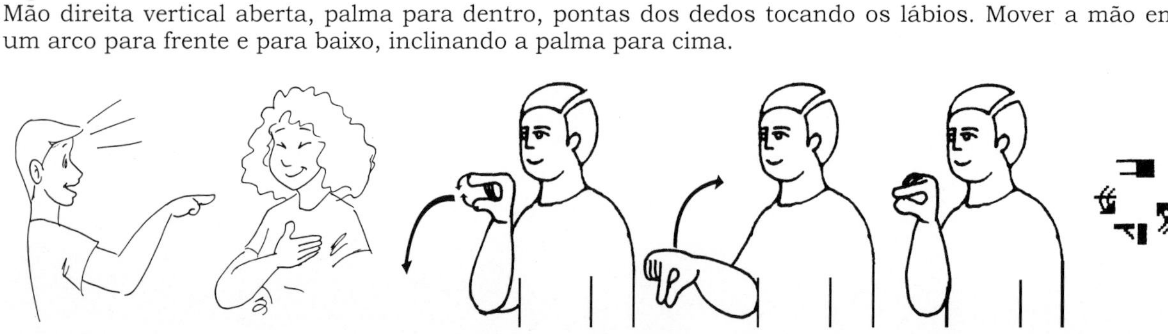

preferir *(inglês: to prefer, to like better, to give preference to)*:
v. t. d. Ter preferência ou predileção por. Dar primazia a. Querer ou gostar mais de. Manifestar-se em favor de. Ex.: Prefiro a sabedoria; odeio a ignorância. v. t. d. i. Escolher. Ex.: Prefiro a literatura às artes marciais.
Fazer o sinal de **escolher**. (Mão direita vertical fechada, palma para frente, dedos indicador e polegar distendidos para frente, diante do ombro direito. Mover a mão para frente e para baixo, unindo as pontas dos dedos, e movê-la para trás, em direção ao corpo.)

aplaudir (1) (*sinal usado para ouvintes*) *(inglês: to clap, to acclaim, to praise, to cheer, to applaud (by listeners))*:
v. t. d., v. int. Aclamar, aprovar, elogiar, festejar, louvar com demonstrações de aplauso. Ex.: O espetáculo estava muito bom, e todos aplaudiram os atores. Ex.: Quando o público gosta, ele aplaude.
Mãos abertas, palma a palma. Bater as palmas várias vezes.

aplaudir (2) (*sinal usado para Surdos*) *(inglês: to acclaim, to praise, to cheer, to applaud (by the deaf))*:
*Idem **aplaudir (1)**, usado para pessoas surdas. Ex.: Quando a encenação de Shakespeare em língua de sinais acabou, as pessoas levantaram e aplaudiram os atores surdos.*
Mãos verticais abertas, palma a palma, a cada lado da cabeça. Girá-las pelos pulsos virando as palmas para frente e para trás, várias vezes, com expressão facial de alegria.

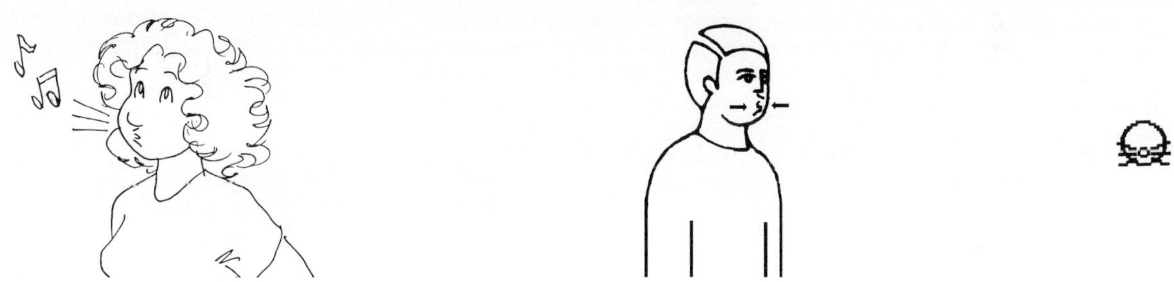

assobiar (*CL*) *(inglês: to whistle)*:
v. int. Emitir assobio. Sibilar. Ex.: O passarinho assobia logo que o dia amanhece. v. t. d. Executar um trecho de música por assobio. Ex.: Em sua homenagem, vou assobiar a sinfonia Pastoral de Beethoven.
Expirar o ar com os lábios unidos e protuberantes (salientes).

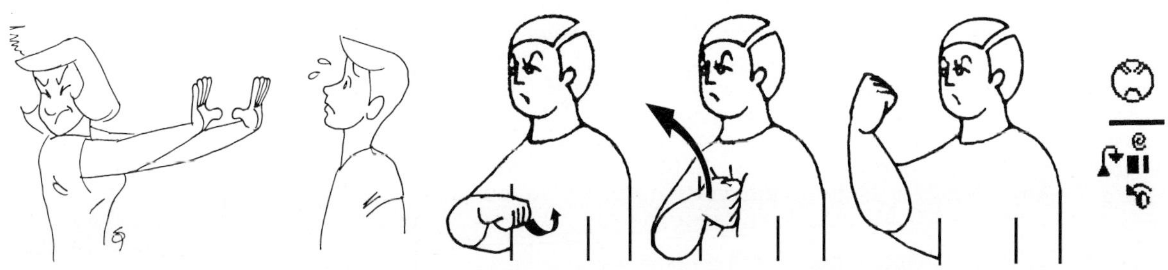

odiar (1) *(inglês: to hate, to detest, to abhor, to loathe, to execrate)*:
v. t. d. Ter ódio a, rancor de ou repugnância por. Abominar, repudiar profundamente. Ex.: Odeio a hipocrisia.
Mão direita em **S** horizontal, palma para baixo, apontando para a esquerda. Tocar o peito, virar a palma para dentro pressionando o peito, e movê-la em um arco para cima e para frente até à altura do rosto, com expressão de raiva.

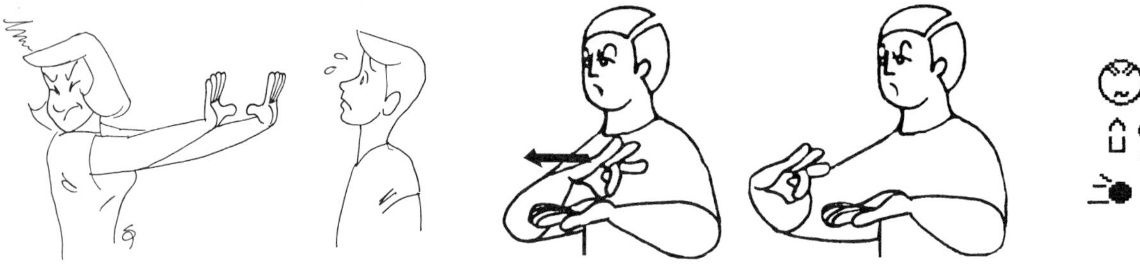

detestar *(inglês: to detest, to hate, to loathe, to execrate, to abhor)*:
v. t. d. Ter horror a. Abominar. Repelir com reprovação, aversão, antipatia, não suportar. Ex.: Eu detesto discutir futebol com os amigos.
Mão esquerda horizontal aberta, palma para cima, dedos para frente; mão direita horizontal aberta, palma para baixo, dedos médio e polegar unidos pelas pontas, tocando a base da mão esquerda. Mover a mão direita, rapidamente, para frente, sobre e além da palma esquerda, com expressão de raiva.

odiar (3) *(inglês: to hate, to detest, to abhor, to loathe, to execrate)*:
*Idem **odiar (1)**. Ex.: Ela odiou sua rival.*
Fazer o sinal de **detestar**.

criticar *(inglês: to criticize, to critique, to censure)*:
v. t. d., v. int. Censurar, repreender, chamar a atenção de alguma pessoa por algum ato cometido pela mesma. Falar mal. Ex.: Os religiosos criticaram o livro que continha preceitos contrários à doutrina que seguiam. Ex.: As pessoas, às vezes, criticam por amor genuíno, outras vezes, por maledicência.
Mãos em **P** horizontal, palma para dentro, diante da boca. Movê-las, alternadamente, em círculos verticais para frente, com expressão facial negativa.

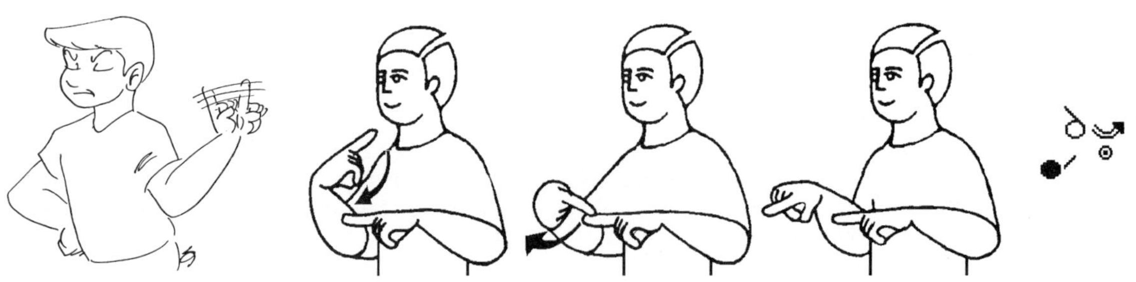

proibir, proibir-se *(inglês: to prohibit, to forbid, to disallow, to deny)*:
Proibir: *v. t. d., v. t. d. i. Não conceder autorização para. Impedir a realização de. Opor-se a. Vedar. Vetar. Proscrever. Indeferir. Interditar. Ex.: Ele proibiu a mentira. Ex.: Os seguranças proibiram os fãs de entrarem no hotel atrás de seu ídolo.* Proibir-se: *v. pr. Ser proibido. Ex.: Proíbem-se atos obscenos.*
Mão esquerda em **D** horizontal, palma para baixo, dedo indicador inclinado para a direita; mão direita em **D** vertical, palma para dentro, diante do ombro esquerdo. Mover a mão direita em um arco para baixo e para a direita, tocando a ponta do indicador na ponta do indicador esquerdo, e virando a palma direita para baixo.

censurar *(inglês: to censure, to subject to censure, to censor)*:
v. t. d. Condenar. Reprovar. Proibir. Vetar. Apreender. Cortar. Fazer cortes em ou alterações em trechos ou aspectos considerados condenáveis em produções literárias, artísticas, cinematográficas, musicais etc., tais como escritos, fotos, ilustrações, filmes, áudio ou música. Exame dessas produções a fim de lhes proibir a publicação, circulação ou apresentação pública, caso contenham qualquer aspecto considerado censurável, ou de lhes suprimir tais aspectos. Ex.: Censuraram o livro do autor estrangeiro.
Fazer o sinal de **proibir, proibir-se**.

1.8.8. Em relação a conseqüências das atividades artísticas e culturais

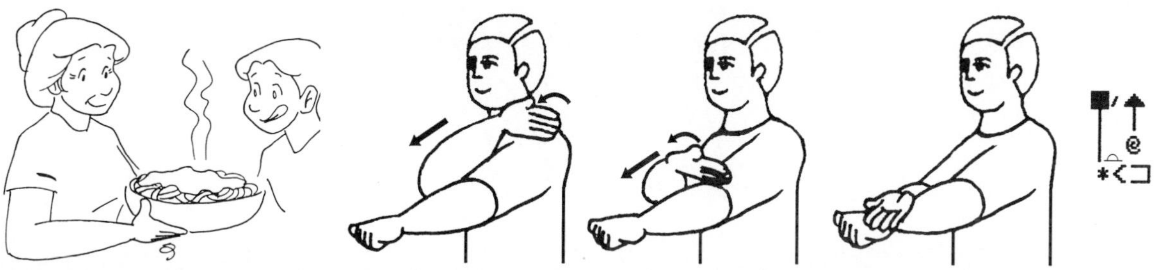

acostumar, acostumar-se *(inglês: to habituate, to familiarize; to get accustomed to, to become accustomed to)*:
Acostumar: *v. t. i. Habituar-se. Ex.: É preciso acostumar com aquilo que não pode ser modificado. v. t. d. i. Habituar (alguém) a (algo). Fazer adquirir um costume, um hábito. Ex.: É preciso acostumar a criança a estudar e a praticar esportes desde cedo.* Acostumar-se: *v. pr. Habituar-se. Adquirir um costume, um hábito. Fazer por costume, por hábito. Ex.: Acostumei-me a ler a Bíblia todas as noites antes de dormir, e tenho me sentido notavelmente mais calmo e equilibrado desde que adquiri este hábito.*
Braço esquerdo distendido com a mão em **A** horizontal, palma para baixo; mão direita horizontal aberta, palma para trás, tocando o ombro esquerdo. Passar a mão direita pelo braço esquerdo, virando a palma para cima.

habituar, habituar-se *(inglês: to habituate, to familiarize; to get accustomed to, to become accustomed to)*:
Habituar: *v. t. d. i. Acostumar (alguém) a (algo). Fazer adquirir um costume, um hábito. Ex.: É preciso habituar a criança a estudar e a praticar esportes desde cedo.* Habituar-se: *v. pr. Acostumar-se. Adquirir um costume, um hábito. Fazer por costume, por hábito. Ex.: Habituou-se a ler antes de dormir.*
Fazer o sinal de **acostumar, acostumar-se**.

interessar, interessar-se *(inglês: to interest, to call someone's attention, to arouse the interest of, to engage the attention of; to interest oneself, to become involved with, to take interest in)*:
Interessar: *v. t. i. Ser interessante, proveitoso, útil. Auferir lucro ou proveito, tirar utilidade. Ex.: O assunto interessou aos professores. v. t. d. Atrair, provocar a curiosidade, o interesse. Ex.: O assunto interessou a população do bairro.* Interessar-se: *v. pr. Tomar interesse. Ex.: Todos interessaram-se pelo assunto.*
Mão direita vertical fechada, palma para a esquerda, dedos polegar e indicador curvados, tocando ao redor do olho direito. Mover a mão diagonalmente para frente e para baixo, arregalando os olhos.

conhecer, conhecer-se *(inglês: to know, to be acquainted with, to be familiar with; to know oneself)*:
Conhecer: *v. t. d. Saber. Estar informado(a). Ter conhecimento de. Ter informação de. Ter experiência com. Estar familiarizado(a) com. Ter idéia ou noção de. Ser perito(a) ou versado(a) em. Ser capaz de reconhecer e discernir (algo). Ser capaz de lidar com. Ser capaz de desempenhar-se com sucesso em. Ex.: Ele conhece muitas línguas e muitos países. v. t. d. Travar relações com. Conviver com. Ex.: Vim a conhecer o ilustre professor em minha última viagem ao Canadá.* Conhecer-se: *v. pr. Travar relações com*

Ex.: Conheceram-se durante as férias.
Mão direita em **4**, palma para a esquerda, em frente ao queixo. Bater a lateral do indicador próximo ao lado direito do queixo.

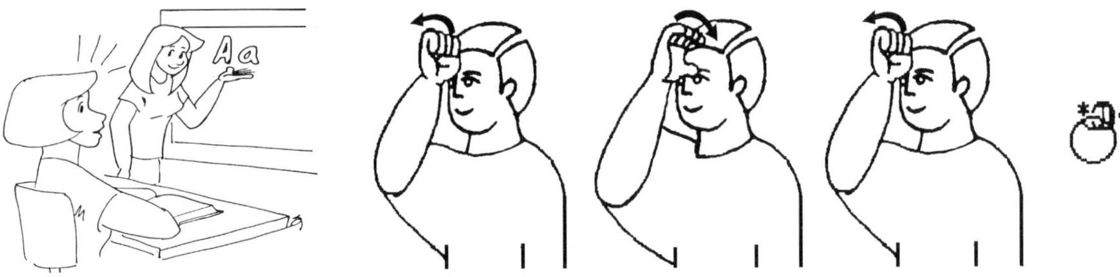

aprender *(inglês: to learn, to come to know, to acquire knowledge)*:
v. t. d., v. t. i., v. int. Tomar conhecimento de (algo) por meio da experiência própria ou vicária. Ficar sabendo e reter na memória, por meio de observação, experiência ou estudo. Ex.: Não é tão difícil aprender a Língua de Sinais Brasileira, desde que se aprenda com um bom professor. Ex.: Não é difícil aprender a sinalizar. Ex.: Aprender é sempre importante. v. t. i. Adquirir competência e capacidade para fazer algo em conseqüência de estudo e experiência. Ex.: Aprendi a construir pontes no exército.
Mão direita em **S** vertical, palma para a esquerda, tocando a testa. Abrir e fechar ligeiramente a mão, duas vezes.

melhorar *(inglês: to improve, to better, to ameliorate, to get better, to prosper)*:
v. t. d. Tornar melhor ou superior. Ex.: Você precisa melhorar sua letra pois ela é ilegível. v. t. i. Passar a situação mais próspera. Adquirir melhores condições. Ex.: O pai melhorou de atitude após ter sido repreendido pelo juiz. v. int. Ir recuperando a saúde. Tornar-se melhor. Ex.: O doente melhorou após receber a visita do amigo que não via há anos.
Mão direita horizontal fechada, palma para dentro, polegar destacado. Elevar a mão.

progredir *(inglês: to progress, to improve, to make progress)*:
v. t. i., v. int. Fazer progressos, desenvolver-se. Ex.: Precisamos progredir na documentação da Língua de Sinais. Ex.: Com as novas gerações, a educação dos Surdos só tende a progredir.
Mãos verticais abertas, palma a palma, dedos flexionados, mão direita acima da esquerda. Mover as mãos para cima, alternando a posição das mãos.

desenvolver, desenvolver-se *(inglês: to develop, to expand, to build, to unfold, to grow, to progress, to form)*:
Desenvolver: *v. t. d. Fazer crescer, progredir, melhorar, aumentar. Ex.: O engenheiro arquiteto desenvolveu um novo método de construção.* Desenvolver-se: *v. pr. Progredir. Crescer. Tornar-se maior e mais maduro. Ex.: Dicionários que permitem documentar a Língua de Sinais podem ajudá-la a desenvolver-se e refinar-se cada vez mais.*
Fazer o sinal de **progredir**.

1. 9. Outros sinais relacionados a artes e cultura

oi! *(inglês: hi! hello!)*:
interj. Informal de saudação ou chamamento. Usada em contextos informais para chamar e para saudar ao início de uma interação. Ex.: Oi! Que bom que você chegou cedo!
Soletrar **O** e **I**.

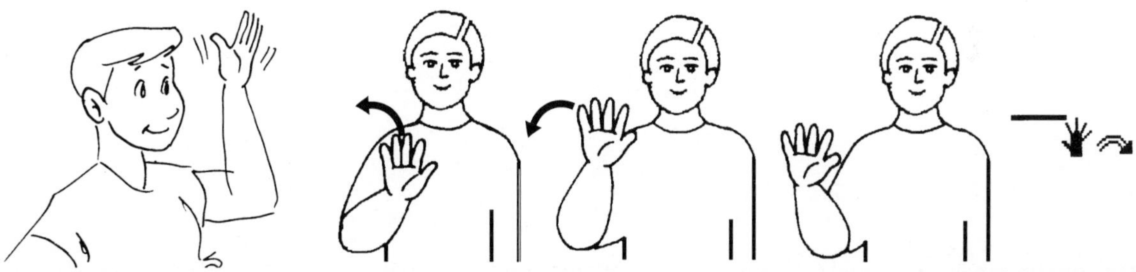

olá! *(inglês: hello! hi!)*:
interj. Saudação ou chamamento. Usada para chamar e para saudar ao início de uma interação. Ex.: Olá, há quanto tempo não encontro você!
Mão direita vertical aberta, palma para frente, dedos separados, diante do ombro direito. Mover a mão em um pequeno arco para cima e para a direita.

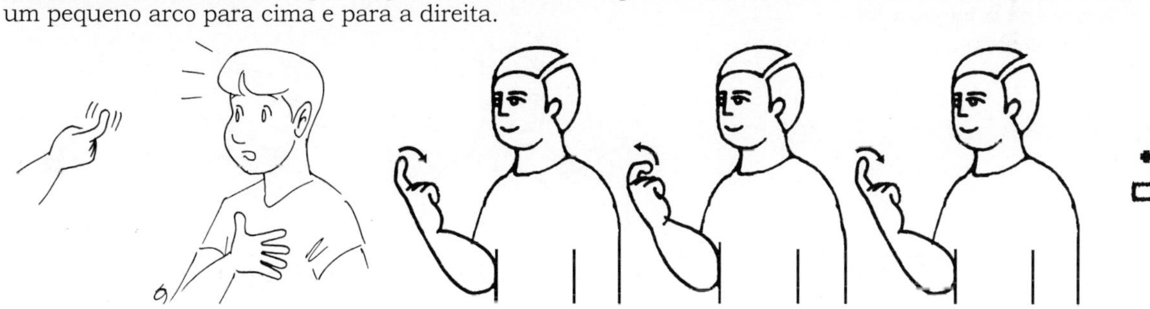

vem cá! *(inglês: come here!)*:
expressão. Chamamento informal para que a outra pessoa se aproxime. Ex.: Vem cá, fica mais perto de mim.
Mão direita em **1**, palma para dentro inclinada para cima, dedo indicador ligeiramente curvado. Dobrar a ponta do dedo indicador, duas vezes.

vamos! **(*CL*)** *(inglês: let us go!)*:
interj. Chamamento e convocação à retirada, equivalente a "vamos indo" e "vamos embora." Ex.: Vamos, pessoal! O motorista está nos esperando!
Mão direita vertical aberta, palma para a esquerda, inclinada para cima, na altura do ombro direito. Movê-la em um arco para a esquerda e para baixo, virando a palma para baixo.

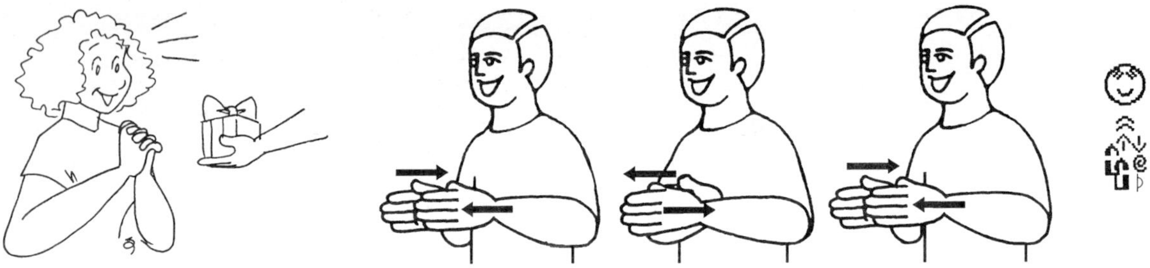

oba! *(inglês: wow! whoopee!)*:
interj. pop. Exprime surpresa agradável, admiração e alegria. O mesmo que "opa!" e "upa!" Ex.: Oba! Teremos pudim de leite de sobremesa!
Mãos horizontais abertas, palma a palma tocando-se. Mover as palmas para frente e para trás, alternadamente, com expressão de alegria.

olhe para lá! (*CL*) *(inglês: look at there! behold!)*:
frase imperativa. Ordem para que o interlocutor olhe para determinada direção. Ex.: Olhe para lá! Veja quem vem vindo em nossa direção.
Mão direita em **V**, palma para frente. Mover a mão em direção ao que se quer mostrar, virando a palma para baixo.

veja! (*CL*) *(inglês: look! look at there! see!)*:
interj. Ordem para que o interlocutor olhe para determinada direção. Ex.: Veja! O bebê está andando!
Fazer o sinal de **olhe para lá!**

olhe para mim! (*você, olhe para mim!*) *(inglês: look at me! you there, look at me!)*:
frase imperativa. Ordem para que o interlocutor olhe para a pessoa que lhe ordena. Ex.: Olhe para mim quando estiver falando com você!
Mão em **V**, palma para frente. Girar a mão pelo pulso para dentro, em direção à face, virando a palma para baixo.

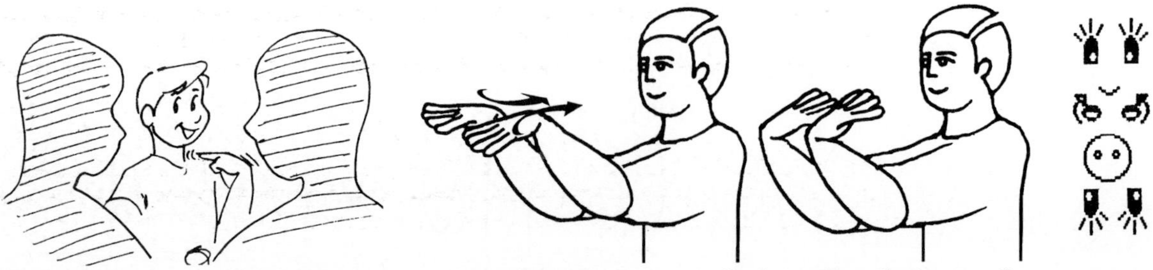

olhem para mim! (*vocês, olhem para mim!*) *(inglês: look at me! all of you there, look at me!)*:
frase imperativa. Ordem para que os interlocutores olhem para a pessoa que lhes ordena. Ex.: Parem todos de conversar e olhem para mim!
Braços horizontais distendidos, mãos em **4**, palmas para baixo. Girar as mãos pelos pulsos para trás, apontando os dedos para os olhos.

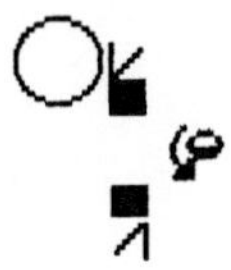

olhe para trás (*CL*) *(inglês: look back!)*:
frase imperativa. Ordem para que o interlocutor olhe para a direção indicada, no caso, para trás do emissor. Ex.: Olhe para trás e diga-me se alguém está me seguindo.
Mão direita em **V**, palma para frente, do lado direito da cabeça. Girar a mão para trás virando a palma para baixo, com os dedos apontando para trás.

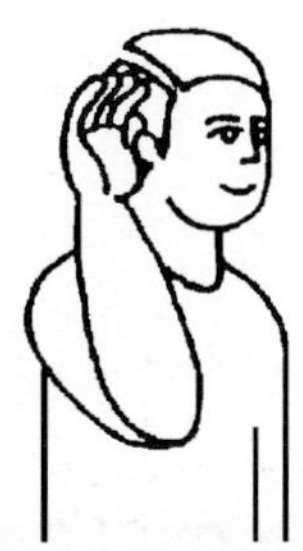

escute!, escute-me! *(inglês: listen! listen to me!)*:
interj. Ouça! Ouça-me! Preste atenção! Ex.: Escute o que tenho a lhe dizer! Ex.: Escute-me e logo você entenderá!
Mão direita vertical aberta, palma para frente, dedos unidos e curvados, tocando atrás da orelha.

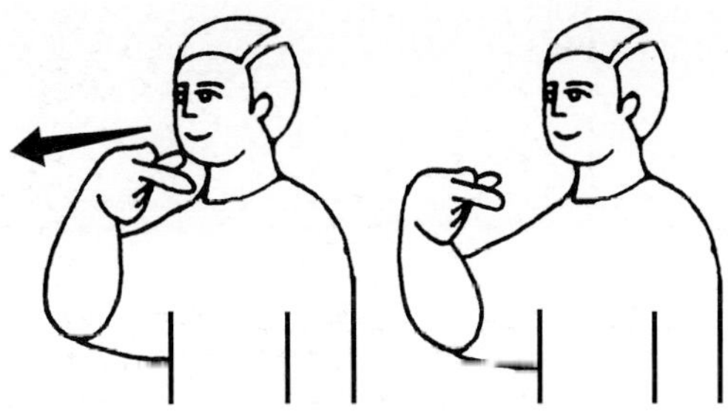

fale! *(inglês: speak up!)*:
expressão. (v. int. falar, 3ª. pessoa, modo imperativo) Exprima por meio de palavras! Profira! Diga! Ex.: Não fique tão quieta, fale!
Mão direita em **P** horizontal, palma para dentro, ponta do dedo médio próximo a boca. Mover a mão para frente.

diga! *(inglês: tell me! say it! speak! I ask you)*:
expressão. Fale. Conte-me. Conte tudo. Ex.: Todos estão esperando, então diga!
Fazer o sinal de **fale!**

diz! (*uso imperativo e informal*) *(inglês: tell me! say it! speak! I ask you (informal))*:
expressão. (v. int. dizer, 3ª. pessoa, modo imperativo. Fale!. Conte-me. Conte tudo. Ex.: Por favor diga o que você pensa a respeito disso. Vamos lá, diz!
Fazer o sinal de **fale!**

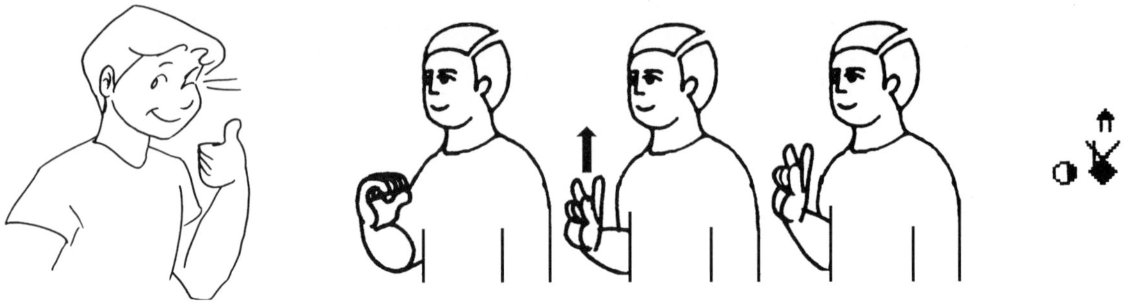

ok! (*okay! tudo bem! tudo certo!*) *(inglês: ok! all right! all correct! okay!)*:
interj. Expressão inglesa usada para indicar aprovação ou concordância. Tudo certo, satisfatório. Sentir-se bem. Estar ou ser adequado. Ex.: Ok! Vou fazer o que você me pediu.
Soletrar **O**, **K**.

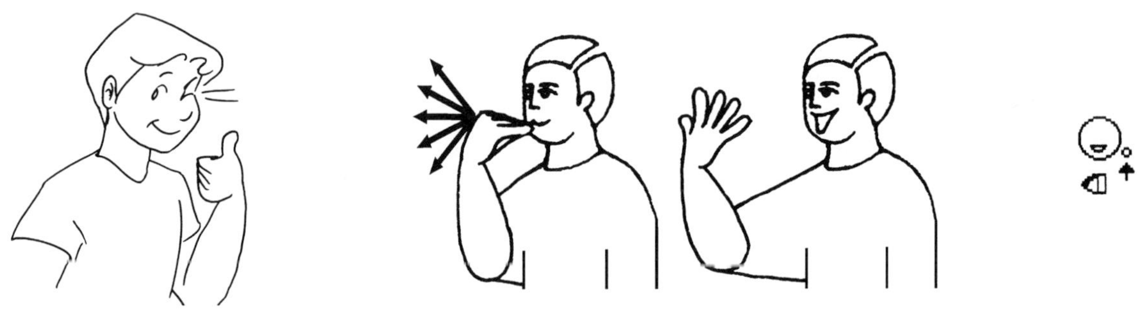

bom *(inglês: good)*:
adj. Que é adequado e apropriado à função a que se destina. Que tem bondade. De agradável qualidade. Eficiente, competente, hábil. Que cumpre rigorosamente os seus deveres. Que gosta de fazer o bem. Conforme à justiça, à virtude, ao dever. Benévolo, bondoso, benigno. Benéfico, salutar. Digno de crédito, garantido, seguro. Próprio, apropriado, habilitado, apto. Ex.: Como é bom descansar depois de um dia de trabalho!
Mão direita vertical, palma para dentro, pontas dos dedos unidas em frente à boca. Mover a mão ligeiramente para frente, distendendo e separando os dedos.

boa *(inglês: good)*:
adj. f. Feminino de bom. Ex.: Você sempre foi uma pessoa muito boa para comigo.
Fazer o sinal de **bom**.

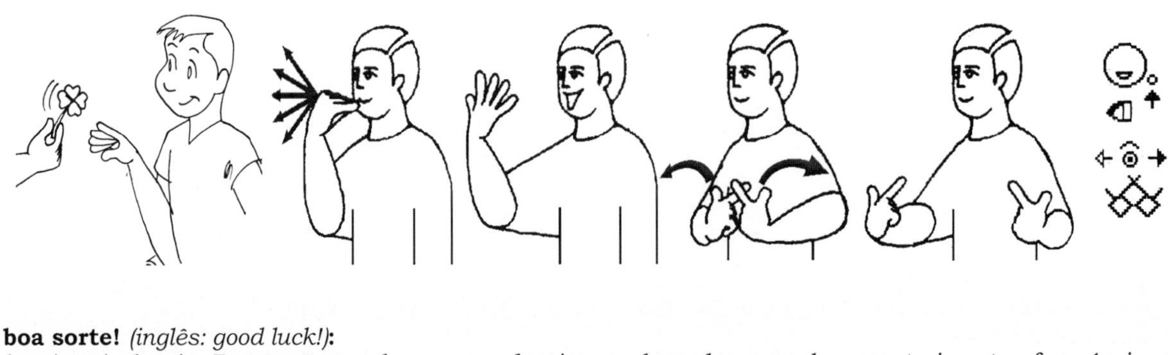

boa sorte! *(inglês: good luck!)*:
loc. interj. desejo. Expressão usada para se desejar um bom desempenho, acontecimentos favoráveis ou felicidade a alguém. Ex.: Hoje você vai apresentar o seminário! Boa sorte!
Fazer o sinal de **bom**. (Mão direita vertical, palma para dentro, pontas dos dedos unidas em frente à boca. Mover a mão ligeiramente para frente, distendendo e separando os dedos.) Em seguida fazer o sinal de **sorte (1)**. (Mãos em **L** horizontal, palmas para dentro, indicadores inclinados para cima e cruzados. Mover as mãos para os lados opostos.)

tomara! *(inglês: I hope so! God grant! May God wish so! Let us hope for the best!)*:
interj. desejo ou intenção. Oxalá! Deus o queira! Deus permita! Se Deus quiser! Se Deus o permitir! Ex.: Tomara que eu consiga esse emprego!
Mãos em **R**, a cada lado do corpo, com expressão facial de desejo.

oxalá! *(inglês: I hope so! God grant! May God wish so!)* (usual: tomara!; sugestão: oxalá!):
interj. desejo ou intenção. Tomara! Deus o queira! Deus permita! Se Deus quiser! Se Deus o permitir! Ex.: Oxalá eu consiga esse emprego!
Fazer o sinal de **tomara!**

parabéns (1) *(inglês: congratulations, felicitations)*:
s. m. pl. Congratulações, felicitações. Ex.: Parabéns pelo bom desempenho no trabalho.
Mão esquerda horizontal aberta, palma para cima, dedos unidos e curvados; mão direita horizontal aberta, palma para baixo, dedos unidos e curvados, mãos unidas pelas palmas. Balançar as mãos para frente e para trás, com um sorriso.

parabéns (2) *(inglês: congratulations, felicitations)*:
*Idem **parabéns (1)**. Ex.: Parabéns pelo aniversário! Muitas felicidades e saúde.*
Bater a palma direita na palma esquerda duas vezes com um sorriso.

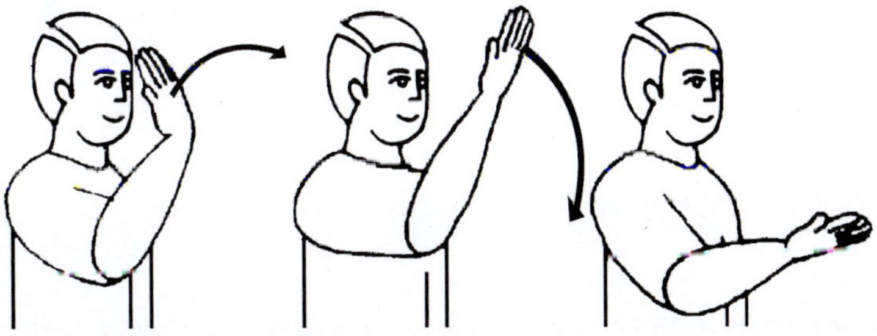

obrigado(a)! (1) *(inglês: thank you! thanks! many thanks!)*:
interj. Agradecimento por favores recebidos. Agradecido(a). Grato(a). Que tem gratidão. Que reconhece suas dívidas. Ex.: Obrigado por me emprestar os livros.
Mão direita vertical aberta, palma para dentro, pontas dos dedos tocando a testa. Mover a mão em um arco para frente e para baixo, virando a palma para cima.

obrigado(a)! (2) *(inglês: thank you all! thanks to all of you! many thanks!)*:
Idem ***obrigado(a)! (1)****. Ex.: Obrigada a todos vocês pela importante ajuda.*
Mão esquerda horizontal aberta, palma para dentro, diante do peito; mão direita vertical aberta, palma para a esquerda, pontas dos dedos tocando o lado direito da testa. Mover as mãos em um pequeno arco para frente e para baixo, virando as palmas para cima.

2. ESPORTES

2.1. Profissionais do esporte e esportistas

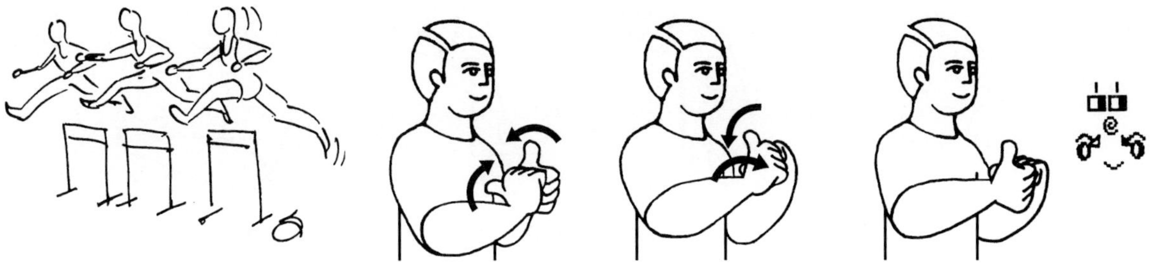

esportista *(inglês: sportsman, sportsperson)*:
s. m. e f. Pessoa que cultiva um esporte ou é dada ao esportismo. Desportista. Ex.: O esportista deve ser bastante disciplinado.
Mão esquerda horizontal fechada, palma para a direita, polegar distendido e inclinado para a esquerda; mão direita vertical fechada, palma para a esquerda, polegar direito distendido, mãos tocando-se. Girar a mão direita para frente e a mão esquerda para trás.

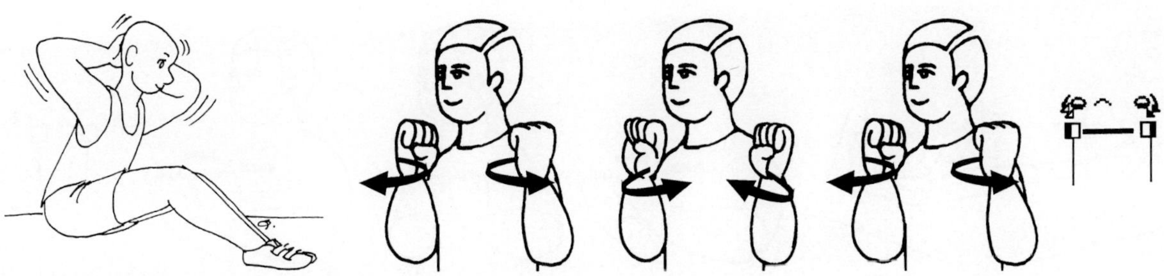

ginasta *(inglês: gymnast)*:
s. m. e f. Pessoa que pratica ginástica. Ex.: Os ginastas russos exercitam-se em ginásios especializados.
Fazer o sinal de **educação física**. (Mãos em **S**, palma a palma, diante dos ombros. Girar as palmas para frente, duas vezes.)

árbitro(a) de esportes *(inglês: referee, sports arbiter)*:
s. m. (f.) Indivíduo que dirige uma competição esportiva, fazendo cumprir as regras estabelecidas e exercendo o poder de decisão final quanto à legitimidade ou não de lances, à aplicação de sanções disciplinares etc. Ex.: O árbitro da partida de futebol marcou a falta corretamente.
Fazer o sinal de **apitar (2), apito (2)**. (Mão direita em **A**, palma para a esquerda, indicador destacado. Aproximar o dedo da boca aberta e assoprar, inclinando ligeiramente a cabeça para frente, e franzindo as sobrancelhas.)

juiz (juíza) de partida (*árbitro de esportes*) *(inglês: sports referee)*:

s. m. (f.) Árbitro(a) de uma partida esportiva. Indivíduo que dirige um prélio esportivo. O(a) que nos certames e jogos faz cumprir as regras estabelecidas. Árbitro(a). Ex.: O juiz da partida de futebol marcou a falta corretamente.

Fazer o sinal de **árbitro de esportes**.

capitão (capitã) (*esportes*) *(inglês: sport captain)*:

s. m. (f.) Atleta que, em certos esportes coletivos de equipe como o futebol, comanda a equipe e a representa perante o juiz da partida. Ex.: O capitão do time motivava os jogadores durante a partida.

Fazer o sinal de **jogar (*esporte*), jogo**. (Mãos horizontais fechadas, palma a palma, polegares destacados. Movê-las alternadamente para cima e para baixo.) Em seguida, mão em **C** horizontal palma para dentro. Apertar o bíceps esquerdo.)

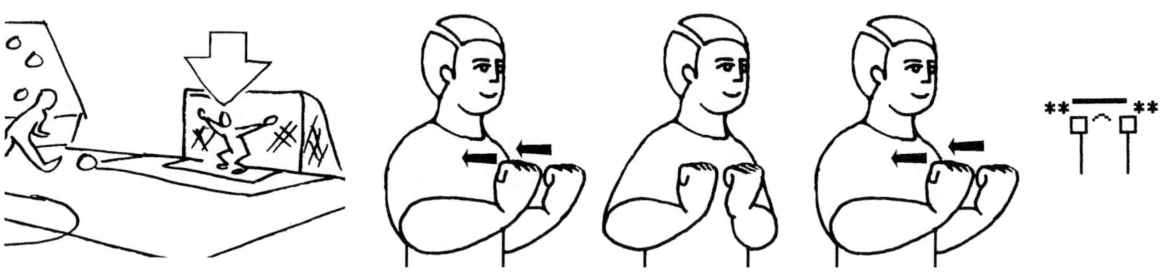

goleiro(a) *(inglês: goalkeeper)*:

s. m. (f.) Jogador (jogadora) que, no futebol e em outros jogos, defende o gol, arco ou meta. Ex.: O goleiro desse time é experiente.

Mãos em **S** vertical, palmas para dentro, lado a lado, em frente ao peito. Batê-las no peito, duas vezes.

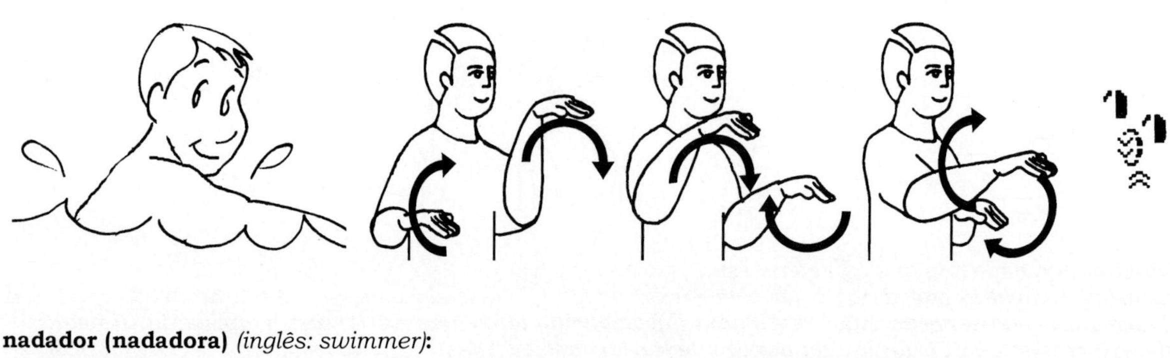

nadador (nadadora) *(inglês: swimmer)*:

s. m. (f.) Aquele (aquela) que nada. Ex.: O nadador tem que ter grande resistência física.

Mãos horizontais abertas, palmas para baixo, dedos unidos e curvados. Mover as mãos, alternadamente, em círculos verticais para frente.

ciclista *(inglês: cyclist, bicyclist)*:
s. m. e f. Pessoa que anda de bicicleta, seja por esporte ou por lazer. Ex.: O ciclista foi passear no Parque do Ibirapuera.
Fazer o sinal de **bicicleta**. (Mãos em **S** horizontal, palmas para baixo. Movê-las alternadamente em círculos verticais para frente.)

esgrimista *(inglês: fencer)*:
s. m. e f. Que é praticante de esgrima. Pessoa que esgrime com perícia; esgrimidor (esgrimidora), esgrimideiro (esgrimideira). Ex.: O esgrimista precisa usar máscara e colete de proteção.
Mão esquerda horizontal aberta, palma tocando o lado esquerdo da cintura; mão direita em **A**, movê-la em movimentos ondulatórios para a esquerda e para a direita, e depois para frente.

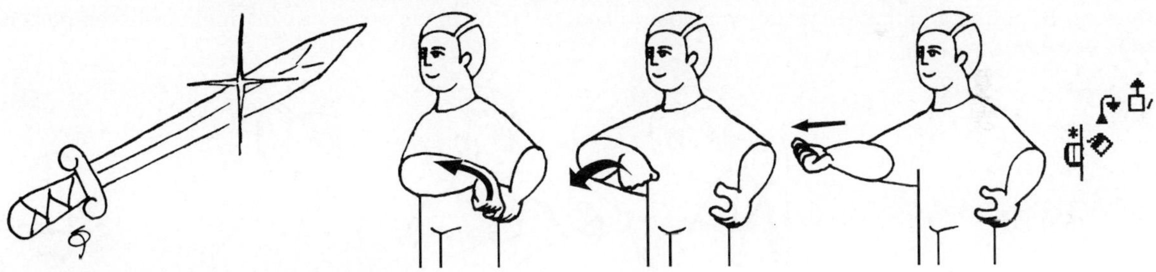

espadachim *(inglês: swordsman)*:
s. m. e f. Aquele(a) que briga com espada. Ex.: Os espadachins duelaram em praça pública.
Mão esquerda em **C** invertido, palma para a direita, pontas dos dedos tocando o lado esquerdo da cintura; mão direita em **A** invertido, palma para a direita, dorso dos dedos tocando a lateral do indicador e polegar esquerdos. Mover a mão direita em um arco para cima e para frente, virando a palma para dentro. Então, movê-la para frente, com a palma para cima.

arqueiro(a) *(inglês: archer)*:
s. m. (f.) Aquele (aquela) que faz uso do arco. Pessoa que maneja o arco e flecha. Ex.: Dizem que Robin Hood era um excelente arqueiro.
Fazer o sinal de **homem**. (Mão direita em **C** horizontal, palma para cima, dedos tocando cada lado do queixo. Mover a mão, ligeiramente para baixo, unindo as pontas dos dedos.). Ou o sinal de **mulher**. (Mão direita em **A**, palma para a esquerda, polegar destacado. Passar o lado do polegar sobre a bochecha, em direção ao queixo.) Em seguida, fazer o sinal de **arco e flecha**. (Braço esquerdo horizontal distendido, mão em **S** horizontal, palma para a direita. Braço direito horizontal distendido, mão

horizontal aberta, palma para a esquerda, próxima à mão esquerda, dedos polegar e médio unidos pelas pontas. Mover o braço direito para trás distendendo os dedos indicador e médio.)

caçador (caçadora) *(inglês: hunter)*:
s. m. (f.) Aquele(a) que caça, que persegue. Ex.: O caçador errou o tiro.
Braço esquerdo distendido, mão horizontal, palma para cima, dedos unidos e curvados e inclinados para a direita; mão direita em **X**, palma para a esquerda, ao lado do olho direito aberto e o olho esquerdo fechado. Dobrar o indicador esquerdo e estalar os lábios, abrindo a boca.

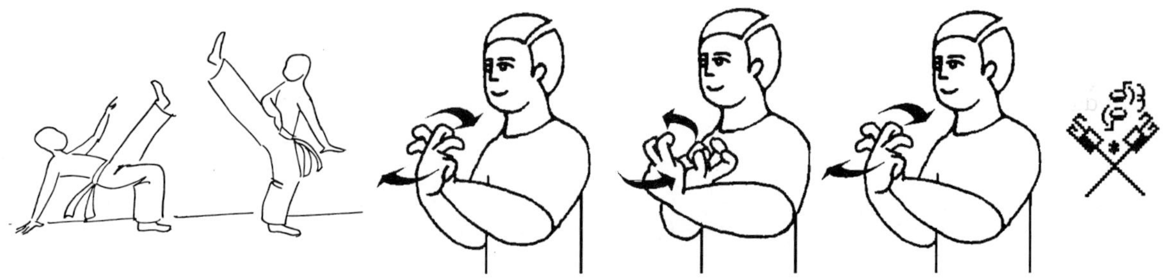

capoeirista *(inglês: Capoeira practitioner, Afro-Brazilian martial dancer)*:
s. m. e f. Indivíduo que pratica essa arte marcial. Jogador de capoeira. Ex.: O capoeirista tem ritmo.
Mãos em **5**, palma a palma, tocando-se pelos pulsos. Girar as mãos pelos pulsos, inclinando-as para os lados opostos.

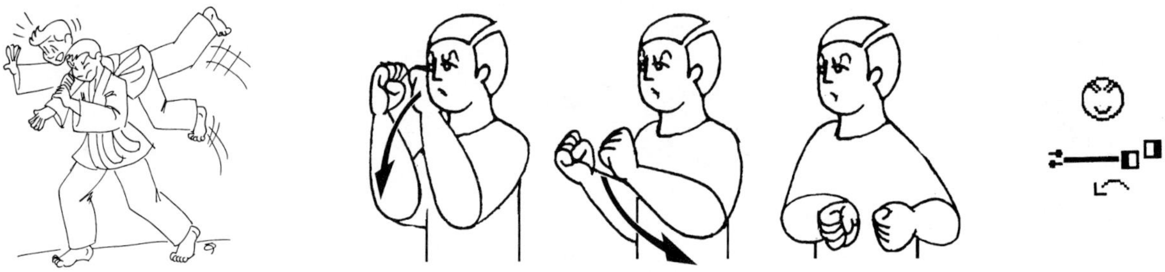

judoca *(inglês: judo sportsman)*:
s. m. e f. Pessoa que pratica judô. Ex.: Aurélio Miguel é um dos mais famosos judocas brasileiros.
Mãos em **S** vertical, palma a palma, acima e um pouco atrás do ombro direito. Movê-las em um arco para frente e para a esquerda, mudando para mãos horizontais e inclinando o ombro direito para a esquerda.

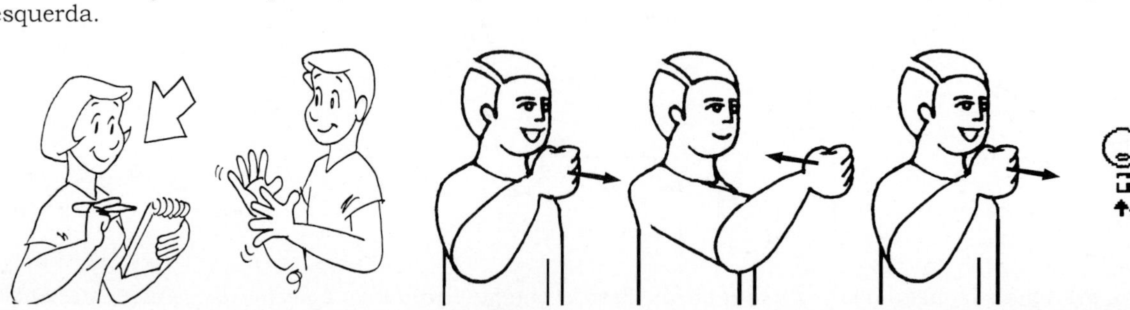

repórter *(inglês: reporter, journalist, news writer)*:
s. m. e f. Profissional que entrevista as pessoas em busca de notícias para a imprensa periódica. Noticiarista dos jornais e periódicos, do rádio e da televisão. Ex.: O repórter entrevistou o pesquisador americano.
Mão direita horizontal fechada, palma para a esquerda, diante da boca. Movê-la para frente e para trás parando-a um pouco a cada vez, e movimentando a boca.]

jornalista *(inglês: journalist, reporter, news writer)*:
s. m. e f. Profissional que entrevista as pessoas em busca de notícias para a imprensa periódica. Noticiarista dos jornais e periódicos, do rádio e da televisão. Ex.: A jornalista entrevistou o pesquisador britânico sobre os avanços de pesquisa sobre a Língua de Sinais Brasileira financiadas pela FAPESP.
Fazer o sinal de **repórter**.

comentarista (*CL*) *(inglês: commentator, columnist, interpreter)*:
s. m. e f. Aquele(a) que faz comentários. Pessoa que explica e interpreta determinado fato. Ex.: O comentarista do jogo de futebol explicou o lance do impedimento.
Mão direita em **S** horizontal, palma para dentro, diante da boca. Movimentar os lábios. Em seguida, fazer o sinal de **explicar, explicar-se, explicação**. (Mãos horizontais fechadas, palmas para dentro, na altura da face. Baixar as mãos, abrindo os dedos um a um, iniciando pelos mínimos.)

2.2. Modalidades e atividades esportivas

2.2.1. Esportes Olímpicos

esporte *(inglês: sports)*:
s. m. Passatempo, divertimento. Prática metódica de exercícios físicos, que consistem geralmente em jogos competitivos entre pessoas, ou grupos de pessoas. Ex.: A prática de esportes constitui um hábito saudável.
Mão esquerda horizontal fechada, palma para a direita, polegar distendido e inclinado para a esquerda; mão direita vertical fechada, palma para a esquerda, polegar direito distendido, mãos tocando-se. Girar a mão direita para frente e a mão esquerda para trás.

desporto *(inglês: sport)*, (usuais: esporte, esportista; sugestões: desporto):
s. m. Esporte. Prática metódica de exercícios físicos, que consistem geralmente em jogos competitivos entre pessoas, ou grupos de pessoas. Ex.: A prática de desporto constitui um hábito saudável.
Fazer o sinal de **esporte**.

Olimpíadas *(inglês: Olympic games, the quadrennial celebration of modern Olympic games)*:
s. f. pl. Competições atléticas internacionais dos tempos modernos, inspiradas nos jogos olímpicos dos antigos gregos, e que vêm sendo feitas de quatro em quatro anos desde 1896. Ex.: Nas Olimpíadas muitos países entram na disputa por medalhas de ouro.
Mão direita vertical aberta, palma para a esquerda, indicador e polegar unidos pelas pontas; mão esquerda horizontal aberta, palma para a direita, indicador e polegar unidos pelas pontas, entrelaçados nos dedos direitos. Mover as mãos para a direita, alternando suas posições (mão direita horizontal, mão esquerda vertical).

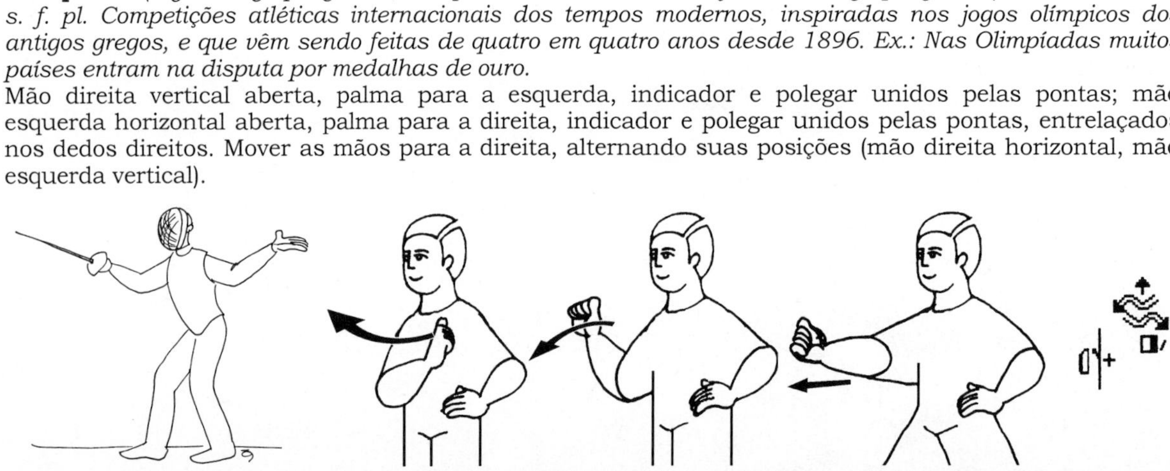

esgrima *(inglês: the art of fencing)*:
s. f. Arte de usar a espada ou o florete. Ato de esgrimir. Requer vista aguçada, reações rápidas e grande agilidade. Antigamente era praticada em duelos quase mortais, que estão hoje proibidos em praticamente todo o mundo. Ex.: A esgrima é um esporte pouco difundido no Brasil.
Mão esquerda horizontal aberta, palma tocando o lado esquerdo da cintura; mão direita em **A**, movê-la em movimentos ondulatórios para a esquerda e para a direita, e depois para frente.

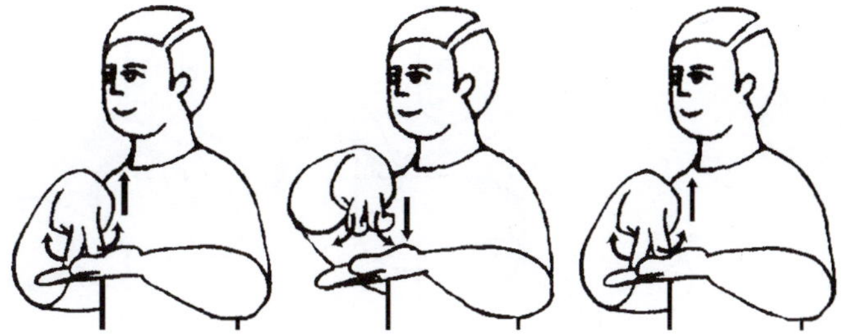

pulo *(inglês: jump, leap, vault, standing jump)*:
s. m. Ação ou efeito de pular. Ex.: Deu seguidos pulos para cumprir uma promessa.
Mão esquerda horizontal aberta, palma para cima; mão direita em **V** invertido, palma para dentro, pontas dos dedos tocando a palma esquerda. Mover a mão direita para cima dobrando as pontas dos dedos médio e indicador, duas vezes.

salto (*CL*) *(inglês: leap, jump, vault, hop, bound)*:
s. m. Ação ou efeito de saltar. Ex.: O salto do corredor foi perfeito.
Mão esquerda em **B** horizontal, palma para dentro; mão direita em **U** invertido, palma para dentro, atrás da mão esquerda. Mover a mão direita para frente oscilando os dedos, e então, quando próxima à mão esquerda, mudá-la para mão em **P** e elevá-la em um arco para frente.

corrida de obstáculos (*competição*) (*CL*) *(inglês: hurdle racing)*:
s. f. Modalidade esportiva de corrida em que o atleta deve ultrapassar, por saltos, obstáculos que estão espaçados regularmente na pista, sendo que ganha o atleta que conseguir chegar ao final antes dos demais, ou seja, no menor tempo. Ex.: A corrida de obstáculos foi vencida por um brasileiro.
Fazer o sinal de **salto**.

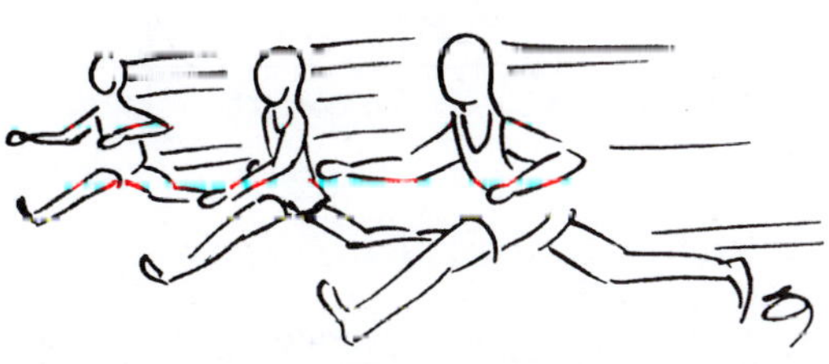

corrida (*competição*) *(inglês: race, racing competition)*:
s. f. Ato ou efeito de correr. Atividade esportiva com modalidades diferenciadas, em que ganha o corredor competidor que conseguir chegar ao final antes dos demais, ou seja, que conseguir completar no menor tempo um determinado percurso, circuito ou distância. Ex.: Ele ganhou a corrida com muita vantagem.
Mãos horizontais fechadas, palma a palma, polegares destacados, a cada lado do corpo. Mover a mão direita para frente.

natação *(inglês: swimming)*:
s. f. Ato de nadar. Arte de nadar. Sistema de locomoção próprio dos animais aquáticos. Ex.: A natação é um excelente esporte para manter a boa saúde e a forma física.
Fazer o sinal de **nadar, nadador (nadadora)**. (Mãos horizontais abertas, palmas para baixo, dedos unidos e curvados. Mover as mãos, alternadamente, em círculos verticais para frente.)

arco e flecha *(inglês: arch, bow (and arrow))*:
s. m. Arma com que se atiram flechas a longas distâncias. Consiste numa haste de madeira ou metal, curvada por meio de uma corda presa nas duas extremidades. Antigamente era usada como arma de guerra, mas atualmente seu uso limita-se a atividades esportivas, ou à caça por alguns povos. Ex.: Alguns índios brasileiros usam o ipê para fabricar arco e flecha.
Braço esquerdo horizontal distendido, mão em **S** horizontal, palma para a direita. Braço direito horizontal distendido, mão horizontal aberta, palma para a esquerda, próxima à mão esquerda, dedos polegar e médio unidos pelas pontas. Mover o braço direito para trás distendendo os dedos indicador e médio.

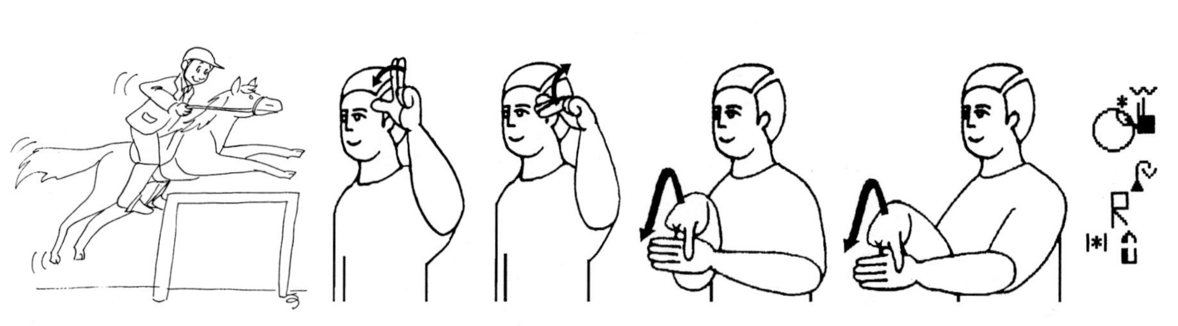

equitação (1) *(inglês: horsemanship, equitation)*:
s. f. Arte de montar a cavalo. Exercício de andar a cavalo. Arte de cavalgar. Ex.: O hipismo, que é o adestramento e saltos de obstáculos, é um tipo de competição de equitação.
Fazer o sinal de **cavalo**. (Mão direita em **U**, palma para frente, polegar destacado tocando o lado direito da cabeça. Flexionar os dedos indicador e médio, duas vezes.) E o sinal de **montar a cavalo, montar (a cavalo)**. (Mão esquerda horizontal aberta, palma para a direita; mão direita em **V** invertido, palma para dentro, apoiada sobre o lado do indicador esquerdo. Mover as mãos em arcos para cima e para frente.)

hipismo *(inglês: horsemanship, art of horse-racing)*:
s. m. Conjunto de esportes praticados a cavalo, como corrida, com obstáculos ou sem eles, pólo etc. Ex.: O hipismo, que é o adestramento e saltos de obstáculos, é um tipo de competição de equitação.
Fazer o sinal de **equitação (1)**.

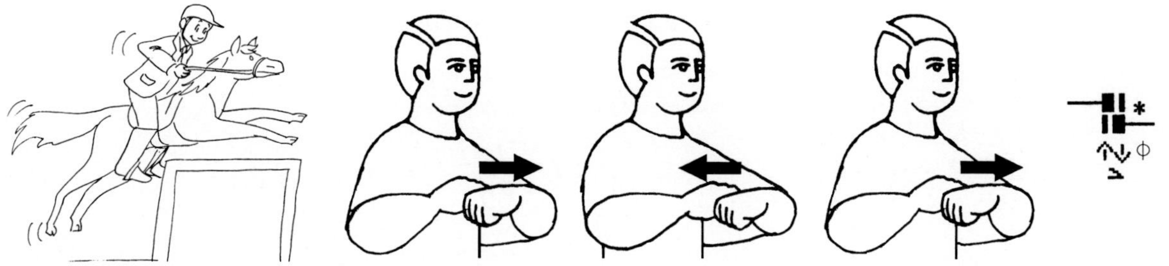

equitação (2) *(inglês: horsemanship, equitation)*:
Idem ***equitação (1)****. Ex.: Para praticar a equitação, é preciso que haja perfeita harmonia entre cavalo e cavaleiro.*
Mãos em **S** horizontal, palmas para baixo, apontando para os lados opostos; mão esquerda à frente da direita, lado do indicador esquerdo tocando o lado do mínimo direito. Mover as mãos rapidamente para frente e para trás, com movimentos rápidos e curtos.

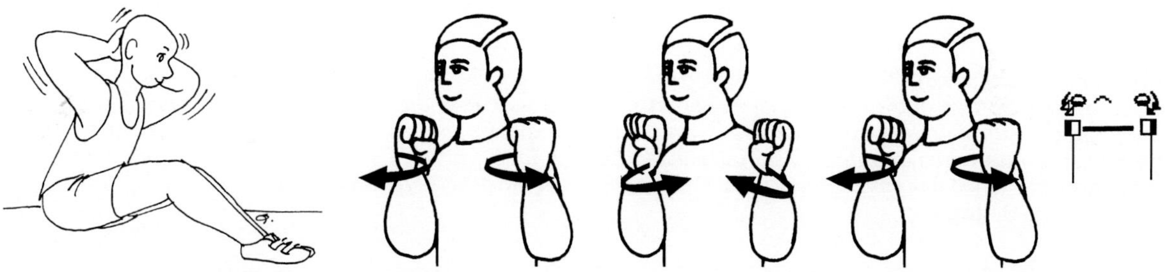

ginástica *(inglês: gymnastics)*:
s. f. Arte ou ato de exercitar o corpo, para desenvolvê-lo e fortificá-lo. Ex.: A ginástica é uma atividade importante para o desenvolvimento corporal.
Fazer o sinal de **educação física**. (Mãos em **S**, palma a palma, diante dos ombros. Girar as palmas para frente, duas vezes.)

2.2.2. Esportes de campo

jogo *(inglês: game, match, sport)*:
s. m. Atividade física e desportiva com um sistema de regras a ser observado. Ex.: A TV transmitirá o jogo de vôlei esta noite.
Mãos horizontais fechadas, palma a palma, polegares destacados. Movê-las alternadamente para cima e para baixo.

futebol *(inglês: soccer)*:
s. m. Jogo esportivo entre duas equipes de onze jogadores cada, em campo retangular, onde cada grupo busca fazer entrar uma bola no gol adversário, usando apenas os pés e sem que haja qualquer toque com as mãos, tantas vezes quantas forem possíveis, durante uma partida de noventa minutos com dois tempos de quarenta e cinco minutos cada. Ex.: A TV transmitirá a partida de futebol ao vivo.
Fazer o sinal de **jogo**.

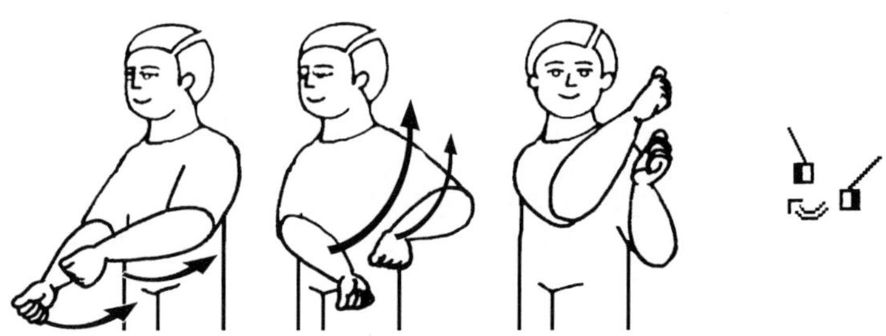

golfe *(inglês: golf)*:
s. m. Jogo esportivo, de origem escocesa, que consiste em tocar com um taco uma bola pequena, de um buraco a outro, numa série de nove ou dezoito buracos, abertos em larga extensão de terreno. Ganha quem acertar todos os buracos dando o menor número de tacadas. Ex.: Meu avô joga golfe com seus amigos todos os domingos.
Braços verticais distendidos, mãos em **A** invertido, palma a palma, mão direita à frente da esquerda. Movê-las em um grande arco para a esquerda e para cima.

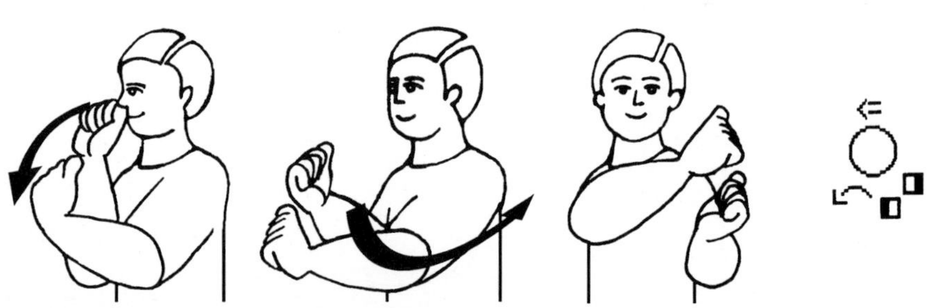

beisebol *(inglês: baseball)*:
s. m. Jogo muito popular nos Estados Unidos, Cuba e Japão disputado por dois times de nove jogadores cada um, num campo com quatro posições. Consiste em lançar uma pequena bola que deve ser rebatida com um bastão e correr para avançar posições enquanto a bola não retorna ao campo. Ex.: O jogo de beisebol aqui no Brasil não é muito difundido, ao contrário do que ocorre em Cuba e no Japão.
Mão direita em **S** vertical, palma para a esquerda, ao lado direito da cabeça; mão esquerda em **S** horizontal, palma para a direita um pouco abaixo da mão direita. Mover as mãos em um grande arco para frente e para a esquerda, acompanhando o movimento com a cabeça.

2.2.3. Esportes de quadra

futebol de salão *(inglês: court soccer)***:**
s. m. Jogo esportivo derivado do futebol, criado no Brasil na década de 30. Participam duas equipes de cinco jogadores, numa quadra retangular de cimento ou madeira. O objetivo é fazer o maior número possível de gols, durante uma partida de quarenta minutos com dois tempos de vinte minutos cada. Ex.: Faço parte do time de futebol de salão da minha escola.
Fazer o sinal de **jogar (*esporte*), jogo**. (Mãos horizontais fechadas, palma a palma, polegares destacados. Movê-las alternadamente para cima e para baixo.) Em seguida, mãos em **5**, palmas para frente. Bater as mãos pelas laterais dos polegares.

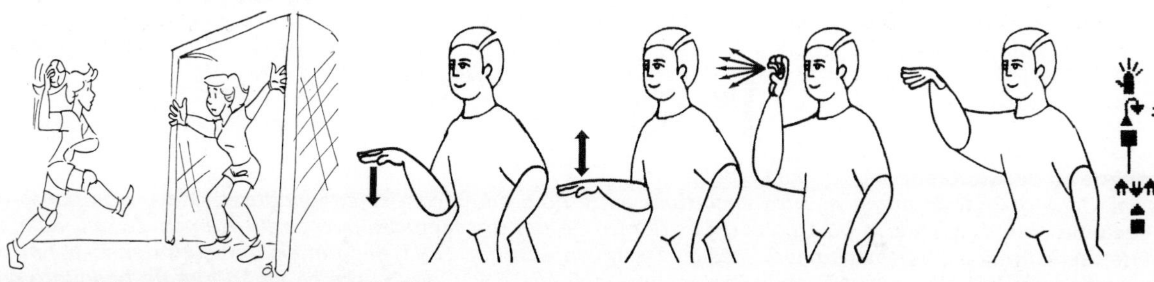

handebol (*andebol*) *(inglês: handball)***:**
s. m. Jogo de equipe, praticado em quadras semelhantes às do futebol de salão, mas em que a bola deve ser conduzida e arremessada somente com as mãos, com o objetivo de marcar gol. Ex.: O time da minha escola ganhou a partida de handebol.
Mão direita horizontal aberta, palma para baixo, movê-la ligeiramente para baixo e para cima. Em seguida, fazer o sinal de **arremessar, arremesso**, com o corpo inclinado para frente. (Mão direita vertical, palma para frente, dedos separados e curvados, acima e atrás do ombro direito. Movê-la diagonalmente para frente e para a esquerda, com força.)

andebol *(handebol)* *(inglês: handball) (usual: handebol; sugestão: andebol)***:**
s. m. Jogo de equipe praticado em quadras semelhantes às do futebol de salão, mas em que a bola deve ser conduzida e arremessada somente com as mãos, com o objetivo de marcar gol. Ex.: O time da minha escola ganhou a partida de andebol.
Fazer o sinal de **handebol**.

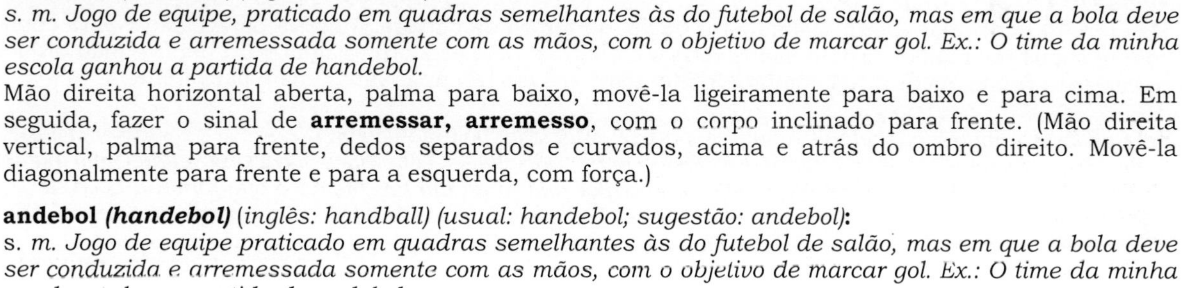

hóquei *(inglês: hockey)***:**
s. m. Jogo praticado em diversas variantes e cujo objetivo é introduzir, em gols opostos, uma pequena bola, empurrando-a ou batendo-a com um bastão recurvado, chamado estique ou taco. Pode ser jogado na grama ou no gelo, sempre fazendo uso de patins. Ex.: O hóquei no gelo teve origem no Canadá e é considerado o jogo mais rápido do mundo.
Mão esquerda em **A** horizontal, palma para cima, apontando para a direita ao lado direito da cintura; mão direita em **A** horizontal, palma para baixo, mão inclinada para a direita, atrás e à direita da mão esquerda. Mover as mãos em um arco para baixo e para a esquerda, com o corpo inclinado para frente.

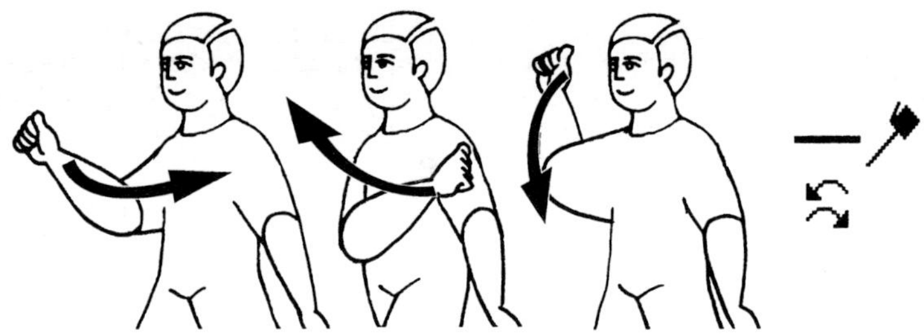

tênis (*esporte*) *(inglês: tennis)*:
s. m. Jogo praticado por dois ou quatro jogadores numa quadra dividida ao meio, transversalmente, por uma rede, e que consiste em rebater uma pequena bola usando uma raquete, com o objetivo de fazê-la passar sobre a rede e atingir a quadra adversária sem ser rebatida de volta. Ex.: O Brasil foi campeão de tênis no torneio de Wimbledon em 1959 e 1960, com a tenista Maria Ester Bueno.
Mão direita em **A**, palma para frente. Movê-la em arcos para frente e para a esquerda, e para frente e para a direita, acompanhando os movimentos com o corpo.

basquete, basquetebol *(inglês: basketball)*:
s. m. Jogo disputado numa quadra esportiva, entre dois times com cinco jogadores cada, cujo ponto ou "cesta" é obtido fazendo a bola passar por dentro de um aro metálico que forma a boca de um saco de rede, sem fundo, também chamado cesta. Foi inventado em 1891 por um pastor canadense a fim de permitir a prática de esporte à noite, em recinto fechado. Ex.: Geralmente os jogadores de basquete são muito altos.
Mão direita horizontal aberta, palma para baixo, na altura da cintura. Movê-la para baixo e para cima, com movimentos rápidos. Então, mãos verticais abertas, mão esquerda palma para dentro, mão direita palma para frente, na altura do ombro direito. Movê-las em um arco para cima e para frente.

bola-ao-cesto *(inglês: basketball)* (usual: basquete; sugestão: bola-ao-cesto):
s. m. Jogo disputado numa quadra esportiva, entre dois times com cinco jogadores cada, cujo ponto, chamado "cestas" é obtido fazendo a bola passar por dentro de um aro metálico que forma a boca de um saco de rede, sem fundo, também chamado cesta. Foi inventado em 1891 por um pastor canadense a fim de permitir a prática de esporte à noite, em recinto fechado. Ex.: Geralmente os jogadores de bola-ao-cesto são muito altos.
Fazer o sinal de **basquete, basquetebol**.

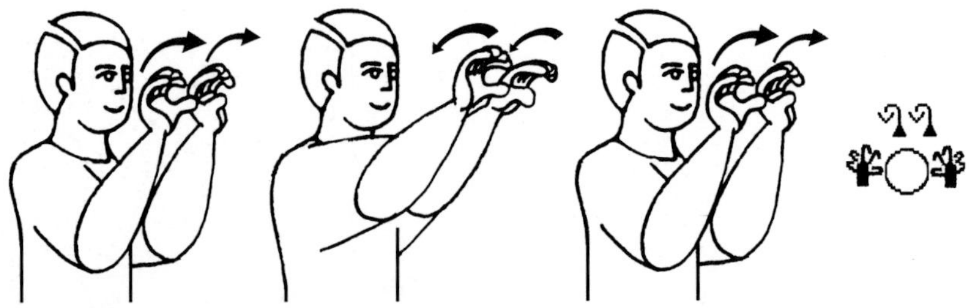

voleibol *(inglês: volleyball)*,
s. m. Jogo praticado por duas equipes, de seis integrantes cada uma, numa quadra dividida ao meio transversalmente por uma rede e que consiste em, com um máximo de três batidas e sem que cada jogador bata duas vezes seguidas, fazer a bola passar sobre a rede e atingir o solo da quadra adversária, e impedir com que a bola atinja o solo da própria quadra. Ex.: Na opinião do meu pai, o Brasil tem o melhor voleibol do mundo.
Mãos verticais abertas, palmas para frente, dedos separados e curvados, na altura do rosto. Mover as mãos em um arco para cima e para frente, duas vezes.

vôlei *(inglês: volleyball)*:
s. m. Modalidade semelhante ao voleibol, mas jogada em duplas, em quadras de areia. O mesmo que voleibol. Ex.: O vôlei é o segundo esporte mais popular no Brasil.
Fazer o sinal de **voleibol**.

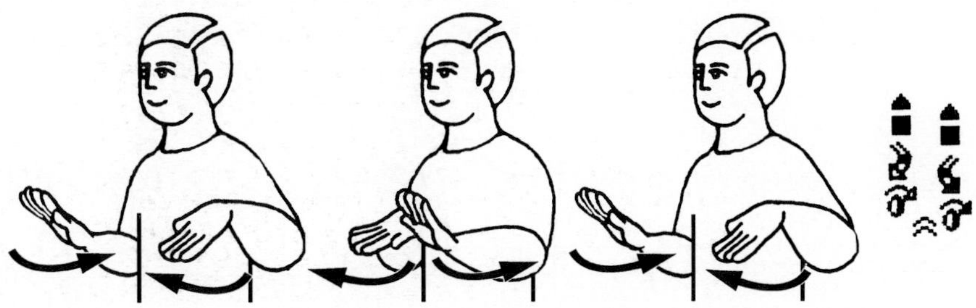

patinação *(inglês: skating)*:
s. f. Ato ou efeito de patinar. Patinagem. Ex.: A patinação no gelo teve origem nos países cujo inverno é bastante rigoroso.
Mãos horizontais abertas, palmas para baixo, dedos para frente, na altura do peito. Movê-las alternadamente em um arco para baixo e para frente, repetidas vezes.

2.2.4. Esportes ao ar livre

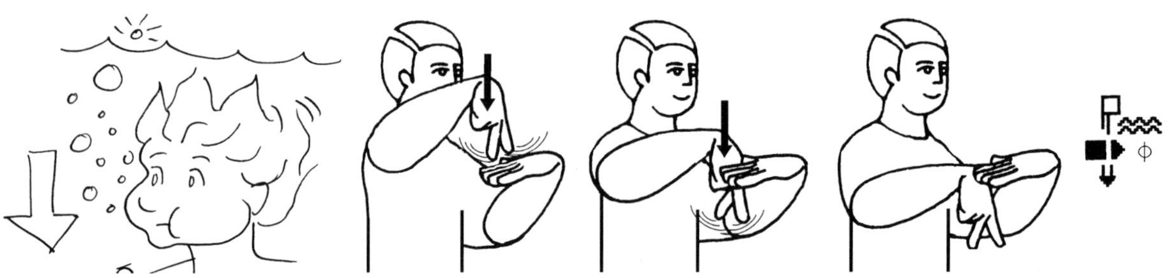

submersão *(inglês: submersion, submergence, drowning)*:
s. f. Ato ou efeito de submergir. Estar mergulhado na água. Ex.: Depois da submersão profunda, os mergulhadores devem retornar à tona lentamente.
Fazer o sinal de **mergulhar (2) (*submergir*), mergulho (2)**. (Mão esquerda horizontal aberta, palma para baixo, dedos para a direita; mão direita em **U** invertido, palma para dentro, atrás e acima da mão esquerda. Baixar a mão direita oscilando os dedos.)

mergulho (1) *(inglês: diving, plunge (jumping))*:
s. m. Ação de mergulhar. Ex.: Ele deu um belo mergulho para entrar na piscina.
Mãos verticais postas em frente à face. Movê-las em um arco para frente e para baixo, inclinando o corpo a cabeça para frente, e os dedos da mão para baixo.

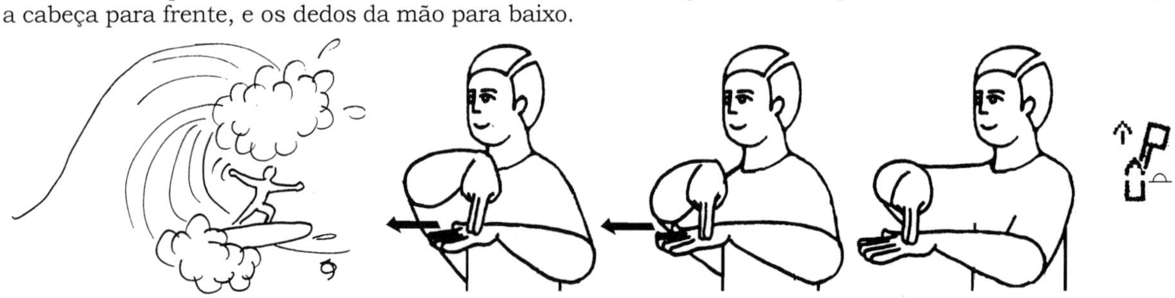

surfe *(inglês: surfing, the sport of riding the surf)*:
s. m. Esporte em que o praticante (chamado surfista) equilibra-se, em pé, numa prancha, fazendo-a deslizar na crista da onda do mar. Ex.: Muitas pessoas praticam surfe nas praias do Rio de Janeiro.
Mão esquerda horizontal aberta, palma para baixo, dedos para frente; mão direita em **N**, pontas dos dedos tocando o dorso esquerdo. Mover as mãos para frente.

pára-quedismo *(inglês: sky-diving, parachuting)*:
s. m. Esporte de salto com pára-quedas. Ex.: O pára-quedismo é um esporte fascinante.
Mão esquerda horizontal aberta, palma para baixo, dedos separados e curvados; mão direita em **V** invertido, palma para dentro, abaixo da mão esquerda, mãos ao lado esquerdo da cabeça. Movê-las para baixo e para a direita, acompanhando o movimento com os olhos.

ciclismo *(inglês: cycling)***:**
s. m. Esporte ou lazer que consiste em andar de bicicleta. Ex.: Ele pratica ciclismo há mais de dois anos.
Fazer o sinal de **bicicleta**. (Mãos em **S** horizontal, palmas para baixo. Movê-las alternadamente em círculos verticais para frente.)

2.2.5. Esportes de luta e artes marciais

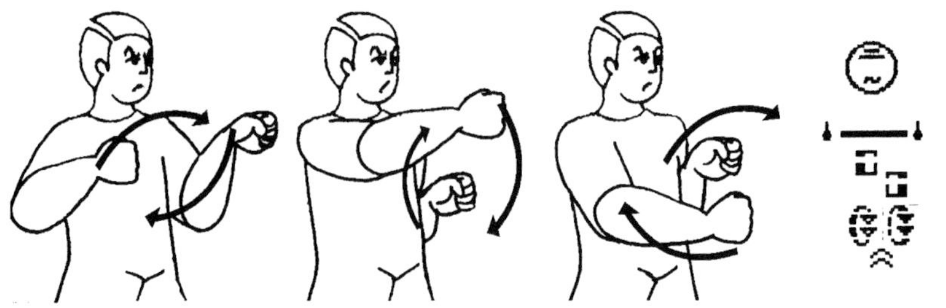

boxe *(inglês: boxing, pugilism)*:
s. m. Esporte de combate de origem inglesa em que os dois adversários atacam-se a socos e murros usando luvas especiais, e segundo certas regras com o objetivo de derrubar ou nocautear o oponente. Pugilismo. Ex.: Considero o boxe um esporte muito violento.

Mãos em **S** horizontal, palma a palma, ao lado esquerdo do corpo. Movê-las alternadamente em pequenos arcos para cima e para frente, inclinado o corpo para trás. Opcionalmente, expressão facial contraída.

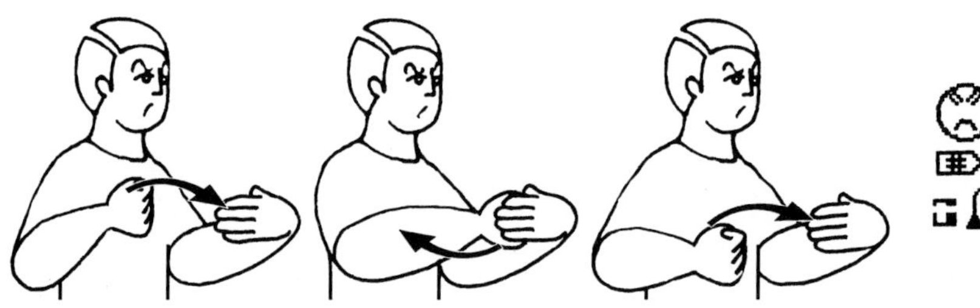

luta (1) *(inglês: fight, conflict, struggle)*:
s. f. Combate, conflito ou competição entre dois ou mais oponentes, com intenção de vencer e subjugar. Ex.: Venceu a luta com bravura e honestidade.

Mão esquerda horizontal aberta, palma para dentro; mão direita em **S** horizontal, palma para a esquerda, atrás da mão esquerda. Mover a mão direita em círculos verticais para frente e para baixo, batendo-a contra a palma esquerda durante o movimento, com a testa franzida.

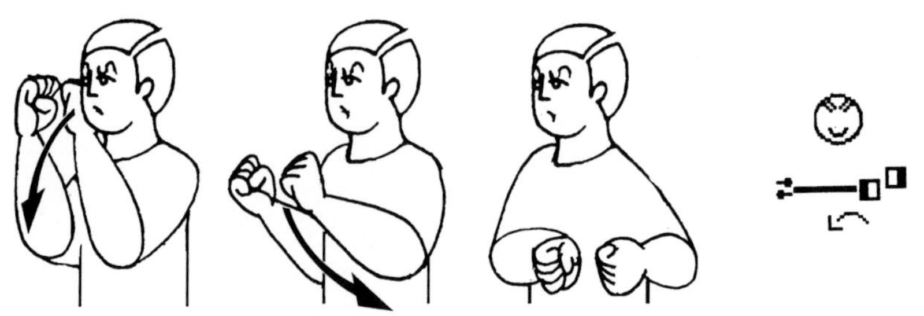

judô *(inglês: judo)*:
s. m. Tipo de jiu-jitsu desenvolvido como um esporte e como um meio de autodefesa para luta corporal que prescinde do uso de armas, e que é muito praticado no Brasil. Ex.: O judô é um método de defesa pessoal, que não recorre ao uso de armas.

Mãos em **S** vertical, palma a palma, acima e um pouco atrás do ombro direito. Movê-las em um arco para frente e para a esquerda, mudando para mãos horizontais e inclinando o ombro direito para a esquerda.

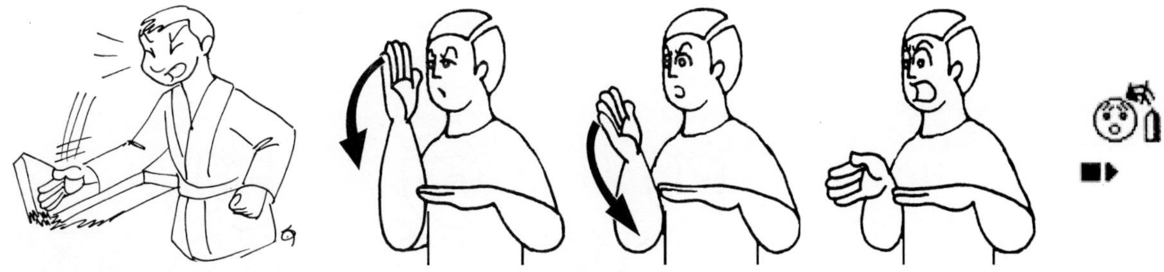

caratê *(inglês: karate)*:
s. m. Antiga arte marcial japonesa, mas de origem chinesa, baseada na disciplina e educação da vontade, e num treinamento físico rigoroso, e em que se empregam as mãos e os pés desarmados para golpear o inimigo. É um esporte popular entre crianças brasileiras, e uma importante escola de defesa pessoal. Ex.: O caratê deve ser usado para defesa pessoal.
Mão esquerda horizontal aberta, palma para baixo, dedos apontando para a direita ao lado esquerdo do peito; mão direita vertical aberta, palma para a esquerda, ao lado direito da cabeça. Mover a mão direita para frente e para a esquerda, abrindo a boca, levantando as sobrancelhas e arregalando os olhos.

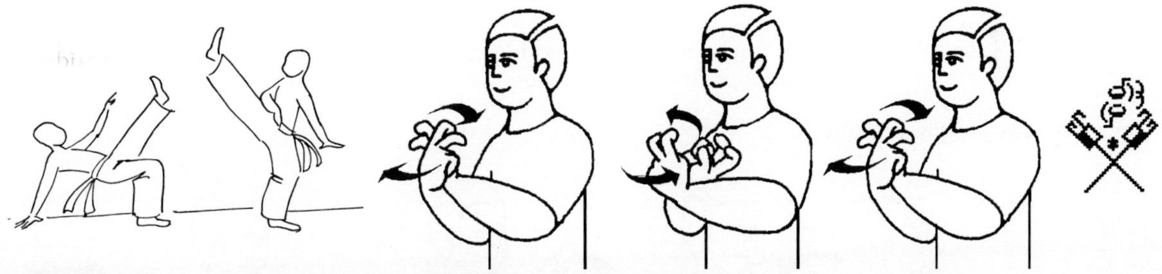

capoeira *(inglês: Afro-Brazilian martial dance)*:
s. f. Espécie de arte marcial afro-brasileira, muito comum na Bahia, que foi criada por escravos fugidos para defender os quilombos, na época da escravidão. Ex.: Pratico capoeira em uma academia.
Mãos em **5**, palma a palma, tocando-se pelos pulsos. Girar as mãos pelos pulsos, inclinando-as para os lados opostos.

2.2.6. Jogos de salão

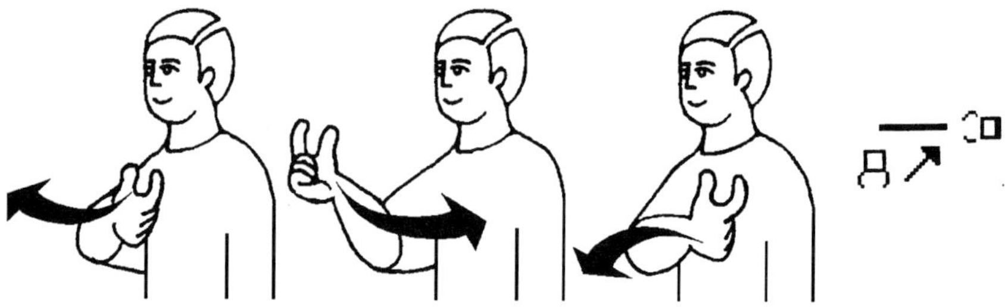

pingue-pongue *(inglês: ping pong)*:
s. m. Modalidade de tênis de mesa. Jogo praticado sobre uma mesa por dois adversários (ou duas duplas deles), que rebatem uma pequena bola de plástico com pequenas raquetes de madeira e, opcionalmente, borracha. Tênis de mesa. Ex.: Ele ganhou todas as partidas disputadas no pingue-pongue.
Mão direita horizontal fechada, palma para dentro, dedos polegar e indicador distendidos. Mover a mão para frente e para a direita, virando a palma para a esquerda, duas vezes.

tênis de mesa *(inglês: table tennis, ping pong)*:
s. m. Espécie de tênis, em miniatura, praticado sobre uma mesa retangular, com pequena bola de celulóide e pequena raquete de madeira. Pingue-pongue. Ex.: Ele ganhou todas as partidas disputadas no tênis de mesa.
Fazer o sinal de **pingue-pongue**.

baralho (*cartas*) *(inglês: cards, game of cards)* (usual: jogar cartas ou baralho; sugestão: baralho)**:**
s. m. Tipo de jogo de salão que usa cartas do baralho, como pôquer ou buraco. Ex.: Costumamos jogar baralho quando vamos para o sítio.
Fazer o sinal de **jogar cartas ou baralho, jogar (cartas ou baralho)**. (Mão esquerda em **4**, palma para dentro; mão direita horizontal aberta, palma para baixo, dedos flexionados, polegar distendido e paralelo aos demais dedos, segurando os dedos da mão esquerda. Mover a mão direita em um arco para cima e para frente, virando a palma para cima.)

cartas (*baralho*) *(inglês: cards, game of cards)* (usual: jogar (cartas ou baralho); sugestão: cartas (*baralho*))**:**
s. f. pl. Tipo de jogo de salão que usa cartas do baralho, como pôquer ou buraco. Ex.: Costumamos jogar cartas quando vamos para o sítio.
Fazer o sinal de **baralho (*cartas*).**

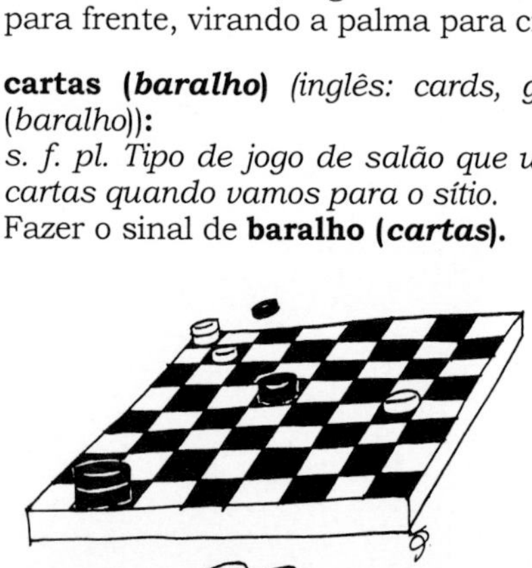
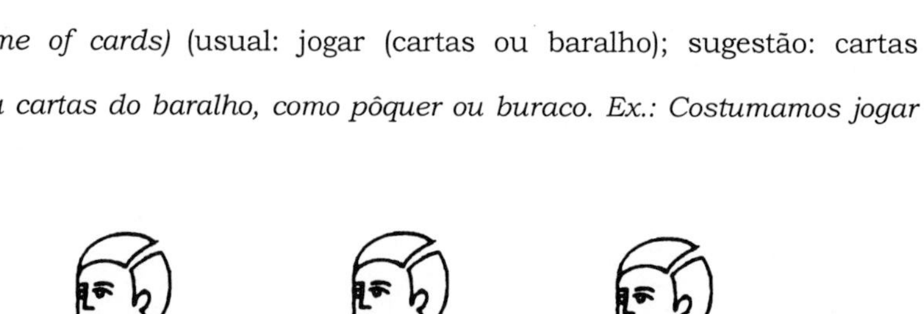

damas (*jogo*) *(inglês: checkers, draughts)*:
s. f. pl. Espécie de jogo entre dois parceiros, em tabuleiro quadrado de 64 casas brancas e pretas alternadas, com 24 pequenas peças iguais, chamadas pedras ou tábulas, sendo 12 de uma cor e 12 de outra. Ex.: O jogo de damas requer estratégias inteligentes.
Mão esquerda horizontal aberta, palma para cima, dedos para a direita; mão direita horizontal, palma

para baixo, pontas dos dedos unidas, tocando a palma esquerda. Mover a mão direita para várias direções sobre a palma esquerda.

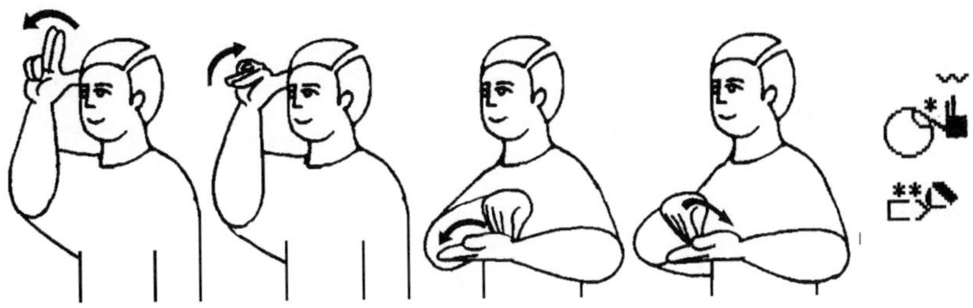

xadrez (*jogo*) *(inglês: chess (the game))*:
s. m. Jogo praticado por dois jogadores, cada qual com 16 peças de tipos variados (rei, rainha, bispos, cavalos, peões e torres) que são movidas sobre um tabuleiro quadriculado de 64 casas, com o objetivo de infligir xeque-mate ao rei do adversário. Ex.: O jogo de xadrez é muito cultivado na Rússia, de onde saíram vários campeões mundiais.
Fazer o sinal de **cavalo**. (Mão direita em **U**, palma para frente, polegar destacado tocando o lado direito da cabeça. Flexionar os dedos indicador e médio, duas vezes.) Em seguida, fazer o sinal de **damas (*jogo*)**. (Mão esquerda horizontal aberta, palma para cima, dedos para a direita; mão direita horizontal, palma para baixo, pontas dos dedos unidas, tocando a palma esquerda. Mover a mão direita para várias direções sobre a palma esquerda.)

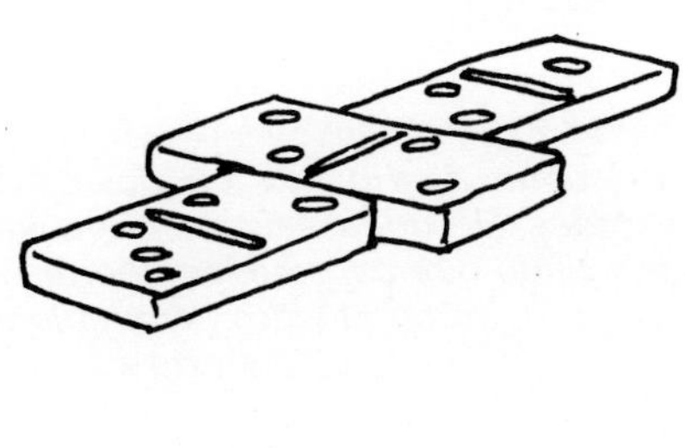

dominó (1) *(inglês: domino, domino game)*:
s. m. Jogo composto de 28 peças (pedras) chatas, retangulares, de madeira, osso, marfim ou matéria plástica, iguais pela face externa e divididas ao meio na face interna. As duas partes da face interna são ou ambas em branco ou apenas uma ou ambas marcadas com certo número de pontos desde um até seis. Ex.: As crianças fizeram um campeonato de dominó.
Mãos em **C** horizontal, palmas para baixo, lado a lado. Movê-las para trás, virando as palmas para dentro e apontando para baixo.

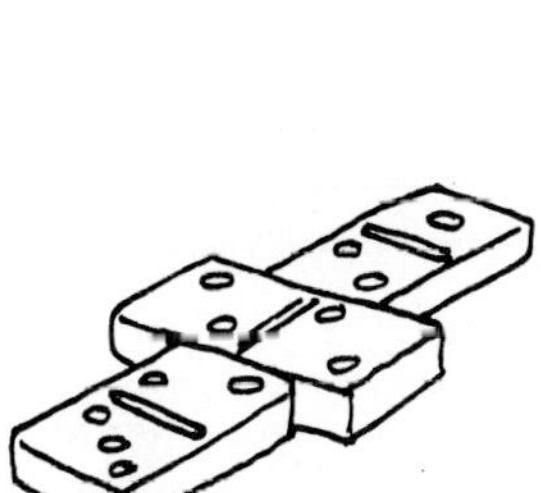

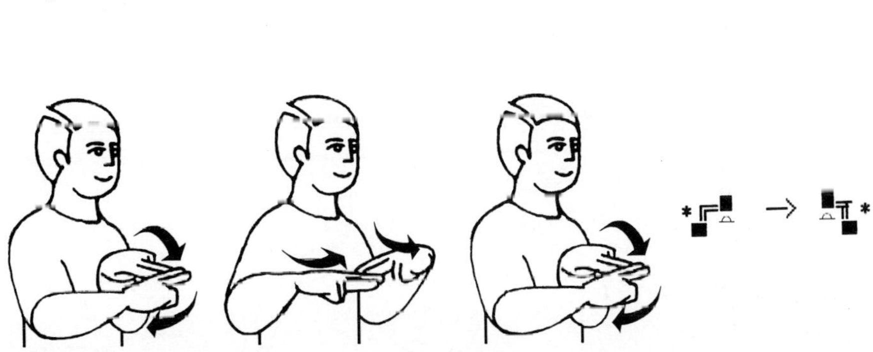

dominó (2) *(inglês: domino, domino game)*:
*Idem **dominó (1)**. Ex.: O avô sentiu-se muito feliz em ensinar seu neto a jogar dominó.*
Mão direita em **U** horizontal, palma para baixo, dedos para a esquerda; mão esquerda em **U** horizontal, palma para baixo, dedos para frente, tocando o lado do indicador direito. Mover as mãos para a direita, invertendo a posição das mãos, várias vezes (mão direita dedos para frente; mão esquerda dedos para a direita.)

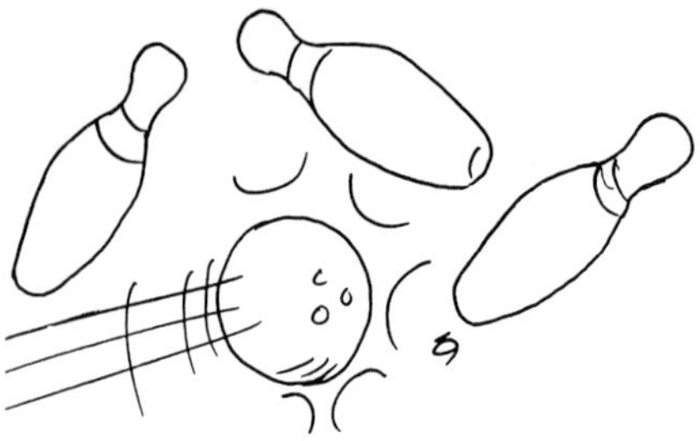
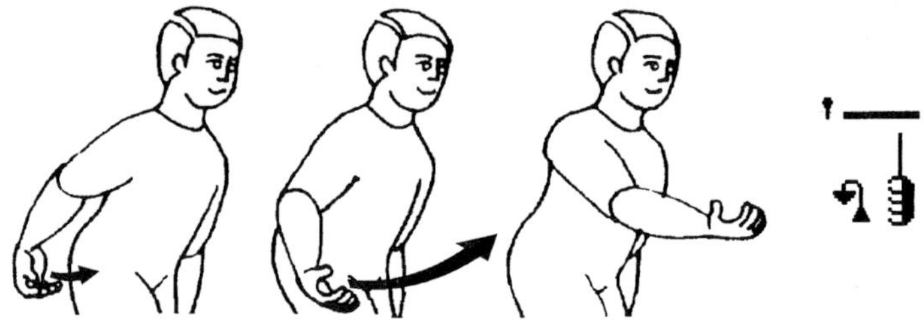

boliche *(inglês: bowling)*:
s. m. Jogo que consiste em arremessar uma bola grande, pesada e contendo orifícios para a inserção dos dedos, da extremidade de uma pista assoalhada, para derrubar, na outra, um conjunto de dez balizas de madeira, em forma de garrafa, e dispostas num arranjo triangular. Estabelecimento para a prática desse jogo. Ex.: Papai gosta de nos levar para jogar boliche com ele.
Braço direito vertical distendido para baixo e para trás do tronco, mão vertical aberta, palma para frente, dedos curvados. Mover a mão em um arco para frente e para cima, com o corpo inclinado para frente.

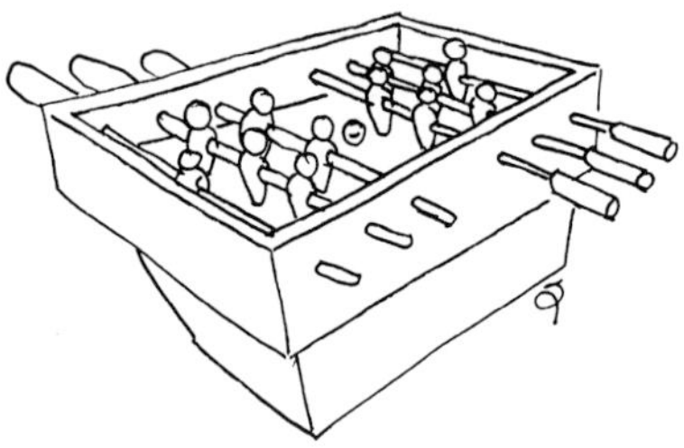

pebolim (*futebol totó*) *(inglês: table soccer)*:
s. m. Jogo de salão inspirado no futebol, praticado por dois a quatro jogadores distribuídos em dois times, um de cada lado da mesa. Consiste numa mesa retangular com paredes elevadas em que corre uma bolinha de plástico sólido do tamanho de uma bola de pingue-pongue, sendo que as paredes laterais da mesa sustentam varetas móveis que mantêm suspensos 22 bonecos de madeira ou plástico. Manipulando as varetas, os jogadores fazem girar os bonecos com o propósito de atingir a bola e fazê-la entrar no gol do adversário. Futebol totó. Totó. Ex.: No salão de jogos, disputamos uma partida de pebolim.
Mãos em **S** vertical, palma a palma, apontando para baixo, a cada lado do corpo. Girar as palmas para baixo.

totó (*pebolim*) *(inglês: table soccer)* (usual: pebolim; sugestão: totó):
s. m. Jogo de salão inspirado no futebol, praticado por dois a quatro jogadores distribuídos em dois times, um de cada lado da mesa. Consiste numa mesa retangular com paredes elevadas em que corre uma bolinha de plástico sólido do tamanho de uma bola de pingue-pongue, sendo que as paredes laterais da mesa sustentam varetas móveis que mantêm suspensos 22 bonecos de madeira ou plástico. Manipulando as varetas, os jogadores fazem girar os bonecos com o propósito de atingir a bola e fazê-la entrar no gol do adversário. Pebolim. Futebol totó. Ex.: Gosto muito de reunir os amigos no salão de jogos do sítio para passar as manhãs jogando totó.
Fazer o sinal de **pebolim (*futebol totó*)**.

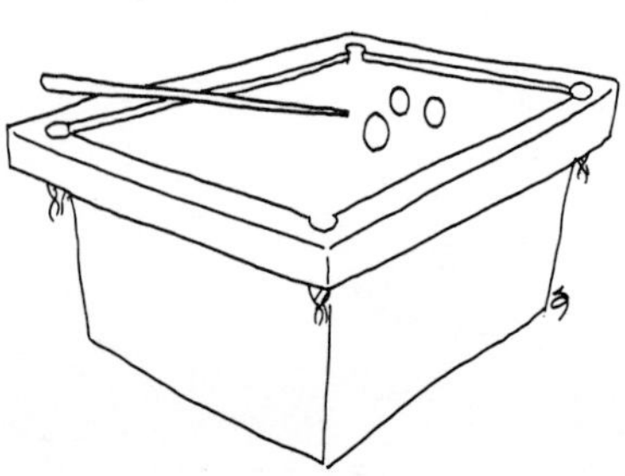
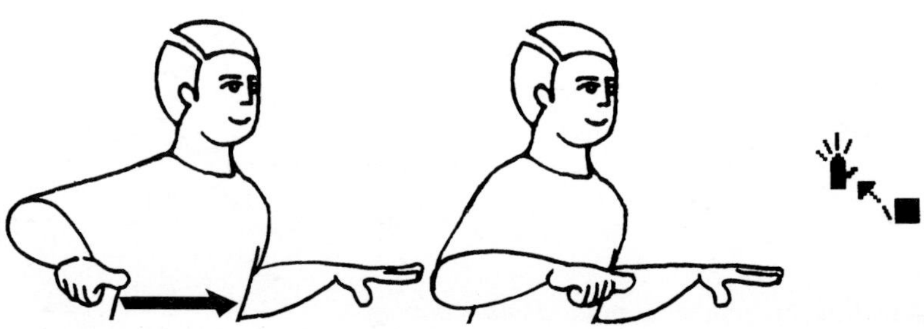

bilhar *(inglês: billiards)*:
s. m. Jogo em que participam duas ou mais pessoas. Usa uma mesa retangular, cuja parte plana horizontal é forrada de feltro verde, e com bordas (tabelas) na qual se impelem pequenas bolas coloridas por meio de uma haste de madeira chamada taco. Os jogadores devem usar o taco para tentar impelir a bola branca

contra as bolas coloridas, de modo a inserir essas últimas em quaisquer das seis caçapas ou buracos na mesa. Os jogadores alternam-se nas jogadas, sendo que marca ponto e joga de novo aquele que conseguir encaçapar uma bola colorida, e perde um ponto aquele que encaçapar, por engano, a branca. Ex.: Este homem é campeão de bilhar. Ele acerta todas as caçapas sem perder uma jogada sequer.

Mão direita em **A** horizontal, palma para baixo, ao lado direito do corpo; mão esquerda horizontal aberta, palma para baixo, à esquerda e à frente da mão direita. Mover a mão direita, diagonalmente, para frente e para a esquerda.

sinuca *(inglês: snooker)***:**

s. f. Espécie de bilhar com muitas bolas de várias cores. Ex.: Costumamos jogar sinuca nos fins de semana com os amigos.

Fazer o sinal de **bilhar**.

2.2.7. Atividades de academia

ginástica *(inglês: gymnastics)*:
s. f. Arte ou ato de exercitar o corpo, para desenvolvê-lo e fortificá-lo. Ex.: A ginástica é uma atividade importante para o desenvolvimento corporal.
Fazer o sinal de **educação física**. (Mãos em **S**, palma a palma, diante dos ombros. Girar as palmas para frente, duas vezes.)

musculação *(inglês: physical exercises, muscular exercise, body building)*:
s. f. Conjunto das ações musculares, exercício dos músculos. Ex.: Pratico musculação para manter a forma do meu corpo.
Fazer o sinal de **educação física**.

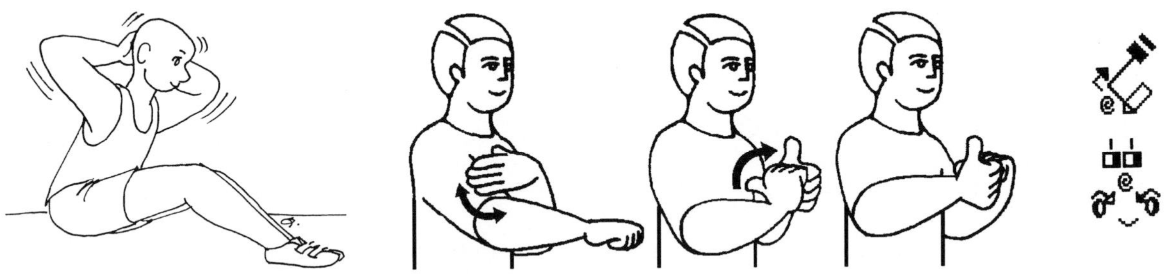

treinamento esportivo *(inglês: sports training)*:
s. m. Ação de treinar realizando uma série de exercícios físicos gerais e específicos, destinados à melhoria do estado físico geral bem como do desempenho na modalidade esportiva específica que se pratica. Ex.: Os atletas passam por um treinamento esportivo intensivo para melhorar seu desempenho nas competições.
Fazer o sinal de **treino**. (Braço esquerdo ligeiramente distendido em frente ao corpo, mão fechada, palma para baixo; mão direita horizontal aberta, palma para dentro tocando próximo à dobra do cotovelo. Passar a lateral do dedo mínimo, várias vezes sobre o antebraço esquerdo, com movimentos curtos, inclinando a palma para baixo durante o movimento.) Em seguida, fazer o sinal de **esporte, esportista**.(Mão esquerda horizontal fechada, palma para a direita, polegar distendido e inclinado para a esquerda; mão direita vertical fechada, palma para a esquerda, polegar direito distendido, mãos tocando-se. Girar a mão direita para frente e a mão esquerda para trás.)

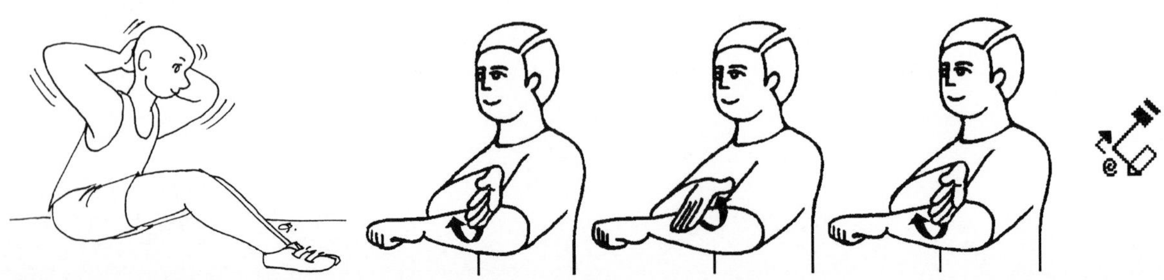

treino *(inglês: training, exercise, practice, drilling)*:
s. m. Ato ou efeito de treinar. Exercício. Ex.: Os soldados militares passam por treinos para suportar situações de perigo.
Braço esquerdo ligeiramente distendido em frente ao corpo, mão fechada, palma para baixo; mão direita horizontal aberta, palma para dentro tocando próximo à dobra do cotovelo. Passar a lateral do dedo mínimo, várias vezes sobre o antebraço esquerdo, com movimentos curtos, inclinando a palma para baixo durante o movimento.

dança *(inglês: dance, dancing)*:
s. f. Série ritmada de gestos e de passos, ordinariamente ao som e ao compasso da música. Modo de dançar. Ex.: O espetáculo de dança foi muito emocionante. Ex.: DanceWriting serve para escrever dança; SignWriting, sinal.
Mão esquerda horizontal aberta, palma para cima, dedos apontando para a direita; mão direita em **V** invertido, palma para dentro, acima da palma esquerda e próxima a ela. Balançar a mão direita para os lados.

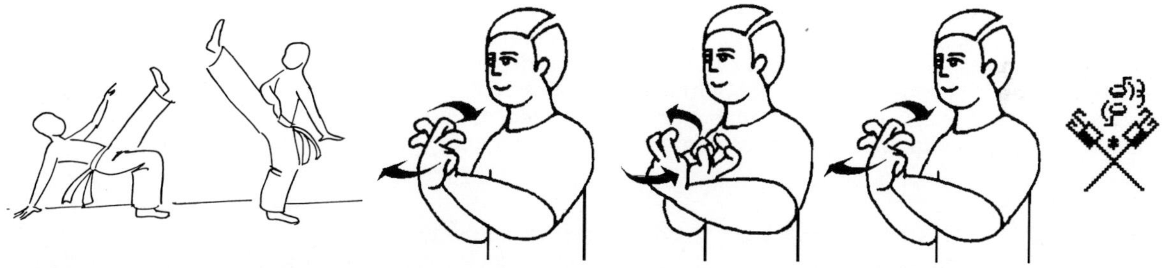

capoeira *(inglês: Afro-Brazilian martial dance)*:
s. f. Espécie de arte marcial afro-brasileira, muito comum na Bahia, que foi criada por escravos fugidos para defender os quilombos, na época da escravidão. Ex.: Pratico capoeira em uma academia.
Mãos em **5**, palma a palma, tocando-se pelos pulsos. Girar as mãos pelos pulsos, inclinando-as para os lados opostos.

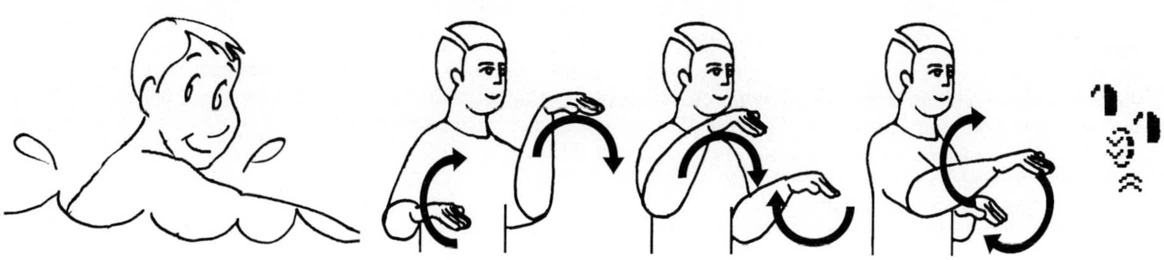

natação *(inglês: swimming)*:
s. f. Ato de nadar. Arte de nadar. Sistema de locomoção próprio dos animais aquáticos. Ex.: A natação é um excelente esporte para manter a boa saúde e a forma física.
Fazer o sinal de **nadar, nadador (nadadora)**. (Mãos horizontais abertas, palmas para baixo, dedos unidos e curvados. Mover as mãos, alternadamente, em círculos verticais para frente.)

2.3. Instrumentos e acessórios no esporte

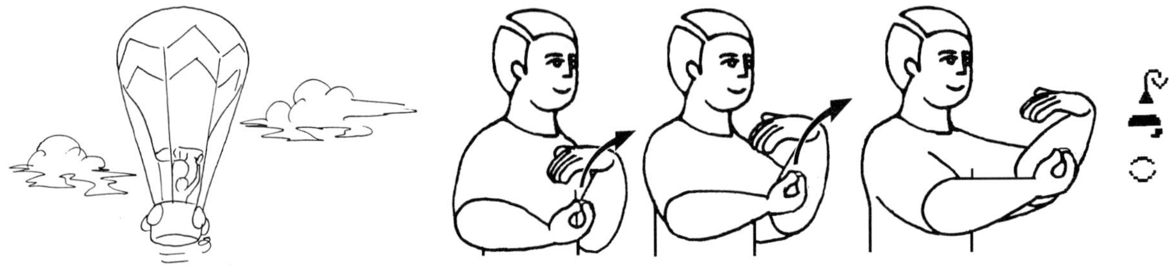

balão (*aeróstato*) *(inglês: dirigible, balloon (aerostat))*:
s. m. Aparelho de navegação aérea que se eleva e se sustenta na atmosfera graças à leveza do gás específico de que é cheio (como hidrogênio ou hélio) ou à maior leveza do ar quente em relação ao frio, e que transporta consigo equipamentos de aferição de condições atmosféricas, ou passageiros para fins recreacionais ou esportivos. Ex.: Em 1783, Jacques Charles descobriu que era mais fácil fazer o balão elevar-se por meio de hidrogênio do que por meio de ar quente.
Mão esquerda horizontal curvada, palma para baixo; mão direita em **O** horizontal, palma para cima, abaixo da mão esquerda. Mover as mãos, lenta e simultaneamente, em um arco para cima e para frente.

aeróstato *(inglês: aerostat, balloon)* (usual: balão; sugestão: aeróstato):
s. m. Aparelho de navegação aérea que se eleva e se sustenta na atmosfera graças à leveza do gás específico de que é cheio (como hidrogênio ou hélio) ou à maior leveza do ar quente em relação ao frio, e que transporta consigo equipamentos de aferição de condições atmosféricas, ou passageiros para fins recreativos ou esportivos. Ex.: Em 1783, Jacques Charles descobriu que era mais fácil fazer o aeróstato elevar-se por meio de hidrogênio do que por meio de ar quente.
Fazer o sinal de **balão (*aeróstato*)**.

dirigível *(inglês: dirigible, balloon (aerostat))* (usual: balão; sugestão: dirigível):
s. m. Aparelho de navegação aérea que se eleva e se sustenta na atmosfera graças à leveza do gás específico de que é cheio (como hidrogênio ou hélio) ou à maior leveza do ar quente em relação ao frio, e que transporta consigo equipamentos de aferição de condições atmosféricas, ou passageiros para fins de recreação ou esporte. Ex.: Em 1783, Jacques Charles descobriu que era mais fácil fazer o dirigível elevar-se por meio de hidrogênio do que por meio de ar quente.
Fazer o sinal de **balão (*aeróstato*)**.

pára-quedas *(inglês: parachute)*:
s. m. Aparato usado para diminuir a velocidade de objetos e pessoas em queda livre, permitindo um pouso suave. É composto de uma peça de náilon que é inflada pelo vento quando ele se abre e de cujas extremidades partem cordas de náilon presas à carga, conferindo estabilidade ao conjunto. Ex.: Leonardo da Vinci idealizou e desenhou o pára-quedas, em 1514.
Mão esquerda horizontal aberta, palma para baixo, dedos separados e curvados; mão direita em **V** invertido, palma para dentro, abaixo da mão esquerda, mãos ao lado esquerdo da cabeça. Movê-las para baixo e para a direita, acompanhando o movimento com os olhos.

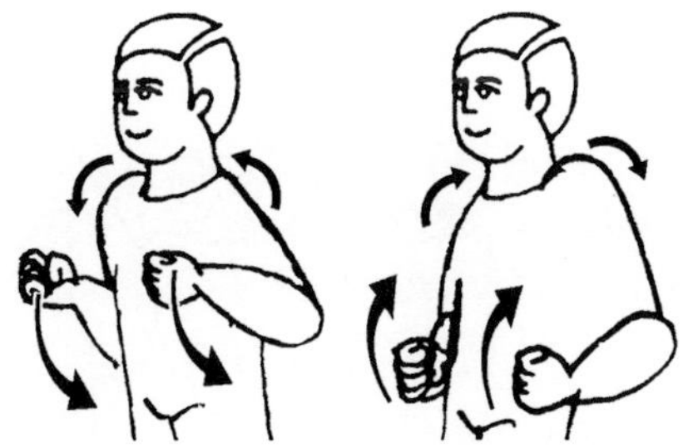
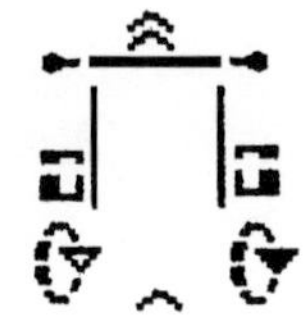

esqui *(inglês: ski, snow ski)*:
s. m. Espécie de patim que consiste numa tábua lisa, estreita e comprida, um pouco levantada na ponta e que serve para deslizar sobre a neve. Ex.: Os esquis foram inventados pelos povos da Escandinávia, há mais de 4.000 anos.
Mãos em **S** horizontal palma a palma, a cada lado do corpo. Movê-las, descrevendo arcos para baixo e para trás, várias vezes, inclinando o corpo ora para a direita, ora para a esquerda.

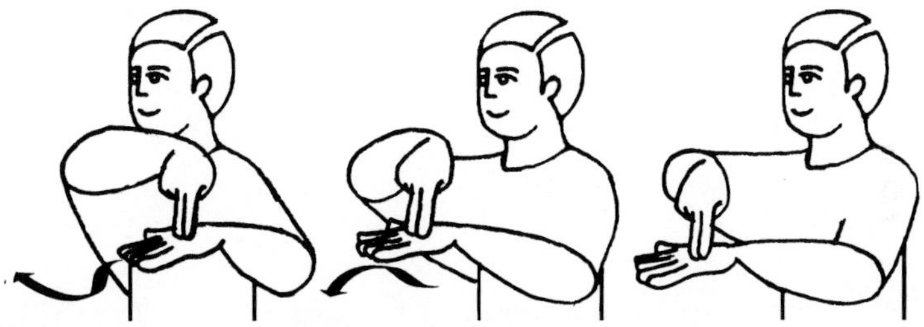

skate *(inglês: skate, roller skate)*:
s. m. Prancha de madeira ou outro material rígido sobre quatro rolamentos, em que o esportista se equilibra de pé, dando-lhe impulso e direção com os pés. Ex.: Deve-se usar capacete, joelheiras e cotoveleiras para usar o skate.
Mão esquerda horizontal aberta, palma para baixo, dedos apontando para frente; mão direita em **N**, pontas dos dedos direitos tocando o dorso da mão esquerda. Mover as mãos para frente, balançando-as para a esquerda e para a direita.

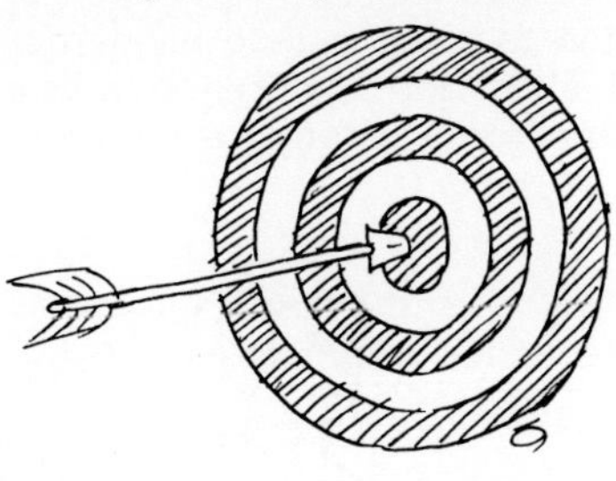

alvo (*CL*) *(inglês: target, aim)*:
s. m. Mira. Ponto a que se dirige o tiro. Ponto de mira em que se atiram projéteis, dardos, flechas, balas etc. Ex.: O arqueiro disparou a flecha e acertou o alvo.
Mãos verticais fechadas, palma a palma, indicadores e polegares em **C**; mudar a mão direita para mão em **1** horizontal, palma para baixo, indicador para frente, atrás da mão esquerda. Mover a mão direita para frente, em direção à mão esquerda.

dardo (*CL*) *(inglês: dart, spear)*:
s. m. Arma de arremesso, delgada e curta, com ponta aguda de ferro. Ex.: Gosto de arremessar dardos no alvo da parede.
Mão direita vertical fechada, palma para frente, indicador e polegar distendidos e unidos pelas pontas, ao lado direito da cabeça. Movê-la com força em um arco para cima e para frente, distendendo o braço para frente, e abrindo os dedos indicador e polegar.

arco e flecha *(inglês: arch, bow (and arrow))*:
s. m. Arma com que se atiram flechas a longas distâncias. Consiste numa haste de madeira ou metal, curvada por meio de uma corda presa nas duas extremidades. Antigamente era usada como arma de guerra, mas atualmente seu uso limita-se a atividades esportivas, ou à caça por alguns povos. Ex.: Alguns índios brasileiros usam o ipê para fabricar arco e flecha.
Braço esquerdo horizontal distendido, mão em **S** horizontal, palma para a direita. Braço direito horizontal distendido, mão horizontal aberta, palma para a esquerda, próxima à mão esquerda, dedos polegar e médio unidos pelas pontas. Mover o braço direito para trás distendendo os dedos indicador e médio.

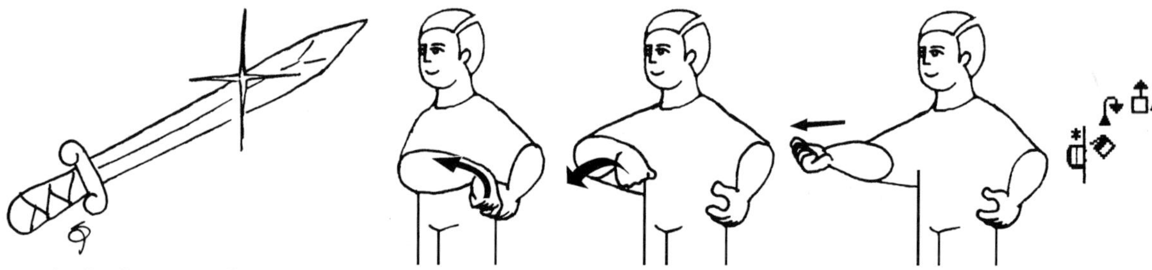

espada *(inglês: sword)*:
s. f. Arma branca, ofensiva e defensiva, formada de uma lâmina comprida, de ferro ou aço, cortante e perfurante, com punho e guardas ou copos, para a defesa da mão que a empunha. Ex.: Os militares cruzaram as espadas para os noivos entrarem na igreja.
Mão esquerda em **C** invertido, palma para a direita, pontas dos dedos tocando o lado esquerdo da cintura; mão direita em **A** invertido, palma para a direita, dorso dos dedos tocando a lateral do indicador e polegar esquerdos. Mover a mão direita em um arco para cima e para frente, virando a palma para dentro. Então, movê-la para frente, com a palma para cima.

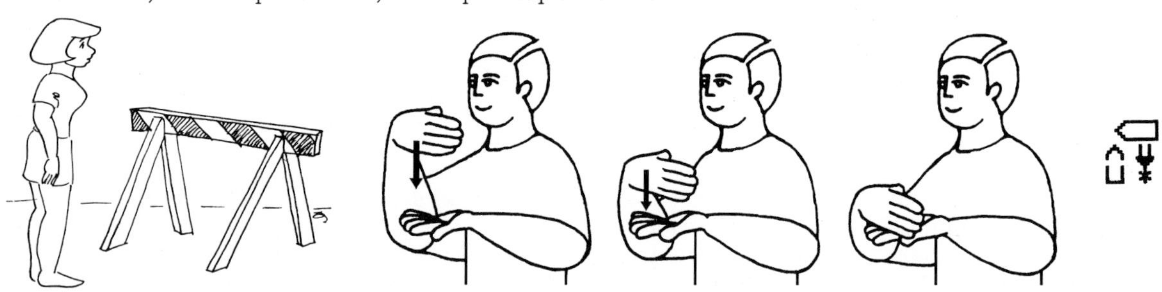

barreira (*CL*) *(inglês: barrier, obstacle, hindrance)*:
s. f. Impedimento, obstáculo. Ex.: Na estrada em obras, foi colocada uma barreira para avisar os motoristas.
Mão esquerda horizontal aberta, palma para cima, dedos para frente; mão direita horizontal aberta, palma para dentro, acima da mão esquerda. Baixar a mão direita tocando o lado do mínimo direito na ponta dos dedos esquerdos.

apito (1) *(inglês: whistle)*:
s. m. Instrumento para assobiar, dirigir manobras, regular o trânsito ou pedir socorro. Som produzido por

esse instrumento. Assobio. Silvo. Ex.: O árbitro usa o apito como instrumento de trabalho.
Mão direita horizontal fechada, palma para dentro, indicador e polegar unidos pelas pontas e tocando os lábios, então assoprar, franzindo as sobrancelhas.

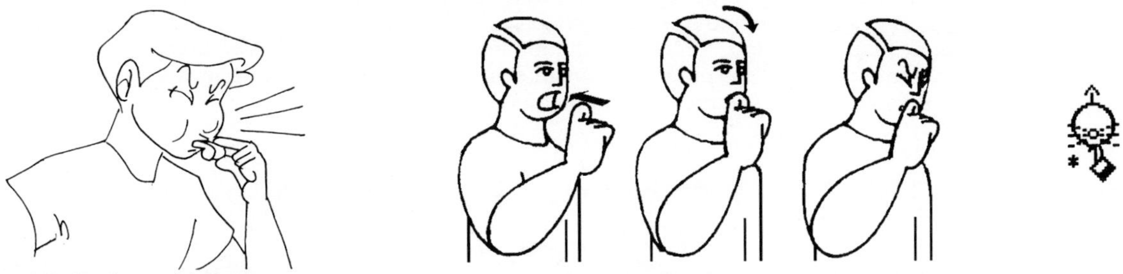

apito (2) *(inglês: whistle)*:
Idem ***apito (1)****. Ex.: A criança encontrou um brinde no pacote de pipocas: um apito. E pôs-se a apitar o dia inteiro.*
Mão direita em **A**, palma para a esquerda, indicador destacado. Aproximar o dedo da boca aberta e assoprar, inclinando ligeiramente a cabeça para frente, e franzindo as sobrancelhas.

bola *(inglês: ball)*:
s. f. Qualquer corpo esférico. Objeto esférico de couro, plástico ou borracha, e inflado de ar comprimido, que serve para ser jogado, batido ou chutado em jogos ou esportes. Ex.: A bola está muito murcha para jogar futebol. É preciso inflá-la.
Mãos verticais abertas, palma a palma , dedos separados e ligeiramente curvados.

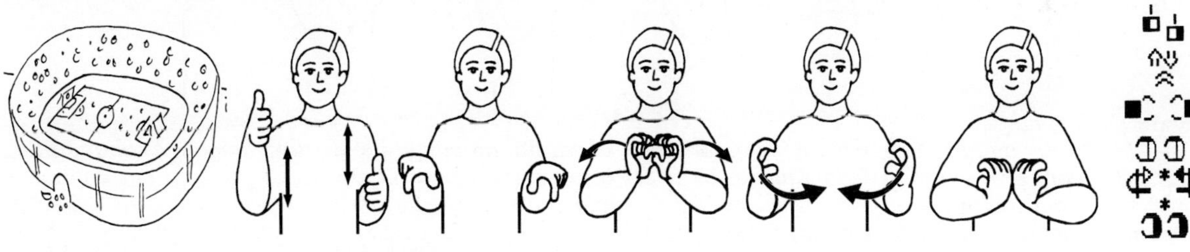

estádio de futebol *(inglês: soccer stadium)*:
s. m. Lugar onde se realizam partidas de futebol, com arquibancadas para o público. Ex.: O Maracanã é o maior estádio de futebol do Brasil.
Fazer o sinal de **campo de futebol**. (Fazer o sinal de **jogar (*esporte*), jogo**. (Mãos horizontais fechadas, palma a palma, polegares destacados. Movê-las alternadamente para cima e para baixo.)) Em seguida, mãos horizontais fechadas, palmas para baixo, dedos indicadores e polegares em C, a cada lado do corpo. em seguida, mãos em **C**, palmas para frente, tocando-se pelas laterais. Movê-las em um grande círculo para os lados opostos e para frente, finalizando com as mãos tocando-se pelas laterais, palmas para dentro.

campo de futebol *(inglês: soccer field)*:
s. m. Grande área retangular (com 90-120 m de comprimento e 45-90 m de largura) oficialmente gramada,

destinada exclusivamente à prática do futebol. É dividida ao meio, por uma linha transversal, em dois campos, um para cada time de 11 jogadores, sendo que no fundo de cada campo há uma rede armada em duas traves e uma travessa, chamada gol. Há apenas uma bola, e o objetivo dos dois times é introduzir a bola no gol adversário, e impedir que ela seja introduzida no próprio gol. Ex.: Durante a copa do mundo, o time brasileiro entrou de mãos dadas no campo de futebol.
Fazer o sinal de **jogar (*esporte*), jogo**. (Mãos horizontais fechadas, palma a palma, polegares destacados. Movê-las alternadamente para cima e para baixo.) Em seguida, mãos horizontais fechadas, palmas para baixo, dedos indicadores e polegares em C, a cada lado do corpo.

bicicleta *(inglês: bicycle, bike)*:
s. f. Veículo de duas rodas, propelido a pedais, corrente e catraca, e manobrado a guidom por ciclista assentado no selim. As rodas têm aros metálicos e pneumáticos e são alinhadas uma à frente da outra, e fixadas a um quadro metálico fixo. Os pedais giram um disco que, por meio de corrente, transmite movimento à catraca menor que é presa à roda de trás. As alavancas de freio nas manoplas do guidom tracionam cabos que acionam pinças com sapatas de borracha que aderem ao aro, reduzindo a velocidade do veículo. Ex.: Vou pegar minha bicicleta e começar a treinar, porque no ano que vem quero participar do campeonato de ciclismo.
Mãos em **S** horizontal, palmas para baixo. Movê-las alternadamente em círculos verticais para frente.

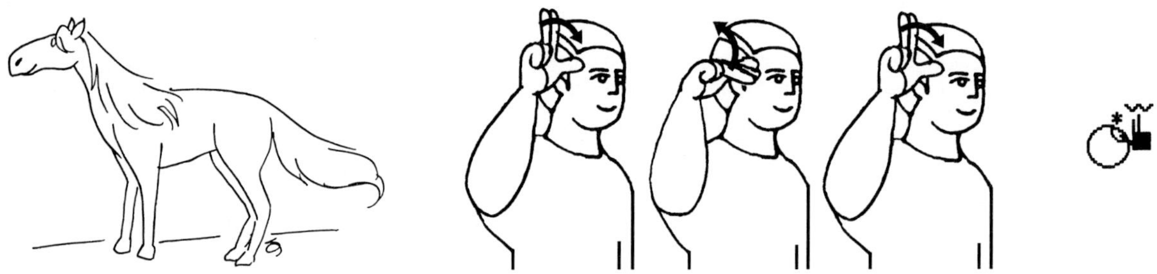

cavalo *(inglês: horse)*:
s. m. Mamífero quadrúpede eqüino, com pescoço e cauda providos de cerdas longas e abundantes chamadas crinas, e em cuja vida útil de 25 a 30 anos serve como montaria de passeio em estâncias turísticas, como instrumento terapêutico na equoterapia, de manejo de gado na pecuária, e de esportes eqüestres (como a equitação e o turfe), e também como animal de tração de carruagens e carroças, no transporte de passageiros e cargas em boa parte do interior. Ex.: O cavaleiro montado em seu cavalo passeava pela fazenda.
Mão direita em **U**, palma para frente, polegar destacado tocando o lado direito da cabeça. Flexionar os dedos indicador e médio, duas vezes.

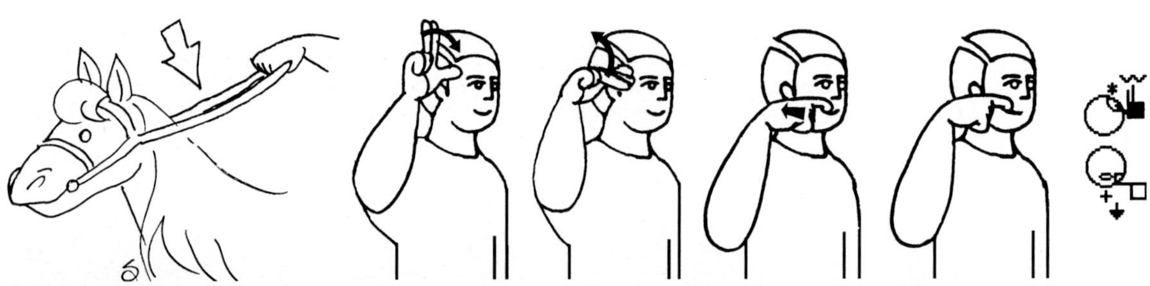

rédeas *(inglês: reins, bridle)*:
s. f. pl. Brida. Corda ou correia, para guiar o animal de monta. Ex.: As rédeas do animal foram afrouxadas e ele cavalgou livremente.
Fazer o sinal de **cavalo**. (Mão direita em **U**, palma para frente, polegar destacado tocando o lado direito da cabeça. Flexionar os dedos indicador e médio, duas vezes.) E então, mão direita em **X** horizontal, palma para dentro, ponta do dedo indicador enganchada no canto direito da boca. Mover a mão ligeiramente para trás.

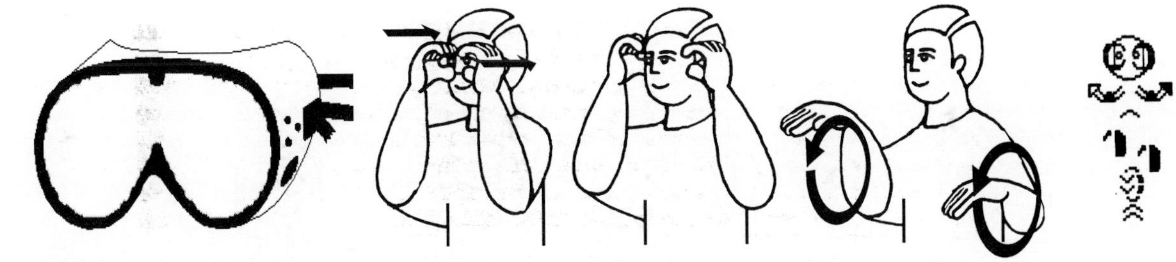

óculos para nadar *(inglês: swimming mask)*:
s. m. Equipamento constituído por lentes com ou sem grau corretivo e que possibilitam ao nadador proteger seus olhos da água e observar os objetos que estão submersos. Ex.: Antes de mergulhar coloque os óculos para nadar.
Mãos em **C**, palma a palma, diante de cada olho. Movê-las para cada lado da cabeça. Em seguida, fazer o sinal de **nadar, nadador (nadadora)**. (Mãos horizontais abertas, palmas para baixo, dedos unidos e curvados. Mover as mãos, alternadamente, em círculos verticais para frente.)

máscara de natação *(inglês: swimming mask)*:
s. f. Equipamento constituído por lentes com ou sem grau corretivo e que possibilitam ao nadador proteger seus olhos da água e observar os objetos que estão submersos. Ex.: A máscara de natação deve ser colocada antes do mergulho.
Fazer o sinal de **óculos para nadar**.

2.4. Etapas do esporte

campeonato *(inglês: championship)*:
s. m. Prova desportiva ou certame cujo vencedor recebe o título de campeão. Ex.: O campeonato de futebol de salão será no próximo sábado.
Mãos em **1**, palma a palma, inclinadas para baixo, indicadores cruzados diante da face. Baixar as mãos.

começo *(inglês: beginning, start, onset)*:
s. m. Início. Princípio. Origem. Primeira parte ou primeiro momento de algo. Ex.: O começo da palestra foi sobre o desenvolvimento da linguagem.
Mão esquerda horizontal aberta, palma para cima, dedos para frente; mão direita horizontal aberta, palma para dentro, tocando a base da palma esquerda. Mover a mão direita para frente, até as pontas dos dedos.

chegada *(inglês: arrival)*:
s. f. Ato ou efeito de chegar. Aproximação. Conclusão de uma jornada. Ex.: Sua chegada me encheu de alegria e esperança.
Mãos horizontais abertas, palma a palma, dedos inclinados para a esquerda; mão direita mais a frente da esquerda, ao lado direito do corpo. Movê-las em um arco para cima e para a esquerda, finalizando com os dedos apontando para baixo.

gol *(inglês: goal)*:
s. m. Ponto que se marca em jogos quando a bola transpõe o arco das traves adversárias. Linha ou quadro que a bola deve transpor, como principal objetivo do jogo. Arco, meta. Ex.: A torcida comemorou o gol cantando o hino do clube.

Mão esquerda em **C** horizontal, palma para baixo, apontando para frente; mão direita em **S** vertical, palma para a esquerda. Mover a mão direita em direção à esquerda, virando a palma para baixo e distendendo o indicador abaixo da palma esquerda.

tempo (*pedir tempo em jogos esportivos*) *(inglês: time-out (in sporting games))*:
s. m. Solicitação feita pelo técnico de time de esportes de salão, como por exemplo, basquete, para reunir os jogadores a fim de reorganizar a tática usada. Ex.: Após perder seis pontos consecutivos, o técnico da equipe de basquete pediu tempo ao juiz.
Mão esquerda horizontal aberta, palma para baixo, dedos para a direita; mão direita vertical aberta, palma para a esquerda. Tocar as pontas dos dedos direitos na palma esquerda.

oitava de final *(inglês: in soccer, the round of games preceding the quarterfinals, in which eight teams compete)*:
s. f. No futebol e em outros esportes, a rodada de partidas em que disputam oito duplas de times para a seleção de apenas quatro duplas, que passam então às quartas de final. Ex.: O time, mesmo incompleto, chegou à oitava de final.
Mãos em **8**, lado a lado.

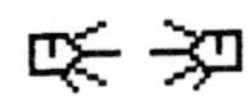

quarta de final *(inglês: quarterfinals: in soccer, the round of games preceding the finals, in which four teams compete)*:
s. f. Fase de um torneio esportivo em que se realizam quatro jogos, com oito times, buscando a classificação para as semifinais. Ex.: Meu time está classificado para a quarta de final.
Mãos em **4** horizontal, palmas para dentro, dedos apontando uns para os outros.

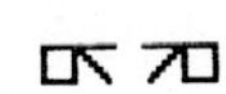

semifinal *(inglês: semifinal)*:
adj. m. e f. Diz-se de uma fase de um torneio esportivo cujos atletas ou times vencedores terão direito à disputa da fase final. Ex.: O campeonato está na fase semifinal. s. f. Partida semifinal. Ex.: Esta é uma das

duas semifinais, e o vencedor disputará a final do campeonato.
Mãos em **V** horizontal, palmas para dentro, dedos apontando uns para os outros.

final (*esporte*) *(inglês: finals: in soccer, the round of games after the quarterfinals, and in which two teams compete, so that one of them will be the champion and the other will be vice-champion)***:**
adj. m. e f. Diz-se da última fase de um torneio esportivo cujos atletas ou times vencedores terão direito ao campeonato. Ex.: O campeonato está na fase final. s. f. A última e decisiva etapa ou rodada de provas em competições esportivas, da qual resultarão um campeão e um vice-campeão. Ex.: Os dois times preferidos chegaram à final do campeonato.
Mãos em **1** horizontal, palmas para dentro, dedos indicadores apontando um para o outro.

2.5. Características do esportista e do esporte

2.5.1. Do que o esportista precisa

saúde *(inglês: health, healthfulness, vigor, healthiness, soundness)*:
s. f. Estado sadio do organismo cujas funções físicas e mentais não apresentam falhas ou transtorno. Qualidade do que é são. Boa disposição física, caracterizada por sensação de bem-estar, pela demonstração de vigor, força, resistência e robustez. Ex.: Após a cirurgia no coração, sua saúde permaneceu regular.
Mão direita horizontal aberta, palma para dentro, ponta do dedo médio tocando o lado direito do peito. Mover a mão para a direita, e tocar o lado esquerdo do peito.

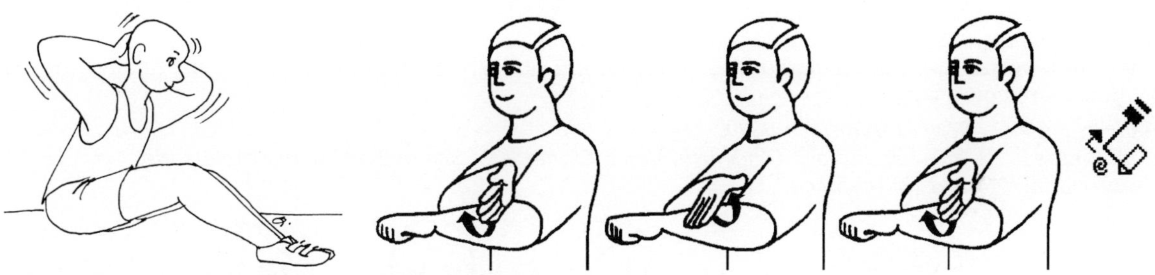

treino *(inglês: training, exercise, practice, drilling)*:
s. m. Ato ou efeito de treinar. Exercício. Ex.: Os soldados militares passam por treinos para suportar situações de perigo.
Braço esquerdo ligeiramente distendido em frente ao corpo, mão fechada, palma para baixo; mão direita horizontal aberta, palma para dentro tocando próximo à dobra do cotovelo. Passar a lateral do dedo mínimo, várias vezes sobre o antebraço esquerdo, com movimentos curtos, inclinando a palma para baixo durante o movimento.

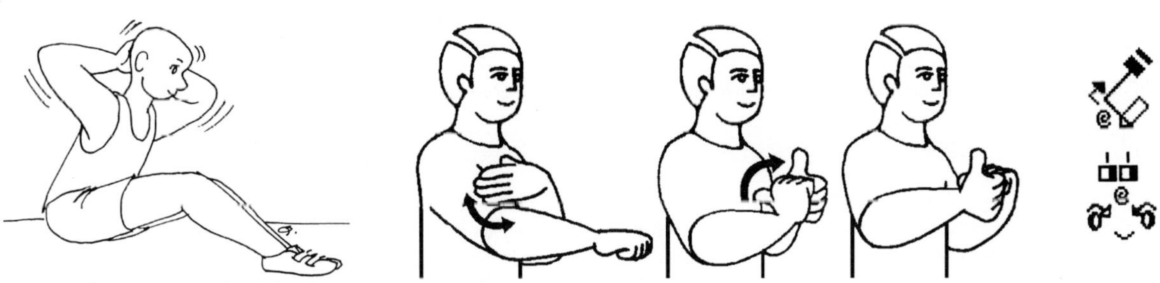

treinamento esportivo *(inglês: sports training)*:
s. m. Ação de treinar realizando uma série de exercícios físicos gerais e específicos destinados à melhoria do estado físico geral bem como do desempenho na modalidade esportiva específica que se pratica. Ex.: Os atletas passam por um treinamento esportivo intensivo para melhorar seu desempenho nas competições.
Fazer o sinal de **treinar**, **treino** (Braço esquerdo ligeiramente distendido em frente ao corpo, mão fechada, palma para baixo; mão direita horizontal aberta, palma para dentro tocando próximo à dobra do cotovelo. Passar a lateral do dedo mínimo, várias vezes sobre o antebraço esquerdo, com movimentos curtos, inclinando a palma para baixo durante o movimento.) Em seguida, fazer e o sinal de **esporte**, **esportista**. (Mão esquerda horizontal fechada, palma para a direita, polegar distendido e inclinado para a esquerda; mão direita vertical fechada, palma para a esquerda, polegar direito distendido, mãos tocando-se. Girar a mão direita para frente e a mão esquerda para trás.)

conhecimento *(inglês: knowledge, familiarity)*:
s. m. Ato ou efeito de conhecer. Ciência. Consciência. Informação. Idéia. Noção. Notícia. Ex.: Tenho conhecimento da importância da Língua de Sinais para a educação do Surdo. Ex.: Você conhece o novo professor de Português? Sim. Eu tenho conhecimento dele.
Mão direita em **4**, palma para a esquerda, em frente ao queixo. Bater a lateral do indicador próximo ao lado direito do queixo.

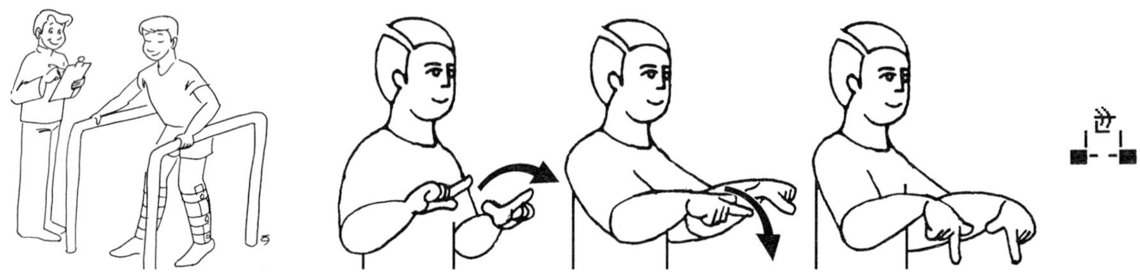

luta (2) *(inglês: effort, exertion, struggle)*:
s. f. Emprego de força ou energia. Diligência. Valor, ânimo. Ex.: Sua luta foi recompensada.
Mãos em **L** horizontal, palmas para baixo. Movê-las em um arco para frente e para baixo, finalizando com os indicadores para baixo.

esforço *(inglês: effort, exertion, struggle)*:
s. m. Emprego de força ou energia. Diligência. Valor, ânimo. Ex.: Seu esforço foi recompensado.
Fazer o sinal de **lutar (2)** (***esforço***.

vontade (1) *(inglês: desire, will, wish, want, wishfulness, urge, longing, volition)*:
s. f. Anseio. Apetite. Aspiração. Cobiça. Desejo. Disposição de ânimo, urgente e apetitiva. Empenho determinado. Desejo que precisa ser satisfeito. Impulso deliberado. Interesse. Ex.: Sempre que durmo no sítio da vovó eu acordo com vontade de comer um dos bolinhos de fubá que ela prepara logo cedinho.
Mão direita em **1**, passar a ponta do indicador para baixo sobre o pescoço, duas vezes.

vontade (2) (***muita vontade***) *(inglês: strong desire, intense will, wish, want, wishfulness, urge, longing)*:
Idem ***vontade (1)****. (Obs.: Este sinal deve ser usado quando existe intensa vontade ou desejo por algo.) Ex.: Estou com muita vontade de comer vários bolinhos de fubá da vovó e de tomar um delicioso sorvete.*
Mão direita vertical aberta, palma para dentro, dedos unidos. Passar a mão para baixo, sobre o pescoço, duas vezes.

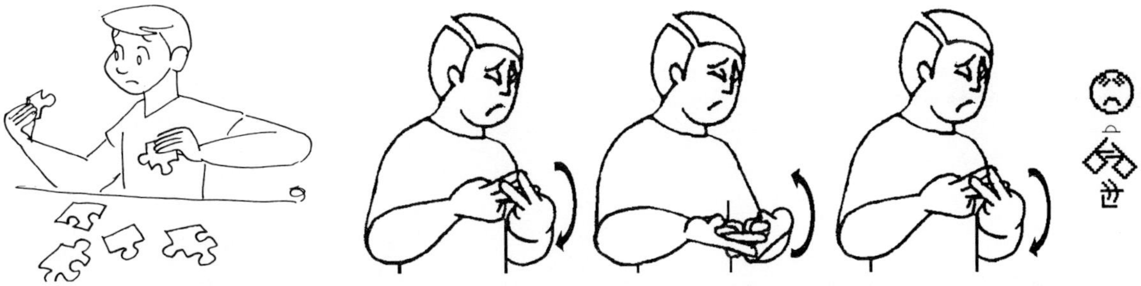

paciência *(inglês: patience, perseverance, persistence)*:
s. f. Qualidade de paciente. Virtude de quem suporta males e incômodos sem se queixar nem se revoltar. Qualidade de quem espera, com calma e serenidade, o que demora a acontecer. Perseverança em continuar um trabalho, apesar de suas dificuldades e demora. Ex.: Você precisa ter mais paciência com seus filhos para poder dar a eles um modelo de amor e compreensão do qual sempre se lembrarão com carinho e respeito.
Mãos em **V** horizontal, palmas para dentro inclinadas para cima, dedos direitos cruzados sobre os dedos esquerdos, na altura do peito. Mover as mãos para frente e para baixo, várias vezes. Opcionalmente com a cabeça inclinada e as sobrancelhas franzidas.

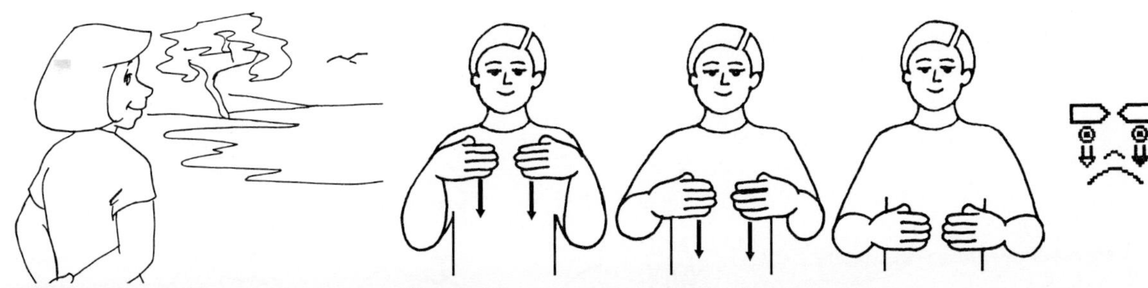

calma *(inglês: calm, serenity, tranquility, calmness, equanimity, lenience, peace)*:
s. f. Paz, tranqüilidade, quietude, serenidade. Ex.: Quando observo a natureza, sinto calma e paz.
Mãos horizontais abertas, palmas para dentro, tocando o peito. Movê-las lentamente para baixo, duas vezes.

alegria *(inglês: happiness, gladness, delight, cheerfulness)*:
s. f. Contentamento. Júbilo. Satisfação. Regozijo. Ex.: A alegria era contagiante.
Mãos horizontais abertas, palmas para dentro. Movê-las para cima, tocando as pontas dos dedos nos ombros, várias vezes e sorrindo.

animação *(inglês: liveliness, joy, enthusiasm, animation)*,:
s. f. Ato ou efeito de animar ou animar-se. Alegria. Entusiasmo. Ex.: Havia uma grande animação na festa.
Fazer o sinal de **alegria**.

união *(inglês: union, alliance, association, confederation, league, harmony, coalition, coalescence, unification, unit)*:

s. f. Ato ou efeito de unir. Aliança. Ajuntamento harmonioso. Adesão. Agregação. Associação. Conciliação. Junção. Ligação. Reunificação. Concórdia. Enlace. Ex.: A união faz a força.
Mãos verticais abertas, palmas para frente, lado a lado. Aproximar as mãos e uni-las entrelaçando os dedos indicadores e polegares.

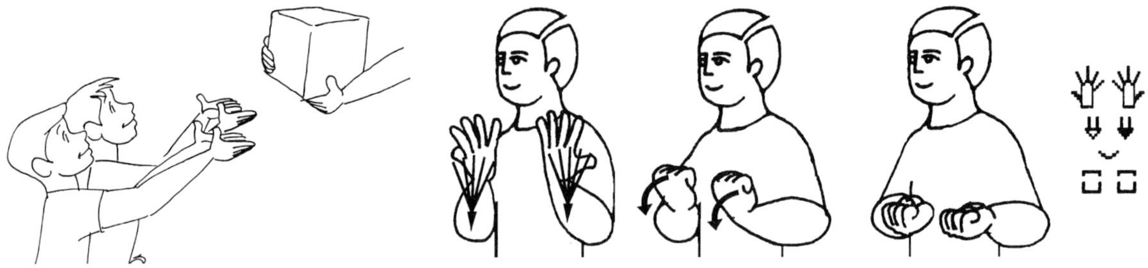

aceitação (1) *(inglês: acceptance)*:
s. f. Ato ou efeito de aceitar. Acolhimento. Anuência. Aprovação. Consentimento. Concordância. Ex.: Sua proposta satisfez todas as nossas exigências e, agora, ela espera até que manifestemos a nossa aceitação.
Mãos verticais abertas, palmas para dentro, dedos separados na altura dos ombros. Baixar as mãos, fechando-as em **S** horizontal, palmas para cima.

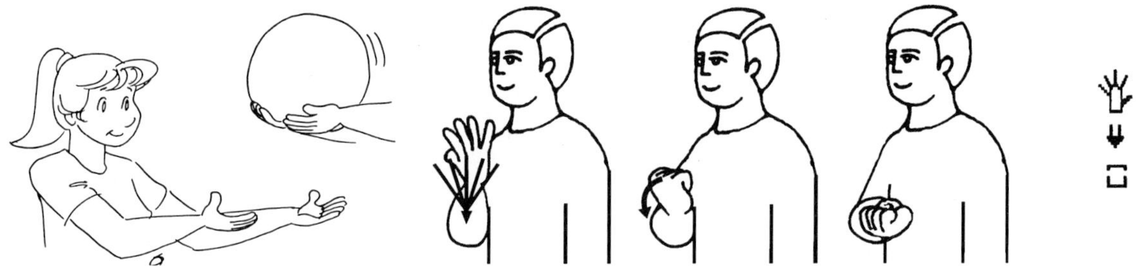

aceitação (2) *(inglês: acceptance)*:
*Idem **aceitação (1)**. (Obs. Este sinal é usado no singular, para uma pessoa. Ex.: Sua idéia é boa, e pode contar com minha aceitação.*
Mão direita vertical aberta, palma para dentro, dedos separados na altura dos ombros. Baixar a mão, fechando-a em **S** horizontal, palma para cima.

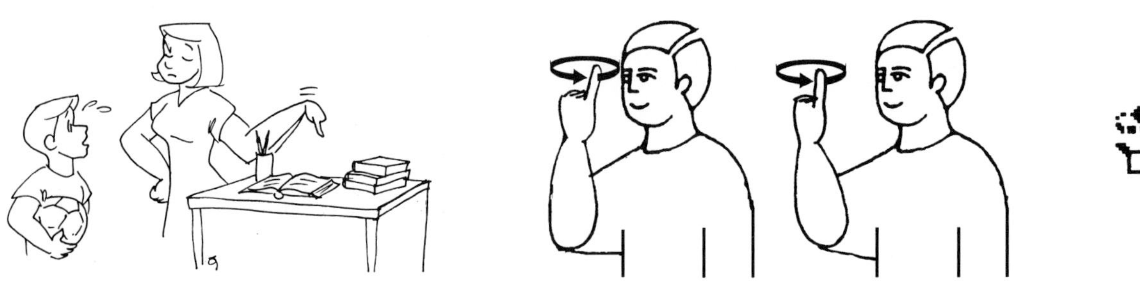

importância *(inglês: importance, significance, interest, preciousness, seriousness)*:
s. f. Qualidade do que é importante. Valor. Relevância. Ex.: A língua de sinais é de importância vital à educação e integração dos Surdos.
Mão direita em **I**, palma para dentro. Mover a mão descrevendo círculos horizontais.

relevância *(inglês: relevance, importance, significance, prominence)*:
s. f. Qualidade de relevante. Importância. Vantagem. Ex.: A Língua de Sinais é de relevância vital à educação e integração dos Surdos.
Fazer o sinal de **importância**.

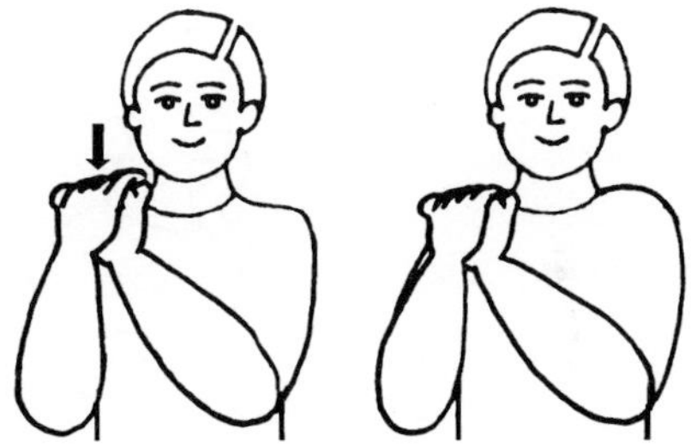

responsabilidade (1) *(inglês: responsibility, accountability, charge, burden, liability, duty)*:
s. f. Qualidade de responsável. Obrigação frente à lei de responder pelos próprios atos e os de outrem, sempre que estes atos violem os direitos de terceiros. A obrigação assumida de cuidar de algo ou alguém. Ex.: Educar crianças é uma tarefa que exige muita responsabilidade.
Mãos horizontais abertas, palmas para baixo, dedos para trás, mão direita sobre a mão esquerda tocando o ombro direito. Pressionar o ombro.

responsabilidade (2) *(inglês: responsibility, accountability, charge, burden, liability, duty)*:
Idem ***responsabilidade (1)****. Ex.: É minha a responsabilidade de solucionar esse problema.*
Mãos em **R**, palmas para dentro, cruzadas pelos dedos, tocando o ombro direito.

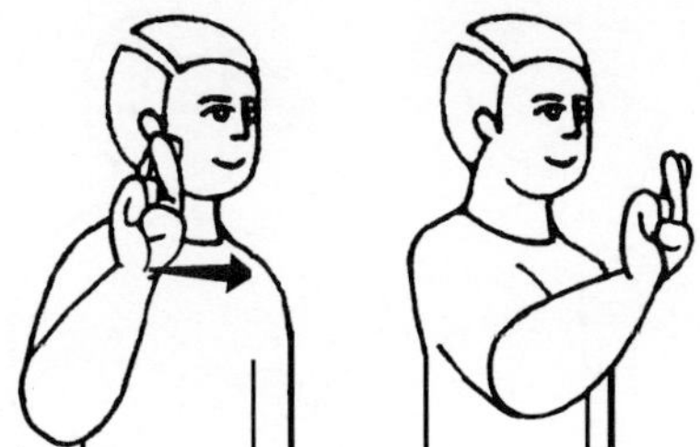

responsabilidade (3) *(inglês: responsibility, accountability, charge, burden, liability, duty)*:
Idem ***responsabilidade (1)****. Ex.: A responsabilidade de cuidar das crianças pobres é de toda a sociedade.*
Mão direita em **R**, palma para frente. Movê-la para frente, com força.

atenção (1) *(inglês: attention, concentration, regard, application)*:
s. f. Aplicação cuidadosa da mente a alguma atividade ou evento, permitindo reagir adequadamente a esse evento, e aprende corretamente essa atividade. Atitude preparatória para aprendizagem e desempenho eficazes. Foco em certos aspectos da experiência para torná-los mais vívidos. Ex.: No trânsito, é necessário prestar muita atenção à sinalização.
Mão direita vertical aberta, palma para a esquerda. Tocar a ponta do indicador abaixo do olho direito, unir as pontas dos dedos indicador e polegar e mover a mão para frente, apontando os dedos distendidos para frente.

atenção (2) *(inglês: attention, concentration, regard, application)*:
Idem ***atenção (1)***. *Ex.: Preste atenção ao que o professor está explicando.*
Mão direita em **1**, palma para dentro. Tocar duas vezes a ponta do indicador abaixo do olho direito.

concentração *(inglês: concentration)*:
s. f. Ato ou efeito de concentrar a atenção ou o pensamento. Estado de atenção concentrada e dirigida para o discernimento e acompanhamento de uma série de etapas complexas de raciocínio e argumentação num texto escrito ou filme, ou à identificação de algo que pode ocorrer a qualquer momento. Ex.: A resolução do problema exigia muita paciência e concentração.
Mãos verticais, palma a palma, dedos flexionados, tocando a cada lado da testa franzida. Movê-las diagonalmente para frente e para baixo, com força. Opcionalmente, expressão facial contraída, concentrada.

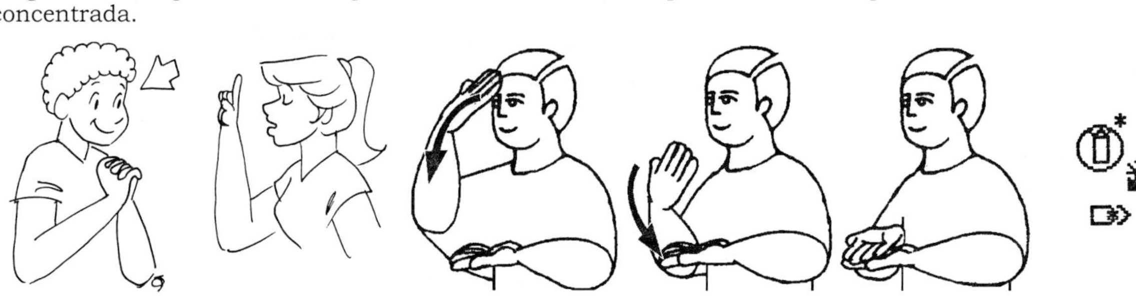

confiança *(inglês: trust, reliance)*:
s. f. Crédito. Fé. Esperança. Expectativa positiva de que algo se realizará a contento. Ação de confiar. Segurança íntima. Boa fama. Bom conceito. Esperança firme. Ex.: Tenho confiança na cura.
Fazer o sinal de **acreditar**. (Mão direita vertical aberta, palma para dentro, pontas dos dedos tocando a testa. Mover a mão em um arco para frente e para baixo, e bater o dorso dos dedos sobre a palma esquerda.)

crença *(inglês: belief, faith, creed)*:
s. f. Ato ou efeito de crer. Fé religiosa. Opiniões que se adotam com fé e convicção. Ex.: Esta crença deriva da experiência, pois ele é um clínico competente.
Fazer o sinal de **acreditar**. (Mão direita vertical aberta, palma para dentro, pontas dos dedos tocando a testa. Mover a mão em um arco para frente e para baixo, e bater o dorso dos dedos sobre a palma esquerda.)

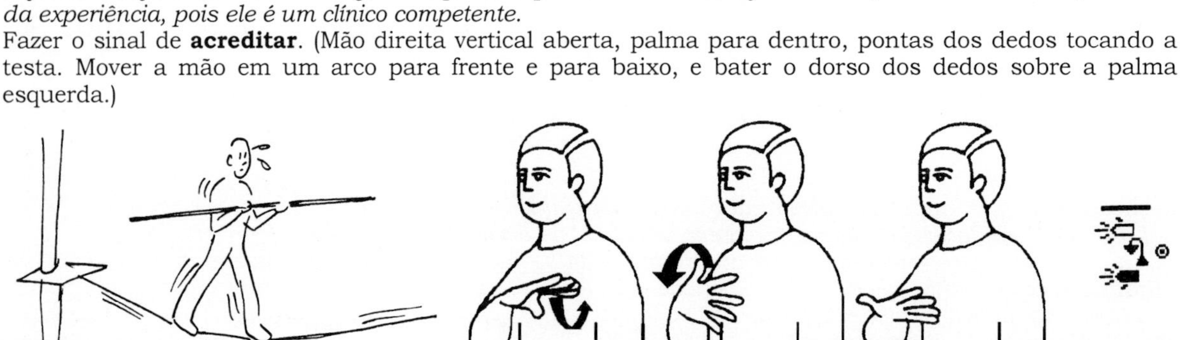

coragem *(inglês: courage, bravery)*:

s. f. Bravura quando diante do perigo. Firmeza frente à adversidade. Resolução quando outros hesitam. Desembaraço em meio à indecisão. Força quando só vê esmorecimento. Ousadia frente à passividade. Intrepidez quando todos se encolhem. Ânimo firme diante do sofrimento. Constância frente à volubilidade. Perseverança quando todos desistem. Franqueza frente à hipocrisia alheia. Ex.: Precisamos de homens de coragem para enfrentar os desafios de um país repleto de incertezas na era da globalização.
Mão direita horizontal aberta, palma para baixo, dedos separados e apontando para a esquerda, com dorso do polegar tocando o peito. Mover a mão em um arco para cima e para frente, virando a palma para cima.

bravura *(inglês: courage, bravery, daring)*:
s. f. Coragem. Ousadia. Ex.: O acrobata demonstra grande bravura ao arriscar sua vida.
Fazer o sinal de **coragem**.

ousadia *(inglês: daring, courage, audacity, bravery, boldness)*:
s. f. Intrepidez. Coragem. Valentia. Arrojo. Audácia. Qualidade de intrépido(a). Ex.: A ousadia do acrobata é impressionante.
Fazer o sinal de **coragem**.

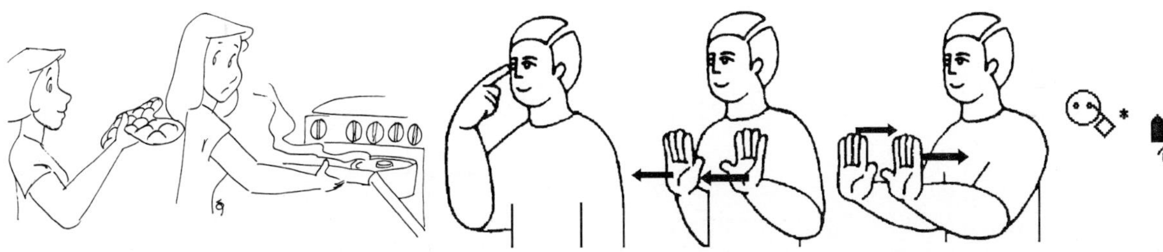

cuidado! (1) *(inglês: be careful!)*:
interj. advertência. Atenção! Cautela! Tenha cuidado! Ex.: Cuidado com a faca, você pode se machucar.
Mão direita em **1**, palma para dentro, ponta do indicador tocando abaixo do olho direito. Então, mãos verticais abertas, palmas para frente lado a lado. Movê-las para frente e para trás. Opcionalmente expressão facial negativa.

cuidado! (2) *(inglês: be careful!)*:
*Idem **cuidado! (1)**. Ex.: Cuidado, não ande por esta rua sozinha, pois é muito perigoso!*
Mãos verticais abertas, palmas para frente. Movê-las alternadamente em círculos verticais, aproximando-as. Opcionalmente, expressão facial negativa.

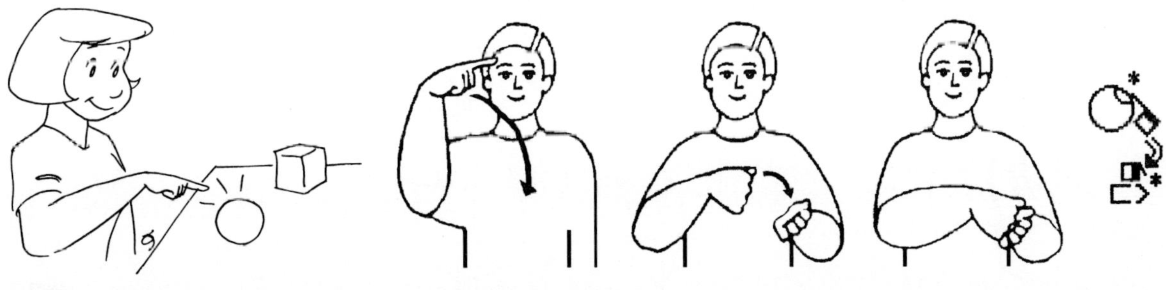

decisão *(inglês: decision)*:
s. f. Deliberação. Resolução. Determinação. Sentença. Ex.: O casal tomou uma decisão.
Fazer o sinal de **pensar, pensamento**. (Mão direita em **1**, palma para a esquerda, ponta do indicador tocando o lado direito da testa.) Então baixar a mão mudando-a para mão em **A**, palma para a esquerda e bater os nós dos dedos sobre a palma esquerda.

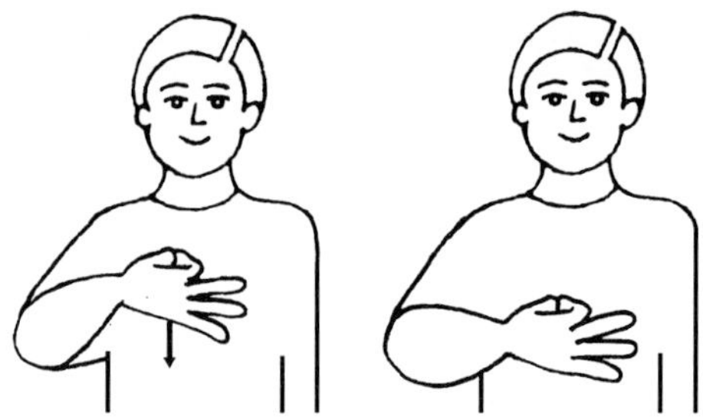
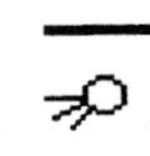

certeza *(inglês: certainty, certitude, confidence)* (usuais: certo, certa, certeza; sugestão: certamente)**:**
s. f. Qualidade do que é certo e seguro. Convicção do espírito de que uma coisa é tal qual ele a concebe, de que seu conhecimento é rigorosamente válido e exato. Convicção certa e segura. Ex.: Tenho certeza disto.
Mão direita horizontal aberta, palma para dentro, polegar e indicador unidos pelas pontas, na altura do ombro direito. Baixar a mão.

desafio *(inglês: defiance, challenge, provocation, defy)***:**
s. m. Ação de desafiar. Competição. Provocação. Disputa. Ex.: Ele foi chamado para um desafio, mas não aceitou.
Mãos em **D**, palmas para dentro. Mover as mãos apontando os dedos indicadores um para o outro, com expressão facial contraída.

disputa *(inglês: dispute, wrestle, altercation, fight)***:**
s. f. Contenda, discussão. Altercação, rixa. Ex.: A disputa pelo primeiro lugar foi acirrada.
Fazer o sinal de **desafio**.

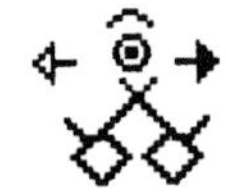

sorte (1) *(inglês: luck, good fortune, good fate, lucky strike)***:**
s. f. Destino. Acaso. Situação ou fase casualmente favorável, marcada por êxitos fortuitos mas repetidos, resultando numa sensação prazerosa e numa forte impressão de favorecimento especial pelo qual se deva agradecer ou honrar, ao aceitar desafios e riscos adicionais. Ex.: Ele estava com sorte no jogo.
Mãos em **L** horizontal, palmas para dentro, indicadores inclinados para cima e cruzados. Mover as mãos para os lados opostos.

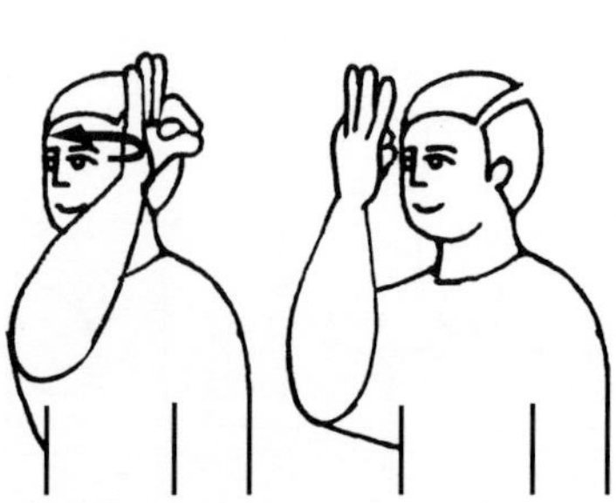
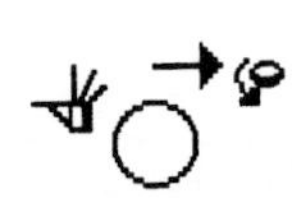

sorte (2) *(inglês: luck, good fortune, good fate, lucky strike)***:**
Idem ***sorte (1)****. Ex.: Teve muita sorte por ter conseguido vaga na pousada.*
Mão direita vertical aberta, palma para a esquerda, polegar e indicador unidos pelas pontas, ao lado esquerdo da testa. Mover a mão para a direita, virando a palma para dentro.

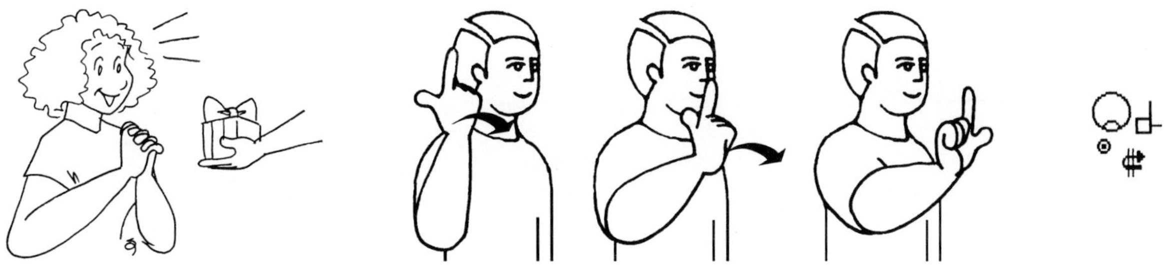

ganho(a) *(inglês: earnings, gain, acquisition)*:
s. m. Ato ou efeito de ganhar. Êxito favorável. Lucro, proveito, vantagem. Ex.: O ganho é proporcional à qualidade do trabalho.
Fazer o sinal de **conseguir**. (Mão direita em **L**, palma para dentro, na altura do ombro direito. Mover a mão para frente, passando a ponta do polegar no queixo e virando a palma para frente.)

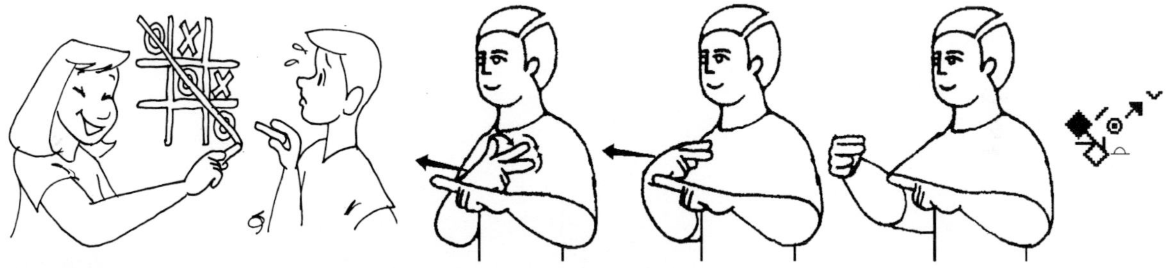

vitória (*vencer*) *(inglês: victory, triumph, success, conquest)*:
s. f. Ato ou efeito de vencer o adversário numa competição ou numa batalha. Sucesso e êxito numa empreitada. Triunfo. Ex.: A vitória foi conseqüência do esforço dedicado.
Fazer o sinal de **vencer, vencedor (vencedora)**. (Mão esquerda em **1** horizontal, palma para baixo, indicador inclinado para cima e para a direita; mão direita horizontal fechada, palma para dentro, dedos polegar, indicador e médio distendidos, lado do dedo mínimo direito apoiado no dorso da mão esquerda. Mover mão direita sobre e além do indicador esquerdo, unindo os dedos direitos.)

torcida *(inglês: act of rooting and cheering, group of fans or cheerers or rooters)*:
s. f. Ato ou efeito de torcer. Ex.: Quando o pênalti estava para ser cobrado, todos se ajoelharam em expectativa, na maior torcida pelo gol. s. f. Conjunto de torcedores de um time. Ex.: A torcida não parava de cantar o hino de seu time.
Mãos em **S** vertical palma a palma, a cada lado da cabeça. Movê-las para frente e para trás, com força, e expressão de alegria.

2.5.2. O que pode prejudicar o esportista

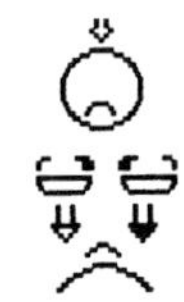

cansaço *(inglês: fatigue, tiredness, exhaustion)*:
s. m. Fadiga, desgaste, exaustão causada por trabalho, exercício ou doença. Canseira. Ex.: O cansaço veio depois do trabalho.
Mãos horizontais abertas, palmas para cima, apontando uma para outra, dedos curvados, próximas aos ombros. Baixar lentamente as mãos ao longo do peito, inclinando um pouco a cabeça para baixo.

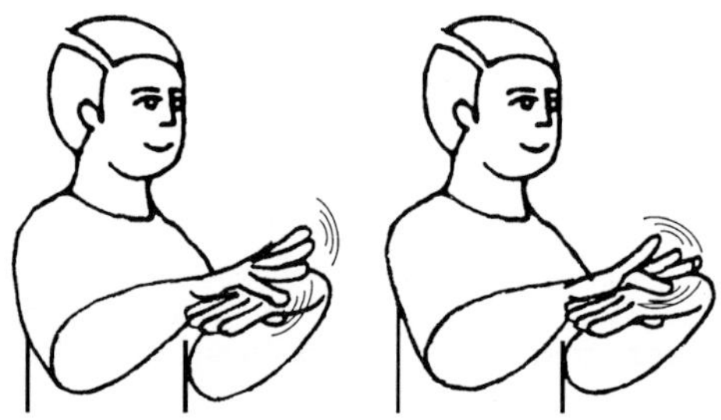

doença *(inglês: disease, sickness, illness, ailment)*:
s. f. Falta de saúde. Enfermidade. Indisposição. Moléstia. Processo mórbido definido e com sintomas característicos, que pode afetar o corpo todo, uma ou várias de suas partes. Ex.: A vacinação infantil imuniza o organismo contra várias doenças, e é muito importante que os pais se lembrem sempre de levar os seus filhos para a vacinação nas épocas apropriadas.
Mão esquerda horizontal aberta, palma para baixo, dedos para a direita; mão direita horizontal aberta, palma para baixo, polegar tocando a palma esquerda e dedos direitos tocando o dorso da mão esquerda. Oscilar os dedos direitos sobre a mão esquerda.

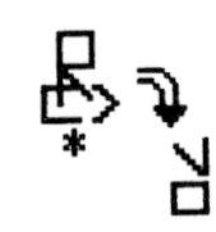

queda (*CL*) *(inglês: fall, tumble)*:
s. f. Tombo. Ação ou efeito de cair (um indivíduo). Movimento do corpo que cai. Caída. Ex.: Ele tropeçou na escada e na queda bateu o braço na parede.
Fazer o sinal de **cair (pessoa)**. (Mão esquerda horizontal aberta, palma para cima, dedos para a direita; mão direita em **V** invertido, palma para a direita, pontas dos dedos tocando a palma esquerda. Mover a mão direita em um arco para cima e para a direita, virando a palma para cima.)

tombo (*CL*) *(inglês: fall, tumble)*:
s. m. Queda. Ação ou efeito de cair (um indivíduo). Movimento do corpo que cai. Caída. Ex.: Ele tropeçou na escada e no tombo bateu o braço na parede.
Fazer o sinal de **queda**.

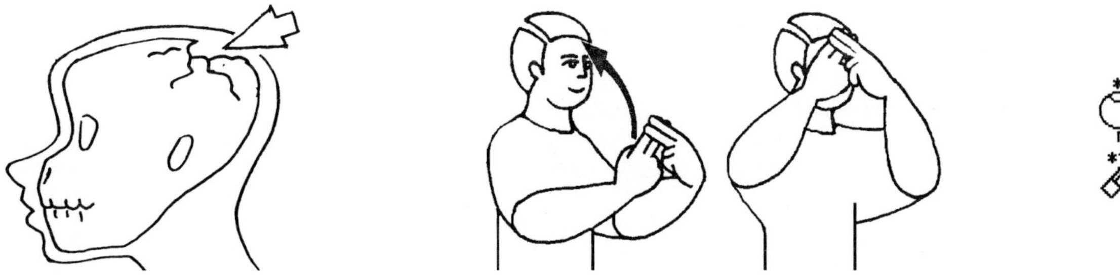

traumatismo *(inglês: traumatism)*, **trauma** *(inglês: trauma)*:
Traumatismo: *s. m. Estado doentio resultante de um ferimento grave, quer físico, moral ou mental. Ex.: O pai disse que ele sofreu traumatismo craniano e que seu estado é grave.* Trauma: *s. m. Abreviatura de traumatismo. Ex.: Perdeu a direção e sofreu um trauma na cabeça.*
Mãos em **U**, palmas para dentro, dedos inclinados uns para os outros e cruzados. Tocá-los no centro da testa.

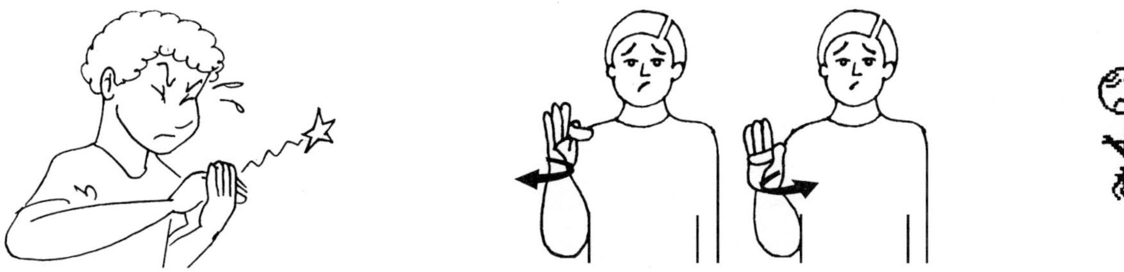

dor *(inglês: pain, ache, suffering, affliction)*:
s. f. Sofrimento físico ou moral. Sensação desagradável ou penosa, causada por um estado anômalo do organismo ou parte dele. Ex.: Depois do tombo, o menino sentiu muita dor na mão.
Mão direita em **F**, palma para a esquerda. Girar a mão direita pelo pulso para frente, rapidamente, repetidas vezes.

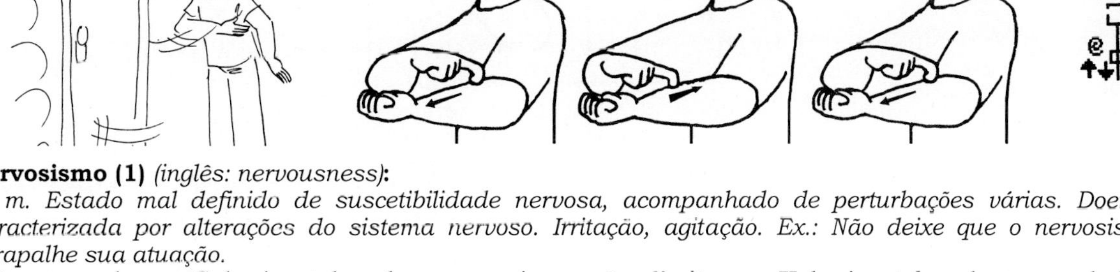

nervosismo (1) *(inglês: nervousness)*:
s. m. Estado mal definido de suscetibilidade nervosa, acompanhado de perturbações várias. Doença caracterizada por alterações do sistema nervoso. Irritação, agitação. Ex.: Não deixe que o nervosismo atrapalhe sua atuação.
Mão esquerda em **S** horizontal, palma para cima; mão direita em **X** horizontal, palma para baixo. Esfregar a ponta do dedo direito no antebraço esquerdo, com expressão de raiva.

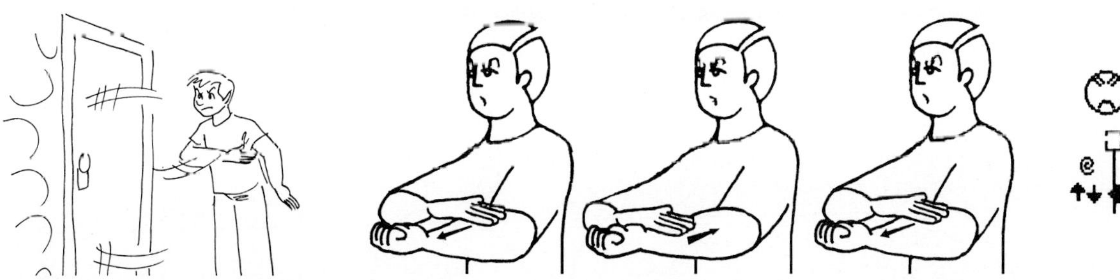

nervosismo (2) *(inglês: nervousness)*:
Idem ***nervosismo (1)****, usado para quando o nervosismo é em relação a um grupo de pessoas, coisas ou fatos. Ex.: O nervosismo atrapalhou a estréia do time.*
Mão esquerda em **S** horizontal, palma para cima; mão direita horizontal aberta, palma para baixo. Esfregar a palma direita no antebraço esquerdo, com expressão de raiva.

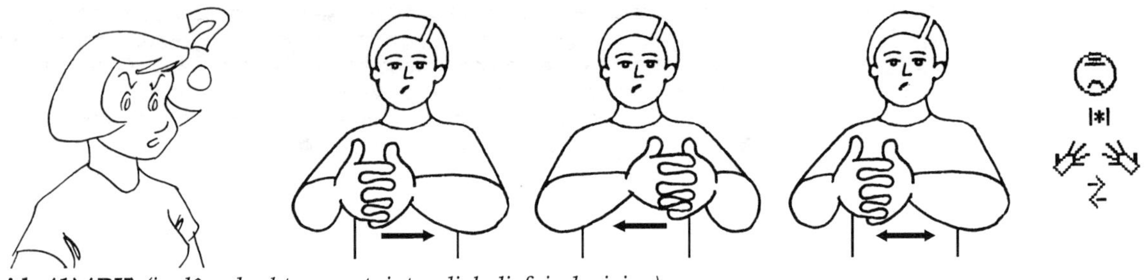

dúvida (1) (*BH*) *(inglês: doubt, uncertainty, disbelief, indecision)***:**
s. f. Ato ou efeito de duvidar. Incerteza acerca da realidade de um fato ou da verdade de uma asserção. Dificuldade para se decidir; hesitação. Ex.: Tenho dúvidas quanto ao resultado desta prova.
Mãos horizontais abertas, palmas para dentro, dedos entrelaçados e polegares distendidos. Movê-las para a esquerda e para a direita, com expressão facial de dúvida.

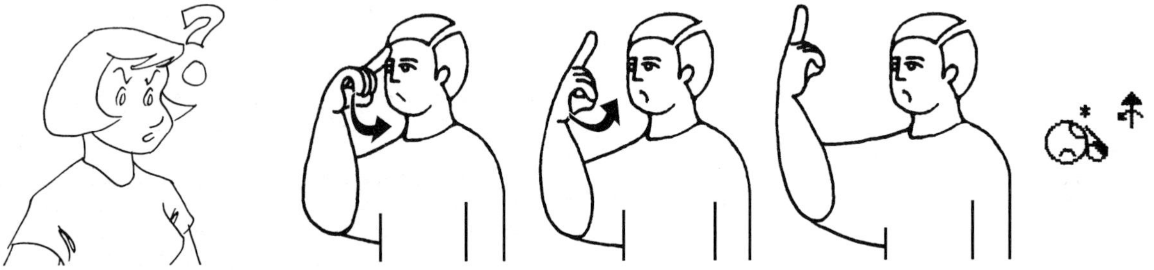

dúvida (2) *(inglês: doubt, uncertainty, disbelief, indecision)***:**
Idem ***dúvida (1)****. Ex.: Tenho dúvidas quanto a se devo ir à festa da escola.*
Mão direita em **D**, palma para a esquerda, ponta do indicador tocando a testa. Movê-la para frente, virando a palma para dentro, com expressão de dúvida

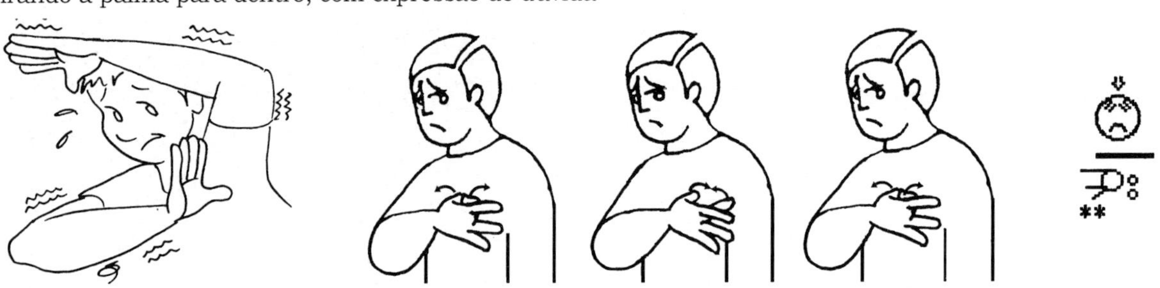

medo *(inglês: fear, dread, terror, fright, awe, apprehension, anxiety)***:**
s. m. Sentimento de inquietação resultante da idéia de um perigo real ou aparente ou da presença de alguma coisa estranha ou perigosa. Apreensão. Receio. Temor. Ex.: Algumas crianças sentem medo de dormir no escuro.
Mão direita horizontal aberta, palma para dentro, unha do dedo médio tocando a palma do polegar, dorso do polegar tocando o lado esquerdo do peito. Distender o dedo médio, várias vezes, com expressão de temor.

temor *(inglês: dread, fear, awe, fright)* (usuais: medo, medroso, medrosa; sugestão: temor)**:**
s. m. Ação ou efeito de temer. Medo. Receio de um mal ou de algo perigoso que possa vir acontecer. Ex.: Algumas crianças sentem temor de dormir no escuro, especialmente depois de terem assistido a filmes de terror.
Fazer o sinal de **medo**.

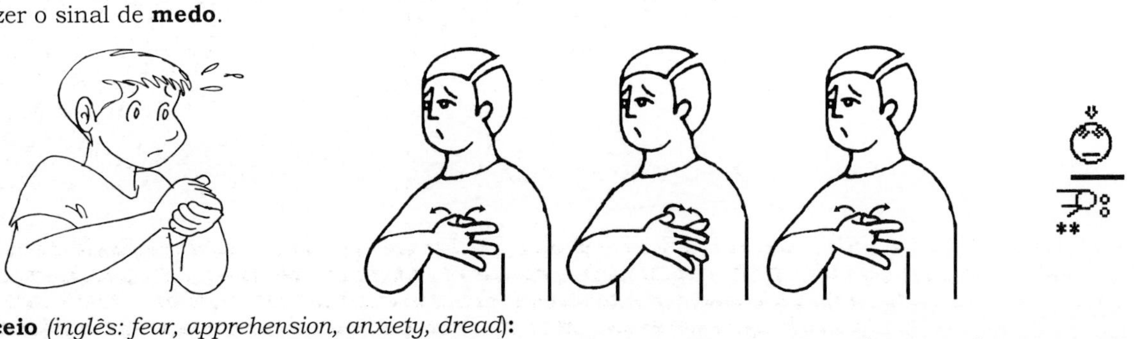

receio *(inglês: fear, apprehension, anxiety, dread)***:**
s. m. Apreensão. Medo menos intenso. Hesitação acompanhada de temor. Ex.: Algumas crianças passam

por uma determinada fase em que sentem receio de dormir no escuro, mas seus pais podem deixar um abajur aceso para ajudá-las a superar essa fase.
Fazer o sinal de **medo, medroso(a)** com expressão facial menos intensa. (Mão direita horizontal aberta, palma para dentro, unha do dedo médio tocando a palma do polegar, dorso do polegar tocando o lado esquerdo do peito. Distender o dedo médio, várias vezes, com expressão de temor.)

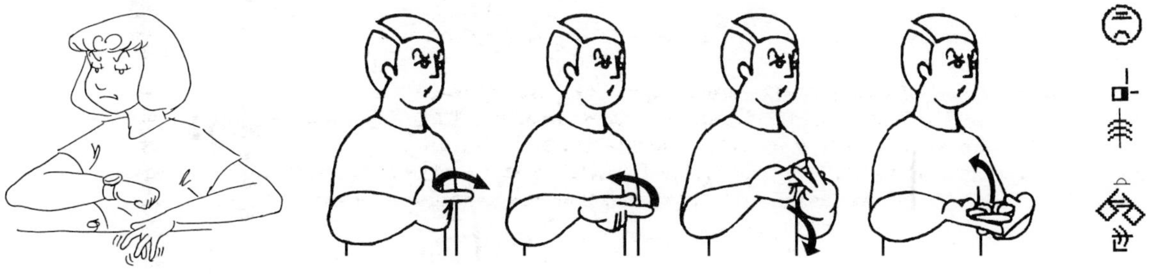

impaciência *(inglês: impatience, restlessness, eagerness, hastiness)*:
s. f. Falta de paciência. Pressa. Sofreguidão. Ex.: A impaciência é um mal de que todo morador das grandes cidades mais cedo ou mais tarde vai apresentar.
Fazer o sinal de **não ter**. (Mão direita em **L** horizontal, palma para a esquerda. Balançar a mão pelo pulso para baixo, várias vezes, com expressão negativa.) Em seguida, fazer o sinal de **paciência, paciente**, com a testa e a boca franzidas. (Mãos em **V** horizontal, palmas para dentro inclinadas para cima, dedos direitos cruzados sobre os dedos esquerdos, na altura do peito. Mover as mãos para frente e para baixo, várias vezes. Opcionalmente com a cabeça inclinada e as sobrancelhas franzidas.)

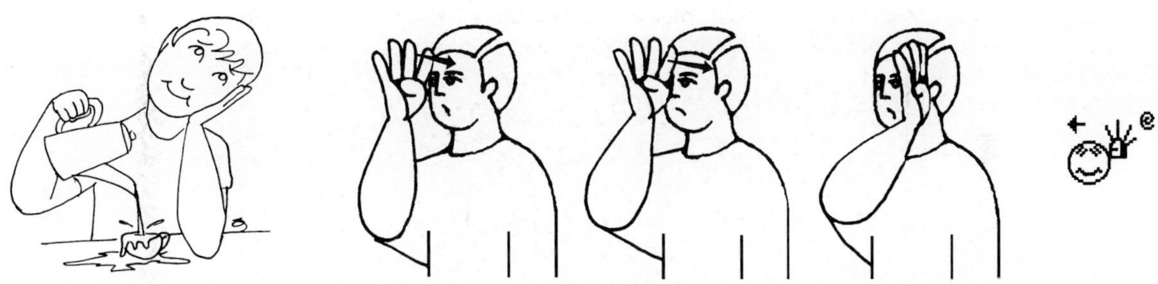

distração (1) (*RJ*) *(inglês: carelessness, distraction, negligence, inattention, mindlessness, inattention)*:
s. f. Estado em que a atenção está dividida entre vários assuntos ou ações; falta de atenção; desatenção. Irreflexão, inadvertência. Esquecimento. Palavra ou ato irrefletido. Ex.: A distração às vezes causa acidentes.
Mão direita em **4**, palma para a esquerda, lado do indicador tocando o lado direito da testa. Mover a mão para a esquerda sobre a testa. Expressão facial de distração.

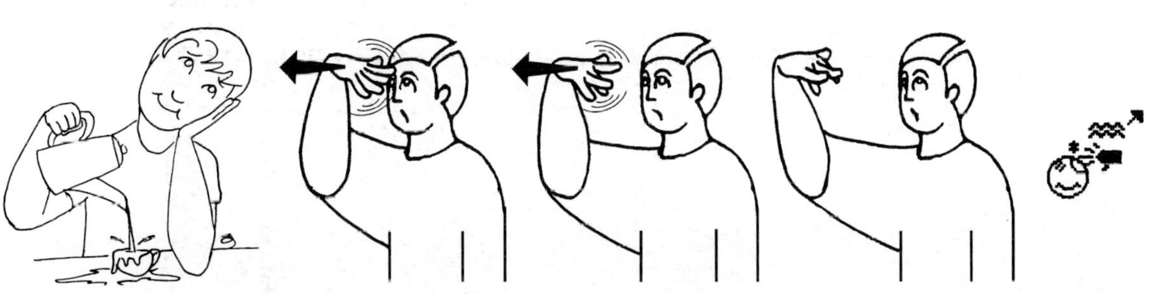

distração (2) *(inglês: carelessness, distraction, negligence, inattention, mindlessness, inattention)*:
*Idem **distração (1)**. Ex.: A distração o levou a usar meias de cores diferentes.*
Mão direita horizontal aberta, palma para baixo, dedos separados e apontando para a esquerda, ponta do indicador tocando o lado direito da testa. Mover a mão diagonalmente para frente e para a direita lentamente, oscilando os dedos, com as sobrancelhas arqueadas e o olhar distante.

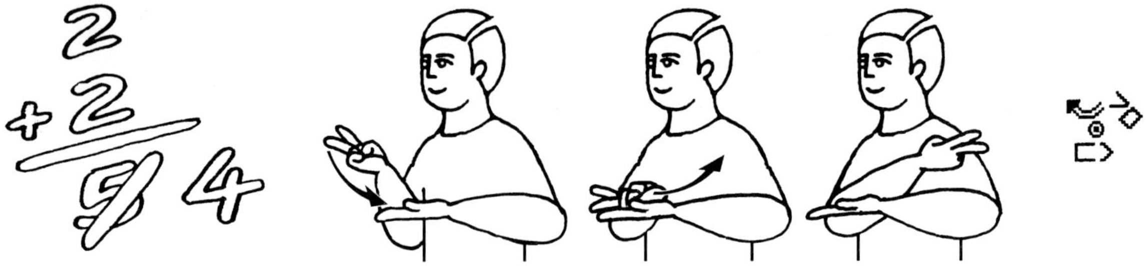

erro *(inglês: error, mistake, fault, slip, blunder)*:
s. m. Ato de errar. Equívoco, engano. Inexatidão. Ex.: Ela cometeu muitos erros na prova.
Mão esquerda horizontal aberta, palma para cima, dedos para a direita; mão direita em **V** horizontal, palma para cima, acima e à direita da mão esquerda. Mover a mão direita em um arco para baixo e para a esquerda, batendo o dorso da mão na palma esquerda durante o movimento.

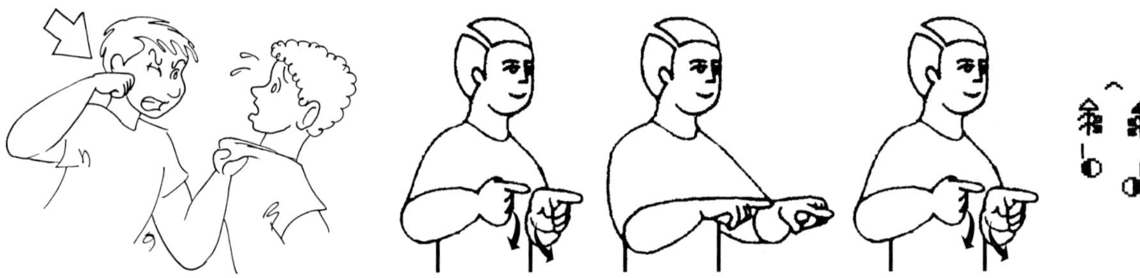

provocação *(inglês: provoking, provocation, instigation, affront, challenge, insult)*:
s. f. Ato ou efeito de provocar, de desafiar, de tentar, de insultar, de instigar. Desafio. Incitação. Ex.: Quem está certo de seu valor e da retidão de sua conduta não deve dar atenção às provocações dos invejosos. Ex.: O pobre rapaz resistiu como pôde, mas a provocação pelo agitador foi demasiada e ele acabou respondendo, o que deu início a uma confrontação física.
Mãos em **D** horizontal, palma a palma, mão esquerda à frente e à esquerda da direita. Movê-las para frente, virando as palmas para baixo, duas vezes.

perda *(inglês: loss, disappearance)*:
s. f. Ato ou efeito de perder. Privação de algo que se tinha. Ex.: O incêndio resultou em muitas perdas.
Mãos verticais abertas, palmas para dentro, inclinadas para cima, dedos unidos e inclinados uns para os outros; dorso da mão direita tocando a palma da mão esquerda. Separar as mãos, movendo-as para baixo e para os lados opostos, virando as palmas para cima, com expressão negativa.

derrota (*perder*) *(inglês: defeat, overthrow, ruin)*:
s. f. Ação ou efeito de derrotar. Insucesso. Perda. Ex.: A derrota deixou-o desolado.
Fazer o sinal de **perda**.

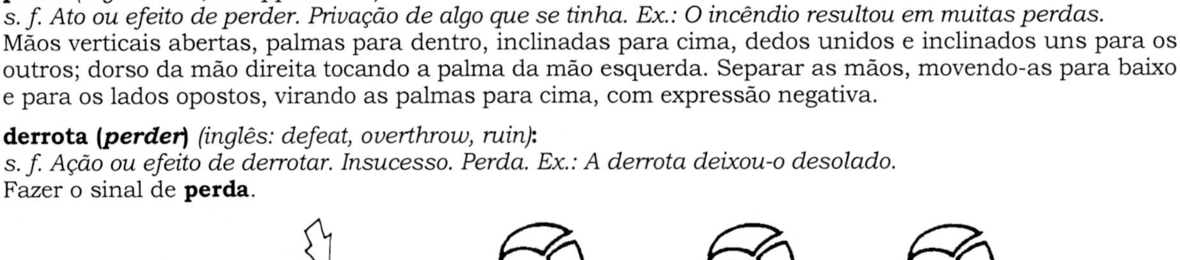

levar derrota (*ser vencido: o sinalizador é vencido e derrotado, ele leva derrota*) *(inglês: to be beaten, to be defeated, to be subdued, to be conquered, to lose, to fail)*:
expressão. Ser vencido(a). Ser derrotado(a). Ser preterido(a). O sinalizador é vencido, é preterido, é

derrotado. (Obs.: Este sinal deve ser usado na primeira pessoa: Eu levo, levei ou levarei derrota.) Ex.: Eu levei derrota no jogo da velha, mas não achei ruim porque sei que vou vencer amanhã.
Fazer o sinal de **vencer-me, vencido(a)**. (Mão esquerda em **1** horizontal, palma para baixo, indicador inclinado para cima e para a direita; mão direita horizontal fechada, palma para dentro, dedos polegar, indicador e médio distendidos, à frente da mão esquerda. Mover mão direita para trás em direção ao peito, passando a lateral do mínimo direito sobre o indicador esquerdo, unindo as pontas dos dedos direitos.)

ser derrotado(a) (*o sinalizador é derrotado, ele é vencido*) *(inglês: to be defeated, to be beaten)***:**
expressão. O sinalizador é vencido, preterido. O sinalizador sofre derrota. (Obs.: Este sinal deve ser usado na primeira pessoa: Eu sou, fui ou serei derrotado(a).) Ex.: Fui derrotado no jogo de xadrez.
Fazer o sinal de **levar derrota)**.

ser vencido(a) (*o sinalizador é vencido, ele é derrotado*) *(inglês: to be beaten, to be defeated, to be subdued, to be conquered, to lose, to fail)***:**
expressão. O sinalizador é derrotado. É preterido. (Obs.: Este sinal deve ser usado na primeira pessoa: Eu sou, fui ou serei vencido(a).) Ex.: Fui vencido no jogo de xadrez, mas desde que não desista, o vencido de hoje pode se tornar o vencedor de amanhã.
Fazer o sinal de **levar derrota**.

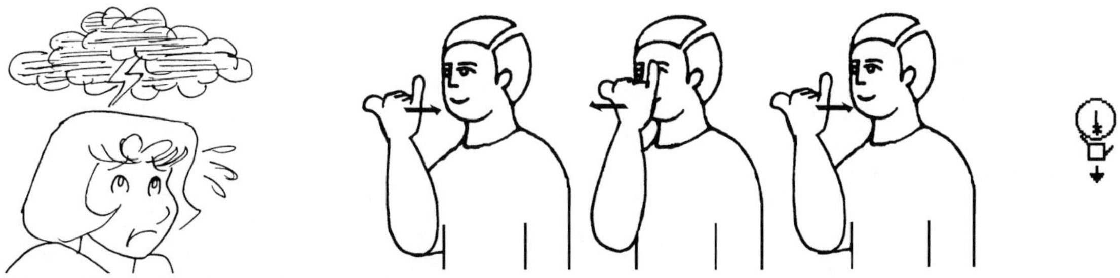

azar (1) *(inglês: bad luck, misfortune, mishap)***:**
s. m. Acaso infeliz. Casualidade desfavorável. Lance adverso, má-sorte. Desgraça, infortúnio. Fatalidade. Mau agouro. Desgraça. Ex.: Algumas pessoas supersticiosas acreditam que a sexta-feira 13 é dia de azar.
Mão direita em **Y**, palma para dentro. Tocar a ponta do nariz, várias vezes.

azar (2) *(inglês: bad luck, misfortune, mishap)***:**
*Idem **azar (1)**. Ex.: Ela teve azar no jogo quando perdeu aquele lance, e acabou arruinada.*
Soletrar **A**, **Z**, **A**, **R**.

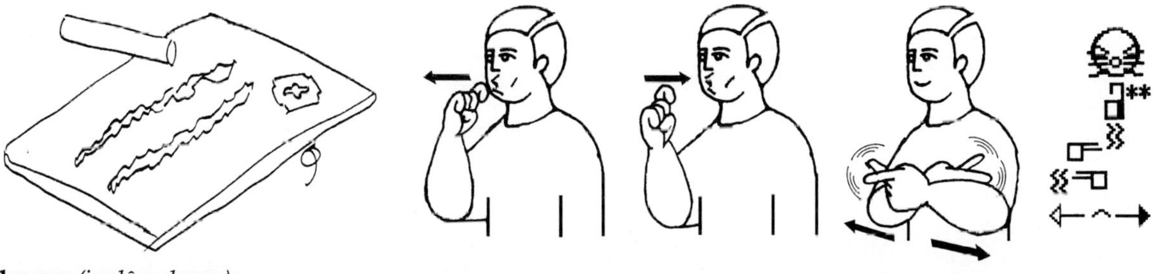

drogas *(inglês: drugs)***:**
s. f. pl. Medicamentos ou substâncias entorpecentes, alucinógenas ou excitantes, ingeridos, em geral, com o intuito de alterar transitoriamente a personalidade. Ex.: Algumas drogas causam dependência física e psicológica.
Fazer o sinal de **maconha (2)**. (Mão direita em **X**, palma para a esquerda. Tocar o lado do indicador, duas vezes, nos lábios, inspirando o ar e contraindo as bochechas.) E o sinal de **vários, várias**. (Mãos em **U** horizontal, palmas para dentro, mão direita atrás da mão esquerda. Movê-las para os lados opostos, oscilando os dedos.)

2.5.3. Conquistas do esportista

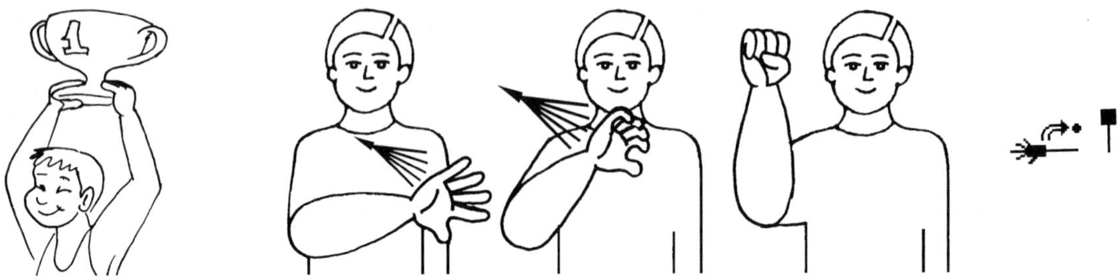

campeão (campeã) *(inglês: champion, champ, ace)*:
s. m. (f.) Vencedor (vencedora) de qualquer torneio desportivo. Vencedor (vencedora) de qualquer certame ou concurso. Ex.: O campeão da maratona de São Silvestre foi um brasileiro.
Mão direita horizontal aberta, palma para frente, dedos para a esquerda. Movê-la para a direita e para cima, fechando-a em **S** vertical, palma para frente.

bicampeão (bicampeã) *(inglês: two-time champion)*:
adj. m. (f.) Diz-se do atleta, equipe esportiva ou clube que venceu duas vezes nas finais de dois campeonatos de um mesmo tipo. Ex.: Meu amigo é bicampeão latino-americano de xadrez. s. m. (f.) Esse atleta, equipe, clube ou nação. Ex.: O bicampeão foi classificado para as Olimpíadas.
Fazer o sinal de **campeão (campeã)**. (Mão direita horizontal aberta, palma para frente, dedos para a esquerda. Movê-la para a direita e para cima, fechando-a em **S** vertical, palma para frente.) Em seguida, mão esquerda horizontal aberta, palma para baixo; mão direita em **2** horizontal, palma para cima. Mover a mão direita em direção à esquerda, virando a palma para baixo e tocar os dedos direitos no dorso dos dedos esquerdos.

tricampeão (tricampeã) *(inglês: three-times champion)*:
adj. m. (f.) Diz-se do(a) atleta, equipe desportiva ou clube que venceu três vezes nas finais de três campeonatos de um mesmo tipo. Ex.: Na Copa do Mundo de 1970, o Brasil foi tricampeão mundial de futebol.
Fazer o sinal de **campeão (campeã)**. (Mão direita horizontal aberta, palma para frente, dedos para a esquerda. Movê-la para a direita e para cima, fechando-a em **S** vertical, palma para frente.) Em seguida, mão esquerda horizontal aberta, palma para baixo; mão direita em **3** horizontal, palma para cima. Virar a palma direita para baixo e tocar a palma dos dedos no dorso dos dedos esquerdos.

tetracampeão (tetracampeã) *(inglês: four-times champion)*:
adj. m. (f.) Diz-se do(a) atleta, equipe esportiva ou clube que venceu quatro vezes nas finais de quatro campeonatos de um mesmo tipo. Ex.: O Brasil é tetracampeão mundial de futebol.
Fazer o sinal de **campeão (campeã)**. (Mão direita horizontal aberta, palma para frente, dedos para a esquerda. Movê-la para a direita e para cima, fechando-a em **S** vertical, palma para frente.) Em seguida, mão esquerda horizontal aberta, palma para baixo; mão direita em **4** horizontal, palma para cima. Virar a palma direita para baixo e tocar o dorso dos dedos esquerdos.

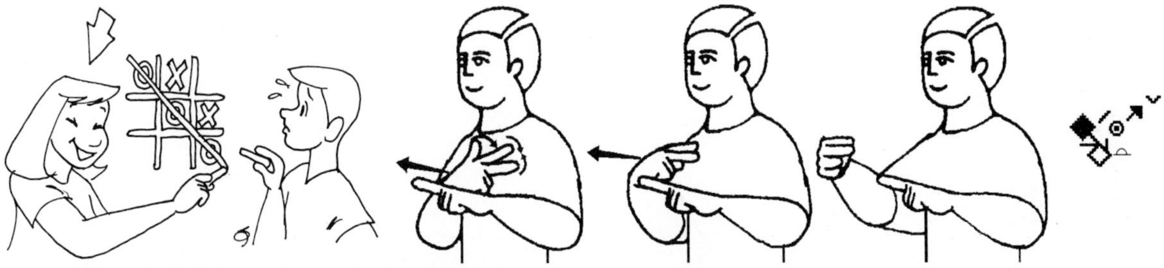

vencedor (vencedora) *(inglês: victorious; winner, conqueror, victor, master)*:
adj. m. (f.) e s. m. (f.) Diz-se daquele(a) que vence ou venceu. Triunfante, vitorioso(a). Ex.: Eu sou vencedor do concurso. Ex.: A vencedora mais premiada desta academia fui eu.
Mão esquerda em **1** horizontal, palma para baixo, indicador inclinado para cima e para a direita; mão direita horizontal fechada, palma para dentro, dedos polegar, indicador e médio distendidos, lado do dedo mínimo direito apoiado no dorso da mão esquerda. Mover mão direita sobre e além do indicador esquerdo, unindo os dedos direitos.

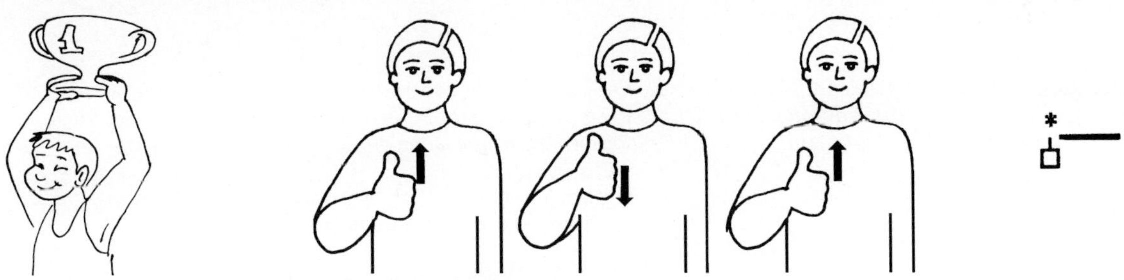

primeiro(a) (2) (*primeiro lugar, primeira colocada*) *(inglês: first place)*:
num. ordinal. Que precede os outros numa seqüência temporal, numa classificação de ordem, posição ou lugar. Ex.: O piloto brasileiro chegou em primeiro lugar na competição. s. m. (f.) O(a) que está em primeiro lugar na ordem temporal ou espacial. Ex.: O primeiro é o maratonista brasileiro. Ex.: A primeira é de São Paulo.
Mão direita horizontal fechada, palma para dentro, polegar distendido. Mover ligeiramente a mão para cima e para baixo.

segundo(a) (*segundo lugar, segunda colocada*) *(inglês: second (second place, second in rank))*:
num. ordinal. Que se segue imediatamente depois do primeiro com relação a espaço, tempo, lugar, geração ou importância. Ex.: No placar geral da competição ela ficou em segundo lugar. s. m. (f.) Pessoa ou coisa que

ocupa o segundo lugar, a segunda posição. Ex.: O segundo a chegar à linha da chegada na maratona foi um brasileiro.
Mão direita em **L** horizontal, palma para dentro, indicador para a esquerda. Balançar a mão para cima e para baixo.

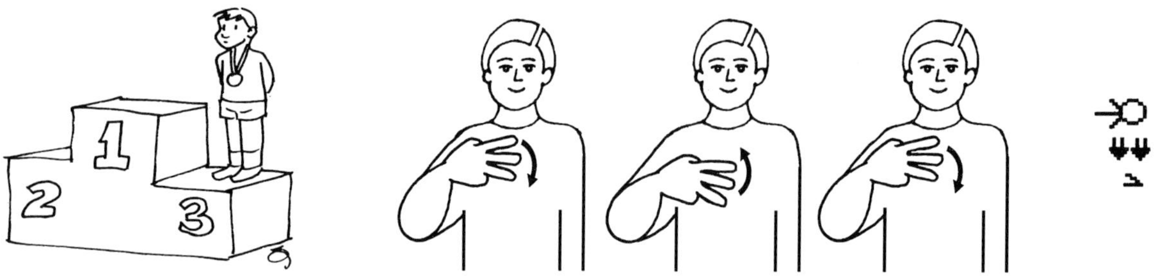

terceiro(a) (***terceiro lugar, terceira colocada***) *(inglês: third, third place)*:
num. Que ocupa a terceira posição numa seqüência temporal ou de importância. Ex.: Cheguei em terceiro lugar na maratona. s. m. (f.) O(a) que ocupa a terceira posição. Terceiro lugar: Ex.: O terceiro lugar foi conquistado por um brasileiro. Ex.: A terceira do mundo em população é a cidade de São Paulo.
Mão direita em **3** horizontal, palma para dentro. Balançar a mão para cima e para baixo.

último(a) (2) (***local, fila***) *(inglês: last , final, finishing, hindmost, rearward, ultimate, latter, lowest, utmost)*:
adj. m. (f.) Que vem (pessoa ou coisa) depois de todos(as) os(as) outros(as) numa fila ou seqüência. Ex.: Ele mora na última casa desta rua. s. m. (f.) Pessoa ou coisa que vem depois de todos(as) os(as) demais numa fila ou seqüência. Ex.: Ela é a última da fila.
Mão esquerda vertical aberta, palma para a direita; mão direita horizontal aberta, palma para baixo, dedos para a esquerda. Bater pontas dos dedos direitos na palma esquerda.

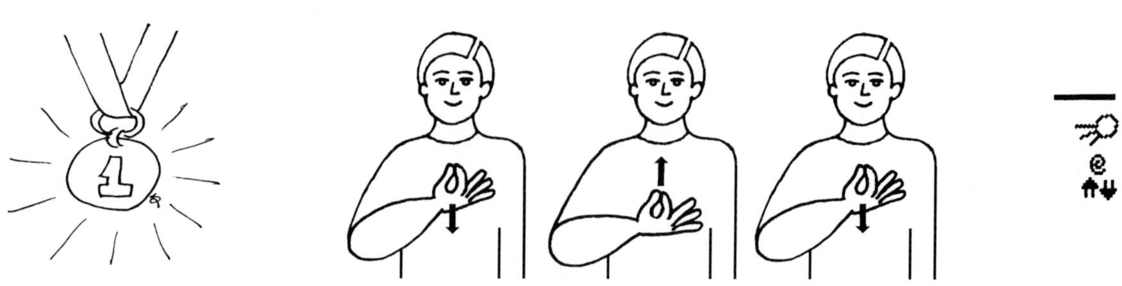

medalha *(inglês: medal)*:
s. f. Objeto metálico, geralmente de forma redonda ou oval, que é conferida como prêmio, em concursos, competições, exposições ou sociedades, àqueles que se destacam por alguma razão, como nas ciências, esportes, artes ou indústrias, ou ainda devido a atos de filantropia, humanidade ou coragem. Condecoração. Insígnia de ordem militar ou religiosa. Ex.: Aurélio Miguel conquistou uma medalha de ouro na Olimpíada de Seul, em 1988.
Mão direita horizontal aberta, palma para dentro e inclinada para cima, dedos indicador e polegar unidos pelas pontas, tocando o peito. Mover ligeiramente a mão para cima e para baixo.

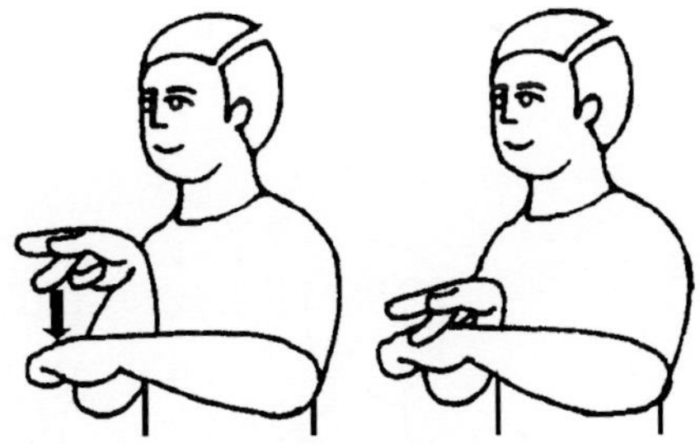

troféu *(inglês: trophy)*:
s. m. Objeto (geralmente taça ou placa) conquistado pelos vencedores de certas competições, como prêmio pela vitória. Ex.: O vencedor ficou emocionado ao receber o troféu.
Mão esquerda em **S** horizontal, palma para baixo, apontando para a direita; mão direita em **P** horizontal, palma para a esquerda, acima da mão esquerda. Bater o lado do dedo médio direito no dorso da mão esquerda.

2.5.4. Como o esporte deve ser

alegre *(inglês: glad, cheerful, happy, satisfied)*:
adj. m. e f. Que tem alegria. Contente. Jubiloso(a). Ex.: Naquela festa todos estavam muito alegres.
Mãos horizontais abertas, palmas para dentro. Movê-las para cima, tocando as pontas dos dedos nos ombros, várias vezes e sorrindo.

animado(a) *(inglês: encouraged, animated, lively)*:
adj. m. (f.) Bem disposto(a) para a vida. Alegre. Entusiasmado(a). Ex.: Ficou animado com a notícia da viagem.
Fazer o sinal de **alegre**.

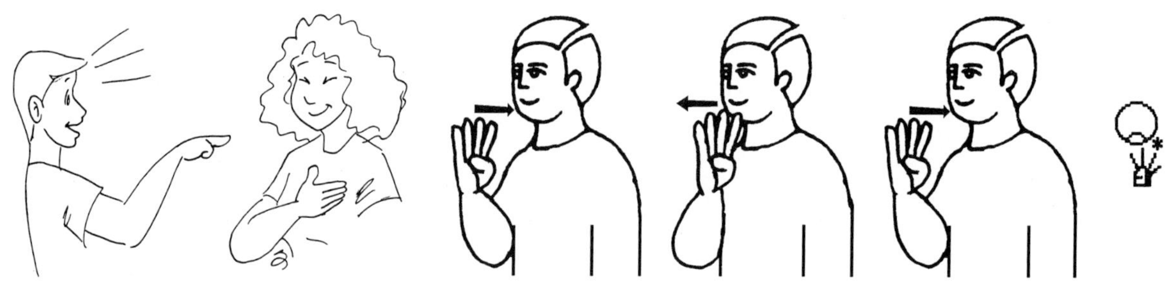

conhecido(a) *(inglês: familiar, well known, acquaintance)*:
adj. m. (f.) Que muitos conhecem. Com que ou com quem muitos estão familiarizados. Que é entendido ou compreendido. Ex.: Ele é um professor bem conhecido. Ex.: A resolução desse problema de trigonometria é bem conhecida pelos alunos.
Mão direita em **4**, palma para a esquerda, em frente ao queixo. Bater a lateral do indicador próximo ao lado direito do queixo.

admirado(a) (1) *(inglês: impressed, astonished, surprised)*:
adj. m. (f.) Que é objeto de admiração. Que experimenta admiração. Maravilhado(a). Ex.: Estou admirada com o seu trabalho, e ofereço-me como voluntária para contribuir para a sua continuidade e desenvolvimento.
Mão direita em **4**, palma para dentro, ponta do indicador tocando o lado direito do nariz, com expressão facial de admiração.

principal *(inglês: main, principal, essential)*:
adj. m. e f. Que é mais importante, mais relevante, considerável e digno(a) de atenção dentre um grupo de elementos (coisas, pessoas) comparáveis. Ex.: Investir em educação deve ser a principal meta de qualquer governo.
Mão direita em **B**, palma para a esquerda inclinada para baixo. Tocar a lateral do indicador no lado direito da testa, e mover a mão diagonalmente para frente e para a direita.

importante *(inglês: important, essential, significant, substantial)*:
adj. m. e f. Que tem importância. Que não se pode esquecer ou deixar de atender. Digno(a) de nota, de apreço, de estima, de consideração. Que tem grandes créditos, que exerce notável influência. Que tem muito valor ou preço notável. Útil, necessário(a). Valioso(a), essencial. Ex.: É muito importante para o desenvolvimento cognitivo que as crianças surdas aprendam a língua de sinais desde pequenas.
Mão direita em **I**, palma para dentro. Mover a mão descrevendo círculos horizontais.

considerável (*importante*) *(inglês: considerable, relevant, important, significant)* (usuais: importante, importância; sugestão: considerável)**:**
adj. m. e f. Importante. Relevante. Significativo(a). Digno(a) de nota. Que releva ou fica em relevo. De grande valor. De importância. Ex.: Esta questão é considerável, mais que qualquer outra que já foi feita nesta reunião.
Fazer o sinal de **importante**.

relevante *(inglês: relevant, important, considerable, significant)*:
adj. m. e f. Importante. Significativo(a). Que releva ou fica em relevo. De grande valor. De importância considerável. Ex.: É relevante para o desenvolvimento cognitivo que as crianças surdas aprendam a Língua de Sinais desde pequenas.
Fazer o sinal de **importante**.

significativo(a) (*importante*) *(inglês: significant, considerable, relevant, important)* (usuais: importante, importância; sugestões: significativo, significativa)**:**
adj. m. (f.) Importante. Relevante. Considerável. Digno de nota. Que releva ou fica em relevo. De grande valor. De importância. Ex.: Este remédio produziu um efeito significativo para a redução da doença, enquanto que todos os outros medicamentos haviam sido inócuos.
Fazer o sinal de **importante**.

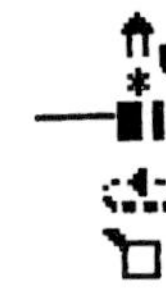

essencial *(inglês: essential, indispensable, fundamental, vital, main, pivotal, absolutely necessary, principal)*:
adj. m. e f. Que constitui a parte necessária ou inerente de uma coisa. Necessário(a), indispensável; importante. Ex.: É essencial para a educação do Surdo que a Língua de Sinais seja divulgada.
Fazer o sinal de **mais (1)** (***principal, importante***). (Mão esquerda horizontal fechada, palma para baixo, apontando para a direita; mão direita horizontal aberta, palma para baixo, acima da esquerda. Tocar os dedos direitos no dorso esquerdo, e elevar a mão.) Em seguida, fazer o sinal de **importante, importância**. (Mão direita em **I**, palma para dentro. Mover a mão descrevendo círculos horizontais.)

desenvolvido(a) *(inglês: developed)*:
adj. m. (f.) Aumentado(a). Crescido(a). Adiantado(a). Ex.: É um fato histórico que fortes investimentos em Educação caracterizam todo país desenvolvido ou que deseja desenvolver-se de maneira rápida e segura.
Fazer o sinal de **progredir, progresso**. (Mãos verticais abertas, palma a palma, dedos flexionados, mão direita acima da esquerda. Mover as mãos para cima, alternando a posição das mãos.)

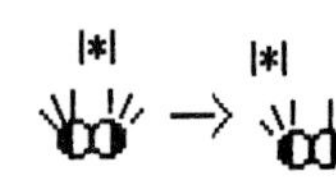

olímpico(a) *(inglês: Olympic)*:
adj. m. (f.) Que diz respeito aos jogos atléticos das Olimpíadas. Ex.: O Brasil foi campeão olímpico de vôlei masculino em Barcelona.
Mão direita vertical aberta, palma para a esquerda, indicador e polegar unidos pelas pontas; mão esquerda horizontal aberta, palma para a direita, indicador e polegar unidos pelas pontas, entrelaçados nos dedos direitos. Mover as mãos para a direita, alternando suas posições (mão direita horizontal, mão esquerda vertical).

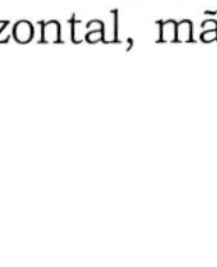

mundial *(inglês: world-wide)*:
adj. m. e f. Relativo ao mundo todo. Ex.: Dentre os campeonatos mundiais de futebol, a Copa do Mundo e as Olimpíadas são os mais importantes.
Mão esquerda horizontal aberta, palma para cima, dedos para frente e inclinados para a esquerda; mão

direita horizontal aberta, palma para baixo, dedos para a frente e inclinados para a esquerda, acima da esquerda. Girar as mãos pelos pulsos para a direita, fechando os dedos um a um, iniciando pelos dedos mínimos.

internacional (1) *(inglês: international)*:
adj. m. e f. Relativo(a) às relações entre nações. Que se faz entre nações. Que se estabelece de nação para nação. Que reúne ou interessa representantes de todas as nações. Ex.: Foi assinado ontem um acordo internacional de livre comércio entre os presidentes do Brasil e Argentina.
Fazer o sinal de **mundial**.

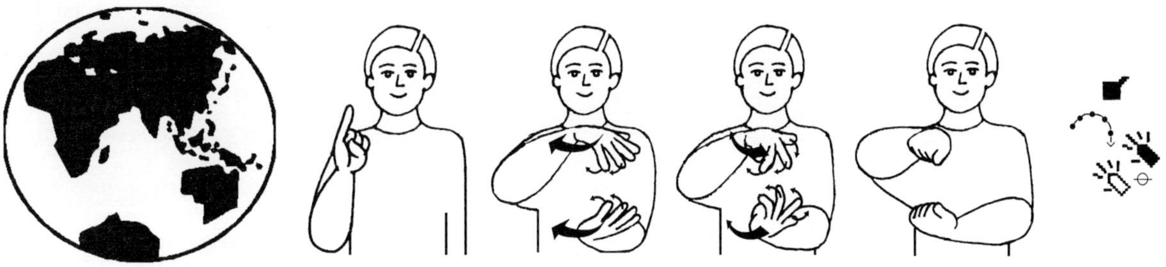

internacional (2) *(inglês: international)*:
Idem ***internacional (1)****. Ex.: Seu livro foi um sucesso internacional.*
Soletrar **I** e fazer o sinal de **mundo, mundial**. (Mão esquerda horizontal aberta, palma para cima, dedos para frente e inclinados para a esquerda; mão direita horizontal aberta, palma para baixo, dedos para a frente e inclinados para a esquerda, acima da esquerda. Girar as mãos pelos pulsos para a direita, fechando os dedos um a um, iniciando pelos dedos mínimos.)

nacional (*brasileiro*) *(inglês: national, Brazilian)*:
adj. m. e f. Que pertence à nação. Ex.: Prefiro produtos nacionais aos importados para que os empregos fiquem no Brasil. Ex.: A bandeira é um símbolo nacional.
Fazer o sinal de **Brasil, brasileiro(a)**. (Mão direita em **B**, palma para a esquerda, diante da face. Movê-la para baixo com um movimento ondulatório para os lados.)

regional *(inglês: regional, local, sectional)*:
adj. m. e f. O(a) que pertence ou está ligado(a) a uma região. Próprio(a) de uma região, local. Ex.: A seca do Nordeste é um grave problema regional.
Mão direita vertical aberta, palma para frente, dedos curvados e separados. Movê-la em um círculo vertical para a direita, movimentando-a ligeiramente para frente, em diversos lugares durante o movimento.

2.6. Verbos referentes a esportes

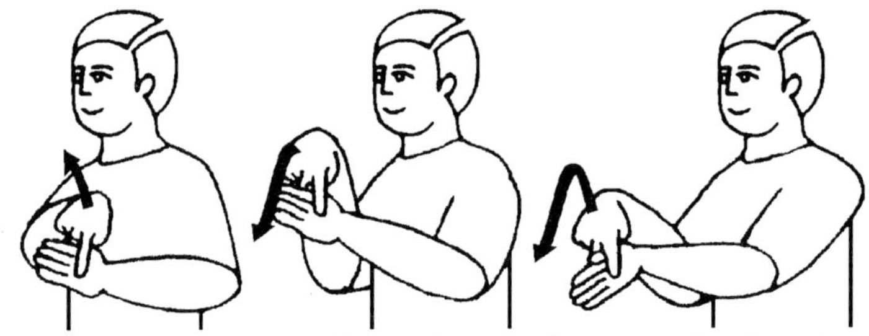

montar (a cavalo) (*CL*) *(inglês: to mount (a horse), to ride on horseback, to practice horseback riding, to jockey)***:**
v. int. ou v. t. i. Andar (a cavalo). Cavalgar. Cavalear. Ex.: Depois que montou a cavalo pela primeira vez, meu primo tornou-se um amante da equitação.
Mão esquerda horizontal aberta, palma para a direita; mão direita em **V** invertido, palma para dentro, apoiada sobre o lado do indicador esquerdo. Mover as mãos em arcos para cima e para frente.

andar (a cavalo) (*CL*) *(inglês: to ride (on horseback), to practice (horseback) riding, to mount (a horse), to jockey)***:**
v. int. Montar a cavalo. Cavalgar. Ex.: Gosto muito de andar a cavalo.
Fazer o sinal de **montar (a cavalo)**.

cavalgar (*CL*) *(inglês: to ride on horseback, to practice horseback riding, to mount a horse, to jockey)* (usual: montar (a cavalo); sugestão: cavalgar)**:**
v. t. d. Montar sobre. Encavalgar. Cavalear. Ex.: Sempre que vamos à fazenda de meu sogro gostamos de cavalgar o alazão e o mangalarga. v. int. Montar a cavalo. Cavalear. Andar a cavalo. Ex.: Gosto muito de cavalgar.
Fazer o sinal de **montar (a cavalo)**.

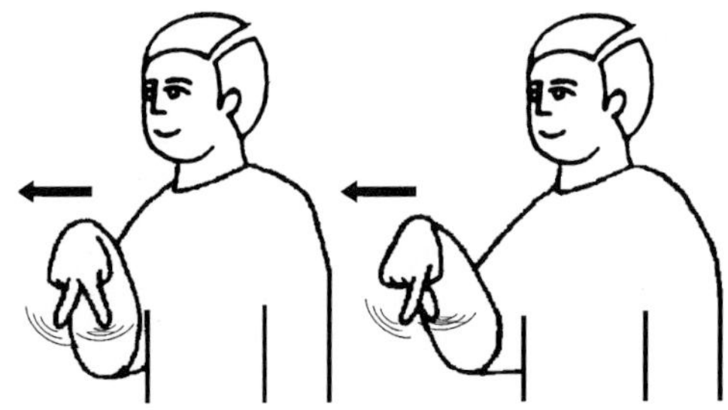
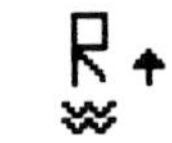

caminhar (1) *(inglês: to walk, to go on foot, to hike, to march, to travel on foot)***:**
v. int. Andar. Percorrer caminho a pé. Pôr-se em movimento. Ex.: Meu médico disse para eu caminhar todos os dias, durante 30 minutos. v. t. i. Ir, dirigir-se. Ex.: Caminho ao trabalho todos os dias. v. t. d. Andar. Percorrer, andando. Ex.: Caminho dois quilômetros todos os dias.
Fazer o sinal de **andar (1) (*a pé*)**. (Mão direita em **V** invertido, palma para dentro, dedos para baixo. Mover a mão para frente, oscilando alternadamente os dedos.)

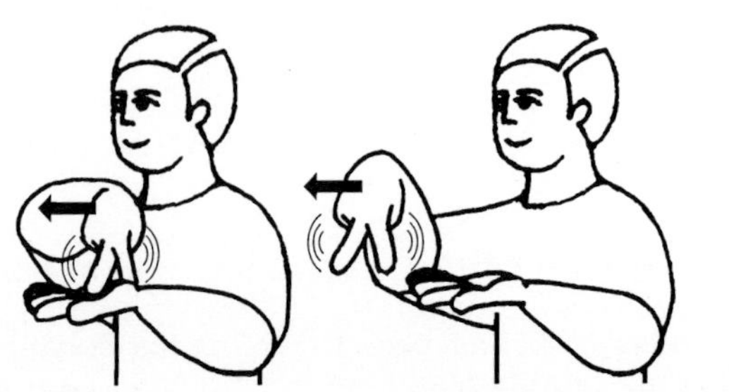

caminhar (2) *(inglês: to walk, to go on foot, to hike, to march, to travel on foot)***:**
*Idem **caminhar (1)**. Ex.: Todos caminhavam em direção ao mesmo lugar.*
Fazer o sinal de **andar (2) (*a pé*)**.(Mão esquerda horizontal aberta, palma cima; mão direita em **V** invertido, palma para dentro, dedos apontando para baixo, tocando a base da palma esquerda. Mover a mão direita para frente, sobre e além da esquerda, oscilando os dedos.)

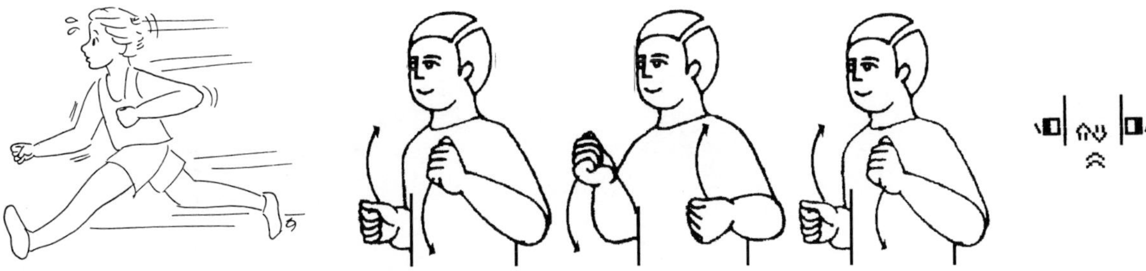

correr (1) (*andar mais rápido*) *(inglês: to run)*:
v. int. Andar rapidamente ou caminhar com grande velocidade. v. int. Participar de uma corrida. Ex.: Assustadas, as crianças correram. v. t. i. Encaminhar-se apressadamente a algum lugar. Ex.: Correu ao hospital, assim que recebeu a notícia. v. t. d. Percorrer. Andar rapidamente por. Ex.: Os atletas correram todo o percurso do parque do Ibirapuera.
Mãos em **A** horizontal, palma a palma, a cada lado do corpo. Movê-las alternadamente para cima e para baixo.

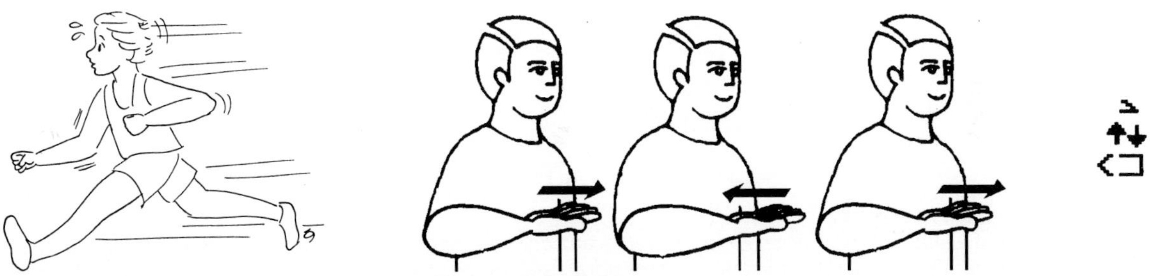

correr (2) (*fazer mais rápido*) *(inglês: to run, to go faster)*:
v. int. Apressar-se. Fazer ligeiramente ou com maior velocidade alguma ação. Ex.: Vamos, corra, pois esta tarefa é para hoje!
Mão direita horizontal aberta, palma para cima, dedos apontando para a direita. Movê-la para frente e para trás, rapidamente e com movimentos curtos.

andar (de bicicleta) *(inglês: to cycle, to ride on (a bicycle))*:
v. int. Deslocar-se no espaço fazendo uso de um veículo de duas rodas propelido a pedal. Ex.: Gosto muito de andar de bicicleta. v. t. d. Percorrer uma dada distância ou um dado caminho conduzindo uma bicicleta. Ex.: Andei dois quilômetros de bicicleta para chegar até aqui.
Fazer o sinal de **bicicleta**. (Mãos em **S** horizontal, palmas para baixo. Movê-las alternadamente em círculos verticais para frente.)

arremessar (*CL*) *(inglês: to fling, to throw, to cast, to dart)*:
v. t. d. Atirar. Jogar (objeto) com ímpeto. Lançar (algo) com força, à distância. Ex.: Uma das provas olímpicas consiste em arremessar um peso na maior distância possível.
Mão direita vertical, palma para frente, dedos separados e curvados, acima e atrás do ombro direito. Movê-la diagonalmente para frente e para a esquerda, com força.

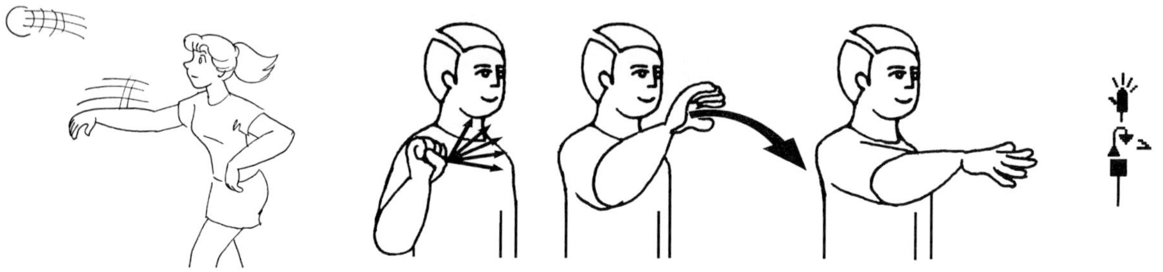

atirar (*lançar objetos*) (*CL*) *(inglês: to fling, to throw, to pitch, to cast)*:
v. t. d. Arremessar, jogar, lançar (objetos). Ex.: Atire a bola com mais força!
Mão direita vertical, palma para frente na altura do ombro direito. Movê-la em um arco para cima e para frente distendendo e separando os dedos.

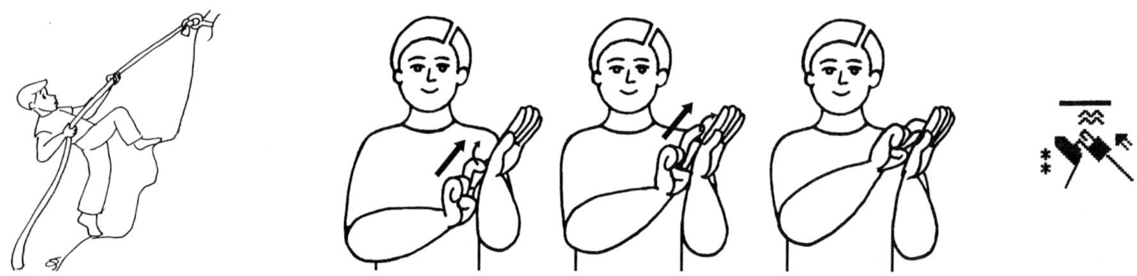

escalar (*CL*) *(inglês: to climb)*:
v. t. d. Entrar por cima dos muros ou pelas janelas em espaço vedado. Subir, trepar, galgar com auxílio de escada ou sem ele. Ex.: O menino escalou o muro para fugir do cachorro.
Mão esquerda vertical aberta, palma para frente inclinada para a esquerda, ao lado do ombro esquerdo; mão direita em **5**, pontas dos dedos tocando o dorso do pulso esquerdo. Mover a mão direita para cima, tocando o dorso da mão esquerda, ora com a ponta do dedo indicador, ora com a ponta do dedo médio.

trepar (*escalar*) (*CL*) *(inglês: to climb)* (usual: escalar; sugestão: trepar):
v. t. d., v. t. i. Subir, içar-se, agarrando com as mãos e firmando-se nos pés. Ex.: O alpinista trepou a encosta da pedreira. Ex.: Eles trepavam pela encosta mais íngreme da pedreira abandonada.
Fazer o sinal de **escalar**.

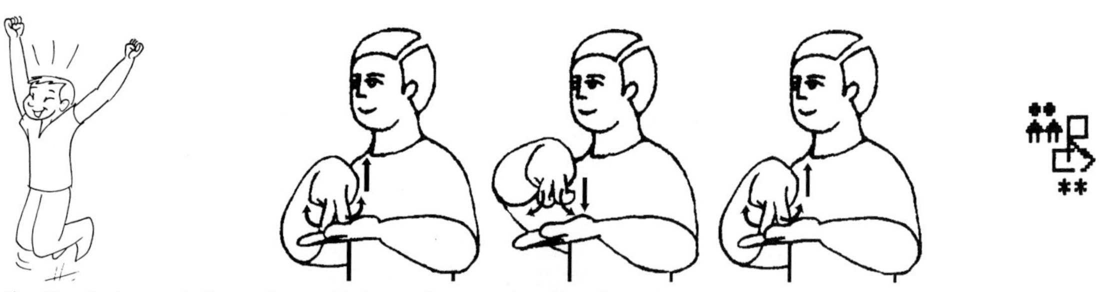

pular *(inglês: to jump, to leap, to vault, to perform a standing jump)*:
v. int. Dar pulos. Ex.: A criança irrequieta não parava de pular.
Mão esquerda horizontal aberta, palma para cima; mão direita em **V** invertido, palma para dentro, pontas dos dedos tocando a palma esquerda. Mover a mão direita para cima dobrando as pontas dos dedos médio e indicador, duas vezes.

saltar (*CL*) *(inglês: to leap, to leap over, to overleap, to jump, to over-jump, to take a leap)*:
v. int. Dar salto ou saltos. Elevar-se com um esforço muscular repentino até certa altura acima do chão ou de outro suporte pousando em um ponto diferente daquele do qual se partiu ao tomar impulso. Ex.: A

criança irrequieta não parava de saltar. v. t. i. Lançar-se aos saltos de um lugar para outro. Ex.: Os atletas saltavam sobre os obstáculos. v. t. d. Transpor, passar por cima de, pulando. Ex.: O atleta saltou a barreira.
Mão esquerda em **B** horizontal, palma para dentro; mão direita em **U** invertido, palma para dentro, atrás da mão esquerda. Mover a mão direita para frente oscilando os dedos, e então, quando próxima à mão esquerda, mudá-la para mão em **P** e elevá-la em um arco para frente.

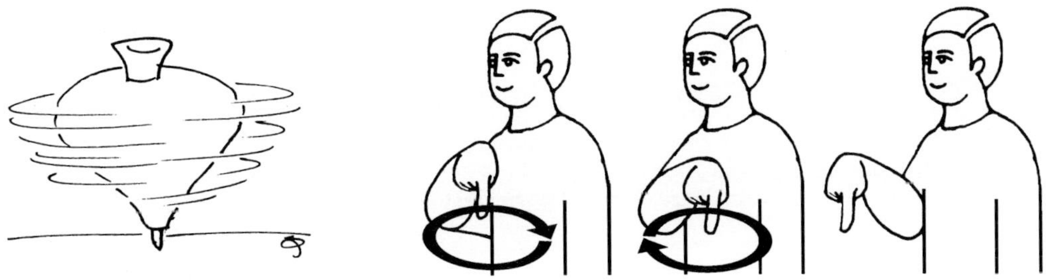

rodar (*CL*) *(inglês: to rotate, to roll, to gyrate, to revolve, to circle, to move in circles)*:
v. t. d. Correr em torno de. Rodear. Mover-se sobre rodas. Ex.: O piloto rodou a pista com o novo carro. v. int. Mover-se em círculo, em roda ou em torno de algo, descrevendo uma órbita. Girar. Ex.: Nos dias de teste, os pilotos passam o tempo todo rodando. Ex.: Eles ficam rodando no circuito do amanhecer ao anoitecer.
Mão direita em **1** invertido, palma para dentro. Girar a mão em círculos horizontais para a esquerda.

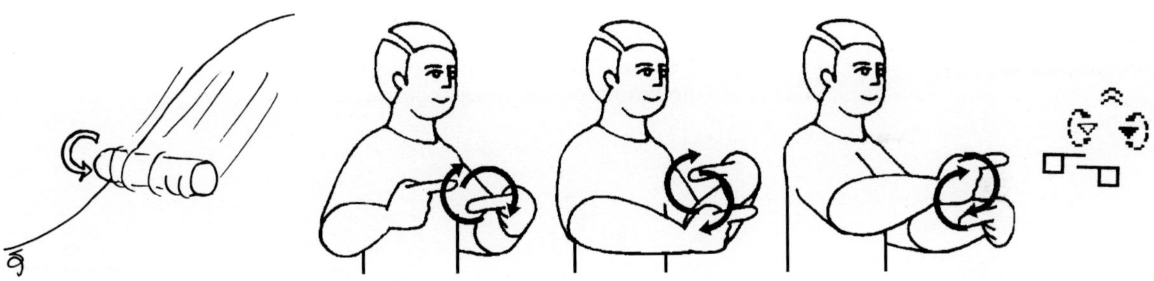

rolar (*CL*) *(inglês: to roll, to turn a somersault)*:
v. t. d. Fazer (algo) avançar, levando-o a dar voltas sobre si mesmo. Ex.: Vou rolar o barril de cerveja. v. int. Avançar ou deslocar-se girando e dando voltas sobre si mesmo. Ex.: O barril caiu e rolou. Ex.: As garrafas rolaram pelo chão.
Mãos em **1** horizontal, palmas para dentro; mão direita atrás da mão esquerda. Mover as mãos para frente descrevendo círculos verticais para frente, alternadamente.

caçar *(inglês: to hunt)*:
v. t. d. Perseguir animais silvestres com arma de fogo para aprisioná-los vivos ou para matá-los. Ex.: É proibido caçar animais em extinção.
Braço esquerdo distendido, mão horizontal, palma para cima, dedos unidos e curvados e inclinados para a direita; mão direita em **X**, palma para a esquerda, ao lado do olho direito aberto e o olho esquerdo fechado. Dobrar o indicador esquerdo e estalar os lábios, abrindo a boca.

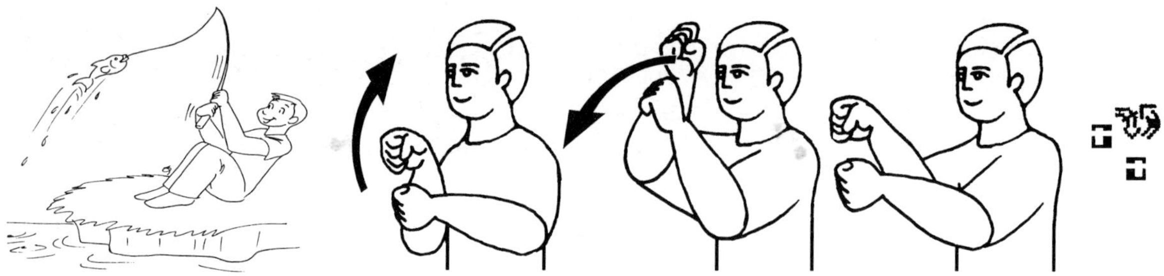

pescar (1) *(inglês: to fish, to catch fish)*:
v. t. d. Capturar (um peixe) utilizando uma vara, linha e anzol. Ex.: Pesquei um belo pintado. v. int. Tomar o tempo com a pesca. Ex.: Enquanto meu filho preparava a fogueira, eu pescava.
Mãos horizontais fechadas, palma a palma, mão direita acima da esquerda. Movê-las em um arco para cima e para trás, e em seguida em um arco para frente e para baixo.

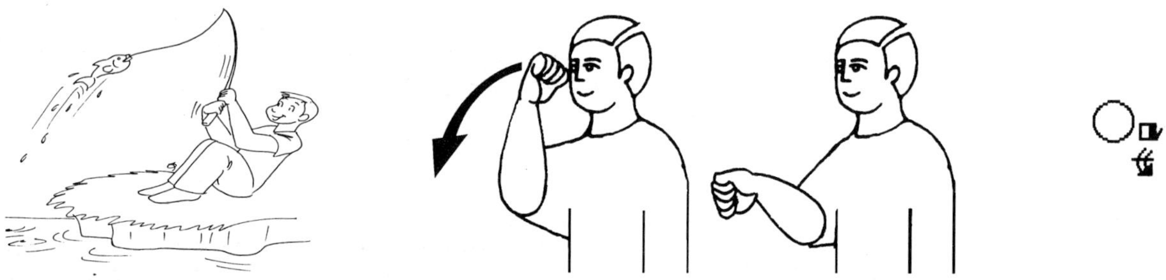

pescar (2) *(inglês: to fish, to catch fish)*:
*Idem **pescar (1)**. Ex.: Pesquei um pacu para nosso almoço. Ex.: Este final de semana vou pescar.*
Mão direita em **A**, palma para a esquerda, acima do ombro direito. Movê-la em um arco para frente e para baixo.

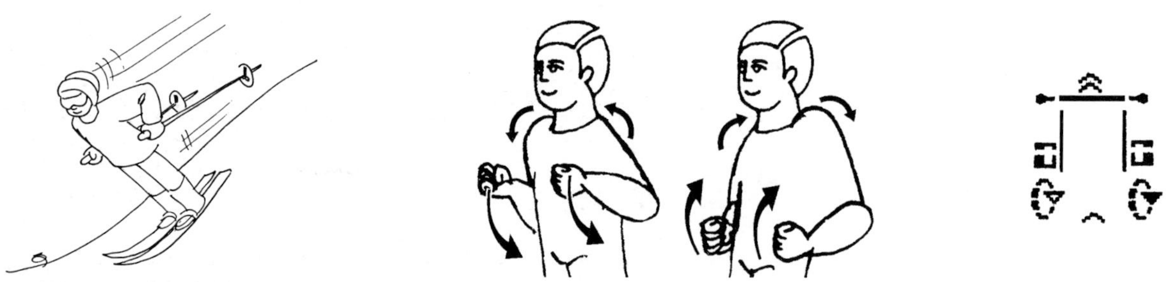

esquiar *(inglês: to ski)*:
v. int. Andar na neve com esquis. Ex.: Bariloche é um belo local para esquiar nas férias.
Mãos em **S** horizontal palma a palma, a cada lado do corpo. Movê-las, descrevendo arcos para baixo e para trás, várias vezes, inclinando o corpo ora para a direita, ora para a esquerda.

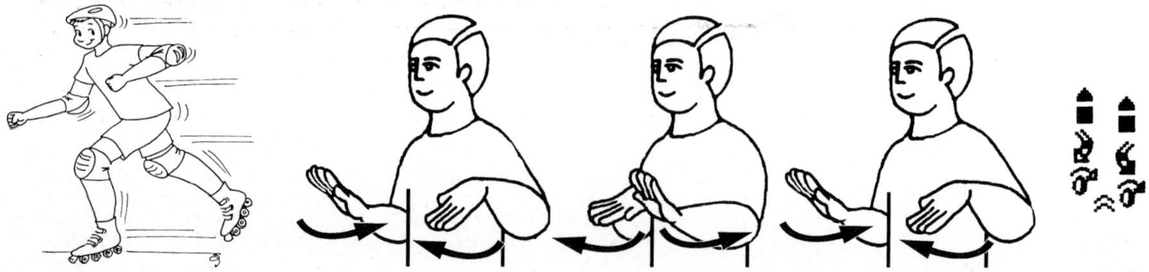

patinar *(inglês: to roller-skate, to skate, to glide)*:
v. int. Andar sobre o patins em superfície que contenha poucas irregularidades. Ex.: Fui ao parque e patinei a tarde toda.
Mãos horizontais abertas, palmas para baixo, dedos para frente, na altura do peito. Movê-las alternadamente em um arco para baixo e para frente, repetidas vezes

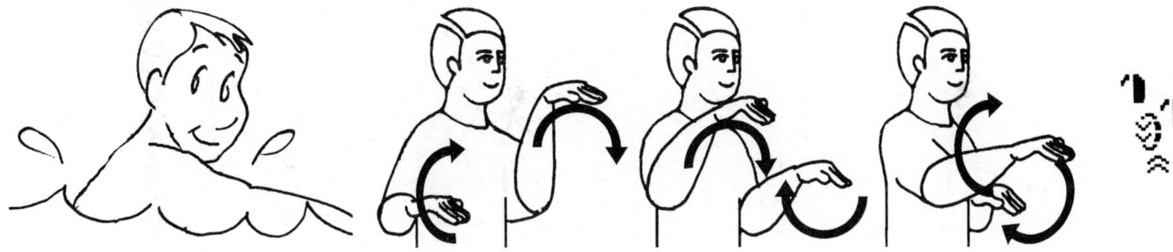

nadar *(inglês: to swim)*:
v. int. Ato de manter-se e movimentar-se à superfície da água. Ex.: Nadei a tarde toda. v. t. d. Percorrer nadando. Ex.: O atleta nadou 400 metros para ganhar a competição.
Mãos horizontais abertas, palmas para baixo, dedos unidos e curvados. Mover as mãos, alternadamente, em círculos verticais para frente.

mergulhar (1) (*jogar-se na água*) *(inglês: to dive, to plunge, to nose dive (to jump))*:
v. t. i., v. int. Afundar, submergir, ir para debaixo d'água. Jogar-se na água. Ex.: Há vários anos atrás, as pessoas mergulhavam no rio Tietê. Ex.: É muito perigoso mergulhar antes de certificar-se da profundidade da água.
Mãos verticais postas em frente à face. Movê-las em um arco para frente e para baixo, inclinando o corpo a cabeça para frente, e os dedos da mão para baixo.

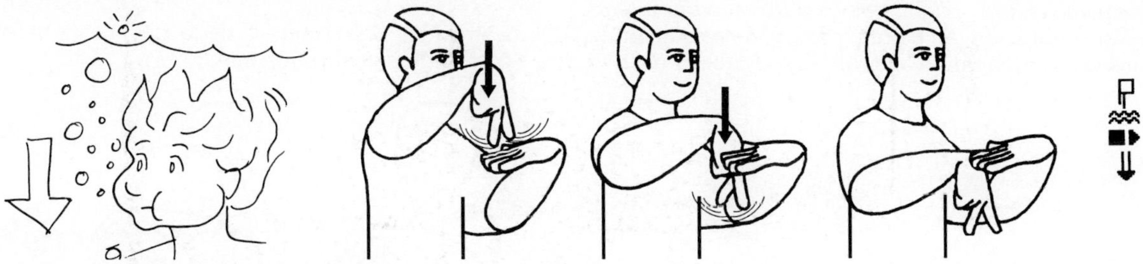

mergulhar (2) (*submergir*) *(inglês: to submerge, to immerse)*:
v. int. Ficar coberto de água; ir ao fundo, submergir. Afundar na água começando pelos pés. Ex.: Mergulhou por um minuto para testar sua resistência na água. Ex.: Gosto de mergulhar com tubo de oxigênio e máscara nas águas de Fernando de Noronha.
Mão esquerda horizontal aberta, palma para baixo, dedos para a direita; mão direita em **U** invertido, palma para dentro, atrás e acima da mão esquerda. Baixar a mão direita oscilando os dedos.
submergir (*uma pessoa submerge*) *(inglês: to submerge, to dive, to drown, to sink, to plunge (person))*:
v. int. Mergulhar, ir ao fundo. Ex.: Os mergulhadores submergiram à procura dos tesouros afundados.
Fazer o sinal de **mergulhar (2) (*submergir*)**.

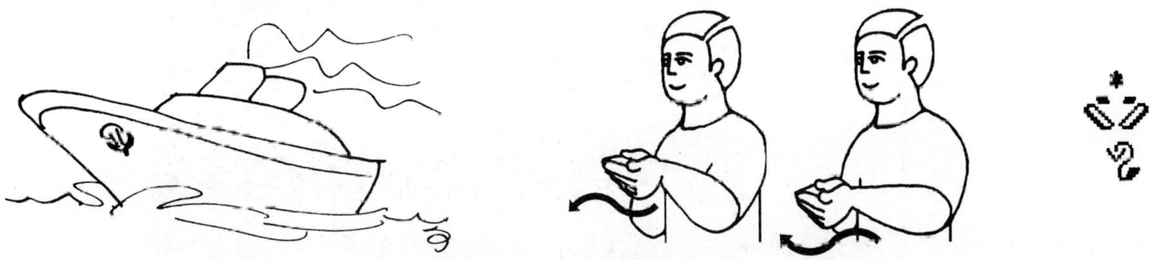

navegar *(inglês: to navigate, to engage in navigation, to sail)*:
v. int. Transitar por mares ou rios em navios ou outras embarcações, fazendo, na maioria das vezes, uso de configurações estelares, mapas cartográficos, instrumentos ou bússola. Ex.: Gosto de navegar em alto mar. Ex.: Navegar é preciso. v. t. d. Percorrer o oceano. Ex.: Naveguei os sete mares.

Fazer o sinal de **navio**, movendo as mãos para frente, com movimentos ondulatórios. (Mãos horizontais abertas, palma a palma, inclinadas para cima, dedos unidos e curvados, mãos tocando-se pelos dedos mínimos. Movê-las para frente.)

apitar (1) *(inglês: to whistle, to blow the whistle)*:
v. t. d. Indicar tocando apito. Ex.: O juiz apitou a partida de futebol. v. int. Assobiar com apito. Tocar apito. Ex.: Quando o pênalti foi cometido, o juiz apitou.
Mão direita horizontal fechada, palma para dentro, indicador e polegar unidos pelas pontas e tocando os lábios, então assoprar, franzindo as sobrancelhas.

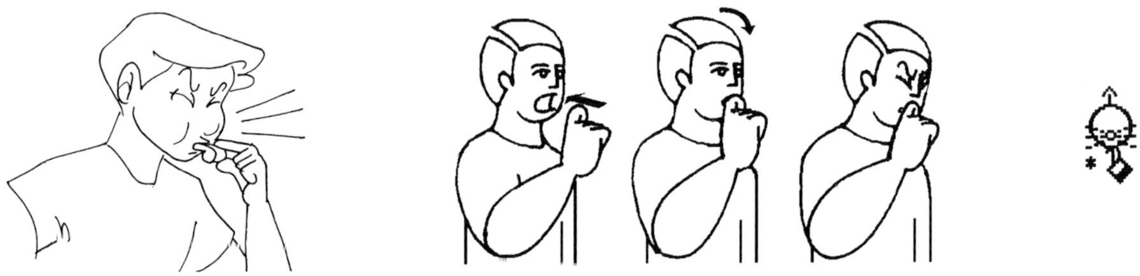

apitar (2) *(inglês: to whistle, to blow the whistle)*:
*Idem **apitar (1)**. Ex.: O guarda apitou a infração de trânsito. Ex.: A criança encontrou um brinde no pacote de pipocas: um apito. E pôs-se a apitar o dia inteiro.*
Mão direita em **A**, palma para a esquerda, indicador destacado. Aproximar o dedo da boca aberta e assoprar, inclinando ligeiramente a cabeça para frente, e franzindo as sobrancelhas.

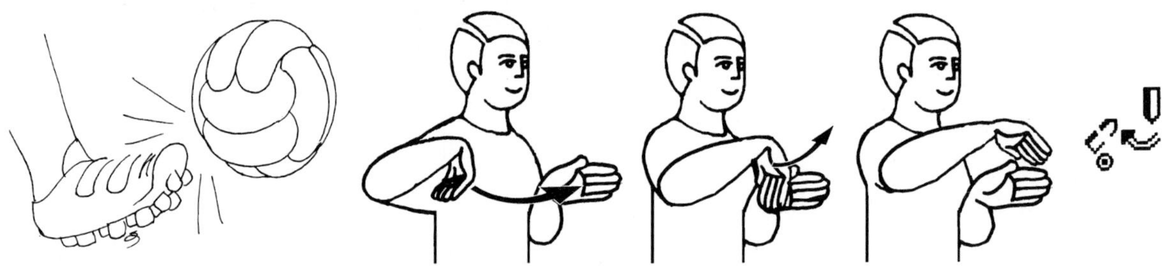

chutar *(inglês: to shoot the ball with the foot, to kick the ball)*:
v. t. d., v. int. Dar chute ou pontapé. Bater o pé com força em algo para arremessá-lo, deslocá-lo ou feri-lo. Ex.: Chutou a bola antes que o juiz apitasse. Ex.: Ao final do jogo, contundiu-se e não conseguiu mais chutar.
Mão esquerda horizontal aberta, palma para a direita, dedos inclinados para a direita; mão direita vertical aberta, palma para a direita, dedos para baixo. Mover a mão direita em um arco para a esquerda e para cima, batendo o dorso dos dedos na palma esquerda durante o movimento.

jogar (*esporte*) *(inglês: to play, to take part in a game)*:
v. int. Ter hábito de jogo. Entregar-se ao jogo. Ex.: Quando era criança, passava os dias inteiros jogando. v. t. d. Entregar-se ao jogo de futebol ou qualquer outro esporte. Ex.: Joguei futebol ontem pela manhã. v. t. d.

i. Praticar jogo com alguém. Ex.: Joguei futebol com meus colegas de classe.
Mãos horizontais fechadas, palma a palma, polegares destacados. Movê-las alternadamente para cima e para baixo.

jogar (basquete) *(inglês: to play (basketball))*:
v. t. d. Praticar basquetebol ou bola-ao-cesto. Ex.: O campeão Oscar joga basquete muito bem. v. t. d. i. Praticar basquetebol ou bola-ao-cesto com alguém. Ex.: Jogo basquete com meus amigos no centro poliesportivo da USP.
Fazer o sinal de **basquete, basquetebol**. (Mão direita horizontal aberta, palma para baixo, na altura da cintura. Movê-la para baixo e para cima, com movimentos rápidos. Então, mãos verticais abertas, mão esquerda palma para dentro, mão direita palma para frente, na altura do ombro direito. Movê-las em um arco para cima e para frente.)

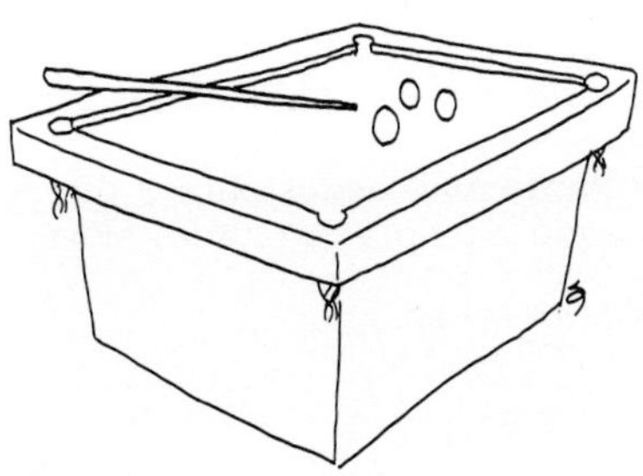

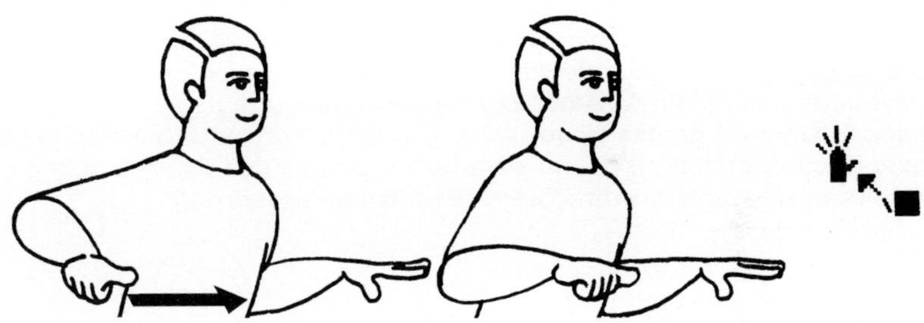

jogar (bilhar ou sinuca) *(inglês: to play (billiards or snooker))*:
v. t. d. Engajar-se no jogo de mesa conhecido como bilhar ou sinuca. Ex.: O rapaz jogou bilhar a tarde toda. v. t. d. i. Praticar bilhar com alguém. Ex.: O rapaz jogou bilhar com seus amigos do clube.
Fazer o sinal de **bilhar**. (Mão direita em **A** horizontal, palma para baixo, ao lado direito do corpo; mão esquerda horizontal aberta, palma para baixo, à esquerda e à frente da mão direita. Mover a mão direita, diagonalmente, para frente e para a esquerda.)

jogar (cartas ou baralho) *(inglês: to play (cards))*:
v. t. d. Praticar jogos de cartas, como pôquer ou buraco. Ex.: Jogou cartas no clube até altas horas. Ex.: Aqueles aposentados jogam baralho para passar o tempo em dias de chuva. v. t. d. i. Praticar jogos de cartas, como pôquer ou buraco, com alguém. Ex.: Joguei baralho com os aposentados do asilo.
Mão esquerda em **4**, palma para dentro; mão direita horizontal aberta, palma para baixo, dedos flexionados, polegar distendido e paralelo aos demais dedos, segurando os dedos da mão esquerda. Mover a mão direita em um arco para cima e para frente, virando a palma para cima.

jogar (dados) *(inglês: to play (dies))*:
v. t. d. Brincar de dados, ou seja, de deixar cair dados com números em cada lado com o objetivo de atingir a pontuação mais alta que o adversário. Ex: Jogava dados e outros jogos de azar, em que o resultado depende não de astúcia ou estratégia, mas apenas do mero acaso. v. t. d. i. Brincar de dados com alguém. Ex.: Joguei dados com a molecada da rua.
Fazer o sinal de **dados**. (Mão direita em **S** horizontal, palma para cima. Balançar rapidamente a mão para a direita e para a esquerda, abri-la e movê-la com força para frente.)

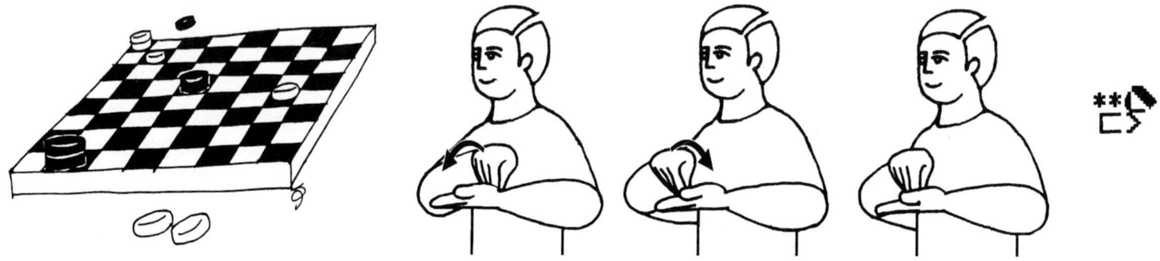

jogar (damas) *(inglês: to play (checkers), to play (draughts))*:
v. t. d. Engajar-se no jogo de damas. Ex.: As crianças jogam damas em dias de chuva. v. t. d. i. Praticar jogo de damas com algum parceiro. Ex.: Joguei damas com as senhoras do clube.
Fazer o sinal de **damas (*jogo*)**. (Mão esquerda horizontal aberta, palma para cima, dedos para a direita; mão direita horizontal, palma para baixo, pontas dos dedos unidas, tocando a palma esquerda. Mover a mão direita para várias direções sobre a palma esquerda.)

jogar (futebol) *(inglês: to play (soccer))*:
v. t. d. Praticar futebol de campo. Ex.: Jogou futebol a tarde. v. t. d. i. Praticar futebol de campo com um grupo. Ex.: Jogou futebol a tarde toda com os amigos do bairro.
Fazer o sinal de **jogar (*esporte*), jogo**. (Mãos horizontais fechadas, palma a palma, polegares destacados. Movê-las alternadamente para cima e para baixo.)

jogar (futebol de salão) *(inglês: to play (court soccer))*:
v. t. d. Praticar futebol de salão. Ex.: Todo mês eu jogo futebol de salão. v. t. d. i. Praticar futebol de salão com um grupo. Ex.: Todo mês eu jogo futebol de salão com os velhos amigos da faculdade.
Fazer o sinal de **futebol de salão**. (Fazer o sinal de **jogar (*esporte*), jogo**. (Mãos horizontais fechadas, palma a palma, polegares destacados. Movê-las alternadamente para cima e para baixo. Em seguida, mãos em **5**, palmas para frente. Bater as mãos pelas laterais dos polegares.))

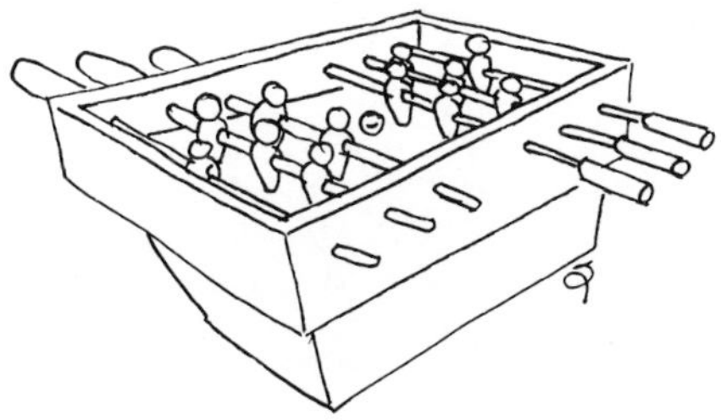

jogar (pebolim) *(inglês: to play (table soccer))*:
v. t. d. Brincar de futebol totó, pebolim ou totó. Ex.: Gosto muito de reunir os amigos no salão de jogos do sítio para passar as manhãs jogando pebolim. v. t. d. i. Brincar de futebol totó, pebolim ou totó com alguém. Ex.: Jogo pebolim com meus primos no sítio.
Fazer o sinal de **pebolim**. (Mãos em **S** vertical, palma a palma, apontando para baixo, a cada lado do corpo. Girar as palmas para baixo.)

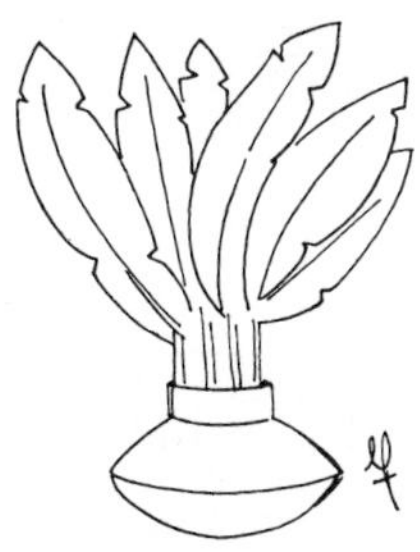
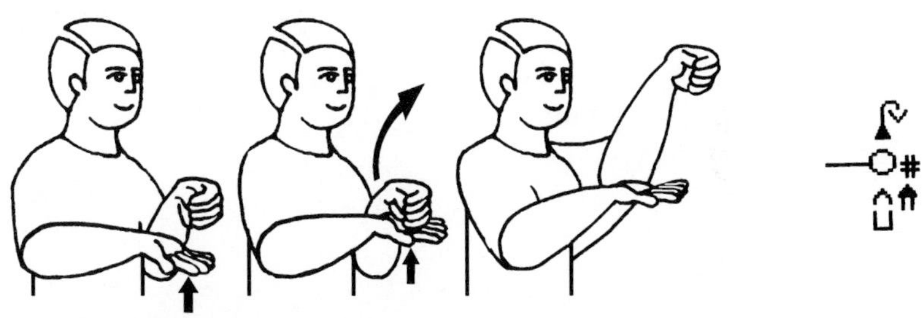

jogar (peteca) *(inglês: to play (badminton), to play (shuttlecock))*:
v. t. d. Brincar com peteca. Ex.: As crianças formaram dois times e jogaram peteca na praia. v. t. d. i. Brincar de peteca com alguém. Ex.: As meninas jogaram peteca contra os meninos.
Fazer o sinal de **peteca**. (Mão direita horizontal aberta, palma para cima; mão esquerda em **O** horizontal, palma para dentro, acima da mão direita. Bater a palma direita na mão esquerda, e movê-las para cima e para frente.)

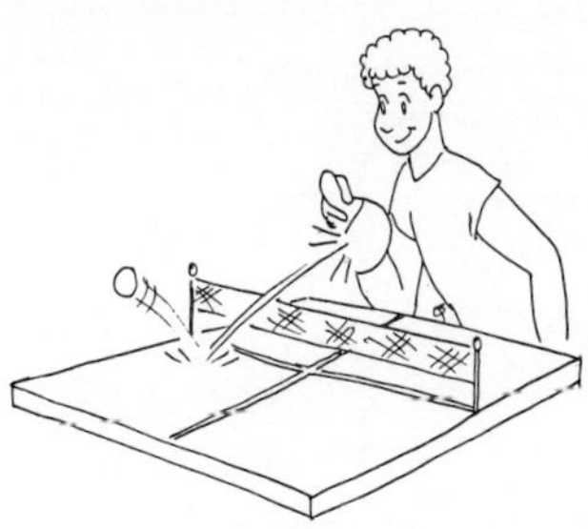
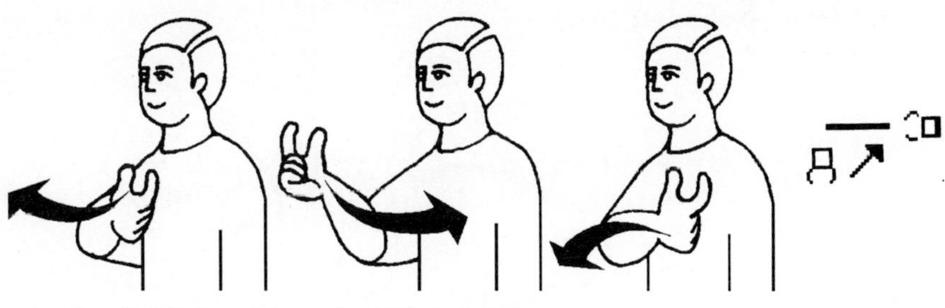

jogar (pingue-pongue) *(inglês: to play (table tennis), to play (ping pong))*:
v. t. d. Praticar tênis de mesa. Ex.: Jogamos pingue-pongue durante o piquenique na represa. v. t. d. i. Praticar tênis de mesa com alguém. Ex.: Jogo tênis de mesa com os aposentados do clube da terceira idade.
Fazer o sinal de **pingue-pongue**. (Mão direita horizontal fechada, palma para dentro, dedos polegar e indicador distendidos. Mover a mão para frente e para a direita, virando a palma para a esquerda, duas vezes.)

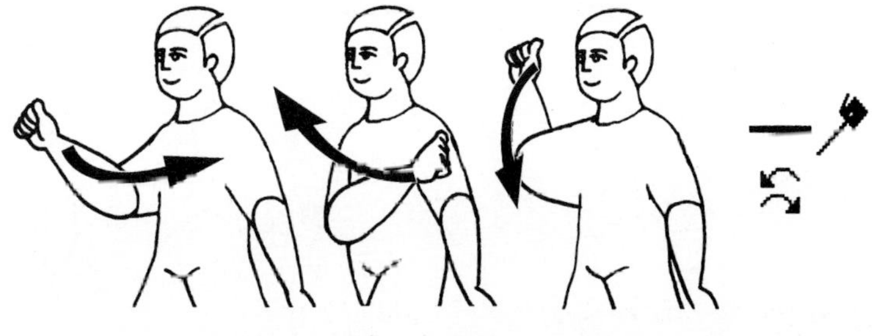

jogar (tênis) *(inglês: to play (tennis))*:
v. t. d. Praticar o esporte de tênis de quadra. Ex.: Jogaremos tênis na quadra da USP no próximo fim de semana. v. t. d. i. Praticar tênis de quadra com alguém. Ex.: Meu amigo jogou tênis com o Guga e perdeu.
Fazer o sinal de **tênis**. (Mão direita em **A**, palma para frente. Movê-la em arcos para frente e para a esquerda, e para frente e para a direita, acompanhando os movimentos com o corpo.)

jogar (voleibol) *(inglês: to play (volleyball))*:
v. t. d. Praticar o esporte de quadra chamado voleibol ou vôlei. Ex.: Jogaremos voleibol no clube neste fim de semana. v. t. d. i. Praticar vôlei com alguém ou um grupo. Ex.: Joguei voleibol com os amigos de meu filho.
Fazer o sinal de **voleibol, vôlei**. (Mãos verticais abertas, palmas para frente, dedos separados e curvados, na altura do rosto. Mover as mãos em um arco para cima e para frente, duas vezes.)

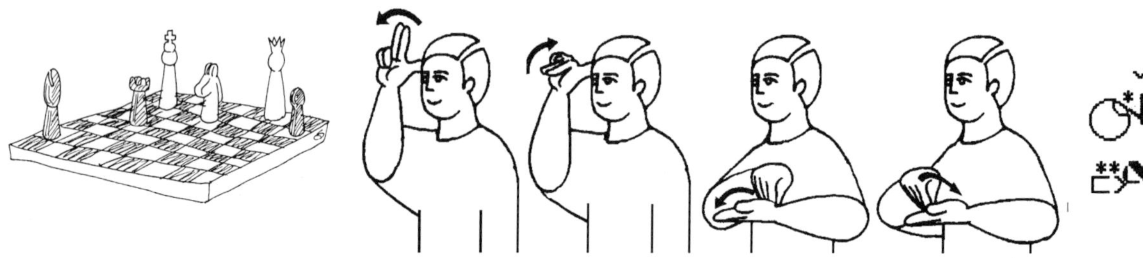

jogar (xadrez) *(inglês: to play chess)*:
v. t. d. Praticar o jogo de xadrez. Ex.: Meu amigo russo e eu jogamos xadrez sempre que temos uma oportunidade. v. t. d. i. Praticar o jogo de xadrez contra alguém ou o computador. Ex.: Joguei xadrez contra o computador ontem o dia todo. Ex.: Joguei xadrez com meu amigo no torneio de São Paulo.
Fazer o sinal de **cavalo**. (Mão direita em **U**, palma para frente, polegar destacado tocando o lado direito da cabeça. Flexionar os dedos indicador e médio, duas vezes.) Em seguida, fazer o sinal de **damas (*jogo*)**. (Mão esquerda horizontal aberta, palma para cima, dedos para a direita; mão direita horizontal, palma para baixo, pontas dos dedos unidas, tocando a palma esquerda. Mover a mão direita para várias direções sobre a palma esquerda.)

torcer (1) (*vibrar*) *(inglês: to cheer with intensity, to pull for intensely)*:
v. t. i. Demonstrar entusiasticamente, por meio de gesticulações, gritos, danças e agitação de bandeiras, o desejo de que o time de sua escolha vença uma partida ou campeonato. Ex.: Nossos amigos se uniram no estádio para torcer pelo time. v. int. Desejar que outro saia-se bem em sua ação. Ex.: Torço muito para que você consiga passar no vestibular.
Mãos em **S** vertical palma a palma, a cada lado da cabeça. Movê-las para frente e para trás, com força, e expressão de alegria.

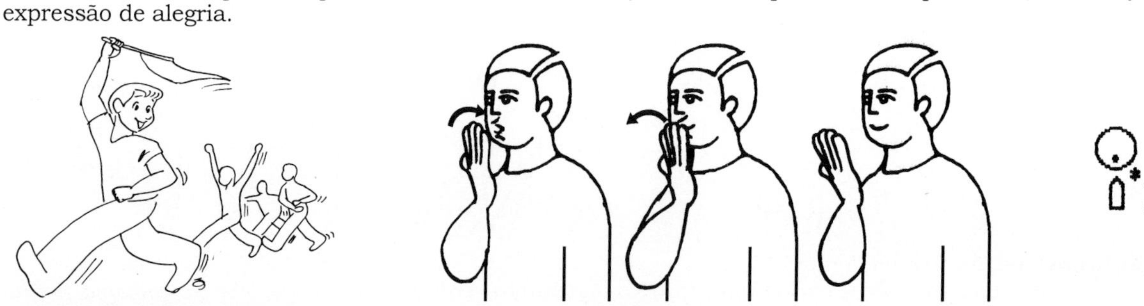

torcer (2) (*preferência*) *(inglês: to prefer, to cheer, to pull for)*:
v. t. i. Ter preferência por um time. Sentir predileção por (uma equipe). Ex.: Para qual time de futebol você torce?

Mão vertical aberta, palma para dentro, tocando os lábios. Beijar a mão e movê-la ligeiramente para frente.

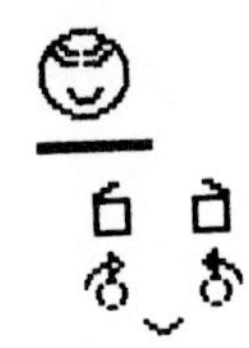

apostar *(inglês: to bet, to make a bet, to risk, to stake, to wager)*:
v. t. d. Fazer aposta de. Jogar aplicando dada quantia para concorrer a quantia maior. Ex.: Vamos apostar um suco de laranja. v. t. i. Competir. Disputar. Ex.: Eu aposto com você! v. t. d. i. Fazer aposta: Ex.: O homem apostou o salário todo na loteria, e acabou perdendo tudo.
Mãos em **A** horizontal, palmas para dentro, na altura do ombro direito. Movê-las para baixo, dobrando os pulsos para baixo.

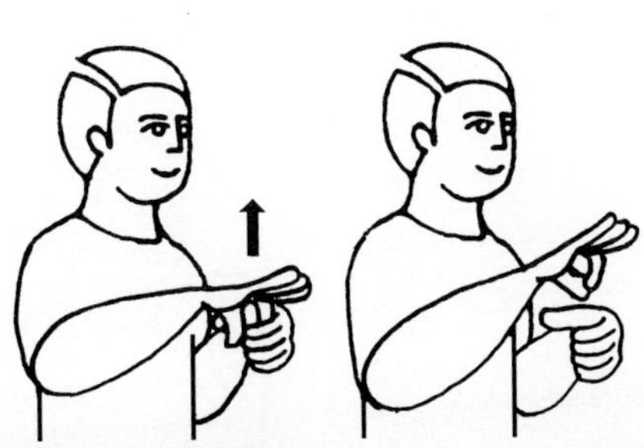

sortear *(inglês: to raffle, to pick out by lot, to cast lots, to draw lots)*:
v. t. d. Selecionar, ao acaso, um dentre vários candidatos concorrentes a algo. Ex.: Sortearam um automóvel.
Mão esquerda em **C** horizontal, palma para a direita; mão direita horizontal aberta, palma para baixo, dedos polegar e indicador distendidos para baixo, dentro do C esquerdo. Mover a mão direita ligeiramente para cima, unindo as pontas dos dedos polegar e indicador.

2.7. Verbos referentes a esportistas

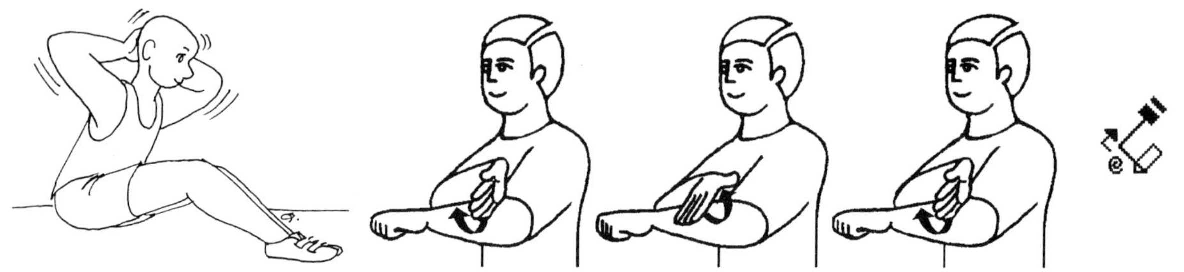

treinar *(inglês: to workout, to exercise)*:
v. t. d. Adestrar por meio de treino. Ex.: Treinou o cachorro muito bem. Ex.: O instrutor treinou o aprendiz. v. int. Submeter-se a treinos. Ex.: Passo o dia treinando. Ex.: Como vou competir no torneio, eu treino.
Braço esquerdo ligeiramente distendido em frente ao corpo, mão fechada, palma para baixo; mão direita horizontal aberta, palma para dentro tocando próximo à dobra do cotovelo. Passar a lateral do dedo mínimo, várias vezes sobre o antebraço esquerdo, com movimentos curtos, inclinando a palma para baixo durante o movimento.

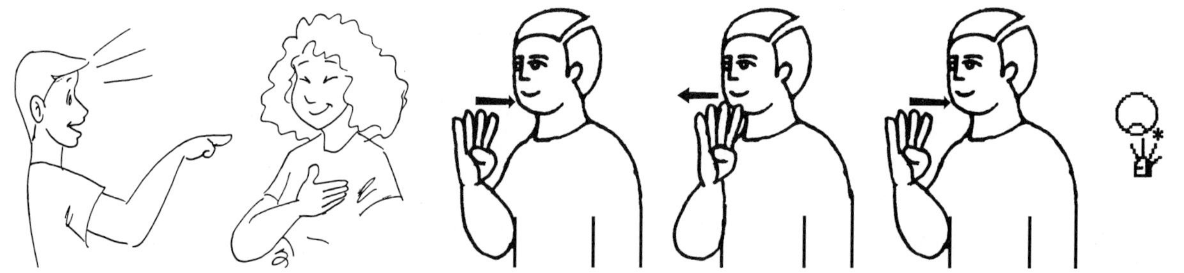

conhecer, conhecer-se *(inglês: to know, to be acquainted with, to be familiar with; to know oneself)*:
Conhecer: *v. t. d. Saber. Estar informado(a). Ter conhecimento de. Ter informação de. Ter experiência com. Estar familiarizado(a) com. Ter idéia ou noção de. Ser perito(a) ou versado(a) em. Ser capaz de reconhecer e discernir (algo). Ser capaz de lidar com. Ser capaz de desempenhar-se com sucesso em. Ex.: Ele conhece muitas línguas e muitos países. v. t. d. Travar relações com. Conviver com. Ex.: Vim a conhecer o ilustre professor em minha última viagem ao Canadá.* Conhecer-se: *v. pr. Travar relações com Ex.: Conheceram-se durante as férias.*
Mão direita em **4**, palma para a esquerda, em frente ao queixo. Bater a lateral do indicador próximo ao lado direito do queixo.

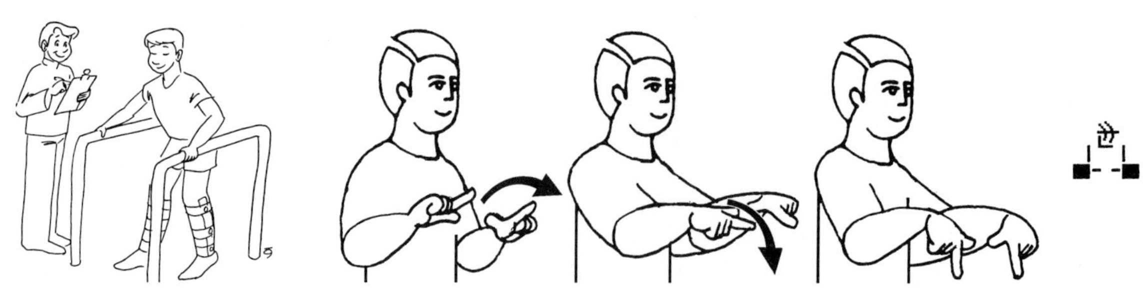

lutar (2) (*esforço*) *(inglês: to strain, to strive, to make efforts, to exert oneself, to endeavor, to apply oneself)*:
v. int. Esforçar-se por vencer um obstáculo, por atingir um fim. Ex.: Ele lutou muito para combater a doença.
Mãos em **L** horizontal, palmas para baixo. Movê-las em um arco para frente e para baixo, finalizando com os indicadores para baixo.

esforçar-se *(inglês: to make an effort, to strain, to strive, to endeavor)*:
v. pr. Lutar com diligência e dedicação para. Aplicar esforço com seriedade e empenho em. Dedicar-se com diligência e energia para. Ex.: Esforçou-se para conseguir uma vaga.
Fazer o sinal de **lutar (2) (*esforço*)**.

unir, unir-se *(inglês: to unite, to unify, to gather, to bring together, to combine, to consolidate, to join, to link, to bind, to associate)*:
Unir: *v. t. d., v. t. d. i. Aderir. Agregar. Ajuntar. Anexar. Aproximar. Associar. Combinar. Conciliar. Juntar. Ligar. Reunir. Unificar. Tornar em um. Ex.: Uniu os fios que estavam desconectados e o aparelho de TV voltou a funcionar. Ex.: O cozinheiro uniu o restante dos ingredientes à mistura que já cozinhava no fogão.* Unir-se: *v. pr. Ligar-se. Combinar-se. Juntar-se. Ex.: Os Surdos precisam se unir em associações e as associações, numa federação, para defenderem seus direitos.*
Mãos verticais abertas, palmas para frente, lado a lado. Aproximar as mãos e uni-las entrelaçando os dedos indicadores e polegares.

alegrar, alegrar-se *(inglês: to make happy, to cheer, to rejoice, to gladden; to be happy, to become glad)*:
Alegrar: *v. t. d., v. t. i., v. int. Tornar ou pôr alegre e contente. Ex.: O palhaço alegra as crianças. Ex.: A chegada do bebê alegrou aos pais. Ex.: O sorriso da criança alegra.* Alegrar-se: *v. pr. Tornar-se ou pôr-se alegre e contente. Contentar-se. Sentir alegria. Ex.: Alegrou-se com a sua recuperação. Ex.: Alegrou-se com o casamento do amigo.*
Mãos horizontais abertas, palmas para dentro. Movê-las para cima, tocando as pontas dos dedos nos ombros, várias vezes e sorrindo.

animar, animar-se *(inglês: to stimulate, to cheer up, to encourage, to boost; to take heart, to cheer oneself up, to resolve to do something, to gather oneself together)*:
Animar: *v. t. d. Dar ânimo, coragem, disposição, força, vigor a. Alentar, encorajar, entusiasmar. Ex.: Ele animava a criança. v. t. d. i. Encorajar, estimular, incitar. Ex.: Ele animava o amigo a estudar.* Animar-se: *v. pr. Ganhar vida, expressão ou movimento. Ex.: Anime-se! Você conseguirá. Ex.: Animou-se com o novo emprego.*
Fazer o sinal de **alegrar, alegrar-se**.

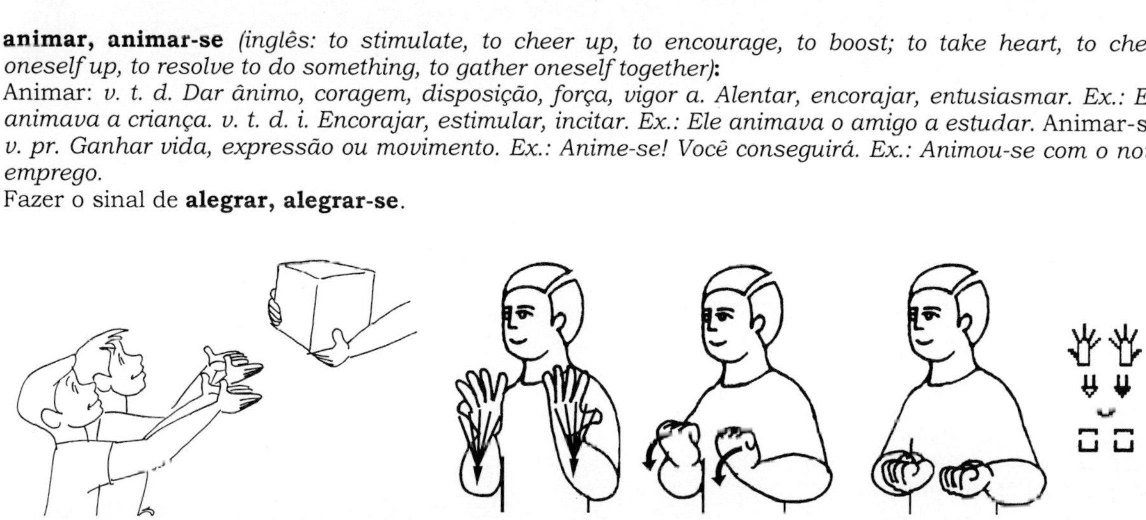

aceitar (1) (*várias pessoas aceitam*) *(inglês: to accept, to take)*:
v. t. d. Consentir em receber (o que é dado ou oferecido). Anuir a. Concordar com. Consentir em. Estar de acordo com. Conformar-se com. Admitir. Reconhecer. Suportar. (Obs.: Este sinal é usado para se referir a mais de uma pessoa, no plural.) Ex.: Nós aceitamos a decisão da diretoria.
Mãos verticais abertas, palmas para dentro, dedos separados na altura dos ombros. Baixar as mãos, fechando-as em **S** horizontal, palmas para cima.

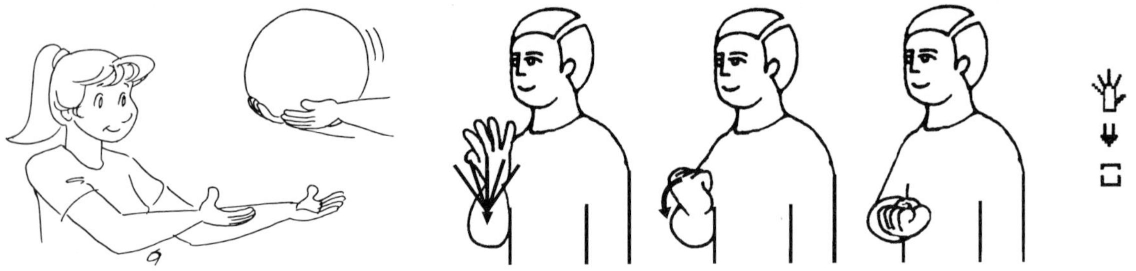

aceitar (2) (*uma pessoa aceita*) *(inglês: to accept, to take)*:
Idem ***aceitar (1)***. *(Obs. Este sinal é usado no singular, para uma pessoa.) Ex.: Eu aceito sua demissão.*
Mão direita vertical aberta, palma para dentro, dedos separados na altura dos ombros. Baixar a mão, fechando-a em **S** horizontal, palma para cima.

concentrar-se *(inglês: concentration)*:
v. pr. Dirigir a atenção ou o pensamento de forma sistemática, de modo a impedir distrações, interrupções ou divagações. Ex.: Você precisa concentrar-se para fazer este cálculo.
Mãos verticais, palma a palma, dedos flexionados, tocando a cada lado da testa franzida. Movê-las diagonalmente para frente e para baixo, com força. Opcionalmente, expressão facial contraída, concentrada.

acreditar *(inglês: to believe)*:
v. t. d., v. t. i., e v. int. Crer, dar crédito a, ter como verdadeiro. Ex.: O tabelião acreditou a assinatura. Ex.: Acredito no sucesso deste livro. Ex.: É preciso acreditar. v. t. i. Ter confiança. Ex.: Eu acredito em você.
Mão direita vertical aberta, palma para dentro, pontas dos dedos tocando a testa. Mover a mão em um arco para frente e para baixo, e bater o dorso dos dedos sobre a palma esquerda.

confiar *(inglês: to trust, to believe in)*:
v. t. i., v. int. Ter confiança. Crer. Ter esperança. Acreditar. Ter fé. Ter expectativa positiva. Fiar-se. Ex.: Nós confiamos no tratamento que o médico prescreveu. Ex.: É preciso confiar.
Fazer o sinal de **acreditar**.

crer *(inglês: to believe, to hold, to be true, to have faith)*:
v. t. d. Acreditar, ter como verdadeiro. Ex.: Creio que todos os alunos fizeram a matrícula até a data limite. v. int., v. t. i. Ter crença, ter fé, confiança. Ex.: É preciso crer para sejamos abençoados. Ex.: Nós cremos no tratamento que o médico prescreveu.
Fazer o sinal de **acreditar**.

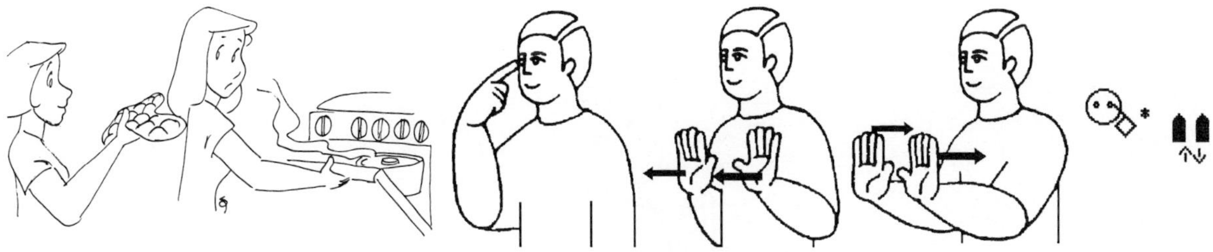

cuidar-se (1) *(inglês: to take care of oneself, to be careful, to look out)*:
v. pr. Tratar da própria saúde ou zelar pelo próprio bem-estar. Ex.: É preciso cuidar-se para evitar acidentes.
Mão direita em **1**, palma para dentro, ponta do indicador tocando abaixo do olho direito. Então, mãos verticais abertas, palmas para frente lado a lado. Movê-las para frente e para trás. Opcionalmente expressão facial negativa.

cuidar-se (2) *(inglês: to take care of oneself, to be careful, to look out)*:
*Idem **cuidar-se (1)**. Ex.: Uma pessoa precisa cuidar-se antes de abrir o forno.*
Mãos verticais abertas, palmas para frente. Movê-las alternadamente em círculos verticais, aproximando-as. Opcionalmente, expressão facial negativa.

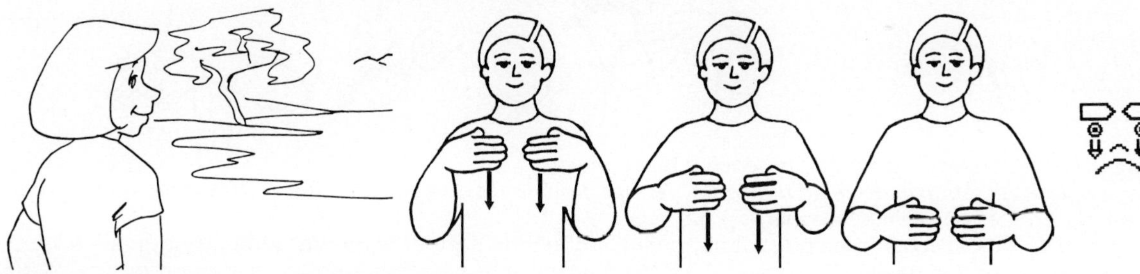

acalmar, acalmar-se (*tranqüilizar-se*) *(inglês: to appease, to quiet, to soothe; to fall calm, to calm down (to take it easy))*:
Acalmar: *v. t. d. Abrandar. Tranqüilizar. Sossegar. Pacificar. Tornar calmo. Serenar. Apaziguar. Ex.: A mãe acalmou a criança antes da prova.* Acalmar-se: *v. pr. Abrandar-se. Tranqüilizar-se. Sossegar-se. Pacificar-se. Tornar-se calmo. Serenar-se. Apaziguar-se. Ex.: Acalme-se, o advogado resolverá o problema.*
Fazer o sinal de **calmo(a)**. (Mãos horizontais abertas, palmas para dentro, tocando o peito. Movê-las lentamente para baixo, duas vezes.)

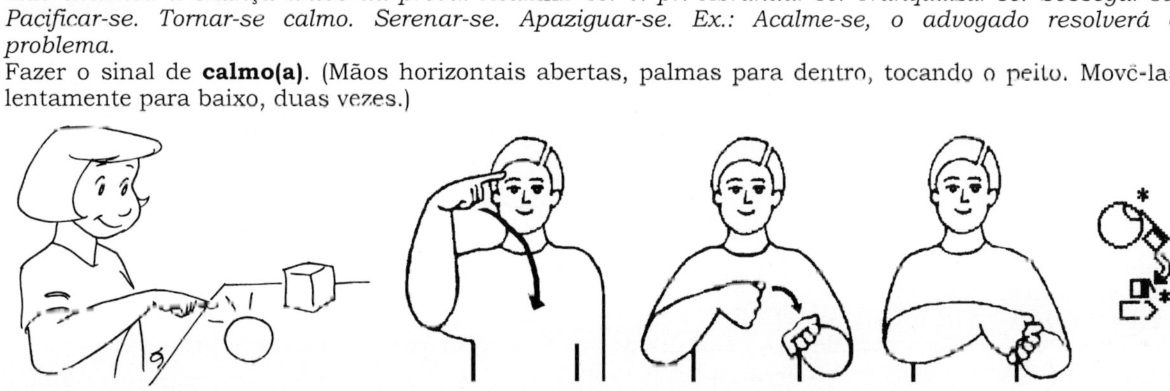

decidir, decidir-se *(inglês: to decide, to choose; to make up one's mind)*:
Decidir: *v. t. d., v. t. i. Deliberar, determinar, resolver. Tomar decisão. Ex.: Decidi abandonar o cigarro. Ex.: O casal decidiu pela adoção de um filho. v. t. i., v. int. Emitir juízo; sentença. Julgar, sentenciar. Ex.: No seu trabalho ele decide de tudo um pouco. Ex.: O juiz decidirá.* Decidir-se: *v. pr. Deliberar, determinar-se, resolver-se. Ex.: Decidi-me em tempo..*
Fazer o sinal de **pensar, pensamento**. (Mão direita em **1**, palma para a esquerda, ponta do indicador

tocando o lado direito da testa.) Então baixar a mão mudando-a para mão em **A**, palma para a esquerda e bater os nós dos dedos sobre a palma esquerda.

desafiar *(inglês: to defy, to dare, to challenge, to provoke)*:
v. t. d. Chamar a desafio; provocar. Ex.: Ele desafiou seu oponente.
Mãos em **D**, palmas para dentro. Mover as mãos apontando os dedos indicadores um para o outro, com expressão facial contraída.

disputar *(inglês: to dispute, to contend, to rival, to bicker)*:
v. t. d. Lutar ou esforçar-se por obter algo ou alguém; pleitear. Sustentar, em combate ou discussão. Rivalizar. Ex.: Eles disputaram a atenção da professora. v. t. i., v. int. Discutir, questionar. Ex.: Disputam por motivos banais. Ex.: Gostava de viver em paz com seu irmão, enquanto este gostava de disputar.
Fazer o sinal de **desafiar**.

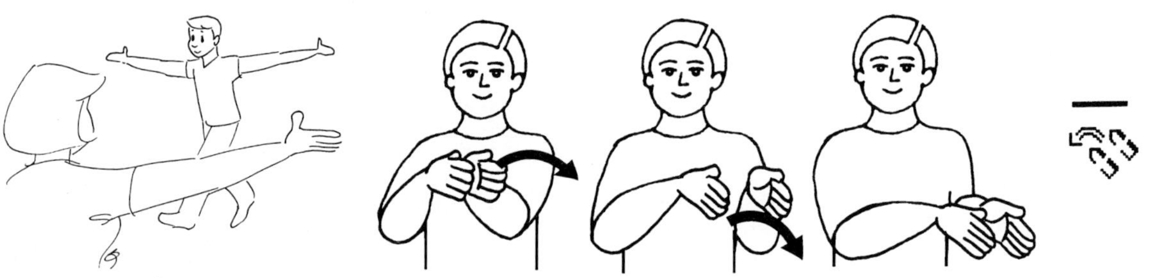

chegar *(inglês: to arrive, to come, to reach a given place)*:
v. t. i., v. int. Vir. Aproximar-se de um ponto. Atingir o ponto de destino Ex.: Quero chegar ao destino antes do anoitecer. Ex.: Seu amigo chegou.
Mãos horizontais abertas, palma a palma, dedos inclinados para a esquerda; mão direita mais a frente da esquerda, ao lado direito do corpo. Movê-las em um arco para cima e para a esquerda, finalizando com os dedos apontando para baixo.

conseguir *(inglês: to get, to obtain, to achieve, to succeed in the enterprise)*:
v. t. d. Alcançar. Lograr. Obter. Chegar a. Conquistar. Ter sucesso numa empreitada. Ex.: Consegui terminar o trabalho da escola.
Mão direita em **L**, palma para dentro, na altura do ombro direito. Mover a mão para frente, passando a ponta do polegar no queixo e virando a palma para frente.

ganhar *(inglês: to earn, to acquire, to receive, to obtain, to gain, to get, to win, to secure)*:
v. t. d. Adquirir, granjear, obter mediante qualquer combinação, esforço ou trabalho. Lucrar, por transação, especulação ou trabalho. Ex.: Ganhei uma bolsa de estudos para terminar o colegial. v. int. Auferir lucro, proveito ou vantagem. Ex.: Seu objetivo era ganhar sempre mais.
Fazer o sinal de **conseguir**.

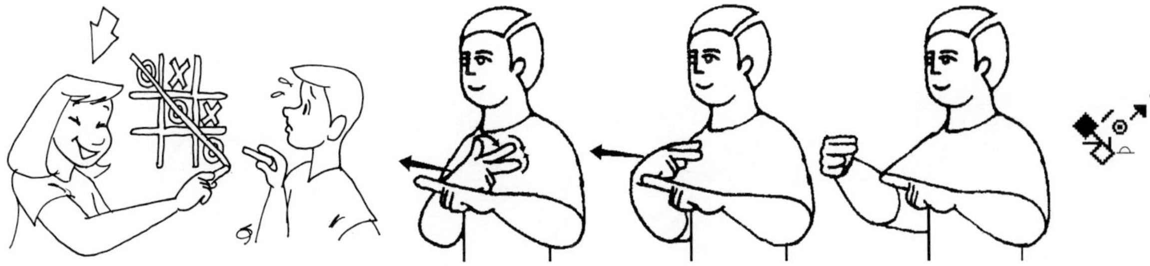

vencer (***o sinal parte de quem vence em direção a quem é vencido; no exemplo o sinalizador vence***) *(inglês: to win, to succeed, to triumph, to overcome, to subdue, to overpower, to surmount)*:
v. t. d., v. int. Ganhar disputa contra. Alcançar vitória sobre. Triunfar sobre. Dominar, sobrepujar, alcançar um objeto com êxito. Ex.: Vencera seus amigos de classe no xadrez. Ex.: Eu venci porque treinei durante meses para a competição. (Obs.: Na ilustração, a direção da articulação do sinal corresponde à primeira pessoa: Eu venço, venci ou vencerei.)
Mão esquerda em **1** horizontal, palma para baixo, indicador inclinado para cima e para a direita; mão direita horizontal fechada, palma para dentro, dedos polegar, indicador e médio distendidos, lado do dedo mínimo direito apoiado no dorso da mão esquerda. Mover mão direita sobre e além do indicador esquerdo, unindo os dedos direitos.

derrotar (***o sinal parte de quem derrota em direção a quem é derrotado; no exemplo o sinalizador derrota***) *(inglês: to defeat, to overthrow, to beat, to outdo)*:
v. t. d. Vencer oponente. Ganhar disputa. Alcançar vitória sobre. Dominar, sobrepujar, alcançar um objeto com êxito. (Obs.: Na ilustração, a direção da articulação do sinal corresponde à primeira pessoa: Eu derroto, derrotei ou derrotarei.) Ex.: Eu derrotei todos os oponentes porque treinei durante meses para a competição.
Fazer o sinal de **vencer**.

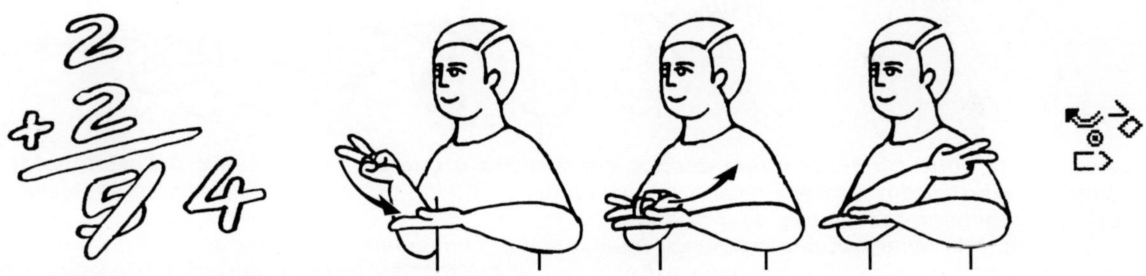

errar *(inglês: to err, to make a mistake, to mistake, to be mistaken)*:
v. t. d. Cometer erro em. Não acertar. Ex.: Você errou a primeira questão da prova. v. t. i. Cometer erro, enganar-se em. Ex.: O disléxico erra ao escrever. v. int. Cair em culpa. Não atingir o alvo. Ex.: Às vezes erramos.
Mão esquerda horizontal aberta, palma para cima, dedos para a direita; mão direita em **V** horizontal, palma para cima, acima e à direita da mão esquerda. Mover a mão direita em um arco para baixo e para a esquerda, batendo o dorso da mão na palma esquerda durante o movimento.

perder *(inglês: to lose)*:
v. t. d. Ficar sem a propriedade, o domínio e a fruição de algo. Ex.: O menino perdeu a caneta. v. int. Sofrer, dano, perda ou privação. Ex.: Neste negócio, ele tem mais a perder do que ela.
Mãos verticais abertas, palmas para dentro, inclinadas para cima, dedos unidos e inclinados uns para os outros; dorso da mão direita tocando a palma da mão esquerda. Separar as mãos, movendo-as para baixo e para os lados opostos, virando as palmas para cima, com expressão negativa.

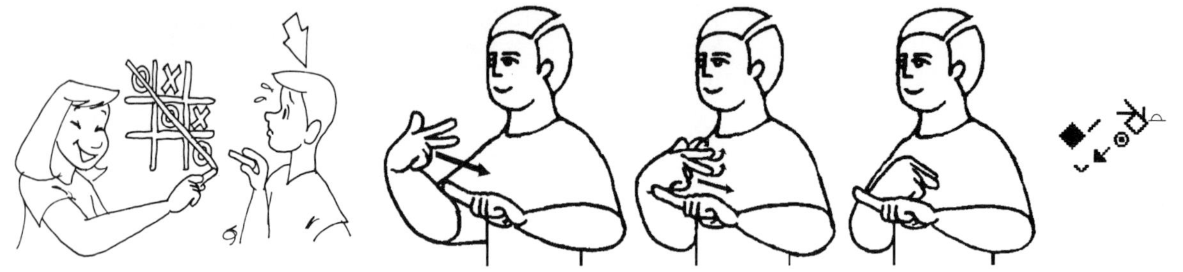

vencer-me (***ser vencido: o sinalizador é vencido, ele é derrotado***) *(inglês: to be beaten, to be defeated, to be subdued, to be conquered, to lose, to fail)*:
v. t. d. Derrotar-me. Ex.: Você nunca vai conseguir vencer-me!
Mão esquerda em **1** horizontal, palma para baixo, indicador inclinado para cima e para a direita; mão direita horizontal fechada, palma para dentro, dedos polegar, indicador e médio distendidos, à frente da mão esquerda. Mover mão direita para trás em direção ao peito, passando a lateral do mínimo direito sobre o indicador esquerdo, unindo as pontas dos dedos direitos.

derrotar-me (***ser derrotado: o sinalizador é derrotado, ele é vencido***) *(inglês: to be defeated, to be beaten)*:
v. t. d. Vencer-me. Ex.: Ele derrotou-me na partida de futebol.
Fazer o sinal de **vencer-me**.

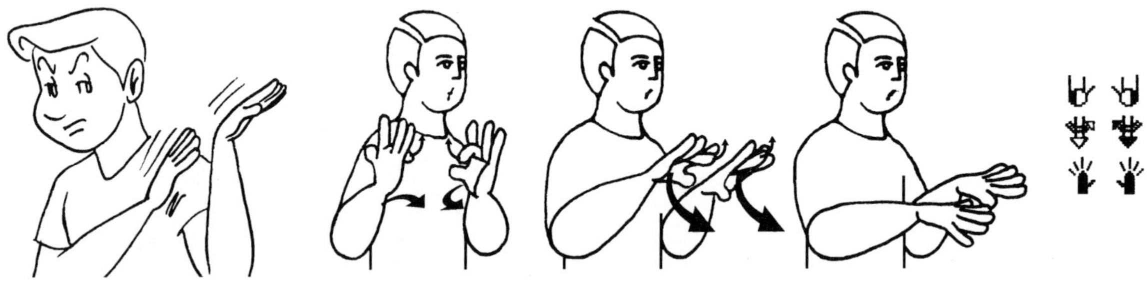

desistir (1) (***o sinal parte de quem desiste em direção a que ou quem recebe a desistência; no exemplo o sinalizador desiste***) *(inglês: to give up (of an intent), to abdicate, to desist, to relinquish, to cease, to discontinue, to renounce, to forsake)*:
v. t. i. e v. int. Não continuar, não prosseguir (num intento). Abandonar. Renunciar. (Obs.: Na ilustração, a direção da articulação do sinal corresponde à primeira pessoa: Eu desisto, desisti ou desistirei.) Ex.: Desisto de fazer esse trabalho. Ex.: Desistiu antes de tentar uma segunda vez.
Mãos verticais abertas, palma a palma, dedos médios flexionados. Mover as mãos para frente e para baixo, distendendo os dedos médios.

desistir (2) (***estou fora!***) *(inglês: to quit, to leave, to give up of an intent (I am out!))*:
v. t. i. e v. int. Isentar-se de responsabilidade. Não assumir culpa ou responsabilidade por. Ex.: Desisti de tentar convencê-lo. Ex.: Não quero me envolver mais com isso, eu desisto.
Mãos verticais abertas, palmas para frente, a cada lado do corpo. Elevá-las acima dos ombros, inclinando o corpo para trás, com expressão facial negativa.

2.8. Outros sinais relacionados a esportes

acalme-se! (*pedir calma: "pare e acalme-se!"*) *(inglês: please, calm down! set your mind at rest!)*:
interj. Tranqüilize-se. Sossegue! Pacifique-se. Torne-se calmo e sereno. Procure abrandar-se, apaziguar-se. Ex.: Acalme-se e procure retomar o controle da situação.
Fazer o sinal de **calma! (*pedir calma*)**. (Mãos verticais abertas, palmas para frente, a cada lado do corpo. Movê-las para frente, inclinando as palmas para baixo.)

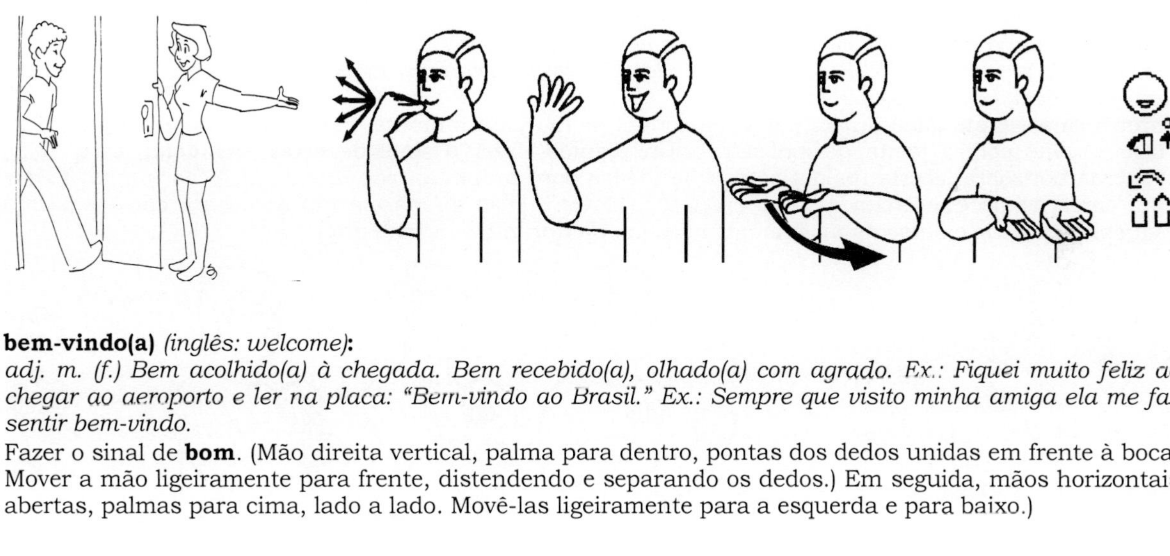

bem-vindo(a) *(inglês: welcome)*:
adj. m. (f.) Bem acolhido(a) à chegada. Bem recebido(a), olhado(a) com agrado. Ex.: Fiquei muito feliz ao chegar ao aeroporto e ler na placa: "Bem-vindo ao Brasil." Ex.: Sempre que visito minha amiga ela me faz sentir bem-vindo.
Fazer o sinal de **bom**. (Mão direita vertical, palma para dentro, pontas dos dedos unidas em frente à boca. Mover a mão ligeiramente para frente, distendendo e separando os dedos.) Em seguida, mãos horizontais abertas, palmas para cima, lado a lado. Movê-las ligeiramente para a esquerda e para baixo.)

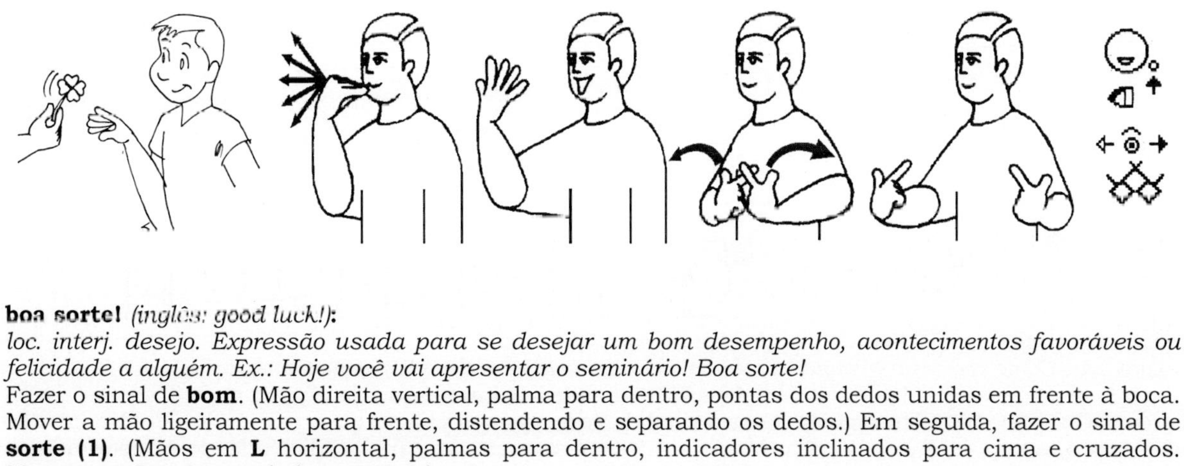

boa sorte! *(inglês: good luck!)*:
loc. interj. desejo. Expressão usada para se desejar um bom desempenho, acontecimentos favoráveis ou felicidade a alguém. Ex.: Hoje você vai apresentar o seminário! Boa sorte!
Fazer o sinal de **bom**. (Mão direita vertical, palma para dentro, pontas dos dedos unidas em frente à boca. Mover a mão ligeiramente para frente, distendendo e separando os dedos.) Em seguida, fazer o sinal de **sorte (1)**. (Mãos em **L** horizontal, palmas para dentro, indicadores inclinados para cima e cruzados. Mover as mãos para os lados opostos.)

calma! (***pedir calma***) *(inglês: Be calm! Calm down! Take it easy! Hold your horses!)*:
interj. advertência. Solicitação para que o interlocutor mantenha a calma, a impassibilidade, a imperturbabilidade, a tranqüilidade. Pedir para conservar a calma. Ex.: Calma! Não precisa ficar tão nervoso!
Mãos verticais abertas, palmas para frente, a cada lado do corpo. Movê-las para frente, inclinando as palmas para baixo.

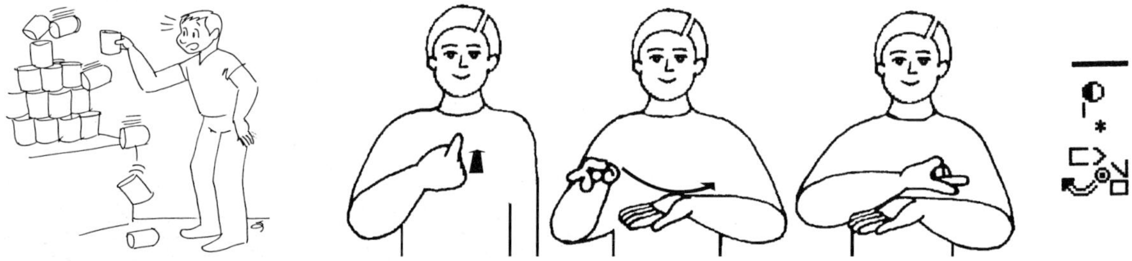

cometi um erro! *(inglês: My mistake! I made a mistake)*:
expressão. Fiz algo errado. Percebi que fiz algo de forma incorreta. Errei. Ex.: Cometi um erro ao me aproximar dela, sem conhecê-la melhor.
Fazer o sinal de **eu**. (Mão direita em **1** horizontal, palma para a direita, indicador apontando para trás. Tocar o peito com a ponta do indicador.) Em seguida, fazer o sinal de **errar, errado(a), erro**. (Mão esquerda horizontal aberta, palma para cima, dedos para a direita; mão direita em **V** horizontal, palma para cima, acima e à direita da mão esquerda. Mover a mão direita em um arco para baixo e para a esquerda, batendo o dorso da mão na palma esquerda durante o movimento.)

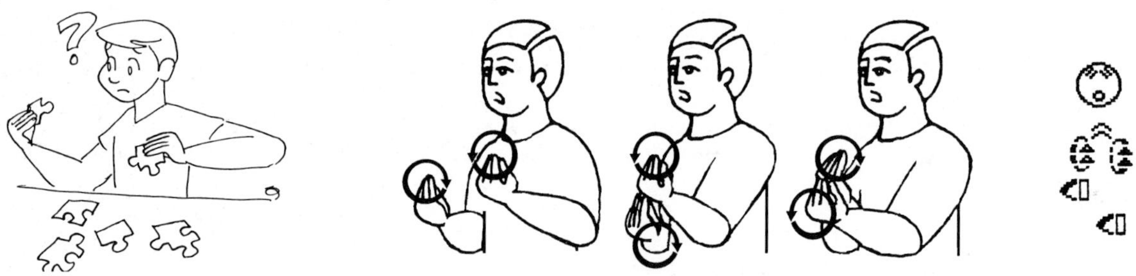

como? *(inglês: how? by what means? in what way? to what degree? for what reason?)*:
adv. interrogativo de modo. De que modo? De que forma? De que maneira? Em que extensão? Por que motivo? Ex.: Como devo fazer este exercício?
Mãos horizontais, palmas para cima, pontas dos dedos de cada mão unidas. Mover as mãos, alternadamente, em pequenos círculos verticais para frente, com expressão facial de interrogação.

como vai você? *(inglês: how do you do? how are you?)*:
expressão. Como você está? Pergunta sobre o estado de alguém. Ex.: Olá, como vai você, tudo bem?
Fazer o sinal de **você**. (Mão direita em **1** horizontal, palma para a esquerda. Apontar a outra pessoa com quem se está falando.) Em seguida, fazer o sinal de **bom**. (Mão direita vertical, palma para dentro, pontas dos dedos unidas em frente à boca. Mover a mão ligeiramente para frente, distendendo e separando os dedos.)

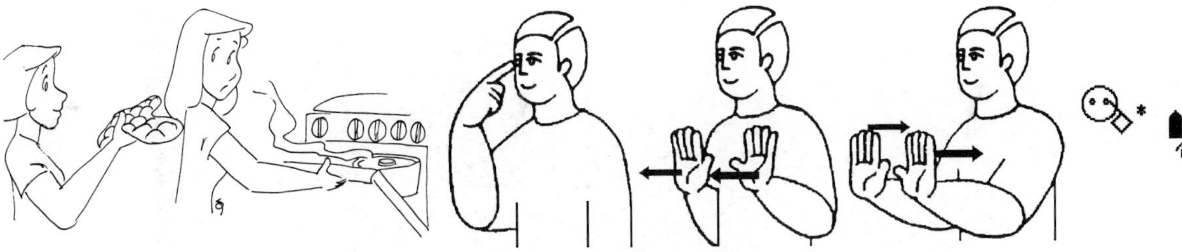

cuide-se! (1) *(inglês: take care! be careful! look out!)*, **cuidado! (1)** *(inglês: be careful!)*:
Cuide-se!: *interj. advertência. Atenção! Cautela! Tenha cuidado! Ex.: Antes de entrar na jaula do leão, lembre-se de tomar todas as precauções, e não se esqueça de nada, certo? Por favor, cuide-se!* Cuidado!: *interj. advertência. Atenção! Cautela! Tenha cuidado! Ex.: Cuidado com a faca, você pode se machucar.*
Mão direita em **1**, palma para dentro, ponta do indicador tocando abaixo do olho direito. Então, mãos verticais abertas, palmas para frente lado a lado. Movê-las para frente e para trás. Opcionalmente expressão facial negativa.

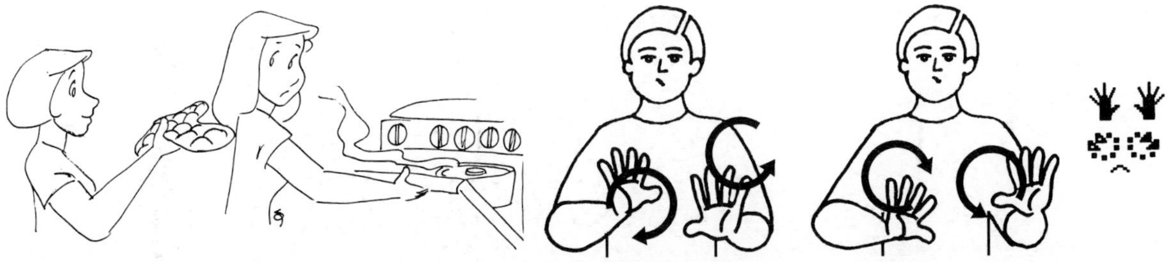

cuide-se! (2) *(inglês: take care! be careful! look out!)*, **cuidado! (2)** *(inglês: be careful!)*:
Idem ***cuide-se (1), cuidado! (1)****. Ex.: Cuide-se para não ser atropelado! Ex.: Cuidado, não ande por esta rua sozinha, pois é muito perigoso!*
Mãos verticais abertas, palmas para frente. Movê-las alternadamente em círculos verticais, aproximando-as. Opcionalmente, expressão facial negativa.

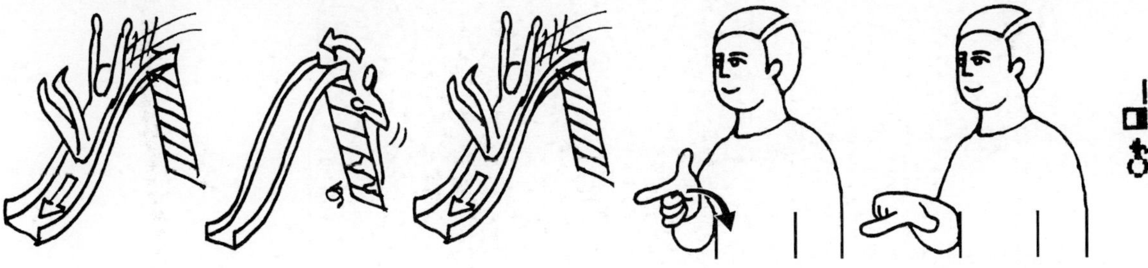

de novo *(inglês: again, once more)*:
loc. adv. tempo. Novamente. Segunda vez. Que se repete. Que sucede de novo. Outra vez. Mais uma vez. Dito, feito ou ocorrido novamente. Ex.: O aluno estava tendo dificuldade em entender a matéria, e pediu à professora que lhe explicasse o exercício de novo.
Fazer o sinal de **outra vez**. (Mão direita em **L** horizontal, palma para a esquerda. Girar a mão pelo pulso para baixo.)

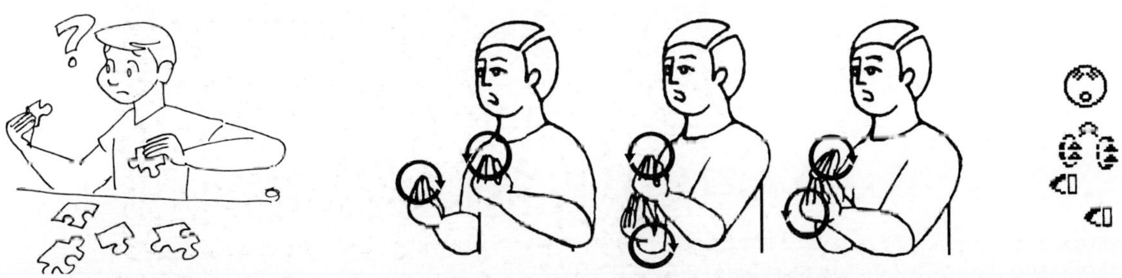

de que modo? *(inglês: how? by what means? in what way? to what degree?)*:
expressão. De que forma? De que maneira? De que jeito? Como? Ex.: De que modo devo fazer este exercício?
Fazer o sinal de **como?** (Mãos horizontais, palmas para cima, pontas dos dedos de cada mão unidas. Mover as mãos, alternadamente, em pequenos círculos verticais para frente, com expressão facial de interrogação.)

desculpe-me! *(inglês: I apologize, I beg your pardon, excuse-me)*, **desculpas!** *(inglês: my apologies!)*:
Desculpe-me!: *interj. Eqüivale a "Lamento!" e "Peço desculpas!" Ex.: Desculpe-me pelo atraso.* Desculpas!: *interj. Eqüivale a "Lamento!" e "Desculpe-me!" Ex.: Minhas desculpas pelo atraso!*
Mão direita em **Y**, palma para dentro, tocando o queixo.

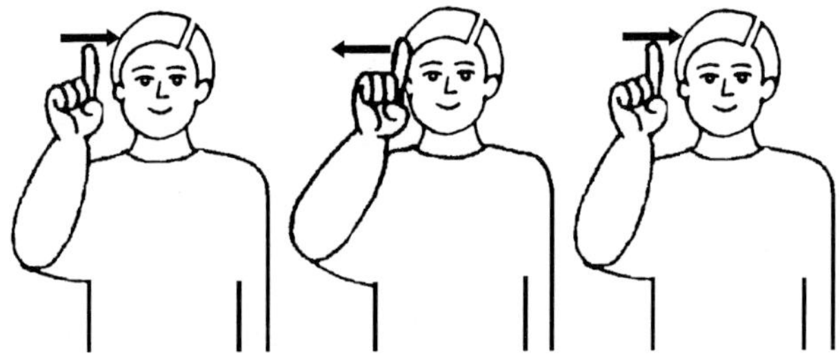

diariamente *(inglês: daily)*:
adv. tempo. O que acontece ou repete-se todos os dias. Ex.: Leio o jornal diariamente.
Mão direita em **D**, palma para frente, ao lado direito da cabeça. Bater o lado do indicador na têmpora direita, duas vezes.

escute!, escute-me! *(inglês: listen! listen to me!)*:
interj. Ouça! Ouça-me! Preste atenção! Ex.: Escute o que tenho a lhe dizer! Ex.: Escute-me e logo você entenderá!
Mão direita vertical aberta, palma para frente, dedos unidos e curvados, tocando atrás da orelha.

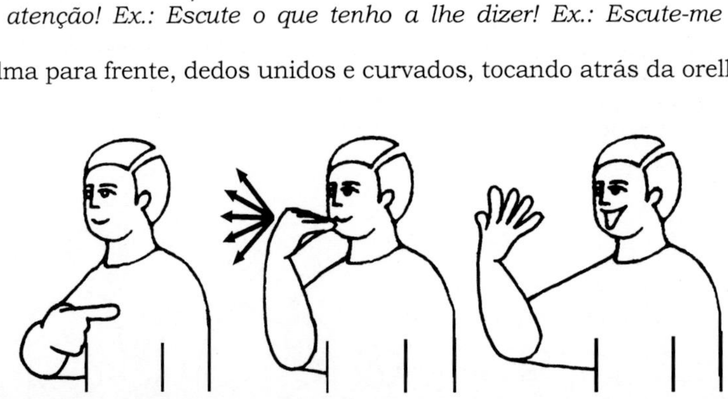

estou bem! *(inglês: I am well! I am feeling fine!)*:
expressão. Indicativa de um estado favorável presente em quem fala. Ex.: Agora estou bem, o susto passou.
Fazer o sinal de **eu**. (Mão direita em **1** horizontal, palma para a direita, indicador apontando para trás. Tocar o peito com a ponta do indicador.) Em seguida fazer o sinal de **bom**. (Mão direita vertical, palma para dentro, pontas dos dedos unidas em frente à boca. Mover a mão ligeiramente para frente, distendendo e separando os dedos.) Em seguida, mãos horizontais abertas, palmas para cima, lado a lado. Movê-las ligeiramente para a esquerda e para baixo.

estou fora! *(inglês: I am out! I quit! I give up! Don't count on me!)*:
expressão. Usada para indicar isenção de responsabilidade ou participação em algo, indicando falta de disposição para participar de algo ou de assumir culpa ou responsabilidade por suas conseqüências futuras. Ex.: Não quero me envolver mais com isso, estou fora!
Fazer o sinal de **desistir (2) (*estou fora!*)**. (Mãos verticais abertas, palmas para frente, a cada lado do corpo. Elevá-las acima dos ombros, inclinando o corpo para trás, com expressão facial negativa.)

eu não sei! *(inglês: I don't know!)*:
expressão. Indica desconhecimento de determinada informação dada por quem fala. Ex.: Eu não sei explicar o motivo da sua tristeza, mas pretendo descobrir para poder oferecer o conforto e a compreensão de que ela necessita.
Fazer o sinal de **não saber**. (Mão direita vertical aberta, palma para a esquerda, ponta do dedo médio tocando o lado direito da testa. Movê-la para frente, virando a palma para frente enquanto gira a cabeça para os lados, com expressão negativa.)

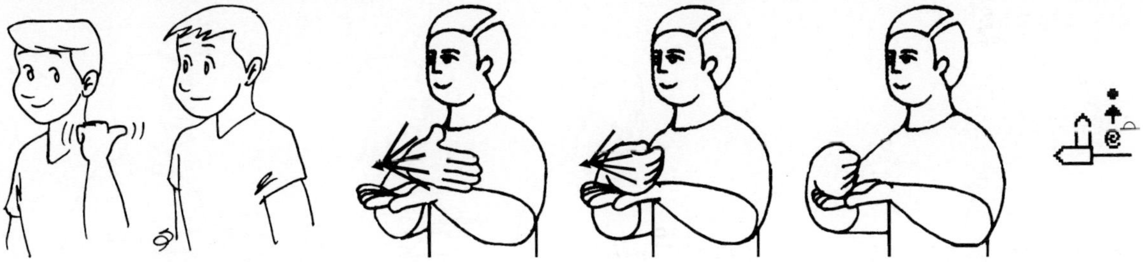

já foi! *(inglês: (it, he, she) is gone!)*:
expressão. Indicativa de um estado passado, algo ocorrido, acabado. Que foi embora. Ex.: Você chegou tarde, ele já foi embora.
Mão esquerda horizontal aberta, palma para cima, dedos para frente; mão direita horizontal aberta, palma para dentro, tocando o pulso esquerdo. Mover a mão direita para frente, sobre a palma esquerda, fechando-a em **S** horizontal.

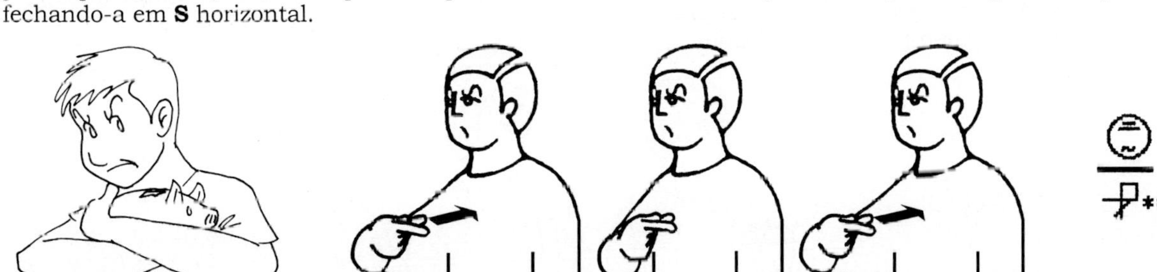

meu! (2) (*é meu!*) *(inglês: my, mine (it is mine!))*:
*Idem **meu (1)**. Usada para declaração intensa de posse. É meu! Ex.: Não faça bagunça aqui, este é o meu quarto!*
Mão direita em **P** horizontal, palma para dentro. Tocar a ponta do dedo médio no peito, duas vezes, com expressão séria.

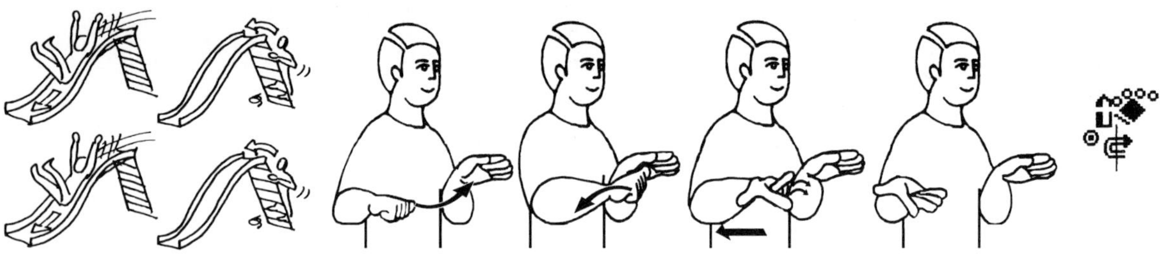

muitas vezes *(inglês: many times, frequently, several times, repeatedly, a lot of times)*:
loc. adv. intensidade. Indica a repetição de um fato, mais de uma ou duas vezes. Várias vezes, repetidas vezes. Ex.: Assistiu muitas vezes ao mesmo filme.
Mão esquerda horizontal aberta, palma para a direita, inclinada para baixo; mão direita em **A** horizontal, palma para baixo. Mover a mão direita em um arco para a esquerda e para cima, tocando o polegar na palma esquerda, virar a palma direita para cima, e abrir os dedos, um a um, iniciando pelo indicador.

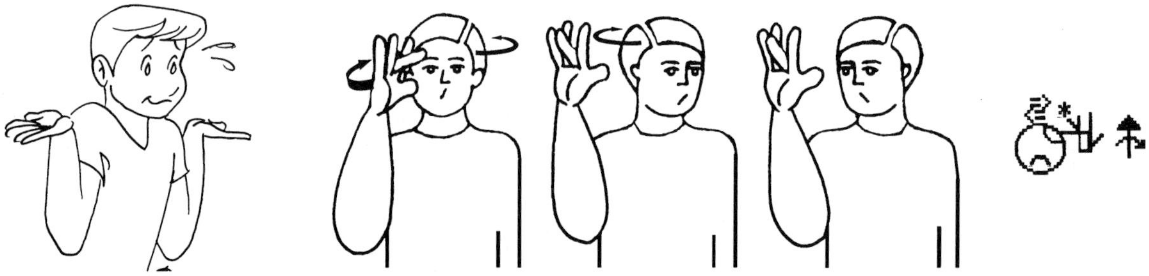

não saber *(inglês: not to know, know nothing, there is no knowing)*, **(eu) não sei** *(inglês: (I) do not know, (I) know nothing about that)*, **(você, ele ou ela) não sabe** *(inglês: (he, she, it) does not know)*, **(nós) não sabemos** *(inglês: (we) do not know)*, **(vocês, eles ou elas) não sabem** *(inglês: (they) do not know)*:
expressão. Desconhecer. Não ter conhecimento acerca de algo. Estar mal-informado sobre alguma coisa. Ex.: Não sei qual ônibus tomar para chegar nesse endereço.
Mão direita vertical aberta, palma para a esquerda, ponta do dedo médio tocando o lado direito da testa. Movê-la para frente, virando a palma para frente enquanto gira a cabeça para os lados, com expressão negativa.

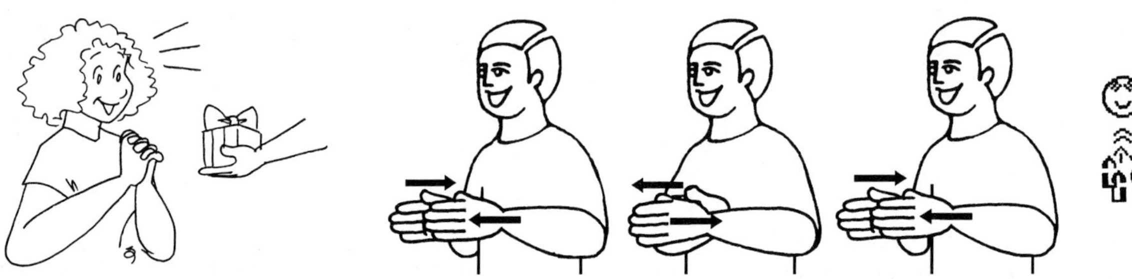

oba! *(inglês: wow! whoopee!)*:
interj. pop. Exprime surpresa agradável, admiração e alegria. O mesmo que "opa!" e "upa!" Ex.: Oba! Teremos pudim de leite de sobremesa!
Mãos horizontais abertas, palma a palma tocando-se. Mover as palmas para frente e para trás, alternadamente, com expressão de alegria.

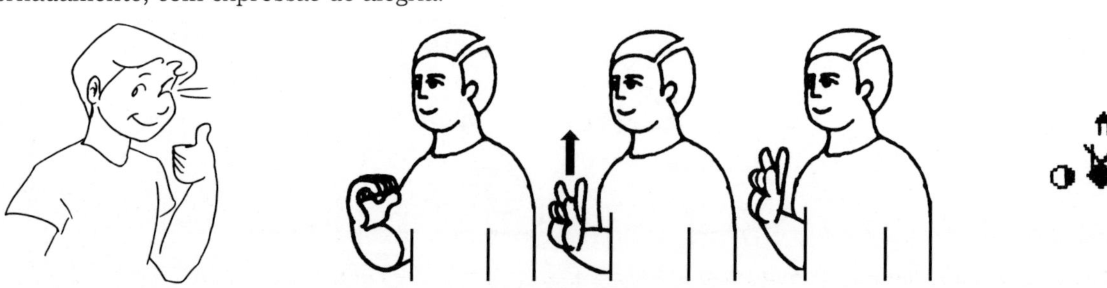

ok! (*okay! tudo bem! tudo certo!*) *(inglês: ok! all right! all correct! okay!)*:
interj. Expressão inglesa usada para indicar aprovação ou concordância. Tudo certo, satisfatório. Sentir-se bem. Estar ou ser adequado. Ex.: Ok! Vou fazer o que você me pediu.
Soletrar **O**, **K**.

olhe para lá! (*CL*) *(inglês: look at there! behold!)*:
frase imperativa. Ordem para que o interlocutor olhe para determinada direção. Ex.: Olhe para lá! Veja quem vem vindo em nossa direção.
Mão direita em **V**, palma para frente. Mover a mão em direção ao que se quer mostrar, virando a palma para baixo.

olhe para mim! (*você, olhe para mim!*) *(inglês: look at me! you there, look at me!)*:
frase imperativa. Ordem para que o interlocutor olhe para a pessoa que lhe ordena. Ex.: Olhe para mim quando estiver falando com você!
Mão em **V**, palma para frente. Girar a mão pelo pulso para dentro, em direção à face, virando a palma para baixo.

olhe para trás (*CL*) *(inglês: look back!)*:
frase imperativa. Ordem para que o interlocutor olhe para a direção indicada, no caso, para trás do emissor. Ex.: Olhe para trás e diga-me se alguém está me seguindo.
Mão direita em **V**, palma para frente, do lado direito da cabeça. Girar a mão para trás virando a palma para baixo, com os dedos apontando para trás.

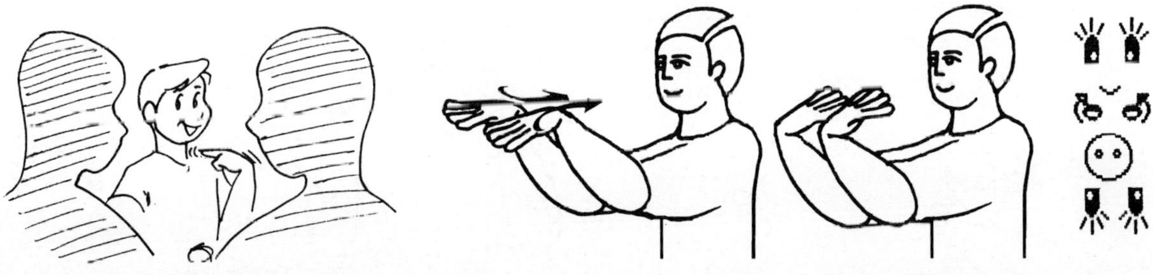

olhem para mim! (*vocês, olhem para mim!*) *(inglês: look at me! all of you there, look at me!)*:
frase imperativa. Ordem para que os interlocutores olhem para a pessoa que lhes ordena. Ex.: Parem todos de conversar e olhem para mim!
Braços horizontais distendidos, mãos em **4**, palmas para baixo. Girar as mãos pelos pulsos para trás, apontando os dedos para os olhos.

onde? *(inglês: where?)*:
adv. interrogativo de lugar. Em que lugar. Em que parte. Em qual lugar. Ex.: Onde fica a biblioteca que você me falou?
Fazer o sinal de **lugar**, com expressão interrogativa. (Mãos horizontais fechadas, palma a palma, indicadores e polegares curvados formando a letra C, próximas uma à outra. Movê-las para baixo.)

outra vez *(inglês: again, once more)*:
loc. adv. tempo. Que se repete, que sucede de novo. Mais uma vez. Dito, feito ou ocorrido novamente. Ex.: O aluno pediu à professora que lhe explicasse o exercício outra vez.
Mão direita em **L** horizontal, palma para a esquerda. Girar a mão pelo pulso para baixo.

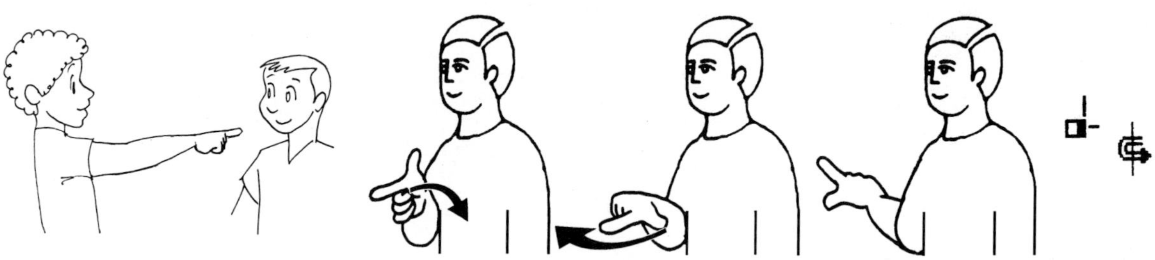

outro(a) *(inglês: other, distinct, different, not the same; other, another)*:
adj. m. (f.) Diverso(a). Diferente. Que não é o(a) mesmo(a). Distinto(a). Ex.: Nós pretendíamos comprar outra casa, mas esta é maior. pron. indefinido variável Mais um(a). Um(a) novo(a). Um(a) segundo(a). Seguinte. Ulterior. O(a) restante. Ex.: Tenho um livro no prelo, e já estou preparando outro. Ex.: Não é o primeiro, é outro.
Mão em **L** horizontal palma para a esquerda. Mover a mão em um arco para baixo e para a direita, distendendo o braço e inclinando a palma para a direita.

oxalá! *(inglês: I hope so! God grant! May God wish so!)* (usual: tomara!; sugestão: oxalá!):
interj. desejo ou intenção. Tomara! Deus o queira! Deus permita! Se Deus quiser! Se Deus o permitir! Ex.: Oxalá eu consiga esse emprego!
Fazer o sinal de **tomara!** (Mãos em **R**, a cada lado do corpo, com expressão facial de desejo.)

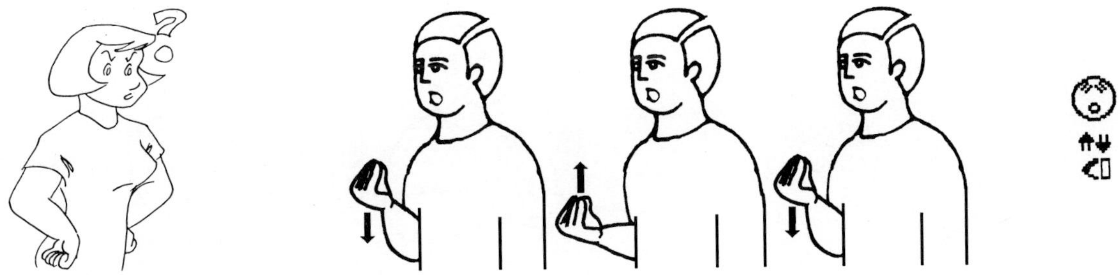

para que? para quê? *(inglês: what for?)*:
adv. interrogativo de finalidade. A fim de que, com que finalidade, com que intenção, com que intuito ou objetivo. Ex.: Para que você precisa desse dinheiro? Ex.: Você precisa desse dinheiro para quê?
Mãos direita horizontal aberta, palma para cima, pontas dos dedos unidas. Balançar a mão para cima e para baixo, com expressão facial interrogativa.

parabéns (1) *(inglês: congratulations, felicitations)*:
s. m. pl. Congratulações, felicitações. Ex.: Parabéns pelo bom desempenho no trabalho.
Mão esquerda horizontal aberta, palma para cima, dedos unidos e curvados; mão direita horizontal aberta, palma para baixo, dedos unidos e curvados, mãos unidas pelas palmas. Balançar as mãos para frente e para trás, com um sorriso.

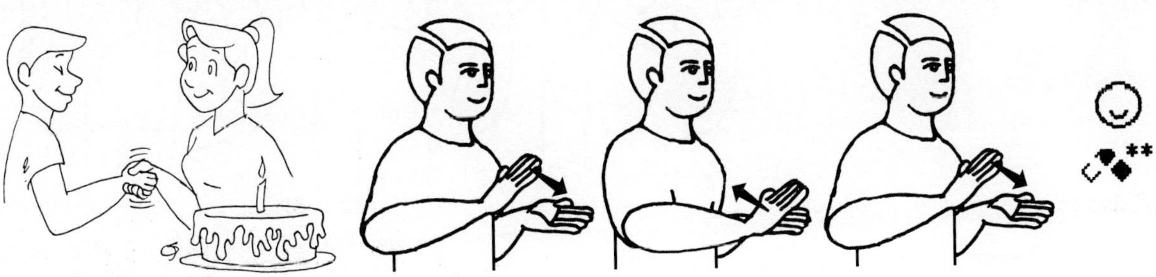

parabéns (2) *(inglês: congratulations, felicitations)*:
*Idem **parabéns (1)**. Ex.: Parabéns pelo aniversário! Muitas felicidades e saúde.*
Bater a palma direita na palma esquerda duas vezes com um sorriso.

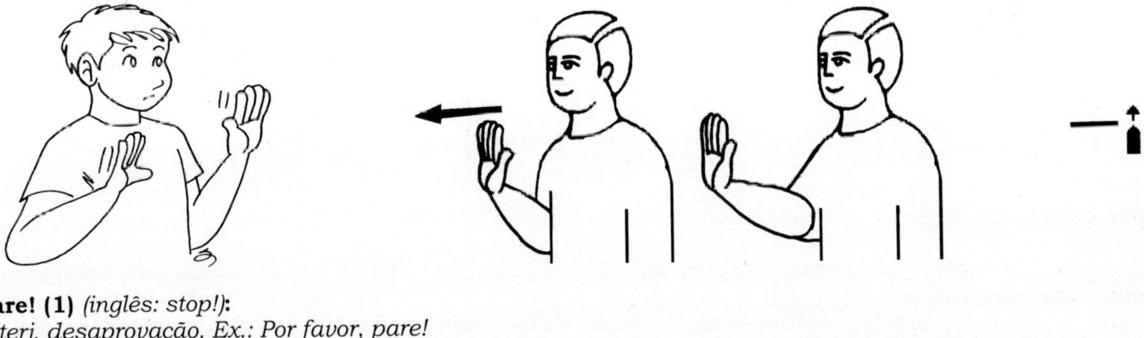

pare! (1) *(inglês: stop!)*:
interj. desaprovação. Ex.: Por favor, pare!
Mão direita vertical aberta, palma para frente. Movê-la para frente, parando-a de repente.

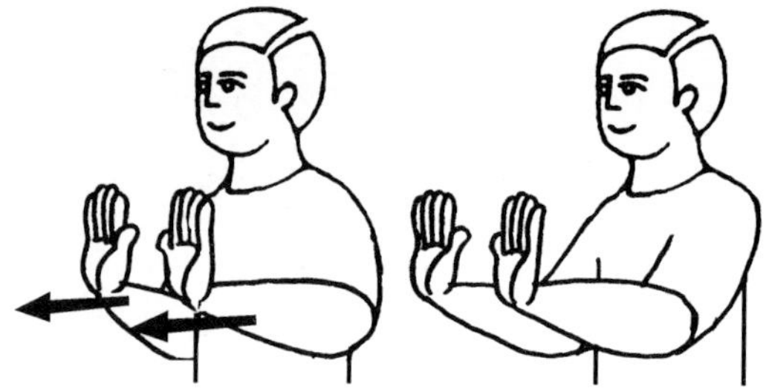

pare! (2) (*maior ênfase*) *(inglês: stop!! (emphasis added))***:**
Idem ***pare! (1)****, com maior ênfase. Ex.: Parem já com isso!*
Mãos verticais abertas, palmas para frente. Movê-las para frente, parando-as de repente.

perdoe-me! (1) *(inglês: I apologize! I beg your pardon! Excuse-me)***, perdão! (1)** *(inglês: I apologize! I beg your pardon! Excuse-me)***:**
Perdoe-me!: *interj. Eqüivale a "Lamento!" e "Peço desculpas!" Ex.: Perdoe-me pelo atraso.* Perdão!: *interj. Eqüivale a "Lamento!" e "Desculpe-me!" Ex.: Atrasei-me, perdão!*
Fazer o sinal de **desculpar, desculpar-se, desculpa, desculpe-me!, desculpas!** (Mão direita em **Y**, palma para dentro, tocando o queixo.)

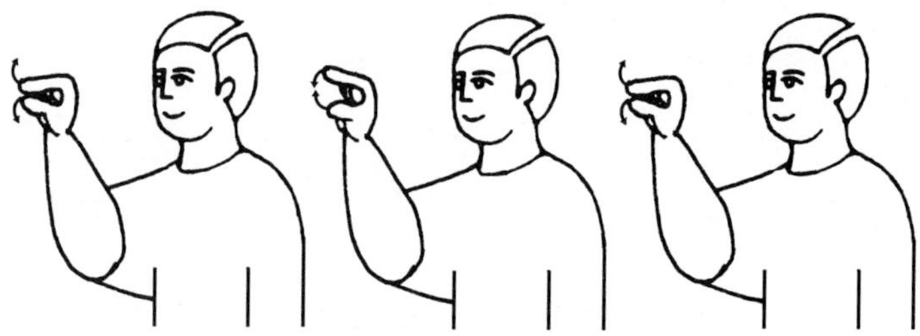

perdoe-me! (2) *(inglês: I apologize! I beg your pardon! Excuse-me)***, perdão! (2)** *(inglês: I apologize! I beg your pardon! Excuse-me)***:**
Idem ***perdoe--me! (1), perdão! (1)****. Ex.: Perdoe-me pelo erro. Ex.: Esqueci-me, perdão!*
Mão direita vertical fechada, palma para frente; dedos indicador e polegar unidos pelas pontas. Separar e unir os dedos indicador e polegar, duas vezes.

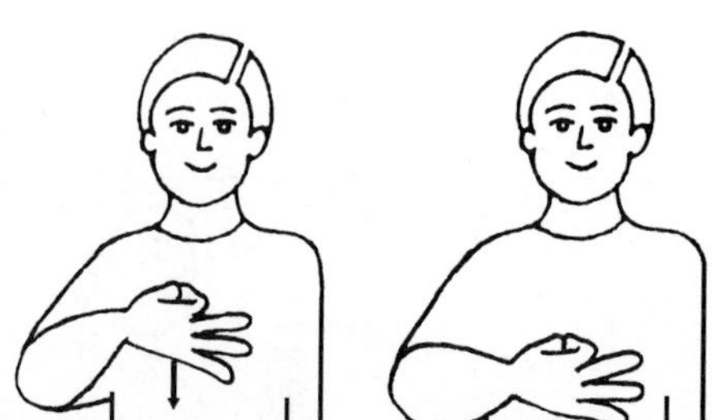
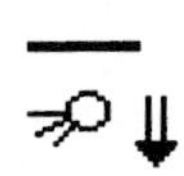

por certo! *(inglês: for sure! certainly! undoubtedly! positively!)* (usuais: certo, certa, certeza; sugestão: por certo!)**:**
loc. adv. afirmação. Com certeza. Certamente. Sem dúvida. Ex.: Temos por certo que esta criança será aprovada nos exames.
Fazer o sinal de **certo(a), certamente, certeza**. (Mão direita horizontal aberta, palma para dentro, polegar e indicador unidos pelas pontas, na altura do ombro direito. Baixar a mão.)

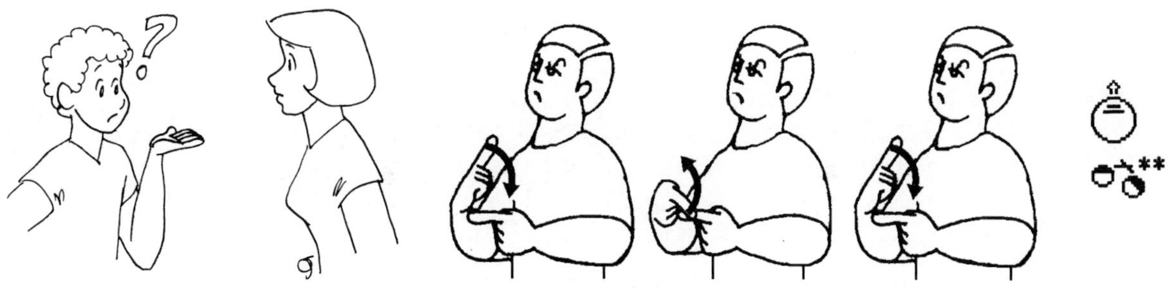

por quê? *(inglês: why? for what reason?)*, **por que?** *(inglês: why? for what reason?)*:

adv. interrogativo de causa. Em razão de quê? Devido a quê? Qual a razão? Qual o motivo? É grafado separado e com acento ("por quê") quando aparece no final de uma oração interrogativa. (Ex.: Você não vem conosco ao teatro por quê?) É grafado separado e sem acento ("por que"): 1) Quando inicia uma oração interrogativa, quer direta (Ex.: Por que você não vem conosco ao teatro?) ou indireta (Ex.: Gostaria de saber por que você não vem conosco ao teatro) tendo o sentido de "por que razão." 2) Quando o "que" é pronome relativo (ou seja, eqüivale a "pelo qual" ou "pela qual:" Ex.: Não sei a razão por que você não vem. Ex.: Não sei o motivo por que você não vem); ou 3) Quando o "que" é conjunção integrante. (Ex.: Anseio por que me diga a verdade). É grafado junto e com acento ("porquê") quando for substantivo (ou seja, eqüivale a "motivo:" Ex.: Agora compreendo o porquê de seu comportamento). É grafado junto e sem acento ("porque") quando for conjunção explicativa (Ex.: Você não vai ao teatro conosco porque está doente).

Fazer o sinal de **porque**, com a testa franzida e a cabeça, ligeiramente, inclinada para cima. (Mãos em **D** horizontal, palma a palma, inclinadas para dentro, mão direita acima da esquerda. Bater o lado do indicador direito no lado do indicador esquerdo, duas vezes.)

por si próprio(a), por si mesmo(a) *(inglês: by oneself, on one's own)*:

expressão. Sozinho(a), sem ajuda de outrem. Por sua própria conta. Ex.: Ele construiu a casa por si próprio, sem que ninguém o ajudasse. Ex.: Fez tudo por si mesmo, da planta inicial à decoração final.

Mãos horizontais abertas, palmas para baixo. Bater a palma direita no dorso da mão esquerda, duas vezes.

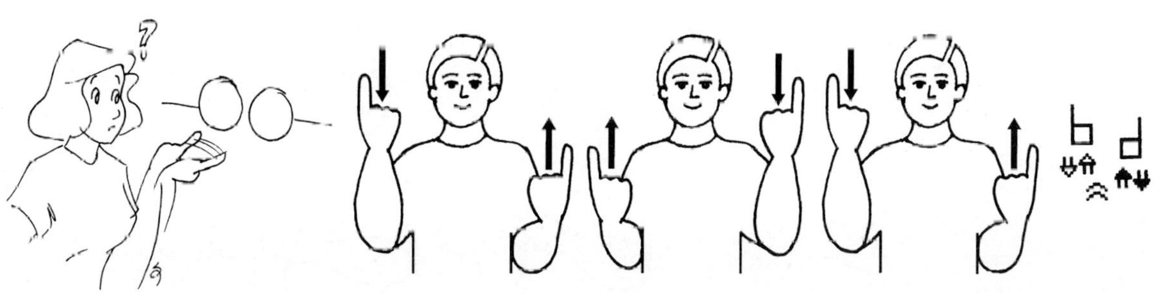

qual? *(inglês: which? which one? who?)*:

pron. interrogativo. Que pessoa? Que coisa? Qual das alternativas? Substitui, na pergunta direta ou indireta, a qualidade, a natureza, o modo, o nome, que se espera como resposta. Ex.: Qual destas gravatas você pretende usar hoje?

Mãos em **1**, a cada lado do corpo. Movê-las, alternadamente, para cima e para baixo.

quando? (*no futuro*) *(inglês: when? how soon? at what time in the future? (for future events))*:
adv. interrogativo de tempo. Em que época? Em que ocasião? Em que tempo, determinado evento ou fato acontecerá? Ex.: Quando começam suas férias?
Mão horizontal aberta, palma para baixo. Virar a palma para cima, com expressão de interrogação.

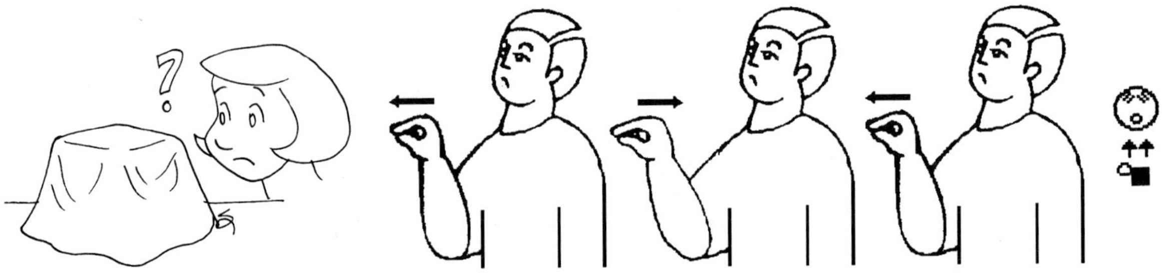

que? *(inglês: what? which?)*:
pron. interrogativo substantivo. Qual coisa? Quais coisas? Que coisa? Que coisas? Que tipo de? Qual? Ex.: Que você está fazendo?
Mão direita vertical fechada, palma para frente, dedos indicador e polegar distendidos e unidos pelas pontas. Mover a mão para frente, duas vezes, com expressão interrogativa.

que aconteceu? *(inglês: what happened?)*:
expressão interrogativa. Quais os acontecimentos, fatos, ocorrências. Ex.: Que aconteceu ontem para que ela ficasse tão aborrecida?
Fazer o sinal de **acontecer (1), acontecido(a)**, com expressão de interrogação. (Mão direita vertical aberta, palma para frente, ao lado direito da cabeça. Girar a mão pelo pulso para trás.)

que horas são? *(inglês: what time is it?)*:
expressão interrogativa. Objetiva a informação sobre a hora atual. Ex.: Você poderia me dizer que horas são?
Fazer o sinal de **tempo (*período*)**, com expressão interrogativa. (Mão esquerda horizontal fechada, palma para baixo; mão direita em **1** horizontal, palma para baixo. Tocar a ponta do dedo indicador no pulso esquerdo.)

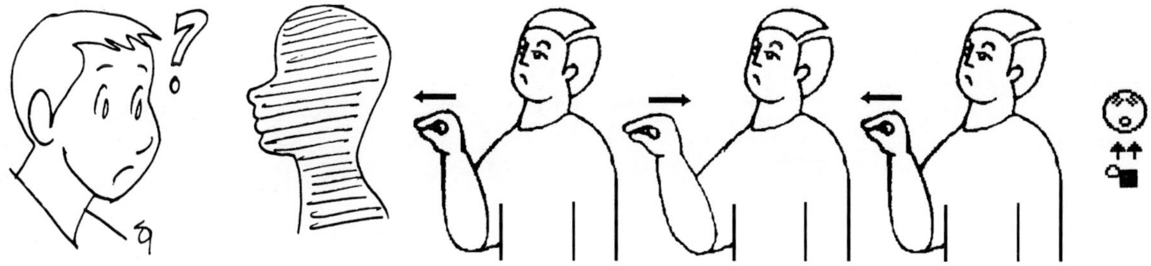

quem? *(inglês: who? whom?)*:
pron. interrogativo. Que pessoa? Que pessoas? Ex.: Quem mandou as flores?
Fazer o sinal de **que?** (Mão esquerda horizontal fechada, palma para baixo; mão direita em **1** horizontal, palma para baixo. Tocar a ponta do dedo indicador no pulso esquerdo.)

sempre *(inglês: always, ever, incessantly, constantly, forever, forevermore)*:
adv. tempo. Em todo o tempo. Incessantemente. Continuamente. Ininterruptamente. Constantemente. Ex.: Ele está sempre quieto. s. m. Todo o tempo (o passado, presente e o futuro). A eternidade, eternamente. Ex.: Estaremos juntos desde agora para todo o sempre.
Mão direita em **V** horizontal, palma para a esquerda. Movê-la para frente, balançando-a pelo pulso para cima e para baixo.

tempo (*período*) *(inglês: time, period, duration, length of time, hour)*:
s. m. Dimensão responsável pela transformação dos seres e das coisas ao longo do ciclo de suas vidas e existências, e que pode ser dividida em unidades como o segundo, minuto, hora, dia, semana, mês, ano, década, século, milênio etc. Duração. Época. Ex.: Não tenho tempo para ministrar mais aulas.
Mão esquerda horizontal fechada, palma para baixo; mão direita em **1** horizontal, palma para baixo. Tocar a ponta do dedo indicador no pulso esquerdo.

toda manhã *(inglês: every morning)*:
expressão. Indicativa de algo recorrente todos os dias no período entre o nascer do Sol e o meio-dia. Ex.: Toda manhã eu vou para a escola.
Fazer o sinal de **toda vez (*freqüência*)**. (Mão direita em **1** horizontal, palma para dentro, indicador apontando para a esquerda. Girar a mão em um pequeno círculo vertical para frente, várias vezes.) Em seguida, fazer o sinal de **acordar (2), acordado(a) (2)**. (Mão direita vertical fechada, palma para a esquerda, polegar e indicador distendidos e unidos pelas pontas, tocando o canto do olho direito. Distender os dedos indicador e polegar.)

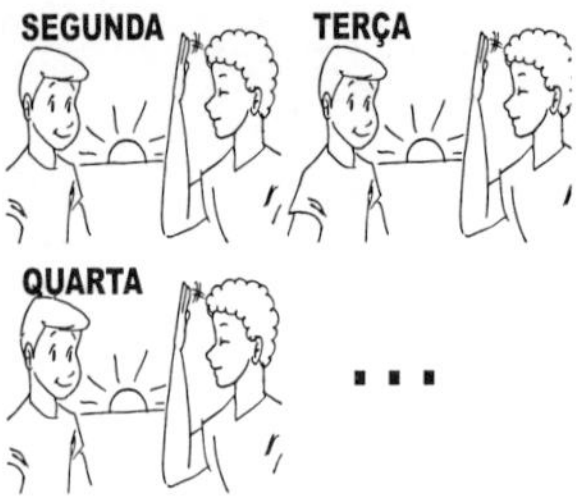

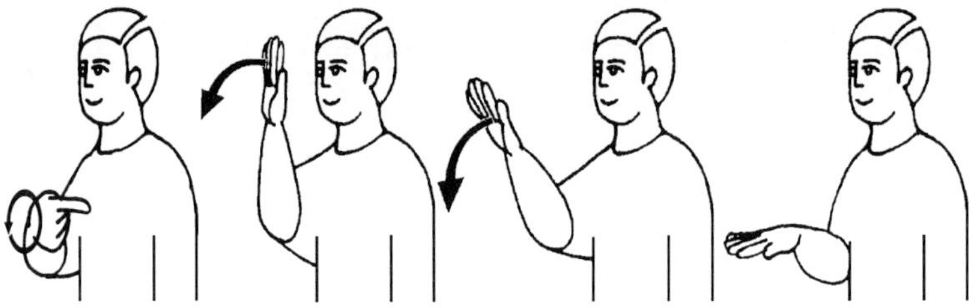

toda tarde *(inglês: every afternoon)*:
expressão. Indicativa de algo recorrente todos os dias no período entre o meio-dia e o anoitecer. Ex.: Toda tarde meu amigo e eu fazemos as tarefas da escola.
Fazer o sinal de **toda vez (*freqüência*)**. (Mão direita em **1** horizontal, palma para dentro, indicador apontando para a esquerda. Girar a mão em um pequeno círculo vertical para frente, várias vezes.) Em seguida, fazer o sinal de **tarde**. (Mão direita vertical aberta, palma para frente, ao lado direito da cabeça. Mover a mão em um arco para frente e para baixo, finalizando com a palma para baixo .)

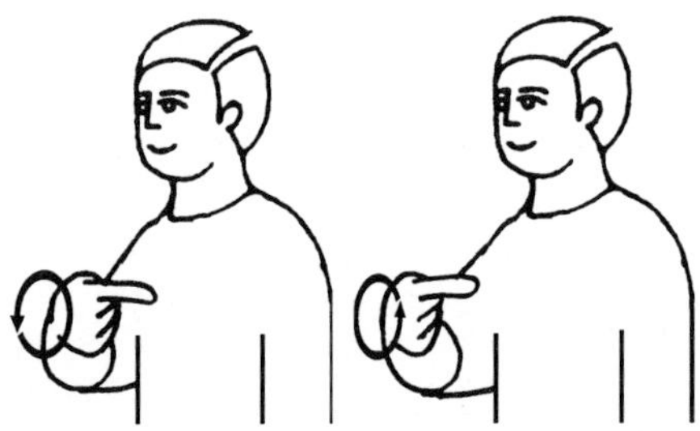
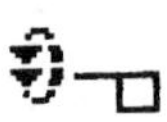

toda vez (*freqüência*) *(inglês: every time (frequency))*:
expressão. Indica a periodicidade da ocorrência de um fato; freqüentemente, constantemente. Ex.: Toda vez que nos encontramos, recordamos a época em que estudávamos juntos.
Mão direita em **1** horizontal, palma para dentro, indicador apontando para a esquerda. Girar a mão em um pequeno círculo vertical para frente, várias vezes.

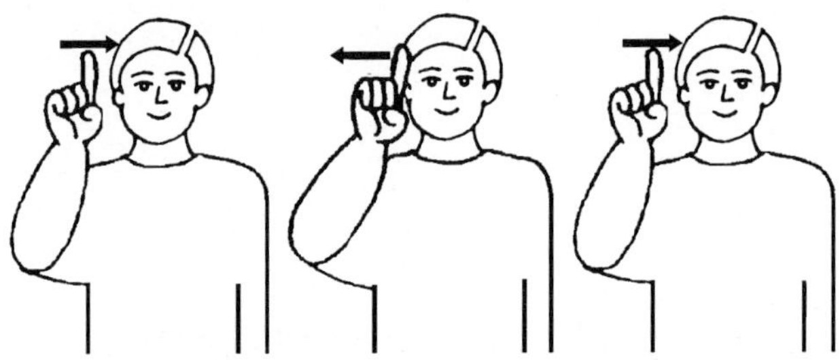

todo dia *(inglês: every day)*:
expressão. Indicativa do que acontece ou repete-se todos os dias. Diariamente. Quotidianamente. Ex.: Leio o jornal todos os dias pela manhã.
Fazer o sinal de **diariamente**. (Mão direita em **D**, palma para frente, ao lado direito da cabeça. Bater o lado do indicador na têmpora direita, duas vezes.)

tomara! *(inglês: I hope so! God grant! May God wish so! Let us hope for the best!)*:
interj. desejo ou intenção. Oxalá! Deus o queira! Deus permita! Se Deus quiser! Se Deus o permitir! Ex.: Tomara que eu consiga esse emprego!
Mãos em **R**, a cada lado do corpo, com expressão facial de desejo.

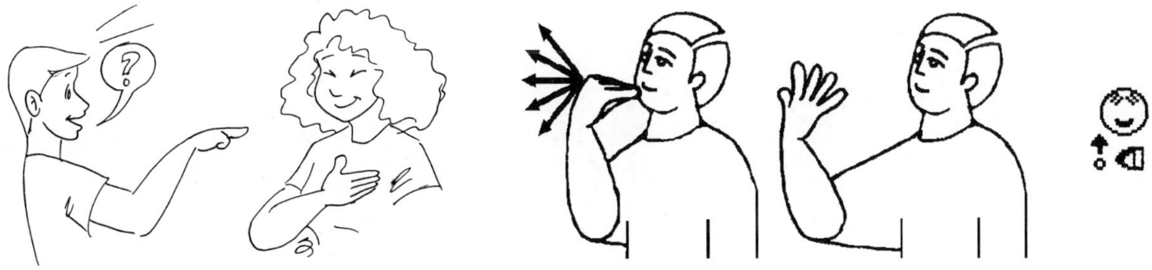

tudo bem? *(inglês: how are you doing?)*:
expressão. Indica o desejo de saber como a outra pessoa está passando. Cumprimento informal, equivalente a "como vai?" Ex.: Como está você, tudo bem?
Fazer o sinal de **bom**, com expressão interrogativa. ((Mão direita vertical, palma para dentro, pontas dos dedos unidas em frente à boca. Mover a mão ligeiramente para frente, distendendo e separando os dedos.)

único(a) *(inglês: one and only, unique, single, only, sole, alone)*:
adj. m. (f.) Desacompanhado(a). Excepcional. Exclusivo(a). Ímpar. Incomparável. Singular. Que é só um (uma) em seu gênero ou espécie. Que não tem par. Que não tem igual. Que não tem semelhante. Que não tem precedente. Ex.: O único exemplar que existia foi vendido ontem.
Mão direita em **1**, palma para dentro, flexionar o indicador, duas vezes.

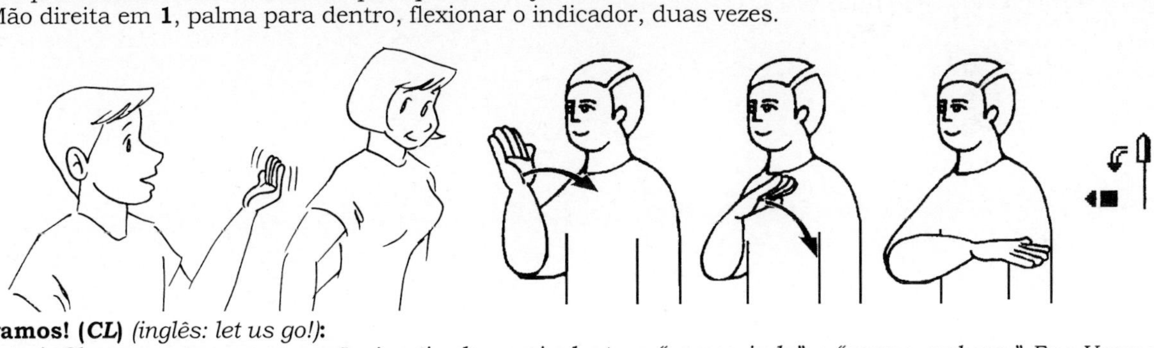

vamos! (*CL*) *(inglês: let us go!)*:
interj. Chamamento e convocação à retirada, equivalente a "vamos indo" e "vamos embora." Ex.: Vamos, pessoal! O motorista está nos esperando!
Mão direita vertical aberta, palma para a esquerda, inclinada para cima, na altura do ombro direito. Movê-la em um arco para a esquerda e para baixo, virando a palma para baixo.

várias vezes *(inglês: several times, many times, frequently, repeatedly, a lot of times)*:
loc. adv. intensidade. Diversas, numerosas e repetidas ocasiões. Ex.: Já fui várias vezes à sua casa e não o encontrei.
Fazer o sinal de **muitas vezes**. (Mão esquerda horizontal aberta, palma para a direita, inclinada para baixo; mão direita em **A** horizontal, palma para baixo. Mover a mão direita em um arco para a esquerda e para cima, tocando o polegar na palma esquerda, virar a palma direita para cima, e abrir os dedos, um a um, iniciando pelo indicador.)

veja! (*CL*) *(inglês: look! look at there! see!)*:
interj. Ordem para que o interlocutor olhe para determinada direção. Ex.: Veja! O bebê está andando!
Fazer o sinal de **olhe para lá!** (Mão direita em **V**, palma para frente. Mover a mão em direção ao que se quer mostrar, virando a palma para baixo.)

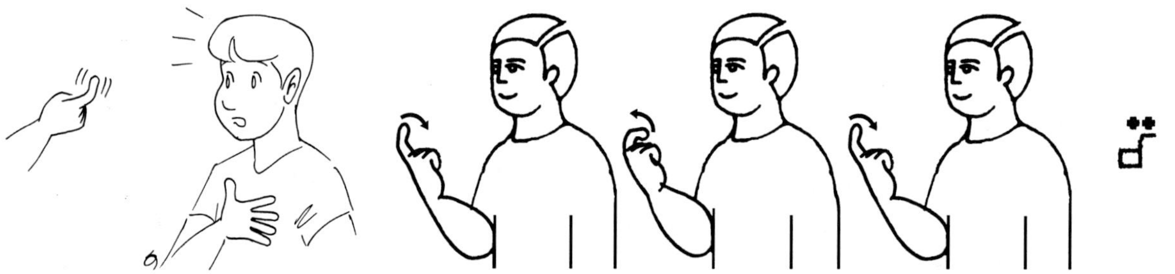

vem cá! *(inglês: come here!)*:
expressão. Chamamento informal para que a outra pessoa se aproxime. Ex.: Vem cá, fica mais perto de mim.
Mão direita em **1**, palma para dentro inclinada para cima, dedo indicador ligeiramente curvado. Dobrar a ponta do dedo indicador, duas vezes.

3. LAZER

3.1. Locais de lazer

3.1.1. Locais relacionados a natureza

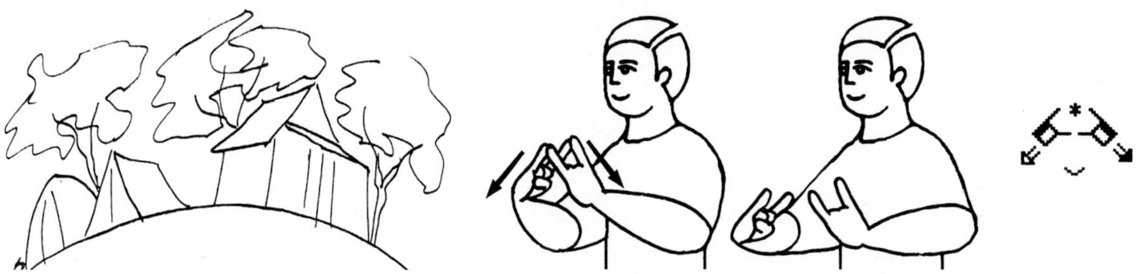

acampamento *(inglês: camping, camp)*:
s. m. Lugar onde se acampou. Ação ou efeito de acampar-se, ou seja, de firmar uma tenda ou barraca no campo e nela instalar-se por um certo período de tempo. É usado há milhares de anos tanto para fins militares como civis. Ex.: Os hebreus montaram acampamentos durante sua fuga para Canaã.
Mãos verticais fechadas, palma a palma, dedos indicadores e mínimos distendidos tocando-se pelas pontas. Mover as mãos diagonalmente para baixo e para lados opostos.

campo *(inglês: field, prairie, meadow, grassland, open field, camp)*:
s. m. Terreno extenso e plano, fora da povoação e usado para cultivo agrícola ou pastagem de gado. Zona fora do perímetro urbano e distante da praia. Ex.: O fazendeiro observava algumas vacas que pastavam no campo.
Mão direita horizontal aberta, palma para baixo, dedos apontando para a esquerda, em frente ao ombro esquerdo. Mover a mão descrevendo um grande círculo horizontal para a direita.

fazenda *(inglês: farm, ranch)*:
s. f. Grande propriedade rural destinada à lavoura ou à criação de gado. Ex.: Ele era dono de muitas fazendas no interior de Mato Grosso.
Fazer o sinal de **vaca**. (Mão direita em **Y**, palma para baixo, ponta dos polegar tocando o lado direito da testa. Virar a palma para frente.)

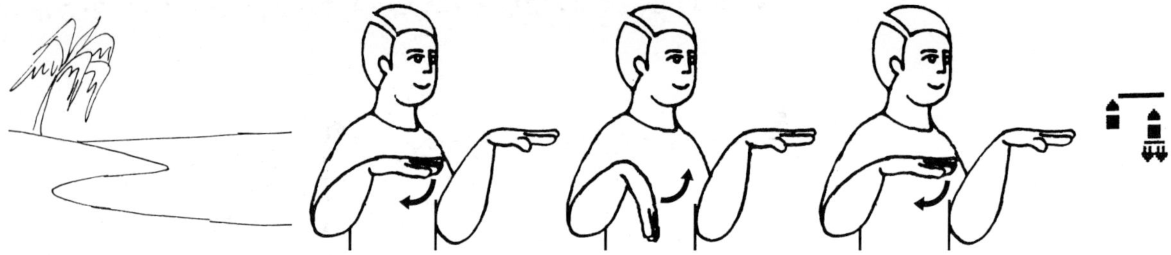

praia *(inglês: beach, seashore, coast)*:
s. f. Região banhada pelo mar. Litoral. Extensão de areia, pedregulho ou fragmentos de rocha, banhada pelas marés ou pelas ondas do mar, e que beira um oceano, mar, lago ou rio. Ex.: A praia estava cheia de banhistas aproveitando o sol e o mar para nadar.
Mãos horizontais abertas, palmas para baixo, mão esquerda diante do ombro esquerdo; mão direita ao lado direito do corpo. Dobrar a mão direita pelo pulso para trás, repetidas vezes.

3.1.2. Locais relacionados a alimentação

bar (1) *(inglês: bar, counter, saloon)*:
s. m. Balcão em que se servem bebidas alcoólicas e refrigerantes, além de pequenas porções de aperitivos, doces e salgados. Estabelecimento comercial onde se servem bebidas nesse balcão ou em mesinhas individuais. Móvel ou compartimento onde se guardam bebidas alcoólicas. Botequim. Boteco. Ex.: Eles foram ao bar para comer uns salgados e tomar um refrigerante.
Soletrar **B**, **A**, **R**.

bar (2) *(inglês: bar, counter, saloon)*:
*Idem **bar (1)**. Ex.: Nesse bar os garçons são mais atenciosos porque ganham comissões mais elevadas.*
Fazer o sinal de **beber, bebida**. (Mão direita em **A** horizontal, palma para a esquerda, polegar distendido, diante da boca. Inclinar o polegar para trás, aproximando a mão da boca.)

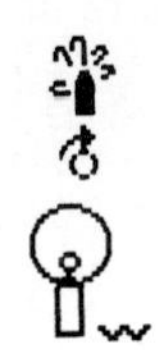

praça de alimentação *(inglês: restaurant and fast food area in a mall)*:
s. f. Área na qual se concentram restaurantes e lanchonetes localizada, geralmente, em shopping center. Ex.: Na praça de alimentação há várias opções de restaurantes para o nosso almoço. Ex.: Em São Paulo, muitos Surdos costumam se encontrar na praça de alimentação do shopping center Tatuapé.
Fazer o sinal de **sala (2)**. (Mão direita horizontal aberta, palma para baixo, dedos separados e ligeiramente curvados. Girar a mão e os dedos para a direita.) Em seguida, fazer o sinal de **comer, comida**. (Mão direita vertical aberta, palma para dentro, diante da boca. Flexionar os dedos duas vezes.)

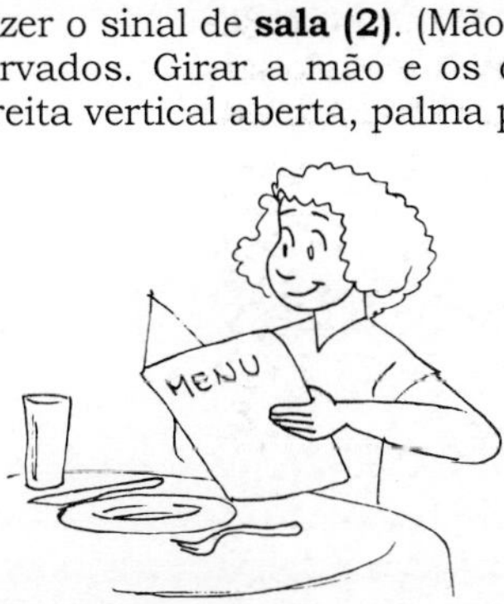

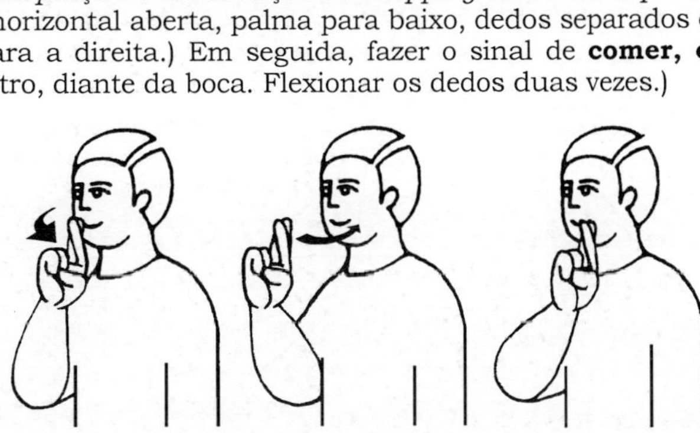

restaurante *(inglês: restaurant)*:
s. m. Estabelecimento comercial onde são preparadas e servidas refeições ao público, mediante pagamento.

Dependência de um hotel onde se servem refeições. Ex.: Podemos jantar em um restaurante que serve comida típica mineira.
Mão direita em **R**, palma para a esquerda. Tocar o lado do indicador direito no canto direito da boca, e depois no canto esquerdo da boca.

churrascaria (1) *(inglês: rotisserie)*:
s. f. Restaurante cujo prato típico e especialidade é o churrasco. Ex.: Marcamos o almoço em uma churrascaria.
Braço esquerdo vertical dobrado, mão vertical fechada, palma para dentro; mão direita horizontal aberta, palma para dentro. Passar a palma direita sobre o braço esquerdo, descrevendo um pequeno arco para a esquerda e para baixo.

churrascaria (2) *(inglês: rotisserie)*:
Idem ***churrascaria (1)****. Ex.: Comemorei meu aniversário numa churrascaria.*
Mãos em **D** horizontal, palma a palma; virar as palmas para baixo, várias vezes, enquanto move as mãos para os lados opostos.

3.1.3. Locais relacionados a cultura

cinema *(inglês: cinema, movies, motion picture)*:
s. m. Arte de fazer filmes cinematográficos. Estabelecimento ou sala para a exibição de projeções cinematográficas. Ex.: Quase todos os cinemas do Brasil exibiram o filme "Central do Brasil." Ex.: O cinema é chamado de "a sétima arte."
Mão esquerda horizontal aberta, palma para dentro; mão direita vertical aberta, palma para frente, tocando, pelo pulso, o indicador esquerdo. Balançar a mão direita para a esquerda e para a direita.

teatro *(inglês: theater, playhouse)*:
s. m. Edifício ou local aberto destinado à exibição pública de espetáculos de drama ou comédia, encenados por atores e atrizes. Ex.: Fui ao teatro assistir a uma peça infantil.
Mãos horizontais abertas, palmas para trás, dedos médios flexionados, tocando cada canto da boca. Mover ligeiramente as mãos para trás, em direção às bochechas, várias vezes.

museu *(inglês: museum)*:
s. m. Coleção de objetos de artísticos, culturais, científicos e tecnológicos que são preservados por seu interesse histórico. Lugar destinado ao estudo e, principalmente, à reunião desses objetos. Ex.: Os museus deveriam receber maior atenção do governo para sua manutenção e conservação.
Mãos em **M** horizontal, palmas para baixo e inclinadas uma para a outra, tocando-se pelas laterais dos indicadores. Movê-las diagonalmente para baixo e para os lados opostos, em seguida, para baixo.

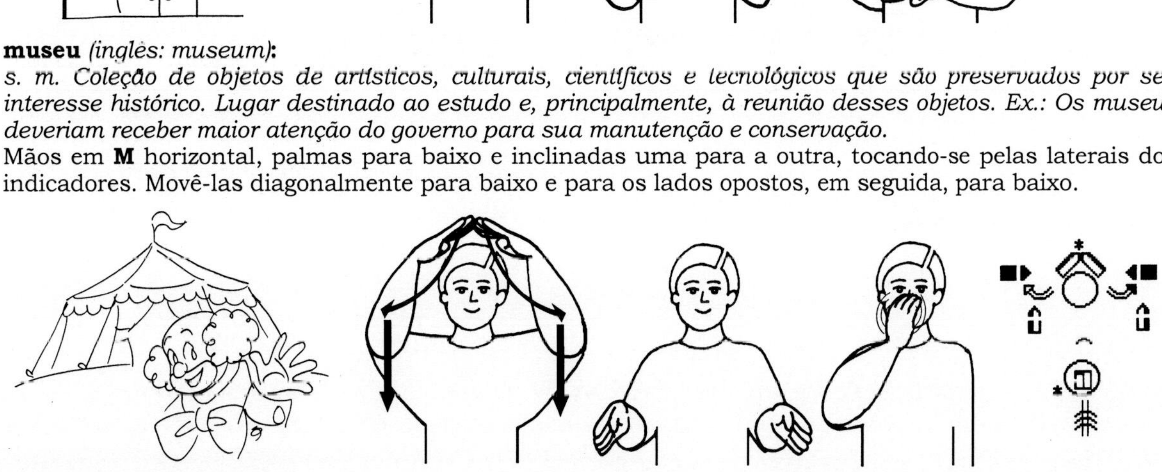

circo (*CL*) *(inglês: circus)*:
s. m. Grande espetáculo acrobático, mágico, cômico e eqüestre formado por animais exóticos e artistas

performáticos como malabaristas, trapezistas, mágicos, palhaços, domadores de tigres e leões, e amestradores de ursos e elefantes que se deslocam de maneira itinerante numa caravana de caminhões fazendo temporadas de cidade em cidade, e apresentando-se num grande pavilhão cilíndrico formado por uma armação desmontável e coberta de lona impermeável. Entre os antigos romanos, o termo designava o lugar destinado aos jogos públicos. Ex.: A criança divertiu-se com as atrações do circo.
Mãos em **B**, palma a palma, dedos inclinados uns para os outros, tocando-se pelas pontas, na altura da cabeça. Baixá-las para os lados opostos, palmas para baixo e dedos para frente; girar as mãos, palma a palma, e movê-las para baixo. Em seguida fazer o sinal de **palhaço**. (Mão direita vertical, palma para dentro, dedos unidos e curvados, com as pontas quase se tocando, próxima à ponta do nariz. Balançar a mão para os lados, rapidamente.)

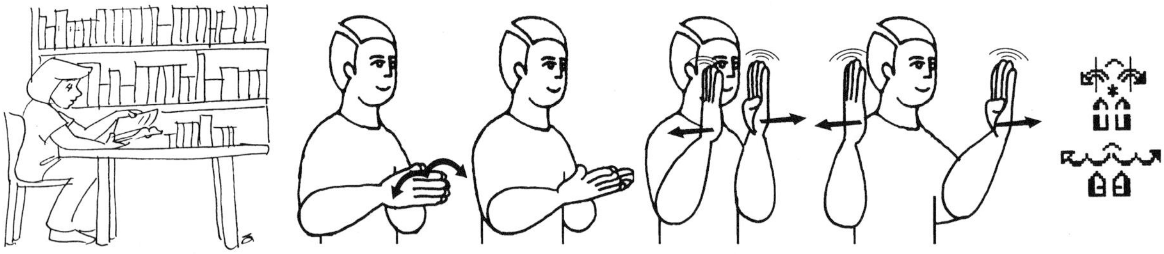

biblioteca *(inglês: library)*:
s. f. Coleção de livros, dispostos ordenadamente por assunto e ordem alfabética de seus títulos e autores. Edifício público ou particular onde se instalam grandes coleções de livros destinados à leitura de freqüentadores ou sócios. Ex.: Vamos até a biblioteca? Eu preciso devolver um livro.
Fazer o sinal de **livro (1)**. (Mãos horizontais abertas, palma a palma, tocando-se. Separar as mãos inclinando as palmas para cima, mantendo-as unidas pelas laterais dos dedos mínimos.) Em seguida, mãos em **B**, palma a palma. Mover as mãos rapidamente para os lados opostos, balançando-as para frente e para trás.

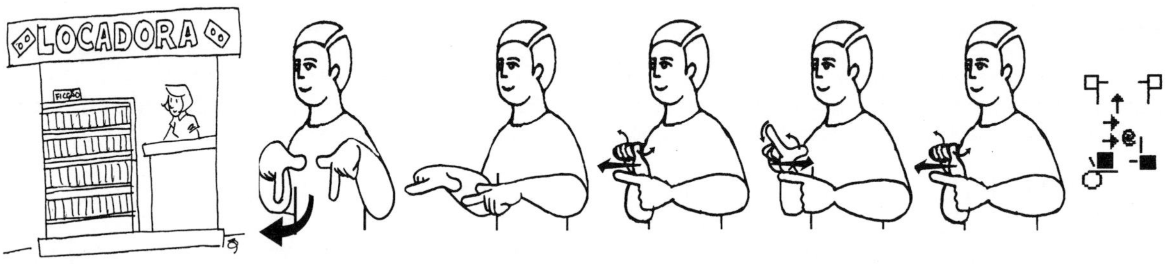

locadora *(inglês: video rental store)*:
s. f. Empresa que empresta fitas de vídeo sob contrato de locação. Videolocadora. Ex.: Não encontrei a fita que procurava nesta locadora.
Fazer o sinal de **fita de vídeo**. (Mãos em **L** invertido, palmas para dentro, dedos indicadores apontando para baixo. Mover as mãos em um arco para baixo e para frente, virando as palmas para baixo.) Em seguida, fazer o sinal de **alugar, alugar-se, aluguel**. (Mão esquerda em **D,** palma para dentro; mão direita em **A** horizontal, palma para baixo, tocando o indicador esquerdo. Mover a mão direita sobre o indicador esquerdo, mudando-a para mão em **L**, duas vezes.)

videolocadora *(inglês: video rental company)*:
s. f. Locadora de fitas de videocassete. Empresa que empresta fitas de vídeo sob contrato de locação. Ex.: Não encontrei a fita que procurava nesta videolocadora.
Fazer o sinal de **locadora**.

3.1.4. Locais relacionados a esportes e atividades físicas

campo de futebol *(inglês: soccer field)*:
s. m. Grande área retangular (com 90-120 m de comprimento e 45-90 m de largura) oficialmente gramada, destinada exclusivamente à prática do futebol. É dividida ao meio, por uma linha transversal, em dois campos, um para cada time de 11 jogadores, sendo que no fundo de cada campo há uma rede armada em duas traves e uma travessa, chamada gol. Há apenas uma bola, e o objetivo dos dois times é introduzir a bola no gol adversário, e impedir que ela seja introduzida no próprio gol. Ex.: Durante a copa do mundo, o time brasileiro entrou de mãos dadas no campo de futebol.
Fazer o sinal de **jogar (*esporte*), jogo**. (Mãos horizontais fechadas, palma a palma, polegares destacados. Movê-las alternadamente para cima e para baixo.) Em seguida, mãos horizontais fechadas, palmas para baixo, dedos indicadores e polegares em C, a cada lado do corpo.

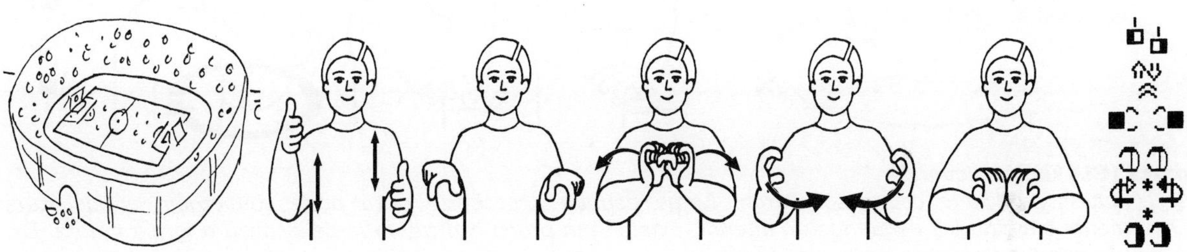

estádio de futebol *(inglês: soccer stadium)*:
s. m. Lugar onde se realizam partidas de futebol, com arquibancadas para o público. Ex.: O Maracanã é o maior estádio de futebol do Brasil.
Fazer o sinal de **campo de futebol**. (Fazer o sinal de **jogar (*esporte*), jogo**. (Mãos horizontais fechadas, palma a palma, polegares destacados. Movê-las alternadamente para cima e para baixo.) Em seguida, mãos horizontais fechadas, palmas para baixo, dedos indicadores e polegares em C, a cada lado do corpo.) Em seguida, mãos em **C**, palmas para frente, tocando-se pelas laterais. Movê-las em um grande círculo para os lados opostos e para frente, finalizando com as mãos tocando-se pelas laterais, palmas para dentro.

academia de ginástica *(inglês: gymnastics academy)*:
s. f. Estabelecimento dotado de aparelhagem e instalações apropriadas para a prática de exercícios físicos sob a orientação de um profissional habilitado em educação física e esportes. Ex.: Estou precisando entrar em forma. Acho que vou inscrever-me numa academia de ginástica.
Fazer o sinal de **área**. (Mãos em **1** horizontal, palmas para baixo, tocando-se pelas laterais, à frente do corpo. Movê-las para os lados opostos, em seguida para trás em direção ao corpo, e então, aproximá-las até que se toquem pelas laterais dos indicadores.) Em seguida, fazer o sinal de **musculação**. (Mãos em **S** vertical, palma a palma, acima de cada ombro. Girar as mãos pelos pulsos para frente, várias vezes.)

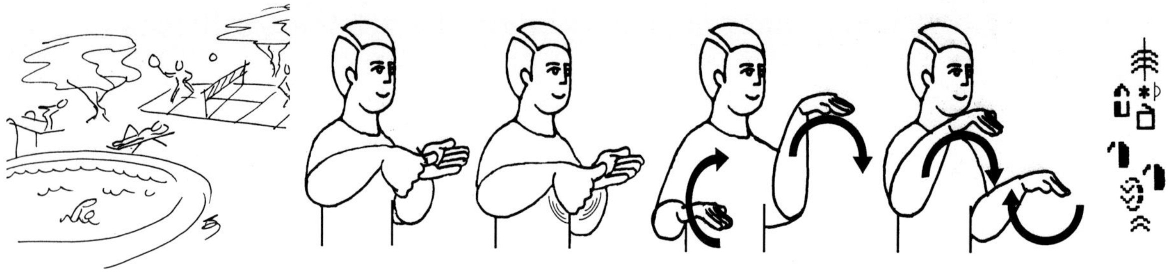

clube (CL) *(inglês: club, club-house, guild)*:
s. m. Local que sedia uma sociedade de pessoas (os membros associados) que se reúnem habitualmente juntamente com suas famílias para atividades culturais, esportivas, recreacionais e de lazer variado. Grêmio. Associação. Ex.: Gosto de passar meus fins-de-semana no clube, praticando esportes.
Fazer o sinal de **sócio(a) (1) (*membro*)**. (Mão esquerda horizontal aberta, palma para a direita, inclinada para cima; mão direita em **A** invertido, palma para dentro. Tocar a ponta do polegar direito na palma esquerda, pressionando-a, e balançar ligeiramente a mão direita, para frente e para trás.) E o sinal de nadar ou jogar ou dançar. No exemplo, o sinal é de **nadar, nadador (nadadora)**. (Mãos horizontais abertas, palmas para baixo, dedos unidos e curvados. Mover as mãos, alternadamente, em círculos verticais para frente.)

praça (CL) *(inglês: square)*:
s. f. Lugar público e espaçoso. Largo. Largo espaço descoberto para onde convergem várias ruas. Geralmente em cidades pequenas do interior, existe uma praça central onde se localiza a igreja matriz. Ex.: A banda apresentou-se na praça da cidade.
Fazer o sinal de **árvore**. (Braço direito vertical dobrado, mão vertical aberta, palma para frente; mão esquerda aberta, palma para baixo, dedos separados e curvados, cotovelo direito apoiado no dorso da mão esquerda. Girar a palma direita para trás, duas vezes.) Em seguida, mão direita em **1** horizontal, palma para baixo. Movê-la em um círculo horizontal.

3.1.5. Locais relacionados a compras

loja (1) (*RJ*) *(inglês: store, shop, bazaar)*:
s. f. Estabelecimento para venda de mercadorias ao público. Ex.: A rua Santa Efigênia, em São Paulo, é famosa por suas lojas de produtos eletrônicos.
Soletrar **L**, **O**, **J**, **A**.

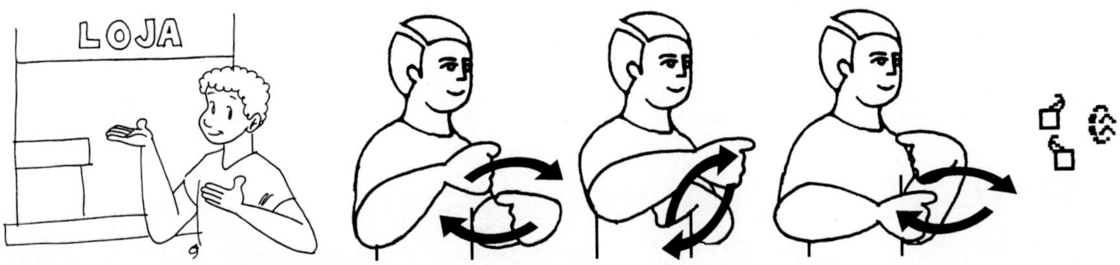

loja (2) *(inglês: store, shop, bazaar)*:
Idem ***loja (1)***. *Ex.: As lojas estão fazendo promoções para chamar a atenção dos consumidores.*
Fazer o sinal de **comerciar, comercial, comerciante, comércio**. (Mãos em **A** horizontal, palmas para dentro, indicadores destacados. Movê-las alternadamente em um círculo vertical para frente, várias vezes.)

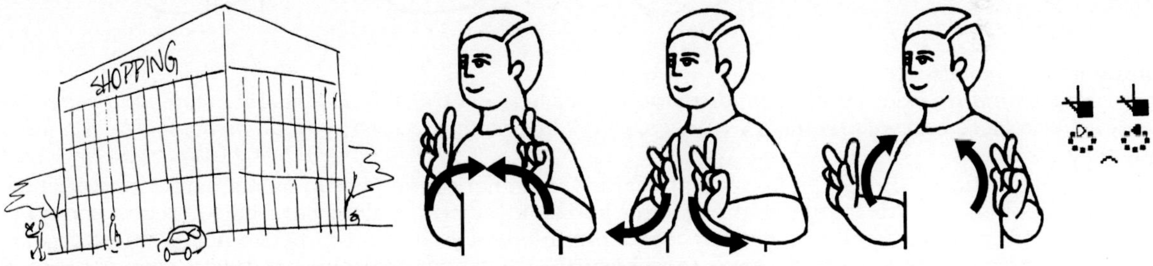

shopping center *(inglês: mall, shopping center, shopping plaza)*:
s. m. Conjunto arquitetônico administrado centralmente e que abriga um grande número de estabelecimentos privados, como lojas comerciais, casas de espetáculos (cinema e teatro), praças de alimentação etc. Ex.: Gosto de freqüentar o cinema deste shopping center.
Mãos em **P** vertical, palmas para frente. Movê-las em círculos verticais, aproximando-as, duas vezes.

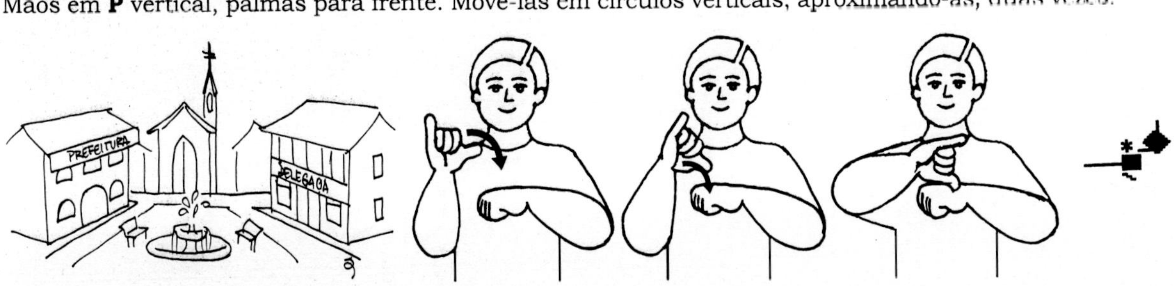

centro *(inglês: center city)*:
s. m. Região central, mais ativa e mais antiga de uma cidade, onde estão localizados os setores comercial e financeiro. Ex.: Amanhã precisarei ir ao centro da cidade fazer compras.
Mão esquerda horizontal fechada, palma para baixo, apontando para a esquerda; mão direita em **Y**, palma para frente. Mover a mão em um pequeno arco para a esquerda e para baixo, e tocar a ponta do polegar no dorso da mão esquerda.

3.1.6. Locais relacionados a turismo

hotel *(inglês: hotel)*:
s. m. Estabelecimento onde se alugam quartos ou apartamentos mobiliados, com ou sem refeições. Ex.: Já reservamos diárias no hotel para as férias.
Braço direito vertical dobrado, mão horizontal aberta, palma para a esquerda com os dedos apontando para frente; mão esquerda horizontal aberta, palma para baixo, dedos apontando para a direita, com a lateral do indicador tocando o antebraço direito, um pouco acima do cotovelo.

motel *(inglês: motel)*:
s. m. Hospedaria de beira de estrada, destinada a pessoas em trânsito. É também empregado como local para se ter relações sexuais fortuitas e casuais. Ex.: Não é permitida a entrada de menores de 18 anos em um motel.
Fazer o sinal de **hotel**. (Braço direito vertical dobrado, mão horizontal aberta, palma para a esquerda com os dedos apontando para frente; mão esquerda horizontal aberta, palma para baixo, dedos apontando para a direita, com a lateral do indicador tocando o antebraço direito, um pouco acima do cotovelo.) E simultaneamente fazer o sinal de **sexo (*ato sexual*)**. (Distender a bochecha direita com a ponta da língua, várias vezes.)

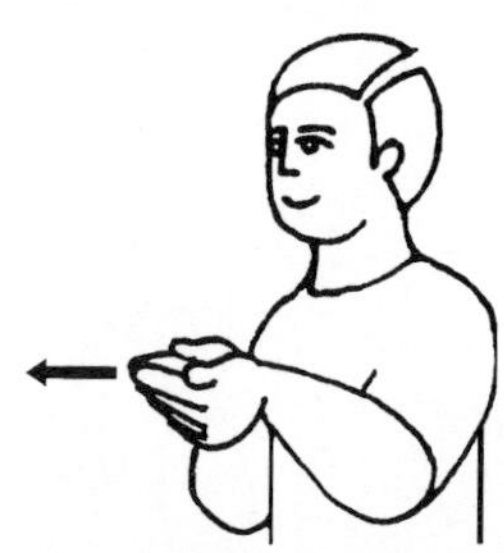

navio *(inglês: ship, vessel, boat, bark)*:
s. m. Embarcação capaz de navegar na superfície de rios, lagos e mares, transportando passageiros e carga. Pode ser movido por energia térmica, elétrica, eólica ou a combustível fóssil. Ex.: O navio chegou ao porto de madrugada.
Mãos horizontais abertas, palma a palma, inclinadas para cima, dedos unidos e curvados, mãos tocando-se pelos dedos mínimos. Movê-las para frente.

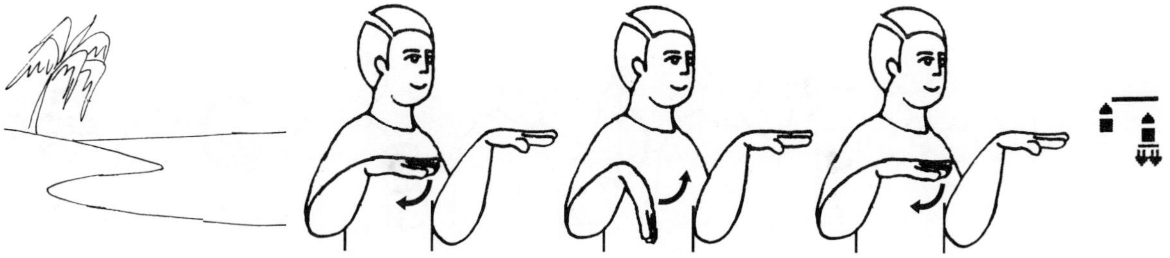

praia *(inglês: beach, seashore, coast)*:
s. f. Região banhada pelo mar. Litoral. Extensão de areia, pedregulho ou fragmentos de rocha, banhada pelas marés ou pelas ondas do mar, e que beira um oceano, mar, lago ou rio. Ex.: A praia estava cheia de banhistas aproveitando o sol e o mar para nadar.
Mãos horizontais abertas, palmas para baixo, mão esquerda diante do ombro esquerdo; mão direita ao lado direito do corpo. Dobrar a mão direita pelo pulso para trás, repetidas vezes.

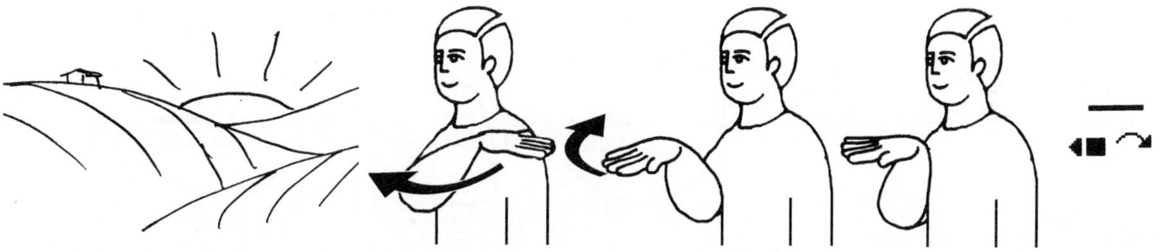

campo *(inglês: field, prairie, meadow, grassland, open field, camp)*:
s. m. Terreno extenso e plano, fora da povoação e usado para cultivo agrícola ou pastagem de gado. Zona fora do perímetro urbano e distante da praia. Ex.: O fazendeiro observava algumas vacas que pastavam no campo.
Mão direita horizontal aberta, palma para baixo, dedos apontando para a esquerda, em frente ao ombro esquerdo. Mover a mão descrevendo um grande círculo horizontal para a direita.

fazenda *(inglês: farm, ranch)*:
s. f. Grande propriedade rural destinada à lavoura ou à criação de gado. Ex.: Ele era dono de muitas fazendas no interior de Mato Grosso.
Fazer o sinal de **vaca**. (Mão direita em **Y**, palma para baixo, ponta dos polegar tocando o lado direito da testa. Virar a palma para frente.)

país *(inglês: country, nation)*:
s. m. Território geopolítico independente na escala das nações. Nação. Pátria. Ex.: O Brasil é um país que espera por mais justiça social.
Mão esquerda em **A** horizontal, palma para baixo, apontando para a direita; mão direita em **P**, acima da mão esquerda. Mover a mão direita em pequenos círculos horizontais.

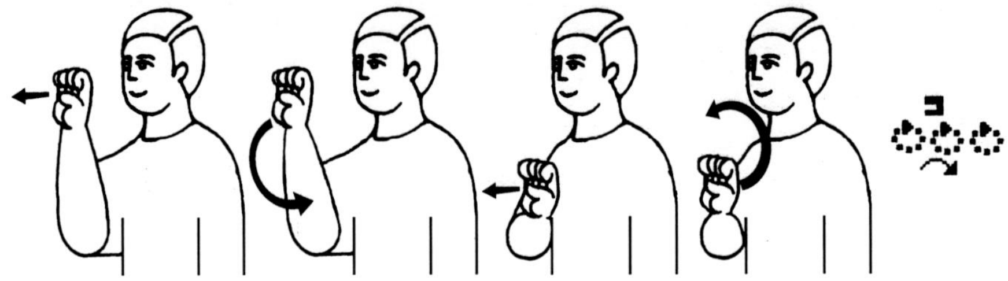

estado *(inglês: state)*:
s. m. Divisão política, administrativa e territorial de certos países como o Brasil, Estados Unidos, México e Venezuela. Ex.: O Brasil é dividido em 26 estados.
Mão direita em **E**, palma para frente. Movê-la em um círculo vertical para a direita, movimentando-a ligeiramente para frente, em diversos lugares.

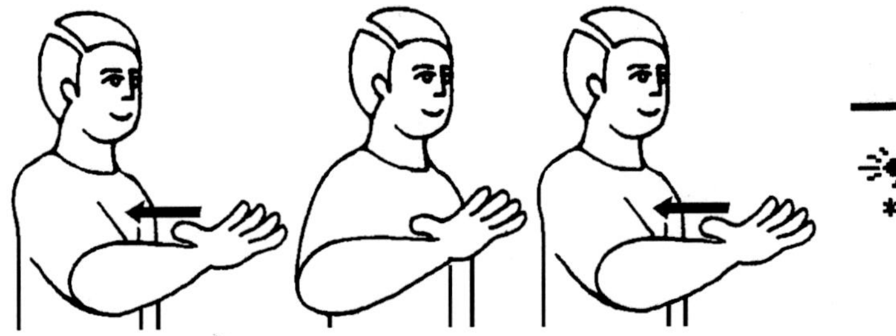

cidade (1) *(inglês: city, town)*:
s. f. Circunscrição territorial autônoma administrada por um prefeito eleito pela população que nela habita e que executa as leis promulgadas pela câmara de vereadores também eleitos pela mesma população. O núcleo principal ou centro urbanístico dessa circunscrição territorial, onde estão geralmente localizadas as casas comerciais mais importantes. Ex.: São Paulo é a maior cidade da América Latina, em população.
Mão direita horizontal aberta, palma para baixo, dedos para a esquerda. Tocar a ponta do polegar no centro do peito, duas vezes.

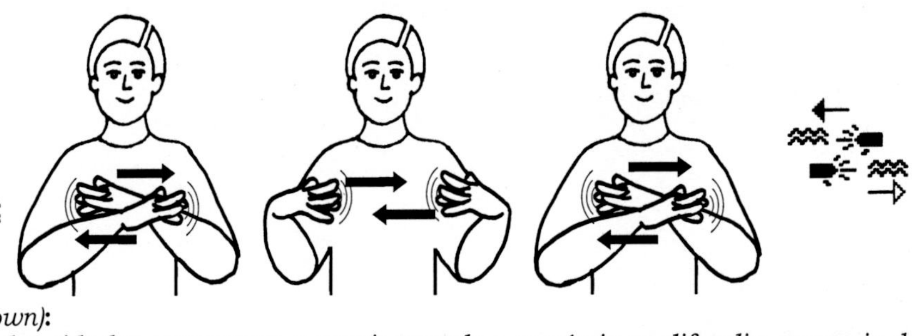

cidade (2) (*BH*) *(inglês: city, town)*:
*Idem **cidade (1)**. Ex.: As grandes cidades começaram a surgir quando o comércio se difundiu, por meio da navegação e da construção de estradas.*
Mãos horizontais abertas, palmas para baixo, dedos apontando uns para os outros, mão direita ligeiramente à frente da esquerda. Mover a mão direita para a esquerda e a mão esquerda para a direita, oscilando os dedos, várias vezes.

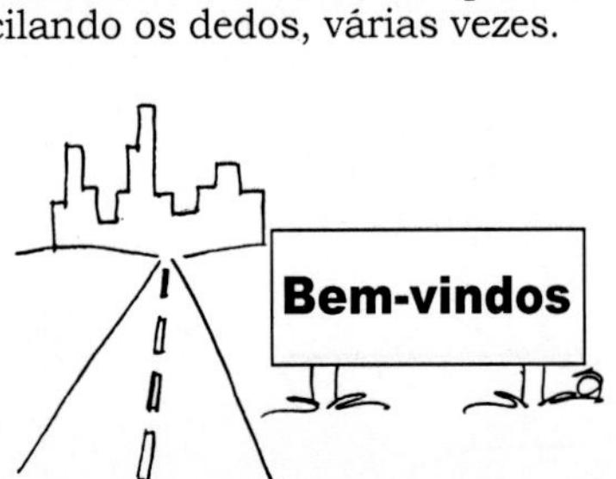

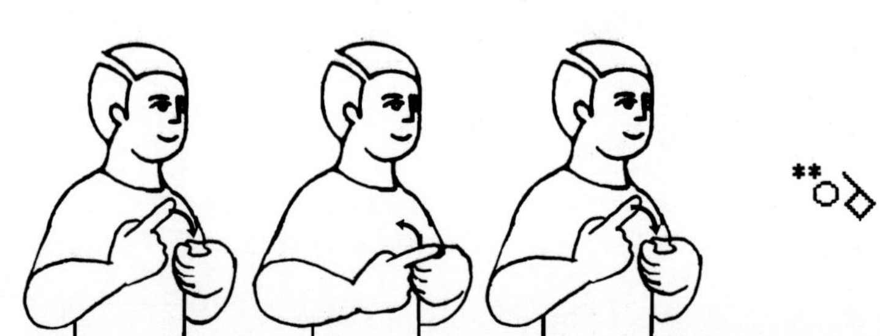

interior (*municípios*) *(inglês: inland cities, midland cities (far from the capital and the coastland))*:
s. m. Circunscrição territorial localizada fora da capital do Estado, administrada nos seus próprios interesses por prefeitos, que executam as leis emanadas do corpo de vereadores eleitos pelo povo. Ex.: Nasci em uma cidade do interior do Estado de São Paulo, a 100 Km da capital.
Mão esquerda em **O** horizontal, palma para dentro; mão direita em **1** horizontal, palma para dentro, indicador apontando para a esquerda. Bater a ponta do indicador direito no **O** esquerdo, duas vezes.

3.1.7. Locais relacionados a diversões

salão de festas *(inglês: ballroom, great hall, saloon, dance-hall, assembly room, banqueting room)*:
s. m. Recinto próprio para a realização de festas. Sala grande, própria para bailes, concertos, recepções etc. Ex.: O aniversário será comemorado no salão de festas do edifício.
Fazer o sinal de **área**. (Mãos em **1** horizontal, palmas para baixo, tocando-se pelas laterais, à frente do corpo. Movê-las para os lados opostos, em seguida para trás em direção ao corpo, e então, aproximá-las até que se toquem pelas laterais dos indicadores.) E o sinal de **festejar, festa**. (Mãos horizontais abertas, palmas para baixo, à frente do corpo. Girar as palmas para cima, e movê-las para cima, com expressão sorridente.)

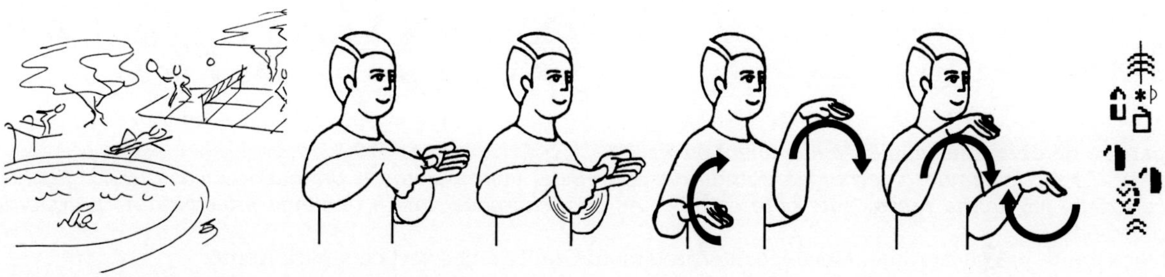

clube (*CL*) *(inglês: club, club-house, guild)*:
s. m. Local que sedia uma sociedade de pessoas (os membros associados) que se reúnem habitualmente juntamente com suas famílias para atividades culturais, esportivas, recreacionais e de lazer variado. Grêmio. Associação. Ex.: Gosto de passar meus fins-de-semana no clube, praticando esportes.
Fazer o sinal de **sócio(a) (1) (*membro*)**. (Mão esquerda horizontal aberta, palma para a direita, inclinada para cima; mão direita em **A** invertido, palma para dentro. Tocar a ponta do polegar direito na palma esquerda, pressionando-a, e balançar ligeiramente a mão direita, para frente e para trás.) E o sinal de nadar ou jogar ou dançar. No exemplo, o sinal é de **nadar, nadador (nadadora)**. (Mãos horizontais abertas, palmas para baixo, dedos unidos e curvados. Mover as mãos, alternadamente, em círculos verticais para frente.)

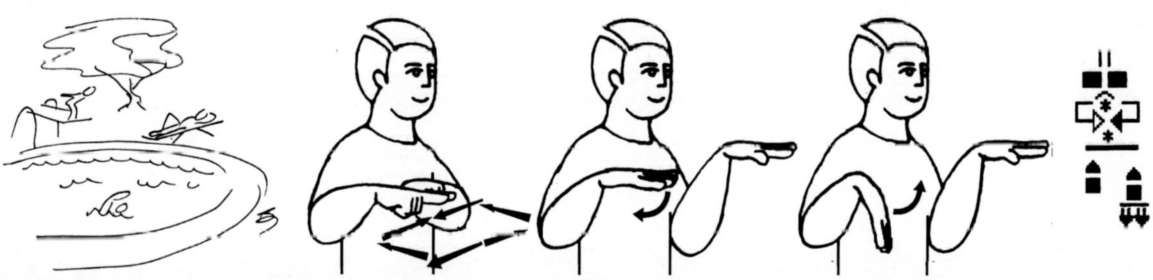

piscina *(inglês: swimming pool)*:
s. f. Tanque construído para natação ou para a prática de outros esportes aquáticos. Ex.: Vamos aproveitar o dia de sol para brincar na piscina do clube.
Fazer o sinal de **área**. (Mãos em **1** horizontal, palmas para baixo, tocando-se pelas laterais, à frente do corpo. Movê-las para os lados opostos, em seguida para trás em direção ao corpo, e então, aproximá-las até que se toquem pelas laterais dos indicadores.) Em seguida**,** mãos horizontais abertas, palmas para baixo, mão esquerda diante do ombro esquerdo, mão direita ao lado direito do corpo. Dobrar a mão direita pelo pulso para trás, duas vezes.

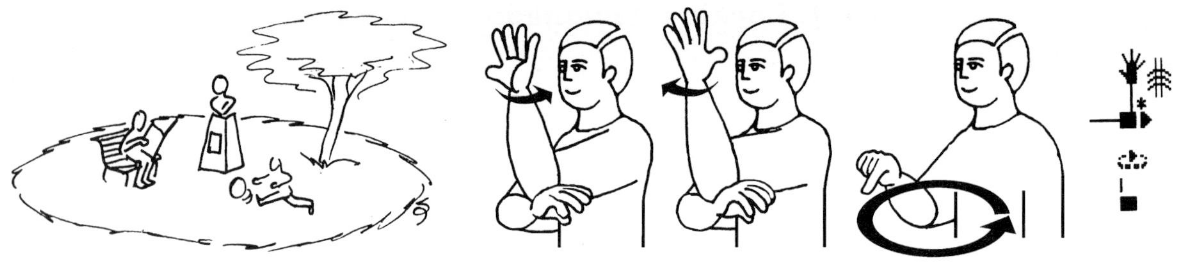

praça (*CL*) *(inglês: square)*:
s. f. Lugar público e espaçoso. Largo. Largo espaço descoberto para onde convergem várias ruas. Geralmente em cidades pequenas do interior, existe uma praça central onde se localiza a igreja matriz. Ex.: A banda apresentou-se na praça da cidade.
Fazer o sinal de **árvore**. (Braço direito vertical dobrado, mão vertical aberta, palma para frente; mão esquerda aberta, palma para baixo, dedos separados e curvados, cotovelo direito apoiado no dorso da mão esquerda. Girar a palma direita para trás, duas vezes.) Em seguida, mão direita em **1** horizontal, palma para baixo. Movê-la em um círculo horizontal.

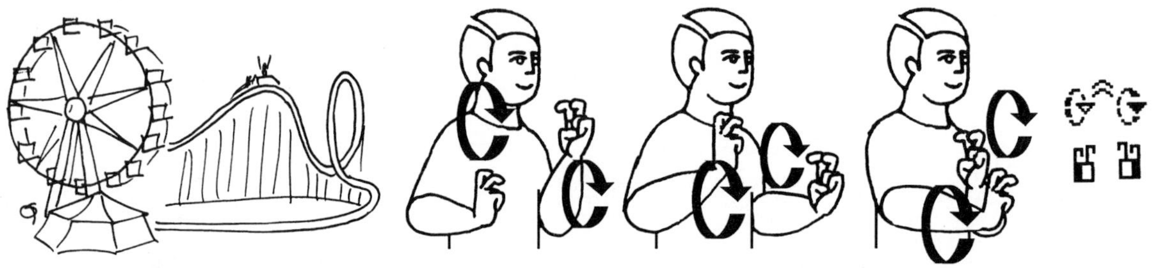

parque de diversões *(inglês: amusement park)*:
s. m. Local destinado a recreação dotado de aparelhos, instrumentos e brinquedos, como roda gigante, carrossel, montanha russa, bate bate etc. Ex.: As crianças passaram o domingo brincando no parque de diversões.
Mãos em **5**, palma a palma. Movê-las alternadamente em círculos verticais para frente.

Playcenter ® *(inglês: Playcenter – Sao Paulo Amusement Park ™)*:
Parque de diversões localizado em São Paulo, destinado à recreação e dotado de aparelhos, instrumentos e brinquedos. Ex.: O colégio organizou uma excursão de crianças e adultos ao Playcenter.
Mão esquerda em **C**, palma para a direita; mão direita em **C**, palma para a esquerda, envolvendo o polegar esquerdo. Aproximar e afastar as mãos , duas vezes

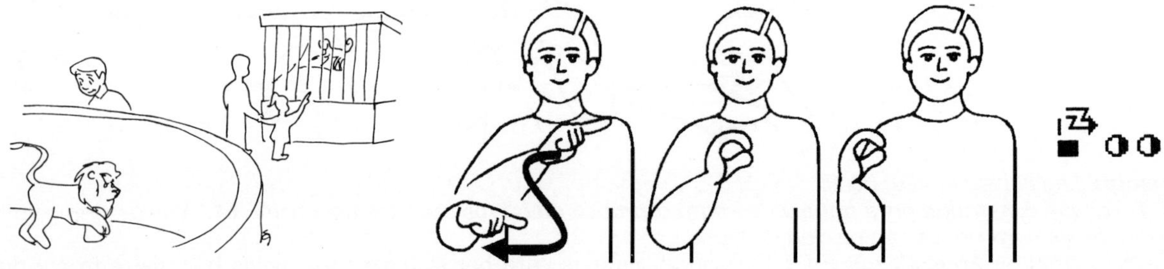

jardim zoológico *(inglês: zoo, zoological garden)*:
s. m. Estabelecimento privado ou mantido pelo governo onde animais selvagens são criados e expostos à visitação pública. Zoológico. Ex.: Vamos visitar o hipopótamo, a zebra e a girafa no jardim zoológico.
Fazer o sinal de **zoológico (1)**. (Soletrar **Z**, **O**, **O**.)

zoológico (1) *(inglês: zoo, zoological garden)*:
s. m. Jardim zoológico. Estabelecimento privado ou mantido pelo governo onde animais selvagens são criados e expostos à visitação pública. Ex.: Vamos visitar o hipopótamo, a zebra e a girafa no zoológico.
Soletrar **Z**, **O**, **O**.

zoológico (2) *(inglês: zoo, zoological garden)*:
*Idem **zoológico (1)**. Ex.: A escola levou as crianças ao zoológico para conhecer de perto os animais.*
Fazer o sinal de **felino(a)**. (Mão direita horizontal aberta, palma para baixo, dedos separados e curvados, dorso da mão tocando sob o queixo.)

3.2. Tipos de lazer

3.2.1. Lazer relacionado a atividades físicas

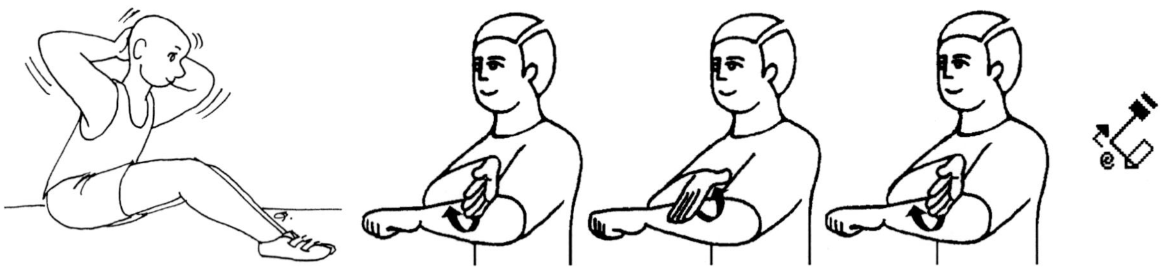

treino *(inglês: training, exercise, practice, drilling)*:
s. m. Ato ou efeito de treinar. Exercício. Ex.: Os soldados passam por treinos para suportar situações de perigo.
Braço esquerdo ligeiramente distendido em frente ao corpo, mão fechada, palma para baixo; mão direita horizontal aberta, palma para dentro tocando próximo à dobra do cotovelo. Passar a lateral do dedo mínimo, várias vezes sobre o antebraço esquerdo, com movimentos curtos, inclinando a palma para baixo durante o movimento.

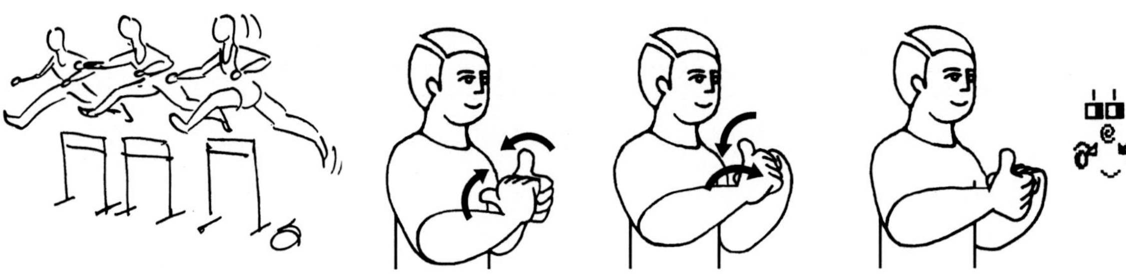

esporte *(inglês: sports)*:
s. m. Passatempo, divertimento. Prática metódica de exercícios físicos, que consistem geralmente em jogos competitivos entre pessoas, ou grupos de pessoas. Ex.: A prática de esportes constitui um hábito saudável.
Mão esquerda horizontal fechada, palma para a direita, polegar distendido e inclinado para a esquerda; mão direita vertical fechada, palma para a esquerda, polegar direito distendido, mãos tocando-se. Girar a mão direita para frente e a mão esquerda para trás.

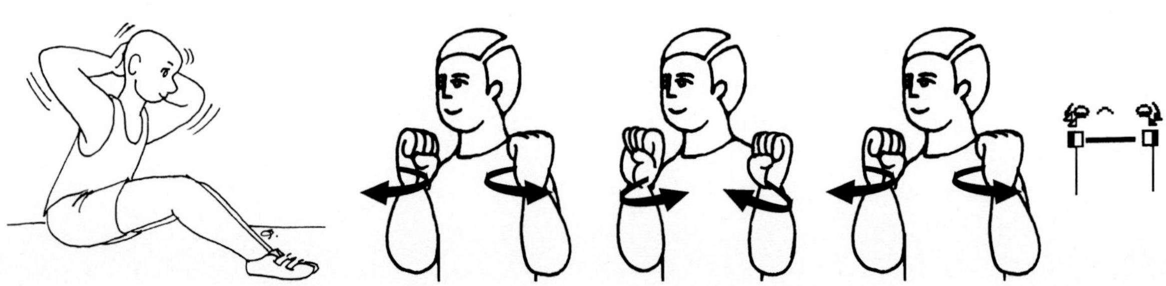

ginástica *(inglês: gymnastics)*:
s. f. Arte ou ato de exercitar o corpo, para desenvolvê-lo e fortificá-lo. Ex.: A ginástica é uma atividade importante para o desenvolvimento corporal.
Fazer o sinal de **educação física**. (Mãos em **S**, palma a palma, diante dos ombros. Girar as palmas para frente, duas vezes.)

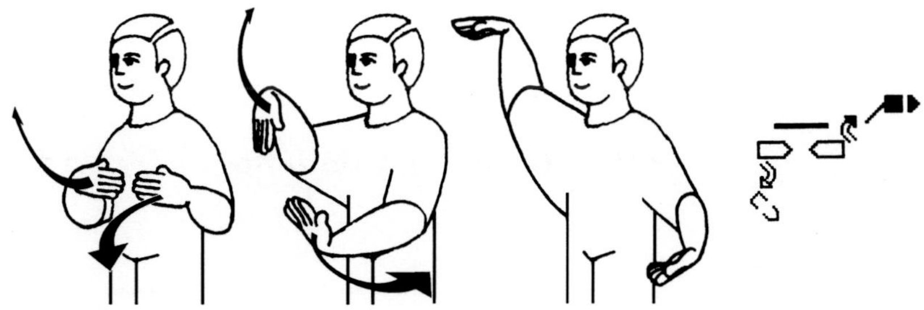

balé (*CL*) *(inglês: ballet)*:
s. m. Encenação artística e teatral em forma de dança com acompanhamento musical e num cenário apropriado, em que um ou vários bailarinos apresentam passos de dança, gestos, mímica e pantomina, e que ocorre como apresentação coreográfica independente ou como parte da representação de um enredo numa ópera ou peça teatral. Ex.: Uma das primeiras apresentações de balé foi feita em 1581, na França.
Mãos horizontais abertas, palmas para dentro, diante do peito. Mover a mão direita em um arco para a direita e para cima, virando a palma para baixo, e a mão esquerda para baixo e para a esquerda, virando a palma para cima.

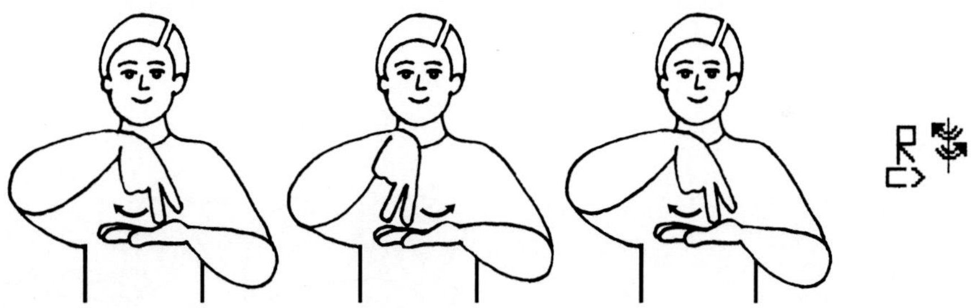

dança *(inglês: dance, dancing)*:
s. f. Série ritmada de gestos e de passos, ordinariamente ao som e ao compasso da música. Modo de dançar. Ex.: O espetáculo de dança foi muito emocionante.
Mão esquerda horizontal aberta, palma para cima, dedos apontando para a direita; mão direita em **V** invertido, palma para dentro, acima da palma esquerda e próxima a ela. Balançar a mão direita para os lados.

jogo *(inglês: game, match, sport)*:
s. m. Atividade física e desportiva com um sistema de regras a ser observado. Ex.: A TV transmitirá o jogo de vôlei esta noite.
Mãos horizontais fechadas, palma a palma, polegares destacados. Movê-las alternadamente para cima e para baixo.

montar a cavalo (*CL*) *(inglês: to ride on horseback, to practice horseback riding, to mount a horse, to jockey)*:
expressão. Andar a cavalo. Cavalgar. Cavalear. Ex.: Sempre que vou à fazenda de meu sogro, gosto muito de montar a cavalo.
Mão esquerda horizontal aberta, palma para a direita; mão direita em **V** invertido, palma para dentro,

apoiada sobre o lado do indicador esquerdo. Mover as mãos em arcos para cima e para frente.

andar a cavalo (*CL*) *(inglês: to ride on horseback, to practice horseback riding, to mount a horse, to jockey)*:
expressão. Montar a cavalo. Cavalgar. Ex.: Gosto muito de andar a cavalo.
Fazer o sinal de **montar a cavalo**.

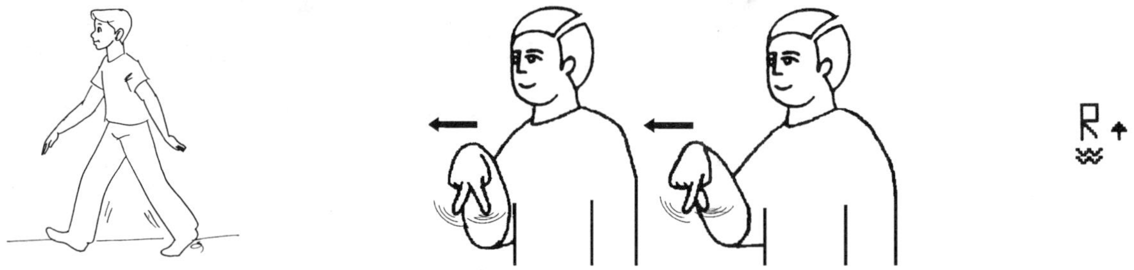

andar a pé (1) (*CL*) *(inglês: to walk, to go on foot)*:
expressão. Deslocar-se no espaço por meio de passos. Caminhar. Dar passos. Ex.: É muito saudável andar a pé.
Mão direita em **V** invertido, palma para dentro, dedos para baixo. Mover a mão para frente, oscilando alternadamente os dedos.

andar a pé (2) (*CL*) *(inglês: to walk, to go on foot)*:
Idem ***andar a pé (1)****. Ex.: O seu andar era lento.*
Mão esquerda horizontal aberta, palma cima; mão direita em **V** invertido, palma para dentro, dedos apontando para baixo, tocando a base da palma esquerda. Mover a mão direita para frente, sobre e além da esquerda, oscilando os dedos.

corrida (*competição*) *(inglês: race, racing competition)*:
s. f. Ato ou efeito de correr. Atividade esportiva com modalidades diferenciadas, em que ganha o corredor competidor que conseguir chegar ao final antes dos demais, ou seja, que conseguir completar no menor tempo um determinado percurso, circuito ou distância. Ex.: Ele ganhou a corrida com muita vantagem.
Mãos horizontais fechadas, palma a palma, polegares destacados, a cada lado do corpo. Mover a mão direita para frente.

andar de bicicleta *(inglês: to cycle, to ride on a bicycle)*:
expressão. Deslocar-se no espaço fazendo uso de um veículo de duas rodas propelido a pedal pela própria força física. Ex.: Gosto de andar de bicicleta no parque.

Fazer o sinal de **bicicleta**. (Mãos em **S** horizontal, palmas para baixo. Movê-las alternadamente em círculos verticais para frente.)

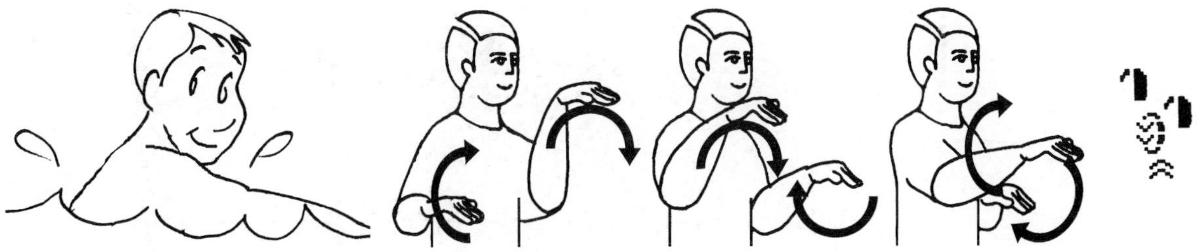

natação *(inglês: swimming)*:
s. f. Ato de nadar. Arte de nadar. Sistema de locomoção próprio dos animais aquáticos. Ex.: A natação é um excelente esporte para manter a boa saúde e a forma física.
Fazer o sinal de **nadar, nadador (nadadora)**. (Mãos horizontais abertas, palmas para baixo, dedos unidos e curvados. Mover as mãos, alternadamente, em círculos verticais para frente.)

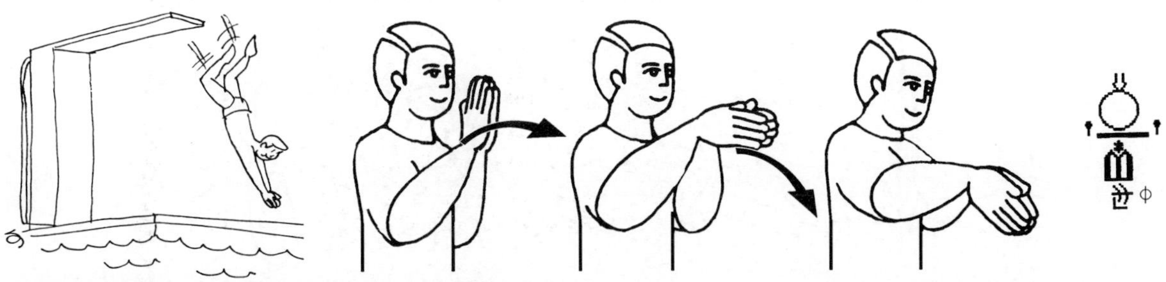

mergulho (1) *(inglês: diving, plunge (jumping))*:
s. m. Ação de mergulhar. Ex.: Ele deu um belo mergulho para entrar na piscina.
Mãos verticais postas em frente à face. Movê-las em um arco para frente e para baixo, inclinando o corpo a cabeça para frente, e os dedos da mão para baixo.

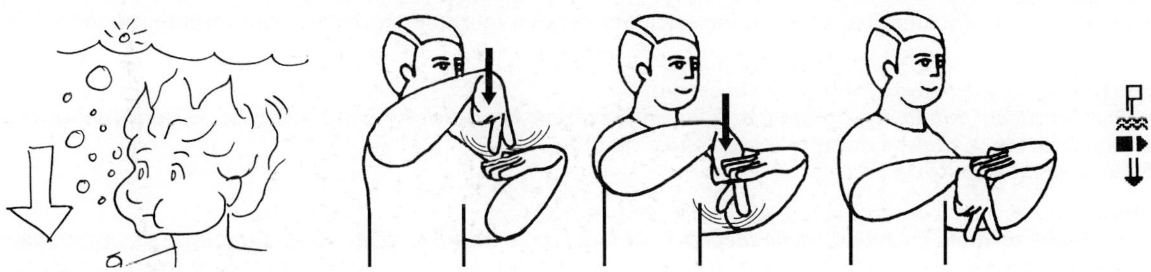

mergulho (2) *(inglês: dive)*:
s. m. Ação de mergulhar. Ex.: Gosto de praticar mergulho, desde que tenha todo o equipamento de segurança apropriado.
Mão esquerda horizontal aberta, palma para baixo, dedos para a direita; mão direita em **U** invertido, palma para dentro, atrás e acima da mão esquerda. Baixar a mão direita oscilando os dedos.

submersão *(inglês: submersion, submergence, drowning)*:
s. f. Ato ou efeito de submergir. Estar mergulhado na água. Ex.: Depois da submersão profunda, os mergulhadores devem retornar à tona lentamente.
Fazer o sinal de **mergulho (2)**.

3.2.2. Lazer relacionado a cultura

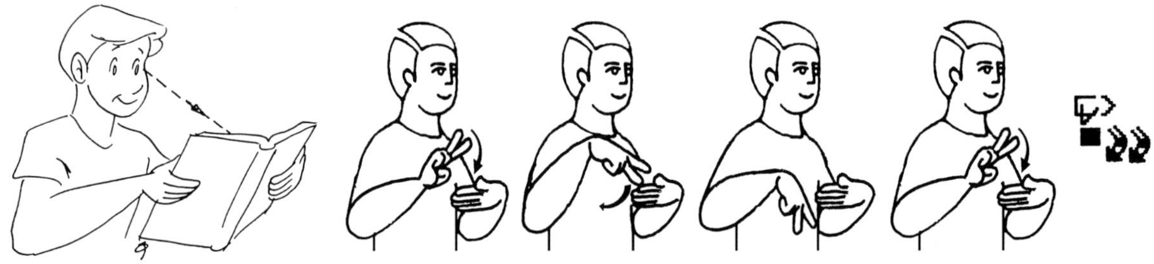

leitura *(inglês: reading)*:
s. f. Ação ou efeito de ler. Aquilo que se lê. Ex.: A leitura é o melhor remédio para a insônia.
Fazer o sinal de **ler**. (Mão esquerda horizontal aberta, palma para cima inclinada para dentro, dedos apontando para a direita; mão direita em **V**, palma para frente inclinada para baixo, acima da mão esquerda. Mover a mão direita para baixo, inclinando a palma para dentro e os dedos para baixo, duas vezes.)

estória *(inglês: story, tale)*:
s. f. Narrativa de ficção; exposição romanceada de fatos puramente imaginários. Distinta da palavra história, que se baseia em documentos ou testemunhos. Conto, fábula. Ex.: Crianças gostam muito de ouvir estórias antes de dormir.
Mão direita em **V**, palma para frente. Passar lentamente a lateral do indicador para frente, no lado direito da testa.

conto *(inglês: tale, story, fable, narrative)*:
s. m. Narração falada ou escrita de fatos imaginários ou fictícios. Ficção. Fábula. Estória ou estorieta imaginada. Ex.: Crianças adoram contos antes de dormir.
Fazer o sinal de **estória**.

fábula *(inglês: story, legend, myth, fable, fictitious narrative)*:
s. f. Breve narrativa em que a ficção alegórica sugere uma verdade e que contém uma lição de ordem moral. Os personagens podem ser pessoas, animais, objetos inanimados e até plantas. Narração imaginária. Ficção artificiosa. Mitologia. Narrativa ou conjunto de narrativas de caráter mitológico. Ex.: Nas fábulas de Esopo, a essência das estórias era resumida na última frase, a "moral da estória".
Fazer o sinal de **estória**.

poesia *(inglês: poetry)*:
s. f. Arte de escrever em verso. Conjunto das obras em verso escritas numa língua. Cada um dos gêneros poéticos. Ex.: A poesia de Castro Alves pertence ao período romântico da literatura brasileira.
Mão esquerda horizontal aberta, palma para cima, inclinada para a direita; mão direita em **P** horizontal, palma para a esquerda, ponta do dedo médio tocando a palma esquerda. Mover ligeiramente a mão direita para a direita e para baixo, com um movimento espiral.

poema *(inglês: poem),*
s. m. Obra em verso. Composição poética mais ou menos extensa e com enredo. Ex.: Ler os poemas de Fernando Pessoa ilumina nossa alma.
Fazer o sinal de **poesia**.

verso *(inglês: verse)*:
s. m. Cada uma das linhas que compõem uma poesia ou poema, sujeitas a certas regras convencionais de medida e cadência. Composição poética em geral. Ex.: Nesta poesia há rima, ou seja, há identidade entre as terminações das palavras finais dos versos, conferindo sonoridade agradável.
Soletrar **V**, **E**, **R**, **S**, **O**.

cinema *(inglês: cinema, movies, motion picture)*:
s. m. Arte de fazer filmes cinematográficos. Ex.: O cinema é chamado de "a sétima arte."
Mão esquerda horizontal aberta, palma para dentro; mão direita vertical aberta, palma para frente, tocando, pelo pulso, o indicador esquerdo. Balançar a mão direita para a esquerda e para a direita.

teatro *(inglês: dramaturgy, theater acting, playhouse acting)*:
s. m. A profissão de ator ou atriz. Arte de compor ou encenar obras dramáticas. Ex.: O teatro sempre foi sua grande paixão.
Mãos horizontais abertas, palmas para trás, dedos médios flexionados, tocando cada canto da boca. Mover ligeiramente as mãos para trás, em direção às bochechas, várias vezes.

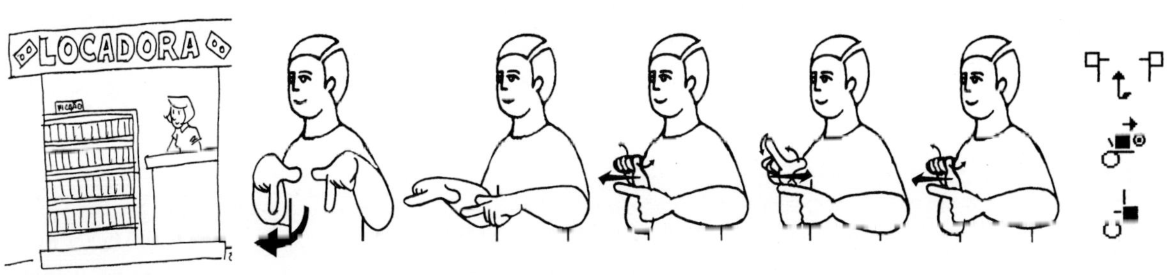

alugar fitas de vídeo *(inglês: to rent a videotape, to lend a videotape)*:
expressão. Tomar de aluguel uma ou mais fitas de videocassete para assistir em casa mediante pagamento de uma taxa diária de aluguel e promessa de retorno da fita. Ex.: Como não gosto das filas do cinema, prefiro alugar fitas de vídeo com filmes ganhadores do Oscar para assistir em casa com toda a minha

família. Dar de aluguel uma ou mais fitas de videocassete a clientes da videolocadora, mediante pagamento de uma taxa e promessa de seu retorno. Ex.: Ele perdeu o emprego e precisa alugar fitas de vídeo para sobreviver.
Fazer o sinal de **fita de vídeo**. (Mãos em **L** invertido, palmas para dentro, dedos indicadores apontando para baixo. Mover as mãos em um arco para baixo e para frente, virando as palmas para baixo.) E o sinal de **alugar, alugar-se, aluguel**. (Mão esquerda em **D,** palma para dentro; mão direita em **A** horizontal, palma para baixo, tocando o indicador esquerdo. Mover a mão direita sobre o indicador esquerdo, mudando-a para mão em **L**, duas vezes.)

locar fitas de vídeo *(inglês: to rent (videotapes)***:**
expressão. Alugar fitas de videocassete. Ex.: Para poder assistir aos filmes antigos em casa durante o feriado, é preciso locar fitas de vídeo.
Fazer o sinal de **alugar fita de vídeo**.

3.2.3. Lazer relacionado a turismo

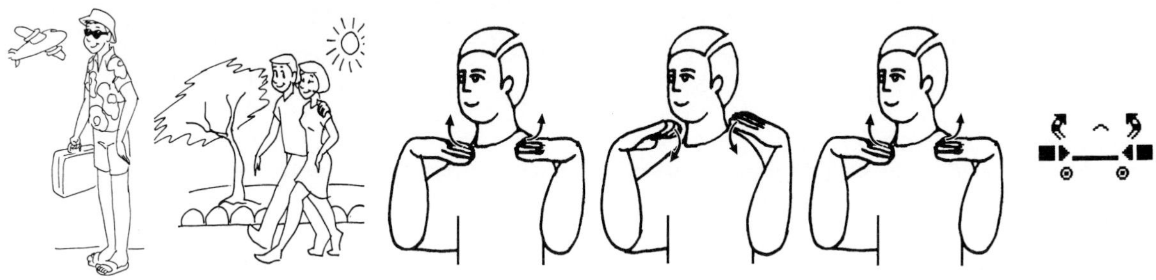

passeio *(inglês: leisure walk, stroll)*:
s. m. Caminhada por prazer ou passatempo. Ex.: Ele e a namorada saíram para um passeio.
Mãos horizontais abertas, palmas para baixo, dedos apontando uns para os outros, tocando os ombros. Mover ligeiramente as mãos para cima e para os lados duas vezes.

turismo *(inglês: tourism, touring, recreation travel)*:
s. m. Prática de viajar por lazer, para conhecer locais pitorescos, culturas diferentes e pessoas interessantes. Ex.: Nas próximas férias pretendo fazer uma viagem de turismo pelas praias do nordeste.
Fazer o sinal de **passeio**.

viagem (1) *(inglês: trip, travel, voyage, journey, flight, ride, cruise)*:
s. f. Percurso de um determinado lugar para outro, localizado a certa distância. Ex.: Na viagem para Porto Alegre conheci Curitiba e Florianópolis.
Mãos em **L**, palmas para frente, inclinadas para baixo, pontas dos polegares tocando-se. Mover as mãos para cima e para frente, balançando os indicadores.

viagem (2) *(inglês: trip, travel, voyage, journey, flight, ride, cruise)*:
*Idem **viagem (1)**. Ex.: Vou fazer uma viagem a negócios no mês que vem.*
Mão direita vertical, palma para dentro, dedos curvados, quase tocando a palma. Mover a mão para frente e para cima, abrindo e fechando ligeiramente os dedos.

andar de carro (*CL*) *(inglês: to ride on a car)*:
expressão. Deslocar-se no espaço fazendo uso de um veículo de quatro rodas propelido por motor a combustão interna. Ex.: Eu gosto de andar de carro pelas ruas da cidade.
Mão direita em **5** horizontal, palma para baixo. Mover a mão para frente.

fotografia (1) *(inglês: photograph, picture)*, **foto (1)** *(inglês: photo, picture, snapshot)*:
Fotografia: *s. f. Processo que, por ação da luz, fixa em chapa sensível, no interior de uma câmara escura, a imagem de objetos iluminados diante dessa câmara, dotada de um dispositivo óptico. Fotografia tirada de alguém ou alguma coisa. Ex.: Vou revelar as fotografias somente na segunda-feira.* Foto: *s. f. Forma abreviada para a palavra fotografia. Foto tirada de alguém ou alguma coisa. Ex.: Mandei ampliar a foto.*
Mão esquerda vertical fechada, palma para a direita, polegar e indicador distendidos e paralelos; mão direita em **L**, palma para a esquerda, mãos diante dos olhos. Flexionar o indicador direito e depois distendê-lo novamente.

tirar fotografia (*fotografar*) *(inglês: to photograph, to take pictures, to take snapshots)*:
expressão. Fotografar. Fazer o retrato de. Tirar foto. Tirar retrato. Ex.: Esta paisagem é muito linda e eu quero tirar uma fotografia dela.
Fazer o sinal de **fotografia (1)**, **foto (1)**.

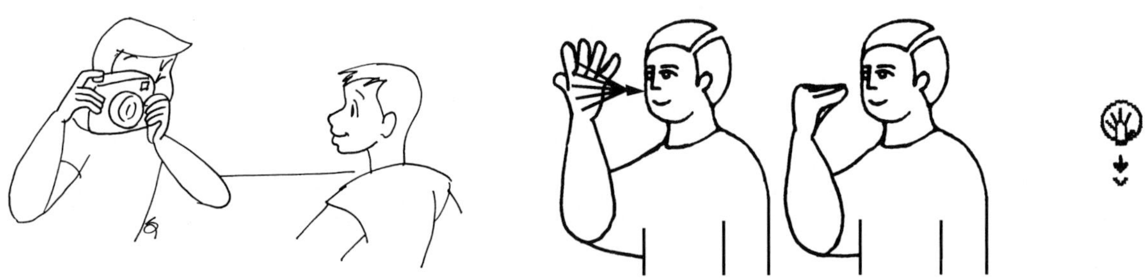

fotografia (2) (*fotografia tirada do sinalizador*) *(inglês: photograph, picture)*, **foto (2) (*foto tirada do sinalizador*)** *(inglês: photo, picture, snapshot)*:
Fotografia: *s. f. Imagem do sujeito, foto tirada do emissor por outra pessoa. Ex.: Meu pai adorava tirar fotografias minhas quando eu era criança.* Foto: *s. f. Forma abreviada para a palavra fotografia. Imagem do sujeito, foto tirada do emissor por outra pessoa. Ex.: Essa minha foto é muito antiga.*
Mão direita vertical aberta, palma para dentro, dedos separados, diante do rosto. Mover a mão ligeiramente para trás, unindo as pontas dos dedos.

ser fotografado(a) (*o sinalizador serve de modelo para a foto, ele é fotografado*) *(inglês: to be photographed)*:
expressão. O sinalizador é retratado. É tirada uma foto sua. (Obs.: Este sinal deve ser usado na primeira pessoa: Eu sou, fui ou serei fotografado(a).) Ex.: Quando os repórteres chegaram, fui fotografado várias vezes.
Fazer o sinal de **fotografia (2)**, **foto (2)**.

3.2.4. Lazer relacionado a relaxamento e descanso

meditação *(inglês: meditation, contemplation, deep reflection on fundamental existential affairs)*:
s. f. Oração mental, contemplação religiosa. Ex.: Muitos orientais têm como hábito a prática da meditação.
Mãos horizontais abertas, palmas para cima, dedos indicadores e polegares, unidos pelas pontas, a cada lado do corpo.

ioga *(inglês: yoga)*:
s. f. Prática de meditação e controle corporal. Sistema filosófico indiano que consiste em atingir o estado perfeito por meio da contemplação, imobilidade absoluta, êxtase, práticas ascéticas. Ex.: Os praticantes garantem que a ioga melhora o sono e a respiração. Iogue: *adj. m. e f. Relativo(a) à ioga. Ex.: Um dos objetivos iogues é a melhora do estado espiritual. s. m. e f. Indivíduo que pratica ioga. Ex.: O iogue busca a auto-redenção por meio da meditação.*
Fazer o sinal de **meditação**.

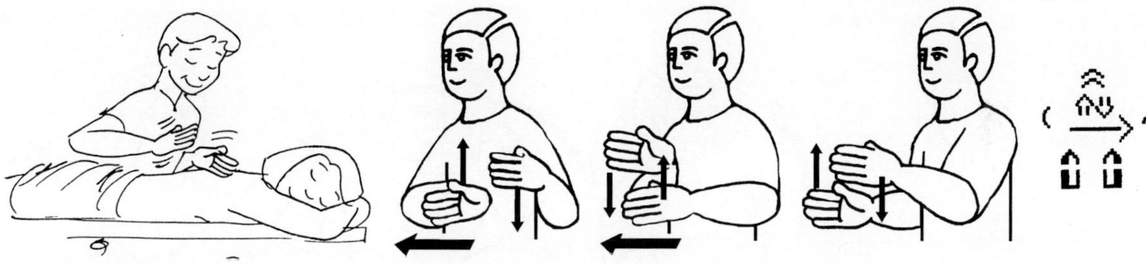

massagem *(inglês: massage)*:
s. f. Compressão ou fricção sistemática do corpo ou parte dele, com o objetivo de melhorar a circulação ou obter vantagens terapêuticas. Ex.: Uma boa massagem ajuda a aliviar o estresse.
Mãos horizontais abertas, palma a palma, do lado esquerdo do corpo. Movê-las para a direita enquanto balança-as, alternadamente para cima e para baixo com força e rapidamente.

música *(inglês: music, melody, harmony)*:
s. f. Arte de combinar sons de maneira agradável ao ouvido e a sensibilidade emocional. Composição musical. Execução de qualquer peça musical. Ex.: As crianças gostam de aprender cantando músicas.
Mãos em **D** horizontal, palmas para baixo, próximas uma da outra. Movê-las em arcos para baixo e para os lados opostos, duas vezes.

assobio (*CL*) *(inglês: whistle)*:
s. m. Sibilo, silvo, som agudo obtido soprando pelos lábios semi-abertos ou pelo orifício de algum instrumento. Ex.: O assobio faz companhia ao solitário.
Expirar o ar com os lábios unidos e protuberantes (salientes).

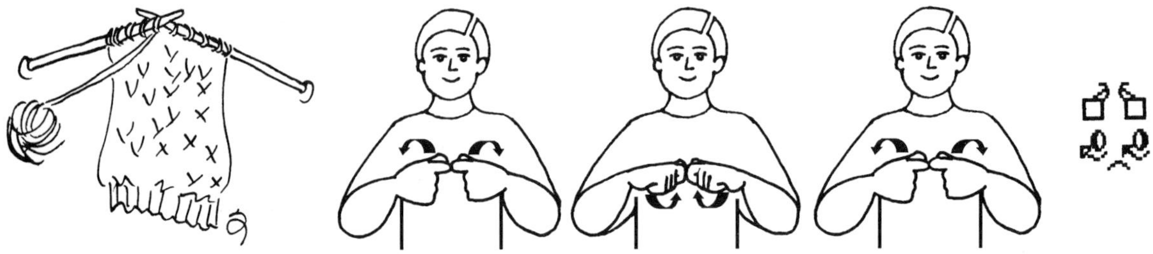

tricô *(inglês: tricot, knitting)*:
s. m. Tecido formado a partir do entrelaçamento de malhas feito à mão ou à máquina. Designação dada a um trabalho manual de entrelaçar malhas. O produto obtido desse entrelaçamento. Ex.: O tricô é a atividade preferida da minha avó.
Mãos em **A** horizontal, palmas para dentro, indicadores destacados tocando-se. Dobrar as mãos pelos pulsos para baixo, várias vezes.

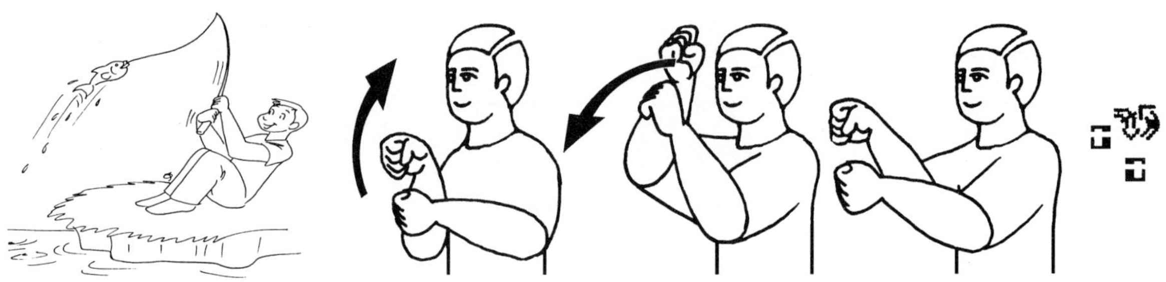

pesca (1) *(inglês: fishing, fishery)*:
s. f. Atividade ou esporte de pescar, de retirar peixes da água. Ex.: No litoral e regiões ribeirinhas, a pesca é uma atividade economicamente importante.
Mãos horizontais fechadas, palma a palma, mão direita acima da esquerda. Movê-las em um arco para cima e para trás, e em seguida em um arco para frente e para baixo.

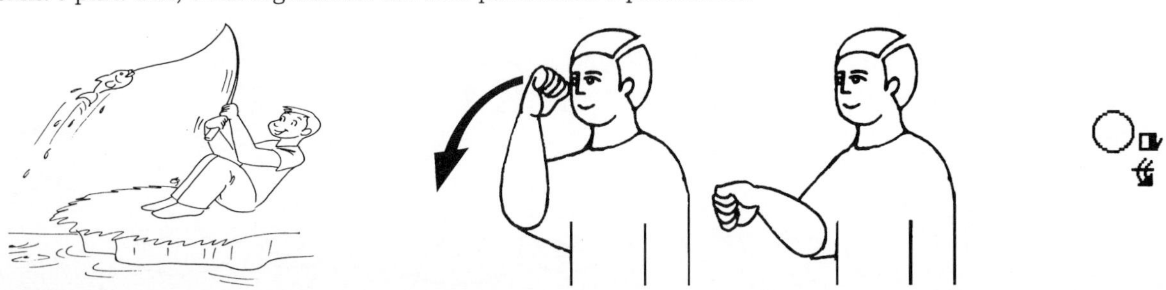

pesca (2) *(inglês: fishing, fishery)*:
*Idem **pesca (1)**. Ex.: A pesca é ótima para relaxar.*
Mão direita em **A**, palma para a esquerda, acima do ombro direito. Movê-la em um arco para frente e para baixo.

3.2.5. Lazer relacionado a distração

conversa (1) *(inglês: conversation, talk)*, **conversação (1)** *(inglês: conversation, talking)*:
Conversa: *s. f. Ato ou efeito de se comunicar com alguém por meio da fala ou da sinalização com troca de idéias. Conversação. Comunicação interativa entre emissor e receptor de fala ou sinalização que se alternam em turnos como emissor e receptor. Ex.: Precisamos ter uma conversa sobre seu futuro profissional.* Conversação: *s. f. Conversa. Palavreado. Troca de palavras ou de sinais entre emissor e receptor de mensagens. Ex.: Quando se conheceram passaram horas e horas entretidos em conversação.*
Mão esquerda horizontal fechada, palma para baixo, apontando para frente; mão direita horizontal aberta, palma para baixo, dedos apontando para a esquerda e tocando o dorso da mão esquerda. Mover a mão direita em círculos horizontais.

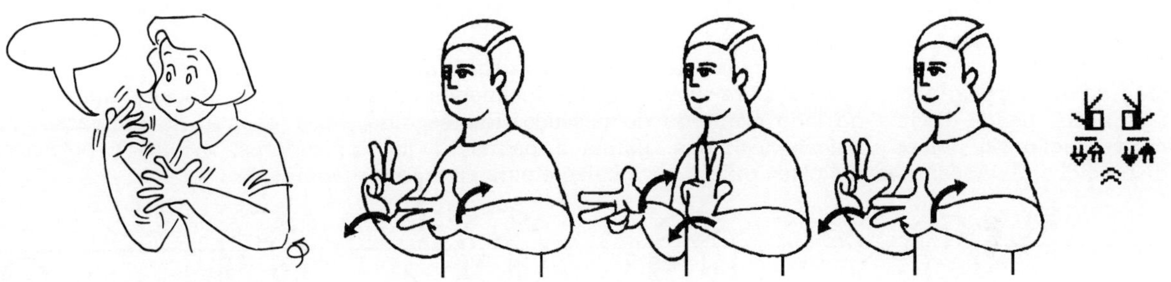

conversa (2) (*usando a Língua de Sinais*) *(inglês: conversation, talk)*, **conversação (2)** *(inglês: conversation, talking)*:
*Idem **conversa (1), conversação (1),** usando a Língua de Sinais. Ex.: A conversa sobre o curso de Língua de Sinais foi instrutiva.*
Mãos verticais fechadas, palma a palma, dedos indicadores, médios e polegares distendidos. Balançar as mãos pelos pulsos para baixo e para cima, alternadamente.

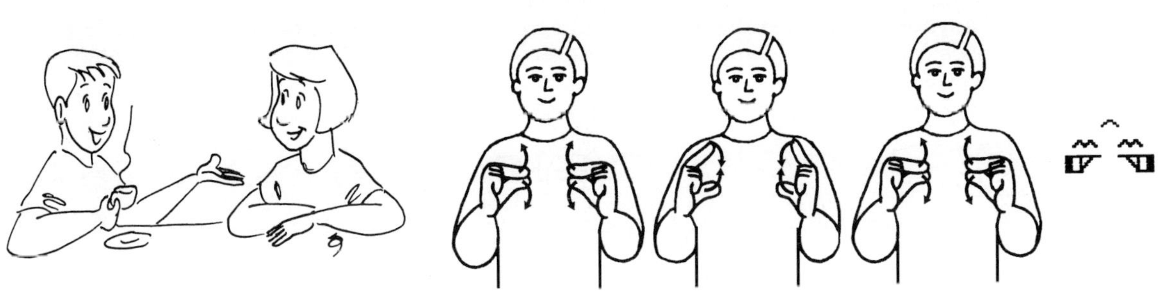

conversa (3) (*usando voz e fala*) *(inglês: conversation, talk)*, **conversação (3)** *(inglês: conversation, talking)*:
*Idem **conversa (1), conversação (1)**, usando a fala. Ex.: Normalmente quando há muita conversa, há pouco trabalho, e é preciso usar nosso tempo com discernimento para estudar e adquirir habilidades que nos farão vencer na vida. Ex.: A conversação em sala de aula acaba distraindo o professor e os alunos, e não deve ser feita.*
Mãos verticais fechadas, palma a palma, dedos indicadores e polegares distendidos e unidos. Separar e unir os dedos indicadores e polegares, várias vezes.

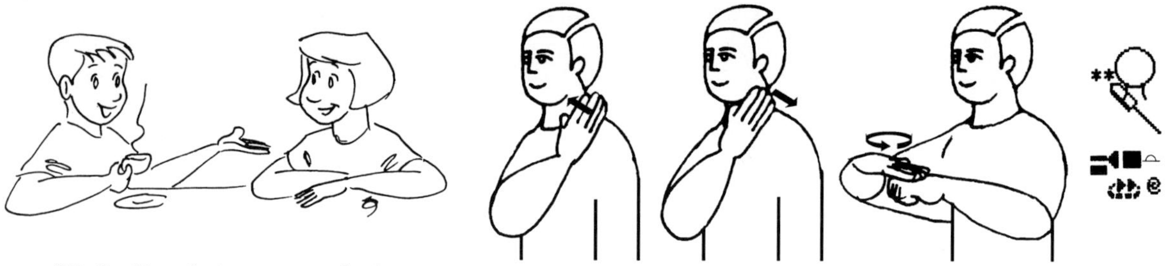

papo (1) *(inglês: chat, conversation)*:
s. m. Conversação casual e informal. Ex.: O papo está agradável, mas preciso ir embora.
Mão direita vertical aberta, palma para dentro, dedos inclinados para a esquerda. Tocar duas vezes a palma dos dedos direitos no lado esquerdo do pescoço. Em seguida, fazer o sinal de **conversa (1), conversação (1)**. (Mão esquerda horizontal fechada, palma para baixo, apontando para frente; mão direita horizontal aberta, palma para baixo, dedos apontando para a esquerda e tocando o dorso da mão esquerda. Mover a mão direita em círculos horizontais.)

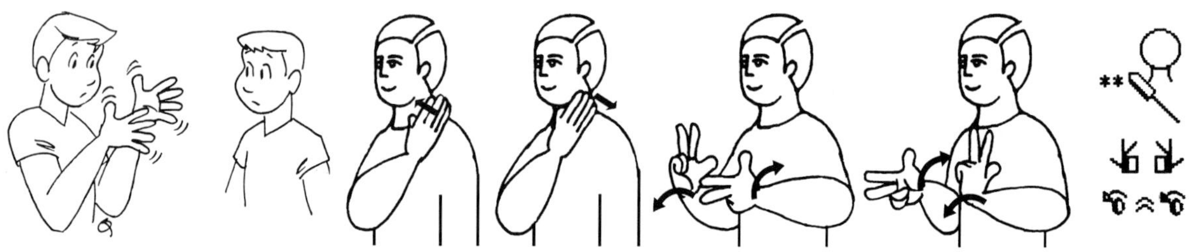

papo (2) *(inglês: chat, conversation)*:
*Idem **papo (1)**, usando a Língua de Sinais. Ex.: O papo do casal já durava horas.*
Mão direita vertical aberta, palma para dentro, dedos inclinados para a esquerda. Tocar duas vezes a palma dos dedos direitos no lado esquerdo do pescoço. Em seguida, fazer o sinal de **conversa (2), conversação (2)**. (Mãos verticais fechadas, palma a palma, dedos indicadores, médios e polegares distendidos. Balançar as mãos pelos pulsos para baixo e para cima, alternadamente.)

piada *(inglês: joke, anecdote, gag)*:
s. f. pop. Dito engraçado e picante. Ex.: Ele conta piadas muito bem.
Fazer o sinal de **engraçado(a)**. (Mão direita horizontal fechada, palma para dentro, indicador e polegar distendidos e unidos pelas pontas, diante da boca. Mover a mão para frente e para baixo, distendendo os dedos indicador e polegar, e sorrir.)

novela de TV *(inglês: soap opera)*:
s. f. Programa popular de ficção literária romanceada transmitido pela televisão em vários capítulos. Ex.: A revista antecipou o conteúdo do último capítulo da novela.
Fazer o sinal de **televisão**. (Mãos em **L**, palmas para frente. Aproximar e afastar as mãos, balançando-as para a esquerda e para a direita.) Então, mão direita em **N**, palma para dentro. Movê-la, ligeiramente, para cima e para baixo.

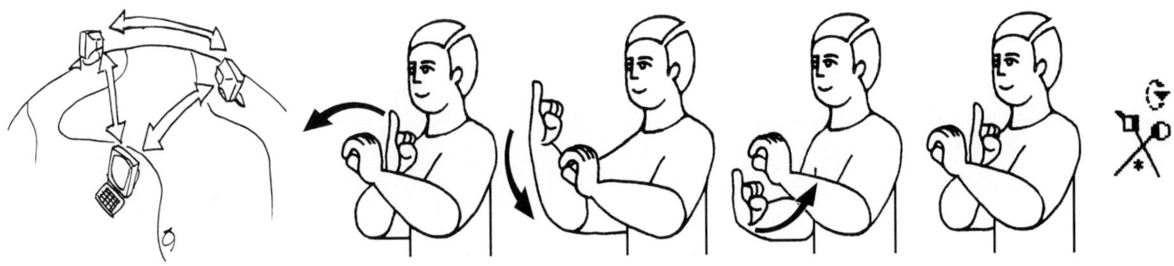

Internet *(inglês: Internet, world wide web)*:
s. f. Infovia. Rede mundial de computadores. Rede telemática internacional que une computadores de particulares, organizações de pesquisa, institutos de cultura, institutos militares, bibliotecas e corporações de todos os tamanhos. Proporciona transferência de arquivos e dados, juntamente com funções de correio eletrônico para milhões de usuários ao redor do mundo. Ex.: A Internet possibilita o acesso a todo tipo de informação.
Mão esquerda em **O**, palma para a direita; mão direita em **I**, palma para a esquerda, mãos cruzadas pelos pulsos. Mover a mão direita em um círculo vertical para cima e para frente, ao redor da mão esquerda, retornando à posição original.

visita (1) *(inglês: visit, visitation, visiting, visitant, visitor, caller)*:
s. f. Ação de visitar, de procurar (alguém) em (sua) casa por afeição, cortesia, lazer, dever ou caridade. Visitante. Pessoa que visita. Ex.: Não precisa agradecer minha visita.
Mão direita em **P** horizontal, palma para dentro, ponta do médio tocando abaixo do olho esquerdo. Movê-la em um arco para frente e para a direita, virando a palma para esquerda.

visita (2) (*o sinalizador visita alguém*) *(inglês: visit, visitation, visiting, visitant, visitor, caller)*:
*Idem **visita (1)**, usado somente quando o sinalizador visita. (Obs.: Na ilustração, a direção da articulação do sinal corresponde à primeira pessoa: Eu visito, visitei ou visitarei. Ex.: Vou fazer uma visita aos meus pais.*
Mãos em **P** horizontal, palmas para dentro, lado a lado. Movê-las para frente.

visita (3) (*o sinalizador recebe a visita*) *(inglês: visit, visitation, visiting, visitant, visitor, caller)*:
s. f. Ação de ser visitado, procurado em casa por afeição, cortesia, lazer, dever ou caridade. Receber visitante. Ex.: Estou muito feliz com sua visita.
Mãos em **P** horizontal, palmas para dentro, lado a lado, diante do corpo. Movê-las para dentro.

receber visita (*ser visitado: o sinalizador é visitado, ele recebe visita*) *(inglês: to be visited, to be paid a visit)*:
expressão. O sinalizador é procurado por alguém em sua casa ou local de trabalho para receber cumprimentos, conversar etc. (Obs.: Este sinal deve ser usado na primeira pessoa: Eu recebo, recebi ou receberei visita.) Ex.: Recebi a visita de meu primo neste fim de semana.
Fazer o sinal de **visita (3)**.

3.2.6. Lazer relacionado a comemorações

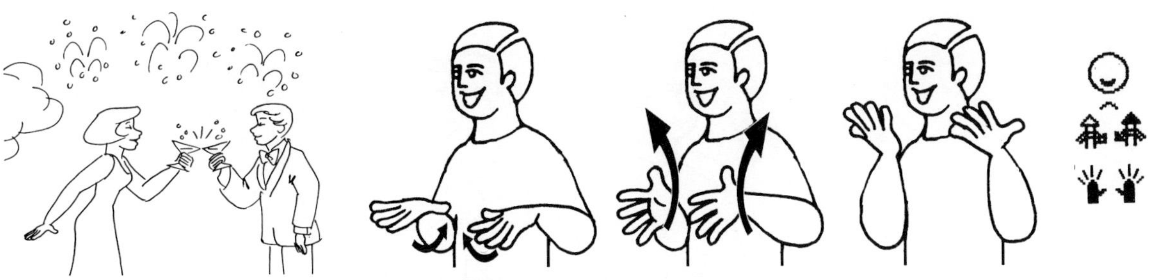

festa *(inglês: party, celebration, commemoration, feasting, festival)***:**
s. f. Comemoração alegre ou cerimônia solene para celebrar um fato auspicioso, como um noivado ou casamento, uma data de aniversário, uma passagem de ano, uma formatura, uma vitória, uma realização importante. Solenidade. Cerimônia. Festividade. Comemoração. Ex.: Sua admissão à faculdade foi comemorada com uma grande festa.
Mãos horizontais abertas, palmas para baixo, à frente do corpo. Girar as palmas para cima, e movê-las para cima, com expressão sorridente.

celebração *(inglês: commemoration, celebration)***:**
s. f. Comemoração. Cerimônia realizada em memória de um acontecimento importante. Ex.: No dia sete de setembro acontece a celebração da independência do Brasil.
Fazer o sinal de **festa**.

comemoração *(inglês: commemoration, celebration* (usuais: comemorar, comemoração; sugestões: comemorativo, comemorativa)**:**
s. f. Celebração. Cerimônia realizada em memória de um acontecimento importante. Ex.: No dia sete de setembro acontece a comemoração da independência do Brasil.
Fazer o sinal de **festa**.

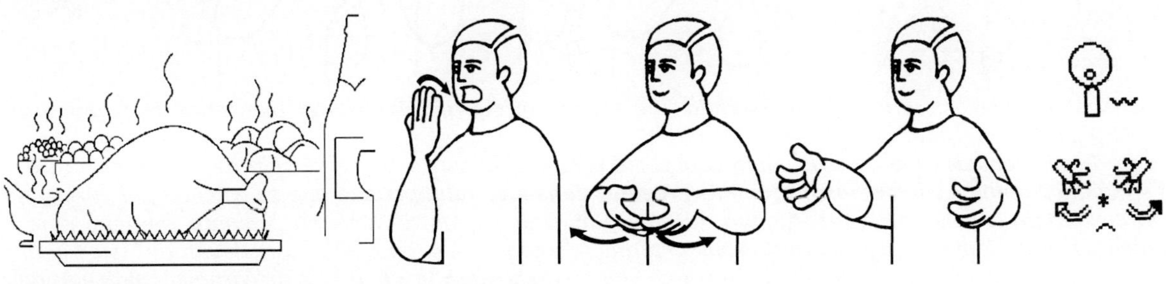

banquete (*CL*) *(inglês: banquet, sumptuous feast)***:**
s. m. Refeição farta e festiva, ou um tanto formal e pomposa, de que participa um grande número de convidados, chamados de comensais. Ex.: Um grande banquete foi oferecido para homenagear o célebre convidado.
Fazer o sinal de **comer, comida**. (Mão direita vertical aberta, palma para dentro, diante da boca. Flexionar os dedos duas vezes.) Em seguida, mãos horizontais abertas, palmas para cima, dedos separados e apontando uns para os outros em frente ao peito. Afastar as mãos para os lados opostos.

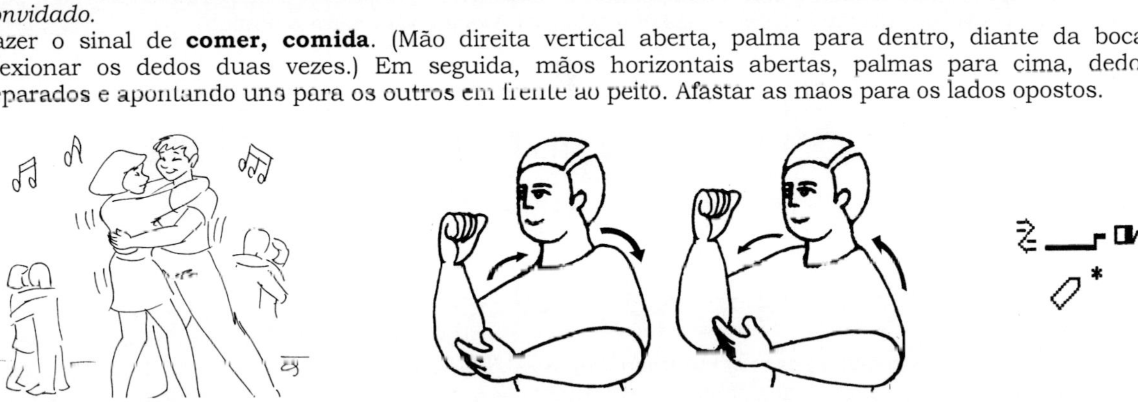

baile *(inglês: dance, ball)***:**
s. m. Reunião festiva e animada por músicas dançantes em que se dança. Ex.: O baile de formatura será no sábado à noite.
Fazer o sinal de **dançar (1) (*dançar junto, colado*)**. (Mão esquerda horizontal aberta, palma para dentro,

diante do peito; mão direita em **A**, palma para a esquerda, à altura do ombro direito. Balançar o corpo para a esquerda e para a direita.)

baile de máscaras *(inglês: masked ball)*:
s. m. Reunião festiva em que os convidados apresentam-se mascarados e trajados com fantasias típicas. Ex.: Ela comemorou seu aniversário promovendo um baile de máscaras.
Fazer o sinal de **dançar (1)** (***dançar junto, colado***). (Mão esquerda horizontal aberta, palma para dentro, diante do peito; mão direita em **A**, palma para a esquerda, à altura do ombro direito. Balançar o corpo para a esquerda e para a direita.) Em seguida, fazer o sinal de **máscara**. (Mão direita vertical aberta, palma para dentro, dedos separados e curvados. Movê-la ligeiramente para a esquerda e para a direita, diante do rosto.)

carnaval (1) *(inglês: carnival, masquerade; the season of merrymaking, and the period of feasting and revelry just before Lent)*:
s. m. Festa popular, pagã, anual, marcada por diversões, folias de salão, desfile de blocos de rua e de escolas de samba, com forte exaltação dos prazeres sensuais, num período que se estende por vários dias da sexta-feira à noite até a madrugada da quarta-feira de cinzas da semana seguinte, em que, para os católicos se iniciam os jejuns da quaresma. O termo "carnaval" vem do Latim "carnelevarium" que significa literalmente "remoção da carne." Ex.: Ela vai ao sambódromo assistir ao desfile de carnaval, mas eu prefiro ir descansar no sítio.
Mão direita em **D**, palma para a esquerda; mão esquerda vertical aberta, palma para trás, diante da face. Mover a mão direita para cima e para baixo, enquanto balança a palma esquerda para a esquerda e para a direita, várias vezes. Inclinar a cabeça e os ombros para a esquerda e para a direita.

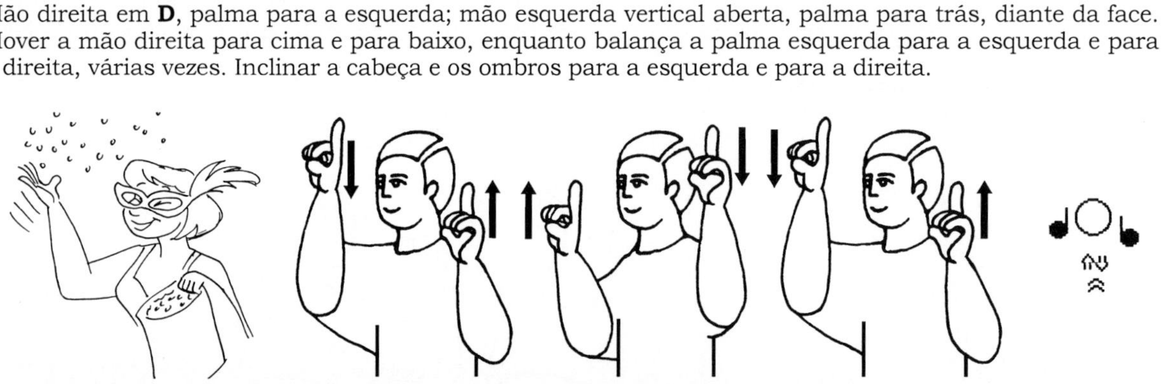

carnaval (2) *(inglês: carnival, season of merrymaking preceding Lent)*:
Idem ***carnaval (1)****. Ex.: Turistas de vários países visitam o Rio de Janeiro durante o carnaval.*
Mãos em **D**, palmas para frente. Movê-las para cima e para baixo, alternadamente.

3.2.7. Lazer relacionado a jogos

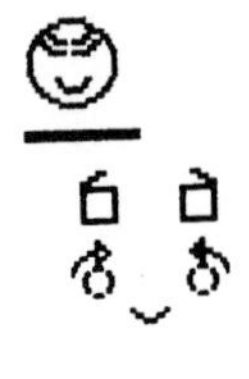

aposta *(inglês: bet, wager, stake)*:
s. f. Trato ou combinação entre partidários de opiniões diferentes, segundo o qual aquele que não acerta ou não tem razão paga ao outro uma determinada coisa ou quantia combinada de antemão. Ex.: Vamos fazer uma aposta naquela casa lotérica?
Mãos em **A** horizontal, palmas para dentro, na altura do ombro direito. Movê-las para baixo, dobrando os pulsos para baixo.

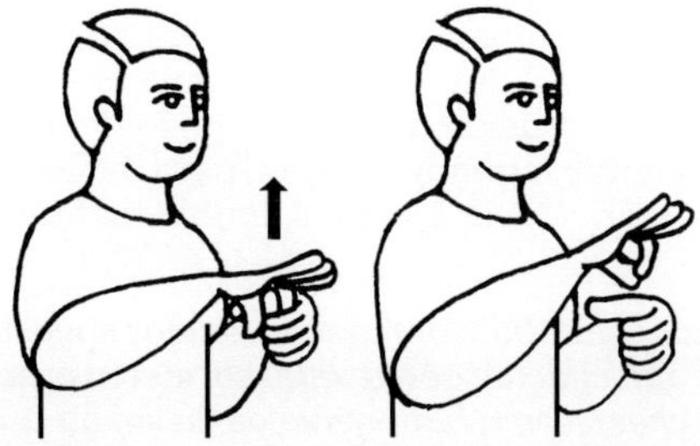

sorteio *(inglês: lottery, raffle, act or result of casting lots)*:
s. m. Extração casual e aleatória de números de loteria ou rifa para a distribuição de um bem a que se concorre. Ex.: O sorteio do carro será realizado hoje.
Mão esquerda em **C** horizontal, palma para a direita; mão direita horizontal aberta, palma para baixo, dedos polegar e indicador distendidos para baixo, dentro do C esquerdo. Mover a mão direita ligeiramente para cima, unindo as pontas dos dedos polegar e indicador.

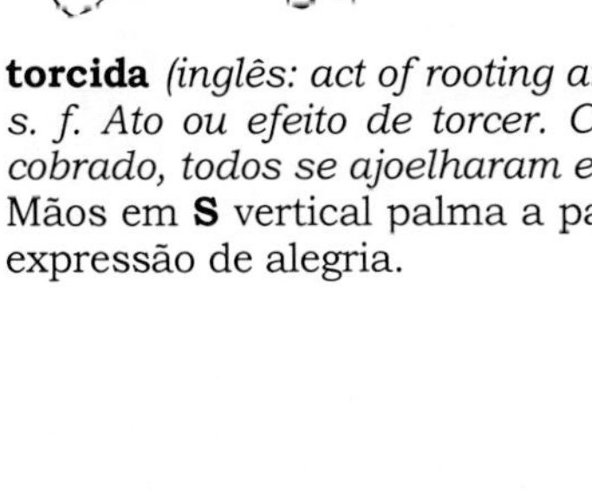
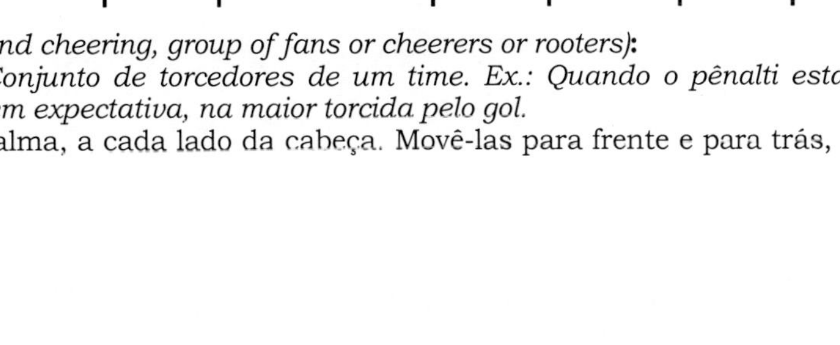
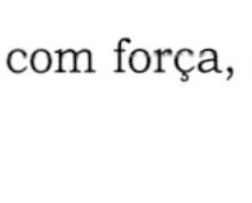

torcida *(inglês: act of rooting and cheering, group of fans or cheerers or rooters)*:
s. f. Ato ou efeito de torcer. Conjunto de torcedores de um time. Ex.: Quando o pênalti estava para ser cobrado, todos se ajoelharam em expectativa, na maior torcida pelo gol.
Mãos em **S** vertical palma a palma, a cada lado da cabeça. Movê-las para frente e para trás, com força, e expressão de alegria.

3.3. Equipamentos e objetos para lazer

3.3.1. Relacionados a atividades físicas e esportivas

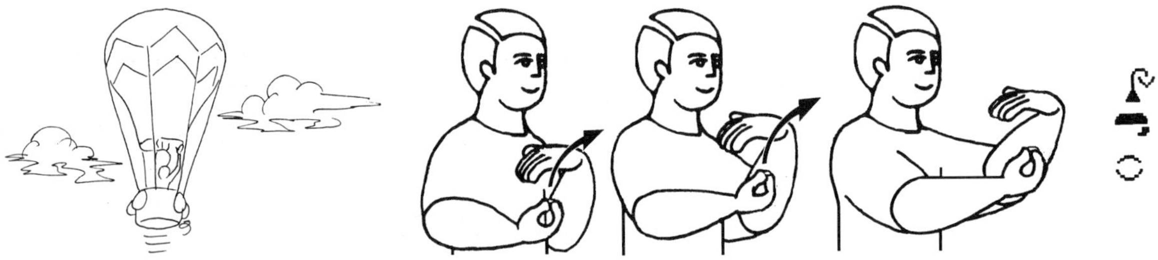

balão (*aeróstato*) *(inglês: dirigible, balloon (aerostat))*:
s. m. Aparelho de navegação aérea que se eleva e se sustenta na atmosfera graças à leveza do gás específico de que é cheio (como hidrogênio ou hélio) ou à maior leveza do ar quente em relação ao frio, e que transporta consigo equipamentos de aferição de condições atmosféricas, ou passageiros para fins recreacionais ou esportivos. Ex.: Em 1783, Jacques Charles descobriu que era mais fácil fazer o balão elevar-se por meio de hidrogênio do que por meio de ar quente.
Mão esquerda horizontal curvada, palma para baixo; mão direita em **O** horizontal, palma para cima, abaixo da mão esquerda. Mover as mãos, lenta e simultaneamente, em um arco para cima e para frente.

aeróstato *(inglês: aerostat, balloon)* (usual: balão; sugestão: aeróstato):
s. m. Aparelho de navegação aérea que se eleva e se sustenta na atmosfera graças à leveza do gás específico de que é cheio (como hidrogênio ou hélio) ou à maior leveza do ar quente em relação ao frio, e que transporta consigo equipamentos de aferição de condições atmosféricas, ou passageiros para fins recreativos ou esportivos. Ex.: Em 1783, Jacques Charles descobriu que era mais fácil fazer o aeróstato elevar-se por meio de hidrogênio do que por meio de ar quente.
Fazer o sinal de **balão (*aeróstato*)**.

dirigível *(inglês: dirigible, balloon (aerostat))* (usual: balão; sugestão: dirigível):
s. m. Aparelho de navegação aérea que se eleva e se sustenta na atmosfera graças à leveza do gás específico de que é cheio (como hidrogênio ou hélio) ou à maior leveza do ar quente em relação ao frio, e que transporta consigo equipamentos de aferição de condições atmosféricas, ou passageiros para fins de recreação ou esporte. Ex.: Em 1783, Jacques Charles descobriu que era mais fácil fazer o dirigível elevar-se por meio de hidrogênio do que por meio de ar quente.
Fazer o sinal de **balão (*aeróstato*)**.

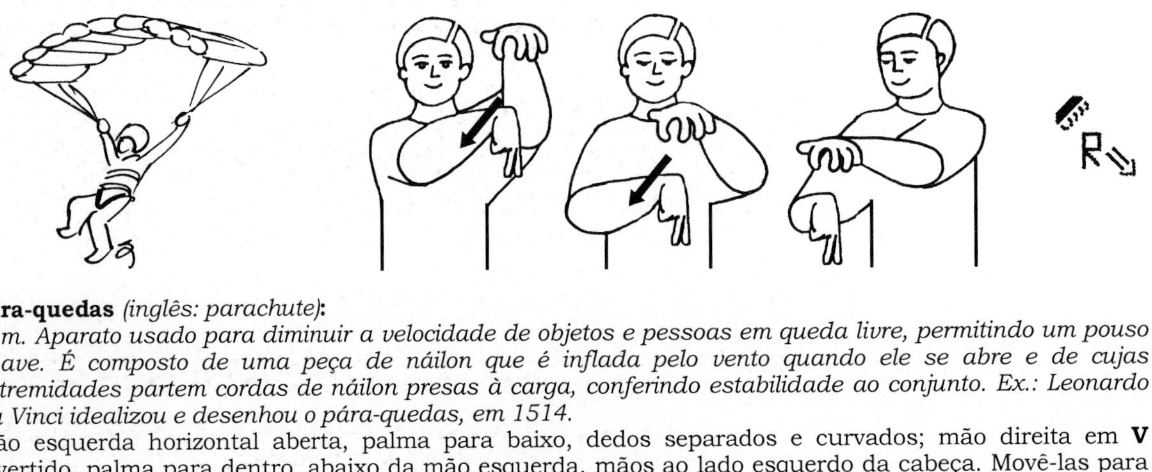

pára-quedas *(inglês: parachute)*:
s. m. Aparato usado para diminuir a velocidade de objetos e pessoas em queda livre, permitindo um pouso suave. É composto de uma peça de náilon que é inflada pelo vento quando ele se abre e de cujas extremidades partem cordas de náilon presas à carga, conferindo estabilidade ao conjunto. Ex.: Leonardo da Vinci idealizou e desenhou o pára-quedas, em 1514.
Mão esquerda horizontal aberta, palma para baixo, dedos separados e curvados; mão direita em **V** invertido, palma para dentro, abaixo da mão esquerda, mãos ao lado esquerdo da cabeça. Movê-las para baixo e para a direita, acompanhando o movimento com os olhos.

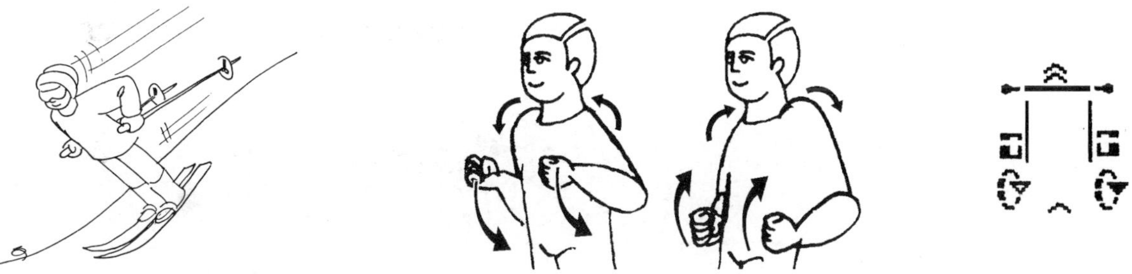

esqui *(inglês: ski, snow ski)*:
s. m. Espécie de patim que consiste numa tábua lisa, estreita e comprida, um pouco levantada na ponta e que serve para deslizar sobre a neve. Ex.: Os esquis foram inventados pelos povos da Escandinávia, há mais de 4.000 anos.
Mãos em **S** horizontal palma a palma, a cada lado do corpo. Movê-las, descrevendo arcos para baixo e para trás, várias vezes, inclinando o corpo ora para a direita, ora para a esquerda.

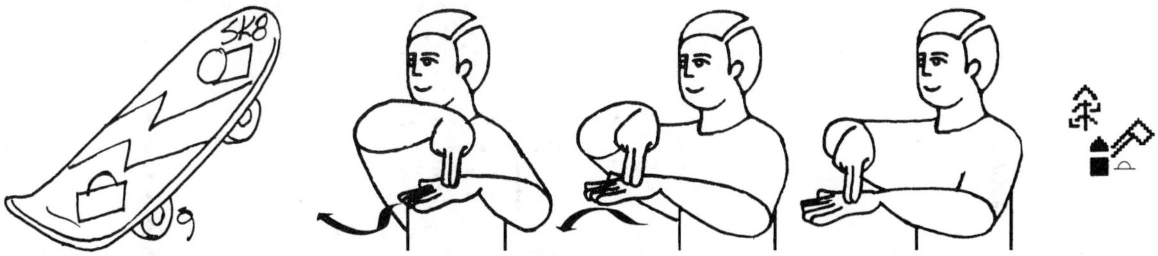

skate *(inglês: skate, roller skate)*:
s. m. Prancha de madeira ou outro material rígido sobre quatro rolamentos, em que o esportista se equilibra de pé, dando-lhe impulso e direção com os pés. Ex.: Deve-se usar capacete, joelheiras e cotoveleiras para usar o skate.
Mão esquerda horizontal aberta, palma para baixo, dedos apontando para frente; mão direita em **N**, pontas dos dedos direitos tocando o dorso da mão esquerda. Mover as mãos para frente, balançando-as para a esquerda e para a direita.

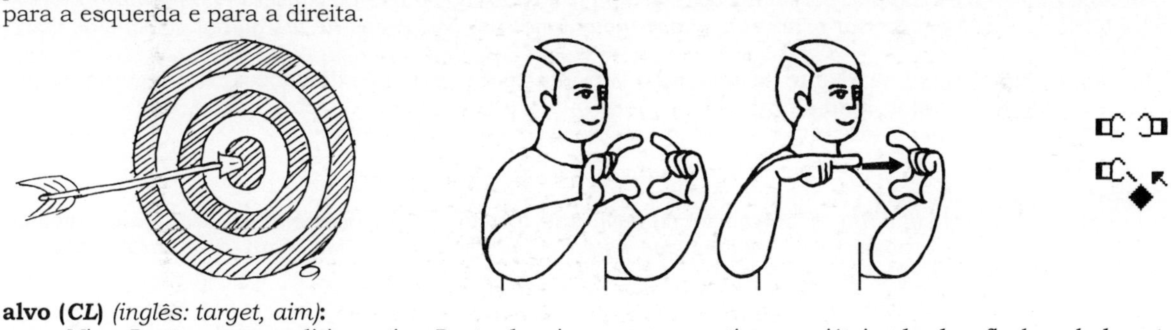

alvo (*CL*) *(inglês: target, aim)*:
s. m. Mira. Ponto a que se dirige o tiro. Ponto de mira em que se atiram projéteis, dardos, flechas, balas etc. Ex.: O arqueiro disparou a flecha e acertou o alvo.
Mãos verticais fechadas, palma a palma, indicadores e polegares em **C**; mudar a mão direita para mão em **1** horizontal, palma para baixo, indicador para frente, atrás da mão esquerda. Mover a mão direita para frente, em direção à mão esquerda.

dardo (*CL*) *(inglês: dart, spear)*:
s. m. Arma de arremesso, delgada e curta, com ponta aguda de ferro. Ex.: Gosto de arremessar dardos no alvo da parede.
Mão direita vertical fechada, palma para frente, indicador e polegar distendidos e unidos pelas pontas, ao lado direito da cabeça. Movê-la com força em um arco para cima e para frente, distendendo o braço para frente, e abrindo os dedos indicador e polegar.

piscina *(inglês: swimming pool)*:
s. f. Tanque construído para natação ou para a prática de outros esportes aquáticos. Ex.: Vamos aproveitar o dia de sol para brincar na piscina do clube.
Fazer o sinal de **área**. (Mãos em **1** horizontal, palmas para baixo, tocando-se pelas laterais, à frente do corpo. Movê-las para os lados opostos, em seguida para trás em direção ao corpo, e então, aproximá-las até que se toquem pelas laterais dos indicadores.) Em seguida, mãos horizontais abertas, palmas para baixo, mão esquerda diante do ombro esquerdo, mão direita ao lado direito do corpo. Dobrar a mão direita pelo pulso para trás, duas vezes.

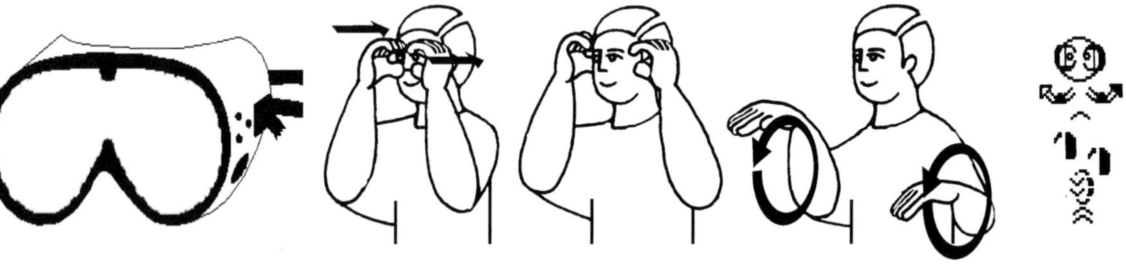

óculos para nadar *(inglês: swimming mask)*:
s. m. Equipamento constituído por lentes com ou sem grau corretivo e que possibilitam ao nadador proteger seus olhos da água e observar os objetos que estão submersos. Ex.: Antes de mergulhar coloque os óculos para nadar.
Mãos em **C**, palma a palma, diante de cada olho. Movê-las para cada lado da cabeça. Em seguida, fazer o sinal de **nadar, nadador (nadadora)**. (Mãos horizontais abertas, palmas para baixo, dedos unidos e curvados. Mover as mãos, alternadamente, em círculos verticais para frente.)

máscara de natação *(inglês: swimming mask)*:
s. f. Equipamento constituído por lentes com ou sem grau corretivo e que possibilitam ao nadador proteger seus olhos da água e observar os objetos que estão submersos. Ex.: A máscara de natação deve ser colocada antes do mergulho.
Fazer o sinal de **óculos para nadar**.

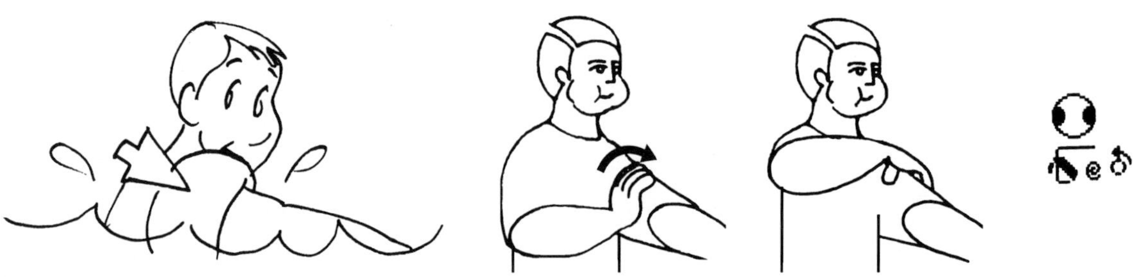

bóia (*de braço*) (*CL*) *(inglês: arm buoy, arm life buoy, life preserver: a device for saving people from drowning by keeping their body afloat)*:
s. f. Flutuador que se usa no braço, cobrindo o bíceps, para evitar que pessoas que não sabem nadar se afoguem. Qualquer dispositivo ou aparelho próprio para salvar a vida dos que estão em perigo de afogamento ou de perecerem num incêndio etc. Dispositivo, como cinto, colete, bóia etc., de cortiça ou cheio de ar, destinado a salvar do afogamento vítimas de naufrágio. Dispositivo flutuante usado como auxiliar por aprendizes de natação. Ex.: Não entre nessa piscina funda sem usar as bóias.
Braço esquerdo horizontal distendido para frente, mão direita em **C** horizontal, palma para baixo. Mover a mão direita em torno da parte superior do braço esquerdo. Repetir o movimento no braço direito. Manter as bochechas infladas.

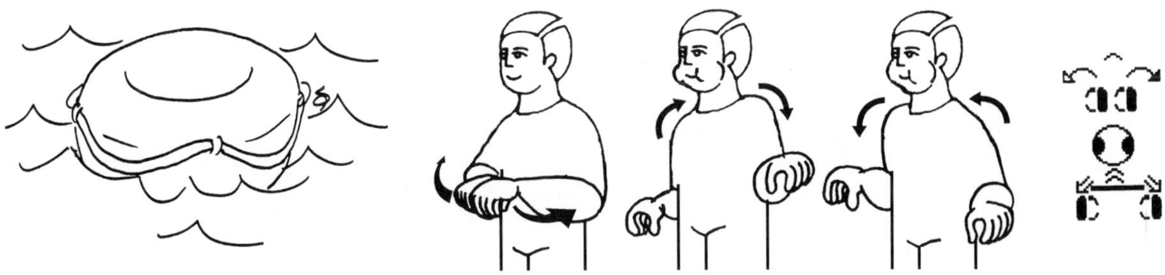

bóia (*de cintura*) (*CL*) *(inglês: waist buoy, waist life buoy, ring life preserver: a device for saving people from drowning by keeping their body afloat)***:**
*Idem **bóia (de braço)**, usado em torno da cintura, para fins recreacionais. Ex.: As crianças que estão aprendendo a nadar devem usar bóias, para evitar que se afoguem.*
Mãos em **C** horizontal, palmas para baixo, tocando-se, em frente à cintura. Movê-las para trás, em torno da cintura, em seguida, com as mãos na mesma configuração, a cada lado do corpo, balançar o corpo para a esquerda e para a direita, com as bochechas infladas.

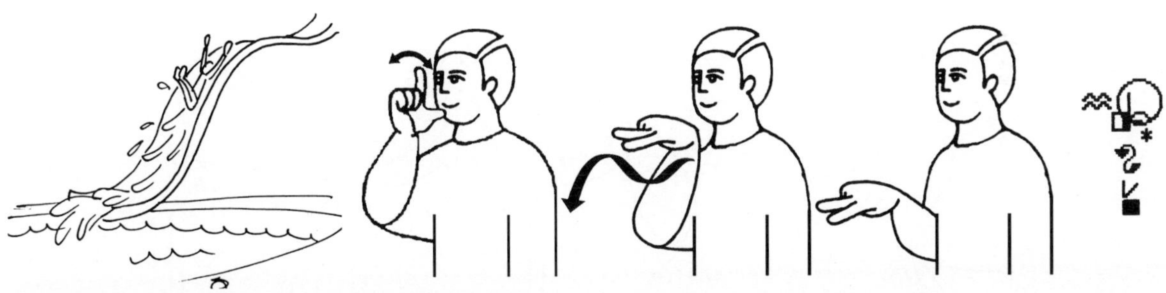

tobogã (*CL*) *(inglês: toboggan, sled, slope)***:**
s. m. Aparelho de parque de diversões composto por uma série de pistas deslizantes contendo múltiplas ondulações e que se iniciam a grande altura. Normalmente, mas não necessariamente, os tobogãs incorporam um sistema que bombeia água para o início da pista, tornando o deslizamento mais veloz, emocionante e refrescante. Ex.: No parque de diversões há um tobogã com mais de 30 metros de altura.
Fazer o sinal de **água**. (Mão direita em **L**, palma para a esquerda, ponta do polegar tocando o queixo. Balançar o indicador para a esquerda, duas vezes.) Em seguida, mão direita em **V** horizontal, palma para baixo, dedos apontando para frente, na altura do ombro direito. Movê-la para baixo e para frente, com movimentos ondulatórios verticais.

bicicleta *(inglês: bicycle, bike)***:**
s. f. Veículo de duas rodas, propelido a pedais, corrente e catraca, e manobrado a guidom por ciclista assentado no selim. As rodas têm aros metálicos e pneumáticos e são alinhadas uma à frente da outra, e fixadas a um quadro metálico fixo. Os pedais giram um disco que, por meio de corrente, transmite movimento à catraca menor que é presa à roda de trás. As alavancas de freio nas manoplas do guidom tracionam cabos que acionam pinças com sapatas de borracha que aderem ao aro, reduzindo a velocidade do veículo. Ex.: Vou pegar minha bicicleta e começar a treinar, porque no ano que vem quero participar do campeonato de ciclismo.
Mãos em **S** horizontal, palmas para baixo. Movê-las alternadamente em círculos verticais para frente.

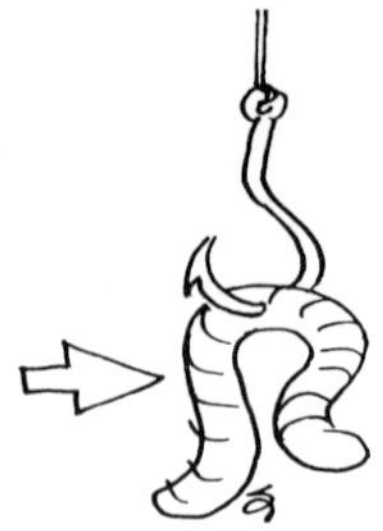

isca *(inglês: bait, lure)*:
s. f. Tudo aquilo que, podendo servir de alimento aos peixes, se emprega nos aparelhos de pesca para os atrair. O que serve para atrair ou seduzir. Ex.: Alguns pescadores usam minhocas como isca.
Fazer o sinal de **pescar (2), pesca (2)** (Mão direita em **A**, palma para a esquerda, acima do ombro direito. Movê-la em um arco para frente e para baixo.) Em seguida, mão esquerda em **1** horizontal, palma para cima, indicador curvado; mão direita em **1** vertical, palma para a esquerda, indicador curvado, entrelaçado no indicador esquerdo.

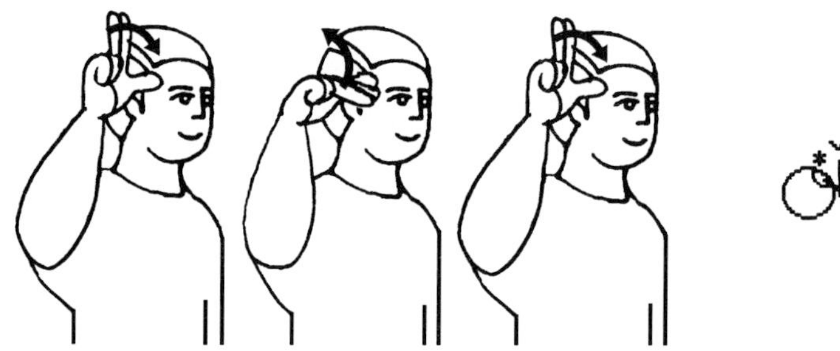

cavalo *(inglês: horse)*:
s. m. Mamífero quadrúpede eqüino, com pescoço e cauda providos de cerdas longas e abundantes chamadas crinas, e em cuja vida útil de 25 a 30 anos serve como montaria de passeio em estâncias turísticas, como instrumento terapêutico na equoterapia, de manejo de gado na pecuária, e de esportes eqüestres (como a equitação e o turfe), e também como animal de tração de carruagens e carroças, no transporte de passageiros e cargas em boa parte do interior. Ex.: O cavaleiro montado em seu cavalo passeava pela fazenda.
Mão direita em **U**, palma para frente, polegar destacado tocando o lado direito da cabeça. Flexionar os dedos indicador e médio, duas vezes.

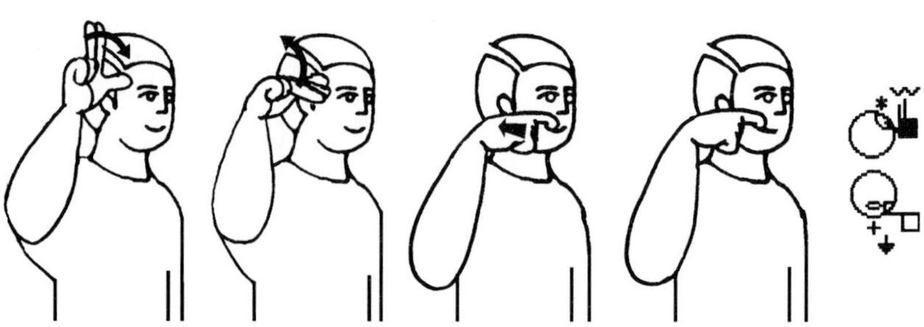

rédeas *(inglês: reins, bridle)*:
s. f. pl. Brida. Corda ou correia, para guiar o animal de monta. Ex.: As rédeas do animal foram afrouxadas e ele cavalgou livremente.
Fazer o sinal de **cavalo**. (Mão direita em **U**, palma para frente, polegar destacado tocando o lado direito da cabeça. Flexionar os dedos indicador e médio, duas vezes.) E então, mão direita em **X** horizontal, palma para dentro, ponta do dedo indicador enganchada no canto direito da boca. Mover a mão ligeiramente para trás.

binóculo (1) *(inglês: binocle, field glass)*:
s. m. Óculo duplo usado para ampliar, mais ou menos poderosamente, a imagem de algo que está distante do observador, permitindo-lhe enxergá-la melhor. É formado por duas lunetas, cada qual com um sistema de prisma inversor que capta a luz que entra pela lente objetiva e a projeta na lente ocular, formando uma imagem virtual vertical. Ex.: Não esqueça de levar o binóculo ao estádio para enxergar melhor os lances do futebol.
Mãos em **O**, palma a palma, diante de cada olho. Mover a cabeça e as mãos juntas para a esquerda e para a direita.

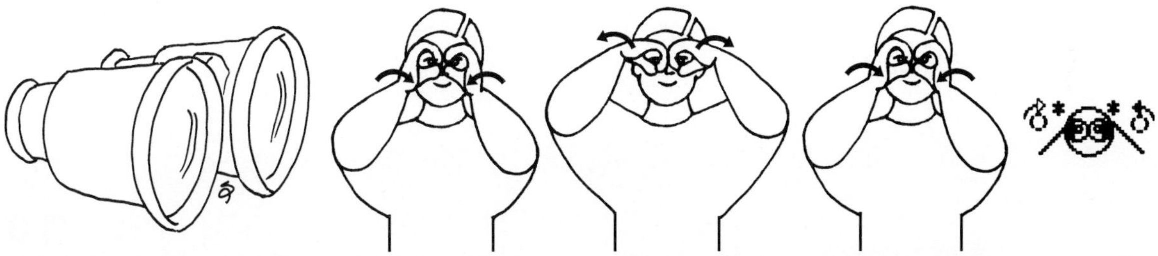

binóculo (2) *(inglês: binocle, field glass)*:
Idem ***binóculo (1)****. Ex.: Vou usar o binóculo para observar melhor a apresentação do balé.*
Mãos em **O**, palma a palma, diante de cada olho. Girar as mãos pelos pulsos para baixo, várias vezes.

3.3.2. Relacionados a distração

disco *(inglês: disk, disc, record)*:
s. m. Placa circular, feita de material plástico, na qual se acham gravadas, por meio de um sulco estreito em espiral, as oscilações sonoras de música, ruídos ou palavras, para serem reproduzidas em aparelhos apropriados. Ex.: Alguns discos antigos são encontrados somente em sebos.
Mãos horizontais fechadas, palma a palma, com dedos indicadores e polegares curvados. Em seguida, mão direita em **1** vertical, palma para dentro, indicador apontando para baixo. Movê-la em um círculo horizontal para a esquerda.

CD, CD-ROM *(inglês: CD, CD-ROM)*:
CD: *s. m. Sigla em inglês que significa Compact Disc, ou seja, disco compacto. Disco pequeno de plástico com sinais de áudio gravados em sua superfície em forma digital e passível de leitura por meio de um feixe de laser, como aquele produzido pelos aparelhos de som com CD. O mesmo disco de plástico com uma grande quantidade de informação de multimídia, combinando imagens, sons e textos, gravada digitalmente e passível de leitura por computador, por meio do feixe de laser produzido pelo kit multimídia acoplado ao computador. Ex.: Falsificar CDs é crime no Brasil.* CD-ROM: *s. m. Sigla em inglês que significa Compact Disc Read Only Memory, ou seja, disco compacto de memória, destinado apenas à leitura de textos, imagens e sons. Ex.: O nome CD-ROM deriva do fato de que até bem pouco tempo não havia disponibilidade de gravadores de CD para o armazenamento digital como nos discos rígidos dos computadores, mas apenas de unidades leitoras de CD, como os kits multimídia e CD players.*
Soletrar **C** e **D**, e em seguida, mãos horizontais fechadas, palma a palma, dedos indicadores e polegares distendidos e curvados formando a letra C, tocando-se pelas pontas.

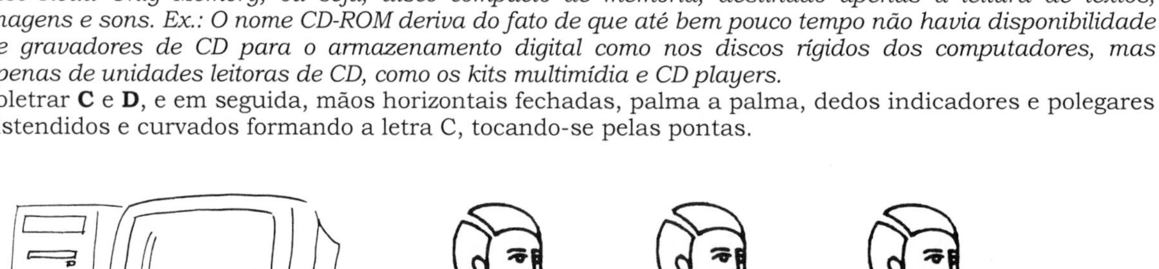

computador *(inglês: computer, personal computer)*:
s. m. Máquina eletrônica que serve para calcular, armazenar, ordenar, medir e comparar números e informações. Ex.: Preciso comprar um computador mais veloz.
Mãos em **X** vertical, palmas para frente. Movê-las em círculos verticais, aproximando-as.

rádio (CL) *(inglês: radio receiver)*:
s. m. Aparelho radiofônico que converte as ondas de amplitude modulada ou freqüência modulada, dentre outras, em som audível. Ex.: O torcedor acompanhou o jogo pelo rádio.
Mão direita vertical aberta, palma para a esquerda, dedos curvados, tocando a orelha direita.

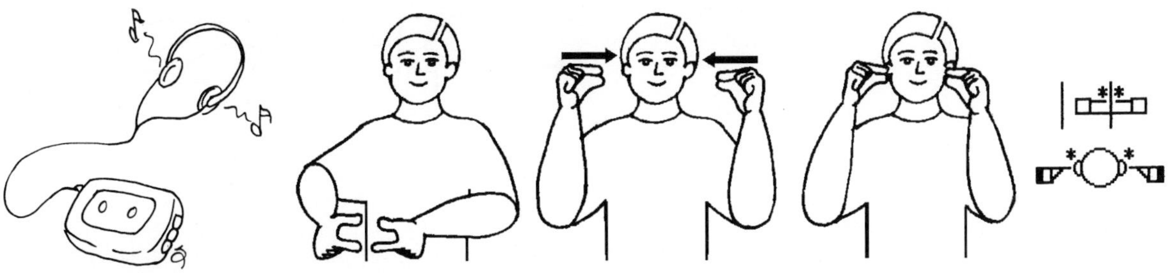

walkman (CL) *(inglês: walkman)*:
s. m. Aparelho sonoro portátil, composto de receptor de rádio, toca-fitas cassete ou reprodutor de CDs, e dotado de fones de ouvido, para permitir a audição ao ar livre enquanto se executa uma grande variedade de atividades físicas. Ex.: É preciso cuidar para que as crianças e jovens não aumentem demasiadamente o volume do walkman para que sua audição não fique comprometida.
Mãos horizontais fechadas, palmas para dentro, apontando para baixo, dedos indicadores e polegares distendidos e paralelos, tocando o lado direito da cintura. Em seguida, mãos verticais fechadas, palma a palma, dedos indicadores e polegares distendidos e unidos pelas pontas, a cada lado do rosto. Tocar as pontas dos dedos nas orelhas.

fones de ouvido *(inglês: ear phones)*:
s. m. Aparelho colocado junto aos ouvidos da pessoa para que tenha acesso a um som audível somente para si. Ex.: O uso prolongado de fones de ouvido é prejudicial à audição.
Mãos em **1** vertical, palma a palma; indicadores ligeiramente curvados, tocando cada ouvido.

televisão *(inglês: television, TV set)*:
s. f. Aparelho eletrodoméstico de imagens e sons. Televisor. Sistema eletrônico de codificação, transmissão e decodificação dc imagens e sons através de cabos ou ondas eletromagnéticas. s. f. Estaçao geradora e (ou) transmissora de programação televisiva. Abreviação: TV. Ex.: A primeira transmissão por televisão feita no Brasil foi em 1950, pela extinta Televisão Tupi.
Mãos em **L**, palmas para frente. Aproximar e afastar as mãos, balançando-as para a esquerda e para a direita.

TV *(inglês: TV)*:
s. f. Abreviação para televisão. Aparelho eletrodoméstico de imagens e sons. Televisor. Sistema eletrônico de codificação, transmissão e decodificação de imagens e sons através de cabos ou ondas eletromagnéticas. Ex.: Comprei minha TV no shopping center. s.f. Estação geradora e (ou) transmissora de programação televisiva. Ex.: A TV Bandeirantes televisionará o jogo, ao vivo.
Fazer o sinal de **televisão**.

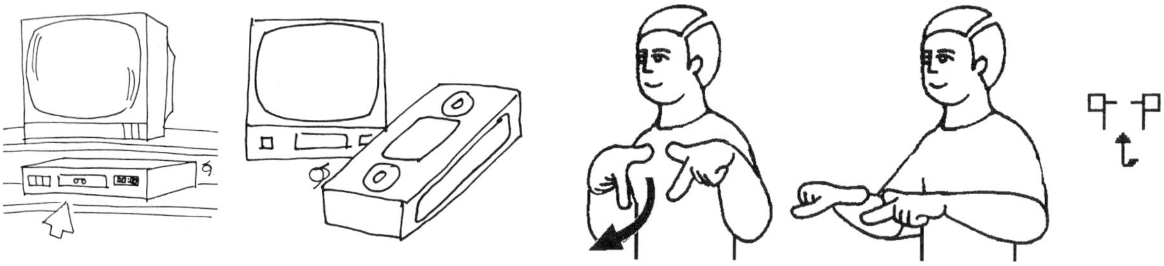

fita de vídeo *(inglês: VCR tape)*:
s. f. Tira de plástico revestida com uma emulsão de óxido de ferro, empregada para a gravação e reprodução de imagens e sons. Geralmente é rebobinada num cassete e empregada para gravar filmes, que são reproduzidos por meio de um videocassete e televisão. Ex.: Aluguei uma fita de vídeo de desenho animado para as crianças assistirem.
Mãos em **L** invertido, palmas para dentro, dedos indicadores apontando para baixo. Mover as mãos em um arco para baixo e para frente, virando as palmas para baixo.

videocassete *(inglês: videocassette)*:
s. m. Aparelho eletrodoméstico para a gravação dos sinais de vídeo e áudio da antena receptora para a fita magnética, e para a reprodução das mesmas imagens e sons da fita magnética para um aparelho de TV. Ex.: Meu videocassete está quebrado. Cassete com fita magnética gravada em videotape que é inserida no aparelho para gravação ou reprodução. Ex.: Vou a uma videolocadora alugar uma fita de videocassete.
Fazer o sinal de **fita de vídeo**.

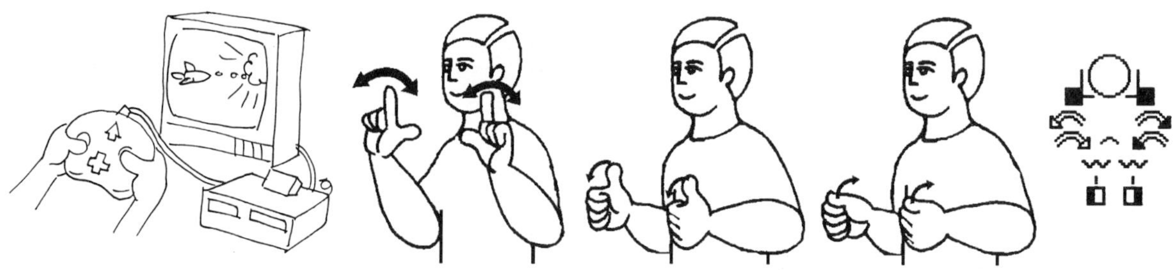

videogame (1) (*CL*) *(inglês: videogame)*:
s. m. Videojogo. Equipamento eletrônico composto de um console conectado a um aparelho de TV, um cassete contendo o software interativo recreacional, e um dispositivo de entrada de dados, como um joystick ou um volante com botões. Este sinal refere-se ao videogame que usa este último tipo de dispositivo ou periférico de entrada (i.e., volante com botões). Ex.: Meu primeiro videogame foi um Odissey.
Fazer o sinal de **televisão**. (Mãos em **L**, palmas para frente. Aproximar e afastar as mãos, balançando-as para a esquerda e para a direita.) E então, mãos em **A** horizontal, palma a palma. Elevar e abaixar os polegares, várias vezes.

videogame (2) (*CL*) *(inglês: videogame)*:
*Idem **videogame (1)**, usando um modelo diferente de controle (joystick) do videogame. Ex.: Pai e filho brincavam juntos com o videogame.*

Fazer o sinal de **televisão**. (Mãos em **L**, palmas para frente. Aproximar e afastar as mãos, balançando-as para a esquerda e para a direita.) E então, mão esquerda horizontal aberta, palma para cima, dedos para direita; mão direita em **S** horizontal, palma para esquerda, tocando a palma esquerda. Balançar a mão direita para os lados.

máquina fotográfica *(inglês: camera)*:
s. f. Máquina utilizada para tirar fotografias. Ex.: Não esqueça de levar a máquina fotográfica na viagem.
Fazer o sinal de **fotografar, fotografia (1), foto (1)**. (Mão esquerda vertical fechada, palma para a direita, polegar e indicador distendidos e paralelos; mão direita em **L**, palma para a esquerda, mãos diante dos olhos. Flexionar o indicador direito e depois distendê-lo novamente.)

câmara fotográfica *(inglês: photographic camera)*:
s. f. Máquina utilizada para tirar fotografias. Ex.: Não esqueça de levar a câmara fotográfica na viagem.
Fazer o sinal de **máquina fotográfica**.

filme fotográfico *(inglês: photo film, film strip)*:
s. m. Rolo de película de celulóide tecnicamente preparada com nitrato de prata ou outra emulsão fotossensível para gravar imagens fotográficas projetadas pelas lentes de câmara fotográfica. Ex.: Esta câmara fotográfica automática tem bateria e rebobina o filme fotográfico assim que ele chega ao fim.
Fazer o sinal de **enrolar, enrolar-se (1)** e o sinal de **fotografar, fotografia (1), foto (1)**. (Mão esquerda vertical fechada, palma para a direita, polegar e indicador distendidos e paralelos; mão direita em **L**, palma para a esquerda, mãos diante dos olhos. Flexionar o indicador direito e depois distendê-lo novamente.)

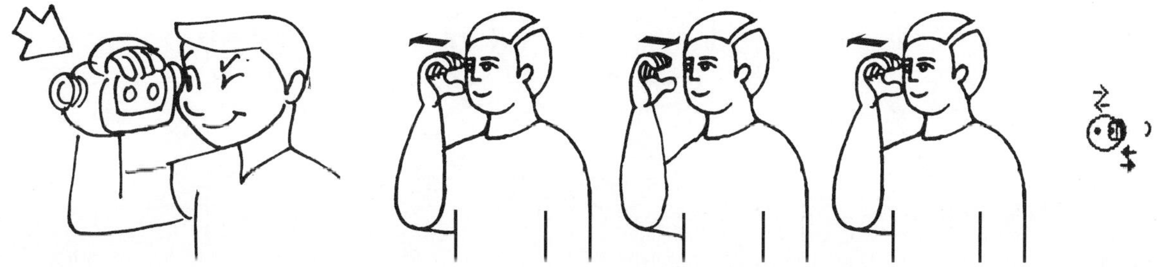

filmadora (1) *(inglês: movie camera, hand camera, VCR camera)*:
s. f. Máquina de filmar portátil e movida a bateria usada para registrar acontecimentos ou cenas em fitas de vídeo e áudio, normalmente em fitas VHS ou 8mm, ou mais raramente, em películas cinematográficas. Ex.: Vou levar minha filmadora para a festa.
Mão direita em **C**, palma para a esquerda, diante do olho direito. Mover a mão ligeiramente para os lados, duas vezes, lentamente.

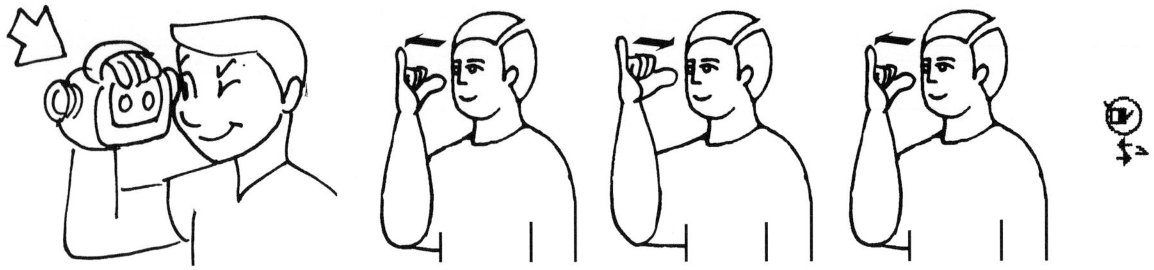

filmadora (2) *(inglês: movie camera, hand camera, VCR camera)*:
Idem ***filmar (1), filmadora (1)**. Ex.: Tome muito cuidado com esta filmadora, pois ela pode se quebrar com muita facilidade.*
Mão direita em **Y**, palma para a esquerda, diante do olho direito. Mover a mão ligeiramente para os lados, duas vezes, lentamente.

livro (1) *(inglês: book)*:
s. m. Publicação não periódica, impressa, contendo pelo menos 48 páginas, excluída a capa. Ex.: As crianças devem ser incentivadas a ler bons livros.
Mãos horizontais abertas, palma a palma, tocando-se. Separar as mãos inclinando as palmas para cima, mantendo-as unidas pelas laterais dos dedos mínimos.

livro (2) *(inglês: book)*:
Idem ***livro (1)**. Ex.: Os livros preservam a cultura de um país.*
Mãos horizontais abertas, palmas para cima, lado a lado, mão esquerda apontando para a direita, mão direita apontando para frente. Mover a mão direita em um arco para cima e para a esquerda, em direção ao pulso esquerdo, inclinando a palma direita para baixo, duas vezes.

revista *(inglês: weekly magazine, weekly digest)*:
s. f. Publicação periódica com reportagens e escritos dedicados a uma única matéria ou a várias matérias, que normalmente traz ilustrações e publicidade. Magazine. Revista de variedades e atualidades. Ex.: Faço assinatura anual de três revistas de variedades.
Mão esquerda horizontal aberta, palma para cima, dedos apontando para a direita; mão direita horizontal aberta, palma para a esquerda, acima dos dedos esquerdos. Mover a mão direita em um arco para cima e para a esquerda, duas vezes.

3.3.3. Relacionados a comemorações

convite (CL) *(inglês: invitation, invitation card)*:
s. m. Cartão em que está escrita uma mensagem convidando quem o recebe a comparecer a um dado evento comemorativo, como um aniversário, um batizado, um casamento, o lançamento de um livro, e outros. Solicitação gentil de comparecimento. Ex.: Os convites para a festa devem ser enviados com antecedência para que as pessoas possam planejar e agendar sua presença.

Fazer o sinal de **cartão**. (Mão direita horizontal fechada, palma para frente, polegar e indicador formando a letra C.)

confete (CL) *(inglês: confetti)*:
s. m. Pequenos pedaços de papel de diferentes cores e recortados em forma circular que se atiram aos punhados em festas como carnaval, aniversários infantis, campanhas políticas ou comemorações de fim de ano. Ex.: O chão do salão estava coberto de confetes coloridos e de serpentinas.

Mão esquerda em **C** horizontal, palma para a direita; mão direita horizontal fechada, palma para baixo, dentro do **C** esquerdo. Mover a mão direita em um arco para cima e para frente, distendendo os dedos, duas vezes.

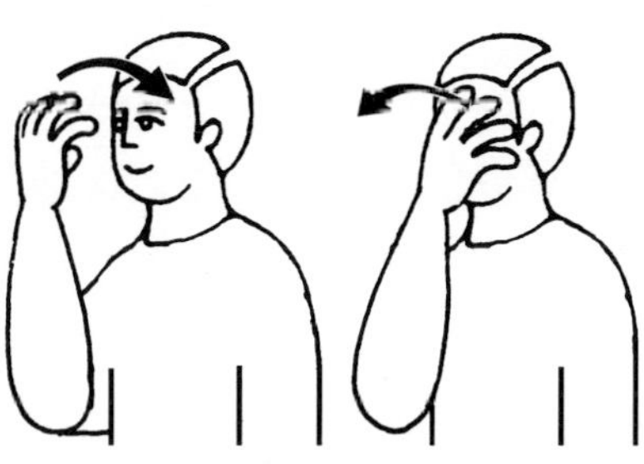

máscara *(inglês: mask)*:
s. f. Objeto que simula uma feição ou fisionomia, e que se põe no rosto, principalmente em festividades como carnaval e bailes, para disfarçar a pessoa que o usa. Disfarce. Dissimulação. Falsa aparência. Cobertura com que se protege o rosto em esportes como esgrima e hóquei, em guerras ou em diferentes profissões como a cirurgia e a apicultura. Ex.: Você só poderá entrar no baile se estiver usando máscara.

Mão direita vertical aberta, palma para dentro, dedos separados e curvados. Movê-la ligeiramente para a esquerda e para a direita, diante do rosto.

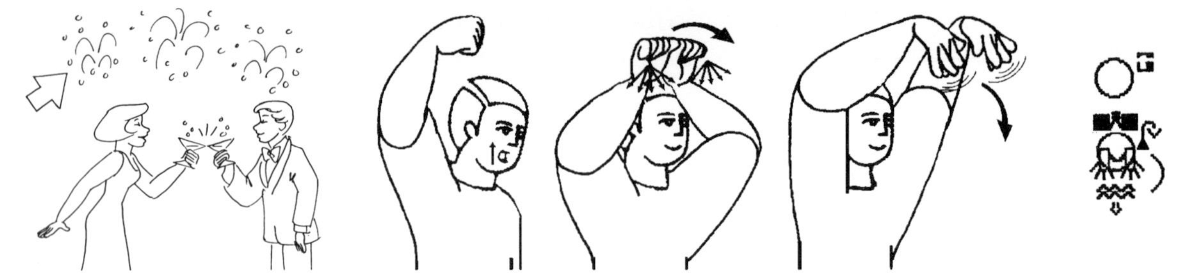

fogos de artifício (*CL*) *(inglês: fireworks)*:
s. m. Peças fáceis de inflamar que são queimadas em festas noturnas e produzem grandes efeitos pirotécnicos, como desenhos multicores de impressão artística. Suas cores brilhantes são conseguidas pela adição de substâncias químicas à pólvora. Foram os chineses, provavelmente, os primeiros povos que os fabricaram. Ex.: Deve-se tomar muito cuidado ao soltar fogos de artifício.
Mão direita em **S** horizontal, palma para a esquerda, braço distendido, acima do lado direito da cabeça, inclinada para a esquerda. Estalar os lábios e então, mãos em **A**, palmas para frente, tocando-se pelos polegares, acima da cabeça. Movê-las em um arco para cima e para frente, abrindo-as e oscilando os dedos, e então baixá-las, lentamente, apontando os dedos para baixo.

balão (*festa junina*) *(inglês: paper balloon (June festivals))*:
s. m. Invólucro, normalmente de papel de seda e armação de arame, que sobe aos ares em festas juninas devido a uma mecha incandescente que aquece o ar em seu interior. Ex.: Tome cuidado ao soltar balões, pois eles podem provocar incêndios.
Mãos verticais palma a palma, dedos flexionados, mãos tocando-se pelas bases e pelas pontas dos dedos. Movê-las lentamente para cima.

3.3.4. Relacionados a objetos pessoais

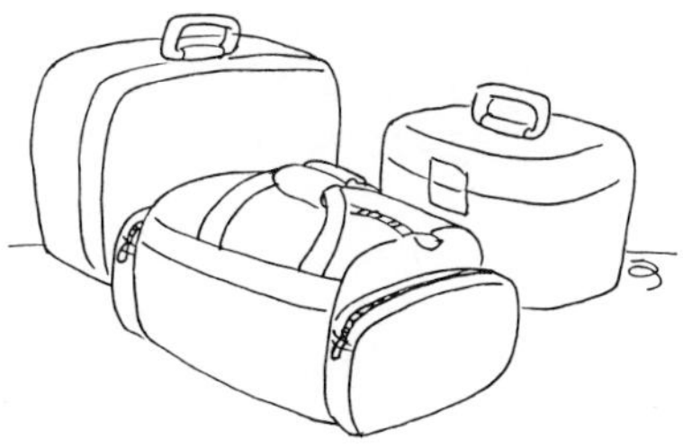
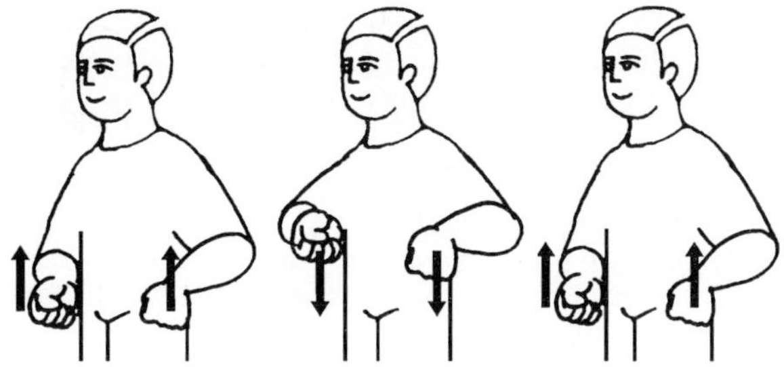

bagagem pessoal (*CL*) *(inglês: personal luggage, baggage)*:
s. f. Conjunto de objetos ou equipamentos acondicionados em malas, caixas, sacos ou pacotes, que os viajantes levam consigo para o seu uso. Ex.: No aeroporto internacional, a bagagem pessoal de quem retorna ao país é inspecionada na alfândega.
Braços verticais semidistendidos para baixo, mãos em **S** vertical. Elevar ligeiramente as mãos, duas vezes.

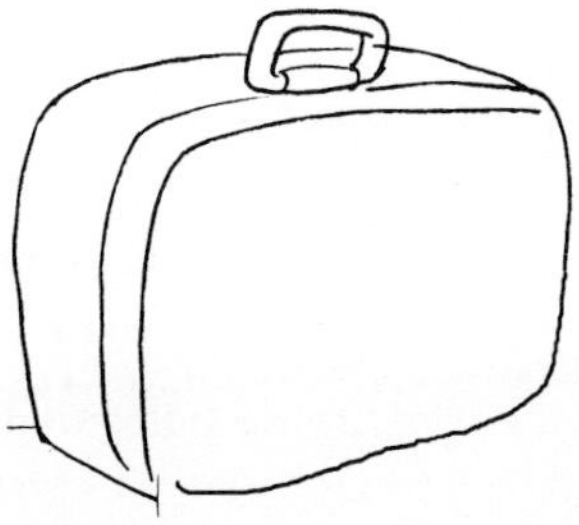
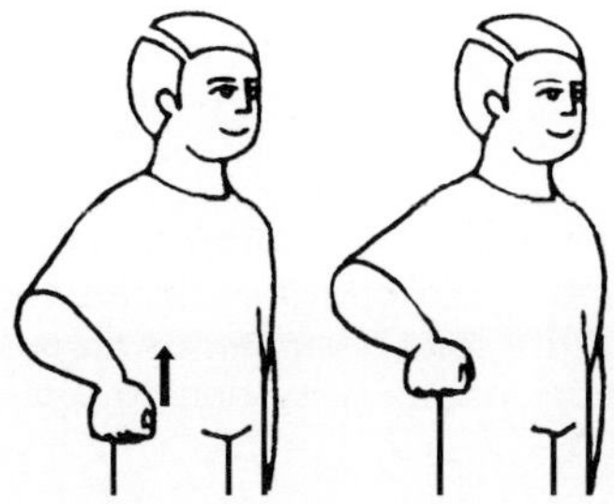

mala (1) *(inglês: suitcase, bag, handbag, valise, briefcase)*:
s. f. Espécie de saco ou caixa feita de tecido, couro, lona ou outro material, com sustentação de madeira ou metal, usada para o transporte de roupas e outros objetos em viagem. Ex.: O limite de bagagem para não se pagar um adicional em vôos é de duas malas.
Mão direita em **A** vertical invertido, palma para a esquerda, ao lado direito do corpo. Mover a mão, ligeiramente, para cima.

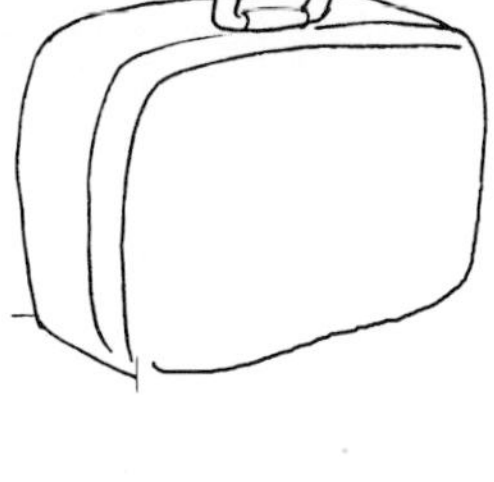

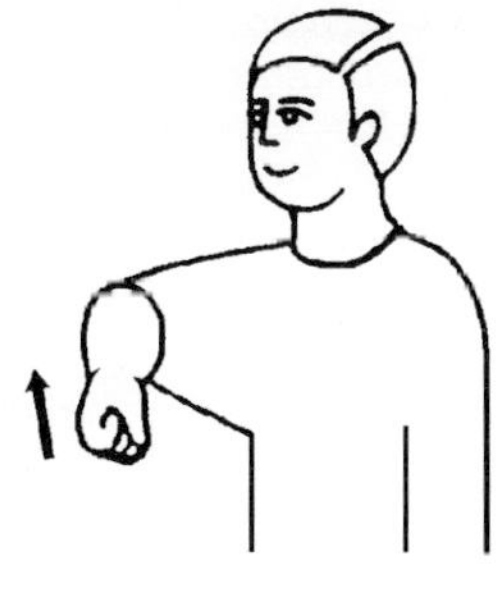

mala (2) *(inglês: suitcase, bag, handbag, valise, briefcase)*:
Idem ***mala (1)****. Ex.: Esta mala está muito pesada.*
Mão direita vertical fechada, palma para a esquerda, apontando para baixo. Mover a mão, ligeiramente, para cima.

sacola *(inglês: bag, handbag)*:
s. f. Saco provido de alças e geralmente mais largo que comprido, usado para carregar compras. Ex.: Voltamos da feira com a sacola muito pesada.
Fazer o sinal de **mala (2)**.

mochila (*CL*) *(inglês: backpack, knapsack)*:
s. f. Espécie de saco próprio para viagem, muito usado por soldados, estudantes e campistas. Mala carregada nas costas que estudantes usam para levar seus materiais escolares. Ex.: Coloque na mochila apenas o necessário para a viagem.
Mãos horizontais fechadas, palmas para baixo, apontando uma para a outra, tocando cada ombro. Encolher os ombros e mover as mãos em um arco para frente e para baixo, colocando-as a cada lado do peito. Voltar os ombros à posição normal.

bolsa *(inglês: bag, handbag)*:
s. f. Saco ou sacola de tecido, couro ou matéria plástica, dotada de alça e, às vezes, tampa e fecho, e geralmente usada por mulheres para guardar objetos de uso pessoal, como dinheiro, documentos, pente, espelho, maquiagem. Ex.: Guarde seus documentos na bolsa, para não perdê-los.
Mão direita horizontal fechada, palma para dentro, polegar distendido. Passar a ponta do polegar para baixo, do ombro até a cintura.

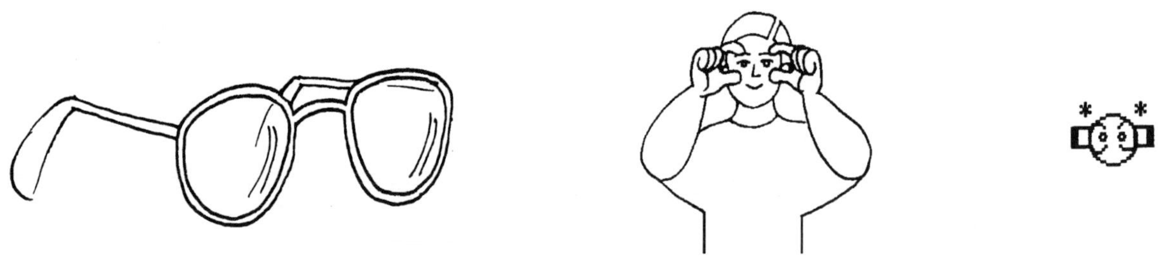

óculos *(inglês: glasses, eyeglasses, spectacles)*:
s. m. pl. Conjunto de duas lentes utilizadas para compensar defeitos visuais melhorando a acuidade visual. As lentes são sustentadas numa armação com uma parte central que se apoia no nariz e duas hastes que se prendem às orelhas. Ex.: Preciso de um óculos para leitura.
Mãos verticais fechadas, palma a palma, indicador e polegar de cada mão, formando a letra C, tocando cada lado do rosto, próximo aos olhos.

passagem (*talão*) *(inglês: ticket, voucher, fare)*:
s. f. Papel avulso e pequeno que permite à pessoa que o adquiriu viajar em ônibus, avião, trem ou outro meio de transporte do gênero. Ex.: Retire sua passagem no balcão da companhia aérea.
Mãos horizontais fechadas, palmas para cima, indicadores e mínimos distendidos tocando-se pelas pontas. Separar as mãos para os lados opostos.

tênis (*calçado*) *(inglês: sneakers, tennis shoes)*:
s. m. Calçado próprio para a prática de esportes, confeccionado em lona, couro ou qualquer outro material flexível, e com sola de borracha aderente Ex.: Para praticar esportes, o tênis é o calçado mais apropriado.
Mãos em **A** horizontal, palmas para baixo. Movê-las, alternadamente, em pequenos círculos verticais para frente e então afastá-las para os lados opostos.

3.4. Lazer infanto-juvenil

3.4.1. Brinquedos

brinquedo *(inglês: game, toy)*:
s. m. Brincadeira. Jogo. Objetos ou aparelhos usados em brincadeiras, como bonecos, tabuleiros, trenzinho elétrico etc. Ex.: As crianças preferem ganhar brinquedos quando fazem aniversário.
Mãos em **Y**, palmas para dentro, inclinadas uma para a outra. Movê-las em pequenos círculos verticais alternados.

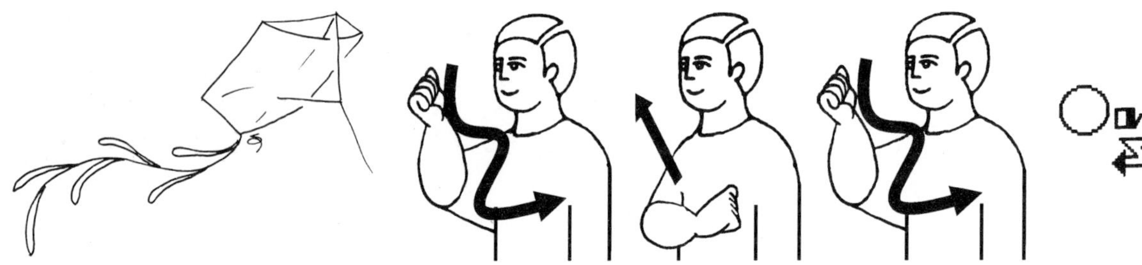

pipa (*papagaio, quadrado*) *(inglês: kite)*:
s. f. Brinquedo de crianças que consiste numa armação leve feita de varetas de madeira vergada com linha e forrada com papel. Destina-se a ser mantido no ar, contra o vento, por meio de uma linha comprida que é solta de uma carretilha à medida em que a pipa sobe contra o vento. Ex.: Empine a pipa longe dos fios de alta tensão.
Mão direita em **A**, palma para a esquerda, indicador destacado na altura da cabeça. Movê-la para baixo, com movimento ziguezague, duas vezes.

papagaio (*pipa, quadrado*) *(inglês: paper kite, kite)*:
s. m. Brinquedo de crianças que consiste numa armação leve feita de varetas de madeira vergada com linha e forrada com papel. Destina-se a ser mantido no ar, contra o vento, por meio de uma linha comprida que é solta de uma carretilha à medida em que ele sobe contra o vento. Ex.: Empine o papagaio longe dos fios de alta tensão.
Fazer o sinal de **pipa (*papagaio, quadrado*)**.

arraia (*papagaio, pipa*) *(inglês: paper kite, kite)* (usual: pipa; sugestão: arraia):
s. f. Papagaio. Pipa. Quadrado. Brinquedo de crianças que consiste numa armação leve feita de varetas de madeira vergada com linha e forrada com papel. Destina-se a ser mantido no ar, contra o vento, por meio de uma linha comprida que é solta de uma carretilha à medida em que ele sobe contra o vento. Ex.: Empine a arraia longe dos fios de alta tensão.
Fazer o sinal de **pipa (*papagaio, quadrado*)**.

quadrado (*papagaio, pipa*) *(inglês: paper kite, kite)*:
s. m. Brinquedo de crianças que consiste numa armação leve feita de varetas de madeira vergada com linha e forrada com papel. Destina-se a ser mantido no ar, contra o vento, por meio de uma linha comprida que é solta de uma carretilha à medida em que ele sobe contra o vento. Ex.: Empine o quadrado longe dos fios de alta tensão.
Fazer o sinal de **pipa (*papagaio, quadrado*)**.

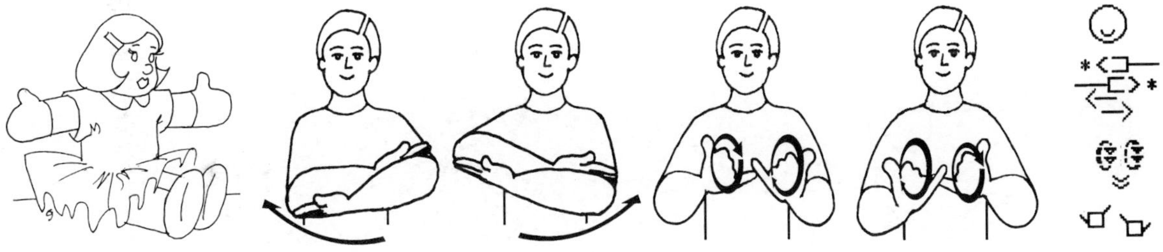

boneca(o) (1) *(inglês: doll, toy)*:

s. f. Brinquedo de criança, especialmente de menina, feito normalmente de plástico, náilon e tecido, que representa, num tamanho reduzido, uma mulher ou uma criança (no caso da boneca) e um homem ou menino (no caso do boneco). Ex.: As crianças brincavam de vestir e pentear os cabelos das bonecas.

Fazer o sinal de **bebê**. (Braço esquerdo horizontal dobrado em frente ao corpo, mão horizontal, palma para cima; braço direito horizontal, dobrado sobre o braço esquerdo, mão direita horizontal, palma para cima. Balançar os braços para a esquerda e para a direita.) E o sinal de **brincar, brincadeira, brinquedo**. (Mãos em **Y**, palmas para dentro, inclinadas uma para a outra. Movê-las em pequenos círculos verticais alternados.)

boneca(o) (2) (***BH***) *(inglês: doll, toy)*:

Idem ***boneca(o) (1)****. Ex.: A menina ganhou no seu aniversário uma boneca que fala.*

Mãos verticais abertas, dedos unidos tocando-se pelas palmas. Incliná-las pelo pulso para a esquerda e para a direita.

marionete *(inglês: marionette, puppet)*:

s. f. Boneco de dobradiças, que se faz mover e gesticular por meio de cordões. Títere. Ex.: Aquele ator genial nos ensinou como pode ser divertido brincar com a marionete.

Mãos horizontais abertas, palmas para baixo, dedos indicador e polegar de cada mão unidos pelas pontas, lado a lado, na altura do peito. Movê-las alternadamente para cima e para baixo.

títere *(inglês: marionette, puppet)* (usual: marionete; sugestão: títere):

s. m. Boneco ou figura que se faz mover e gesticular por meio de cordéis. Marionete. Ex.: É divertido brincar com títeres.

Fazer o sinal de **marionete**.

bola *(inglês: ball)*:
s. f. Qualquer corpo esférico. Objeto esférico de couro, plástico ou borracha, e inflado de ar comprimido, que serve para ser jogado, batido ou chutado em jogos ou esportes. Ex.: A bola está muito murcha para jogar futebol. É preciso inflá-la.
Mãos verticais abertas, palma a palma , dedos separados e ligeiramente curvados.

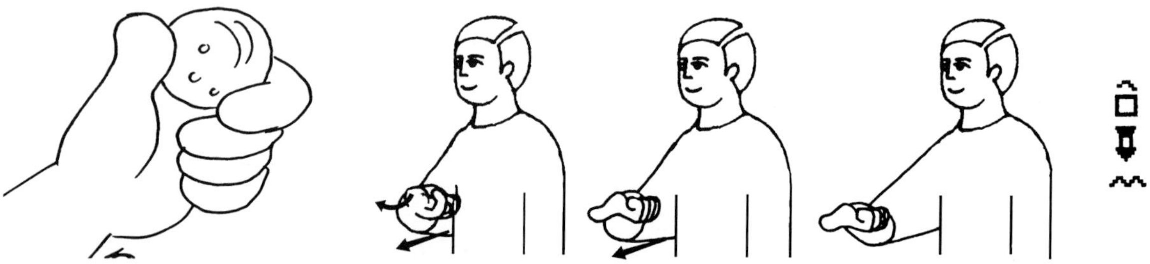

bolinha de gude *(inglês: marble)*:
s. f. Pequena esfera sólida de vidro, ágata ou outro material, com que as crianças, normalmente os meninos, jogam o gude, procurando fazer com que a bolinha entre em todos os buracos (birolas) no chão que compõem um determinado percurso. Ganha o jogo a criança que conseguir completar todo o percurso de buracos antes das demais, ou seja, com o menor número de arremessos, mais ou menos como o golfe numa escala reduzida. Ex.: Os meninos estão jogando bolinha de gude no quintal da casa da vovó, e estão se divertindo muito.
Mão direita horizontal fechada, palma para cima, indicador dobrado sobre a ponta do polegar. Mover a mão para frente e para baixo, distendendo o polegar.

gude *(inglês: marble)*:
s. m. Bolinha usada nos jogos de birosca, também chamados de jogos de bolinha de gude. Pequena esfera sólida de vidro, ágata ou outro material, com que as crianças, normalmente os meninos, jogam o gude, procurando fazer com que a bolinha entre em todos os buracos no chão que compõem um determinado percurso. Ganha o jogo a criança que conseguir completar todo o percurso de buracos antes das demais, ou seja, com o menor número de arremessos. Ex.: Os meninos estão jogando gude no quintal.
Fazer o sinal de **bolinha de gude**.

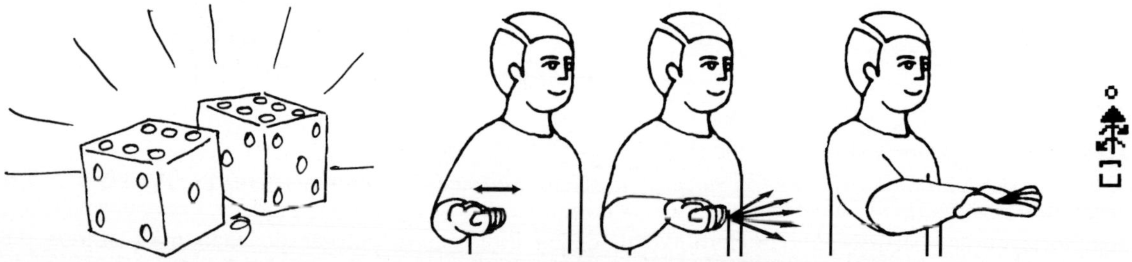

dados *(inglês: dies)*:
s. m. pl. Pequenos cubos de osso, marfim ou outro material, usados em certos jogos, que apresentam em cada face certo número de marcas ou pontos. Ex.: O jogo consiste apenas em jogar os dados e somar os pontos.
Mão direita em **S** horizontal, palma para cima. Balançar rapidamente a mão para a direita e para a esquerda, abri-la e movê-la com força para frente.

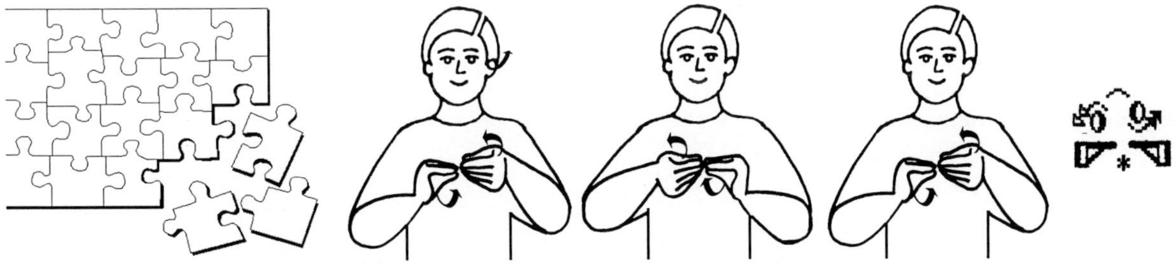

quebra-cabeça *(inglês: jigsaw puzzle, puzzle, conundrum riddle, enigma)*:
s. m. Artefato gráfico ou mecânico que requer a composição de uma imagem bi ou tridimensional integral a partir da junção precisa das partes que a compõem. Serve de passatempo apresentando dificuldades a serem resolvidas pela perspicácia ou por esforço paciente. Ex.: A atividade do desafio era montar o quebra-cabeça no menor tempo possível.
Mão esquerda horizontal palma para a direita, dedos unidos pelas pontas; mão direita vertical, palma para a esquerda, dedos unidos pelas pontas, mãos tocando-se pelas pontas dos dedos. Girar as mãos pelos pulsos para frente e para trás, alternadamente, invertendo suas posições.

escorregador *(inglês: slide)*:
s. m. Aparelho de parques infantis e de diversões, pelo qual as crianças podem deslizar abaixo. Escorrega. Ex.: O parque tinha apenas uma gangorra e um escorregador para as crianças do bairro.
Mão esquerda horizontal aberta, palma para baixo, dedos para frente; mão direita em **5** horizontal, palma para baixo, pontas dos dedos tocando a base da palma esquerda. Inclinar as mãos para baixo, e mover a mão direita em direção às pontas dos dedos esquerdos.

balanço *(inglês: swing)* (usual: balanço; sugestão: balançar):
s. m. Aparelho de diversão para balançar. Em geral consiste num assento suspenso por cordas ou correntes. Ex.: A criança ria, muito feliz, enquanto brincava no balanço. s. m. O ato ou efeito de balançar nesse aparelho. Ex.: O balanço no brinquedo deixou a criança indisposta.
Mãos em **S** horizontal, palma a palma. Movê-las em um arco para baixo e para frente. Em seguida, fazer o sinal de **sentar-se** e balançar as mãos em arcos para frente e para trás. (Mão esquerda em **U** horizontal, palma para baixo; mão direita em **U** horizontal, palma para baixo, dedos curvados. Tocar a palma dos dedos direitos no dorso dos dedos esquerdos.)

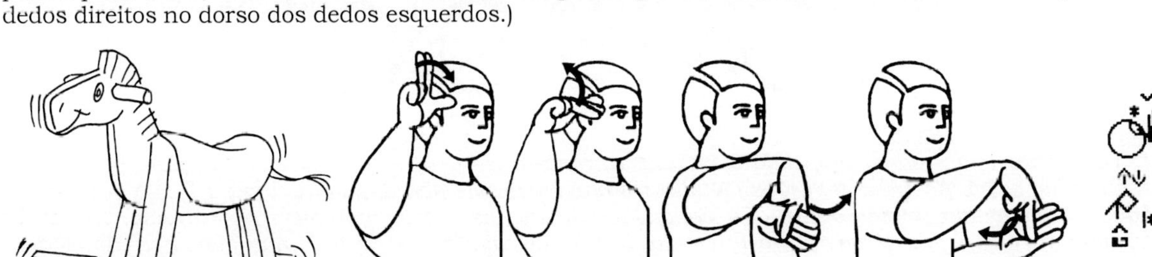

cavalinho de balanço *(inglês: rocking horse)*:
s. m. Brinquedo em forma de cavalo ou pônei, geralmente de madeira, cujos pés se encaixam em madeiras

curvas que permitem imprimir um movimento de balanço, semelhante ao galopar de um cavalo. Ex.: O menino ganhou um cavalinho de balanço em seu aniversário.
Fazer o sinal de **cavalo**. (Mão direita em **U**, palma para frente, polegar destacado tocando o lado direito da cabeça. Flexionar os dedos indicador e médio, duas vezes.) Em seguida, mão esquerda em **B** horizontal, palma para a direita; mão direita em **V** invertido, palma para dentro, tocando o indicador esquerdo. Balançá-las para frente e para trás, duas vezes.

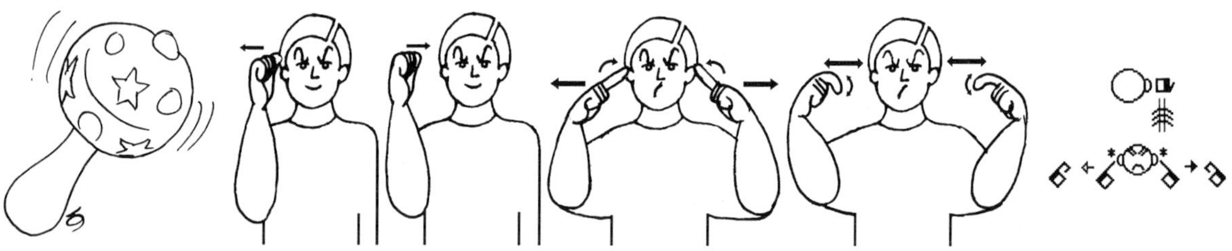

chocalho (*CL*) *(inglês: rattle)*:
s. m. Instrumento de percussão, composto de cabaça presa a um cabo e contendo sementes ou pedras em seu interior, que, quando agitado, produz um som característico muito usado para manter o ritmo de músicas e danças afro-brasileiras e folclóricas. Objeto de metal, madeira ou plástico oco contendo pecinhas soltas em seu interior e destinado para a distração e estimulação de bebês. Guizo para brinquedo infantil. Ex.: Os bebês gostam de brincar com chocalhos. Ex.: O guizo da cascavel produz um som de chocalho.
Mão direita em **A**, palma para a esquerda, próxima à orelha direita. Balançar a mão para os lados, duas vezes. Em seguida fazer o sinal de **barulho**. (Mãos em **1**, palma a palma. Tocar as pontas dos indicadores em cada orelha e afastá-las para os lados, curvando os indicadores, duas vezes. Opcionalmente, expressão facial contraída.

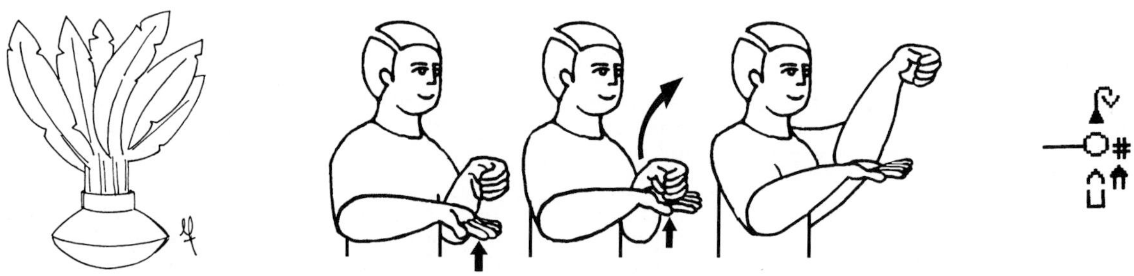

peteca *(inglês: shuttlecock, badminton)*:
s. f. Brinquedo que possui uma base pesada, formada de couro, plástico ou outro material, à qual estão presas penas. Brinca-se jogando-a ao ar e batendo nela com a palma das mãos. Ex.: As crianças formaram dois times e jogaram peteca na praia.
Mão direita horizontal aberta, palma para cima; mão esquerda em **O** horizontal, palma para dentro, acima da mão direita. Bater a palma direita na mão esquerda, e movê-las para cima e para frente.

bicicleta *(inglês: bicycle, bike)*:
s. f. Veículo de duas rodas, propelido a pedais, corrente e catraca, e manobrado a guidom por ciclista assentado no selim. As rodas têm aros metálicos e pneumáticos e são alinhadas uma à frente da outra, e fixadas a um quadro metálico fixo. Os pedais giram um disco que, por meio de corrente, transmite movimento à catraca menor que é presa à roda de trás. As alavancas de freio nas manoplas do guidom tracionam cabos que acionam pinças com sapatas de borracha que aderem ao aro, reduzindo a velocidade do veículo. Ex.: Vou pegar minha bicicleta e começar a treinar, porque no ano que vem quero participar do campeonato de ciclismo.
Mãos em **S** horizontal, palmas para baixo. Movê-las alternadamente em círculos verticais para frente.

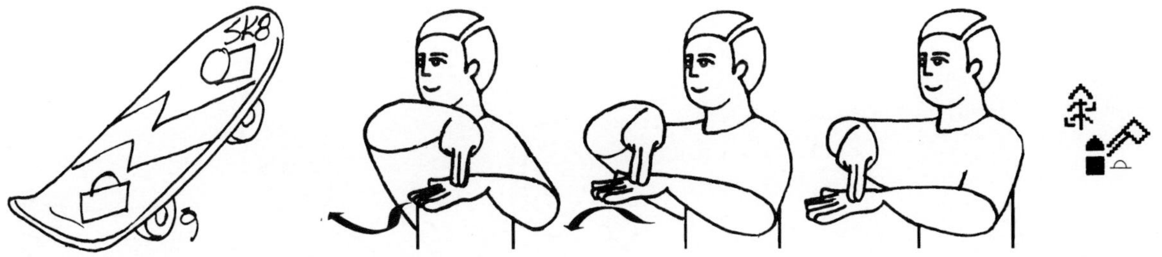

skate *(inglês: skate, roller skate)*:
s. m. Prancha de madeira ou outro material rígido sobre quatro rolamentos, em que o esportista se equilibra de pé, dando-lhe impulso e direção com os pés. Ex.: Deve-se usar capacete, joelheiras e cotoveleiras para usar o skate.
Mão esquerda horizontal aberta, palma para baixo, dedos apontando para frente; mão direita em **N**, pontas dos dedos direitos tocando o dorso da mão esquerda. Mover as mãos para frente, balançando-as para a esquerda e para a direita.

3.4.2. Brincadeiras

brincadeira *(inglês: play, game)***:**
s. f. Ação de brincar, brinquedo. Ex.: A brincadeira prolongou-se até a noite.
Mãos em **Y**, palmas para dentro, inclinadas uma para a outra. Movê-las em pequenos círculos verticais alternados.

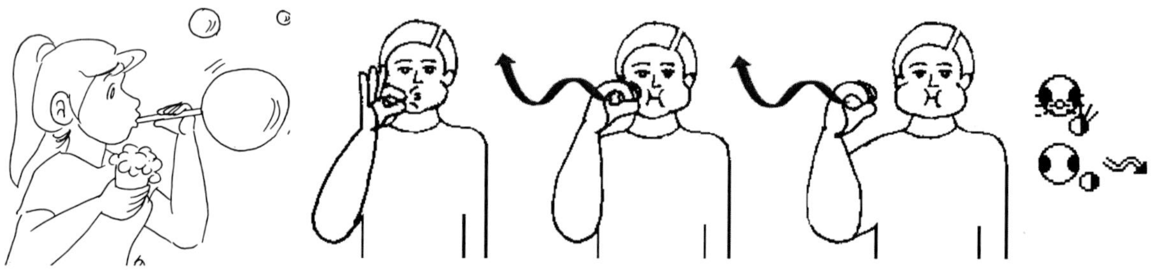

bolha de sabão (*CL*) *(inglês: soap bubble)***:**
s. f. Glóbulo cheio de ar que se forma ao insuflar, por meio de um canudo, o sopro sob a superfície de uma mistura composta por água e detergente ou de uma membrana formada a partir dela. Ex.: A criança gosta de ficar sentada na calçada, fazendo bolhas de sabão com um canudinho e um copo.
Mão direita vertical aberta, palma para a esquerda, dedos indicador e polegar unidos pelas pontas, diante da boca. Inflar as bochechas e assoprar. Fechar a mão em **O**, e então, movê-la para a direita, com movimentos ondulatórios.

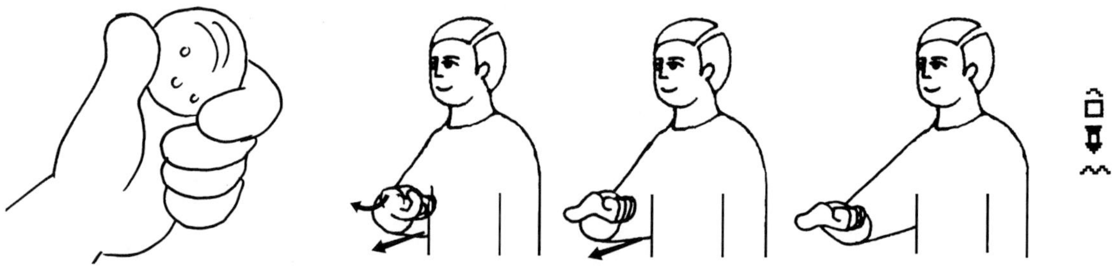

brincar de bolinha de gude *(inglês: to play marbles)* (usual: bolinha de gude; sugestão: brincar de bolinha de gude)**:**
expressão. Engajar-se em jogo de meninos que consiste em, segurando uma bolinha de vidro entre o meio do indicador e a ponta do polegar, estender o polegar de modo súbito e forte, projetando a bolinha para a frente em direção a outras bolinhas ou a pequenos buracos cavados no solo, com o objetivo de atingir as bolinhas do jogador adversário ou de cumprir um circuito de buracos antes dos adversários. Ex.: Quando eu era menino, um de meus jogos preferidos era brincar de bolinha de gude com meu irmão, primos e amigos no quintal de terra da casa de minha avó.
Fazer o sinal de **bolinha de gude**. (Mão direita horizontal fechada, palma para cima, indicador dobrado sobre a ponta do polegar. Mover a mão para frente e para baixo, distendendo o polegar.)

birosca *(inglês: marble)* (usual: bolinha de gude; sugestão: birosca)**:**
s. m. Jogo de crianças, também chamado de jogo de bolinha de gude, em que se usam pequenas esferas sólidas de vidro, ágata ou outro material, com que as crianças, normalmente os meninos, jogam o gude, procurando fazer com que a bolinha entre em todos os buracos no chão que compõem um determinado percurso. Ganha o jogo a criança que conseguir completar todo o percurso de buracos antes das demais, ou seja, com o menor número de arremessos. Ex.: Os meninos estão jogando birosca no quintal.
Fazer o sinal de **brincar de bolinha de gude**.

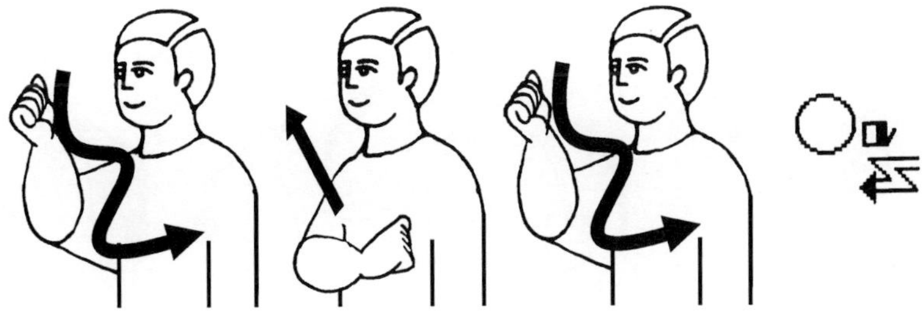

brincar de empinar pipa (*soltar papagaio*) *(inglês: to fly a kite)* (usual: pipa (*papagaio, quadrado*); sugestão: brincar de empinar pipa):
expressão. Engajar-se na brincadeira de criança que consiste em manter no ar uma pipa (também chamada de papagaio e quadrado) contra o vento, por meio de uma linha comprida que é solta de uma carretilha à medida em que a pipa sobe contra o vento. Ex.: Quando eu era criança, gostava muito de brincar de empinar pipa, mas sempre longe dos fios de alta tensão.
Fazer o sinal de **pipa (*papagaio, quadrado*)**. (Mão direita em **A**, palma para a esquerda, indicador destacado na altura da cabeça. Movê-la para baixo, com movimento ziguezague, duas vezes.)

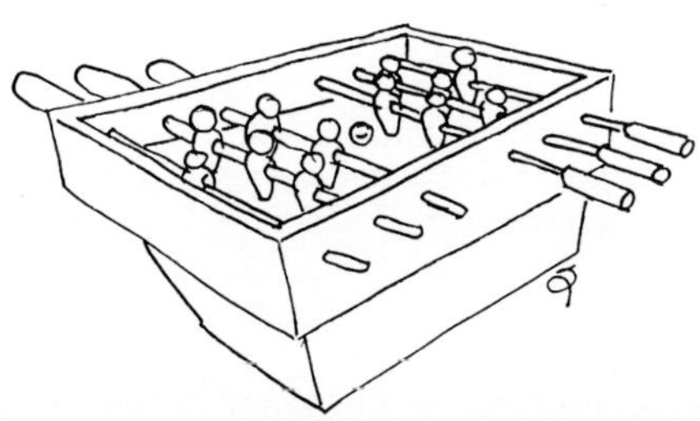

brincar de pebolim (*futebol totó*) *(inglês: to play table soccer)* (usual: pebolim; sugestão: brincar de pebolim):
expressão. Engajar-se na brincadeira de futebol totó, também chamado de pebolim ou totó. Trata-se de um jogo de salão inspirado no futebol, praticado por dois a quatro jogadores distribuídos em dois times, um de cada lado da mesa. Consiste numa mesa retangular com paredes elevadas em que corre uma bolinha de plástico sólido do tamanho de uma bola de pingue-pongue, sendo que as paredes laterais da mesa sustentam varetas móveis que mantêm suspensos 22 bonecos de madeira ou plástico. Manipulando as varetas, os jogadores fazem girar os bonecos com o propósito de atingir a bola e fazê-la entrar no gol do adversário. Ex.: Brincar de pebolim é uma das maneiras mais divertidas de passar uma manhã chuvosa no sítio
Fazer o sinal de **pebolim (*futebol totó*)**. (Mãos em **S** vertical, palma a palma, apontando para baixo, a cada lado do corpo. Girar as palmas para baixo.)

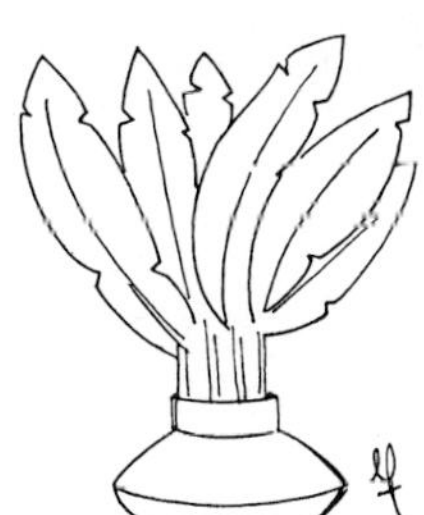
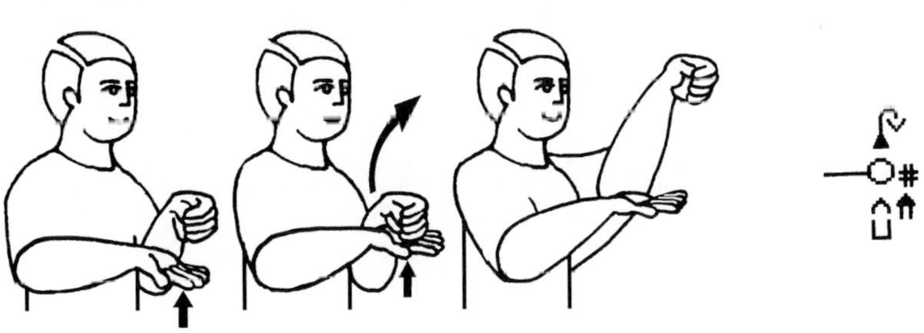

brincar de peteca *(inglês: to play badminton, shuttlecock)* (usual: peteca; sugestão: brincar de peteca):
expressão. Engajar-se na brincadeira de peteca, que consiste em arremessar para o outro jogador, e por sobre uma rede suspensa, um brinquedo de base pesada, formada de couro, plástico ou outro material, à qual estão presas penas. Brinca-se jogando-a ao ar e batendo nela com a palma das mãos. Ex.: As minhas filhas gostam muito de brincar de peteca.
Fazer o sinal de **peteca**. (Mão direita horizontal aberta, palma para cima; mão esquerda em **O** horizontal, palma para dentro, acima da mão direita. Bater a palma direita na mão esquerda, e movê-las para cima e para frente.)

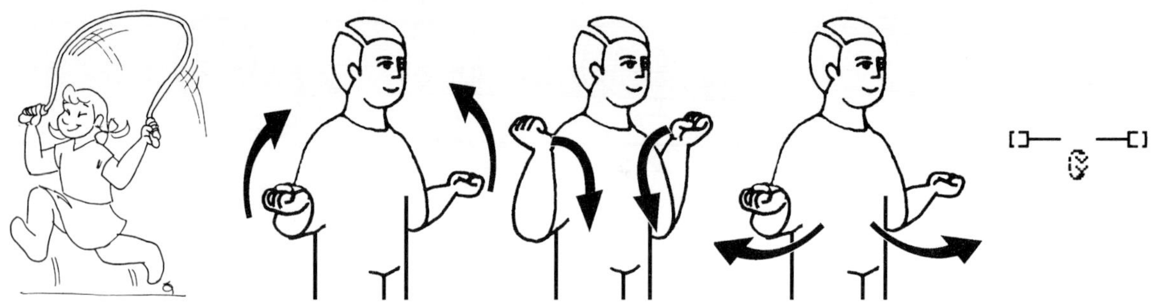

pular corda (*CL*) *(inglês: to skip the rope)***:**
expressão. Brincadeira infantil que consiste em movimentar continuamente uma corda com os braços e saltar quando a corda bate no chão, impedindo que a corda bata nos pés e permitindo que o movimento prossiga. Ex.: As meninas gostam muito de pular corda. s. m. Brincadeira infantil praticada por meninas que consiste em movimentar uma corda com os braços e de saltar quando ela bate no chão. Ex.: Pular corda é uma brincadeira muito divertida e saudável. Ex.: A brincadeira é pular corda durante um minuto, sem pisar ou tropeçar nela.
Mãos em **S** horizontal, palmas para cima, a cada lado do corpo. Movê-las em círculos verticais para frente e para baixo.

brincar de pular corda (*CL*) *(inglês: to play skip rope)* (usual: pular corda; sugestão: brincar de pular corda)**:**
expressão. Engajar-se na brincadeira de pular corda, que consiste em movimentar continuamente uma corda com os braços e saltar quando a corda bate no chão, impedindo que ela bata nos pés e permitindo que o movimento prossiga. Ex.: As meninas gostam muito de brincar de pular corda
Fazer o sinal de **pular corda, pular (corda)**.

saltar corda (*CL*) *(inglês: to skip the rope)***:**
expressão. Pular corda de um lado para outro. Ex: As meninas gostam muito de saltar corda. s. m. Brincadeira infantil que consiste em movimentar continuamente uma corda com os braços e saltar quando a corda bate no chão, impedindo que a corda bata nos pés e permitindo que o movimento prossiga. Pular corda. Ex.: O saltar corda é uma brincadeira muito divertida e saudável. Ex.: A brincadeira é saltar corda durante um minuto, sem pisar ou tropeçar nela.
Fazer o sinal de **pular corda, pular (corda)**.

3.4.3. Jogos

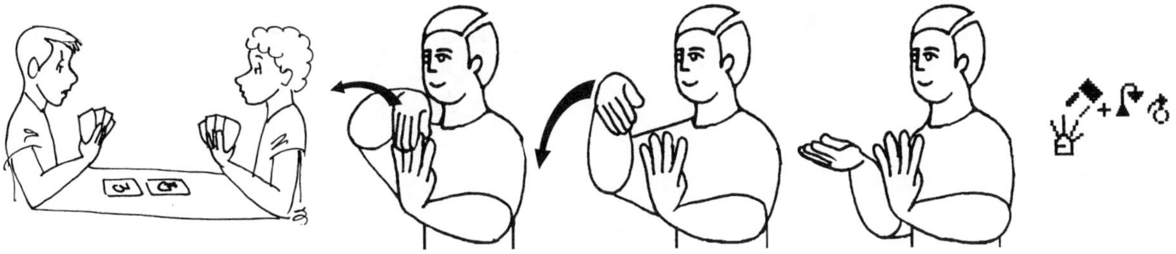

jogar cartas ou baralho *(inglês: to play cards)*:
expressão. Praticar jogos de salão envolvendo cartas de baralho, como pôquer ou buraco. Ex.: Costumamos jogar cartas quando vamos para o sítio. Ex.: Ensinou as crianças a jogar baralho.
Mão esquerda em **4**, palma para dentro; mão direita horizontal aberta, palma para baixo, dedos flexionados, polegar distendido e paralelo aos demais dedos, segurando os dedos da mão esquerda. Mover a mão direita em um arco para cima e para frente, virando a palma para cima.

baralho (*cartas*) *(inglês: cards, game of cards)* (usual: jogar cartas ou baralho; sugestão: baralho)**:**
s. m. Tipo de jogo de salão que usa cartas do baralho, como pôquer ou buraco. Ex.: Costumamos jogar baralho quando vamos para o sítio.
Fazer o sinal de **jogar cartas ou baralho**.

cartas (*baralho*) *(inglês: cards, game of cards)* (usual: jogar (cartas ou baralho); sugestão: cartas (*baralho*))**:**
s. f. pl. Tipo de jogo de salão que usa cartas do baralho, como pôquer ou buraco. Ex.: Costumamos jogar cartas quando vamos para o sítio.
Fazer o sinal de **jogar cartas ou baralho**.

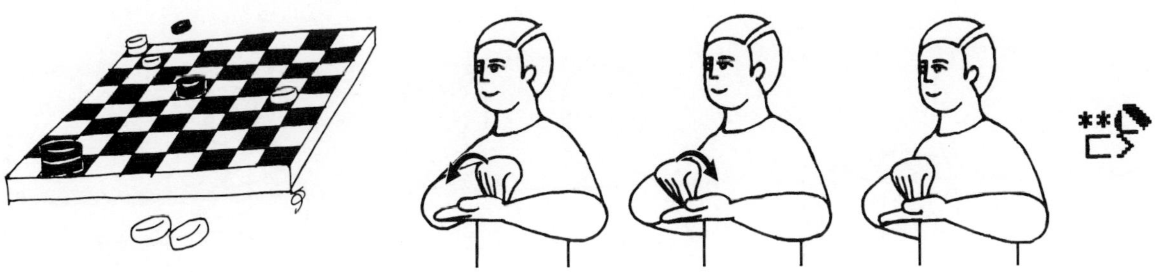

damas (*jogo*) *(inglês: checkers, draughts)*:
s. f. pl. Espécie de jogo entre dois parceiros, em tabuleiro quadrado de 64 casas brancas e pretas alternadas, com 24 pequenas peças iguais, chamadas pedras ou tábulas, sendo 12 de uma cor e 12 de outra. Ex.: O jogo de damas requer estratégias inteligentes.
Mão esquerda horizontal aberta, palma para cima, dedos para a direita; mão direita horizontal, palma para baixo, pontas dos dedos unidas, tocando a palma esquerda. Mover a mão direita para várias direções sobre a palma esquerda.

jogar damas *(inglês: to play checkers, to play draughts)*:
expressão. Engajar-se no jogo de salão conhecido como damas. Trata-se de um jogo entre dois parceiros que movimentam 12 peças cada um em um tabuleiro quadrado de 64 casas brancas e pretas alternadas. As 24 pequenas peças iguais são chamadas pedras ou tábulas, sendo 12 de uma cor e 12 de outra. O jogo consiste em usar as próprias peças para tomar as peças do adversário saltando diagonalmente sobre elas. Ex.: Como ela gosta de jogar damas e eu gosto de jogar xadrez, praticamos um pouco de cada jogo.
Fazer o sinal de **damas (*jogo*)**.

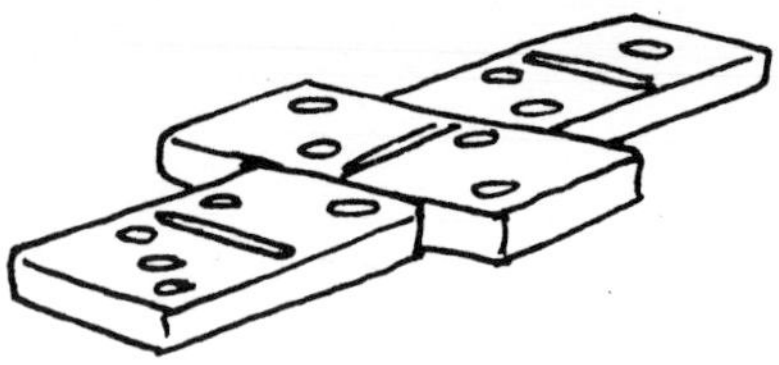

dominó (1) *(inglês: domino, domino game)***:**
s. m. Jogo composto de 28 peças (pedras) chatas, retangulares, de madeira, osso, marfim ou matéria plástica, iguais pela face externa e divididas ao meio na face interna. As duas partes da face interna são ou ambas em branco ou apenas uma ou ambas marcadas com certo número de pontos desde um até seis. Ex.: As crianças fizeram um campeonato de dominó.
Mãos em **C** horizontal, palmas para baixo, lado a lado. Movê-las para trás, virando as palmas para dentro e apontando para baixo.

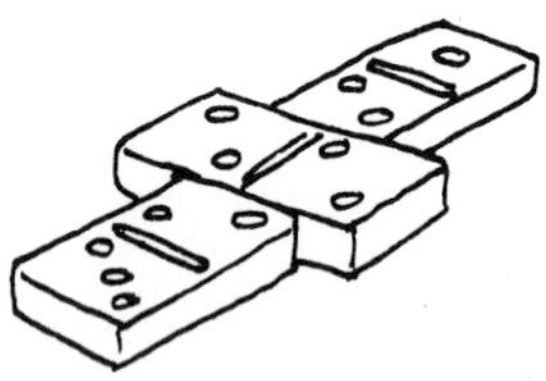

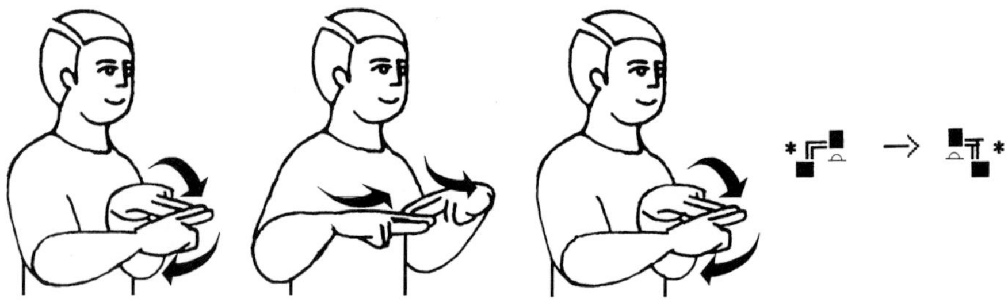

dominó (2) *(inglês: domino, domino game)***:**
*Idem **dominó (1)**. Ex.: O avô sentiu-se muito feliz em ensinar seu neto a jogar dominó.*
Mão direita em **U** horizontal, palma para baixo, dedos para a esquerda; mão esquerda em **U** horizontal, palma para baixo, dedos para frente, tocando o lado do indicador direito. Mover as mãos para a direita, invertendo a posição das mãos, várias vezes (mão direita dedos para frente; mão esquerda dedos para a direita).

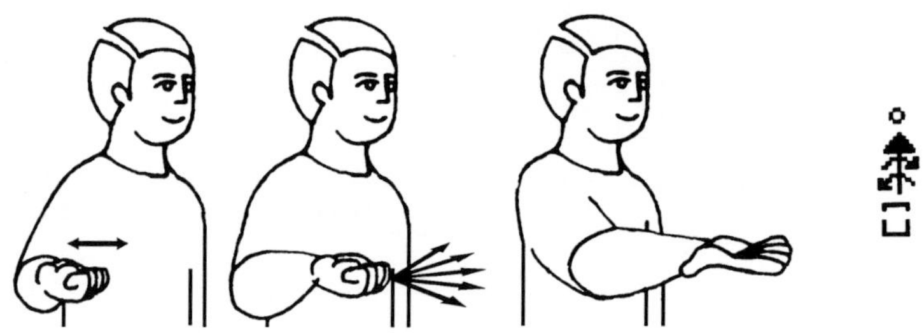

dados *(inglês: dies)***:**
s. m. pl. Pequenos cubos de osso, marfim ou outro material, usados em certos jogos, que apresentam em cada face certo número de marcas ou pontos. Ex.: O jogo consiste apenas em jogar os dados e somar os pontos.
Mão direita em **S** horizontal, palma para cima. Balançar rapidamente a mão para a direita e para a esquerda, abri-la e movê-la com força para frente.

jogar dados *(inglês: to play dies)***:**
expressão. Brincar de dados, ou seja, jogo que usa pequenos cubos de osso, marfim ou outro material que têm em cada face certo número de marcas ou pontos. Os jogadores tomam turnos jogando os dados. O jogo consiste em jogar os dados com o objetivo de obter a maior soma de pontos. Ganha o jogador que obtiver a maior pontuação ou que atingir antes determinada pontuação. Ex.: Jogar dados faz parte de uma série de jogos envolvendo contagem, como o jogo do percurso, por exemplo.
Fazer o sinal de **dados**.

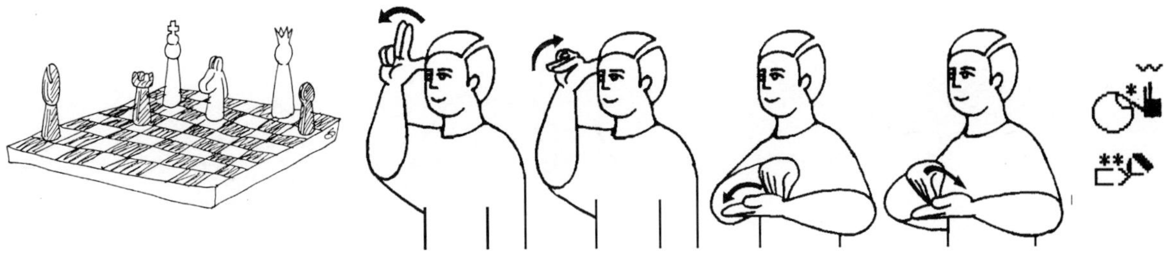

xadrez (*jogo*) *(inglês: chess (the game))*:
s. m. Jogo praticado por dois jogadores, cada qual com 16 peças de tipos variados (rei, rainha, bispos, cavalos, peões e torres) que são movidas sobre um tabuleiro quadriculado de 64 casas, com o objetivo de infligir xeque-mate ao rei do adversário. Ex.: O jogo de xadrez é muito cultivado na Rússia, de onde saíram vários campeões mundiais.

Fazer o sinal de **cavalo**. (Mão direita em **U**, palma para frente, polegar destacado tocando o lado direito da cabeça. Flexionar os dedos indicador e médio, duas vezes.) E o sinal de **damas (*jogo*)**. (Mão esquerda horizontal aberta, palma para cima, dedos para a direita; mão direita horizontal, palma para baixo, pontas dos dedos unidas, tocando a palma esquerda. Mover a mão direita para várias direções sobre a palma esquerda.)

jogar xadrez *(inglês: to play chess)*:
expressão. Praticar o jogo de salão conhecido como "xadrez." Consiste num jogo praticado por dois jogadores, cada qual com 16 peças de tipos variados (rei, rainha, bispos, cavalos, peões e torres) que são movidas sobre um tabuleiro quadriculado de 64 casas, com o objetivo de infligir xeque-mate ao rei do adversário. Ex.: Comecei a jogar xadrez com onze anos porque ele desenvolve o raciocínio e a memória, e é um dos jogos mais inteligentes e interessantes do mundo.

Fazer o sinal de **xadrez**.

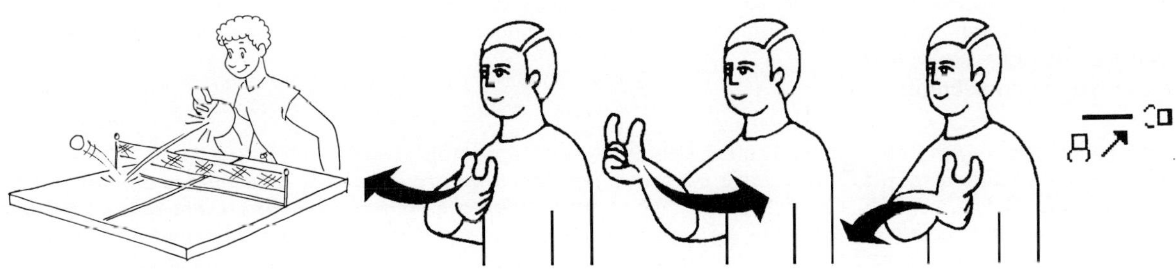

pingue-pongue *(inglês: ping pong)*:
s. m. Modalidade de tênis de mesa. Jogo praticado sobre uma mesa por dois adversários (ou duas duplas deles), que rebatem uma pequena bola de plástico com pequenas raquetes de madeira e, opcionalmente, borracha. Tênis de mesa. Ex.: Ele ganhou todas as partidas disputadas no pingue-pongue.

Mão direita horizontal fechada, palma para dentro, dedos polegar e indicador distendidos. Mover a mão para frente e para a direita, virando a palma para a esquerda, duas vezes.

jogar pingue-pongue *(inglês: to play table tennis, to play ping pong)*:
expressão. Praticar tênis de mesa, ou seja, uma espécie de tênis em miniatura. É praticado sobre uma mesa retangular com pequena bola de celulóide, sendo que cada jogador usa uma pequena raquete de madeira. Ex.: Gosto muito de jogar pingue-pongue com meu pai aos sábados de manhã no clube perto de casa.

Fazer o sinal de **pingue-pongue**. (Mão direita horizontal fechada, palma para dentro, dedos polegar e indicador distendidos. Mover a mão para frente e para a direita, virando a palma para a esquerda, duas vezes.)

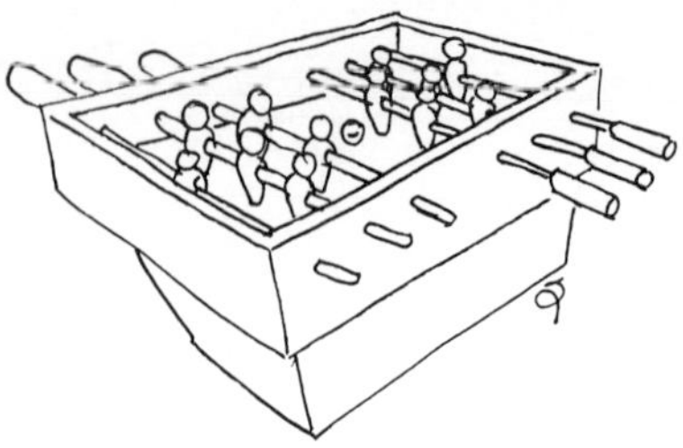

pebolim (***futebol totó***) *(inglês: table soccer)*:
s. m. Jogo de salão inspirado no futebol, praticado por dois a quatro jogadores distribuídos em dois times, um de cada lado da mesa. Consiste numa mesa retangular com paredes elevadas em que corre uma bolinha de plástico sólido do tamanho de uma bola de pingue-pongue, sendo que as paredes laterais da mesa sustentam varetas móveis que mantêm suspensos 22 bonecos de madeira ou plástico. Manipulando as varetas, os jogadores fazem girar os bonecos com o propósito de atingir a bola e fazê-la entrar no gol do adversário. Futebol totó. Totó. Ex.: No salão de jogos, disputamos uma partida de pebolim.
Mãos em **S** vertical, palma a palma, apontando para baixo, a cada lado do corpo. Girar as palmas para baixo.

jogar pebolim *(inglês: to play table soccer)*:
expressão. Brincar de futebol totó, também chamado de pebolim ou totó. Consiste num jogo de salão inspirado no futebol, praticado por dois a quatro jogadores distribuídos em dois times, um de cada lado da mesa. Consiste numa mesa retangular com paredes elevadas em que corre uma bolinha de plástico sólido do tamanho de uma bola de pingue-pongue, sendo que as paredes laterais da mesa sustentam varetas móveis que mantêm suspensos 22 bonecos de madeira ou plástico. Manipulando as varetas, os jogadores fazem girar os bonecos com o propósito de atingir a bola e fazê-la entrar no gol do adversário. Ex.: Quando a criançada se reúne no sítio, gostamos muito de jogar pebolim.
Fazer o sinal de **pebolim**.

futebol totó (***pebolim***) *(inglês: table soccer)*:
s. m. Jogo de salão inspirado no futebol, praticado por dois a quatro jogadores distribuídos em dois times, um de cada lado da mesa. Consiste numa mesa retangular com paredes elevadas em que corre uma bolinha de plástico sólido do tamanho de uma bola de pingue-pongue, sendo que as paredes laterais da mesa sustentam varetas móveis que mantêm suspensos 22 bonecos de madeira ou plástico. Manipulando as varetas, os jogadores fazem girar os bonecos com o propósito de atingir a bola e fazê-la entrar no gol do adversário. Pebolim. Totó. Ex.: Gosto muito de reunir os amigos no salão de jogos do sítio para passar as manhãs jogando futebol totó.
Fazer o sinal de **pebolim**.

totó (***pebolim***) *(inglês: table soccer)* (usual: pebolim; sugestão: totó):
s. m. Jogo de salão inspirado no futebol e praticado por dois a quatro jogadores distribuídos em dois times, um de cada lado da mesa. Consiste numa mesa retangular com paredes elevadas em que corre uma bolinha de plástico sólido do tamanho de uma bola de pingue-pongue, sendo que as paredes laterais da mesa sustentam varetas móveis que mantêm suspensos 22 bonecos de madeira ou plástico. Manipulando as varetas, os jogadores fazem girar os bonecos com o propósito de atingir a bola e fazê-la entrar no gol do adversário. Pebolim. Futebol totó. Ex.: Gosto muito de reunir os amigos no salão de jogos do sítio para passar as manhãs jogando totó.
Fazer o sinal de **pebolim**.

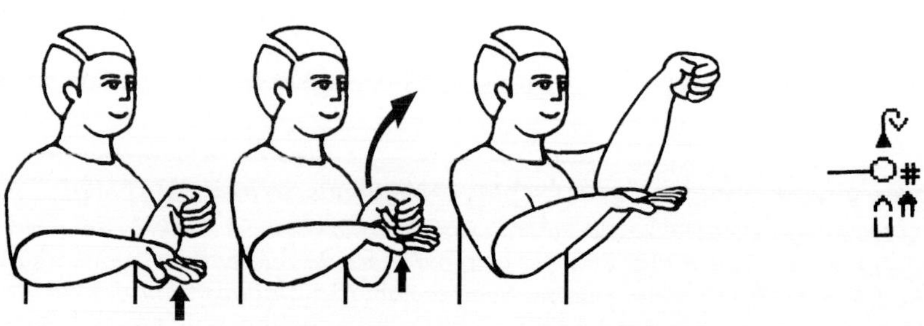

jogar peteca *(inglês: to play badminton, to play shuttlecock)*:
expressão. Brincar com peteca. O jogo consiste em arremessar para o outro jogador, e por sobre uma rede

suspensa, um brinquedo de base pesada, formada de couro, plástico ou outro material, à qual estão presas penas. Brinca-se jogando-a ao ar e batendo nela com a palma das mãos. Ex.: *As crianças formaram dois times para jogar peteca ao lado da piscina.*

Fazer o sinal de **peteca**. (Mão direita horizontal aberta, palma para cima; mão esquerda em **O** horizontal, palma para dentro, acima da mão direita. Bater a palma direita na mão esquerda, e movê-las para cima e para frente.)

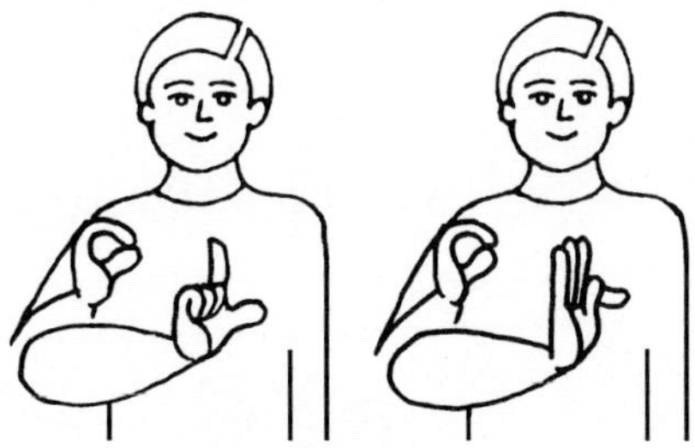

loto *(inglês: lottery)*, **loteria** *(inglês: lottery)*:

Loto: *s. f. Nome popular dado à loteria. Ex.: Você já jogou na loto hoje?* Loteria: *s. f. Espécie de jogo de azar, em que os prêmios são distribuídos mediante a correspondência entre os números dos bilhetes e aqueles tirados à sorte. Ex.: Muitos vêem na loteria uma esperança de uma vida melhor.*

Soletrar **L**, **O**, **T**, **O**.

3.5. Verbos referentes a lazer

3.5.1. Em relação a natureza

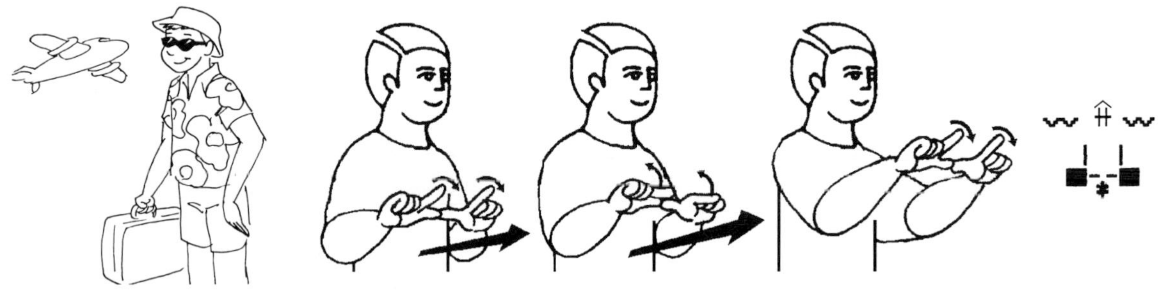

viajar (1) (*BH*) *(inglês: to travel, to voyage, to journey, to tour, to cruise)*:
v. t. i., v. int. Fazer viagem. Fazer percurso mais ou menos extenso, a trabalho ou passeio. Ex.: Aproveitaram o feriado para viajar para a serra gaúcha. Ex.: Gosto muito de viajar. v. t. d. Percorrer em viagem. Ex.: Na turnê, o conferencista viajou nove estados e seis capitais.
Mãos em **L**, palmas para frente, inclinadas para baixo, pontas dos polegares tocando-se. Mover as mãos para cima e para frente, balançando os indicadores.

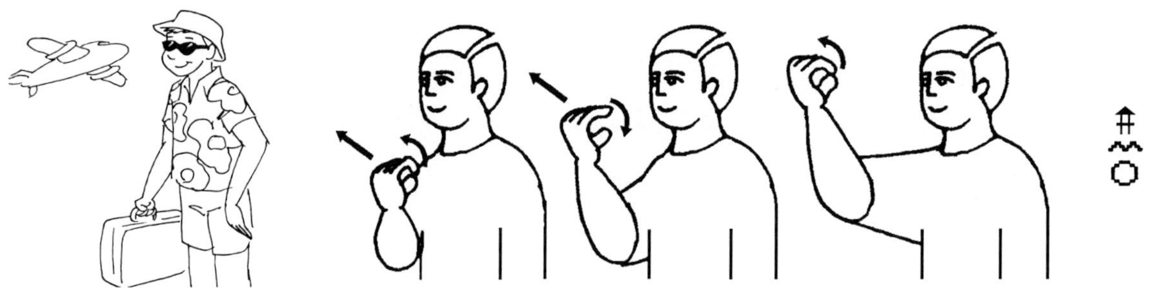

viajar (2) *(inglês: to travel, to voyage, to journey, to tour, to cruise)*:
*Idem **viajar (1)**. Ex.: Nas minhas férias pretendo viajar para o sul de Minas Gerais. Ex.: Depois do acidente, ela ficou com medo de viajar. Ex.: Viajou cinco dias e seis noites para chegar ao seu destino.*
Mão direita vertical, palma para dentro, dedos curvados, quase tocando a palma. Mover a mão para frente e para cima, abrindo e fechando ligeiramente os dedos.

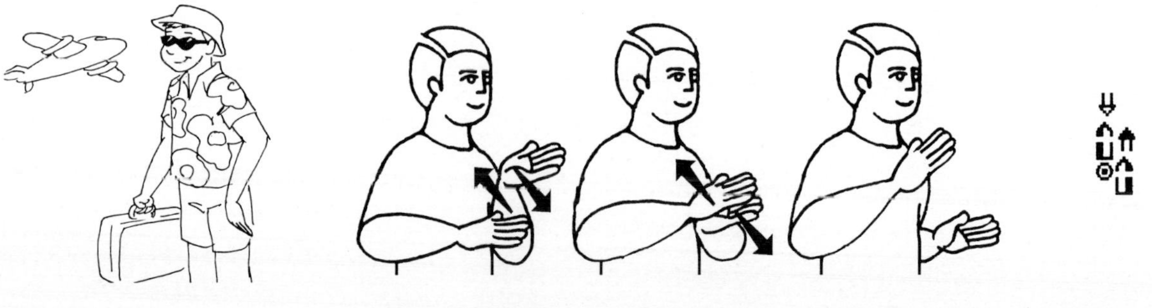

viajar (3) (*RJ*) *(inglês: to travel, to voyage, to journey, to tour, to cruise)*:
*Idem **viajar (1)**. Ex.: Viajaremos a Angra dos Reis pelo litoral, de motocicleta, de carona ou a cavalo. Ex.: Faz muito tempo que não viajo. Ex.: Viajou o país todo à procura da criança desaparecida.*
Mãos horizontais abertas, palma a palma; mão esquerda acima da mão direita. Mover a mão esquerda para baixo e a mão direita para cima, tocando as palmas durante o movimento.

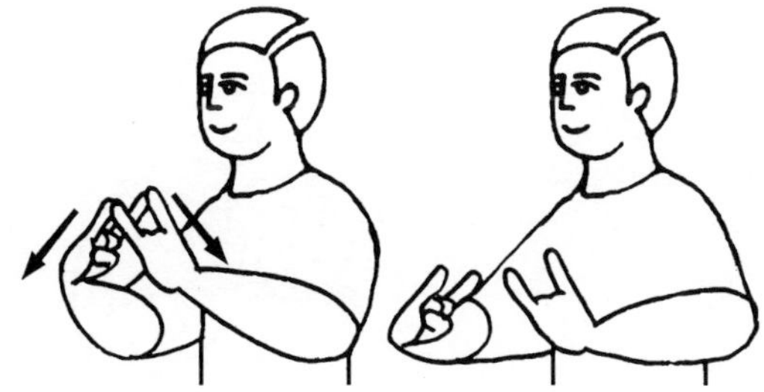

acampar, acampar-se *(inglês: to camp)***:**
Acampar: *v. t. i., v. int. Assentar provisoriamente em barraca no campo. Ex.: Os escoteiros acamparam no vale, à beira do riacho. Ex.: Gosto muito de acampar.* Acampar-se: *v. pr. Assentar-se provisoriamente em barraca no campo. Ex.: Acamparam-se antes que anoitecesse.*
Mãos verticais fechadas, palma a palma, dedos indicadores e mínimos distendidos tocando-se pelas pontas. Mover as mãos diagonalmente para baixo e para lados opostos.

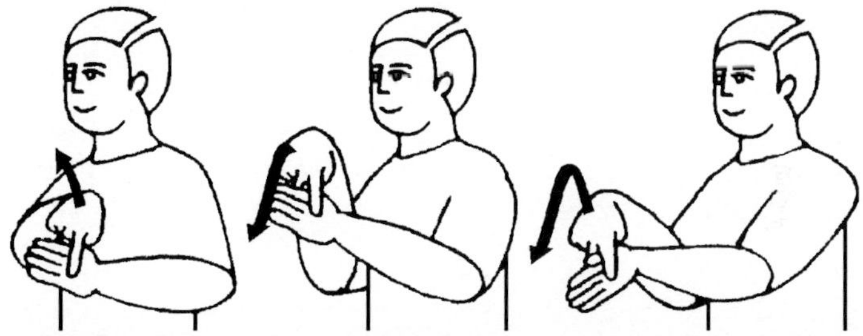

montar (a cavalo) (*CL*) *(inglês: to mount (a horse), to ride on horseback, to practice horseback riding, to jockey)***:**
v. int. ou v. t. i. Andar (a cavalo). Cavalgar. Cavalear. Ex.: Depois que montou a cavalo pela primeira vez, meu primo tornou-se um amante da equitação.
Mão esquerda horizontal aberta, palma para a direita; mão direita em **V** invertido, palma para dentro, apoiada sobre o lado do indicador esquerdo. Mover as mãos em arcos para cima e para frente.

andar (a cavalo) (*CL*) *(inglês: to ride (on horseback), to practice (horseback) riding, to mount (a horse), to jockey)***:**
v. int. Montar a cavalo. Cavalgar. Ex.: Gosto muito de andar a cavalo.
Fazer o sinal de **montar (a cavalo)**.

cavalgar (*CL*) *(inglês: to ride on horseback, to practice horseback riding, to mount a horse, to jockey)* (usual: montar (a cavalo); sugestão: cavalgar)**:**
v. t. d. Montar sobre. Encavalgar. Cavalear. Ex.: Sempre que vamos à fazenda de meu sogro gostamos de cavalgar o alazão e o mangalarga. v. int. Montar a cavalo. Cavalear. Andar a cavalo. Ex.: Gosto muito de cavalgar.
Fazer o sinal de **montar (a cavalo)**.

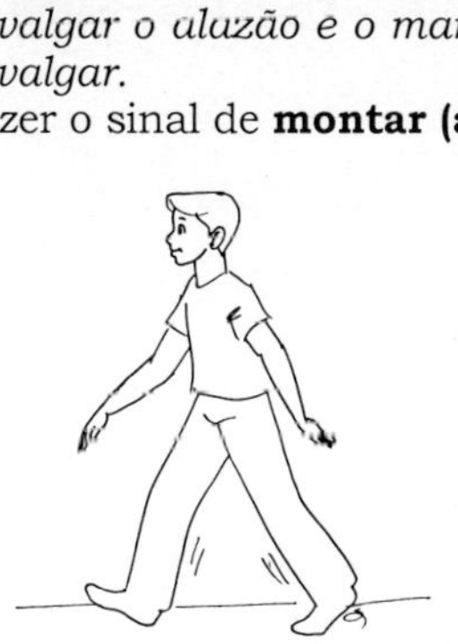
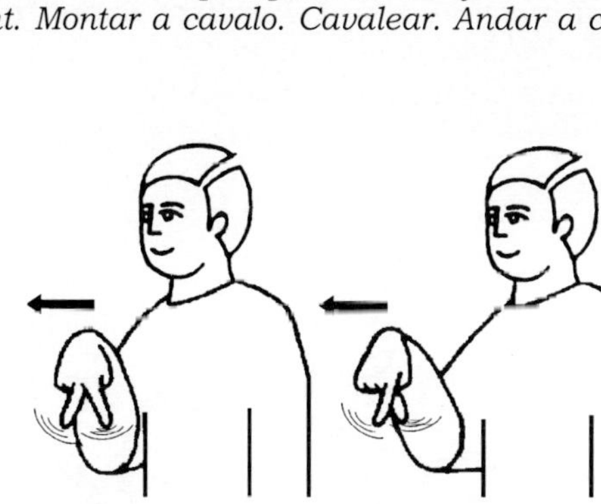

andar (1) (*a pé*) (*CL*) *(inglês: to walk, to go on foot)***:**
v. int. Deslocar-se dando passos. Caminhar. Dar passos. Ex.: Eu vim andando a pé. v. t. d. Percorrer uma certa distância a pé. Ex.: Andei cinco quilômetros a pé para poder chegar até aqui.
Mão direita em **V** invertido, palma para dentro, dedos para baixo. Mover a mão para frente, oscilando alternadamente os dedos.

caminhar (1) *(inglês: to walk, to go on foot, to hike, to march, to travel on foot)***:**
v. int. Andar. Percorrer caminho a pé. Pôr-se em movimento. Ex.: Meu médico disse para eu caminhar todos os dias, durante 30 minutos. v. t. i. Ir, dirigir-se. Ex.: Caminho ao trabalho todos os dias. v. t. d. Andar. Percorrer, andando. Ex.: Caminho dois quilômetros todos os dias.
Fazer o sinal de **andar (1) (*a pé*)**.

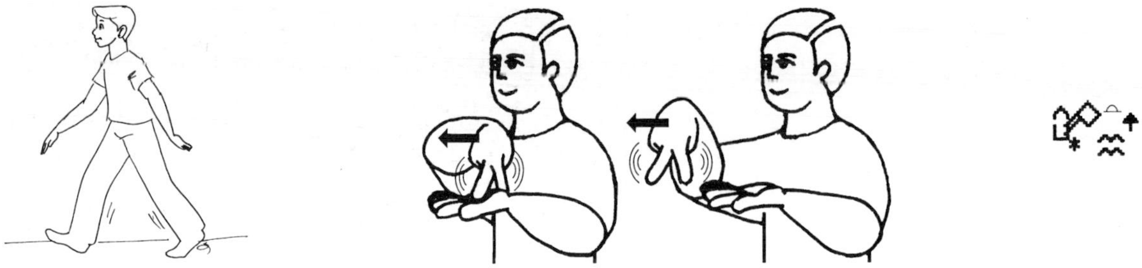

andar (2) (*a pé*) (*CL*) *(inglês: to walk, to go on foot, to wander, to gait, manner of walking)*:
Idem ***andar (1) (a pé)***. *Ex.: Não há estrada na mata, e é preciso andar a pé para chegar até a cachoeira. Ex.: Ficou o dia todo andando a pé.*
Mão esquerda horizontal aberta, palma cima; mão direita em **V** invertido, palma para dentro, dedos apontando para baixo, tocando a base da palma esquerda. Mover a mão direita para frente, sobre e além da esquerda, oscilando os dedos.

caminhar (2) *(inglês: to walk, to go on foot, to hike, to march, to travel on foot)*:
Idem ***caminhar (1)***. *Ex.: Todos caminhavam em direção ao mesmo lugar.*
Fazer o sinal de **andar (2) (*a pé*)**.

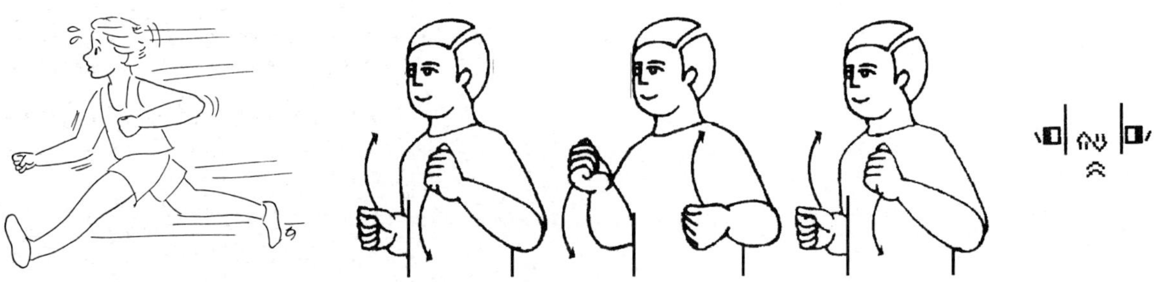

correr (1) (*andar mais rápido*) *(inglês: to run)*:
v. int. Andar rapidamente ou caminhar com grande velocidade. v. int. Participar de uma corrida. Ex.: Assustadas, as crianças correram. v. t. i. Encaminhar-se apressadamente a algum lugar. Ex.: Correu ao hospital, assim que recebeu a notícia. v. t. d. Percorrer. Andar rapidamente por. Ex.: Os atletas correram todo o percurso do parque do Ibirapuera.
Mãos em **A** horizontal, palma a palma, a cada lado do corpo. Movê-las alternadamente para cima e para baixo.

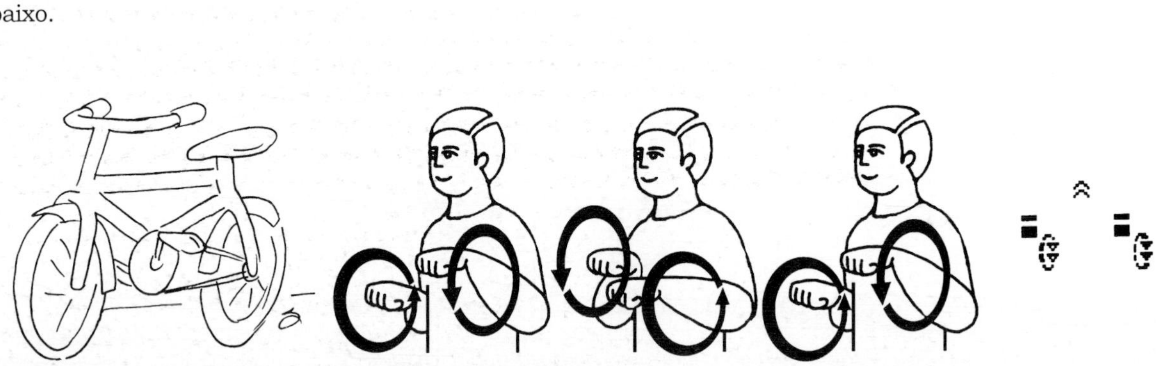

andar (de bicicleta) *(inglês: to cycle, to ride on (a bicycle))*:
v. int. Deslocar-se no espaço fazendo uso de um veículo de duas rodas propelido a pedal. Ex.: Gosto muito de andar de bicicleta. v. t. d. Percorrer uma dada distância ou um dado caminho conduzindo uma bicicleta. Ex.: Andei dois quilômetros de bicicleta para chegar até aqui.
Fazer o sinal de **bicicleta**. (Mãos em **S** horizontal, palmas para baixo. Movê-las alternadamente em círculos verticais para frente.)

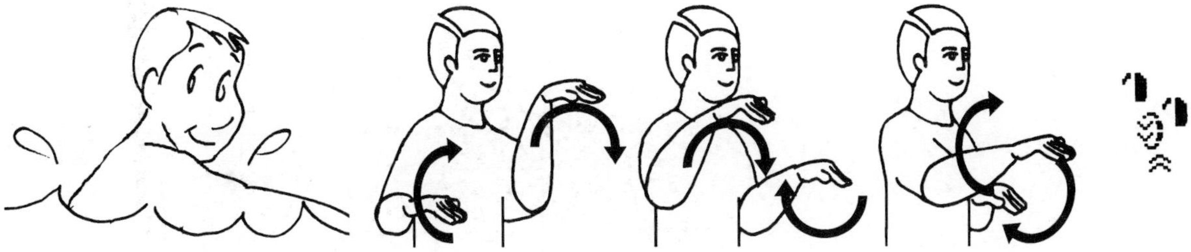

nadar *(inglês: to swim)*:
v. int. Ato de manter-se e movimentar-se à superfície da água. Ex.: Nadei a tarde toda. v. t. d. Percorrer nadando. Ex.: O atleta nadou 400 metros para ganhar a competição.
Mãos horizontais abertas, palmas para baixo, dedos unidos e curvados. Mover as mãos, alternadamente, em círculos verticais para frente.

mergulhar (1) (*jogar-se na água*) *(inglês: to dive, to plunge, to nose dive (to jump))*:
v. t. i., v. int. Afundar, submergir, ir para debaixo d'água. Jogar-se na água. Ex.: Há vários anos atrás, as pessoas mergulhavam no rio Tietê. Ex.: É muito perigoso mergulhar antes de certificar-se da profundidade da água.
Mãos verticais postas em frente à face. Movê-las em um arco para frente e para baixo, inclinando o corpo a cabeça para frente, e os dedos da mão para baixo.

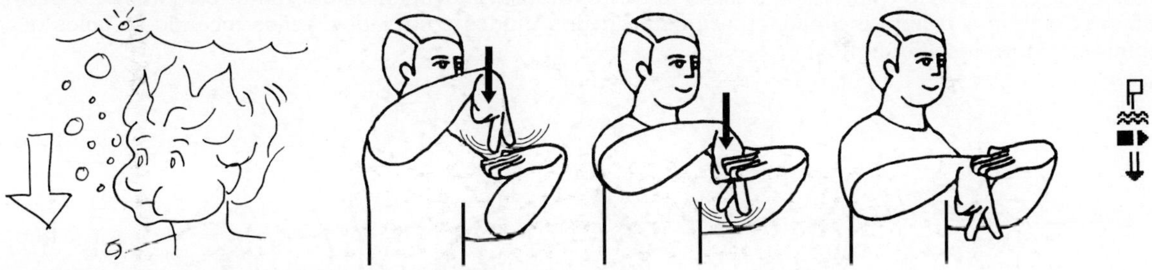

mergulhar (2) (*submergir*) *(inglês: to submerge, to immerse)*:
v. int. Ficar coberto de água; ir ao fundo, submergir. Afundar na água começando pelos pés. Ex.: Mergulhou por um minuto para testar sua resistência na água. Ex.: Gosto de mergulhar com tubo de oxigênio e máscara nas águas de Fernando de Noronha.
Mão esquerda horizontal aberta, palma para baixo, dedos para a direita; mão direita em **U** invertido, palma para dentro, atrás e acima da mão esquerda. Baixar a mão direita oscilando os dedos.

submergir (*uma pessoa submerge*) *(inglês: to submerge, to dive, to drown, to sink, to plunge (person))*:
v. int. Mergulhar, ir ao fundo. Ex.: Os mergulhadores submergiram à procura dos tesouros afundados.
Fazer o sinal de **mergulhar (2) (*submergir*)**.

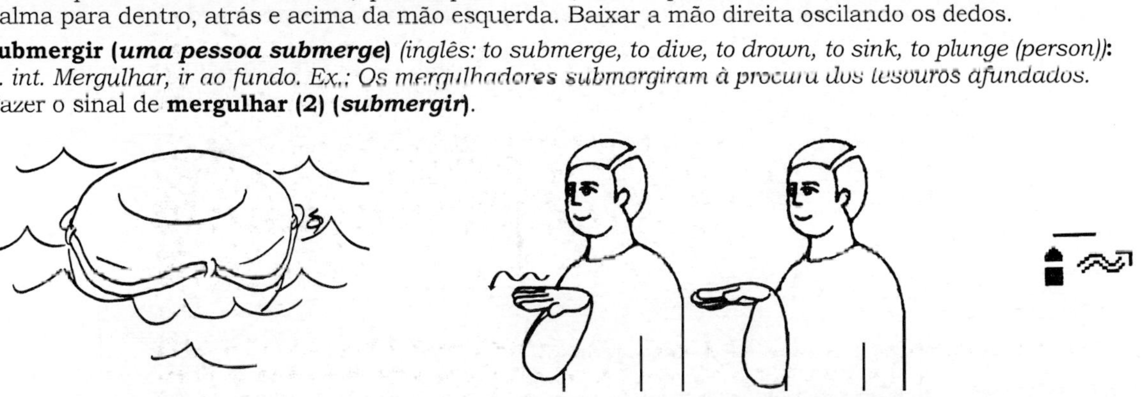

boiar (1) (*CL*) *(inglês: to float, to fluctuate, to be afloat, to set afloat, to buoy, to drift)*:
v. int. Permanecer na superfície da água; flutuar, sobrenadar. Ex.: O barco boiava no mar, sem rumo certo.
Mão direita horizontal aberta, palma para baixo. Mover a mão para a direita com movimentos ondulatórios.

boiar (2) (CL) *(inglês: to float, to fluctuate, to be afloat, to set afloat, to buoy, to drift)*:
Idem ***boiar (1)****. Ex.: Os nadadores boiavam ao redor dos barcos. Ex.: Quem não sabe nadar, não consegue boiar. Afunda e afoga-se.*
Mão esquerda horizontal aberta, palma para baixo, dedos unidos apontando para a direita; mão direita horizontal aberta, palma para baixo, dedos curvados tocando o dorso da mão esquerda. Mover as mãos para a direita, com movimentos ondulatórios.

navegar *(inglês: to navigate, to engage in navigation, to sail)*:
v. int. Transitar por mares ou rios em navios ou outras embarcações, fazendo, na maioria das vezes, uso de configurações estelares, mapas cartográficos, instrumentos ou bússola. Ex.: Gosto de navegar em alto mar. Ex.: Navegar é preciso. v. t. d. Percorrer o oceano. Ex.: Naveguei os sete mares.
Fazer o sinal de **navio**, movendo as mãos para frente, com movimentos ondulatórios. (Mãos horizontais abertas, palma a palma, inclinadas para cima, dedos unidos e curvados, mãos tocando-se pelos dedos mínimos. Movê-las para frente.)

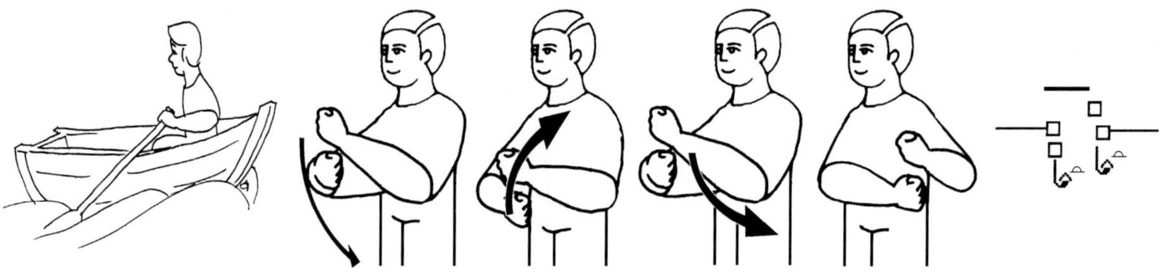

remar *(inglês: to row, to oar, to paddle, to pull the oars)*:
v. t. d. Pôr embarcação em movimento utilizando-se de remos. Ex.: Reme o bote até a praia. v. int. Manobrar, dar impulso à embarcação, movimentando os remos. Ex.: Eles remavam rapidamente, para que o barco não perdesse velocidade.
Mãos em **S** horizontal, palmas para dentro; mão esquerda acima da direita, ao lado direito do corpo. Mover as mãos em um arco para baixo e para trás. Repetir o movimento ao lado esquerdo do corpo.

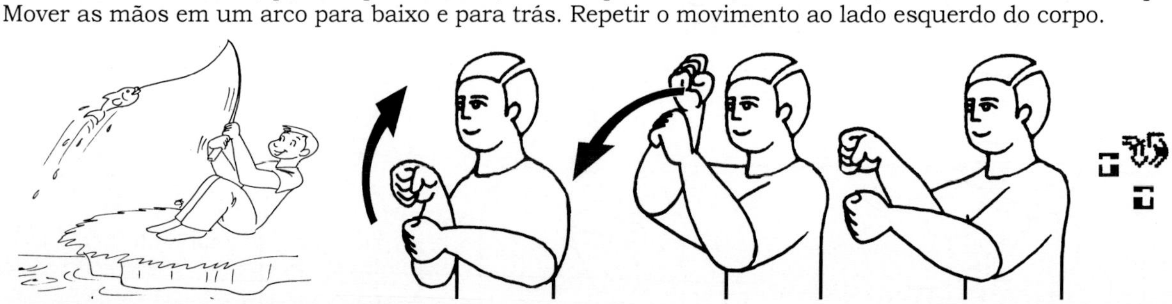

pescar (1) *(inglês: to fish, to catch fish)*:
v. t. d. Capturar (um peixe) utilizando uma vara, linha e anzol. Ex.: Pesquei um belo pintado. v. int. Tomar o tempo com a pesca. Ex.: Enquanto meu filho preparava a fogueira, eu pescava.
Mãos horizontais fechadas, palma a palma, mão direita acima da esquerda. Movê-las em um arco para cima e para trás, e em seguida em um arco para frente e para baixo.

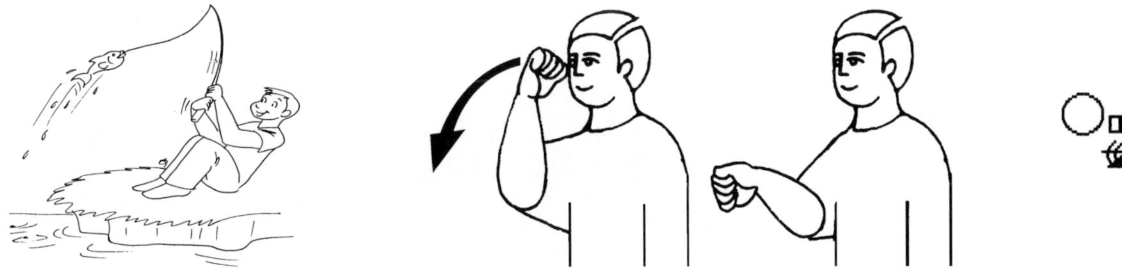

pescar (2) *(inglês: to fish, to catch fish)*:
Idem ***pescar (1)****. Ex.: Pesquei um pacu para nosso almoço. Ex.: Este final de semana vou pescar.*
Mão direita em **A**, palma para a esquerda, acima do ombro direito. Movê-la em um arco para frente e para baixo.

caçar *(inglês: to hunt)*:
v. t. d. Perseguir animais silvestres com arma de fogo para aprisioná-los vivos ou para matá-los. Ex.: É proibido caçar animais em extinção.
Braço esquerdo distendido, mão horizontal, palma para cima, dedos unidos e curvados e inclinados para a direita; mão direita em **X**, palma para a esquerda, ao lado do olho direito aberto e o olho esquerdo fechado. Dobrar o indicador esquerdo e estalar os lábios, abrindo a boca.

atirar (*com a espingarda*) *(inglês: to shoot using a rifle, to use a shotgun, to discharge a firearm, to rifle)* (usuais: caçar, caçador, caçadora; sugestão: atirar)**:**
v. t. i. Disparar uma espingarda, fuzil ou carabina, para alvejar (algo ou alguém). Ex.: A guarda florestal chegou a tempo de impedir com que o grupo de caça pudesse atirar com as espingardas nos animais.
Fazer o sinal de **caçar**.

disparar (1) (*com espingarda*) *(inglês: to shoot using a rifle, to use a shotgun, to discharge a firearm, to rifle)* (usuais: caçar, caçador, caçadora; sugestão: disparar)**:**
v. t. d., v. int. Acionar o gatilho de espingarda, fuzil ou carabina. Ex.: O caçador estava prestes a disparar a espingarda quando foi interrompido pelo fiscal do IBAMA. Ex.: O caçador tinha uma espingarda apontada para a corsa, mas o policial florestal chegou a tempo de impedir que ele pudesse disparar. v. t. i. Atirar em ou alvejar (algo ou alguém) com um fuzil, espingarda ou carabina. Ex.: O grupo de caça estava armado de espingardas, mas o guarda florestal chegou a tempo de impedir que eles pudessem disparar nos animais.
Fazer o sinal de **caçar**.

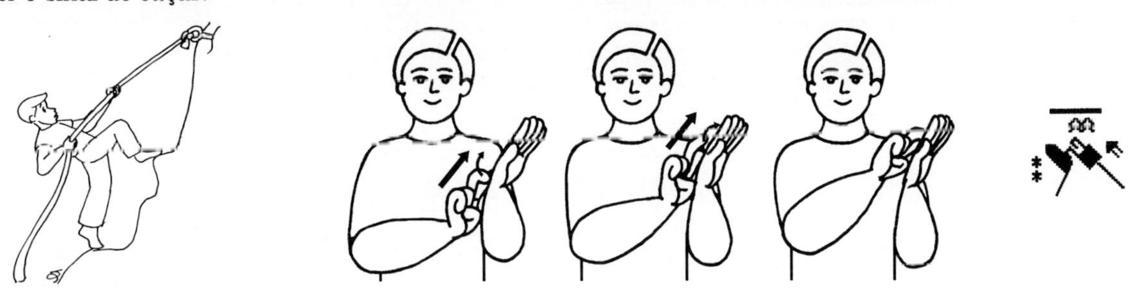

escalar (*CL*) *(inglês: to climb)*:
v. t. d. Entrar por cima dos muros ou pelas janelas em espaço vedado. Subir, trepar, galgar com auxílio de escada ou sem ele. Ex.: O menino escalou o muro para fugir do cachorro.
Mão esquerda vertical aberta, palma para frente inclinada para a esquerda, ao lado do ombro esquerdo; mão direita em **5**, pontas dos dedos tocando o dorso do pulso esquerdo. Mover a mão direita para cima, tocando o dorso da mão esquerda, ora com a ponta do dedo indicador, ora com a ponta do dedo médio.

trepar (*escalar*) (*CL*) *(inglês: to climb)* (usual: escalar; sugestão: trepar)**:**
v. t. d., v. t. i. Subir, içar-se, agarrando com as mãos e firmando-se nos pés. Ex.: O alpinista trepou a encosta da pedreira. Ex.: Eles trepavam pela encosta mais íngreme da pedreira abandonada.
Fazer o sinal de **escalar**.

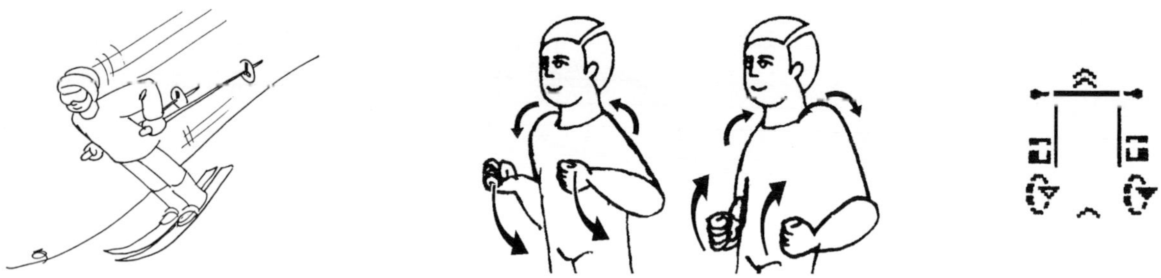

esquiar *(inglês: to ski)*:
v. int. Andar na neve com esquis. Ex.: Bariloche é um belo local para esquiar nas férias.
Mãos em **S** horizontal palma a palma, a cada lado do corpo. Movê-las, descrevendo arcos para baixo e para trás, várias vezes, inclinando o corpo ora para a direita, ora para a esquerda.

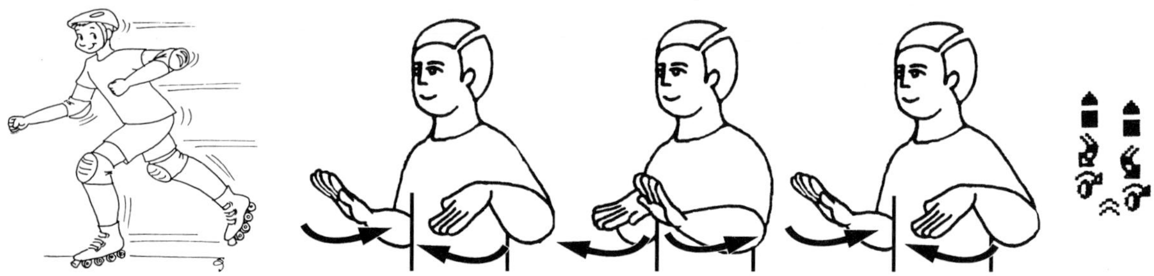

patinar *(inglês: to roller-skate, to skate, to glide)*:
v. int. Andar sobre o patins em superfície que contenha poucas irregularidades. Ex.: Fui ao parque e patinei a tarde toda.
Mãos horizontais abertas, palmas para baixo, dedos para frente, na altura do peito. Movê-las alternadamente em um arco para baixo e para frente, repetidas vezes.

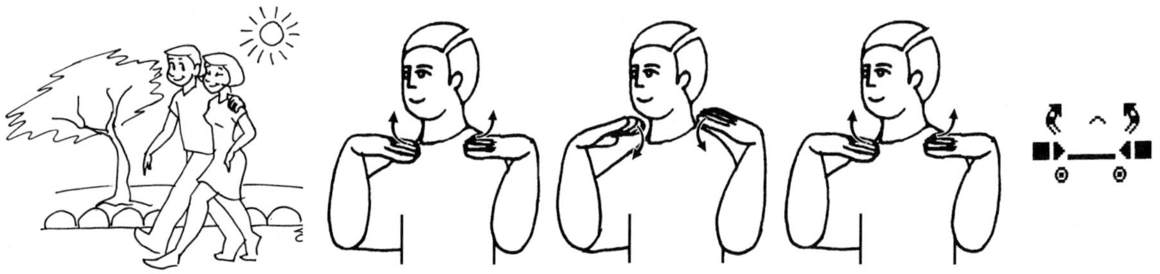

passear *(inglês: to walk for amusement or pleasure, to stroll, to go for a walk, to promenade)*:
v. int. Passar ao longo de um certo trecho a pé, de bicicleta ou de outra forma a fim de se exercitar ou passar o tempo. Ex.: Passeou a pé pelo shopping. Ex.: Resolveu passear após o almoço.
Mãos horizontais abertas, palmas para baixo, dedos apontando uns para os outros, tocando os ombros. Mover ligeiramente as mãos para cima e para os lados duas vezes.

folgar *(inglês: to rest, to be off duty, to be at ease, to take it easy)*:
v. t. d., v. t. d. i. Dar folga ou descanso a. Ex.: O patrão folgou os empregados hoje. Ex.: Folguei os funcionários de trabalharem no final de semana. v. t. i., v. int. Ter descanso ou alívio nas obrigações ou atividades. Ex.: Os alunos folgarão em um descanso merecido. Ex.: Os funcionários folgaram ontem.
Mãos verticais abertas, palma a palma, ponta do polegar de cada mão, sob as axilas. Balançar os dedos das mãos.

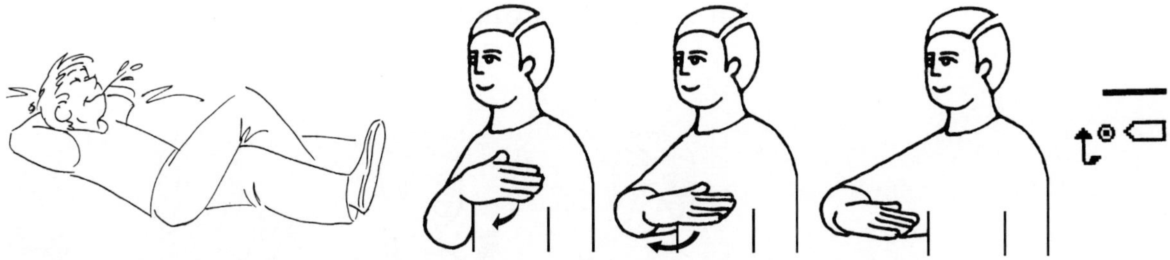

descansar *(inglês: to rest, to relax, to be at ease, to rest from, to take a rest)*:
v. t. d. Dar descanso a, fazer repousar, aliviar da fadiga ou trabalho. Tranqüilizar. Ex.: Descansou o corpo na rede. v. t. i. e v. int. Repousar do cansaço, fadiga ou trabalho. Ex.: Descansou do trabalho ao chegar em casa. Ex.: Preciso descansar.
Mão direita horizontal aberta, palma para dentro, tocando o peito. Baixar um pouco a mão, inclinando a palma para baixo.

3.5.2. Em relação a comemorações

festejar *(inglês: to feast, to celebrate, to commemorate)*:
v. t. d. Fazer festa por ou em honra de algo. Ex.: Vamos festejar o término do trabalho!
Mãos horizontais abertas, palmas para baixo, à frente do corpo. Girar as palmas para cima, e movê-las para cima, com expressão sorridente.

celebrar *(inglês: to celebrate, to commemorate)*:
v. t. d. Festejar um acontecimento. Comemorar. Ex.: Vamos celebrar sua vitória com um jantar especial no melhor restaurante de São Paulo. Celebração: *s. f. Comemoração. Cerimônia realizada em memória de um acontecimento importante. Ex.: No dia sete de setembro acontece a celebração da independência do Brasil.*
Fazer o sinal de **festejar**.

comemorar *(inglês: to commemorate, to celebrate)* (usuais: comemorar, comemoração; sugestões: comemorativo, comemorativa):
v. t. d. Festejar um acontecimento. Celebrar. Ex.: Vamos comemorar sua vitória com muita alegria.
Fazer o sinal de **festejar**.

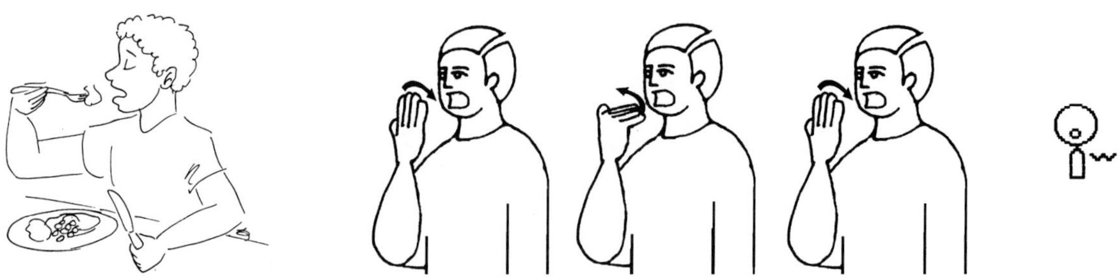

comer *(inglês: to eat, to feed)*:
v. t. d. Morder, mastigar e engolir. Ingerir. Introduzir alimento pela boca até o estômago. Alimentar-se de. Tomar por alimento. Ex.: Coma alguma coisa entre o almoço e o jantar. v. int. Ingerir alimento. Mastigar e engolir alimentos. Alimentar-se. Ex.: É preciso comer regularmente.
Mão direita vertical aberta, palma para dentro, diante da boca. Flexionar os dedos duas vezes.

alimentar-se *(inglês: to feed, to nourish; to feed oneself)*:
Alimentar-se: *v. pr. Nutrir-se. Sustentar-se. Ex.: Alimente-se bem pela manhã.*
Fazer o sinal de **comer**.

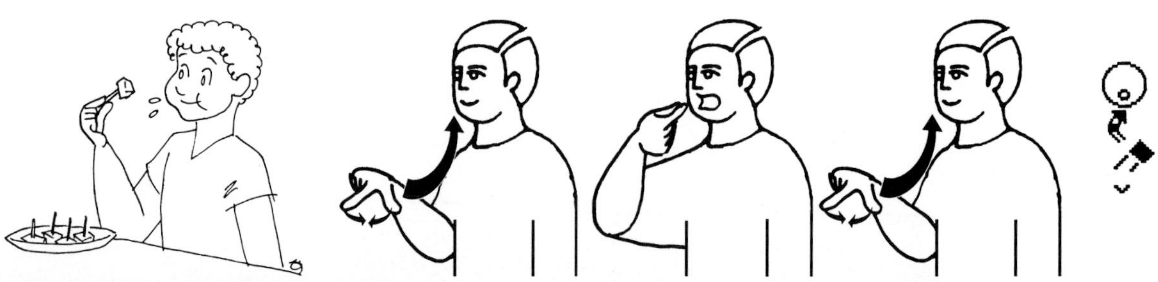

petiscar (*CL*) *(inglês: to nibble, to pick at food)*:
v. t. d., v. int. Comer um pequeno pedaço de algo normalmente salgado, antes das refeições, com o objetivo de abrir o apetite para a refeição principal. Ex.: Antes do jantar petisquei uns pedacinhos de salame. Ex.: Gosto muito de petiscar. Petisco: *s. m. Pequeno pedaço de comida servido antes das refeições para abrir o apetite. Ex.: Normalmente sirvo pedaços de queijo como petisco.*
Mão direita horizontal fechada, palma para baixo, dedos indicador e polegar distendidos. Unir os dedos indicador e polegar e levá-los à boca, duas vezes.

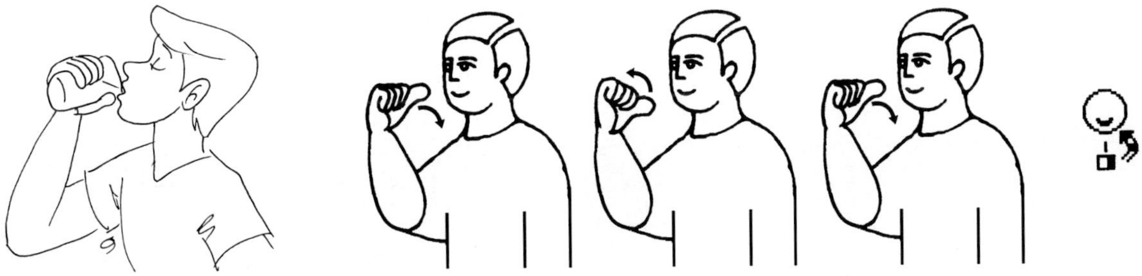

beber *(inglês: to drink, to have a drink)*:
v. t. d. Engolir, ingerir, tomar líquidos. Ex.: Gosto muito de beber sucos naturais de frutas.
Mão direita em **A** horizontal, palma para a esquerda, polegar distendido, diante da boca. Inclinar o polegar para trás, aproximando a mão da boca.

dançar (1) (*dançar junto, colado*) *(inglês: to dance (couple dancing))*:
v. t. i., v. int. Executar junto com uma pessoa uma sucessão rítmica de passos e movimentos do corpo, comumente ao compasso de música. Ex.: Dancei com ele a noite toda. Ex.: Ele gosta de dançar.
Mão esquerda horizontal aberta, palma para dentro, diante do peito; mão direita em **A**, palma para a esquerda, à altura do ombro direito. Balançar o corpo para a esquerda e para a direita.

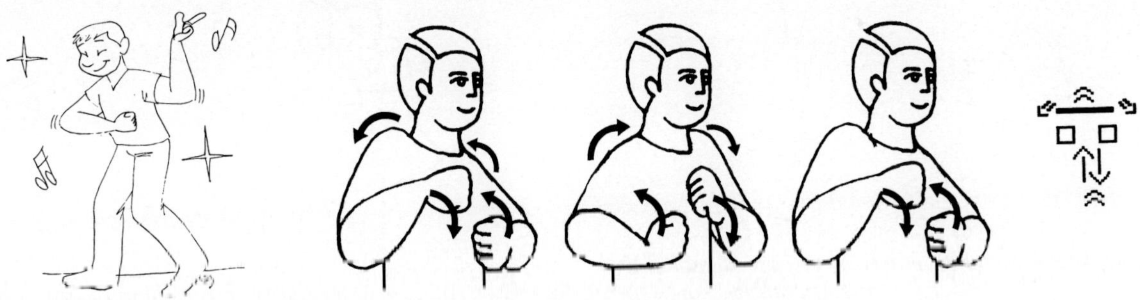

dançar (2) (*dançar separado ou perto*) *(inglês: to dance (single dancing))*:
v. t. i., v. int., v. t. d. Executar só ou perto de uma ou mais pessoas uma sucessão rítmica de passos e movimentos do corpo, comumente ao compasso de música. Ex.: Quero dançar com ele. Ex.: Dançaram toda noite e não se cansaram. Ex.: Gosto de dançar samba.
Mãos horizontais fechadas, palmas para dentro, próximas ao corpo. Balançar as mãos para cima e para baixo, alternadamente, acompanhando os movimentos com o corpo.

3.5.3. Em relação a cultura

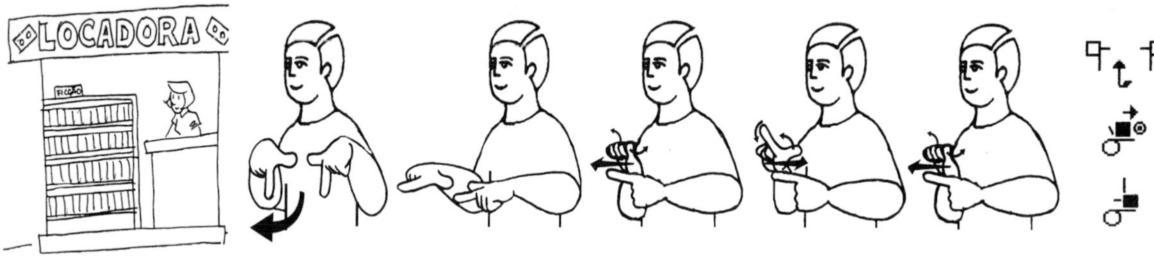

alugar (fitas de vídeo) *(inglês: to rent (videotapes), to lend (videotapes)):*
v. t. d. Tomar ou dar de aluguel (fitas de videocassete). Ex.: Alugou fitas de vídeo de vários filmes para assistir durante o feriado. v. t. d. i. Dar de aluguel (fitas de videocassete) a alguém (o cliente). Ex.: O funcionário da locadora alugou dez fitas de vídeo a um mesmo cliente cinéfilo.
Fazer o sinal de **fita de vídeo**. (Mãos em **L** invertido, palmas para dentro, dedos indicadores apontando para baixo. Mover as mãos em um arco para baixo e para frente, virando as palmas para baixo.) Em seguida, fazer o sinal de **alugar, alugar-se, aluguel**. (Mão esquerda em **D,** palma para dentro; mão direita em **A** horizontal, palma para baixo, tocando o indicador esquerdo. Mover a mão direita sobre o indicador esquerdo, mudando-a para mão em **L**, duas vezes.)

locar (fitas de vídeo) *(inglês: to rent (videotapes):*
v. t. d. Alugar (fitas de videocassete). Ex.: Locou fitas de vídeo de vários filmes para assistir durante o feriado.
Fazer o sinal de **alugar (fitas de vídeo)**.

assistir *(inglês: to watch, to attend, to stand by):*
v. t. i. Ver, observar, testemunhar, ser espectador. Ex.: Assisti à palestra sobre Língua de Sinais Brasileira.
Mão direita horizontal fechada, palma para a esquerda, dedos indicador e polegar curvados, tocando abaixo do olho direito.

ler *(inglês: to read, to learn, to study):*
v. t. d. Conhecer, interpretar por meio da leitura. Ex.: Li o texto duas vezes para entendê-lo melhor. v. int. Conhecer as letras do alfabeto e saber juntá-las em palavra. Ex.: Ler é sempre muito gratificante.
Mão esquerda horizontal aberta, palma para cima inclinada para dentro, dedos apontando para a direita; mão direita em **V**, palma para frente inclinada para baixo, acima da mão esquerda. Mover a mão direita para baixo, inclinando a palma para dentro e os dedos para baixo, duas vezes.

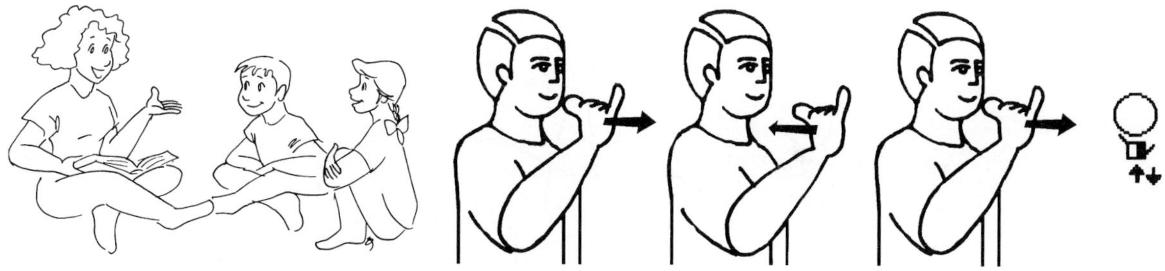

contar (*estórias ou histórias*) *(inglês: to tell (tales))*:
v. t. d., v. t. d. i. Narrar fato ou ficção. Relatar acontecimento ou enredo a alguém. Ex.: Um antigo morador da cidade contou a história sobre como ela foi fundada. Ex.: O escritor contou às crianças uma linda estória infantil.
Mão direita em **Y**, palma para a esquerda, diante da boca. Mover ligeiramente a mão para frente e para trás.

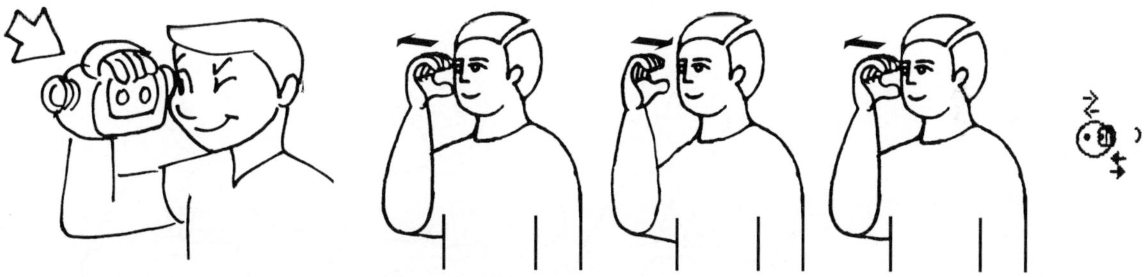

filmar (1) (*usando filmadora manual*) *(inglês: to film, to shoot)*:
v. t. d. Registrar (cenas e sons), com auxílio de filmadora, em fita de vídeo VHS, 8 mm ou, mais raramente, em filme cinematográfico. Ex.: Eu filmarei o parto do meu filho. v. int. Fazer um filme. Ex.: Acabei de comprar a filmadora e não me sinto apto para filmar.
Mão direita em **C**, palma para a esquerda, diante do olho direito. Mover a mão ligeiramente para os lados, duas vezes, lentamente.

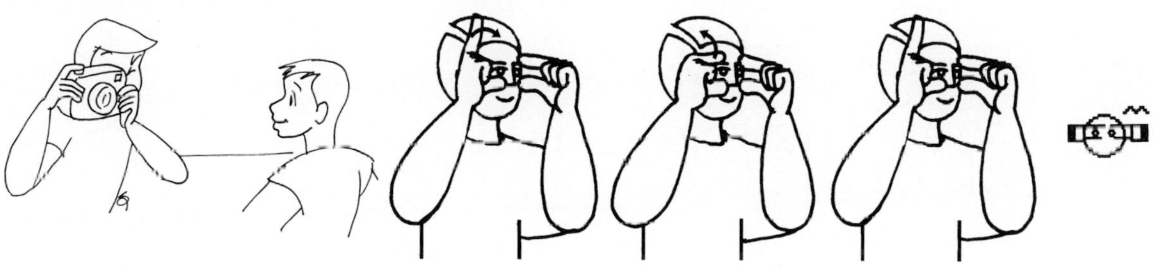

fotografar *(inglês: to photograph somebody, to take pictures of someone, to take snapshots)*:
v. t. d. Reproduzir por meio de fotografia uma imagem qualquer. Retratar. Tirar fotografias ou retratos com máquina fotográfica. Ex.: Fotografei todos os monumentos visitados.
Mão esquerda vertical fechada, palma para a direita, polegar e indicador distendidos e paralelos; mão direita em **L**, palma para a esquerda, mãos diante dos olhos. Flexionar o indicador direito e depois distendê-lo novamente.

tirar (fotografia) *(inglês: to photograph, to take (pictures), to take (snapshots))*:
v. t. d. Fotografar. Fazer o retrato de. Tirar foto. Tirar retrato. Ex.: Durante a formatura, tirei fotografia dos colegas de turma.
Fazer o sinal de **fotografar**.

retratar (*tirar retratos*) *(inglês: to photograph, to take pictures, to take snapshots)*:
v. t. d. Fazer o retrato de, tirar fotografia, fotografar. Ex.: Tenho retratado todos os momentos da minha formatura.
Fazer o sinal de **fotografar**.

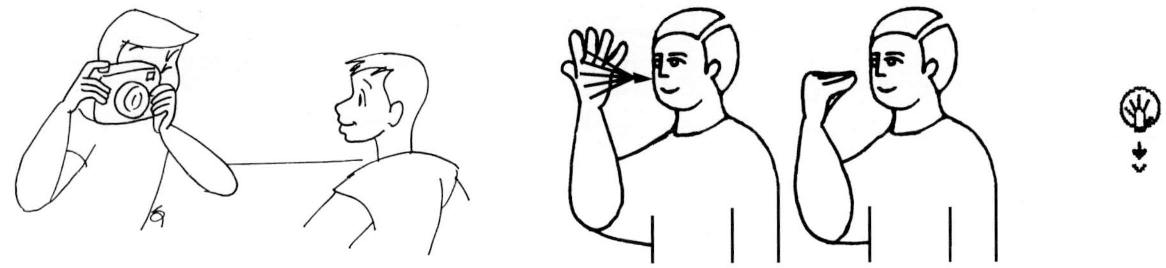

fotografar-me (***ser fotografado: o sinalizador serve de modelo para a foto, ele é fotografado***) *(inglês: to be photographed, to be taken pictures of)*:
v. t. d. Retratar-me. Tirar uma foto minha. Ex.: Ele fotografou-me na festa. Fotografado(a): *adj. m. (f.) Que foi retratado(a) por meio de máquina fotográfica. O sinalizador é retratado. O sinalizador tem uma foto sua tirada. (Obs.: Este sinal deve ser usado na primeira pessoa: Eu sou, fui ou serei fotografado(a).) Ex.: Quando os repórteres chegaram fui fotografado várias vezes.*
Mão direita vertical aberta, palma para dentro, dedos separados, diante do rosto. Mover a mão ligeiramente para trás, unindo as pontas dos dedos.

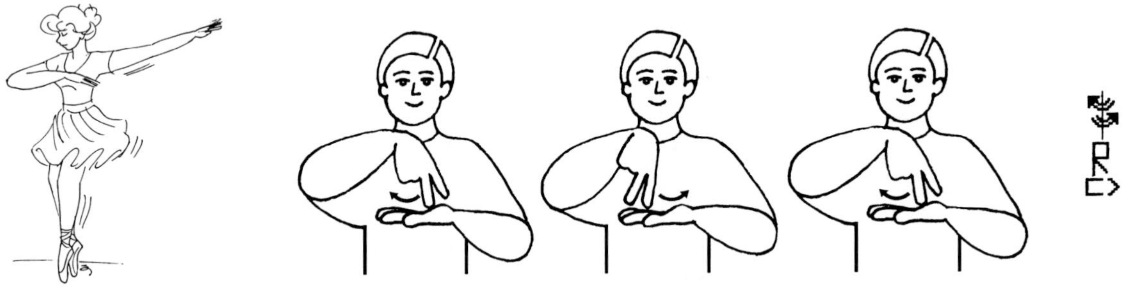

dançar (3) *(inglês: to dance)*:
Idem ***dançar (1)*** *e* ***(2)****. Ex.: Ela se sente extremamente bem quando está dançando.*
Fazer o sinal de **dança**. (Mão esquerda horizontal aberta, palma para cima, dedos apontando para a direita; mão direita em **V** invertido, palma para dentro, acima da palma esquerda e próxima a ela. Balançar a mão direita para os lados.)

3.5.4. Em relação a relaxamento e descanso

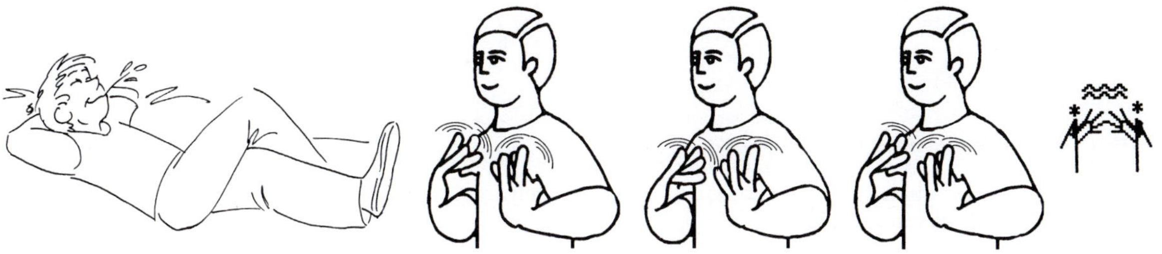

folgar *(inglês: to rest, to be off duty, to be at ease, to take it easy)*:

v. t. d., v. t. d. i. Dar folga ou descanso a. Ex.: O patrão folgou os empregados hoje. Ex.: Folguei os funcionários de trabalharem no final de semana. v. t. i., v. int. Ter descanso ou alívio nas obrigações ou atividades. Ex.: Os alunos folgarão em um descanso merecido. Ex.: Os funcionários folgaram ontem.

Mãos verticais abertas, palma a palma, ponta do polegar de cada mão, sob as axilas. Balançar os dedos das mãos.

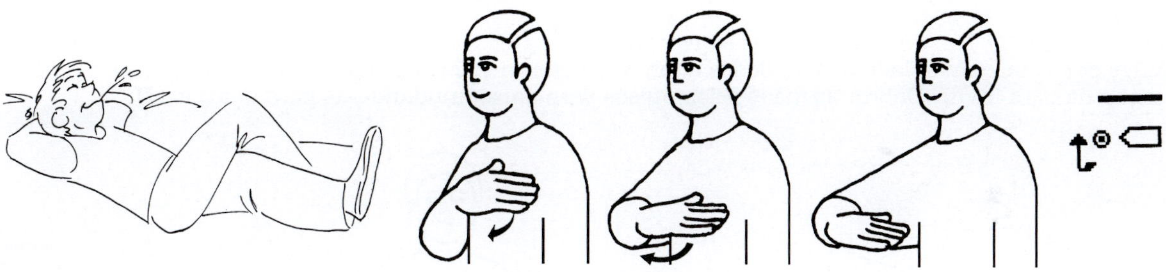

descansar *(inglês: to rest, to relax, to be at ease, to rest from, to take a rest)*:

v. t. d. Dar descanso a, fazer repousar, aliviar da fadiga ou trabalho. Tranqüilizar. Ex.: Descansou o corpo na rede. v. t. i. e v. int. Repousar do cansaço, fadiga ou trabalho. Ex.: Descansou do trabalho ao chegar em casa. Ex.: Preciso descansar.

Mão direita horizontal aberta, palma para dentro, tocando o peito. Baixar um pouco a mão, inclinando a palma para baixo.

dormir (1) *(inglês: to sleep, to fall asleep)*:

v. int. Pegar no sono. Estar entregue ao sono. Perder o estado de consciência. Repousar, conservar-se imóvel. Ex.: Quando assisto TV, tendo a dormir.

Mão direita em **C**, palma para frente, ao lado do olho direito. Fechar a mão lentamente, inclinando a cabeça para a direita e fechando os olhos.

dormir (2) *(inglês: to sleep, to fall asleep)*:
*Idem **dormir (1)**. Ex.: Já está tarde, é melhor ir dormir.*
Mão vertical aberta, palma para a esquerda. Inclinar ligeiramente a cabeça para a direita e encostar na palma direita, com os olhos fechados.

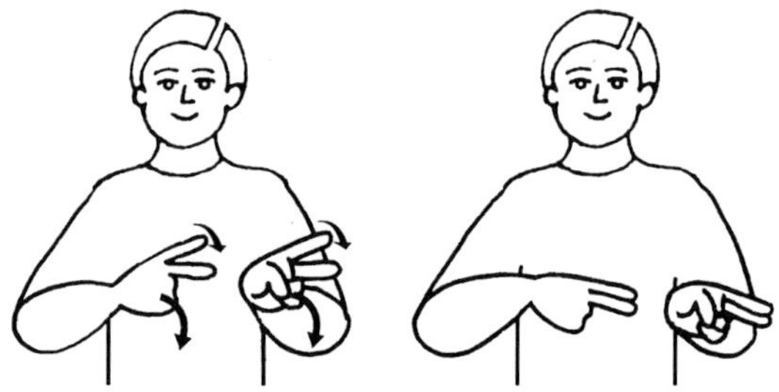
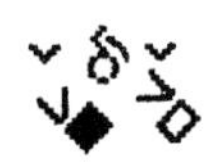

dormir (3) *(inglês: to go to sleep)*:
*Idem **dormir (1)**. Ex.: Com licença, pois eu vou dormir.*
Mãos em **V** horizontal, lado a lado, dedos apontando para a esquerda, palma direita para dentro e palma esquerda para frente. Dobrar as mãos pelos pulsos para baixo, mudando-as para mãos em **U**.

meditar *(inglês: to meditate, to contemplate)*:
v. int. Fazer meditação. Ex.: Para combater o estresse diário, pode-se meditar.
Mãos horizontais abertas, palmas para cima, dedos indicadores e polegares, unidos pelas pontas, a cada lado do corpo.

massagear *(inglês: to massage)*:
v. t. d., v. int. Fazer massagem (em). Ex.: Quando estou muito tenso, peço a um profissional para massagear minhas costas. Ex.: Você massageia muito bem.
Mãos horizontais abertas, palma a palma, do lado esquerdo do corpo. Movê-las para a direita enquanto balança-as, alternadamente para cima e para baixo com força e rapidamente.

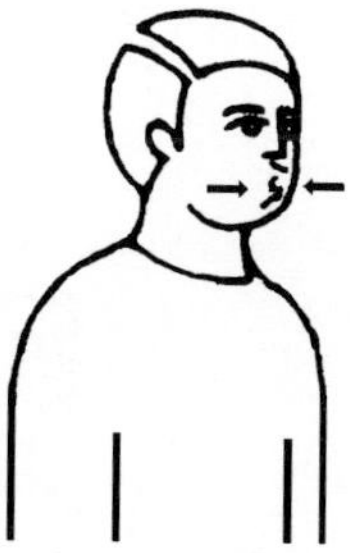

assobiar (*CL*) *(inglês: to whistle)*:
v. int. Emitir assobio. Sibilar. Ex.: O passarinho assobia logo que o dia amanhece. v. t. d. Executar um trecho de música por assobio. Ex.: Em sua homenagem, vou assobiar a sinfonia Pastoral de Beethoven.
Expirar o ar com os lábios unidos e protuberantes (salientes).

3.5.5. Em relação a diversão

aproveitar, aproveitar-se (1) (*sentido positivo*) *(inglês: to make good use of, to put to good use, to make the best of)*:
Aproveitar: *v. t. d., v. t. i., v. int. Tirar proveito de alguma oportunidade ou pessoa sem prejudicá-los. v. t. d., v. t. i. Tornar proveitoso, útil, conveniente ou lucrativo. v. t. d. Empregar, utilizar. Ex.: Aproveite a presença do professor para tirar suas dúvidas. Ex.: Aproveite bem com seus conselhos. Ex.: O que se faz sem dedicação não aproveita.* Aproveitar-se: *v. pr. Tornar proveitoso, útil, conveniente ou lucrativo. Empregar, utilizar Ex.: Aproveitou-se de seus próprios conhecimentos e prosperou.*
Mão direita em **I** horizontal, palma para baixo. Mover a mão para baixo, girando a palma para cima.

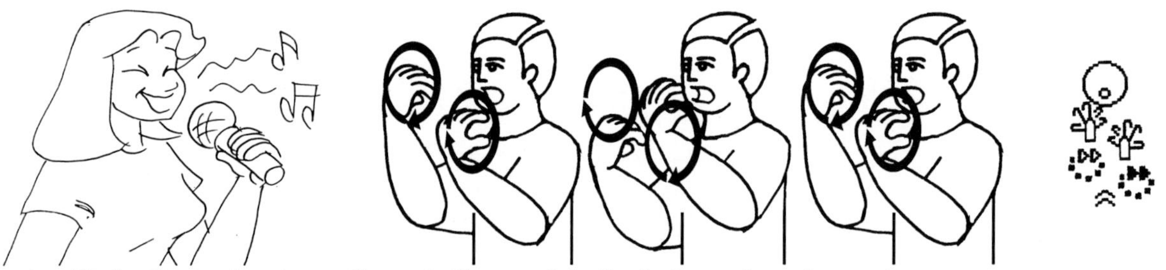

cantar (1) *(inglês: to sing, to vocalize melodious and rhythmical sounds and songs)*:
v. int. Emitir com a voz sons ritmados e musicais. Produzir sons melodiosos ou cadenciados. Ex.: Ela cantou muito bem. v. t. d. Dizer ou exprimir por meio de canto ou poesia. Executar cantando um trecho de música. Ex.: A vocalista desse grupo cantou três músicas.
Mãos verticais abertas, palmas para dentro, dedos curvados, diante da boca aberta. Mover as mãos alternadamente em círculos verticais, aproximando-as.

cantar (2) *(inglês: to sing, to vocalize melodious and rhythmical sounds and songs)*:
*Idem **cantar (1)**. Ex.: Gosto de cantar música popular brasileira.*
Mão direita em **S** horizontal, palma para dentro, próxima à boca. Balançar o corpo, movimentando a boca.

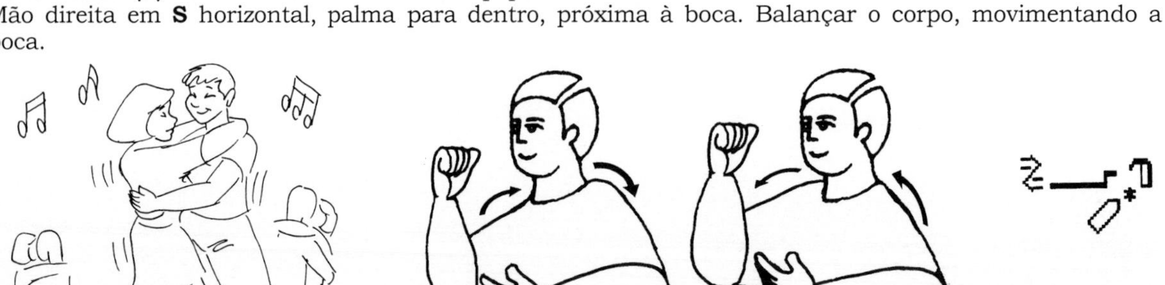

dançar (1) (*dançar junto, colado*) *(inglês: to dance (couple dancing))*:
v. t. i., v. int. Executar junto com uma pessoa uma sucessão rítmica de passos e movimentos do corpo,

comumente ao compasso de música. Ex.: Dancei com ele a noite toda. Ex.: Ele gosta de dançar.
Mão esquerda horizontal aberta, palma para dentro, diante do peito; mão direita em **A**, palma para a esquerda, à altura do ombro direito. Balançar o corpo para a esquerda e para a direita.

dançar (2) (*dançar separado ou perto*) *(inglês: to dance (single dancing))*:
v. t. i., v. int., v. t. d. Executar só ou perto de uma ou mais pessoas uma sucessão rítmica de passos e movimentos do corpo, comumente ao compasso de música. Ex.: Quero dançar com ele. Ex.: Dançaram toda noite e não se cansaram. Ex.: Gosto de dançar samba.
Mãos horizontais fechadas, palmas para dentro, próximas ao corpo. Balançar as mãos para cima e para baixo, alternadamente, acompanhando os movimentos com o corpo.

torcer (1) (*vibrar*) *(inglês: to cheer with intensity, to pull for intensely)*:
v. t. i. Demonstrar entusiasticamente, por meio de gesticulações, gritos, danças e agitação de bandeiras, o desejo de que o time de sua escolha vença uma partida ou campeonato. Ex.: Nossos amigos se uniram no estádio para torcer pelo time. vi. int. Desejar que outro saia-se bem em sua ação. Ex.: Torço muito para que você consiga passar no vestibular.
Mãos em **S** vertical palma a palma, a cada lado da cabeça. Movê-las para frente e para trás, com força, e expressão de alegria.

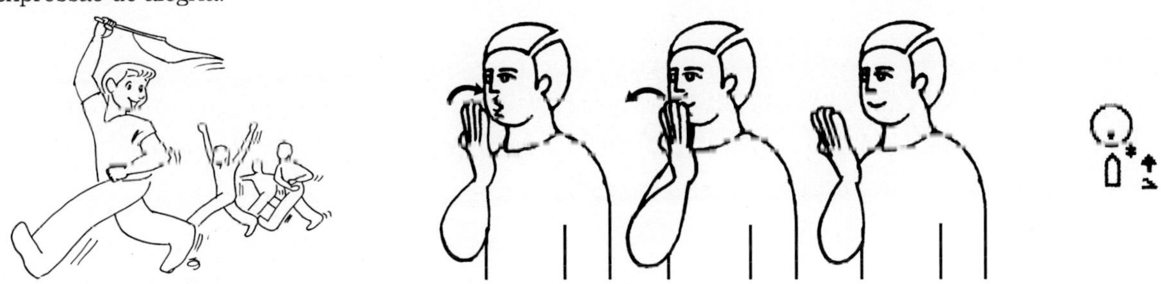

torcer (2) (*preferência*) *(inglês: to prefer, to cheer, to pull for)*:
v. t. i. Ter preferência por um time. Sentir predileção por (uma equipe). Ex.: Para qual time de futebol você torce?
Mão vertical aberta, palma para dentro, tocando os lábios. Beijar a mão e movê-la ligeiramente para frente.

apostar *(inglês: to bet, to make a bet, to risk, to stake, to wager)*:
v. t. d. Fazer aposta de. Jogar aplicando dada quantia para concorrer a quantia maior. Ex.: Vamos apostar

um suco de laranja. v. t. i. Competir. Disputar. Ex.: Eu aposto com você! v. t. d. i. Fazer aposta: Ex.: O homem apostou o salário todo na loteria, e acabou perdendo tudo.
Mãos em **A** horizontal, palmas para dentro, na altura do ombro direito. Movê-las para baixo, dobrando os pulsos para baixo.

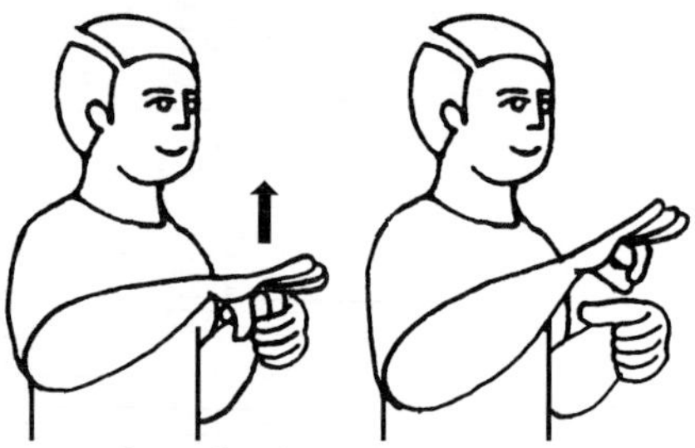

sortear *(inglês: to raffle, to pick out by lot, to cast lots, to draw lots)*:
v. t. d. Selecionar, ao acaso, um dentre vários candidatos concorrentes a algo. Ex.: Sortearam um automóvel.
Mão esquerda em **C** horizontal, palma para a direita; mão direita horizontal aberta, palma para baixo, dedos polegar e indicador distendidos para baixo, dentro do C esquerdo. Mover a mão direita ligeiramente para cima, unindo as pontas dos dedos polegar e indicador.

3.5.6. Em relação a distração

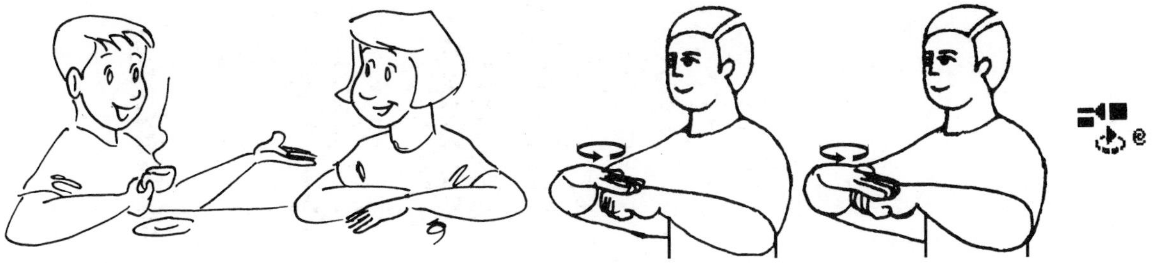

conversar (1) *(inglês: to talk, to converse, to chat)*:
v. t. i., v. int. Falar com um interlocutor. Trocar idéias. Manter conversação. Participar de uma interação verbal ou em sinais com um interlocutor, tomando turnos como emissor e receptor das mensagens. Manter comunicação, alternando turnos como orador (ou emissor da sinalização) e ouvinte (ou receptor da sinalização). Ex.: Conversou comigo. Ex.: Depois da discussão conversaram. v. t. d. Estabelecer ou entabular conversa com. Entreter-se em conversa sobre. Ex.: Não devemos perder nosso tempo conversando besteiras sobre os outros.

Mão esquerda horizontal fechada, palma para baixo, apontando para frente; mão direita horizontal aberta, palma para baixo, dedos apontando para a esquerda e tocando o dorso da mão esquerda. Mover a mão direita em círculos horizontais.

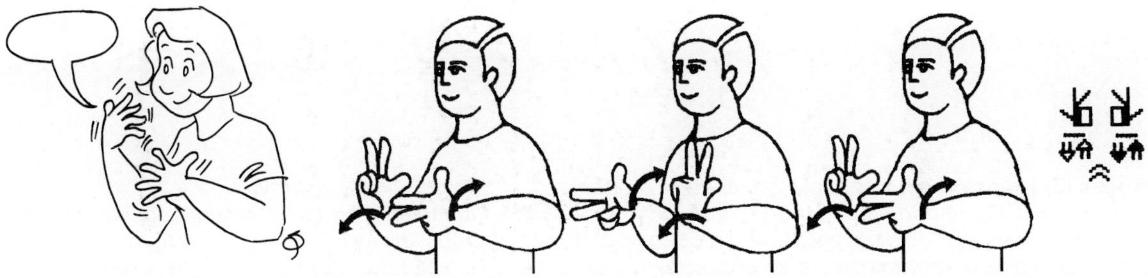

conversar (2) (*usando a Língua de Sinais*) *(inglês: to talk, to converse, to chat (using Sign Language))*:
Idem ***conversar (1)****, usando a Língua de Sinais. Ex.: Conversamos bastante sobre o curso de Língua de Sinais.*

Mãos verticais fechadas, palma a palma, dedos indicadores, médios e polegares distendidos. Balançar as mãos pelos pulsos para baixo e para cima, alternadamente.

conversar (3) (*usando voz e fala*) *(inglês: to talk, to converse, to chat (using speech))*:
Idem ***conversar (1)****, usando a fala. Ex.: Aqueles garotos não param de conversar durante a aula, e acabam não aprendendo a lição.*

Mãos verticais fechadas, palma a palma, dedos indicadores e polegares distendidos e unidos. Separar e unir os dedos indicadores e polegares, várias vezes.

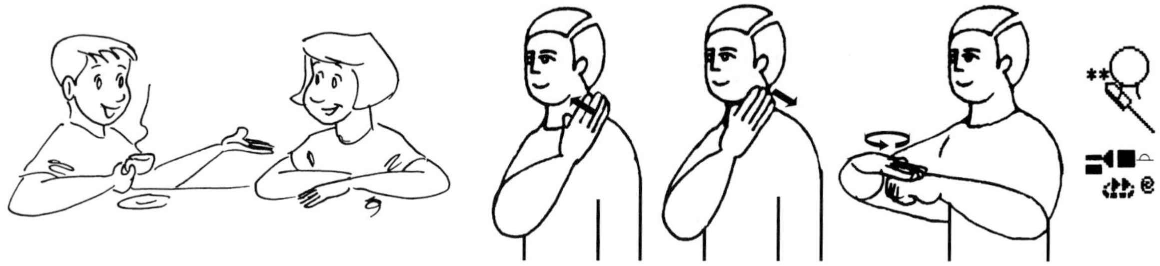

papear (1) (*usando fala*) *(inglês: to chatter, to jabber, to tittle-tattle (using speech))*:
v. int. Parolar, bater papo, conversar informalmente com alguém por algum tempo de modo casual, sem compromisso e amigável. Bater papo. Ex.: Elas ficaram papeando por muito tempo. v. t. i. Conversar com. Ex.: O comerciante gostava de papear com seus fregueses.
Mão direita vertical aberta, palma para dentro, dedos inclinados para a esquerda. Tocar duas vezes a palma dos dedos direitos no lado esquerdo do pescoço. Em seguida, fazer o sinal de **conversar (1), conversa (1), conversação (1), conversado(a) (1)**. (Mão esquerda horizontal fechada, palma para baixo, apontando para frente; mão direita horizontal aberta, palma para baixo, dedos apontando para a esquerda e tocando o dorso da mão esquerda. Mover a mão direita em círculos horizontais.)

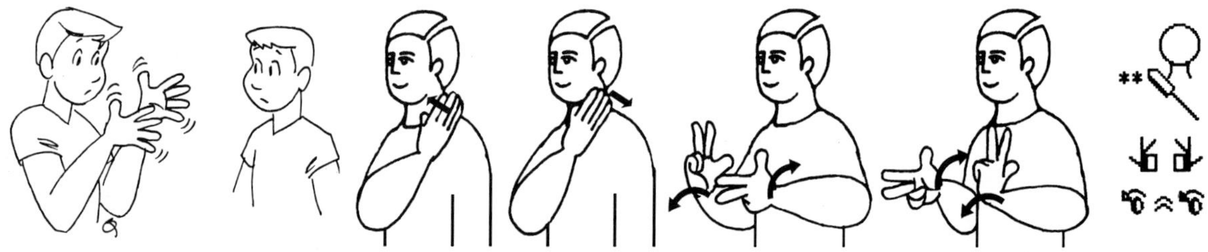

papear (2) (*usando sinais*) *(inglês: to chatter, to jabber, to tittle-tattle (using signs))*:
*Idem **papear (1)**, usando a Língua de Sinais. Ex.: Os Surdos papeavam alegres na praça de alimentação..*
Mão direita vertical aberta, palma para dentro, dedos inclinados para a esquerda. Tocar duas vezes a palma dos dedos direitos no lado esquerdo do pescoço. Em seguida, fazer o sinal de **conversar (2) (*usando a Língua de Sinais*), conversa (2), conversação (2), conversado(a) (2)**. (Mãos verticais fechadas, palma a palma, dedos indicadores, médios e polegares distendidos. Balançar as mãos pelos pulsos para baixo e para cima, alternadamente.)

convidar (1) (*o sinalizador convida alguém*) *(inglês: to invite (someone))*:
v. t. d., v. t. d. i. Solicitar a presença de alguém por gentileza. Convocar a presença de, mas sem qualquer obrigação. Pedir o comparecimento de. Instar a vinda ou visita de. Chamar alguém para que venha, mas sem obrigá-lo a fazê-lo. O sinalizador solicita a presença de, convoca, pede o comparecimento de alguém, sem qualquer obrigação. (Obs.: Este sinal deve ser usado na primeira pessoa: Eu convido, convidei, convidarei.) Ex.: Dei uma festa em minha casa e convidei minha família inteira. Ex.: Convidei meus pais a almoçar.
Mãos horizontais abertas, palmas para cima, mão esquerda dedos para a direita; mão direita dedos para a esquerda, acima da esquerda, à frente do corpo. Movê-las em um arco para cima e para dentro.

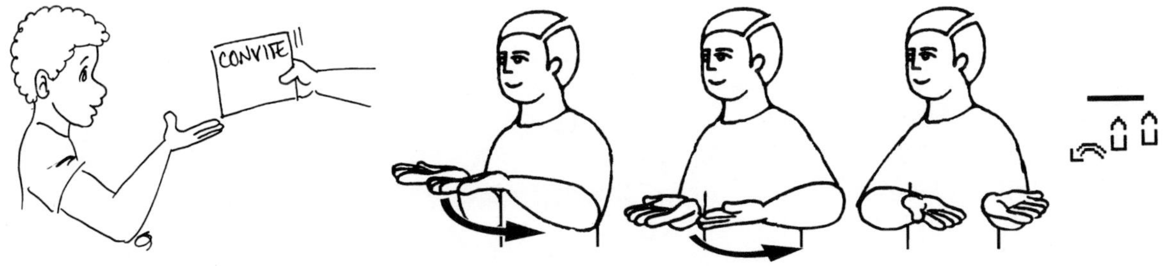

convidar (2) (***uma pessoa qualquer convida outra, alguém foi convidado por alguém***) *(inglês: to invite (someone))*:
v. t. d., v. t. d. i. Solicitar a presença de alguém por gentileza. Convocar a presença de, mas sem qualquer obrigação. Pedir o comparecimento de. Instar a vinda ou visita de. Chamar alguém para que venha, mas sem obrigá-lo a fazê-lo. Alguém solicita a presença de, convoca, pede o comparecimento de alguém, sem qualquer obrigação. (Obs.: Este sinal deve ser usado para indicar que uma pessoa diferente do sinalizador, convida, convidou ou convidará outra pessoa diferente do sinalizador. O sinalizador não convida nem é convidado. Ele não emite o convite, nem recebe o convite. Ele não participa da ação de convidar.) Ex.: Deu uma festa em sua casa e convidou a família inteira. Ex.: João convidou Maria a passear no parque.
Mãos horizontais abertas, palmas para cima, ao lado direito do corpo. Movê-las em um arco para baixo e para esquerda.

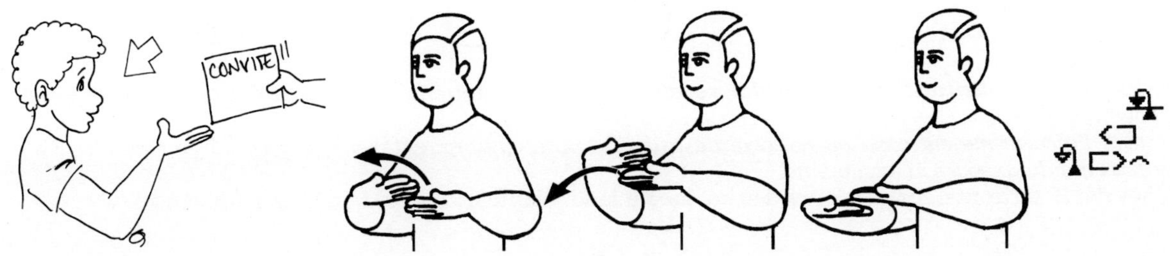

convidar-me (***ser convidado: o sinalizador recebe o convite, ele é convidado***) *(inglês: to be invited, to receive an invitation)*:
v. t. d., v. t. d. i. Solicitar-me a presença. Convocar-me a comparecer, mas sem qualquer obrigação ou constrangimento. Instar-me a visitar. Chamar-me a comparecer. O sinalizador recebe o convite, é convidado, tem a presença solicitada, é convocado a comparecer, mas sem qualquer obrigação ou constrangimento. O sinalizador é solicitado a comparecer, instado a visitar, chamado para que compareça. Ex.: Convidou-me hoje cedo. Ex.: Convidaram-me à estréia da peça de teatro.
Mãos horizontais abertas, palmas para cima, mão esquerda dedos para a direita, mão direita dedos para a esquerda, acima da esquerda. Movê-las em um arco para cima e para frente.

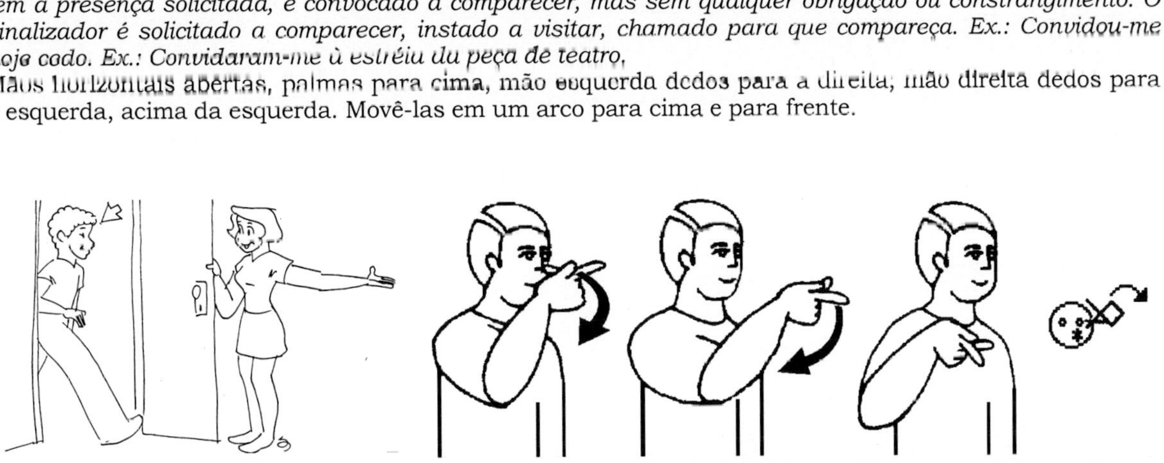

visitar (1) *(inglês: to visit, to call on, to pay a visit to, to go on visitation)*:
v. t. d. Fazer visita. Ir ver alguém em sua casa por cortesia, afeição, lazer, dever, caridade, devoção ou hábito. Ir ver algo por lazer, dever, curiosidade ou caridade. Ex.: Visitei os doentes, as viúvas, os órfãos e os idosos para tentar levar-lhes conforto e alegria.
Mão direita em **P** horizontal, palma para dentro, ponta do médio tocando abaixo do olho esquerdo. Movê-la em um arco para frente e para a direita, virando a palma para esquerda.

visitar (2) (*o sinal parte de quem visita em direção a quem recebe a visita; no exemplo o sinalizador visita*) *(inglês: to visit, to pay a visit, to call on, to go on visitation)*:
Idem ***visitar (1)****, usado somente quando o sinalizador visita. (Obs.: Na ilustração, a direção da articulação do sinal corresponde à primeira pessoa: Eu visito, visitei ou visitarei.) Ex.: Visitarei meu amigo amanhã.*
Mãos em **P** horizontal, palmas para dentro, lado a lado. Movê-las para frente.

visitar-me (*ser visitado: o sinalizador recebe a visita de alguém, ele é visitado*) *(inglês: to be visited, to be paid a visit)*:
v. t. d. Procurar-me em casa ou no local de trabalho para cumprimentar-me, conversar comigo etc. Ex.: O presidente da associação visitou-me.
Mãos em **P** horizontal, palmas para dentro, lado a lado, diante do corpo. Movê-las para dentro.

3.5.7. Em relação a brincadeiras e jogos

brincar *(inglês: to play game)*:
v. t. i., v. int. Divertir-se infantilmente. Entreter-se com jogos e brincadeiras de criança. Folgar, foliar. Ex.: As crianças estavam muito alegres, brincando de esconde-esconde. Ex.: Eles gostam de brincar juntos. v. t. i. Não levar as coisas a sério. Gracejar, zombar. Ex.: Não devemos brincar com um assunto tão sério como este.
Mãos em **Y**, palmas para dentro, inclinadas uma para a outra. Movê-las em pequenos círculos verticais alternados.

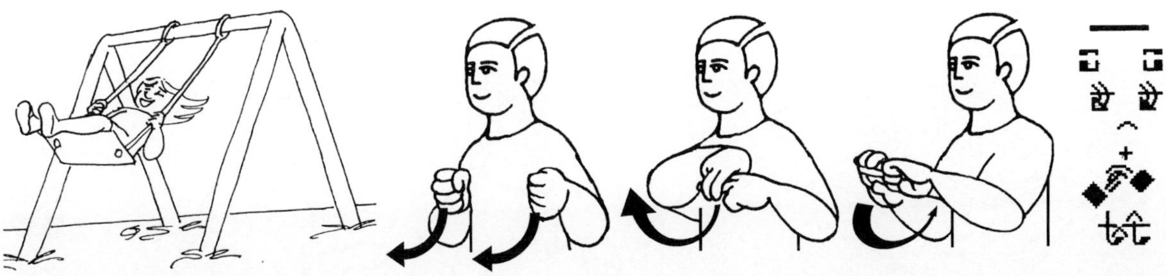

balançar, balançar-se (*CL*) *(inglês: to swing, to rock; to swing oneself)* (usual: balanço; sugestão: balançar):
Balançar, balançar-se: *v. int., v. pr. Mover-se oscilando para frente e para trás ou de um lado para outro enquanto brinca em balanço. Ex.: Quando vai ao parque de diversões ela passa horas a balançar. Ex.: Ela adora balançar-se no brinquedo do parquinho.*
Mãos em **S** horizontal, palma a palma. Movê-las em um arco para baixo e para frente. Em seguida, fazer o sinal de **sentar-se** e balançar as mãos em arcos para frente e para trás. (Mão esquerda em **U** horizontal, palma para baixo; mão direita em **U** horizontal, palma para baixo, dedos curvados. Tocar a palma dos dedos direitos no dorso dos dedos esquerdos.

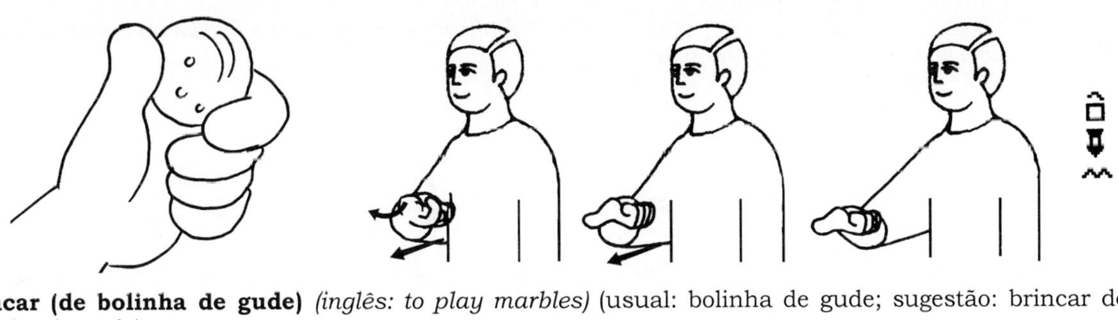

brincar (de bolinha de gude) *(inglês: to play marbles)* (usual: bolinha de gude; sugestão: brincar de bolinha de gude):
v. t. i. Engajar-se na brincadeira de jogar bolinha de gude. Trata-se de um jogo infantil que consiste em arremessar com a mão uma pequena bola de vidro tentando encaçapá-la em cada um de uma série de pequenos buracos cavados no solo da terra. Cada criança tem uma bolinha, e procura encaçapá-la serialmente em todos os buracos do percurso. As crianças tomam turnos nas jogadas sendo que a criança que acerta um buraco tem direito a jogar de novo, tentando o buraco seguinte do percurso. Vence a criança que conseguir completar primeiro todo o percurso de buracos. Ex.: Os meninos estão brincando de bolinha de gude no quintal.
Fazer o sinal de **bolinha de gude**. (Mão direita horizontal fechada, palma para cima, indicador dobrado sobre a ponta do polegar. Mover a mão para frente e para baixo, distendendo o polegar.)

jogar (bolinha de gude) *(inglês: to play (marbles))*:
v. t. d. Engajar-se em jogo de gude ou birosca. Ex.: Os meninos estão jogando bolinha de gude no quintal de terra da casa da vovó. v. t. d. i. Praticar birosca (ou jogar bolinha de gude) com alguém. Ex.: Joguei bolinha de gude com a meninada ontem.
Fazer o sinal de **brincar (de bolinha de gude)**.

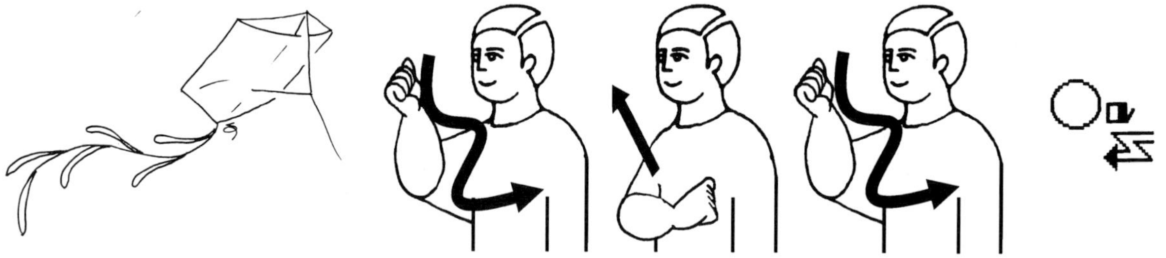

brincar (de empinar pipa) *(inglês: to fly a kite)* (usual: pipa (*papagaio, quadrado*); sugestão: brincar de empinar pipa):
v. t. i. Engajar-se na brincadeira de suspender contra o vento um papagaio ou quadrado preso a uma linha. Ex.: Gosto muito de brincar de empinar pipa com meu filho.
Fazer o sinal de **pipa (*papagaio, quadrado*)**. (Mão direita em **A**, palma para a esquerda, indicador destacado na altura da cabeça. Movê-la para baixo, com movimento ziguezague, duas vezes.)

brincar (de pebolim) *(inglês: to play table soccer)* (usual: pebolim; sugestão: brincar de pebolim):
v. t. i. Engajar-se na brincadeira de futebol totó, pebolim ou totó. Ex.: Gosto muito de reunir os amigos de meu filho no salão de jogos do sítio para passar as manhãs brincando de pebolim.
Fazer o sinal de **pebolim (*futebol totó*)**. (Mãos em **S** vertical, palma a palma, apontando para baixo, a cada lado do corpo. Girar as palmas para baixo.)

jogar (pebolim) *(inglês: to play (table soccer))*:
v. t. d. Brincar de futebol totó, pebolim ou totó. Ex.: Gosto muito de reunir os amigos no salão de jogos do sítio para passar as manhãs jogando pebolim. v. t. d. i. Brincar de futebol totó, pebolim ou totó com alguém. Ex.: Jogo pebolim com meus primos no sítio.
Fazer o sinal de **jogar (pebolim)**.

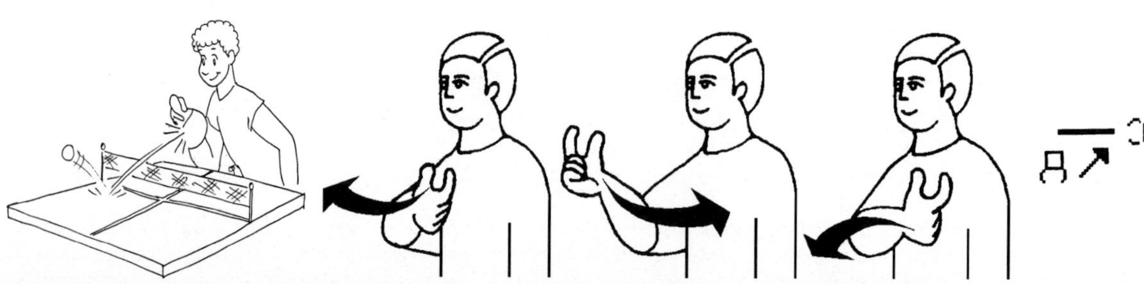

jogar (pingue-pongue) *(inglês: to play (table tennis), to play (ping pong))*:
v. t. d. Praticar tênis de mesa. Ex.: Jogamos pingue-pongue durante o piquenique na represa. v. t. d. i. Praticar tênis de mesa com alguém. Ex.: Jogo tênis de mesa com os aposentados do clube da terceira idade.
Fazer o sinal de **pingue-pongue**. (Mão direita horizontal fechada, palma para dentro, dedos polegar e indicador distendidos. Mover a mão para frente e para a direita, virando a palma para a esquerda, duas vezes.)

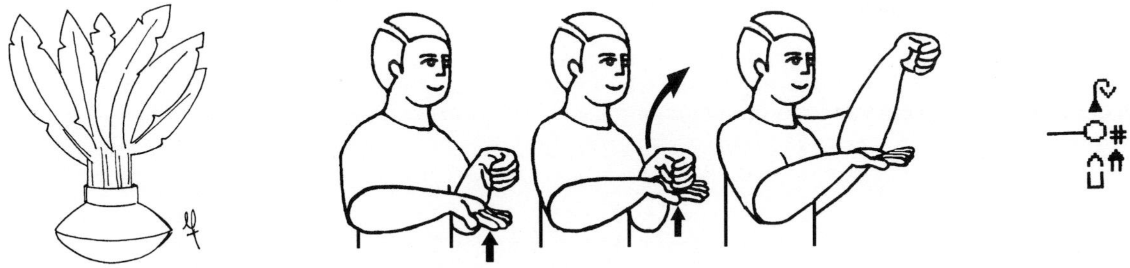

brincar (de peteca) *(inglês: to play (badminton, shuttlecock))* (usual: peteca; sugestão: brincar de peteca)**:**
v. t. i. Engajar-se na brincadeira de arremessar uma peteca para o outro jogador por sobre uma rede suspensa, jogando-a ao ar e batendo nela com a palma das mãos. Ex.: As crianças formaram dois times para brincar de peteca na praia.
Fazer o sinal de **peteca**. (Mão direita horizontal aberta, palma para cima; mão esquerda em **O** horizontal, palma para dentro, acima da mão direita. Bater a palma direita na mão esquerda, e movê-las para cima e para frente.)

jogar (peteca) *(inglês: to play (badminton), to play (shuttlecock))***:**
v. t. d. Brincar com peteca. Ex.: As crianças formaram dois times e jogaram peteca na praia. v. t. d. i. Brincar de peteca com alguém. Ex.: As meninas jogaram peteca contra os meninos.
Fazer o sinal de **brincar de (peteca)**.

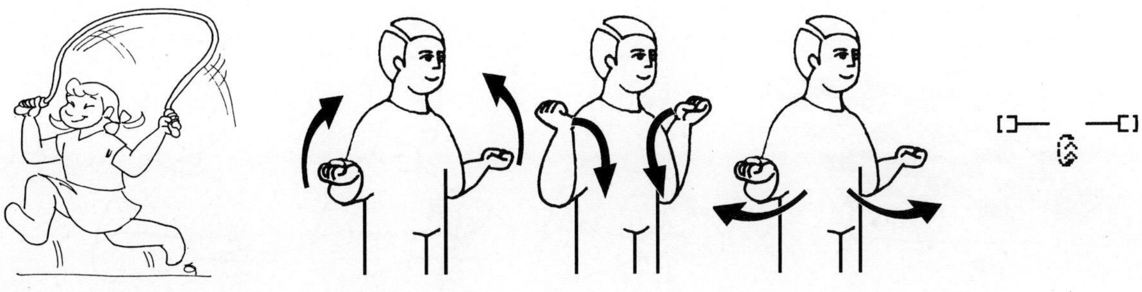

pular (corda) (*CL*) *(inglês: to skip (the rope))***:**
v. t. d. Transpor (uma corda) pulando. Ex.: As meninas pularam corda a tarde toda.
Mãos em **S** horizontal, palmas para cima, a cada lado do corpo. Movê-las em círculos verticais para frente e para baixo.

saltar (corda) (*CL*) *(inglês: to skip the rope)***:**
v. t. d. Transpor (uma corda) pulando. Pular (corda). Ex.: As meninas saltaram corda desde o largo da igreja até a entrada da escola.
Fazer o sinal dc **pular (corda)**.

brincar (de pular corda) (*CL*) *(inglês: to play skip rope)* (usual: pular corda; sugestão: brincar de pular corda)**:**
v. t. i. Engajar-se na brincadeira de movimentar continuamente uma corda com os braços e saltar quando ela bate no chão, impedindo que bata nos pés. Ex.: As meninas gostam de brincar de pular corda durante um minuto, sem pisar ou tropeçar nela.
Fazer o sinal de **pular (corda)**.

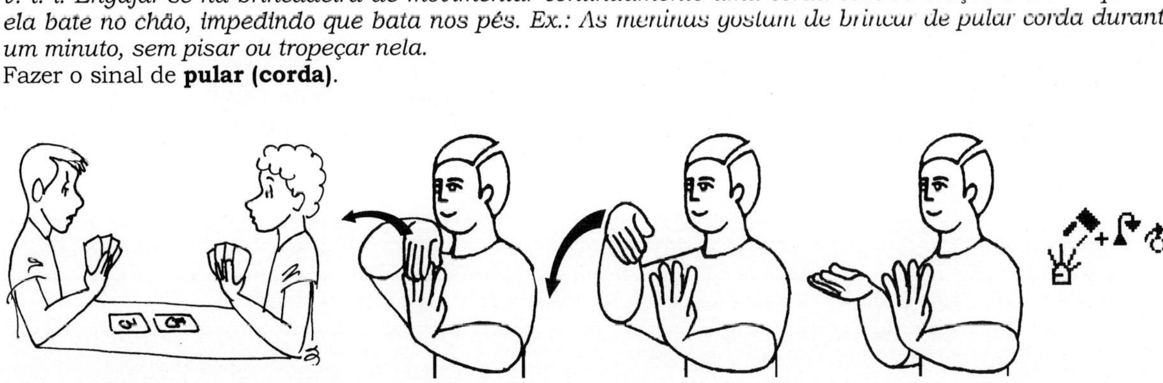

jogar (cartas ou baralho) *(inglês: to play (cards))***:**
v. t. d. Praticar jogos de cartas, como pôquer ou buraco. Ex.: Jogou cartas no clube até altas horas. Ex.:

Aqueles aposentados jogam baralho para passar o tempo em dias de chuva. v. t. d. i. Praticar jogos de cartas, como pôquer ou buraco, com alguém. Ex.: Joguei baralho com os aposentados do asilo.
Mão esquerda em **4**, palma para dentro; mão direita horizontal aberta, palma para baixo, dedos flexionados, polegar distendido e paralelo aos demais dedos, segurando os dedos da mão esquerda. Mover a mão direita em um arco para cima e para frente, virando a palma para cima.

jogar (dados) *(inglês: to play (dies))*:
v. t. d. Brincar de dados, ou seja, de deixar cair dados com números em cada lado com o objetivo de atingir a pontuação mais alta que o adversário. Ex: Jogava dados e outros jogos de azar, em que o resultado depende não de astúcia ou estratégia, mas apenas do mero acaso. v. t. d. i. Brincar de dados com alguém. Ex.: Joguei dados com a molecada da rua.
Fazer o sinal de **dados**. (Mão direita em **S** horizontal, palma para cima. Balançar rapidamente a mão para a direita e para a esquerda, abri-la e movê-la com força para frente.)

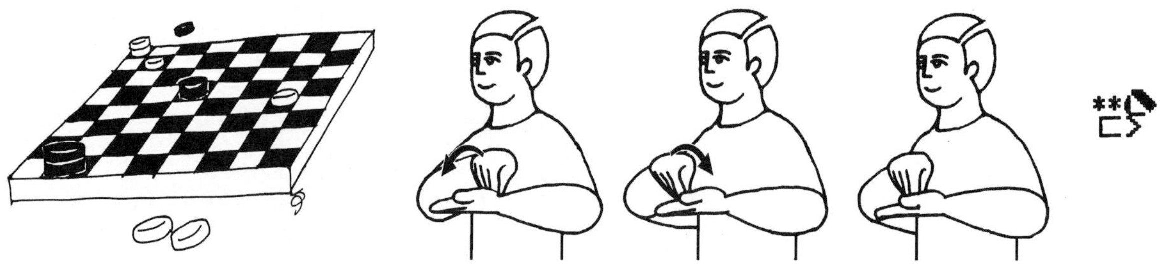

jogar (damas) *(inglês: to play (checkers), to play (draughts))*:
v. t. d. Engajar-se no jogo de damas. Ex.: As crianças jogam damas em dias de chuva. v. t. d. i. Praticar jogo de damas com algum parceiro. Ex.: Joguei damas com as senhoras do clube.
Fazer o sinal de **damas (*jogo*)**. (Mão esquerda horizontal aberta, palma para cima, dedos para a direita; mão direita horizontal, palma para baixo, pontas dos dedos unidas, tocando a palma esquerda. Mover a mão direita para várias direções sobre a palma esquerda.)

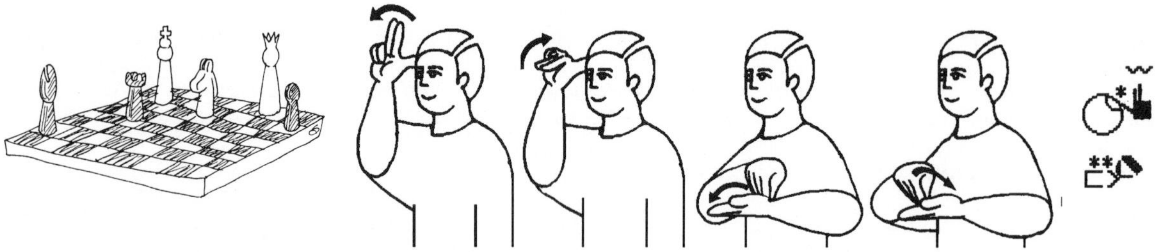

jogar (xadrez) *(inglês: to play chess)*:
v. t. d. Praticar o jogo de xadrez. Ex.: Meu amigo russo e eu jogamos xadrez sempre que temos uma oportunidade. v. t. d. i. Praticar o jogo de xadrez contra alguém ou contra o computador. Ex.: Joguei xadrez contra o computador ontem o dia todo, e consegui ganhar algumas partidas bem difíceis. Ex.: Joguei xadrez no torneio de São Paulo e anotei todos os lances para poder recriar a partida depois.
Fazer o sinal de **cavalo**. (Mão direita em **U**, palma para frente, polegar destacado tocando o lado direito da cabeça. Flexionar os dedos indicador e médio, duas vezes.) E o sinal de **damas (*jogo*)**. (Mão esquerda horizontal aberta, palma para cima, dedos para a direita; mão direita horizontal, palma para baixo, pontas dos dedos unidas, tocando a palma esquerda. Mover a mão direita para várias direções sobre a palma esquerda.)

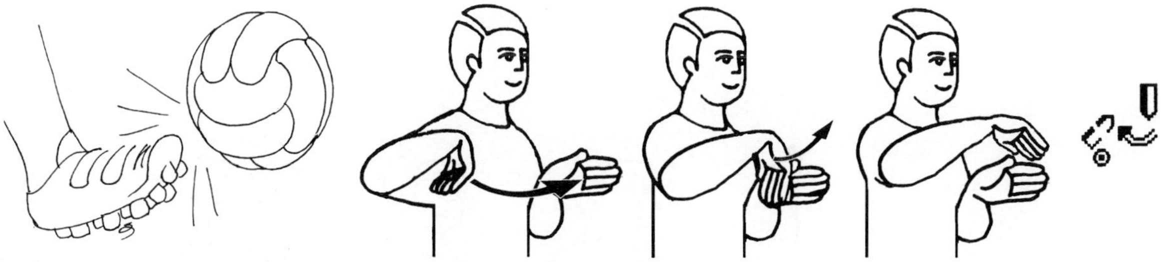

chutar *(inglês: to shoot the ball with the foot, to kick the ball)*:
v. t. d., v. int. Dar chute ou pontapé. Bater o pé com força em algo para arremessá-lo, deslocá-lo ou feri-lo. Ex.: Chutou a bola antes que o juiz apitasse. Ex.: Ao final do jogo, contundiu-se e não conseguiu mais chutar.
Mão esquerda horizontal aberta, palma para a direita, dedos inclinados para a direita; mão direita vertical aberta, palma para a direita, dedos para baixo. Mover a mão direita em um arco para a esquerda e para cima, batendo o dorso dos dedos na palma esquerda durante o movimento.

jogar (*esporte*) *(inglês: to play, to take part in a game)*:
v. int. Ter hábito de jogo. Entregar-se ao jogo. Ex.: Quando era criança, passava os dias inteiros jogando. v. t. d. Entregar-se ao jogo de futebol ou qualquer outro esporte. Ex.: Joguei futebol ontem pela manhã. v. t. d. i. Praticar jogo com alguém. Ex.: Joguei futebol com meus colegas de classe.
Mãos horizontais fechadas, palma a palma, polegares destacados. Movê-las alternadamente para cima e para baixo.

3.6. Outros sinais relacionados a lazer

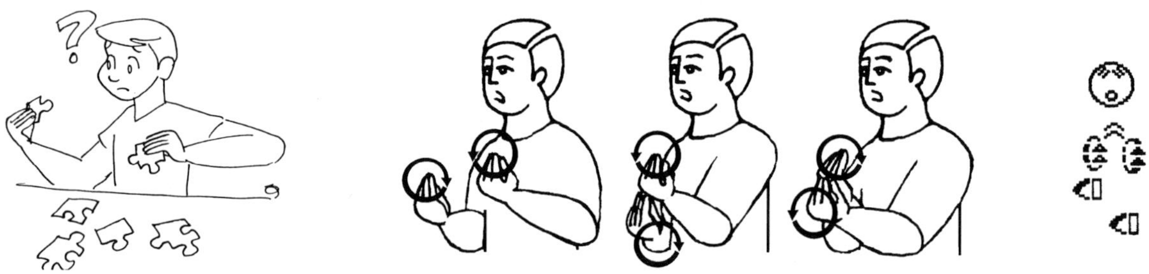

como? *(inglês: how? by what means? in what way? to what degree? for what reason?)*:
adv. interrogativo de modo. De que modo? De que forma? De que maneira? Em que extensão? Por que motivo? Ex.: Como devo fazer este exercício?
Mãos horizontais, palmas para cima, pontas dos dedos de cada mão unidas. Mover as mãos, alternadamente, em pequenos círculos verticais para frente, com expressão facial de interrogação.

de novo *(inglês: again, once more)*:
loc. adv. tempo. Novamente. Segunda vez. Que se repete. Que sucede de novo. Outra vez. Mais uma vez. Dito, feito ou ocorrido novamente. Ex.: O aluno estava tendo dificuldade em entender a matéria, e pediu à professora que lhe explicasse o exercício de novo.
Fazer o sinal de **outra vez**. (Mão direita em **L** horizontal, palma para a esquerda. Girar a mão pelo pulso para baixo.)

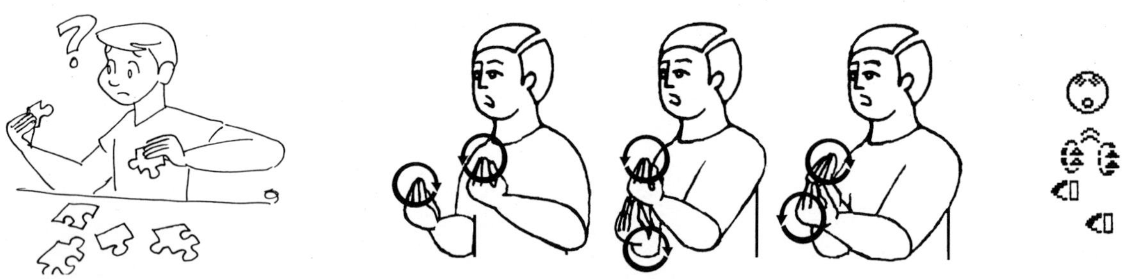

de que modo? *(inglês: how? by what means? in what way? to what degree?)*:
expressão. De que forma? De que maneira? De que jeito? Como? Ex.: De que modo devo fazer este exercício?
Fazer o sinal de **como?** (Mãos horizontais, palmas para cima, pontas dos dedos de cada mão unidas. Mover as mãos, alternadamente, em pequenos círculos verticais para frente, com expressão facial de interrogação.)

diariamente *(inglês: daily)*:
adv. tempo. O que acontece ou repete-se todos os dias. Ex.: Leio o jornal diariamente.

Mão direita em **D**, palma para frente, ao lado direito da cabeça. Bater o lado do indicador na têmpora direita, duas vezes.

escute!, escute-me! *(inglês: listen! listen to me!)*:
interj. Ouça! Ouça-me! Preste atenção! Ex.: Escute o que tenho a lhe dizer! Ex.: Escute-me e logo você entenderá!
Mão direita vertical aberta, palma para frente, dedos unidos e curvados, tocando atrás da orelha.

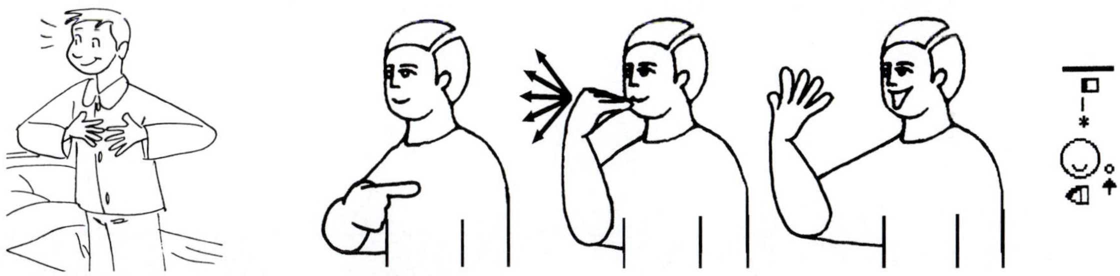

estou bem! *(inglês: I am well! I am feeling fine!)*:
expressão. Indicativa de um estado favorável presente em quem fala. Ex.: Agora estou bem, o susto passou.
Fazer o sinal de **eu**. (Mão direita em **1** horizontal, palma para a direita, indicador apontando para trás. Tocar o peito com a ponta do indicador.) Em seguida fazer o sinal de **bom**. (Mão direita vertical, palma para dentro, pontas dos dedos unidas em frente à boca. Mover a mão ligeiramente para frente, distendendo e separando os dedos.)

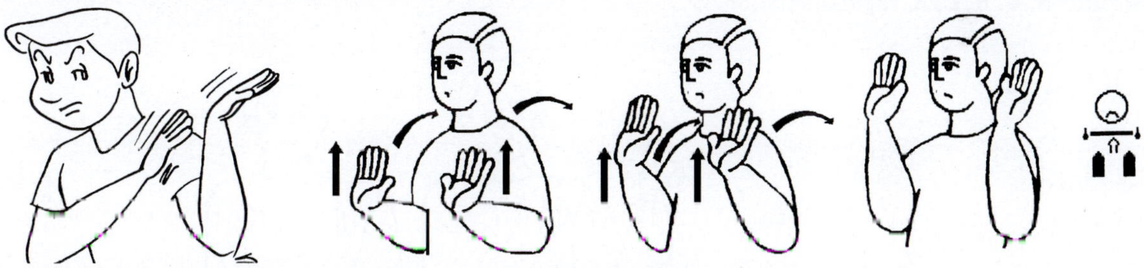

estou fora! *(inglês: I am out! I quit! I give up! Don't count on me!)*:
expressão. Usada para indicar isenção de responsabilidade ou participação em algo, indicando falta de disposição para participar de algo ou de assumir culpa ou responsabilidade por suas conseqüências futuras. Ex.: Não quero me envolver mais com isso, estou fora!
Fazer o sinal de **desistir (2) (*estou fora!*)**. (Mãos verticais abertas, palmas para frente, a cada lado do corpo. Elevá-las acima dos ombros, inclinando o corpo para trás, com expressão facial negativa.)

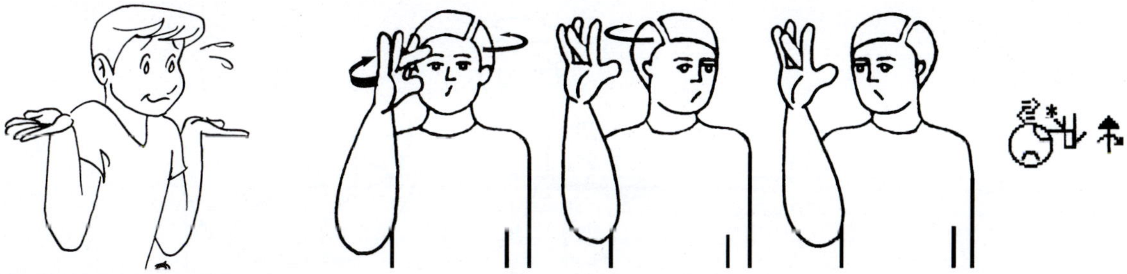

eu não sei! *(inglês: I don't know!)*:
expressão. Indica desconhecimento de determinada informação dada por quem fala. Ex.: Eu não sei explicar o motivo da sua tristeza, mas pretendo descobrir para poder oferecer o conforto e a compreensão de que ela necessita.
Fazer o sinal de **não saber**. (Mão direita vertical aberta, palma para a esquerda, ponta do dedo médio

tocando o lado direito da testa. Movê-la para frente, virando a palma para frente enquanto gira a cabeça para os lados, com expressão negativa.

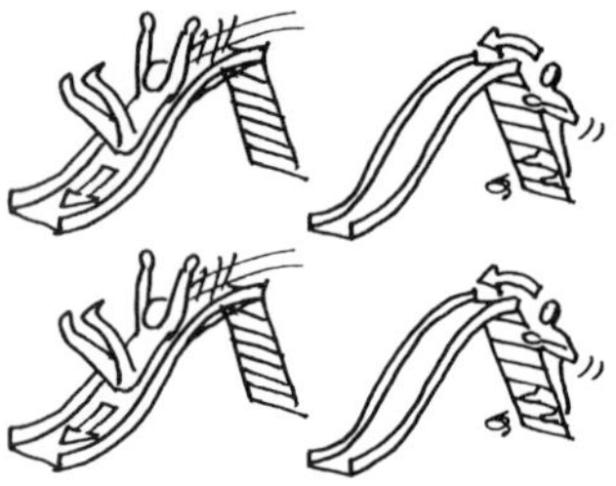
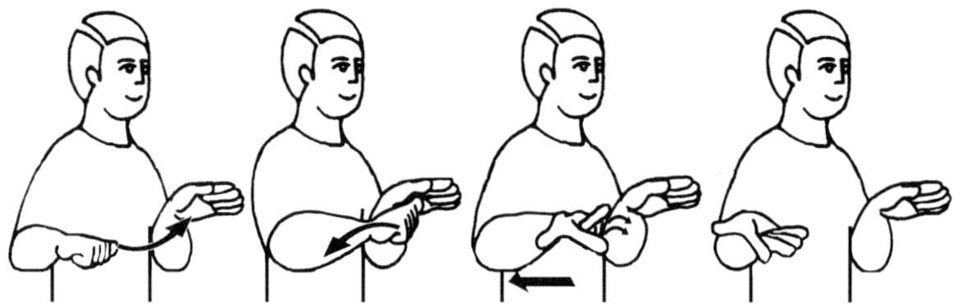

muitas vezes *(inglês: many times, frequently, several times, repeatedly, a lot of times)*:
loc. adv. intensidade. Indica a repetição de um fato, mais de uma ou duas vezes. Várias vezes, repetidas vezes. Ex.: Assistiu muitas vezes ao mesmo filme.
Mão esquerda horizontal aberta, palma para a direita, inclinada para baixo; mão direita em **A** horizontal, palma para baixo. Mover a mão direita em um arco para a esquerda e para cima, tocando o polegar na palma esquerda, virar a palma direita para cima, e abrir os dedos, um a um, iniciando pelo indicador.

nunca (1) *(inglês: never, at no time, ever)*:
adv. tempo ou negação. Jamais. Em nenhum tempo. Ex.: Ele nunca soube o motivo da briga.
Soletrar **N**, **U**, **N**, **C**, **A**, rapidamente.

nunca (2) *(inglês: never, at no time, ever)*:
Idem ***nunca (1)****. Ex.: Nunca vi pintura mais bonita do que essa.*
Soletrar **N**, **U**, **N**, rapidamente.

nunca mais *(inglês: never again, never more)*:
loc. adv. tempo. Em tempo nenhum futuro. Ex.: Nunca mais volto a esse restaurante.
Mãos em **Y**, palma a palma, próximas, na altura do pescoço. Movê-las para frente, com força e com expressão negativa.

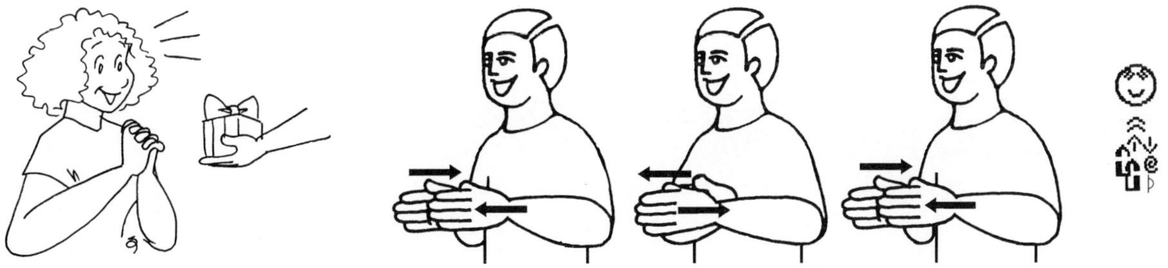

oba! *(inglês: wow! whoopee!)*:
interj. pop. Exprime surpresa agradável, admiração e alegria. O mesmo que "opa!" e "upa!" Ex.: Oba! Teremos pudim de leite de sobremesa!
Mãos horizontais abertas, palma a palma tocando-se. Mover as palmas para frente e para trás, alternadamente, com expressão de alegria.

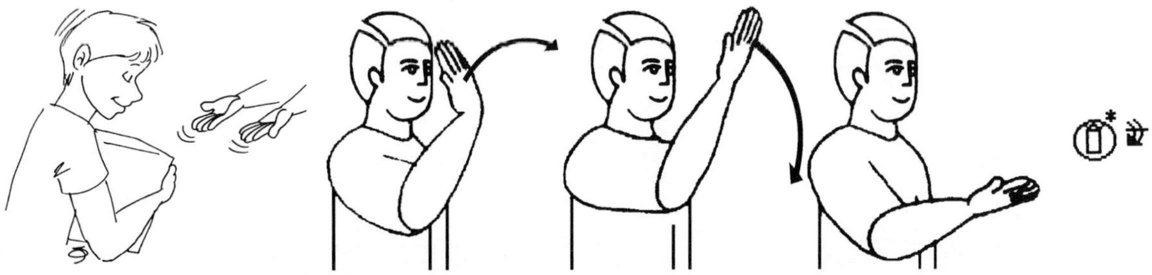

obrigado(a)! (1) *(inglês: thank you! thanks! many thanks!)*:
interj. Agradecimento por favores recebidos. Agradecido(a). Grato(a). Que tem gratidão. Que reconhece suas dívidas. Ex.: Obrigado por me emprestar os livros.
Mão direita vertical aberta, palma para dentro, pontas dos dedos tocando a testa. Mover a mão em um arco para frente e para baixo, virando a palma para cima.

obrigado(a)! (2) *(inglês: thank you all! thanks to all of you! many thanks!)*:
*Idem **obrigado(a)! (1)**. Ex.: Obrigada a todos vocês pela importante ajuda.*
Mão esquerda horizontal aberta, palma para dentro, diante do peito; mão direita vertical aberta, palma para a esquerda, pontas dos dedos tocando o lado direito da testa. Mover as mãos em um pequeno arco para frente e para baixo, virando as palmas para cima.

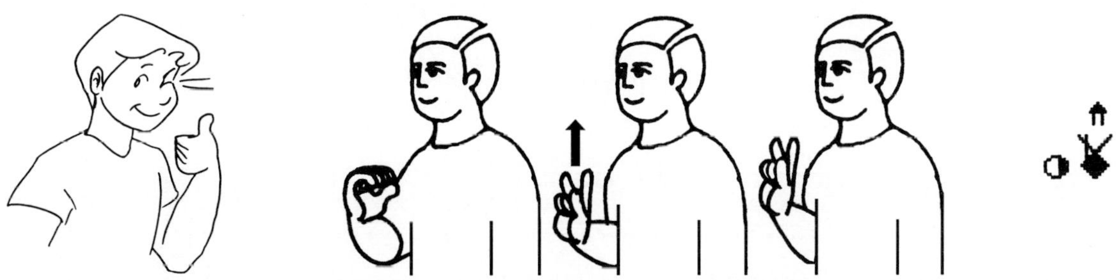

ok! (*okay! tudo bem! tudo certo!*) *(inglês: ok! all right! all correct! okay!)*:
interj. Expressão inglesa usada para indicar aprovação ou concordância. Tudo certo, satisfatório. Sentir-se bem. Estar ou ser adequado. Ex.: Ok! Vou fazer o que você me pediu.
Soletrar **O**, **K**.

olá! *(inglês: hello! hi!)*:
interj. Saudação ou chamamento. Usada para chamar e para saudar ao início de uma interação. Ex.: Olá, há quanto tempo não encontro você!
Mão direita vertical aberta, palma para frente, dedos separados, diante do ombro direito. Mover a mão em um pequeno arco para cima e para a direita.

olhe para lá! (*CL*) *(inglês: look at there! behold!)*:
frase imperativa. Ordem para que o interlocutor olhe para determinada direção. Ex.: Olhe para lá! Veja quem vem vindo em nossa direção.
Mão direita em **V**, palma para frente. Mover a mão em direção ao que se quer mostrar, virando a palma para baixo.

olhe para mim! (*você, olhe para mim!*) *(inglês: look at me! you there, look at me!)*:
frase imperativa. Ordem para que o interlocutor olhe para a pessoa que lhe ordena. Ex.: Olhe para mim quando estiver falando com você!
Mão em **V**, palma para frente. Girar a mão pelo pulso para dentro, em direção à face, virando a palma para baixo.

olhe para trás (*CL*) *(inglês: look back!)*:
frase imperativa. Ordem para que o interlocutor olhe para a direção indicada, no caso, para trás do emissor. Ex.: Olhe para trás e diga-me se alguém está me seguindo.
Mão direita em **V**, palma para frente, do lado direito da cabeça. Girar a mão para trás virando a palma para baixo, com os dedos apontando para trás.

olhem para mim! (*vocês, olhem para mim!*) *(inglês: look at me! all of you there, look at me!)*:
frase imperativa. Ordem para que os interlocutores olhem para a pessoa que lhes ordena. Ex.: Parem todos de conversar e olhem para mim!
Braços horizontais distendidos, mãos em **4**, palmas para baixo. Girar as mãos pelos pulsos para trás, apontando os dedos para os olhos.

onde? *(inglês: where?)*:
adv. interrogativo de lugar. Em que lugar. Em que parte. Em qual lugar. Ex.: Onde fica a biblioteca que você me falou?
Fazer o sinal de **lugar**, com expressão interrogativa. (Mãos horizontais fechadas, palma a palma, indicadores e polegares curvados formando a letra C, próximas uma à outra. Movê-las para baixo.)

ou *(inglês: or, either)*:
conj. alternativa Une palavras ou orações que exprimem idéias alternadas, introduzindo outra opção além da primeira sugerida. Ex.: Você pode escolher entre a prova escrita ou a prova oral.
Soletrar **O**, **U**.

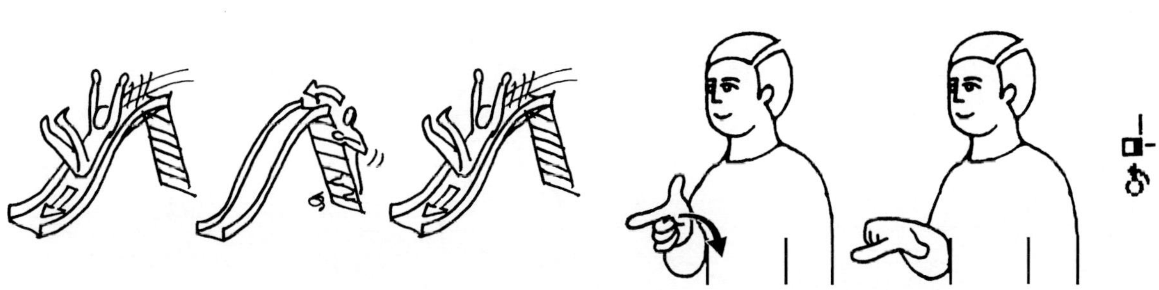

outra vez *(inglês: again, once more)*:
loc. adv. tempo. Que se repete, que sucede de novo. Mais uma vez. Dito, feito ou ocorrido novamente. Ex.: O aluno pediu à professora que lhe explicasse o exercício outra vez.
Mão direita em **L** horizontal, palma para a esquerda. Girar a mão pelo pulso para baixo.

outro(a) *(inglês: other, distinct, different, not the same; other, another)*:
adj. m. (f.) Diverso(a). Diferente. Que não é o(a) mesmo(a). Distinto(a). Ex.: Nós pretendíamos comprar outra casa, mas esta é maior. pron. indefinido variável Mais um(a). Um(a) novo(a). Um(a) segundo(a). Seguinte. Ulterior. O(a) restante. Ex.: Tenho um livro no prelo, e já estou preparando outro. Ex.: Não é o primeiro, é outro.
Mão em **L** horizontal palma para a esquerda. Mover a mão em um arco para baixo e para a direita, distendendo o braço e inclinando a palma para a direita.

oxalá! *(inglês: I hope so! God grant! May God wish so!)* (usual: tomara!; sugestão: oxalá!):
interj. desejo ou intenção. Tomara! Deus o queira! Deus permita! Se Deus quiser! Se Deus o permitir! Ex.: Oxalá eu consiga esse emprego!
Fazer o sinal de **tomara!** (Mãos em **R**, a cada lado do corpo, com expressão facial de desejo.)

parabéns (1) *(inglês: congratulations, felicitations)*:
s. m. pl. Congratulações, felicitações. Ex.: Parabéns pelo bom desempenho no trabalho.
Mão esquerda horizontal aberta, palma para cima, dedos unidos e curvados; mão direita horizontal aberta, palma para baixo, dedos unidos e curvados, mãos unidas pelas palmas. Balançar as mãos para frente e para trás, com um sorriso.

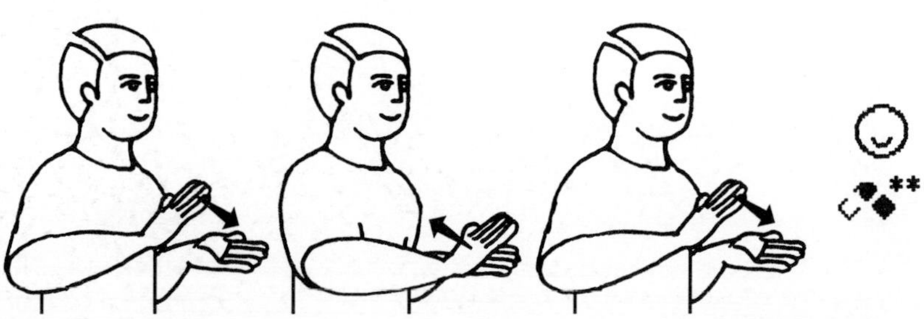

parabéns (2) *(inglês: congratulations, felicitations)*:
*Idem **parabenizar (1), parabéns (1)**. Ex.: Parabéns pelo aniversário! Muitas felicidades e saúde.*
Bater a palma direita na palma esquerda duas vezes com um sorriso.

pare! (1) *(inglês: stop!)*:
interj. desaprovação. Ex.: Por favor, pare!
Mão direita vertical aberta, palma para frente. Movê-la para frente, parando-a de repente.

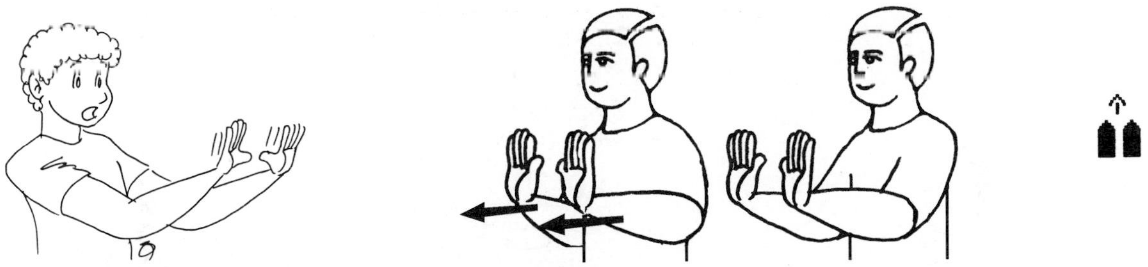

pare! (2) (*maior ênfase*) *(inglês: stop!! (emphasis added))*:
Idem ***pare! (1)****, com maior ênfase. Ex.: Parem já com isso!*
Mãos verticais abertas, palmas para frente. Movê-las para frente, parando-as de repente.

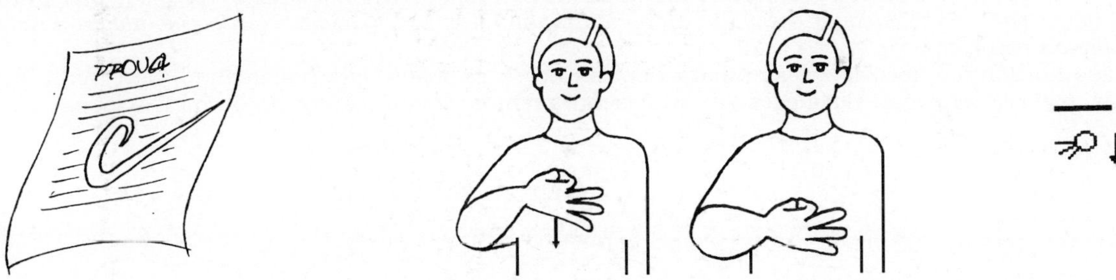

por certo! *(inglês: for sure! certainly! undoubtedly! positively!)* (usuais: certo, certa, certeza; sugestão: por certo!):
loc. adv. afirmação. Com certeza. Certamente. Sem dúvida. Ex.: Temos por certo que esta criança será aprovada nos exames.
Fazer o sinal de **certo(a), certamente, certeza**. (Mão direita horizontal aberta, palma para dentro, polegar e indicador unidos pelas pontas, na altura do ombro direito. Baixar a mão.)

por favor *(inglês: please!)*:
expressão. Usada para solicitar ajuda, amparo, atenção pessoal, favor, graça, benefício, mercê ou obséquio. Ex.: Por favor, você pode me dar uma informação?
Mãos horizontais abertas, palma a palma, inclinadas para dentro, dedos unidos tocando-se pelas pontas. Separar as mãos movendo-as diagonalmente para trás e para os lados opostos.

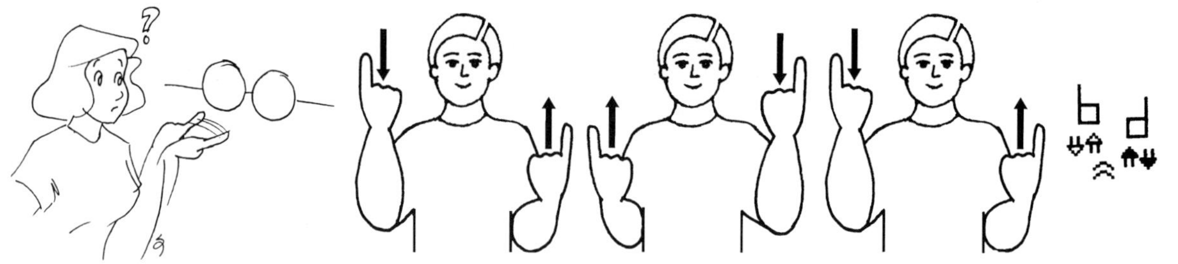

qual? *(inglês: which? which one? who?)*:
pron. interrogativo. Que pessoa? Que coisa? Qual das alternativas? Substitui, na pergunta direta ou indireta, a qualidade, a natureza, o modo, o nome, que se espera como resposta. Ex.: Qual destas gravatas você pretende usar hoje?
Mãos em **1**, a cada lado do corpo. Movê-las, alternadamente, para cima e para baixo.

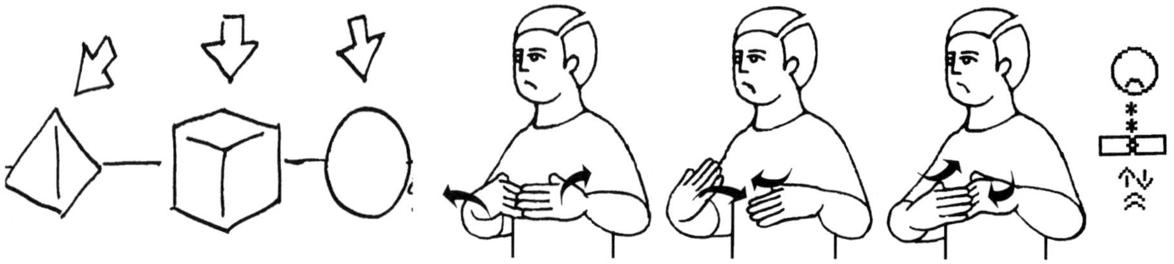

qualquer *(inglês: any, anyone, either, each, everyone)*:
pron. indefinido. Designa uma opção (como uma coisa, lugar ou pessoa) indefinida ou indeterminada. Algum. Alguma. Alguém. Ex.: Vamos lá, escolha um qualquer! adj. m. e f. Designativo de pessoa, objeto, lugar ou tempo indeterminado. Um (uma). Algum (alguma). Uns (umas). Alguns (algumas). Este (esta). Aquele (aquela). Um ou outro (uma ou outra). Indiscriminado(a). Indeterminado(a). Ex.: Pode procurar-me a qualquer hora. Ex.: Qualquer escolha é apropriada, tanto faz. Ex.: Qualquer sorriso me alegra e qualquer choro me entristece.
Mãos horizontais abertas, palmas para dentro. Mover as mãos, alternadamente, para frente e para trás, batendo as pontas dos dedos durante os movimentos, com os cantos da boca rebaixados.

quando? (*no futuro*) *(inglês: when? how soon? at what time in the future? (for future events))*:
adv. interrogativo de tempo. Em que época? Em que ocasião? Em que tempo, determinado evento ou fato acontecerá? Ex.: Quando começam suas férias?
Mão horizontal aberta, palma para baixo. Virar a palma para cima, com expressão de interrogação.

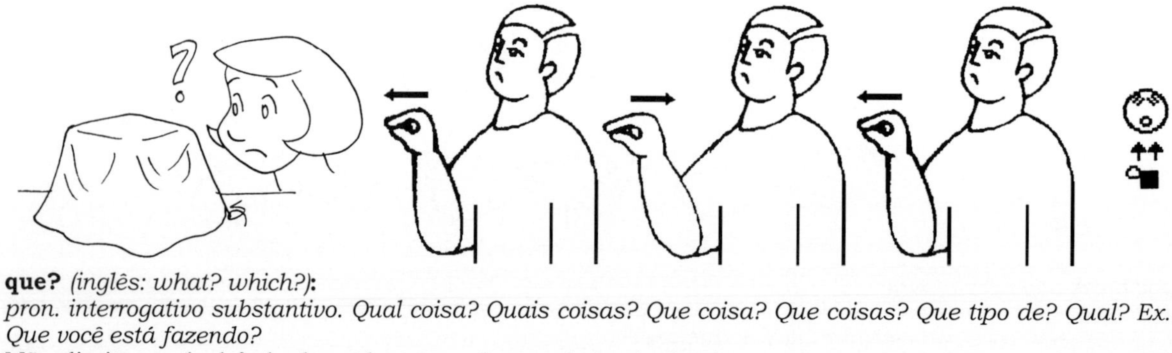

que? *(inglês: what? which?)*:
pron. interrogativo substantivo. Qual coisa? Quais coisas? Que coisa? Que coisas? Que tipo de? Qual? Ex.: Que você está fazendo?
Mão direita vertical fechada, palma para frente, dedos indicador e polegar distendidos e unidos pelas pontas. Mover a mão para frente, duas vezes, com expressão interrogativa.

que aconteceu? *(inglês: what happened?)*:
expressão interrogativa. Quais os acontecimentos, fatos, ocorrências. Ex.: Que aconteceu ontem para que ela ficasse tão aborrecida?
Fazer o sinal de **acontecer (1), acontecido(a)**, com expressão de interrogação. (Mão direita vertical aberta, palma para frente, ao lado direito da cabeça. Girar a mão pelo pulso para trás.)

quem? *(inglês: who? whom?)*:
pron. interrogativo. Que pessoa? Que pessoas? Ex.: Quem mandou as flores?
Fazer o sinal de **que?** (Mão direita vertical fechada, palma para frente, dedos indicador e polegar distendidos e unidos pelas pontas. Mover a mão para frente, duas vezes, com expressão interrogativa.)

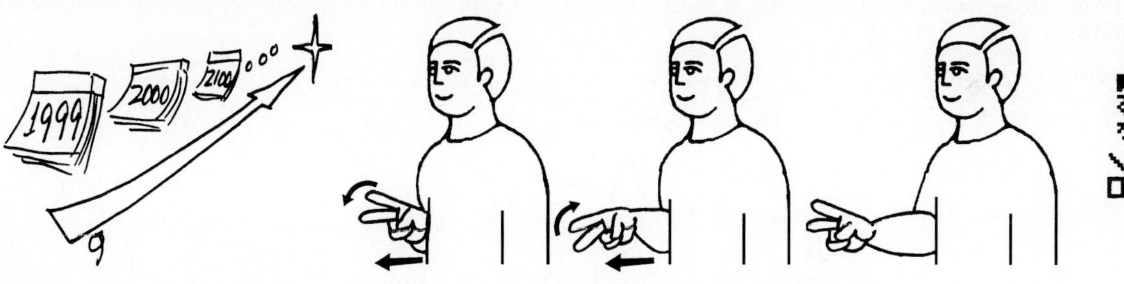

sempre *(inglês: always, ever, incessantly, constantly, forever, forevermore)*:
adv. tempo. Em todo o tempo. Incessantemente. Continuamente. Ininterruptamente. Constantemente. Ex.: Ele está sempre quieto. s. m. Todo o tempo (o passado, presente e o futuro). A eternidade, eternamente. Ex.: Estaremos juntos desde agora para todo o sempre.
Mão direita em **V** horizontal, palma para a esquerda. Movê-la para frente, balançando-a pelo pulso para cima e para baixo.

tanto faz! *(inglês: either way is ok! it is indifferent! it is much the same!)*:
expressão. Exprime indiferença quanto às opções, e ausência de uma preferência específica. Ex.: Qualquer escolha é apropriada, tanto faz.
Fazer o sinal de **qualquer**. (Mãos horizontais abertas, palmas para dentro. Mover as mãos, alternadamente, para frente e para trás, batendo as pontas dos dedos durante os movimentos, com os cantos da boca rebaixados.)

tchau! *(inglês: good-bye! so long! farewell! see you later!)*:
interj. saudação ou despedida derivada do italiano "ciao!". Expressão informal usada para se despedir de alguém. Até breve! Até logo! Até mais ver! Adeus! Ex.: Tchau, pessoal! Até amanhã!
Mão direita vertical aberta, palma para frente, em frente ao ombro direito. Balançar a mão pelo pulso para a esquerda e para a direita, várias vezes.

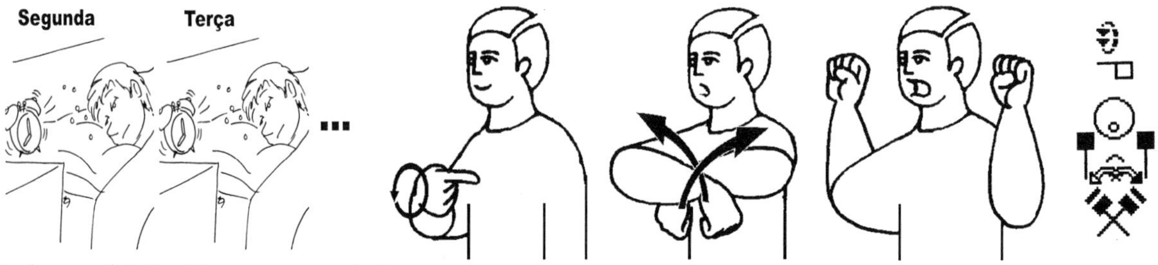

toda manhã *(inglês: every morning)*:
expressão. Indicativa de algo recorrente todos os dias no período entre o nascer do Sol e o meio-dia. Ex.: Toda manhã eu vou para a escola.
Fazer o sinal de **toda vez (*freqüência*)**. (Mão direita em **1** horizontal, palma para dentro, indicador apontando para a esquerda. Girar a mão em um pequeno círculo vertical para frente, várias vezes.) E o sinal de **acordar (2), acordado(a) (2)**. (Mãos horizontais fechadas, palmas para baixo cruzadas na altura do peito. Mover as mãos para cima e para os lados opostos, finalizando com as palmas para frente, enquanto boceja.)

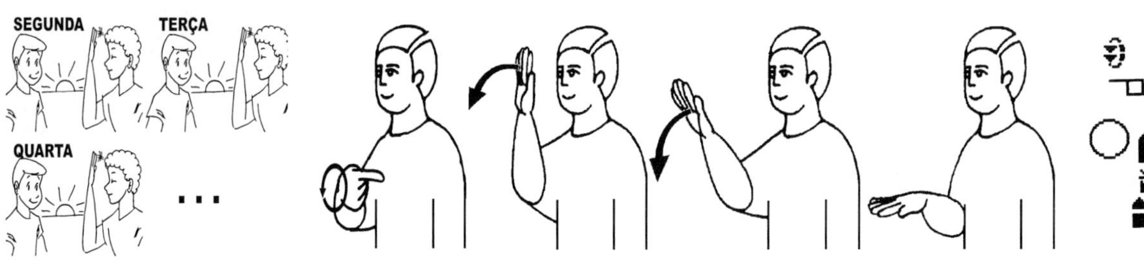

toda tarde *(inglês: every afternoon)*:
expressão. Indicativa de algo recorrente todos os dias no período entre o meio-dia e o anoitecer. Ex.: Toda tarde meu amigo e eu fazemos as tarefas da escola.
Fazer o sinal de **toda vez (*freqüência*)**. (Mão direita em **1** horizontal, palma para dentro, indicador apontando para a esquerda. Girar a mão em um pequeno círculo vertical para frente, várias vezes.) E o sinal de **tarde**. (Mão direita vertical aberta, palma para frente, ao lado direito da cabeça. Mover a mão em um arco para frente e para baixo, finalizando com a palma para baixo.)

toda vez (*freqüência*) *(inglês: every time (frequency))*:
expressão. Indica a periodicidade da ocorrência de um fato; freqüentemente, constantemente. Ex.: Toda vez que nos encontramos, recordamos a época em que estudávamos juntos.
Mão direita em **1** horizontal, palma para dentro, indicador apontando para a esquerda. Girar a mão em um pequeno círculo vertical para frente, várias vezes.

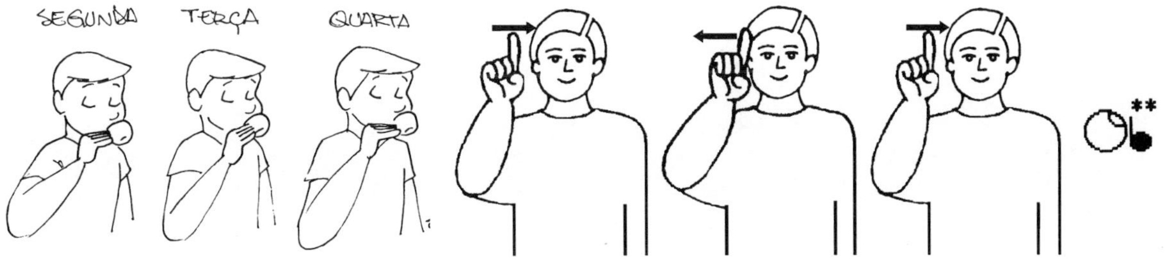

todo dia *(inglês: every day)*:
expressão. Indicativa do que acontece ou repete-se todos os dias. Diariamente. Quotidianamente. Ex.: Leio o jornal todos os dias pela manhã.
Fazer o sinal de **diariamente**. (Mão direita em **D**, palma para frente, ao lado direito da cabeça. Bater o lado do indicador na têmpora direita, duas vezes.)

tomara! *(inglês: I hope so! God grant! May God wish so! Let us hope for the best!)*:
interj. desejo ou intenção. Oxalá! Deus o queira! Deus permita! Se Deus quiser! Se Deus o permitir! Ex.: Tomara que eu consiga esse emprego!
Mãos em **R**, a cada lado do corpo, com expressão facial de desejo.

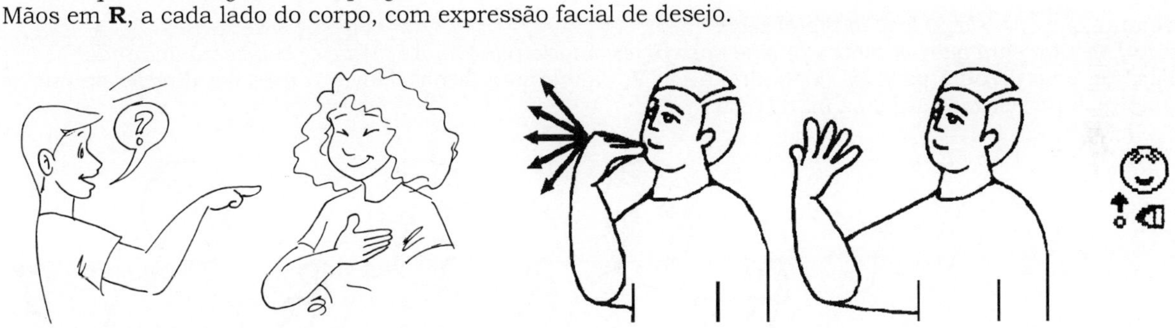

tudo bem? *(inglês: how are you doing?)*:
expressão. Indica o desejo de saber como a outra pessoa está passando. Cumprimento informal, equivalente a "como vai?" Ex.: Como está você, tudo bem?
Fazer o sinal de **bom**, com expressão interrogativa. (Mão direita vertical, palma para dentro, pontas dos dedos unidas em frente à boca. Mover a mão ligeiramente para frente, distendendo e separando os dedos.)

vamos! (*CL*) *(inglês: let us go!)*:
interj. Chamamento e convocação à retirada, equivalente a "vamos indo" e "vamos embora." Ex.: Vamos, pessoal! O motorista está nos esperando!
Mão direita vertical aberta, palma para a esquerda, inclinada para cima, na altura do ombro direito. Movê-la em um arco para a esquerda e para baixo, virando a palma para baixo.

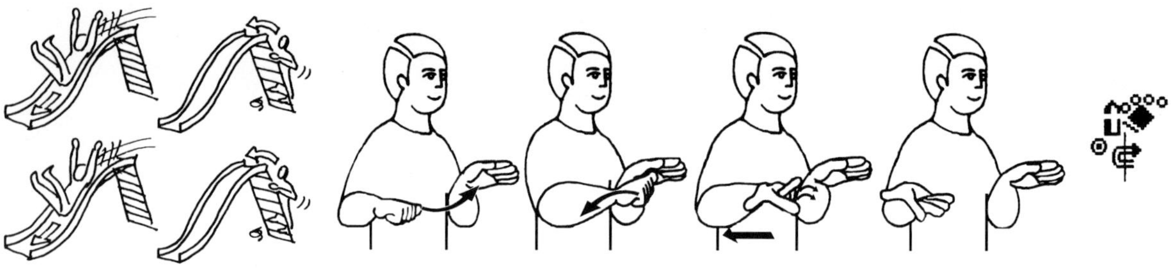

várias vezes *(inglês: several times, many times, frequently, repeatedly, a lot of times)*:
loc. adv. intensidade. Diversas, numerosas e repetidas ocasiões. Ex.: Já fui várias vezes à sua casa e não o encontrei.
Fazer o sinal de **muitas vezes**. (Mão esquerda horizontal aberta, palma para a direita, inclinada para baixo; mão direita em **A** horizontal, palma para baixo. Mover a mão direita em um arco para a esquerda e para cima, tocando o polegar na palma esquerda, virar a palma direita para cima, e abrir os dedos, um a um, iniciando pelo indicador.

veja! (*CL*) *(inglês: look! look at there! see!)*:
interj. Ordem para que o interlocutor olhe para determinada direção. Ex.: Veja! O bebê está andando!
Fazer o sinal de **olhe para lá!** (Mão direita em **V**, palma para frente. Mover a mão em direção ao que se quer mostrar, virando a palma para baixo.)

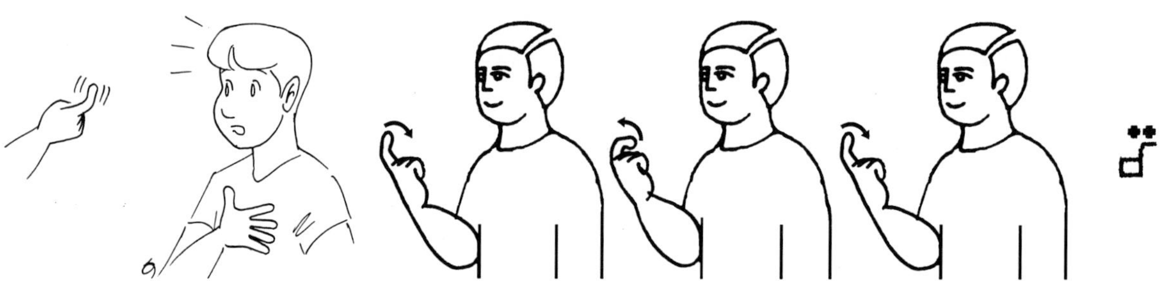

vem cá! *(inglês: come here!)*:
expressão. Chamamento informal para que a outra pessoa se aproxime. Ex.: Vem cá, fica mais perto de mim.
Mão direita em **1**, palma para dentro inclinada para cima, dedo indicador ligeiramente curvado. Dobrar a ponta do dedo indicador, duas vezes.

ÍNDICE SEMÂNTICO-GRAMATICAL

olá!; olhe para lá!; olhe para mim!; olhe para trás; olhem para mim!; onde?; ou; outra vez; outro(a); oxalá!; parabéns (1); parabéns (2); pare! (1); pare! (2); por certo!; por favor; qual?; qualquer; quando?; que?; que aconteceu?; quem?; sempre; tanto faz!; tchau!; toda manhã; toda tarde; toda vez; todo dia; tomara!; tudo bem?; vamos!; várias vezes; veja!; vem cá!

ÍNDICE ALFABÉTICO

A, a

B, b

C, c

D, d

E, e

F, f

G, g

H, h

I, i

J, j

L, l

M, m

N, n

O, o

P, p

Q, q

R, r

S, s

T, t

U, u

V, v

W, w

X, x

Z, z

Como avaliar o desenvolvimento da compreensão de sinais da Libras em escolares surdos de 1ª. a 8ª. série do Ensino Fundamental:

Versão original do Teste de Vocabulário Receptivo de Sinais da Libras (TVRSL1.1) validada e normatizada para aplicação com sinalização ao vivo

Fernando C. Capovilla, Keila Q. Viggiano, Alessandra G. S. Capovilla, Walkiria D. Raphael, Márcia C. P. R. Bidá, Aline C. Mauricio

(Instituto de Psicologia, USP)

Capovilla, F. C., Viggiano, K. Q., Capovilla, A. G. S., Raphael, W. D., Bidá, M. C. P. R., & Mauricio, A. C. (2004). Como avaliar o desenvolvimento da compreensão de sinais da Libras em escolares surdos de 1ª. a 8ª. série do Ensino Fundamental: Versão original do Teste de Vocabulário Receptivo de Sinais da Libras (TVRSL1.1) validada e normatizada para aplicação com sinalização ao vivo. In F. C. Capovilla, & W. D. Raphael (Orgs.), *Enciclopédia da Língua de Sinais Brasileira: O mundo do surdo em Libras, Vol. 2: Sinais da Libras e o universo das artes e cultura, esportes, e lazer; e Como avaliar o desenvolvimento da compreensão de sinais (vocabulário em Libras) de escolares surdos do Ensino Fundamental.* São Paulo, SP: Edusp, Fundação Vitae, Feneis, CNPq, Fapesp.

Avaliando o vocabulário receptivo de sinais da Libras em escolares surdos de 1ª. a 8ª. série

Resumo

O Teste de Vocabulário Receptivo de Sinais da Libras (TVRSL) é parte de bateria de onze testes originais para avaliar o desenvolvimento da linguagem de sinais e de competência de leitura e escrita (F. Capovilla & Viggiano, 2004), elaborada especialmente para a população escolar surda brasileira, e já validada e normatizada com amostra de 1.158 escolares surdos. O TVRSL avalia o desenvolvimento da compreensão de sinais da Língua de Sinais Brasileira (Libras) em escolares surdos por meio da escolha de figuras para corresponder a sinais da Libras. O TVRSL se baseia na adaptação, para a Libras, do Teste de Vocabulário por Figuras USP (TVFusp: F. Capovilla & A. Capovilla, no prelo b) que avalia, também por meio da escolha dentre figuras, a compreensão de palavras ouvidas em Português por escolares ouvintes. O TVRSL apresenta-se em três versões: A original (TVRS1.1) com 139 itens; a reordenada (TVRSL1.2) com os mesmos 139 itens ordenados por grau de dificuldade crescente; e a abreviada (TVRSL1.3) com apenas os 66 itens mais importantes, também ordenados por grau de dificuldade crescente. Este capítulo disponibiliza integralmente as três versões, bem como tabelas de dados normativos do TVRSL1.1, e dados de validade por comparação com os outros dez testes da bateria de desenvolvimento da linguagem.

Em cada uma das três versões do TVRSL, o item é composto de um sinal da Libras e de quatro figuras alternativas de escolha. A tarefa consiste em escolher, dentre as quatro figuras, a que melhor corresponde ao sinal, e marcá-la com lápis. O teste produz um escore geral do vocabulário receptivo visual de sinais da Libras que indica quão bem o examinando surdo compreende esses sinais. O sinal pode ser apresentado tanto por meio de articulação ao vivo pelo examinador quanto por meio de ilustrações padronizadas retiradas do Dicionário de Libras (F. Capovilla & Raphael, 2001b, 2001c). A apresentação dessas ilustrações de sinais pode ser feita, quer via caderno individual de aplicação, quer via projeção em tela por meio de transparências e retroprojetor. Na aplicação com sinalização ao vivo, o realismo dos sinais contribui para aumentar a validade dos achados do teste, e a sua sensibilidade em avaliar a compreensão de sinais especialmente em crianças menores. Por outro lado, na aplicação com ilustrações, a padronização dos sinais contribui para aumentar a fidedignidade e estabilidade dos achados, reduzindo a vulnerabilidade a variações espúrias de fluência de sinalização pelo examinador. A aplicação com ilustrações requer transparências e cadernos; já a aplicação com sinalização ao vivo requer um sinalizador fluente em Libras e um guia de articulação de sinais que especifica a forma exata como cada sinal deve ser articulado para reduzir o risco de variações espúrias. Este capítulo fornece o caderno completo, o caderno abreviado, o guia de aplicação e a matriz para reproduzir as transparências de aplicação. A versão original (TVRSL1.1) foi elaborada para aplicação coletiva na escola. Já a versão reordenada (TVRSL1.2) foi elaborada para aplicação individual na clínica, uma vez que o grau de dificuldade crescente de seus itens permite usar critérios de piso e teto. Em ambas, os sinais podem ser apresentados por articulação ao vivo pelo examinador, ou por meio de ilustrações em caderno de aplicação ou transparências, tela e retroprojetor. Finalmente, a versão abreviada (TVRSL1.3), que é mais prática e eficaz já que tem apenas os 66 itens mais importantes arranjados em ordem crescente de dificuldade, pode ser aplicada tanto de maneira coletiva no contexto escolar quanto de maneira individual no contexto clínico, já que também permite o uso de critérios de piso e teto.

Neste estudo, a versão original TVRSL1.1 de 139 itens foi aplicada com sinalização ao vivo a 505 crianças, jovens e adultos surdos, de 6 a 41 anos idade, estudantes da 1ª. série do Ensino Fundamental até a 1ª. série do Ensino Médio, provenientes de seis escolas. Dessas, quatro eram escolas municipais de educação especial (i.e., Emee) de São Paulo (i.e., Anne Sullivan, Helen Keller, Madre Lucie Bray, e Professora Neusa Bassetto) e duas eram escolas filantrópicas do interior do estado de São Paulo (i.e., Escola Especial para Crianças Surdas da Fundação Rotarianos, e Associação Terapêutica de Estimulação Auditiva e Linguagem). Dos 505 estudantes, quatrocentos estudavam em escolas especiais para crianças surdas, oitenta em classes regulares de escolas regulares, e 25 em classes especiais. Esses últimos 105 não recebiam ensino em Libras, mas apenas ensino comum em Português, e seu contato com a Libras restringia-se ao convívio com membros da comunidade surda em clubes e associações. Desses 505 escolares, 479 tinham série escolar definida. Dos 26 restantes sem série definida, 25 pertenciam a classes especiais que seguem programas e regimes diferentes, e um tinha problema de registro. A escolaridade média desses 479 escolares era de 4 anos, ou seja, 4ª. série do Ensino Fundamental. Dos 505 estudantes, 498 tinham idade conhecida a partir dos prontuários, que variou de 6 a 41 anos, com média de 13a11m (i.e., 13 anos e 11 meses). O número de escolares e a idade média por série escolar foi de setenta com idade média de 10a2m na 1ª. série, 71 com 10a6m na 2ª., 76 com 12a6m na 3ª., 68 com 14a na 4ª., 53 com 15a7m na 5ª., 63 com 17a6m na 6ª. série, 41 com 17a10m na 7ª., 23 com 18a5m na 8ª., e sete com 17a8m na 1ª. série do Ensino Médio.

A vasta maioria dos 505 escolares era de sinalizadores com surdez profunda pré-lingual e perilingual. Nos seus prontuários constava o grau de perda auditiva de 482 deles, dos quais 338 tinham perda profunda; 97, severa; 44, moderada; e três, leve. Em termos de perda auditiva por série, dos 71 estudantes da 1ª. série, 51 tinham perda profunda; dezesseis, severa; e três, moderada. Dos 73 de 2ª série, 44 tinham perda profunda; dczoito, severa; e nove, moderada. Dos 76 da 3ª., 56 tinham perda profunda; nove, severa; e cinco, moderada. Dos setenta da 4ª., 48 tinham perda profunda; nove, severa; oito, moderada; e um, leve. Dos 53 da 5ª., quarenta tinham perda profunda; dez, severa; e três, moderada. Dos 63 da 6ª., 38 tinham perda profunda; quatorze, severa; nove, moderada; e um, leve. Dos 42 da 7ª., 25 tinham perda profunda; nove, severa; cinco, moderada; e um, leve. Dos 24 da 8ª., onze tinham perda profunda; quatro, severa; e dois, moderada. Dos sete estudantes da 1ª série do Ensino Médio, quatro tinham perda profunda; e três, severa. Dos 505 estudantes, só havia informações sobre uso de aparelho auditivo nos prontuários de 336 deles. Desses 336, 281 usavam aparelho auditivo, e 55 não. Dos três estudantes com perda leve, um usava aparelho e dois não. Dos 44 com perda moderada, 27 usavam e seis não. Dos 97 com perda severa, sessenta usavam e onze não. Dos 338 com perda profunda, 191 usavam e 36 não. Em termos de tipo de perda auditiva (i.e., congênita *versus* adquirida), dos 505 estudantes, apenas 387 sabiam de seu tipo de perda, dos quais 288 tinham perda congênita (quatro casos de grau de perda ignorada, três casos de perda leve, 28 de perda moderada, sessenta de perda severa, e 193 de perda profunda) e 99 tinham perda adquirida (oito casos de perda moderada, 21 de severa, e setenta de profunda). Em termos de modo de comunicação (i.c., oralização, gesticulação, sinalização) em diferentes contextos, foi constatada nessa amostra uma importância crescente de sinalização e importâncias decrescentes de oralização e de gesticulação com a passagem do surdo da família para a escola e, desta, para a comunidade. Conforme os prontuários dos 505 escolares, nessa passagem a preponderância da sinalização aumentou de 52,76% para 62,13% para 68,75%, respectivamente; enquanto a da oralização declinou de 36,20% para 32,54% para 28,90%, respectivamente; e a da gesticulação declinou de 11,04% para 5,32% para 2,34%, respectivamente. Neste estudo de validação e normatização do TVRSL1.1, a presente amostra obteve pontuação variando de 39 a 133 pontos, com média de 106,21 pontos (DP = 17,15), sendo que a análise de covariância revelou um aumento sistemático na compreensão de sinais da Libras desde a 1ª. até a 8ª. série do Ensino Fundamental (i.e., de 91,60 a 97,70 a 102,79 a 107,46 a 115,86 a 116,62 a 118,53 a 119,41 pontos, respectivamente). Como a pontuação cresceu mas não chegou a alcançar o teto (i.e., 139 pontos), a escala superior pode ser expandida para além do Ensino Fundamental. Com base nesses dados, este estudo normatizou o TVRSL1.1 por série escolar e o validou por comparação com os resultados em dez outros testes de desenvolvimento da linguagem de sinais e escrita, igualmente normatizados para a mesma população escolar surda.

Em termos de validade por critério de correlação com outros testes, os resultados revelaram que a versão original (TVRSL1.1) apresentou: (1) Correlações mais altas (i.e., r = 0,59 a 0,60) com as duas versões originais do Teste de Nomeação de Sinais por Escrita (i.e., TNS1.1–Escrita e TNS2.1–Escrita) e com as duas versões originais do Teste de Nomeação de Sinais por Escolha (i.e., TNS1.1–Escolha e TNS2.1–Escolha); (2) Correlações mais baixas (i.e., r = 0,30 a 0,41) com as duas versões originais do Teste de Nomeação de Figuras por Escolha (i.e., TNF1.1–Escolha e TNF2.1–Escolha), com as duas versões originais do teste de Nomeação de Figuras por Escrita (i.e., TNF1.1–Escrita e TNF2.1–Escrita), com a versão original do Teste de Competência de Leitura de Sentenças (i.e., TCLS1.1), e com a versão original do Teste de Competência de Leitura de Palavras (i.e., TCLP1.1). Ou seja, a compreensão de sinais da Libras esteve mais correlacionada com os desempenhos de nomeação de sinais por escrita e escolha do que com os desempenhos de nomeação de figuras por escrita ou escolha, ou com a competência de leitura de palavras e sentenças.

Além da tabela de normatização e dos dados de validação, a partir da análise do grau de dificuldade de cada um dos 139 itens, o estudo disponibilizou a versão reordenada (TVRSL1.2), com os 139 itens ordenados por grau de dificuldade crescente. A partir dessa mesma análise do grau de dificuldade dos 139 itens, o estudo disponibilizou, também, a versão abreviada (TVRSL1.3), composta pelos 66 itens mais discriminativos do vocabulário receptivo visual da Libras, mais importantes para uma avaliação rápida e eficaz desse vocabulário receptivo. Para a elaboração de TVRSL1.3, foram eliminados todos os itens que tinham um mesmo grau de dificuldade baixo e médio, e preservados apenas itens com grau de dificuldade diferente, capazes de cobrir toda a escala. Por fim, o estudo também apresentou o modelo teórico de F. Capovilla (no prelo) sobre processamento de leitura em surdos que discute, a partir dos achados presentes c da bibliografia, as relações entre competências de leitura, escrita e sinalização, bem como as paralexias e paragrafias cometidas por surdos ao lidar com o código alfabético. A partir do estudo torna-se possível acompanhar o desenvolvimento do vocabulário receptivo de sinais da Libras (i.e., de compreensão de sinais) por escolares surdos do Ensino Fundamental, o que permite identificar e propiciar as condições mais eficazes ao desenvolvimento e à aquisição das competências lingüísticas, cognitivas e escolares. O estudo demonstrou que, em conjunto com os outros dez testes que compõem a bateria de avaliação de desenvolvimento da linguagem escrita e de sinais no surdo, a versão original do teste de compreensão de sinais da Libras (TVRSL1.1) constitui um instrumento de inestimável valor para a educação da criança surda brasileira.

Palavras-chave: língua de sinais, avaliação, surdez, vocabulário, desenvolvimento, linguagem, léxico

Assessing receptive sign language vocabulary in 1st–8th grade deaf students

Abstract

Brazilian Sign Language (Libras) is the natural sign language of the deaf population of Brazil. Libras has been documented only recently in the *Trilingual Encyclopedic Brazilian Sign Language Dictionary* (F. Capovilla & Raphael, 2001b, 2001c), which contains signs corresponding to 9,500 English glosses along with their respective Portuguese glosses. That dictionary offers a number of features such as: (1) Illustrations of sign forms in stages of movement, which allow for graphic sign animation; (2) Illustrations of sign referents, which help deaf children apprehend sign meaning without having to depend on Portuguese glosses; (3) Portuguese and English glosses, which provide an alphabetic indexing of signs and permit translating from Libras to Portuguese and English; (4) Grammar classification, which helps deaf children learn Portuguese grammar and understand word use; (5) Gloss definition, which helps deaf children increase Portuguese vocabulary and world knowledge; (6) Examples illustrating adequate use of glosses and signs, which help improving language skills in both grammar and semantics, so as to improve word use by the deaf and sign use by the hearing; (7) Sign descriptions, which allow for precise articulation of signs by the Libras novice; (8) An English to Portuguese thesaurus, which provides alphabetic indexing of 9,500 English glosses along with their respective Portuguese glosses, helping deaf Brazilians use Libras to read English, and helping English readers locate any given Libras sign, even if they are unable to read Portuguese. Thus international Linguistics may study Libras, and the Brazilian deaf may read English; (9) A semantic index, which provides thematic categories for the classification of all Libras signs; and (10) A semantic content section, which distributes all Libras signs into them, helping readers locate semantically-related signs and improve sign learning, comprehension and use. The Brazilian Sign Language Dictionary has given origin to the 19 volumes of the present Brazilian Sign Language Encyclopedia (e.g., F. Capovilla & Luz, 2004; F. Capovilla & Raphael, 2004), as well as to a battery of 11 tests (F. Capovilla & Viggiano, 2004) especially devised for assessing development of Portuguese and Libras language skills by deaf children. The present book is one of the 19 volumes that make up the encyclopedia, and the present test is one of the 11 instruments that make up the deaf language assessment battery.

The Libras Picture Vocabulary Test (LPVT) aims at assessing receptive Libras vocabulary development. It is part of a battery of 11 tests thoroughly validated and standardized with a sample of 1,158 deaf students. This study offers three versions of it: The original one (LPVT1), a reordered one (LPVT2), and an abbreviated one (LPVT3). The study also offers standardized data on LPVT1 from 1st to 8th grade deaf students, as well as validity data obtained by comparing LPVT1 scores with scores in all other ten tests that make up the battery. LPVT1 is based on the adaptation, for Libras, of the University of Sao Paulo Picture Vocabulary Test (TVFUSP: F. Capovilla & A. Capovilla, in press b), which assesses auditory vocabulary in Portuguese. In order to assess the development of Libras sign comprehension by deaf students from 1st to 8th grades, LPVT1 presents 139 individual Libras signs and, for each one of them, requires students to choose from among a sequence of four pictures. On each of the 139 trials, students are shown one Libras sign and must choose, from an array of four pictures, the one that best corresponds to it. LPVT may be applied individually in the clinical setting as well as collectively in the educational setting. Signs may be presented in different ways, such as articulated in vivo (i.e., live) by the examiner or illustrated in drawings. Sign illustrations may be printed in the assessment sheets along with the four alternative pictures for each sign or projected in a screen with the help of an overhead projector and transparencies. Both the original version (LPVT1) and the reordered version (LPVT2) are made up of 139 signs that are to be articulated in vivo by the examiner; whereas the abbreviated version (LPVT3) is made up of only 66 critical sign illustrations that are printed in the assessment sheets along with the four alternative pictures offered for each sign.

In the present study, LPVT1 was administered to 505 deaf students (from 1st to 9th grades, and from six to 41 years of age) from six schools in Sao Paulo State (four municipal public schools and two philanthropic private schools). The 505 students were part of the larger sample of 1,158 deaf students who participated in the validation and standardization of the whole battery. Out of the 1,158 students, 862 presented profound auditory loss (401 congenital and 167 acquired), 192 presented severe loss (107 congenital, 29 acquired), 70 presented moderate loss (40 congenital, 13 acquired), and four presented light loss (all congenital). In the 1,158 sample, the incidence of congenital loss was 2.7 times greater than that of acquired loss. With respect to the communication mode preferred (i.e., speech, gesture, or signing), the series of eleven studies that were conducted with the 1,158 students documented an increase in the use of signing, as well as a decrease in the use of both speech and gesture as the deaf moved from family to school to community. Out of the 505 deaf students who participated in this LPVT1 study, 400 were enrolled in special schools for the deaf, 80 were in regular classes of regular schools, and 25 were in special classes of regular schools. The latter 105 were exposed to teaching only in Portuguese (i.e., not in Libras), and their contact with Libras was limited to socialization with deaf members in deaf clubs and associations. Out of the 505 deaf students, 479 were allocated to well-established school grades. Out of the remaining 26 without precise grade allocation, 25 belonged to special classes that adopted different curricula. Out of the 505 deaf students, 498 had well-established chronological age, which varied from six to 41 years of age, with an average of 13y11m. The average schooling of the participants was equivalent to 4th grade, and their average age was 14y2m (i.e., 14 years and 2 months). The sample included 70 1st graders (average age: 10y2m), 71 2nd graders (10y6m), 76 3rd graders (12y6m), 68 4th graders (14y0m), 53 5th graders (15y7m), 63 6th graders (17y6m), 41 7th graders (17y10m), 23 8th graders (18y5m), and seven 9th graders (17y8m). The vast majority of the 505 participants was made of deaf signers with profound auditory loss that occurred at a pre-lingual or a perilingual stage. School records contained information on auditory loss type of 387 cases: 228 cases with congenital loss (four cases of ignored loss level, three cases of light loss, 28 cases of moderate loss, 60 cases of severe loss, and 193 cases of profound loss) and 99 cases of acquired loss (eight cases of moderate loss, 21 cases of severe loss, and 70 cases of profound loss). According to the records, out of the 505 students, 336 provided information on use of hearing aids: 281 students used hearing aids, 55 did not. Out of the three participants with light loss, one used hearing aids, two did not. Out of the 44 students with moderate loss, 27 used hearing aids, six did not. Out of the 97 students with severe auditory loss, 60 used hearing aids, 11 did not. Out of the 338 students with profound auditory loss, 191 used hearing aids, 36 did not. The communication mode preferred by the 505 students was found to be affected by the communication context (i.e., family versus school versus community), so that as the deaf moved from family to school, and from school to society at large, there was an increase in the use of signing and a decrease in the use of both speech and gestures. As the deaf moved from family to school to community, the prevalence of signing increased from 52,76% to 62,13% to 68,75%, respectively. Conversely, as the deaf moved from family to school to community, the prevalence of speech decreased from 36,20% to 32,54% to 28,90%, respectively. The same was found with respect to the prevalence of gestures, which decreased from 11,04% to 5,32% to 2,34%, respectively

In the present study, LPVT1 scores obtained by the 505 participants were found to vary from 39 to 133 points, with an average of 106.21 points (*SD* = 17.15). ANOVA revealed a systematic increase in sign comprehension from 1st to 8th grade (i.e., from 91.60 to 97.70 to 102.79 to 107.46 to 115.86 to 116.62 to 118.53 to 119.41 points, respectively). Scores increased systematically, but remained under the 139 points ceiling, which suggests that the test may be used up to the college level. The present data were used to obtain LPVT1 standardization by school level, and to validate it by comparison with scores in the other ten battery tests. In addition, the present study offered a reordered version (LPVT2), in which the 139 signs are arranged in an increasing difficulty level. Finally, this study also provided an abbreviated version (LPVT3) having only the 66 signs that were found to be most critical to the assessment of sign comprehension. Criterion validity was obtained by comparing scores of deaf students on LPVT1 and on the other ten tests. Results revealed a relatively high positive correlation between receptive sign vocabulary scores and sign naming scores as assessed by both (1) print production, and (2) print choice. Results also revealed a relatively low positive correlation between receptive sign vocabulary scores and: (1) Picture naming scores as assessed by both print choice and print production, (2) Sentence reading comprehension scores, and (3) Word reading scores. In other words, receptive sign vocabulary skill has been always positively correlated with the other skills, but in different degrees. Results showed a relatively high correlation with sign naming skills (as assessed by both word choice and word spelling). They also showed a relatively low correlation with picture naming skills (as assessed by both word choice and word spelling) as well as with reading comprehension of both isolated words and whole sentences. The present study permitted the standardization and validation of LPVT1. It also permitted generating both LPVT2 and LPVT3. The 139 signs that make up LPVT1 have been arranged according to an increasing difficulty level in LPVT2. Such a reordering has resulted from item analyses conducted on the present LPVT1 data. LPVT3 contains only the 66 signs that have proven to be most discriminative of sign comprehension skills according to the present LPVT1 data. Those 66 signs have also been arranged according to an increasing difficulty level. With the advent of LPVT1 validation and standardization, it becomes possible to assess sign comprehension development by deaf students from 1st to 8th grade, which shall permit discovering the most appropriate teaching strategies devoted to developing competencies in the whole spectrum of particular characteristics of the deaf student population. Along with the other ten tests that compose the battery for the assessment of written and signed language development in the deaf, LPVT1 constitutes an instrument of true value for Brazilian education. With the advent of such a battery, Brazilian education is expected to surpass the primitive stage of ideological discussions of teaching approaches, in which one simply casts out and proscribes a given method, towards a matrix approach in which one prescribes the most adequate methods on the basis of a student's particular individual characteristics. The present series of studies inaugurates a new era and a new approach for Brazilian deaf education, in which decisions involving choices among different educational models and strategies begin to be made on the basis of rigorous scientific data, rather than on mere *a priori* preferences, prejudices, or speculation.

Keywords: sign language, assessment, deafness, vocabulary, development, language, lexicon

4.1.) Considerações iniciais

Segundo proposição de 1954 da Unesco, as crianças de comunidades lingüísticas minoritárias têm direito a educação na língua da comunidade a que pertencem. Este é o caso das crianças da comunidade surda brasileira, cujo idioma natural é a Língua de Sinais Brasileira. Essa língua, também conhecida como Libras, tem ganho notoriedade crescente nas últimas décadas e é hoje reconhecida oficialmente pelo governo federal, além dos governos estaduais e municipais, como o idioma da comunidade surda brasileira. Segundo Luz e F. Capovilla (2004), alguns dos marcos recentes desse desenvolvimento são os seguintes: Em janeiro de 2001, o Congresso Nacional sancionou a Lei Federal n.º 10.172, estabelecendo um Plano Nacional de Educação (Ministério da Educação, 2002a) que objetiva implantar em cinco anos, e generalizar em dez anos, o ensino da Língua de Sinais Brasileira para os alunos surdos e, sempre que possível, para seus familiares. Em outubro de 2001, a Assembléia Legislativa do Estado de São Paulo sancionou a Lei Estadual n.º 900 de1999, que oficializa a Libras como meio de comunicação da comunidade surda (Sentidos, 2002b). Em janeiro de 2002, a Prefeitura do Município de São Paulo sancionou a Lei Municipal n.º 323 de 2001, que oficializa a Língua de Sinais Brasileira como meio de comunicação e instrução da comunidade surda do município de São Paulo (Sentidos, 2002a). Finalmente, em abril de 2002, a Presidência da República sancionou a Lei Federal n.º 10.436, decretada pelo Congresso Nacional, que oficializa a Língua de Sinais Brasileira em todo o território nacional (Ministério da Educação, 2002b). Essa lei federal n.º 10.436 reconhece a Libras como meio legal de comunicação e expressão das comunidades de pessoas surdas do Brasil, determina que o poder público se empenhe no apoio e difusão do uso da Libras como meio de comunicação objetiva, que as instituições públicas prestem atendimento aos surdos em Libras e que os sistemas educacionais federal, estaduais e municipais incluam o ensino da Libras como parte dos Parâmetros Curriculares Nacionais nos cursos de formação de Educação Especial, Fonoaudiologia e Magistério, nos Ensinos Médio e Superior.

Contudo, o cumprimento da lei vem sendo impedido pela carência de materiais de avaliação e ensino desenvolvidos especialmente para a criança surda brasileira. Mais precisamente, pela carência de materiais instrucionais que permitam ministrar o ensino bilíngüe baseado na Libras e de instrumentos de avaliação que permitam acompanhar o desenvolvimento da linguagem escrita e de sinais. De fato, a ciência e a educação brasileiras carecem de instrumentos para acompanhar o desenvolvimento de importantes competências lingüísticas na população escolar surda, como a competência de leitura em Português, a competência de escrita em Português e o vocabulário de sinais da Libras, dentre tantas outras, o que dificulta a comparação da eficácia relativa de diferentes métodos e procedimentos disponíveis para o ensino da leitura e da escrita. Tal carência de instrumentos de avaliação psicométrica e neuropsicológica para avaliar o surdo brasileiro em Libras discrepa da abundância desses mesmos instrumentos para avaliar o surdo norte-americano em Língua de Sinais Americana (i.e., ASL), incluindo o *Stanford Achievement Test* (e.g., Allen, White, & Karchmer, 1983; Kishor, 1995; Wolk & Zieziula, 1985), o Teste de Matrizes Progressivas de Raven (Blennerhassett, Strohmeier, & Hibbett, 1994), o WISC–R (Kelly & Braden, 1990) e o WISC–III (Maller & Braden, 1993), o *Leiter International Performance Scale – Revised* (Roid, Nellis, & McLellan, 2003), além de testes de vocabulário receptivo de sinais (Lederberg & Spencer, 2001) como o Teste de Vocabulário por Figuras Carolina (Kline & Sapp, 1989; Walter, 1981), dentre outros. Este capítulo oferece um instrumento completo para avaliar o vocabulário de sinais da Libras em crianças e jovens surdos, fornece tabelas de dados normativos da distribuição dessa competência na população escolar surda desde a 1ª. série até a 8ª. série do Ensino Fundamental, analisa a validade do instrumento aqui oferecido por comparação entre seus dados e os dados de uma dezena de outros instrumentos que compõem a bateria para avaliação de desenvolvimento de linguagem escrita e de sinais (F. Capovilla & Viggiano, 2004) e, finalmente, mostra como o instrumento pode ser empregado para sondar o efeito de algumas variáveis relevantes à educação da criança surda brasileira, como a sua alocação escolar no ensino especial *versus* no ensino regular, o efeito da idade em que ocorreu a perda auditiva, e o grau de audição residual, entre outras.

A política oralista de "normalização" de pessoas com surdez profunda ou severa pré-lingual, que tenta tornar os surdos "normais" por meio de métodos de ensino da comunicação por leitura labial e articulação da fala, vem sendo criticada pela abordagem educacional conhecida como bilingüismo. Nessa tentativa de encaixar os surdos na mesma distribuição normal da população ouvinte, a tendência é de comparar o desempenho dos surdos ao desempenho dos ouvintes em tarefas que envolvem a comunicação oral-aural e a leitura e escrita em Português. Em território alheio, avaliados na língua dos ouvintes com instrumentos desenvolvidos por ouvintes e para ouvintes, não surpreendentemente os surdos tendem a concentrar-se no extremo inferior da distribuição de escores da população ouvinte em geral. Contudo, reduzir o fenômeno da surdez ao conceito de deficiência é inadequado, não apenas em termos da antropologia cultural que considera as línguas de sinais como patrimônio cultural da humanidade como, também, em termos da psicologia do ensino e da aprendizagem que considera as línguas de sinais como autênticas ferramentas de desenvolvimento cognitivo. A população surda sinalizadora tem as suas próprias normas, que podem ser compreendidas não apenas do ponto de vista biológico como, também, cultural, levando em consideração as particularidades da própria língua de sinais da comunidade e de sua representação cognitiva como linguagem no indivíduo. De fato, as habilidades cognitivas e lingüísticas podem encontrar-se distribuídas na população surda de forma análoga àquela em que elas se encontram distribuídas na população ouvinte. Assim, tomando a população surda em seu próprio direito, pode-se concebê-la, de maneira técnica e heurística, como uma população *normal*, em que as características relevantes ao processo de ensino e aprendizagem se encontram normalmente distribuídas. Daí a necessidade de instrumentos especialmente desenhados para mapear essa distribuição normal de habilidades lingüísticas, tanto em Libras quanto em Português, e capazes de revelar os processos envolvidos em cada uma das línguas e em sua interseção, de modo a permitir a avaliação e o ensino na língua de sinais dos surdos (i.e., a Libras), e a melhor utilização dessa língua e de procedimentos de suporte paralelos para a aquisição da língua dos ouvintes (i.e., o Português) em sua forma escrita. São necessários instrumentos de avaliação suficientemente válidos e precisos para revelar essas normas e os processos cognitivos a elas subjacentes, além de instrumentos de intervenção educacional suficientemente eficazes para aperfeiçoar os processos de aprendizagem, e maximizar as chances de sucesso da população surda em seu mundo que é, também, um mundo letrado.

O advento de instrumentos de avaliação psicométrica e cognitiva do desenvolvimento da linguagem escrita e de sinais torna possível documentar o desempenho normal da população surda ao longo da escolarização. Comparando o desenvolvimento de uma determinada criança surda ao desenvolvimento médio de outras crianças surdas da mesma faixa etária ou nível escolar, torna-se possível descobrir suas necessidades e potencialidades individuais e fornecer as condições mais adequadas ao seu desenvolvimento, o que produz progresso substancial no acompanhamento clínico dessa criança. Ao lado das vantagens clínicas provenientes do advento desses instrumentos de avaliação, merecem destaque ainda maior as vantagens culturais e educacionais. Em termos culturais, o reconhecimento de que a população escolar surda tem seus próprios parâmetros normais de desenvolvimento lingüístico em Libras deve auxiliar a pôr fim à tendência de impor à população surda sempre os mesmos parâmetros normativos de desenvolvimento lingüístico da população ouvinte. Em termos educacionais, a presente documentação histórica dos atuais parâmetros de desempenho normal da população surda, bem como de suas características e dos procedimentos de ensino atualmente empregados para a sua escolarização, permite comparar o desenvolvimento da cognição e da linguagem sob diferentes procedimentos, métodos e materiais de ensino. Os instrumentos validados e normatizados aqui descritos permitem conduzir pesquisa sistemática e parametrizada que deverá revelar quais são os procedimentos, métodos e materiais mais indicados para diferentes parcelas da população escolar surda brasileira, dependendo de suas características como o tipo e o grau da perda auditiva (Russo & Santos, 1999), a idade em que essa perda auditiva ocorreu, o acesso à comunidade surda sinalizadora e ao ensino em língua de sinais e a idade em que esse acesso se deu, o acesso a diferentes procedimentos de ensino de leitura e escrita e a idade em que ele se deu, e assim por diante.

Exemplificando o progresso recente e encorajador na área de educação de surdos, destaca-se a publicação de obras como o primeiro dicionário da Libras (F. Capovilla, 2002a; F. Capovilla & Raphael, 2001b, 2001c), a primeira enciclopédia da Libras (F. Capovilla & Luz, 2004a, 2004b, 2004c, 2004d, 2004e, 2004f, 2004g; F. Capovilla & Raphael, 2004a, 2004b, 2004c, 2004d, 2004e, 2004f, 2004g, 2004h, 2004i, 2004j), e a primeira enciclopédia digital da Libras (F. Capovilla, Duduchi, Raphael, Luz, & Rozados, 2002), completa com duas interfaces, uma alfabética e outra gráfica, que consistem em sistemas de busca sublexical de sinais por meio de menus quirêmicos, que permitem resgatar qualquer sinal da Libras diretamente, sem depender da mediação do Português (F. Capovilla, Duduchi, Raphael, Luz, Rozados, A. Capovilla, & Macedo, 2003; F. Capovilla, Duduchi, Raphael, Luz, & Rozados, 2002; F. Capovilla, Duduchi, Raphael, Luz, Rozados, & Macedo, 2001a, 2001b; F. Capovilla, Duduchi, & Rozados, 2002, 2004; Duduchi, A. Capovilla, Raphael, Luz, & Rozados, 2000). Tais obras respondem à necessidade de desenvolver materiais instrucionais como dicionários e enciclopédias da Libras que possibilitem à criança surda ampliar seu vocabulário de sinais e adquirir conhecimento do mundo, e que permitam a professores surdos e ouvintes programar e conduzir aulas temáticas sobre Libras e aulas em Libras sobre qualquer assunto. Além desses materiais instrucionais, foi também desenvolvida uma bateria de onze instrumentos individuais de avaliação do desenvolvimento da linguagem escrita e de sinais, publicados separadamente como capítulos, cada qual num volume da enciclopédia, e, ao mesmo tempo, reunidos em sua essência numa obra única (F. Capovilla & Viggiano, 2004). Tal bateria, que é objeto da presente série de estudos, torna possível avaliar coletivamente o nível basal de uma série de sete competências essenciais às crianças surdas como:

- 1.) O vocabulário receptivo visual de sinais da Libras, por meio da versão original do Teste de

Vocabulário Receptivo de Sinais da Libras: TVRSL1.1 (F. Capovilla, Viggiano, A. Capovilla, Raphael, Bidá, & Mauricio, 2004), com 139 itens, validada e normatizada nesse estudo de 1ª. a 8ª. série do Ensino Fundamental e para aplicação com sinalização ao vivo, além de duas outras versões descritas nesse mesmo estudo, a versão reordenada por grau crescente de dificuldade (TVRSL1.2) e a versão abreviada com apenas 66 itens (TVRSL1.3), sendo que esta se encontra presentemente sendo validada e normatizada para aplicação com caderno de sinais e figuras, sem necessidade de sinalização ao vivo.

- 2.) A competência de leitura silenciosa de palavras isoladas em Português, por meio da versão original do Teste de Competência de Leitura de Palavras: TCLP1.1 (F. Capovilla, Viggiano, A. Capovilla, Raphael, Mauricio, & Bidá, 2004), validada e normatizada nesse estudo por série escolar nos Ensinos Fundamental e Médio, além da versão reordenada por grau crescente de dificuldade (TCLP1.2) descrita nesse mesmo estudo e que se encontra presentemente em validação e normatização.
- 3.) A competência de leitura de sentenças em Português, por meio da versão original do Teste de Competência de Leitura de Sentenças: TCLS1.1 (F. Capovilla, Viggiano, A. Capovilla, Raphael, Bidá, Neves, & Mauricio, 2004), validada e normatizada nesse estudo por série escolar para os Ensinos Fundamental e Médio, além da versão reordenada por grau crescente de dificuldade (TCLS1.2) descrita nesse mesmo estudo e que se encontra presentemente em validação e normatização.
- 4.) A competência de escrita de palavras em Português para nomear figuras conhecidas, por meio das versões originais do Teste de Nomeação de Figuras por Escrita: TNF1.1–Escrita (F. Capovilla, Viggiano, Raphael, Bidá, A. Capovilla, Mauricio, & Neves, 2004) e TNF2.1–Escrita (F. Capovilla, Viggiano, Raphael, Bidá, A. Capovilla, & Neves, 2004), ambas validadas e normatizadas nesses estudos por série escolar para os Ensinos Fundamental e Médio, além das versões reordenadas (TNF1.2–Escrita e TNF2.2–Escrita) e revisadas (TNF1.3–Escrita e TNF2.3–Escrita) descritas nesses mesmos estudos, sendo que as revisadas se encontram presentemente em validação e normatização.
- 5.) A competência de escrita de palavras em Português para nomear sinais da Libras, por meio das versões originais do Teste de Nomeação de Sinais por Escrita: TNS1.1–Escrita (F. Capovilla, Viggiano, Bidá, Raphael, A. Capovilla, & Mauricio, 2004) e TNS2.1–Escrita (F. Capovilla, Viggiano, Luz, A. Capovilla, Bidá, & Mauricio, 2004), ambas validadas e normatizadas nesses estudos por série escolar para os Ensinos Fundamental e Médio e para aplicação com sinalização ao vivo, além das versões reordenadas (TNS1.2–Escrita e TNS2.2–Escrita) e revisadas (TNS1.3–Escrita e TNS2.3–Escrita) descritas nesses mesmos estudos, sendo que as revisadas se encontram presentemente em validação e normatização.
- 6.) A habilidade de escolher palavras escritas para nomear figuras conhecidas, por meio das versões originais do Teste de Nomeação de Figuras por Escolha: TNF1.1–Escolha (F. Capovilla, Viggiano, Raphael, Bidá, A. Capovilla, Neves, & Mauricio, 2004) e TNF2.1–Escolha (F. Capovilla, Viggiano, Bidá, A. Capovilla, Raphael, Neves, & Mauricio, 2004), ambas validadas e normatizadas nesses estudos por série escolar para os Ensinos Fundamental e Médio, além das versões reordenadas (TNF1.2–Escolha e TNF2.2–Escolha) e revisadas (TNF1.3–Escolha e TNF2.3–Escolha) descritas nesses mesmos estudos, sendo que as revisadas se encontram presentemente em validação e normatização.
- 7.) A habilidade de escolher palavras escritas para nomear sinais da Libras, por meio das versões originais do Teste de Nomeação de Sinais por Escolha: TNS1.1–Escolha (F. Capovilla, Viggiano, Raphael, Mauricio, A. Capovilla, & Bidá, 2004) e TNS2.1–Escolha (F. Capovilla, Viggiano, Bidá, Luz, A. Capovilla, & Neves, 2004), ambas validadas e normatizadas nesses estudos por série escolar para os Ensinos Fundamental e Médio e para aplicação com sinalização ao vivo, além das versões reordenadas (TNS1.2–Escolha e TNS2.2–Escolha) e revisadas (TNS1.3–Escolha e TNS2.3–Escolha) descritas nesses mesmos estudos, sendo que as revisadas se encontram presentemente em validação e normatização.

Todos esses instrumentos encontram-se reunidos no compêndio de avaliação da linguagem da criança surda (F. Capovilla & Viggiano, 2004). Com eles, pesquisadores em áreas como psicologia, educação, fonoaudiologia e educação especial, bem como professores, coordenadores pedagógicos, diretores e administradores de ensino tornam-se capazes de avaliar os ganhos produzidos pela introdução de diferentes métodos, procedimentos e materiais instrucionais, como, por exemplo, a *Enciclopédia Digital da Libras* (F. Capovilla, Duduchi, Raphael, Luz, Rozados, A. Capovilla, & Macedo, 2003; F. Capovilla, Duduchi, & Rozados, 2004), além de acompanhar a aquisição das diversas competências lingüísticas e acadêmicas dos escolares, de modo a avaliar a eficácia diferencial de novos programas, estratégias e procedimentos de ensino, para, assim, poder aperfeiçoá-los e calibrá-los sistematicamente às diferentes necessidades e potencialidades da população escolar surda brasileira. O propósito da elaboração dos testes em duas versões é o de reduzir o efeito de carreamento (i.e., aprendizagem) de uma avaliação para a seguinte, permitindo, deste modo, implementar delineamentos de controle experimental para conduzir estudos envolvendo pré-teste, intervenção e pós-teste em grupos (Campbell & Stanley, 1979), que são de extraordinária importância para a pesquisa educacional sobre métodos de ensino, além de delineamentos de séries temporais ou medidas repetidas em caso único (Barlow & Hersen, 1984), que são vitais à pesquisa científica em neuropsicolingüística.

A presente série de estudos implementa rigorosos mecanismos de controle experimental em avaliação psicológica (F. Capovilla, 1989) e dá prosseguimento à linha de pesquisa em avaliação neuropsicológica e reabilitação cognitiva de F. Capovilla e equipe, já exemplificada em livros anteriores (A. Capovilla, 2003; A. Capovilla & F. Capovilla, 2003a, 2003b, 2003c, 2003d; F. Capovilla, 2002b; F. Capovilla, Gonçalves, & Macedo, 1998; F. Capovilla & Raphael, 2001b, 2001c; F. Capovilla, Raphael, & Macedo, 1998; Cardoso-Martins, F. Capovilla, Gombert, Oliveira, Morais, Adams, & Beard, 2003; L. Dunn, D. Dunn, F. Capovilla, & A. Capovilla, 2004a, 2004b, Gonçalves, Macedo, Sennyey, & F. Capovilla, 2000; Macedo, Gonçalves, F. Capovilla, & Sennyey, 2002). Ela é parte de um ambicioso projeto de geração e normatização de instrumentos de avaliação do desenvolvimento da linguagem de sinais, e de leitura e escrita em escolares surdos. Nesse grande projeto, à luz de modelos de processamento de informação em psicologia cognitiva do surdo (Bellugi, 1980, 1983; Bellugi & Klima, 1976; Bellugi, Klima, & Poizner, 1988; Bellugi, O'Grady, Lillo-Martin, O'Grady, van Hoek, & Corina, 1989; Bellugi, Poizner, & Klima, 1983; Bellugi, Tzeng, Klima, & Fok, 1989; Bellugi, van Hoek, Lillo-Martin, & O'Grady, 1993; F. Capovilla & A. Capovilla, 2001b; Fok & Bellugi, 1986; Klima & Bellugi, 1979; Klima, Bellugi, & Poizner, 1988; Poizner, Bellugi, & Tweney, 1981; Poizner, Klima, & Bellugi, 1987), foram desenvolvidos sete testes, sendo que quatro deles têm uma forma alternativa para evitar carreamento, num total de onze instrumentos. Em uma série de onze estudos, esses onze instrumentos foram aplicados a onze amostras diferentes e algo superpostas com média de 430 estudantes surdos cada uma (amplitude *A* = 284 a 805 casos, desvio-padrão *DP* = 150), num total de 1.158 crianças, jovens e adultos surdos com idades variando de 6 a 45 anos. Essa grande amostra era composta de estudantes surdos matriculados desde a 1a. série do Ensino Fundamental até a 1a. série do Ensino Médio, provenientes de quatro escolas municipais de educação especial da cidade de São Paulo e de duas escolas filantrópicas do interior do estado de São Paulo. Esses onze estudos individuais abrangeram as seguintes áreas:

- 1.) *Vocabulário receptivo visual de sinais da Libras*, por meio do Teste de Vocabulário Receptivo de Sinais da Libras, em sua versão original (i.e., TVRSL1.1) aplicada coletivamente em sala de aula com sinalização ao vivo em duas sessões de 60 minutos cada uma;
- 2.) *Competência de leitura silenciosa de palavras isoladas em Português*, por meio do Teste de Competência de Leitura de Palavras, em sua versão original (i.e., TCLP1.1) aplicada coletivamente em sala de aula em uma sessão única de 60 minutos;
- 3.) *Competência de leitura de sentenças em Português*, por meio do Teste de Competência de Leitura de Sentenças, em sua versão original (i.e., TCLS1.1) aplicada coletivamente em sala de aula em uma sessão única de 75 minutos;
- 4.) *Competência de escrita de palavras em Português para nomear figuras* conhecidas, por meio do Teste de Nomeação de Figuras por Escrita (TNF–Escrita), em duas versões originais (i.e., TNF1.1–Escrita e TNF2.1–Escrita) aplicadas coletivamente em sala de aula, cada qual em uma sessão única de 60 minutos;
- 5.) *Competência de escrita de palavras em Português para nomear sinais* da Libras, por meio do Teste de Nomeação de Sinais por Escrita (TNS–Escrita), em duas versões originais (i.e., TNS1.1–Escrita e TNS2.1–Escrita) aplicadas coletivamente em sala de aula com sinalização ao vivo, cada qual em uma sessão única de 60 minutos;
- 6.) *Habilidade de escolher palavras escritas para nomear figuras* conhecidas, por meio do Teste de Nomeação de Figuras por Escolha de palavras escritas (TNF–Escolha), em duas versões originais (i.e., TNF1.1–Escolha e TNF2.1–Escolha) aplicadas coletivamente em sala de aula, cada qual em uma sessão única de 30 minutos;
- 7) *Habilidade de escolher palavras escritas para nomear sinais* da Libras, por meio do Teste de Nomeação de Sinais por Escolha de palavras escritas (TNS–Escolha), em duas versões originais (i.e., TNS1.1–Escolha e TNS2.1–Escolha) aplicadas coletivamente em sala e aula com sinalização ao vivo, cada qual em uma sessão única de 30 minutos.

Todos esses onze estudos individuais foram reunidos em um volume único de amplo escopo, o *Compêndio de avaliação do desenvolvimento da linguagem de sinais, leitura e escrita no surdo* (F. Capovilla & Viggiano, 2004). Tal compêndio torna integralmente disponíveis todos os onze instrumentos, além de seus dados de confiabilidade e validade por referência cruzada de cada um com os dez outros, e suas tabelas de dados normativos por nível de escolaridade desde a 1ª. série do Ensino Fundamental até a 1ª. série do Ensino Médio. Cada um dos onze capítulos individuais dedica-se com maior profundidade a um teste específico. O conjunto dos onze estudos individuais sobre as onze versões originais dos onze testes arrolados apresenta os seguintes itens:

- 1.) A versão original completa (1.1 ou 2.1) do teste que é objeto de estudo do capítulo, além da descrição das versões originais de cada um dos demais dez testes aplicados;
- 2.) As tabelas de dados normativos por série escolar do Ensino Fundamental até a 1ª. série do Ensino Médio resultantes da aplicação da versão original (1.1 ou 2.1) dos testes;
- 3.) Os dados de desempenho nos vários subtestes que permitem analisar em profundidade o processamento cognitivo envolvido;
- 4.) Os dados de validação obtidos a partir do cruzamento dos dados da versão original (1.1 ou 2.1) do teste que é objeto de estudo do capítulo com os dados das versões originais (1.1 ou 2.1) de cada um dos demais dez testes aplicados;
- 5.) A versão reordenada completa (1.2 ou 2.2) do teste que é objeto de estudo do capítulo, com itens ordenados com dificuldade crescente obtida a partir da análise de itens;
- 6.) A versão revisada completa (1.3 ou 2.3) do teste que é objeto de estudo do capítulo, com novos itens aperfeiçoados (e eventualmente novos distratores) obtidos a partir da análise de itens.

O emprego amplo dos instrumentos em pesquisa, educação e clínica na área de surdez passa a ser possível a partir de sua publicação integral nas formas original, reordenada e revisada, juntamente com a publicação das tabelas de dados normativos e dos dados de validade relacionando cada uma das sete habilidades com as demais. Já a partir dessa publicação, o conjunto desses instrumentos permite a pesquisadores, educadores, clínicos, administradores de ensino e autoridades de políticas de ensino passar a acompanhar de perto o desenvolvimento das competências lingüísticas e acadêmicas de educandos surdos desde a 1ª. série do Ensino Fundamental até a 1ª. série do Ensino Médio, e a comparar sistematicamente a eficácia de diferentes programas, estratégias e procedimentos de ensino, de modo a descobrir como melhor aperfeiçoar e calibrar tais procedimentos e materiais de ensino às necessidades e potencialidades específicas de diferentes segmentos dessa população.

A presente série de estudos de normatização e validação de instrumentos psicométricos e neuropsicológicos desenvolvidos em língua de sinais especialmente para a população surda, bem como de normatização, validação e adaptação, à população surda, de instrumentos previamente criados para a população ouvinte, encontra paralelos em programas consolidados de pesquisa e desenvolvimento de instrumentos psicométricos e neuropsicológicos à população surda em todo o mundo. Dentre os diversos instrumentos psicométricos especialmente adaptados e normatizados para a população surda, destacam-se o WISC–R (Kelly & Braden, 1990) e o WISC–III (Maller & Braden, 1993), o Teste de Matrizes Progressivas de Raven (Blennerhassett, Strohmeier, & Hibbett, 1994), o *Stanford Achievement Test* (e.g., Allen, White, & Karchmer, 1983; Kishor, 1995; Wolk & Zieziula, 1985), e o *Leiter International Performance Scale – Revised* (Roid, Nellis, & McLellan, 2003), para citar apenas um pequeno número deles.

Segue um breve apanhado geral de cada um desses estudos:

No estudo intitulado *Questões no desenvolvimento de uma edição especial para estudantes com deficiência auditiva do Teste de Aquisição Stanford,* Allen, White, e Karchmer (1983) descrevem como a Sétima Edição do Teste de Aquisição Stanford (i.e., *Stanford Achievement Test, 7th edition,* ou SAT–7) permite satisfazer os requisitos especiais envolvidos na testagem de estudantes com deficiência auditiva. Isso é importante pois a testagem padronizada de aquisição por parte de estudantes com deficiência auditiva coloca uma série de problemas com relação a questões como a distribuição apropriada de estudantes nos diferentes níveis do teste, o seqüenciamento dos testes em diferentes áreas e conteúdos, e a comunicação das instruções do teste e dos itens do teste, dentre outros. O artigo explica como esses problemas foram adequadamente endereçados no SAT–7.

No estudo intitulado *Fidedignidade da edição de 1973 do SAT–HI ao longo do tempo: Implicações para a avaliação de minorias de estudantes,* Wolk e Zieziula (1985) avaliaram a confiabilidade da edição de 1973 do Teste de Aquisição Stanford para Deficientes Auditivos (i.e., *Stanford Achievement Test – Hearing Impaired Version,* SAT–HI) por meio do cálculo dos coeficientes de correlação entre os escores em teste e reteste ao longo de um intervalo de cinco anos. Os autores descobriram que, em geral, os coeficientes mostraram uma estabilidade adequada para uma amostra norte-americana de 1.664 estudantes com deficiência auditiva, oriundos de escolas primárias e secundárias. Contudo, os achados também mostraram que a origem étnica dos respondentes influenciou de modo importante a estabilidade dos resultados, especialmente para estudantes afro-americanos. Assim, os autores recomendam que os resultados da edição de 1973 do Teste de Aquisição Stanford para Deficientes Auditivos sejam interpretados com cautela quando envolverem essa população minoritária de estudantes, especialmente quando os resultados desse teste são empregados para fins de alocação em classes escolares, encaminhamento a serviços de reabilitação, e comparação da eficácia relativa de diferentes alocações e serviços.

No estudo intitulado *Avaliando a validade de critério da escala de Execução do WISC–R usando a Edição para Deficientes Auditivos do Teste de Aquisição Stanford*, Kelly e Braden (1990) avaliaram a validade de critério da escala de Execução do WISC–R por meio da Edição para Deficientes Auditivos do Teste de Aquisição Stanford (*Stanford Achievement Test – Hearing Impaired Edition*, SAT–HI). Foram calculadas as correlações de ordem de classificação (i.e., *rank order correlations*) entre os quocientes de inteligência (i.e., QIs) de Execução no WISC–R de um lado e, de outro, os escores normatizados dos subtestes do SAT–HI e as ordens dos percentis. Tais correlações foram calculadas a partir de dados de arquivo de 83 crianças surdas de 7,5 a 16,6 anos de idade matriculadas numa escola residencial. Os resultados mostraram correlações variando entre 0,24 e 0,57, sendo que quatro dos cinco valores de *r* para ordenação de percentis (i.e., *percentile rank rho values*) foram significativamente mais elevados do que os valores de *r* para os escores das escalas emparelhadas (i.e., *paired scaled score rhos*). Os autores concluíram que a escala de Execução do WISC–R tem validade de critério adequada, e que as classificações de percentis do SAT–HI (i.e., *SAT–HI percentile ranks*) podem oferecer uma medida melhor do que os escores padronizados (i.e., *scaled scores*) para uso como critério.

Esses resultados do estudo de Kelly e Braden (1990) intitulado *Avaliando a validade de critério da escala de Execução do WISC–R usando a Edição para Deficientes Auditivos do Teste de Aquisição Stanford*, foram ainda mais profundamente analisados no estudo intitulado *Avaliando a validade preditiva por meio do uso de diferentes escalas do Teste de Aquisição Stanford para o Deficiente Auditivo.* Nele, Kishor (1995) reexaminou o estudo de Kelly e Braden (1990) para descobrir se as classificações de percentis (i.e., *percentile ranks*) nos subtestes do Teste de Aquisição Stanford para Deficientes Auditivos (i.e., *Stanford Achievement Test for the Hearing Impaired*, SAT–HI) fornecem coeficientes de validade preditiva mais fortes para a Escala de Execução da Edição Revisada do Teste de Inteligência Wechsler para Crianças (i.e., *Wechsler Intelligence Scale for Children — Revised*, WISC—R). As validades preditivas foram avaliadas em relação a duas escalas de seis subtestes do SAT–HI e três tamanhos de amostra (i.e., 30, 100 e 200). Os resultados indicaram que os escores das escalas (i.e., *scaled scores*) dos subtestes do SAT–HI devem ser usados em investigações sobre a validade preditiva, já que eles se mostram consistentes e eficientes, sendo que os coeficientes de validade se aproximam dos coeficientes verdadeiros à medida que o tamanho da amostra aumentava.

No estudo intitulado *Validades de construto e de critério do WISC–III com adolescentes surdos*, Maller e Braden (1993) avaliaram a validade de critério do Teste Wechsler de Inteligência para Crianças – Terceira Edição (*Wechsler Intelligence Scale for Children – 3rd edition*, WISC–III: Wechsler, 1991) com um grupo de trinta adolescentes surdos que eram parte da amostra de normatização do WISC–III. Esse estudo de validade do WISC–III testou as hipóteses de que:

- 1.) O QI de Execução deveria estar dentro da faixa de desempenhos médios;
- 2.) O QI Verbal deveria estar abaixo da média normativa;
- 3.) O QI de Execução deveria apresentar correlações de baixas a moderadas com os subtestes da Edição para Deficientes Auditivos do Teste de Aquisição Stanford (*Stanford Achievement Test – Hearing Impaired Edition subtests*, SAT–HI: Allen, 1986); e
- 4.) O QI Verbal deveria apresentar correlações moderadas a elevadas com os subtestes do SAT–HI.

No estudo intitulado *Validade de critério do Teste de Matrizes Progressivas de Raven com estudantes surdos de uma escola residencial*, Blennerhassett, Strohmeier, e Hibbett (1994) avaliaram a validade de critério do Teste de Matrizes Progressivas de Raven. Nesse estudo, foram examinados os dados de prontuário de uma amostra de 107 adolescentes surdos, com idades entre 10 e 19 anos, provenientes de uma escola residencial. Os dados dos adolescentes no Teste de Matrizes Progressivas de Raven foram comparados aos dados desses mesmos adolescentes em três outros testes: O WISC–R, o Bender–Gestalt, e o SAT–HI (i.e., subtestes de Compreensão de Leitura, Escrita, e Linguagem).

No estudo intitulado *Avaliação com a Escala Internacional de Desempenho Leiter – Revisada e o S–BIT*, Roid, Nellis, e McLellan (2003) descrevem a Escala Internacional de Desempenho Leiter – Revisada (Leiter–R). Trata-se de uma bateria não-verbal compreensiva para a faixa etária de 2 anos a 20 anos e 11 meses, que fornece escores de QI, escores compostos, e escores de perfil baseados numa normatização nacional para os Estados Unidos. O Leiter–R é especialmente eficaz para crianças da Educação Infantil (i.e., pré-escolar), bem como para indivíduos com baixo desempenho funcional. De modo geral, o teste Leiter–R resgata o teste Leiter original para o contexto contemporâneo, permitindo seu emprego como instrumento importante à educação especial, bem como para a avaliação de crianças com dificuldades de comunicação ou de crianças estrangeiras que têm o Inglês como segunda língua.

O presente capítulo descreve a versão original do Teste de Vocabulário Receptivo de Sinais da Libras (TVRSL1.1) com tabelas de dados normativos para avaliar o desenvolvimento da compreensão de sinais das Libras em estudantes surdos de 1ª. série a 8ª. série do Ensino Fundamental. O teste avalia o vocabulário receptivo visual de sinais da Libras por meio da análise do desempenho do examinando de escolher a figura que mais adequadamente representa o significado de um dado sinal da Libras. No teste, para cada um de 139 sinais, o examinando deve escolher uma dentre quatro figuras alternativas. O capítulo descreve um extenso estudo de validação do TVRSL1.1, conduzido com 505 estudantes surdos de 6 a 41 anos de idade, e fornece tabelas normativas de 1ª. a 8ª. série do Ensino Fundamental. Descreve, também, a versão reordenada (TVRSL1.2), em que os mesmos 139 itens se apresentam reordenados por grau crescente de dificuldade, e a versão abreviada (TVRSL1.3), contendo apenas os 66 itens mais criticamente importantes para a avaliação rápida, prática e válida da compreensão de sinais da Libras. O instrumento de avaliação da linguagem aqui apresentado tem profunda importância para a educação e a reabilitação da criança surda pois, ao quantificar o grau de desenvolvimento do vocabulário receptivo visual de sinais da Libras e mapear as relações entre essa habilidade de compreensão dos sinais da Libras e as competências de escrita e de leitura de palavras e de sentenças, permite comparar os efeitos concretos das abordagens educacionais do bilingüismo, comunicação total e oralismo, bem como de diferentes implementos e estratégias de alfabetização e de ensino de língua de sinais. Portanto, além de ser um recurso eficaz e sensível para avaliar o desenvolvimento da criança surda, consiste, também, em um poderoso recurso para avaliar os métodos, procedimentos e materiais de ensino usualmente empregados para educar a população escolar surda brasileira. Dessa forma, ele possibilita descobrir quais combinações entre diferentes procedimentos são capazes de produzir os melhores resultados em educandos surdos com diferentes combinações de características, como tipo, grau e idade de perda auditiva; tipo, grau e idade de inserção em comunidade surda sinalizadora, e assim por diante. O princípio básico que norteia esta série de estudos é de que a educação da criança surda é um tema de grande complexidade que merece tratamento científico para além de ideologias estreitas e maniqueístas que prescrevem irrestritamente uma abordagem educacional como se fosse panacéia, enquanto anatemizam e proscrevem as demais, sejam elas o oralismo, o bilingüismo ou a comunicação total. Só assim o profundo respeito educacional, clínico e antropológico a que a criança surda tem direito pode converter-se em uma abordagem educacional ampla, precisa e compreensiva, sempre pronta a reorientar-se e recalibrar-se de modo a produzir o melhor desenvolvimento de cada educando em uma miríade de indicadores de competência e de realização.

4.2.) Perspectiva geral dos instrumentos de avaliação

Numa perspectiva geral, dentre os sete testes desenvolvidos, validados e normatizados no presente programa de pesquisa, um avalia o *vocabulário receptivo visual de sinais da Libras*, ou seja, a *compreensão de sinais da Libras* (i.e., Teste de Vocabulário Receptivo de Sinais da Libras, apresentado por sinalização ao vivo); dois avaliam a *competência de leitura em Português*, sendo um no nível da palavra (i.e., Teste de Competência de Leitura de Palavras) e outro no nível de sentenças (i.e., Teste de Competência de Leitura de Sentenças); e os últimos quatro testes avaliam a habilidade de nomeação, tanto por escrita livre quanto por escolha de palavras escritas, e tanto de figuras conhecidas quanto de sinais da Libras apresentados por sinalização ao vivo. Assim, dos quatro últimos testes, dois avaliam a *competência de escrita livre em Português* para fins de nomeação, sendo um de nomeação de figuras conhecidas (i.e., Teste de Nomeação de Figuras por Escrita) e outro de nomeação de sinais da Libras (i.e., Teste de Nomeação de Sinais por Escrita), e dois avaliam a habilidade de *nomeação por escolha de palavras escritas*, sendo um de nomeação de figuras conhecidas (i.e., Teste de Nomeação de Figuras por Escolha) e outro de nomeação de sinais da Libras (i.e., Teste de Nomeação de Sinais por Escolha). No total de onze instrumentos, os três primeiros testes apresentam-se em uma única versão, e os quatro últimos, em duas versões, sendo o propósito da segunda versão o de permitir controlar os efeitos de carreamento (i.e., aprendizagem de resposta) ao longo de testagens sucessivas.

Assim, os sete instrumentos desenvolvidos, aplicados, validados e normatizados nessa grande série de onze estudos são os seguintes:

Um teste de *vocabulário receptivo visual de sinais da Libras*, ou seja, de *compreensão de sinais* em versão única:

- 1.) A presente versão original do Teste de Vocabulário Receptivo de Sinais da Libras (TVRSL1.1), com 139 itens aplicados coletivamente em duas sessões de 60 minutos cada uma. Essa versão original foi normatizada e validada, e deu origem a uma versão reordenada (TVRSL1.2) por grau de dificuldade, e a uma versão revisada e abreviada (TVRSL1.3) com apenas 66 itens aplicados em uma sessão única de apenas 50 minutos;

Dois testes de *competência de leitura silenciosa em Português*, um no nível da palavra e outro no nível da sentença, cada qual em uma versão única:

- 2.) A versão original do Teste de Competência de Leitura Silenciosa de Palavras (TCLP1.1), com setenta itens aplicados coletivamente em uma sessão única de 60 minutos. Essa versão original foi normatizada e validada, e deu origem a uma versão reordenada (TCLP1.2) por grau de dificuldade;
- 3.) A versão original do Teste de Competência de Leitura de Sentenças (TCLS1.1) com quarenta itens aplicados coletivamente em uma sessão única de 75 minutos. Essa versão original foi normatizada e validada, e deu origem a uma versão reordenada (TCLS1.2) por grau de dificuldade;

Dois testes de *competência de escrita em Português*. Num dos testes, tal escrita objetiva nomear figuras que representam conceitos conhecidos; no outro teste, nomear sinais da Libras apresentados por sinalização ao vivo. Cada um dos testes apresenta-se em duas versões originais:

- 4.) Teste de Nomeação de Figuras por Escrita, em duas versões originais, com 36 figuras:
  - 4.1.) A versão original 1.1 (TNF1.1–Escrita), normatizada e validada por aplicação coletiva em uma sessão única de 60 minutos. Deu origem à versão reordenada 1.2 (TNF1.2–Escrita) por grau de dificuldade, e à versão revisada 1.3 (TNF1.3–Escrita) com novas figuras para nomeação escrita;
  - 4.2.) A versão original 2.1 (TNF2.1–Escrita), normatizada e validada por aplicação coletiva em uma sessão única de 60 minutos. Deu origem à versão reordenada 2.2 (TNF2.2–Escrita) por grau de dificuldade, e à versão revisada 2.3 (TNF2.3–Escrita) com novas figuras para nomeação escrita;
- 5.) Teste de Nomeação de Sinais por Escrita, em duas versões originais, com 36 sinais:
  - 5.1.) Versão original 1.1 (TNS1.1–Escrita), normatizada e validada por aplicação coletiva em uma sessão única de 60 minutos. Deu origem à versão reordenada 1.2 (TNS1.2–Escrita) por grau de dificuldade, e à versão revisada 1.3 (TNS1.3–Escrita) com novos sinais para nomeação escrita;
  - 5.2.) Versão original 2.1 (TNS2.1–Escrita), normatizada e validada por aplicação coletiva em uma sessão única de 60 minutos. Deu origem à versão reordenada 2.2 (TNS2.2–Escrita) por grau de dificuldade, e à versão revisada (TNS2.3–Escrita) com novos sinais para nomeação escrita;

Dois testes de *nomeação por escolha de palavras escritas em Português*, sendo um de nomeação de figuras conhecidas e outro de nomeação de sinais da Libras apresentados por sinalização ao vivo, cada qual em duas versões:

- 6.) Teste de Nomeação de Figuras por Escolha, em duas versões originais, com 36 figuras:
  - 6.1.) Versão original 1.1 (TNF1.1–Escolha), normatizada e validada por aplicação coletiva em uma sessão única de 30 minutos. Deu origem à versão reordenada 1.2 (TNF1.2– Escolha) por grau de dificuldade, e à versão revisada 1.3 (TNF1.3–Escolha) com novas figuras para nomeação escrita e novos distratores quirêmicos, semânticos e ortográficos;
  - 6.2.) Versão original 2.1 (TNF2.1–Escolha), normatizada e validada por aplicação coletiva em uma sessão única de 30 minutos. Deu origem à versão reordenada 2.2 (TNF2.2– Escolha) por grau de dificuldade, e à versão revisada 2.3 (TNF2.3–Escolha) com novas figuras para nomeação escrita e novos distratores quirêmicos, semânticos e ortográficos;
- 7.) Teste de Nomeação de Sinais por Escolha, em duas versões originais, com 36 sinais:
  - 7.1.) Versão original 1.1 (TNS1.1–Escolha), normatizada e validada por aplicação coletiva em uma sessão única de 30 minutos. Deu origem à versão reordenada 1.2 (TNS1.2– Escolha) por grau de dificuldade, e à versão revisada 1.3 (TNS1.3–Escolha) com novos sinais para nomeação escrita e novos distratores quirêmicos, semânticos e ortográficos;
  - 7.2.) Versão original 2.1 (TNS2.1–Escolha), normatizada e validada por aplicação coletiva em uma sessão única de 30 minutos. Deu origem à versão reordenada 2.2 (TNS2.2– Escolha) por grau de dificuldade, e à versão revisada 2.3 (TNS2.3–Escolha) com novos sinais para nomeação escrita e novos distratores quirêmicos, semânticos e ortográficos.

Os três primeiros testes apresentam-se em uma única versão original. O *Teste de Vocabulário Receptivo de Sinais da Libras* é objeto deste capítulo. Também conhecido como *Teste de Compreensão de Sinais da Libras*, esse teste avalia o vocabulário receptivo visual de sinais da Libras, ou seja, a compreensão do significado de sinais da Libras, por meio da escolha das figuras a eles correspondentes dentre uma série de figuras alternativas. O *Teste de Competência de Leitura de Palavras* avalia a competência de leitura no nível da palavra isolada, mais precisamente as habilidades de reconhecer e decodificar itens escritos isolados, julgando se correspondem ou não às figuras a eles associadas. O *Teste de Competência de Leitura de Sentenças* avalia a competência de leitura no nível da sentença e do texto, mais propriamente a compreensão de leitura de sentenças e de textos e a apreensão de seu significado por meio da escolha de figuras que correspondem a esse significado dentre uma série de figuras distratoras alternativas.

Os quatro últimos testes avaliam a *habilidade de nomear, por meios diferentes,* objetos diferentes. Desses quatro testes, dois avaliam a *nomeação por escrita livre* (i.e., um, a nomeação de figuras conhecidas; o outro, a nomeação de sinais da Libras) e os outros dois avaliam a *nomeação por escolha de palavra escrita* (i.e., um, a nomeação de figuras conhecidas; o outro, a nomeação de sinais da Libras). Do mesmo modo, esses quatro testes avaliam a *habilidade de nomear objetos diferentes* por meios diferentes. Desses quatro testes, dois avaliam a *nomeação de figuras conhecidas* (i.e., um, a nomeação por meio de escrita livre; e o outro, a nomeação por meio de escolha de palavra escrita) e os outros dois avaliam a *nomeação de sinais da Libras* (i.e., um, a nomeação por meio de escrita livre; e o outro, a nomeação por meio de escolha de palavra escrita). Nesse caso, os dois primeiros testes avaliam a habilidade de nomeação de figuras conhecidas (i.e., em um deles, por meio de escrita livre da palavra correspondente à figura; no outro, por meio de escolha da palavra escrita que corresponde à figura, dentre uma série de palavras escritas distratoras que funcionam como alternativas). E os dois últimos testes avaliam as relações entre Libras e Português para nomear sinais da Libras em Português (i.e., em um deles, por meio de escrita livre da palavra correspondente ao sinal da Libras; e, no outro, por meio de escolha dentre palavras escritas distratoras que funcionam como alternativas).

Assim, desses quatro últimos, dois são testes de nomeação de figuras (i.e., TNF), sendo que um deles avalia a nomeação por escrita (i.e., TNF–Escrita) e o outro avalia a nomeação por escolha de palavra escrita (i.e., TNF–Escolha), e dois são testes de nomeação de sinais da Libras (i.e., TNS), sendo que um deles avalia a nomeação por escrita (i.e., TNS–Escrita) e o outro, por escolha (i.e., TNS–Escolha). Cada um dos quatro testes apresenta-se em duas versões originais (i.e., 1.1 e 2.1) com o objetivo de controlar o efeito de aprendizagem em testagens sucessivas. Portanto, há dois testes de nomeação de figuras (i.e., TNF), um por escrita (i.e., TNF–Escrita) em duas versões (i.e., TNF1.1–Escrita e TNF2.1–Escrita); outro por escolha (i.e., TNF–Escolha) em duas versões (i.e., TNF1.1–Escolha e

TNF2.1–Escolha). Do mesmo modo, há dois testes de nomeação de sinais (i.e., TNS), um por escrita (i.e., TNS–Escrita) em duas versões (i.e., TNS1.1–Escrita e TNS2.1–Escrita); outro por escolha (i.e., TNS–Escolha) em duas versões (i.e., TNS1.1–Escolha e TNS2.1–Escolha). Logo, cada um dos quatro testes tem duas versões originais: O Teste de Nomeação de Figuras por Escrita tem as versões 1.1 (i.e., TNF1.1–Escrita) e 2.1 (i.e., TNF2.1–Escrita); o Teste de Nomeação de Sinais por Escrita tem as versões 1.1 (i.e., TNS1.1–Escrita) e 2.1 (i.e., TNS2.1–Escrita); o Teste de Nomeação de Figuras por Escolha tem as versões 1.1 (i.e., TNF1.1–Escolha) e 2.1 (i.e., TNF2.1–Escolha); e o Teste de Nomeação de Sinais por Escolha tem as versões 1.1 (i.e., TNS1.1–Escolha) e 2.1 (i.e., TNS2.1–Escolha).

A partir dessa série de onze estudos, cada uma das duas versões originais (i.e., 1.1 e 2.1) deu origem a uma versão reordenada (i.e., 1.2 e 2.2), em que os itens aparecem ordenados conforme grau de dificuldade crescente. Além disso, nos testes de nomeação de figuras por escrita (i.e., TNF–Escrita) e de sinais por escrita (i.e., TNS–Escrita), a partir dessa série de estudos, cada uma das versões reordenadas deu origem a uma versão revisada (i.e., 1.3 e 2.3), com novas figuras e novos sinais, respectivamente, a serem nomeados. E, nos casos de nomeação de sinais por escolha (i.e., TNS–Escolha) e de figuras por escolha (i.e., TNF–Escolha), a partir desta série de estudos, cada uma das versões reordenadas deu origem a uma versão revisada (i.e., 1.3 e 2.3), com novos distratores ortográficos, semânticos e quirêmicos que aperfeiçoam a sensibilidade dos testes. Por fim, no Teste de Vocabulário Receptivo de Sinais da Libras, a versão original (i.e., TVRSL1.1) de 139 itens deu origem a uma versão reordenada (i.e., TVRSL1.2), também com 139 itens, bem como a uma versão abreviada (i.e., TVRSL1.3) com apenas 66 itens críticos para uma avaliação concisa, rápida e prática.

Nos testes envolvendo sinais da Libras, tanto a compreensão de sinais (i.e., TVRSL), quanto a nomeação de sinais por escolha (i.e., TNS–Escolha) e por escrita (i.e., TNS–Escrita), há uma outra diferença crucial entre as versões originais 1.1 e 2.1 e as versões revisadas ou abreviadas 1.3 e 2.3. Ou seja, as versões originais (i.e., TVRSL1.1, TNS1.1–Escolha, TNS2.1–Escolha, TNS1.1–Escrita, TNS2.1–Escrita) que se encontram normatizadas e validadas na presente série de onze estudos reunida no *Compêndio de avaliação da linguagem da criança surda* (F. Capovilla & Viggiano, 2004) diferem de uma outra maneira muito importante das versões revisadas ou abreviadas (i.e., TVRSL1.3, TNS1.3–Escolha, TNS2.3–Escolha, TNS1.3–Escrita, TNS2.3–Escrita) que estão sendo presentemente normatizadas e validadas em outra série de estudos em andamento. Tal diferença é a seguinte: Enquanto os dados normativos, de validade e fidedignidade das versões originais (i.e., 1.1 e 2.1) derivam da aplicação dos testes por meio de sinalização ao vivo e cadernos contendo apenas figuras alternativas de escolha, os dados das versões revisadas ou abreviadas (i.e., 1.3 e 2.3) derivam da aplicação dos testes por meio de cadernos de aplicação completos que incluem todas as ilustrações dos sinais, sem qualquer envolvimento de sinalização ao vivo.

Este capítulo dedica-se à descrição da versão original do Teste de Vocabulário Receptivo de Sinais da Libras (i.e., TVRSL1.1) e dos resultados de um estudo de validação em que essa versão original foi aplicada por sinalização ao vivo a uma amostra de 505 crianças, jovens e adultos surdos de 6 a 41 anos de idade. Os participantes eram estudantes da 1ª. série do Ensino Fundamental até a 1ª. série do Ensino Médio, e eram provenientes de quatro escolas municipais de Ensino Fundamental da cidade de São Paulo e de duas escolas particulares do interior do estado de São Paulo. Nesse estudo, além da presente versão original do Teste de Vocabulário Receptivo de Sinais da Libras (i.e., TVRSL1.1), foram também aplicados todos os demais seis testes em todas as suas dez variações. Este capítulo fornece a descrição completa da versão original do teste (i.e., TVRSL1.1) que foi aplicada aos 505 examinandos surdos. Fornece, também, a descrição completa da versão reordenada (i.e., TVRSL1.2) que deriva da original e contém os mesmos 139 itens ordenados com grau de dificuldade progressivo, descoberto a partir da presente análise de itens que resultou dos presentes dados dos examinandos surdos. Ou seja, na versão TVRS1.2, a ordenação dos 139 itens por grau de dificuldade crescente foi obtida por meio da análise da freqüência de acertos em cada um dos 139 itens por parte da presente amostra de 505 estudantes. O capítulo fornece, ainda, a descrição completa da versão abreviada (i.e., TVRSL1.3), para aplicação por meio de caderno de aplicação completo com ilustrações de sinais, e que contém apenas os 66 sinais que o presente estudo revelou como os mais criticamente importantes para uma avaliação eficaz da compreensão dos sinais da Libras. O capítulo apresenta, inclusive, a tabela de dados normativos do TVRSL1.1 por nível de escolaridade de 1ª. a 8ª. série do Ensino Fundamental. Finalmente, fornece também dados da validade do TVRSL1.1 por comparação com o desempenho da mesma amostra de estudantes surdos em todos os demais dez instrumentos:

- A versão original do Teste de Competência de Leitura de Palavras (TCLP1.1);
- A versão original do Teste de Competência de Leitura de Sentenças (TCLS1.1);
- As versões originais do Teste de Nomeação de Figuras por Escrita (TNF1.1–Escrita e TNF2.1–Escrita);

- As versões originais do Teste de Nomeação de Sinais por Escrita (TNS1.1–Escrita e TNS2.1–Escrita);
- As versões originais do Teste de Nomeação de Sinais por Escolha (TNS1.1–Escolha e TNS2.1–Escolha); e
- As versões originais do Teste de Nomeação de Figuras por Escolha (TNF1.1–Escolha e TNF2.1–Escolha).

Com foco no vocabulário receptivo visual de sinais da Libras e nas relações entre essa compreensão de sinais da Libras e a competência de leitura e de escrita em Português, este capítulo analisa as relações entre o vocabulário receptivo visual de sinais da Libras, a competência de leitura de palavras em Português, a competência de leitura de sentenças em Português, a competência de escrita em Português para nomear figuras conhecidas, a competência de escrita em Português para nomear sinais da Libras, a competência de nomear sinais da Libras por meio da escolha de palavras escritas, e a competência de nomear figuras conhecidas por meio da escolha de palavras escritas.

Assim, este capítulo é parte de um projeto de geração e normatização de instrumentos de ensino e de avaliação para promover e acompanhar o desenvolvimento da linguagem de sinais e escrita em crianças surdas. Os instrumentos de ensino incluem o *Dicionário enciclopédico ilustrado trilíngüe da Língua de Sinais Brasileira* (F. Capovilla & Raphael, 2001b, 2001c), a *Enciclopédia da Língua de Sinais Brasileira* (F. Capovilla & Luz, 2004a, 2004b, 2004c, 2004d, 2004e, 2004f, 2004g; F. Capovilla & Raphael 2004a; 2004b, 2004c, 2004d, 2004e, 2004f, 2004g, 2004h, 2004i, 2004j), e a *Enciclopédia digital da Língua de Sinais Brasileira* (F. Capovilla, Duduchi, & Rozados, 2004). Os instrumentos de avaliação incluem onze testes de competência de leitura, de escrita e de sinais que compõem uma bateria especialmente desenvolvida para a criança surda brasileira.

Neste programa de pesquisas, à luz de modelos de processamento de informação em psicologia cognitiva (F. Capovilla & A. Capovilla, 2001b, 2004b; Galaburda, 1989; Klima & Bellugi, 1979; Klima, Bellugi, & Poizner, 1988; Poizner, Bellugi, & Tweney, 1981; Poizner, Klima, & Bellugi, 1987), foram desenvolvidos sete instrumentos de avaliação, juntamente com suas versões alternativas, num total de onze testes. Esses onze instrumentos foram aplicados a uma amostra de 1.158 crianças, jovens e adultos surdos de 6 a 45 anos de idade, estudantes do Ensino Fundamental, provenientes de seis escolas municipais de educação especial da cidade de São Paulo e de duas escolas filantrópicas do interior do estado de São Paulo. Cada um dos onze instrumentos foi aplicado a uma amostra diferente, sendo que cada amostra tinha de 284 a 805 estudantes surdos, com média (*M*) de 430 estudantes, e desvio-padrão (*DP*) de 150. Todos os sete testes em todas as suas onze variações foram validados e normatizados, e encontram-se publicados na íntegra na presente série de estudos para que sirvam como instrumentos úteis aos pesquisadores e profissionais das áreas de Psicologia, Neuropsicologia, Educação, Lingüística e Fonoaudiologia, dentre outras. Uma vez de posse de tais instrumentos, professores, clínicos e pesquisadores poderão se tornar capazes de avaliar o desenvolvimento das competências lingüísticas e acadêmicas de crianças e jovens surdos, comparar a eficácia de diferentes programas, estratégias e procedimentos de ensino, e descobrir como melhor aperfeiçoá-los e calibrá-los às necessidades e potencialidades dessa população.

Em termos de áreas de conhecimento, os onze instrumentos desenvolvidos cobrem dois idiomas:

- 1.) Libras e
- 2.) Português.

Cobrem também quatro áreas:

- 1.) Vocabulário receptivo visual de sinais da Libras (ou compreensão de sinais da Libras);
- 2.) Competência de leitura em Português (de palavras isoladas e de sentenças);
- 3.) Competência de escrita em Português (de nomes de figuras e de nomes de sinais da Libras);
- 4.) Competência conjunta em Português (leitura e escrita) e Libras (conhecimento de sinais).

Em termos de paradigmas de avaliação, os onze instrumentos desenvolvidos fazem uso de quatro tipos de respostas diferentes:

- 1.) Escolher dentre figuras;
- 2.) Escolher dentre palavras;
- 3.) Assinalar certo ou errado; e
- 4.) Escrever palavras.

Todas as quatro respostas podem ser avaliadas em situação coletiva em sala de aula, sendo que todas, exceto produção escrita, podem ser aplicadas a examinandos com severos distúrbios neuromotores. Ainda em termos de paradigmas de avaliação, quanto a estímulos, os onze instrumentos requerem respostas diante de:

- 1.) Sinais da Libras ao vivo ou em ilustrações;
- 2.) Ilustrações de objetos;
- 3.) Palavras escritas isoladas;
- 4.) Pares compostos de uma ilustração e um item escrito; e
- 5.) Sentenças escritas.

Em termos de área de conhecimento, dos sete testes, quatro avaliam o conhecimento de Português independentemente de envolvimento explícito da Libras. São eles:

- 1.) Teste de Competência de Leitura Silenciosa de Palavras (i.e., TCLP), que avalia o vocabulário de leitura em Português, as habilidades de decodificação de palavras ortograficamente pouco familiares e de reconhecimento visual direto de palavras ortograficamente familiares. Para cada um de setenta pares compostos de uma ilustração e um item escrito, requer que sejam circundados os pares corretos e cruzados com um "*X*" os pares incorretos;

- 2.) Teste de Competência de Leitura de Sentenças (i.e., TCLS), que avalia o vocabulário e a competência sintática em Português. Para cada uma de quarenta sentenças escritas, requer a escolha de uma dentre cinco figuras;

- 3.) Teste de Nomeação de Figuras por Escrita (i.e., TNF–Escrita), que avalia a habilidade de escrever em Português os nomes de figuras conhecidas. Avalia o vocabulário e a competência de escrita em Português. Para cada uma de 36 figuras conhecidas, requer a escrita livre do nome da figura;

- 4.) Teste de Nomeação de Figuras por Escolha (i.e., TNF–Escolha), que avalia a habilidade de escolher, dentre palavras escritas, os nomes de figuras. Avalia o vocabulário receptivo em Português e a competência de leitura em Português. Para cada uma de 36 figuras conhecidas, requer a escolha do nome da figura dentre quatro palavras escritas.

Ainda em termos de área de conhecimento, dos sete testes, um avalia o conhecimento de sinais da Libras independentemente de envolvimento explícito do Português. É ele:

- 5.) Teste de Vocabulário Receptivo de Sinais da Libras (i.e., TVRSL), que avalia o conhecimento de sinais da Libras. Requer a escolha dentre figuras em presença de sinais da Libras apresentados ao vivo (na versão original 1.1) ou em ilustrações (na versão 1.3).

Finalmente, em termos de área de conhecimento, dos sete testes, dois requerem explicitamente a combinação entre o conhecimento de sinais da Libras e o conhecimento de Português. São eles:

- 6.) Teste de Nomeação de Sinais por Escrita (i.e., TNS–Escrita), que avalia a habilidade de escrever em Português os nomes de sinais da Libras. Avalia a competência conjunta de nomeação escrita em Português e de conhecimento de sinais da Libras. Para cada um de 36 sinais da Libras, apresentados por sinalização ao vivo (nas versões originais 1.1 e 2.1) ou por meio de ilustrações (nas versões revisadas 1.3 e 2.3), requer a escrita livre do nome do sinal;

- 7.) Teste de Nomeação de Sinais por Escolha (i.e., TNS–Escolha), que avalia a habilidade de escolher, dentre palavras escritas, os nomes de sinais da Libras. Avalia a competência conjunta de leitura em Português e de conhecimento de sinais da Libras. Para cada um de 36 sinais da Libras, apresentados por sinalização ao vivo (nas versões originais 1.1 e 2.1) ou por meio de ilustrações (nas versões revisadas 1.3 e 2.3), requer a escolha do nome do sinal dentre quatro palavras escritas.

Em termos de paradigmas de avaliação e análise de processamento cognitivo, destacam-se cinco estratégias diferentes usadas pelos diferentes testes. São elas:

- 1.) O presente teste de compreensão de sinais (i.e., Teste de Vocabulário Receptivo de Sinais da Libras) faz uso da estratégia de aumento gradual do nível de dificuldade de modo a avaliar o ponto em que o examinando deixa de acertar;

- 2.) O teste de compreensão de leitura de textos (i.e., Teste de Competência de Leitura de Sentenças) faz uso não apenas da estratégia de aumento gradual do nível de dificuldade sintática das sentenças como, também, da estratégia de indução de erro por figuras distratoras que correspondem a segmentos incompletos das sentenças, de modo a mapear o grau de processamento sintático alcançado;

- 3.) O teste de decodificação e reconhecimento visual de itens escritos (i.e., Teste de Competência de Leitura Silenciosa de Palavras) faz uso da estratégia de contrastar diferentes rotas de leitura (i.e., logográfica, perilexical, e lexical) por meio de diferentes subtestes que oferecem evidências independentes para checagem interna e validação cruzada das conclusões e achados do teste;

- 4.) Os testes de competência de escrita livre dos nomes de figuras e sinais (i.e., Teste de Nomeação de Figuras por Escrita e Teste de Nomeação de Sinais por Escrita) fazem uso de critérios de avaliação da qualidade, completude e precisão da produção escrita; e finalmente
- 5.) Os testes de nomeação de figuras e de sinais por escolha de palavras escritas (i.e., Teste de Nomeação de Figuras por Escolha e Teste de Nomeação de Sinais por Escolha) fazem uso da estratégia de indução de erros por distratores com vistas a permitir caracterizar a natureza o processamento cognitivo subjacente à leitura e escrita em Português.

Nos testes de nomeação de figuras e sinais por escolha, de modo a examinar os processos cognitivos de leitura envolvidos, são empregados distratores quirêmicos, ortográficos e semânticos como alternativas de escolha. Assim, no teste de nomeação de figuras por escolha, dentre as quatro palavras escritas alternativas para escolha, uma corresponde à palavra-alvo (i.e., a palavra escrita que melhor corresponde à figura), e as outras três palavras consistem em distratores quirêmicos, ortográficos e semânticos.

- 1.) O distrator semântico consiste em uma palavra escrita cujo sinal correspondente subjacente é semanticamente relacionado à figura a ser nomeada por meio da escolha dentre palavras escritas;
- 2.) O distrator ortográfico consiste em uma palavra escrita que é ortograficamente semelhante à palavra-alvo que designa a figura a ser nomeada por meio da escolha dentre palavras escritas;
- 3.) O distrator quirêmico consiste em uma palavra escrita cujo sinal correspondente subjacente é quiremicamente semelhante ao sinal que se aplica à figura a ser nomeada por meio da escolha dentre palavras escritas. Ou seja, o sinal distrator subjacente é similar ao sinal-alvo subjacente, que vincula a figura a ser nomeada à palavra a ser escolhida. Tal similaridade diz respeito à composição sublexical por quiremas como a articulação de mão, o local dessa articulação, a orientação da palma no plano da sinalização, o movimento descrito no espaço da sinalização e a expressão facial associada.

Espera-se que os achados da aplicação dos diversos instrumentos de avaliação de escrita dos nomes de figuras (TNF–Escrita) e de sinais (TNS–Escrita), e de escolha dos nomes de figuras (TNF–Escolha) e de sinais (TNS–Escolha), especialmente os achados pertinentes ao efeito dos distratores quirêmicos, forneçam importante validação preliminar do complexo modelo teórico sobre as relações entre sinalização, leitura e escrita no sinalizador com surdez profunda pré-lingual e perilingual (F. Capovilla, no prelo). Esse modelo explica a importância da mediação pela sinalização interna na leitura e escrita (i.e., processos baseados no léxico quirêmico). Explica, também, o papel desempenhado pelo léxico quirêmico (i.e., representações dos sinais da Libras e dos elementos componentes de sua estrutura sublexical, ou seja, quiremas) como indexador, tanto do léxico ortográfico (i.e., representações das palavras escritas do Português e de seus componentes morfêmicos), quanto do léxico semântico (i.e., representações e redes de significado), fazendo a ponte entre ambos, tanto durante a leitura com compreensão (i.e., da forma ortográfica ao léxico semântico), quanto durante a escrita com significado (i.e., do léxico semântico à forma ortográfica).

4.3.) Introdução

Dentre as diversas competências em Libras, uma das mais básicas é a compreensão de sinais, também conhecida como vocabulário receptivo de sinais. Esse vocabulário receptivo de sinais da Libras pode ser avaliado de diversas formas relativamente puras envolvendo Libras mas não Português. Isso é feito, por exemplo, quando se solicita que o examinando surdo selecione, dentre um conjunto de quatro figuras alternativas para cada um de diversos sinais, aquela que corresponde ao significado do sinal. O presente Teste de Vocabulário Receptivo de Sinais da Libras em sua versão original (i.e., TVRSL1.1), que é objeto deste capítulo (F. Capovilla, Viggiano, A. Capovilla, Mauricio, & Vilalba, 2002; F. Capovilla, Viggiano, A. Capovilla, Raphael, Bidá, & Mauricio, 2003a, 2003b), foi elaborado especificamente para este objetivo. Ele deriva de uma versão anterior (F. Capovilla, Viggiano, A. Capovilla, Maurício, & Vilalba, 2002), que se baseia na adaptação para a Libras do Teste de Vocabulário por Figuras USP (F. Capovilla & A. Capovilla, no prelo b), o qual, por sua vez, se baseia na adaptação brasileira normatizada e validada (F. Capovilla & A. Capovilla, 1997; F. Capovilla, L. Nunes, D. Nunes et al., 1997; F. Capovilla, L. Nunes, Nogueira et al., 1997) do Teste de Vocabulário por Imagens Peabody (Dunn & Dunn, 1981), mais precisamente, de sua adaptação hispanoamericana de apenas 125 itens (Dunn, Padilla, Lugo, & Dunn, 1986a, 1986b), recentemente publicada integralmente no Brasil (L. Dunn, D. Dunn, F. Capovilla, & A. Capovilla, 2004a, 2004b).

Do mesmo modo, dentre as diversas competências em Português, duas das mais importantes são a competência de leitura e a competência de escrita. Tais competências podem ser avaliadas de diversas formas relativamente puras, sem requerer o envolvimento explícito da sinalização em Libras. Uma avaliação razoavelmente pura da competência de *escrita* em Português pode ser feita ao solicitar que o examinando surdo escreva livremente palavras em Português que correspondam aos nomes de uma série de figuras que ilustram objetos ou animais conhecidos. O Teste de Nomeação de Figuras por Escrita, em suas versões originais 1.1 (i.e., TNF1.1–Escrita, de F. Capovilla, Viggiano, Raphael, Bidá, A. Capovilla, Mauricio, & Neves, 2004) e 2.1 (i.e., TNF2.1–Escrita, de F. Capovilla, Viggiano, Raphael, Bidá, A. Capovilla, & Neves, 2004), foi elaborado especificamente para esse objetivo.

Igualmente, uma avaliação razoavelmente pura da competência de *leitura* em Português pode ser feita solicitando que o examinando surdo selecione, dentre palavras escritas alternativas, aquelas que correspondem a determinadas figuras que representam conceitos como objetos ou animais conhecidos. O Teste de Nomeação de Figuras por Escolha de palavras escritas, em suas versões originais 1.1 (i.e., TNF1.1–Escolha, de F. Capovilla, Viggiano, Raphael, Bidá, A. Capovilla, Neves, & Mauricio, 2004) e 2.1 (i.e., TNF2.1–Escolha, de F. Capovilla, Viggiano, Bidá, A. Capovilla, Raphael, Neves, & Mauricio, 2004), foi elaborado com este objetivo. Outra avaliação razoavelmente pura da competência de leitura em Português pode ser feita solicitando o examinando surdo a julgar se pares constituídos de figuras e itens escritos são aceitáveis ou não. O Teste de Competência de Leitura de Palavras em sua versão original (i.e., TCLP1.1, de F. Capovilla, Viggiano, A. Capovilla, Raphael, Mauricio, & Bidá, 2004) foi elaborado com este objetivo, e se baseia numa série de versões anteriores já publicadas (F. Capovilla & A. Capovilla, 2001b; F. Capovilla, Macedo, A. Capovilla, & Charin, 1998; F. Capovilla, Macedo, & Charin, 2001) com validade comprovada (A. Capovilla & F. Capovilla, 2003c; F. Capovilla & A. Capovilla, 2001a). Ainda outra avaliação razoavelmente pura da competência de leitura em Português pode ser feita solicitando o examinando surdo a escolher, dentre figuras alternativas, aquelas que melhor representam o significado de sentenças de complexidade crescente. O Teste de Competência de Leitura de Sentenças em sua versão original (i.e., TCLS1.1: F. Capovilla, Viggiano, A. Capovilla, Raphael, Bidá, Neves, & Mauricio, 2004) foi elaborado precisamente com este objetivo.

A avaliação prévia das competências separadas em Português e Libras permite analisar a fundo o desenvolvimento próprio dessas competências, bem como as relações entre elas, de modo a compreender a natureza das dificuldades específicas apresentadas por diferentes educandos surdos quando explicitamente solicitados a fazer processamento articulado nos dois idiomas simultaneamente. Tal processamento é requerido em testes envolvendo competências combinadas em Português e Libras, como os testes de competência de leitura e escrita de palavras correspondentes a sinais da Libras. Um exemplo de teste que requer a *combinação* entre competência de *leitura* de palavras em Português e compreensão de *sinais* em Libras é o Teste de Nomeação de Sinais por Escolha em suas versões originais 1.1 (TNS1.1–Escolha: F. Capovilla, Viggiano, Raphael, Mauricio, A. Capovilla, & Bidá, 2004) e 2.1 (TNS2.1–Escolha: F. Capovilla, Viggiano, Bidá, Luz, A. Capovilla, & Neves, 2004), que requer que o examinando surdo selecione palavras escritas que correspondem a sinais da Libras. Um exemplo de teste que requer a *combinação* entre competência de *escrita* em Português e vocabulário de *sinais* em Libras é o Teste de Nomeação de Sinais por Escrita em suas versões originais 1.1 (TNS1.1–Escrita: F. Capovilla, Viggiano, Bidá, Raphael, A. Capovilla, & Mauricio, 2004) e 2.1 (TNS2.1–Escrita: F. Capovilla, Viggiano, Luz, A. Capovilla, Bidá, & Mauricio, 2004), que requer que o examinando surdo escreva livremente palavras que correspondem aos nomes, em

Português, de uma série de sinais da Libras. Como esses testes requerem a combinação de competências nos dois idiomas, em termos de processamento de leitura e escrita em Português e de compreensão de sinais em Libras, um desempenho superior demonstra que as competências nos dois idiomas encontram-se não apenas bem desenvolvidas como, inclusive, bem articuladas entre si. Por outro lado, pela mesma razão, a compreensão da natureza de um eventual desempenho insatisfatório requer que sejam analisados mais a fundo os desempenhos separados nas provas mais puras já explicadas, especialmente dos processamentos cognitivos mapeados em cada uma delas.

Avaliar o grau de vocabulário receptivo de sinais da Libras, ou o grau de compreensão dos sinais da Libras, é de grande importância para compreender o modo como o surdo processa, armazena e recupera informações lingüísticas em sinais, já que, segundo a hipótese de mediação por sinalização interna (F. Capovilla, no prelo; Klima & Bellugi, 1979), o surdo codifica informações lingüísticas a partir dos elementos sublexicais que compõem os sinais da Libras. Para avaliar a compreensão de sinais da Libras, a cada um dos 139 itens que o compõem, a presente versão original 1.1 do Teste de Vocabulário Receptivo de Sinais da Libras (TVRSL1.1) requer que o examinando surdo selecione, dentre quatro figuras, aquela que melhor representa um dado sinal. Assim, a cada um dos itens do teste, o examinando é chamado a selecionar dentre quatro figuras, aquela que melhor corresponde ao sinal da Libras que lhe é apresentado. A versão original do Teste de Vocabulário Receptivo de Sinais da Libras (TVRSL1.1) e todos os demais dez instrumentos que compõem a bateria de avaliação do desenvolvimento da linguagem escrita e de sinais empregam as ilustrações e figuras da *Enciclopédia da Língua de Sinais Brasileira* (e.g., F. Capovilla & Luz, 2004a, 2004b, 2004c, 2004d, 2004e, 2004f, 2004g; F. Capovilla & Raphael, 2004a, 2004b, 2004c, 2004d, 2004e, 2004f, 2004g, 2004h, 2004i, 2004j) e do *Dicionário enciclopédico ilustrado trilíngüe da Língua de Sinais Brasileira* (F. Capovilla & Raphael, 2001b, 2001c), e sua lógica já se encontrava delineada num dos capítulos do dicionário (F. Capovilla & A. Capovilla, 2001b).

Na presente série de onze estudos, todos os onze instrumentos foram aplicados coletivamente, em sala de aula, a uma amostra de 1.158 crianças, jovens e adultos surdos de 6 a 45 anos de idade, estudantes da 1ª. série do Ensino Fundamental até a 1ª. série do Ensino Médio, provenientes de quatro escolas municipais de educação especial (Emees) para surdos da cidade de São Paulo, e de duas escolas particulares filantrópicas do interior do estado de São Paulo. Assim, além da versão original do Teste de Vocabulário Receptivo de Sinais da Libras (TVRSL1.1), foram também aplicados todos os demais seis testes em todas as suas dez variações originais. No estudo que é objeto deste capítulo, a versão original do Teste de Vocabulário Receptivo de Sinais da Libras (TVRSL1.1), juntamente com os demais dez instrumentos que compõem a bateria de avaliação do desenvolvimento da linguagem de sinais e escrita, foram aplicados coletivamente, em sala de aula, a uma amostra de 505 crianças, jovens e adultos surdos de 6 a 41 anos de idade, estudantes da 1ª. série do Ensino Fundamental até a 1ª. série do Ensino Médio, provenientes das mesmas seis escolas descritas.

Este capítulo fornece uma descrição completa da versão original do Teste de Vocabulário Receptivo de Sinais da Libras (TVRSL1.1), tal como foi aplicada aos estudantes surdos por meio de sinalização ao vivo. O estudo também oferece uma descrição completa da versão reordenada do mesmo teste (TVRSL1.2), que contém todos os mesmos 139 itens da versão original, mas ordenados de acordo com o grau de dificuldade progressivo identificado a partir dos resultados da aplicação aos estudantes surdos. Finalmente, com base na mesma análise do grau de dificuldade de cada um dos 139 sinais que compõem as versões originais (TVRSL1.1) e reordenada (TVRSL1.2), análise esta que se encontra descrita no presente estudo, este capítulo também apresenta a versão abreviada, que contém apenas os 66 sinais que se mostraram mais criticamente importantes para uma avaliação rápida e prática do grau de compreensão de sinais da Libras. Este capítulo também documenta, pela primeira vez, como se distribui, ao longo das séries sucessivas do Ensino Fundamental, a compreensão de sinais da Libras, e apresenta, também, tabelas de dados normativos do desenvolvimento desse vocabulário receptivo visual de sinais da Libras, avaliado por nível de escolaridade de 1ª. a 8 ª. série do Ensino Fundamental.

O capítulo fornece, ainda, a validação da versão original do Teste de Vocabulário Receptivo de Sinais da Libras (TVRSL1.1), comparando seus resultados aos resultados de todos os demais dez instrumentos:

- 1.) A versão original do Teste de Competência de Leitura de Palavras:
  TCLP1.1,
- 2.) A versão original do Teste de Competência de Leitura de Sentenças:
  TCLS1.1,
- 3.) As versões originais 1.1 e 2.1 do Teste de Nomeação de Figuras por Escrita:
  TNF1.1–Escrita e TNF2.1–Escrita,

- 4.) As versões originais 1.1 e 2.1 do Teste de Nomeação de Sinais por Escrita: TNS1.1–Escrita e TNS2.1–Escrita,
- 5.) As versões originais 1.1 e 2.1 do Teste de Nomeação de Sinais por Escolha: TNS1.1–Escolha e TNS2.1–Escolha, e
- 6.) As versões originais 1.1 e 2.1 do Teste de Nomeação de Figuras por Escolha: TNF1.1–Escolha e TNF2.1–Escolha.

Assim, com foco na compreensão de sinais da Libras, o capítulo também analisa as relações entre esse vocabulário receptivo de sinais da Libras e uma série de outras habilidades, tais como a competência de leitura de palavras em Português, a competência de leitura de sentenças em Português, a competência de escrita livre em Português para nomear figuras conhecidas, a competência de escrita livre em Português para nomear sinais da Libras, a habilidade de escolher palavras escritas em Português para nomear sinais da Libras, e a habilidade de escolher palavras escritas em Português para nomear figuras. O capítulo também traz subsídios para uma análise do desenvolvimento da compreensão de sinais ao longo das séries escolares como função de diversas variáveis de fundo, tais como o gênero, a idade, a escolaridade, o grau de perda auditiva, a competência de leitura e escrita, e assim por diante.

4.4.) Estrutura, processo e desenvolvimento da competência de leitura na criança ouvinte

A abordagem de processamento de informação (e.g., F. Capovilla, 1998a) tem produzido uma vasta série de modelos teóricos consistentes e de instrumentos que auxiliam a compreensão, avaliação e intervenção em problemas de desenvolvimento da linguagem, tanto de ouvintes (Baddeley, 1966, 1986, 1992; Baddeley, Grant, Wight, & Thomson, 1975; Baddeley & Hitch, 1974; Baddeley, Lewis, & Vallar, 1984; Baddeley, & Logie, 1992; Baddeley & Wilson, 1985; A. Capovilla & F. Capovilla, 2001, 2003c, 2003d; A. Capovilla, Palacio, & F. Capovilla, 2003; F. Capovilla & A. Capovilla, 1996, 1999, 2001a, 2003b; Ellis, 1995; Ellis & Young, 1988; Fodor, 1983; Frost & Katz, 1992; Hitch, Halliday, Schaafstall, & Schraagen, 1988; Morton, 1989) quanto de surdos (e.g., Bellugi, 1983; Bellugi, Klima, & Poizner, 1988; Bellugi, Poizner, & Klima, 1983; Bellugi, Tzeng, Klima, & Fok, 1989; F. Capovilla & A. Capovilla, 2001b; F. Capovilla & Raphael, 2001b, 2001c; Fok & Bellugi, 1986; Hanson, 1991; Hanson & Fowler, 1987; Klima & Bellugi, 1979; Klima, Bellugi, & Poizner, 1988; McNeil, 1992; Poizner, Bellugi, & Tweney, 1981; Poizner, Klima, & Bellugi, 1987).

Esta seção examina o processo de desenvolvimento da competência de leitura e escrita na criança ouvinte a partir da abordagem de processamento de informação. Trata dos processos de reconhecimento visual e de decodificação grafofonêmica que subjazem à competência de leitura de palavras, e contrasta os três tipos de processamento de leitura: 1.) *Logográfico* ou *ideovisual* (Levine, Calvanio, & Poppovics, 1982; Whitehouse, 1981; Zaidel, 1978a, 1978b, 1978c, 1981; Zaidel & Peters, 1981); 2.) *Perilexical* ou *fonológico* (F. Capovilla, A. Capovilla, & Macedo, 2001b); e 3.) *Lexical* (A. Capovilla & F. Capovilla, 2003c) que subjazem a cada uma de três fases de desenvolvimento da leitura e escrita. A seção auxilia a compreender porque a criança ouvinte com dificuldades de aquisição de leitura e escrita beneficia-se tanto das instruções metafonológicas e fônicas (F. Capovilla, 2003b). Ela explica por que as instruções metafonológicas, que desenvolvem a consciência fonológica, e as instruções fônicas, que ensinam as regras de correspondência entre grafemas e fonemas, são tão importantes para a aquisição da leitura e da escrita do código alfabético por crianças ouvintes. Mais detalhes sobre a arquitetura cognitiva envolvida no processamento de leitura podem ser encontrados na descrição original do fluxograma (A. Capovilla & F. Capovilla, 2003c, 2003d). A seção oferece subsídios para comparar os processamentos no surdo e no ouvinte para compreender melhor a natureza das dificuldades de crianças e jovens surdos confrontados com o desafio da alfabetização.

De acordo com o modelo de desenvolvimento de leitura de Frith (1985, 1990), aperfeiçoado por Morton (1989) e sistematicamente explicado e expandido por A. Capovilla e F. Capovilla (2003c, 2003d) e F. Capovilla e A. Capovilla (2001b), a criança passa por três estágios na aquisição de leitura e escrita:

- 1.) *Logográfico*, em que, fazendo uso da rota logográfica, a criança trata a palavra escrita como se fosse uma representação picto-ideográfica e ideovisual do referente;
- 2.) *Alfabético*, em que, com o desenvolvimento da rota fonológica, a criança aprende a fazer decodificação grafofonêmica; e
- 3.) *Ortográfico*, em que, com o desenvolvimento da rota lexical, a criança aprende a fazer reconhecimento visual direto das formas ortográficas de palavras de alta freqüência.

No *estágio logográfico*, a criança trata o texto *grosso modo* como se fosse um desenho, e não uma escrita alfabética, ou seja, um código de correspondências entre determinadas letras e combinações de letras (i.e., grafemas) e seus respectivos sons da fala (i.e., fonemas). Neste estágio, a leitura consiste no reconhecimento visual global de uma série de palavras comuns que a criança encontra com grande freqüência, tais como seu próprio nome e os nomes de produtos como comidas, bebidas, marcas de carro e de brinquedos, times de futebol, e assim por diante impressos em rótulos e cartazes (e.g., COCA COLA e MCDONALD'S). A criança atenta ao contexto, ao formato e à coloração geral da palavra, tratando-a como se fosse um desenho. Não decodifica a palavra segmentando-a nas letras componentes e convertendo essas letras em som, exceto usualmente a primeira. Não percebe se forem trocadas as letras seguintes, desde que o formato geral da palavra permaneça constante. A escrita também se resume a uma produção visual global, como se fosse um desenho, sendo que a escolha e a ordenação das letras ainda não estão sob controle dos sons da fala. A manutenção de tal estratégia de leitura logográfica exigiria muito da memória visual da criança e acabaria levando a uma série crescente de erros grosseiros, como o de paralexia semântica (i.e., troca de palavras na leitura, cf. Gil, 2002). Essa paralexia, ou troca de palavras durante a leitura, ocorre devido à semelhança visual geral entre uma palavra escrita pouco familiar a ser lida (cuja leitura requer decodificação grafofonêmica) e uma outra palavra com a qual a criança está bem mais familiarizada e que, por isso, acaba sendo "lida" no lugar dela. Quando a criança aprende a decodificar, a ocorrência dessas paralexias e de omissões cai significativamente. Para evitar a cristalização de um estilo de leitura ideovisual, os professores devem ensinar e encorajar a criança a progredir para o segundo estágio, ou seja, o alfabético.

No *estágio alfabético*, as relações entre o texto e a fala se fortalecem, primeiro em relação à escrita e, depois, em relação à leitura. Durante a escrita, a seleção das letras e o seu seqüenciamento passam a ficar sob controle dos sons da fala. Do mesmo modo, na leitura, a seleção e o seqüenciamento das sílabas e dos fonemas durante a pronúncia passam a ficar sob controle das sílabas escritas e dos grafemas. Para produzir tais desempenhos, os professores devem instruir a criança sobre as correspondências entre as letras e os sons. Assim, a criança aprende que a escrita alfabética representa os sons das mesmas palavras que ela usa para pensar e se comunicar com os outros. Aprendendo as relações entre as letras e os sons, a criança começa a fazer escrita por codificação fonografêmica, ou seja, articulando cuidadosamente a fala como a escandir sua pronúncia e convertendo os sons da própria fala nas suas letras correspondentes. Pelo mesmo princípio, mas no sentido inverso, a criança começa a ser capaz de fazer leitura por decodificação grafofonêmica, ou seja, convertendo as letras em seus respectivos sons e, então, repetindo mais rapidamente a seqüência toda de sons para si mesma, para que consiga entender o que está lendo, como se estivesse ouvindo uma outra pessoa falando. Neste estágio, a criança aprende os princípios e desenvolve as habilidades de decodificação na leitura (i.e., a converter as letras do texto escrito em seus sons correspondentes) e de codificação na escrita (i.e., a converter os sons da fala, quer audíveis ou apenas evocados internamente, em seus grafemas correspondentes). Se a criança se esmerar no exercício dessas habilidades, logo ela passará a ser capaz de ler e escrever qualquer palavra, mesmo as inventadas, ou seja, as pseudopalavras. Pseudopalavras consistem em seqüências de letras em combinações ortograficamente aceitáveis e que compõem todos pronunciáveis, embora carentes de significado (e.g., CLAPÍCURA). Quando a criança consegue ler e escrever pseudopalavras, ela está pronta para ler e escrever qualquer palavra nova, desde que grafofonemicamente regular, e para aprender por si mesma o seu significado, quer por inferências derivadas do texto (Sternberg, 1985), quer com o auxílio de um dicionário.

De início, tal leitura por decodificação grafofonêmica é muito lenta, assim como a escrita correspondente por codificação fonografêmica. Além disso, a criança tende a cometer erros na leitura e na escrita de palavras em que há irregularidade grafofonêmica (i.e., nas relações entre as letras e os sons, como em TÁXI). No entanto, à medida que a criança vai se exercitando na leitura e na escrita, ela vai se tornando cada vez mais rápida e fluente no emprego dessas habilidades, e vai cometendo cada vez menos erros envolvendo as palavras grafofonemicamente irregulares, desde que as encontre com uma certa freqüência. Com a prática, a criança não apenas deixa de hesitar como, também, passa a processar agrupamentos de letras cada vez maiores (correspondentes aos morfemas e *logogens*, conforme A. Capovilla & F. Capovilla, 2003d), em vez de letras individuais, chegando a processar palavras inteiras se estas forem muito comuns e lendo-as de memória. Nesse ponto, com o desenvolvimento da decodificação automática e fluente e o reconhecimento visual direto de unidades de significado cada vez maiores, a criança deixa o segundo estágio e entra no terceiro, o ortográfico.

No *estágio ortográfico*, a criança aprende que há palavras que envolvem irregularidade nas relações entre grafemas e fonemas. Ela aprende que é preciso memorizar essas palavras para que possa pronunciá-las adequadamente na leitura e grafá-las corretamente na escrita. Tendo já passado pelo estágio alfabético, em que aprendeu as regras de correspondência entre grafemas e fonemas que lhe permitem ler e escrever qualquer palavra nova de maneira automática e rápida, agora, no estágio ortográfico, a criança pode concentrar-se na memorização das exceções às regras (i.e., na ortografia das palavras grafofonemicamente irregulares), na análise morfológica das palavras que lhe possibilita apreender seu significado, e no processamento cada vez mais avançado da sintaxe do texto. Nesse ponto, seu sistema de leitura pode ser considerado completo e maduro, e a criança passa a tirar vantagem crescente da freqüência com que as palavras aparecem (conforme demonstrado experimentalmente em A. Capovilla, F. Capovilla, & Macedo, 1998; F. Capovilla, Macedo, A. Capovilla, 2002a, 2002b), conseguindo lê-las com rapidez e fluência cada vez maiores, por reconhecimento visual direto (i.e., pela estratégia lexical), e não mais exclusivamente por decodificação (i.e., pela estratégia fonológica).

É importante ressaltar que, ao chegar a esse último estágio, só porque a criança passa a ser capaz de fazer uso da estratégia lexical, não significa que ela abandone as estratégias anteriores. Na verdade, as três estratégias de leitura permanecem disponíveis o tempo todo para a criança, sendo que ela aprende a fazer uso da estratégia que se revelar mais eficaz para um ou outro tipo de material de leitura e escrita. Por exemplo, materiais como algarismos matemáticos, símbolos de notação científica e lógica e sinais de trânsito tendem a ser lidos como um todo por meio da estratégia logográfica de reconhecimento visual direto. Já as palavras novas de morfologia desconhecida e as pseudopalavras não podem ser lidas por reconhecimento visual direto, mas precisam ser lidas pela estratégia fonológica, ou seja, por decodificação grafofonêmica. Finalmente, as palavras conhecidas e familiares, ou de composição morfológica clara já à primeira vista, podem ser lidas mais rapidamente pela estratégia lexical de reconhecimento visual direto. As palavras com irregularidades grafofonêmicas só podem ser lidas pela estratégia lexical, já que sua decodificação grafofonêmica resulta em pronúncia incorreta (i.e., erro de *regularização fonológica*) e dificuldade de apreensão do significado. Por exemplo, a palavra EXÉRCITO precisa ser lida lexicalmente para que possa ser compreendida. Se fosse lida fonologicamente, o "X" seria pronunciado como /ch/ e não como /z/, comprometendo a compreensão.

4.5.) Modelo de processamento de informação para a avaliação do processamento de leitura

Na abordagem de processamento de informação (A. Capovilla & F. Capovilla, 2003c, 2003d; F. Capovilla, 1998a; Ellis, 1995; Ellis & Young, 1988; Morton, 1989), o termo *processamento* refere-se às transformações de informação, desde um estado inicial (e.g., um texto), passando por uma série de estágios intermediários (e.g., decodificação ou reconhecimento visual), até o estado final (e.g., pronúncia na leitura em voz alta ou seleção dentre alternativas na leitura silenciosa). Os modelos de processamento de informação descrevem o fluxo de informação ao longo dos processos de entrada, decodificação, armazenamento, recuperação, codificação e saída. Tipicamente, esses modelos são representados esquematicamente como o fluxograma de processamento de leitura de A. Capovilla e F. Capovilla (2003c, 2003d) ou o de Ellis e Young (1988). Os fluxogramas descrevem o fluxo da informação nas diversas rotas e as transformações sucessivas da informação em cada uma das unidades de processamento ao longo das rotas. Essa abordagem tem uma longa, ilustre e produtiva tradição em neuropsicologia e psicologia cognitiva, incluindo Wernicke (1874); Lichtheim (1885); Nielson (1946); Geschwind (1965); Baddeley e Hitch (1974); Poizner, Klima, e Bellugi (1987); Ellis e Young (1988); Morton (1989), Shallice (1990); e Ellis (1995), dentre tantos outros.

A avaliação da leitura na abordagem de processamento de informação difere da mera avaliação psicométrica ou da avaliação semiológica diagnóstica. A abordagem psicométrica clássica (e.g., Wechsler, 1991) busca desenvolver instrumentos padronizados para quantificar o distúrbio e situar o educando ou paciente em relação ao seu grupo de referência. Já a abordagem semiológica diagnóstica (e.g., Benson, 1979) procura categorizar o quadro de distúrbio de leitura a partir de suas manifestações clínicas e distúrbios associados. Diferentemente dessas, a abordagem de processamento de informação ultrapassa as meras descrição e quantificação dos distúrbios e chega a uma interpretação dos processos e estruturas subjacentes. A partir de modelos teóricos e da análise dos tipos de erro e de sua distribuição relativa, ela identifica os processos que se encontram pouco desenvolvidos ou comprometidos, e propõe alternativas para o seu desenvolvimento e reabilitação.

Para compreender adequadamente o modelo de processamento de informação de leitura de duas rotas, é importante rever alguns conceitos sobre o desenvolvimento da leitura. A partir das etapas logográfica, alfabética e ortográfica descritas por Frith (1985) e Morton (1989), A. Capovilla e F. Capovilla (2003c, 2003d) sugerem que o processo de aquisição de leitura e escrita ocorre na seguinte ordem:

- a.) *Leitura logográfica*: A criança trata as palavras como se fossem desenhos e usa pistas contextuais para o reconhecimento visual direto, em vez de decodificação alfabética; adquire vocabulário visual de palavras, que inclui seu próprio nome, mas não é influenciada pela ordem em que as letras aparecem nas palavras, exceto pela letra inicial; a leitura limita-se ao reconhecimento visual de um vocabulário muito limitado de palavras muito familiares, sendo que a criança é incapaz de ler palavras novas ou pouco familiares;
- b.) *Escrita logográfica*: A criança escreve como se estivesse desenhando em vez de por mapeamento fonografêmico ou pelo uso do léxico ortográfico de saída (Lecours & Parente, 1997);
- c.) *Escrita alfabética*: A criança faz acesso à representação fonológica das palavras, isola fonemas individuais e os mapeia nas letras correspondentes a partir de codificação fonografêmica; contudo, a correção ortográfica da escrita é afetada por irregularidades nas relações grafofonêmicas das palavras, sendo que, na escrita sob ditado de palavras contendo irregularidades desse tipo, tendem a ocorrer erros de regularização grafofonêmica (Luria, 1970);
- d.) *Leitura alfabética:*
  - d1.) *Leitura alfabética sem compreensão*: A criança faz decodificação grafofonêmica ainda trabalhosa e incipiente e, assim, ainda não consegue atentar ao significado das palavras que pronuncia, ou seja, não percebe o significado que subjaz à forma fonológica resultante da decodificação fonológica porque o processamento grafofonêmico é ainda incipiente e dificultoso, sobrecarregando o executivo central e consumindo os recursos centrais de atenção e memória (Baddeley, 1966, 1986, 1992; Baddeley, Grant, Wight, & Thomson, 1975; Baddeley & Hitch, 1974; Baddeley, Lewis, & Vallar, 1984; Baddeley & Logie, 1992; Baddeley & Wilson, 1985);
  - d2.) *Leitura alfabética com compreensão*: A criança faz decodificação grafofonêmica automática e fluente e, assim, consegue atentar ao significado das palavras que pronuncia na leitura em voz alta, bem como ao significado das formas fonológicas que resultam da decodificação grafofonêmica durante a leitura silenciosa; contudo, a pronúncia e a conseqüente compreensão de leitura são afetadas por irregularidades nas relações grafofonêmicas das palavras;

- e.) *Leitura ortográfica:* A criança prescinde da mediação da fala interna, que resulta da decodificação grafofonêmica, e lê palavras familiares de maneira visual direta, reconhecendo unidades morfêmicas e as formas ortográficas mais comuns; assim, o reconhecimento dessas palavras familiares está relacionado diretamente ao sistema semântico e a compreensão não é mais afetada por irregularidades nas relações grafofonêmicas;
- f.) *Escrita ortográfica*: A criança escreve usando um sistema lexical grafêmico (Lecours & Parente, 1997) que dá conta da estrutura morfológica das palavras, sendo que a correção ortográfica da escrita não é mais afetada por irregularidades nas relações grafofonêmicas das palavras, mas isso só ocorre se essas palavras escritas forem relativamente familiares à criança.

Segundo Morton (1968, 1969, 1989), a leitura competente desenvolve-se de acordo com um modelo de processo duplo. Nesse modelo, o acesso à pronúncia e ao significado pode ser obtido por meio de dois processos, um direto e outro indireto. O processo indireto envolve mediação fonológica e é chamado *processo fonológico ou perilexical* (F. Capovilla, A. Capovilla, & Macedo, 2001b), enquanto o indircto não envolve mediação fonológica, e é chamado *processo ideovisual.* É importante deixar claro que tal processo ideovisual pode ter duas naturezas distintas: Ele pode ser propriamente *lexical* ou meramente *logográfico* (A. Capovilla & F. Capovilla, 2003c; Levine, Calvanio, & Poppovics, 1982; Whitehouse, 1981; Zaidel, 1978a, 1978b, 1978c, 1981; Zaidel & Peters, 1981).

A partir do conhecimento acumulado da neuropsicolingüística cognitiva da leitura, pode-se dizer que esse *processo ideovisual* tem o status elevado de *processamento lexical* apenas sob as seguintes condições:

- 1.) Quando o processamento é desempenhado pelo hemisfério dominante para a linguagem, que é usualmente o esquerdo (Whitehouse, 1981; Zaidel, 1978c, 1981; Zaidel & Peters, 1981);
- 2.) Quando o objeto do processamento consiste nas unidades alfabéticas de reconhecimento visual (i.e., *logogens*) relacionadas aos morfemas das palavras escritas;
- 3.) Quando o processamento reporta-se ao léxico visual lingüístico ortográfico do leitor que contém a imagem de todas as palavras escritas que ele já teve oportunidade de ler com freqüência e que foi constituído com o auxílio da decodificação grafofonêmica fluente ao longo da história da aquisição de leitura desse leitor.

A constituição do léxico ortográfico é conseqüência natural da leitura freqüente e bem-sucedida propiciada pelos mecanismos de decodificação grafofonêmica fluente (i.e., segmentação da seqüência ortográfica, conversão de segmentos ortográficos em fonológicos, síntese fonêmica com a constituição da forma fonológica conhecida das palavras), e reconhecimento das formas fonológicas que pertencem ao léxico auditivo lingüístico (i.e., léxico fonológico), com o resgate de seu significado (i.e., acesso semântico). Na ausência das habilidades de leitura perilexical por decodificação grafofonêmica, o leitor não pode penetrar na composição grafêmica das palavras e, consequentemente, seus esforços de aprendizagem de leitura consistirão em tentar memorizar a forma visual geral das palavras para poder reconhecê-las ulteriormente. Contudo, como o aprendiz de leitor e sua professora cedo ou tarde perceberão, o código alfabético não se presta à memorização visual direta, pois as formas ortográficas das palavras são muito semelhantes entre si, e, quanto maior o número de palavras escritas a serem aprendidas, tanto maior o risco de cometer trocas entre as palavras durante a leitura (i.e., paralexias) e durante a escrita (i.e., paragrafias). Se, por outro lado, o aprendiz de leitor aprender a decodificar, ele não precisará depender desse mecanismo ideovisual primitivo e não terá mais de se preocupar em memorizar a forma visual das palavras, bastando que faça decodificação grafofonêmica fluente e que preste atenção em sua própria fala durante a decodificação para reconhecer, em sua pronúncia, as palavras conhecidas que aprendeu naturalmente na infância e ouvindo estórias na pré-escola. Assim, compreenderá o que lê e lerá com fluência crescente à medida que naturalmente se desenvolve o léxico ortográfico que lhe permitirá reconhecer diretamente as palavras que lhe serão cada vez mais familiares à medida que for lendo mais e mais. Do mesmo modo que o desenvolvimento da leitura lexical fluente e correta depende da existência prévia da leitura fonológica fluente e correta, pode-se dizer que a manutenção da leitura lexical fluente e correta também depende da manutenção dos mecanismos de leitura fonológica intactos. Com efeito, o processamento lexical é mais eficiente em produzir leitura fluente e correta quando ele pode contar com o auxílio do processo perilexical ou fonológico para prevenção de eventuais paralexias que ocorreriam devido à semelhança visual entre a forma ortográfica da palavra-alvo a ser lida e a de outras palavras no léxico ortográfico do leitor. De fato, no caso de perda do processamento fonológico, aumenta consideravelmente a freqüência de paralexias baseadas na semelhança visual entre palavras competidoras.

A partir do conhecimento acumulado da neuropsicolingüística cognitiva da leitura, pode-se dizer que o *processo ideovisual* tem o status menor de *processamento logográfico* sob as seguintes condições:

- 1.) Quando o processamento é desempenhado pelo hemisfério não-dominante para a linguagem, que é usualmente o direito (Whitehouse, 1981; Zaidel, 1978c, 1981; Zaidel & Peters, 1981);

- 2.) Quando o objeto desse processamento consiste em unidades não-alfabéticas de reconhecimento visual relacionadas à cor, forma e tamanho geral da escrita (i.e., *pictogens*, cf. Paivio, 1983, 1990), como se a escrita não passasse de desenho ou representação pictorial do significado; e
- 3.) Quando o processamento não se reporta ao léxico visual lingüístico ortográfico, mas sim a um léxico visual não-lingüístico, equivalente a uma pinacoteca mental, que contém as imagens dos objetos e figuras e desenhos que o aprendiz freqüentemente viu no passado, e que se encontra completamente à margem de qualquer processamento de decodificação grafofonêmica do código alfabético (Kosslyn, 1987; Whitehouse, 1981; Zaidel, 1978a, 1978b).

Esse processamento limita-se ao nível logográfico também quando, devido à insuficiência do desenvolvimento incipiente da aquisição dos mecanismos de decodificação grafofonêmica, ou devido à perda desses mecanismos por ocasião de distúrbios de processamento fonológico como nas alexias por lesão cerebral, seus mecanismos rudimentares de reconhecimento visual da *gestalt* ortográfica das palavras não podem contar com o auxílio corretivo dos mecanismos de decodificação grafofonêmica, o que resulta num padrão de leitura essencialmente insensível à composição grafêmica das palavras e altamente vulnerável a trocas visuais baseadas em similaridade geral entre a palavra-alvo a ser lida e outras palavras armazenadas no léxico visual não-lingüístico (i.e., pictográfico) do leitor. Como o hemisfério direito é incapaz de codificação fonografêmica e de decodificação grafofonêmica, a leitura dele resultante é eminentemente ideovisual, logográfica, e altamente influenciada por processos estranhos ao código alfabético referentes à imageabilidade e concretude (Karchmer, 1974; Kosslyn, 1976, 1978, 1980, 1981, 1987; Paivio, 1983, 1990) do significado representado pelas palavras. Isso ajuda a compreender por que o processamento de leitura pelo hemisfério direito é afetado pela imageabilidade e concretude das palavras a serem lidas. A leitura desempenhada por pacientes comissurotomizados (Whitehouse, 1981; Zaidel, 1978a, 1978b, 1978c, 1981; Zaidel & Peters, 1981) e com lesões cerebrais esquerdas extensas (Levine, Calvanio, & Poppovics, 1982) é desempenhada pelo hemisfério direito e pode ser chamada de puramente ideovisual logográfica ou icônica.

Ellis e Young (1988) desenvolveram uma versão do modelo de leitura proposto por Morton (1969). De acordo com eles, há basicamente duas rotas para a leitura: A fonológica e a lexical.

- 1.) Na *rota fonológica*, a pronúncia da palavra é construída segmento a segmento por meio da aplicação de regras de correspondência grafofonêmica. O acesso ao significado é alcançado mais tarde, quando a pronúncia da palavra (i.e., sua forma fonológica) ativa o sistema semântico. Contudo, pode haver leitura sem que haja acesso ao significado, como no caso do decodificador incipiente, do demenciado ou do hiperléxico (Grégoire & Piérart, 1997). Assim, na rota fonológica, a pronúncia é construída por meio da conversão de segmentos ortográficos em fonológicos, e o acesso ao significado, caso ocorra, é alcançado mais tarde, pela mediação da forma auditiva da palavra. À medida que o leitor se torna mais competente, o processo de conversão de segmentos ortográficos em fonológicos torna-se progressivamente mais automático e fluente, usando seqüências maiores de letras como unidades de processamento, e liberando recursos de atenção e memória que permitem acesso semântico. Essa rota fonológica desenvolve-se no segundo estágio, o alfabético.
- 2.) Na *rota lexical*, a pronúncia não é construída segmento a segmento, mas resgatada como um todo a partir do léxico. Porém, ela pode ser usada somente quando o item a ser lido tem sua representação ortográfica pré-armazenada no léxico mental ortográfico. Na leitura por meio dessa rota, o item é reconhecido ortograficamente e suas formas ortográficas (i.e., morfemas e palavras escritas) são ativadas. A forma ortográfica ativa sua representação semântica antes de ativar a forma fonológica, a qual fica armazenada no aparador (i.e., *buffer*) fonológico até que a pronúncia ocorra. Ou seja, nessa rota a pronúncia é obtida a partir do reconhecimento visual do item escrito, e o leitor tem acesso ao significado daquilo que está sendo lido antes de emitir a pronúncia propriamente dita. Como demonstrado experimentalmente por A. Capovilla, F. Capovilla, e Macedo (1998), na leitura pela rota lexical a pronúncia é subsegmentada, já que é resgatada do léxico como um todo e não mais construída segmento a segmento como ocorre na leitura pela rota fonológica. Essa rota lexical desenvolve-se no terceiro estágio, o ortográfico.

Para explicar como se pode usar um modelo de processamento de leitura para avaliar e interpretar um dado padrão de problemas de leitura, pode-se tomar o fluxograma de processamento de leitura de A. Capovilla e F. Capovilla (2003c, 2003d) ilustrado na Figura 1. Nele, a informação é transmitida ao longo de vias, representadas por setas, e submetida a transformações em unidades de processamento, representadas por caixas. Nesse modelo, há duas rotas de leitura: A lexical que faz reconhecimento visual direto de palavras com forma ortográfica bem conhecida, e a fonológica (i.e., perilexical) que faz decodificação (i.e., segmentação da seqüência ortográfica em grafemas, conversão dos grafemas em fonemas, e síntese dos fonemas) de pseudopalavras, bem como de palavras com forma ortográfica nova e pouco comum, desde que sejam grafofonemicamente regulares.

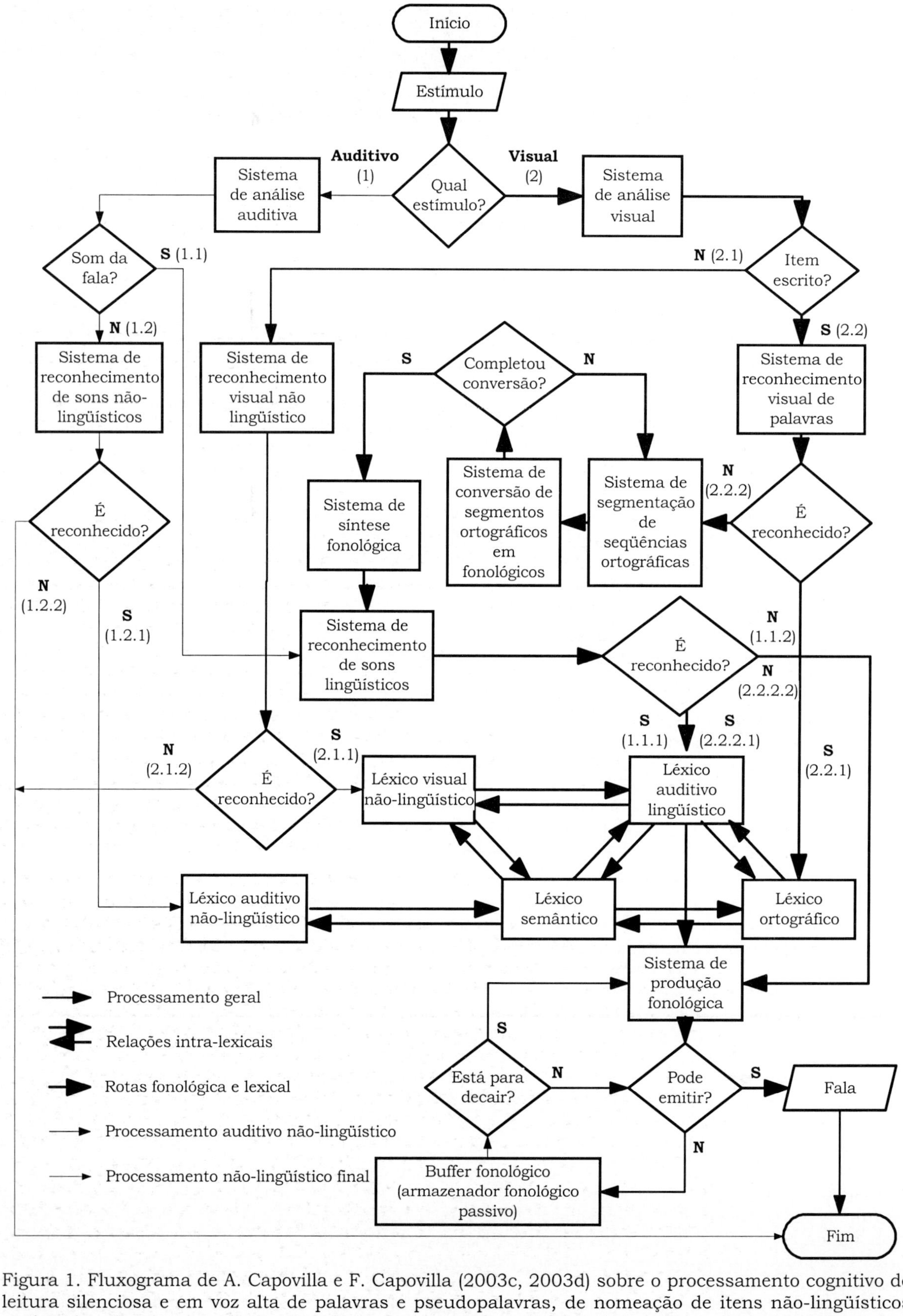

Figura 1. Fluxograma de A. Capovilla e F. Capovilla (2003c, 2003d) sobre o processamento cognitivo de leitura silenciosa e em voz alta de palavras e pseudopalavras, de nomeação de itens não-lingüísticos conhecidos visuais ou auditivos (i.e., figuras e sons da natureza), e de compreensão e repetição em voz alta de itens lingüísticos (i.e., palavras e pseudopalavras ouvidas, identificáveis ou não).

A rota lexical faz o processamento ideovisual direto (i.e., a leitura não mediada pela fala ou imagem auditiva das palavras) e funciona melhor com palavras cuja forma ortográfica é mais familiar ao leitor, não importando se são regulares ou irregulares do ponto de vista grafofonêmico. Entretanto, essa rota lexical produz erros com pseudopalavras ou palavras com forma ortográfica desconhecida ou pouco comum. A rota fonológica faz a decodificação grafofonêmica (i.e., leitura mediada pela fala) e funciona melhor com itens grafofonemicamente regulares, não importando se são palavras com forma ortográfica muito familiar ou não, ou mesmo se são pseudopalavras. Entretanto, produz erros com palavras grafofonemicamente irregulares. As duas rotas permitem acesso ao léxico como um todo, que inclui o léxico semântico, o léxico lingüístico visual, o léxico lingüístico auditivo, o léxico não-lingüístico visual, e o léxico não-lingüístico auditivo. Tal léxico funciona como uma espécie de dicionário mental ilustrado e multimídia que permite compreender em profundidade o que está escrito.

O léxico divide-se em dois eixos:

- 1.) Lingüístico *versus* não-lingüístico, e
- 2.) Visual *versus* auditivo.

Os mais importantes para esta seção são os lingüísticos (i.e., lingüístico visual e auditivo).

- 1.) O léxico *lingüístico visual*, também chamado *léxico ortográfico*, contém as representações mentais visuais de todas as palavras escritas que já foram lidas com certa freqüência e que podem ser reconhecidas à primeira vista. Por exemplo, como o léxico lingüístico visual de um leitor proficiente contém armazenada a representação ortográfica da palavra escrita LEÃO, esse leitor reconhecerá perfeitamente essa palavra assim que puser os olhos nela;
- 2.) O léxico *lingüístico auditivo*, também chamado *léxico fonológico*, contém as representações mentais fonológicas de todas as palavras já ouvidas em contextos significativos. Como o léxico lingüístico auditivo de um falante nativo contém armazenada a representação fonológica da palavra ouvida /leão/, esse falante reconhecerá essa palavra assim que a ouvir;
- 3.) O léxico *não-lingüístico visual*, também chamado *léxico pictográfico*, contém as representações mentais (i.e., imagens pictoriais icônicas) de coisas em geral (e.g., objetos, pessoas e eventos) que têm algum significado para a pessoa. Por exemplo, se o léxico não-lingüístico visual de uma pessoa contiver a imagem mental de um leão, quando for exposta à fotografia de um leão, essa pessoa reconhecerá o leão de imediato;
- 4.) O léxico *não-lingüístico auditivo* contém as representações mentais sonoras de coisas em geral (i.e., imagens ecóicas), incluindo os sons da natureza (e.g., chuva e trovão), de coisas (e.g., sino e serra), animais (e.g., latido e miado) e pessoas (e.g., tosse, espirro, gargalhada e timbre de voz);
- 5.) Finalmente, há também o *léxico semântico*, que contém as informações que relacionam todos os léxicos entre si. Na leitura, o acesso ao léxico mental pode ser feito por meio de duas portas. Na leitura lexical, o acesso se dá pela porta lingüística visual, por reconhecimento visual direto da forma ortográfica familiar das palavras escritas que o leitor lê usualmente. Já na leitura fonológica, o acesso se dá pela porta lingüística auditiva, por reconhecimento da forma fonológica familiar de palavras cuja forma ortográfica (i.e., escrita) não é muito familiar.

O modelo é semelhante no caso do leitor com surdez profunda congênita ou pré-lingual e que não tenha recebido implante coclear (*Advanced Bionics Corporation*, 1996; Almeida & Iorio, 1996; Bess & Humes, 1998; Bevilacqua & Formigoni, 1997; Bevilacqua & Moret, 1997; Boex, Pellizzone, & Montandon, 1996; Boothroyd & Boothroyd-Turner, 2002; F. Capovilla, 1998b, 1998c, 2001c, 2004c; Costa Filho, Bevilacqua, & Moret, 1996; Easterbrooks & Mordica, 2000; Geers, 2002; Hoppe, 1997; Kveton & Balkany, 1991; O'Donoghue, Nikolopoulos, Archbold, & Tait, 1998; Wilson, Finley, & Lawson, 1991). Nesse caso, o léxico visual lingüístico permanece como léxico ortográfico, e contém as representações das formas ortográficas das palavras escritas familiares. Analogamente, o léxico visual não-lingüístico permanece como léxico pictográfico, e contém as imagens de pessoas, objetos, ações e qualidades relevantes. Já o léxico auditivo lingüístico, que contém a imagem fonológica das palavras ouvidas, é substituído pelo *léxico quirêmico*, que contém as imagens visuais dos sinais vistos e articulados pelas mãos, e as unidades sublexicais de soletração digital (F. Capovilla & Raphael, 2001a; Wilcox, 1992). Do mesmo modo, o léxico auditivo não-lingüístico, que contém as representações acústicas dos sons não-lingüísticos da natureza, é substituído por um *léxico gestual*, que contém as representações das configurações e movimentos não-lingüísticos das mãos, corpo e face na mímica e pantomima. Como o leitor ouvinte, o leitor surdo também faz uso de duas rotas de leitura: A rota lexical por reconhecimento visual direto, que é muito eficaz para palavras altamente familiares, e a rota perilexical de decodificação grafoquirêmica por meio da soletração digital que se destina ao processamento de palavras pouco familiares. Da mesma maneira que na leitura lexical do ouvinte, na leitura lexical do surdo o acesso ao léxico semântico também se dá diretamente pela porta de entrada ortográfica, por meio do reconhecimento visual direto da forma ortográfica familiar das palavras escritas que o leitor está acostumado a ler. Como a leitura perilexical do ouvinte, a leitura perilexical do surdo também envolve a mediação da linguagem interna. A única diferença é que, enquanto no leitor ouvinte essa mediação se dá pela fala interna, no leitor surdo essa mediação se dá pela *sinalização interna* (Bellugi, Klima, & Siple, 1975; Bellugi, & Siple, 1974). No leitor ouvinte o processo de leitura de palavras pouco familiares se dá pelo mecanismo de decodificação grafofonêmica, que penetra a intimidade grafêmica das palavras, decompondo-as em letras e convertendo essas letras em sons da fala que, sintetizados fonemicamente, evocam as imagens fonológicas das palavras familiares do léxico auditivo lingüístico, as quais são reconhecidas como sendo aquelas mesmas palavras ouvidas com que o leitor ouvinte pensa e se comunica. Já no surdo o processo de leitura de palavras pouco familiares se dá pelo mecanismo de *decodificação grafoquirêmica* que penetra a intimidade grafêmica das palavras, decompondo-as em letras e convertendo essas letras em articulações de mão na soletração digital, sendo que a seqüência de articulações de mão na soletração digital, sintetizada e ensaiada exaustivamente, pode passar a evocar as imagens quirêmicas de sinais familiares do léxico quirêmico que são reconhecidos pelo leitor surdo como sendo os mesmos sinais com que ele pensa e se comunica.

No leitor ouvinte que articula a fala, as duas rotas iniciam-se no sistema de reconhecimento visual de palavras (i.e., SRVP), e terminam no sistema de produção fonológica (i.e., SPF). Inicialmente o item escrito é processado por um sistema de análise visual (i.e., SAV) que detecta os traços gráficos das letras, codifica a sua ordem e identifica as letras por comparação. Desse processamento, resulta um código abstrato que consiste numa seqüência grafêmica. Tal seqüência pode ser conhecida ou não. Se for conhecida do leitor (i.e., se sua imagem ortográfica for familiar para o leitor), será reconhecida pelo seu sistema de reconhecimento visual de palavras (i.e., SRVP), e terá entrada à rota lexical, penetrando no léxico pela porta de entrada do léxico lingüístico visual (i.e., léxico ortográfico). Se não for reconhecida (i.e., se for uma palavra cuja forma ortográfica é relativamente nova para o leitor ou se for uma pseudopalavra), não será reconhecida pelo sistema de reconhecimento visual de palavras (i.e., SRVP), e terá de ser lida pela rota perilexical, ou seja, pela rota fonológica (F. Capovilla, A. Capovilla, & Macedo, 2001b). Nesse caso, na rota fonológica, essa informação visual passa inicialmente pelo sistema de segmentação da seqüência ortográfica, em seguida pelo sistema de conversão de segmentos ortográficos em fonológicos, e finalmente pelo sistema de síntese fonológica. A palavra resultante da síntese fonológica é, então, analisada pelo sistema de reconhecimento de sons lingüísticos. Se essa forma fonológica resultante da decodificação grafofonêmica for familiar, ela terá entrada no sistema lexical através da porta de entrada do léxico lingüístico auditivo (i.e., léxico fonológico).

Pode-se usar o fluxograma para compreender o distúrbio de leitura eventualmente apresentado por uma determinada pessoa. Para tanto é preciso examinar a integridade de cada unidade de processamento (i.e., caixa), via de processamento (i.e., seta ligando caixas), e rota (i.e., percurso de setas através de seqüência de caixas), de modo a separar as que estão funcionais (i.e., aquelas que já se encontram desenvolvidas e que permanecem intactas) das demais (i.e., aquelas que ainda não foram desenvolvidas ou aquelas que já se encontram comprometidas por lesão). Para tanto, é útil contrastar o desempenho da pessoa sob tarefas cruzadas que requerem diferentes tipos de *input* ou entrada (i.e., lingüística e não-lingüística, visual e auditiva) e de materiais para processamento (e.g., palavras e pseudopalavras, palavras regulares ou irregulares, comuns ou raras) e diferentes tipos de *output* ou saída (e.g., leitura silenciosa e em voz alta, nomeação oral e apontar). Por exemplo, tarefas de produção oral como, por exemplo, repetir palavras ouvidas, nomear figuras e ler em voz alta, requerem o envolvimento do sistema de produção fonológica (i.e., SPF); contudo, dentre essas tarefas, apenas a leitura em voz alta envolve o sistema de reconhecimento visual de palavras (i.e., SRVP). Por outro lado, inversamente, a leitura silenciosa envolve o sistema de reconhecimento visual de palavras (i.e., SRVP), mas não o sistema de produção fonológica (i.e., SPF). Assim, se a leitura em voz alta estiver afetada, o dano pode estar tanto no sistema de reconhecimento visual de palavras (i.e., SRVP) quanto no sistema de produção fonológica (i.e., SPF). Contudo se, ao mesmo tempo, a leitura silenciosa (especialmente a de palavras grafofonemicamente irregulares) estiver preservada, então sabe-se que o dano não está no sistema de reconhecimento visual de palavras (i.e., SRVP). Neste caso, uma hipótese plausível é de que o dano esteja no sistema de produção fonológica (i.e., SPF). Contudo, essa hipótese seria refutada se os desempenhos de repetição de palavras ouvidas e de nomeação de figuras em voz alta estivessem preservados, já que também envolvem o sistema de produção fonológica (i.e., SPF). Se os desempenhos nessas tarefas também estiverem afetados, a hipótese de dano no sistema de produção fonológica (i.e., SPF) será corroborada. Além disso, como as palavras grafofonemicamente irregulares não podem ser reconhecidas fonologicamente se forem decodificadas grafofonemicamente, mas têm que ser reconhecidas de maneira ideovisual pela rota lexical, o dano ao SRVP afeta a leitura dessas palavras irregulares, tanto na leitura silenciosa quanto na leitura em voz alta.

Mais detalhes sobre como um modelo teórico de desenvolvimento de leitura na abordagem de processamento de informação pode gerar baterias para avaliação e diagnóstico diferencial podem ser obtidos alhures (A. Capovilla & F. Capovilla, 2003c, 2003d; F. Capovilla & A. Capovilla, 2001a, 2001b;

F. Capovilla, Macedo, & Charin, 2001; e Grégoire & Piérart, 1997). Tal modelo teórico de desenvolvimento de leitura na abordagem de processamento de informação subjaz ao Teste de Competência de Leitura de Palavras (TCLP: F. Capovilla, Viggiano, A. Capovilla, Raphael, Mauricio, & Bidá, 2004), bem como a toda a presente bateria de avaliação de leitura e escrita do surdo. O TCLP ilustra com precisão como as diferentes características dos itens escritos e as suas relações com as figuras podem ser usadas para descobrir a natureza precisa do problema de leitura apresentado por um determinado leitor (i.e., as rotas não-funcionais) e medir a extensão dessas dificuldades. Por exemplo, bons escores de aceitação apropriada de palavras corretas grafofonemicamente irregulares e de rejeição apropriada de pseudopalavras homófonas indicam tanto a preservação quanto o desenvolvimento da rota lexical. Se, por outro lado, houver dano à rota lexical ou fraco desenvolvimento desta devido a uma insuficiente experiência de leitura, o leitor poderá tender a fazer exclusivamente leitura por decodificação grafofonêmica. Nesse caso, o acesso ao léxico semântico (i.e., ao significado) se dá por meio do reconhecimento auditivo da forma fonológica resultante da decodificação grafofonêmica (i.e., pela porta de entrada do léxico lingüístico auditivo que contém as imagens fonológicas das palavras conhecidas), e o leitor tenderá a compreender o que lê como se estivesse ouvindo uma outra pessoa lendo para ele em voz alta. Uma das conseqüências de ser incapaz de fazer reconhecimento da forma ortográfica da palavra é ter de fazer leitura por decodificação grafofonêmica estrita. Por sua vez, dentre as conseqüências de fazer leitura por decodificação grafofonêmica estrita, destacam-se a incapacidade de reconhecer e compreender a pronúncia de palavras grafofonemicamente irregulares (e.g., a decodificação estrita de TÁXI soaria algo como /táchi/ e de EXÉRCITO, algo como /echército/), a incapacidade de discernir entre palavras homófonas heterógrafas (e.g., CONCERTO e CONSERTO, SESSÃO e SEÇÃO), e a incapacidade de distinguir entre palavras ortograficamente bem formadas e pseudopalavras homófonas a elas, ou seja, a incapacidade de identificar erros ortográficos. Assim, o leitor que não é capaz de discriminar e reconhecer a forma ortográfica das palavras, não consegue tampouco distinguir entre palavras escritas corretamente (i.e., ortograficamente bem formadas) e palavras com incorreções ortográficas mas que são homófonas às primeiras (i.e., pseudopalavras homófonas). Tal leitor seria incapaz de rejeitar pseudopalavras homófonas como TÁCSI, MININU, AUMOSSU, BÓQUISSE, e OSPITAU, distinguindo-as das palavras reais TÁXI, MENINO, ALMOÇO, BOXE e HOSPITAL, as quais só podem ser discriminadas das pseudopalavras homófonas se suas formas ortográficas convencionais forem conhecidas do leitor e reconhecidas por ele. Se, além de ser incapaz de reconhecer a forma ortográfica das palavras, esse leitor apresentar adicionalmente dificuldade de discriminação fonológica, ele também terá dificuldade em rejeitar pseudopalavras com trocas fonológicas (i.e., MÁCHICO em vez de MÁGICO). Esses são apenas alguns exemplos simples de como o cruzamento entre os dados dos vários subtestes é crítico para compreender a natureza particular das diversas dificuldades de leitura e permitir diagnóstico diferencial.

De acordo com Share (1995), o desenvolvimento da rota perilexical ou fonológica (F. Capovilla, A. Capovilla, & Macedo, 2001b) é essencial para o desenvolvimento da leitura competente. No estágio inicial da leitura, o processo de decodificação é fundamental para a aquisição das representações ortográficas das palavras, as quais posteriormente permitirão a leitura via rota lexical por meio do reconhecimento da forma ortográfica das palavras. E mesmo nos estágios posteriores, a decodificação fonológica continua sendo de extrema importância, visto que o leitor está sempre se deparando com palavras novas ou pouco comuns com forma ortográfica desconhecida ou pouco familiar. Desse modo, a decodificação fonológica permite ao léxico ortográfico dos leitores continuar a expandir-se de maneira gradual e progressiva durante toda a vida.

Há basicamente duas linhas teóricas que procuram contestar a importância da rota perilexical ou fonológica. A primeira tenta explicar a leitura por associação direta entre as palavras escritas e as suas pronúncias (Chall, 1987). A maioria dos teóricos admite que a leitura de algumas palavras seja aprendida desta forma, mas não a de todas as palavras, dada a enorme quantidade de palavras novas cujas pronúncias devem ser aprendidas, conforme já discutido aqui. A segunda teoria tenta explicar a leitura por adivinhação contextual, em que o contexto forneceria informações sintáticas, semânticas e pragmáticas que permitiriam prever palavras novas (Goodman, 1965, 1967; Smith, 1971, 1973). Contudo, tal tentativa de explicação mostrou-se inválida, pois o contexto parece permitir prever apenas cerca de 30% das palavras novas (Finn, 1977-1978). Além disso, o contexto auxilia muito mais na adivinhação do significado de itens específicos do que na adivinhação de sua pronúncia específica. Finalmente, tal teoria é de limitada aplicação para a explicação da leitura de palavras isoladas.

Na abordagem de processamento de informação, nas décadas de 1970 e 1980, diversos estudos (Liberman, Mann, Shankweiler, & Werfelman, 1982; Mann & Brady, 1988; Pratt & Brady, 1988; Shankweiler & Liberman, 1972; Torgesen, 1988; Vellutino, 1979) dedicados à aquisição da leitura e escrita descobriram que um grande número de crianças ouvintes com dificuldades de leitura e escrita apresentava distúrbios de processamento fonológico. De fato, se a aquisição da leitura competente depende da rota fonológica, esta depende do processamento fonológico. De acordo com Torgesen, Wagner, e Rashotte (1994), o *processamento fonológico* refere-se às operações mentais de processamento de informação baseadas na estrutura fonológica da linguagem oral. A importância do processamento fonológico para a aquisição de leitura e escrita tem sido consistentemente demonstrada nas últimas duas décadas (F. Capovilla & A. Capovilla, 2002d; McGuinness, McGuinness, & Donohue, 1995; *National Reading Panel*, 2000).

Três tipos de processamento temporal estão claramente relacionados com as habilidades de leitura e escrita: Acesso ao léxico mental, memória de trabalho fonológica e consciência fonológica.

- 1.) O *acesso ao léxico mental* refere-se à habilidade de obter acesso fácil e rápido à informação fonológica armazenada na memória de longo prazo. Essa eficiência no acesso ao léxico parece facilitar o uso de informações fonológicas nos processos de decodificação e codificação durante a leitura e a escrita. Logo, as diferenças individuais na habilidade de obter acesso lexical em pré-escolares tendem a ser fortes preditoras do desempenho de leitura de palavras na 1ª. série (Torgesen & Davis, 1996; Torgesen, Wagner, & Rashotte, 1994). Assim, quanto maior a facilidade, velocidade e precisão de tal acesso, tanto maior a eficácia com que tal habilidade facilitará o uso da informação fonológica nos processos de codificação e decodificação de palavras;
- 2.) A *memória de trabalho fonológica* refere-se tanto ao processamento ativo quanto ao armazenamento transitório de informações fonológicas (Eysenck & Keane, 1990; Hitch, Halliday, Dodd, & Litter, 1989), e reflete habilidades de representar mentalmente características fonológicas da linguagem. Crianças com dificuldades severas de leitura e escrita também freqüentemente apresentam distúrbios na memória de trabalho fonológica. A propósito, uma clara demonstração experimental de que as crianças que apresentam desempenho abaixo de – 1 *DP* (i.e., inferior a um desvio-padrão em relação à média) no TCLP também apresentam redução da memória de trabalho fonológica e lentificação de acesso lexical e processamento fonológico pode ser encontrada em F. Capovilla e A. Capovilla (2002d)[1]. Assim como o ouvinte tem uma memória de trabalho fonológica, o surdo sinalizador tem uma memória de trabalho quirêmica que lhe permite ensaiar informações lingüísticas e consolidá-las na memória de longo prazo para posterior recordação. O papel da fala interna e da sinalização interna para a memorização e a recordação pode ser encontrado em Bellugi, Klima, e Siple (1975) e Bellugi e Siple (1974). Demonstrações a respeito de como instruções sobre estratégias de ensaio de informação podem auxiliar a memorização em surdos podem ser encontradas em Belmont, Karchmer, e Pilkonis (1976)[2]. Do mesmo modo, evidências de interação entre a instrução de estratégias de

---

[1] No estudo intitulado *Compreendendo a natureza dos problemas de aquisição de leitura e escrita: Mapeando o envolvimento de distúrbios cognitivos de discriminação fonológica, velocidade de processamento e memória fonológica*, F. Capovilla e A. Capovilla (2002d) lembram que o sucesso na compreensão, avaliação e tratamento de distúrbios depende de modelos teóricos robustos, testados experimentalmente. Três modelos teóricos competem para explicar problemas de aquisição de leitura e escrita. Um primeiro modelo atribui esses problemas a distúrbios de discriminação fonológica; um segundo os atribui a limitações de memória fonológica, e um terceiro, à baixa velocidade de processamento. Esse estudo testou o efeito dos três fatores. Após avaliar as habilidades de leitura de 103 escolares de 1ª. e 2ª. séries de ensino público, comparou dezesseis bons leitores (+ 1 *DP*) e dezesseis maus leitores (– 1 *DP*) em termos de discriminação, memória e velocidade numa tarefa de julgar pares de sílabas ouvidas como sendo iguais ou diferentes. Maus leitores de 1ª. série apresentaram maior dificuldade em discriminar entre sílabas sutilmente diferentes (o que indica discriminação fonológica pobre), sendo a dificuldade maior sob intervalos entre sílabas muito curtos (o que indica baixa velocidade de processamento) ou muito longos (o que indica memória fonológica pobre). Tais resultados corroboram a Hipótese do Déficit Fonológico (A. Capovilla & F. Capovilla, 2003d) para explicar problemas de leitura e escrita, o que auxilia a explicar a eficácia de procedimentos educacionais e clínicos nela baseados (A. Capovilla & F. Capovilla, 2003c).

[2] No estudo intitulado *O efeito de estratégias de ensaio sobre o processamento de memória do surdo*, Belmont, Karchmer, e Pilkonis (1976) compararam a precisão de retenção de informação na memória de curto prazo e a latência de resposta correta de sete participantes com surdez congênita com as de sete participantes ouvintes. Os participantes progrediam em seu próprio ritmo ao longo de listas de seis a sete consoantes cada uma. A apresentação de cada lista era seguida de um teste de sondagem de posição que requeria que o participante especificasse em que posição na lista uma determinada letra havia aparecido. Os participantes eram primeiro observados enquanto geravam suas próprias estratégias de *input* (i.e., estratégia livre). Em sessões subseqüentes eles adotavam estratégias instruídas ensaiadas que envolviam componentes de memória primários e secundários. De modo geral, os participantes ouvintes apresentaram responder mais preciso e mais rápido do que os participantes surdos. O fornecimento de instruções sobre estratégias de ensaio produziu ganhos imediatos nessas medidas para os dois grupos. Os padrões de latência de resposta correta para os grupos revelaram comparações notavelmente diferentes para a memória primária e secundária. Após a instrução de estratégia, as latências para os itens finais da lista nunca diferiram entre os dois grupos, o que indica que a memória primária (i.e., memória sensorial, revelada pelo efeito de recência) no surdo está plenamente intacta. Contudo, participantes surdos responderam mais lentamente nos primeiros itens da lista, o que indica deficiências na memória secundária (i.e.,

memorização e a concretude ou imageabilidade de substantivos podem ser encontradas em Karchmer (1974)[3];

- 3.) A *consciência fonológica* refere-se à habilidade de discriminar e manipular os segmentos da fala (Bertelson & De Gelder, 1989; Blischak, 1994; A. Capovilla & F. Capovilla, 1997a, 1998c, 1998d, 2003c, 2003d). Estudos demonstram que a habilidade de estar conscientemente atento aos sons da fala prediz com precisão o sucesso na aquisição da leitura e escrita (e.g., Calfee, Lindamood, & Lindamood, 1973; A. Capovilla & F. Capovilla, 2002b; Jenkins & Bowen, 1994; Liberman, Shankweiler, Fischer, & Carter, 1974; Stanovich, Cunningham, & Cramer, 1984; Tunmer, Herriman, & Nesdale, 1988; Wimmer, Landerl, Linortner, & Hummer, 1991; Yopp, 1988), e que programas breves de treinamento sistemático da consciência fonológica produzem consideráveis progressos na aquisição da leitura e da escrita (Blachman, 1991; Byrne & Fielding-Barnsley, 1993; Lundberg, Frost, & Petersen, 1988; Warrick, Rubin, & Rowe-Walsh, 1993).

A consciência fonológica é um tipo de *consciência metalingüística*. Segundo Tunmer e Cole (1985), consciência metalingüística é a habilidade de desempenhar operações mentais sobre o que é produzido por mecanismos mentais envolvidos na compreensão de sentenças. Portanto, a consciência metalingüística envolve tanto a consciência de certas propriedades da linguagem quanto a habilidade de tomar as formas lingüísticas como objetos de análise. Segundo Blischak (1994), durante seu processo de desenvolvimento, a criança usualmente se torna consciente de frases, palavras, sílabas e fonemas como unidades separadas. A consciência da fonologia, ou do sistema sonoro da língua, desenvolve-se gradualmente, à medida que a criança vai se tornando consciente de palavras, sílabas e fonemas como unidades identificáveis (Supple, 1986).

Enquanto a consciência de segmentos suprafonêmicos no nível das palavras, da rima e das sílabas parece desenvolver-se espontaneamente, a consciência fonêmica não o faz. Em vez disso, a consciência fonêmica parece requerer experiências específicas envolvendo instruções formais explícitas sobre a estrutura alfabética da linguagem, além da mera exposição aos conceitos como os de rima e aliteração. De acordo com Liberman, Cooper, Shankweiler, e Studdert-Kennedy (1967), a consciência suprafonêmica precede a consciência fonêmica porque as sílabas isoladas e outros segmentos mais amplos manifestam-se como unidades discretas na fala, ao passo que os fonemas isolados não o fazem. Os fonemas só se tornam manifestos como unidades discretas na fala quando se encontram associados a outros fonemas e formam unidades discretas maiores. Como aponta Morais (1996), alguns fonemas não são segmentos acústicos independentes. Portanto, para ser capaz de identificar fonemas individuais, a criança precisa receber instrução explícita sobre regras de mapeamento de fonemas em grafemas na escrita alfabética, isto é, o ensino formal e sistemático da correspondência entre os elementos fonêmicos da fala e os elementos grafêmicos da escrita (Jenkins & Bowen, 1994).

O tipo de consciência fonológica promovido pela instrução de leitura depende do tipo de sistema de escrita que está sendo ensinado. A consciência fonêmica pode ser alcançada com a introdução de um sistema alfabético, mas não com a introdução de um sistema silábico ou ideográfico. Conforme relatado por Read, Zhang, Nie, e Ding (1986), por exemplo, chineses conhecedores de ortografias alfabéticas como o *Pinyin* (introduzido na China em 1958, cf. Robinson, 1995) obtêm sucesso em tarefas de adição e subtração de fonemas, mas chineses conhecedores apenas de ortografias predominantemente ideográficas como o *Hantzu* não são capazes de realizar tais tarefas. De modo consistente com tais achados, Morais, Cary, Alégria, e Bertelson (1979) e Bertelson e DeGelder (1989) relataram que adultos portugueses analfabetos desempenham-se pobremente em tarefas de manipulação fonêmica, sendo que adultos que têm algum grau de alfabetização desempenham-se consideravelmente melhor. Porém, não há diferenças significativas entre alfabetizados e analfabetos no

---

habilidade de ensaiar informação na memória de trabalho, revelada pelo efeito de primazia).

3 No estudo intitulado *Proporção de unitização como índice de nível de recordação obtida sob dicas*, Karchmer (1974) apresentou dois experimentos sobre recordação de pares de substantivos sob duas condições: Presença de dicas *versus* ausência de dicas. No delineamento experimental, os pares variavam fatorialmente como elevados ou rebaixados em concretude e imageabilidade (i.e., HC: alta concretude, HI: alta imageabilidade, LC: baixa concretude, LI: baixa imageabilidade). Os participantes foram 192 universitários. Resultados revelaram que uma medida da unitização do par, baseada no índice de Horowitz e Prytulak (1969), foi capaz de predizer os níveis relativos de recordação sob dicas para um determinado conjunto de comparações. Quando comparada à ausência de dicas, a presença de dicas facilitou a recordação, dependendo de variáveis como o grau deconcretude ou imageabilidade (i.e., elevado *versus* rebaixado), o atraso do teste, e a estratégia instruída. Com instruções de estratégia associativa ou imagética, a presença de dicas facilitou a recordação para os pares com alta concretude e alta imageabilidade (i.e., HC–HI) testados imediatamente ou com atraso de 24 horas, mas não para pares com baixa concretude e baixa imageabilidade (LC–LI). A presença de dicas facilitou a recordação de pares mistos (i.e., HC-LI ou LC–HI) testados imediatamente, mas não após um atraso. Com a repetição das instruções de estratégias, a presença de dicas não facilitou a recordação em relação à ausência de dicas para pares HC-HI ou LC-LI).

julgamento de rimas. Resultados como esses sugerem que adultos analfabetos não conseguem analisar a fala em fonemas e que a consciência fonêmica da estrutura da linguagem não emerge espontaneamente (Lundberg, Frost, & Petersen, 1988).

Alégria, Leybaert, e Mousty (1997) enfatizam que a tomada de consciência de que a fala tem uma estrutura fonêmica subjacente é essencial para a aquisição da leitura. Tal estrutura permite utilizar um sistema gerativo que converte a ortografia em fonologia, o que possibilita à criança ler qualquer palavra nova, desde que os grafemas que compõem a palavra escrita tenham correspondências relativamente regulares (i.e., biunívocas) com os fonemas da palavra falada correspondente. Essa geratividade, que é característica das ortografias alfabéticas, permite a auto-aprendizagem pelo leitor, pois, ao se deparar com uma palavra nova, ele a lerá por decodificação grafofonêmica. Tal processo aos poucos contribuirá para criar uma representação ortográfica daquela palavra no léxico lingüístico visual. É a constituição dessa representação ortográfica que permite que tal palavra, daí por diante, passe a ser lida por reconhecimento visual direto pela rota lexical. Assim, essencialmente, é a própria leitura fonológica (i.e., pela rota perilexical) que permite o emergir da leitura lexical (Share, 1995).

Tal geratividade, possibilitada pela decodificação grafofonêmica na leitura inicial, é promovida pelos métodos fônicos de alfabetização (A. Capovilla & F. Capovilla, 2003a, 2003b, 2003c, 2003d), em oposição aos métodos globais ou ideovisuais (Goodman, 1967). Segundo Morais (1996), Hempenstall (1997) e Lehman (1997), dentre outros, as pesquisa mais rigorosas são unânimes em demonstrar que os métodos de ensino baseados na instrução direta e explícita do código alfabético são os que apresentam os melhores resultados (A. Capovilla & F. Capovilla, 2002d). Tal superioridade dos métodos fônicos é ainda mais evidente em crianças de classes sociais desfavorecidas (Stahl, Duffy-Hester, & Stahl, 1998; Stahl & Kuhn, 1995; Vellutino, 1991; Yates, 1988), que não dispõem de estrutura familiar que incentive leitura e escrita e forneça as condições básicas para que ocorram (e.g., leitura de estórias para os filhos e contato com textos). Métodos que combinam o ensino direto da consciência fonológica (i.e., instrução metafonológica) e o ensino explícito das correspondências entre grafemas e fonemas (i.e., instrução fônica) são os que mais aceleram a aquisição da leitura (Ball & Blachman, 1991; Hohn & Ehri, 1983). Segundo Pressley (2001), a pesquisa científica demonstrou que o método global é ineficaz em promover o desenvolvimento da consciência fonêmica e das habilidades de reconhecimento de palavras (Stahl, McKenna, & Pagnucco, 1994; Stahl & Miller, 1989), especialmente em crianças em risco de fracasso escolar provenientes de famílias de baixo nível cultural e socioeconômico (Jeynes & Littel, 2000). A propósito, os efeitos prejudiciais do baixo nível cultural e socioeconômico sobre o desenvolvimento educacional das crianças surdas também foi demonstrado por Kluwin (1994) num estudo longitudinal com 451 adolescentes surdos norte-americanos, matriculados numa escola pública. Esse problema de falta de eficácia tem sido demonstrado em diversas variações do método ideovisual, como a abordagem natural à aquisição de escrita (Graham, 2000), o desenvolvimento de reconhecimento de palavras por meio da leitura de textos predizíveis (Johnston, 2000), e a aprendizagem incidental de palavras em textos para estimular a expansão do vocabulário (Swanborn & De Glopper, 1999). Tal fracasso das crianças sob o método ideovisual contrasta com seu sucesso em decodificar palavras por si mesmas depois que elas são ensinadas a decodificar letras (i.e., grafemas simples) e agrupamentos de letras (i.e., grafemas compostos) (Arbruster, Lehr, & Osborn, 2001).

Há evidências de que os processos de conscientização fonológica e de aquisição de leitura e escrita são recíprocos, fortalecendo-se mutuamente (Grégoire & Piérart, 1997). Tal reciprocidade deve-se ao fato de que tanto a leitura quanto a consciência fonológica são habilidades complexas que envolvem processos em variados níveis, dos mais básicos aos mais sofisticados. O desenvolvimento inicial da consciência fonológica nos primeiros estágios, que são a consciência de rimas e sílabas, contribui para o desenvolvimento dos estágios iniciais da leitura. Por sua vez, o desenvolvimento dessas habilidades iniciais de leitura contribui para o desenvolvimento de habilidades de consciência fonológica mais complexas, tais como a manipulação e a transposição fonêmicas. Esse novo desenvolvimento da consciência fonológica no nível fonêmico, em seu turno, promove o desenvolvimento dos estágios mais avançados da leitura.

Dessa forma, se por um lado a introdução do sistema alfabético auxilia o desenvolvimento da consciência fonêmica, por outro lado dificuldades com a consciência fonêmica tendem a dificultar o desenvolvimento da leitura e da escrita. Evidência ulterior do envolvimento da consciência fonêmica na leitura é dada por crianças e adultos que falham consistentemente em leitura e tarefas de consciência fonêmica, apesar de inteligência e instrução adequadas e de pressão social (Mann & Brady, 1988). Crianças com dificuldade de escrita freqüentemente apresentam atrasos em consciência fonológica, além de problemas para representar fonologicamente estímulos verbais e dificuldades para recuperar informações fonológicas armazenadas na memória (Catts & Kamhi, 1986).

De acordo com Leybaert, Alégria, Deltour, e Skinkel (1997), programas para desenvolver consciência fonológica são importantes instrumentos que os profissionais podem usar para melhorar as habilidades de leitura e escrita de seus educandos e clientes. Um programa de comprovada eficácia é o de A. Capovilla e F. Capovilla (2003a, 2003b, 2003c, 2003d). É evidente que, além das variáveis fonológicas, há outros fatores importantes para a aquisição de leitura e escrita, tais como as condições da escola e os níveis socioeconômico e educacional dos pais (Kluwin, 1994). Contudo, diferentemente de tais variáveis sociológicas que não são facilmente acessíveis à manipulação, pode-se efetivamente operar sobre a consciência fonêmica e o conhecimento das correspondências grafofonêmicas a um custo muito baixo e, com isso, prevenir e tratar dificuldades de aquisição de leitura e escrita. Dada a importância fundamental do processamento metafonológico para a aquisição de leitura, vários estudos internacionais e brasileiros desenvolveram procedimentos de intervenção eficazes para prevenir e tratar dificuldades de leitura e escrita por meio do treino direto de consciência fonológica e do ensino explícito das regras de correspondência grafofonêmicas, como os revisados nesta seção. Em suma, os estudos mais recentes evidenciam que, para o domínio da leitura e da escrita competentes em uma ortografia alfabética (i.e., que mapeia a fala no nível fonêmico), são necessárias habilidades específicas que vão além da função simbólica geral. Três desses quesitos para a aquisição da linguagem escrita são:

- a.) A compreensão de que a escrita mapeia a fala;
- b.) A habilidade de discriminar entre as unidades fonêmicas da fala, e
- c.) O conhecimento das correspondências entre tais unidades fonêmicas e as unidades grafêmicas.

Um modelo mais recente vem sendo proposto por Ehri (1992). Segundo Ehri, a fonologia é importante ao desenvolvimento da habilidade de leitura proficiente porque fornece um meio efetivo para processar a grafia das palavras na memória de trabalho, para armazenar essa grafia na memória de longo prazo, e para obter acesso a essa forma ortográfica durante a leitura. Expandindo o modelo original de Frith (1985), Ehri (1992) propõe que a habilidade de reconhecer palavras desenvolve-se ao longo de quatro fases. Como no modelo de Frith, no de Ehri cada fase de desenvolvimento da leitura é caracterizada pelo uso predominante de uma determinada estratégia de leitura, sendo que a cada fase encontram-se disponíveis todas as estratégias adquiridas nas fases anteriores, que podem ser usadas concomitantemente, dependendo do material gráfico a ser processado:

- 1.) Fase *pré-alfabética*, em que as crianças aprendem a reconhecer palavras por meio de pistas visuais salientes, quer dessas palavras ou de seu contexto. Como a estratégia logográfica de Frith, essa estratégia pré-alfabética é puramente visual, ou seja, as características que permitem o acesso direto ao léxico são puramente visuais. Essa estratégia pré-alfabética é, também, imprecisa e limitada pois não permite reconhecer palavras desconhecidas, produzindo freqüentes paralexias em que palavras desconhecidas tendem a ser confundidas com palavras conhecidas e visualmente semelhantes a elas;
- 2.) Fase *parcialmente alfabética*, em que, graças à aprendizagem dos nomes das letras e dos sons correspondentes, as crianças começam a aprender a ler formando conexões entre as letras nas palavras escritas e os sons nas pronúncias correspondentes; embora, nos estágios iniciais, as crianças só consigam processar as relações grafofonêmicas de algumas letras, usualmente a primeira e a última. A criança ainda não faz decodificação, mas apenas associa uma ou mais letras da palavra com o significado da palavra inteira e a sua pronúncia. Diferentemente da estratégia pré-alfabética que é puramente visual, a estratégia parcialmente alfabética é visual e fonológica, sendo que as características que permitem o acesso ao léxico são visuais e fonológicas. Por exemplo, ao ver a palavra escrita DEDO e ao ouvir sua pronúncia, a criança pode reconhecer que a letra D no início da palavra corresponde ao som /de/ que ela é capaz de detectar na pronúncia dessa palavra. Tal associação entre as informações visual e fonológica cria uma via de acesso à pronúncia e ao significado na memória, de modo que, ao ver novamente a palavra escrita DEDO, a criança terá acesso à pronúncia e ao significado dessa palavra. Contudo, como a decodificação fonológica ainda é incipiente e rudimentar, somente pequenos segmentos das palavras são decodificados, o que resulta em freqüentes paralexias entre palavras visualmente semelhantes;
- 3.) Fase *alfabética plena*, em que, graças à instrução explícita sobre as relações entre grafemas e fonemas (i.e., instrução fônica), as crianças começam a aprender a ler por meio da decodificação grafofonêmica sistemática da palavra inteira. Consequentemente, a leitura se torna mais precisa, e a freqüência de paralexias cai fortemente. Contudo, a leitura tende a ser escandida, permanecendo um tanto lenta e laboriosa, sendo que a criança tende a cometer erros de regularização grafofonêmica;
- 4.) Fase *alfabética consolidada*, em que, graças à freqüente experiência de leitura por decodificação grafofonêmica, desenvolve-se a leitura fluente, automática, rápida e sem esforço, que libera recursos centrais de atenção e memória para permitir acesso ao léxico semântico, produzindo leitura com compreensão, aumento do vocabulário de leitura, e do tamanho das unidades de reconhecimento, desde grafemas simples a grafemas compostos, desde grafemas compostos a morfemas e sílabas, e desde morfemas e sílabas a palavras inteiras.

4.6.) Compreendendo a aquisição de leitura no código alfabético pelo surdo e os erros de leitura e escrita cometidos por estudantes surdos

Esta seção faz uma breve revisão sobre o processamento cognitivo de leitura no surdo a partir da abordagem de processamento de informação (A. Capovilla & F. Capovilla, 2003c, 2003d; F. Capovilla, 1998a; F. Capovilla & A. Capovilla, 1999, 2001b, 2004b; F. Capovilla, A. Capovilla, & Macedo, 2001; Ellis, 1995; Ellis & Young, 1988; Frost & Katz, 1992; Klima & Bellugi, 1979; Klima, Bellugi, & Poizner, 1988; Morton, 1989; Poizner, Bellugi, & Tweney, 1981; Poizner, Klima, & Bellugi, 1987), comparando os processamentos no surdo e no ouvinte, de modo a compreender melhor a natureza das dificuldades experimentadas pelas crianças e pelos jovens surdos quando confrontados com o importante desafio da alfabetização.

Embora crianças ouvintes apresentem, com freqüência, problemas de aquisição de leitura e escrita, se elas forem expostas sistematicamente a instruções metafonológicas (i.e., treino de consciência fonológica) e a instruções fônicas (i.e., ensino explícito de correspondências grafofonêmicas) em programas de Alfabetização Fônica comprovadamente eficazes como o de A. Capovilla e F. Capovilla (1997b, 1998a, 1998e, 2000, 2002d, 2003a, 2003b, 2003c, 2003d) e F. Capovilla e A. Capovilla (1999), a maioria absoluta dessas crianças tenderá a adquirir plena competência de leitura e escrita em pouco tempo, de modo que a leitura do código alfabético lhe pareça natural e intuitiva, como ocorre para a grande maioria das crianças ouvintes.

Para compreender o grande desafio que a aprendizagem de leitura e escrita competentes constitui para o surdo, antes de tudo é preciso considerar que, enquanto a leitura do código alfabético parece natural e intuitiva para a maior parte das crianças ouvintes, ela se mostra particularmente artificial e arbitrária para as crianças surdas. A diferença fundamental entre surdos e ouvintes repousa na relação entre o sistema de representação e processamento primário (i.e., a fala com que o ouvinte naturalmente pensa e se comunica, e a sinalização com que o surdo naturalmente pensa e se comunica) e o sistema de representação e processamento secundário (i.e., a escrita alfabética cujo domínio se espera de ambos, ouvintes e surdos). A diferença fundamental entre ouvintes e surdos repousa no simples fato de que, enquanto essa relação entre os sistemas de processamento primário e secundário é de continuidade para o leitor ouvinte, já que a escrita alfabética mapeia e resgata a fala com que o ouvinte pensa e se comunica, ela é de descontinuidade ou disparidade para o leitor surdo, já que a escrita alfabética não mapeia o sinal com que o surdo pensa e se comunica e nem é capaz de resgatar diretamente esse sinal (F. Capovilla & A. Capovilla, 2002b, 2004a; F. Capovilla, A. Capovilla, Viggiano, Raphael, & Dente-Luz, 2002). Tal flagrante assimetria nas relações de continuidade e disparidade entre os códigos faz toda a diferença na sustentação natural do processo de fazer frente ao desafio fundamental da alfabetização, que, de acordo com órgãos internacionais como o *National Institute of Child Health and Human Development* (2000), o *UK Government's Department of Education and Employment* (2000) e o *Observatoire National de la Lecture* (2001) é o de aprender a *decodificar.*

De fato, o primeiro e mais importante desafio da aprendizagem de leitura por parte da criança ouvinte consiste em aprender a conseguir decodificar grafemas em fonemas, de modo a fazer com que o texto passe a evocar a fala, primeiro audível e depois silenciosa e, então, aprender a prestar atenção na própria fala, identificando nela as palavras que já conhece e que são as mesmas palavras com que pensa e se comunica no dia-a-dia. Dominada tal habilidade, o seu exercício subseqüente tende a resultar em decodificação fluente e automática. O desenvolvimento desse automatismo, por sua vez, permite liberar os recursos centrais de atenção e memória que vinham sendo administrados pelo sistema executivo central (Baddeley, 1986; Baddeley, Lewis, & Vallar, 1984) exclusivamente para a aprendizagem da complexa tarefa de decodificação. Consequentemente, o aprendiz de leitor passa a poder aprender a prestar atenção na própria fala, identificando nela as palavras que já conhece, isto é, as mesmas palavras com que pensa e se comunica no dia-a-dia.

A indiscutível eficácia do *Método Fônico de Alfabetização* (A. Capovilla & F. Capovilla, 2002c, 2002d, 2003a, 2003b, 2003c, 2003d; F. Capovilla, 2003a, 2003b; Cardoso-Martins, F. Capovilla, Gombert, Oliveira, Morais, Adams, & Beard, 2003), tanto para a criança com desenvolvimento neuromuscular normal (A. Capovilla & F. Capovilla, 2000, 2003d; F. Capovilla & A. Capovilla, 1999) quanto para a criança com paralisia cerebral (A. Capovilla, F. Capovilla, Silveira, Vieira, & Matos, 1998), decorre precisamente desse fenômeno de ancoramento da fala interna ao texto (F. Capovilla & A. Capovilla, 2001b; F. Capovilla, Gonçalves, Macedo, & Duduchi, 1997, 1998; Hanson, 1991; Hanson & Fowler, 1987; Hitch, Halliday, Schaafstall, & Heffernan, 1991). Isso explica porque sistemas de comunicação alternativa com voz digitalizada (F. Capovilla, 2001b; F. Capovilla, Macedo, Duduchi, A. Capovilla, & Thiers, 1998, Nunes, 2003) propiciam o desenvolvimento da memória de trabalho fonológica de crianças com paralisia cerebral (F. Capovilla & L. Nunes, 2001; F. Capovilla, L. Nunes, Macedo et al., 1997) incapazes de articular a fala. E explica porque esses sistemas propiciam a aquisição da escrita pictofônica (F. Capovilla, Duduchi, & Macedo, 1998) e sua evolução para a escrita alfabética (F. Capovilla, A. Capovilla, & Macedo, 2001a) por parte dessas crianças. Tais sistemas permitem o desenvolvimento das habilidades metafonológicas, da memória de trabalho fonológica e da fala interna na criança com paralisia cerebral. Permitem também que essas crianças usem essa fala interna para sustentar sua escrita que é feita inicialmente de modo pictográfico e, subseqüentemente, de modo alfabético, por meio do mapeamento dos sons da fala. Sistemas de educação exercem efeitos tão produtivos sobre a cognição de crianças com paralisia cerebral porque funcionam como próteses cognitivas (F. Capovilla, A. Capovilla, Macedo, & Duduchi, 2000a; F. Capovilla, Duduchi, Macedo, A. Capovilla, & Sazonov, 2000; F. Capovilla, Macedo, Duduchi, A. Capovilla, & Gonçalves, 1998; F. Capovilla, Macedo, & A. Capovilla, 1997; Lima, Macedo, F. Capovilla, & Sazonov, 2000) do processo de controle articulatório (Baddeley & Hitch, 1974; Baddeley & Wilson, 1985), que se encontra danificado por ocasião da lesão cerebral perinatal, e que é tão importante para a consolidação das relações grafofonêmicas bem como para a consolidação das relações entre os diversos léxicos.

Por meio de instruções metafonológicas e fônicas, o Método Fônico leva a criança a atentar às propriedades fonológicas da fala e a aprender a mapeá-las com os grafemas, fazendo codificação fonografêmica na escrita e decodificação grafofonêmica na leitura. Assim, o texto passa a evocar a fala interna na criança, "falando diretamente à sua mente" durante a leitura silenciosa por decodificação grafofonêmica. Do mesmo modo, o texto passa a ser produzido por essa mesma fala interna durante a escrita espontânea ou sob ditado por codificação fonografêmica. Para a criança surda não-implantada, contudo, a magnitude do desafio é muitas vezes superior. Conforme F. Capovilla e A. Capovilla (2002b, 2002c, 2004a), para compreender melhor o desafio da alfabetização do surdo, basta observar que, enquanto para a criança ouvinte a decodificação grafofonêmica produz a forma usual do item lexical (i.e., a imagem fonológica das palavras com que ela pensa e se comunica), para a criança surda a decodificação grafoquirêmica produz apenas uma seqüência arbitrária e estranha de letras soletradas digitalmente, sem qualquer correspondência com sinais lexicais que ela usa para pensar e comunicar-se. As palavras são os itens lexicais naturais com que a criança ouvinte pensa e se comunica, assim como os sinais são os itens lexicais naturais com que a surda pensa e se comunica. Porém, enquanto a decodificação grafofonêmica da escrita alfabética pela ouvinte reproduz automaticamente a imagem fonológica das mesmas palavras com que ela pensa e se comunica no dia-a-dia, a decodificação grafoquirêmica (i.e., a soletração digital, cf. F. Capovilla & Raphael, 2001a) dessa mesma escrita pela surda é incapaz de reproduzir direta e automaticamente a imagem quirêmica dos sinais naturais com que ela pensa e se comunica no quotidiano. É precisamente essa incapacidade da escrita alfabética de sinalizar diretamente à mente da criança surda, como fala à da ouvinte, que faz com que ela pareça tão artificial, impessoal e arbitrária à criança surda, e que torna o processo de aprendizagem de leitura e escrita alfabéticas tão penoso e frustrante para ela.

De fato, a decodificação grafofonêmica produz a forma fonológica das palavras com que a criança ouvinte pensa, fortalecendo sua fala interna, mas não a forma quirêmica dos sinais com que a criança surda pensa. A leitura da escrita alfabética pela criança ouvinte resulta na produção da imagem fonológica familiar das palavras que ela está acostumada a ouvir e a pronunciar durante a comunicação com outrem (i.e., o falar) e consigo mesma (i.e., o pensar em palavras). Mas a leitura da mesma escrita alfabética pela criança surda é incapaz de resultar nesse mesmo benefício, isto é, na produção da imagem quirêmica familiar dos sinais que a criança surda está acostumada a ver e a articular durante a comunicação com outrem (i.e., o sinalizar) e consigo mesma (i.e., o pensar em sinais). Isso porque, com raras exceções, como nos sinais ALHO 1, BABÁ 1, BERINJELA 2, COR 1, DEPARTAMENTO, OESTE 1, ATOR 1, OI, e outros documentados no *Dicionário enciclopédico ilustrado trilíngüe da Língua de Sinais Brasileira* (F. Capovilla & Raphael, 2001b, 2001c), os sinais lexicais da Libras não são compostos de seqüências de letras soletradas digitalmente conforme o alfabeto manual da Libras (F. Capovilla & Raphael, 2001a). Como a maior parte dos sinais é lexical como ALHO 2, BABÁ 2, BERINJELA 1, COR 2 e OESTE 2 e não é soletrada como ALHO 1, BABÁ 1, BERINJELA 2, COR 1 e OESTE 1, a soletração digital das palavras escritas durante a leitura do Português não resulta na forma quirêmica do sinal lexical natural que o surdo está acostumado a usar no cotidiano para pensar e comunicar-se.

A Figura 2 ilustra quatro sinais da Libras altamente influenciados pelo Português e que consistem na soletração digital das letras da palavra correspondente em Português (ALHO 1, BABÁ 1, BERINJELA 2, COR 1) e quatro sinais lexicais naturais que independem da escrita em Português (ALHO 2, BABÁ 2, BERINJELA 1, COR 2). Poucos sinais da Libras correspondem à soletração digital das letras correspondentes em Português (como é o caso de ALHO 1, BABÁ 1, BERINJELA 2, COR 1). A grande maioria dos sinais da Libras consiste em sinais lexicais naturais que nada têm a ver com a soletração digital das letras correspondentes em Português (como é o caso de ALHO 2, BABÁ 2, BERINJELA 1, COR 2). Assim, como poucos sinais são soletrados digitalmente, a soletração digital das palavras, que corresponde à decodificação grafoquirêmica durante a leitura das palavras do Português, raramente consegue evocar a imagem quirêmica do sinal lexical com que o surdo se comunica nos modos intrapessoal (i.e., no pensamento) e interpessoal (i.e., na conversação).

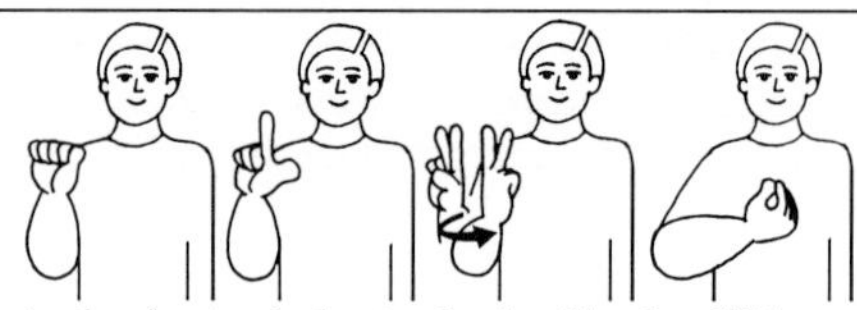
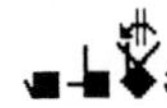

alho (1) (inglês: *garlic*): *s. m. Bulbo proveniente de planta de horta da família das liliáceas, e muito usado como condimento devido ao seu cheiro característico e gosto forte e persistente. Conhecido como cabeça, o bulbo é composto por vários bulbos menores, os dentes. É também bastante usado na terapêutica homeopática. Ex.: Alho é um ótimo tempero para a carne.* Soletrar **A**, **L**, **H**, em seguida, mão em **O** horizontal apontando para esquerda, palma para cima.

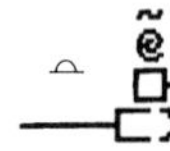

alho (2) (BH) (*inglês: garlic*): *Idem* ***alho (1)****. Ex.: Amasse bem o alho, para que os pedacinhos não apareçam na comida, e o sabor seja homogêneo.* Mão esquerda horizontal aberta, palma para cima, dedos para a direita; mão direita em **S** horizontal, palma para dentro, tocando a palma esquerda. Pressionar a mão direita sobre a palma esquerda, inclinando a palma direita para baixo, duas vezes.

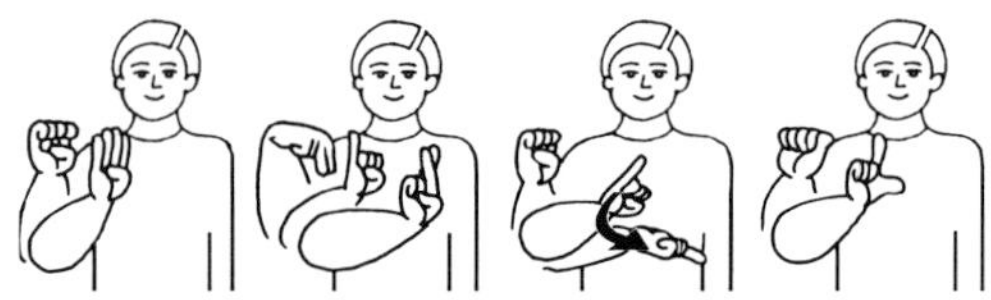

berinjela (2) *(inglês: eggplant, aubergine)***:** *Idem* ***berinjela (1)****. Ex.: A berinjela em conserva foi servida como antepasto.* Soletrar **B**, **E**, **R**, **I**, **N**, **J**, **E**, **L**, **A**.

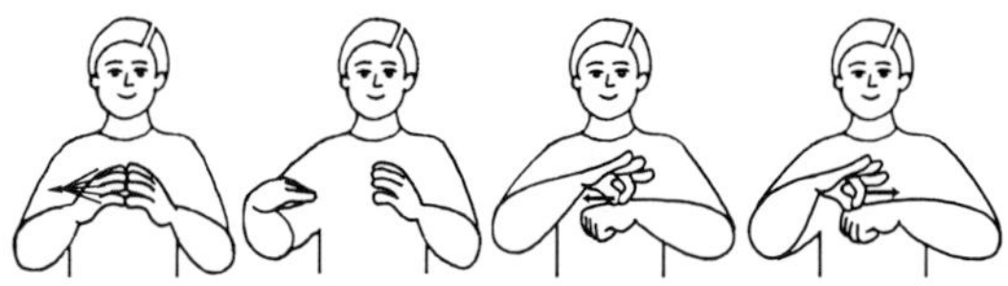
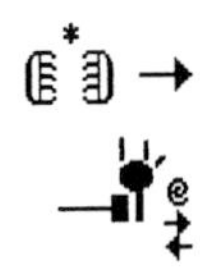

berinjela (1) (*inglês: eggplant, aubergine*): *s. f. Fruto oblongo e de cor roxo escura que é abundantemente produzido no Brasil. É consumido cozido ou frito. A planta que dá este fruto. Ex.: Hoje almoçaremos berinjela recheada.* Mãos verticais, palma a palma, dedos separados e curvados, mãos tocando-se pelas pontas dos dedos. Mover a mão direita para a direita, unindo as pontas dos dedos. Em seguida fazer o sinal de **preto(a) (1)** (***cor***).

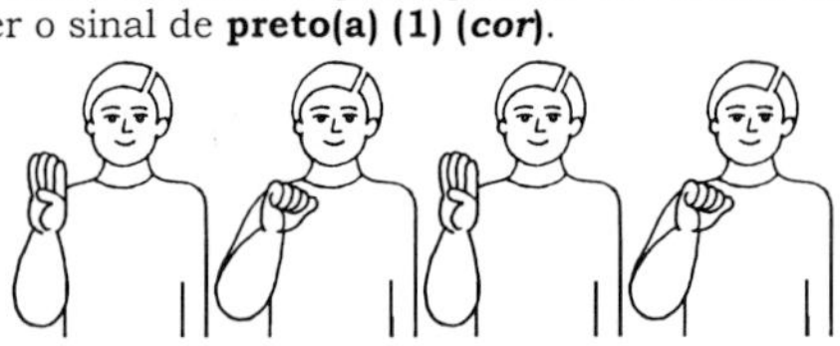

babá (1) *(inglês: nanny, baby sitter)***:** *s. f. Ama-de-leite. Ama-seca. Ex.: Pedi para que a babá trocasse as fraldas do bebê.* Soletrar **B**, **A**, **B**, **A**.

babá (2) *(inglês: nanny, baby sitter)***:** *Idem* ***babá (1)****. Ex.: As babás levam os bebês para o banho de sol matinal.* Fazer o sinal de **tomar conta de, tomar (conta de)** e o sinal de **bebê**.

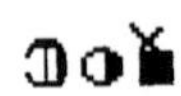

cor (1) *(inglês: color, hue, paint, dye, tint)***:** *s. f. Impressão variável sobre o aspecto das coisas que é conseqüente da percepção que a luz refletida pelos corpos produz no olho. Suas três principais características são a saturação, a matiz e o brilho. Ex.: Azul é a sua cor preferida.* Soletrar **C**, **O**, **R**.

cor (2) *(inglês: color, hue, paint, dye, tint)***:** *Idem* ***cor (1)****. Ex.: Se você mudar a cor das paredes, a sala parecerá maior.* Mão direita em **U**, palma para dentro, dedos inclinados para baixo, diante da boca. Mover a mão ligeiramente para frente e para trás, oscilando os dedos e tocando-os no lábio inferior.

Figura 2. Oito sinais da Libras, sendo que quatro consistem em soletração digital das letras da palavra correspondente em Português (i.e., ALHO 1, BERINJELA 2, BABÁ 1, COR 1), e quatro consistem em sinais lexicais que independem da escrita em Português (i.e., ALHO 2, BERINJELA 1, BABÁ 2, COR 2). Como em Libras relativamente poucos sinais são soletrados digitalmente, o mecanismo de soletração digital das palavras, que corresponde à decodificação grafoquirêmica durante a leitura das palavras do Português, é usualmente incapaz de evocar a imagem quirêmica do sinal lexical com que o surdo se comunica com outros surdos na conversação e consigo mesmo no pensar. Como o mecanismo de decodificação grafoquirêmica por soletração digital na leitura do Português falha em engajar a sinalização lexical do leitor surdo, seu produto é artificial. Isso contrasta com o produto natural do mecanismo de decodificação grafofonêmica do Português, que é a fala interna ou audível. Ao engajar essa fala no leitor ouvinte, o mecanismo de decodificação grafofonêmica produz naturalmente as imagens fonológicas das palavras com que o leitor ouvinte pensa e se comunica.

Como o mecanismo de decodificação grafofonêmica da leitura alfabética produz a forma fonológica da palavra com que a criança ouvinte pensa, ele permite que a leitura do código alfabético venha a se tornar, com freqüência, uma atividade naturalmente gratificante, capaz de fortalecer, expandir e estruturar a sua fala interna, auxiliando-a a conversar consigo mesma, fortalecendo seu pensamento em palavras e raciocínio verbal. Para a felicidade da criança ouvinte, o seu vocabulário receptivo auditivo (i.e., léxico fonológico que contém a representação acústica das palavras relevantes que ela já ouviu, associado ao léxico pictorial que contém as representações imagéticas das coisas relevantes que já viu, associado ao léxico semântico que contém as redes de significados que aprendeu) contribui para aumentar a compreensão do significado da leitura e para encorajar a decodificação grafofonêmica, já que essa decodificação tende a produzir as mesmas palavras que a criança já ouviu no passado. A propósito, é pertinente ressaltar, neste ponto, que todas essas considerações são operacionais e úteis para pesquisa, avaliação e intervenção, uma vez que já se encontram disponíveis diversos instrumentos para avaliar independentemente cada uma delas. Por exemplo, o vocabulário receptivo auditivo da criança ouvinte brasileira já pode ser avaliado por meio da adaptação brasileira validada e normatizada do Teste de Vocabulário por Imagens Peabody (TVIP: F. Capovilla & A. Capovilla, 1997; F. Capovilla, L. Nunes, Nogueira et al., 1997, F. Capovilla, L. Nunes, D. Nunes et al., 1997; PPVT–B: L. Dunn, D. Dunn, F. Capovilla, & A. Capovilla, 2004a, 2004b), a partir da adaptação hispano-americana (TVIP: Dunn, Padilla, Lugo, & Dunn, 1986a, 1986b), bem como do Teste de Vocabulário por Figuras USP (TVFusp: F. Capovilla & A. Capovilla, no prelo b). Do mesmo modo, o vocabulário receptivo visual da criança surda pode ser avaliado por meio do Teste de Vocabulário Receptivo de Sinais da Libras (TVRSL: F. Capovilla, Viggiano, A. Capovilla, Raphael, Bidá, & Mauricio, 2004), que deriva da adaptação, para Libras, do Teste de Vocabulário por Figuras USP (TVFusp–Libras: F. Capovilla, Viggiano, A. Capovilla, Mauricio, & Vilalba, 2002).

É vital compreender aqui a situação de desvantagem em que se encontra a criança surda: O fato de o mecanismo de leitura alfabética ser incapaz de produzir a forma quirêmica do sinal com que a criança surda pensa e se comunica no dia-a-dia torna a leitura do código alfabético por parte dessa criança uma atividade sem qualquer teor de gratificação natural, já que é incapaz de fortalecer, expandir e estruturar diretamente sua sinalização interna, sendo de início praticamente inócua em evocar o fluxo da sinalização interna durante o pensar em sinais e o conversar consigo mesma por meio de sinais. O vocabulário receptivo visual de sinais da criança surda (i.e., o conjunto de sinais que ela já viu associado ao conjunto de imagens das coisas que já viu e de significados que aprendeu) não é evocado diretamente pelo texto e, assim, embora muito importante, tem eficácia limitada para levar diretamente à compreensão do significado da leitura alfabética, sendo pouco eficaz em encorajar a decodificação grafofonêmica, já que esta é incapaz de produzir os mesmos sinais que a criança já viu ser usados pela comunidade surda no passado. Assim, esse processo de aquisição de leitura e escrita por decodificação grafoquirêmica tende a ser muito mais arbitrário e difícil para a criança surda que o processo de decodificação grafofonêmica é para a criança ouvinte. Isso porque, enquanto a decodificação grafofonêmica é a chave que permite ao texto evocar diretamente a fala do leitor ouvinte, a decodificação grafoquirêmica é um instrumento muito rudimentar para permitir ao texto evocar diretamente a sinalização lexical do leitor surdo. Tanto para a criança ouvinte quanto para a criança surda, até que a rota de reconhecimento visual direto da forma ortográfica das palavras esteja desenvolvida, o acesso ao léxico semântico que permite a compreensão do texto deve ocorrer pela porta de entrada da língua primária da criança. Na leitura pela criança ouvinte, esse acesso ao significado (i.e., ao léxico semântico) se dá pela porta de entrada fonológica, que contém as memórias dos sons das palavras que a criança já ouviu e de que faz uso para compreender a fala de outrem durante a conversação e de si própria durante o pensar em palavras. Já na leitura pela criança surda, esse acesso ao significado se dá pela porta de entrada quirovisual, que contém as memórias das formas dos sinais que a criança já viu e de que faz uso para compreender a sinalização de outrem durante a conversação e de si própria durante o seu pensar em sinais.

Derivadas da Neuropsicologia Cognitiva, tais considerações e comparações entre os mecanismos de leitura em surdos e ouvintes (F. Capovilla, no prelo) auxiliam a compreender quão difícil é o código alfabético como sistema de representação escrita para crianças surdas, e quão vital é descobrir procedimentos eficazes para auxiliar essas crianças a vencer tais dificuldades. É sumamente importante conduzir experimentos que comparem a eficácia diferencial de diferentes procedimentos de ensino para crianças surdas com diferentes características (e.g., tipo, grau e idade da perda auditiva) de modo a descobrir os procedimentos mais adequados ao seu desenvolvimento cognitivo e lingüístico, assim como à sua aquisição de leitura e escrita competentes. Contudo, para que tais comparações possam vir a ser realizadas, é preciso dispor de um vasto arsenal de recursos de avaliação de desenvolvimento de leitura, escrita e sinais, além de um conjunto de recursos avançados para o ensino em Português e Libras. Daí a presente série de estudos que integra a presente enciclopédia de Libras.

Na ausência de instrumentos de avaliação fundamentados em quadros teórico-conceptuais consolidados, até recentemente os estudos sobre alfabetização em surdos tinham permanecido limitados a alguns achados relativamente isolados e ainda não suficientemente articulados, como se depreende das revisões bibliográficas. Na área de alfabetização de surdos, só muito recentemente é que passou a ser reconhecida a importância de instruções explícitas sistematicamente programadas e administradas de acordo com modelos teóricos de processamento de informação para produzir o desenvolvimento documentado de competências de leitura e escrita bem definidas. Até meados da década de 1980, apesar das evidências sobre a dificuldade de leitura apresentadas pelos surdos, ainda não havia a menor sombra de consenso, no campo de educação de surdos, quanto à melhor forma de desenvolver leitura e escrita (cf. Clark, Marschark, & Karchmer, 2001). Contudo, as revisões bibliográficas conduzidas desde meados da década de 1990 têm buscado identificar as abordagens mais promissoras e os procedimentos mais eficazes. Além disso, diversos estudos controlados de intervenção sistemática recentemente conduzidos têm produzido resultados interessantes para auxiliar a identificar condições mais eficazes para o ensino de leitura e escrita.

Um exemplo disso é o estudo de Hoggan e Strong (1994) intitulado *A mágica do "era uma vez": Estratégias de ensino narrativas.* Esse estudo compila vinte estratégias de ensino narrativas a partir de uma revisão da literatura das práticas de fonoaudiólogos no tratamento de problemas de aquisição de linguagem oral e escrita. O estudo descreve e fornece exemplos de cada uma dessas vinte estratégias, e categoriza essas vinte estratégias por estágio de apresentação das narrativas, já que essas estratégias também podem ser usadas em diferentes estágios do trabalho em sala de aula. Finalmente, o estudo também sugere o contexto de ensino, bem como a idade e a série escolar mais apropriadas para cada estratégia.

Outro exemplo é o estudo de Luetke-Stahlman, Hayes, e Nielsen (1996) intitulado *Práticas essenciais usadas por adultos durante a leitura para satisfazer as necessidades de estudantes surdos e com significativas dificuldades de audição*, que constitui uma interessante revisão da literatura de pesquisa objetivando identificar as mais promissoras práticas de alfabetização. Nesse estudo, os autores se confessaram especialmente impressionados com a revisão de Adams (1990) sobre práticas mais eficazes para a alfabetização de ouvintes. A propósito, tais práticas foram recentemente sumariadas e explicadas pela própria Adams no livro intitulado *Alfabetização infantil: Os novos caminhos* recém-publicado no Brasil (Cardoso-Martins, F. Capovilla, Gombert, Oliveira, Morais, Adams, & Beard, 2003). Os autores também se mostraram impressionados com a revisão de Hoggan e Strong (1994) sobre as técnicas com estudantes surdos. Essa revisão bibliográfica culmina com um quadro teórico-conceptual e uma descrição de dez práticas capazes de produzir leitura proficiente. O trabalho dos autores é particularmente aplicável quando os professores usam métodos de leitura em voz alta, leitura compartilhada entre adultos e crianças, e leitura guiada por adultos. Além disso, segundo os autores, quando os professores empregam essas práticas, eles também acabam servindo de modelo para pais e outros que se dedicam ao ensino da habilidade de leitura.

Segundo o levantamento de Gillespie e Twardosz (1996), em seu estudo intitulado *Levantamento de ambientes e práticas de alfabetização em escolas residenciais para surdos*, além de leitura em voz alta, leitura compartilhada entre adultos e crianças, e leitura guiada por adultos, outras práticas de ensino de leitura que vêm sendo empregadas em 26 escolas para surdos no regime de internato espalhadas nos Estados Unidos incluem sessões em que o supervisor:

- 1.) Lê para a criança;
- 2.) Inspeciona o dever de casa da criança; e
- 3.) Acompanha a criança fazendo leitura independente e escrevendo cartas.

A partir dessa revisão, além dessas práticas, os autores fazem três recomendações:

- 1) Que as escolas adotem rodízios regulares, alternando a disponibilidade de materiais de leitura interessantes e estimulantes entre as escolas;
- 2) Que seja reservado um tempo especificamente dedicado à leitura de livros de estórias; e

- 3) Que sejam planejados eventos em grupo relacionados à aquisição de leitura, tais como sessões de contar estórias ou de ler livros de estórias.

Há evidência de que o simples oferecimento de livros em rodízio não basta, e que é preciso programar sessões de leitura conjunta de livros de estórias em que os leitores usam um estilo expressivo e interativo. Por exemplo, em seu estudo intitulado *Uma intervenção de leitura de livro de estórias em grupo com crianças numa instituição para surdos*, Gillespie e Twardosz (1997) investigaram o papel da leitura de livros de estórias em grupo para desenvolver habilidades de leitura independente, fora da sala de aula. Participaram dezoito surdos de 4 a 11 anos de idade divididos em uma residência experimental e uma residência controle de uma instituição estadual de surdos. As nove crianças da residência experimental participaram de quarenta sessões (i.e., duas vezes por semana durante cinco meses) de leitura de livros de estórias em grupo. As duas residências recebiam uma variedade de livros num rodízio a cada duas semanas. Foi observado que as crianças se mostravam bastante engajadas durante as sessões de leitura dos livros de estórias, especialmente quando os leitores usavam um estilo de leitura expressivo e interativo. Ao final do programa, as crianças da residência experimental apresentaram desempenho mais independente numa tarefa de leitura [illegible], e foram julgadas pelos supervisores como sendo mais interessadas em livros do que seus colegas da residência controle. Assim, para tirar o maior proveito possível do rodízio de livros, os autores recomendam sessões de leitura conjunta de livros de estórias em que os leitores usam um estilo expressivo e interativo.

No estudo intitulado *Respostas de pré-escolares surdos à leitura de livros de figuras,* Williams e McLean (1997) examinaram as respostas de pré-escolares com surdez profunda à leitura de livros de figuras na sala de aula, e comparam essas respostas com as de crianças com audição normal, conforme bibliografia de pesquisa do campo. Observaram as respostas das crianças durante a leitura oral e sinalizada dos livros de figuras pelo professor, e o padrão de exploração dos livros de figuras durante sessões de leitura na classe e na biblioteca, em que as crianças podiam escolher ler qualquer coisa. Os autores descobriram grande similaridade entre as respostas das crianças surdas e das ouvintes, apesar do severo atraso de desenvolvimento de linguagem das crianças surdas. Como estratégia pedagógica adequada para a alfabetização de crianças surdas, esses autores recomendam que o professor faça leitura dirigida dos livros de figuras na sala de aula, usando articulação da fala e sinalização, e que empregue sessões de leitura de material livremente escolhido pelas crianças.

No estudo intitulado *Uso de figuras do Inglês sinalizado para facilitar a compreensão de leitura por estudantes surdos*, Wilson e Hyde (1997) avaliaram se o uso de figuras do Inglês sinalizado em associação com texto impresso pode facilitar a compreensão de leitura por parte de leitores fracos. Foram analisados dezesseis estudantes com surdez severa ou profunda divididos em dois níveis de proficiência de leitura (i.e., leitores mais proficientes *versus* leitores menos proficientes). Os resultados revelaram que o uso de livros de leitura em Inglês sinalizado melhorou a compreensão de leitura, sendo que os leitores menos proficientes foram os mais beneficiados. Os autores recomendam a inclusão de livros de leitura em Inglês sinalizado como recurso coadjuvante à aquisição de leitura por crianças surdas, especialmente daquelas com maiores dificuldades.

Mais recentemente, a eficácia de um programa de aceleração também foi avaliada. No estudo intitulado *Leitura? Ah, agora consigo! – Técnicas de leitura inovadoras para leitores surdos bem sucedidos*, Schimmel, Edwards, e Prickett (1999) administraram um programa de leitura a 48 estudantes do Ensino Fundamental de uma instituição para surdos. O programa tinha cinco componentes: Um atalho à consciência fonológica, palavras adaptadas, listas de ponte e processos de ponte, compreensão de leitura, e desenvolvimento de estórias em Língua de Sinais Americana (ASL). Os resultados revelaram ganhos dramáticos nos níveis de leitura dos estudantes e em seu comportamento acadêmico, crescimento das habilidades de sinalização reflexiva dos professores, e crescimento das habilidades dos alunos e dos professores em ASL, resultando numa abordagem mais consistente e organizada com base em informações lingüísticas.

Além desses estudos, um levantamento dos artigos sobre aquisição de leitura e escrita publicados entre 1996 e 2001 na publicação seriada intitulada *American Annals of the Deaf* pode ser encontrado em Moores e Miller (2001). Finalmente, o estudo de Mayer, Akamatsu, e Stewart (2002) propõe o diálogo com estudantes surdos como modelo de pesquisa apropriada sobre os efeitos de diferentes tipos e comunicação sinalizada entre professor e aluno em sala de aula para ensino e aprendizagem.

Outro exemplo de estudo simples que busca comparar a eficácia relativa de diferentes condições de ensino e aprendizagem é o de Belmont, Karchmer, e Pilkonis (1976). Esse estudo intitulado *O efeito de estratégias de ensaio sobre o processamento de memória do surdo* comparou sete participantes com surdez congênita (com idade mediana de 18 anos) com sete participantes ouvintes (com idade mediana de 20 anos) em termos da precisão de retenção de informação na memória de curto prazo e da latência de resposta correta. Nesse estudo os participantes progrediam em seu próprio ritmo ao longo de listas de seis a sete consoantes cada uma. A apresentação de cada lista era seguida de um teste de sondagem de posição que requeria que o participante especificasse em que posição na lista uma determinada letra havia aparecido. Os participantes eram primeiro observados enquanto geravam suas próprias estratégias de *input* (i.e., estratégia livre). Em sessões subseqüentes eles adotavam estratégias de ensaio instruído que envolviam componentes de memória primários e secundários. De modo geral, os participantes ouvintes apresentaram responder mais preciso e mais rápido do que os participantes surdos. Os resultados revelaram que o fornecimento de instruções sobre estratégias de ensaio produziu ganhos imediatos nessas medidas para os dois grupos. A comparação entre os padrões de latência de resposta correta para os grupos revelou dados notavelmente diferentes para a memória primária e secundária. De fato, após a instrução de estratégia, foi observado que as latências para os itens finais da lista nunca diferem entre surdos e ouvintes, o que indica que a memória primária (i.e., memória sensorial que é revelada pelo efeito de recência na curva de posição serial) do surdo está plenamente intacta. Contudo, foi observado que os surdos tendem a responder mais lentamente aos primeiros itens da lista. Tal rebaixamento do efeito de primazia – que revela a capacidade de fazer ensaio encoberto de informação na memória de trabalho para consolidação dessa informação na memória de longo prazo – indica a existência de deficiências na memória secundária (i.e., memória de trabalho). Em suma, as evidências mostram que, nos surdos, embora a memória visual para eventos recentes esteja intacta, a memória de trabalho, que depende do circuito de reverberação quiroarticulatória, tende a encontrar-se reduzida. É preciso pesquisar até que ponto tal redução da capacidade de memória de trabalho possa estar relacionada ao fato de que a taxa (i.e., unidades de freqüência sobre unidades de tempo, ou seja, razão entre freqüência e tempo) de emissão de sinais no surdo tende a ser inferior à taxa de emissão de palavras no ouvinte, conforme demonstrado por Klima e Bellugi (1979).

Um último exemplo de estudo simples que busca comparar a eficácia relativa de diferentes condições de ensino e aprendizagem é o de Ammons e Miller (1996), intitulado *Recordação de vocabulário em Espanhol por estudantes surdos sob três condições de teste*, que analisou a aquisição de vocabulário de leitura de palavras por universitários surdos como função de diferentes estratégias de estudo: Leitura, escrita e soletração digital. O estudo comparou os efeitos de três condições de ensino sobre a recordação do significado de palavras espanholas por universitários surdos, tal como medida por um teste de vocabulário de leitura em Espanhol. As condições eram:

- 1.) Produções escritas repetidas;
- 2.) Soletração digital repetida; e
- 3.) Leitura silenciosa repetida de palavras selecionadas em Espanhol e seus equivalentes em Inglês.

Trinta universitários surdos, matriculados em cursos de Espanhol na Universidade Gallaudet em Washington, DC, foram distribuídos em três grupos de treino, com dez estudantes por grupo. Um pré-teste com trinta itens foi administrado para assegurar que as palavras avaliadas eram desconhecidas dos participantes. Um pós-teste contendo 25 itens do pré-teste foi administrado duas vezes aos participantes. Os resultados revelaram que, para a memória de curto prazo, não houve diferenças estatisticamente significativas entre as três condições. Já para a memória de longo prazo, os escores sob a condição de escrita repetida foram significativamente maiores do que os escores sob as condições de soletração digital e de leitura silenciosa. A conclusão é que o uso de uma estratégia de estudo que incorpora a escrita pode favorecer a aprendizagem do vocabulário, no caso, do vocabulário de Espanhol por universitários surdos, mais do que a simples leitura ou soletração digital. Os autores sugerem que essa estratégia de fixação da aprendizagem por meio da escrita repetida seja aplicada pelos estudantes surdos ao estudo de outras línguas estrangeiras e de uma série de matérias escolares. Em termos de modelo teórico, entende-se que a associação entre o processamento visual durante a leitura e o processamento proprioceptivo envolvido na reprodução da forma ortográfica das palavras pode ser responsável pelos poderosos efeitos da escrita repetida sobre a aquisição de vocabulário de leitura de palavras em universitários surdos.

Como se depreende do sumário dos estudos acima, ainda há muito a ser feito na área de avaliação de desenvolvimento da linguagem escrita e de sinais em estudantes surdos. Fica claro que a pesquisa sobre ensino de leitura e escrita a estudantes surdos tem carecido de modelos teórico-conceptuais capazes de explicar o processamento cognitivo do surdo e de elucidar as relações entre o processamento da língua de sinais e da leitura e escrita alfabéticas. É preciso desenvolver modelos teórico-conceptuais capazes de explicar esses processos e de fundamentar a elaboração de instrumentos validados de avaliação do desenvolvimento da linguagem, bem como de procedimentos de intervenção eficaz. O advento da presente bateria de instrumentos de avaliação do desenvolvimento da linguagem de sinais e de leitura e escrita em surdos que resulta da presente série de estudos torna possível elevar consideravelmente o grau de validade e precisão das medidas empregadas nesses estudos que comparam a eficácia relativa de todos esses variados procedimentos de ensino de leitura e escrita à população escolar surda. Assim, espera-se que a publicação da presente série de estudos produza um aumento substancial da qualidade da pesquisa conduzida na área de alfabetização de surdos, capaz de revelar os procedimentos mais eficazes para quadros com diferentes características. Antes que tais estudos sistemáticos de aplicação prática possam ocorrer, contudo, é preciso explorar mais a fundo alguns dos muitos processos cognitivos que os presentes instrumentos são capazes de revelar, a alguns dos principais pilares de sustentação do modelo teórico-conceptual que orienta o presente programa de pesquisas.

4.7.) A hipótese de indexação do léxico ortográfico pelo léxico quirêmico e de mediação por sinalização interna na leitura e escrita alfabéticas

A hipótese de indexação do léxico ortográfico pelo léxico quirêmico e de mediação por sinalização interna na leitura e escrita alfabéticas (F. Capovilla, no prelo) foi expandida a partir da bibliografia (Bellugi, 1983; Bellugi, Klima, & Poizner, 1988; Bellugi, Poizner, & Klima, 1983; Bellugi, Tzeng, Klima, & Fok, 1989; F. Capovilla & A. Capovilla, 2001b; Hanson, 1991; Hanson & Fowler, 1987; Klima & Bellugi, 1979; Klima, Bellugi, & Poizner, 1988; Kuntze, 1998; Poizner, Bellugi, & Tweney, 1981; Poizner, Klima, & Bellugi, 1987) e explica fenômenos tipicamente encontrados em surdos sinalizadores confrontados com a tarefa de dominar a leitura e a escrita alfabéticas. Dentre tais fenômenos apresentados pelos surdos sinalizadores, destacam-se os de paralexias quirêmicas cometidas durante a leitura e de paragrafias quirêmicas cometidas durante a escrita alfabética. Segundo essa hipótese, durante a leitura, a compreensão de palavras escritas e de textos por parte do surdo envolve não apenas a decodificação grafoquirêmica por meio de solctração digital como, também, a evocação da sinalização interna lexical correspondente, sendo que, no leitor surdo sinalizador, o acesso ao léxico semântico se dá pela porta de entrada do léxico quirêmico, que contém as imagens visuais e articulatórias dos sinais que são relevantes ao processamento cognitivo e lingüístico do surdo durante o comunicar-se consigo mesmo (i.e., o pensar) e o comunicar-se com outrem (i.e., o conversar). Do mesmo modo, durante a escrita, a produção de palavras escritas e de textos por parte do surdo sinalizador se dá sob controle da sinalização interna, sendo que o léxico quirêmico é a porta de saída do léxico semântico, intermediando a produção escrita alfabética, freqüentemente por codificação quirografêmica. Ou seja, inicialmente codificando o significado em sinais da Libras e, em seguida, usando esses sinais como indexadores das palavras escritas correspondentes em Português, o surdo consegue evocar as imagens ortográficas gerais das palavras correspondentes em Português, as quais são, então, convertidas nas seqüências apropriadas de grafemas por meio da codificação quirografêmica assistida pela soletração digital.

Tal hipótese fundamenta-se em modelos teóricos da abordagem de processamento de informação e encontra suporte empírico numa série de achados experimentais da neuropsicologia cognitiva que vêm sendo obtidos desde a década de 1980. A língua escrita é um sistema de representação secundário e se baseia num sistema de representação primário, que é a língua falada para o leitor ouvinte e a língua de sinais para o leitor surdo. A comparação entre os padrões de erro de escrita alfabética cometidos por crianças ouvintes e aqueles cometidos por crianças surdas revela isso com clareza. De fato, na fase alfabética (A. Capovilla & F. Capovilla, 2003c, 2003d; F. Capovilla & A. Capovilla, 2001b, 2004b), ao escrever, as crianças ouvintes tendem a cometer erros de regularização grafofonêmica (A. Capovilla & F. Capovilla, 2003c, 2003d; F. Capovilla & A. Capovilla, 2001b; Lemle, 1991; Luria, 1970) que revelam a mediação pela fala interna (Baddeley, 1986; Baddeley & Hitch, 1974; Baddeley, Lewis, & Vallar, 1984; Baddeley & Wilson, 1985; F. Capovilla, Gonçalves, Macedo, & Duduchi, 1998; F. Capovilla, A. Capovilla, & Macedo, 2001; Halliday, Hitch, Lennon, & Pettipher, 1990). Tais erros revelam que, nessa fase alfabética, as crianças ouvintes tendem a escrever essencialmente por codificação fonografêmica, como se estivessem a transcrever os sons da própria fala interna, subjetivamente experienciada. Em contraste, as crianças surdas, ao escrever, tendem a cometer trocas visuais de letras e palavras com base na semelhança visual entre a palavra-alvo que deveria ser escrita e a palavra que acaba sendo escrita. Na leitura, tais trocas constituem paralexias literais e semânticas, que revelam um padrão consistente com o padrão de leitura logográfico das crianças ouvintes ainda não alfabetizadas (A. Capovilla & F. Capovilla, 2003c, 2003d; F. Capovilla & A. Capovilla, 2001b, 2004b). Contudo, as crianças surdas tendem a cometer também outro tipo de paralexia que é própria e exclusiva do leitor surdo, ou seja, trocas radicadas em sinais, mais propriamente na similaridade entre o sinal subjacente à palavra correta que a criança deveria ler e o sinal subjacente à palavra incorreta que ela acaba "lendo" (i.e., escolhendo incorretamente, entendendo incorretamente e/ou pronunciando incorretamente). Tal similaridade quirêmica entre os sinais decorre da semelhança entre as suas estruturas sublexicais, ou seja, à presença de um certo número de elementos em comum na sua composição sublexical, em termos de forma de mão, orientação da palma, local de articulação, movimento e expressão facial associada. A propósito, é muito importante lembrar que esse número de elementos quirêmicos em comum entre sinais diferentes, cuja magnitude é diretamente proporcional ao grau de semelhança subjetivamente estimado entre dois sinais, pode ser facilmente computado por meio do uso do sistema de busca e indexação quirêmica de sinais BuscaSigno (F. Capovilla, Duduchi, & Rozados, 2004). Quando tais trocas radicadas em sinais ocorrem na leitura elas são denominadas *paralexias quirêmicas*; quando na escrita, *paragrafias quirêmicas*.

O estudo de Bellugi, Tzeng, Klima, e Fok (1989) demonstra isso com clareza. Comparando o desempenho escolar entre crianças surdas e ouvintes de 1ª. série numa tarefa de nomeação escrita de figuras, os autores descobriram que as crianças surdas sinalizadoras tendem a basear a sua escrita em sua própria língua de sinais materna. Os autores observaram que, quando solicitadas a escrever os nomes de figuras de um índio (i.e., *Indian*) e de um garfo (i.e., *fork*), crianças surdas norte-americanas cometem paragrafias, escrevendo palavras incorretas. O interessante é que, apesar de serem muito diferentes, as palavras incorretas produzidas costumam iniciar-se com as letras F e W, respectivamente. Quando solicitadas a explicar seus erros, essas crianças surdas norte-americanas mostram que, na Língua de Sinais Americana (Costello, 1983, 1994; Sternberg, 1990; Wilbur, 1987), os sinais INDIAN e FORK são feitos com as mesmas articulações de mão usadas na soletração digital das letras F e W, respectivamente. Ou seja, ao ter de escrever as palavras *Indian* e *fork* frente às figuras de um índio e de um garfo, respectivamente, as crianças primeiro evocam do léxico quirêmico os sinais INDIAN e FORK (que são articulados com a mão em **F** e em **W**, respectivamente) e, então, buscam resgatar do léxico ortográfico as palavras escritas em Inglês que deveriam estar associadas àqueles sinais. Contudo, quer devido à pobreza do léxico ortográfico ou à pobreza das associações entre certos elementos desse léxico ortográfico e do léxico quirêmico, as crianças falham. O curioso é que, ao falhar, elas apresentam um elemento em comum: As palavras produzidas começam com as letras F e W, respectivamente, as mesmas letras com as quais os sinais espontaneamente evocados (i.e., INDIAN e FORK) em presença das figuras são articulados na Língua de Sinais Americana. Tais trocas na escrita (i.e., paragrafias) por contaminação quirêmica revelam a mediação da sinalização interna e são tão típicas dos alfabetizandos surdos sinalizadores e tão estranhas aos ouvintes quanto as paragrafias por regularização fonografêmica são típicas dos alfabetizandos ouvintes e estranhas aos alfabetizandos surdos congênitos sinalizadores, conforme demonstrado por F. Capovilla, Viggiano, A. Capovilla, Raphael, Mauricio, e Bidá (2004). Essa importante dupla dissociação entre o tipo de paragrafia presente na escrita (i.e., paragrafia por contaminação quirêmica no surdo *versus* paragrafia por regularização fonografêmica no ouvinte) e o sistema de representação primário (i.e., linguagem de sinais no surdo *versus* linguagem falada no ouvinte) revela claramente a tendência de ancorar o sistema de representação secundário (i.e., a escrita) no sistema de representação primário (i.e., a fala no caso do ouvinte e a sinalização no caso do surdo).

Para apreciar ainda mais profundamente o peso relativo de processos lingüísticos quirêmicos e fonêmicos no processamento da escrita por surdos e por ouvintes, pode-se cruzar uma série de variáveis, tais como:

- 1.) Modalidade do sistema de representação e processamento primário:
    - Quirêmico no surdo *versus* fonêmico no ouvinte;
- 2.) Integridade do sistema de processamento de informação:
    - Cérebro normal *versus* cérebro lesado;
- 3.) Modalidade do sistema de representação e processamento secundário:
    - Eminentemente visual na escrita chinesa *versus* eminentemente fonológico na escrita alfabética e nos silabários.

Pode-se analisar a interação de processos quirêmicos e fonêmicos como função de variáveis como:

- 1.) Fatores do sistema de escrita:
    - Primordialmente ideográfico e semântico (como nos caracteres chineses *Hanzi* e seus correspondentes japoneses *Kanji*) *versus* silábico (como nos silabários japoneses *Katakana* e *Hiragana*) *versus* alfabético grafofonemicamente mais regular (como no Italiano e no Espanhol) ou menos regular (como no Francês e no Inglês), conforme Frost e Katz (1992) e Gil (2002); bem como:
- 2.) Características do leitor:
    - Características sensoriais:
        - Surdo *versus* ouvinte;
    - Características lingüísticas:
        - Língua de sinais *versus* língua falada;
    - Características cognitivas:
        - Cérebro intacto *versus* cérebro lesado afásico.

O cérebro é um órgão altamente modular, sendo que módulos distintos controlam tarefas computacionais diferentes. De acordo com Hickok, Bellugi, e Klima (2001), apesar da similaridade nos níveis periféricos de *input* e *output*, os processamentos visomotores lingüístico e não-lingüístico diferem em sua natureza e implementação neural. Os módulos lingüísticos envolvidos no processamento dos sinais fazem com que os estímulos visuais que transmitem informação lingüística sejam traduzidos num formato apropriado para o processamento lingüístico, de modo a permitir a extração do significado dos sinais, das relações gramaticais entre eles, e assim por diante. Já os módulos não-lingüísticos responsáveis pelo processamento visoespacial não-lingüístico fazem com que os outros estímulos visuais que transmitem informação não-lingüística tipicamente pictorial, como o contorno, o traçado, a textura e a cor de uma figura, sejam traduzidos num formato apropriado para processamentos não-lingüísticos variados como, por exemplo, a reprodução visomotora dessa figura. Como os dois tipos distintos de processamento subjacentes a essas duas tarefas diferentes (i.e., processamento lingüístico subjacente à tarefa de interpretação ou paráfrase de significado *versus* processamento não-lingüístico subjacente à tarefa de reprodução visomotora de uma figura) envolvem demandas computacionais diferentes, eles são processados por módulos diferentes que se encontram implementados em sistemas neurais diferentes em diferentes áreas do cérebro.

Em ouvintes, os sistemas neurais responsáveis pela linguagem oral-aural localizam-se no hemisfério cerebral dominante, que é usualmente o esquerdo; ao passo que os sistemas neurais responsáveis pelo processamento visual localizam-se no hemisfério cerebral não-dominante, que é usualmente o direito. De acordo com Hickok, Bellugi, e Klima (2001), as línguas de sinais envolvem tanto o processamento lingüístico quanto o processamento visoespacial; contudo, a sua organização neural compartilha mais elementos em comum com a linguagem oral do que com o processamento visoespacial. Embora os sistemas responsáveis pelo processamento das línguas de sinais e aqueles responsáveis pelo processamento das línguas orais-aurais difiram diametralmente em termos da modalidade tanto de seu *input* (i.e., visão na língua de sinais *versus* audição na língua oral) quanto de seu *output* (i.e., articulação da mão na língua de sinais *versus* articulação da fala na língua oral), eles são essencialmente lingüísticos, e desempenham computações lingüísticas notavelmente similares. Embora nos primeiros estágios de processamento (i.e., nos níveis mais baixos e periféricos) a implementação neural desses sistemas envolva vias diferentes, uma vez ultrapassados esses estágios iniciais (i.e., nos níveis mais elevados e centrais), eles compartilham o mesmo território neural. Isso ajuda a explicar uma série de similaridades entre as línguas falada e de sinais, os efeitos da lesão cerebral hemisférica esquerda que são similares em ouvintes e em surdos, as manifestações de quadros afásicos receptivos e expressivos que são semelhantes entre ouvintes e surdos, e assim por diante.

Esse modelo teórico de similaridade nos níveis profundos de processamento entre as línguas oral-aural e as línguas de sinais foi recentemente corroborado por evidência de neuroimagem funcional. No estudo intitulado *Atividade cerebral semelhante à da fala em pessoas com surdez profunda durante o processamento de língua de sinais: Implicações para a base neural da linguagem humana*, os autores Petitto, Zatorre, Gauna, Nikelski, Dostie, e Evans (2001) usaram a técnica de neuroimagem de tomografia por emissão de positrons para analisar o fluxo sangüíneo cerebral em sinalizadores profundamente surdos durante o processamento de aspectos específicos da língua de sinais. Eles investigaram a atividade em regiões cerebrais consideradas como sendo chave para o processamento unimodal da fala ou do som. Tais regiões são o córtex frontal inferior esquerdo quando os sinalizadores produzem sinais significativos, e o plano temporal bilateralmente quando esses sinalizadores vêem sinais ou partes de sinais, as quais não têm significado (ou seja, que constituem apenas unidades silábicas ou fonéticas de sinais). Contrariamente ao conhecimento corrente, o plano temporal pode não ser dedicado exclusivamente ao processamento dos sons da fala, mas pode ser especializado para o processamento de propriedades mais abstratas essenciais à linguagem que podem fazer parte de múltiplas modalidades. Os autores propõem que o tecido neural envolvido no processamento da linguagem pode não ser especificado de antemão exclusivamente com base na modalidade sensorial (e.g., auditiva, visual, tátil), mas pode constituir tecido neural multimodal que desenvolveu sensibilidade particular para os padrões da linguagem natural. Essa especialização neural para processar padrões lingüísticos parece ser estável em termos neurais, uma vez que línguas de modalidades tão radicalmente distintas quanto a oral-aural e a manual-visual são processadas em regiões cerebrais similares, ao passo que as vias neurais aferentes (i.e., percepção lingüística) e eferentes (e.g., expressão lingüística) da língua natural parecem ser altamente modificáveis em termos neurais.

Uma análise dos processos envolvidos na recordação de sinais da Língua de Sinais Chinesa e de caracteres chineses pode ser encontrada em Fok, Bellugi, e Lillo-Martin (1986). Nessa mesma linha de estudos, Fok e Bellugi (1986) usaram uma tarefa de nomeação de figuras (descrita em Bellugi, Tzeng, Klima, & Fok, 1989) para comparar os erros cometidos na escrita de caracteres chineses por crianças chinesas surdas e os erros cometidos por crianças chinesas ouvintes nessa mesma tarefa. Os autores descobriram claras diferenças entre as crianças surdas e ouvintes na abordagem à aprendizagem e ao uso dos caracteres. Como demonstrado por Robinson (1995) e explicado por A. Capovilla e F. Capovilla (2003d), todo sistema de escrita com viabilidade para culturas ouvintes baseia-se na fala, até mesmo a escrita hieroglífica egípcia, tal como comprovado por Champollion ao decifrar a pedra de Roseta, e a escrita chinesa, que sofreu revisões ortográficas baseadas na fonologia em 1956 e 1958 sob os auspícios de Mao Tsé Tung. De fato, conforme Morais (1996), mais de 90% dos caracteres chineses têm dois elementos, um semântico e um fonético. O fonético dá ao leitor a indicação de como o caractere deve ser pronunciado. Em 80% dos casos, o índice fonético modifica a pronúncia do elemento semântico. Ainda assim, a representação semântica é mais regular e clara, uma vez que na escrita chinesa há apenas 214 radicais semânticos contra 3.877 índices fonéticos. Para complicar, alguns dos fonéticos são exclusivamente fonéticos, ao passo que outros são semantofonéticos (i.e., além de fonéticos, também semânticos). Por conseguinte, as crianças chinesas ouvintes tendem a basear sua escrita na estrutura fonológica do Chinês falado, de modo que parte de seus erros de escrita são baseados na homofonia entre diferentes caracteres. Fok e Bellugi (1986) descobriram uma dupla dissociação entre o tipo de erro cometido pelos chineses aprendizes e a sua condição auditiva (i.e., surdos *versus* ouvintes): Enquanto as crianças chinesas ouvintes tendem a cometer paragrafias (i.e., trocas de caracteres durante a nomeação por produção escrita livre) com base na homofonia (i.e., similaridade fonêmica) entre os caracteres, as crianças chinesas surdas tendem a cometer paragrafias baseadas na homografia (i.e., similaridade ortográfica) entre os caracteres. Ou seja, na nomeação escrita, os caracteres que as crianças chinesas ouvintes confundem não são aqueles que compartilham traços gráficos mas, sim, aqueles que compartilham traços sonoros; enquanto o oposto foi encontrado para as crianças chinesas surdas, que não tendem a cometer erros de homofonia desse tipo mas apenas erros de homografia.

Corroborando a noção de participação e interferência do sistema de representação e processamento lingüístico primário (i.e., a língua de sinais) sobre o uso do sistema de representação e processamento lingüístico secundário (i.e., a escrita em caracteres chineses), Fok e Bellugi (1986) demonstraram também que as crianças surdas propendem a extrair regras de sua língua de sinais e aplicá-las à sua escrita em caracteres chineses. Por exemplo, ao escrever caracteres chineses, as crianças chinesas surdas tendem a cometer paragrafias típicas e exclusivas da comunidade lingüística surda que refletem recursos lingüísticos próprios da Língua de Sinais Chinesa, mas são absolutamente estranhos aos princípios canônicos da escrita de caracteres chineses. Por exemplo, elas tendem a:

1.) Criar compostos de caracteres sem sentido,
2.) Adicionar aos caracteres linhas extras de movimento que mapeiam os sinais subjacentes, e
3.) Usar caracteres que mapeiam a forma e o tamanho dos objetos sempre que os sinais subjacentes tendem a fazer referência analógica a essas características de forma e tamanho na Língua de Sinais Chinesa.

Como esses recursos são típicos da Língua de Sinais Chinesa mas completamente estranhos à escrita chinesa, sua ocorrência constitui prova cabal de que as crianças chinesas surdas são propensas a ancorar o processamento lingüístico secundário (i.e., a escrita dos caracteres chineses *Hantzu*) no processamento lingüístico primário da Língua de Sinais Chinesa.

Também são reveladores os estudos que comparam, em leitores ouvintes, o processamento da escrita de caracteres *Hantzu* por chineses e o processamento da escrita alfabética por ocidentais (e.g., Tzeng & Hung, 1988; Tzeng & Wang, 1983, 1984). Enquanto as unidades básicas da escrita alfabética são os fonemas (i.e., as menores unidades sonoras de uma língua falada, essenciais para distinguir entre duas palavras ouvidas diferentes), as unidades básicas da escrita em caracteres chineses são os morfemas (i.e., as menores unidades de significado) e os itens lexicais (i.e., unidades de significado integral correspondente às palavras). Os estudos de Hung e Tzeng (1981), Hung, Tzeng, e Warren (1981), Tzeng e Hung (1984, 1988), e Tzeng e Wang (1983, 1984) revelam que o processamento de informação semântica em caracteres chineses é eminentemente visual (i.e., semantográfico), e que a evocação da informação fonêmica (i.e., em termos das relações entre os caracteres e seus valores fonéticos associados) tende a interferir e prejudicar esse processamento. Tal achado de que o processamento fonético pode prejudicar o processamento semântico faz pleno sentido pois, conforme mencionado, na escrita chinesa há 214 radicais semânticos e 3.877 índices fonéticos, sendo que alguns desses fonéticos têm valor exclusivamente fonético, ao passo que outros também têm valor semântico.

Por outro lado, também são reveladores os estudos que comparam o desempenho de chineses com lesões cerebrais unilaterais no hemisfério esquerdo ou no hemisfério direito (e.g., Hasuike, Tzeng, & Hung, 1986; Tzeng, Hung, Chen, Wu, & Hsi, 1986). Tais estudos demonstram que os caracteres chineses não se encontram indexados visualmente por simples associação à imagem de seu referente, mas que seu processamento lingüístico requer análise serial pelo hemisfério cerebral dominante, que é usualmente o esquerdo. Por exemplo, Tzeng, Hung, Chen, Wu, e Hsi (1986) expuseram chineses ouvintes com lesão cerebral unilateral, esquerda ou direita, a duas tarefas visoespaciais:

1.) Uma tarefa não-lingüística de desenho a partir de um modelo (i.e., cópia de figura) e
2.) Uma tarefa lingüística de escrita de caracteres chineses.

Os dados revelaram que:

1.) Na tarefa não-lingüística de desenho, foi observado que os chineses com lesão cerebral esquerda vão muito bem; já aqueles com lesão cerebral direita apresentam falta de perspectiva e negligência visual, omitindo o lado esquerdo das figuras. Por outro lado,

2.) Na tarefa lingüística de escrita de caracteres chineses, os achados foram inversos: Foi observado que os chineses com lesão cerebral esquerda vão muito mal e aqueles com lesão cerebral direita vão muito bem, cometendo apenas erros de natureza visoespacial, mas não de natureza lingüística. Ou seja, apesar de esses chineses com lesões direitas apresentarem negligência visual esquerda, revelada pelo fato de eles usarem apenas o lado direito do espaço disponível para escrever, seus caracteres tendem a ser escritos de maneira completa e sem erros de natureza lingüística. Nessa tarefa lingüística de escrita de caracteres, os chineses com lesão cerebral esquerda não tendem a cometer erros de natureza visoespacial, uma vez que usam todo o espaço disponível para escrever, mas apenas erros de natureza lingüística, sendo que seus caracteres tendem a apresentar omissões e acréscimos ilegítimos em várias partes, apesar de preservarem um aspecto gestáltico apropriado.

Em suma, enquanto lesões direitas tendem a produzir distúrbios visoespaciais como falta de perspectiva e negligência do campo visual esquerdo, as lesões esquerdas são propensas a produzir distúrbios lingüísticos que afetam a composição da escrita em caracteres.

Esses dados sobre a organização cerebral da escrita de caracteres chineses em pacientes ouvintes com lesão unilateral esquerda ou direita coadunam-se perfeitamente com os clássicos dados sobre a organização cerebral da língua de sinais em surdos com lesão unilateral esquerda ou direita (e.g., Bellugi, 1983; Bellugi, Klima, & Poizner, 1988; Bellugi, Poizner, & Klima, 1983; Klima, Bellugi, & Poizner, 1988; Poizner, Klima, & Bellugi, 1987). Tais estudos revelam que surdos com lesão cerebral esquerda tendem a apresentar distúrbios afásicos relativos à língua de sinais que são similares aos distúrbios afásicos de ouvintes com relação à linguagem falada (F. Capovilla, 1997a). Alguns surdos apresentam um quadro mais típico de afasia expressiva, ou não-fluente, ou de Broca; enquanto outros surdos apresentam um quadro mais típico de afasia receptiva, ou fluente, ou de Wernicke.

1.) Surdos com afasia expressiva (i.e., não-fluente) tendem a apresentar um padrão típico, com dificuldade de articulação de sinais, sinalização não-fluente, laboriosa e lenta, além de agramatismo expressivo e receptivo caracterizado por escassez de flexões gramaticais de sinais, e sinalização telegráfica limitada a sinais lexicais e de teor mais concreto. Por outro lado,

2.) Surdos com afasia receptiva (i.e., fluente) tendem a apresentar distúrbio de compreensão de sinais. Embora sua sinalização seja fluente e fácil, ela é repleta de indexações gramaticais e essencialmente vaga, carente de sinais de conteúdo e repleta de erros de seleção lexical e de componentes sublexicais, compondo um quadro similar ao das parafasias fonêmicas em afásicos ouvintes (Gil, 2002).

Estudos adicionais sobre afasia, surdez e língua de sinais podem ser encontrados em Hickok e Bellugi (2001); Hickok, Bellugi, e Klima (1998, 2001); e Hickok, Kirk, e Bellugi (1998).

Todas essas pesquisas demonstram claramente que, apesar da natureza visoespacial das línguas de sinais, o processamento lingüístico da sinalização ocorre no hemisfério dominante, que é usualmente o esquerdo. Surdos com lesão cerebral direita tendem a ter preservadas suas funções lingüísticas de expressão e recepção de sinais, com sinalização fluente e correta no que diz respeito a semântica, fonética, morfologia e sintaxe. No entanto, seu processamento não-lingüístico, visoespacial, tende a encontrar-se prejudicado. Esses estudos demonstram que, em língua de sinais, o espaço da sinalização pode ser usado para representar tanto relações visoespaciais físicas (e.g., ao sinalizar para descrever relações espaciais entre os móveis e objetos de uma sala) quanto relações sintáticas lingüísticas (e.g., como ocorre, durante a sinalização, ao estabelecer relações de concordância entre pronomes e verbos por meio de indexação espacial de sinais).

1.) As lesões cerebrais direitas prejudicam o uso do espaço para representar relações espaciais físicas e não-lingüísticas, dificultando, assim, a descrição das relações entre propriedades físicas ou visoespaciais de objetos, ao passo que

2.) As lesões cerebrais esquerdas prejudicam o uso do espaço para representar relações lingüísticas sintáticas, prejudicando, assim, a gramaticalidade da sinalização.

Assim, em surdos sinalizadores fluentes, distúrbios de produção e recepção da língua de sinais tendem a resultar de lesão no hemisfério cerebral esquerdo mas não de lesão no hemisfério cerebral direito, ao passo que distúrbios severos de habilidades visoespaciais não-lingüísticas resultam mais freqüentemente de lesão no hemisfério direito do que no hemisfério esquerdo. No estudo intitulado *Organização hemisférica de processos visoespaciais em nível local e global por parte de surdos sinalizadores e sua relação com afasia em língua de sinais*, Hickok, Kirk, e Bellugi (1998) investigaram em que medida distúrbios de língua de sinais em surdos sinalizadores podem ser dissociados de distúrbios visoespaciais mais sutis usualmente associados a lesão no hemisfério esquerdo na população falante e ouvinte. Dois grupos de surdos sinalizadores, um com lesão no hemisfério cerebral esquerdo e outro com lesão no hemisfério cerebral direito, foram solicitados a reproduzir dois tipos de conjunto de estímulos:

1.) Dois desenhos de linha (i.e., uma casa e um elefante); e

2.) Quatro figuras hierárquicas.

Os pesquisadores atribuíram pontos aos desenhos separadamente com base na presença de traços globais *versus* traços locais. De maneira consistente com os dados de pacientes ouvintes, foi observado que os pacientes surdos com lesão no hemisfério cerebral esquerdo tendem a exibir um desempenho significativamente melhor de reprodução de traços no nível global (os quais usualmente demandam processamento hemisférico direito), ao passo que os pacientes surdos com lesão no hemisfério cerebral direito tendem a mostrar desempenho significativamente superior na reprodução de traços no nível local (os quais demandam processamento hemisférico esquerdo). Tal efeito foi observado para os dois tipos de conjunto de estímulo. O desempenho no nível local por parte do grupo com lesão no hemisfério esquerdo não se mostrou correlacionado com o desempenho em tarefas de língua de sinais, o que sugere que os distúrbios de linguagem apresentados por sinalizadores surdos com lesão no hemisfério esquerdo são, de fato, específicos da linguagem.

Uma das primeiras evidências de assimetrias cerebrais mínimas para o processamento de estímulos palavras e de estímulos sinais em surdos congênitos foi relatada por McKeever, Hoemann, Florian, e Van Deventer (1976). O efeito de fatores específicos à modalidade de produção (i.e., oroarticulatória *versus* quiroarticulatória) e de recepção (i.e., aural *versus* visual) da linguagem sobre a organização neural da linguagem foi objeto da revisão bibliográfica de Hickok, Bellugi, e Klima (1998) intitulada *A organização neural da linguagem: Evidência da afasia em língua de sinais*. Segundo os autores, investigações sobre a neurobiologia da língua de sinais são importantes para elucidar se a dominância do hemisfério esquerdo para o processamento de linguagem poderia depender da especialização lingüística ou de algumas especializações de domínio geral, tais como o processamento temporal ou o planejamento motor. As línguas de sinais dos surdos possuem estrutura gramatical tão complexa quanto as línguas faladas dos ouvintes, apesar da diferença radical entre as modalidades em que essas línguas são produzidas e recebidas (i.e., modalidade quiroarticulatória e visual no caso das línguas de sinais *versus* modalidade oroarticulatória e aural no caso das línguas de faladas). Segundo os autores, o mapeamento das semelhanças e diferenças de processamento neural entre as línguas faladas e de sinais pode revelar contribuições específicas da modalidade à organização cerebral da linguagem. Sua revisão bibliográfica revela a existência de um significativo grau de semelhança na neurobiologia entre as línguas falada e de sinais, o que sugere que a organização neural da linguagem é, em grande medida, independente da modalidade.

Tal achado foi novamente corroborado no recente estudo de Hickok, Love-Geffen, e Klima (2002), intitulado *O papel do hemisfério esquerdo na compreensão da língua de sinais*, que investigou o envolvimento relativo dos hemisférios cerebrais esquerdo e direito na compreensão da Língua de Sinais Americana (ASL). Dezenove sinalizadores fluentes com lesões cerebrais unilaterais (i.e., onze com lesão no hemisfério esquerdo e oito com lesão no hemisfério direito) foram submetidos a três tarefas:

1.) Uma tarefa de compreensão de um sinal isolado;

2.) Uma tarefa de compreensão de sinal no nível de sentença envolvendo comandos de estágio único; e

3.) Uma tarefa de compreensão de sinal envolvendo comandos complexos de múltiplos estágios e múltiplas cláusulas.

Dos dezenove participantes, dezoito eram surdos e um (com lesão direita) era ouvinte e bilíngüe em ASL e Inglês. O desempenho foi analisado como função de dois fatores:

1.) A lateralidade da lesão (i.e., lesão no hemisfério cerebral esquerdo *versus* lesão no hemisfério cerebral direito); e

2.) O envolvimento do lobo temporal (i.e., envolvido *versus* não-envolvido).

Foi observado que o grupo com lesão no hemisfério cerebral esquerdo tende a apresentar desempenho significativamente pior do que o grupo com lesão no hemisfério cerebral direito em todas as três tarefas. Tal dado confirma a dominância do hemisfério cerebral esquerdo para a compreensão da língua de sinais. O desempenho do grupo com lesão no lobo temporal esquerdo foi significativamente reduzido em todas as tarefas, ao passo que o desempenho de cada um dos três outros grupos foi de 95% de acerto nas tarefas de compreensão de sinais isolados e de compreensão de sentenças simples, mas com pronunciado declínio apenas na tarefa de compreensão de sentenças complexas. Comparando tais resultados com aqueles de outros estudos publicados, os autores concluíram que o grau de dificuldade exibido pelo grupo com lesão no hemisfério cerebral direito na tarefa de sentenças complexas é comparável com aquele observado em pacientes ouvintes com lesão no hemisfério cerebral direito. Com base nesses achados, os autores corroboraram as hipóteses de que pessoas surdas e ouvintes apresentam um grau similar de lateralização dos processos de compreensão de linguagem, e que a compreensão da linguagem depende primariamente da integridade do lobo temporal esquerdo.

Uma análise ainda mais complexa foi feita no estudo de Neville, Bavelier, Corina, Rauschecker, Karni, Lalwani, Braun, Clark, Jezzard, e Turner (1998) intitulado *Organização cerebral da linguagem em surdos e ouvintes: Limitações biológicas e efeitos de experiência*. Esse estudo empregou ressonância magnética funcional (fMRI) em 4 T (Bavelier, 1997; Binder, 1997; Gallagher et al., 2000; Schlosser et al., 1998) para caracterizar a organização cerebral durante o processamento de linguagem em Inglês e em Língua de Sinais Americana (ASL). Os efeitos de surdez, idade de aquisição da linguagem, e bilingüismo foram analisados comparando os resultados de:

- Falantes nativos do Inglês com audição normal e monolíngües;
- Sinalizadores nativos da ASL, com surdez congênita genética, que aprenderam Inglês tarde e por meio da modalidade visual; e
- Bilíngües com audição normal que eram sinalizadores nativos da ASL e falantes nativos do Inglês.

Os resultados revelaram que os dois grupos (i.e., o de surdos e o de ouvintes), enquanto processam a sua língua nativa (i.e., a ASL ou o Inglês), tendem a mostrar ativação forte e repetida das áreas clássicas da linguagem do hemisfério cerebral esquerdo. Foi observado, ainda, que, enquanto lêem Inglês, os surdos não tendem a mostrar ativação nessas regiões cerebrais. Tais resultados sugerem que a aquisição precoce de uma língua natural (i.e., língua de sinais para o surdo e língua falada para o ouvinte) é importante para a expressão de um viés forte na mediação de linguagem por essas áreas, independentemente da forma da linguagem (i.e., língua de sinais ou língua falada). Além disso, os sinalizadores nativos, tanto os ouvintes quanto os surdos, tendem a mostrar ativação extensa de áreas homólogas do hemisfério cerebral direito, o que indica que os requisitos de processamento específico da linguagem também determinam, em parte, a organização de sistemas de linguagem no cérebro.

Todos esses dados revelam a natureza plena e complexa da língua de sinais, que é tão vital para a criança surda quanto a língua falada é para a ouvinte, e corroboram a sua importância para o desenvolvimento do processamento cognitivo da criança com surdez profunda pré-lingual ou perilingual. Esses dados também ressaltam a importância de empreender pesquisas mais refinadas sobre o processamento cognitivo em sinais e sobre as suas características peculiares que permitam compreender a natureza e a magnitude das dificuldades da criança surda, bem como os seus recursos especiais e peculiares, de modo a descobrir como melhor desenvolver uma educação bilíngüe eficaz que faça pleno uso dos muitos recursos extraordinários propiciados pela língua de sinais.

4.7.1.) Paralexias quirêmicas no Teste de Nomeação de Sinais por Escolha e a hipótese de indexação do léxico ortográfico pelo léxico quirêmico

Em termos do desempenho de escolha de palavras escritas para nomear sinais da Libras, tal como avaliado pelo Teste de Nomeação de Sinais por Escolha em suas versões originais 1.1 (TNS1.1–Escolha) e 2.1 (TNS2.1–Escolha), de acordo com a hipótese de indexação do léxico ortográfico pelo léxico quirêmico, ao ter de escolher palavras escritas para denominar sinais da Libras, muitos examinandos surdos tendem a cometer paralexias radicadas na similaridade entre os sinais subjacentes, isto é, na similaridade entre o sinal a ser nomeado, que subjaz à palavra-alvo que deve ser escolhida, e o sinal subjacente à palavra distratora quirêmica que acaba sendo escolhida. Ou seja, ao ter de escolher palavras escritas para denominar sinais-alvo, muitos examinandos surdos tendem a escolher palavras escritas que nada têm a ver com os sinais-alvo, exceto pela similaridade entre esse sinal-alvo a ser nomeado e o sinal que subjaz à palavra distratora quirêmica. Assim, a palavra distratora quirêmica que acaba sendo incorretamente escolhida é aquela cujo sinal subjacente é similar ao sinal-alvo a ser nomeado. Tal similaridade se deve a um certo número de elementos sublexicais quirêmicos em comum entre os dois sinais (e.g., forma de mão, orientação de palma, local do sinal, movimento e expressão facial associada), sendo que se pode esperar teoricamente que, quanto maior for a proporção de elementos quirêmicos coincidentes, tanto maior será a similaridade quirêmica e, logo, o poder do distrator quirêmico em induzir erros. A propósito, esse número de elementos quirêmicos em comum entre os sinais pode ser determinado facilmente a partir do sistema de indexação quirêmica de sinais (F. Capovilla, Duduchi, Raphael, Luz, Rozados, A. Capovilla, & Macedo, 2003; F. Capovilla, Duduchi, & Rozados, 2002), tanto na interface alfabética quanto na interface gráfica (F. Capovilla, Duduchi, & Rozados, 2004). Digitando-se o nome de um sinal qualquer dentre os milhares de sinais compilados no *Dicionário enciclopédico ilustrado trilíngüe da Língua de Sinais Brasileira* (F. Capovilla & Raphael, 2001b, 2001c), esse sistema de indexação quirêmica de sinais da Libras fornece automaticamente a composição quirêmica precisa numa seqüência de códigos alfanuméricos em que as letras representam quiremas e os números representam alóquiros (i.e., níveis ou valores de quiremas). A hipótese de mediação pelo sinal explica a ocorrência de paralexias desse tipo (i.e., paralexias de base quirêmica), que seriam mais típicas de surdos sinalizadores e absolutamente estranhas a examinandos sem qualquer familiaridade com língua de sinais. Tal hipótese de paralexias radicadas na similaridade quirêmica durante a nomeação de sinais recebeu corroboração experimental nos dois estudos sobre as versões originais 1.1 (TNS1.1–Escolha: F. Capovilla, Viggiano, Raphael, Mauricio, A. Capovilla, & Bidá, 2004) e 2.1 (TNS2.1–Escolha: F. Capovilla, Viggiano, Bidá, Luz, A. Capovilla, & Neves, 2004).

A hipótese de indexação do léxico ortográfico pelo léxico quirêmico explica as paralexias quirêmicas cometidas por leitores surdos sinalizadores ao ter de nomear sinais da Libras por meio da escolha de palavras escritas em Português correspondentes a esses sinais da Libras. Essa mesma hipótese explica as paragrafias quirêmicas cometidas por escritores surdos sinalizadores ao ter de nomear sinais da Libras por meio da escrita das palavras em Português correspondentes aos sinais da Libras. Do mesmo modo, a hipótese de mediação por sinalização interna explica as paralexias quirêmicas cometidas por leitores surdos sinalizadores ao ter de nomear figuras (que representam coisas conhecidas e conceitos familiares) por meio da escolha de palavras escritas em Português que correspondem a essas figuras. Essa mesma hipótese explica as paragrafias quirêmicas cometidas por escritores surdos sinalizadores ao ter de nomear figuras por meio da escrita livre das palavras em Português que correspondem a essas figuras.

Como a codificação de informações lingüísticas se dá por meio dos quiremas que compõem a estrutura sublexical dos sinais, a presença de uma alta proporção de quiremas em comum entre sinais diferentes pode acarretar problemas de armazenamento, recuperação ou processamento dessas informações, os quais, por sua vez, podem acarretar paralexias e paragrafias quirêmicas. Assim, frente a sinais a serem nomeados, em vez de escolher as palavras-alvo escritas que correspondem a esses sinais, os leitores surdos podem escolher palavras distratoras quirêmicas devido à semelhança entre os sinais que indexam essas palavras distratoras quirêmicas e os sinais-alvo a serem nomeados. Em termos práticos, considerando a versão original 1.1 do Teste de Nomeação de Sinais por Escolha (TNS1.1–Escolha), algumas predições típicas da hipótese de indexação do léxico ortográfico pelo léxico quirêmico são de que:

- Ao ter de nomear por escrito o sinal DISTRAIR, alguns surdos poderiam selecionar a palavra CORES[4];

---

[4] Este capítulo emprega quatro formatações de fonte diferentes para designar coisas diferentes: Os nomes de figuras a serem nomeadas aparecem em fonte normal (e.g., selecionar a figura de padre); os nomes de sinais a serem nomeados aparecem em caixa alta (e.g., nomear o sinal PADRE); palavras escritas a serem lidas ou selecionadas aparecem em letras maiúsculas (e.g., selecionar a palavra PADRE); e palavras a serem escritas pelos examinandos (quer para designar figuras, quer para designar sinais) aparecem em itálico (e.g., escrever *padre*).

- Ao ter de nomear o sinal MENTIRA, eles poderiam selecionar a palavra escrita GELAR;
- Para nomear DESLEIXADO, poderiam selecionar DIZER;
- Para nomear CHEFE, poderiam selecionar FERRO;
- Para nomear COR, poderiam selecionar FUMAR;
- Para nomear AZAR, poderiam selecionar DESCULPA, e assim por diante.

Tais expectativas experimentais decorrem da hipótese de acesso semântico mediado por sinalização subjacente durante a leitura, e são ilustradas na Figura 3, que apresenta seis pares de sinais os quais, de acordo com a hipótese de mediação por sinais, poderiam dar origem a paralexias e paragrafias quirêmicas. Essa Figura 3 apresenta seis dos 36 sinais a serem nomeados no TNS1.1–Escolha, juntamente com seus correspondentes nomes em Português, e respectivos sinais distratores quirêmicos, juntamente com seus nomes correspondentes em Português, que compartilham elementos quirêmicos com os sinais a serem nomeados.

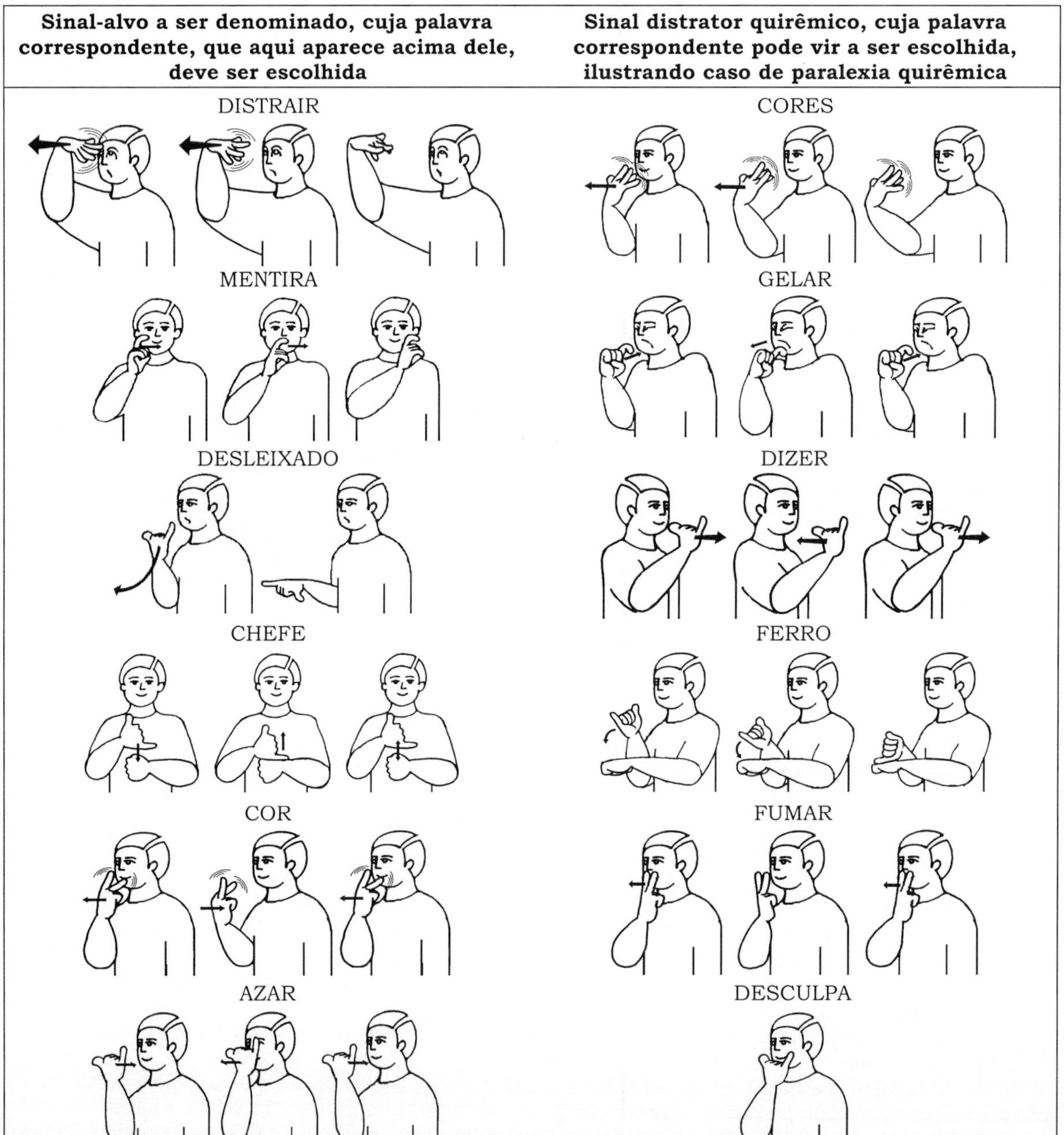

Figura 3. Amostra de seis pares de sinais do TNS1.1–Escolha que, segundo a hipótese de indexação do léxico ortográfico pelo léxico quirêmico, podem originar paralexias e paragrafias quirêmicas. A coluna esquerda apresenta os sinais-alvo a serem nomeados e as correspondentes palavras-alvo escritas que

devem ser escolhidas, as quais, de acordo com a hipótese de mediação por sinais, são indexadas por eles. A coluna direita apresenta os sinais distratores quirêmicos que subjazem às correspondentes palavras distratoras quirêmicas, as quais podem ser escolhidas em lugar das palavras-alvo devido à semelhança entre o sinal distrator quirêmico e o sinal a ser nomeado. Segundo a hipótese, para o surdo sinalizador, como os elementos sublexicais das palavras do Português (e.g., morfemas) encontram-se indexados pelos elementos sublexicais correspondentes na morfologia dos sinais, quando chamado a nomear figuras ou sinais da Libras, esse surdo pode cometer paragrafias quirêmicas na nomeação por escrita livre e paralexias quirêmicas na nomeação por escolha de palavras escritas.

Figura 4. Amostra de seis pares de sinais da versão 2.1 do Teste de Nomeação de Sinais por Escolha (TNS2.1–Escolha) que poderiam originar paralexias e paragrafias quirêmicas, segundo a hipótese de indexação do léxico ortográfico pelo léxico quirêmico, e de acesso ao léxico semântico mediado pelo léxico quirêmico. A coluna esquerda apresenta os sinais-alvo a serem nomeados e as correspondentes

palavras-alvo escritas que deveriam ser escolhidas, as quais, de acordo com a hipótese, são indexadas por eles. A coluna direita apresenta os sinais distratores quirêmicos que subjazem às correspondentes palavras distratoras quirêmicas, as quais podem ser escolhidas em lugar das palavras-alvo devido à semelhança entre o sinal distrator quirêmico e o sinal a ser nomeado. Segundo a hipótese, como a codificação de informações lingüísticas se dá por elementos sublexicais quirêmicos, a presença de elementos quirêmicos em comum entre sinais diferentes pode resultar em problemas de armazenamento, recuperação ou processamento de informação que resultam em paralexias e paragrafias quirêmicas.

Na Figura 3, a coluna esquerda apresenta os sinais a serem nomeados e as correspondentes palavras-alvo escritas que devem ser escolhidas, as quais, de acordo com a hipótese de mediação por sinais, são indexadas por eles. A coluna direita apresenta os sinais distratores quirêmicos que subjazem às correspondentes palavras distratoras quirêmicas, as quais podem ser escolhidas em lugar das palavras-alvo devido à semelhança entre o sinal distrator quirêmico e o sinal-alvo a ser nomeado. De acordo com a hipótese de mediação por sinais, a escolha de palavras escritas para nomear figuras envolve mediação por sinalização interna; e, como a codificação de informações lingüísticas se dá por meio dos componentes quirêmicos dos sinais, quando os sinais envolvidos compartilham muitos quiremas, as diferentes informações lingüísticas que são indexadas por esses sinais podem acabar sendo confundidas e incorretamente armazenadas, recuperadas ou processadas, o que, por sua vez, pode resultar em trocas na leitura e na escrita. As trocas na leitura são denominadas paralexias; e as trocas na escrita, paragrafias (cf. Gil, 2002). Nesse caso, tais trocas são de natureza quirêmica, já que se devem à interferência de processos relacionados à sinalização interna. Isso explicaria achados do tipo ilustrado na figura, de seleção das palavras escritas CORES, GELAR, DIZER, FERRO, FUMAR e DESCULPA para nomear os sinais DISTRAIR, MENTIRA, DESLEIXADO, CHEFE, COR e AZAR, respectivamente. Nesse ponto, é preciso ressaltar que essas trocas mediadas por sinais poderiam ocorrer tanto na nomeação por escolha quanto na nomeação por escrita, e tanto na nomeação dos sinais propriamente ditos quanto na nomeação de figuras. Quando as trocas ocorrem na nomeação por escolha, elas constituem paralexias quirêmicas; quando ocorrem na nomeação por escrita livre, constituem paragrafias quirêmicas. Quando ocorrem na nomeação dos próprios sinais, revelam a indexação do léxico ortográfico pelo léxico quirêmico; quando ocorrem na nomeação de figuras, revelam a mediação de sinalização interna durante a leitura e a escrita no código alfabético.

Nos mesmos termos práticos, considerando a versão 2.1 do Teste de Nomeação de Sinais por Escolha (TNS2.1–Escolha), algumas predições típicas da hipótese são de que:

- Ao ter de nomear o sinal VERDADE, alguns leitores surdos poderiam selecionar a palavra escrita PEDRA;
- Ao ter de nomear o sinal FANTASMA, eles poderiam selecionar a palavra escrita XEROX;
- Ao ter de nomear AMAZONAS, poderiam selecionar GALINHA;
- Ao ter de nomear PERCEBER, poderiam selecionar VISITAR-ME;
- Ao ter de nomear HIPOPÓTAMO, poderiam selecionar PERNAMBUCO; e,
- Ao ter de nomear OFENDER, poderiam selecionar DE NOVO, e assim por diante.

Tais expectativas experimentais decorrem da hipótese de acesso semântico mediado por sinalização subjacente durante a leitura, e são ilustradas na Figura 4, que apresenta seis pares de sinais que, de acordo com a hipótese de mediação por sinais, podem dar origem a paralexias e paragrafias quirêmicas. A coluna esquerda apresenta os sinais a serem nomeados e as correspondentes palavras-alvo escritas que deveriam ser escolhidas e que são indexadas por eles, de acordo com a hipótese de indexação do léxico ortográfico pelo léxico quirêmico. A coluna direita apresenta os sinais distratores quirêmicos que subjazem às correspondentes palavras distratoras quirêmicas que podem ser escolhidas em lugar das palavras-alvo devido à semelhança entre o sinal distrator quirêmico e o sinal a ser nomeado. Segundo a hipótese, como o léxico quirêmico indexa o ortográfico ao semântico, a semelhança quirêmica entre sinais diferentes pode acarretar problemas de armazenamento, recuperação ou processamento de informação lingüística que resultam em substituições quirêmicas na leitura e na escrita. Em tarefas de nomeação por escolha, tais substituições consistem em paralexias quirêmicas; em tarefas de nomeação por escrita, em paragrafias quirêmicas. Isso explicaria achados do tipo ilustrado na figura, com as escolhas das palavras escritas:

- PEDRA para nomear o sinal VERDADE;
- XEROX para nomear o sinal FANTASMA;
- GALINHA para nomear o sinal AMAZONAS;
- VISITAR-ME para nomear o sinal PERCEBER;
- PERNAMBUCO para nomear o sinal HIPOPÓTAMO; e
- DE NOVO para nomear OFENDER.

4.7.2.) Paragrafias quirêmicas no Teste de Nomeação de Sinais por Escrita e a hipótese de mediação por sinais

Com referência ao desempenho de escrita de palavras para nomear sinais da Libras, tal como avaliado pelo Teste de Nomeação de Sinais por Escrita em suas versões originais 1.1 (TNS1.1–Escrita) e 2.1 (TNS2.1–Escrita), de acordo com a hipótese de indexação do léxico ortográfico pelo léxico quirêmico, ao ter de grafar palavras escritas para denominar sinais da Libras, os examinandos surdos tendem a cometer paragrafias radicadas na similaridade entre o sinal subjacente à palavra que é escrita espontaneamente pelo surdo e o sinal-alvo que deve ser nomeado. Ou seja, ao ter de escrever livremente os nomes de sinais da Libras, os examinandos surdos tendem a escrever palavras que nada têm a ver com os sinais-alvo a serem nomeados, exceto pela similaridade entre o sinais que subjazem às palavras que acabam sendo livremente escritas e os sinais-alvo que deveriam ter sido nomeados. Tais trocas na escrita consistem em paragrafias quirêmicas, já que se devem ao processamento interno dos sinais que indexam as palavras escritas aos seus correspondentes significados. A ocorrência dessas paragrafias revela que o léxico ortográfico do leitor surdo encontra-se indexado ao léxico semântico por meio do léxico quirêmico. Assim, para conseguir resgatar a forma ortográfica do nome de um determinado sinal, o surdo recorre às propriedades formais (i.e., quirêmicas) desse sinal, de modo que sinais diferentes que compartilham elevada proporção de elementos quirêmicos podem acabar resgatando, uns dos outros, as respectivas palavras por eles indexadas. Portanto, a similaridade quirêmica entre os sinais pode resultar em problemas de armazenamento, processamento, e recuperação das representações ortográficas das palavras no léxico ortográfico do surdo. Esses problemas de armazenamento, processamento e recuperação dão origem a paralexias quirêmicas e a paragrafias quirêmicas que são exclusivas do leitor surdo sinalizador, não aparecendo em nenhum outro tipo de leitor, e que só podem ser compreendidas apropriadamente a partir da análise do processamento quirêmico interno desse leitor surdo. Tal similaridade quirêmica pode ser avaliada precisamente a partir da análise da composição sublexical dos sinais envolvidos; e essa análise pode ser feita facilmente por meio do uso do sistema de indexação quirêmica de sinais, tanto na interface alfabética quanto na interface gráfica.

Em termos práticos, considerando a versão original 1.1 do Teste de Nomeação de Sinais por Escrita (TNS1.1–Escrita), algumas predições típicas da hipótese de que o léxico ortográfico encontra-se indexado pelo léxico quirêmico e de que o acesso ao léxico semântico é feito por meio desse léxico quirêmico são as de que alguns leitores surdos poderiam escrever a palavra *rei* ou *rainha* para nomear o sinal CULPA; escrever *beijar* ou *beijo* para nomear o sinal TENTAR; e escrever *apontador* para nomear o sinal FEIJÃO, e assim por diante. Tais expectativas experimentais decorrem dessa hipótese de indexação do léxico ortográfico pelo léxico quirêmico e são ilustradas na Figura 5, que apresenta cinco pares de sinais que, de acordo com essa hipótese, podem dar origem a paragrafias quirêmicas. A coluna esquerda apresenta os sinais a serem nomeados e as correspondentes palavras-alvo que deveriam ser escritas, as quais, de acordo com a hipótese, são indexadas por eles. A coluna direita apresenta os sinais que subjazem às palavras escritas, bem como essas próprias palavras escritas, que se espera que os surdos produzam livremente ao tentar nomear os sinais-alvo da coluna esquerda.

De acordo com a hipótese de indexação de palavras por sinais, a produção de palavras por escrita livre durante uma tarefa de nomeação de sinais envolve o resgate de formas ortográficas indexadas por formas quirêmicas. Como a codificação de informações lingüísticas se dá por elementos sublexicais quirêmicos, a presença de quiremas em comum entre sinais diferentes pode acarretar problemas de armazenamento, recuperação ou processamento de informação que resultam em paralexias e paragrafias quirêmicas, o que explicaria achados como os ilustrados: Ao ter de nomear por escrito o sinal CULPA, os examinandos surdos poderiam escrever a palavra *rei* ou *rainha*; para nomear o sinal TENTAR, poderiam escrever *beijo* ou *beijar*; para nomear o sinal FEIJÃO, poderiam escrever *apontador*; para nomear o sinal BANDEIRA, poderiam escrever *motel*; e para nomear o sinal EXEMPLO, poderiam escrever *ficar ou ficar à toa*.

A Figura 5 ilustra uma amostra de cinco dos 36 sinais-alvo que compõem a versão original 1.1 do Teste de Nomeação de Sinais por Escrita (TNS1.1–Escrita) e alguns dos sinais quiremicamente semelhantes correspondentes a esses cinco sinais. A coluna esquerda contém cinco sinais-alvo que devem ser nomeados por meio da escrita das palavras a eles correspondentes, e que aparecem acima de cada sinal. A coluna direita contém, para cada sinal-alvo, um sinal quiremicamente semelhante ao sinal-alvo e a palavra escrita a ele correspondente. Nesse teste de nomeação escrita dos sinais da coluna esquerda, espera-se que, em vez de escrever as palavras correspondentes, alguns estudantes surdos venham a cometer paragrafias quirêmicas, escrevendo as palavras da coluna direita. Tais paragrafias quirêmicas, caso ocorram, deverão ser devidas à semelhança entre a forma do sinal-alvo e a forma do sinal indexador da palavra que acaba sendo escrita. Assim, esses surdos podem acabar escrevendo *rei* para nomear o sinal CULPA, *beijo* para nomear TENTAR, *apontador* para nomear FEIJÃO, *motel* para nomear BANDEIRA, e *à toa* para nomear EXEMPLO.

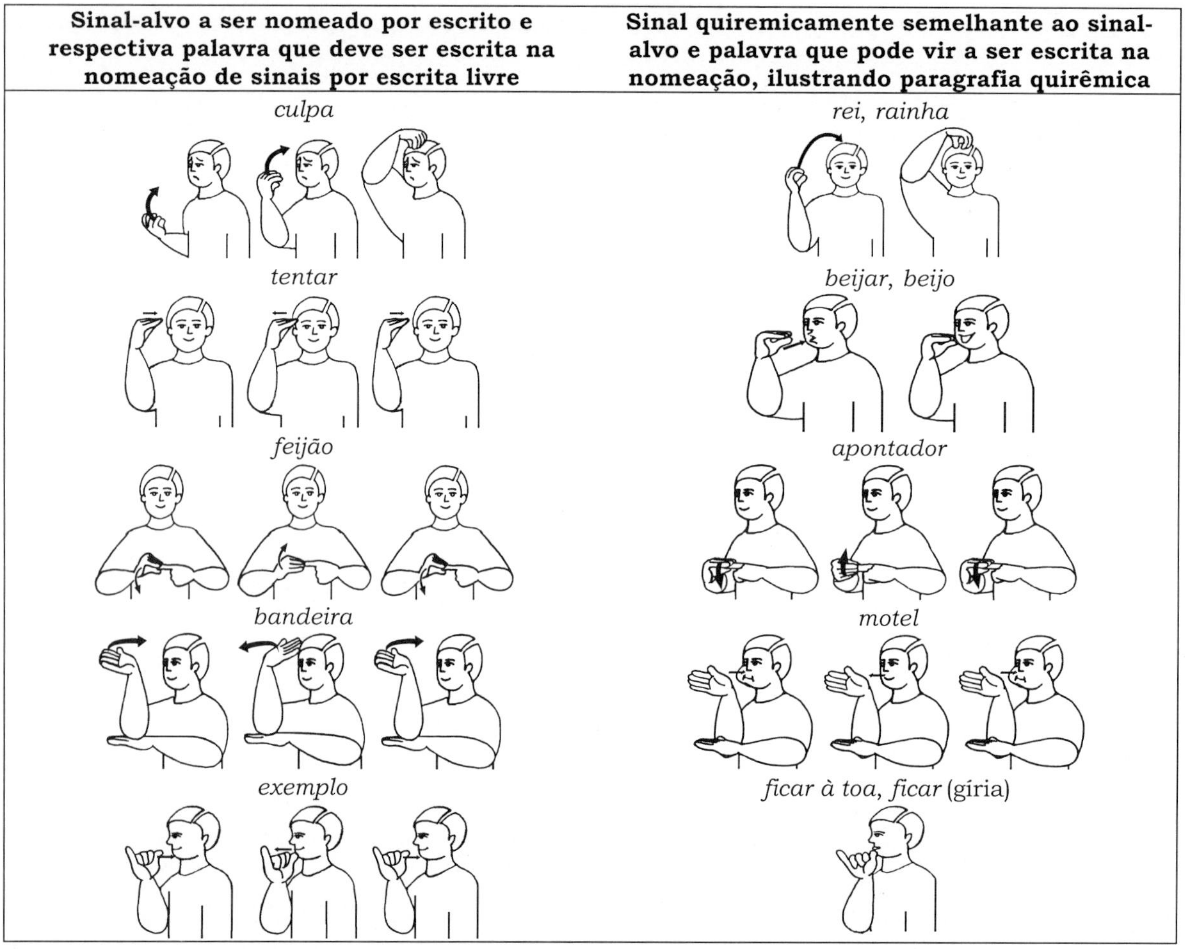

Figura 5. Amostra de cinco sinais-alvo que compõem o TNS1.1–Escrita e correspondentes sinais quiremicamente semelhantes a eles. A coluna esquerda contém cinco sinais-alvo que devem ser nomeados por meio da escrita das palavras a eles correspondentes, as quais aparecem acima de cada sinal. A coluna direita contém os sinais quiremicamente semelhantes aos sinais-alvo e as palavras escritas correspondentes a esses sinais. Na tarefa de nomeação escrita dos sinais da coluna esquerda, em vez de escrever as palavras correspondentes, espera-se que alguns examinandos surdos escrevam as palavras da coluna direita. Tais trocas na escrita consistem em paragrafias, e a semelhança quirêmica entre os sinais subjacentes a essas palavras trocadas e os sinais-alvo a serem nomeados sugere seu teor quirêmico. Influenciados pela semelhança quirêmica entre o sinal-alvo a ser nomeado e o sinal indexador da palavra que acaba sendo produzida de modo incorreto, ao ter de nomear por escrito os sinais CULPA, TENTAR, FEIJÃO, BANDEIRA e EXEMPLO, espera-se que alguns surdos sinalizadores cometam paragrafias quirêmicas como as de escrever *rei* ou *rainha* para CULPA, *beijar* ou *beijo* para TENTAR, *apontador* para FEIJÃO, *motel* para BANDEIRA, e *ficar à toa* ou *ficar* para EXEMPLO.

Nos mesmos termos práticos, considerando a versão 2.1 do Teste de Nomeação de Sinais por Escrita (TNS2.1–Escrita), uma predição típica da hipótese de indexação quirêmica do léxico ortográfico é que, ao ter de nomear por escrito o sinal VERDE, alguns dos examinandos surdos sinalizadores poderiam escrever a palavra *gelo* ou *gelado*; ao ter de nomear o sinal POBRE, POBREZA, eles poderiam escrever a palavra *livro*; para nomear o sinal TREINAR, poderiam escrever *costume* ou *educação*; para nomear IDADE, poderiam escrever *aniversário*; e, para nomear ACONTECER, poderiam escrever *tempo*. Tal expectativa experimental decorre da hipótese de indexação do léxico ortográfico pelo léxico quirêmico e é ilustrada na Figura 6, que apresenta cinco pares de sinais que poderiam dar origem a paragrafias quirêmicas, de acordo com a hipótese de indexação do léxico ortográfico pelo léxico quirêmico e de acesso ao léxico semântico pelo léxico quirêmico. A coluna esquerda apresenta os sinais a serem nomeados e as correspondentes palavras-alvo que deveriam ser escritas, as quais, de acordo com a hipótese de indexação quirêmica por sinais, são indexadas por eles. A coluna direita apresenta os sinais que subjazem às palavras escritas, bem como essas próprias palavras escritas, que se espera que os surdos produzam livremente ao tentar nomear os sinais-alvo da coluna esquerda.

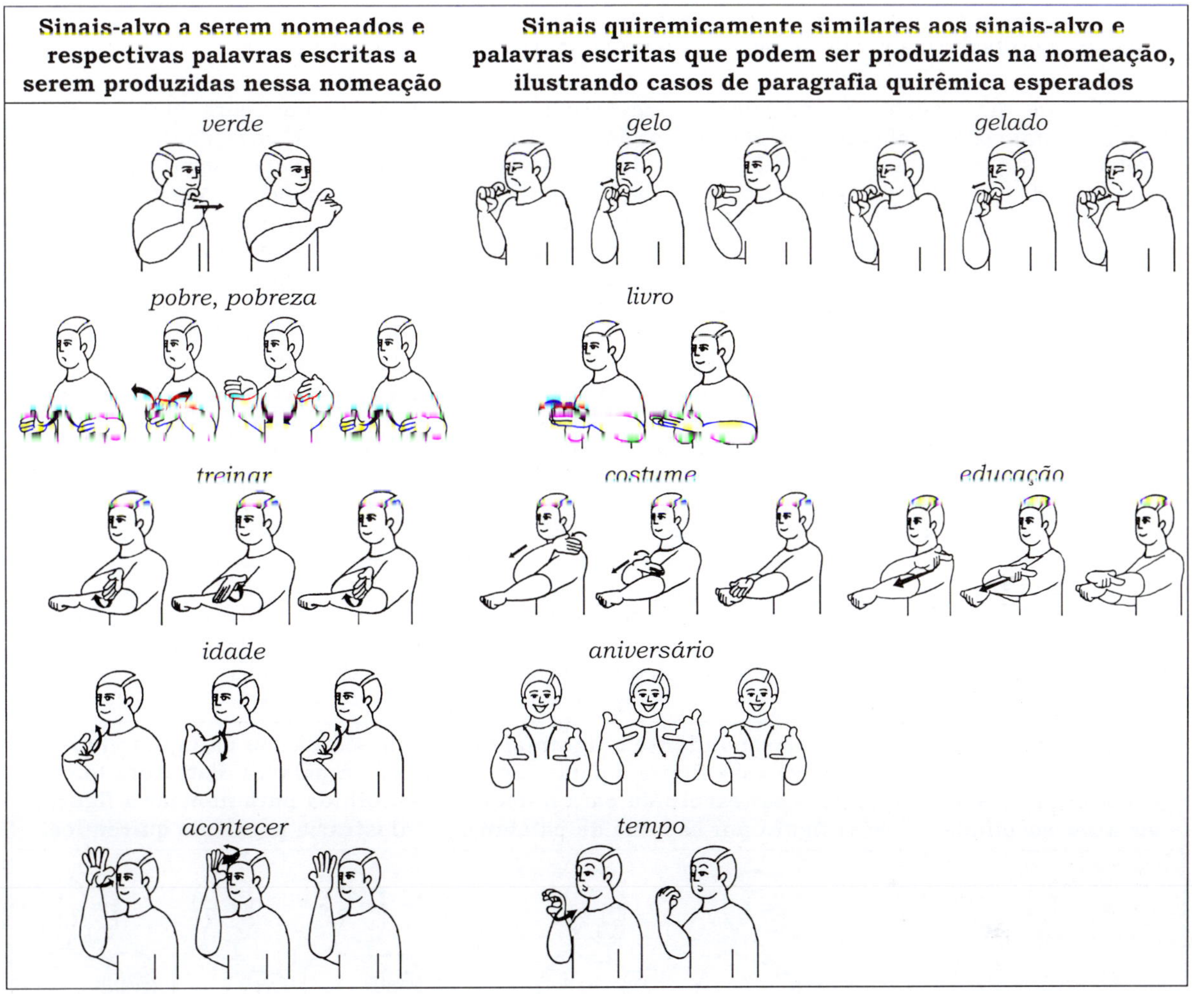

Figura 6. Amostra de cinco sinais-alvo que compõem a versão 2.1 do Teste de Nomeação de Sinais por Escrita (TNS2.1–Escrita) e correspondentes sinais quiremicamente semelhantes a eles. A coluna esquerda contém cinco sinais-alvo que devem ser nomeados por meio da escrita das palavras a eles correspondentes, as quais, para fins de clareza na presente explanação, aparecem acima de cada sinal. As colunas central e direita contêm sinais quiremicamente semelhantes aos sinais-alvo, bem como as palavras escritas a eles correspondentes. Na tarefa de nomeação escrita dos sinais da coluna esquerda, espera-se que haja estudantes surdos sinalizadores que escrevam as palavras das colunas central ou direita. Especialmente nos dois primeiros casos, fica clara a natureza quirêmica dessas paragrafias. Ou seja, influenciados principalmente pela semelhança quirêmica entre o sinal-alvo a ser nomeado e o sinal indexador da palavra que acaba sendo escrita, alguns surdos podem escrever *gelo* ou *gelado* para nomear o sinal VERDE; *livro* para POBRE ou POBREZA; *costume* ou *educação* para TREINAR; *aniversário* para IDADE; e *tempo* para ACONTECER.

Assim, a Figura 6 ilustra uma amostra de cinco sinais-alvo que compõem a versão 2.1 do Teste de Nomeação de Sinais por Escrita (TNS2.1–Escrita) e os correspondentes sinais quiremicamente semelhantes a eles. A coluna esquerda contém cinco dos 36 sinais-alvo que devem ser nomeados por meio da escrita das palavras a eles correspondentes, as quais aparecem acima de cada sinal. As colunas central e direita contêm, para cada sinal-alvo, um sinal quiremicamente semelhante ao sinal-alvo e a palavra escrita correspondente a esse sinal. Nesse teste de nomeação escrita dos sinais da coluna esquerda, espera-se que alguns estudantes surdos escrevam as palavras das colunas central e direita em vez de as palavras que deveriam ser escritas (i.e., as da coluna esquerda). Especialmente nos dois primeiros casos, pode-se afirmar que essas paragrafias não são de natureza semântica, uma vez que não há qualquer relação entre os conceitos de verde e gelo, e nem entre os conceitos de pobre e livro. Nesses casos fica clara a natureza quirêmica dessas paragrafias, como indicado pela semelhança entre a forma do sinal-alvo (e.g., VERDE ou POBRE) e a do sinal (e.g., GELO ou LIVRO) correspondente à palavra que acaba sendo escrita.

4.7.3.) Paralexias quirêmicas no Teste de Nomeação de Figuras por Escolha e a hipótese de mediação por sinalização interna entre os léxicos semântico e ortográfico

No que diz respeito ao desempenho de escolha de palavras escritas para nomear figuras conhecidas, tal como avaliado pelas versões originais 1.1 e 2.1 do Teste de Nomeação de Figuras por Escolha (TNF1.1–Escolha e TNF2.1–Escolha), de acordo com a hipótese de mediação do acesso ao léxico semântico por sinalização interna e de indexação do léxico ortográfico pelo léxico quirêmico, ao ter de nomear uma figura, o examinando surdo tende a, primeiramente, evocar o sinal da Libras correspondente à figura e, só então, usando esse sinal, resgatar a palavra escrita a ele correspondente. Ou seja, segundo essa hipótese de mediação pelo sinal, as palavras escritas em Português encontram-se indexadas aos seus respectivos significados por meio dos sinais subjacentes em Libras, de modo que, para nomear uma figura em Português, é preciso que o examinando surdo primeiro resgate o sinal da Libras correspondente à figura ao nomeá-la encobertamente para, só então, usando esse sinal evocado da Libras como indexador, resgatar a palavra escrita em Português que se encontra associada a esse sinal. Desse modo, como o sistema secundário de representação de informação (i.e., a escrita alfabética) encontra-se ancorado no sistema primário (i.e., sinalização em Libras), conforme F. Capovilla (no prelo) os erros de leitura (i.e., paralexias) e de escrita (i.e., paragrafias) podem dever-se tanto a falhas no estágio de evocação do sinal correspondente, a partir do léxico quirêmico, para nomear uma determinada figura (o que pode ocorrer devido a problemas de vocabulário de sinais da Libras, por exemplo), quanto a falhas no estágio de evocação da palavra escrita correspondente ao sinal, a partir do léxico ortográfico (o que pode ocorrer devido a problemas de vocabulário de Português, por exemplo). Conforme demonstrações experimentais (e.g., F. Capovilla, no prelo; Klima & Bellugi, 1979), a codificação de informação lingüística em língua de sinais se dá por meio das propriedades sublexicais, que são os elementos quirêmicos constitutivos dos sinais.

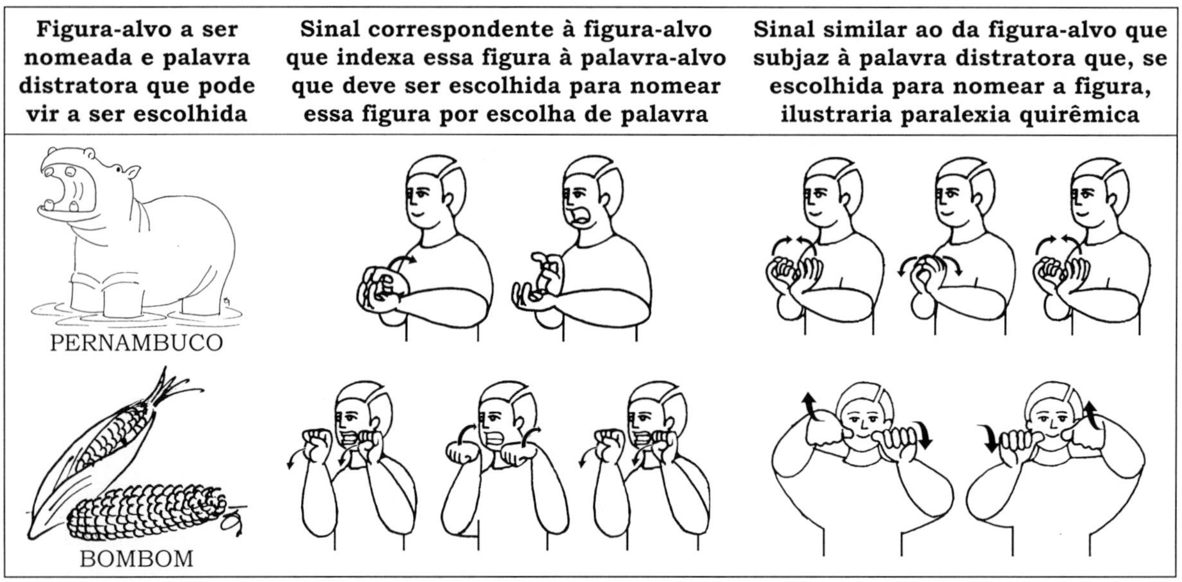

Figura 7. Amostra de dois dos 36 casos da versão original 1.1 do Teste de Nomeação de Figuras por Escolha (TNF1.1–Escolha) que, segundo a hipótese de mediação por sinais, podem originar paralexias e paragrafias quirêmicas. Na coluna esquerda, as figuras de hipopótamo e milho a serem denominadas por meio da escolha da palavra escrita correspondente a cada uma, e as palavras escritas PERNAMBUCO e BOMBOM que podem vir a ser escolhidas pelos estudantes surdos para denominá-las, e que correspondem aos respectivos sinais distratores quirêmicos. Na coluna central, os sinais HIPOPÓTAMO e MILHO correspondentes às figuras da coluna esquerda. Na coluna direita, os sinais distratores quirêmicos PERNAMBUCO e BOMBOM (que se assemelham aos sinais aplicáveis às figuras-alvo de hipopótamo e milho, respectivamente), os quais subjazem às palavras distratoras quirêmicas que, segundo a hipótese, podem vir a ser escolhidas para denominar as figuras. Segundo essa hipótese de mediação por sinais subjacentes, espera-se que a similaridade quirêmica entre os sinais subjacentes a palavras distratoras quirêmicas (e.g., PERNAMBUCO, BOMBOM) que correspondem às suas respectivas palavras-alvo (e.g., HIPOPÓTAMO, MILHO) induza examinandos surdos a cometer paralexias quirêmicas, escolhendo as palavras distratoras quirêmicas em vez de as palavras-alvo, o que os levaria a nomear um hipopótamo como PERNAMBUCO, e uma espiga de milho como BOMBOM.

Figura-alvo a ser nomeada e palavra distratora que pode vir a ser escolhida	Sinal correspondente à figura-alvo que indexa essa figura à palavra-alvo que deve ser escolhida no teste de nomeação de figuras por escolha	Sinal similar ao da figura-alvo e que subjaz à palavra distratora quirêmica, cuja escolha, se ocorrer, ilustra paralexia quirêmica

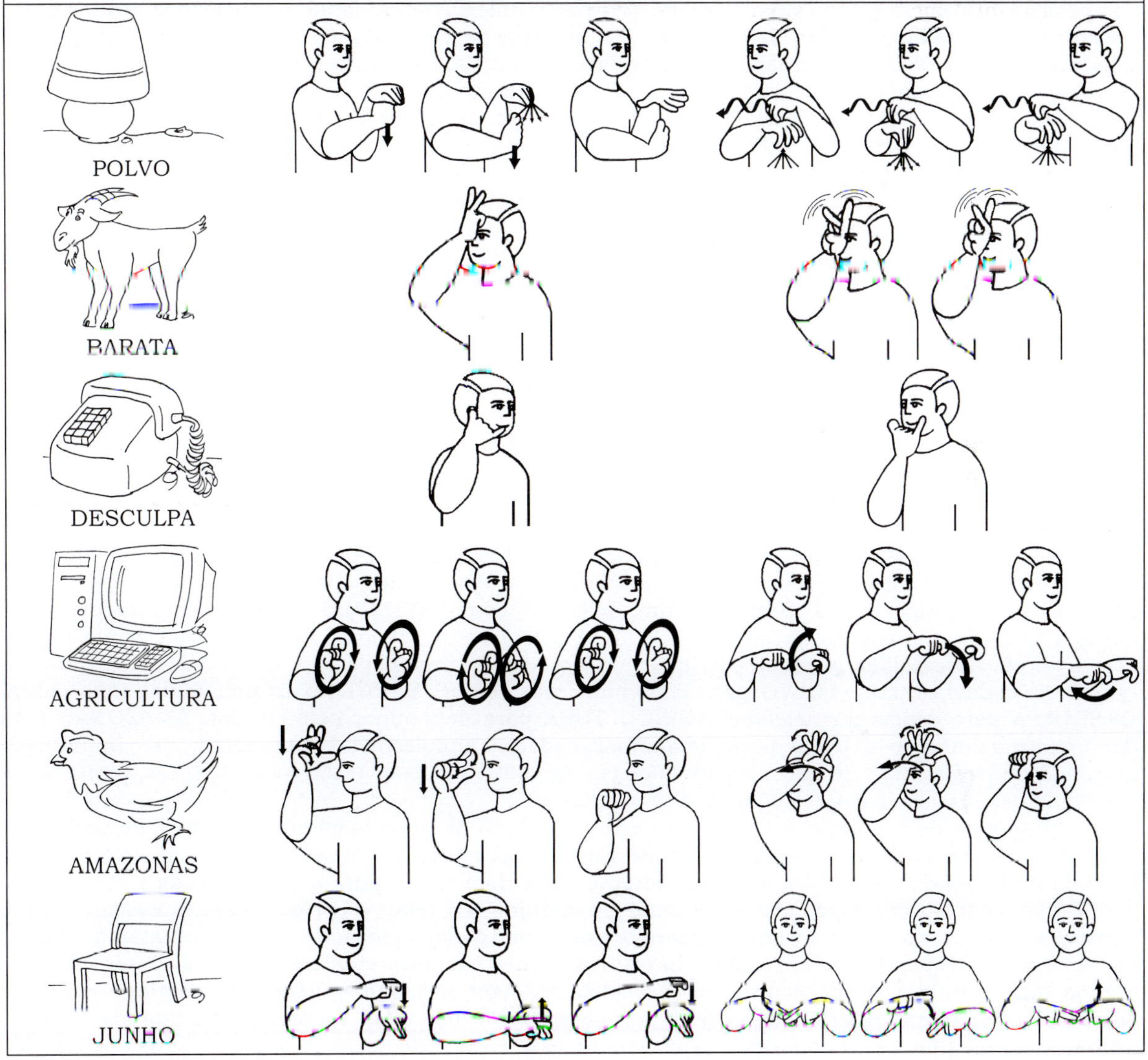

Figura 8. Amostra de seis dos 36 casos da versão 2.1 do Teste de Nomeação de Figuras por Escolha (TNF2.1–Escolha) que, segundo a hipótese de mediação por sinais, podem originar paralexias quirêmicas. Na coluna esquerda, as figuras de abajur, cabra, telefone, computador, galinha e cadeira a serem denominadas por meio da escolha da palavra escrita correspondente, e as palavras escritas que podem vir a ser escolhidas pelos examinandos surdos para denominá-las, e que correspondem às palavras distratoras quirêmicas POLVO, BARATA, DESCULPA, AGRICULTURA, AMAZONAS e JUNHO, respectivamente. Na coluna central, os sinais ABAJUR, CABRA, TELEFONE, COMPUTADOR, GALINHA e CADEIRA correspondentes às figuras da coluna da esquerda. Na coluna direita, os sinais POLVO, BARATA, DESCULPA, AGRICULTURA, AMAZONAS e JUNHO que subjazem às palavras distratoras quirêmicas que, de acordo com a hipótese, podem vir a ser escolhidas para denominar as figuras de abajur, cabra, telefone, computador, galinha e cadeira, respectivamente. Segundo a hipótese de mediação por sinais subjacentes, espera-se que a similaridade quirêmica entre os sinais subjacentes a palavras distratoras quirêmicas (e.g., as palavras POLVO, BARATA, DESCULPA, AGRICULTURA, AMAZONAS, JUNHO) que correspondem às suas respectivas palavras-alvo (e.g., as palavras ABAJUR, CABRA, DESCULPA, COMPUTADOR, GALINHA, CADEIRA) induza examinandos surdos a cometer paralexias quirêmicas, escolhendo as palavras distratoras quirêmicas em vez de as palavras-alvo, o que os levaria a nomear um abajur como POLVO, uma cabra como BARATA, um telefone como DESCULPA, um computador como AGRICULTURA, uma galinha como AMAZONAS, e uma cadeira como JUNHO.

Assim, a similaridade de composição quirêmica entre sinais diferentes pode ocasionar confusão entre esses mesmos sinais, tanto no estágio de evocação da representação quirêmica de um sinal para nomear uma figura quanto no estágio de evocação da representação ortográfica de uma palavra escrita a partir do sinal associado. Tais confusões entre sinais diferentes, decorrentes da similaridade na composição sublexical desses sinais, podem originar paralexias e paragrafias típicas dos surdos e não encontradas em qualquer outro tipo de leitor. Tal hipótese de mediação por sinalização interna durante a leitura e de paralexias radicadas na similaridade quirêmica durante a nomeação de figuras recebeu corroboração experimental em dois estudos paralelos, tanto sobre a versão 1.1 (TNF1.1–Escolha: F. Capovilla, Viggiano, Raphael, Bidá, A. Capovilla, Neves, & Mauricio, 2004) quanto sobre a versão 2.1 (TNF2.1–Escolha: F. Capovilla, Viggiano, Bidá, A. Capovilla, Raphael, Neves, & Mauricio, 2004).

Em termos práticos, considerando a versão 1.1 do Teste de Nomeação de Figuras por Escolha (TNF1.1–Escolha), uma predição típica da hipótese de mediação por sinais é de que deve ser possível encontrar, com freqüência acima do nível do acaso, surdos que designem um hipopótamo como PERNAMBUCO, e uma espiga de milho como BOMBOM. Ou seja, confrontados com a tarefa de escolher palavras escritas para nomear figuras, espera-se que os surdos tendam a escolher a palavra escrita PERNAMBUCO para denominar a figura de um hipopótamo, e BOMBOM para denominar a figura de uma espiga de milho, simplesmente por causa da similaridade quirêmica entre os sinais subjacentes (i.e., HIPOPÓTAMO e PERNAMBUCO, MILHO e BOMBOM). A hipótese de mediação por sinais decorre do modelo de processamento de leitura de surdos (F. Capovilla, no prelo), segundo o qual, no leitor surdo, o acesso ao léxico semântico se dá pela porta de entrada do léxico quirêmico, que contém a representação da composição quirêmica de todos os sinais já articulados no passado pelo leitor e considerados por ele como sendo relevantes. A Figura 7 ilustra essa expectativa experimental decorrente da hipótese de mediação pelo sinal.

Nesses mesmos termos práticos, considerando a versão 2.1 do Teste de Nomeação de Figuras por Escolha (TNF2.1–Escolha), uma predição típica da hipótese de mediação por sinais é que deve ser possível encontrar, com freqüência acima do nível do acaso, surdos que designem um abajur como POLVO, uma cabra como BARATA, um telefone como DESCULPA, um computador como AGRICULTURA, uma galinha como AMAZONAS, e uma cadeira como JUNHO. Ou seja, confrontados com a tarefa de escolher palavras escritas para nomear figuras, espera-se que os surdos tendam a escolher a palavra escrita POLVO para denominar um abajur, BARATA para denominar uma cabra, DESCULPA para denominar telefone, AGRICULTURA para denominar computador, AMAZONAS para denominar galinha, e JUNHO para denominar cadeira, simplesmente por causa da similaridade quirêmica entre os sinais subjacentes ABAJUR e POLVO, CABRA e BARATA, TELEFONE e DESCULPA, COMPUTADOR e AGRICULTURA, GALINHA e AMAZONAS, CADEIRA e JUNHO.

A hipótese de mediação por sinais decorre do modelo de processamento de leitura de surdos (F. Capovilla, no prelo), segundo o qual, no leitor surdo, o acesso ao léxico semântico se dá pela porta de entrada do léxico quirêmico. Ou seja, quando apresentado a uma figura a ser nomeada por escrito, o sinalizador com surdez profunda pré-lingual ou perilingual, tende a primeiramente evocar o sinal correspondente a ela para, só então, usando esse sinal como indexador, tentar resgatar a palavra escrita que corresponde a ela. Quando há outros sinais bastante similares ao sinal a ser evocado, alguns desses outros sinais podem ser evocados no lugar dele por engano para nomear a figura, especialmente quando o sinal que deveria ser evocado não tem uma representação quirêmica muito bem estabelecida no léxico do surdo, como quando esse sinal é de baixa freqüência de uso pelo surdo ou quando o vocabulário de sinais desse surdo é relativamente pobre. Mesmo quando o sinal correto é, de fato, evocado para nomear a figura, é possível que ele não seja capaz de evocar de maneira eficaz a palavra escrita em Português que deveria estar indexada por ele. Isso pode ocorrer quando o vocabulário desse surdo em Português é relativamente pobre ou quando a indexação entre sinal e palavra não se encontra bem estabelecida.

Assim, segundo o modelo de F. Capovilla (no prelo), as paralexias quirêmicas e as paragrafias quirêmicas podem ter origem em diferentes etapas do processamento na tarefa de nomeação de figuras por meio da escolha ou da escrita de palavras em Português, como na etapa inicial de nomeação da figura pela evocação do sinal correspondente em Libras; na etapa intermediária de evocação da palavra escrita que deveria se encontrar indexada pelo sinal; e finalmente na etapa terminal de produção da palavra escrita. Problemas na etapa inicial tendem a levar a paralexias e paragrafias quirêmicas, com a substituição de um sinal que deveria ser evocado por um outro sinal semelhante a ele em forma mas não em significado e que acaba sendo evocado no lugar dele. Problemas na etapa intermediária tendem a levar a omissões de resposta, com o fracasso de evocar qualquer forma ortográfica passível de articulação escrita. Problemas na etapa terminal tendem a levar a paralexias e paragrafias ortográficas, com a substituição de uma determinada palavra escrita por uma outra palavra escrita que se assemelha visualmente a ela em termos dos grafemas componentes ou de certos aspectos da forma ortográfica geral da palavra, mas não em termos de significado. A Figura 8 ilustra essa expectativa experimental decorrente da hipótese de mediação pelo sinal.

4.7.4.) A hipótese de mediação por sinais e a eficácia de distratores quirêmicos e ortográficos, e relações com vocabulário de sinais em Libras e competência de leitura em Português

A hipótese de mediação por sinais também estabelece expectativas experimentais relacionadas à eficácia dos distratores quirêmicos e ortográficos dos dois testes de nomeação por escolha: O Teste de Nomeação de Sinais por Escolha, em suas versões originais (TNS1.1–Escolha e TNS2.1–Escolha), e o Teste de Nomeação de Figuras por Escolha, em suas versões originais (TNF1.1–Escolha e TNF2.1–Escolha).

Quanto à distribuição de erros e à eficácia dos distratores ortográficos e quirêmicos do Teste de Escolha do Nome de Figuras, as expectativas são as seguintes:

- No que tange à eficácia de distratores ortográficos, espera-se que quanto maior a competência de leitura de palavras em Português (no que se refere à habilidades de decodificação de palavras pouco familiares e de reconhecimento visual direto de palavras familiares), tal como medida pela versão original do Teste de Competência de Leitura de Palavras (TCLP1.1), tanto menor deva ser a eficácia de distratores ortográficos em induzir erros de nomeação de figuras. Ou seja, espera-se que quanto maior a competência de leitura de palavras, tanto menor seja a probabilidade que os distratores induzam erros ortográficos.
- Do mesmo modo, com referência à eficácia dos distratores quirêmicos, espera-se que quanto maior a compreensão de sinais da Libras, tal como medida pela versão original do Teste de Vocabulário Receptivo de Sinais da Libras (TVRSL1.1), tanto menor deva ser a eficácia de distratores quirêmicos em induzir erros de nomeação de figuras. Ou seja, espera-se que quanto maior a compreensão de sinais da Libras, tanto menor seja a probabilidade que os distratores induzam erros quirêmicos. Tais expectativas foram corroboradas experimentalmente no estudo com a versão 2.1 do Teste de Nomeação de Figuras por Escolha (TNF2.1–Escolha: F. Capovilla, Viggiano, Bidá, A. Capovilla, Raphael, Neves, & Mauricio, 2004).

Ainda segundo a hipótese de mediação por sinais, no que diz respeito à distribuição de erros, espera-se que:

- Quanto melhor o desempenho na versão original do Teste de Vocabulário Receptivo de Sinais da Libras (TVRSL1.1), tanto menor seja a freqüência de erros induzidos por distratores quirêmicos no Teste de Nomeação de Figuras por Escolha (TNF–Escolha).

Além disso, também se espera que:

- Quanto melhor o desempenho na versão original do Teste de Competência de Leitura de Palavras (TCLP1.1), tanto menor seja a freqüência de erros induzidos por distratores ortográficos no Teste de Nomeação de Figuras por Escolha (TNF–Escolha).

Mais precisamente, espera-se que seja possível encontrar correlações negativas entre a compreensão de sinais da Libras (i.e., o vocabulário receptivo visual de sinais da Libras) e a freqüência de erros quirêmicos, bem como entre a competência de leitura de palavras e a freqüência de erros ortográficos.

Espera-se também que seja possível encontrar uma dupla dissociação entre a freqüência de erros quirêmicos e o vocabulário de sinais de um lado, e entre a freqüência de erros ortográficos e a competência de leitura de palavras de outro lado, de modo que, comparando as correlações negativas entre a competência de leitura e a indução de erros por distratores quirêmicos e ortográficos, deve ser observada maior correlação negativa com os distratores ortográficos.

E, reciprocamente, comparando as correlações negativas entre a compreensão de sinais da Libras e a indução de erros por distratores quirêmicos e ortográficos, deve ser observada maior correlação negativa com os distratores quirêmicos.

Tais expectativas foram corroboradas experimentalmente no estudo sobre a versão 1.1 do Teste de Nomeação de Figuras por Escolha (TNF1.1–Escolha: F. Capovilla, Viggiano, Raphael, Bidá, A. Capovilla, Neves, & Mauricio, 2004).

Assim, quando se trata de nomear *figuras* por escolha de palavras escritas, tal como avaliado pelo Teste de Nomeação de Figuras por Escolha em suas versões originais 1.1 (TNF1.1–Escolha) e 2.1 (TNF2.1–Escolha), espera-se que haja um maior equilíbrio entre as contribuições relativas do vocabulário receptivo de sinais da Libras e da competência de leitura de palavras para o controle da indução de erros por distratores quirêmicos e ortográficos.

Da mesma forma, espera-se que:

- O efeito dos distratores quirêmicos deva ser inversamente proporcional à compreensão de sinais da Libras (tal como avaliado pelo TVRSL1.1); e que
- O efeito de distratores ortográficos deva ser inversamente proporcional à competência de leitura de palavras (tal como avaliada pelo TCLP1.1).

Tais expectativas foram corroboradas experimentalmente nos dois estudos sobre nomeação de figuras por escolha, isto é, tanto no estudo sobre a versão 1.1 (TNF1.1–Escolha: F. Capovilla, Viggiano, Raphael, Bidá, A. Capovilla, Neves, & Mauricio, 2004) quanto no estudo sobre a versão 2.1 (TNF2.1–Escolha: F. Capovilla, Viggiano, Bidá, A. Capovilla, Raphael, Neves, & Mauricio, 2004).

Contudo, quando se trata de nomear *sinais* por escolha de palavras escritas, tal como avaliado pelo Teste de Nomeação de Sinais por Escolha em suas versões originais (TNS1.1–Escolha e TNS2.1–Escolha), espera-se que a contribuição do vocabulário de sinais seja maior que a contribuição da competência de leitura, quer de palavras como avaliada pelo TCLP1.1, quer de sentenças como avaliada pelo TCLS1.1.

Ou seja, espera-se algo além da covariação positiva e sistemática entre o vocabulário receptivo de sinais da Libras, a competência de leitura de palavras isoladas em Português, e a competência de leitura de sentenças em Português.

Pois, dada a importância da compreensão de sinais para a prova de nomeação de sinais por escolha de palavras escritas, espera-se que as três habilidades devam estar mais correlacionadas de maneira inversa à indução de erros por distratores quirêmicos do que à indução de erros por distratores ortográficos.

Logo, enquanto na tarefa de nomeação de figuras a compreensão de sinais é um elo intermediário interno que facilita a atividade de nomeação, na tarefa de nomeação de sinais a compreensão de sinais é o quesito *sine qua non* para que haja nomeação.

Embora a compreensão de sinais não seja suficiente para a nomeação (já que esta requer, também, habilidades em Português), ela é uma habilidade de entrada absolutamente indispensável para que a nomeação possa ocorrer.

Por isso, espera-se uma importância relativamente maior do processamento quirêmico em tarefas de nomeação de sinais por escolha de palavras do que em tarefas de nomeação de figuras por escolha de palavras.

Em outras palavras, quando se trata de nomear sinais por escolha de palavras escritas, espera-se que o conhecimento de sinais da Libras seja mais importante que a competência de leitura de palavras e a competência de leitura de sentenças em Português, sendo que os distratores quirêmicos devem ser capazes de predizer melhor do que os distratores ortográficos o bom desempenho em nomeação de sinais por escolha de palavras escritas.

Tais expectativas foram corroboradas experimentalmente no estudo com a versão 1.1 do Teste de Nomeação de Sinais por Escolha (TNS1.1–Escolha: F. Capovilla, Viggiano, Raphael, Mauricio, A. Capovilla, & Bidá, 2004), bem como no estudo com a versão 2.1 do Teste de Nomeação de Sinais por Escolha (TNS2.1–Escolha: F. Capovilla, Viggiano, Bidá, Luz, A. Capovilla, & Neves, 2004).

4.8.) O foco do presente capítulo

Esta série de estudos apresenta uma grande bateria original de instrumentos precisos e úteis para avaliar o processamento lingüístico de escolares surdos de 6 a 45 anos de idade, no que tange às relações entre a compreensão de sinais, a competência de leitura de palavras e sentenças, e a qualidade da escrita livre para nomear figuras e sinais, assim como algumas das características peculiares desse processamento (F. Capovilla & Viggiano, 2004). Este capítulo apresenta um instrumento útil para auxiliar a compreender o desenvolvimento da compreensão de sinais da Libras em estudantes surdos ao longo do Ensino Fundamental até o Ensino Médio, bem como as relações entre o desenvolvimento dessa habilidade em Libras e o de habilidades de leitura e escrita em Português. A disponibilidade de uma bateria de testes validados e normatizados para a avaliação de competências lingüísticas é de capital importância para permitir avaliar a eficácia relativa de diferentes estratégias de ensino e diferentes procedimentos inspirados em diferentes abordagens (F. Capovilla, 2000a, 2001a, 2004a) aplicadas a crianças com diferentes características, tais como tipo, idade e grau da perda auditiva. Dentre tais abordagens, destacam-se:

- 1.) Oralismo (e.g., implante coclear: F. Capovilla, 1998c, 2001c; e procedimentos oroarticulatórios: Jardim, 2003a, 2003b);
- 2.) Comunicação total (e.g., sistemas de sinais: Bornstein, 1979; F. Capovilla, 1998d; Makaton: Walker & Armfield, 1982; Walker, Parson, Cousins, Carpenter, & Park, 1985; *Cued Speech*: Cornett, 1975; Paget-Gorman: Rowe, 1982; Inglês sinalizado: Bornstein & Saulner, 1984; Bornstein, Hamilton, Saulner, & Roy, 1975; e Português sinalizado: Rabelo, 1991); e
- 3.) Bilingüismo (e.g., Dicionário de Libras: F. Capovilla & Raphael, 2001b, 2001c; Enciclopédia da Libras: F. Capovilla & Luz, 2004a, 2004b, 2004d, 2004d, 2004e, 2004f, 2004g; F. Capovilla & Raphael, 2004a, 2004b, 2004c, 2004d, 2004e, 2004f, 2004g, 2004h, 2004i, 2004j; sistemas de indexação e busca de sinais da Libras como BuscaSigno: F. Capovilla, Duduchi, Raphael, Luz, Rozados, Capovilla, & Macedo, 2003; F. Capovilla, Duduchi, Raphael, Luz, Rozados, & Macedo, 2001a; e sistema de escrita visual direta de sinais *SignWriting*: F. Capovilla & Sutton, 2001).

O presente instrumento é parte dessa bateria de testes cujo emprego permitirá identificar e selecionar os procedimentos de ensino mais apropriados para cada quadro específico de surdez. Dentre outras vantagens, os muitos programas de pesquisas possibilitados pelo advento dessa bateria de testes permitirão avaliar o impacto de procedimentos de ensino de Libras e de Português sobre as competências e o desempenho escolar da população surda. Em termos de procedimentos de alfabetização, esses instrumentos permitirão comparar a eficácia relativa de estratégias de ensino de leitura baseadas na análise da composição morfológica das palavras (F. Capovilla & A. Capovilla, 2001b) e de procedimentos baseados na memorização das formas visuais das palavras, o que possibilitará descobrir as mais adequadas estratégias a serem implementadas para diferentes casos.

O presente estudo documenta pela primeira vez o desenvolvimento da compreensão de sinais da Libras por parte de estudantes surdos matriculados nas oito séries do Ensino Fundamental de São Paulo e permite analisar as relações entre ele e o desenvolvimento das competências de leitura e escrita como função da escolarização e de variáveis como o grau de perda auditiva (i.e., profundo, severo ou moderado), e o tipo de perda (i.e., congênita ou adquirida), dentre outras. O instrumento aqui descrito e validado emprega as figuras do *Dicionário enciclopédico ilustrado trilíngüe da Língua de Sinais Brasileira* (F. Capovilla & Raphael, 2001b, 2001c) e da *Enciclopédia da Língua de Sinais Brasileira* (F. Capovilla & Luz, 2004a, 2004b, 2004c, 2004d, 2004e, 2004f, 2004g; F. Capovilla & Raphael, 2004a, 2004b, 2004c, 2004d, 2004e, 2004f, 2004g, 2004h, 2004i, 2004j), e sua lógica já se encontrava delineada num dos capítulos do dicionário (F. Capovilla & A. Capovilla, 2001b), bem como em estudos anteriores com ouvintes que demonstraram a validade desse instrumento.

Assim, o foco deste capítulo consiste na versão original do Teste de Vocabulário Receptivo de Sinais da Libras (TVRSL1.1), que se encontra descrita a seguir.

4.8.1.) A versão original do Teste de Vocabulário Receptivo de Sinais da Libras (TVRSL1.1) para avaliar a compreensão de sinais da Libras por meio da escolha de figuras

4.8.1.1.) Natureza e objetivos do TVRSL1.1

O atraso de linguagem é o problema de desenvolvimento mais comum em pré-escolares (Bax, Hart, & Jenkins, 1980) e está fortemente correlacionado com posteriores problemas de aprendizagem (Aram, Ekelman, & Nation, 1984; Tallal, 1988). Pode ser identificado já a partir dos 2 anos de idade, por meio da avaliação do número de itens lexicais que a criança emite (i.e., vocabulário expressivo) e compreende (i.e., vocabulário receptivo). Tais itens lexicais consistem em palavras faladas para a ouvinte e em sinais para a surda. Estudos conduzidos em crianças ouvintes e com desenvolvimento lingüístico normal sugerem que, aos 2 anos de idade, as crianças devem apresentar um vocabulário expressivo de pelo menos cinqüenta palavras e ser capazes de formar combinações de duas ou três palavras (Coplan, Gleason, Ryan, & Williams, 1982; Resnick, Allen, & Rapin, 1984). Tem sido demonstrado que cerca de metade das crianças identificadas como tendo atraso específico de linguagem expressiva entre 24 e 30 meses tendem a continuar apresentando severo atraso de fala entre 3 e 4 anos de idade (Rescorla, 1989). É clara a necessidade de desenvolver e validar instrumentos para identificar precocemente possíveis atrasos de linguagem em crianças já a partir dos 2 anos de idade, de modo a oferecer intervenção precoce capaz de reverter o atraso de linguagem oral e prevenir dificuldades de aquisição de leitura e escrita.

O vocabulário receptivo é um requisito para a recepção e o processamento de informação. Isso vale tanto para o vocabulário receptivo auditivo (i.e., de palavras ouvidas) da criança ouvinte quanto para o vocabulário receptivo visual (i.e., de sinais observados) da criança surda. A extensão do vocabulário receptivo é uma das mais importantes e consolidadas medidas da habilidade intelectual. De fato, há pelo menos cinqüenta anos já havia sido demonstrado que provas de vocabulário receptivo fornecem o melhor índice individual de aproveitamento escolar (Dale & Reichert, 1957). Além disso, também tem sido demonstrado que os subtestes de vocabulário são os que mais contribuem para os escores das provas de inteligência geral (Elliott, 1983).

Em crianças ouvintes com desenvolvimento normal, a aquisição do vocabulário receptivo auditivo (i.e., do léxico fonológico) tende a ser fortemente afetada pelas habilidades cognitivas, sendo que quanto maior a habilidade de inferência de uma criança, tanto maior tenderá a ser seu vocabulário receptivo auditivo, ou seja, o número de palavras faladas que ela se torna capaz de compreender. Por outro lado, em crianças surdas e com deficiência auditiva, filhas de pais ouvintes, a aquisição do vocabulário receptivo auditivo e de outras habilidades lingüísticas relacionadas à linguagem oral tende a ficar defasada em relação ao desenvolvimento cognitivo. Ou seja, apesar de boas habilidades de inferência, a criança tende a apresentar atraso no desenvolvimento das habilidades de linguagem oral. Portanto, enquanto a relação entre inteligência e o subseqüente desenvolvimento de habilidades lingüísticas oro-aurais tende a ser razoavelmente contínua para as crianças ouvintes, ela tende a ser descontínua para as crianças surdas filhas de pais ouvintes. No estudo intitulado *Desenvolvimento de vocabulário em crianças com surdez e com deficiência auditiva*, Lederberg e Spencer (2001) fazem revisão bibliográfica sobre o desenvolvimento de vocabulário receptivo auditivo em crianças surdas e ouvintes na faixa de 8 meses a 20 anos de idade. O estudo contrasta o desenvolvimento de vocabulário em crianças surdas e ouvintes, com especial atenção a características como: (1) O número de palavras que a criança conhece e a natureza dessas palavras; (2) A taxa de crescimento do vocabulário; e (3) Os processos ou estratégias de aprendizagem de palavras que as crianças usam para facilitar e guiar a aprendizagem de novas palavras. Os resultados revelaram que, para crianças filhas de pais ouvintes, a perda auditiva produz atraso no desenvolvimento do vocabulário, tal como refletido em léxicos menores, taxas mais baixas de aquisição de palavras novas, e menor amplitude de contextos capazes de promover aprendizagem de palavras. A pesquisa sugere que, apesar de seu atraso, as crianças com surdez e deficiência auditiva acabam eventualmente adquirindo estratégias compensatórias que auxiliam a acelerar a aprendizagem de palavras.

No Brasil, resultados semelhantes quanto ao efeito da perda auditiva sobre o vocabulário de filhos de ouvintes foram documentados por Portugal e F. Capovilla (2002a, 2002b). Num desses estudos, intitulado *Triagem audiológica na 1ª. série: Efeitos de perda auditiva sobre vocabulário, consciência fonológica, articulação da fala e nota escolar*, foram demonstrados os efeitos empobrecedores da perda auditiva sobre o vocabulário, a consciência fonológica e o desempenho escolar de primeiranistas do Ensino Fundamental. No estudo, 528 crianças da 1ª. série de oito escolas de Ensino Fundamental público da cidade de Goiânia passaram por triagem audiológica com microaudiômetro. Os resultados revelaram que, das 528 crianças, 34 (6,4%) apresentaram perda auditiva em uma ou ambas as orelhas, com limiar elevado em qualquer uma de quatro freqüências (i.e., acima de 35 dB em 500 Hz, 30 dB em 1.000 Hz, 25 dB em 2.000 Hz, ou 25 dB em 4.000 Hz). No estudo, essas crianças com perda auditiva foram selecionadas para compor o grupo experimental. Outras 34 crianças da amostra, emparelhadas por sexo e idade, foram semi-aleatoriamente selecionadas para compor o grupo controle (i.e., sem perda auditiva). As 68 crianças foram então submetidas a uma avaliação de linguagem envolvendo três importantes habilidades lingüísticas (i.e., vocabulário receptivo auditivo, consciência fonológica, e discriminação auditiva), além de a uma avaliação de inteligência não-verbal. Finalmente, as 68 crianças também tiveram computadas as suas notas escolares. Os resultados revelaram que, independentemente da inteligência não-verbal, quanto maior o grau de perda auditiva, tanto menores o vocabulário receptivo auditivo, a consciência fonológica, a discriminação auditiva e a nota escolar, e tanto maior a incidência de dificuldades articulatórias e de trocas e omissões articulatórias.

O vocabulário receptivo está fortemente correlacionado com a habilidade de leitura e com o quociente de inteligência QI (Eysenck & Keane, 1990). A correlação com a inteligência geral decorre do fato de que a aquisição do vocabulário requer o uso de informações contextuais para fazer inferências plausíveis sobre o significado de palavras desconhecidas. Um exemplo de como inferências são empregadas para eduzir ou depreender o significado de palavras desconhecidas a partir do contexto frasal em que aparecem é fornecido por Sternberg (1987). Numa sentença como "Ao amanhecer, o *blen* surgiu radiante no horizonte", o significado de *blen* (i.e., Sol) pode ser claramente deduzido a partir do contexto. Esse mesmo tipo de processamento ativo de construção de inferências que caracteriza a aquisição de vocabulário também caracteriza a compreensão auditiva de enunciados e a compreensão de leitura de textos. Daí as elevadas intercorrelações envolvendo vocabulário receptivo, compreensão auditiva de enunciados, e compreensão de leitura de textos.

Portanto, o conhecimento do significado das palavras e o desenvolvimento de conceitos são essenciais para permitir a compreensão auditiva e de leitura, de modo que a falta de conhecimento relevante reduz severamente a compreensão (Anderson & Freebody, 1983; Kame'enui, Carnine, & Freshi, 1982; Marks, Doctorow, & Wittrock, 1974). De fato, Mezynski (1983) e Stahl e Fairbanks (1986) descobriram que o desempenho de compreensão pode ser melhorado por meio do treinamento de desenvolvimento de conceitos e palavras, e que programas voltados para a expansão do vocabulário tendem a favorecer o desenvolvimento da compreensão de leitura. Tem sido demonstrado (McKeon, Beck, Omanson, & Pople, 1985) que boa parte do efeito de procedimentos que buscam aumentar a compreensão de leitura em leitores fracos por meio da expansão do vocabulário deriva do desenvolvimento de habilidades inferenciais feitas em sentenças em que as palavras são usadas, mais do que simplesmente da rotineira aprendizagem das palavras apresentadas juntamente com suas definições. Esse estudo de McKeon et al. descobriu que o método de ensino de vocabulário baseado no contexto produz maior melhora na compreensão global do texto do que o método de ensino baseado em definições. Leitores fracos mostram maior habilidade em raciocinar com as novas palavras quando lhes é ensinado o uso dessas novas palavras em contextos diferentes e a união de palavras relacionadas, do que quando essas novas palavras lhes são simplesmente ensinadas juntamente com suas definições. Tais achados fazem pleno sentido, uma vez que a principal importância do contexto é sempre a de favorecer a compreensão do significado.

Neste ponto é importante estabelecer a distinção entre a *identificação* de palavras durante a leitura (tanto por decodificação quanto por reconhecimento visual) e a *compreensão do significado* dessas mesmas palavras durante a leitura (Cardoso-Martins, F. Capovilla, Gombert, Oliveira, Morais, Adams, & Beard, 2003). Tanto para bons leitores quanto para maus leitores, o contexto contribui para a compreensão do significado das palavras escritas. No entanto, o contexto contribui para a identificação das palavras escritas só para os maus leitores (i.e., aqueles com dificuldade em decodificar grafofonemicamente as palavras escritas e em reconhecer sua forma ortográfica precisa), já que os bons leitores fazem uso essencial do mecanismo aprendido de decodificação grafofonêmica para fazer essa identificação de palavras escritas (cf. demonstrado por Stanovich, 1988, 1991, 1993). Como os maus leitores têm dificuldade em decompor a seqüência grafêmica das palavras e em resgatar a forma fonológica correspondente por meio de decodificação grafofonêmica, eles não conseguem identificar as palavras por meio dos processos de decodificação e reconhecimento e, assim, como estratégia compensatória, eles tendem a depender muito mais do contexto para tentar adivinhar o significado das palavras que não conseguem identificar por decodificação e reconhecimento. Por outro lado, os bons leitores conseguem decodificar as palavras escritas e resgatar a sua forma fonológica correspondente, e têm um vocabulário receptivo desenvolvido, que contém as formas fonológicas das palavras ouvidas e suas representações semânticas correspondentes. Assim, em vez de terem de adivinhar as palavras recorrendo ao contexto, os bons leitores simplesmente identificam essas palavras por meio da decodificação grafofonêmica de sua seqüência grafêmica e do reconhecimento visual direto de sua forma ortográfica. Embora precisem fazer uso do contexto muito menos do que os maus leitores, os bons leitores podem fazer uso do contexto para facilitar o acesso à pronúncia e ao significado quando encontram palavras grafofonemicamente irregulares, aquelas cuja decodificação estrita não produz a forma fonológica precisa que se encontra armazenada no léxico fonológico. Por exemplo, é possível que a palavra grafofonemicamente irregular EXÉRCITO tenda a ser lida com maior precisão num texto sobre guerra do que numa lista de palavras isoladas. Contudo, é preciso lembrar que as irregularidades grafofonêmicas são exceção às regras de correspondências grafofonêmica da ortografia portuguesa, sendo que as palavras irregulares são excepcionais e relativamente raras. Por isso é que a aplicação geral de decodificação grafofonêmica à leitura de palavras novas usualmente produz a forma fonológica familiar (i.e., aquela que se encontra armazenada no léxico fonológico e que tem correspondente no léxico semântico), sendo um recurso mais seguro, preciso e econômico do que a adivinhação baseada no contexto para a leitura de novas palavras. De fato, como o código alfabético mapeia a fala por meio da recombinação de um número pequeno de unidades mínimas (i.e., 23 letras, no alfabeto Português), essas unidades ocorrem em combinações que são visualmente bastante semelhantes em palavras diferentes. Em conseqüência, as palavras escritas acabam sendo consideravelmente similares em termos do aspecto visual global, sendo que a estratégia logográfica, de tentar fazer reconhecimento da forma global das palavras sem o auxílio da decodificação, usualmente produz paralexias baseadas na semelhança global entre palavras diferentes. Por isso é que se diz que o código alfabético não pode ser eficientemente processado por um estilo ou estratégia de leitura logográfico (i.e., ideovisual global) desprovido do processo auxiliar de decodificação grafofonêmica. Como as palavras irregulares são relativamente raras, o uso de decodificação grafofonêmica fluente para processar palavras novas continua sendo o recurso mais seguro, preciso e econômico para conseguir resgatar a forma fonológica familiar, que se encontra armazenada no léxico fonológico do leitor, de palavras escritas cuja forma ortográfica é relativamente pouco familiar. Tipicamente, a decodificação grafofonêmica das palavras conduzirá ao significado dessas palavras se o processo de decodificação pelo leitor for suficientemente automático e fácil para permitir uma leitura fluente, e se o vocabulário receptivo auditivo desse leitor se encontrar suficientemente desenvolvido (i.e., se houver um grande número de elementos do léxico fonológico firmemente associados aos seus correspondentes elementos no léxico semântico). Quando o processo de decodificação (i.e., de conversão da seqüência grafêmica das palavras escritas nas seqüências fonêmicas correspondentes das palavras faladas) é suficientemente automático e fluente, e quando ele resulta na pronúncia de palavras familiares que já se encontram armazenadas no léxico fonológico, a leitura passa a evocar a mesma fala interna com que o leitor pensa e se comunica no dia-a-dia, permitindo, assim, obter acesso fácil ao significado. Portanto, para os leitores normoléxicos, o recurso ao contexto ocorre fundamentalmente no processamento secundário à identificação das palavras, ou seja, no aperfeiçoamento da compreensão do significado das palavras em geral, com a ampliação do léxico semântico e, consequentemente, na ampliação do vocabulário de leitura das palavras novas, que ocorre depois que elas tenham sido decodificadas grafofonemicamente.

O vocabulário tem sido apontado como um dos mais fortes preditores de compreensão auditiva e de leitura, tal como avaliado por testes padronizados (e.g., Davis, 1944, 1968). De acordo com Jusczyk, Friederici, Wessels, Svenkerud, e Jusczyk (1993), Studdert-Kennedy (1986), e Gerken, Jusczyk, e Mandel (1994), a percepção que as crianças têm da fala muda de holística (i.e., baseada em prosódia geral e imagens acústicas de sílabas e palavras) até verdadeiramente segmentada (i.e., baseada em pequenas unidades fonêmicas) durante os últimos anos da pré-escola. De acordo com Snow, Burns, e Griffin (1998), isso pode ser importante para a leitura fonológica do estágio alfabético, que se baseia na decodificação das correspondências entre grafemas e fonemas, porque, como sugerido por Walley (1993), é apenas ao final dos primeiros anos escolares que o léxico da criança se torna grande o suficiente para forçar a mudança de abordagem à leitura, partindo de uma estratégia holística para uma estratégia baseada em segmentos. De acordo com Snow, Burns, e Griffin (1998), isso sugere uma possível base para a conhecida relação entre o tamanho do vocabulário e a habilidade de leitura nos primeiros anos da escolarização. De acordo com esses autores, o tamanho do vocabulário pode ser mais relevante do que a idade e o nível geral de desenvolvimento da criança para permitir o desenvolvimento da refinada habilidade de discriminar os sons no interior das palavras (i.e., representação fonêmica). Segundo esses autores, uma eventual imaturidade dos sistemas de recodificação fonológica (i.e., decodificação e codificação) das crianças no início da instrução formal de leitura pode dificultar a consecução de um nível elevado de consciência fonêmica para palavras faladas relacionadas à decodificação fluente de palavras escritas. De fato, isso ajuda a explicar as intercorrelações positivas significativas envolvendo consciência fonológica, vocabulário e leitura (A. Capovilla, F. Capovilla, & Silveira, 1998; A. Capovilla, Machalous, & F. Capovilla, 2003c; A. Capovilla, Suiter, & F. Capovilla, 2003). Um dos bons preditores do crescimento da compreensão de leitura é o montante de leitura em que as crianças se engajam nos primeiros anos do Ensino Fundamental, como tem sido demonstrado por meio do controle do nível de entrada das crianças (Adams, Treiman, & Pressley, 1996; Stanovich, 1993), o que sugere que a leitura é uma das atividades que mais contribuem para a aquisição do vocabulário.

De maneira geral, a compreensão de palavras tende a preceder claramente a produção de palavras. A compreensão de palavras emerge em torno do primeiro ano de vida (Huttenlocher & Smiley, 1987; Nelson, 1973), aumenta rapidamente no segundo ano (Bates et al., 1988) e permanece crescendo ao longo de todos os anos da Educação Infantil e dos Ensinos Fundamental e Médio. De acordo com Beck e McKeon (1981), Just e Carpenter (1987), Nagy e Herman (1987), e Smith (1941), os estudantes se tornam conscientes de cerca de sete palavras por dia (i.e., de 2.700 a 3.000 palavras por ano) durante o Ensino Fundamental. De fato, os dados sobre a compreensão de palavras e a produção de palavras em Português, o desempenho acadêmico e o status socioeconômico revelam que o vocabulário receptivo auditivo está altamente correlacionado com o vocabulário expressivo entre os 2 e os 6 anos de idade (F. Capovilla & A. Capovilla, 1997), com desempenho escolar de leitura entre os 6 e os 14 anos de idade (F. Capovilla, L. Nunes, D. Nunes et al., 1997), bem como com o nível educacional das mães dos alunos (mas não com seu nível econômico), e com o nível econômico dos pais dos alunos (mas não com seu nível educacional) (F. Capovilla, L. Nunes, Nogueira et al., 1997). Com efeito, Graves e Slater (1991) já haviam descoberto que o tamanho do vocabulário funcional de crianças de alto nível socioeconômico pode ser até duas vezes maior que o tamanho do vocabulário funcional de crianças de baixo nível socioeconômico. Evidência recente (Unwin, 1994) sugere que tais dados a respeito do efeito do nível socioeconômico e cultural dos pais sobre o desenvolvimento da linguagem das crianças ouvintes são também corroborados quando se avalia o desenvolvimento da linguagem das crianças surdas.

Uma vez que programas voltados à expansão do vocabulário receptivo têm impactos positivos tão relevantes sobre a compreensão de leitura tanto de ouvintes quanto de surdos, é muito importante poder avaliar a eficácia de diferentes programas de desenvolvimento de vocabulário por meio de instrumentos de avaliação de vocabulário devidamente validados e normatizados. O Teste de Vocabulário Receptivo de Sinais da Libras (TVRSL: F. Capovilla, Viggiano, A. Capovilla, Raphael, Bidá, & Mauricio, 2004) avalia a compreensão de sinais da Libras em escolares surdos por meio da escolha de figuras que correspondem a sinais da Libras. Ele se baseia na adaptação, para a Libras, do Teste de Vocabulário por Figuras USP (TVFusp), o qual avalia, também por meio da escolha de figuras, a compreensão de palavras do Português em escolares ouvintes.

Em sua versão original para ouvintes (TVFusp1.1), o teste avalia a compreensão de palavras do Português, sendo que, a cada item, o avaliador pronuncia uma determinada palavra e os examinandos escolhem, dentre quatro figuras alternativas, aquela que corresponde à palavra falada pelo avaliador. Por sua vez, na presente adaptação original para surdos (TVRSL1.1), o teste avalia a compreensão de sinais da Libras, sendo que, a cada item, em vez de apresentar uma palavra falada em Português, o examinador apresenta um sinal da Libras, e os examinandos escolhem, dentre quatro figuras alternativas, aquela que melhor corresponde ao sinal mostrado ou articulado pelo avaliador. O TVRSL1.1 produz um escore geral do vocabulário receptivo visual de sinais da Libras que indica quão bem o examinando surdo compreende os sinais da Libras. Assim, permite acompanhar o desenvolvimento do vocabulário receptivo visual em Libras como função de diferentes abordagens educacionais e avaliar o impacto desse vocabulário sobre o desempenho escolar e a compreensão de leitura do escolar surdo.

Como o TVFusp1.1, o TVRSL1.1 também contém 139 itens. Nele cada item é composto de um sinal da Libras e quatro figuras alternativas de escolha, sendo que a cada sinal mostrado ou articulado pelo examinador, o examinando surdo deve escolher, dentre as quatro figuras alternativas, aquela que melhor corresponde ao sinal. O teste pode ser aplicado individualmente no contexto clínico ou coletivamente no contexto educacional em sala de aula. Além disso, pode ser aplicado com sinalização ao vivo emitida pelo avaliador ou com a exibição dos sinais padronizados por meio de retroprojetor e transparências. Nos contextos clínico e escolar, pode ser empregado por meio de um grande caderno completo que contém todos os sinais e suas respectivas figuras alternativas de escolha. Nesse caso não requer pessoal especializado, fluente em língua de sinais e especialmente treinado para a aplicação do teste, nem materiais adicionais como retroprojetor e transparências.

Para a aplicação individual do TVRSL1.1, pode-se empregar um caderno completo, em que o examinando assinala com um lápis a figura que melhor corresponde a cada sinal observado. Para economizar custos, o caderno completo pode ser plastificado para reutilização em aplicações repetidas. Nesse caso, em vez de assinalar a figura com um lápis, o examinando pode simplesmente apontar a figura escolhida que é, então, anotada pelo examinador numa folha de registro.

Para a aplicação coletiva do TVRSL1.1, pode-se empregar o mesmo caderno completo, em que o examinando assinala com um lápis a figura que melhor corresponde a cada sinal observado. Para economizar custos, pode-se usar um caderno mais simples com a metade do tamanho, contendo apenas as figuras alternativas de escolha, sem os sinais. Nesse caso, os sinais devem ser apresentados à parte. Há duas opções: Sinalização ao vivo pelo examinador ou projeção de sinais numa tela com auxílio de retroprojetor e transparências. No caso de aplicação com sinalização ao vivo pelo examinador, os resultados tendem a ser mais válidos, embora eventualmente menos precisos e menos confiáveis devido ao maior risco de variações espúrias ocasionadas por diferenças na fluência de sinalização por parte de examinadores diferentes ou do mesmo examinador em circunstâncias diferentes. Para controlar tais variações e auxiliar a aplicação por sinalização ao vivo, o estudo completo de validação e normatização da versão original do teste (TVRSL1.1: F. Capovilla, Viggiano, A. Capovilla, Raphael, Bidá, & Mauricio, 2004) fornece um guia de aplicação que especifica precisamente a forma (i.e., composição quirêmica, em termos de orientação da palma, articulação de mão, localização da mão, movimento envolvido e expressão facial associada) de cada sinal a ser emitido pelo examinador durante o teste. No caso de aplicação com projeção dos sinais em tela com retroprojetor e transparências, devido à aparência mais abstrata dos sinais ilustrados em relação aos sinais articulados ao vivo, os resultados podem ser eventualmente um tanto subestimados, embora, graças a essa apresentação padronizada, tendam a ser mais precisos, robustos e confiáveis ao longo de diferentes aplicações, sendo invulneráveis a variações na fluência de sinalização por parte dos examinadores. Para auxiliar a aplicação com retroprojetor e transparências, aquele estudo completo de validação e normatização da versão original do TVRSL1.1 fornece uma matriz para a produção de um conjunto de transparências de aplicação, conforme explicado nas seções a seguir.

4.8.1.2.) Histórico do TVRSL1.1 e estudos preliminares de validade e fidedignidade

O TVRSL1.1 se baseia na adaptação, para a Libras, do TVFusp1.1 (F. Capovilla & A. Capovilla, no prelo b) que avalia a compreensão de palavras do Português em escolares ouvintes, também por meio da escolha de figuras. Por sua vez, o TVFusp1.1 se baseia na adaptação brasileira (F. Capovilla & A. Capovilla, 1997; F. Capovilla, L. Nunes, Nogueira et al., 1997; F. Capovilla, L. Nunes, D. Nunes et al., 1997) do Teste de Vocabulário por Imagens Peabody (PPVT: Dunn & Dunn, 1981), mais precisamente, de sua adaptação hispano-americana de apenas 125 itens (TVIP: Dunn, Padilla, Lugo, & Dunn, 1986a, 1986b). A adaptação brasileira do PPVT (PPVT–B: L. Dunn, D. Dunn, F. Capovilla, & A. Capovilla, 2004a, 2004b) foi elaborada para permitir avaliar o desenvolvimento da linguagem receptiva auditiva de jovens brasileiros. O TVIP foi adaptado, validado e normatizado no Brasil para a faixa de 2 anos e 6 meses até 6 anos de idade (F. Capovilla & A. Capovilla, 1997) e de 6 anos até 14 anos de idade (F. Capovilla, L. Nunes, D. Nunes et al., 1997). No estudo de F. Capovilla e A. Capovilla (1997) esse teste de vocabulário receptivo auditivo encontra-se validado na faixa de 2 anos e 6 meses até 6 anos de idade, por comparação com os dados de 238 crianças no inventário de vocabulário oral expressivo, o *Language Development Survey* (Rescorla, 1989), que também se encontra adaptado, normatizado e validado do maternal à pré-escola nível 3 (i.e., último nível da Educação Infantil) nesse mesmo estudo (F. Capovilla & A. Capovilla, 1997). No estudo de F. Capovilla, L. Nunes, Nogueira et al. (1997) esse teste de vocabulário receptivo auditivo encontra-se validado na faixa de 6 a 14 anos de idade, por comparação com o desempenho escolar na Língua Portuguesa tal como avaliado pelas professoras, em termos de escrita, leitura e fala, de uma amostra de 687 alunos da pré-escola (i.e., Educação Infantil) até a 8ª. série do Ensino Fundamental. Mais precisamente, nesse estudo de validação concorrente, o escore no TVIP foi comparado, para cada uma das nove séries separadamente, com:

- 1.) Medidas de escrita como evolução, ortografia, pontuação, coerência, produção de textos, autocorreção, e interesse;
- 2.) Medidas de leitura como fluência e ritmo, cumprimento de tarefas de leitura, compreensão de texto, e interesse; e
- 3.) Medidas de produção oral como qualidade de articulação, ordenação de pensamento, fluência e ritmo, e vocabulário oral expressivo; além de
- 4.) Medidas globais como cumprimento de objetivos, vínculo com a aprendizagem, e aprovação na disciplina.

Os resultados revelaram que a adaptação brasileira do TVIP é altamente válida e fidedigna. Como até recentemente não havia distribuidoras autorizadas no Brasil, o TVIP original tinha de ser importado, o que acabava restringindo grandemente o seu uso pela comunidade científica, clínica e educacional brasileira. Devido às restrições de *copyright* que impediam a publicação das pranchas do teste e a sua livre distribuição entre profissionais e cientistas brasileiros, inicialmente decidimos que as normas obtidas para a faixa de 2 anos e 6 meses até 6 anos de idade (F. Capovilla & A. Capovilla, 1997) e de 6 anos até 14 anos de idade (F. Capovilla, L. Nunes, D. Nunes et al., 1997) fossem publicadas separadamente, sem as pranchas do teste. Desse modo, os profissionais e cientistas que fossem capazes de importar a versão hispano-americana do teste poderiam usar as palavras de nossa tradução, reordenar as pranchas conforme nossa demonstração do grau de dificuldade, e usar as normas brasileiras que publicamos. Contudo, a procura do teste foi tão elevada, e tão grande a frustração e a dificuldade da comunidade de profissionais e pesquisadores brasileiros em fazer a importação da versão hispano-americana, que foi decidida a substituição do TVIP pelo TVFusp, um teste nacional igualmente válido e preciso para poder ser empregado livremente por pesquisadores, educadores e clínicos brasileiros sem as restrições de *copyright* do TVIP. Só muito recentemente que a situação de inacessibilidade do TVIP a pesquisadores brasileiros foi resolvida, com a publicação do PPVT–B (L. Dunn, D. Dunn, F. Capovilla, & A. Capovilla, 2004a, 2004b).

No estudo de validação do TVFusp1.1 com crianças ouvintes (F. Capovilla & A. Capovilla, no prelo) foi feita por comparação com a adaptação brasileira do TVIP e foi gerada uma nova versão revisada e abreviada (TVFusp1.2). A versão original (TVFusp1.1) consiste em um caderno de prova com 139 itens, contra os 125 itens do TVIP, e produz um escore geral do vocabulário receptivo auditivo em Português que indica quão bem o examinando ouvinte compreende palavras do Português. Além disso, a validade preliminar do TVFusp1.1 também foi estabelecida em dois outros estudos:

- 1.) O estudo de A. Capovilla, Machalous, e F. Capovilla (2002b) demonstrou que os escores no TVFusp1.1 estão correlacionados de maneira positiva e significativa com os escores no Teste de Competência de Leitura Silenciosa de Palavras (TCLP1.1) para escolares de 1ª. a 3ª. série do Ensino Fundamental;
- 2.) O estudo de A. Capovilla, Gütschow, e F. Capovilla (2003a) demonstrou que os escores no TVFusp1.1 estão correlacionados de modo positivo e significativo com os escores na adaptação brasileira do TVIP para escolares de 1ª. série do Ensino Fundamental.

A fidedignidade do TVFusp1.1 foi analisada preliminarmente por esse mesmo estudo de A. Capovilla, Gütschow, e F. Capovilla (2003a) que, por meio da técnica de teste e reteste (Anastasi & Urbina, 2000; Cronbach, 1996; Downie & Heath, 1979) com 54 pré-escolares, demonstrou que o TVFusp1.1 é confiável e capaz de predizer desempenho um ano depois, da Educação Infantil até a 1ª. série do Ensino Fundamental.

Pesquisas com crianças e jovens ouvintes com a adaptação brasileira do TVIP corroboram a bibliografia (e.g., Eysenck & Keane, 1990) de que o vocabulário receptivo é um excelente preditor de compreensão de leitura. O vocabulário receptivo no TVIP mostrou-se capaz de predizer a competência de leitura em provas normatizadas (A. Capovilla, Suiter, & F. Capovilla, 2002) bem como o desempenho escolar em sala de aula, especialmente em Língua Portuguesa, desde a Educação Infantil até a 8ª. série do Ensino Fundamental (F. Capovilla, L. Nunes, Nogueira et al., 1997). A validade da adaptação brasileira do TVIP foi estabelecida em uma série de estudos anteriores. Por exemplo:

- 1.) O estudo de F. Capovilla e A. Capovilla (1997) demonstrou que, na faixa etária de 2 anos e 6 meses até 6 anos de idade, os escores de vocabulário receptivo auditivo na adaptação brasileira do TVIP estão correlacionados de modo positivo e significativo com os escores de vocabulário expressivo na Lista de Avaliação de Vocabulário Expressivo (LAVE), que é uma adaptação brasileira normatizada e validada da *Language Development Survey* (Rescorla, 1989); ou seja, quanto maior o vocabulário receptivo auditivo, tanto maior o vocabulário expressivo oral;
- 2.) O estudo de F. Capovilla, L. Nunes, Nogueira et al. (1997) demonstrou que, na faixa etária de 6 a 14 anos de idade, os escores de vocabulário receptivo auditivo na adaptação brasileira do TVIP estão correlacionados de modo positivo e significativo com o desempenho em sala de aula, tal como avaliado pela nota escolar em Língua Portuguesa; ou seja, quanto maior o vocabulário receptivo auditivo, tanto maior a nota escolar em Português;
- 3.) O estudo de Portugal e F. Capovilla (2002a, 2002b) documentou uma queda sistemática nos escores da adaptação brasileira do TVIP como função direta do grau de perda auditiva em escolares de 1ª. série do Ensino Fundamental público. Esse mesmo estudo demonstrou, ainda, uma correlação positiva significativa entre os escores na adaptação brasileira do TVIP de um lado, e, de outro lado, a nota escolar e os escores na Prova de Consciência Fonológica por Produção Oral (PCF–O: A. Capovilla & F. Capovilla, 1997a, 1998b, 1998d, 1998e, 2000, 2003c, 2003d; F. Capovilla & A. Capovilla, 1999, 2004b); ou seja, quanto maior a perda auditiva, tanto menor o vocabulário receptivo auditivo, a nota escolar e a consciência fonológica; e quanto maior o vocabulário receptivo auditivo, tanto maior a nota escolar e a consciência fonológica;
- 4.) O estudo de A. Capovilla, Suiter, e F. Capovilla (2002) demonstrou que o desempenho na adaptação brasileira do TVIP é sensível à competência de leitura em crianças de 1ª. a 3ª. série do Ensino Fundamental, sendo que as crianças que pontuam na faixa igual ou inferior a –1 *DP* em relação à média no TCLP1.1 (A. Capovilla & F. Capovilla, 2003c; F. Capovilla & A. Capovilla, 2001a, 2001b, 2004b) apresentam desempenho significativamente rebaixado na adaptação brasileira do TVIP, além de nos subtestes de escrita sob ditado, memória fonológica e desenho de memória da adaptação brasileira do *International Dyslexia Test* (IDT: A. Capovilla, Smythe, F. Capovilla, & Everatt, 2001; A. Capovilla & F. Capovilla, 2002e) e de habilidade metalingüística na Prova de Consciência Fonológica por Escolha de Figuras (PCF–F: A. Capovilla & F. Capovilla, no prelo b); ou seja, quanto maior o vocabulário receptivo auditivo, tanto maior a competência de leitura, a escrita sob ditado, a memória fonológica, e a consciência fonológica;
- 5.) O estudo de A. Capovilla, Gütschow, e F. Capovilla (2003b) demonstrou que o desempenho na

adaptação brasileira do TVIP é capaz de predizer o desempenho de escrita sob ditado na adaptação brasileira do *International Dyslexia Test* (IDT: A. Capovilla, Smythe, F. Capovilla, & Everatt, 2001; A. Capovilla & F. Capovilla, 2002e; F. Capovilla & A. Capovilla, 2004b) e a competência de leitura no TCLP1.1 (F. Capovilla & A. Capovilla, 2001b, 2002a); ou seja, quanto maior o vocabulário receptivo auditivo, tanto melhor a escrita sob ditado;

- 6.) O estudo de A. Capovilla, Machalous, e F. Capovilla (2002b) demonstrou, a partir da avaliação do vocabulário e da leitura de sessenta alunos bilíngües em Português e Alemão de 1ª. a 3ª. séries, que o desempenho na versão alemã da adaptação brasileira do TVIP está correlacionado de maneira positiva e significativa com o desempenho na versão alemã do TCLP1.1 (descrita em A. Capovilla, Machalous, & F. Capovilla, 2003c), ou seja, quanto maior o vocabulário receptivo auditivo em Alemão, tanto maior a competência de leitura em Alemão.

Além disso, a fidedignidade da adaptação brasileira do TVIP foi estabelecida em três estudos anteriores:

- 1.) Usando a técnica de *split-half* (Anastasi & Urbina, 2000; Cronbach, 1996; Downie & Heath, 1979) para computar a fidedignidade, num estudo com 238 crianças entre 2 e 6 anos de idade, F. Capovilla e A. Capovilla (1997) demonstraram que a versão brasileira do TVIP é altamente fidedigna;
- 2.) Usando a mesma técnica *split-half*, num estudo com 687 crianças de 6 a 14 anos de idade, F. Capovilla, L. Nunes, D. Nunes et al. (1997) demonstraram que a confiabilidade da versão brasileira do TVIP é de 0,98, sendo 56% mais confiável do que o esperado para um teste com suas características;
- 3.) Usando a técnica de teste–reteste (Anastasi & Urbina, 2000; Cronbach, 1996; Downie & Heath, 1979) para computar a fidedignidade, num estudo com 54 pré-escolares, A. Capovilla, Gütschow, e F. Capovilla (2002a, 2002b) demonstraram que a adaptação brasileira do TVIP é confiável e capaz de predizer desempenho um ano depois, da Educação Infantil até a 1ª. série do Ensino Fundamental.

Todos os sinais e todas as figuras que compõem o TVRSL foram extraídos da *Enciclopédia da Língua de Sinais Brasileira* (e.g., F. Capovilla & Luz, 2004a, 2004b, 2004c, 2004d, 2004e, 2004f, 2004g; F. Capovilla & Raphael, 2004a, 2004b, 2004c, 2004d, 2004e, 2004f, 2004g, 2004h, 2004i, 2004j) e do *Dicionário enciclopédico ilustrado trilíngüe da Língua de Sinais Brasileira* (F. Capovilla & Raphael, 2001b, 2001c). O teste foi objeto de uma validação preliminar num estudo recente com 360 escolares surdos de 1ª. a 8ª. série do Ensino Fundamental (F. Capovilla, Viggiano, A. Capovilla, Mauricio, & Vilalba, 2002). Esse estudo mostrou que o teste é capaz de discriminar entre as cinco primeiras séries do Ensino Fundamental, e descobriu que seus resultados são afetados pelo grau de perda auditiva, bem como pela escolaridade materna. Esse estudo forneceu dados preliminares sobre validação e normatização do teste, bem como sobre a reordenação dos 139 itens por grau de dificuldade crescente.

Em suma, o TVRSL é fruto do aperfeiçoamento de uma versão anterior (i.e., TVFusp em Libras). Por sua vez, essa versão anterior é fruto da adaptação, para surdos, de um teste feito para ouvintes (i.e., TVFusp), que, por sua vez, foi inspirada na adaptação brasileira validada e normatizada do PPVT (TVIP e PPVT–B) a partir de sua adaptação hispano-americana (TVIP). Isso explica a similaridade básica entre esses testes (i.e., PPVT, TVIP, PPVT–B, TVFusp, e TVRSL) que avaliam o vocabulário receptivo por meio da escolha de figuras dentre quatro alternativas. Assim como a adaptação brasileira do TVIP (i.e., PPVT–B), o TVFusp avalia a compreensão de palavras do Português, sendo que, a cada item, o avaliador apresenta uma palavra falada e os examinandos escolhem, dentre quatro figuras alternativas, aquela que corresponde à palavra falada pelo avaliador. Do mesmo modo, o TVRSL avalia a compreensão de sinais da Libras por meio da escolha de figuras, sendo que, a cada item, em vez de falar uma palavra em Português, o examinador mostra um sinal da Libras, e os examinandos escolhem, dentre quatro figuras alternativas, aquela que melhor corresponde ao sinal mostrado ou articulado pelo avaliador.

Há três versões do TVRSL:

- 1.) A versão original com 139 sinais (i.e., TVRSL1.1);
- 2.) A versão reordenada a partir da análise do grau de dificuldade dos 139 sinais daquela versão (i.e., TVRSL1.2); e
- 3.) A versão abreviada contendo apenas os 66 sinais que se mostraram mais discriminativos do vocabulário receptivo visual em Libras naquela versão (i.e., TVRSL1.3).

4.8.1.3.) Propósitos do tamanho do TVRSL1.1 e da iconicidade dos sinais componentes

Duas observações precisam ser feitas neste ponto quanto à presente versão-piloto do teste de vocabulário receptivo de sinais da Libras (TVRSL1.1):

- 1.) A primeira diz respeito ao elevado número de itens de teste que compõem essa primeira versão (i.e., 139 sinais). Esse elevado número de itens chama a atenção, já que a aplicação coletiva do teste acaba consumindo duas sessões de avaliação;
- 2.) A segunda diz respeito à proposital inclusão de um certo número de sinais altamente transparentes (i.e., de alta iconicidade) ao lado de sinais completamente opacos. Tal inclusão proposital de sinais altamente icônicos chama a atenção, já que se sabe que apenas os sinais mais opacos são capazes de avaliar a compreensão, propriamente dita, dos sinais da Libras.

A iconicidade de um sinal ou símbolo diz respeito à sua transparência, translucência ou opacidade denotativa, ou seja, ao grau em que seu significado é imediatamente aparente a um observador ingênuo e não-familiarizado com esse sinal ou símbolo. Um sinal altamente icônico é denominado *transparente*; um sinal medianamente icônico é denominado *translúcido*, e um sinal muito pouco icônico é denominado *opaco*. Diversos estudos experimentais analisaram a iconicidade dos sinais da ASL (e.g., Bellugi & Klima, 1976; Lloyd, Loeding, & Doherty, 1985; Orlansky & Bonvillian, 1984), bem como da Libras (F. Capovilla, Sazonov, Raphael, Macedo, Charin, Marques, A. Capovilla, Luz, Geraldes, Shin, Vieira, Rocha, Duduchi, Amorim, Maurício, & Oliveira, 1997). Há evidência de que, ao longo da evolução histórica da Língua de Sinais Americana e de sua formalização progressiva, a iconicidade dos sinais dessa língua tenha cedido lugar progressivamente à arbitrariedade, diminuindo gradualmente da transparência à translucência à opacidade (Frishberg, 1975; Klima & Bellugi, 1979). Embora aparentemente a evidência desse fenômeno ainda não tenha sido documentada em outras línguas além da ASL, tudo indica que ele deva ser esperado uma vez que, à medida que uma língua de sinais se desenvolve, a formalização lingüística crescente é compatível com o aumento no grau de arbitrariedade, convencionalidade e recombinatividade das unidades mínimas componentes da morfologia dos sinais. A propósito, dada a complexidade de composição sublexical dos sinais (Stokoe, 1960), sinais diferentes podem compartilhar elementos quirêmicos em comum (Poizner, Bellugi, & Tweney, 1981). É justamente isso que possibilita o uso de sofisticados recursos de expressão, como a formulação de duplo sentido, figuras de linguagem e poesia (Klima & Bellugi, 1978), humor e trocadilhos em sinais (Poizner, Klima & Bellugi, 1987), além de lapsos de mão (Newkirk, Klima, Pedersen, & Bellugi, 1980), muito similares aos lapsos de língua freudianos (Fromklin, 1973).

Dentre as razões para o elevado número de itens de teste e a proposital inclusão de um número relativamente elevado de sinais altamente icônicos destacam-se as seguintes:

- 1.) Primeiro, quanto à questão do tamanho da primeira versão do teste (i.e., TVRSL1.1): Como esta é a primeira vez na História que a Libras é usada para compor um teste de desenvolvimento de linguagem de sinais normatizado e validado, é recomendável incluir, na versão-piloto do teste, um número de sinais muito maior do que o número final de sinais que se espera que a versão final do teste venha a conter. Isto porque se espera que, em qualquer conjunto de sinais, apenas um subconjunto relativamente reduzido seja capaz de efetivamente discriminar de modo fino o crescimento da compreensão de sinais ao longo da ampla faixa de séries escolares que se pretende avaliar. Ou seja, espera-se, de antemão, que a maior parte dos sinais incluídos numa primeira versão piloto de um teste de compreensão de sinais venha a ser eventualmente descartada numa versão final do teste, embora só os dados resultantes da aplicação desse número propositadamente inflacionado de sinais possam vir a revelar quais são os sinais que devem ser mantidos e quais são aqueles que devem ser descartados. Daí a primeira versão do TVRSL (i.e., TVRSL1.1) incluir 139 sinais quando se espera que uma versão final deva conter apenas cerca da metade desse número de sinais. Trata-se do mesmo princípio subjacente ao processo de evolução, por meio do qual a natureza produz mais espécimens do que aqueles que, por seleção natural, acabarão sobrevivendo e, assim, legando à espécie seus melhores atributos. Do mesmo modo, a evolução do teste ocorre ao longo de uma série de versões em que são aperfeiçoadas características discriminativas à medida que são introduzidas pequenas variações nos itens componentes e descartados os itens que se mostrarem pouco discriminativos.
- 2.) Segundo, quanto à inclusão de um certo número de sinais altamente icônicos (i.e., transparentes). Sinais icônicos são aqueles cujo significado é evidente à primeira vista, ou seja, claro mesmo para pessoas ingênuas quanto à língua de sinais, e pode ser corretamente adivinhado com grande facilidade sem demandar qualquer conhecimento de língua de sinais. A presença desses sinais altamente icônicos pode inflacionar artificialmente a pontuação do teste, produzindo uma estimativa falsamente superestimada acerca da compreensão de sinais. Para que um teste tenha validade, é preciso que ele meça aquilo que ele se propõe medir. Se o propósito do teste for servir de medida de vocabulário receptivo de sinais propriamente dito, então é recomendável que se expurguem todos os sinais cujo significado é evidente à primeira vista para evitar que tais sinais venham a inflacionar artificialmente o escore do vocabulário receptivo de sinais dos avaliandos.

Por outro lado, nesta primeira versão do teste, esses sinais foram intencionalmente mantidos porque servem a uma série de propósitos úteis, numa ampla gama de funções, incluindo:

- 2.1.) Suporte à participação do avaliando na testagem (e.g., motivação de resposta). A inclusão de sinais altamente icônicos e dificilmente passíveis de erro permite aumentar a probabilidade de manter a motivação do comportamento de responder ao teste por parte de avaliandos com pobre repertório de sinais os quais, de outro modo, poderiam simplesmente negar-se a participar do teste desde o início, o que dificultaria a constatação de sua baixa compreensão de sinais;
- 2.2.) Distinção clínica da origem de baixo desempenho (e.g., baixo conhecimento *versus* baixa cooperação). A inclusão de sinais altamente icônicos e dificilmente passíveis de erro possibilita fazer distinção entre o padrão de resposta dos avaliandos cooperativos mas com baixo conhecimento de sinais (i.e., em que se espera boa resposta aos sinais transparentes e pobre resposta aos opacos) e o padrão de resposta dos avaliandos não cooperativos (i.e., em que se espera pobre resposta a ambos, independentemente da transparência);
- 2.3.) Diagnóstico diferencial neuropsicológico (e.g., agnosia visual *versus* afasia de sinal). A inclusão de sinais altamente icônicos e dificilmente passíveis de erro possibilita mensurar separadamente uma função típica do hemisfério cerebral direito que pode encontrar-se comprometida em quadros de agnosia visual por lesão direita (i.e., com pobre reconhecimento do significado de ilustrações gráficas altamente icônicas), e uma função do hemisfério esquerdo que pode encontrar-se comprometida em quadros de afasia de surdos sinalizadores (i.e., com pobre reconhecimento do significado de sinais lingüísticos que têm forma altamente arbitrária).

Em todos os casos, é preciso avaliar a iconicidade dos sinais incluídos no teste para poder fazer uso apropriado do teste e interpretar adequadamente seus achados.

A mensuração do grau de iconicidade pode ser feita de maneira sistemática e extensa por meio de três tipos de paradigmas de avaliação:

- 2.1.) Mensuração exclusivamente subjetiva (i.e., por meio de atribuição de notas a sinais em presença tanto dos sinais quanto da ilustração de seu referente, a qual revela seu significado);
- 2.2.) Mensuração exclusivamente objetiva (i.e., por meio de adivinhação, por meio da escrita livre, do significado do sinal, sendo que essa adivinhação deve ocorrer na ausência de qualquer pista extrínseca acerca desse significado); e
- 2.3.) Mensuração mista (i.e., por meio da escolha, dentre figuras alternativas, daquela que corresponde ao significado de um determinado sinal, tal como é o caso do próprio teste de vocabulário receptivo de sinais da Libras). Diferentemente da mensuração subjetiva, em que o significado é explicitamente fornecido para que a qualidade denotativa do sinal seja julgada (i.e., para que seja julgado quão bem o sinal representa aquele significado); e da mensuração objetiva, em que o significado do sinal deve ser adivinhado livremente na completa ausência de qualquer traço ou pista desse significado; na mensuração mista o significado do sinal encontra-se retratado em uma das quatro figuras alternativas de escolha, sendo que a tarefa de adivinhação é circunscrita a esse limitado número de alternativas. Nessa mensuração mista, a adivinhação pode ser amplamente facilitada pela própria disponibilidade das alternativas, especialmente quando a forma do sinal guardar semelhança com a forma do referente por ele representado, como é o caso dos sinais mais icônicos, que são tipicamente mais próximos da mímica e da pantomima.

De acordo com dados de Klima e Bellugi (1979), há um certo paradoxo entre os achados dos dois primeiros paradigmas. Tal paradoxo é composto por duas observações, em parte, contraditórias entre si:

- 2.1.) A primeira é que, no primeiro paradigma (i.e., subjetivo) de avaliação de iconicidade, quando expostos aos sinais e à informação acerca dos significados desses sinais, e solicitados a atribuir nota à iconicidade desses sinais (i.e., à sua clareza denotativa), observadores ingênuos tendem a atribuir notas elevadas, e a persistir em buscar, nos sinais, aspectos que justifiquem, em maior ou menor grau, a sua forma a partir de seu significado; e
- 2.2.) A segunda é que, no segundo paradigma (i.e., objetivo) de avaliação de iconicidade, quando expostos aos mesmos sinais, mas na ausência de informação acerca dos significados desses sinais, e solicitados a adivinhar-lhes o significado, esses mesmos observadores ingênuos tendem a atribuir-lhes os significados mais díspares e inadequados, o que revela que a maioria absoluta dos sinais é, de fato, muito opaca,

apesar de ser vista quase sempre como bastante icônica quando seu significado é revelado.

No estudo de F. Capovilla, Sazonov, Raphael, Macedo, Charin, Marques, A. Capovilla, Luz, Geraldes, Shin, Vieira, Rocha, Duduchi, Amorim, Mauricio, e Oliveira (1997), esse paradoxo foi objeto de análise experimental computadorizada, em que foram comparados os efeitos dos paradigmas subjetivo e objetivo. Usando um software especialmente desenvolvido para isso, o estudo identificou forte correlação positiva entre as medidas de iconicidade produzidas pelos dois primeiros paradigmas (i.e., subjetivo e objetivo). O estudo demonstrou que quanto maior a estimativa subjetiva da iconicidade de um sinal, tanto maior a probabilidade de adivinhação correta do significado desse sinal. Além dessa forte e significativa correlação positiva entre a grandeza da nota subjetivamente atribuída aos sinais e a probabilidade de adivinhação objetiva dos nomes desses sinais durante a sua nomeação por escrita livre, o estudo identificou uma tendência a superestimar as notas, sendo que, mesmo a maioria dos sinais polissêmicos, cujo significado é praticamente impossível de ser adivinhado de maneira unívoca, tendeu a ser avaliada como sendo relativamente icônica quando os participantes conheciam, de antemão, seu significado. Tal achado replicou parcialmente os achados quanto ao paradoxo da iconicidade relatados por Klima e Bellugi (1979), e permitiu uma interpretação mais qualificada desse paradoxo.

Nesse estudo, F. Capovilla, Sazonov et al. (1998) expuseram 28 universitários ouvintes ingênuos quanto à língua de sinais a 1.400 sinais (divididos em 140 blocos de dez sinais cada um) e solicitaram que eles atribuíssem uma nota à clareza denotativa de cada um dos sinais do bloco. Solicitaram também que, em seguida, antes de progredir ao próximo bloco, escrevessem o significado desses sinais quando estes eram lhes apresentados em ordem aleatorizada. Os resultados confirmaram o paradoxo de que os significados de certos sinais podem ser, ao mesmo tempo, muito transparentes ao julgamento (i.e., mensuração por estimativa subjetiva) e muito opacos à nomeação livre (i.e., mensuração objetiva por adivinhação livre de qualquer pista). Ainda assim, apesar do paradoxo, os resultados também revelaram que as medidas subjetiva e objetiva apresentam correlação positiva significativa, sendo que os sinais que receberam as maiores notas tenderam, também, a ser nomeados mais corretamente. Mais precisamente, os resultados mostraram que, quanto maior a iconicidade percebida em um sinal (tal como avaliada pela nota atribuída), tanto mais rápida era essa atribuição de nota, e tanto maior era a probabilidade de nomeação correta por escrita livre. É preciso observar que o procedimento foi relativamente livre de contaminação por artefatos. Aparentemente, a situação de atribuição de nota não permitiu suficiente aprendizagem do significado dos sinais; assim, a resposta de nomeação por escrita livre exprimia quase que exclusivamente o grau em que o significado do sinal poderia ser adivinhado, sendo relativamente bastante imune à contaminação pela aprendizagem desse significado. Isto foi revelado pela completa ausência, nos dados das análises individuais, de qualquer curva de posição serial envolvendo a proporção de nomeação correta. Ou seja, não foi observado qualquer ganho dos sinais apresentados no início ou final da série dos blocos (i.e., na primeira rodada de atribuição de nota, em que o significado do sinal era revelado) em relação aos sinais apresentados no meio da série dos blocos. Assim, pode-se afirmar que a resposta de nomeação por escrita livre refletia mais o grau em que o significado do sinal poderia ser realmente adivinhado do que um eventual artefato de aprendizagem desse significado que pudesse ter ocorrido durante o julgamento de sua iconicidade por atribuição de nota. Portanto, pode-se dizer que a correlação positiva significativa entre a nota atribuída às centenas de sinais e o grau em que o significado desses sinais poderia ser adivinhado foi um dado razoavelmente robusto. Contudo, até certo ponto, o paradoxo persiste, dado o descompasso entre a relativamente elevada estimativa subjetiva de iconicidade de um certo número de sinais e a relativamente baixa freqüência com que os verdadeiros nomes (i.e., significados) desses sinais podem ser corretamente adivinhados. O paradoxo consistiu na discrepância entre a tendência dos participantes de superestimar a nota de sinais cujo significado lhes havia sido revelado e a incapacidade exibida por esses mesmos participantes de adivinhar o significado desses sinais na ausência de pistas adicionais (i.e., extrínsecas) sobre esse significado. Como elementos lexicais que são tão lingüísticos quanto as palavras, os sinais das línguas dos surdos possuem elevado grau de arbitrariedade, convencionalidade, recombinatividade, opacidade e polissemia. Assim, esse estudo ressaltou a ubiqüidade da polissemia do sinal, ou seja, a multiplicidade de significados passíveis de atribuição a ele, e que essa polissemia usualmente passa despercebida a um observador casual, pelo menos até que esse observador se veja na situação de ter de adivinhar o significado desse sinal na ausência de qualquer outra pista extrínseca à sua estrutura sublexical.

Como vimos, a avaliação de iconicidade pode ser feita de maneira sistemática e extensa por meio de três tipos de procedimento computadorizado de mensuração:

- 2.1.) Mensuração exclusivamente subjetiva (i.e., por meio de atribuição de notas a sinais em presença dos sinais e da ilustração de seu significado);
- 2.2.) Mensuração exclusivamente objetiva (i.e., por meio de adivinhação escrita na ausência de qualquer pista extrínseca de significado); e
- 2.3.) Mensuração mista (i.e., por meio da escolha dentre figuras alternativas em presença de um sinal, tal como é o caso do próprio teste).

Os dois primeiros tipos de mensuração (i.e., subjetiva por atribuição de nota *versus* objetiva por adivinhação do significado em escrita livre) já foram analisados nos parágrafos anteriores. O terceiro tipo de mensuração (i.e., mista ou por escolha dentre figuras alternativas em presença de um sinal) corresponde precisamente à situação do teste de vocabulário receptivo de sinais (TVRSL). Assim, alternativamente, de maneira bem mais simples e no contexto do próprio teste, a avaliação de iconicidade pode ser feita simplesmente submetendo ao teste alguns juizes ingênuos quanto à língua de sinais e separando os sinais que foram adequadamente respondidos por todos eles. Na amostra da presente série de estudos, nem todos os estudantes eram sinalizadores fluentes e com surdez pré-lingual profunda. Havia um número considerável, embora bastante minoritário, de estudantes surdos não-sinalizadores e com perda pós-lingual moderada e severa. Por isso, os sinais que fossem respondidos corretamente pela quase totalidade da amostra foram considerados como absolutamente transparentes no contexto do teste (i.e., em associação com as suas respectivas figuras alternativas de escolha). Tais sinais foram mantidos na versão original de 139 itens que foi reordenada por grau crescente de dificuldade (i.e., TVRSL1.2) devido aos três propósitos já explicados nos parágrafos anteriores. Adicionalmente a isso, contudo, considerando o propósito precípuo do teste (i.e., avaliar o vocabulário receptivo de sinais) e a necessidade de assegurar uma versão menor, mais prática, e mais válida do teste, foi desenvolvida uma versão abreviada (TVRSL1.3) com um mínimo de itens icônicos, destinada a emprego genérico nos contextos usuais de avaliação escolar e clínica, mas fora dos contextos mais específicos de avaliação de pacientes com suspeita de lesão cerebral ou emocionalmente instáveis (Gray, Hosie, Russell, & Ormel, 2001)[5]. Os itens especialmente icônicos foram expurgados dessa versão abreviada (TVRSL1.3) por meio desse simples procedimento descrito que resulta da usual análise de itens.

O mesmo procedimento usado para controlar a iconicidade na versão abreviada (TVRSL1.3) deve ser adotado em todo teste que avalie o vocabulário receptivo de sinais por meio da escolha dentre figuras alternativas. Isso porque o fornecimento de figuras alternativas tende a reduzir a polissemia, potencializando a (i.e., aumentando a probabilidade da) contaminação pela iconicidade. Os sinais icônicos contêm traços semânticos aninhados em sua estrutura sublexical, em termos de quiremas (e.g., articulação de mão, local de sinalização, movimento), que transmitem informação visual suficiente para permitir a observadores ingênuos apreender o significado desses sinais. Tais traços semânticos são especialmente evidentes quando eles reproduzem, por meio de recursos analógicos como a mímica e a pantomima, aspectos da forma ou função daquilo que representam. Na ausência de qualquer pista extrínseca (e.g., figuras alternativas de escolha), a transparência desses sinais pode ser relativamente obscurecida pela polissemia. Contudo, a polissemia pode ser suplantada pela clara transparência quando o sinal é acompanhado de um número relativamente limitado de figuras alternativas de escolha. Nesse caso, a comparação entre a forma desses sinais analógicos e a forma das figuras tende a dissipar qualquer polissemia e hesitação, deixando apenas e tão somente uma alternativa de escolha.

A necessidade de expurgar itens icônicos de testes de avaliação do vocabulário receptivo de sinais por meio da escolha de figuras foi demonstrada num estudo recente (White & Tischler, 1999) sobre um outro teste delineado para este mesmo propósito. Trata-se do Teste de Vocabulário por Figuras Carolina (i.e., *Carolina Picture Vocabulary Test*, CPVT) de Layton e Holmes (1985). O Teste de Vocabulário por Imagens Carolina avalia o vocabulário receptivo de sinais por parte de crianças surdas. Pode ser considerado, também, um teste de inteligência para crianças surdas que tiveram plenas oportunidades de inserção em uma comunidade surda sinalizadora. O estudo de Walter (1981) intitulado *Fidedignidade e validade concorrente do Teste de Vocabulário por Imagens Carolina* forneceu uma primeira avaliação preliminar da confiabilidade e da validade desse teste aplicado a crianças surdas de 6,3 a 11,8 anos de idade.

[5] No estudo intitulado *Desenvolvimento emocional em crianças surdas: Expressões faciais, regras de exibição, e teoria da mente*, Gray, Hosie, Russell, e Ormel (2001) discutem o desenvolvimento emocional em crianças surdas, e apresentam pesquisas experimentais recentes sobre a compreensão emocional, a identificação e a interpretação de expressões faciais, a compreensão e o uso de regras de exibição, bem como relações entre desenvolvimento emocional e teoria da mente. Embora os vários estudos relatados variem quanto à definição e interpretação do conceito de conversação, esses estudos são consistentes com a noção de que as primeiras experiências conversacionais da criança têm papel crucial em permitir obter acesso aos estados mentais de outras pessoas.

Contudo, em estudos mais recentes, a validade do CPVT tem sido objeto de intensa crítica. Por exemplo, no estudo intitulado *Teste de Vocabulário por Imagens Carolina: Validação com estudantes deficientes auditivos*, Kline e Sapp (1989) avaliaram o desempenho de 26 estudantes surdos com idades de 8 a 16 anos no Teste de Vocabulário por Imagens Carolina (CPVT) e na Edição Revisada da Escala de Inteligência Wechsler para Crianças (WISC–R). Comparando os escores obtidos no CPVT com os escores nos subtestes de Execução do WISC–R e o QI no WISC–R, os autores foram incapazes de obter quaisquer inferências significativas entre os desenvolvimentos lingüístico e intelectual. Os autores fazem ressalvas quanto à utilidade do emprego do CPVT para avaliar crianças surdas devido às limitações técnicas desse teste, bem como à ausência de correlações significativas entre os desempenhos nele e no WISC–R.

A razão para o insucesso do CPVT como medida de vocabulário de sinais foi elucidada num estudo subseqüente. Nesse estudo intitulado *Testes de vocabulário receptivo de sinais: Testes de vocabulário de palavras isoladas ou iconicidade?*, White e Tischler (1999) submeteram estudantes ouvintes de 1ª, 4ª e 9ª séries a itens aleatoriamente selecionados do CPVT. Como o objetivo era descobrir em que grau os sinais do CPVT poderiam ser considerados icônicos, o estudo avaliou as respostas de estudantes sem qualquer conhecimento prévio dos sinais ou qualquer experiência prévia com eles. Os resultados revelaram que os sinais usados no CPVT são suficientemente icônicos para permitir a estudantes não familiarizados com eles identificar corretamente a figura alternativa que deve ser escolhida a cada sinal. Ou seja, o estudo descobriu que as pessoas submetidas ao CPVT não precisam conhecer Língua de Sinais Americana para poder ter um desempenho muito bom no teste, já que o significado dos sinais é praticamente evidente já à primeira vista. Como o CPVT apresenta quatro figuras alternativas de escolha para cada sinal, a probabilidade de acerto casual de qualquer avaliando submetido ao teste é de 25%. Em contraste com essa probabilidade de acerto ao acaso, contudo, os autores encontraram que 73% das respostas dos estudantes ingênuos foram corretas, o que é praticamente três vezes mais que o nível de acerto casual. Tais dados revelam que, no contexto oferecido pelas suas respectivas figuras alternativas de escolha, os sinais empregados pelo CPVT tendem a ser excessivamente icônicos, de modo que o significado da maior parte deles se torna evidente já à primeira vista quando associados às suas respectivas figuras alternativas de escolha. De acordo com os autores, tais dados sugerem a existência de problemas em potencial com testes, em geral, que se propõem a avaliar o vocabulário receptivo de sinais. Por isso, esses autores recomendam que os resultados desses testes sejam considerados com cautela.

Na presente série de estudos, como sobejamente explicado, na primeira versão original (i.e., TVRSL1.1), sinais altamente icônicos foram propositadamente incluídos. Na versão reordenada com os mesmos 139 itens (i.e., TVRS1.2), esses mesmos sinais foram deliberadamente mantidos e apresentados logo ao início do teste com o propósito de satisfazer os três objetivos já explicados (i.e., manutenção de cooperação na tarefa; identificação de eventual insuficiência de conhecimento; diagnóstico neuropsicológico diferencial entre agnosia visual e afasia de sinal). Por outro lado, na versão abreviada (i.e., TVRS1.3) esses sinais foram excluídos por meio da análise de itens. Tal expurgo dos itens altamente icônicos resultou em uma versão mais curta (i.e., apenas 66 itens), prática, válida e discriminativa.

Além disso, contribuindo para a validação cruzada da estimativa de compreensão de sinais, é preciso acrescentar que, na presente série de estudos, o vocabulário de sinais da Libras também é avaliado por meio de resposta de nomeação livre (i.e., na ausência de um número limitado de alternativas de escolha previamente fornecidas), mais precisamente, por meio da resposta de nomeação por escrita livre. Isso ocorre nas duas versões do Teste de Nomeação de Sinais por Escrita (TNS1.1–Escrita: F. Capovilla, Viggiano, Bida, Raphael, A. Capovilla, & Mauricio, 2004; e TNS2.1–Escrita: F. Capovilla, Viggiano, Luz, A. Capovilla, Bidá, & Mauricio, 2004). O fato de que essa forma de avaliar o vocabulário receptivo da Libras é, até certo ponto, constrangida pela necessidade de escrever em Português não significa que a estimativa de compreensão de sinais seja contaminada pelo Português a ponto de tornar inválida a medida. De fato, para controlar o efeito do conhecimento de Português sobre a estimativa do vocabulário da Libras, pode-se remover, por meio de análise de covariância (i.e., Ancova), o efeito do conhecimento do Português sobre o desempenho nas duas versões do Teste de Nomeação de Sinais por Escrita. Para tanto, basta medir o desempenho nas duas versões do Teste de Nomeação de Figuras por Escrita (TNF1.1–Escrita: F. Capovilla, Viggiano, Raphael, Bidá, A. Capovilla, Mauricio, & Neves, 2004; e TNF2.1–Escrita: F. Capovilla, Viggiano, Raphael, Bidá, A. Capovilla, & Neves, 2004) e usar essas medidas como covariantes, removendo seu efeito por meio das Ancovas. Do mesmo modo, em estudos ulteriores dessa mesma série, o vocabulário de sinais da Libras também é avaliado por meio da resposta de escolha dentre palavras escritas alternativas (i.e., na presença de um número limitado de alternativas de escolha previamente fornecidas), mais precisamente, por meio da resposta de nomeação por escolha. Isso ocorre nas duas versões do Teste de Nomeação de Sinais por

Escolha (TNS1.1–Escolha: F. Capovilla, Viggiano, Raphael, Mauricio, A. Capovilla, & Bidá, 2004; e TNS2.1–Escolha: F. Capovilla, Viggiano, Bidá, Luz, A. Capovilla, & Neves, 2004). Novamente, para controlar o efeito do conhecimento de Português sobre a estimativa do vocabulário da Libras, pode-se remover, por meio de análise de covariância (i.e., Ancova), o efeito do conhecimento do Português sobre o desempenho nas duas versões do Teste de Nomeação de Sinais por Escolha. Para tanto, basta medir o desempenho nas duas versões do Teste de Nomeação de Figuras por Escolha (TNF1.1–Escolha: F. Capovilla, Viggiano, Raphael, Bidá, A. Capovilla, Neves, & Mauricio, 2004; e TNF2.1–Escolha: F. Capovilla, Viggiano, Bidá, A. Capovilla, Raphael, Neves, & Mauricio, 2004) e usar essas medidas como covariantes, removendo seu efeito por meio das Ancovas. A comparação sistemática entre os resultados dessas análises, ao lado de todas as demais análises possibilitadas pelo cruzamento das informações produzidas pelos diversos testes da bateria, permite construir sistematicamente conclusões válidas e precisas acerca da magnitude das competências estimadas e da natureza dos processos envolvidos.

4.8.1.4.) Modos de aplicação do TVRSL

Como teste de papel e lápis, o TVRSL apresenta-se em três versões: A original (TVRSL1.1), a reordenada (TVRSL1.2), e a abreviada (TVRSL1.3). Cada uma das três versões pode ser aplicada por meio de dois tipos de caderno. Um deles, o *Caderno completo de aplicação com sinais e figuras de escolha* é maior, mais completo, padronizado, prático e auto-suficiente, prescindindo da apresentação de sinais por retroprojetor ou *sinalização ao vivo por examinador fluente em Libras*. Já o outro, o *Caderno de resposta para escolha de figuras*, é mais econômico, já que tem a metade do número de páginas do caderno completo, mas requer que a apresentação dos sinais seja feita à parte, por meio de retroprojetor ou de sinalização ao vivo. Sempre que for empregado o *Caderno de resposta para escolha de figuras*, em vez do caderno completo, deve-se empregar o *Guia de articulação de sinais* para evitar que variações na sinalização contaminem os resultados.

A versão original TVRSL1.1, com 139 itens, é usualmente implementada por meio de sinalização ao vivo articulada por um aplicador fluente em Libras e com o uso do *Caderno de resposta para escolha de figuras do TVRSL1.1*. Apesar de essa versão original do teste ter 139 itens, esse modo de aplicação é mais econômico, já que esse caderno tem apenas doze folhas impressas em frente e verso, num total de 24 páginas. Assim, para a aplicação por sinalizador fluente da versão original TVRSL1.1, pode-se usar o *Caderno de resposta para escolha de figuras do TVRSL1.1* que se encontra no Anexo 1. Esse caderno contém apenas as quatro figuras alternativas de escolha para cada um dos 139 sinais, mas não contém qualquer ilustração dos sinais. Assim, ele deve ser usado apenas para aplicação da versão original TVRSL1.1 por meio de sinalização ao vivo, sendo necessário que o aplicador do TVRSL1.1 seja um sinalizador fluente e que articule os sinais de acordo com o *Guia de articulação de sinais da versão original TVRSL1.1* que se encontra no Anexo 2, para evitar contaminação dos resultados por flutuações espúrias na maneira como os sinais são articulados por aplicadores diferentes.

A versão reordenada TVRSL1.2, com 139 itens ordenados por grau crescente de dificuldade, pode ser implementada nos dois tipos de caderno. Para implementação econômica da versão reordenada TVRSL1.2, pode-se usar o *Caderno de resposta para escolha de figuras do TVRSL1.2*, que se encontra no Anexo 3. Esse caderno tem apenas doze folhas impressas em frente e verso, num total de 24 páginas. Ele contém apenas as quatro figuras alternativas de escolha para cada um dos 139 sinais em ordem crescente de dificuldade, mas não contém qualquer ilustração dos sinais. Assim, esse caderno deve ser usado para aplicação da versão reordenada TVRSL1.2 por sinalizador fluente por meio de sinalização ao vivo. Nesse caso, é preciso que o aplicador do TVRSL1.2 seja um sinalizador fluente e que articule os sinais de acordo com o *Guia de articulação de sinais da versão reordenada TVRSL1.2* que se encontra no Anexo 4. Já para implementação completa e aplicação autônoma e auto-suficiente da versão reordenada TVRSL1.2, pode-se usar o *Caderno completo de aplicação com sinais e figuras de escolha do TVRSL1.2* que se encontra no Anexo 5. Esse caderno tem 24 folhas impressas em frente e verso, num total de 48 páginas. Ele contém não apenas as figuras alternativas de escolha como, também, as ilustrações de todos os 139 sinais em ordem crescente de dificuldade. Esse caderno completo da versão reordenada TVRSL1.2 permite prescindir da necessidade de ter como aplicador um sinalizador fluente, bastando apenas distribuir um caderno completo para cada avaliando depois que um sinalizador ministrar as instruções do teste.

A versão abreviada TVRSL1.3, com apenas 66 itens, também pode ser implementada nos dois tipos de caderno. Para implementação econômica da versão abreviada TVRSL1.3, pode-se usar o *Caderno de resposta para escolha de figuras do TVRSL1.3*, que se encontra no Anexo 6. Esse caderno tem apenas seis folhas impressas em frente e verso, num total de doze páginas. Ele contém apenas as quatro figuras alternativas de escolha para cada um dos 66 sinais em ordem crescente de dificuldade, mas não contém qualquer ilustração dos sinais. Assim, esse caderno deve ser usado apenas para aplicação da versão abreviada TVRSL1.3 por sinalizador fluente por meio de sinalização ao vivo. Nesse caso, é preciso que o aplicador do TVRSL1.3 seja um sinalizador fluente e que articule os sinais de acordo com o *Guia de articulação de sinais da versão abreviada TVRSL1.3* que se encontra no Anexo 7, para evitar que variações na sinalização contaminem os resultados. Já para a implementação completa e aplicação autônoma e auto-suficiente da versão abreviada TVRSL1.3, pode-se usar o *Caderno completo de aplicação com sinais e figuras de escolha do TVRSL1.3* que se encontra no Anexo 8. Esse caderno tem doze folhas impressas em frente e verso, num total de 24 páginas. Ele contém não apenas as figuras alternativas de escolha como, também, as ilustrações de todos os 66 sinais em ordem crescente de dificuldade. Esse caderno completo da versão abreviada TVRSL1.3 permite prescindir da necessidade de ter como aplicador um sinalizador fluente, bastando apenas distribuir um caderno completo para cada avaliando depois que um sinalizador ministrar as instruções do teste.

Na implementação com *Sinalização ao vivo por examinador fluente em Libras* e caderno menor (i.e., *Caderno de resposta para escolha de figuras*), a aplicação das versões original TVRSL1.1 e reordenada TVRSL1.2, ambas com 139 itens, consome cerca de 120 minutos divididos em duas sessões de 60 minutos cada uma. Já na implementação auto-suficiente com o caderno completo (i.e., *Caderno completo de aplicação com sinais e figuras de escolha*), a aplicação da versão abreviada (TVRSL1.3), com apenas 66 itens, consome apenas cerca de 50 minutos.

4.8.1.4.1.) Aplicação do TVRSL usando o caderno completo de sinais e figuras: *Caderno completo de aplicação com sinais e figuras de escolha*

O mais padronizado, auto-suficiente e prático modo de aplicação consiste em usar o *Caderno completo de aplicação com sinais e figuras de escolha.* Trata-se de um caderno de 48 páginas (i.e., 24 folhas) que contém os 139 sinais com respectivas quatro figuras alternativas de escolha para que o examinando surdo assinale a figura que corresponde ao sinal. A Figura 9 ilustra dois dos itens do *Caderno completo de aplicação com sinais e figuras de escolha do TVRSL1.1*, contendo, acima, o item referente ao sinal SAPO; e, abaixo, o item referente ao sinal ENSINAR.

Figura 9. Amostra de dois itens do *Caderno completo de aplicação com sinais e figuras de escolha do TVRSL1.1.* Acima o item referente ao sinal SAPO, e abaixo o item referente ao sinal ENSINAR. Cada item contém o sinal da Libras acima, e quatro figuras alternativas de escolha, abaixo.

Conforme a figura, cada item é composto de um sinal da Libras acima e de quatro figuras alternativas de escolha, abaixo, sendo que a tarefa do examinando é simplesmente assinalar a figura que corresponde ao sinal acima. Nesse caso, para aplicar o teste, basta que o examinador distribua a cada examinando surdo um exemplar do *Caderno completo de aplicação com sinais e figuras de escolha.*

Esse modo de aplicação é ideal para aplicação coletiva no contexto escolar pois, além de mais preciso e fidedigno que o modo de aplicação por sinalização ao vivo, é também mais econômico em termos de recursos humanos, pois prescinde de pessoal especialmente treinado na aplicação por sinalização ao vivo. É mais preciso e fidedigno pois, ao empregar sempre os mesmos sinais estandardizados dos cadernos, controla o efeito de variáveis espúrias relacionadas ao avaliador como, por exemplo, sua fluência, precisão e inteligibilidade de sinalização, que afetariam as respostas dos examinandos independentemente de seu grau de competência. É mais econômico, no que diz respeito a recursos humanos, pois prescinde de avaliadores treinados em Libras e especializados na aplicação de testes em Libras. Contudo, esse grande caderno contendo sinais e figuras alternativas de escolha (i.e., *Caderno completo de aplicação com sinais e figuras de escolha*) tem um custo material maior, já que, no modo de aplicação coletiva, o caderno acaba sendo inutilizado logo após a aplicação e subseqüente transcrição dos dados para planilhas eletrônicas. Para poder reutilizar o caderno em novas aplicações, seria preciso, antes, plastificar as folhas do caderno e substituir a resposta de assinalar com caneta pela resposta de apontar, que é anotada pelo avaliador. Por outro lado, isso limitaria o teste à aplicação individual; ou, na aplicação coletiva, requereria pessoal dedicado para anotar as respostas das crianças, com um custo relativamente elevado em termos de horas de trabalho da equipe de avaliação, o que encareceria a aplicação coletiva. Nesse caso, já que a aplicação seria praticamente individual, é preferível empregar sinalização ao vivo, já que essa, embora eventualmente menos precisa, é mais sensível e produz resultados mais válidos, especialmente em crianças muito novas e ainda não alfabetizadas.

Para entender por que a *Sinalização ao vivo por examinador fluente em Libras* é capaz de produzir resultados mais válidos na avaliação de crianças mais jovens, basta considerar que, sendo bidimensionais, os sinais do caderno são um tanto mais abstratos e menos inteligíveis que os sinais tridimensionais reais da aplicação ao vivo. Portanto, para crianças muito jovens, a aplicação por articulação de sinais ao vivo tende a ser mais válida que a aplicação por cadernos ou transparências, embora essa aplicação por cadernos ou transparências tenda a ser mais precisa e menos suscetível à contaminação por variáveis espúrias do avaliador. Assim, embora sejam mais vulneráveis a flutuações de desempenho relacionadas às condições de aplicação e à habilidade de sinalização do examinador, os resultados da aplicação por *Sinalização ao vivo por examinador fluente em Libras* devem refletir com maior validade o vocabulário receptivo de sinais do que a aplicação por meio de cadernos contendo ilustrações bidimensionais dos sinais, especialmente em examinandos surdos mais jovens e com menor escolaridade.

4.8.1.4.2.) Aplicação do TVRSL usando o caderno de figuras: *Caderno de resposta para escolha de figuras* e apresentação de sinais por diferentes meios

Para aumentar a economia de aplicação, pode-se preferir o caderno menor que, em vez de conter as quatro figuras alternativas de escolha para cada item além do sinal, contém apenas as quatro figuras alternativas de escolha para cada item sem o sinal, sendo que o avaliador apresenta o sinal separadamente, quer articulando os sinais ele próprio ao vivo, quer apresentando sinais estandardizados por meio de retroprojetor e transparências.

Figura 10. Amostra de dois dos itens do *Caderno de resposta para escolha de figuras do TVRSL1.1*; no caso, os itens referentes aos sinais TARTARUGA e ENCANADOR.

Esse caderno, em versão reduzida, é intitulado *Caderno de resposta para escolha de figuras* e traz, para cada um dos itens, apenas as figuras alternativas de escolha em vez de os sinais e as figuras. A Figura 10 ilustra dois dos itens do *Caderno de resposta para escolha de figuras do TVRSL1.1*; no caso, os itens referentes aos sinais TARTARUGA e ENCANADOR. Conforme ilustrado nessa figura, o *Caderno de resposta para escolha de figuras* apresenta, para cada um dos 139 itens, apenas as quatro figuras alternativas de escolha, sem os sinais. Tais sinais devem ser articulados pelo avaliador ou, alternativamente, projetados numa tela com auxílio de transparências e retroprojetor. De qualquer maneira, independentemente do modo de apresentação de sinais, os examinandos devem assinalar as respostas selecionando as figuras correspondentes no *Caderno de resposta para escolha de figuras.*

4.8.1.4.2.1.) Aplicação do TVRSL com articulação dos sinais ao vivo e coleta de respostas com o caderno de figuras: *Sinalização ao vivo por examinador fluente em Libras*, orientada pelo *Guia de articulação de sinais*, e coleta de respostas com o *Caderno de resposta para escolha de figuras*

A aplicação por *Sinalização ao vivo por examinador fluente em Libras* tende a produzir resultados mais sensíveis e válidos. Contudo, para evitar contaminação por variáveis relacionadas ao examinador, é importante que os examinadores sejam treinados e experientes na aplicação e fluentes na sinalização. Para garantir a padronização dos sinais, tanto em termos de forma quanto de significado, o *Guia de articulação de sinais do TVRSL1.1 e gabarito de aferição de respostas* acompanha o *Caderno de resposta para escolha de figuras do TVRSL1.1.* Esse *Guia* reduz riscos de contaminação por variações de examinadores no estágio de aplicação e, também, no de aferição, já que padroniza a articulação de sinais e especifica a alternativa correta para a aferição de respostas.

A Figura 11 ilustra dois dos itens do *Guia de articulação de sinais do TVRSL1.1 e gabarito de aferição de respostas* (no caso, os itens referentes aos sinais TARTARUGA e ENCANADOR) que acompanha o *Caderno de resposta para escolha de figuras do TVRSL1.1.* Conforme ilustrado nessa figura, o *Guia de articulação de sinais do TVRSL1.1 e gabarito de aferição de respostas* apresenta os 139 sinais na forma precisa que devem ser articulados, juntamente com a respectiva figura alternativa a ser escolhida. O *Guia de articulação de sinais do TVRSL1.1 e gabarito de aferição de respostas* encontra-se no Anexo 6.

Figura 11. Amostra de dois dos itens do *Guia de articulação de sinais do TVRSL1.1* e *Gabarito de aferição de respostas do TVRSL1.1* (no caso, os itens referentes aos sinais TARTARUGA e ENCANADOR) que acompanha o *Caderno de resposta para escolha de figuras do TVRSL1.1.* O guia apresenta, para cada sinal, a forma a ser articulada pelo examinador e a figura a ser escolhida pelo examinando.

No estudo original sobre o TVRSL1.1 (F. Capovilla, Viggiano, A. Capovilla, Raphael, Bidá, & Mauricio, 2004), a validação e a normatização da versão original TVRSL1.1 foram feitas a partir dos dados obtidos por aplicação coletiva usando *Sinalização ao vivo por examinador fluente em Libras* e o caderno menor (i.e., o *Caderno de respostas para escolha de figuras do TVRSL1.1*). Durante a sinalização ao vivo, a articulação dos sinais e a aferição das respostas obedeceram estritamente ao *Guia de articulação de sinais do TVRSL1.1 e gabarito de aferição de respostas.*

4.8.1.4.2.2.) Aplicação do TVRSL por projeção de sinais em tela e coleta de respostas com o caderno de figuras: *Conjunto de transparências de sinais do TVRSL1.1* e *Caderno de resposta para escolha de figuras do TVRSL1.1*

A aplicação com o uso de transparências tende a reduzir a contaminação por variáveis espúrias relacionadas ao examinador, que são mais freqüentes na aplicação por sinalização ao vivo. No caso de aplicação por projeção de sinais em tela com auxílio de transparências e retroprojetor, em vez do *Guia de articulação de sinais do TVRSL1.1 e gabarito de aferição de respostas* usado para aplicação por sinalização ao vivo, o examinador pode usar simplesmente o *Conjunto de transparências de sinais do TVRSL1.1*. Nesse caso, basta distribuir um exemplar do *Caderno de respostas para escolha de figuras do TVRSL1.1* a cada um dos examinandos surdos e, com o auxílio de retroprojetor, projetar na tela ou na parede as transparências de acordo com a numeração, apontando um sinal por vez para que os examinandos surdos assinalem a figura correspondente a cada sinal em seus *Cadernos de resposta para escolha de figuras do TVRSL1.1*. A matriz final que deve ser fotocopiada em acetato para a confecção das transparências pode ser encontrada no estudo original sobre o TVRSL1.1 (F. Capovilla, Viggiano, A. Capovilla, Raphael, Bidá, & Mauricio, 2004) e corresponde basicamente ao *Guia de articulação de sinais do TVRSL1.1* sem as figuras do gabarito, à direita desses sinais. A Figura 12 ilustra dois dos 139 itens do *Conjunto de transparências de sinais do TVRSL1.1*.

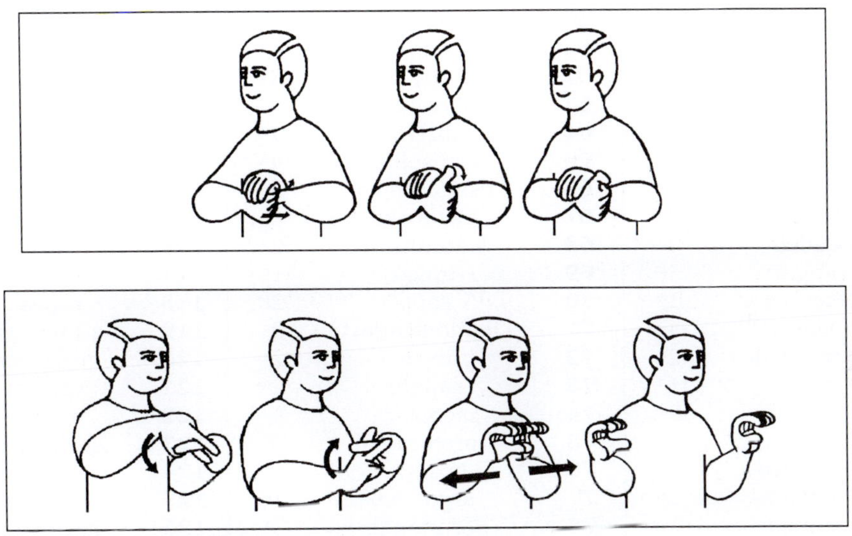

Figura 12. Amostra de dois dos itens do *Conjunto de transparências de sinais do TVRSL1.1* (no caso, os sinais TARTARUGA e ENCANADOR) que acompanha o *Caderno de resposta para escolha de figuras do TVRSL1.1*. O examinador deve projetar as transparências com retroprojetor e apontar um sinal por vez, para que os examinandos surdos assinalem, no *Caderno de resposta para escolha de figuras do TVRSL1.1*, a figura a ele correspondente.

Como é provável que os desempenhos variem como função do modo de aplicação do TVRLS1.1, é recomendável que sejam geradas normas específicas para cada modo de aplicação, ou seja, o uso de caderno auto-suficiente com o *Caderno completo de aplicação com sinais e figuras de escolha versus* o uso de caderno de figuras apenas, ou seja, *Caderno de resposta para escolha de figuras*, o qual requer apresentação à parte dos sinais, quer por meio de *Sinalização ao vivo*, quer por meio de *Conjunto de transparências de sinais*. Na presente série de estudos para validação e normatização do TVRLS1.1, foi empregada a *Sinalização ao vivo por examinador fluente em Libras* associada ao *Caderno de resposta para escolha de figuras*, sendo que as tabelas de dados normativos obtidas refletem os resultados desse modo de aplicação.

O Quadro 1 arrola a lista dos cinco itens de treino e 139 itens de teste que compõem o TVRSL1.1, na ordem em que foram aplicados no estudo, juntamente com posição da respectiva alternativa correta na série, da 1ª. à 4ª. posição.

Quadro 1. Lista dos cinco itens de treino e 139 itens de teste que compõem o TVRSL1.1, juntamente com posição da respectiva alternativa correta na série, da 1ª. à 4ª. posição.

Ord.	Figura-alvo	Pos.	Ord.	Figura-alvo	Pos.	Ord.	Figura-alvo	Pos.
a	boneca	4ª.	**44**	pavão	3ª.	**92**	angústia	4ª.
b	homem	2ª.	**45**	acrobata	2ª.	**93**	ensinar	1ª.
c	balanço	3ª.	**46**	discutir	1ª.	**94**	ira	3ª.
d	telefone	1ª.	**47**	médico	4ª.	**95**	saudade	2ª.
e	vaca	2ª.	**48**	grampeador	1ª.	**96**	lustrar	3ª.
1	cobra	4ª.	**49**	multa	3ª.	**97**	obrigar	4ª.
2	coruja	3ª.	**50**	ramalhete	1ª.	**98**	arrogante	2ª.
3	bebida	1ª.	**51**	inaugurar	3ª.	**99**	sede	4ª.
4	barco	2ª.	**52**	cientista	2ª.	**100**	sonhar	4ª.
5	pé	1ª.	**53**	famoso	1ª.	**101**	marceneiro	2ª.
6	vela	2ª.	**54**	vencedor	3ª.	**102**	comprar	4ª.
7	coração	4ª.	**55**	dupla	2ª.	**103**	fígado	2ª.
8	termômetro	3ª.	**56**	guarda-chuva	4ª.	**104**	castelo	3ª.
9	baleia	2ª.	**57**	girafa	4ª.	**105**	pimenta	4ª.
10	batida	1ª.	**58**	ângulo	3ª.	**106**	Europa	2ª.
11	revólver	4ª.	**59**	trigêmeos	4ª.	**107**	sapateiro	1ª.
12	quebrado	2ª.	**60**	igreja	4ª.	**108**	distração	1ª.
13	descascar	3ª.	**61**	bicampeão	1ª.	**109**	evitar	4ª.
14	baú	1ª.	**62**	adorar	3ª.	**110**	deserto	3ª.
15	abajur	4ª.	**63**	derramar	2ª.	**111**	alarme	1ª.
16	binóculo	3ª.	**64**	abridor	1ª.	**112**	pedaço	4ª.
17	ambulância	1ª.	**65**	aconselhar	4ª.	**113**	corrente	3ª.
18	rasgar	4ª.	**66**	estetoscópio	3ª.	**114**	batedeira	2ª.
19	medir	2ª.	**67**	tartaruga	1ª.	**115**	espantado	3ª.
20	cadeia	3ª.	**68**	agricultura	2ª.	**116**	subornar	2ª.
21	canguru	4ª.	**69**	único	1ª.	**117**	emergir	4ª.
22	desenhista	1ª.	**70**	sapo	2ª.	**118**	raposa	3ª.
23	violão	4ª.	**71**	liqüidificador	3ª.	**119**	submergir	1ª.
24	construção	2ª.	**72**	trem	2ª.	**120**	procurar	2ª.
25	vazio	1ª.	**73**	sapato	2ª.	**121**	volúvel	3ª.
26	pensar	2ª.	**74**	cachoeira	4ª.	**122**	batizar	1ª.
27	duro	3ª.	**75**	profundo	3ª.	**123**	desleixado	3ª.
28	barbeiro	1ª.	**76**	bosque	1ª.	**124**	apelido	2ª.
29	rio	3ª.	**77**	arquivar	4ª.	**125**	inocente	4ª.
30	dentista	3ª.	**78**	perfumado	3ª.	**126**	desprezar	1ª.
31	despertar	2ª.	**79**	morcego	2ª.	**127**	eterno	4ª.
32	pulmão	1ª.	**80**	projeto	4ª.	**128**	telescópio	3ª.
33	sofá	4ª.	**81**	processo	3ª.	**129**	escorpião	4ª.
34	iluminar	2ª.	**82**	caule	4ª.	**130**	rico	1ª.
35	meia	4ª.	**83**	dança	4ª.	**131**	alicate	3ª.
36	cérebro	2ª.	**84**	felino	3ª.	**132**	dicionário	2ª.
37	tronco	3ª.	**85**	sob	4ª.	**133**	dialogar	1ª.
38	funil	4ª.	**86**	comércio	1ª.	**134**	marinha	3ª.
39	parabenizar	3ª.	**87**	encanador	4ª.	**135**	hipopótamo	2ª.
40	gotejar	2ª.	**88**	bússola	2ª.	**136**	hierarquia	3ª.
41	mecânico	1ª.	**89**	assustado	3ª.	**137**	greve	1ª.
42	venenoso	4ª.	**90**	pesado	2ª.	**138**	vertigem	2ª.
43	grupo	1ª.	**91**	vidro	1ª.	**139**	rinoceronte	2ª.

Nota: Ord.: Ordem que cada item ocupa na seqüência de 139 itens que compõem o teste. Pos.: Posição que a figura-alvo ocupa na seqüência de quatro figuras alternativas de escolha que compõem cada item.

4.8.1.4.3.) Aplicação computadorizada do TVRSL

As três versões do TVRSL (i.e., a original TVRSL1.1, a reordenada TVRSL1.2, e a abreviada TVRSL1.3) são eficientemente implementadas como testes de papel e lápis em diversos tipos de cadernos de aplicação. Além disso, as três versões também se encontram disponíveis para execução em computador com plataforma Windows para avaliar crianças surdas com os mais severos e variados tipos de impedimento motor (e.g., amputação ou defeitos congênitos) e de distúrbios neuromotores (e.g., tetraplegia por lesão cervical, paralisia cerebral ou esclerose lateral amiotrófica), que se encontrem incapacitadas de segurar um lápis ou sequer de apontar com os dedos para assinalar a alternativa correta. O compêndio de avaliação do desenvolvimento da linguagem de sinais, leitura e escrita na criança surda (F. Capovilla & Viggiano, 2004) apresenta a versão computadorizada abreviada 1.3 do Teste de Vocabulário Receptivo de Sinais da Libras (TVRSL1.3–Comp: Macedo, F. Capovilla, Viggiano, Charin, Diana, Covre, Duduchi, Raphael, & A. Capovilla, 2004).

Nas três versões computadorizadas, é feita varredura automática entre as alternativas de escolha sendo que, para escolher entre elas, tudo que o examinando surdo paralisado ou amputado tem de fazer é emitir um movimento qualquer, como o piscar, quando a alternativa desejada estiver disponível para escolha, movimento esse que é captado por detetor infravermelho. O tipo de varredura (Gonçalves, F. Capovilla, Macedo, & Duduchi, 1997), o parâmetro temporal de varredura (F. Capovilla, Thiers, & Macedo, 2002; F. Capovilla, Thiers, Macedo, & Duduchi, 1998; F. Capovilla, Thiers, Macedo, Raphael, & Duduchi, 1998; F. Capovilla, Thiers, & A. Capovilla, 2000) e o tipo de acionamento (Charin & F. Capovilla, 2000; Macedo & F. Capovilla, 2000a) são adaptados precisamente às características neuromotoras (F. Capovilla, Macedo, Duduchi, A. Capovilla, & Thiers, 1998) do examinando surdo (F. Capovilla, Macedo, A. Capovilla, Thiers, Raphael, & Duduchi, 1998). Essas versões computadorizadas também são implementadas com seleção direta por toque sobre tela sensível; e coletam e tabulam dados automaticamente, produzindo um relatório de resultados após a aplicação (Macedo, F. Capovilla, & Sazonov, 2000), incluindo o acerto total, o tipo e a freqüência de erros, e o tempo de resposta. Tais versões computadorizadas foram elaboradas a partir de tecnologia acumulada na última década (F. Capovilla, A. Capovilla, & Macedo, 2001a; F. Capovilla, Gonçalves, & Macedo, 1998; F. Capovilla, Macedo, A. Capovilla, Thiers, & Duduchi, 1997; Gonçalves, Macedo, Sennyey, & F. Capovilla, 2000; Macedo, Gonçalves, F. Capovilla, & Sennyey, 2002) para avaliar examinandos surdos e ouvintes com paralisia cerebral (F. Capovilla, Macedo, Duduchi, A. Capovilla, & Gonçalves 1998; F. Capovilla & Nunes, 2003; Thiers, F. Capovilla, Charin, Duduchi, & Macedo, 2000), esclerose lateral amiotrófica (F. Capovilla, A. Duduchi, Macedo, A. Capovilla, & Sazonov, 2000; Lima, Macedo, F. Capovilla, & Sazonov, 2000) e afasia (F. Capovilla, 1997a; F. Capovilla, A. Capovilla, Macedo, & Duduchi, 2000a; Macedo, F. Capovilla, Charin, & Duduchi, 1998).

Além dessas versões para computadores locais, as três versões também se encontram disponíveis na Internet (Macedo, F. Capovilla, Diana, & Covre, 2002), num sistema capaz de promover a teleavaliação do escolar surdo brasileiro de todos os estados da federação, com vistas a auxiliar a subsidiar políticas públicas de educação do surdo brasileiro em nível nacional.

Como é muito provável que os desempenhos variem como função do modo de aplicação de cada uma das versões do teste (i.e., a original TVRSL1.1, a reordenada TVRSL1.2, e a abreviada TVRSL1.3), é recomendável que sejam geradas normas específicas para cada uma dessas versões sob cada um dos diferentes modos de aplicação, em termos de aplicação individual ou coletiva, e:

- 1.) Aplicação com *Caderno completo de aplicação com sinais e figuras de escolha*; ou
- 2.) Aplicação com *Sinalização ao vivo por examinador fluente em Libras* e coleta de dados com *Caderno de resposta para escolha de figuras*; ou
- 3.) Aplicação com *Conjunto de transparências de sinais* e coleta de dados com *Caderno de resposta para escolha de figuras*; ou
- 4.) Aplicação computadorizada local com tela sensível ao toque; ou
- 5.) Aplicação computadorizada local com varredura automática com diferentes intervalos temporais de varredura e diferentes tipos de acionamento para avaliação de examinandos surdos com severos impedimentos motores (conforme já foi feito em F. Capovilla, A. Capovilla, & Macedo, 2001a; F. Capovilla, Thiers, A. Capovilla, Macedo, Duduchi, & Guedes, 2002; F. Capovilla, Thiers, Macedo, 2002; F. Capovilla, Thiers, Macedo, Duduchi, 1998; e F. Capovilla, Thiers, Macedo, Raphael, & Duduchi, 1998); ou
- 6.) Aplicação via Internet para teleavaliação em todo o território nacional.

No presente estudo, a tabela de dados normativos da versão original TVRSL1.1 foi gerada a partir de aplicação coletiva por meio da *Sinalização ao vivo por examinador fluente em Libras* e coleta de dados por *Caderno de resposta para escolha de figuras do TVRSL1.1*. Logo, a tabela de dados normativos do TVRSL1.1 (F. Capovilla, Viggiano, A. Capovilla, Raphael, Bidá, & Mauricio, 2004) reflete os resultados desse modo de aplicação coletiva com *Sinalização ao vivo por examinador fluente em Libras*, devidamente orientada pelo *Guia de articulação de sinais do TVRSL1.1*, e coleta de dados por meio do *Caderno de resposta para escolha de figuras do TVRSL1.1*, devidamente assistida pelo *Gabarito de aferição de respostas do TVRSL1.1*.

Numa nova série de estudos de normatização e validação, a versão abreviada TVRSL1.3 vem sendo normatizada e validada por aplicação com *Caderno completo de aplicação com sinais e figuras de escolha do TVRSL1.3*, em vez com *Sinalização ao vivo* e coleta de dados com *Caderno de resposta para escolha de figuras*, uma vez que essa versão revisada e abreviada TVRSL1.3 foi elaborada para ser fortemente estandardizada e fidedigna, além de prática e auto-suficiente, independente da disponibilidade de examinadores igualmente treinados e fluentes em Libras para articular a sinalização ao vivo, e da disponibilidade de retroprojetor, transparência e tela.

4.9.) Caracterização da amostra de 1.158 participantes da série de onze estudos de validação das onze versões originais dos instrumentos

Participaram voluntariamente desta série pioneira de onze estudos 1.158 crianças, jovens e adultos surdos da 1ª série do Ensino Fundamental até a 1ª série do Ensino Médio, provenientes de seis escolas diferentes, sendo quatro escolas municipais de educação especial (Emees) da cidade de São Paulo e duas escolas privadas filantrópicas do estado de São Paulo, das cidades de Cotia, na grande São Paulo, e de Jundiaí, no interior do estado.

Para a caracterização dessa grande e complexa amostra de 1.158 estudantes, foram examinados todos os prontuários disponíveis de todos os estudantes. Devido ao teor relativamente incompleto de muitos prontuários, apenas dados parciais puderam ser obtidos para as variáveis analisadas. Contudo, todos os dados disponíveis para a caracterização da amostra encontram-se apresentados nesta seção.

As quatro escolas públicas de Ensino Fundamental do município de São Paulo foram as seguintes:

- 1.) Escola Municipal de Educação Especial Helen Keller (Emee-HK);
- 2.) Escola Municipal de Educação Especial Anne Sullivan (Emee-AS);
- 3.) Escola Municipal de Educação Especial Professora Neusa Bassetto (Emee-NB);
- 4.) Escola Municipal de Educação Especial Madre Lucie Bray (Emee-LB).

As duas escolas privadas do interior do estado de São Paulo foram as seguintes:

- 5.) Escola Especial para Crianças Surdas da Fundação Rotarianos (Eecs-FR) na cidade de Cotia;
- 6.) Associação Terapêutica de Estimulação Auditiva e Linguagem (Ateal) na cidade de Jundiaí.

As quatro Emees públicas e a Eecs filantrópica são escolas especiais para crianças surdas, enquanto a Ateal não é propriamente uma escola, mas uma associação que reúne escolares surdos, dos quais oitenta estudam em classes regulares de escolas regulares, e os outros 25 estudam em classes especiais e apresentam outros distúrbios de desenvolvimento de cognição e linguagem, com freqüência associados a atraso mental.

A caracterização completa dos participantes e das escolas pode ser encontrada em F. Capovilla, A. Capovilla, Viggiano, Bidá, e Mauricio (2003a, 2003b). As duas seções seguintes sumariam os resultados principais. A primeira descreve algumas das principais características das quatro Emees e das escolas privadas filantrópicas; a segunda descreve algumas das principais características dos estudantes surdos.

A presente descrição das características das escolas e dos estudantes surdos é inspirada em uma série de estudos semelhantes, como o canadense intitulado *Crianças e jovens deficientes auditivos no Canadá: Características dos estudantes quanto a padrões de comunicação manual em quatro contextos educacionais especiais*. Naquele estudo, Karchmer, Allen, Petersen, e Quaynor (1982) sumariam os achados obtidos de 4.083 estudantes com deficiência auditiva em quatro tipos de programas de educação especial: Escolas residenciais para surdos, escolas diurnas para surdos, classes de educação especial em tempo integral, e programas de tempo parcial. O estudo compara as características dos estudantes em cada programa, em termos de idade, gênero, grau de perda auditiva, causa e idade de surgimento da surdez, além de deficiências associadas, tipo de língua falada em casa, e presença de surdez nos pais; além de descrever os padrões de comunicação manual empregados na escola e em casa e analisá-los como função das características dos estudantes.

A presente análise dos efeitos do contexto comunicativo (e.g., comunidade, escola e família) sobre diferentes modalidades de comunicação (e.g., oral, escrita, gestual e de sinais) também é inspirada em outros estudos, como o de Pizzuto, Ardito, Caselli, e Volterra (2001) intitulado *Cognição e linguagem em pré-escolares italianos surdos oriundos de famílias surdas e ouvintes*. Esse estudo descreve o desenvolvimento cognitivo, comunicativo e lingüístico de onze pré-escolares italianos surdos com idades variando de 3 a 5 anos, e discute os padrões de desenvolvimento como função de fatores como o ambiente familiar (i.e., pais surdos *versus* ouvintes), a língua usada em casa (i.e., sinal *versus* fala, ou combinações entre eles), intervenção de língua falada, e *background* educacional. Os resultados mostram que a surdez *per se* não produz atraso cognitivo. Tais dados são compatíveis com os dados da revisão de Stokoe (2001) intitulada *Surdez, cognição e linguagem*. Essa revisão descreve o desenvolvimento de cognição e linguagem, o espaço perceptual e lingüístico, além do espaço e do tempo em crianças surdas, e conclui que, desde que criadas num ambiente sinalizador, as crianças surdas podem desenvolver habilidades lingüísticas e sociais na mesma velocidade que as crianças ouvintes, apesar de sua falta de audição suficiente para decodificar a fala. A revisão conclui que o ambiente de língua de sinais é tão importante para o desenvolvimento lingüístico das crianças surdas quanto é o ambiente da língua falada para as crianças ouvintes; e que, por meio da interação com sinalizadores, as crianças surdas podem ter desenvolvimento cognitivo tão normal quanto o das crianças ouvintes.

4.9.1.) As seis escolas participantes da presente série de estudos de validação das onze versões originais dos instrumentos

4.9.1.1.) As escolas municipais de educação especial (Emees) para surdos

A Escola Municipal de Educação Especial Helen Keller (Emee–HK) é a primeira escola pública para surdos do estado de São Paulo. Foi fundada em 13 de outubro de 1952 como Núcleo Educacional para Crianças Surdas. Em 1956 foi criado o Instituto Municipal dos Surdos Mudos que, em agosto daquele ano, passou a fazer parte da Rede de Ensino Municipal. Em 1960, recebeu sede própria. Durante 36 anos, de 1952 a 1988, a Emee Helen Keller permaneceu como a única escola pública para surdos da cidade de São Paulo. Em 1988 foram criadas outras quatro Escolas Municipais de Educação Infantil e de Primeiro Grau para Deficientes Auditivos (Emeda): Anne Sullivan, na zona sul; Professora Neusa Bassetto, na zona leste; Professora Vera Lúcia Aparecida Ribeiro, na zona oeste; e Madre Lucie Bray, na zona norte. Em 1999 essas escolas passaram a denominar-se Emee (i.e., Escola Municipal de Educação Especial), e foi criada a Emee Professor Mário Pereira Bicudo, na zona norte.

Segundo informações oficiais fornecidas pela própria escola, a Emee Helen Keller acompanhou todas as mudanças nos paradigmas educacionais, partindo do oralismo, passando pela comunicação total, e atualmente, com o aprimoramento dos profissionais, chegando o bilingüismo. Por ocasião de sua fundação, com forte base na filosofia educacional do oralismo, contava com professoras formadas apenas no Magistério (i.e., Ensino Médio). Contudo, a partir de 1987 passou a incorporar novas professoras com formação universitária em Pedagogia e especializadas em surdez, que introduziram informações sobre a possibilidade da utilização de sinais simultaneamente ao Português. Isso deu início à lenta introdução da filosofia da comunicação total. Aos poucos, as professoras foram se adaptando ao novo sistema educacional e adquirindo, por meio de recursos particulares, conhecimento sobre a Língua de Sinais Brasileira (Libras). Atualmente, a escola mantém uma equipe composta por uma diretora, duas assistentes de direção, duas coordenadoras pedagógicas, e 54 professoras, sendo que 53 delas são ouvintes sinalizadoras. Algumas das professoras adquiriram Libras por meio de cursos oficiais na Federação Nacional de Educação e Integração de Surdos (Feneis). Outras adquiriram Libras pelo aprendizado diário com seus alunos surdos. Dentre as professoras, há uma surda sinalizadora bastante oralizada que utiliza tanto a fala quanto os sinais. De acordo com a sua Coordenação Pedagógica, a Emee Helen Keller tem sido tradicionalmente oralista há aproximadamente 35 anos, e ainda sente dificuldade para implantar a filosofia do bilingüismo. Devido à exigüidade de recursos governamentais, ao grande tamanho e heterogeneidade dos corpos discente e docente, às dificuldades para a formação das professoras em Libras e às dificuldades na transição do Português para a Libras, a escola tem mantido um ensino fundamentado na abordagem educacional da comunicação total, tanto dentro quanto fora da sala de aula. Segundo o franco depoimento de sua Coordenação, embora a escola tenha informações sobre o bilingüismo e mantenha discussões internas regulares sobre essa abordagem, devido aos importantes fatores arrolados, ela não tem conseguido vislumbrar a viabilidade da implantação do bilingüismo a curto prazo. A Emee Helen Keller atende 470 alunos surdos matriculados desde a Educação Infantil até o Ensino Fundamental I e II e a Suplência do Ensino Fundamental. Esse corpo discente de 470 alunos encontra-se distribuído em três períodos, com 4 horas cada um. Há vinte salas de aula no 1º. período, quatorze salas de aula no 2º. período, e dezessete salas de aula no 3º. período, totalizando 51 salas de aula nos três períodos. Possui, também, sala de leitura, sala de informática, quadra poliesportiva, área de recreação infantil, anfiteatro, além de uma sala de estimulação da fala, audição e linguagem. A Emee Helen Keller situa-se no bairro da Aclimação, e por ser a maior e a mais antiga escola de surdos, atende surdos das mais diversas regiões de São Paulo. Funciona das 7h15 às 22h30. Sua ênfase é no Ensino Fundamental do 1º. ao 4º. ano do ciclo II, e no Ensino Supletivo no período noturno, que atende o aluno trabalhador e anteriormente evadido da escola.

Segundo informações oficiais fornecidas pela própria escola, a Escola Municipal de Educação Especial Anne Sullivan (Emee–AS) foi fundada em março de 1988 com base na abordagem educacional do oralismo. Porém, a partir de 1990, a abordagem oralista foi substituída pela abordagem da comunicação total. Por sua vez, em 1996, a abordagem da comunicação total cedeu lugar à abordagem educacional do bilingüismo. Desde então, a Emee Anne Sullivan tem concentrado todos os esforços na implementação do bilingüismo no seu sistema educacional, buscando parcerias com pesquisadores da USP e PUC–SP, e com empresas privadas. Tais empresas custeiam aulas de Libras para as professoras, os funcionários da escola e os pais dos alunos. Isso é deveras importante, pois os efeitos da atitude dos pais sobre o desenvolvimento de linguagem da criança surda têm sido amplamente demonstrados (e.g., Kluwin, 1994). Essas aulas são ministradas por uma instrutora surda dentro da própria Emee Anne Sullivan. Há também esforços individuais por parte das professoras em buscar cursos de Libras na Feneis. A equipe da Emee Anne Sullivan é constituída por uma diretora, duas coordenadoras pedagógicas, duas auxiliares de período e 49 professoras. Dentre as professoras, 48 são ouvintes sinalizadoras e uma é surda sinalizadora e bastante oralizada. Durante as aulas, as professoras utilizam a comunicação total apenas como recurso para o estudo sistemático da Língua Portuguesa. Há um forte empenho por parte da maioria das professoras em ministrar toda e qualquer explicação em Libras. Fora das salas de aula, as professoras também usam predominantemente a Libras. Mesmo quando emitem a fala simultaneamente aos sinais, as professoras sempre tentam favorecer a gramática da Libras. Segundo a Coordenação, o currículo desenvolvido na escola atende as determinações da Lei de Diretrizes e Bases da Educação Nacional. A inclusão da língua de sinais no quadro curricular garante a adequação do currículo às necessidades dos alunos surdos. Segundo a Coordenação, o Projeto Político Pedagógico da Escola Anne Sullivan é centrado nas necessidades sociais, culturais e éticas dos alunos surdos e garante a eles acesso a uma educação bilíngüe. A Emee Anne Sullivan atende 287 alunos surdos matriculados desde a Educação Infantil até o Ensino Fundamental I e II e a Suplência do Ensino Fundamental. Esse corpo discente de 287 alunos encontra-se distribuído em três períodos de 4 horas cada um. Há onze salas de aula no 1º período, onze salas de aula no 2º período, e nove salas de aula no 3º período, totalizando 31 salas de aula nos três períodos. Possui, também, sala de leitura, sala de informática, quadra poliesportiva, área de recreação infantil, além de sala de estimulação da fala, audição e linguagem. A Emee Anne Sullivan está situada no bairro de Santo Amaro e atende toda a região sul da grande São Paulo.

Segundo informações oficiais fornecidas pela própria escola, a Escola Municipal de Educação Especial Professora Neusa Bassetto (Emee–NB) foi fundada em novembro de 1988 em um prédio provisório, tendo recebido a sede definitiva em dezembro de 1992. Foi fundada com base na abordagem educacional do oralismo. Porém, a partir de 1990, o oralismo foi substituído pela comunicação total que, por sua vez, em 1996, cedeu lugar ao bilingüismo. Segundo depoimento franco da Coordenação, apesar do empenho da escola em instituir o bilingüismo e intensificar a utilização da Libras, até o presente as aulas ainda tem sido ministradas em comunicação total pela maioria das professoras. Embora algumas professoras já ministrem aulas em Libras, todas elas ainda se apóiam na sinalização simultânea à fala em Português durante a maior parte do tempo. A equipe é constituída por uma diretora, uma assistente de direção, duas coordenadoras pedagógicas, e 34 professoras. Todas as professoras são ouvintes sinalizadoras, sendo que algumas delas adquiriram Libras em cursos da Federação Nacional de Educação e Integração de Surdos (Feneis). Outras professoras adquiriram os sinais a partir do aprendizado diário com seus alunos, e ainda outras adquiriram a Libras por meio de aulas particulares ministradas por instrutores surdos. A Emee Professora Neusa Bassetto atende 285 alunos surdos, matriculados desde a Educação Infantil até o Ensino Fundamental I e II e a Suplência do Ensino Fundamental. Esse corpo discente de 285 alunos encontra-se distribuído em três períodos de 4 horas cada um. Há onze salas de aula em cada um dos três períodos, totalizando 33 salas de aula nos três períodos. Possui, também, sala de leitura, sala de informática, e área de recreação infantil, além de sala de estimulação da fala, audição e linguagem. A Emee Neusa Bassetto está situada no bairro da Mooca e atende toda a zona leste da grande São Paulo.

Segundo informações oficiais fornecidas pela própria escola, a Escola Municipal de Educação Especial Madre Lucie Bray (Emee–LB) foi fundada em setembro de 1988 com base na filosofia educacional do oralismo. Porém, a partir de 1990, o oralismo foi substituído pela comunicação total. Por sua vez, em 1996, a comunicação total cedeu lugar ao bilingüismo. Segundo depoimento franco de sua Coordenação, embora o bilingüismo não esteja devidamente implantado, a escola tem envidado intensos esforços dedicados à sua implementação. Como sinal desses sérios esforços, merece destaque o fato de que todas as professoras da escola concluíram em 2002 o módulo intermediário do curso de Libras da Feneis e fazem uso muito intensivo do *Dicionário enciclopédico ilustrado trilíngüe da Libras* (F. Capovilla & Raphael, 2001b, 2001c). Também merece destaque o fato de que, em 2003, todas as professoras da escola participaram do curso avançado de sinais ministrado pela Feneis. Além disso, esporadicamente, todas as professoras têm aulas com instrutores surdos. A equipe é constituída por uma diretora, uma coordenadora pedagógica, duas auxiliares de período e dezenove professoras, sendo todas ouvintes sinalizadoras. Durante as aulas, as professoras utilizam comunicação total apenas como recurso para o estudo sistemático da Língua Portuguesa. Porém, a maioria delas empenha-se fortemente em desenvolver suas explicações em Libras. Fora das salas de aula, as professoras procuram comunicar-se predominantemente em Libras. Mesmo quando oralizam e sinalizam simultaneamente, as professoras tentam favorecer a gramática da Libras. A EMME Madre Lucie Bray atende 165 alunos surdos matriculados desde a Educação Infantil até o Ensino Fundamental I e II. Esse corpo discente de 165 alunos encontra-se distribuído em três períodos de 4 horas cada um. Há sete salas de aula no 1º. período, cinco salas de aula no 2º. período, e oito salas de aula no 3º. período, totalizando vinte salas de aula nos três períodos. Possui, também, sala de leitura, sala de informática, quadra poliesportiva, e quadra de recreação infantil, além de sala de estimulação da fala, audição e linguagem. A Emee Madre Lucie Bray está situada na Vila Constança, no bairro do Jaçanã, e atende toda a zona norte da grande São Paulo, além de grande número de alunos provenientes da cidade de Guarulhos.

Segundo suas respectivas Coordenações, todas as quatro Emees para surdos respeitam as normas estabelecidas para a inclusão. Assim, todas procuram encaminhar seus alunos para escolas regulares de ouvintes, desde que eles sejam considerados como tendo condições de acompanhar as aulas nessas escolas. Por outro lado, a inclusão de ouvintes em escolas para surdos é proibida pelas normas municipais. Tais normas determinam que as escolas de surdos só podem receber alunos se estes apresentarem perda auditiva a partir de 55 dB e se não conseguirem acompanhar as atividades escolares em escolas regulares para ouvintes. O número de alunos por sala de aula também é determinado por lei, variando de um mínimo de seis a um máximo de oito alunos para Educação Infantil, e de um mínimo de oito a um máximo de dez alunos para o Ensino Fundamental. Todas as escolas respeitam esses parâmetros de número de alunos por sala de aula. Respeitam, também, a determinação legal de que o aluno surdo possa cursar cada uma das séries escolares em duas fases, sendo uma fase por ano.

4.9.1.2.) As instituições filantrópicas

Segundo informações oficiais fornecidas pela própria escola, a Escola Especial para Crianças Surdas da Fundação dos Rotarianos de São Paulo (Eecs–FR) iniciou suas atividades em 1977, com a implantação de uma classe especial, que tinha como principal propósito a oralização dos alunos. Na década de 1990, a abordagem educacional do oralismo cedeu lugar à abordagem educacional da comunicação total. Essa abordagem aceita e encoraja toda forma de comunicação e incentiva os pais a fazerem os primeiros contatos com a comunicação gestual. Segundo as pesquisas, isso comprovadamente melhora a comunicação na família em relação à mera oralização (Hansen, 1990), e auxilia a desenvolver na família uma atitude favorável ao sinal, o que tenderá a promover o desenvolvimento ulterior da linguagem e da cognição da criança surda (Kluwin, 1994). Em 1996, a escola foi oficializada e a 1ª. série foi implantada. Nos anos subseqüentes, foram gradualmente implantadas a 2ª., 3ª. e 4ª. séries. No final de 1999, com a formatura da primeira turma de 4ª. série, foi criado um projeto para permitir aos alunos prosseguir seus estudos de 5ª. série. A partir de convênio com uma escola municipal, os alunos foram inseridos em uma classe regular (i.e., de ouvintes) e acompanhados por intérpretes de Libras custeados pela Fundação dos Rotarianos de São Paulo. No outro período, os alunos continuavam a receber apoio pedagógico na Eecs–FR para sanar dúvidas e dificuldades. Atualmente a escola adota a abordagem educacional do bilingüismo. Seu corpo docente é composto de professoras ouvintes sinalizadoras e de um professor surdo. Nessa escola, é obrigatório que pelo menos um dos pais aprenda Libras em curso semanal ministrado por um professor de Libras na própria escola. A escola oferece Educação Infantil, com estimulação precoce para crianças surdas a partir de 3 anos de idade, e Ensino Fundamental de 1ª. a 4ª. série, com uma classe por série, e uma média de dez alunos por sala de aula. As crianças assistem às aulas no período da manhã e retornam para a escola em algumas tardes da semana com o objetivo de participar da elaboração de projetos de pesquisa, podendo optar por qualquer um de quatro grupos com temas diferentes. Participam desses projetos alunos da 1ª. à 4ª. série, todos juntos, sem divisão de série escolar. Em 2001 um novo programa objetivou atender crianças surdas na faixa etária de 0 a 3 anos, oferecendo contato com adulto surdo usuário da Libras, assim como orientação e acompanhamento fonoaudiológico, possibilitando o desenvolvimento de linguagem condizente com a faixa etária. Além disso, a escola tem oferecido aos pais orientações e aulas semanais de Libras para que eles consigam entender as necessidades da criança surda e acompanhar o desenvolvimento dos seus filhos sem que a língua constitua qualquer obstáculo. Atualmente a Eecs–FR oferece escolarização a 87 alunos, objetivando prepará-los culturalmente e contribuir para a formação da cidadania, bem como fortalecer sua identidade enquanto pessoas surdas. A Escola Especial para Crianças Surdas da Fundação dos Rotarianos de São Paulo localiza-se no município de Cotia, na grande São Paulo.

Segundo informações oficiais fornecidas pela própria entidade, a Associação Terapêutica de Estimulação Auditiva e Linguagem (Ateal) localiza-se no município de Jundiaí, no estado de São Paulo. A instituição oferece atendimento fonoaudiológico, psicológico e complementação ao ensino escolar de acordo com as necessidades apresentadas pelos alunos. De acordo com o depoimento franco de sua Direção, a Ateal segue a abordagem educacional da comunicação total e direciona para o uso da Libras os alunos que apresentam muitas dificuldades ou impossibilidade de aprender a oralizar de forma satisfatória. Os surdos que freqüentam a Ateal constituem dois grupos distintos: Os alunos que estudam em classes regulares para ouvintes num projeto de inclusão e os alunos que estudam em três classes especiais para surdos. Os dois grupos de alunos freqüentam a instituição, em média, de 3 a 4 horas por semana, além de freqüentar a escola regularmente. Os alunos que participam do projeto de inclusão estudam em classes regulares da escola pública para ouvintes e assistem às aulas juntamente com escolares ouvintes, estando, portanto, expostos à mesma orientação pedagógica dos ouvintes. Os alunos que estudam em classes especiais para surdos freqüentam escola pública comum, porém, assistem às aulas em classes formadas apenas por alunos surdos com idade entre 12 e 23 anos, com aproximadamente dezesseis alunos por sala. Segundo informações fornecidas pela própria entidade, as professoras são sinalizadoras e adotam a abordagem educacional da comunicação total para educação dos alunos surdos. Nessas classes especiais não há qualquer divisão correspondente às séries escolares, sendo que os alunos são todos agrupados independentemente do seu grau de desenvolvimento e aprendizado. Há apenas três classes especiais para surdos na cidade de Jundiaí, todas elas concentradas na mesma escola regular. Essas classes têm composição bastante heterogênea no que diz respeito aos conhecimentos e reúnem alunos de vários pequenos municípios vizinhos que não oferecem qualquer tipo de assistência especificamente voltada ao aluno surdo.

4.9.1.3.) Características da amostra de 1.158 estudantes surdos da presente série de onze estudos

Na ampla amostra brasileira de 1.158 estudantes que participaram da presente série de onze estudos, 358 eram da Emee Helen Keller (Emee–HK), 284 eram da Emee Anne Sullivan (Emee–AS), 212 eram da Emee Professora Neusa Bassetto (Emee–NB), 160 eram da Emee Madre Lucie Bray (Emee–LB), 39 eram da Escola Especial para Crianças Surdas da Fundação dos Rotarianos de São Paulo (Eecs–FR), e 105 eram da Associação Terapêutica de Estimulação Auditiva e Linguagem (Ateal). Dessas últimas 105, oitenta estudavam em classes regulares de escolas regulares e 25 estudavam em classes especiais. Assim, nesta amostra de 1.158 estudantes surdos, 1.053 estudavam em escolas para crianças surdas, oitenta estudavam em classes regulares em escolas regulares e 25 estudavam em classes especiais. Essas últimas 105 crianças não recebiam ensino em Libras, mas apenas ensino regular comum em Português, e, em termos institucionais, tinham oportunidade de ter contato com a Libras e a comunidade surda usuária de Libras apenas na própria Ateal.

Dos 1.158 estudantes que participaram da série de onze estudos, 1.129 deles tinham série escolar definida. Dos 29 restantes sem série definida, 25 pertenciam a classes especiais que seguem programas e regimes diferentes, e quatro tinham problemas de registro. A escolaridade média desses 1.129 estudantes, em termos de número de anos no Ensino Fundamental, era de 4 anos (*DP* = 2,2), ou seja, 4ª. série.

A Tabela 1 sumaria a distribuição de estudantes surdos em cada uma das nove séries escolares (i.e., da 1ª. série do Ensino Fundamental à 1ª. série do Ensino Médio) de cada uma das seis escolas, bem como o total de estudantes por escola e o total de estudantes por série escolar. Dos 1.158 estudantes, 1.103 tinham idade conhecida a partir dos prontuários. Tal idade variou de 6 a 45 anos (i.e., de 72 a 539 meses), com média de 14 anos e 8 meses (*DP* = 5,4).

Tabela 1. Distribuição de estudantes surdos em cada uma das nove séries escolares, da 1ª. série do Ensino Fundamental até a 1ª. série do Ensino Médio, de cada uma das seis escolas.

					Ensino Fundamental					Ensino Médio	
Escola	**Indeterminado**	**1ª. série**	**2ª. série**	**3ª. série**	**4ª. série**	**5ª. série**	**6ª. série**	**7ª. série**	**8ª. série**	**1ª. série**	**Total**
Emee–HK	0	45	39	41	60	46	60	44	23	0	358
Emee–AS	0	43	51	56	48	20	24	19	23	0	284
Emee–NB	0	37	28	30	37	34	15	12	19	0	212
Emee–LB	4	24	26	21	24	16	26	16	3	0	160
Eecs–FR	0	11	10	9	9	0	0	0	0	0	39
Ateal	25	10	12	8	8	7	14	9	5	7	105
Total	29	170	166	165	186	123	139	100	73	7	1.158

A Tabela 2 sumaria a distribuição de freqüência dos participantes por idade, em anos, em cada uma das nove séries escolares, bem como o total de estudantes por série escolar e o total de estudantes por idade, em anos.

Tabela 2. Distribuição de freqüência dos 1.158 participantes por idade, em anos, em cada uma das nove séries escolares, da 1ª. série do Ensino Fundamental até a 1ª. série do Ensino Médio.

Idade	Indeterminado	Ensino Fundamental 1ª. série	2ª. série	3ª. série	4ª. série	5ª. série	6ª. série	7ª. série	8ª. série	Ensino Médio 1ª. série	Total
Não informada	1	12	6	1	5	1	11	5	13	0	55
6	0	26	0	0	0	0	0	0	0	0	26
7	0	30	1	0	0	0	0	0	0	0	31
8	1	41	16	3	0	0	0	0	0	0	61
9	0	24	33	6	1	1	0	0	0	0	65
10	2	8	31	14	6	0	0	0	0	0	61
11	2	9	16	24	9	3	1	0	0	0	64
12	3	1	22	29	19	6	5	0	0	0	85
13	3	1	12	23	32	10	7	4	1	0	93
14	3	1	8	27	37	23	7	4	2	0	112
15	3	1	7	13	31	13	12	9	5	0	94
16	4	1	0	5	14	19	23	7	3	1	77
17	3	1	3	4	4	7	12	8	5	2	49
18	1	1	0	0	9	8	7	17	7	2	52
19	0	3	0	2	6	6	8	14	4	2	45
20	0	3	0	2	1	5	9	5	11	0	36
21	1	0	1	5	3	5	4	10	3	0	32
22	1	0	1	2	3	12	18	10	19	0	66
23	0	0	0	0	0	0	1	0	0	0	1
24	0	3	0	1	0	0	4	0	0	0	8
25	0	0	1	0	1	0	1	0	0	0	3
26	0	1	1	0	2	1	1	1	0	0	7
27	0	0	2	1	0	1	1	2	0	0	7
28	0	0	0	2	0	1	1	1	0	0	5
29	0	0	0	0	0	0	1	0	0	0	1
30	0	0	0	0	1	0	2	0	0	0	3
31	0	0	1	0	1	0	0	0	0	0	2
32	1	1	0	1	0	0	1	0	0	0	4
33	0	2	1	0	1	0	0	0	0	0	4
34	0	0	0	0	0	1	1	0	0	0	2
35	0	0	1	0	0	0	0	0	0	0	1
36	0	0	0	0	0	0	1	0	0	0	1
37	0	0	1	0	0	0	0	0	0	0	1
38	0	0	1	0	0	0	0	0	0	0	1
40	0	0	0	0	0	0	0	1	0	0	1
42	0	0	0	0	0	0	0	1	0	0	1
45	0	0	0	0	0	0	0	1	0	0	1
Total	29	170	166	165	186	123	139	100	73	7	1.158

Numa análise de variância (i.e., Anova) da idade em anos como função da série escolar, considerando apenas os 1.075 alunos surdos com série escolar e idade conhecidas (i.e., eliminando os 55 com idade não informada e os 29 com série indeterminada), percebe-se um crescimento significativo na idade ao longo das nove séries escolares, F (8, 1066) = 71,66, p = 0,000, N = 1075, r = 0,59, r^2 = 0,35. De fato, a idade média foi de 9 anos e 6 meses na 1ª. série do Ensino Fundamental (*EP* = 0,35, N = 158), 12 anos na 2ª. série (*EP* = 0,35, N = 160), 13 anos e 6 meses na 3ª. série (*EP* = 0,34, N = 164), 14 anos e 10 meses na 4ª. série (*EP* = 0,33, N = 181), 16 anos e 7 meses na 5ª. série (*EP* = 0,40, N = 122), 18 anos e 6 meses na 6ª. série (*EP* = 0,39, N = 128), 19 anos e 2 meses na 7ª. série (*EP* = 0,45, N = 95), 19 anos e 2 meses também na 8ª. série (*EP* = 0,57, N = 60), e 17 anos e 8 meses na 1ª. série do Ensino Médio (*EP* = 1,66, N = 7). Análises de comparação de pares *post-hoc* de Bonferroni revelaram que a idade média na 1ª. série era menor que nas demais; que na 2ª. série era menor que na 4ª. em diante; que as idades médias na 3ª. e na 4ª. séries eram menores que na 5ª., 6ª., 7ª. e 8ª. séries; e que na 5ª. série era menor que na 6ª., 7ª. e 8ª. séries. Ou seja, a idade média cresceu significativamente da 1ª. à 2ª. série, da 2ª. à 4ª., da 3ª.à 5ª., da 4ª. à 5ª., e da 5ª. à 6ª.. A Figura 13 representa a distribuição da idade, em anos (i.e., média *M* e erro-padrão *EP*), como função da série escolar para a amostra toda de estudantes surdos com idade conhecida.

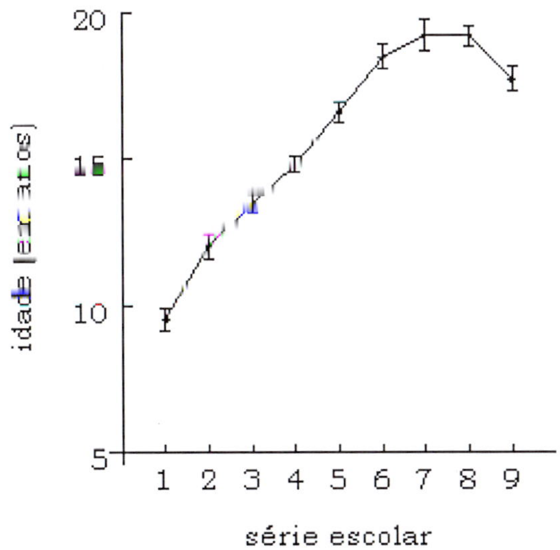

Figura 13. Distribuição de idade em anos (média e erro-padrão) como função da série escolar para a amostra toda de 1.158 estudantes surdos.

Considerando a idade média das crianças, percebe-se que as seis escolas diferiam entre si na distribuição das idades dos estudantes. A análise de variância da idade dos estudantes, em anos, como função da afiliação escolar revelou efeitos significativos, F (5, 1097) = 40,25, p = 0,000, N = 1103, r = 0,39, r^2 = 0,16. A Eecs–FR concentrava as crianças mais jovens (i.e., 39 crianças com idade média de 11 anos e 4 meses), seguida da Ateal (i.e., 105 crianças com idade média de 12 anos e 1 mês, sendo que 25 delas encontravam-se em classes especiais para crianças com atraso global do desenvolvimento), seguida da Emee–AS (i.e., 260 crianças com idade média de 13 anos), seguida da Emee–LB (i.e., 153 crianças com idade média de 13 anos e 11 meses), seguida da Emee–NB (i.e., 204 crianças com idade média de 14 anos e 10 meses), e finalmente da Emee–HK (i.e., 343 crianças com idade média de 17 anos e 7 meses). Análises de comparação de pares de Bonforroni demonstraram que a idade média das crianças da Emee HK era maior que as das Emee–LB, Emee–AS, Ateal e Eecs–FR; e que a idade média das crianças da Emee–NB era maior que a das crianças da Emee–AS, Ateal e Eecs–FR. A Figura 14 (à esquerda) representa a distribuição da idade, em anos (i.e., média e erro-padrão), como função da afiliação escolar para a amostra toda de estudantes surdos com idade conhecida.

Considerando a série escolar média das crianças, percebe-se que as seis escolas também diferiam entre si na distribuição dos estudantes ao longo das séries escolares. Excluindo-se todas as crianças com séries escolares não definidas, a análise de variância da distribuição da série escolar como função da escola revelou efeitos significativos, F (5, 1123) = 9,25, p = 0,000, N = 1129, r = 0,20, r^2 = 0,04. A Eecs–FR concentrava as crianças nas séries mais anteriores (i.e., 39 crianças cursando, em média, a série 2,4), seguida da Emee–AS (i.e., 284 crianças cursando, em média, a série 3,8), seguida da Emee–LB (i.e., 156 crianças cursando, em média, a série 3,9) e da Emee–NB (i.e., 212 crianças cursando, em média, a série 3,9), seguida da Emee–HK (i.e., 358 crianças cursando, em média, a série 4,4), e finalmente da Ateal (i.e., oitenta crianças cursando, em média, a série 4,7). Análises de comparação de pares demonstraram que a série escolar média cursada pelas crianças da Eecs–FR era menor que as de todas as outras cinco escolas, e que a série escolar média cursada pelas crianças da Emee–AS era menor que as das escolas Emee–HK e Ateal. A Figura 14 (à direita) representa a distribuição da série escolar (i.e., média e erro-padrão) como função da afiliação escolar para a amostra toda de estudantes surdos com idade conhecida.

Tais dados de distribuição de série escolar e de idade fazem sentido pois, tipicamente, quanto mais antiga a escola, tanto maior a oportunidade de criar séries escolares mais avançadas para propiciar a contínua formação escolar dos estudantes. Na presente amostra de seis escolas, cronologicamente, a Emee–HK foi a primeira a ter sido inaugurada; a Eecs–FR, a última. A disparidade entre os dados de idade e série escolar da Ateal, bem como o elevado erro-padrão (i.e., dispersão) dos dados de série escolar, indicam a composição significativamente mais heterogênea dos estudantes a ela afiliados, que compreende desde crianças e jovens com perda auditiva menor e mais tardia que se encontram adequadamente incluídas no ensino regular e que freqüentam a entidade para fins de socialização até crianças com surdez profunda congênita que não tiveram oportunidade de receber ensino em Libras e que se encontram agrupadas em classes especiais sem série escolar bem definida no ensino regular.

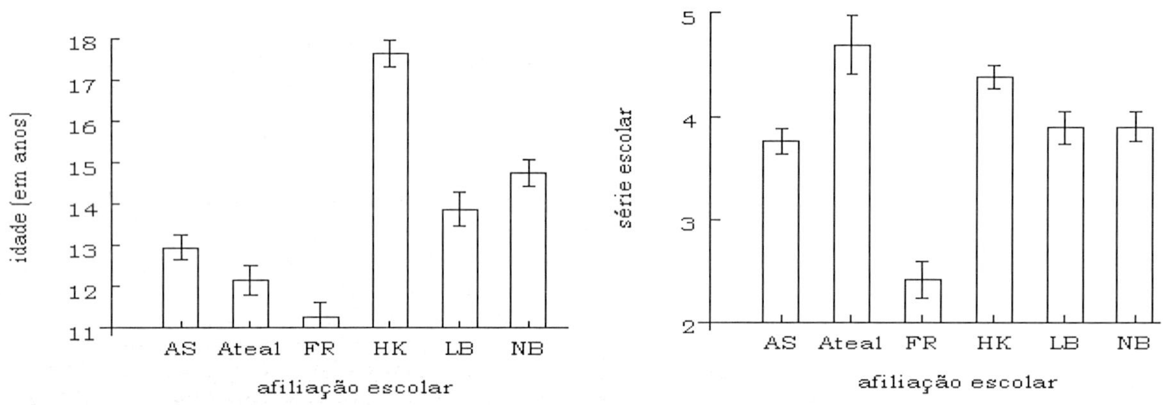

Figura 14. Distribuição de idade em anos (à esquerda) e de série escolar (à direita) como função de afiliação escolar das crianças (i.e., Emee–AS, Ateal, Eecs–FR, Emee–HK, Emee–LB e Emee–NB) para a amostra toda de 1.158 estudantes surdos da presente série de onze estudos. Média e erro-padrão.

Dos 1.158 prontuários dos estudantes surdos, constava o gênero de 1.111, sendo que 622 eram do gênero masculino e 489, do feminino. A Tabela 3 sumaria a distribuição de gênero em cada uma das nove séries escolares, da 1ª. série do Ensino Fundamental até a 1ª. série do Ensino Médio, para o conjunto das seis escolas.

Tabela 3. Distribuição de gênero dos 1.158 estudantes nas nove séries escolares, da 1ª. série do Ensino Fundamental até a 1ª. série do Ensino Médio, para o conjunto das seis escolas.

					Ensino Fundamental					Ensino Médio	
Gênero	**Indeterminado**	**1ª. série**	**2ª. série**	**3ª. série**	**4ª. série**	**5ª. série**	**6ª. série**	**7ª. série**	**8ª. série**	**1ª. série**	**total**
Masculino	23	86	89	91	92	76	74	56	31	4	622
Feminino	5	74	70	74	91	46	58	39	29	3	489
Não informado	1	10	7	0	3	1	7	5	13	0	47
Total	29	170	166	165	186	123	139	100	73	7	1.158

Dos 1.158 estudantes, 323 tinham escolaridade paterna conhecida, que variou de 0 a 15 anos, com média de 6 anos (DP = 3,3), e 371 tinham escolaridade materna conhecida, que foi inferior em apenas 3 meses. De todos os estudantes, 78 tinham idade da aquisição da língua de sinais conhecida, que foi de 6 anos e 2 meses. Apenas sete tinham idade de aquisição de oralização conhecida, que foi de 4 anos e 5 meses (DP = 1 ano e 5 meses).

Em termos de grau de perda auditiva (i.e., leve, moderada, severa ou profunda), dos 1.158 estudantes, 1.128 tinham grau de perda mencionada, embora em sua maioria não estabelecida a partir de exames audiológicos precisos. Numa escala aproximada de severidade variando de 1 a 4 (sendo 1 = leve, 2 = moderada, 3 = severa, 4 = profunda) a média foi de 3,8 (DP = 0,5). Segundo os registros, dos 1.158 surdos, 491 faziam uso de aparelho auditivo e 117 não, sendo que não havia dados para os restantes 550. Dos quatro com perda leve, dois declararam usar aparelho auditivo e dois não. Dos setenta com perda moderada, 35 declararam usar aparelho e oito não. Dos 192 surdos com perda severa, noventa declararam usar aparelho e dezenove não. Dos 862 surdos com perda profunda, 358 declararam usar aparelho e 88 não.

Em termos de tipo de perda auditiva (i.e., congênita ou adquirida), dos 1.158 estudantes, 769 tinham algum tipo de perda declarada, sendo que, destes, 558 tinham perda congênita (sendo 296 homens e 261 mulheres) e 211 tinham perda adquirida (sendo 138 homens e 72 mulheres). A Tabela 4 sumaria esses dados. Conforme a tabela, segundo os dados dos prontuários, nessas escolas, a incidência de estudantes surdos com perda auditiva congênita foi 2,7 vezes maior que a de estudantes surdos com perda auditiva adquirida.

Tabela 4. Distribuição de tipo de perda auditiva e de gênero dos 1.158 estudantes para o conjunto das seis escolas.

Gênero	Perda congênita	Perda adquirida	Perda não informada	Total
Masculino	296	138	188	622
Feminino	261	72	156	489
Não informado	1	1	45	47
Total	558	211	389	1.158

Dos 558 surdos com perda congênita declarada, 134 declararam ter parentes surdos na família, sendo que, desses 134 surdos com perda congênita e familiares surdos, 99 tinham perda profunda, 29 tinham perda severa, cinco tinham perda moderada e um, indeterminada. Dos 211 surdos com perda adquirida declarada, somente dez declararam ter parentes surdos, sendo que oito tinham perda profunda e dois, perda moderada. Dos 558 alunos com perda congênita declarada, quatro tinham perda leve; quarenta, perda moderada; 107, severa; e 401, profunda. Dos 211 com perda adquirida declarada, treze tinham perda moderada; 29 severa; e 167, profunda. A Tabela 5 sumaria esses dados.

Tabela 5. Distribuição de tipo (i.e., congênita ou adquirida) e grau (i.e., leve, moderada, severa, profunda) da perda auditiva dos 1.158 estudantes, para o conjunto das seis escolas.

Grau de perda	Perda congênita	Perda adquirida	Indeterminada	Total
leve (1)	4	0	0	4
Moderada (2)	40	13	17	70
Severa (3)	107	29	56	192
Profunda (4)	401	167	294	862
Indeterminada	6	2	22	30
Total	558	211	389	1.158

Quanto à etiologia da surdez, 609 declararam desconhecê-la, ao passo que os restantes 549 atribuíram a surdez às seguintes causas: Rubéola materna (191 casos), meningite (cem casos), fatores genéticos (67 casos), medicação ototóxica (36 casos), otite (31 casos), febre convulsiva (22 casos), anóxia de parto (dezoito casos), consangüinidade (dezesseis casos), distúrbios metabólicos (onze casos), trauma (onze casos), trauma durante a gestação (onze casos), incompatibilidade de fator RH (dez casos), sarampo (nove casos), sarampo materno (cinco casos), icterícia (quatro casos), parotidite materna (três casos), sífilis (três casos) e toxoplasmose materna (um caso)[6].

- Quanto ao modo de comunicação em casa, com a família, dos 1.158 surdos, 772 nada declararam. Os restantes 386 revelaram que fazem uso dos seguintes recursos: Sinais (157

[6] A rubéola consiste em uma doença eruptiva, muito contagiosa e epidêmica, que se manifesta sob a forma de um exantema semelhante ao do sarampo, porém evolui sem complicações, apesar de inchaço dos gânglios linfáticos do pescoço. É também conhecida como sarampo alemão. A meningite consiste em uma doença em que ocorre inflamação das meninges, máxime da aracnóide e pia-máter, sendo causada por microrganismos como meningococos, bacilos da tuberculose e pneumonia. A anóxia consiste em uma falta de oxigenação que é suficientemente grave ou prolongada para produzir dano fisiológico permanente. O sarampo consiste em uma febre eruptiva contagiosa, acompanhada de coriza e catarro, causada por um vírus, que ataca principalmente crianças e se caracteriza por pintas rubras na pele. A icterícia consiste em um sintoma que pode ter várias causas, caracterizado pela cor amarela da pele e conjuntivas oculares. A parotidite consiste em uma inflamação das parótidas e é também conhecida por caxumba. A sífilis consiste em uma doença venérea crônica, que é contagiosa por contato direto e transmissível por herança. É produzida pelo *Treponema pallidum* ou *Spirochaeta pallida* e se caracteriza por lesões cutâneas e estruturais que se desenvolvem em três estádios com gravidade crescente ao longo de muitos anos. A toxoplasmose consiste em uma doença predominantemente infantil, provocada pelo protozoário *Toxoplasma gondii*.

casos); oralização (63 casos); gestos (dezoito casos); sinal e oralização (95 casos); sinal, oralização e escrita (43 casos); sinal e gesto (oito casos); e oralização e gesto (dois casos).

- Quanto ao modo de comunicação na escola, dos 1.158 surdos, 874 nada declararam. Os restantes 284 revelaram que fazem uso dos seguintes recursos: Sinais (141 casos); oralização (56 casos); sinal e oralização (56 casos); gestos (onze casos); sinal e gesto (sete casos); sinal, oralização e escrita (quatro casos); sinal, oralização e gesto (quatro casos); sinal e escrita (três casos); e oralização e gesto (dois casos).
- Quanto ao modo de comunicação com a comunidade de amigos, dos 1.158 surdos, 941 nada declararam. Os restantes 217 revelaram que fazem uso dos seguintes recursos: Sinais (113 casos); oralização (38 casos); sinal e oralização (49 casos); gestos (três casos); sinal e gesto (seis casos); sinal, oralização e escrita (três casos); sinal, oralização e gesto (dois casos); oralização e gesto (dois casos); e sinal e escrita (um caso).

A Tabela 6 sumaria a incidência, na grande amostra de 1.158 surdos, de usuários que apontaram o uso exclusivo de cada um dos três meios de comunicação (i.e., oralização, gesticulação, sinalização) em cada um dos três contextos em que ocorre tal comunicação (i.e., família, escola, comunidade de amigos), e mostra a importância, em termos de porcentagem de ocorrência, de cada um dos três meios de comunicação em função do contexto, para cada um dos três contextos (i.e., família, escola, comunidade).

Conforme a tabela, em termos absolutos, a incidência de casos que relataram fazer uso de oralização, gesticulação e sinalização tendeu a diminuir à medida que o surdo passa do ambiente familiar para o escolar e deste para o da comunidade social. De fato, em termos absolutos, a oralização relatada declinou de 63 casos na família para 56 casos na escola para 38 casos na comunidade; do mesmo modo, a gesticulação relatada diminuiu de dezoito casos na família para onze casos na escola para três casos na comunidade de amigos; e do mesmo modo, a sinalização relatada diminuiu de 157 casos na família para 141 casos na escola, e desta para 113 casos na comunidade. Contudo, em termos relativos e proporcionais, percebe-se claramente a supremacia da sinalização em relação à oralização e gesticulação.

Conforme sumariado na tabela, a importância da sinalização cresceu sistematicamente de 65,97% no ambiente familiar para 67,79% no ambiente escolar para 73,38% no contexto social.

- No ambiente familiar, a sinalização já era 2,5 vezes mais importante que a oralização e quase nove vezes mais importante que a gesticulação.
- No ambiente escolar, a relação de supremacia da sinalização em relação à oralização permaneceu a mesma (i.e., a sinalização foi 2,5 vezes mais importante que a oralização) enquanto a supremacia da sinalização em relação à gesticulação aumentou ainda mais (i.e., a sinalização foi quase treze vezes mais importante que a gesticulação).
- No contexto social a relação de supremacia da sinalização em relação à oralização aumentou ainda mais (i.e., a sinalização foi três vezes mais importante que a oralização) e a supremacia da sinalização em relação à gesticulação aumentou ainda mais (i.e., a sinalização foi mais que 51 vezes mais importante que a gesticulação).

Tais dados encontram-se representados na Figura 15. Comparando a incidência total de casos que fazem uso preponderante de um ou outro meio (i.e., sinalização *versus* oralização *versus* gesticulação) no conjunto dos três ambientes, observa-se que a incidência da sinalização (i.e., 411) foi 2,62 vezes maior que a da oralização (i.e., 157) e 12,84 vezes maior que a da gesticulação (i.e., 32).

Tabela 6. Incidência, na amostra toda de 1.158 usuários, de cada um dos três meios de comunicação (i.e., oralização, gesticulação, sinalização) em cada um dos três contextos em que se dá essa comunicação (i.e., família, escola, comunidade de amigos). Porcentagem de cada um dos três meios de comunicação em função do contexto, para cada um dos três contextos.

Meio de comunicação	**Contexto em que ocorre a comunicação**			
	Família	**Escola**	**Comunidade**	**Total**
Oralização	63 (26,47%)	56 (26,92%)	38 (24,67%)	157
Gesticulação	18 (7,56%)	11 (5,29%)	3 (1,95%)	32
Sinalização	157 (65,97%)	141 (67,79%)	113 (73,38%)	411
Total	238 (100%)	208 (100%)	154 (100%)	

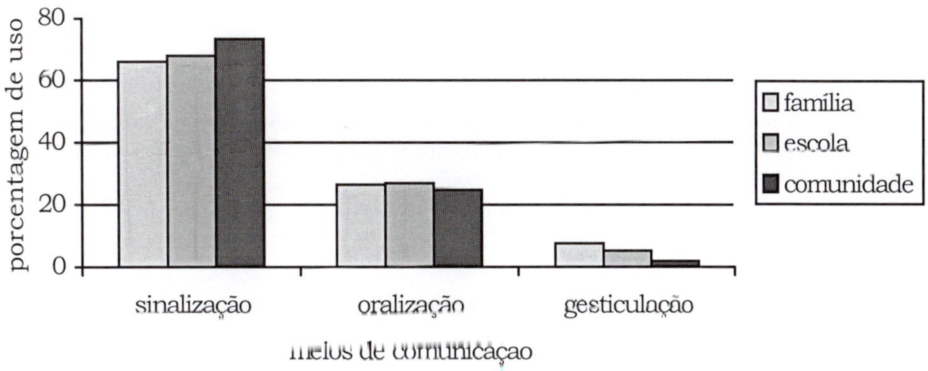

Figura 15. Porcentagem de incidência, na amostra total de 1.158 usuários, de cada um dos três meios de comunicação (i.e., oralização, gesticulação, sinalização) em cada um dos três contextos em que se dá essa comunicação (i.e., família, escola, comunidade de amigos).

Os presentes dados ressaltam a importância da Libras para a vida familiar, a vida escolar e a vida social dos surdos, além de contribuírem para a compreensão de sua funcionalidade para o desempenho de papéis como o de filho e irmão, aluno e colega, amigo e vizinho. Por isso, espera-se que um maior investimento na produção de materiais instrucionais em Libras tenha um impacto considerável para aumentar a participação e o envolvimento do surdo na vida familiar, escolar e social, aumentando sua satisfação e eficiência no desempenho desses papéis e seu senso de realização pessoal, familiar, escolar e social, e contribuindo decisivamente para o aprofundamento e extensão de sua vida mental e afetiva, bem como para a constituição de uma sólida personalidade.

4.9.1.4.) A continuidade da pesquisa com versões subseqüentes dos instrumentos em amostra maior de 1.513 estudantes surdos da 1a. série do Ensino Fundamental à 3a. série do Ensino Médio

A presente série de onze estudos objetivou normatizar e validar as onze versões originais (i.e., 1.1 e/ou 2.1) dos instrumentos descritos. Os dados dessa presente série de onze estudos com as versões originais 1.1 foram coletados em seis escolas durante o biênio 2001–2002 e publicados na presente série no ano de 2004. Além da normatização e validação das onze versões originais dos instrumentos aqui descritas, um dos resultados adicionais da presente série de onze estudos foi uma versão aprimorada de cada um desses mesmos estudos. As onze versões aprimoradas (i.e., 1.2, 2.2, 1.3 e/ou 2.3) resultantes da presente série de estudos já estão presentemente sendo testadas com uma amostra ainda maior de estudantes surdos (i.e., 1.513 em vez de 1.158), provenientes de um número ainda maior de escolas (i.e., quinze, em vez de seis), e numa faixa escolar ainda maior (i.e., da 1a. série do Ensino Fundamental até a 3a. série do Ensino Médio, em vez de até apenas a 1a. série do Ensino Médio).

No biênio 2003–2004, um total de 1.513 alunos da educação básica estão sendo avaliados, desde a 1a. série do Ensino Fundamental até a 3a. série do Ensino Médio, num total de quinze escolas. Em 2003, foram avaliados 1.039 alunos. Desses, no Ensino Fundamental, foram: 115 alunos de 1a. série, 142 de 2a., 149 de 3a., 167 de 4a., 125 de 5a., 98 de 6a., 101 de 7a., e 86 de 8a.; e, no Ensino Médio, foram: Doze alunos de 1a. série, dez de 2a., e onze de 3a.. Foram, também, avaliados 22 alunos de classe especial para surdos de escola estadual. Incluindo a coleta presente em 2004, no biênio 2003–2004 já foram avaliados até o presente 1.513 alunos. Desses, no Ensino Fundamental, foram: 192 alunos de 1a. série, 221 de 2a., 235 de 3a., 255 de 4a., 175 de 5a., 133 de 6a., 132 de 7a., e 117 de 8a.; e, no Ensino Médio, foram: Doze alunos de 1a. série, dez de 2a., e onze de 3a.. Foram, também, avaliados 22 alunos de classe especial para surdos de escola estadual.

Portanto, no biênio 2003–2004 foram avaliados 1.513 alunos provenientes de quinze escolas de seis cidades do estado de São Paulo, sendo sete escolas na cidade de São Paulo (das quais seis Escolas Municipais de Educação Especial -Emees – para surdos), quatro escolas na cidade de Campinas, uma escola em Cotia, uma escola em Jundiaí, uma escola em Itatiba, e uma escola em Hortolândia. Essas quinze escolas, com suas respectivas séries escolares e total de alunos, são as seguintes:

01. Escola de Educação Especial Anne Sullivan (Campinas, SP), com dezoito alunos de 1a. a 4a. série do Ensino Fundamental;

02. Instituto Educacional Evangélico para Deficientes Auditivos (Campinas, SP), com quinze alunos de 1ª. a 4ª. série do Ensino Fundamental;
03. Centro Integrado de Educação e Reabilitação (Cier, Hortolândia, SP), com dezessete alunos de 3ª. e 4ª. séries do Ensino Fundamental;
04. Centro de Estudos e Pesquisas em Reabilitação Prof. Dr. Gabriel Oliveira da Silva Porto, da Unicamp (Cepre, Campinas, SP), com quinze alunos da 1ª. série do Ensino Fundamental à 1ª. série do Ensino Médio;
05. Instituto Educacional Professora Maria do Carmo Arruda Toledo, Círculo de Amigos dos Deficientes da Audição e da Fala (Cadaf, Campinas, SP), com 46 alunos de 1ª. a 4ª. série do Ensino Fundamental;
06. Instituto Phala, Centro de Desenvolvimento para Surdos (Itatiba, SP), com treze alunos da 2ª. série do Ensino Fundamental à 1ª. série do Ensino Médio;
07. Instituto Santa Terezinha (São Paulo, SP), com 103 alunos da 1ª. série do Ensino Fundamental à 3ª. série do Ensino Médio;
08. Escola Especial para Crianças Surdas da Fundação dos Rotarianos (Cotia, SP), com 38 alunos de 1ª. a 4ª. série do Ensino Fundamental;
09. Associação Terapêutica de Estimulação Auditiva e Linguagem (Ateal, Jundiaí, SP), com 112 alunos da 1ª. série do Ensino Fundamental à 3ª. série do Ensino Médio, além de 22 alunos de classe especial em escola regular estadual;
10. Emee Madre Lucie Bray (São Paulo, SP), com 152 alunos de 1ª. a 8ª. série do Ensino Fundamental;
11. Emee Helen Keller (São Paulo, SP), com 205 alunos de 1ª. a 8ª. série do Ensino Fundamental;
12. Emee Mário Pereira Bicudo (São Paulo, SP), com cem alunos de 1ª. a 8ª. série do Ensino Fundamental;
13. Emee Vera Lúcia Aparecida Ribeiro (São Paulo, SP), com 205 alunos de 1ª. a 8ª. série do Ensino Fundamental;
14. Emee Anne Sullivan (São Paulo, SP), com 266 alunos de 1ª. a 8ª. série do Ensino Fundamental;
15. Emee Professora Neusa Bassetto (São Paulo, SP), com 211 alunos de 1ª. a 8ª. série do Ensino Fundamental;

Além dessas, estão sendo coletados dados com 460 alunos da 1ª. série do Ensino Fundamental até a 3ª. série do Ensino Médio provenientes do Instituto Nacional de Educação de Surdos (Ines), cujos resultados integrarão as análises para a validação e a normatização das novas versões.

4.10.) O presente estudo de validação e normatização da versão original do Teste de Vocabulário Receptivo de Sinais da Libras (TVRSL1.1)

O Teste de Vocabulário Receptivo de Sinais da Libras (TVRSL) avalia a compreensão de sinais por estudantes surdos. Neste estudo a versão original (TVRSL1.1) foi aplicada a uma amostra de 505 crianças, jovens e adultos surdos, com idades variando entre 6 a 41 anos, estudantes da 1a. série do Ensino Fundamental até a 1a. série do Ensino Médio, provenientes de quatro escolas municipais de educação especial (Emees) de São Paulo e de duas escolas privadas no estado de São Paulo (uma no município de Cotia, na grande São Paulo, e outra no município de Jundiaí, no interior do estado). O teste foi aplicado com sinalização ao vivo em situação coletiva de sala de aula. Como se trata de um teste extenso, com 139 itens, ele foi dividido em suas partes, sendo que cada parte foi aplicada em uma sessão de cerca de 45 minutos. Essa versão original (TVRSL1.1) foi normatizada e validada como função de série escolar de 1a. a 8a. série do Ensino Fundamental

Os estudantes também foram avaliados em uma série de outras habilidades, além do vocabulário receptivo visual de sinais da Libras, tais como competência de leitura silenciosa de palavras, compreensão de leitura de sentenças, escrita de palavras para nomear figuras e sinais da Libras, escolha de palavras escritas para denominar figuras e sinais da Libras.

O estudo teve sete objetivos:

- 1.) Descrever o desenvolvimento, ao longo da escolarização (i.e., da 1a. série do Ensino Fundamental até a 1a. série do Ensino Médio), do vocabulário receptivo visual de sinais da Libras;
- 2.) Avaliar se a versão original do Teste de Vocabulário Receptivo de Sinais da Libras (TVRSL1.1) é capaz de discriminar entre as nove séries escolares sucessivas da 1a. série do Ensino Fundamental até a 1a. série do Ensino Médio, em termos de compreensão de sinais da Libras;
- 3.) A partir do cômputo da incidência de estudantes (dentre os 505) que responderam corretamente a cada um dos 139 sinais do teste, reordenar esses 139 sinais do teste como função de seu grau de dificuldade obtendo, assim, a versão reordenada TVRSL1.2, em que os 139 itens se encontram arranjados em ordem crescente de dificuldade;
- 4.) Obter tabela de dados normativos do vocabulário receptivo visual de sinais da Libras como função de série escolar, de modo a permitir comparar o desempenho de um determinado estudante com o desempenho típico de seus colegas da mesma série escolar;
- 5.) Empreender validação por critério do Teste de Vocabulário Receptivo de Sinais da Libras a partir da análise das relações entre a compreensão de sinais da Libras (i.e., entre esta habilidade de reconhecimento de sinais da Libras, por meio do apontar das figuras correspondentes) e uma série de outras habilidades, tais como competência de leitura de palavras, compreensão de leitura de sentenças, escrita livre de palavras para nomear figuras e para denominar sinais da Libras, e escolha de palavras escritas para denominar figuras e para denominar sinais da Libras. A partir de todas as intercorrelações resultantes, objetiva-se obter uma hierarquia de correlações positivas, em que, por exemplo, o desempenho de compreensão de sinais da Libras está correlacionado mais fortemente com a nomeação de sinais da Libras por escolha de palavras do que com a nomeação de figuras por escrita ou a compreensão de leitura de sentenças;
- 6.) Fornecer subsídios para a análise do desenvolvimento do vocabulário receptivo visual de sinais da Libras ao longo das séries escolares como função de variáveis de contexto como gênero, idade, escolaridade, grau de perda auditiva, e assim por diante, que permitirão, em futuro breve, identificar os procedimentos de ensino mais indicados para cada perfil particular de educando;
- 7.) A partir dessa versão reordenada TVRS1.2 com grau de dificuldade crescente, selecionar a faixa crítica de 66 itens mais relevantes à discriminação de diferentes séries escolares, de modo a gerar uma versão abreviada TVRSL1.3 para aplicação rápida e fácil do Teste de Vocabulário Receptivo de Sinais da Libras.

4.10.1.) Método

4.10.1.1.) Participantes

Participaram voluntariamente do estudo 505 crianças, jovens e adultos com perda auditiva, de 6 a 41 anos de idade (idade média, 13 anos e 11 meses, *DP* = 4,66), estudantes de 1ª. série do Ensino Fundamental até 1ª. série do Ensino Médio, provenientes de quatro escolas municipais de educação especial (Emee) de São Paulo (Anne Sullivan: Emee–AS; Helen Keller: Emee–HK; Madre Lucie Bray: Emee–LB; e Professora Neusa Bassetto: Emee–NB) e de duas escolas filantrópicas do interior do estado de São Paulo (Escola Especial para Crianças Surdas da Fundação Rotarianos Eecs–FR; e Associação de Estimulação Auditiva e Linguagem: Ateal).

Na presente amostra, dos 505 estudantes, 66 eram da Emee Anne Sullivan, 161 eram da Emee Helen Keller, 82 eram da Emee Madre Lucie Bray, 52 eram da Emee Professora Neusa Bassetto, 39 eram da Escola Especial para Crianças Surdas da Fundação Rotarianos, e 105 eram da Associação de Estimulação Auditiva e Linguagem sendo que, destas 105, oitenta estudavam em classes regulares de escolas regulares e 25 estudavam em classes especiais. Assim, na amostra de 505 estudantes surdos, quatrocentos estudavam em escolas para crianças surdas, oitenta estudavam em classes regulares em escolas regulares, e 25 estudavam em classes especiais. Essas últimas 105 crianças não recebiam ensino em Libras, mas apenas ensino comum em Português, e, em termos institucionais, tinham oportunidade de ter contato com a Libras e a comunidade surda usuária de Libras apenas na Ateal.

Dos 505 estudantes que participaram deste estudo, 479 deles tinham série escolar definida. Dos 26 restantes sem série definida, 25 pertenciam a classes especiais que seguem programas e regimes diferentes, e um tinha problema de registro. A escolaridade média desses 479 estudantes, em termos de número de anos no ensino fundamental, era de 4 anos (*DP* = 2,17), ou seja, 4ª. série.

A Tabela 7 sumaria a distribuição de estudantes surdos em cada uma das nove séries escolares de cada uma das seis escolas, bem como o total de estudantes por escola, e o total de estudantes por série escolar.

Tabela 7. Distribuição de estudantes surdos em cada uma das nove séries escolares, da 1ª. série do Ensino Fundamental até a 1ª. série do Ensino Médio, de cada uma das seis escolas.

					Ensino Fundamental					**Ensino Médio**	
Escola	**Indeterminado**	**1ª. série**	**2ª. série**	**3ª. série**	**4ª. série**	**5ª. série**	**6ª. série**	**7ª. série**	**8ª. série**	**1ª. série**	**Total**
Emee–HK	0	18	16	18	25	33	34	16	1	0	161
Emee–AS	0	0	16	31	11	0	1	5	2	0	66
Emee–NB	0	14	8	0	0	6	4	6	14	0	52
Emee–LB	0	18	11	10	17	7	10	7	2	0	82
Eecs–FR	0	11	10	9	9	0	0	0	0	0	39
Ateal	26	10	12	8	8	7	14	8	5	7	105
Total	26	71	73	76	70	53	63	42	24	7	505

Dos 505 estudantes, 498 tinham idade conhecida a partir dos prontuários. Tal idade variou de 6 a 41 anos, com média de 13 anos e 11 meses (*DP* = 4,66). Numa análise de variância (Anova) da idade em anos como função da série escolar, considerando apenas os 472 alunos surdos com série escolar e idade conhecidas, percebe-se um crescimento significativo na idade ao longo das oito séries escolares, F (8, 463) = 37,14, p = 0,000, N = 472, r = 0,62, r^2 = 0,39. De fato, a idade média foi de 10 anos e 2 meses na 1ª. série do Ensino Fundamental (*EP* = 0,45, *N* = 70), 10 anos e 6 meses na 2ª. série (*EP* = 0,44, *N* = 71), 12 anos e 6 meses na 3ª. série (*EP* = 0,43, *N* = 76), 14 anos na 4ª. série (*EP* = 0,45, *N* = 68), 15 anos e 7 meses na 5ª. série (*EP* = 0,51, *N* = 53), 17 anos e 6 meses na 6ª. série (*EP* = 0,47, *N* = 63), 17 anos e 10 meses na 7ª. série (*EP* = 0,58, *N* = 41), 18 anos e 5 meses na 8ª. série (*EP* = 0,77, *N* = 23), e de 17 anos e 8 meses na 1ª. série do Ensino Médio (*EP* =1,41, *N* = 7). Tais dados encontram-se sumariados na Tabela 8. As análises de comparação de pares de Bonferroni revelaram que a idade média na 1ª. série era menor que na 3ª. em diante; que na 2ª. série era menor que na 3ª. em diante; que na 3ª. era menor que na 5ª. em diante; e que na 4ª. era menor que na 6ª. série em diante. Ou seja, a idade média cresceu significativamente da 1ª. à 3ª. série, da 2ª. à 3ª. série, da 3 ª. à 5 ª. série, e da 4 ª. à 6ª. série.

Tabela 8. Idade média (erro-padrão *EP* e tamanho da amostra *N*) resultante da análise de variância (Anova) com 472 estudantes com série escolar e idade conhecidas.

	Ensino Fundamental								Ensino Médio
	1ª. série	**2ª. série**	**3ª. série**	**4ª. série**	**5ª. série**	**6ª. série**	**7ª. série**	**8ª. série**	**1ª. série**
Idade média	10a2m	10a6m	12a6m	14a	15a7m	17a6m	17a10m	18a5m	17a8m
EP	0,45	0,44	0,43	0,45	0,51	0,47	0,58	0,78	1,41
N	70	71	76	68	53	63	41	23	7

Dos 505 prontuários dos estudantes, constava o gênero de 498, sendo 277 do gênero masculino, e 221 do gênero feminino. A Tabela 9 sumaria a distribuição de gênero em cada uma das nove séries escolares, da 1ª. série do Ensino Fundamental até a 1ª. série do Ensino Médio, para o conjunto das seis escolas.

Tabela 9. Distribuição de gênero dos 505 estudantes em cada uma das nove séries escolares, da 1ª. série do Ensino Fundamental até a 1ª. série do Ensino Médio, para o conjunto das seis escolas.

		Ensino Fundamental								Ensino Médio	
Gênero	**Indeter-minado**	**1ª. série**	**2ª. série**	**3ª. série**	**4ª. série**	**5ª. série**	**6ª. série**	**7ª. série**	**8ª. série**	**1ª. série**	**Total**
Masculino	22	36	38	39	37	39	33	21	8	4	277
Feminino	4	34	33	37	32	14	30	20	14	3	221
Não informado	0	1	2	0	1	0	0	1	2	0	7
Total	26	71	73	76	70	53	63	42	24	7	505

Dos 505 estudantes, 167 tinham escolaridade paterna conhecida, que variou de 0 a 15 anos, com média de 5 anos e 11 meses (*DP* = 3,38), e 185 tinham escolaridade materna conhecida, que foi de 6 anos (*DP* = 3,40). De todos os estudantes, 75 tinham idade da aquisição da língua de sinais conhecida, que foi de 5 anos e 4 meses (*DP* = 2,36). Apenas seis tinham idade de aquisição de oralização conhecida, que foi de 4 anos e 8 meses (*DP* = 1,37). Dos 505 estudantes, havia informações nos prontuários de 341 deles quanto à idade em que a surdez foi percebida, com média de 1 ano e 7 meses (*DP* = 1,38).

Em termos de grau de perda auditiva (i.e., leve, moderada, severa ou profunda), dos 505 estudantes, 482 tinham grau de perda mencionada, embora em sua maioria não estabelecida a partir de exames audiológicos precisos. Numa escala aproximada de severidade variando de 1 a 4 (sendo 1 = leve, 2 = moderada, 3 = severa, 4 = profunda) a média foi de 3,72 (*DP* = 0,56). Segundo os registros, dos 505 estudantes, havia informações quanto ao grau de perda auditiva de 482 deles, sendo que 338 tinham perda profunda, 97 tinham perda severa, 44 tinham perda moderada, e três tinham perda leve.

Em termos de perda auditiva por série, dos 71 estudantes da 1ª. série, 51 tinham perda profunda; dezesseis, perda severa; e três, perda moderada. Dos 73 de 2ª. série, 44 tinham perda profunda; dezoito, perda severa; e nove, perda moderada. Dos 76 de 3ª. série, 56 tinham perda profunda; nove, perda severa; e cinco, perda moderada. Dos setenta de 4ª. série, 48 tinham perda profunda; nove, perda severa; oito, perda moderada; e um, perda leve. Dos 53 de 5ª. série, quarenta tinham perda profunda; dez, perda severa; e três, perda moderada. Dos 63 de 6ª. série, 38 tinham perda profunda; quatorze, perda severa; nove, perda moderada; e um, perda leve. Dos 42 de 7ª. série, 25 tinham perda profunda; nove, perda severa; cinco, perda moderada; e um, perda leve. Dos 24 de 8ª. série, onze tinham perda profunda; quatro, perda severa; e dois, perda moderada. Dos sete estudantes de 1ª. série do Ensino Médio, quatro tinham perda profunda; e três, perda severa.

Dos 505 estudantes, havia informações sobre uso de aparelho auditivo nos prontuários de 336 deles, e não dos outros 169. Segundo os prontuários, dos 336 estudantes, 281 faziam uso de aparelho auditivo, e 55 não. Segundo os registros, dos três estudantes com perda leve, um usava aparelho e dois não. Dos 44 com perda moderada, 27 usavam aparelho e seis não. Dos 97 com perda severa, sessenta usavam aparelho e onze não. Dos 338 surdos com perda profunda, 191 usavam aparelho e 36 não.

Em termos de tipo de perda auditiva (i.e., congênita *versus* adquirida), dos 505 estudantes, 387 tinham tipo de perda declarada, sendo que, destes, 288 declararam ter perda congênita (quatro casos de grau de perda ignorada, três casos de perda leve, 28 casos de perda moderada, sessenta casos de perda severa, 193 casos de perda profunda) e 99 declararam ter perda adquirida (oito casos de perda moderada, 21 casos de perda severa, setenta casos de perda profunda).

Em termos do efeito do contexto de comunicação (i.e., família, escola, comunidade) sobre o modo de comunicação (i.e., sinalização, oralização), observou-se o seguinte:

- 1.) Quanto ao modo de comunicação em casa, com a família, dos 505 surdos, 261 nada declararam. Os restantes 244 revelaram que fazem uso dos seguintes recursos:
  - Sinais (86 casos);
  - Oralização (59 casos);
  - Sinal e oralização (52 casos);
  - Sinal, oralização e escrita (dezenove casos);
  - Gestos (dezoito casos);
  - Sinal e gesto (oito casos);
  - Oralização e gesto (um caso); e
  - Oralização e escrita (um caso).
- 2.) Quanto ao modo de comunicação na escola, dos 505 surdos, 301 nada declararam. Os restantes 204 revelaram que fazem uso dos seguintes recursos:
  - Sinais (105 casos);
  - Oralização (55 casos);
  - Sinal e oralização (32 casos);
  - Gestos (nove casos);
  - Oralização e gesto (dois casos); e
  - Sinal e gesto (um caso).
- 3.) Quanto ao modo de comunicação com a comunidade de amigos, dos 505 surdos, 333 nada declararam. Os restantes 172 revelaram que fazem uso dos seguintes recursos:
  - Sinais (88 casos);
  - Oralização (37 casos);
  - Sinal e oralização (37 casos);
  - Sinal, oralização e escrita (dois casos);
  - Gestos (três casos);
  - Sinal e gesto (três casos); e
  - Oralização e gesto (dois casos).

Assim, como indicaram os dados, o uso de oralização e de gestos tendeu a diminuir com a passagem do surdo do ambiente familiar para o escolar e, deste, para o da comunidade social. Ao mesmo tempo, o uso de sinais tendeu a aumentar com a passagem do ambiente familiar para o social e, deste, para o escolar. De fato a oralização declinou de 59 casos na família para 55 casos na escola e, daí, para 37 casos na comunidade de amigos. Do mesmo modo, a gesticulação diminuiu de dezoito casos na família para nove casos na escola e, daí, para três casos na comunidade de amigos. No sentido oposto, a sinalização aumentou de 86 casos na família para 88 casos na comunidade de amigos e, daí, para 105 casos na escola. Esses dados da presente amostra seguem o mesmo padrão de todos os demais onze estudos individuais das onze amostras a partir da amostra maior de 1.158 surdos de 6 a 45 anos de idade. Tal regularidade nos dados sugere a importância de um trabalho maior com os familiares no sentido de levá-los a um maior conhecimento e envolvimento com a língua de sinais e a um uso mais regular dessa língua como instrumento de comunicação para a criação dos filhos e o convívio familiar diário. Assim, seria possível inclusive reduzir a idade de aquisição da língua de sinais que em todos os onze estudos individuais variou de cerca de 5 anos e 4 meses a 5 anos e 7 meses, o que permitiria tirar maior vantagem da janela de desenvolvimento lingüístico (i.e., até 6 anos de idade), promovendo, assim, desenvolvimentos cognitivo e lingüístico significativamente superiores. Tal argumento é fortalecido por experimentos que revelam que o acompanhamento social promove envolvimento pessoal (F. Capovilla, 1989), que, por sua vez, aperfeiçoa o desempenho cognitivo (F. Capovilla, A. Capovilla, Macedo, Costa, & Duduchi, 1996). O fornecimento de esclarecimento aos pais quanto à eficácia da Libras em servir de instrumento para a comunicação e a educação plenas de seus filhos é capaz de promover a necessária restruturação cognitiva desses pais. Tal restruturação, por sua vez, promove a renovação das esperanças dos pais quanto ao futuro de seus filhos e uma atitude de envolvimento efetivo e responsável nessa educação (F. Capovilla, 2004d), o que tende a fomentar o desenvolvimento de linguagem da criança surda (Kluwin, 1994).

A Tabela 10 sumaria a incidência e a porcentagem de usuários de cada um dos três meios de comunicação (i.e., oralização, gesticulação, e sinalização) em cada um dos três contextos em que se dá essa comunicação (i.e., família, escola, e comunidade de amigos), e mostra a importância (em termos de porcentagem de uso) de cada um dos três meios de comunicação em função do contexto, para cada um dos três contextos (i.e., família, escola, e comunidade). Os mesmos dados de porcentagem encontram-se representados na Figura 16. Conforme a Tabela 10 e a Figura 16, a sinalização tem importância crescente à medida que o surdo passa da família para a escola e, desta, para a comunidade. Para a sinalização, o aumento foi de 52,76% para 62,13% para até 68,75%, respectivamente. Ao mesmo tempo, em sentido oposto, a oralização e a gesticulação mostraram importância decrescente: Para a oralização, o declínio foi de 36,30% para 32,54% para até 28,90%, respectivamente; e, para gesticulação, o declínio foi de 11,04% para 5,32% para até 2,34%, respectivamente.

Tabela 10. Incidência, na presente amostra, de usuários de cada um dos três meios de comunicação (i.e., oralização, gesticulação, sinalização) em cada um dos três contextos em que se dá essa comunicação (i.e., família, escola, comunidade de amigos). Porcentagem de cada um dos três meios de comunicação em função do contexto, para cada um dos três contextos (i.e., família, escola, comunidade).

Meio de comunicação	**Contexto em que ocorre a comunicação**			
	Família	**Escola**	**Comunidade**	**Total**
Oralização	59 (36,20%)	55 (32,54%)	37 (28,90%)	151
Gesticulação	18 (11,04%)	9 (5,32%)	3 (2,34%)	30
Sinalização	86 (52,76%)	105 (62,13%)	88 (68,75%)	279
Total	163	169	128	

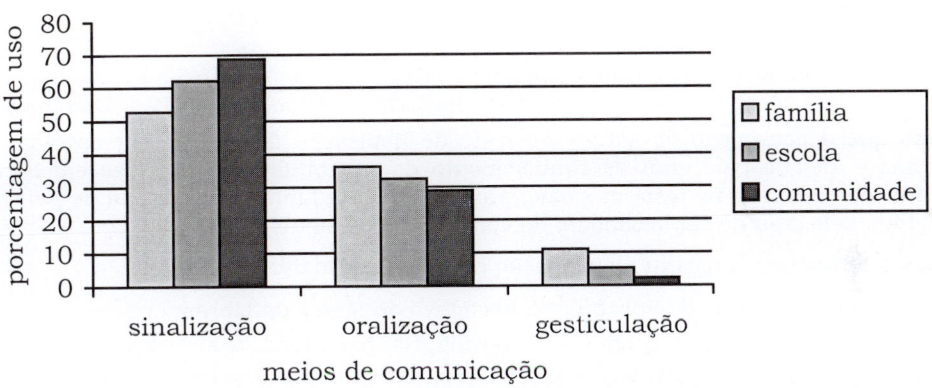

Figura 16. Porcentagem de incidência, na presente amostra de 505 participantes, de cada um dos três meios de comunicação (i.e., oralização, gesticulação e sinalização) em cada um dos três contextos em que se dá essa comunicação (i.e., família, escola e comunidade de amigos).

4.10.1.2.) Instrumentos e materiais

No presente estudo foram empregados todos os onze testes, de sete diferentes tipos, abrangendo as seguintes áreas:

- a.) Um teste de vocabulário receptivo de sinais da Libras, ou seja, de compreensão de sinais, em uma versão original única:
  - 1.) Teste de Vocabulário Receptivo de Sinais da Libras (TVRSL1.1);
- b.) Dois testes de competência de leitura em Português, sendo um no nível da palavra e outro no nível da sentença, cada qual em uma versão original única:
  - 2.) Teste de Competência de Leitura Silenciosa de Palavras (TCLP1.1);
  - 3.) Teste de Competência de Leitura de Sentenças (TCLS1.1);
- c.) Dois testes de competência de escrita em Português para nomear itens por escrita livre, sendo um para nomear figuras conhecidas e outro para nomear sinais da Libras, cada qual em duas versões originais:
  - 4.) Teste de Nomeação de Sinais por Escrita (TNS1.1–Escrita e TNS2.1–Escrita);
  - 5.) Teste de Nomeação de Figuras por Escrita (TNF1.1–Escrita e TNF2.1–Escrita);

  sendo que a pontuaçao da escrita no teste de nomeação de figuras por escrita livre é afetada pelo grau de conhecimento do vocabulário de palavras em Português, e a pontuação da escrita no teste de nomeação de sinais da Libras por escrita livre é afetada pelo grau de conhecimento do vocabulário de sinais da Libras;
- d.) Dois testes de competência de leitura em Português para nomear itens por escolha de palavras escritas, sendo um para nomear figuras conhecidas e outro para nomear sinais da Libras, cada qual em duas versões originais:
  - 6.) Teste de Nomeação de Sinais por Escolha (TNS1.1–Escolha e TNS2.1–Escolha);
  - 7.) Teste de Nomeação de Figuras por Escolha (TNF1.1–Escolha e TNF2.1–Escolha);

  sendo que a pontuação de leitura no teste de nomeação de figuras por escolha de palavras escritas é afetada pelo grau de conhecimento do vocabulário de palavras em Português, e a pontuação de leitura no teste de nomeação de sinais da Libras por escolha de palavras escritas é afetada pelo grau de conhecimento do vocabulário de sinais da Libras;

O foco deste estudo consistiu na validação e normatização da:

- 1.) Versão original do Teste de Vocabulário Receptivo de Sinais da Libras:
  - TVRSL1.1 (F. Capovilla, Viggiano, A. Capovilla, Raphael, Bidá, & Mauricio, 2004), que foi aplicada coletivamente em sala de aula, em duas sessões de 60 minutos cada uma, com articulação ao vivo dos 139 sinais por examinador fluente em Libras, assistido por um guia de aplicação (i.e., *Guia de articulação de sinais do TVRSL1.1* e *Gabarito de aferição de respostas do TVRSL1.1*), com auxílio simultâneo dado aos examinandos, para a localização das alternativas de escolha em seus cadernos, por meio da projeção em tela das quatro figuras alternativas de escolha com retroprojetor e transparências (i.e., *Conjunto de transparências de sinais do TVRSL1.1*), e coleta de dados por meio de um caderno de figuras, contendo quatro figuras para cada um dos 139 sinais apresentados pelo examinador (i.e., *Caderno de resposta para escolha de figuras do TVRSL1.1*). O estudo original do TVRSL1.1 contém o *Guia de articulação de sinais do TVRSL1.1*, o *Gabarito de aferição de respostas do TVRSL1.1*, o *Caderno de resposta para escolha de figuras do TVRSL1.1*, e a *Matriz para a confecção do Conjunto de transparências de sinais do TVRSL1.1.*

Além desse teste, foram também empregados seis outros testes:

- 2.) Versão original do Teste de Competência de Leitura de Palavras:
  - TCLP1.1 (F. Capovilla, Viggiano, A. Capovilla, Raphael, Mauricio, & Bidá, 2004), que foi aplicada coletivamente em sala de aula em sessão única de 60 minutos por meio de caderno completo de setenta itens, com uma figura e um item escrito por item.
- 3.) Versão original do Teste de Competência de Leitura de Sentenças:
  - TCLS1.1 (F. Capovilla, Viggiano, A. Capovilla, Raphael, Bidá, Neves, & Mauricio, 2004), que foi aplicada coletivamente em sala de aula em uma sessão única de 75 minutos por meio de caderno completo de quarenta itens, ou seja, de quarenta sentenças, cada qual seguida de cinco figuras alternativas de escolha. O *Caderno completo para aplicação do TCLS1.1* encontra-se publicado no estudo original do TCLS1.1.

- 4.) Versões originais do Teste de Nomeação de Figuras por Escolha:
  - TNF1.1–Escolha (F. Capovilla, Viggiano, Raphael, Bidá, A. Capovilla, Neves, & Mauricio, 2004;
  - TNF2.1–Escolha (F. Capovilla, Viggiano, Bidá, A. Capovilla, Raphael, Neves, & Mauricio, 2004),

  cada qual aplicada coletivamente em sala de aula em uma sessão única de 30 minutos, sendo as 36 figuras de cada teste projetadas em tela por meio de transparências de acetato e retroprojetor, e as respostas coletadas por meio de folha avulsa contendo 36 linhas, uma para cada figura requerida no item, com quatro colunas por linha, cada coluna contendo uma palavra alternativa de escolha. A *Matriz para a confecção do conjunto de duas transparências de figuras do TNF1.1–Escolha* (que corresponde à *Folha de aplicação com figuras do TNF1.1–Escolha*) e a *Folha de resposta para escolha dos nomes de figuras do TNF1.1–Escolha* encontram-se publicadas no estudo sobre o TNF1.1–Escolha. Do mesmo modo, a *Matriz para a confecção do conjunto de duas transparências de figuras do TNF2.1–Escolha* (que corresponde à *Folha de aplicação com figuras do TNF2.1 Escolha*) e a *Folha de resposta para escolha dos nomes de figuras do TNF2.1–Escolha* encontram-se publicadas no estudo sobre o TNF2.1 Escolha.
- 5.) Versões originais do Teste de Nomeação de Figuras por Escrita:
  - TNF1.1–Escrita (F. Capovilla, Viggiano, Raphael, Bidá, A. Capovilla, Mauricio, & Neves, 2004; e
  - TNF2.1–Escrita (F. Capovilla, Viggiano, Raphael, Bidá, A. Capovilla, & Neves, 2004),

  cada qual aplicada coletivamente em sala de aula em uma sessão única de 60 minutos, sendo as 36 figuras de cada teste projetadas em tela por meio de transparências de acetato e retroprojetor, e as respostas coletadas por meio de folha avulsa contendo 36 linhas em branco, cada qual para a escrita da palavra correspondente a cada figura. A *Matriz para a confecção do conjunto de transparências de figuras do TNF1.1–Escrita* (que corresponde ao *Caderno de aplicação com figuras do TNF1.1–Escolha*) e a *Folha de respostas pautada para escrita de nomes de figuras do TNF1.1–Escrita* encontram-se publicadas no estudo sobre o TNF1.1–Escrita. Do mesmo modo, a *Matriz para a confecção do conjunto de transparências de figuras do TNF2.1–Escrita* (que corresponde ao *Caderno de aplicação com figuras do TNF2.1–Escolha*) e a *Folha de respostas pautada para escrita de nomes de figuras do TNF2.1–Escrita* encontram-se publicadas no estudo sobre o TNF2.1–Escrita.
- 6.) Versões originais do Teste de Nomeação de Sinais por Escolha:
  - TNS1.1–Escolha (F. Capovilla, Viggiano, Raphael, Mauricio, A. Capovilla, & Bidá, 2004; e
  - TNS2.1–Escolha (F. Capovilla, Viggiano, Bidá, Luz, A. Capovilla, & Neves, 2004),

  cada qual aplicada coletivamente em sala de aula em uma sessão única de 30 minutos, sendo os 36 sinais de cada teste articulados ao vivo pelo examinador, e as respostas coletadas por meio de folha avulsa contendo 36 linhas, uma para cada sinal requerido no item, e quatro colunas, uma para cada palavra alternativa de escolha. O *Guia de articulação de sinais do TNS1.1–Escolha* (que corresponde ao *Caderno de aplicação com sinais do TNS1.1–Escolha*) e a respectiva *Folha de resposta para escolha dos nomes de sinais do TNS1.1–Escolha* encontram-se publicados no estudo sobre o TNS1.1 Escolha. Do mesmo modo, o *Guia de articulação de sinais do TNS2.1–Escolha* (que corresponde ao *Caderno de aplicação com sinais do TNS2.1–Escolha*) e a respectiva *Folha de resposta para escolha dos nomes de sinais do TNS2.1–Escolha* encontram-se publicados no estudo sobre o TNS2.1–Escolha.
- 7.) Versões originais do Teste de Nomeação de Sinais por Escrita:
  - TNS1.1–Escrita (F. Capovilla, Viggiano, Bidá, Raphael, A. Capovilla, & Mauricio, 2004; e
  - TNS2.1–Escrita (F. Capovilla, Viggiano, Luz, A. Capovilla, Bidá, & Mauricio, 2004),

  cada qual aplicada coletivamente em sala de aula em uma sessão única de 60 minutos, sendo os 36 sinais de cada teste articulados ao vivo pelo examinador, e as respostas coletadas por meio de folha avulsa contendo 36 linhas em branco, cada qual para a escrita da palavra correspondente ao sinal requerido no item. O *Guia de articulação de sinais do TNS1.1–Escrita* (que corresponde ao *Caderno de aplicação com sinais do TNS1.1– Escrita*) e a respectiva *Folha de resposta pautada para escrita de nomes de sinais do TNS1.1–Escrita* encontram-se publicados no estudo sobre o TNS1.1–Escrita. Do mesmo modo, o *Guia de articulação de sinais do TNS2.1–Escrita* (que corresponde ao *Caderno de aplicação com sinais do TNS2.1– Escrita*) e a respectiva *Folha de resposta pautada para escrita de nomes de sinais do TNS2.1–Escrita* encontram-se publicados no estudo sobre o TNS2.1–Escrita.

Assim, para a aplicação de cada um dos testes a seguir, foram empregados os seguintes recursos materiais:

- 1.) Para a versão original do Teste de Vocabulário Receptivo de Sinais da Libras (TVRSL1.1):
  Um retroprojetor, uma tela, um *Conjunto de transparências de sinais do TVRSL1.1*, um *Guia de articulação de sinais do TVRSL1.1*, e um *Gabarito de aferição de respostas do TVRSL1.1* para uso pelo examinador, que era sinalizador fluente em Libras; além de um *Caderno de resposta para escolha de figuras do TVRSL1.1*, um lápis preto e uma borracha para cada examinando surdo.
- 2.) Para a versão original do Teste de Competência de Leitura Silenciosa de Palavras (TCLP1.1):
  Um *Caderno completo para aplicação do TCLP1.1*, um lápis preto e uma borracha para cada examinando surdo.
- 3.) Para a versão original do Teste de Competência de Leitura de Sentenças (TCLS1.1):
  Um *Caderno completo para aplicação do TCLS1.1*, um lápis preto e uma borracha para cada examinando surdo.
- 4.) Para a versão original 1.1 do Teste de Nomeação de Sinais por Escrita (TNS1.1–Escrita):
  Um *Guia de articulação de sinais do TNS1.1–Escrita e gabarito de aferição de respostas* para uso do examinador, além de uma *Folha de resposta pautada para escrita de nomes de sinais do TNS1.1–Escrita*, um lápis preto e uma borracha para cada examinando surdo.
- 5.) Para a versão original 2.1 do Teste de Nomeação de Sinais por Escrita (TNS2.1–Escrita):
  Um *Guia de articulação de sinais do TNS2.1–Escrita e gabarito de aferição de respostas* para uso do examinador, além de uma *Folha de resposta pautada para escrita de nomes de sinais do TNS2.1–Escrita*, um lápis preto e uma borracha para cada examinando surdo.
- 6.) Para a versão original 1.1 do Teste de Nomeação de Figuras por Escrita (TNF1.1–Escrita):
  Um retroprojetor, uma tela de projeção, e um conjunto de transparências de acetato (fotocopiadas a partir da *Matriz para a confecção do conjunto de transparências do TNF1.1–Escrita*, que corresponde ao *Caderno de aplicação com figuras do TNF1.1–Escrita*) para uso do examinador, além de uma *Folha de resposta pautada para escrita de nomes de figuras do TNF1.1–Escrita*, um lápis preto e uma borracha para cada examinando surdo.
- 7.) Para a versão original 2.1 do Teste de Nomeação de Figuras por Escrita (TNF2.1–Escrita):
  Um retroprojetor, uma tela de projeção, e um conjunto de transparências de acetato (fotocopiadas a partir da *Matriz para a confecção do conjunto de transparências do TNF2.1–Escrita*, que corresponde ao *Caderno de aplicação com figuras do TNF2.1–Escrita*) para uso do examinador, além de uma *Folha de resposta pautada para escrita de nomes de figuras do TNF2.1–Escrita*, um lápis preto e uma borracha para cada examinando surdo.
- 8.) Para a versão original 1.1 do Teste de Nomeação de Sinais por Escolha (TNS1.1–Escolha):
  Um *Guia de articulação de sinais do TNS1.1–Escolha e gabarito de aferição de respostas* para uso do examinador, além de uma *Folha de resposta para escolha de nomes de sinais do TNS1.1–Escolha*, um lápis preto e uma borracha para cada examinando surdo.
- 9.) Para a versão original 2.1 do Teste de Nomeação de Sinais por Escolha (TNS2.1–Escolha):
  Um *Guia de articulação de sinais do TNS2.1–Escolha e gabarito de aferição de respostas* para uso do examinador, além de uma *Folha de resposta para escolha de nomes de sinais do TNS2.1–Escolha*, um lápis preto e uma borracha para cada examinando surdo.
- 10.) Para a versão original 1.1 do Teste de Nomeação de Figuras por Escolha (TNF1.1–Escolha):
  Um retroprojetor, uma tela de projeção, e um conjunto de transparências de acetato (fotocopiadas a partir da *Matriz para a confecção do conjunto de transparências do TNF1.1–Escolha*, que corresponde ao *Caderno de aplicação com figuras do TNF1.1–Escolha*) para uso do examinador, além de uma *Folha de resposta para escolha de nomes de figuras do TNF1.1–Escolha*, um lápis preto e uma borracha para cada examinando surdo.
- 11.) Para a versão original 2.1 do Teste de Nomeação de Figuras por Escolha (TNF2.1–Escolha):
  Um retroprojetor, uma tela de projeção, e um conjunto de transparências de acetato (fotocopiadas a partir da *Matriz para a confecção do conjunto de transparências do TNF2.1–Escolha*, que corresponde ao *Caderno de aplicação com figuras do TNF2.1–Escolha*) para uso do examinador, além de uma *Folha de resposta para escolha de nomes de figuras do TNF2.1–Escolha*, um lápis preto e uma borracha para cada examinando surdo.

O Teste de Vocabulário Receptivo de Sinais da Libras já foi descrito neste capítulo. A seção a seguir apresenta sumariamente todos os demais seis testes aplicados, nas suas dez variações.

4.10.1.2.1.) A versão original do Teste de Competência de Leitura de Palavras (TCLP1.1) para avaliar o estágio de leitura (logográfico, alfabético, e ortográfico) e os processos envolvidos (ideovisual, perilexical, e lexical)

4.10.1.2.1.1.) Natureza e objetivos do TCLP1.1

O Teste de Competência de Leitura Silenciosa de Palavras (TCLP: A. Capovilla & F. Capovilla, 2003c; F. Capovilla & A. Capovilla, 2001a, 2001b; F. Capovilla, A. Capovilla, Macedo, & Duduchi, 2000b) avalia o estágio de desenvolvimento da leitura ao longo das etapas logográfica, alfabética e ortográfica. É composto de oito itens de treino e setenta de teste reunidos num caderno de aplicação. Cada item é formado de uma figura e uma palavra ou pseudopalavra associada à figura. A tarefa do examinando é circundar os itens corretos dos pontos de vista ortográfico e semântico, e riscar os incorretos em termos ortográficos (i.e., pseudopalavras) ou semânticos (i.e., palavra associada a uma figura incompatível com ela). Trata-se de um teste de papel e lápis originalmente implementado em caderno de aplicação em uma versão original (TCLP1.1) e uma reordenada (TCLP1.2). Há também uma versão computadorizada para avaliar crianças surdas com distúrbios neuromotores (Macedo, F. Capovilla, Diana, & Covre, 2002). O compêndio de avaliação do desenvolvimento da linguagem de sinais, leitura e escrita na criança surda (F. Capovilla & Viggiano, 2004) apresenta a versão computadorizada reordenada 1.2 (TCLP1.2–Comp: Macedo, F. Capovilla, A. Capovilla, Charin, Diana, Covre, & Duduchi, 2004). As três versões computadorizadas fazem varredura automática entre as opções de escolha (i.e., aceitar *versus* rejeitar). Além disso, o teste também está disponível na Internet (Macedo & F. Capovilla, 2000b). Baseia-se em versões anteriores (F. Capovilla, A. Capovilla, Macedo, Duduchi, 2000b; F. Capovilla, Macedo, A. Capovilla, & Charin, 1998; F. Capovilla, Macedo, & Charin, 2001) inspiradas no paradigma geral esboçado por Khomsi (1997) e aperfeiçoado por Braibant (1997).

O TCLP é, ao mesmo tempo, um instrumento psicométrico e neuropsicológico cognitivo para avaliar a competência de leitura silenciosa (em termos de decodificação grafêmica, reconhecimento visual da forma ortográfica, e acesso semântico) de itens escritos isolados, e um coadjuvante para o diagnóstico diferencial de distúrbios de aquisição de leitura. Como teste psicométrico, é acompanhado de tabelas de normatização que permitem avaliar o grau de desvio entre o padrão de leitura de um examinando surdo e o padrão de leitura normal de seu grupo de referência surdo de acordo com o nível de escolaridade. Como teste neuropsicológico, permite interpretar os dados do padrão de leitura específico apresentado por uma criança no que concerne ao modelo do desenvolvimento de leitura e escrita, e inferir o estágio de desenvolvimento (i.e., logográfico, alfabético, ortográfico) em que essa criança se encontra, bem como as estratégias de leitura (i.e., ideovisual ou logográfica, perilexical ou fonológica, lexical) que prevalecem em seu desempenho. Fornece uma visão integrada e aprofundada do grau de desenvolvimento e preservação dos diferentes mecanismos, rotas e estratégias envolvidos na leitura competente, de modo a lançar luz sobre a natureza da dificuldade específica do examinando. Para tanto, compara o desempenho sob diferentes tipos de itens psicolingüísticos, como palavras e pseudopalavras, e em diferentes associações com figuras. O processamento cognitivo desse material psicolingüístico requer diferentes competências, como a estratégia ideovisual ou logográfica, a estratégia fonológica ou perilexical (F. Capovilla, A. Capovilla, & Macedo, 2001b; F. Capovilla, Macedo, Duduchi, & Sória, 1999), e a estratégia lexical (A. Capovilla, F. Capovilla, & Macedo, 1998; F. Capovilla, Macedo, & Charin, 2001), as quais se desenvolvem nas etapas logográfica, alfabética e ortográfica, respectivamente (A. Capovilla & F. Capovilla, 2003c, 2003d). Comparando o desempenho sob diferentes tipos de itens psicolingüísticos, o teste identifica o estágio de desenvolvimento de leitura do examinando e o seu grau de proficiência em cada um dos três tipos de processamento: O ideovisual ou logográfico, o perilexical ou fonológico por decodificação grafoquirêmica, e o lexical ou por reconhecimento visual direto assistido por decodificação grafoquirêmica eventual. Assim, o teste implementa com o leitor surdo essencialmente o mesmo modelo teórico de processamento cognitivo implementado com o leitor ouvinte, sendo que a única diferença diz respeito ao processamento perilexical, pois enquanto no leitor ouvinte o processamento perilexical se dá pela decodificação grafofonêmica, no leitor surdo esse processamento se dá pela decodificação grafoquirêmica.

4.10.1.2.1.2.) Breve substrato teórico do TCLP1.1

O modelo de desenvolvimento de leitura e escrita de Frith (1985, 1990) e Morton (1989) identifica três fases ou estágios distintos na alfabetização, durante os quais desenvolvem-se diferentes rotas ou estratégias de leitura nas crianças normoléxicas, sendo que a dislexia do desenvolvimento (Bellugi, Tzeng, Klima, & Fok, 1989; A. Capovilla & F. Capovilla, 2002a; F. Capovilla & A. Capovilla, 2004b) resulta de uma dificuldade na passagem do primeiro ao segundo estágio, ou do segundo para o terceiro estágio.

- 1.) No primeiro estágio, o logográfico, desenvolve-se a rota ou estratégia logográfica. Nessa fase, a criança faz reconhecimento visual direto de certas propriedades gerais da palavra escrita com base no contexto, na forma e na cor, mas não atenta à composição precisa das letras que a compõem, exceto usualmente pela primeira letra. Assim, por exemplo, se forem trocadas as letras D por B, N por M, e D por P na palavra escrita MCDONALD'S, a criança não tenderá a notar a troca, desde que haja arcos dourados sobre um fundo vermelho. A criança trata as palavras escritas como se fossem desenhos e só consegue reconhecer as palavras com as quais está bastante familiarizada, sendo incapaz de penetrar na composição grafêmica das palavras ou de ler palavras novas. Tal leitura de natureza icônica e ideográfica é usualmente feita pelo hemisfério direito e se limita ao reconhecimento do aspecto geral de palavras muito familiares;
- 2.) No segundo estágio, o alfabético, desenvolve-se a rota ou estratégia fonológica. Nessa fase, a criança aprende a fazer decodificação grafofonêmica e passa a decodificar pseudopalavras e palavras novas (i.e., palavras cuja forma ortográfica ainda não é familiar para a criança). Contudo, a criança só é capaz de fazer isso se dominar a habilidade de decodificação grafofonêmica e se as palavras a serem lidas forem regulares grafofonemicamente, de modo que a imagem fonológica resultante da decodificação grafofonêmica soe familiar à criança, como uma das palavras conhecidas armazenadas em seu léxico auditivo lingüístico (i.e., léxico fonológico). Palavras grafofonemicamente irregulares tendem a levar a erros de regularização fonológica e a falhas de compreensão de leitura. Como a criança faz decodificação grafofonêmica estrita, ao converter a seqüência de grafemas da palavra na seqüência de fonemas correspondentes na pronúncia, nos casos em que a palavra a ser lida envolver correspondências grafofonêmicas irregulares, a seqüência de fonemas pronunciada pela criança que resultou da decodificação estrita não irá corresponder a qualquer palavra reconhecível em seu léxico fonológico. Consequentemente, nesses casos de decodificação grafofonêmica estrita de palavras grafofonemicamente irregulares, a criança estranhará as palavras que pronuncia e não compreenderá o que decodifica. Crianças com *dislexia fonológica* apresentam grande dificuldade em empreender decodificação grafofonêmica competente, o que ocorre em 67% dos casos de dislexia do desenvolvimento (Boder, 1973; A. Capovilla & F. Capovilla, 2002a; F. Capovilla & A. Capovilla, 2004b), e usualmente tentam adivinhar o que está escrito, cometendo freqüentes paralexias;
- 3.) No terceiro estágio, o ortográfico, desenvolve-se a rota ou estratégia lexical. Nessa fase a criança aprende a ler lexicalmente, fazendo reconhecimento visual direto da forma ortográfica das palavras, e torna-se capaz de ler palavras grafofonemicamente irregulares, não mais cometendo erros de regularização grafofonêmica, desde que as palavras a serem lidas sejam comuns e que a criança esteja familiarizada com elas. As crianças com *dislexia morfêmica* têm dificuldade em fazer esse reconhecimento visual direto da forma ortográfica das palavras, o que ocorre em cerca de 10% dos casos de dislexia.

Para Frith (1985, 1990), a dislexia do desenvolvimento pode ser compreendida como uma espécie de interrupção na progressão de uma a outra fase ao longo do desenvolvimento da leitura. Tal interrupção pode ocorrer já na passagem do estágio logográfico para o alfabético, como no caso da dislexia fonológica; ou apenas na passagem do alfabético para o ortográfico, como no caso da dislexia morfêmica. No primeiro caso a dificuldade constitui um distúrbio do desenvolvimento propriamente dito, o qual resulta de um distúrbio de natureza fonológica freqüentemente com substrato constitucional definido entre o quinto e o sétimo mês de gestação; ao passo que, no segundo caso, a dificuldade constitui mais um atraso no desenvolvimento do que propriamente um distúrbio, sendo o prognóstico consideravelmente melhor nesse caso (A. Capovilla & F. Capovilla, 2002a).

O Teste de Competência de Leitura de Palavras (TCLP) avalia o estágio de desenvolvimento da leitura ao longo das etapas logográfica, alfabética e ortográfica. Baseia-se em versões anteriores do Teste de Competência de Leitura Silenciosa (F. Capovilla, A. Capovilla, Macedo, Duduchi, 2000b; F. Capovilla, Macedo, A. Capovilla, & Charin, 1998; F. Capovilla, Macedo, & Charin, 2001) inspiradas no paradigma geral esboçado por Khomsi (1997) e aperfeiçoado por Braibant (1997). É, ao mesmo tempo, um instrumento psicométrico e neuropsicológico cognitivo para avaliação da competência de leitura silenciosa de palavras isoladas e coadjuvante para o diagnóstico diferencial de distúrbio de aquisição de leitura. Como teste psicométrico, é acompanhado de tabelas de normatização que permitem avaliar o grau de desvio entre o padrão de leitura de um determinado examinando surdo e o padrão de leitura normal de seu grupo de referência surdo com relação ao nível de escolaridade. Como teste neuropsicológico, permite interpretar os dados do padrão de leitura específico apresentado por uma dada criança no tocante ao modelo do desenvolvimento de leitura e escrita, e inferir o estágio de desenvolvimento em que essa criança se encontra e as estratégias de leitura que prevalecem em seu desempenho. Fornece uma visão integrada e aprofundada acerca do grau de desenvolvimento e preservação dos diferentes mecanismos, rotas e estratégias envolvidos na leitura competente, de modo a lançar luz sobre a natureza da dificuldade específica de um determinado examinando. Para tanto, o teste compara o desempenho sob diferentes tipos de itens psicolingüísticos e em diferentes associações com figuras, resultando em palavras (i.e., semanticamente incorretas *versus* corretas regulares *versus* corretas irregulares) e pseudopalavras (i.e., homófonas, pseudo-homófonas, homógrafas e estranhas). O processamento desse material psicolingüístico requer diferentes competências, como a estratégia ideovisual ou logográfica, a estratégia fonológica ou perilexical (F. Capovilla, A. Capovilla, & Macedo, 2001b; F. Capovilla, Macedo, Duduchi, & Sória, 1999), e a estratégia lexical (A. Capovilla, F. Capovilla, & Macedo, 1998; F. Capovilla, Macedo, & Charin, 2001), que se desenvolvem nas etapas logográfica, alfabética e ortográfica, respectivamente (A. Capovilla & F. Capovilla, 2003c, 2003d). Comparando o desempenho do examinando sob diferentes tipos de itens psicolingüísticos, o teste identifica a etapa de leitura em que o examinando se situa e o seu grau de proficiência em cada um dos três tipos de processamento; O ideovisual ou logográfico, o perilexical ou por decodificaçao grafoquirêmica, e o lexical ou por reconhecimento visual direto assistido por decodificação grafoquirêmica eventual. Assim, o teste implementa com o leitor surdo o mesmo modelo teórico de processamento cognitivo implementado com o leitor ouvinte, sendo que a única diferença ocorre no processamento perilexical, pois enquanto no leitor ouvinte o processamento perilexical se dá pela decodificação grafofonêmica, no leitor surdo esse processamento se dá pela decodificação grafoquirêmica.

4.10.1.2.1.3.) Constituição do TCLP1.1

A versão original do Teste de Competência de Leitura de Palavras (TCLP1.1) é constituída de oito itens de treino e setenta itens de teste, cada qual com um par composto de uma figura e um elemento escrito, que é ou uma palavra ou uma pseudopalavra. Pseudopalavras são seqüências de caracteres que compõem um todo pronunciável mas carente de significado. Os elementos escritos são apresentados em letras maiúsculas para permitir manipular o efeito da similaridade visual. A tarefa do examinando é circundar os itens corretos e cruzar (i.e., assinalar com um "*X*") os itens incorretos, ou seja, aqueles em que há disparidade semântica entre a figura e o elemento escrito, ou em que há disparidade ortográfica no elemento escrito, ou ambas as disparidades. Solicitando ao examinando que circule os itens corretos, o examinador pode assegurar-se de que o examinando teve oportunidade de processar todos os itens, sem saltar qualquer um deles.

Há sete tipos de item (i.e., sete tipos de pares compostos de uma figura e um elemento escrito), todos distribuídos aleatoriamente ao longo do teste, sendo que há dez itens de teste para cada tipo de par. São eles:

- Tipo 1 (CR: Corretas Regulares): Palavras ortograficamente corretas, semanticamente corretas e grafofonemicamente regulares, a serem aceitas. Itens: Palavra escrita FADA sob a figura de fada; BATATA sob figura de batata, TOMADA sob figura de tomada, BUZINA sob figura de buzina, MAPA sob figura de mapa, MAIÔ sob figura de maiô, PIJAMA sob figura de pijama, BONÉ sob figura de boné, MENINA sob figura de menina e PIPA sob figura de pipa;
- Tipo 2 (CI: Corretas Irregulares): Palavras ortograficamente corretas, semanticamente corretas e grafofonemicamente irregulares, a serem aceitas. Itens: Palavra escrita BRUXA sob figura de bruxa, TÁXI sob figura de táxi, XADREZ sob figura de xadrez, CALÇAS sob figura de calças, AGASALHO sob figura de agasalho, TESOURA sob figura de tesoura, PINCEL sob figura de pincel, EXÉRCITO sob figura de exército, PRINCESA sob figura de princesa e EXERCICIO sob figura de exercício;
- Tipo 3 (VS: Vizinhas Semânticas): Palavras ortograficamente corretas mas semanticamente incorretas, a serem rejeitadas. Itens: Palavra escrita CACHORRO sob figura de camundongo, TREM sob figura de ônibus, TERRA sob figura de árvore, SOFÁ sob figura de cama, COBRA sob figura de peixe, RÁDIO sob figura de telefone, AVIÃO sob figura de águia, MAÇÃ sob figura de morango, CHINELO sob figura de sapato e SORVETE sob figura de bombom;
- Tipo 4 (VV: Vizinhas Visuais): Pseudopalavras ortograficamente incorretas, com trocas visuais, a serem rejeitadas. Itens: Pseudopalavra escrita CAEBÇA sob figura de cabeça, GAIO sob figura de gato, FÊRA sob a figura de pêra, CRIANQAS sob figura de crianças, TEIEUISÃO sob figura de televisão, CAINELO sob figura de chinelo, JACAPÉ sob figura de jacaré, PAROUE sob figura de parque, ESTERLA sob figura de estrela e CADEPMO sob figura de caderno;
- Tipo 5 (VF: Vizinhas Fonológicas): Pseudopalavras ortograficamente incorretas, com trocas fonológicas, a serem rejeitadas. Itens: Pseudopalavra escrita HAPELHA sob figura de abelha, FACA sob figura de vaca, CANCURU sob figura de um canguru, MÁCHICO sob figura de mágico, VENTILATOR sob figura de um ventilador, APATAR sob figura de apagar, PIPOTA sob figura de pipoca, RELÓCHIO sob figura de relógio, OFELHA sob figura de ovelha e PONECA sob figura de boneca;

- Tipo 6 (PH: Pseudopalavras Homófonas): Pseudopalavras ortograficamente incorretas, embora homófonas a palavras semanticamente corretas, a serem rejeitadas. Itens: Pseudopalavra escrita PÁÇARU sob figura de pássaro, CINAU sob figura de sinal, JÊLU sob figura de gelo, AUMOSSU sob figura de almoço, OSPITAU sob figura de hospital, XAPEL sob figura de chapéu, MININU sob figura de menino, TÁCSI sob figura de táxi, ÓMI sob figura de homem e BÓQUISSE sob figura de uma luta de boxe;
- Tipo 7 (PE: Pseudopalavras Estranhas): Pseudopalavras ortograficamente incorretas e estranhas, tanto fonologicamente quanto visualmente, a serem rejeitadas. Itens: Pseudopalavra escrita XUNVACO sob figura de sanfona, ASPELO sob figura de coelho, MITU sob figura de óculos, RASSUNO sob figura de uma mão, DILHA sob figura de pião, MELOCE sob figura de palhaço, FOTIS sob figura de meia, JAMELO sob figura de tigre, SOCATI sob figura de urso e CATUDO sob figura de tênis.

Há também oito itens de treino para ilustrar os sete tipos de item. São eles:

- Palavra UVA sob figura de uva. Trata-se de exemplo de treino envolvendo item do Tipo 1 (CR: Correta Regular), ou seja, palavra ortograficamente correta, semanticamente correta e grafofonemicamente regular, a ser aceita;
- Palavras CASA sob figura de casa, e CHAVE sob a figura de chave. Trata-se de dois exemplos de treino envolvendo itens do Tipo 2 (CI: Corretas Irregulares), ou seja, palavras ortograficamente corretas, semanticamente corretas e grafofonemicamente irregulares, a serem aceitas;
- Palavra LARANJA sob figura de banana. Trata-se de exemplo de treino envolvendo item do Tipo 3 (VS: Vizinha Semântica), ou seja, palavra ortograficamente correta mas semanticamente incorreta, a ser rejeitada;
- Pseudopalavra CADEIPA sob figura de cadeira. Trata-se de exemplo de treino envolvendo item do Tipo 4 (VV: Vizinha Visual), ou seja, pseudopalavra ortograficamente incorreta, com trocas visuais, a ser rejeitada;
- Pseudopalavra JUVEIRO sob figura de chuveiro. Trata-se de um exemplo de treino envolvendo item do Tipo 5 (VF: Vizinha Fonológica), ou seja, pseudopalavra ortograficamente incorreta, com trocas fonológicas, a ser rejeitada;
- Pseudopalavra JÊNIU sob figura de gênio. Trata-se de um exemplo de treino envolvendo item do Tipo 6 (PH: Pseudopalavra Homófona), ou seja, pseudopalavra ortograficamente incorreta, embora homófona a palavra semanticamente correta, a ser rejeitada;
- Pseudopalavra PAZIDO sob figura de xarope. Trata-se de um exemplo de treino envolvendo item do Tipo 7 (PE: Pseudopalavra Estranha), ou seja, pseudopalavra ortograficamente incorreta e estranha, tanto fonologicamente quanto visualmente, a ser rejeitada.

O Quadro 2 sumaria os 78 itens que compõem a versão original do Teste de Competência de Leitura de Palavras (TCLP1.1). Para cada item encontram-se listados o tipo de par (i.e., 1–CR, 2–CI, 3–VS, 4–VV, 5–VF, 6–PH e 7–PE), a escrita e a figura que compõem cada par (e.g., palavra CACHORRO sob figura de camundongo), a resposta correta esperada (i.e., aceitar para itens corretos e rejeitar para itens incorretos), e finalmente a ordem que o item ocupa na seqüência dos 78 itens (i.e., itens de treino de A a H, seguidos de itens de teste de 1 a 70). Os itens corretos (i.e., dos Tipos 1–CR e 2–CI) devem ser aceitos, e os itens incorretos (i.e., dos Tipos 3–VS, 4–VV, 5–VF, 6–PH e 7–PE) devem ser rejeitados. Primeiramente, encontram-se listados os oito itens de treino. Em seguida, encontram-se listados os setenta itens de teste, distribuídos em sete blocos de dez itens cada um, independentemente da seqüência de apresentação. Cada bloco contém um determinado tipo de par composto por figura e item escrito. Por ordem: 1–CR: Correta Regular; 2–CI: Correta Irregular; 3–VS: Vizinha Semântica; 4–VV: Vizinha Visual; 5–VF: Vizinha Fonológica; 6–PH: Pseudopalavra Homófona; e 7–PE: Pseudopalavra Estranha.

A Figura 17 ilustra sete pares compostos de figura e item escrito, que exemplificam cada um dos sete tipos de pares que compõem a versão original do Teste de Competência de Leitura de Palavras (TCLP1.1). Conforme ilustrado pela figura, no teste há dois tipos de pares corretos a serem aceitos, como a palavra grafofonemicamente regular FADA e a grafofonemicamente irregular TÁXI. Há também cinco tipos de pares incorretos a serem rejeitados, como a palavra RÁDIO que, sob a figura de um telefone, é semanticamente incorreta; e as quatro pseudopalavras: A homófona JÊNIU, a pseudo-homófona com troca fonológica MÁCHICO, a pseudo-homógrafa com troca visual TEIEUISÃO, e a pseudopalavra estranha MELOCE que permite controlar o efeito da atenção à tarefa.

Quadro 2. Teste de Competência de Leitura de Palavras (TCLP) com seus oito itens de treino e setenta itens de teste, distribuídos em sete blocos de dez itens cada um, independentemente da seqüência de apresentação. Para cada item encontram-se listados o tipo de par (i.e., 1–CR, 2–CI, 3–VS, 4–VV, 5–VF, 6–PH e 7–PE), a escrita e a figura que compõem cada par (e.g., palavra CACHORRO sob figura de camundongo), a resposta correta esperada (i.e., aceitar itens corretos e rejeitar itens incorretos), e finalmente a ordem que o item ocupa na seqüência dos 78 itens (i.e., itens de treino de A a H, seguidos de itens de teste de 1 a 70). Primeiramente, encontram-se listados os oito itens de treino. Em seguida, encontram-se listados os setenta itens de teste, distribuídos em sete blocos de dez itens cada um, independentemente da seqüência de apresentação. Cada bloco contém um determinado tipo de par composto de figura e escrita. Por ordem: 1–CR: Correta Regular; 2–CI: Correta Irregular; 3–VS: Vizinha Semântica; 4–VV: Vizinha Visual; 5–VF: Vizinha Fonológica; 6–PH: Pseudopalavra Homófona; 7–PE: Pseudopalavra Estranha

Tipo	Escrita	Figura	R	Ordem	Tipo	Escrita	Figura	R	Ordem
1–CR	UVA	uva	Aceitar	A	4–VV	GAIO	gato	Rejeitar	11
2–CI	CASA	casa	Aceitar	F	4–VV	FÊRA	pêra	Rejeitar	15
2–CI	CHAVE	chave	Aceitar	G	4–VV	CRIANQAS	crianças	Rejeitar	22
3–VS	LARANJA	banana	Rejeitar	B	4–VV	TEIEUISAO	televisão	Rejeitar	35
4–VV	CADEIPA	cadeira	Rejeitar	D	4–VV	CAINELO	chinelo	Rejeitar	40
5–VF	JUVEIRO	chuveiro	Rejeitar	E	4–VV	JACAPÉ	jacaré	Rejeitar	49
6–PH	JÊNIU	gênio	Rejeitar	C	4–VV	PAPOUE	parque	Rejeitar	56
7–PE	PAZIDO	xarope	Rejeitar	H	4–VV	ESTERLA	estrela	Rejeitar	63
1–CR	FADA	fada	Aceitar	1	4–VV	CADEPMO	caderno	Rejeitar	70
1–CR	BATATA	batata	Aceitar	10	5–VF	HAPELHA	abelha	Rejeitar	6
1–CR	TOMADA	tomada	Aceitar	16	5–VF	FACA	vaca	Rejeitar	14
1–CR	BUZINA	buzina	Aceitar	25	5–VF	CANCURU	canguru	Rejeitar	20
1–CR	MAPA	mapa	Aceitar	32	5–VF	MÁCHICO	mágico	Rejeitar	28
1–CR	MAIÔ	maiô	Aceitar	39	5–VF	VENTILATOR	ventilador	Rejeitar	31
1–CR	PIJAMA	pijama	Aceitar	42	5–VF	APATAR	apagar	Rejeitar	36
1–CR	BONÉ	boné	Aceitar	51	5–VF	PIPOTA	pipoca	Rejeitar	47
1–CR	MENINA	menina	Aceitar	58	5–VF	RELÓCHIO	relógio	Rejeitar	53
1–CR	PIPA	pipa	Aceitar	68	5–VF	OFELHA	ovelha	Rejeitar	62
2–CI	BRUXA	bruxa	Aceitar	4	5–VF	PONÉCA	boneca	Rejeitar	65
2–CI	TÁXI	táxi	Aceitar	7	6–PH	PÁÇARU	pássaro	Rejeitar	8
2–CI	XADREZ	xadrez	Aceitar	13	6–PH	CINAU	sinal	Rejeitar	17
2–CI	CALÇAS	calças	Aceitar	19	6–PH	JÊLU	gelo	Rejeitar	23
2–CI	AGASALHO	agasalho	Aceitar	27	6–PH	AUMOSSU	almoço	Rejeitar	33
2–CI	TESOURA	tesoura	Aceitar	30	6–PH	OSPITAU	hospital	Rejeitar	45
2–CI	PINCEL	pincel	Aceitar	37	6–PH	XAPEL	chapéu	Rejeitar	46
2–CI	EXÉRCITO	exército	Aceitar	44	6–PH	MININU	menino	Rejeitar	50
2–CI	PRINCESA	princesa	Aceitar	54	6–PH	TÁCSI	taxi	Rejeitar	59
2–CI	EXERCÍCIO	exercício	Aceitar	61	6–PH	ÔMI	homem	Rejeitar	64
3–VS	CACHORRO	camundongo	Rejeitar	2	6–PH	BÓQUISSE	boxe	Rejeitar	67
3–VS	TREM	ônibus	Rejeitar	12	7–PE	XUNVACO	sanfona	Rejeitar	3
3–VS	TERRA	árvore	Rejeitar	21	7–PE	ASPELO	coelho	Rejeitar	9
3–VS	SOFÁ	cama	Rejeitar	26	7–PE	MITU	óculos	Rejeitar	18
3–VS	COBRA	peixe	Rejeitar	29	7–PE	RASSUNO	mão	Rejeitar	24
3–VS	RÁDIO	telefone	Rejeitar	41	7–PE	DILHA	pião	Rejeitar	34
3–VS	AVIÃO	águia	Rejeitar	48	7–PE	MELOCE	palhaço	Rejeitar	38
3–VS	MAÇÃ	morango	Rejeitar	55	7–PE	FOTIS	meia	Rejeitar	43
3–VS	CHINELO	sapato	Rejeitar	60	7–PE	JAMELO	tigre	Rejeitar	52
3–VS	SORVETE	bombom	Rejeitar	66	7–PE	SOCATI	urso	Rejeitar	57
4–VV	CAEBÇA	cabeça	Rejeitar	5	7–PE	CATUDO	tênis	Rejeitar	69

Nota: Tipo: Tipo de par composto por escrita e figura: 1–CR (Correta Regular), 2–CI (Correta Irregular), 3–VS (Vizinha Semântica), 4–VV (Vizinha Visual), 5–VF (Vizinha Fonológica), 6–PH (Pseudopalavra Homófona), 7–PE (Pseudopalavra Estranha). Escrita: Item escrito que aparece sob a figura. Figura: Ilustração que aparece sobre o item escrito. R: Resposta correta esperada, que é Aceitar (para itens corretos)*versus* Rejeitar (para itens incorretos). Ordem: Posição que o item ocupa na seqüência original dos oito itens de treino (de A a H) e dos setenta itens de teste (de 1 a 70) aplicados aos examinandos surdos. Como os setenta itens de teste foram agrupados em sete blocos de dez itens cada um com base no tipo de par, a seqüência de listagem de itens no quadro difere da seqüência real de apresentação de itens no teste, em que os sete diferentes tipos de par encontram-se aleatoriamente distribuídos.

Figura 17. Exemplos dos sete tipos de pares figura-escrita da versão original do Teste de Competência de Leitura de Palavras (TCLP1.1): Duas palavras corretas, uma regular (1–CR: FADA) e uma irregular (2–CI: TÁXI), uma palavra com incorreção semântica (3–VS: RÁDIO sob figura de telefone), uma pseudopalavra com troca visual (4–VV: TEIEUISÃO) e uma com troca fonológica (5–VF: MÁCHICO), uma pseudopalavra homófona (6–PH: JÊNIU) e uma pseudopalavra estranha (7–PE: MELOCE).

Os pares compostos de palavras ortograficamente corretas e semanticamente corretas, quer grafofonemicamente regulares (i.e., Tipo 1) ou grafofonemicamente irregulares (i.e., Tipo 2), devem ser aceitos (i.e., circulados com o lápis). Por outro lado, os pares compostos de palavras com incorreção semântica (i.e., Tipo 3) ou de pseudopalavras (i.e., Tipos 4, 5, 6 e 7) devem ser rejeitados (i.e., cruzados com um "*X*"). Os acertos consistem em aceitar (i.e., assinalar com um círculo) os pares de Tipo 1 e 2, e em rejeitar (i.e., assinalar com um "*X*") os pares de Tipo 3, 4, 5, 6 e 7. Reciprocamente, os erros consistem em rejeitar ou deixar de aceitar os pares corretos de Tipo 1 e 2, ou em aceitar ou deixar de rejeitar os pares incorretos de Tipo 3, 4, 5, 6 e 7. O padrão de distribuição dos tipos de erros é capaz de revelar a natureza específica do processamento cognitivo do examinando, além de indicar as estratégias de leitura que ele consegue usar e aquelas com que tem dificuldade. Assim, esse padrão tem elevado valor informativo para caracterizar a natureza particular da dificuldade de leitura de um determinado examinando. Contudo, essa caracterização de diferentes tipos de dificuldade requer que o padrão de erros exibido pela criança se configure de modo confiável e estatisticamente significativo.

Como descrito por A. Capovilla e F. Capovilla (2003c), e F. Capovilla e A. Capovilla (2001b), o insucesso na aceitação de palavras corretas grafofonemicamente irregulares (i.e., Tipo 2–CI) pode indicar dificuldade com o processamento lexical (ou falta dele). Do mesmo modo, o insucesso na rejeição de pseudopalavras homófonas (i.e., Tipo 6–PH) pode indicar a mesma dificuldade com o processamento lexical (ou falta dele) num nível ainda mais acentuado, com uma leitura mais limitada à decodificação fonológica. Quando um examinando ouvinte já tem pelo menos 9 anos de idade e já foi bastante exposto a textos, se ele deixar de rejeitar pseudopalavras homófonas, isso indica que ele está lendo pela rota fonológica, isto é, por decodificação grafofonêmica estrita, sem fazer recurso à rota lexical. Se ele fizesse recurso ao léxico ortográfico e encontrasse nesse léxico as palavras ortográfica e semanticamente adequadas às figuras (e.g., PÁSSARO, SINAL, GELO, ALMOÇO, HOSPITAL, CHAPÉU, MENINO, TÁXI, HOMEM, BOXE), ele seria capaz de identificar as malformações ortográficas das pseudopalavras homófonas e não teria dificuldade em rejeitar essas pseudopalavras. A falha em rejeitá-las sugere falta de representação apropriada no léxico ortográfico, quer por exposição insuficiente à leitura, quer por dificuldade de leitura. Um pouco mais sério é o insucesso na rejeição de pseudopalavras com trocas fonológicas (i.e., Tipo 5–VF), que poderia indicar a mesma falta de recurso ao léxico, mas com o agravante de dificuldades adicionais no próprio processamento fonológico. Já o insucesso na rejeição de palavras semanticamente incorretas (i.e., Tipo 3–VS) poderia indicar falta de acesso ao léxico semântico. Ainda mais sério, o insucesso na rejeição de pseudopalavras com trocas visuais (i.e., Tipo 4–VV) poderia indicar dificuldade com o processamento fonológico e recurso à estratégia de leitura logográfica. Finalmente, o insucesso na rejeição de pseudopalavras estranhas (i.e., Tipo 7–PE) poderia indicar sérios problemas de leitura, com ausência de processamento lexical, fonológico e, mesmo, logográfico. Alternativamente, tal falha em rejeitar pseudopalavras estranhas também poderia sugerir problemas com a atenção concentrada. Devido às relações intrínsecas ao Teste de Competência de Leitura de Palavras, ou seja, entre os sete tipos de pares compostos de figura e escrita, o Teste de Competência de Leitura Silenciosa de Palavras permite a checagem interna das conclusões e a validação cruzada das evidências fornecidas em cada tipo de par ou subteste.

O Quadro 3 sumaria a versão original do TCLP1.1 com os oito itens de treino e os setenta itens de teste na seqüência original, tal como o teste foi aplicado aos examinandos surdos. Para cada um dos 78 itens ordenados, o quadro sumaria a escrita e a figura associadas que compõem o par, a classificação do tipo de par composto de figura e escrita (1–CR: Correta Regular, 2–CI: Correta Irregular, 3–VS: Vizinha Semântica, 4–VV: Vizinha Visual, 5–VF: Vizinha Fonológica, 6–PH: Pseudopalavra Homófona, 7–PE: Pseudopalavra Estranha), e a resposta correta esperada (i.e., aceitar item correto, rejeitar item incorreto).

Quadro 3. Versão original do Teste de Competência de Leitura Silenciosa de Palavras (TCLP1.1), com os oito itens de treino e os setenta itens de teste em sua seqüência original. Cada item é composto de um par composto de escrita e figura associada, e é classificado em sete tipos (i.e., 1–CR, 2–CI, 3–VS, 4–VV, 5–VF, 6–PH e 7–PE), sendo que os tipos corretos (i.e., CR e CI) devem ser aceitos e os incorretos (i.e., VS, VV, VF, PH e PE) devem ser rejeitados. Para cada um dos 78 itens (i.e., pares figura e escrita) encontram-se listadas a escrita e a figura associadas que compõem o par, a classificação do tipo de par figura e escrita (1–CR: Correta Regular, 2–CI: Correta Irregular, 3–VS: Vizinha Semântica, 4–VV: Vizinha Visual, 5–VF: Vizinha Fonológica, 6–PH: Pseudopalavra Homófona, 7–PE: Pseudopalavra Estranha), e a resposta correta esperada (i.e., aceitar para item correto, rejeitar para item incorreto).

SO	Escrita	Figura	Tipo	R	SO	Escrita	Figura	Tipo	R
A	UVA	uva	1–CR	Aceitar	**32**	MAPA	mapa	1–CR	Aceitar
B	LARANJA	banana	3–VS	Rejeitar	**33**	AUMOSSU	almoço	6–PH	Rejeitar
C	JÊNIU	gênio	6–PH	Rejeitar	**34**	DILHA	pião	7–PE	Rejeitar
D	CADEIPA	cadeira	4–VV	Rejeitar	**35**	TEIEUISAO	televisão	4–VV	Rejeitar
E	JUVEIRO	chuveiro	5–VF	Rejeitar	**36**	APATAR	apagar	5–VF	Rejeitar
F	CASA	casa	2–CI	Aceitar	**37**	PINCEL	pincel	2–CI	Aceitar
G	CHAVE	chave	2–CI	Aceitar	**38**	MELOCE	palhaço	7–PE	Rejeitar
H	PAZIDO	xarope	7–PE	Rejeitar	**39**	MAIÔ	maiô	1–CR	Aceitar
1	FADA	fada	1–CR	Aceitar	**40**	CAINELO	chinelo	4–VV	Rejeitar
2	CACHORRO	camundongo	3–VS	Rejeitar	**41**	RÁDIO	telefone	3–VS	Rejeitar
3	XUNVACO	sanfona	7–PE	Rejeitar	**42**	PIJAMA	pijama	1–CR	Rejeitar
4	BRUXA	bruxa	2–CI	Aceitar	**43**	FOTIS	meia	7–PE	Rejeitar
5	CAEBÇA	cabeça	4–VV	Rejeitar	**44**	EXÉRCITO	exército	2–CI	Aceitar
6	HAPELHA	abelha	5–VF	Rejeitar	**45**	OSPITAU	hospital	6–PH	Rejeitar
7	TÁXI	táxi	2–CI	Aceitar	**46**	XAPEL	chapéu	6–PH	Rejeitar
8	PÁÇARU	pássaro	6–PH	Rejeitar	**47**	PIPOTA	pipoca	5–VF	Rejeitar
9	ASPELO	coelho	7–PE	Rejeitar	**48**	AVIÃO	águia	3–VS	Rejeitar
10	BATATA	batata	1–CR	Aceitar	**49**	JACAPÉ	jacaré	4–VV	Rejeitar
11	GAIO	gato	4–VV	Rejeitar	**50**	MININU	menino	6–PH	Rejeitar
12	TREM	ônibus	3–VS	Rejeitar	**51**	BONÉ	boné	1–CR	Aceitar
13	XADREZ	xadrez	2–CI	Aceitar	**52**	JAMELO	tigre	7–PE	Rejeitar
14	FACA	vaca	5–VF	Rejeitar	**53**	RELÓCHIO	relógio	5–VF	Rejeitar
15	FÊRA	pêra	4–VV	Rejeitar	**54**	PRINCESA	princesa	2–CI	Aceitar
16	TOMADA	tomada	1–CR	Aceitar	**55**	MAÇÃ	morango	3–VS	Rejeitar
17	CINAU	sinal	6–PH	Rejeitar	**56**	PARQUE	parque	4–VV	Rejeitar
18	MITU	óculos	7–PE	Rejeitar	**57**	SOCATI	urso	7–PE	Rejeitar
19	CALÇAS	calças	2–CI	Aceitar	**58**	MENINA	menina	1–CR	Aceitar
20	CANCURU	canguru	5–VF	Rejeitar	**59**	TÁCSI	táxi	6–PH	Rejeitar
21	TERRA	árvore	3–VS	Rejeitar	**60**	CHINELO	sapato	3–VS	Rejeitar
22	CRIANQAS	crianças	4–VV	Rejeitar	**61**	EXERCÍCIO	exercício	2–CI	Aceitar
23	JÊLU	gelo	6–PH	Rejeitar	**62**	OFELHA	ovelha	5–VF	Rejeitar
24	RASSUNO	mão	7–PE	Rejeitar	**63**	ESTERLA	estrela	4–VV	Rejeitar
25	BUZINA	buzina	1–CR	Aceitar	**64**	ÓMI	homem	6–PH	Rejeitar
26	SOFÁ	cama	3–VS	Rejeitar	**65**	PONÉCA	boneca	5–VF	Rejeitar
27	AGASALHO	agasalho	2–CI	Aceitar	**66**	SORVETE	bombom	3–VS	Rejeitar
28	MÁCHICO	mágico	5–VF	Rejeitar	**67**	BÓQUISSE	boxe	6–PH	Rejeitar
29	COBRA	peixe	3–VS	Rejeitar	**68**	PIPA	pipa	1–CR	Aceitar
30	TESOURA	tesoura	2–CI	Aceitar	**69**	CATUDO	tênis	7–PE	Rejeitar
31	VENTILATOR	ventilador	5–VF	Rejeitar	**70**	CADEPMO	caderno	4–VV	Rejeitar

Nota: SO: Seqüência original dos oito itens de treino e dos setenta itens de teste aplicados aos examinandos surdos. Escrita: Item escrito que aparece sob a figura. Figura: Ilustração que aparece sobre o item escrito. Tipo: Tipo de par composto por escrita e figura: 1–CR (Correta Regular), 2–CI (Correta Irregular), 3–VS (Vizinha Semântica), 4–VV (Vizinha Visual), 5–VF (Vizinha Fonológica), 6–PH (Pseudopalavra Homófona), 7–PE (Pseudopalavra Estranha). R: Resposta correta esperada, que é Aceitar para itens corretos e Rejeitar para itens incorretos.

4.10.1.2.1.4.) Histórico do TCLP1.1 e estudos preliminares de validade

Embora tenha sido a primeira vez que o Teste de Competência de Leitura Silenciosa de Palavras é aplicado a crianças surdas, a validade da versão tradicional desse teste em mapear o processamento cognitivo de leitura em crianças ouvintes (A. Capovilla & F. Capovilla, 2003c; F. Capovilla & A. Capovilla, 2001a, 2004b; F. Capovilla, A. Capovilla, Macedo, & Duduchi, 2000b; F. Capovilla, Macedo, A. Capovilla, & Charin, 1998) já vinha sendo estabelecida em uma série de estudos recentemente publicados:

- 1.) Um primeiro exemplo de validação é o estudo de F. Capovilla e A. Capovilla (2002a), que demonstrou que crianças que pontuam na faixa igual ou inferior a −1 *DP* (i.e., desvio-padrão) em relação à média no Teste de Competência de Leitura Silenciosa de Palavras (TCLP) apresentam maior dificuldade em discriminar fonemas, menor velocidade de processamento fonológico e menor capacidade de memória de trabalho fonológica, sendo que a dificuldade de percepção da fala tende a aumentar em proporção direta da velocidade com que a fala é apresentada (sobrecarregando, assim, a velocidade de discriminação fonêmica) ou da lentidão com que ela é apresentada (sobrecarregando, assim, a memória de trabalho fonológica);
- 2.) Um segundo exemplo de validação é encontrado no estudo de A. Capovilla, Miyamoto, e F. Capovilla (2002) que demonstrou que crianças com nistagmo pós-rotatório significativamente rebaixado ou significativamente exacerbado, tal como avaliado pelo Teste de Nistagmo Pós-Rotatório do *Sensory Integration and Praxis Test* (Ayres, 1998), tendem a apresentar competência de leitura significativamente rebaixada, tal como medida pelo Teste de Competência de Leitura Silenciosa de Palavras (TCLP). Tal achado corrobora a bibliografia que atribui uma parte substancial dos distúrbios de aprendizagem a problemas de integração sensório-motora (Ayres, 1974, 1995). Por exemplo, Ayres (1978) relatou a presença de rebaixamento do nistagmo pós-rotatório em 50% das crianças com dificuldade de aprendizagem e a presença de exacerbação desse mesmo nistagmo pós-rotatório em outros 13% dos casos. Só em 37% dos casos de distúrbios de aprendizagem é que o nistagmo pós-rotatório se encontrava dentro dos limites da normalidade. Do mesmo modo, em sua revisão bibliográfica, Ottenbacher (1980) identificou uma clara relação entre a disfunção do sistema vestibular e os problemas de aprendizagem escolar, mostrando que as crianças com distúrbio de processamento vestibular, com exacerbação do nistagmo pós-rotatório, apresentam significativamente mais distúrbios de linguagem, além de escores significativamente rebaixados em testes de integração visomotora e de fluência de leitura (A. Capovilla, Miyamoto, & F. Capovilla, 2003a, 2003b);
- 3.) Um terceiro exemplo de validação é encontrado no estudo de A. Capovilla, Suiter, e F. Capovilla (2002), que demonstrou que crianças que pontuam na faixa igual ou inferior a −1 *DP* (i.e., desvio-padrão) em relação à média no Teste de Competência de Leitura Silenciosa de Palavras (TCLP) apresentam desempenho significativamente rebaixado em uma série de testes como:
  - 3.1.) O teste brasileiro normatizado e validado intitulado Prova de Consciência Fonológica por Escolha de Figuras (PCF–F: A. Capovilla & F. Capovilla, no prelo b, baseada na Prova de Consciência Fonológica por Produção Oral PCF–O de A. Capovilla & F. Capovilla, 1997a, 1998b, 1998d, 2003d, e A. Capovilla, F. Capovilla, & Silveira, 1998), tanto no escore total quanto em cada um de seus nove subtestes;
  - 3.2.) A versão brasileira normatizada e validada do Teste de Vocabulário por Imagens Peabody (TVIP: F. Capovilla & A. Capovilla, 1997; F. Capovilla, L. Nunes, Nogueira et al., 1997, F. Capovilla, L. Nunes, D. Nunes et al., 1997; PPVT–B: L. Dunn, D. Dunn, F. Capovilla, & A. Capovilla, 2004a, 2004b); e
  - 3.3.) A versão brasileira do *International Dyslexia Test* (IDT–B: A. Capovilla & F. Capovilla, 2002a, 2002e; A. Capovilla, Smythe, F. Capovilla, & Everatt, 2001), nos subtestes de Ditado, Memória Fonológica, e Desenho de Memória;
- 4.) Um quarto exemplo de validação é encontrado no estudo de A. Capovilla, Machalous, e F. Capovilla (2002a, 2003b), que demonstrou que o Teste de Competência de Leitura Silenciosa de Palavras (TCLP) é sensível à escolaridade e capaz de discriminar entre séries sucessivas da 1ª. à 3ª. série e que, nessa mesma faixa de escolaridade, o desempenho em Teste de Competência de Leitura Silenciosa de Palavras está correlacionado de maneira positiva e significativa com o desempenho no Teste de Vocabulário por Figuras USP (TVFusp: F. Capovilla & A. Capovilla, no prelo b; F. Capovilla, Viggiano, A. Capovilla, Mauricio, & Vilalba, 2002);
- 5.) Um quinto exemplo de validação é encontrado no estudo de A. Capovilla, Machalous, e F. Capovilla (2002b, 2003a), que traduzindo para o Alemão o Teste de Competência de Leitura Silenciosa de Palavras (TCLP–A) e comparando os desempenhos de crianças brasileiras e

alemãs nos vários subtestes, demonstrou a existência de dupla dissociação entre os escores de reconhecimento visual direto e de decodificação grafofonêmica do Teste de Competência de Leitura de Palavras, que foram uma clara função do grau de transparência da ortografia (i.e., Alemão mais transparente e Português menos transparente), isto é, do grau de regularidade grafofonêmica entre as duas ortografias (i.e., alta no Alemão e média no Português). Tal achado é de grande importância para validar o Teste de Competência de Leitura Silenciosa de Palavras em sua versão original em Português, bem como em sua versão traduzida para o Alemão. É também de grande importância para validar todo o modelo teórico em que o teste se fundamenta (A. Capovilla & F. Capovilla, 2003c, 2003d; F. Capovilla & A. Capovilla, 1999, 2001a, 2001b, 2004b). Além disso, o achado é também de grande importância para a Psicologia Cognitiva da Leitura, pois corrobora a hipótese de que a maior transparência do Alemão incentiva a leitura pela rota fonológica, resultando em maior precisão na rejeição de pseudopalavras com trocas visuais (4–VV) mas em menor precisão na rejeição de pseudopalavras homófonas (6–PH), e que a relativamente menor transparência do Português incentiva a leitura pela rota lexical, resultando em maior precisão na aceitação de palavras corretas irregulares (2–CI) mas em menor precisão na rejeição de pseudopalavras com trocas visuais (4–VV);

- 6.) Um sexto exemplo de validação é encontrado no estudo longitudinal de A. Capovilla, Gütschow, e F. Capovilla (2002a) sobre a fidedignidade do Teste de Competência de Leitura Silenciosa de Palavras (TCLP), que demonstrou que os escores que as crianças obtêm durante a pré-escola predizem de modo confiável seus escores um ano depois, quando elas já cursam a 1ª. série, o que sugere que os resultados do teste são estáveis e confiáveis;
- 7.) Um sétimo exemplo de validação é encontrado no estudo de A. Capovilla, Gütschow, e F. Capovilla (2002b) que demonstrou que a competência de leitura na 1ª. série, tal como avaliada pelo TCLP, pode ser predita com precisão a partir dos escores das habilidades de aritmética, memória fonológica, consciência fonêmica e vocabulário (A. Capovilla & F. Capovilla, 2002b), além de seqüenciamento apresentadas na pré-escola. De modo geral, esse estudo demonstrou que o desempenho em leitura e escrita correlaciona-se de forma positiva e significativa com as habilidades de processamento fonológico, mas não com as habilidades de processamento visual e motor, como a cópia de figuras e a qualidade da escrita, corroborando, assim, o modelo do déficit fonológico para a explicação dos distúrbios de leitura e escrita (Grégoire & Piérart, 1997);
- 8.) Um oitavo e último exemplo de validação do uso do Teste de Competência de Leitura Silenciosa de Palavras (TCLP) com crianças ouvintes é encontrado nos estudos de A. Capovilla & F. Capovilla (2002d) e de A. Capovilla e F. Capovilla (2003c). Os dois estudos usaram o Teste de Competência de Leitura Silenciosa de Palavras para avaliar a competência de leitura, em termos de reconhecimento e decodificação de palavras isoladas, juntamente com o Teste de Compreensão de Leitura de Sentenças (TCLS: F. Capovilla, Macedo, A. Capovilla, & Charin, 1998; F. Capovilla, Macedo, & Charin, 2001; F. Capovilla, Viggiano, A. Capovilla, Raphael, Bidá, Neves, & Mauricio, 2004) para avaliar a compreensão de texto. Este último teste avalia o processamento semântico no nível da sentença e requer, portanto, habilidades sintáticas consideráveis para o processamento da estrutura superficial de sentenças convolutas, e a extração bem sucedida de seu significado. Os dois estudos avaliaram, ao final do ano letivo, a competência de leitura, em termos de reconhecimento e decodificação de palavras isoladas e a compreensão de leitura de texto. Enquanto o primeiro estudo avaliou a competência de leitura de palavras e de textos por parte de 166 estudantes de 1ª. série de duas escolas de Ensino Fundamental, sendo três classes de cada escola; o segundo estudo avaliou as mesmas funções em 345 alfabetizandos provenientes de quatorze classes de 1ª. série de escolas municipais de Ensino Fundamental do interior do estado de São Paulo. O objetivo dos dois estudos foi o de comparar a eficácia relativa dos métodos fônico e global no ensino de leitura e escrita pelas professoras em sala de aula. Para tanto, os estudos compararam as habilidades de reconhecimento e decodificação de palavras isoladas e de compreensão de texto como função do método de ensino (i.e., fônico *versus* global ou ideovisual) adotado por suas professoras. De modo a caracterizar os métodos de ensino empregados pelas professoras, ao mesmo tempo que as crianças respondiam aos dois testes, as professoras responderam a um questionário com perguntas sobre, dentre outras coisas, a porcentagem de tempo dedicado ao ensino de leitura com base em fonemas e a porcentagem de tempo dedicado ao ensino de leitura com base em textos. Os escores das crianças nos dois testes foram analisados como função da porcentagem de tempo dedicado pelas suas professoras para o ensino de leitura a partir de fonemas ou de textos. Os resultados dos estudos mostraram que, na faixa total de 0% a 30% de tempo que foi indicada pelas professoras, quanto maior a porcentagem de tempo dedicado pela professora ao ensino baseado em fonemas, tanto maiores os escores nos dois testes de competência de leitura

e de compreensão de texto (i.e., TCLP e TCLS); e que, reciprocamente, na faixa total de 0% a 40% de tempo indicada pelas professoras, quanto maior a porcentagem de tempo dedicado pelas professoras ao ensino baseado em textos, tanto menores os escores nos dois testes de competência de leitura e de compreensão de texto. Em suma, analisando a competência de leitura de palavras e de textos por parte das crianças ao fim do ano letivo de alfabetização como função do tipo de atividade em que as professoras decidiram investir seu tempo durante o ano letivo, os estudos demonstraram que o desenvolvimento das crianças ao final do ano letivo é diretamente proporcional ao tempo dedicado à aprendizagem baseada em fonemas, e inversamente proporcional ao tempo dedicado à aprendizagem baseada em textos. Ou seja, considerando a distribuição de tempo dedicada ao ensino de leitura no início do ano letivo de alfabetização, quanto maior o tempo dedicado ao ensino por fonemas e quanto menor o tempo dedicado ao ensino por textos, tanto maiores os escores nos testes de competência de leitura de palavras (TCLP) e de compreensão de leitura de sentenças (TCLS) ao final do ano letivo.

É importante ressaltar aqui as implicações de longo alcance para a alfabetização brasileira desses estudos conduzidos com o Teste de Competência de Leitura Silenciosa de Palavras. Tais achados coadunam-se perfeitamente com os achados internacionais na área (e.g., Blachman, 1991; Blischak, 1994; Borstrom & Elbro, 1997; Bradley & Bryant, 1983; Byrne & Fielding-Barnsley, 1993; Byrne, Freebody, & Gates, 1992; Calfee, Lindamood, & Lindamood, 1973; F. Capovilla & A. Capovilla, 1999, 2004b; Elbro, Rasmussen, & Spelling, 1996; Ellis & Young, 1988; Freebody & Byrne, 1988; Goswami, 1997; Grégoire & Piérart, 1997; Jenkins & Bowen, 1994; Lie, 1991; Lundberg, Frost, & Petersen, 1988; McGuinness, McGuinness, & Donohue, 1995; *National Reading Panel*, 2000; Pratt & Brady, 1988; Read, Zhang, Nie, & Ding, 1986; Schneider, Küspert, Roth, Visé, & Marx, 1997; Share, 1995; Torgesen, Wagner, & Rashotte, 1994; Vandervelden & Siegel, 1995; Vellutino, 1991; Warrick, Rubin, & Rowe-Walsh, 1993). Ao mesmo tempo, esses estudos têm implicações vitais para a urgentemente necessária atualização e correção dos Parâmetros Curriculares Nacionais na área de alfabetização (Ministério da Educação, 2001), que se encontram em triste contradição com a evidência científica resultante de 115 mil estudos científicos publicados sobre métodos de alfabetização e em flagrante disparidade com os parâmetros de países desenvolvidos como os Estados Unidos, a França, e a Inglaterra, dentre outros, conforme os sites do *National Institute of Child Health and Human Development*, 2000; *Observatoire National de la Lecture*, 1998; *UK Government's Department for Education and Employment*, 2000, respectivamente, e conforme documentado em A. Capovilla e F. Capovilla (2003c) e em Cardoso-Martins, F. Capovilla, Gombert, Oliveira, Morais, Adams, e Beard (2003).

A crítica aos equívocos dos Parâmetros Curriculares Nacionais na área de alfabetização explica a procedência de uma série de dados alarmantes como, por exemplo:

- 1.) Porque o Brasil ocupou, em 2001, a última posição do mundo (o 36º. dentre 36 países) em competência de leitura, segundo o levantamento do PISA promovido pela Organização para a Cooperação e Desenvolvimento Econômico (Kaminski & Gil, 2001a, 2001b; Suwwan, 2001; Weber & Avancini, 2001a, 2001b);
- 2.) Porque ocupou, em 2003 a penúltima posição do mundo dentre 41 países segundo dados publicados em *Literacy Skills for the World of Tomorrow* pela Unesco–OCDE (matéria intitulada *Brasil é penúltimo de 41 países no desempenho escolar*, publicada na *Folha On Line*, 01/07/2003, e disponível na Internet no endereço http://www1.folha.uol.com.br/folha/educacao/ult305u13178.shtml);
- 3.) Porque, segundo dados do Sistema de Avaliação do Ensino Básico (Saeb) do Instituto Nacional de Pesquisas Educacionais (Inep) do próprio Ministério da Educação (MEC) na publicação intitulada *Relatório Saeb 2001 – Língua Portuguesa* (Ministério da Educação, 2002c), apenas 4% dos alunos de 4ª. série têm desempenho aceitável, acima do mínimo admissível; porque, segundo esses dados do MEC, apesar de os dados já terem estado bem abaixo do mínimo admissível em 1995, continuou havendo queda sistemática de 1995 até 2001 na competência de leitura de alunos de 1ª., 4ª. e 8ª. séries do Ensino Fundamental e 1ª. série do Ensino Médio; e
- 4.) Porque os dados da Unesco–Orealc (2000) mostram que, no Ensino Fundamental, 86% dos estudantes cubanos que são alfabetizados pelo método fônico têm competência de leitura superior à do estudante brasileiro e argentino que vêm sendo submetidos ao método de alfabetização global desde início dos anos 1980;
- 5.) Porque os dados do próprio Ministério da Educação mostram que os cursos de pedagogia têm exibido muito baixa competência na formação de alfabetizadores, sendo que alfabetizadores com diploma de Ensino Superior (i.e., pedagogos) têm desempenho apenas minimamente acima (i.e., 10%) do sofrível desempenho de professores alfabetizadores com diploma apenas de Ensino Médio (i.e., normalistas).

O seguinte fato ajuda a revelar que a origem do problema está nos PCNs brasileiros sobre alfabetização: Até meados da década de 1990, a Inglaterra tentava alfabetizar usando o mesmo método global ou ideovisual que até hoje continua sendo pregado nos PCNs brasileiros. Em conseqüência, em 1996 foi descoberto que a Inglaterra tinha 45% da sua população escolar abaixo dos padrões mínimos aceitáveis estabelecidos pelo próprio governo (Brooks, Pugh, & Schagen, 1996), por meio da Unidade de Padrões e Eficácia do Departamento de Educação britânico. Em conseqüência desse dado alarmante, essa mesma Unidade de Padrões e Eficácia do Departamento de Educação britânico, em seu documento intitulado Estratégia de Alfabetização Nacional, determinou fortemente que fossem oficialmente incorporadas instruções fônicas e metafonológicas explícitas na alfabetização da população escolar inglesa. Em conseqüência dessa corajosa medida tomada em 1997, poucos anos depois a porcentagem de fracasso caiu de 45% para apenas 20%, sendo que, já quatro anos depois da mudança, os estudantes ingleses de 10 anos de idade conseguiram galgar a terceira posição do mundo em competência de leitura (Twist, Sainsbury, Woodthorpe, & Whetton, 2003). Mais informações sobre tais dados e como mudar os Parâmetros Curriculares Nacionais em alfabetização a exemplo do que já fez o mundo desenvolvido, após profunda reflexão (Beard, 1990, 1999, 2000; Hempenstall, 1997, Hintz, 1997; Lehr, 1994; Lehman, 1997; MJENR, 2002, 2003a, 2003b; MJENR-ONL, 1998; NRP-NICHHD, 2000; SEfUDEE, 1997, 1998a, 1998b, 1999, 2000, 2003) e intensas metanálises (Glass, McGaw, & Smith, 1981; Mullen & Rosenthal, 1985) de 115 mil estudos científicos publicados sobre alfabetização desde 1920, podem ser obtidas em A. Capovilla e F. Capovilla (2003c), F. Capovilla (2003a) e Cardoso-Martins, F. Capovilla, Gombert, Oliveira, Morais, Adams, e Beard (2003). Considerações muito importantes do mesmo tema também podem ser encontradas em Oliveira (2002). A propósito, recentemente foram publicadas no Brasil implementações comprovadamente eficazes do método fônico conforme os mais rigorosos e atualizados parâmetros internacionais por meio de livros especificamente destinados ao professor (A. Capovilla & F. Capovilla, 2003c, 2003d) e ao aluno (A. Capovilla & F. Capovilla, 2003a, 2003b), que mereceram considerações elogiosas por parte de especialistas nacionais e internacionais em alfabetização (e.g., Moura-Castro, 2003; Oliveira, 2003).

Todas essas recomendações quanto à importância de instruções explícitas sistematicamente programadas e administradas de acordo com modelos teóricos de processamento de informação que vêm se mostrando eficazes para produzir o desenvolvimento documentado de competências de leitura e escrita bem definidas valem, igualmente, para a alfabetização de surdos, em que diversas revisões bibliográficas recentes têm revelado as abordagens e os procedimentos mais promissores e em que vários estudos controlados de intervenção sistemática recentemente conduzidos têm produzido resultados interessantes. Até meados dos anos de 1980, apesar das evidências sobre a dificuldade de leitura apresentadas pelos surdos (e.g., Karchmer, Allen, Petersen, & Quaynor, 1982), ainda não havia qualquer consenso, no campo de educação de surdos, quanto à melhor forma de desenvolver leitura e escrita. Mais recentemente, Luetke-Stahlman, Hayes, e Nielsen (1996) conduziram uma revisão da literatura de pesquisa sobre as práticas de ensino de leitura com vistas a identificar as mais promissoras e orientar professores e pais sobre como empregá-las, e se confessaram especialmente impressionados com o trabalho de Adams (1990) com respeito às práticas comprovadamente capazes de promover leitura proficiente em estudantes ouvintes. A propósito, essa mesma autora, Marilyn Jaeger Adams, integrou a comissão internacional de especialistas que, recentemente, no livro intitulado *Alfabetização infantil: Os novos caminhos* (Cardoso-Martins, F. Capovilla, Gombert, Oliveira, Morais, Adams, & Beard, 2003), apontou o caminho da solução para a alfabetização brasileira. Luetke-Stahlman, Hayes e Nielsen também se mostraram particularmente impressionados com o trabalho de Hoggan e Strong (1994) sobre técnicas para ensino de surdos. O resultado dessa revisão bibliográfica foi um quadro teórico-conceptual e uma descrição das dez práticas consideradas mais essenciais para o ensino de leitura proficiente, com especial ênfase em programas que empregam métodos de leitura em voz alta, leitura compartilhada entre adultos e crianças, e leitura guiada por adultos, nos quais os professores servem de modelo para pais e outros dedicados em desenvolver habilidade de leitura na criança surda.

Além dessas práticas de leitura em voz alta, leitura compartilhada entre adultos e crianças, e leitura guiada por adulto, o estudo de Gillespie e Twardosz (1996) levantou as diversas práticas de ensino de leitura que vêm sendo empregadas em 26 escolas para surdos no regime de internato espalhadas nos Estados Unidos. De acordo com esses autores, tais práticas incluem períodos em que o supervisor lê para a criança, outros em que ele supervisiona o dever de casa da criança, e outros ainda em que acompanha a criança fazendo leitura independente e escrevendo cartas. Além desses procedimentos, os autores fortemente recomendam que as escolas adotem rodízios regulares em que a disponibilidade de materiais de leitura interessantes e estimulantes é alternada entre elas; que as escolas reservem um tempo especificamente dedicado à leitura de livros de estórias; e que elas planejem eventos em grupo relacionados à aquisição de leitura, tais como sessões de contar estórias ou de ler livros de estórias.

De modo consistente com essas recomendações, o estudo de Gillespie e Twardosz (1997) demonstrou que o simples oferecimento de livros em rodízio não basta para promover o desenvolvimento de habilidades de leitura independente fora da sala de aula, e que é preciso programar sessões de leitura conjunta de livros de estórias em que os leitores usam um estilo expressivo e interativo. Nesse estudo com dezoito surdos de 4 a 11 anos, foi observado que os estudantes surdos que participaram de um programa de quarenta sessões (i.e., duas vezes por semana durante cinco meses) de leitura de livros de estórias em grupo apresentaram leitura mais independente e maior interesse em livros do que seus colegas que não participaram do programa. Os autores ressaltam que o estilo expressivo e interativo dos leitores é fundamental para manter o engajamento dos alunos surdos no programa e, assim, os ganhos desse programa. Portanto, para tirar o maior proveito possível do rodízio de livros, os autores recomendam sessões de leitura conjunta de livros de estórias em que os leitores usam um estilo expressivo e interativo.

O advento de instrumentos neuropsicológicos e psicométricos como os Testes de Competência de Leitura de Palavras e de Sentenças (TCLP e TCLS), para avaliar o desenvolvimento da competência de leitura e das diferentes rotas de leitura, permitirá replicar e expandir sistematicamente todos esses estudos de modo a comparar a eficácia relativa desses diferentes procedimentos de ensino de leitura a escolares surdos brasileiros com as mais variadas características.

4.10.1.2.1.5.) Modos de aplicação do TCLP1.1

A versão original do Teste de Competência de Leitura de Palavras (TCLP1.1) pode ser aplicada tanto individualmente no contexto clínico quanto coletivamente no contexto educacional em sala de aula. Nos dois casos é empregado o *Caderno de aplicação*, que contém os oito itens de treino, bem como os setenta itens distribuídos em ordem contrabalançada semi-aleatória. O estudo sobre a versão original do Teste de Competência de Leitura de Palavras (TCLP1.1: F. Capovilla, Viggiano, A. Capovilla, Raphael, Mauricio, & Bidá, 2004) contém o *Caderno completo de aplicação do TCLP1.1* no Anexo 1 daquele estudo, e o *Caderno completo de aplicação do TCLP1.2* no Anexo 2 do mesmo estudo.

As duas versões do TCLP, a original TCLP1.1 e a reordenada TCLP1.2, são eficientemente implementadas como testes de papel e lápis, cada qual em seu caderno de aplicação. Além disso, as duas versões também se encontram disponíveis para execução em computador com plataforma Windows, para avaliação de crianças surdas com os mais severos e variados tipos de impedimento motor (e.g., amputação ou defeitos congênitos) e de distúrbios neuromotores (e.g., tetraplegia por lesão cervical, paralisia cerebral ou esclerose lateral amiotrófica) que se encontrem incapacitadas de segurar um lápis ou sequer de apontar com os dedos para assinalar a alternativa correta (Cederbaum, 1996). As duas versões computadorizadas permitem dois tipos de seleção:

- 1.) Direta por mouse ou tela sensível ao toque; e
- 2.) Indireta por varredura automática e dispositivos sensíveis ao movimento.

Nos dois casos, imediatamente após o término da sessão, a versão computadorizada oferece automaticamente uma tabela de dados do examinando, sendo que, para cada um dos itens, esse relatório em forma de tabela fornece a alternativa escolhida, o tempo despendido na escolha, e o escore 1 para acerto ou 0 para erro. Além disso, ao final da coluna, aparece o escore total obtido pelo examinando (i.e., a freqüência de acertos) e o tempo total despendido em responder ao teste.

Para as duas versões no modo de seleção indireto, o computador faz varredura automática entre as alternativas de escolha (i.e., aceitar *versus* rejeitar) sendo que, para escolher entre essas alternativas, tudo que o examinando surdo paralisado ou amputado tem de fazer é emitir um movimento como o piscar, quando a alternativa desejada estiver disponível para escolha, movimento esse que é captado por detetor infravermelho. O parâmetro temporal de varredura (F. Capovilla, Thiers, & Macedo, 2002; F. Capovilla, Thiers, Macedo, & Duduchi, 1998; F. Capovilla, Thiers, Macedo, Raphael, & Duduchi, 1998; F. Capovilla, Thiers, & A. Capovilla, 2003) e o tipo de acionador (Charin & F. Capovilla, 2000; Macedo & F. Capovilla, 2000a) são adaptados precisamente às características neuromotoras (F. Capovilla, Macedo, Duduchi, A. Capovilla, & Thiers, 1998) do examinando surdo (F. Capovilla, Macedo, A. Capovilla, Thiers, Raphael, & Duduchi, 1998). Essas versões computadorizadas também são implementadas com seleção direta por toque sobre tela sensível, sendo que elas coletam e tabulam dados automaticamente, produzindo um relatório de resultados após a aplicação (Macedo, F. Capovilla, & Sazonov, 2000), incluindo o acerto total e em cada um dos sete subtestes, o tipo e a freqüência de erro, e o tempo de resposta por subteste. Tais versões computadorizadas foram elaboradas a partir de tecnologia acumulada na última década (F. Capovilla, A. Capovilla, & Macedo, 2001a; F. Capovilla, Gonçalves, & Macedo, 1998; F. Capovilla, Macedo, A. Capovilla, Thiers, & Duduchi, 1997; Gonçalves, Macedo, Sennyey, & F. Capovilla, 2000; Macedo, Gonçalves, F. Capovilla, &

Sennyey, 2002) para avaliar examinandos surdos e ouvintes com paralisia cerebral (F. Capovilla, Macedo, Duduchi, A. Capovilla, & Gonçalves 1998; F. Capovilla & Nunes, 2003; Thiers, F. Capovilla, Charin, Duduchi, & Macedo, 2000), esclerose lateral amiotrófica (F. Capovilla, A. Duduchi, Macedo, A. Capovilla, & Sazonov, 2000; Lima, Macedo, F. Capovilla, & Sazonov, 2000) e afasia (F. Capovilla, 1997a; F. Capovilla, A. Capovilla, Macedo, & Duduchi, 2000a; Macedo, F. Capovilla, Charin, & Duduchi, 1998).

Além dessas versões para computadores locais, as duas versões também estão disponíveis na Internet (Macedo, F. Capovilla, Diana, & Covre, 2002), num sistema capaz de promover a teleavaliação do escolar surdo brasileiro de todos os estados da federação, com vistas a auxiliar a subsidiar políticas públicas de educação do surdo brasileiro em nível nacional.

Como é muito provável que os desempenhos variem como função do modo de aplicação de cada uma das duas versões (i.e., a original TCLP1.1 e a reordenada TCLP1.2), é recomendável que sejam geradas normas específicas para cada uma dessas versões sob cada um dos diferentes modos de aplicação, em termos de aplicação individual ou coletiva, ou

- 1.) Aplicação com *Caderno de aplicação*; ou
- 2.) Aplicação computadorizada local com tela sensível ao toque; ou
- 3.) Aplicação computadorizada local com varredura automática com diferentes intervalos temporais de varredura e diferentes tipos de acionamento (conforme já foi feito em F. Capovilla, A. Capovilla, & Macedo, 2001a; F. Capovilla, Thiers, A. Capovilla, Macedo, Duduchi, & Guedes, 2002; F. Capovilla, Thiers, Macedo, 2002; F. Capovilla, Thiers, Macedo, Duduchi, 1998; e F. Capovilla, Thiers, Macedo, Raphael, & Duduchi, 1998); ou
- 4.) Aplicação computadorizada remota via Internet para teleavaliação de examinandos surdos em todo o território nacional.

Na presente série de estudos, a tabela de dados normativos da versão original TCLP1.1 foi gerada a partir de aplicação coletiva por meio de *Caderno de aplicação do TCLP1.1*. Logo, essa tabela de dados normativos do TCLP1.1 (F. Capovilla, Viggiano, A. Capovilla, Raphael, Mauricio, & Bidá, 2004) reflete os resultados desse modo de aplicação coletiva. Numa nova série de estudos de normatização e validação, a versão reordenada TCLP1.2 já vem sendo normatizada e validada por aplicação coletiva, e usa o *Caderno de aplicação do TCLP1.2.*

4.10.1.2.2.) A versão original do Teste de Competência de Leitura de Sentenças (TCLS1.1) para avaliar a compreensão de leitura de sentenças e o processamento sintático para extração de significado

4.10.1.2.2.1.) Natureza e objetivos do TCLS1.1

O Teste de Competência de Leitura de Sentenças (TCLS: F. Capovilla, Viggiano, A. Capovilla, Raphael, Bidá, Neves, & Mauricio, 2004) permite avaliar a compreensão de leitura de sentenças. O TCLS é composto de quarenta sentenças escritas em Português com diferente extensão (i.e., número de palavras componentes) e complexidade sintática e lexical (i.e., estrutura gramatical e variedade de palavras), sendo que a cada sentença há cinco figuras alternativas para a escolha daquela que melhor corresponde à sentença. O TCLS consiste em um caderno com cinco itens de treino e quarenta itens de teste. Cada item consiste em uma sentença escrita em Português seguida de cinco figuras alternativas para escolha. A tarefa do examinando consiste em ler a sentença e escolher a figura que melhor corresponde à sentença, assinalando essa figura. Um bom desempenho no teste indica boa compreensão de leitura, com boas habilidades de reconhecimento visual de palavras e decodificação de palavras, bom vocabulário de leitura, boas habilidades de análise sintática e de síntese semântica, e boa memória de trabalho. Contudo, um desempenho insatisfatório pode decorrer de uma série de fatores, que requerem análise ulterior. Tais fatores podem envolver habilidades lingüísticas gerais relacionadas à compreensão de linguagem primária (i.e., compreensão de fala em Português pelo ouvinte ou de sinalização em Libras pelo surdo), que são anteriores às habilidades lingüísticas secundárias relacionadas à compreensão da linguagem escrita, as quais são específicas à leitura.

O teste apresenta-se em duas versões de papel e lápis eficientemente implementadas em cadernos de aplicação: A original (TCLS1.1) e a reordenada (TCLS1.2). Nessa versão reordenada (TCLS1.2), ao longo dos itens, as sentenças aumentam em extensão (i.e., número de palavras componentes), complexidade sintática e lexical (i.e., relações gramaticais e vocabulário), e complexidade de suas relações de correspondência com as figuras alternativas de escolha. Há também uma versão computadorizada para avaliação de crianças surdas com distúrbios neuromotores, e uma versão preliminar para Internet (Macedo, F. Capovilla, Diana, & Covre, 2002). O compêndio de avaliação do desenvolvimento da linguagem de sinais, leitura e escrita na criança surda (F. Capovilla & Viggiano, 2004) apresenta a versão computadorizada reordenada 1.2 do Teste de Competência de Leitura de Sentenças (TCLS1.2–Comp: Macedo, F. Capovilla, A. Capovilla, Charin, Duduchi, Diana, & Covre, 2004). A versão computadorizada faz varredura automática entre as cinco figuras alternativas de escolha para cada uma das quarenta sentenças que compõem o teste.

Numa prova de compreensão de leitura de sentenças, para que se possa atribuir um desempenho pobre a um problema de leitura e não meramente de linguagem em geral, é preciso demonstrar que o examinando é capaz de compreender as sentenças quando as ouve, mas não quando as lê. Ou seja, é preciso demonstrar que, embora o examinando não consiga compreender as sentenças que tenta ler, ele consegue, sim, compreender as mesmas sentenças quando estas lhe são faladas em Português (no caso da criança ouvinte) ou sinalizadas em Libras (no caso da surda). Essa avaliação elementar dos dois sistemas de escrita (i.e., o primário de compreensão da fala ou da sinalização; e o secundário, de compreensão de leitura) é fundamental para que se possa analisar especificamente o desenvolvimento dos mecanismos de processamento de leitura propriamente ditos.

Na criança ouvinte, o diagnóstico diferencial de dificuldades de compreensão auditiva lingüística em geral e de compreensão mais especificamente de leitura em particular é auxiliado pelo *Teste Contrastante de Compreensão de Sentenças: Compreensão Auditiva versus Compreensão de Leitura* (F. Capovilla, Macedo, & Charin, 2001). Na criança surda, a avaliação diferencial de dificuldades de compreensão visual em Libras e de compreensão mais especificamente de leitura de Português é auxiliada pelo *Teste Contrastante de Compreensão de Sentenças: Compreensão em Libras versus Compreensão de Leitura em Português*. Nos dois casos, de surdos e ouvintes, o objetivo é separar as habilidades lingüísticas em geral (e.g., vocabulário receptivo, competência sintática) das habilidades lingüísticas mais específicas à leitura (e.g., decodificação grafofonêmica e reconhecimento visual de palavras). Para examinandos surdos e ouvintes, a prova de compreensão de leitura é a mesma (i.e., o *Teste de Compreensão de Leitura de Sentenças* ou TCLS), sendo que o que muda é apenas a outra prova que, para examinandos ouvintes, é o *Teste de Compreensão Auditiva de Sentenças Faladas*; e, para examinandos surdos, é o *Teste de Compreensão Visual de Sentenças Sinalizadas*. Embora a compreensão de sentenças faladas ou sinalizadas seja normalmente maior que a de sentenças escritas, essa disparidade tende a ser substancialmente maior nas crianças com dificuldade de leitura (Grégoire & Piérart, 1997; Sternberg & Grigorenko, 2003). No estudo especificamente dedicado ao TCLS1.1 (F. Capovilla, Viggiano, A. Capovilla, Raphael, Bidá, Neves, & Mauricio, 2004), as quarenta sentenças que compõem o teste encontram-se agrupadas por grau de dificuldade, definido em termos da série escolar em que se observou que cada sentença passa a ser apropriadamente decodificada em seu significado pela maioria dos escolares daquela série. Além disso, aquele mesmo estudo fornece a versão revisada TCLS1.3 com os quarenta itens reordenados por grau crescente de dificuldade determinado empiricamente.

4.10.1.2.2.2.) Breve substrato teórico e arrazoado do TCLS1.1

A compreensão e o processamento de unidades lingüísticas amplas como frases, enunciados e textos são habilidades complexas que compreendem dois tipos de elementos: Um componente específico à leitura e um outro componente geral, não específico à leitura. Segundo Stanovich (1988, 1991), os processos de reconhecimento visual e de decodificação de palavras isoladas são os únicos componentes específicos à leitura. Os componentes gerais, não específicos ao processo de leitura, dizem respeito à compreensão da linguagem e envolvem atenção, memória, inteligência e conhecimentos gerais, que permitem a integração sintática e semântica relacionada à compreensão e interpretação de textos (Perfetti, 1985) e à compreensão da fala (Content, 1990; Fayol, 1992).

Gough e Tunmer (1986) expressam isso na fórmula: $L = D \times C$, em que L é a *competência de leitura*, D é a capacidade específica de *decodificação* ou reconhecimento, e C é a capacidade lingüística geral de *compreensão*. O sinal x indica a natureza interativa e não-aditiva da relação entre decodificação e compreensão. O produto L (i.e., a competência de leitura) será sempre zero se um dos componentes for zero. Ou seja, ainda que tenha pleno conhecimento da situação de que trata o texto, uma criança pode não compreender esse texto simplesmente porque não consegue decodificar as palavras que o compõem, como nos casos do analfabeto e do disléxico. Por outro lado, ainda que tenha ótima capacidade de decodificar, uma criança pode não compreender um texto, simplesmente por não ter conhecimento da situação que é tratada nesse texto, como no caso do hiperléxico (Content, 1990). Nos dois casos, a competência de leitura será nula (i.e., $L = 0$). No primeiro caso porque a decodificação é nula (i.e., $D = 0$, já que $0 \times 1 = 0$); no segundo caso porque a compreensão é nula (i.e., $C = 0$, já que $1 \times 0 = 0$). A criança só terá competência de leitura se tiver boas habilidades de decodificação e de reconhecimento de palavras, além de boas habilidades de compreensão de linguagem (i.e., linguagem primária, ou seja, fala ou sinal). Contudo, conforme Braibant (1997), a variável mais importante diz respeito ao grau de precisão, rapidez, automatismo e fluência da decodificação e do reconhecimento visual, pois só quando tais processos se tornam automáticos e fluentes é que os recursos cognitivos passam a poder ser liberados para concentrar-se nos processos de compreensão do texto.

Para que o problema da criança possa ser caracterizado como sendo especificamente de leitura e não meramente de linguagem em geral, é preciso demonstrar não apenas que a criança não consegue compreender as palavras e sentenças que tenta ler: É preciso demonstrar, também, que ela é, de fato, capaz de compreender as mesmas palavras e sentenças quando estas lhe são faladas em Português (no caso da criança ouvinte) ou sinalizadas em Libras (no caso da surda).

O *Teste Contrastante de Compreensão de Sentenças: Compreensão Auditiva versus Compreensão de Leitura* (F. Capovilla, Macedo, & Charin, 2001) é empregado com o examinando ouvinte para o diagnóstico diferencial de dificuldades de compreensão auditiva lingüística em geral e de compreensão mais especificamente de leitura. O mesmo teste adaptado em Libras (i.e., o *Teste Contrastante de Compreensão de Sentenças: Compreensão em Libras versus Compreensão de Leitura*) é empregado com o examinando surdo para a avaliação diferencial de dificuldades de compreensão visual em Libras e de compreensão mais especificamente de leitura de Português.

Nos dois casos, de surdos e ouvintes, o objetivo é analisar separadamente as habilidades lingüísticas em geral (e.g., vocabulário receptivo, competência sintática) das habilidades lingüísticas mais específicas à leitura (e.g., decodificação grafofonêmica ou grafoquirêmica e reconhecimento visual de palavras). Para examinandos surdos e ouvintes, a prova de compreensão de leitura é a mesma (i.e., o *Teste de Compreensão de Leitura de Sentenças* ou TCLS), sendo que o que muda é apenas a outra prova, ou seja, a de habilidades receptivas na língua primária, que é de compreensão de sinalização em Libras para surdos e de compreensão de fala em Português para ouvintes. Para examinandos ouvintes, essa prova de habilidades receptivas na língua primária avalia a compreensão de fala em Português e é chamada de *Teste de Compreensão Auditiva de Sentenças Faladas em Português*. Já, para examinandos surdos, essa prova de habilidades receptivas na língua primária avalia a compreensão de sinalização em Libras e é chamada de *Teste de Compreensão Visual de Sentenças Sinalizadas em Libras*. Embora nos examinandos em geral o desempenho nas sentenças escritas seja significativamente inferior ao desempenho nas sentenças faladas ou sinalizadas, nos examinandos com dificuldade de compreensão de leitura, tal disparidade é substancial e significativamente maior.

Na presente série de estudos com crianças surdas, foi aplicado apenas o *Teste de Compreensão de Leitura de Sentenças* (também denominado Teste de Competência de Leitura de Sentenças, TCLS) e só ele se encontra descrito. Esse teste consiste em cinco itens de treino e quarenta itens de teste, sendo que cada item é composto de uma sentença e de cinco figuras alternativas para a escolha daquela que melhor combina com a sentença.

O arrazoado do uso do teste para fins de diagnóstico é o seguinte: A partir da aplicação das duas provas (i.e., de compreensão lingüística em geral e de compreensão de leitura), se for observado um déficit diferencial de compreensão de leitura, pode-se prescindir de testes psicométricos de inteligência (Siegel, 1988) como o WISC III–R (Wechsler, 1991), e concentrar esforços na avaliação neuropsicológica cognitiva específica à leitura para avaliar a integridade e o grau de desenvolvimento dos mecanismos de leitura por decodificação grafofonêmica (i.e., rota perilexical) e de reconhecimento visual direto (i.e., rota lexical). Para começar a identificar os tipos de processo que se encontram ainda incipientes ou, mesmo, comprometidos, pode-se usar o TCLP para ouvintes (como em A. Capovilla & F. Capovilla, 2003c; F. Capovilla & A. Capovilla, 2001b, 2002a, 2004b; F. Capovilla, Macedo, & Charin, 2001) ou para surdos (como em F. Capovilla, Viggiano, A. Capovilla, Raphael, Mauricio, & Bidá, 2004). No caso de crianças ouvintes e falantes, também podem ser empregadas a Prova de Escrita sob Ditado (A. Capovilla & F. Capovilla, 1998b, 2003d) e a Prova de Leitura em Voz Alta CronoFonos (A. Capovilla, F. Capovilla, & Macedo, 1998; F. Capovilla, A. Capovilla, & Macedo, 2001b; F. Capovilla, Macedo, Duduchi, & Sória, 1999) programadas com a lista de itens psicolingüísticos de Pinheiro (1994), juntamente com as tabelas de dados normativos para leitura e escrita dessa lista publicados por A. Capovilla e F. Capovilla (1998b, 1998c, 2003d), ou a lista de pseudopalavras de Parente e Manarini (no prelo) empregada em F. Capovilla, A. Capovilla, e Macedo (2001b). Além de leitura, escrita e consciência fonológica, podem também ser avaliadas outras funções cujo comprometimento quase que invariavelmente resulta em problemas na aquisição de leitura e escrita, tais como o processamento auditivo central (F. Capovilla, 2002c, 2002d; Keith, 1986; Pereira & Schochat, 1997) e a integração sensório-motora, tal como avaliada pelas provas de equilíbrio e de nistagmo pós-rotatório (e.g., A. Capovilla, Miyamoto, & F. Capovilla, 2002).

Por outro lado, se o déficit for mais geral e não especificamente restrito à leitura, comprometendo tanto a compreensão da fala ou da sinalização quanto a da leitura, isso indica que não se trata de um distúrbio específico de leitura, mas talvez de linguagem (com comprometimento de habilidades sintática e semântica) ou de um rebaixamento cognitivo geral. Nesse caso, o WISC III–R pode ser empregado para determinar se o problema é de natureza mais estritamente lingüística ou de rebaixamento cognitivo geral. No caso de um problema circunscrito à esfera lingüística, deve haver um rebaixamento do Quociente de Inteligência (QI) Verbal em relação ao QI de Execução. Por outro lado, no caso de rebaixamento mental, ambos os QIs devem estar comparavelmente rebaixados.

Para o caso de crianças ouvintes, conforme demonstrado (Grégoire & Piérart, 1997), as dificuldades dos disléxicos fonológicos concentram-se nos processos básicos de decodificação e reconhecimento específicos à leitura, mas não nos gerais de integração sintática e semântica. Por isso, essas crianças tendem a apresentar desempenho nitidamente rebaixado (i.e., lento e incorreto) em tarefas de consciência fonológica por produção oral (e.g., A. Capovilla & F. Capovilla, 1998c, 1998d, 2003d; Morais, Cluytens, & Alégria, 1984), em tarefas de consciência fonológica por escolha de figuras (A. Capovilla & F. Capovilla, no prelo b) com dificuldade especial no subteste de trocadilhos, em tarefas de leitura em voz alta (A. Capovilla & F. Capovilla, 1998b, 2003d), além de em tarefas que requerem as três habilidades conjuntas de discriminação fonológica (A. Capovilla & F. Capovilla, no prelo c; Mody, Studdert-Kennedy, & Brady, 1997), memória de trabalho fonológica (Swanson, Ashbaker, & Lee, 1996), e velocidade de processamento fonológico (Nicolson & Fawcett, 1994; Tallal, Miller, & Fitch, 1993), conforme demonstrado por F. Capovilla e A. Capovilla (2002a, 2002d) e, finalmente, em tarefas de decodificação de palavras e pseudopalavras envolvendo o uso de regras de correspondência grafofonêmica (Siegel & Ryan, 1989). Tão forte é a dificuldade com os processos básicos de decodificação e reconhecimento específicos à leitura, quando comparada à relativa facilidade com os processos gerais de integração sintática e semântica, que essas crianças tendem a usar compensatoriamente os conhecimentos gerais e lingüísticos para tentar facilitar a sua decodificação, daí o achado de que maus leitores tendem a usar o contexto para facilitar a adivinhação das palavras.

Para o caso de crianças surdas, aplicam-se as recomendações de F. Capovilla e A. Capovilla (2001b). Além disso, nesse caso, o *Teste de Compreensão Visual de Sentenças Sinalizadas em Libras* pode ser usado para avaliar as habilidades lingüísticas gerais de compreensão de sinalização em Libras. É importante aqui distinguir entre esse teste de compreensão de sentenças sinalizadas e o teste de compreensão ou de vocabulário de sinais. Enquanto TVRSL1.1 avalia a compreensão de sinais lexicais da Libras tomados como itens *isolados*, o *Teste de Compreensão Visual de Sentenças Sinalizadas em Libras* avalia as habilidades de compreensão de sinalização para além do domínio de sinais lexicais isolados, almejando as habilidades sintáticas envolvidas na compreensão de significados codificados no fluxo da sinalização, em que a forma lexical dos sinais se encontra modificada pela sua inserção gramatical em mensagens complexas (ver Klima & Bellugi, 1979, para mais detalhes). Um bom desempenho no *Teste de Compreensão Visual de Sentenças Sinalizadas em Libras* indica que o examinando surdo tem habilidades cognitivas e lingüísticas refinadas em Libras, o que permite atribuir um eventual rebaixamento em compreensão de sentenças no TCLS a dificuldades específicas com o Português. Nesse caso de dificuldades específicas com o Português, diferentes testes podem ser empregados para avaliar os vários níveis de dificuldade com a compreensão do Português. Por exemplo, as habilidades de vocabulário de leitura em Português podem ser avaliadas por meio do Teste de Nomeação de Figuras por Escolha em suas versões originais (TNF1.1–Escolha e TNF2.1–Escolha), bem como por meio do Teste de Nomeação de Sinais por Escolha em suas versões originais (TNS1.1–Escolha e TNS2.1–Escolha). As habilidades de decodificação grafoquirêmica e de reconhecimento visual direto de palavras escritas podem ser avaliadas por meio do TCLP1.1. Finalmente, as habilidades gramaticais em Português, de processamento sintático na compreensão de leitura de sentenças, podem ser avaliadas por meio do TCLS1.1.

4.10.1.2.2.3.) Constituição do TCLS1.1

O TCLS1.1 consiste em um caderno contendo cinco itens de treino e quarenta itens de teste, arranjados em ordem crescente de complexidade. A cada item há uma sentença escrita seguida de cinco figuras alternativas para escolha. A tarefa do examinando consiste em ler a sentença e assinalar a figura que melhor corresponde a ela. O Quadro 4 sumaria as cinco sentenças de treino e as quarenta sentenças de teste, na seqüência original empregada neste estudo.

A Figura 18 ilustra um dos quarenta itens do Teste de Competência de Leitura de Sentenças.

Todas essas pessoas trabalham no circo, mas apenas uma é palhaço de circo. Qual é?

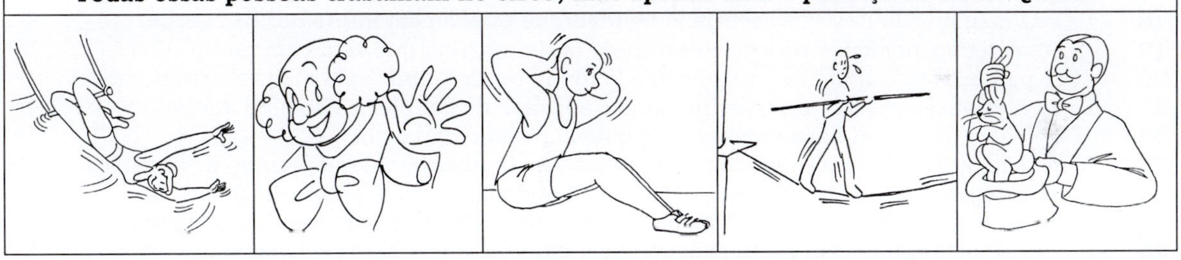

Figura 18. Amostra de um dos itens do TCLS1.1.

Como pode ser observado no Quadro 4, de modo geral, ao longo dos itens, a extensão da sentença, em termos de número de palavras componentes, bem como a sua complexidade sintática e lexical, em termos de relações gramaticais e vocabulário, tendem a apresentar um certo aumento. A versão original foi elaborada buscando um aumento genérico do grau de dificuldade. Um aumento progressivo e sistemático, obtido empiricamente, pode ser encontrado na versão reordenada TCLS1.2, que se encontra disponível no estudo dedicado ao TCLS1.1 (F. Capovilla, Viggiano, A. Capovilla, Raphael, Bida, Neves, & Mauricio, 2004).

Quadro 4. Sentenças de treino (A a E) e de teste (1 a 40) que compõem o TCLS1.1, na ordem original, juntamente com posição (1ª., 2ª., 3ª., 4ª., 5ª.) da resposta alternativa correta na matriz de cinco alternativas de escolha.

Seq.	sentença escrita a ser lida pelo examinando	Pos.'
A	Destes instrumentos musicais, só um é o violão.	2ª.
B	Primeiro ele almoçou, agora ele está descascando laranja com a faca.	4ª.
C	O peixinho está nadando.	1ª.
D	A mulher está estudando na biblioteca.	5ª.
E	O homem está no barbeiro fazendo a barba porque não tem gilete nem barbeador.	3ª.
F	O meu amigo tocou no meu ombro e me mostrou a sua namorada, apontando para ela.	1ª.
1	De todos esses esportes, o que ele mais gosta é o futebol. Onde está ele?	1ª.
2	Todas essas pessoas trabalham no circo, mas apenas uma é palhaço de circo. Qual é?	2ª.
3	Todos esses são animais, mas apenas um é a baleia. Qual é?	5ª.
4	Todos esses homens são trabalhadores, mas apenas um é sapateiro. Qual é?	3ª.
5	Todas essas são frutas, mas apenas uma é a banana. Qual é ela?	4ª.
6	Ele estava dirigindo o carro e acabou batendo.	5ª.
7	Ela esta usando água e sabão para lavar a roupa.	1ª.
8	Como não sabe dirigir, ele está pedindo carona.	3ª.
9	Quando precisou do dinheiro, percebeu que não tinha porque havia perdido tudo.	2ª.
10	Está acendendo a luz da casa para procurar a chave do carro.	4ª.
11	O atleta está correndo por esporte e não porque está atrasado para o trabalho.	1ª.
12	Depois de visitar a flor para fazer mel, agora a abelhinha está voando bem alto no céu.	2ª.
13	O bebezinho está chupando chupeta e dormindo tranqüilo em seu bercinho.	5ª.
14	Depois de nadar como um peixinho, agora a sereia está cantando como um passarinho.	1ª.
15	O menino havia se machucado e agora ele está chorando muito.	3ª.
16	O namorado e a namorada gostam muito um do outro e por isso nunca brigam.	2ª.
17	O homem distraído não percebeu o que estava fazendo e vai ter que limpar tudo depois.	5ª.
18	O menino não estava se sentindo bem porque estava com muita dor de cabeça.	4ª.
19	Qual desses homens não está se sentindo muito bem porque está com muito calor?	3ª.
20	Um palhaço faz bolinha de sabão, outro lê um livro, mas onde está o que cheira a flor?	1ª.
21	A criança está tomando vacina, mas é a vacina de gotinha e não a de injeção.	4ª.
22	A babá está levando o nenê no carrinho de bebê.	1ª.
23	Como ele jogou bola antes, agora o menino está no banheiro tomando banho de chuveiro.	2ª.
24	Carregando um saco nas costas, ele está saindo pela janela porque é um ladrão.	3ª.
25	Ontem o papai trabalhou até mais tarde e só saiu do emprego às nove horas da noite.	2ª.
26	O menininho está sentado comendo a papinha que a moça está servindo.	5ª.
27	O homem está dizendo que é verdade, mas a moça percebe que é mentira e não acredita.	4ª.
28	De manhã cedinho o despertador toca e acorda o homem que estava dormindo.	3ª.
29	O menino não viu o carro e, quando este buzinou, ele levou um grande susto.	2ª.
30	A mamãe pata está ensinando o seu patinho a nadar.	4ª.
31	Ele trabalha com areia. Enquanto o caminhão a descarrega, ele a leva no carrinho de mão.	5ª.
32	No esconde-esconde, o menino conta até dez na árvore e a menina se esconde atrás do muro.	3ª.
33	João e Rita estavam namorando e, quando os viu, Maria não gostou nada e ficou brava.	1ª.
34	A mamãe está lendo estórias para o seu filho e para a sua filha que estão sentados na sala.	4ª.
35	A professora mostra a lousa para que o menino leia o que está escrito e copie no caderno.	3ª.
36	Enquanto o homem escreve no papel, a mulher e o juiz continuam sentados perto dele.	5ª.
37	Ele tinha quebrado as duas pernas no acidente, e o médico o ajuda a andar de novo.	1ª.
38	Como não estudou, na hora de fazer a redação, morde o lápis e não consegue escrever nada.	2ª.
39	A moça está pintando um quadro e a sua irmã pequena está brincando com uma bola.	5ª.
40	O macaco gosta muito de comer banana, mas o sapo prefere comer a mosca que voa.	2ª.

Nota: Seq.: Seqüência original dos quarenta itens do TCLS1.1. Pos.: Posição da resposta correta na matriz de cinco alternativas de escolha, da 1ª. à 5ª..

4.10.1.2.2.4.) Histórico do TCLS1.1 e estudos preliminares de validade

Embora esta série de estudos seja a primeira a aplicar o Teste de Competência de Leitura de Sentenças a crianças surdas, a validade da versão tradicional desse teste com crianças ouvintes (F. Capovilla, Macedo, A. Capovilla, & Charin, 1998; F. Capovilla, Macedo, & Charin, 2001) já havia sido estabelecida em estudos anteriores. Exemplos adicionais de validação do uso do TCLS1.1 com crianças ouvintes são encontrados nos estudos de A. Capovilla e F. Capovilla (2002d) e de A. Capovilla e F. Capovilla (2003c). Os dois estudos usaram o TCLS1.1 para avaliar a competência de leitura, em termos de análise sintática para acesso semântico na compreensão de textos, juntamente com o TCLP1.1 (A. Capovilla & F. Capovilla, 2003c; F. Capovilla & A. Capovilla, 2001a; F. Capovilla, A. Capovilla, Macedo, & Duduchi, 2000b; F. Capovilla, Macedo, A. Capovilla, & Charin, 1998) para avaliar o reconhecimento e a decodificação de palavras isoladas. Enquanto o TCLS1.1 avalia o processamento semântico no nível da sentença e requer, portanto, habilidades sintáticas consideráveis, o TCLP1.1 avalia o processamento ideovisual da rota logográfica que se desenvolve no estágio logográfico, o processamento perilexical da rota fonológica que se desenvolve no estágio alfabético, e o processamento lexical da rota lexical que se desenvolve no estágio ortográfico.

Os dois estudos de validação com ouvintes avaliaram, ao final do ano letivo, a competência de leitura, tanto em termos de reconhecimento e decodificação de palavras isoladas (por meio do TCLP1.1) quanto especialmente de compreensão de leitura de texto (por meio do TCLS1.1). Enquanto o primeiro estudo avaliou a competência de leitura de palavras e de textos por 166 estudantes de 1ª série de duas escolas de Ensino Fundamental, sendo três classes de cada escola; o segundo estudo avaliou as mesmas funções em 345 alfabetizandos provenientes de quatorze classes de 1ª série de escolas municipais de Ensino Fundamental do interior do estado de São Paulo. O objetivo dos dois estudos foi o de comparar a eficácia relativa dos métodos fônico e global no ensino de leitura e escrita pelas professoras em sala de aula. A diferença é que, enquanto o primeiro estudo comparou o desempenho dos alunos de três professoras que haviam sido treinadas na aplicação do método fônico com o desempenho dos alunos de outras três professoras que não haviam sido treinadas, o segundo estudo comparou o desempenho dos alunos de quatorze professoras entre si, sendo que nenhuma delas havia sido treinada. Os dois estudos compararam as habilidades de reconhecimento e decodificação de palavras isoladas e de compreensão de texto como função do método de ensino (i.e., fônico *versus* global) adotado por suas professoras. De modo a avaliar a relação entre competência de leitura das crianças e método de ensino das professoras, ao mesmo tempo que as crianças respondiam aos dois testes, as suas professoras respondiam a um questionário com perguntas sobre, dentre outros tópicos, a porcentagem de tempo dedicado ao ensino de leitura com base em fonemas e a porcentagem de tempo dedicado ao ensino de leitura com base em textos. Os escores das crianças nos dois testes de leitura foram analisados como função da porcentagem de tempo dedicado pelas suas professoras para o ensino de leitura a partir de fonemas *versus* textos. Os resultados dos estudos mostraram que, na faixa de 0% a 30% de tempo livremente indicada pelas professoras, quanto maior a porcentagem de tempo dedicado ao ensino baseado em fonemas, tanto maiores os escores nos dois testes de competência de leitura; e que, reciprocamente, na faixa de 0% a 40% de tempo livremente indicada pelas professoras, quanto maior a porcentagem de tempo dedicado ao ensino baseado em textos, tanto menores os escores nos dois testes de competência de leitura de palavras e de sentenças. Assim, analisando a competência de leitura de palavras e de textos por parte das crianças como função do tipo de atividade em que as professoras investem o tempo durante o ano letivo, os estudos demonstraram que o desenvolvimento das crianças ao final do ano é diretamente proporcional ao tempo que suas professoras dedicam ao ensino baseado em fonemas, e inversamente proporcional ao tempo que elas dedicam ao ensino baseado em textos.

4.10.1.2.2.5.) Modos de aplicação do TCLS1.1

A versão original do Teste de Competência de Leitura de Sentenças (i.e., TCLS1.1) pode ser aplicada tanto individualmente no contexto clínico quanto coletivamente no contexto educacional em sala de aula. Nos dois casos é empregado o *Caderno de aplicação do TCLS1.1*, que se encontra disponível no estudo especificamente dedicado ao Teste de Competência de Leitura de Sentenças (TCLS1.1: F. Capovilla, Viggiano, A. Capovilla, Raphael, Bidá, Neves, & Mauricio, 2004). Naquele mesmo estudo encontra-se publicado o *Caderno de aplicação do TCLP1.2* que contém os quarenta itens ordenados por grau de dificuldade crescente. As duas versões do TCLS, a original TCLS1.1 e a reordenada TCLS1.2, são eficientemente implementadas como testes de papel e lápis, cada qual em seu caderno de aplicação. Além disso, as duas versões também se encontram disponíveis para execução em computador com plataforma Windows para avaliação de crianças surdas, com os mais severos e variados tipos de impedimento motor (e.g., amputação ou defeitos congênitos) e de distúrbios neuromotores (e.g., tetraplegia por lesão cervical, paralisia cerebral ou esclerose lateral amiotrófica), que se encontrem incapacitadas de segurar um lápis ou sequer de apontar com os dedos para assinalar a alternativa correta.

Nessas duas versões, o computador faz varredura automática entre as cinco figuras alternativas de escolha para cada sentença sendo que, para escolher entre figuras, tudo que o examinando surdo paralisado ou amputado tem de fazer é emitir um movimento de pescoço, braço, perna ou piscar quando a alternativa desejada estiver disponível para escolha, movimento esse que é captado por detetor infravermelho. O parâmetro temporal de varredura (F. Capovilla, Thiers, & Macedo, 2002; F. Capovilla, Thiers, Macedo, & Duduchi, 1998; F. Capovilla, Thiers, Macedo, Raphael, & Duduchi, 1998; F. Capovilla, Thiers, & A. Capovilla, 2003) e o tipo de acionador (Charin & F. Capovilla, 2000; Macedo & F. Capovilla, 2000a) são adaptados precisamente às características neuromotoras (F. Capovilla, Macedo, Duduchi, A. Capovilla, & Thiers, 1998) do examinando surdo (F. Capovilla, Macedo, A. Capovilla, Thiers, Raphael, & Duduchi, 1998). Essas versões computadorizadas também são implementadas com seleção direta por toque sobre tela sensível, sendo que elas coletam e tabulam dados automaticamente, produzindo um relatório de resultados após a aplicação (Macedo, F. Capovilla, & Sazonov, 2000), incluindo o acerto total e em cada um dos níveis de dificuldade, o tipo e a freqüência de erro, e o tempo de resposta por subteste. Tais versões computadorizadas foram elaboradas a partir de tecnologia acumulada na última década (F. Capovilla, A. Capovilla, & Macedo, 2001a; F. Capovilla, Gonçalves, & Macedo, 1998; F. Capovilla, Macedo, A. Capovilla, Thiers, & Duduchi, 1997; Gonçalves, Macedo, Sennyey, & F. Capovilla, 2000; Macedo, Gonçalves, F. Capovilla, & Sennyey, 2002) para avaliar examinandos surdos e ouvintes com paralisia cerebral (F. Capovilla, Macedo, Duduchi, A. Capovilla, & Gonçalves 1998; F. Capovilla & Nunes, 2003; Thiers, F. Capovilla, Charin, Duduchi, & Macedo, 2000), esclerose lateral amiotrófica (F. Capovilla, A. Duduchi, Macedo, A. Capovilla, & Sazonov, 2000; Lima, Macedo, F. Capovilla, & Sazonov, 2000) e afasia (F. Capovilla, 1997a; F. Capovilla, A. Capovilla, Macedo, & Duduchi, 2000a; Macedo, F. Capovilla, Charin, & Duduchi, 1998). Além das versões para computadores locais, as duas versões se encontram disponíveis na Internet (Macedo, F. Capovilla, Diana, & Covre, 2002), num sistema capaz de promover a teleavaliação do escolar surdo brasileiro de todos os estados da federação, com vistas a auxiliar a subsidiar políticas públicas de educação do surdo brasileiro em nível nacional.

Como é muito provável que os desempenhos variem como função do modo de aplicação de cada uma das duas versões (i.e., a original TCLS1.1 e a reordenada TCLS1.2), é recomendável que sejam geradas normas específicas para cada uma dessas versões sob cada um dos diferentes modos de aplicação, em termos de aplicação individual ou coletiva, e:

- 1.) Aplicação com *Caderno completo de aplicação*; ou
- 2.) Aplicação computadorizada local com tela sensível ao toque; ou
- 3.) Aplicação computadorizada local com varredura automática com diferentes intervalos temporais de varredura e diferentes tipos de acionamento para problemas motores;
- 4.) Aplicação via Internet para teleavaliação em todo o território nacional.

Na presente série de estudos, a tabela de dados normativos da versão original TCLS1.1 foi gerada a partir de aplicação coletiva por meio de *Caderno completo de aplicação do TCLS1.1.* Logo, essa tabela de dados normativos do TCLS1.1 (F. Capovilla, Viggiano, A. Capovilla, Raphael, Mauricio, & Bidá, 2004) reflete os resultados desse modo de aplicação coletiva. Numa nova série de estudos de normatização e validação, a versão reordenada TCLS1.2 já vem sendo normatizada e validada por aplicação coletiva, e usa o *Caderno de aplicação do TCLS1.2.*

4.10.1.2.3.) A versão original 1.1 do Teste de Nomeação de Sinais por Escrita (TNS1.1–Escrita) para avaliar o desenvolvimento da competência conjunta de escrita e compreensão de sinais por meio da produção de escrita livre para nomear sinais da Libras

4.10.1.2.3.1.) Natureza e objetivos do TNS1.1–Escrita

O Teste de Nomeação de Sinais por Escrita (TNS–Escrita), também conhecido como Teste de Escrita do Nome de Sinais, avalia o desenvolvimento da competência conjunta de escrita em Português e de compreensão de sinais da Libras, por meio da produção de escrita livre para nomear sinais da Libras. Trata-se de um teste de competência de produção de escrita de palavras isoladas que avalia a habilidade do examinando de escrever livremente palavras que correspondem a sinais da Libras sem cometer erros ortográficos, semânticos e quirêmicos. O teste fornece um escore geral da competência de produção de escrita, obtido a partir da aplicação de critérios de aferição da qualidade ortográfica da escrita. Além desse escore geral, o teste também fornece informações sobre a participação de processos quirêmicos, ortográficos e semânticos nessa nomeação de sinais por meio da análise da distribuição da freqüência relativa de paragrafias de natureza semântica e quirêmica. O teste é implementado nas versões originais 1.1 e 2.1 (TNS1.1–Escrita: F. Capovilla, Viggiano, Bidá, Raphael, A. Capovilla, & Mauricio, 2004; TNS2.1–Escrita: F. Capovilla, Viggiano, Luz, A. Capovilla, Bidá, & Mauricio, 2004), sendo que, a partir desta série de estudos, cada qual deu origem a uma versão reordenada (i.e., 1.2 e 2.2) e a uma versão revisada (i.e., 1.3 e 2.3) com novos sinais a serem nomeados. Todas as novas versões podem ser encontradas nas mesmas publicações. Esta seção concentra-se na versão 1.1 (TNS1.1–Escrita).

A implementação do teste em duas versões originais (i.e., 1.1 e 2.1) almeja reduzir o efeito de aprendizagem de uma avaliação para a seguinte e, assim, permitir implementar delineamentos de grupo para controle experimental na condução de estudos de intervenção envolvendo pré-teste, tratamento e pós-teste (Campbell & Stanley, 1979). Tais delineamentos são de extraordinária importância a qualquer pesquisa sobre resultados de intervenções educacionais e clínicas. Em termos de pesquisa educacional, possibilitam comparar a eficácia relativa de diferentes métodos de ensino a crianças com perfis distintos. Assim, permitem identificar e mapear precisamente os ganhos produzidos por procedimentos diferenciados derivados de abordagens distintas (e.g., oralismo, comunicação total e bilingüismo) sobre competências e desempenhos diferentes (e.g., leitura, escrita, sinalização e rendimento escolar) de crianças com características particulares (e.g., tipo e grau de perda auditiva, idade em que ocorreu perda auditiva, tempo decorrido desde a perda auditiva, idade de inserção em comunidade lingüística sinalizadora ou em programa de reabilitação auditiva, tipo de implante coclear e idade em que foi feito esse implante). Tal trabalho de pesquisa em ampla escala dos efeitos de procedimentos educacionais derivados de diferentes abordagens educacionais é compatível com a proposta de Easterbrooks (1999). De fato, considerando a complexidade da educação de surdos e a heterogeneidade da população escolar surda, no estudo intitulado *Aperfeiçoando as práticas para estudantes com deficiência auditiva*, Easterbrooks (1999) faz revisão da pesquisa sobre educação de alunos com surdez e deficiência auditiva, descreve as práticas de ensino atualmente usadas, e discute a relevância de suas implicações para a prática dos clínicos. O artigo faz um histórico das políticas governamentais sobre o ensino de estudantes surdos e deficientes auditivos, apresenta as estatísticas sobre essa população escolar, e sumaria a pesquisa atual sobre os resultados de diferentes práticas de ensino e as suas implicações. Apresenta as opções para comunicação e descreve a pesquisa sobre novas tecnologias, abordagens e opções, dentre as quais o uso de língua de sinais, implante coclear, e sistemas de comunicação sinalizada para a comunicação, a alfabetização e o ensino de deficientes auditivos e surdos. Aborda, também, os novos desafios de pesquisa na área e algumas das práticas mais promissoras e propõe uma série de recomendações para o avanço da pesquisa, da educação e do atendimento clínico nessa área. Além desses estudos com delineamentos de pesquisa de grupo no contexto educacional, a disponibilidade de instrumentos em diferentes versões também torna possível conduzir pesquisas experimentais de caso único (e.g., delineamentos de séries temporais: Barlow & Hersen, 1984) que são de vital importância para a prática clínica e a pesquisa em neuropsicolingüística, especialmente numa área tão complexa como a do processamento cognitivo em sinais, leitura e escrita no surdo.

4.10.1.2.3.2.) Constituição do TNS1.1–Escrita

Cada uma das duas versões do Teste de Nomeação de Sinais por Escrita compõe-se de um conjunto de 36 sinais individuais a serem nomeados por escrito, cada qual acompanhado de uma linha em branco para a escrita de seu respectivo nome pelo examinando. A tarefa do examinando surdo consiste em escrever a palavra que corresponde a cada sinal, ou seja, escrever o nome do sinal. A única diferença entre as versões 1.1 e 2.1 (TNS1.1–Escrita e TNS2.1–Escrita) diz respeito ao conjunto específico dos 36 sinais, que difere de uma versão para outra.

De modo a examinar os processos cognitivos envolvidos nas relações entre a competência de escrita de palavras em Português e de compreensão de sinais da Libras no surdo, em termos dos processos quirêmicos, ortográficos e semânticos envolvidos, o teste analisa as palavras escritas livremente pelos examinandos, bem como as suas relações com as palavras que deveriam ter sido escritas. Além da qualidade da produção ortográfica da escrita, que é avaliada conforme critérios precisos de aferição de correção ortográfica descritos na seção a seguir, o teste também analisa as trocas semânticas e quirêmicas cometidas pelos examinandos surdos confrontados com a tarefa de nomear sinais por escrito, ou seja, de produzir palavras escritas correspondentes aos sinais da Libras. Uma paragrafia semântica consiste em escrever uma palavra que, embora seja semanticamente relacionada ao sinal a ser nomeado, não corresponde precisamente a ele. Uma paragrafia quirêmica consiste em escrever uma palavra cujo sinal correspondente subjacente é quiremicamente semelhante ao sinal a ser nomeado. Em outras palavras, o sinal correspondente à palavra que o examinando escreve é semelhante ao sinal-alvo a ser nomeado em termos de composição sublexical por quiremas como a articulação de mão, o local dessa articulação, a orientação da palma no plano da sinalização, o movimento descrito no espaço da sinalização e a expressão facial associada.

A Figura 19 ilustra uma amostra de dois dos 36 itens da versão 1.1 do Teste de Nomeação de Sinais por Escrita (TNS1.1–Escrita), cada qual composto de um sinal da Libras e de um espaço em branco a ser preenchido pelo examinando surdo com a palavra escrita que melhor designa o sinal.

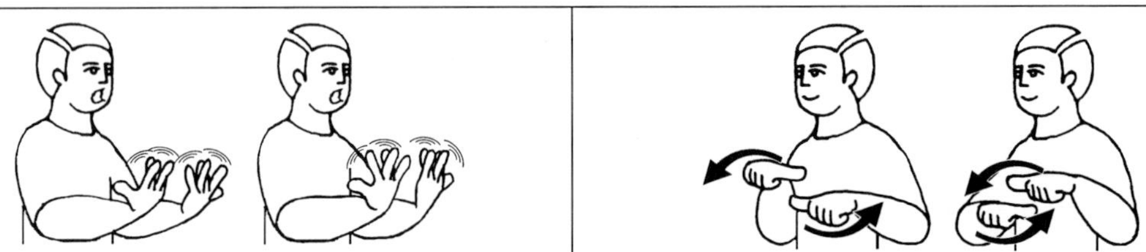

15) ____________ 16) ____________

Figura 19. Amostra de dois itens do TNS1.1–Escrita, cada qual composto de um sinal da Libras a ser nomeado por escrito e de uma linha em branco para que o examinando surdo escreva as palavras correspondente aos nomes dos sinais, no caso, *fogo* (à esquerda) e *trocar* (à direita).

O Quadro 5 arrola a lista de 36 palavras (juntamente com algumas das palavras alternativas aceitáveis, como no item 1: *Bom, bem* e *boa*, no item 4: *Nada* e *nenhum*; no item 5: *Comer, alimento, comida* e *refeição*, e assim por diante) a serem escritas pelos examinandos surdos para nomear cada um dos 36 sinais da Libras da versão 1.1 do Teste de Nomeação de Sinais por Escrita.

Quadro 5. Lista de 36 palavras a serem escritas pelos examinandos surdos para nomear cada um dos 36 sinais da Libras do TNS1.1–Escrita. Quando houver mais de uma palavra escrita por item, isso significa que qualquer uma das palavras listadas no item é aceitável.

item	algumas palavras aceitáveis	item	algumas palavras aceitáveis
1	*bom, boa, bem*	**19**	*amigo*
2	*café*	**20**	*bandeira*
3	*ler*	**21**	*esquecer*
4	*nada, nenhum*	**22**	*mostrar, apresentar*
5	*comer, alimento, comida, refeição*	**23**	*entender*
6	*sujo, sujar, sujeira*	**24**	*ajudar, ajuda*
7	*dor, doer*	**25**	*árvore*
8	*vento*	**26**	*parecer, como*
9	*fila*	**27**	*segredo, secreto*
10	*culpa, culpado*	**28**	*conhecer*
11	*fraco, fraqueza*	**29**	*precisar*
12	*tentar*	**30**	*nervoso*
13	*passear, passeio*	**31**	*amanhã*
14	*feijão*	**32**	*perguntar, pergunta*
15	*fogo, ferver*	**33**	*desculpar, desculpa, perdão*
16	*trocar, troco, mudar, mudança*	**34**	*trabalhar, trabalho*
17	*brigar, briga, lutar, luta*	**35**	*exemplo*
18	*velho, avó, avô, vovó, vovô*	**36**	*liberdade, livre, deixar*

4.10.1.2.3.3.) Critérios de pontuação da nomeação escrita no TNS1.1–Escrita

Em cada item, a pontuação pode variar de 0,00 a 1,00 ponto, dependendo da legibilidade do item escrito, de sua adequação semântica e de sua correção ortográfica. A pontuação 0,00 é atribuída aos casos de resposta omitida (i.e., ausência do esforço de escrita), escrita ininteligível (i.e., rabiscos ou seqüências de letras que não configuram qualquer aproximação a uma palavra), e escrita inteligível mas semanticamente incorreta (i.e., palavra não relacionada ao significado do sinal). Para analisar a legibilidade da escrita, deve-se procurar compreender a palavra que a criança escreveu ou tentou escrever. Se, frente a um dado sinal, a escrita for semanticamente adequada, ela recebe pontuação 0,25 ou 0,50 ou 0,75 ou 1,00 de acordo com o grau crescente de adequação ortográfica (i.e., proporção de letras adequadas e ordem das letras adequada).

Assim, por exemplo, frente ao sinal LIBERDADE (também passível de nomeação como *livre* e *deixa*), as pontuações a seguir podem ser ilustradas com os seguintes casos:

- 0,00: Ausência de resposta; ou respostas, como o neologismo *batoja*, que não possuem qualquer letra adequada correspondente às letras da palavra-alvo; ou, ainda, uma palavra semanticamente inadequada, como *casa*;
- 0,25: Respostas, como a palavra *lava* ou o neologismo *livudo*, que contêm um certo número de letras adequadas e na ordem adequada;
- 0,50: Respostas, como os neologismos *liva* e *libatate*, que contêm uma maior proporção de letras adequadas e na ordem adequada;
- 0,75: Respostas, como os neologismos *lirve*, *livedade* e *deiza*, que contêm ainda maior proporção de letras adequadas e na ordem adequada, quase correspondendo à palavra-alvo;
- 1,00: A palavra-alvo correta *liberdade*, ou um sinônimo aplicável, como *livre* e *deixa*.

Do mesmo modo, frente ao sinal EXEMPLO, as pontuações seguintes podem ser exemplificadas com os seguintes casos:

- 0,00: Ausência de resposta; ou respostas, como o neologismo *eica*, que não possuem qualquer letra adequada correspondente às letras da palavra-alvo; ou, ainda, uma palavra semanticamente inadequada, como *mão*;
- 0,25: Respostas, como o neologismo *exbro*, que contêm um certo número de letras adequadas e na ordem adequada;
- 0,50: Respostas, como o neologismo *expoe*, que contêm uma maior proporção de letras adequadas e na ordem adequada;
- 0,75: Respostas, como os neologismos *exmeplo* e *exmplo*, que contêm ainda maior proporção de letras adequadas e na ordem adequada, quase correspondendo à palavra alvo;
- 1,00: A palavra alvo correta *exemplo*, ou um sinônimo aplicável.

Como um terceiro exemplo, frente ao sinal FELIZ, as pontuações a seguir podem ser ilustradas com as seguintes ocorrências:

- 0,00: Ausência de resposta; ou respostas, como o neologismo *diago*, que não possuem qualquer letra adequada correspondente às letras da palavra-alvo; ou, ainda, palavras semanticamente inadequadas, como *pão*;
- 0,25: Respostas, como o neologismo *felas*, que contêm um certo número de letras adequadas e na ordem adequada;
- 0,50: Respostas, como o neologismo *fleiz*, que contêm uma maior proporção de letras adequadas e na ordem adequada;
- 0,75: Respostas, como o neologismo *felis*, que contêm ainda maior proporção de letras adequadas e na ordem adequada, quase correspondendo à palavra-alvo;
- 1,00: A palavra-alvo correta *feliz*, ou um sinônimo aplicável.

E assim por diante, sempre utilizando esse mesmo princípio. Depois que a escrita de cada um dos itens é aferida e pontuada, as pontuações de todos os 36 itens são somadas. Tal soma corresponde ao escore geral no teste.

4.10.1.2.3.4.) Breve arrazoado do TNS1.1–Escrita

Com a progressão ao longo das séries escolares, espera-se que ocorra um substancial aumento da qualidade ortográfica da escrita em Português, com um forte crescimento da pontuação, tal como aferida pelos critérios descritos na seção anterior. Espera-se, também, que ocorra um significativo aumento do vocabulário de leitura e escrita de palavras em Português, ao lado do vocabulário de sinais da Libras, bem como da rede de conexões entre as duas línguas. Em conseqüência disso, espera-se um declínio das paragrafias semânticas e quirêmicas, que são explicadas nesta seção.

Pode-se abordar primeiramente a paragrafia semântica. Considerando-se palavras que podem ser escritas pelos estudantes, tais como *café* e *chá*, *ler* e *livro*, *nada* e *zero*, *sujo* e *lixo*, *fila* e *pessoas*, *bandeira* e *brasileiro*, e *nervoso* e *bravo*, fica clara a ausência de qualquer similaridade ortográfica entre elas, bem como a presença de forte similaridade semântica entre os conceitos a elas subjacentes. Em tarefas de nomeação escrita, tal similaridade semântica entre os conceitos poderia levar a paragrafias semânticas, com a substituição de uma palavra por outra. Assim, examinandos surdos poderiam escrever a palavra *chá* para designar o conceito de café, *livro* para designar ler, *zero* para designar nada, *lixo* para designar sujo, *pessoas* para designar fila, *brasileiro* para designar bandeira, e *bravo* para designar nervoso. Os examinandos surdos poderiam escrever *chá* igualmente frente a uma xícara de café ou ao sinal CAFÉ, *pessoas* frente a uma fila ou ao sinal FILA, *brasileiro* frente a uma bandeira ou ao sinal BANDEIRA, e *bravo* frente a uma pessoa nervosa ou ao sinal NERVOSO. Quando se trata de nomear figuras por escrito, tais paragrafias semânticas poderiam sugerir polissemia ou multiplicidade de significados passíveis de atribuição a uma figura, como quando se nomeia uma partida de futebol e um tabuleiro de xadrez igualmente como *jogo*, ou quando se nomeia um colar de brilhantes como *jóia*, *ouro*, *pérolas*, *adorno*, *ostentação*, *riqueza*, e assim por diante. Ou seja, se é verdade que "uma imagem vale mais que mil palavras", então deve ser esperado que muitas palavras diferentes possam ser aplicadas a uma mesma figura. Por outro lado, quando se trata de nomear sinais da Libras por escrito, espera-se que os conceitos sejam mais claramente delimitados e que a polissemia seja menor. Nesse caso, as paragrafias semânticas poderiam resultar de insuficiente vocabulário em Português, e/ou de conexões insuficientemente estabelecidas entre o vocabulário de palavras em Português e o de sinais em Libras. É de se esperar que, com a progressão ao longo das séries escolares, ocorra um substancial aumento do vocabulário de leitura e escrita de palavras em Português, ao lado do vocabulário de sinais da Libras, bem como da rede de conexões entre as duas línguas. Assim, espera-se que, com o aumento da competência de escrita e o desenvolvimento do vocabulário em Português, haja um declínio marcado na freqüência de paragrafias literais e semânticas cometidas ao nomear por escrito tanto sinais da Libras quanto figuras que representam conceitos conhecidos.

A Figura 20 ilustra alguns exemplos de trocas semânticas esperadas no TNS1.1–Escrita. Conforme essa figura, frente ao sinal-alvo CAFÉ os estudantes surdos poderiam escrever *chá* simplesmente por associação semântica entre os dois conceitos de bebida quente. Essa troca poderia ocorrer por uma série de fatores de natureza semântica, mas careceria de base quirêmica, já que a composição sublexical dos sinais é bastante diferente. Também conforme a figura, frente ao sinal-alvo LER os estudantes surdos poderiam escrever *livro* simplesmente por associação semântica entre os dois conceitos, especialmente em se tratando de estudantes. Essa troca careceria de base quirêmica, já que, conforme ilustrado, a estrutura sublexical dos sinais é bastante diferente. Também como ilustrado, frente ao sinal-alvo NADA os estudantes surdos poderiam escrever *zero* simplesmente por associação semântica entre os dois conceitos, especialmente em se tratando de estudantes que tomam provas e recebem notas. Essa troca semântica poderia ocorrer por uma série de fatores, incluindo o contexto escolar específico em que ela ocorre e a insuficiência de um vocabulário padrão mais refinado em Português para estabelecer a distinção entre os conceitos. Conforme ilustrado, tal substituição seria puramente semântica e careceria de base quirêmica, já que os sinais são bastante diferentes entre si. Também conforme ilustrado, frente ao sinal-alvo SUJO, SUJAR os estudantes surdos poderiam escrever *lixo* simplesmente por associação semântica entre a sujeira e o lixo. Tal troca semântica poderia ocorrer por uma série de fatores, incluindo a insuficiência de vocabulário de Português para distinguir certos objetos de suas propriedades. Ainda conforme ilustrado, essa substituição parece puramente semântica, carecendo de base quirêmica, já que os sinais são bastante diferentes entre si. Ainda conforme ilustração, frente ao sinal-alvo FILA os estudantes surdos poderiam escrever *pessoas* simplesmente porque uma fila é composta de um grande número de pessoas. Essa troca semântica poderia ocorrer por uma série de fatores, incluindo a insuficiência do vocabulário em Português e das conexões entre o vocabulário em Português e em Libras. Conforme ilustrado, tal substituição parece carecer de base quirêmica. Do mesmo modo, frente ao sinal-alvo BANDEIRA, os estudantes surdos poderiam escrever *Brasil* simplesmente por associação entre a bandeira e o Brasil, como em bandeira do Brasil ou bandeira brasileira. Novamente, como ilustrado, tal substituição parece ser puramente semântica, carecendo de base quirêmica. Da mesma forma, frente ao sinal-alvo NERVOSO os estudantes surdos poderiam escrever *bravo* simplesmente pela proximidade relativa desses afetos negativos. De novo, como ilustrado, essa substituição seria puramente semântica, carecendo de base quirêmica.

sinal-alvo a ser nomeado por escrito e respectiva palavra que deve ser escrita na nomeação de sinais por escrita livre	**sinal quiremicamente diferente do sinal-alvo e palavra correspondente semanticamente semelhante que pode vir a ser escrita, ilustrando assim paragrafia semântica**
palavra para o sinal-alvo 3: *ler* 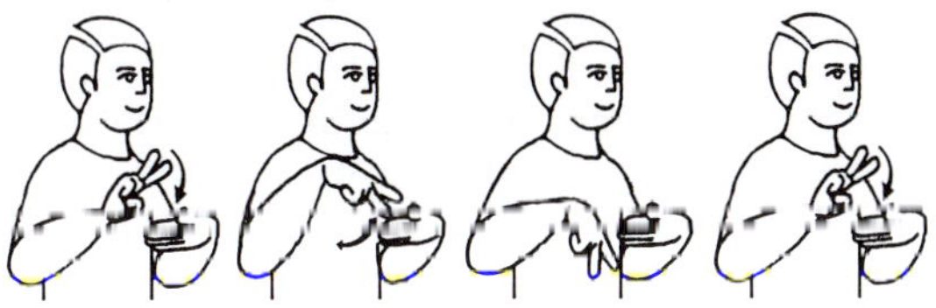	palavra para o sinal semelhante: *livro* 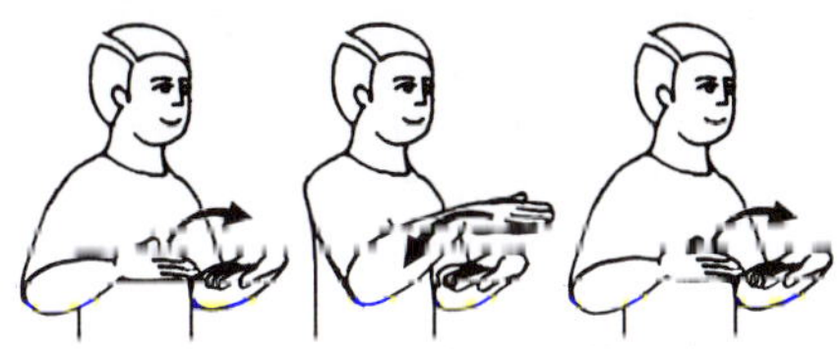
palavra para o sinal-alvo [illegible]: *nada* 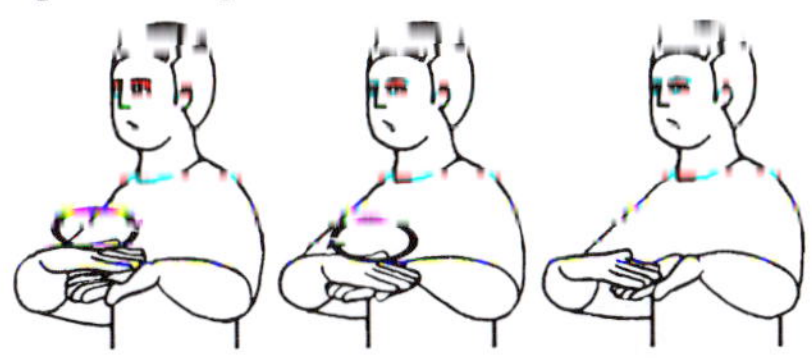	palavra para o sinal semelhante: *zero* 
palavra para o sinal-alvo 6: *sujo, sujar* 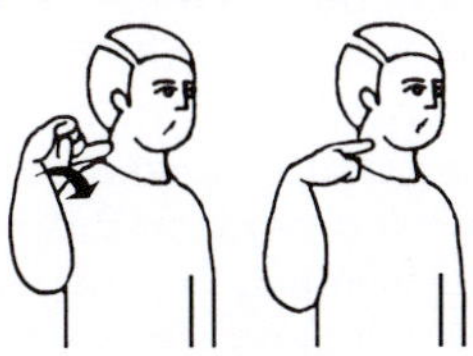	palavra para o sinal semelhante: *lixo* 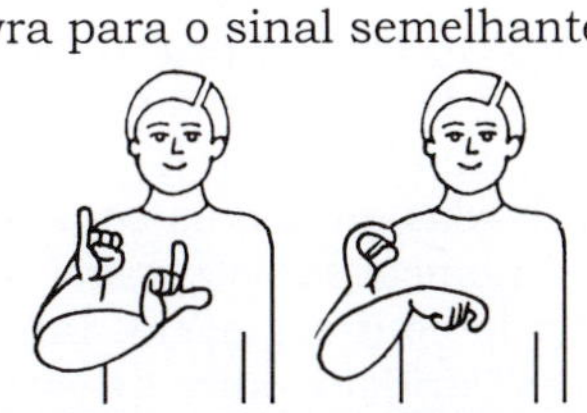
palavra para o sinal-alvo 9: *fila* 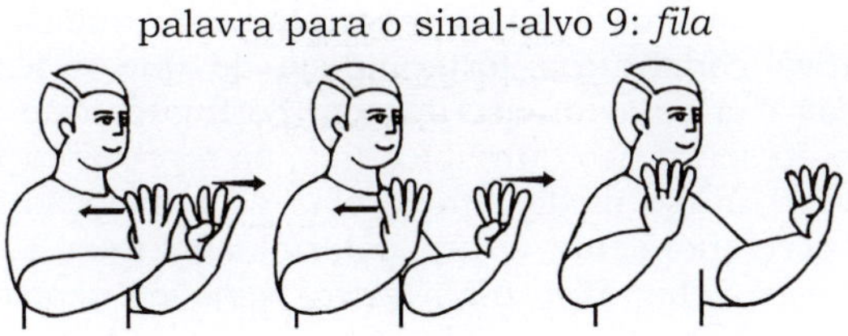	palavra para o sinal semelhante: *pessoas* 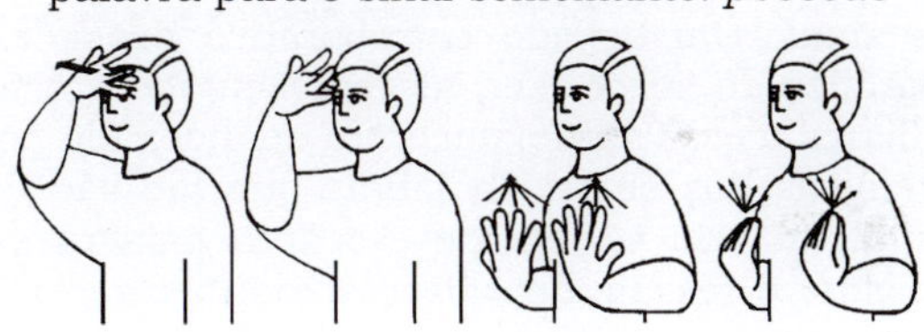
palavra para o sinal-alvo 20: *bandeira* 	palavra para o sinal semelhante: *Brasil, brasileiro* 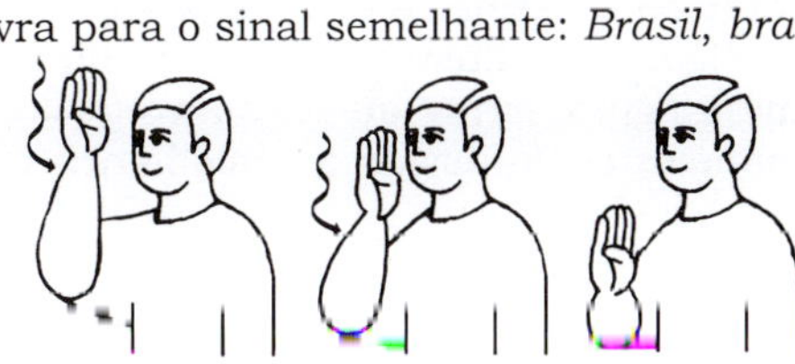
palavra para o sinal-alvo 30: *nervoso* 	palavra para o sinal semelhante: *bravo* 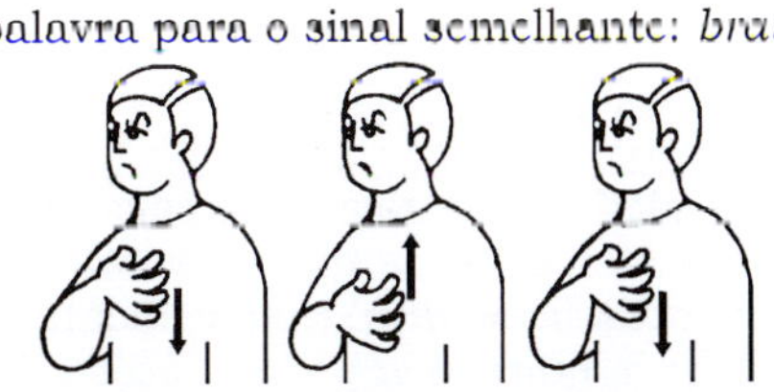
palavra para o sinal-alvo 2: *café* 	palavra para o sinal semelhante: *chá* 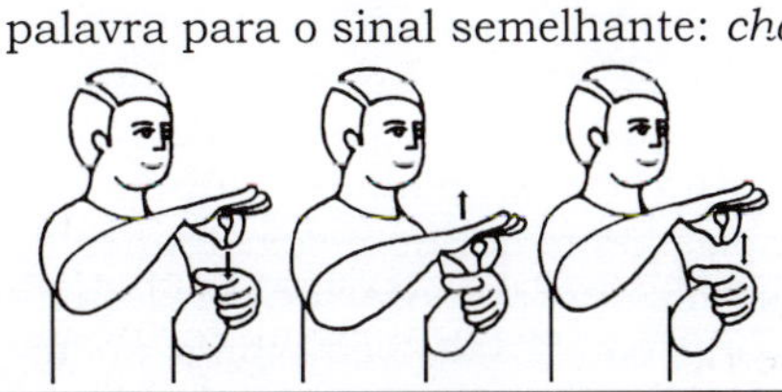

Figura 20. Exemplos de paragrafias semânticas esperadas no TNS1.1–Escrita. A coluna esquerda contém alguns sinais-alvo a serem nomeados por escrito no teste, juntamente com as respectivas palavras que devem ser escritas pelos examinandos nesse teste de nomeação escrita de sinais. A coluna direita contém as palavras que podem acabar sendo escritas na tarefa de nomeação de sinais e

que constituem paragrafias semânticas, bem como os sinais a elas subjacentes, os quais não têm qualquer semelhança com os respectivos sinais-alvo da coluna esquerda. Segundo o modelo de resgate do léxico ortográfico, espera-se que alguns examinandos surdos cometam paragrafias semânticas e acabem escrevendo as palavras da coluna direita para nomear os sinais da coluna esquerda. Se isso vier a ocorrer, a razão terá sido a similaridade semântica entre os conceitos, e não qualquer similaridade quirêmica entre os sinais subjacentes a essas palavras (na coluna direita) e os sinais a serem nomeados (na coluna esquerda), já que, conforme ilustrado, tais sinais não compartilham suficientes elementos quirêmicos entre si (sendo a única exceção aquela entre os sinais CHÁ e CAFÉ que, por isso, constitui caso de paragrafia semântico-quirêmica). O modelo teórico prevê que, por contigüidade conceptual e insuficiente desenvolvimento de vocabulário em Português, alguns examinandos surdos venham a cometer paragrafias semânticas como as de escrever *livro* para nomear LER, *zero* para nomear NADA, *pessoas* para nomear FILA, *Brasil* para nomear BANDEIRA e *bravo* para nomear NERVOSO, dentre outras.

Por outro lado, considerando-se os conceitos que podem ser designados pelos estudantes por meio de palavras escrita como *culpa* e *rei*, *tentar* e *beijo*, *feijão* e *apontador*, *bandeira* e *motel*, *exemplo* e *ficar à toa*, fica clara a ausência de qualquer similaridade ortográfica entre essas palavras, bem como a ausência de qualquer similaridade semântica entre os conceitos a elas subjacentes. Ainda assim, apesar da ausência de similaridade ortográfica entre as palavras e da ausência de similaridade semântica entre os conceitos, o modelo de processamento de informação quirêmica (F. Capovilla, no prelo) prevê que, frente à tarefa de nomear por escrito em Português sinais da Libras como CULPA, TENTAR, FEIJÃO, BANDEIRA e EXEMPLO, dentre outros, estudantes surdos poderão escrever palavras como *rei*, *beijo*, *apontador*, *motel* e *ficar à toa*, respectivamente, simplesmente devido à similaridade quirêmica entre o sinal a ser nomeado e o sinal subjacente à palavra que pode acabar sendo escrita nessa tarefa de nomeação de sinais. Ou seja, o modelo prevê que estudantes surdos possam cometer paragrafias quirêmicas radicadas em sinais como as de escrever *rei* para nomear CULPA, *beijo* para nomear TENTAR, *apontador* para nomear FEIJÃO, *motel* para nomear BANDEIRA, e *ficar à toa* para nomear EXEMPLO, dentre outras. De acordo com o modelo, tais paragrafias quirêmicas, se viessem a ocorrer, só poderiam ser radicadas na similaridade entre as estruturas sublexicais (i.e., quirêmicas) do sinal a ser nomeado e do sinal que subjaz à palavra escrita com que os estudantes surdos acabam incorretamente nomeando esse sinal. Um achado corroborativo dessa expectativa constituiria forte indício de que o léxico ortográfico do surdo (i.e., as representações ortográficas das palavras escritas em Português que são familiares a esse surdo) encontra-se indexado por meio do seu léxico quirêmico (i.e., as representações quirêmicas dos sinais da Libras que lhe são familiares). Desse modo, em tarefas de nomeação por escrita, quando se tem de evocar a palavra escrita correspondente a um determinado item a ser nomeado, o resgate de palavras escritas a partir do léxico ortográfico (i.e., *lexical retrieval*) ocorreria usualmente por intermédio do sinal da Libras a ele correspondente.

A Figura 21 ilustra alguns exemplos de trocas quirêmicas esperadas no TNS1.1–Escrita. Conforme a figura, frente ao sinal-alvo CULPA, CULPADO os estudantes surdos poderiam escrever *rei* ou *rainha* simplesmente devido à semelhança entre os sinais, que é ilustrada naquela figura. Tal troca quirêmica poderia ocorrer por desatenção à expressão facial, que aparece contraída apenas em CULPA e CULPADO mas não em REI e RAINHA. Como fica claro, essa troca quirêmica careceria de qualquer base semântica, já que raramente os conceitos de rei e de culpa poderiam estar naturalmente associados. Da mesma forma, frente ao sinal-alvo TENTAR os estudantes surdos poderiam escrever *experimentar* devido à semelhança entre as estruturas sublexicais dos sinais, conforme ilustrado naquela figura. Tal troca quirêmica poderia ocorrer por desatenção ao parâmetro Local de Articulação que é a testa no sinal TENTAR e a bochecha no sinal EXPERIMENTAR. Além disso, nesse caso, pode-se argumentar uma certa similaridade semântica entre os conceitos de tentar e experimentar. A troca seria mais puramente quirêmica se, frente a esse mesmo sinal-alvo TENTAR os estudantes surdos escrevessem *beijar* ou *beijo*. Essa troca poderia ocorrer simplesmente devido à semelhança entre os sinais, que é ilustrada na figura. Tal troca quirêmica poderia ocorrer por desatenção não apenas ao local de articulação que é a testa no sinal TENTAR e a bochecha no sinal BEIJO, BEIJAR, como, também, à expressão facial feliz, que só ocorre em BEIJO, BEIJAR. Da mesma forma, frente ao sinal-alvo FEIJÃO os estudantes surdos poderiam escrever *apontador* simplesmente devido à semelhança quirêmica entre os sinais, conforme ilustrado naquela figura. Da mesma forma, frente ao sinal-alvo BANDEIRA os estudantes surdos poderiam escrever *motel* simplesmente devido à semelhança quirêmica entre os sinais, que é ilustrada naquela figura. Tal troca quirêmica poderia ocorrer por desatenção ao movimento da mão, que está presente em BANDEIRA mas ausente em MOTEL, bem como ao movimento da bochecha, que está presente em MOTEL mas ausente em BANDEIRA. Igualmente, frente ao sinal-alvo EXEMPLO os estudantes surdos poderiam escrever *ficar à toa* simplesmente devido à quirêmica semelhança entre os sinais, que é ilustrada naquela figura. Tal troca quirêmica poderia ocorrer por desatenção ao movimento que está presente em EXEMPLO mas ausente em FICAR À TOA, e à boca levemente aberta que está presente em FICAR À TOA mas ausente em EXEMPLO.

sinal-alvo a ser nomeado por escrito e respectiva palavra que deve ser escrita na nomeação de sinais por escrita livre	**sinal quiremicamente semelhante ao sinal-alvo e palavra que pode vir a ser escrita na nomeação, ilustrando paragrafia quirêmica**
palavra para o sinal-alvo 10: *culpa, culpado* 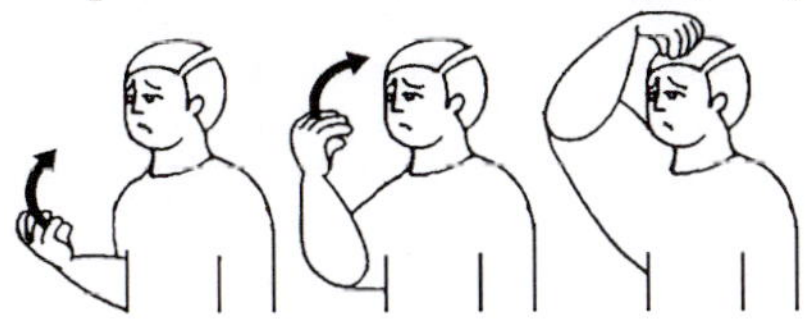	palavra para o sinal semelhante: *rei, rainha* 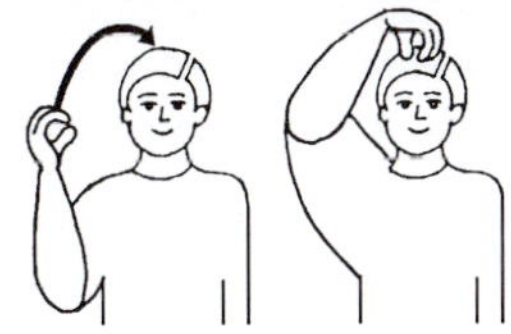
palavra para o sinal-alvo 12: *tentar* 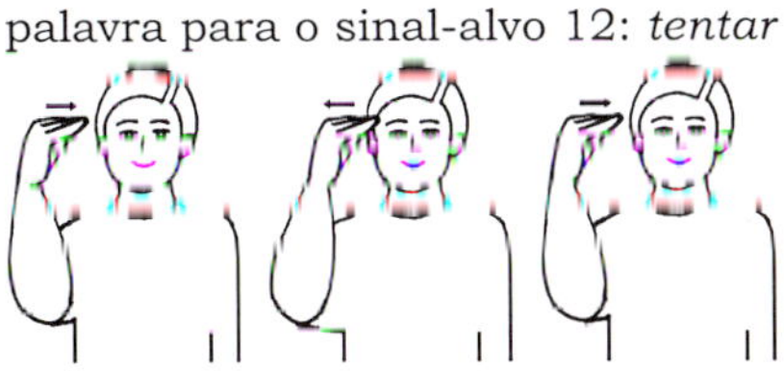	palavra para o sinal semelhante: *experimentar* 
palavra para o sinal-alvo 12: *tentar* 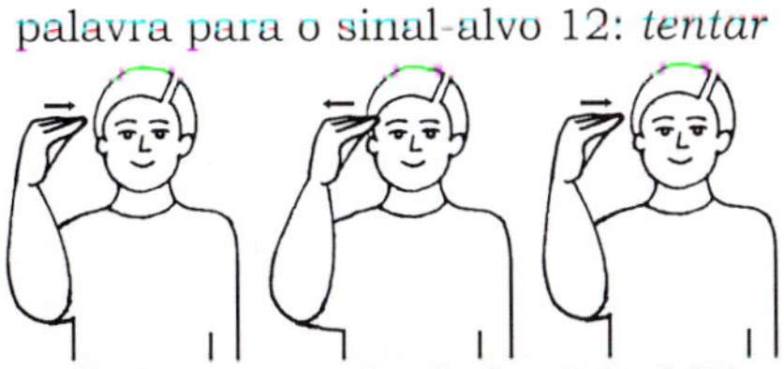	palavra para o sinal semelhante: *beijar, beijo* 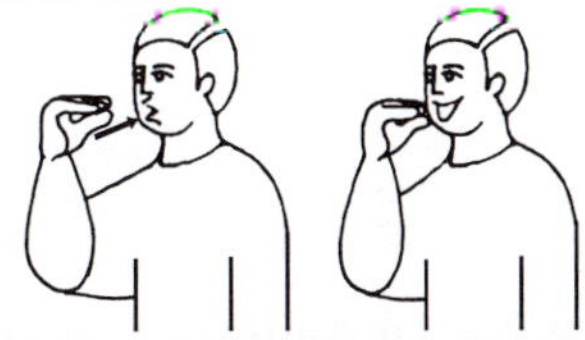
palavra para o sinal-alvo 14: *feijão* 	palavra para o sinal semelhante: *apontador* 
palavra para o sinal-alvo 20: *bandeira* 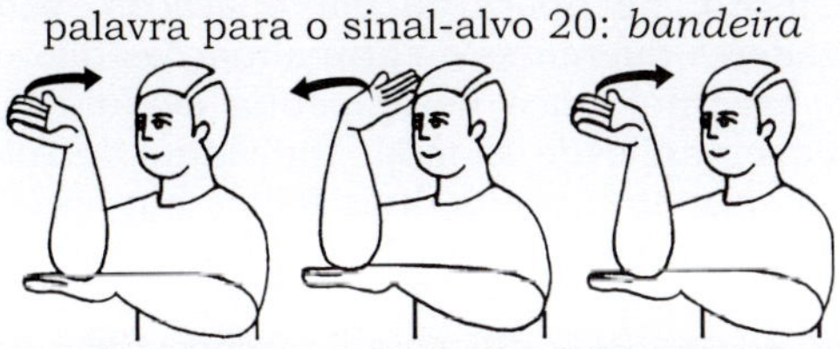	palavra para o sinal semelhante: *motel* 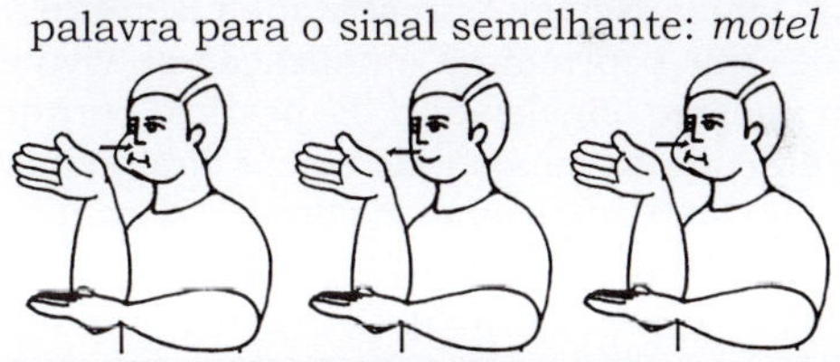
palavra para o sinal-alvo 35: *exemplo* 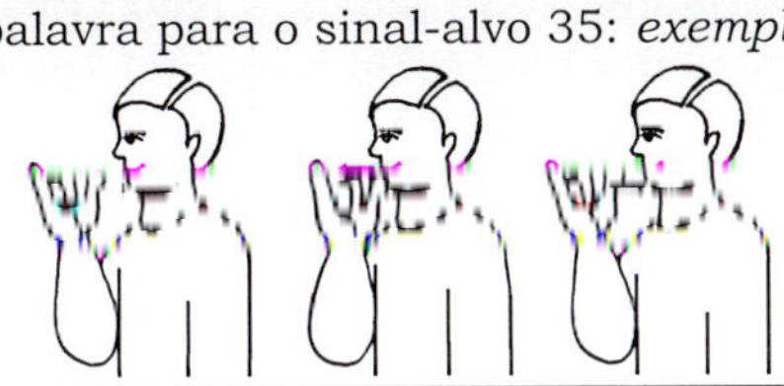	palavra para o sinal semelhante: *ficar à toa, ficar* 

Figura 21. Exemplos de paragrafias quirêmicas esperadas no TNS1.1–Escrita. A coluna esquerda contém alguns sinais-alvo a serem nomeados por escrito no teste, juntamente com as respectivas palavras que devem ser escritas pelos examinandos na tarefa de nomeação escrita de sinais. A coluna direita contém palavras que podem acabar sendo escritas na tarefa de nomeação de sinais e que constituem paragrafias quirêmicas, bem como os sinais a elas subjacentes, os quais têm grande similaridade quirêmica com os sinais-alvo a serem nomeados. Segundo o modelo teórico de indexação quirêmica da representação ortográfica das palavras no estudante sinalizador com surdez pré-lingual ou perilingual, espera-se que alguns surdos cometam paragrafias quirêmicas e acabem escrevendo as palavras da coluna direita para nomear os sinais da coluna esquerda devido à similaridade entre os sinais subjacentes a essas palavras (na coluna direita) e os sinais-alvo a serem nomeados (na coluna esquerda). Assim, o modelo teórico prevê que, devido à elevada proporção de elementos quirêmicos compartilhados na estrutura sublexical dos sinais (tal como quantificado pelo sistema de indexação quirêmica de sinais de F. Capovilla, Duduchi, & Rozados, 2002, 2004), examinandos surdos cometam espontaneamente, durante a nomeação de sinais por escrita livre, paragrafias quirêmicas como as de escrever *rei* para nomear o sinal CULPA, *beijo* para nomear TENTAR, *apontador* para nomear FEIJÃO, *motel* para nomear BANDEIRA, e *ficar à toa* para nomear EXEMPLO, dentre outras.

Assim, dada a inexistência de semelhança, quer semântica quer ortográfica, entre a palavra correspondente ao sinal-alvo (i.e., *culpa, tentar, feijão, bandeira, exemplo*) e a palavra correspondente à paragrafia quirêmica (i.e., *rei, beijo, apontador, motel, ficar à toa*), a escrita das palavras *rei, beijo, apontador, motel, ficar à toa* para designar os sinais CULPA, TENTAR, FEIJÃO, BANDEIRA, EXEMPLO, respectivamente, não seria satisfatoriamente explicada por semelhança ortográfica entre essas palavras ou sequer por relação semântica significativa, mas pareceria, em vez disso, indicar mediação pela sinalização interna a partir da semelhança entre a composição sublexical do sinal correspondente à palavra-alvo e a composição sublexical do sinal que indexa a palavra que pode acabar sendo escrita. Esse arrazoado (F. Capovilla, no prelo) encontra suporte em experimentos de memorização em surdos sinalizadores relatados na bibliografia científica (e.g., Klima & Bellugi, 1979) que têm demonstrado que surdos codificam, processam e recuperam informação lingüística com base nos parâmetros sublexicais dos sinais. Tais dados sugerem que, em tarefas como a de nomear por escrito os sinais da Libras, escrevendo os nomes correspondentes aos sinais, o processo de evocação dos nomes escritos parece envolver processamento quirêmico e indexação sublexical. Além disso, também de suma importância é o apoio recebido de todos os estudos da presente série de experimentos (sumariados em F. Capovilla & Viggiano, 2004), tanto os de nomeação por escrita livre quanto os de nomeação por escolha, e tanto os de nomeação de sinais quanto os de nomeação de figuras.

4.10.1.2.3.5.) Modos de aplicação do TNS1.1–Escrita

A versão 1.1 do Teste de Nomeação de Sinais por Escrita (TNS1.1–Escrita) pode ser aplicada de diferentes formas.

4.10.1.2.3.5.1.) Aplicação do TNS1.1–Escrita com caderno completo de sinais e respostas descartável: *Caderno completo de aplicação com sinais e pautas para escrita de nomes de sinais do TNS1.1–Escrita – versão descartável*

A forma de aplicação mais padronizada, auto-suficiente e prática consiste no uso do *Caderno completo de aplicação com sinais e pautas para escrita de nomes de sinais do TNS1.1–Escrita*. É auto-suficiente porque prescinde da necessidade de sinalização ao vivo. É estandardizada porque garante que os sinais sejam apresentados sempre do mesmo modo, de aplicação em aplicação, sem as variações que ocorrem na sinalização ao vivo entre sinalizadores diferentes e entre situações diferentes de um mesmo sinalizador. É prática porque o mesmo caderno único desempenha as funções de apresentação dos sinais e de coleta das respostas, podendo ser aplicado de modo individual ou coletivo nos contextos educacional e clínico. Além disso, já que consiste em apenas duas folhas impressas em frente e verso (i.e., quatro páginas), seu custo é bastante baixo, podendo ser facilmente arquivado ou descartado após a transposição dos dados para planilhas estatísticas. Trata-se de um caderno completo para aplicação e respostas com quatro páginas, contendo os 36 sinais e respectivas linhas para nomeação escrita, que pode ser arquivado ou descartado após a aplicação. Esse *Caderno completo de aplicação com sinais e pautas para escrita de nomes de sinais do TNS1.1–Escrita* encontra-se publicado no estudo original sobre o TNS1.1–Escrita (F. Capovilla, Viggiano, Bidá, Raphael, A. Capovilla, & Mauricio, 2004). A Figura 19 ilustra dois itens desse *Caderno completo de aplicação com sinais e pautas para escrita de nomes de sinais*, em que o examinando surdo deve escrever o nome de cada sinal.

4.10.1.2.3.5.2.) Coleta de dados do TNS1.1–Escrita com *Folha de respostas avulsa pautada para escrita de nomes de sinais do TNS1.1–Escrita* e apresentação de sinais por diferentes meios

Para tornar a aplicação ainda mais econômica, em vez de distribuir aos examinandos o *Caderno completo de aplicação com sinais e pautas para escrita de nomes de sinais do TNS1.1–Escrita*, o examinador pode distribuir apenas uma folha de respostas avulsa, a ser descartada ou arquivada após a aplicação. Trata-se da *Folha de resposta pautada para escrita de nomes de sinais do TNS1.1–Escrita*, com 36 linhas correspondentes aos sinais 1 a 36 do teste. Alternativamente, pode-se também usar o próprio caderno escolar do estudante. Para a apresentação dos sinais, o examinador pode se valer de diferentes recursos, como a distribuição de uma forma plastificada do *Caderno de aplicação com sinais do TNS1.1–Escrita* que, como não se destina à escrita, pode ser reutilizada inúmeras vezes. Para diminuir gastos, em vez de produzir um grande número de cadernos plastificados, pode-se reproduzir o caderno em transparências de acetato para xerox e projetar as ilustrações dos sinais na tela por meio de retroprojetor. Finalmente, para apresentar os sinais, pode-se também usar sinalização ao vivo articulada pelo examinador. Os três recursos podem ser usados para aplicação individual e coletiva. A principal diferença entre o uso de sinalização ao vivo em relação ao caderno e transparências é que, nos cadernos e nas transparências, embora a forma dos sinais seja mais padronizada e regular, ela também é bidimensional e mais complexa e abstrata. A vantagem desse emprego de sinais mais padronizados e regulares, que ocorre com a administração do teste por meio do caderno e retroprojetor, é que há menos variabilidade espúria entre diferentes aplicações e entre diferentes examinadores. Isso deixa o teste mais fidedigno e confiável, e torna seus resultados mais estáveis ao longo de aplicações diferentes e com examinadores diferentes. Já a vantagem do emprego de sinais tridimensionais e de aparência real e natural, que ocorre com a administração do teste por meio de articulação ao vivo por parte de examinadores fluentes em Libras, é que os sinais parecem mais reais, naturais e concretos aos olhos dos examinandos. Isso deixa o teste mais válido e sensível àquilo que se deseja avaliar, tornando seus resultados mais representativos do fenômeno e dos processos cujas características se almeja medir. A principal diferença entre o uso de cadernos individuais e o uso de transparências é que o uso de transparências, assim como o de sinalização ao vivo, estabelece um ritmo coletivo à avaliação em que todas as crianças respondem a cada um dos 36 itens ao mesmo tempo, enquanto o uso de cadernos individuais estabelece um ritmo individual em que a criança responde aos 36 itens na ordem, velocidade e ritmo que desejar, dentro dos limites de tempo permitidos.

4.10.1.2.3.5.2.1.) Apresentação de sinais do TNS1.1–Escrita com caderno plastificado reutilizável. *Caderno de aplicação com sinais do TNS1.1–Escrita – versão reutilizável*

O *Caderno de aplicação com sinais do TNS1.1–Escrita* pode ser usado em aplicações individuais e coletivas. Se for plastificado e empregado apenas para apresentação dos sinais, pode ser reutilizado em inúmeras aplicações. Para aplicação coletiva, devem ser preparados tantos cadernos quantos examinandos, já que cada examinando deve ter o seu próprio caderno de aplicação.

4.10.1.2.3.5.2.2.) Apresentação de sinais do TNS1.1–Escrita com retroprojetor e transparências: *Conjunto de transparências de sinais do TNS1.1–Escrita*

O *Conjunto de transparências de sinais do TNS1.1–Escrita* tem o mesmo *layout* e número de páginas que o *Caderno de aplicação com sinais do TNS1.1–Escrita.* É um recurso econômico e prático para aplicação coletiva, com a vantagem adicional de reduzir os riscos de os examinandos saltarem itens ou se confundirem no momento de preencher a folha de respostas, já que o examinador, ao apontar um sinal por vez, estabelece um ritmo coletivo e sistemático ao responder dos alunos. Novamente, a tarefa dos examinandos surdos é a de, a cada um dos 36 sinais ou linhas da *Folha de respostas avulsa do TNS1.1–Escrita*, escrever o nome do sinal que está sendo exibido na tela com o auxílio do retroprojetor à medida que o examinador for projetando os sinais. Ou seja, o examinador deve apontar para um sinal exibido na tela pelo retroprojetor e instruir os examinandos surdos a escrever o nome desse sinal. A matriz para o *Conjunto de transparências de sinais do TNS1.1–Escrita*, que consiste, também, no *Caderno de aplicação com sinais do TNS1.1–Escrita*, encontra-se no estudo original sobre o TNS1.1–Escrita (F. Capovilla, Viggiano, Bidá, Raphael, A. Capovilla, & Mauricio, 2004). A cada item, o examinador deve apontar para um sinal exibido na tela com o auxílio do retroprojetor e instruir os examinandos surdos a, usando sua *Folha de respostas avulsa* ou mesmo seu caderno escolar, escrever o nome do sinal em Português.

4.10.1.2.3.5.2.3.) Apresentação de sinais do TNS1.1–Escrita com articulação dos sinais ao vivo: *Sinalização ao vivo por examinador fluente em Libras*

O recurso mais econômico e prático para aplicação por parte de examinadores fluentes em Libras consiste no uso de *Articulação dos sinais ao vivo pelo examinador.* Como, para fins de estandardização, é preciso reduzir a variabilidade espúria entre diferentes aplicações e por diferentes examinadores, é essencial que todos os sinais sejam articulados precisamente da mesma forma a cada aplicação e por examinadores diferentes. Para tanto, os examinadores devem articular os sinais precisamente do modo como eles aparecem no *Caderno de aplicação de sinais do TNS1.1–Escrita.* A cada item, o examinador deve articular um sinal precisamente na forma como aparece no *Caderno*, e instruir os examinandos surdos a, usando sua *Folha de respostas pautada para escrita de nomes de sinais do TNS1.1–Escrita*, ou mesmo seu caderno escolar, escrever o nome do sinal em Português.

4.10.1.2.3.5.3.) Aplicação computadorizada do TNS1.1–Escrita

A versão original TNS1.1–Escrita e as duas versões dela derivadas (i.e., a reordenada TNS1.2–Escrita e a revisada TNS1.3–Escrita) são eficientemente implementadas como testes de papel e lápis em seus respectivos cadernos de aplicação. Além disso, as três versões também se encontram disponíveis para execução em computador com plataforma Windows para avaliar crianças surdas, com os mais severos e variados tipos de impedimento motor (e.g., amputação ou defeitos congênitos) e de distúrbios neuromotores (e.g., tetraplegia por lesão cervical, paralisia cerebral ou esclerose lateral amiotrófica), que se encontrem incapacitadas de segurar um lápis ou sequer de apontar com os dedos para assinalar a alternativa correta. O compêndio de avaliação do desenvolvimento da linguagem de sinais, leitura e escrita na criança surda (F. Capovilla & Viggiano, 2004) apresenta a versão computadorizada reordenada 1.2 do Teste de Nomeação de Sinais por Escrita Livre (TNS1.2–Escrita–Comp: Macedo, F. Capovilla, Viggiano, Charin, A. Capovilla, Diana, Covre, Duduchi, & Raphael, 2004).

As três versões computadorizadas permitem coletar a resposta de escrita por meio de teclado no caso de avaliação de examinandos surdos sem distúrbios motores. Já para avaliar examinandos surdos com severos distúrbios neuromotores, essas versões computadorizadas também permitem coletar a resposta de escrita por meio de varredura automática entre as letras do alfabeto, sendo que, para escrever, tudo que o examinando surdo paralisado ou amputado tem de fazer é emitir um piscar ou outro movimento qualquer quando a letra desejada estiver disponível para escolha, movimento esse que é captado por diferentes tipos de detetores infravermelho. Diferentes tipos e estratégias de (Gonçalves, F. Capovilla, Macedo, & Duduchi, 1997), diferentes parâmetros temporais de varredura (F. Capovilla, Thiers, & Macedo, 2002; F. Capovilla, Thiers, Macedo, & Duduchi, 1998; F. Capovilla, Thiers, Macedo, Raphael, & Duduchi, 1998; F. Capovilla, Thiers, & A. Capovilla, 2003), e diferentes tipos de acionador (Charin & F. Capovilla, 2000; Macedo & F. Capovilla, 2000) podem ser facilmente adaptados de maneira bastante precisa às características neuromotoras (F. Capovilla, Macedo, Duduchi, A. Capovilla, & Thiers, 1998) individuais de cada examinando surdo (F. Capovilla, Macedo, A. Capovilla, Thiers, Raphael, & Duduchi, 1998). Tais versões computadorizadas foram elaboradas a partir de tecnologia acumulada na última década (F. Capovilla, A. Capovilla, & Macedo, 2001a; F. Capovilla, Gonçalves, & Macedo, 1998; F. Capovilla, Macedo, A. Capovilla, Thiers, & Duduchi, 1997; Gonçalves, Macedo, Sennyey, & F. Capovilla, 2000; Macedo, Gonçalves, F. Capovilla, & Sennyey, 2002) para avaliar examinandos surdos e ouvintes com paralisia cerebral (F. Capovilla, Macedo, Duduchi, A. Capovilla, & Gonçalves 1998; F. Capovilla & Nunes, 2003; Thiers, F. Capovilla, Charin, Duduchi, & Macedo, 2000), esclerose lateral amiotrófica (F. Capovilla, A. Duduchi, Macedo, A. Capovilla, & Sazonov, 2000; Lima, Macedo, F. Capovilla, & Sazonov, 2000) e afasia (F. Capovilla, 1997a; F. Capovilla, A. Capovilla, Macedo, & Duduchi, 2000a; Macedo, F. Capovilla, Charin, & Duduchi, 1998), dentre outros.

Além dessas versões para computadores locais, as três versões com teclado também se encontram disponíveis na Internet (Macedo, F. Capovilla, Diana, & Covre, 2002), num sistema capaz de promover a teleavaliação do escolar surdo brasileiro de todos os estados da federação, com vistas a auxiliar a subsidiar políticas públicas de educação do surdo brasileiro em nível nacional.

Como é muito provável que os desempenhos variem como função do modo de aplicação de cada uma das versões do teste (i.e., a original TNS1.1–Escrita, reordenada TNS1.2–Escrita, e a revisada TNS1.3–Escrita), é recomendável que sejam geradas normas específicas para cada uma dessas versões sob cada um dos diferentes modos de aplicação, em termos de aplicação individual ou coletiva, e:

- 1.) Aplicação com *Caderno completo de aplicação com sinais e pautas para escrever os nomes de sinais*; ou
- 2.) Aplicação com *Caderno de aplicação com sinais*, plastificado, e coleta de escrita com *Folha pautada para escrever os nomes de sinais;* ou
- 3.) Aplicação com sinalização ao vivo e coleta de dados com *Folha pautada para escrever os nomes de sinais*; ou
- 4.) Aplicação com *Conjunto de transparências de sinais* e coleta de dados com *Folha pautada para escrever os nomes de sinais*; ou
- 5.) Aplicação computadorizada local com entrada de escrita pelo teclado; ou
- 6.) Aplicação computadorizada local com entrada de escrita por varredura automática com diferentes intervalos temporais de varredura e diferentes tipos de acionamento para avaliação de surdos com severos impedimentos motores; ou
- 7.) Aplicação via Internet para teleavaliação, com entrada de escrita por meio do teclado.

Na presente série de estudos, a tabela de dados normativos da versão original TNS1.1–Escrita foi gerada a partir de aplicação coletiva por meio da *Sinalização ao vivo por examinador fluente em Libras* e coleta de dados por meio da *Folha pautada para escrever os nomes de sinais*. Logo, a tabela de dados normativos do TNS1.1–Escrita (F. Capovilla, Viggiano, Bidá, Raphael, A. Capovilla, & Mauricio, 2004) reflete os resultados desse modo de aplicação coletiva com sinalização ao vivo e coleta de dados por meio de *Folha pautada para escrever os nomes de sinais*.

Numa nova série de estudos de normatização e validação, a versão revisada TNS1.3–Escrita vem sendo normatizada e validada por aplicação com *Caderno completo de aplicação com sinais e pautas para escrever os nomes de sinais do TNS1.3–Escrita*, em vez de com *Sinalização ao vivo pelo examinador* e coleta de dados com *Folha pautada para escrever os nomes de sinais*, como ocorreu no TNS1.1–Escrita, uma vez que essa versão revisada TNS1.3–Escrita foi elaborada para ser auto-suficiente e independer da apresentação dos sinais pelo examinador, quer por sinalização ao vivo, quer por transparências.

4.10.1.2.4.) A versão original 2.1 do Teste de Nomeação de Sinais por Escrita (TNS2.1–Escrita) para acompanhar o desenvolvimento da competência conjunta de escrita e compreensão de sinais por meio da produção de escrita livre para nomear sinais da Libras, controlando o efeito de carreamento

4.10.1.2.4.1.) Natureza e objetivos do TNS2.1–Escrita

O Teste de Nomeação de Sinais por Escrita (TNS–Escrita), também conhecido como Teste de Escrita do Nome de Sinais, avalia o desenvolvimento da competência conjunta de escrita em Português e de compreensão de sinais da Libras, por meio da produção de escrita livre para nomear sinais da Libras. Esse teste de competência de produção de escrita de palavras isoladas avalia a habilidade do examinando de escrever livremente palavras que correspondem a sinais da Libras sem cometer erros ortográficos, semânticos e quirêmicos. O TNS–Escrita fornece um escore geral de competência de produção de escrita, obtido a partir da aplicação de critérios de aferição da qualidade ortográfica da escrita. Além do escore geral, o teste também fornece informações sobre a participação de processos quirêmicos, ortográficos e semânticos envolvidos nessa nomeação de sinais por meio da análise da distribuição da freqüência relativa de paragrafias semânticas e quirêmicas.

O teste é implementado nas versões originais 1.1 e 2.1 (TNS1.1–Escrita: F. Capovilla, Viggiano, Bidá, Raphael, A. Capovilla, & Mauricio, 2004; TNS2.1–Escrita: F. Capovilla, Viggiano, Luz, A. Capovilla, Bidá, & Mauricio, 2004) que, a partir da presente série de estudos, deram origem às respectivas versões reordenadas (i.e., 1.2 e 2.2) e revisadas (i.e., 1.3 e 2.3) com novos sinais a serem nomeados. Esta seção concentra-se na descrição da versão 2.1 (TNS2.1–Escrita). A implementação do teste em duas versões originais (i.e., 1.1 e 2.1) permite reduzir o efeito de aprendizagem de uma avaliação para a seguinte, possibilitando implementar delineamentos de grupo para controle experimental em estudos de intervenção com pré-teste, tratamento e pós-teste (Campbell & Stanley, 1979). Esses delineamentos possibilitam comparar a eficácia relativa de diferentes métodos de ensino a crianças com diferentes perfis, para identificar os mais eficazes procedimentos de diferentes abordagens (e.g., oralismo, comunicação total e bilingüismo) para diferentes competências e desempenhos (e.g., leitura, escrita, sinalização e rendimento escolar) de crianças com características particulares (e.g., tipo e grau de perda auditiva, idade em que ocorreu perda auditiva, tempo decorrido desde a perda auditiva, idade de inserção em comunidade lingüística sinalizadora ou em programa de reabilitação auditiva, tipo de implante coclear, idade em que foi feito o implante, e tempo decorrido desde o implante). Além desses estudos com delineamentos de pesquisa de grupo no contexto educacional, a disponibilidade de instrumentos em diferentes versões também torna possível conduzir pesquisa experimental de caso único (e.g., delineamentos de séries temporais, de Barlow & Hersen, 1984) muito importantes para estudos neuropsicolingüísticos sobre processamento cognitivo de sinais.

4.10.1.2.4.2.) Constituição do TNS2.1–Escrita

Cada uma das duas versões do Teste de Nomeação de Sinais por Escrita consiste em um conjunto de 36 sinais individuais a serem nomeados por escrito, cada qual acompanhado de uma linha em branco para a escrita de seu respectivo nome pelo examinando. A tarefa do examinando surdo consiste em escrever a palavra que corresponde a cada sinal (i.e., escrever o nome do sinal). A única diferença entre as versões 1.1 e 2.1 (TNS1.1–Escrita e TNS2.1–Escrita) diz respeito ao conjunto de 36 sinais que difere de uma versão para outra.

Para examinar o processamento cognitivo envolvendo a competência de escrita de palavras em Português e a compreensão de sinais da Libras no surdo, em termos dos processos quirêmicos, ortográficos e semânticos, este teste analisa as palavras que são escritas livremente pelos examinandos e as suas relações com as palavras que deveriam ter sido escritas. Além da qualidade da produção ortográfica da escrita, que é avaliada conforme critérios precisos de aferição de correção ortográfica descritos nesta seção, o teste também analisa as trocas semânticas e quirêmicas cometidas durante a nomeação de sinais por escrito, ou seja, ao produzir palavras escritas correspondentes aos sinais da Libras. Uma troca semântica consiste em escrever uma palavra que não corresponde ao significado preciso do sinal a ser nomeado, embora tenha alguma relação com ele. Uma troca quirêmica consiste em escrever uma palavra cujo sinal subjacente tem forma semelhante à do sinal a ser nomeado. Em outras palavras, o sinal correspondente à palavra que o examinando escreve é semelhante ao sinal a ser nomeado em termos de quiremas como a articulação de mão, o local dessa articulação, a orientação da palma no plano da sinalização, o movimento descrito no espaço da sinalização e a expressão facial associada.

A Figura 22 ilustra uma amostra de dois dos 36 itens da versão 2.1 do Teste de Nomeação de Sinais por Escrita (TNS2.1–Escrita), cada qual composto de um sinal da Libras e de um espaço em branco a ser preenchido pelo examinando surdo com a palavra escrita que melhor designa o sinal.

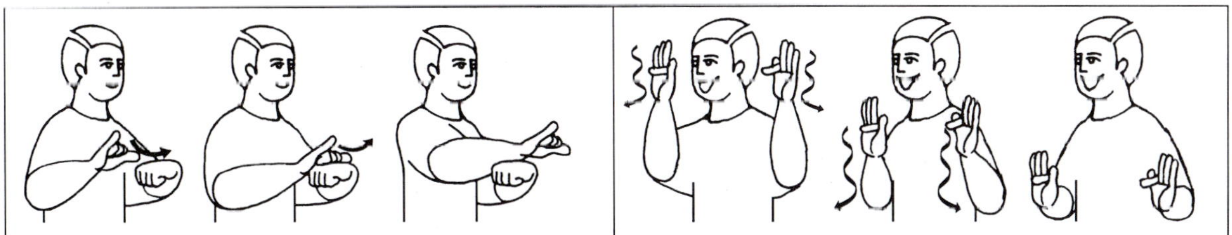

11) ____________________ 12) ____________________

Figura 22. Amostra de dois itens do TNS2.1–Escrita, cada qual composto de um sinal da Libras a ser nomeado por escrito e de uma linha em branco para que o examinando surdo escreva o nome correspondente ao sinal, no caso, os nomes *faltar* (à esquerda) e *feliz* (à direita).

O Quadro 6 arrola a lista de 36 palavras (juntamente com algumas das palavras alternativas aceitáveis, como *amor, amo, gostar* e *gosto* para AMAR) a serem escritas pelos examinandos surdos para nomear cada um dos 36 sinais da Libras da versão 2.1 do Teste de Nomeação de Sinais por Escrita. Quando houver mais de uma palavra escrita por item, isto significa que qualquer uma das palavras listadas no item pode ser considerada aceitável para fins de pontuação.

Quadro 6. Lista de 36 palavras a serem escritas pelos examinandos surdos para nomear cada um dos 36 sinais da Libras que compõem o TNS2.1–Escrita.

item	algumas palavras aceitáveis	item	algumas palavras aceitáveis
1	*amar, amor*	**19**	*azar*
2	*bebê, nenê*	**20**	*treinar, treino*
3	*mar*	**21**	*idade*
4	*falar, fala*	**22**	*bonito, lindo, belo*
5	*água*	**23**	*encontrar, achar, encontro*
6	*dormir*	**24**	*namorar, namoro, namorado*
7	*fazer*	**25**	*domingo*
8	*morrer, morte, matar, morto*	**26**	*perigo, perigoso, risco*
9	*sol*	**27**	*rápido, correr*
10	*verde*	**28**	*vontade, desejo*
11	*faltar, falta*	**29**	*acontecer*
12	*feliz, felicidade*	**30**	*português, Portugal*
13	*surdez, surdo*	**31**	*conversar, conversa*
14	*forte, força*	**32**	*acreditar, crer, fé, confiar*
15	*sofrer, sofrimento*	**33**	*paciência, paciente*
16	*triste, tristeza*	**34**	*problema*
17	*mau, mal, ruim*	**35**	*agradecer, obrigado*
18	*pobre, pobreza*	**36**	*inteligente*

4.10.1.2.4.3.) Critérios de pontuação da nomeação escrita no TNS2.1–Escrita

A cada item, a pontuação pode variar entre 0,00 e 1,00 ponto, dependendo da legibilidade do que foi escrito, de sua adequação semântica ao sinal a ser nomeado e de sua correção ortográfica de acordo com o léxico do idioma. A pontuação 0,00 é atribuída aos casos de resposta omitida (i.e., ausência de esforço de escrita), escrita ininteligível (i.e., rabiscos ou seqüências de letras que não configuram qualquer aproximação inteligível a uma palavra pertencente ao léxico do idioma), e escrita inteligível mas semanticamente incorreta (i.e., palavra não relacionada ao significado do sinal a ser nomeado, ou cujo significado é incompatível com o significado desse sinal). Para analisar a legibilidade da escrita, deve-se procurar compreender a palavra que a criança escreveu ou tentou escrever. Se, frente a um dado sinal, a escrita for semanticamente adequada, ela recebe pontuação 0,25 ou 0,50 ou 0,75 ou 1,00 de acordo com o grau crescente de adequação ortográfica (i.e., proporção de letras adequadas e ordem das letras adequada).

Assim, frente ao sinal LIBERDADE (também passível de nomeação como *livre* e *deixa*), as pontuações abaixo podem ser ilustradas com os seguintes casos:

0,00: Ausência de resposta; ou respostas, como o neologismo *batoja*, que não possuem qualquer letra adequada correspondente às letras da palavra-alvo; ou, ainda, uma palavra semanticamente inadequada, como *casa*;
0,25: Respostas, como a palavra *lava* ou o neologismo *livudo*, que contêm um certo número de letras adequadas e na ordem adequada;
0,50: Respostas, como os neologismos *liva* e *libatate*, que contêm uma maior proporção de letras adequadas e na ordem adequada;
0,75: Respostas, como os neologismos *lirve* e *livedade* e *deiza*, que contêm ainda maior proporção de letras adequadas e na ordem adequada, quase correspondendo à palavra-alvo;
1,00: A palavra-alvo correta *liberdade*, ou um sinônimo aplicável, como *livre* e *deixa*.

Do mesmo modo, frente ao sinal EXEMPLO, as pontuações a seguir podem ser ilustradas com os seguintes casos:

0,00: Ausência de resposta; ou respostas, como o neologismo *eica*, que não possuem qualquer letra adequada correspondente às letras da palavra-alvo; ou, ainda, uma palavra semanticamente inadequada, como *mão*;
0,25: Respostas, como o neologismo *exbro*, que contêm um certo número de letras adequadas e na ordem adequada;
0,50: Respostas, como o neologismo *expoe*, que contêm uma maior proporção de letras adequadas e na ordem adequada;
0,75: Respostas, como os neologismos *exmeplo* e *exmplo*, que contêm ainda maior proporção de letras adequadas e na ordem adequada, quase correspondendo à palavra-alvo;
1,00: A palavra-alvo correta *exemplo*, ou um sinônimo aplicável.

Como um terceiro exemplo, frente ao sinal FELIZ, as pontuações abaixo podem ser ilustradas com as seguintes ocorrências:

0,00: Ausência de resposta; ou respostas, como o neologismo *diago*, que não possuem qualquer letra adequada correspondente às letras da palavra-alvo; ou, ainda, palavras semanticamente inadequadas, como *pão*;
0,25: Respostas, como o neologismo *felas*, que contêm um certo número de letras adequadas e na ordem adequada;
0,50: Respostas, como o neologismo *fleiz*, que contêm uma maior proporção de letras adequadas e na ordem adequada;
0,75: Respostas, como o neologismo *felis*, que contêm ainda maior proporção de letras adequadas e na ordem adequada, quase correspondendo à palavra-alvo;
1,00: A palavra-alvo correta *feliz*, ou um sinônimo aplicável.

E assim por diante, sempre utilizando esse mesmo princípio. Depois que a escrita de cada um dos itens é aferida e pontuada, as pontuações de todos os 36 itens são somadas. Tal soma corresponde ao escore geral no teste.

4.10.1.2.4.4.) Breve arrazoado do TNS2.1–Escrita

Com a progressão ao longo das séries escolares, espera-se que ocorra um substancial aumento da qualidade ortográfica da escrita em Português, com um forte crescimento da pontuação, tal como aferida pelos critérios descritos na seção anterior. Espera-se também que ocorra um substancial aumento do vocabulário de leitura e escrita de palavras em Português, ao lado do vocabulário de sinais da Libras, bem como da rede de conexões entre as duas línguas. Com isso, espera-se um declínio das paragrafias semânticas e quirêmicas, que são explicadas nesta seção.

Pode-se abordar primeiramente a paragrafia semântica. Considerando-se itens como *gostar* e *amor*, *praia* e *mar*, *Rio* e *mar*, *cama* e *dormir*, *educação física* e *treinar*, e *cuidado* e *perigo*, fica clara a ausência de qualquer similaridade ortográfica entre essas palavras, bem como a presença de forte similaridade semântica entre os conceitos a elas subjacentes. Em tarefas de nomeação escrita, essa similaridade semântica entre os conceitos poderia levar a paragrafias semânticas, com substituição de uma palavra por outra. Assim, examinandos surdos poderiam nomear, por escrito, amor como *gostar*, mar como *praia* ou *Rio*, dormir como *cama*, treinar como *educação física*, e perigo como *cuidado*. Examinandos sinalizadores com surdez profunda pré-lingual ou perilingual poderiam escrever *cama* igualmente frente a um pessoa dormindo ou ao sinal DORMIR, *Rio* ou *praia* frente ao mar ou ao sinal

MAR, ou *aniversário* frente ao sinal IDADE, e *educação física* frente ao sinal TREINAR.

Quando se trata de nomear figuras por escrito, tais paragrafias semânticas poderiam sugerir polissemia ou multiplicidade de significados passíveis de atribuição a uma figura, como quando se nomeia uma partida de futebol e um tabuleiro de xadrez igualmente como *jogo*, ou quando se nomeia um colar de brilhantes como *jóia*, *ouro*, *pérolas*, *adorno*, *ostentação*, *riqueza*, e assim por diante. Ou seja, se é verdade que "uma imagem vale mais que mil palavras", então deve ser esperado que muitas palavras diferentes possam ser aplicadas para uma mesma figura, o que pode ser um problema quando se trata de comunicar um significado específico. Por outro lado, quando se trata de nomear sinais da Libras por escrito, espera-se que os conceitos sejam mais claramente delimitados e que a polissemia seja menor, dada a maior precisão denotativa do sinal lingüístico em relação à figura meramente pictorial. Nesse caso, as paragrafias semânticas poderiam resultar de insuficiente vocabulário em Português, e/ou de conexões insuficientemente estabelecidas entre o vocabulário de palavras em Português e o de sinais em Libras. É de se esperar que, com a progressão ao longo das séries escolares, ocorra um substancial aumento do vocabulário de leitura e escrita de palavras em Português, ao lado do vocabulário de sinais da Libras, bem como da rede de conexões entre as duas línguas. Assim, espera-se que, com o aumento da competência de escrita e o desenvolvimento do vocabulário em Português, haja um declínio marcado na freqüência de paragrafias literais e semânticas cometidas ao nomear por escrito tanto sinais da Libras quanto figuras que representam conceitos conhecidos.

A Figura 23 ilustra alguns exemplos de trocas semânticas esperadas no TNS2.1–Escrita. Conforme a figura, frente ao sinal-alvo AMOR os estudantes surdos poderiam escrever *gostar* simplesmente por associação semântica entre os dois conceitos de afeto positivo. Essa troca poderia ocorrer por uma série de fatores de natureza semântica, tal como uma insuficiente distinção entre os conceitos. Além disso, contudo, há uma certa base quirêmica em comum. No entanto, tal base quirêmica não existe entre os sinais MAR e PRAIA de um lado e MAR e RIO de outro lado. Conforme ilustrado na figura, frente ao sinal-alvo MAR os estudantes surdos poderiam escrever *praia* ou *Rio* simplesmente por associação semântica entre esses conceitos. Tal troca careceria de qualquer base quirêmica, já que, conforme a ilustração, os sinais são bastante diferentes. De acordo com a ilustração, a similaridade quirêmica também está ausente entre os sinais DORMIR e CAMA, entre TREINAR e EDUCAÇÃO FÍSICA, e entre PERIGO e CUIDADO, de modo que os estudantes estariam cometendo trocas puramente semânticas se, frente ao sinal DORMIR, escrevessem *cama*; se frente ao sinal TREINAR, escrevessem *educação física*; e se, frente ao sinal PERIGO, escrevessem *cuidado*. Conforme ilustrado pela figura, tais substituições seriam puramente semânticas e careceriam de qualquer base quirêmica, já que a composição sublexical (i.e., quirêmica) dos sinais é bastante diferente. Além disso, dado seu teor adequado e praticamente sinônimo, tais substituições não poderiam ser consideradas paragrafias propriamente ditas, mas apenas semiparagrafias. Por outro lado, contudo, se, frente ao sinal IDADE, os examinandos surdos viessem a escrever *aniversário*, isso poderia ser devido tanto à presença de similaridade semântica quanto à presença de similaridade quirêmica.

Por outro lado, considerando-se conceitos como os expressos por palavras como *verde* e *gelado*, *verde* e *gelo*, *verde* e *frio*, *pobre* e *livro*, *treinar* e *educação*, *treinar* e *costume*, *acontecer* e *tempo*, fica clara a ausência de qualquer similaridade ortográfica entre essas palavras, bem como a ausência de qualquer similaridade semântica entre esses conceitos. Ainda assim, apesar da ausência de similaridade ortográfica entre as palavras e de similaridade semântica entre os conceitos, o modelo de processamento de informação quirêmica (F. Capovilla, no prelo) prevê que, frente à tarefa de nomear por escrito em Português sinais da Libras como VERDE, POBRE, TREINAR, ACONTECER, dentre outros, estudantes sinalizadores com surdez profunda pré-lingual ou perilingual poderão escrever palavras como *gelado*, *gelo* e *frio* frente a VERDE; *livro* frente a POBRE; *educação* e *costume* frente a TREINAR; e *tempo* frente a ACONTECER. Tais substituições não podem ser consideradas aceitáveis como as semânticas já consideradas, e constituem paragrafias quirêmicas plenas. A ocorrência de tais paragrafias quirêmicas radicadas em sinais seria devida, simplesmente, à similaridade quirêmica entre o sinal a ser nomeado e o sinal subjacente à palavra que acabou sendo escrita nessa tarefa de nomeação; por isso sua ocorrência seria esperada apenas em leitores surdos sinalizadores.

Segundo o modelo teórico, tais paragrafias quirêmicas, se viessem a ocorrer, só poderiam ser radicadas na similaridade entre as estruturas sublexicais (i.e., quirêmicas) do sinal a ser nomeado e do sinal que subjaz à palavra escrita com que os estudantes surdos sinalizadores nomeiam esse sinal. O achado de um dado experimental capaz de corroborar tal expectativa constituiria forte indício de que o léxico ortográfico do surdo (i.e., as representações ortográficas das palavras escritas em Português que lhe são familiares) encontra-se indexado por meio do seu léxico quirêmico (i.e., as representações quirêmicas dos sinais da Libras que lhe são familiares). Segundo esse modelo, em tarefas de nomeação por escrita, quando surdos sinalizadores têm de evocar a palavra escrita correspondente a um item a ser nomeado, o resgate de palavras escritas a partir de seu léxico ortográfico (i.e., *lexical retrieval*) ocorreria usualmente por intermédio do sinal da Libras a ele correspondente.

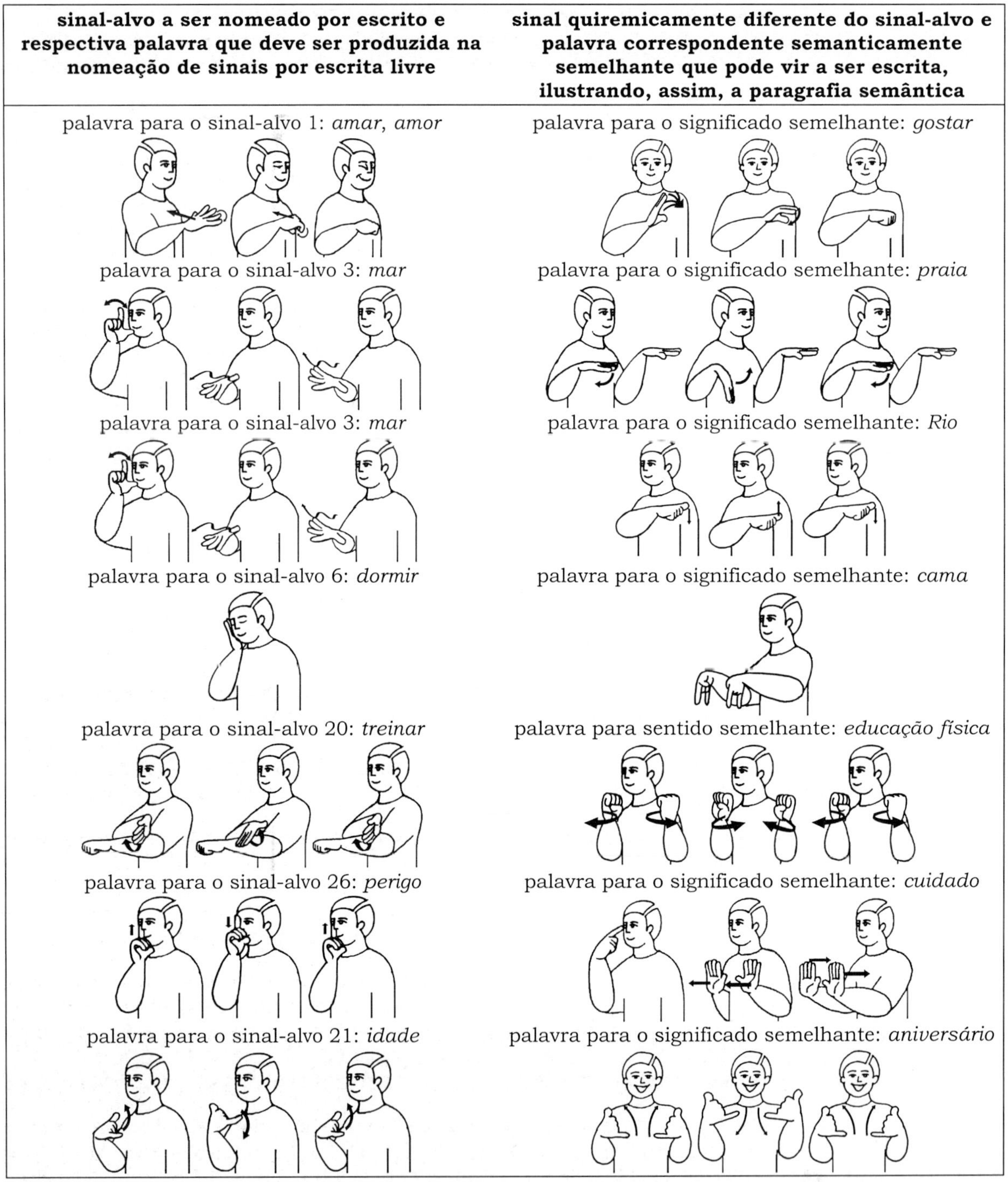

Figura 23. Exemplos de paragrafias semânticas esperadas no TNS2.1–Escrita. A coluna esquerda contém alguns sinais-alvo a serem nomeados por escrito, e as respectivas palavras que devem ser escritas pelos examinandos. A coluna direita contém as palavras que podem acabar sendo escritas na tarefa de nomeação dos sinais e que constituem semiparagrafias semânticas, bem como os sinais a elas subjacentes, os quais não têm suficiente semelhança quirêmica com os respectivos sinais-alvo a serem nomeados (com exceção da relativa semelhança quirêmica entre AMAR e GOSTAR e entre IDADE e ANIVERSÁRIO). Segundo o modelo teórico de resgate ortográfico, são esperadas paragrafias semânticas, com a escrita das palavras da coluna direita para nomear os sinais da coluna esquerda. Isso decorreria da similaridade semântica entre os conceitos e não da similaridade quirêmica entre os sinais subjacentes a essas palavras (na coluna direita) e os sinais a serem nomeados (na coluna esquerda). Nas duas exceções (entre os sinais AMAR e GOSTAR e entre IDADE e ANIVERSÁRIO), além da similaridade semântica entre os conceitos há também similaridade quirêmica entre os sinais. Devido à contigüidade

conceptual e a um insuficiente desenvolvimento de vocabulário em Português, poderiam ocorrer paragrafias semânticas como as de escrever *praia* ou *Rio* para nomear o sinal MAR, *cama* para nomear DORMIR, *educação física* para nomear TREINAR, e *cuidado* para nomear PERIGO, dentre outras.

A Figura 24 ilustra alguns exemplos de trocas quirêmicas esperadas no TNS2.1–Escrita. Conforme a figura, frente ao sinal-alvo VERDE, estudantes com surdez profunda pré-lingual ou perilingual poderiam escrever *gelado* ou *gelo* ou *frio* simplesmente devido à semelhança entre os sinais, conforme ilustrado. A nomeação do sinal VERDE como *gelado* ou *gelo* constituiria uma paragrafia quirêmica elementar por similaridade quirêmica simples. Já a nomeação do sinal VERDE como *frio* constituiria uma paragrafia quirêmico–semântica mais complexa, baseada na similaridade quirêmica entre VERDE e GELADO, e na similaridade semântica entre GELADO e FRIO.

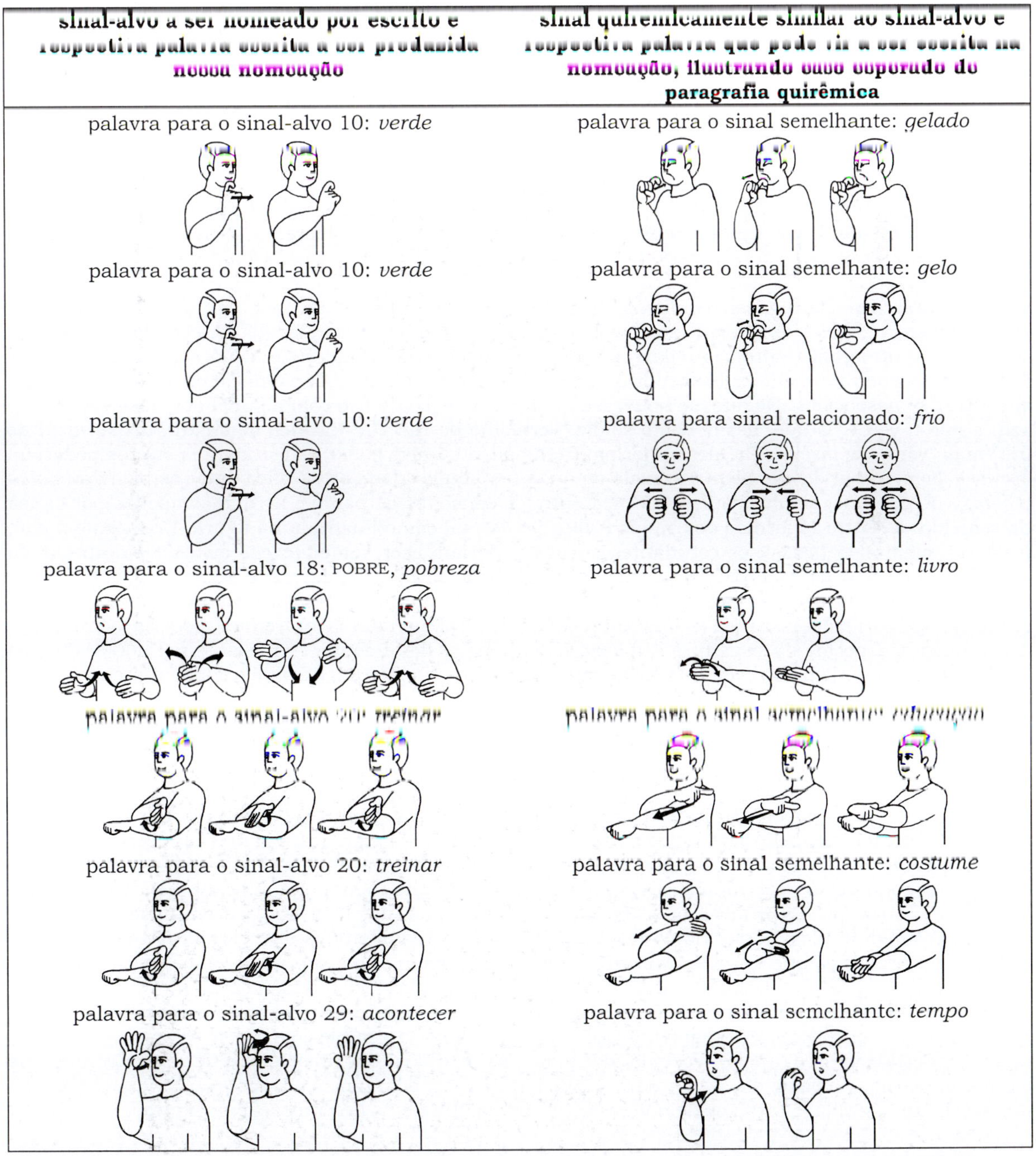

Figura 24. Exemplos de paragrafias quirêmicas esperadas no TNS2.1–Escrita. A coluna esquerda contém alguns sinais-alvo a serem nomeados por escrito no teste, juntamente com as respectivas

palavras que devem ser produzidas pelos examinandos na tarefa de nomeação escrita de sinais. A coluna direita contém palavras que podem acabar sendo escritas na tarefa de nomeação de sinais e que constituem paragrafias quirêmicas, bem como os sinais a elas subjacentes, os quais têm grande similaridade quirêmica com os sinais-alvo a serem nomeados. Segundo o modelo de indexação quirêmica da representação ortográfica das palavras no sinalizador com surdez profunda pré-lingual ou perilingual, são esperadas paragrafias quirêmicas, com a escrita das palavras da coluna direita para nomear os sinais da coluna esquerda devido à similaridade entre os sinais subjacentes às palavras da coluna direita e os sinais-alvo a serem nomeados na coluna esquerda. Na nomeação de sinais por escrita livre, devido à elevada proporção de elementos quirêmicos compartilhados na estrutura sublexical dos sinais (tal como quantificado e comprovado pelo sistema de indexação quirêmica de sinais de F. Capovilla, Duduchi, Raphael, Luz, Rozados, A. Capovilla, & Macedo, 2003), o modelo prevê a ocorrência de paragrafias quirêmicas como as de escrever *gelado, gelo* ou *frio* para nomear o sinal VERDE; *educação* ou *costume* para nomear TREINAR; *livro* para nomear POBRE; e *tempo* para nomear ACONTECER, dentre outras.

Paragrafias quirêmicas poderiam ocorrer por causa de negligência de determinados quiremas sutis que são de crítica importância para distinguir entre sinais diferentes. A própria definição do conceito de quirema, assim como a de fonema, deixa clara a importância dessa distinção sutil entre itens lexicais diferentes. Segundo a definição, quirema é a menor unidade constitutiva de um sinal, capaz de distinguir entre dois sinais diferentes, assim como fonema é a menor unidade constitutiva de uma palavra falada, capaz de distinguir entre duas palavras faladas diferentes. Assim, por exemplo, a paragrafia quirêmica de escrever *gelado, gelo* ou *frio* para nomear o sinal VERDE poderia ocorrer por desatenção ao quirema Expressão Facial, que aparece contraída apenas em GELO e GELADO mas não em VERDE. Como fica claro, essa confusão entre sinais diferentes se dá por causa da similaridade quirêmica entre esses sinais (em tudo semelhantes, exceto na expressão facial), carecendo de qualquer similaridade ortográfica entre as palavras e de qualquer similaridade ou relação semântica entre os conceitos, já que raramente os conceitos de *gelo* e *gelado* de um lado e de *verde* de outro lado poderiam encontrar-se associados. De fato, se houvesse qualquer relação do frio com alguma cor, essa cor seria o azul e não o verde, já que, assim como se diz "vermelho de raiva" e "branco de susto", diz-se "azul de frio" mas "verde de inveja". Da mesma forma, frente ao sinal-alvo POBRE os estudantes surdos poderiam escrever *livro* apesar da completa ausência de qualquer similaridade ortográfica entre as palavras *pobre* e *livro*, e de qualquer similaridade semântica entre os conceitos de pobre e livro, mas apenas por causa da semelhança entre as formas dos sinais POBRE e LIVRO, tal como ilustrada na figura. Do mesmo modo, frente ao sinal-alvo TREINAR os estudantes surdos poderiam escrever *educação* ou *costume* apesar da completa ausência de qualquer similaridade ortográfica entre as palavras e semântica entre esses conceitos, mas apenas por causa da semelhança entre os sinais TREINAR e EDUCAÇÃO e TREINAR e COSTUME, similaridade essa que é ilustrada na figura. Tal paragrafia quirêmica poderia ocorrer por desatenção a aspectos da estrutura sublexical dos sinais. Igualmente, frente ao sinal ACONTECER, os examinandos poderiam escrever *tempo*, por causa, fundamentalmente, da similaridade quirêmica entre os sinais.

Assim, dada a inexistência de semelhança, quer semântica quer ortográfica, entre a palavra correspondente ao sinal-alvo e a palavra correspondente à paragrafia quirêmica, o comportamento de escrever as palavras *gelado, gelo* e *frio* para designar o sinal VERDE; *educação* e *costume* para TREINAR; *livro* para POBRE; e *tempo* para ACONTECER não seria satisfatoriamente explicado por semelhança ortográfica entre essas palavras ou sequer por relação semântica significativa, mas pareceria, isso sim, indicar mediação pela sinalização interna a partir da semelhança entre a composição sublexical do sinal correspondente à palavra-alvo e a composição sublexical do sinal que indexa a palavra que pode acabar sendo escrita. Esse arrazoado (F. Capovilla, no prelo) encontra suporte em experimentos de memorização em surdos sinalizadores relatados na bibliografia científica (e.g., Klima & Bellugi, 1979) que têm demonstrado que surdos codificam, processam e recuperam informação lingüística com base nos parâmetros sublexicais dos sinais. Tais dados sugerem que, em tarefas como a de nomear sinais da Libras ou de escrever palavras escritas correspondentes a sinais, o processo de evocação dos nomes escritos parece envolver processamento quirêmico e indexação sublexical. Além disso, também de suma importância é o apoio recebido de todos os estudos da presente série de experimentos (sumariados em F. Capovilla & Viggiano, 2004), tanto os de nomeação por escrita quanto os de nomeação por escolha, e tanto os de nomeação de sinais quanto os de nomeação de figuras.

4.10.1.2.4.5.) Modos de aplicação do TNS2.1–Escrita

O TNS2.1–Escrita pode ser aplicado de diferentes formas, conforme explicado a seguir.

4.10.1.2.4.5.1.) Aplicação do TNS2.1–Escrita com caderno completo de sinais e respostas descartável: *Caderno completo de aplicação com sinais e pautas para escrita de nomes de sinais do TNS2.1–Escrita – versão descartável*

A forma de aplicação mais estandardizada, auto-suficiente e prática consiste no uso do *Caderno completo de aplicação com sinais e pautas para escrita de nomes de sinais do TNS2.1–Escrita*. É auto-suficiente porque prescinde da necessidade de sinalização ao vivo. É estandardizada porque garante que os sinais sejam apresentados sempre do mesmo modo, de aplicação em aplicação, sem as variações espúrias que quase sempre tendem a ocorrer na sinalização ao vivo. É prática porque o mesmo caderno único desempenha as funções de apresentação dos sinais e de coleta das respostas, podendo ser aplicado de modo individual ou coletivo nos contextos educacional e clínico. Além disso, já que consiste em apenas duas folhas impressas em frente e verso (i.e., quatro páginas), seu custo e bastante baixo, podendo ser facilmente arquivado ou descartado após a transposição dos dados para planilhas estatísticas. Trata-se de um caderno com quatro páginas, contendo os 36 sinais e respectivas pautas para nomeação dos sinais por escrita livre. O *Caderno completo de aplicação com sinais e pautas para escrita de nomes de sinais do TNS2* encontra-se disponível no estudo original do TNS2.1–Escrita (F. Capovilla, Viggiano, Luz, A. Capovilla, Bidá, & Mauricio, 2004). A Figura 22 ilustra dois itens desse caderno, em que o examinando surdo deve escrever o nome de cada sinal.

4.10.1.2.4.5.2.) Coleta de dados do TNS2.1–Escrita com *Folha de respostas avulsa pautada* para escrever os nomes dos sinais do TNS2.1–Escrita e apresentação de sinais por diferentes meios

Para reduzir ainda mais os custos envolvidos na avaliação da população escolar surda, em vez de distribuir a cada examinando o *Caderno completo de aplicação com sinais e pautas para escrita de nomes de sinais do TNS2.1–Escrita*, pode-se distribuir apenas a *Folha de resposta pautada para escrita de nomes de sinais do TNS2.1–Escrita*, a ser descartada após a aplicação. Ela consiste simplesmente em uma folha avulsa de papel sulfite pautada, com 36 linhas correspondentes aos sinais 1 a 36 do teste. Alternativamente, pode-se também usar o próprio caderno escolar do estudante. Para apresentar os sinais, o examinador pode usar uma série de recursos, como distribuir uma forma plastificada do *Caderno completo de aplicação com sinais e pautas para escrita de nomes de sinais do TNS2.1–Escrita* que pode ser reutilizada inúmeras vezes, já que não se destina à escrita. Para não ter de plastificar um grande número de cadernos, pode-se reproduzir o caderno em transparências de acetato para xerox e projetar os sinais na parede da sala usando o retroprojetor da escola. Finalmente, para apresentar os sinais, pode-se também usar sinalização ao vivo por parte do examinador. Os três recursos podem ser usados tanto para aplicação individual quanto para a coletiva.

Comparando o uso de sinalização ao vivo, de um lado, com o uso de cadernos e transparências, de outro, pode-se dizer que a apresentação de sinais por sinalização ao vivo é mais natural, já que a forma tridimensional dos sinais encontra-se preservada. Portanto, é esperado que a sinalização ao vivo produza resultados mais válidos e sensíveis, embora um tanto menos fidedignos, já que variações na fluência de sinalização por parte de examinadores diferentes podem produzir variações espúrias no desempenho dos examinandos. Tais vantagens da aplicação por sinalização ao vivo devem ser maiores para examinandos muito jovens e também para examinandos ainda não alfabetizados. Por outro lado, pode-se esperar que a apresentação de sinais padronizada por meio de cadernos e transparências tenda a produzir resultados mais estáveis e fidedignos, já que controla as variações espúrias relacionadas a características dos examinadores, como a fluência de sinalização em Libras. O preço desse ganho em confiabilidade e estabilidade dos dados, no entanto, pode ser uma certa perda de sensibilidade na avaliação de examinandos ainda muito jovens ou não alfabetizados, já que a apresentação bidimensional dos sinais tende a requerer maior habilidade de abstração por parte dos examinandos.

Em suma, a vantagem do emprego de sinais mais padronizados e regulares, que ocorre com a administração do teste por meio de caderno e retroprojetor, é que há menos variabilidade espúria entre diferentes aplicações e entre diferentes examinadores. Isso deixa o teste mais fidedigno e confiável, e torna seus resultados mais estáveis ao longo de aplicações diferentes e de examinadores diferentes. Já a vantagem do emprego de sinais tridimensionais e de aparência real e natural, que ocorre com a administração do teste por meio de articulação ao vivo por parte de examinadores fluentes em Libras, é que os sinais parecem mais reais, naturais e concretos aos olhos dos examinandos. Isso deixa o teste mais válido e sensível àquilo que se deseja avaliar, tornando seus resultados mais representativos do fenômeno e dos processos cujas características se almeja medir.

Comparando os cadernos individuais e as transparências, pode-se dizer que o uso de transparências, assim como o de sinalização ao vivo, estabelece um ritmo coletivo à avaliação, em que todas as crianças da turma respondem a cada um dos 36 itens ao mesmo tempo, enquanto o uso de cadernos individuais estabelece um ritmo individual em que a criança responde aos 36 itens na ordem, velocidade e ritmo que desejar, dentro dos limites de tempo permitidos. Assim, o avaliador pode escolher entre esses modos de aplicação a partir da consideração de suas vantagens e desvantagens para cada situação específica de avaliação em particular.

4.10.1.2.4.5.2.1.) Apresentação de sinais do TNS2.1–Escrita com caderno plastificado reutilizável: *Caderno de aplicação com sinais do TNS2.1–Escrita – versão reutilizável*

O *Caderno completo de aplicação com sinais e pautas para escrita de nomes de sinais do TNS2.1–Escrita* consiste na forma mais prática e autônoma de administração do teste. Contudo, se o desejar, o examinador pode empregar o *Caderno de aplicação com sinais do TNS2.1–Escrita*, que difere do primeiro apenas por não conter pautas para escrever os nomes de sinais. Assim, esse segundo caderno é usualmente plastificado e empregado apenas para apresentação dos sinais, podendo ser reutilizado em inúmeras aplicações, desde que essas não deixem qualquer marca capaz de indicar as respostas dadas em aplicações anteriores. Esse *Caderno de aplicação com sinais do TNS2.1–Escrita* pode ser usado tanto para aplicação individual quanto para aplicação coletiva, sendo que devem ser preparados tantos cadernos quantos examinandos, já que cada examinando deve ter o seu próprio caderno individual de aplicação.

4.10.1.2.4.5.2.2.) Apresentação de sinais do TNS2.1–Escrita com retroprojetor e transparências: *Conjunto de transparências de sinais do TNS2.1–Escrita*

O *Conjunto de transparências de sinais do TNS2.1–Escrita* é um recurso econômico e prático para aplicação coletiva, que reduz os riscos de os examinandos saltarem itens ou se confundirem no momento de preencher a folha de respostas, já que o examinador estabelece um ritmo coletivo e sistemático ao responder dos alunos, ao apontar um sinal a cada vez. A matriz para o *Conjunto de transparências de sinais do TNS2.1–Escrita* consiste no *Caderno de aplicação com sinais do TNS2.1–Escrita*, e se encontra no estudo da versão original TNS2.1–Escrita (F. Capovilla, Viggiano, Luz, A. Capovilla, Bidá, & Mauricio, 2004). A cada um dos 36 itens, o examinador deve apontar para um sinal exibido na tela ou parede com o auxílio do retroprojetor e instruir os examinandos surdos a, usando sua *Folha de respostas pautada para escrita de nomes de sinais do TNS2.1–Escrita*, ou mesmo seu caderno escolar, escrever o nome do sinal em Português.

4.10.1.2.4.5.2.3.) Apresentação de sinais do TNS2.1–Escrita com articulação dos sinais ao vivo: *Sinalização ao vivo por examinador fluente em Libras*

A *Articulação dos sinais do TNS2.1–Escrita ao vivo pelo examinador* é um recurso extremamente econômico e prático para aplicação do *TNS2.1–Escrita* por parte de examinadores fluentes em Libras. Além disso, conforme já explicado, é também o recurso que produz resultados mais válidos e sensíveis, especialmente na avaliação de examinandos muito jovens ou ainda não alfabetizados, embora também tenda a ser o recurso mais vulnerável a variações espúrias na fluência e inteligibilidade da sinalização por parte de examinadores diferentes. Para reduzir a variabilidade espúria entre diferentes aplicações e por diferentes examinadores, todos os sinais devem ser articulados exatamente do mesmo modo a cada aplicação e por examinadores diferentes. Para garantir que isso ocorra, os examinadores devem articular os sinais precisamente como eles aparecem no *Caderno de aplicação com sinais do TNS2.1–Escrita*. A cada item, o examinador deve articular um sinal precisamente na forma como aparece nesse *Caderno de aplicação*, e instruir os examinandos surdos a, usando sua *Folha de respostas pautada para escrita de nomes de sinais do TNS2.1–Escrita* ou seu caderno escolar, escrever o nome do sinal em Português.

4.10.1.2.4.5.3.) Aplicação computadorizada do TNS2.1–Escrita

A versão original TNS2.1–Escrita e as duas versões dela derivadas (i.e., a reordenada TNS2.2–Escrita e a revisada TNS2.3–Escrita) são eficientemente implementadas como testes de papel e lápis em seus respectivos cadernos de aplicação variados. Além disso, as três versões também se encontram disponíveis em computador com plataforma Windows para execução em computador para avaliar crianças surdas, com os mais severos e variados tipos de impedimento motor (e.g., amputação ou defeitos congênitos) e de distúrbios neuromotores (e.g., tetraplegia por lesão cervical, paralisia cerebral ou esclerose lateral amiotrófica), que se encontrem incapacitadas de segurar um lápis ou sequer de apontar com os dedos para assinalar a alternativa correta. O compêndio de avaliação do desenvolvimento da linguagem de sinais, leitura e escrita na criança surda (F. Capovilla & Viggiano, 2004) apresenta a versão computadorizada reordenada 2.2 do Teste de Nomeação de Sinais por Escrita Livre (TNS2.2–Escrita–Comp: Macedo, F. Capovilla, Charin, Viggiano, Diana, Duduchi, Raphael, A. Capovilla, & Covre, 2004).

As três versões computadorizadas permitem coletar a escrita dos examinandos por meio de teclado quando se trata de avaliar examinandos surdos sem distúrbios motores. Já para avaliar examinandos surdos com severos distúrbios neuromotores, as versões computadorizadas permitem a coleta da escrita por meio de varredura automática entre as letras do alfabeto. Nesse caso, para escrever, tudo que o examinando surdo paralisado ou amputado tem de fazer é emitir um movimento qualquer, como o piscar, quando a letra desejada estiver disponível para escolha, movimento esse que é captado por detetor infravermelho. O tipo e as estratégias de varredura (Gonçalves, F. Capovilla, Macedo, & Duduchi, 1997), o parâmetro temporal de varredura (F. Capovilla, Thiers, & Macedo, 2002; F. Capovilla, Thiers, Macedo, & Duduchi, 1998; F. Capovilla, Thiers, Macedo, Raphael, & Duduchi, 1998; F. Capovilla, Thiers, & A. Capovilla, 2000), e o tipo de acionador (Charin & F. Capovilla, 2000; Macedo & F. Capovilla, 2000a) mais adequados a cada examinando podem ser adaptados precisamente às características neuromotoras (F. Capovilla, Macedo, Duduchi, A. Capovilla, & Thiers, 1998) desse examinando surdo (F. Capovilla, Macedo, A. Capovilla, Thiers, Raphael, & Duduchi, 1998). Tais versões computadorizadas foram elaboradas a partir de tecnologia acumulada na última década (F. Capovilla, A. Capovilla, & Macedo, 2001a; F. Capovilla, Gonçalves, & Macedo, 1998; F. Capovilla, Macedo, A. Capovilla, Thiers, & Duduchi, 1997; Gonçalves, Macedo, Sennyey, F. Capovilla, 2000; Macedo, Gonçalves, F. Capovilla, & Sennyey, 2002) para avaliar examinandos surdos e ouvintes com paralisia cerebral (F. Capovilla, Macedo, Duduchi, A. Capovilla, & Gonçalves 1998; F. Capovilla & Nunes, 2003; Thiers, F. Capovilla, Charin, Duduchi, & Macedo, 2000), esclerose lateral amiotrófica (F. Capovilla, A. Duduchi, Macedo, A. Capovilla, & Sazonov, 2000; Lima, Macedo, F. Capovilla, & Sazonov, 2000) e afasia (F. Capovilla, 1997a; F. Capovilla, A. Capovilla, Macedo, & Duduchi, 2000a; Macedo, F. Capovilla, Charin, & Duduchi, 1998).

Além dessas versões para computadores locais, as três versões com teclado também se encontram disponíveis na Internet (Macedo, F. Capovilla, Diana, & Covre, 2002), num sistema capaz de conduzir uma teleavaliação do escolar surdo brasileiro de todos os estados da federação, acompanhando o desenvolvimento da linguagem sob variadas condições de ensino, com vistas ao aperfeiçoamento constante de procedimentos e materiais para a educação da criança e do jovem surdo brasileiro e a auxiliar a subsidiar políticas públicas de educação do surdo brasileiro em nível nacional.

Como é muito provável que os desempenhos variem como função do modo de aplicação de cada uma das versões do teste (i.e., a original TNS2.1–Escrita, reordenada TNS2.2–Escrita, e a revisada TNS2.3–Escrita), é recomendável que sejam geradas normas específicas para cada uma dessas versões sob cada um dos diferentes modos de aplicação, quanto à aplicação individual ou coletiva, e:

- 1.) Aplicação com *Caderno completo de aplicação com sinais e pautas para escrita de nomes de sinais do TNS2.1–Escrita*; ou
- 2.) Aplicação com *Caderno de aplicação com sinais*, plastificado, e coleta de escrita com *Folha pautada para escrever os nomes de sinais*; ou
- 3.) Aplicação com sinalização ao vivo e coleta de dados com *Folha pautada para escrever os nomes de sinais*; ou
- 4.) Aplicação com *Conjunto de transparências de sinais do TNS2.1–Escrita* e coleta de dados com *Folha pautada para escrever os nomes de sinais*; ou
- 5.) Aplicação computadorizada local com entrada de escrita pelo teclado; ou
- 6.) Aplicação computadorizada local com entrada de escrita por varredura automática com diferentes intervalos temporais de varredura e diferentes tipos de acionamento para avaliação de surdos com severos impedimentos motores; ou
- 7.) Aplicação via Internet para teleavaliação, com entrada de escrita pelo teclado.

Na presente série de estudos, a tabela de dados normativos da versão original TNS2.1–Escrita foi gerada a partir de aplicação coletiva por meio da *Sinalização ao vivo por examinador fluente em Libras* e coleta de dados com *Folha pautada para escrever os nomes de sinais*. Logo, a tabela de dados normativos do TNS2.1–Escrita (F. Capovilla, Viggiano, Luz, A. Capovilla, Bidá, & Mauricio, 2004) reflete os resultados desse modo de aplicação coletiva com *Sinalização ao vivo por examinador* e coleta de dados com *Folha de resposta pautada para escrita de nomes de sinais*, e só deve ser usada para interpretar os resultados sob essas condições de aplicação.

Numa nova série de estudos de normatização e validação, uma nova tabela de dados normativos está sendo presentemente obtida para a versão revisada TNS2.3–Escrita. Como o TNS2.3–Escrita foi elaborado especialmente para aplicação auto-suficiente com *Caderno completo de aplicação com sinais e pautas para escrever os nomes de sinais do TNS2.3–Escrita,* essa nova tabela de dados normativos a ser publicada proximamente deverá ser empregada para interpretar os resultados do TNS2.3–Escrita aplicado apenas por meio do *Caderno completo de aplicação com sinais e pautas para escrever os nomes de sinais do TNS2.3–Escrita,* e não por *Caderno completo de aplicação com sinais* ou com *Conjunto de transparências de sinais,* como ocorreu no estudo com o TNS2.1–Escrita.

4.10.1.2.5.) A versão original 1.1 do Teste de Nomeação de Figuras por Escrita (TNF1.1–Escrita) para avaliar o desenvolvimento da competência de escrita do nome de figuras

4.10.1.2.5.1.) Natureza e objetivos do TNF1.1–Escrita

O Teste de Nomeação de Figuras por Escrita (TNF–Escrita), também conhecido como Teste de Escrita do Nome de Figuras, avalia o desenvolvimento da competência de escrever nomes de figuras, ou seja, da competência de produção de escrita livre para nomear figuras que representam objetos e animais mais ou menos conhecidos. Trata-se de um teste de competência de produção de escrita de palavras isoladas que avalia a habilidade do examinando de escrever livremente palavras que correspondem a figuras sem cometer erros ortográficos, semânticos e quirêmicos. O teste fornece um escore geral de competência de nomeação de figuras por produção de escrita livre, obtido a partir da aplicação de critérios de aferição da qualidade ortográfica da escrita. Além desse escore geral, o teste também fornece informações sobre a participação de processos quirêmicos, ortográficos e semânticos nessa nomeação de figuras por meio da análise da distribuição de freqüência relativa de paragrafias semânticas e quirêmicas. O teste é implementado nas duas versões originais 1.1 (TNF1.1–Escrita: F. Capovilla, Viggiano, Raphael, Bidá, A. Capovilla, Mauricio, & Neves, 2004) e 2.1 (TNF2.1–Escrita: F. Capovilla, Viggiano, Raphael, Bidá, A. Capovilla, & Neves, 2004). A partir desta série de estudos, cada versão original (i.e., 1.1 e 2.1) deu origem a uma versão reordenada por grau de dificuldade (i.e., 1.2 e 2.2) e a uma versão revisada (i.e., 1.3 e 2.3) com novas figuras a serem nomeadas. Todas as novas versões podem ser encontradas nessas publicações citadas. Esta seção concentra-se na versão original 1.1 (TNF1.1–Escrita).

A implementação do teste em duas versões originais (i.e., 1.1 e 2.1) almeja reduzir o efeito de carreamento ou aprendizagem de uma avaliação para a seguinte e, assim, permitir implementar delineamentos de grupo para controle experimental na condução de estudos de intervenção envolvendo pré-teste, tratamento e pós-teste (Campbell & Stanley, 1979), que são importantes para avaliar os resultados de intervenções educacionais e clínicas. Em termos de pesquisa educacional, a disponibilidade das versões alternativas permite comparar a eficácia relativa de diferentes métodos de ensino a crianças com perfis variados. Assim, permite identificar e mapear precisamente os ganhos produzidos por diferentes procedimentos derivados de abordagens educacionais distintas (e.g., oralismo, comunicação total e bilingüismo) sobre competências e desempenhos variados (e.g., leitura, escrita, sinalização e rendimento escolar) de crianças com características particulares (e.g., tipo e grau de perda auditiva, idade da perda auditiva, tempo desde a perda auditiva, idade de inserção em comunidade lingüística sinalizadora ou em reabilitação auditiva, tipo de implante coclear, idade em que foi feito o implante e tempo decorrido desde o implante). Além desses estudos com delineamentos de pesquisa de grupo no contexto educacional, a disponibilidade de instrumentos em diferentes versões alternativas também permite conduzir pesquisas experimentais de caso único (e.g., delineamentos de séries temporais: Barlow & Hersen, 1984), que são importantes para a prática clínica e os estudos em neuropsicolingüística, especialmente em áreas complexas como o processamento cognitivo em sinais.

4.10.1.2.5.2.) Constituição do TNF1.1–Escrita

Cada uma das versões do Teste de Nomeação de Figuras por Escrita consiste em um conjunto de 36 figuras individuais a serem nomeadas por escrito. Cada uma das 36 figuras aparece acompanhada de uma linha em branco (i.e., pauta) para que o examinando surdo escreva o nome da figura em Português. Assim, a tarefa do examinando surdo consiste em escrever a palavra que corresponde a cada figura. A única diferença entre as versões 1.1 e 2.1 (TNF1.1–Escrita e TNF2.1–Escrita) diz respeito ao conjunto de 36 figuras, que difere de uma versão para outra.

Os processos quirêmicos, ortográficos e semânticos envolvidos na nomeação escrita de figuras pelo surdo são revelados por meio do exame das palavras que são escritas livremente pelos examinandos, bem como as suas relações com as palavras que deveriam ter sido escritas. Além da qualidade da produção ortográfica da escrita, que é avaliada conforme critérios precisos de aferição de correção ortográfica descritos nesta seção, são também analisadas as trocas semânticas e quirêmicas cometidas pelos examinandos surdos quando confrontados com a tarefa de nomear figuras por escrito, ou seja, de produzir palavras escritas correspondentes aos nomes de figuras. Uma paragrafia semântica consiste em escrever uma palavra ortograficamente distinta da palavra que deveria ter sido escrita, e que, embora seja semanticamente relacionada à figura a ser nomeada, não corresponde precisamente a ela, e não poderia ser encontrada num dicionário como um de seus sinônimos aplicáveis. Uma paragrafia quirêmica consiste em escrever uma palavra que é ortográfica e semanticamente distinta da palavra-alvo a ser escrita, e cujo sinal correspondente subjacente é quiremicamente semelhante ao sinal que se aplica à figura a ser nomeada. Ou seja, o sinal correspondente à palavra que o examinando escreve tem forma (i.e., estrutura sublexical) semelhante à do sinal correspondente à figura a ser nomeada. Tal semelhança, em termos de composição sublexical por quiremas, pode ser quantificada precisamente por meio do *Sistema de indexação quirêmica de sinais* (F. Capovilla, Duduchi, Raphael, Luz, Rozados, A. Capovilla, & Macedo, 2003), e é aparente em quiremas como a articulação de mão, o local dessa articulação, a orientação da palma no plano da sinalização, o movimento descrito no espaço da sinalização e a expressão facial associada.

A Figura 25 ilustra uma amostra de dois dos 36 itens da versão 1.1 do Teste de Nomeação de Figuras por Escrita (TNF1.1–Escrita). Conforme a ilustração, cada item é composto de uma figura (i.e., desenho de linha) e de um espaço em branco, logo abaixo da figura, a ser preenchido pelo examinando surdo com a palavra escrita em Português que melhor designa a figura.

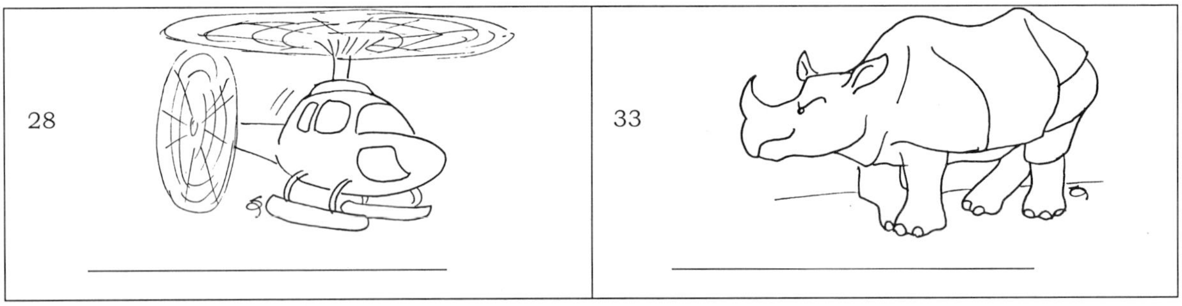

Figura 25. Amostra de dois itens do TNF1.1–Escrita, cada qual composto de uma figura a ser nomeada por escrito e de uma linha em branco (i.e., pauta) para que o examinando surdo escreva a palavra correspondente à figura, no caso, *helicóptero* (à esquerda) e *rinoceronte* (à direita).

O Quadro 7 arrola a lista de 36 palavras (juntamente com algumas das palavras sinônimas aceitáveis, como, no item 1: *Moto* e *motocicleta*; no item 4: *Pote* ou *vaso* ou *jarra* ou *jarro*; no item 25: *Caranguejo* e *siri*) a serem escritas pelos examinandos surdos para nomear cada uma das 36 figuras da versão 1.1 do Teste de Nomeação de Figuras por Escrita (TNF1.1–Escrita).

Quadro 7. Lista de 36 palavras a serem escritas pelos examinandos para nomear cada uma das 36 figuras que compõem o TNF1.1–Escrita. São aceitos sinônimos como, no item 1: *Moto* ou *motocicleta*; no item 4: *Pote, vaso, jarra* ou *jarro*; no item 22: *Cavalo* ou *égua*; no item 25: *Caranguejo* ou *siri*.

item	palavra a ser escrita	item	palavra a ser escrita
1	*moto, motocicleta*	**19**	*melancia*
2	*rato*	**20**	*aranha*
3	*vela*	**21**	*corneta*
4	*vaso, jarro, pote, jarra*	**22**	*cavalo, égua*
5	*pato*	**23**	*martelo*
6	*roda*	**24**	*tambor*
7	*meia*	**25**	*caranguejo, siri*
8	*pipa*	**26**	*elefante*
9	*apito*	**27**	*xadrez*
10	*tênis*	**28**	*helicóptero*
11	*garfo*	**29**	*lápis*
12	*cobra*	**30**	*vassoura*
13	*metrô*	**31**	*binóculo*
14	*igreja*	**32**	*girafa*
15	*chuveiro*	**33**	*rinoceronte*
16	*fogão*	**34**	*grampeador*
17	*chinelo*	**35**	*esquilo*
18	*balança*	**36**	*sanfona*

4.10.1.2.5.3.) Critérios de pontuação da nomeação escrita no TNF1.1–Escrita

Em cada item, a pontuação pode variar de 0,00 a 1,00 ponto, dependendo da legibilidade do item escrito, de sua adequação semântica e de sua correção ortográfica. A pontuação 0,00 é atribuída aos casos de resposta omitida (i.e., ausência do esforço de escrita), escrita ininteligível (e.g., rabiscos ou seqüências de letras que não configuram qualquer aproximação aceitável a uma palavra inteligível), e escrita inteligível mas semanticamente incorreta (i.e., palavra não relacionada ao significado ilustrado pela figura). Para analisar a legibilidade da escrita, deve-se procurar, antes de tudo, compreender a palavra que a criança escreveu ou tentou escrever. Se, num dado item, a escrita for semanticamente adequada à figura, o item recebe pontuação 0,25 ou 0,50 ou 0,75 ou 1,00 de acordo com o grau crescente de adequação ortográfica (i.e., proporção de letras adequadas e ordem das letras adequada).

Como exemplos de pontuação, os seguintes casos são ilustrativos. Frente à figura de ambulância, para as pontuações abaixo, algumas ocorrências possíveis são as seguintes:

0,00: Ausência de resposta; ou respostas como o neologismo *eitado*, que não possuem qualquer letra adequada correspondente às letras da palavra-alvo; ou, ainda, uma palavra semanticamente inadequada como *bombeiro*;

0,25: Respostas, como o neologismo *amuba*, que contêm um certo número de letras adequadas e na ordem adequada;

0,50: Respostas, como o neologismo *[illegible]*, que contêm uma maior proporção de letras adequadas e na ordem adequada;

0,75: Respostas, como o neologismo *ambulança*, que contêm ainda maior proporção de letras adequadas e na ordem adequada, quase correspondendo à palavra-alvo;

1,00: A palavra-alvo correta *ambulância* ou um sinônimo aplicável.

Do mesmo modo, frente à figura de vaso (também adequadamente nomeado por sinônimos como *pote* e *jarro* ou *jarra*, dentre outros), para as pontuações seguintes, algumas respostas possíveis são:

0,00: Ausência de resposta; ou respostas, como o neologismo *ugmra*, que não possuem qualquer letra adequada correspondente às letras da palavra-alvo; ou, ainda, uma palavra semanticamente inadequada como *mesa*;

0,25: Respostas, como o neologismo *verta*, que contêm um certo número de letras adequadas e na ordem adequada;

0,50: Respostas, como as palavras *vale* e *pacote*, que contêm uma maior proporção de letras adequadas e na ordem adequada;

0,75: Respostas, como os neologismos *veaso*, *vasco* e *pota*, que contêm ainda maior proporção de letras adequadas e na ordem adequada, quase correspondendo à palavra-alvo;

1,00: A palavra-alvo correta *vaso* ou um sinônimo aplicável como *pote* ou *jarra*.

Finalmente, frente à figura de basquete, para as pontuações a seguir, algumas respostas ilustrativas são:

0,00: Ausência de resposta; ou respostas, como o neologismo *arral*, que não possuem qualquer letra adequada correspondente às letras da palavra-alvo; ou, ainda, uma palavra semanticamente inadequada como *pulo*;

0,25: Respostas, como o neologismo *bastanta*, que contêm um certo número de letras adequadas e na ordem adequada;

0,50: Respostas, como o neologismo *pasque*, que contêm uma maior proporção de letras adequadas e na ordem adequada;

0,75: Respostas, como os neologismos *pasquete* e *bosquetel*, que contêm ainda maior proporção de letras adequadas e na ordem adequada, quase correspondendo à palavra-alvo;

1,00: A palavra-alvo correta *basquete*.

E assim por diante, sempre utilizando esse mesmo princípio. Depois que a escrita de cada um dos itens é aferida e pontuada, as pontuações de todos os 36 itens são somadas. Tal soma corresponde ao escore geral no teste.

4.10.1.2.5.4.) Breve arrazoado do TNF1.1–Escrita

Dada a transparência das figuras e a sua relativa familiaridade para a maior parte dos examinandos, e dada a impossibilidade de acerto casual neste teste de produção de escrita livre, espera-se que a pontuação no TNF1.1–Escrita reflita a habilidade de escrita do examinando de modo bastante válido e preciso. Assim, espera-se que examinandos não alfabetizados obtenham pontuação nula ou próxima a 0; e que, com a progressão ao longo das séries escolares, ocorra um substancial aumento da qualidade ortográfica da escrita em Português, com uma forte elevação da pontuação, tal como aferida pelos critérios descritos. Espera-se, também, que ocorra um substancial aumento do vocabulário de leitura e escrita de palavras em Português ao lado do vocabulário de sinais da Libras, bem como da rede de conexões entre as duas línguas. Com isso, espera-se um declínio das paragrafias semânticas e quirêmicas, que são explicadas nesta seção.

Pode-se abordar primeiramente a paragrafia semântica. Considerando-se figuras como as de meia e pé, tênis e sapato, metrô e trem, igreja e Jesus, balança e quilo, aranha e teia, e rinoceronte e hipopótamo, fica clara a ausência de qualquer similaridade ortográfica entre essas palavras, bem como a presença de forte similaridade semântica entre esses conceitos. Em tarefas de nomeação escrita, tal similaridade semântica entre os conceitos poderia levar a paragrafias semânticas, com substituição de uma palavra por outra. Assim, examinandos surdos poderiam nomear, por escrito, meia como *pé*, tênis como *sapato* ou *pé*, metrô como *trem*, igreja como *Jesus*, balança como *quilo*, aranha como *teia*, e rinoceronte como *hipopótamo*. Examinandos surdos poderiam escrever *pé* igualmente frente à figura de uma meia ou ao sinal MEIA, *pé* ou *sapato* frente à figura de um tênis ou ao sinal TÊNIS, *trem* frente à figura de metrô ou ao sinal METRÔ, *Jesus* frente à figura de uma igreja ou ao sinal IGREJA, *quilo* frente à figura de uma balança ou ao sinal BALANÇA, *teia* frente à figura de uma aranha ou ao sinal ARANHA, e *hipopótamo* frente à figura de um rinoceronte ou ao sinal RINOCERONTE.

Quando se trata da tarefa de nomear um conjunto de figuras por escrito, tais paragrafias semânticas poderiam sugerir simplesmente a existência de polissemia, ou seja, de multiplicidade de significados passíveis de atribuição a uma determinada figura, como quando se nomeia uma partida de futebol e um tabuleiro de xadrez igualmente como *jogo*, ou quando se nomeia um colar de brilhantes como *jóia*, *ouro*, *pérolas*, *adorno*, *ostentação*, *riqueza*, e assim por diante. Ou seja, se é verdade que "uma imagem vale mais que mil palavras", então deve ser esperado que muitas palavras diferentes possam ser aplicadas a uma mesma figura, o que pode constituir problema quando o objetivo é comunicar um significado específico. Por outro lado, quando se trata de nomear sinais da Libras por escrito, espera-se que os conceitos sejam mais claramente delimitados e que a polissemia seja menor. Nesse caso, as paragrafias semânticas poderiam resultar não só primordialmente de insuficiente vocabulário em Português, como também de insuficiente vocabulário em Libras e de conexões insuficientemente estabelecidas entre o vocabulário de palavras em Português e o de sinais em Libras. É de se esperar que, com a progressão ao longo das séries escolares, ocorra um substancial aumento do vocabulário de leitura e escrita de palavras em Português, ao lado do vocabulário de sinais da Libras, bem como da rede de conexões entre as duas línguas. Assim, espera-se que, com o aumento da competência de escrita e o desenvolvimento do vocabulário em Português, haja um declínio marcado na freqüência de paragrafias literais e semânticas cometidas ao nomear por escrito tanto sinais da Libras quanto figuras que representam conceitos conhecidos.

A Figura 26 ilustra alguns exemplos de paragrafias semânticas esperadas no TNF1.1–Escrita. Como ilustrado, frente à figura-alvo de uma meia, os estudantes surdos poderiam escrever *pé* simplesmente por associação semântica entre os dois conceitos. Tal troca poderia ocorrer por uma série de fatores de natureza semântica, mas careceria de base quirêmica, já que os sinais são bastante diferentes. Também conforme ilustrado, frente à figura-alvo de um tênis, os estudantes surdos poderiam escrever *sapato* ou *pé* por associação semântica entre os dois conceitos. Essa troca careceria de base quirêmica, já que, segundo ilustrado, os sinais são bastante diferentes. Também de acordo com a ilustração, frente à figura-alvo de metrô, os estudantes surdos poderiam escrever *trem* simplesmente por associação semântica entre os dois conceitos de veículos de transporte coletivo. Essa troca semântica poderia ocorrer por uma série de fatores, incluindo a insuficiência de um vocabulário mais refinado em Português capaz de estabelecer a distinção entre os conceitos. Conforme ilustrado, essa substituição seria puramente semântica e careceria de base quirêmica, já que os sinais são bastante diferentes. Também conforme ilustrado, frente à figura-alvo de uma igreja, os estudantes surdos poderiam escrever *Jesus* simplesmente por associação semântica. Novamente, essa troca semântica poderia ocorrer por uma série de fatores, incluindo a insuficiência de vocabulário de Português. Segundo ilustrado pela figura, tal substituição seria puramente semântica e careceria de base quirêmica, já que os sinais são bastante diferentes. Também conforme ilustrado, frente à figura-alvo de uma balança, os estudantes surdos poderiam escrever *quilo* simplesmente porque uma balança mede o peso em quilogramas. Essa troca semântica poderia ocorrer por insuficiência de vocabulário de Português, e, como as demais, careceria de base quirêmica. Do mesmo modo, frente à figura-alvo de uma aranha, os estudantes surdos poderiam escrever *teia* e, igualmente, frente à figura-alvo de um rinoceronte, poderiam escrever *hipopótamo*, novamente devido à falta de refinamento conceptual ou de vocabulário suficiente, sendo que, de novo, tal substituição seria puramente semântica, carecendo de qualquer base em similaridade quirêmica.

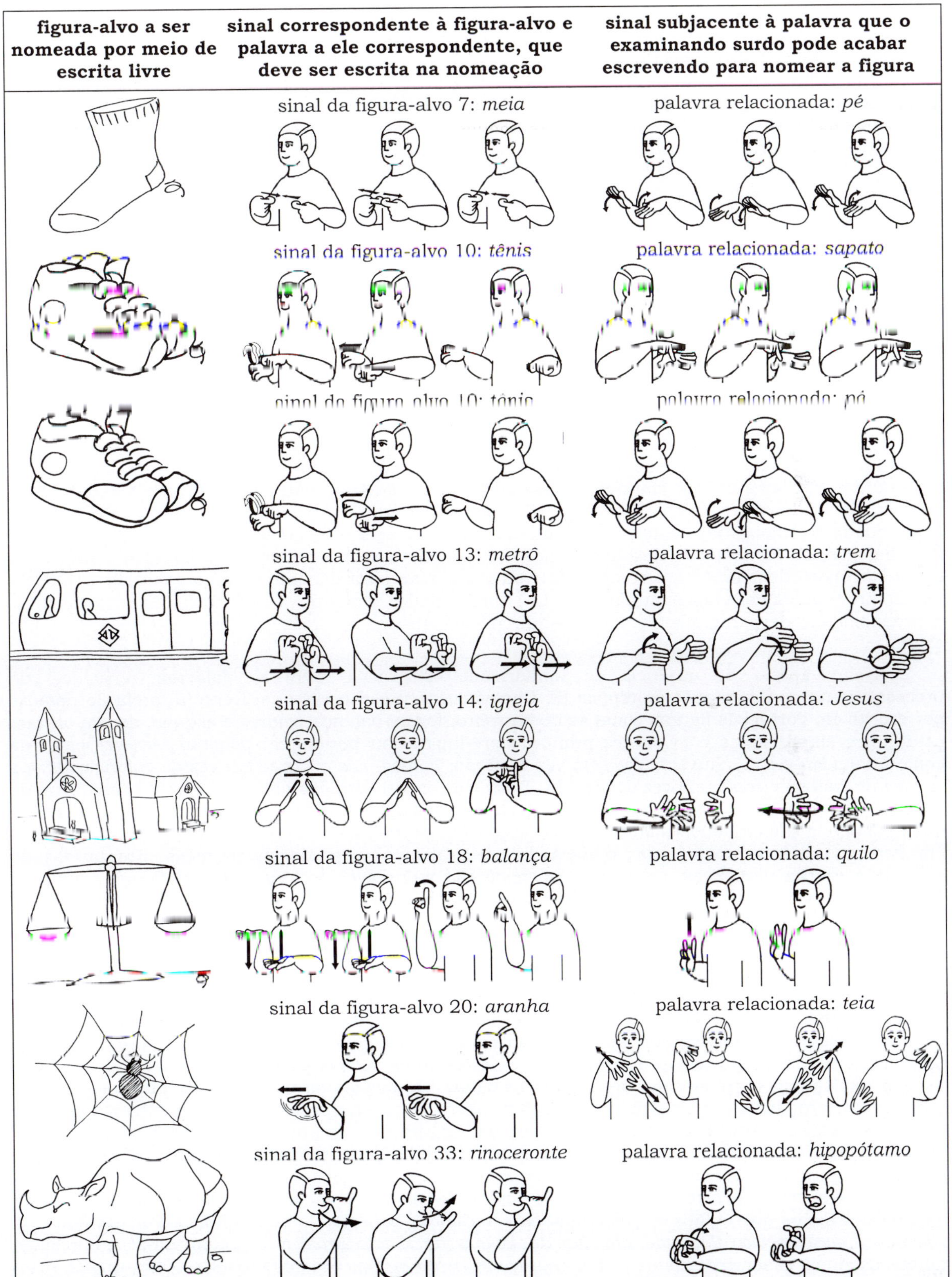

Figura 26. Exemplos de paragrafias semânticas esperadas no TNF1.1–Escrita. A coluna esquerda contém algumas figuras-alvo a serem nomeadas por escrito no teste. A coluna central contém as palavras a serem escritas pelos examinandos nesse teste de nomeação de figuras, bem como os sinais correspondentes que subjazem a elas. A coluna direita contém as palavras que podem acabar sendo

escritas e que constituem paragrafias semânticas, bem como os sinais correspondentes que subjazem a elas, os quais não têm qualquer semelhança quirêmica com os sinais (na coluna central) que subjazem às figuras-alvo (na coluna esquerda). A escrita das palavras da coluna direita para nomear as figuras da coluna esquerda seria predita pelo modelo de resgate ortográfico, e se daria devido à similaridade semântica entre os conceitos, e não por qualquer similaridade quirêmica entre os sinais subjacentes. Devido apenas a essa contigüidade conceptual e a um insuficiente desenvolvimento de vocabulário em Português, poderiam ocorrer paragrafias semânticas como as de escrever *pé* para nomear a figura de meia ou de tênis, *trem* para nomear a figura de metrô, *Jesus* para nomear igreja, *quilo* para nomear balança, *teia* para nomear aranha, e *hipopótamo* para nomear rinoceronte, dentre outras.

Por outro lado, há um outro tipo de paragrafia, em que há não apenas similaridade semântica entre os conceitos como, também, similaridade quirêmica entre os sinais a eles correspondentes. Tal similaridade, ao mesmo tempo semântica e quirêmica, é encontrada em um grande número de sinais, de que são exemplos as similaridades entre CHUVEIRO e BANHO, entre FOGÃO e FOGO, entre XADREZ e DAMAS, entre ESQUILO e CASTOR, e entre BALANÇA e JUSTIÇA ou JUIZ ou PESO, dentre outras. Tais similaridades de significado e de forma entre os sinais subjacentes a diferentes palavras em Português fazem com que aumente a probabilidade de confusão entre as palavras durante a leitura em busca de significado, resultando daí paralexias semântico–quirêmicas (i.e., paralexias radicadas na similaridade de sinais subjacentes, como a de escolher a palavra escrita *polvo* para denominar um abajur, ou a palavra escrita *barata* para denominar uma cabra, ou a palavra escrita *desculpa* para denominar um telefone, ou a palavra escrita *junho* para denominar uma cadeira), bem como durante a escrita para nomear significados, resultando daí paragrafias semântico–quirêmicas (i.e., paragrafias radicadas na similaridade de sinais subjacentes a palavras diferentes, como a de escrever *peso* ao ter de denominar uma balança, ou *Pernambuco* para denominar um hipopótamo, ou *bombom* para denominar milho, ou *agricultura* para denominar um computador, ou *Amazonas* para denominar uma galinha). O modelo teórico prevê que a presença simultânea de tais similaridades semântica e quirêmica tenda a aumentar a probabilidade de paragrafias semântico–quirêmicas durante a tarefa de nomeação de figuras por escrita.

Assim, apesar da ausência de similaridade ortográfica entre as palavras, o modelo de processamento de informação quirêmica (F. Capovilla, no prelo) prevê que, frente à tarefa de nomear por escrito em Português figuras como as de chuveiro, fogão, balança, xadrez e esquilo, dentre outras, estudantes sinalizadores com surdez profunda pré-lingual ou perilingual poderão escrever palavras como *banho* em vez de chuveiro; *fogo* em vez de fogão; *justiça, juiz* ou *peso* em vez de balança; *damas* em vez de xadrez; e *castor* em vez de esquilo. Tais erros de substituição podem se dever a uma série de fatores, dentre os quais a similaridade quirêmica entre os sinais subjacentes às figuras, a polissemia das figuras, e a similaridade semântica entre os conceitos que, associada a um insuficiente vocabulário em Português, tende a aumentar o risco de paragrafias e paralexias semânticas. Em tarefas de nomeação escrita de figuras, os escores no teste são vulneráveis a uma série de fatores, como os mencionados. Contudo, ainda assim, tal situação de nomeação escrita de figuras é de grande valor para identificar a produção espontânea de paragrafias semântico–quirêmicas durante a escrita livre na tarefa de nomeação de figuras, e é de grande valor heurístico para o estudo do processamento cognitivo de informações lingüísticas no estudante sinalizador com surdez profunda pré-lingual ou perilingual.

A Figura 27 ilustra alguns exemplos de trocas semântico–quirêmicas passíveis de ocorrência no TNF1.1–Escrita. Conforme ilustrado, frente à figura-alvo de um chuveiro, os estudantes surdos poderiam escrever *banho* devido às semelhanças entre os conceitos bem como entre os sinais. Igualmente, frente à figura-alvo de um fogão, os estudantes surdos poderiam escrever *fogo* devido à mesma semelhança entre os conceitos e entre os sinais. Da mesma forma, frente à figura-alvo de uma balança, os estudantes surdos poderiam escrever *justiça* ou *juiz* ou *peso* devido à semelhança entre os conceitos e entre os sinais. Do mesmo modo, frente à figura-alvo de um jogo de xadrez, os estudantes surdos poderiam escrever *damas* devido à mesma similaridade semântico–quirêmica. Finalmente, frente à figura-alvo de um esquilo, os estudantes surdos poderiam escrever *castor* devido à proximidade semântica entre os conceitos dos dois roedores, bem como devido à semelhança quirêmica entre esses sinais que enfatizam diferentes características conspícuas dos animais. Por exemplo, no *Dicionário enciclopédico ilustrado trilíngüe da Língua de Sinais Brasileira* encontram-se compilados ambos os sinais canônicos aceitos pela comunidade surda de São Paulo: O sinal ESQUILO, que enfatiza a cauda longa e peluda; e o sinal CASTOR, que enfatiza os dentes protuberantes e a boca aberta em posição de roedor. Apesar de esses sinais canônicos serem diferentes, como as características que os sinais enfatizam estão presentes em ambos os animais e como se trata de sinais de baixa freqüência de ocorrência, é alta a probabilidade de que ocorra confusão entre as propriedades quirêmicas dos sinais, daí resultando um certo risco de paragrafia.

Figura 27. Exemplos de paragrafias semântico–quirêmicas esperadas no TNF1.1–Escrita. A coluna esquerda contém algumas figuras-alvo a serem nomeadas por escrito no teste. A coluna central contém as palavras correspondentes a serem escritas pelos examinandos, bem como os sinais correspondentes que subjazem a elas. A coluna direita contém as palavras correspondentes que podem acabar sendo escritas, constituindo paragrafias semântico–quirêmicas, bem como os sinais a elas subjacentes, que compartilham quiremas com os sinais da coluna central que subjazem às figuras-alvo da coluna esquerda. Conforme o modelo teórico de indexação semântico–quirêmica da representação ortográfica das palavras no leitor e escritor surdo, espera-se que alguns examinandos sinalizadores com surdez profunda pré-lingual e perilingual cometam paragrafias semântico–quirêmicas e acabem escrevendo as palavras da coluna direita para nomear as figuras da coluna esquerda. Isso poderia se dever tanto à

similaridade semântica entre os conceitos quanto à similaridade quirêmica entre os sinais subjacentes às palavras da coluna direita e os sinais subjacentes às palavras da coluna central que devem ser escritas, já que, conforme ilustrado, tais sinais compartilham consideráveis elementos quirêmicos, tal como quantificado e comprovado pelo sistema de indexação quirêmica de sinais (F. Capovilla, Duduchi, Raphael, Luz, Rozados, A. Capovilla, & Macedo, 2003). Assim, o modelo teórico prevê que, devido à elevada proporção de elementos quirêmicos compartilhados na estrutura sublexical dos sinais, bem como à semelhança semântica entre os conceitos e a uma eventual falta de vocabulário mais refinado, examinandos surdos cometam paragrafias semântico–quirêmicas como as de escrever *banho* para nomear a figura de um chuveiro; *fogo* para nomear um fogão; *justiça*, *juiz* ou *peso* para nomear uma balança; *damas* para nomear um tabuleiro de xadrez; e *castor* para nomear um esquilo, dentre outras.

Paragrafias semântico–quirêmicas são esperadas em casos nos quais, apesar da inexistência de semelhança ortográfica entre as palavras, existe semelhança semântica entre os conceitos e semelhança quirêmica entre os sinais. Tal expectativa teórica e experimental é ilustrada nesse caso, com a previsão de que, ao ter de nomear por escrito figuras como as de meia, tênis, metrô, igreja, balança, aranha e rinoceronte, examinandos surdos possam cometer paragrafias semântico–quirêmicas como as de escrever *banho* para nomear a figura de um chuveiro; *fogo* para nomear a figura de um fogão; *justiça* ou *juiz* ou *peso* para nomear a figura de uma balança; *damas* para nomear um tabuleiro de jogo de xadrez; e *castor* para nomear um esquilo, dentre outras. Tais paragrafias não poderiam ser baseadas em qualquer semelhança ortográfica entre essas palavras, mas, sim, na semelhança semântica entre os conceitos, bem como na semelhança quirêmica entre os sinais. Assim, sugerem a mediação pela sinalização interna a partir da semelhança entre a composição sublexical do sinal que corresponde à palavra-alvo e a composição sublexical do sinal que indexa a palavra que acaba sendo escrita. Esse arrazoado (F. Capovilla, no prelo) encontra suporte em experimentos de memorização em surdos sinalizadores relatados na bibliografia científica (e.g., Klima & Bellugi, 1979) que têm demonstrado que surdos codificam, processam e recuperam informação lingüística com base nos parâmetros sublexicais dos sinais. Esses dados sugerem que, em tarefas como a de escrever livremente para nomear figuras e sinais da Libras ou de escolher palavras escritas para nomear figuras e sinais da Libras, o processo de evocação dos nomes escritos parece envolver processamento quirêmico e indexação sublexical. Além disso, também de grande importância é o apoio recebido dos dados obtidos nos onze estudos desta série de experimentos (sumariados em F. Capovilla & Viggiano, 2004), tanto os de nomeação por escrita quanto os de nomeação por escolha, e tanto os de nomeação de sinais quanto os de nomeação de figuras.

4.10.1.2.5.5.) Modos de aplicação do TNF1.1–Escrita

O TNF1.1–Escrita pode ser aplicado de diferentes formas, conforme explicado a seguir.

4.10.1.2.5.5.1.) Aplicação do TNF1.1–Escrita com caderno completo descartável: *Caderno completo de aplicação com figuras e pautas para escrever os nomes das figuras do TNF1.1–Escrita – versão descartável*

A forma de aplicação mais estandardizada, auto-suficiente e prática consiste no uso do *Caderno completo de aplicação com figuras e pautas para escrita de nomes de figuras do TNF1.1–Escrita.* É auto-suficiente porque prescinde da necessidade de usar retroprojetor, tela e transparências para projeção de figuras. É estandardizada porque garante que as figuras sejam apresentados sempre do mesmo modo, de aplicação em aplicação, sem as variações que ocorrem com o uso de retroprojetor em termos de tamanho da imagem projetada, de período de tempo dado para as respostas, e assim por diante. É prática porque o mesmo caderno único desempenha as funções de apresentação das figuras e de coleta das respostas, podendo ser aplicado de modo individual ou coletivo nos contextos educacional e clínico. Além disso, já que consiste em apenas duas folhas impressas em frente e verso (i.e., quatro páginas), seu custo é bastante baixo, podendo ser facilmente arquivado ou descartado após a transposição dos dados para planilhas estatísticas. Trata-se de um caderno com quatro páginas, contendo as 36 figuras e suas respectivas linhas (i.e., pautas) para nomeação escrita. O *Caderno completo de aplicação e resposta do TNF1.1–Escrita* encontra-se publicado no estudo original da versão 1.1 do teste (TNF1.1–Escrita: F. Capovilla, Viggiano, Raphael, Bidá, A. Capovilla, Mauricio, & Neves, 2004). A Figura 25 ilustra dois itens desse *Caderno completo de aplicação e resposta do TNF1.1–Escrita*, em que o examinando surdo deve escrever o nome de cada uma das figuras.

4.10.1.2.5.5.2.) Coleta de dados do TNF1.1–Escrita com *Folha de respostas avulsa pautada* para escrever os nomes de figuras do TNF1.1–Escrita e apresentação de figuras por diferentes meios

Para economia de recursos, em vez de distribuir aos examinandos o *Caderno completo de aplicação e resposta do TNF1.1–Escrita*, pode-se distribuir apenas uma *Folha de respostas avulsa*, a ser descartada após a aplicação. Essa *Folha de respostas avulsa* consiste simplesmente em uma folha de papel sulfite pautada, com 36 linhas correspondentes às figuras 1 a 36 do teste. Alternativamente, pode-se, também, usar o próprio caderno escolar do estudante. Para a apresentação das figuras, o examinador pode se valer de diferentes recursos, como a distribuição de uma forma plastificada do *Caderno completo de aplicação e resposta do TNF1.1–Escrita*, que não se destina à escrita e, assim, pode ser reutilizada inúmeras vezes. Para diminuir gastos, em vez de produzir um grande número de cadernos plastificados, pode-se reproduzir o caderno em transparências de acetato para xerox e projetar as figuras na tela por meio de retroprojetor. Os dois recursos podem ser usados para aplicação individual e coletiva. A principal diferença entre o uso de projeção de figuras por retroprojetor e o uso do *Caderno completo* (quer plastificado só para apresentação das figuras, quer não plastificado para permitir tanto a apresentação das figuras quanto a coleta das respostas) é que a projeção das figuras por transparências estabelece um ritmo coletivo à avaliação, em que todas as crianças respondem a cada um dos 36 itens ao mesmo tempo, ao passo que o uso de cadernos individuais estabelece um ritmo individual em que a criança responde aos 36 itens na ordem, na velocidade e no ritmo que desejar, dentro dos limites do tempo permitidos para a aplicação. Dependendo da situação e dos objetivos da avaliação, o avaliador pode escolher dentre essas diferentes formas e recursos, desde que atente à necessidade de fazer uso da tabela de dados normativos correspondente.

4.10.1.2.5.5.2.1.) Apresentação de figuras do TNF1.1–Escrita com caderno completo plastificado reutilizável: *Caderno completo de aplicação do TNF1.1–Escrita – versão reutilizável*

O *Caderno completo* pode ser usado em aplicações individuais e coletivas. Se for plastificado e empregado apenas para apresentar os sinais, pode ser reutilizado em inúmeras aplicações. Para aplicação coletiva, devem ser preparados tantos cadernos quantos forem os examinandos a serem avaliados, já que cada examinando deve ter o seu próprio caderno de aplicação.

4.10.1.2.5.5.2.2.) Apresentação de figuras do TNF1.1–Escrita com retroprojetor e transparências: *Conjunto de transparências de figuras do TNF1.1–Escrita*

O *Conjunto de transparências de figuras do TNF1.1–Escrita* e o *Caderno completo* têm o mesmo *layout* e o mesmo número de páginas. Esse conjunto de transparências é um recurso econômico e prático para a aplicação coletiva do teste, com a vantagem adicional de reduzir os riscos de os examinandos saltarem itens ou se confundirem no momento de preencher a folha de respostas, já que o examinador, ao apontar uma figura por vez, estabelece um ritmo coletivo e sistemático para o responder dos alunos. Novamente, a tarefa dos examinandos surdos é a de, a cada uma das 36 figuras ou linhas da *Folha de respostas avulsa*, escrever o nome da figura que está sendo exibida na tela com o auxílio do retroprojetor à medida que o examinador for projetando as figuras. Ou seja, durante a aplicação, o examinador deve apontar para cada uma das figuras exibidas na tela pelo retroprojetor, uma a uma, e instruir os examinandos surdos a escrever o nome dessas figuras. A matriz para a confecção do *Conjunto de transparências de figuras do TNF1.1–Escrita*, que consiste, também, no *Caderno completo* encontra-se publicada no estudo original do TNF1.1–Escrita (F. Capovilla, Viggiano, Raphael, Bidá, A. Capovilla, Mauricio, & Neves, 2004). Em suma, a cada item, o examinador deve apontar para uma figura exibida na tela pelo retroprojetor e instruir os examinandos surdos a, usando sua *Folha de respostas avulsa* ou mesmo seu caderno escolar, escrever o nome da figura em Português.

4.10.1.2.5.5.3.) Aplicação computadorizada do TNF1.1–Escrita

A versão original TNF1.1–Escrita e as duas outras versões dela derivadas (i.e., a reordenada TNF1.2–Escrita e a revisada TNF1.3–Escrita) são eficientemente implementadas como testes de papel e lápis em seus respectivos cadernos de aplicação. Além disso, as três versões também se encontram disponíveis para execução em qualquer computador com plataforma Windows para avaliar crianças surdas com os mais severos e variados tipos de impedimento motor (e.g., amputação ou defeitos congênitos) e de distúrbios neuromotores (e.g., tetraplegia por lesão cervical, paralisia cerebral ou esclerose lateral amiotrófica), que se encontrem incapacitadas de segurar um lápis ou sequer de apontar com os dedos para assinalar a alternativa correta. O compêndio de avaliação do desenvolvimento da linguagem de sinais, leitura e escrita na criança surda (F. Capovilla & Viggiano, 2004) apresenta a versão computadorizada revisada 1.3 do Teste de Nomeação de Figuras por Escrita Livre (TNF1.3–Escrita–Comp: Macedo, F. Capovilla, Viggiano, Charin, Diana, Covre, Duduchi, A. Capovilla, & Raphael, 2004).

As três versões computadorizadas permitem coletar a escrita do examinando por meio de teclado no caso de avaliação de examinandos surdos sem distúrbios motores. Já para avaliar examinandos surdos com severos distúrbios neuromotores, as versões computadorizadas permitem a coleta da escrita por meio de varredura automática entre as letras do alfabeto, sendo que, para escrever, tudo que o examinando surdo paralisado ou amputado tem de fazer é emitir um movimento qualquer, como o piscar, quando a letra desejada estiver disponível para escolha, movimento esse que é captado por detetores infravermelho. A estratégia e o tipo de varredura (Gonçalves, F. Capovilla, Macedo, & Duduchi, 1997), o parâmetro temporal de varredura (F. Capovilla, Thiers, & Macedo, 2002; F. Capovilla, Thiers, Macedo, & Duduchi, 1998; F. Capovilla, Thiers, Macedo, Raphael, & Duduchi, 1998; F. Capovilla, Thiers, & A. Capovilla, 2003), e o tipo de acionador (Charin & F. Capovilla, 2000; Macedo & F. Capovilla, 2000a) podem ser adaptados precisamente às características neuromotoras (F. Capovilla, Macedo, Duduchi, A. Capovilla, & Thiers, 1998) do examinando surdo (F. Capovilla, Macedo, A. Capovilla, Thiers, Raphael, & Duduchi, 1998). Tais versões computadorizadas foram elaboradas a partir de tecnologia que vem sendo acumulada na última década (F. Capovilla, A. Capovilla, & Macedo, 2001a; F. Capovilla, Gonçalves, & Macedo, 1998; F. Capovilla, Macedo, A. Capovilla, Thiers, & Duduchi, 1997; Gonçalves, Macedo, Sennyey, & F. Capovilla, 2000; Macedo, Gonçalves, F. Capovilla, & Sennyey, 2002) para avaliar examinandos surdos e ouvintes com paralisia cerebral (F. Capovilla, Macedo, Duduchi, A. Capovilla, & Gonçalves 1998; F. Capovilla, & Nunes, 2003; Thiers, F. Capovilla, Charin, Duduchi, & Macedo, 2000), esclerose lateral amiotrófica (F. Capovilla, A. Duduchi, Macedo, A. Capovilla, & Sazonov, 2000; Lima, Macedo, F. Capovilla, & Sazonov, 2000) e afasia (F. Capovilla, 1997a; F. Capovilla, A. Capovilla, Macedo, & Duduchi, 2000a; Macedo, F. Capovilla, Charin, & Duduchi, 1998), dentre outros.

Além dessas versões para computadores locais, as três versões com teclado também se encontram disponíveis na Internet (Macedo, F. Capovilla, Diana, & Covre, 2002), para realizar a teleavaliação do escolar surdo em todos os estados da federação, acompanhar o desenvolvimento cognitivo ao longo da escolarização, aperfeiçoar constantemente os procedimentos e materiais de avaliação e ensino, e auxiliar a subsidiar políticas públicas de educação do surdo brasileiro em nível nacional.

Já que é muito provável que os desempenhos variem como função do modo de aplicação de cada uma das versões do teste (i.e., a versão original TNF1.1–Escrita, a versão reordenada TNF1.2–Escrita, e a versão revisada TNF1.3–Escrita), é recomendável que sejam geradas normas específicas para cada uma dessas versões sob cada um dos diferentes modos de aplicação, em termos de aplicação individual ou coletiva, e:

- 1.) Aplicação com *Caderno completo de aplicação com figuras e pautas para escrever os nomes de figuras do TNF1.1–Escrita*; ou
- 2.) Aplicação com *Caderno de aplicação com figuras do TNF1.1–Escrita*, plastificado, e coleta de escrita com *Folha pautada para escrever os nomes de figuras;* ou
- 3.) Aplicação com *Conjunto de transparências de figuras do TNF1.1–Escrita* e coleta de dados com *Folha pautada para escrever os nomes de figuras*; ou
- 4.) Aplicação computadorizada local com entrada de escrita pelo teclado; ou
- 5.) Aplicação computadorizada local com entrada de escrita por varredura automática com diferentes intervalos temporais de varredura e diferentes tipos de acionamento para avaliação de examinandos surdos com severos distúrbios neuromotores; ou
- 6.) Aplicação via Internet para teleavaliação, com entrada de escrita pelo teclado.

Na presente série de estudos, a tabela de dados normativos da versão original TNF1.1–Escrita foi gerada a partir de aplicação coletiva por meio de *Conjunto de transparências de figuras do TNF1.1–Escrita* e coleta de dados com *Folha pautada para escrever os nomes de figuras*. Logo, a tabela de dados normativos do TNF1.1–Escrita (F. Capovilla, Viggiano, Raphael, Bidá, A. Capovilla, Mauricio, & Neves, 2004) reflete os resultados desse modo de aplicação coletiva com conjunto de transparências de figuras e coleta de dados por meio de folha pautada para escrever os nomes de figuras. Assim, recomenda-se que esse mesmo modo de aplicação seja empregado sempre que se desejar fazer uso das tabelas de dados normativos do TNF1.1–Escrita para mensurar a competência de escrita de um determinado grupo de estudantes surdos, comparando-os a padrões normativos de seus grupos de referência por nível escolar (i.e., 1ª. série do Ensino Fundamental a 1ª. série do Ensino Médio).

Numa nova série de estudos de normatização e validação, a versão revisada TNF1.3–Escrita vem sendo normatizada e validada por aplicação com *Caderno completo de aplicação com figuras e pautas para escrever os nomes de figuras do TNF1.3–Escrita*, em vez de com *Conjunto de transparências de figuras* e coleta de dados com *Folha pautada para escrever os nomes de figuras*, como ocorreu no TNF1.1–Escrita, uma vez que essa versão revisada TNF1.3–Escrita foi elaborada para ser auto-suficiente e independer da apresentação das figuras pelo examinador por meio de transparências. Esse novo estudo de normatização e validação da versão revisada TNF1.3–Escrita está empregando uma amostra ainda maior e mais variada de estudantes surdos, e deverá ser publicado proximamente.

4.10.1.2.6.) A versão original 2.1 do Teste de Nomeação de Figuras por Escrita (TNF2.1–Escrita) para avaliar o desenvolvimento da competência de escrita do nome de figuras

4.10.1.2.6.1.) Natureza e objetivos do TNF2.1–Escrita

O Teste de Nomeação de Figuras por Escrita (TNF–Escrita), também denominado Teste de Escrita do Nome de Figuras, avalia o desenvolvimento da habilidade de escrever os nomes de figuras, ou seja, da competência de produção de escrita livre para nomear figuras que representam objetos e eventos razoavelmente conhecidos. Trata-se de um teste de competência de produção escrita de palavras isoladas que avalia a habilidade de escrever livremente palavras que correspondem a figuras sem cometer erros ortográficos, semânticos ou quirêmicos. O teste fornece um escore geral da competência de nomeação de figuras por produção de escrita livre, obtido a partir da aplicação de critérios de aferição da qualidade ortográfica da escrita. Além disso, fornece também informações sobre a participação de processos quirêmicos, ortográficos e semânticos nessa nomeação de figuras por meio da análise da distribuição de freqüência relativa de paragrafias de natureza semântica e quirêmica.

O teste é implementado nas versões originais 1.1 (TNF1.1–Escrita: F. Capovilla, Viggiano, Raphael, Bidá, A. Capovilla, Mauricio, & Neves, 2001) e 2.1 (TNF2.1–Escrita: F. Capovilla, Viggiano, Raphael, Bidá, A. Capovilla, & Neves, 2004). A partir desta série de onze estudos, cada uma dessas versões deu origem a uma versão reordenada (i.e., 1.2 e 2.2) e a uma versão revisada (i.e., 1.3 e 2.3) com novas figuras para nomeação. Esta seção concentra-se na versão original 2.1 (TNF2.1–Escrita). O oferecimento de duas versões originais alternativas (i.e., 1.1 e 2.1) objetiva controlar o efeito de aprendizagem ou carreamento de uma avaliação para a seguinte, que usualmente resulta em escores crescentes ao longo das avaliações. Ao controlar o efeito de aprendizagem em decorrência de avaliações repetidas, a disponibilidade de versões alternativas permite implementar delineamentos de grupo envolvendo pré-teste, intervenção e pós-teste (Campbell & Stanley, 1979), que são importantes à avaliação da eficácia relativa de diferentes procedimentos educacionais e clínicos, ajudando a comparar os ganhos produzidos por variados procedimentos de diferentes abordagens (e.g., oralismo, comunicação total e bilingüismo) sobre competências e desempenhos diferentes (e.g., leitura, escrita, sinalização e rendimento escolar) de crianças com características particulares (e.g., tipo e grau de perda auditiva, idade em que ocorreu perda auditiva, tempo decorrido desde a perda auditiva, idade de inserção em comunidade lingüística sinalizadora ou em reabilitação auditiva, tipo de implante coclear, idade em que foi feito o implante, e tempo decorrido desde o implante). As pesquisas com delineamentos experimentais de caso único (e.g., séries temporais de Barlow & Hersen, 1984) também são viabilizadas, beneficiando a pesquisa neuropsicolingüística sobre o processamento cognitivo em sinais.

4.10.1.2.6.2.) Constituição do TNF2.1–Escrita

Cada uma das duas versões do Teste de Nomeação de Figuras por Escrita consiste em um conjunto de 36 figuras individuais a serem nomeadas por escrito, cada qual acompanhada de uma linha em branco (i.e., pauta) para que o examinando surdo escreva a palavra que melhor corresponde à figura. A tarefa do examinando consiste em escrever o nome de cada figura. A única diferença entre as versões originais 1.1 e 2.1 (TNF1.1–Escrita e TNF2.1–Escrita) diz respeito ao conjunto de 36 figuras que difere de uma versão para outra, de modo a reduzir o efeito de carreamento entre as avaliações.

O teste coleta as palavras escritas livremente pelos examinandos e estabelece critérios objetivos para a aferição e a pontuação da correção ortográfica da escrita. Além disso, ao permitir comparar as palavras que são escritas com as palavras que deveriam ter sido escritas, permite examinar os processos quirêmicos, ortográficos e semânticos envolvidos na competência de nomeação escrita de figuras pelo surdo. Além da qualidade da produção ortográfica da escrita, avaliada conforme os critérios precisos de aferição aqui descritos, o teste também analisa as trocas semânticas e quirêmicas cometidas pelos examinandos surdos quando confrontados com a tarefa de nomear figuras por escrito, ou seja, de produzir palavras escritas correspondentes aos nomes de figuras. Uma troca semântica consiste em escrever uma palavra que, embora semanticamente relacionada à figura a ser nomeada, não corresponde precisamente a ela e não poderia ser encontrada ao lado dela em um dicionário de sinônimos. Uma troca quirêmica consiste em escrever uma palavra cujo sinal correspondente subjacente compartilha muitos elementos em comum com o sinal que se aplica à figura a ser nomeada. Ou seja, o sinal subjacente à palavra que o examinando escreve é semelhante ao sinal subjacente à figura a ser nomeada em termos de composição sublexical de quiremas como a articulação de mão, o local dessa articulação, a orientação da palma no plano da sinalização, o movimento descrito no espaço da sinalização e a expressão facial associada.

A Figura 28 ilustra uma amostra de dois dos 36 itens da versão 2.1 do Teste de Nomeação de Figuras por Escrita (TNF2.1–Escrita). Conforme a ilustração, cada item é composto de uma figura (i.e., desenho de linha) e de um espaço em branco (i.e., pauta), logo abaixo da figura, a ser preenchido livremente pelo examinando surdo com a palavra escrita em Português que melhor designa a figura.

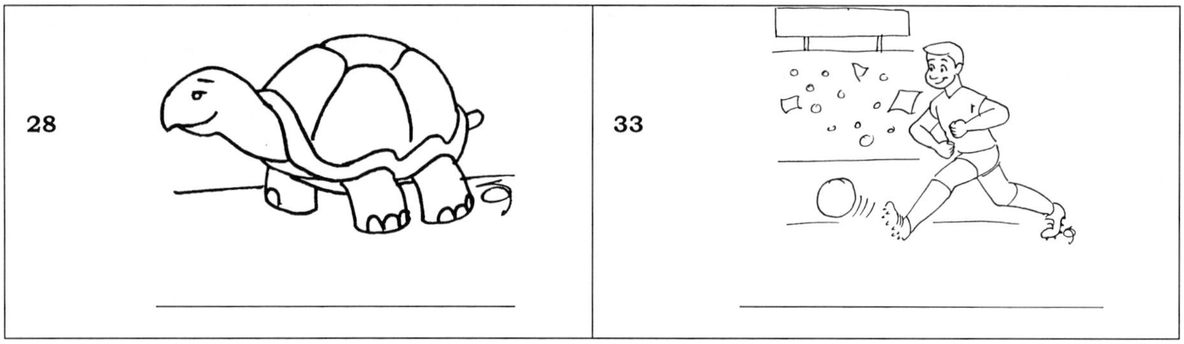

Figura 28. Amostra de dois itens do TNF2.1–Escrita, cada qual composto de uma figura a ser nomeada por escrito e de uma linha em branco para que o examinando surdo escreva o nome em Português que corresponde à figura, no caso, *tartaruga* (à esquerda) e *futebol* (à direita).

O Quadro 8 arrola as 36 palavras (juntamente com algumas das palavras alternativas aceitáveis como, no item 9: *Pia* e *lavatório*, no item 10: *Tênis* e *tenista*, no item 12: *Nadar* e *natação*, no item 21: *Sabão* e *sabonete*, e no item 22: *Catraca* e *roleta*) a serem escritas pelos examinandos surdos para nomear as 36 figuras da versão 2.1 do Teste de Nomeação de Figuras por Escrita (TNF2.1–Escrita).

Quadro 8. Lista de 36 palavras a serem escritas pelos examinandos surdos para nomear as 36 figuras do TNF2.1–Escrita. São aceitos sinônimos como, no item 10: *Tênis* e *tenista*, no item 12: *Nadar* e *natação*, e no item 21: *Sabão* e *sabonete*.

item	palavra a ser escrita	item	palavra a ser escrita
1	*sol*	**19**	*abacate*
2	*tatu*	**20**	*gambá*
3	*peru*	**21**	*sabão, sabonete*
4	*colar*	**22**	*catraca, roleta*
5	*pêra*	**23**	*morcego*
6	*sino*	**24**	*tamanduá*
7	*saia*	**25**	*capacete*
8	*foca*	**26**	*basquete*
9	*pia, lavatório*	**27**	*caneta*
10	*tênis, tenista*	**28**	*tartaruga*
11	*perna*	**29**	*olho*
12	*nadar, natação*	**30**	*braço*
13	*trator*	**31**	*ônibus*
14	*alicate*	**32**	*escorpião*
15	*chuva*	**33**	*futebol*
16	*lagosta*	**34**	*golfinho*
17	*mala*	**35**	*pebolim*
18	*cavalo-marinho*	**36**	*ambulância*

4.10.1.2.6.3.) Critérios de pontuação da nomeação escrita no TNF2.1–Escrita

Em cada item, a pontuação pode variar entre 0,00 e 1,00 ponto, dependendo da legibilidade do item escrito, de sua adequação semântica, e de sua correção ortográfica. A pontuação 0,00 é atribuída aos casos de resposta omitida (i.e., ausência do esforço da escrita), escrita ininteligível (i.e., rabiscos ou seqüências de letras que não configuram qualquer aproximação a uma palavra inteligível), e escrita inteligível mas semanticamente incorreta (i.e., palavra não relacionada ao significado ilustrado pela figura). Para a análise da legibilidade da escrita é preciso procurar compreender a palavra que a criança escreveu ou tentou escrever. Se, num dado item, a escrita for semanticamente adequada à figura, o item pode receber pontuação 0,25 ou 0,50 ou 0,75 ou 1,00, dependendo do grau de adequação ortográfica (i.e., proporção de letras adequadas e ordem adequada das letras).

Como exemplos de pontuação, temos os seguintes casos ilustrativos:

Frente à figura de ambulância, para as pontuações abaixo, algumas ocorrências possíveis são:

0,00: Ausência de resposta; ou respostas como o neologismo *eitado* que não possuem qualquer letra adequada correspondente às letras da palavra-alvo; ou, ainda, uma palavra semanticamente inadequada como *bombeiro*;

0,25: Respostas como o neologismo *amuba*, que contêm um certo número de letras adequadas e na ordem adequada;

0,50: Respostas como o neologismo *ambunaca*, que contêm uma maior proporção de letras adequadas e na ordem adequada;

0,75: Respostas como o neologismo *ambulanca*, que contêm ainda maior proporção de letras adequadas e na ordem adequada, quase correspondendo à palavra-alvo;

1,00: A palavra-alvo correta *ambulância* ou um sinônimo aplicável.

Do mesmo modo, frente à figura de vaso (também adequadamente nomeado por sinônimos como *pote* e *jarro* ou *jarra*, dentre outros), para as pontuações seguintes, algumas respostas possíveis são:

0,00: Ausência de resposta; ou respostas como o neologismo *ugmra*, que não possuem qualquer letra adequada correspondente às letras da palavra-alvo; ou, ainda, uma palavra semanticamente inadequada como *mesa*;

0,25: Respostas como o neologismo *verta*, que contêm um certo número de letras adequadas e na ordem adequada;

0,50: Respostas como as palavras *vale* e *pacote*, que contêm uma maior proporção de letras adequadas e na ordem adequada;

0,75: Respostas como os neologismos *veaso*, *vasco* e *pota*, que contêm ainda maior proporção de letras adequadas e na ordem adequada, quase correspondendo à palavra-alvo;

1,00: A palavra-alvo correta *vaso* ou um sinônimo aplicável como *pote* ou *jarra*.

Finalmente, frente à figura de basquete, para as pontuações a seguir, algumas respostas possíveis são:

0,00: Ausência de resposta; ou respostas, como o neologismo *arral*, que não possuem qualquer letra adequada correspondente às letras da palavra-alvo; ou, ainda, uma palavra semanticamente inadequada como *pulo*;

0,25: Respostas, como o neologismo *bastanta*, que contêm um certo número de letras adequadas e na ordem adequada;

0,50: Respostas, como o neologismo *pasque*, que contêm uma maior proporção de letras adequadas e na ordem adequada;

0,75: Respostas, como os neologismos *pasquete* e *bosquetel*, que contêm ainda maior proporção de letras adequadas e na ordem adequada, quase correspondendo à palavra-alvo;

1,00: A palavra-alvo correta *basquete*.

E assim por diante, sempre segundo esse mesmo princípio. Depois que a escrita de cada um dos itens é aferida e pontuada, as pontuações de todos os 36 itens são somadas. Tal soma corresponde ao escore no teste.

4.10.1.2.6.4.) Breve arrazoado do TNF2.1–Escrita

Devido à clareza denotativa das figuras, à sua familiaridade para os examinandos, e à impossibilidade de acerto casual na produção da escrita livre, espera-se que a pontuação no TNF2.1–Escrita reflita, de modo válido e preciso, a habilidade de escrever nomes de figuras. Assim, espera-se que examinandos não alfabetizados obtenham pontuação nula ou próxima a 0; e que, com a progressão ao longo das séries escolares, ocorra um substancial aumento da qualidade ortográfica da escrita em Português, com sistemática elevação da pontuação, tal como aferida pelos critérios descritos. Espera-se, também, que ocorra um substancial aumento do vocabulário de leitura e escrita de palavras em Português ao lado do vocabulário de sinais da Libras, bem como da rede de conexões entre Libras e Português. Com isso, espera-se um declínio das paragrafias semânticas e quirêmicas.

Pode-se abordar primeiramente a paragrafia mais puramente semântica, sem maior envolvimento de processos quirêmicos. Considerando-se figuras como peru e pavão, colar e ouro, nadar e mar, chuva e nublado, abacate e mamão, caneta e lápis, futebol e bola, escorpião e lagosta ou camarão, golfinho e baleia ou peixe, ambulância e bombeiro ou táxi, fica clara a ausência de similaridade ortográfica entre essas palavras (com eventual exceção entre *camarão* e *escorpião*), bem como a presença de forte similaridade semântica entre esses conceitos. Em tarefas de nomeação escrita, essa similaridade semântica entre os conceitos poderia levar a paragrafias semânticas, com substituição de uma palavra por outra. Assim, examinandos surdos poderiam nomear, por escrito, a figura de um peru como *pavão,* a figura de um colar como *ouro,* a figura de nadar como *mar,* a figura de chuva como *nublado,* a figura de um abacate como *mamão,* a figura de uma caneta como *lápis,* a figura de futebol como *bola,* a figura de um escorpião como *lagosta* ou *camarão,* a figura de um golfinho como *baleia* ou *peixe,* e a figura de uma ambulância como *bombeiro* ou *táxi.* Examinandos surdos poderiam escrever *pavão* igualmente frente à figura de um peru ou frente ao sinal PERU, *ouro* frente à figura de um colar ou frente ao sinal COLAR, *mar* frente à figura de natação ou frente ao sinal NADAR, *nublado* frente à figura de chuva ou frente ao sinal CHUVA, *mamão* frente à figura de um mamão ou frente ao sinal MAMÃO, *caneta* frente a um lápis ou frente ao sinal LÁPIS, *bola* frente à figura de jogo de futebol ou frente ao sinal FUTEBOL, *lagosta* ou *camarão* frente à figura de um escorpião ou frente ao sinal ESCORPIÃO, *baleia* ou *peixe* frente à figura de um golfinho ou frente ao sinal GOLFINHO, e *bombeiro* ou *táxi* frente à figura de uma ambulância ou frente ao sinal AMBULÂNCIA.

Quando se trata de nomear figuras por escrito, tais paragrafias semânticas poderiam sugerir polissemia ou multiplicidade de significados passíveis de atribuição a uma figura, como quando se nomeia uma perna como *pé* ou *coxa,* simplesmente porque o pé e a coxa fazem parte da perna; ou quando se nomeia natação como *menino* ou como *água,* simplesmente porque na figura de natação há um menino flutuando na água; ou quando se nomeia o desenho de sabão como *gelo,* simplesmente porque ele se parece com um cubo de gelo derretendo; ou quando se nomeia uma partida de futebol e um tabuleiro de xadrez igualmente como *jogo*; ou quando se nomeia um colar de brilhantes como *jóia, ouro, pérolas, adorno, ostentação, riqueza,* e assim por diante. Ou seja, se é verdade que "uma imagem vale mais que mil palavras", então deve ser esperado que muitas palavras diferentes possam ser aplicadas a uma mesma figura. Por outro lado, quando se trata de nomear sinais da Libras por escrito, espera-se que os conceitos sejam mais claramente delimitados e que a polissemia seja menor. Nesse caso, as paragrafias semânticas poderiam resultar de insuficiente vocabulário em Português e/ou de conexões insuficientemente estabelecidas entre o vocabulário de palavras em Português e o de sinais em Libras. É de se esperar que, com a progressão ao longo das séries escolares, ocorra um substancial aumento do vocabulário de leitura e escrita de palavras do Português e de sinais da Libras, bem como da rede de conexões entre as duas línguas. Assim, espera-se que, com o aumento da competência de escrita e o desenvolvimento do vocabulário em Português, haja um declínio marcado na freqüência de paragrafias literais e semânticas cometidas ao nomear por escrito, tanto sinais da Libras, quanto figuras que representam conceitos conhecidos.

As Figuras 29 e 30 ilustram alguns exemplos de trocas semânticas esperadas no TNF2.1–Escrita. Conforme a Figura 29, frente à figura-alvo de um peru os examinandos surdos poderiam escrever *pavão* simplesmente pela associação semântica entre as duas aves. Tal troca poderia ocorrer por uma série de fatores de natureza semântica, mas careceria de base quirêmica, já que os sinais são bastante diferentes. Também segundo essa mesma ilustração, frente à figura-alvo colar os estudantes surdos poderiam escrever *ouro* por associação semântica entre a jóia e o metal precioso de que é feita. Essa troca careceria de base quirêmica, já que, conforme ilustrado, os sinais são bastante diferentes. Também como ilustrado, frente à figura-alvo nadar ou natação, os estudantes surdos poderiam escrever *mar* simplesmente por associação semântica entre a atividade e um dos ambientes em que ela ocorre. A troca semântica poderia ocorrer por uma série de fatores, incluindo a insuficiência de um vocabulário padrão mais refinado em Português que estabeleça a distinção entre os conceitos.

De acordo com a mesma ilustração, frente à figura-alvo de chuva os estudantes surdos poderiam escrever *nublado* simplesmente por associação e contigüidade semântica. Essa troca poderia ocorrer por uma série de fatores de natureza semântica, mas careceria de base quirêmica, já que os sinais são bastante diferentes. Também conforme ilustrado, frente à figura-alvo de um cavalo-marinho, os estudantes surdos poderiam escrever simplesmente *cavalo* por associação semântica entre os dois animais e a aparência física geral da cabeça e do dorso. Essa troca semântica poderia ocorrer por uma série de fatores, incluindo a aparência física dos animais, o fator ortográfico de ambos compartilharem o nome *cavalo* e a insuficiência de um vocabulário padrão suficientemente refinado em Português e/ou Libras para estabelecer a distinção entre os conceitos desses dois animais diferentes. Tal troca careceria de base quirêmica, posto que, segundo ilustrado, os sinais são bastante diferentes: Enquanto o sinal CAVALO-MARINHO descreve o movimento típico desse animal no deslocamento vertical e horizontal em seu *habitat,* coisa que é estranha ao cavalo mamífero, o sinal CAVALO descreve o movimento das orelhas do mamífero, coisa que o cavalo-marinho evidentemente não tem. Assim, a ocorrência da palavra escrita *cavalo* para designar a figura de um cavalo-marinho indicaria processos semântico–imagéticos não-lingüísticos de natureza icônica (i.e., relativos à semelhança na aparência física entre os animais em termos de formato de cabeça e dorso) e processos semântico–ortográficos lingüísticos relativos ao Português e não à Libras (i.e., relativos ao léxico ortográfico do Português em que ambos os animais são designados pela palavra *cavalo*). A propósito, a realidade psicológica de processos imagéticos (Guedes & F. Capovilla, 1997a, 1997b; Kosslyn, 1976, 1978, 1980, 1981, 1987; Paivio, 1983, 1990) já foi amplamente demonstrada em diversos estudos experimentais sobre resolução de problemas (A. Capovilla, F. Capovilla, Macedo, Guedes, & Duduchi, 1998; Guedes, F. Capovilla, &

Macedo, 1998), bem como sobre o grau de iconicidade (i.e., transparência, translucência, ou opacidade denotativa, cf. Bellugi & Klima, 1976; Lloyd, Loeding, & Doherty, 1985; Orlansky & Bonvillian, 1984) dos sinais da Libras (F. Capovilla, Sazonov, Raphael, Macedo, Charin, Marques, A. Capovilla, Luz, Geraldes, Shin, Vieira, Rocha, Duduchi, Amorim, Mauricio, & Oliveira, 1997).

Figura 29. Exemplos de paragrafias semânticas esperadas no TNF2.1–Escrita. A coluna esquerda contém algumas figuras-alvo a serem nomeadas por escrito no teste. A coluna central contém as palavras a serem escritas pelos examinandos nesse teste de nomeação de figuras, bem como os sinais

correspondentes que subjazem a elas. A coluna direita contém as palavras que podem acabar sendo escritas e que constituiriam paragrafias semânticas, bem como os sinais correspondentes que subjazem a elas, os quais não têm qualquer semelhança quirêmica com os sinais (na coluna central) que subjazem às figuras-alvo (na coluna esquerda). Segundo o modelo de indexação e resgate ortográfico, espera-se que as figuras da coluna esquerda possam vir a ser nomeadas com a escrita das palavras da coluna direita, devido à similaridade semântica entre os conceitos, mas não a qualquer similaridade quirêmica entre os sinais, já que esses sinais não compartilham suficientes quiremas. A baixa semelhança quirêmica que é constatada na ilustração pode ser precisamente quantificada por meio do *Sistema de indexação quirêmica de sinais* (F. Capovilla, Duduchi, Raphael, Luz, Rozados, A. Capovilla, & Macedo, 2003; e F. Capovilla, Duduchi, & Rozados, 2002, 2004). A contigüidade conceptual e um insuficiente vocabulário em Português poderiam produzir paragrafias semânticas como as de escrever *pavão* para nomear a figura de um peru; *ouro* para nomear colar; *mar* para nomear natação; *nublado* para nomear chuva; *cavalo* para nomear cavalo-marinho; *mamão* para nomear abacate; *lápis* para nomear caneta; e *bola* para nomear jogo de futebol.

Ainda conforme ilustrado na mesma figura, tal substituição seria puramente semântica e careceria de base quirêmica, já que os sinais são bastante diferentes em termos de sua estrutura sublexical. Conforme ilustrado, frente à figura-alvo de um abacate, os estudantes surdos poderiam escrever *mamão* simplesmente por associação semântica entre as duas frutas ou por insuficiência de vocabulário em Português e/ou Libras para distingui-las. Tal substituição seria puramente semântica e careceria de base quirêmica, já que as formas dos sinais diferem bastante entre si. Também conforme ilustrado, frente à figura-alvo de uma caneta, os estudantes surdos poderiam escrever *lápis* devido ao aspecto semântico da função compartilhada (i.e., ambos são instrumentos para escrever) e à eventual falta de vocabulário em uma ou ambas as línguas. Essa troca semântica, assim como as demais, careceria de base quirêmica. Do mesmo modo, frente à figura-alvo de um jogo de futebol, os estudantes surdos poderiam escrever simplesmente *bola* por causa de fatores como a proximidade semântica, a eventual falta de vocabulário em uma ou ambas as línguas, ou mesmo a dificuldade de produção ortográfica da escrita, como poderia ocorrer em todos os demais casos. De novo, fica clara a ausência de semelhança quirêmica entre os sinais.

De acordo com a Figura 30, frente à figura-alvo de um escorpião os estudantes surdos poderiam escrever *lagosta* ou *camarão* simplesmente por associação semântica entre os animais encouraçados e cheios de patinhas. Tal troca poderia ocorrer por uma série de fatores de natureza semântica, mas careceria de base quirêmica, já que os sinais são bastante diferentes. Também conforme a mesma figura, frente à figura-alvo de um golfinho os estudantes surdos poderiam escrever *baleia* ou *peixe* por associação semântica entre os vários animais nadadores. Tal troca também careceria de base quirêmica, já que, conforme ilustrado, os sinais correspondentes a essas palavras são bastante diferentes. Também segundo a ilustração, frente à figura-alvo de uma ambulância, os estudantes surdos poderiam escrever *bombeiro* simplesmente por associação semântica entre os veículos de emergência e salvamento; ou, ainda, frente à mesma figura de bombeiro, poderiam escrever *táxi* devido à presença de uma lâmpada piscando no teto do veículo. Todas essas trocas semânticas poderiam ocorrer por uma série de fatores, incluindo a insuficiência de um vocabulário padrão mais refinado em Português e em Libras que estabeleça a distinção entre esses vários conceitos. Conforme ilustrado, essa substituição seria puramente semântica e careceria de qualquer base quirêmica, já que os sinais parecem ser bastante diferentes entre si. Além da falta de similaridade quirêmica, pode-se também destacar a falta de similaridade ortográfica entre o que deveria ser escrito e o que pode acabar sendo escrito. Exceções a essa falta de similaridade ortográfica poderiam ser encontradas eventualmente entre as palavras camarão e escorpião, e entre as palavras futebol e bola.

Por outro lado, existe um outro tipo de caso de paragrafia, em que há não apenas similaridade semântica entre os conceitos como, também, similaridade quirêmica entre os sinais a eles subjacentes. Tal similaridade semântica e quirêmica é encontrada em um grande número de sinais, de que são exemplos a similaridade entre NADAR, NATAÇÃO e PRAIA; entre MALA e SACOLA; e entre AMBULÂNCIA e CARRO. Tal similaridade de significado e de forma entre os sinais subjacentes a diferentes palavras em Português faz com que aumente a probabilidade de confusão entre as palavras durante a leitura em busca de significado, resultando daí paralexias semântico–quirêmicas (i.e., paralexias radicadas na similaridade de sinais subjacentes, como a de escolher a palavra escrita POLVO para denominar um abajur, a palavra escrita BARATA para denominar uma cabra, a palavra escrita DESCULPA para denominar um telefone, ou a palavra escrita JUNHO para denominar uma cadeira); bem como, durante a escrita, para nomear significados, resultando daí paragrafias semântico–quirêmicas (i.e., paragrafias radicadas na similaridade de sinais subjacentes a palavras diferentes, como a de escrever *praia* ao ter de denominar natação, *sacola* para denominar uma mala, *carro* para denominar uma ambulância, *Pernambuco* para denominar um hipopótamo, *bombom* para denominar milho, *agricultura* para denominar computador, ou *Amazonas* para denominar galinha). O modelo teórico prevê que a presença dessa similaridade semântico–quirêmica tenda a aumentar a probabilidade de paragrafias semântico–quirêmicas durante a tarefa de nomeação de figuras por escrita, como ocorre no TNF2.1–Escrita.

figura a ser nomeada por meio de produção de escrita livre	**sinal subjacente à palavra que corresponde à figura a ser nomeada por escrita livre**	**sinal subjacente à palavra que o surdo pode escrever para nomear a figura, ilustrando paragrafia**
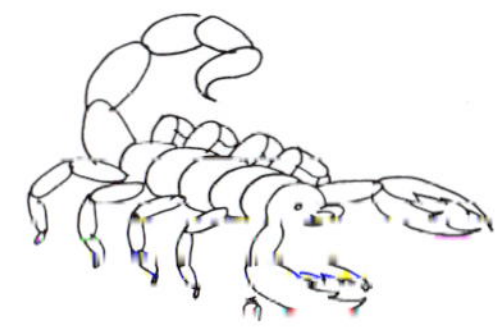	sinal da figura-alvo 32: *escorpião* 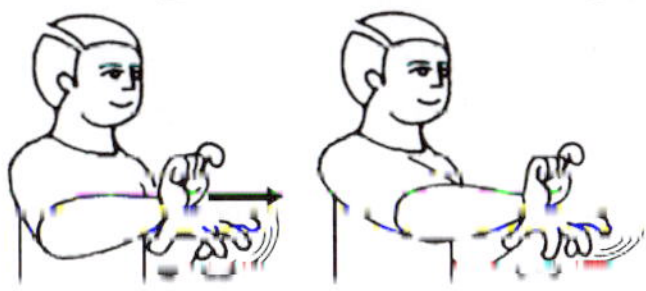	*lagosta* (troca semântica) 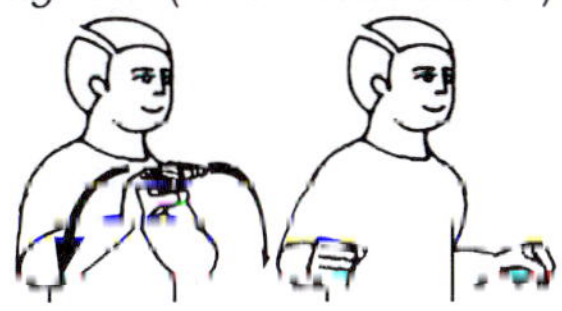
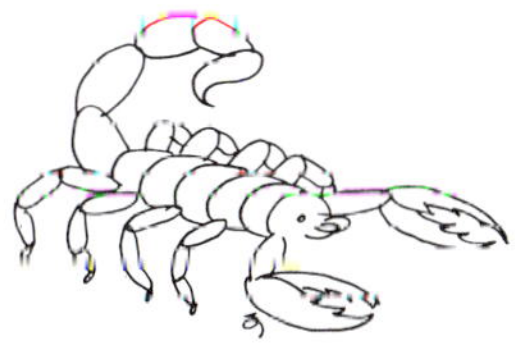	sinal da figura-alvo 32: *escorpião* 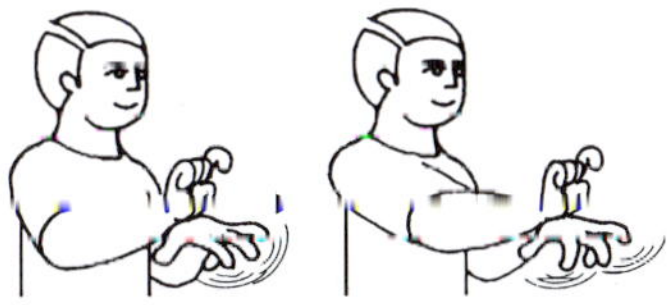	*camarão* (semântica e ortográfica) 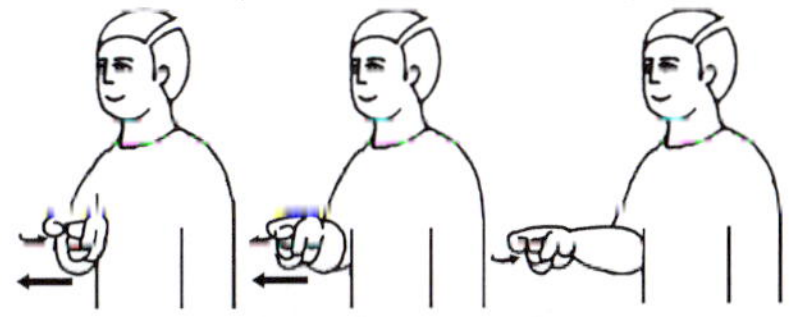
	sinal da figura-alvo 34: *golfinho* 	*baleia* (semântica) 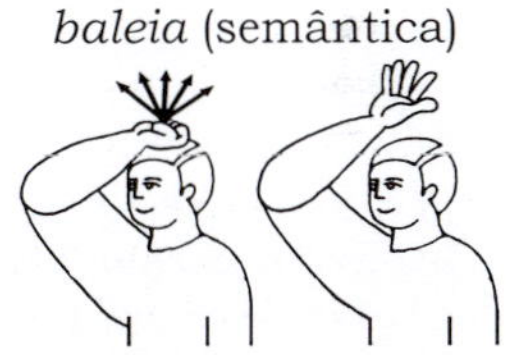
	sinal da figura-alvo 34: *golfinho* 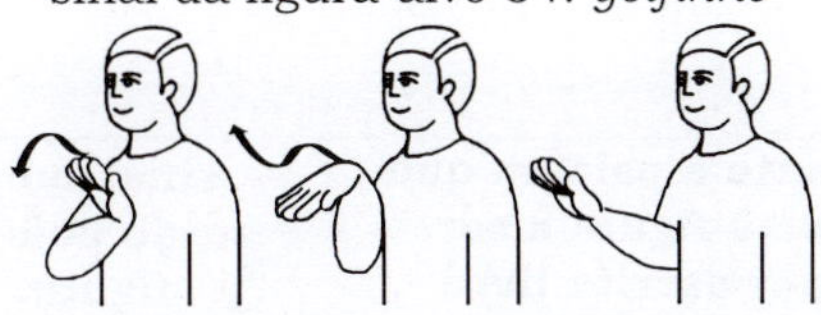	*peixe* (semântica) 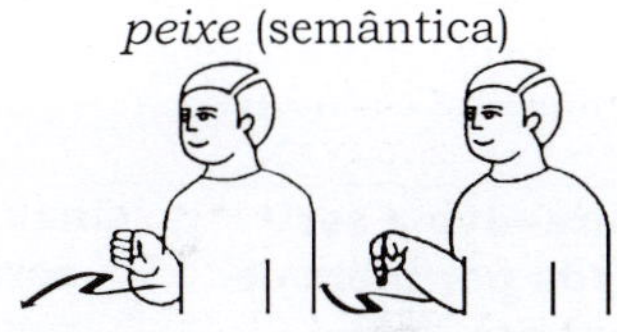
	sinal da figura-alvo 36: *ambulância* 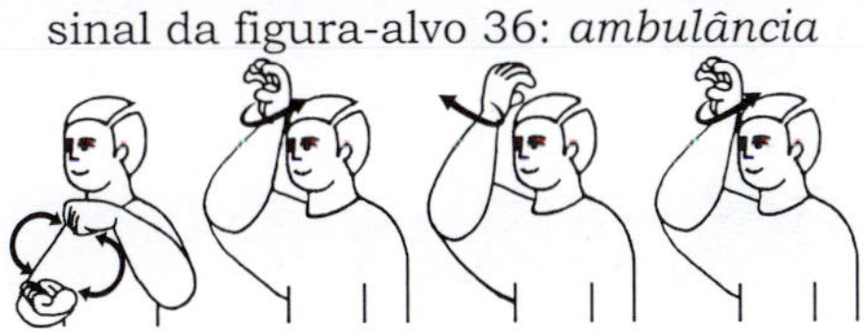	*bombeiro* (semântica) 
	sinal da figura-alvo 36: *ambulância* 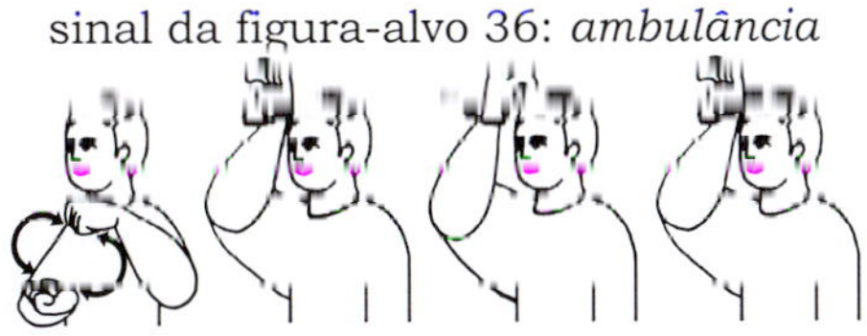	*táxi* (semântica) 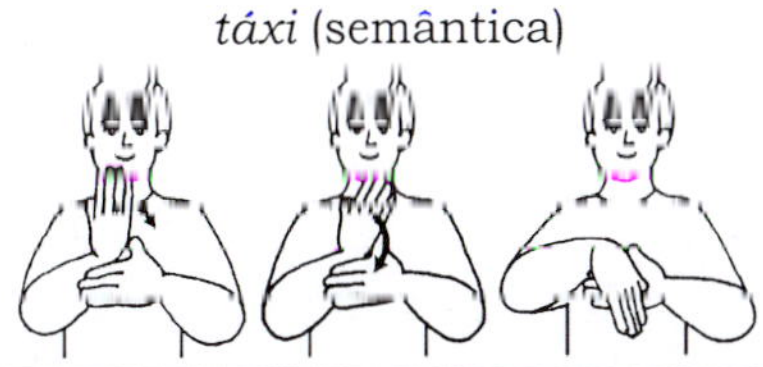

Figura 30. Exemplos de paragrafias semânticas esperadas no TNF2.1–Escrita. A coluna esquerda contém figuras-alvo a serem nomeadas. A coluna central contém as palavras a serem escritas pelos examinandos nesse teste de nomeação de figuras por escrito, bem como os sinais correspondentes que subjazem a elas. A coluna direita contém as palavras que poderiam acabar sendo escritas, o que constituiria paragrafias semânticas, bem como os sinais a elas subjacentes, os quais não têm semelhança quirêmica suficiente com os sinais (da coluna central) que subjazem às figuras-alvo (da coluna esquerda). Segundo o modelo de indexação e resgate ortográfico, espera-se que alguns examinandos surdos escrevam as palavras da coluna direita para nomear as figuras da coluna esquerda. Isso poderia ocorrer em razão da similaridade semântica entre os conceitos, mas não de eventual similaridade quirêmica entre os sinais subjacentes a essas palavras e os sinais subjacentes às palavras que deveriam ser escritas, já que, conforme ilustrado, esses sinais não compartilham suficientes elementos quirêmicos. O modelo prevê que, por fatores como contigüidade conceptual e insuficiente desenvolvimento de vocabulário em Português, alguns examinandos surdos cometam paragrafias semânticas como as de escrever *lagosta* ou *camarão* para nomear a figura de um escorpião,

baleia ou *peixe* para nomear a figura de um golfinho, e *bombeiro* ou *táxi* para nomear a figura de uma ambulância.

Assim, apesar da ausência de similaridade ortográfica entre as palavras, o modelo de processamento de informação quirêmica (F. Capovilla, no prelo) prevê que, frente à tarefa de nomear por escrito figuras como as de natação, de uma mala e de uma ambulância, dentre outras, estudantes sinalizadores com surdez profunda pré-lingual e perilingual poderão escrever palavras como *praia* em vez de natação, *sacola* em lugar de mala, e *carro* em vez de ambulância. Tais erros podem se dever a uma série de fatores, dentre os quais a similaridade quirêmica entre os sinais subjacentes às figuras, a polissemia das figuras e, especialmente, a similaridade semântica entre os conceitos que, associada a um insuficiente vocabulário em Português, e também eventualmente em Libras, tende a aumentar o risco de paragrafias e paralexias semânticas. Em tarefas de nomeação escrita de figuras, os resultados são vulneráveis a uma série de fatores, como os mencionados, além de ainda outros, como a própria dificuldade de produção ortográfica. Contudo, ainda assim, tal situação de nomeação escrita de figuras é de grande valor para identificar a produção espontânea de paragrafias semântico–quirêmicas durante a escrita livre na nomeação de figuras, e é de grande valor heurístico para o estudo do processamento cognitivo de informações lingüísticas no surdo.

A Figura 31 ilustra alguns exemplos de trocas semântico–quirêmicas esperadas no TNF2.1–Escrita. Segundo essa ilustração, frente à figura-alvo de natação, os estudantes surdos poderiam escrever *praia* devido à semelhança entre esses conceitos, bem como entre os sinais. Da mesma forma, frente à figura-alvo de uma ambulância, eles poderiam escrever *carro* devido à semelhança entre os conceitos e entre os sinais. Ainda mais importante é que, frente à figura-alvo de uma mala, os estudantes surdos poderiam escrever *sacola* devido à relativa semelhança entre os conceitos e, especialmente, à identidade da forma do sinal que subjaz aos dois conceitos diferentes, de *sacola* e *mala*. Como a figura se refere claramente a uma mala e não a uma sacola, se os examinandos surdos vierem a escrever *sacola* em vez de *mala*, isso constituiria interessante indício da influência da sinalização subjacente em Libras já que, nessa língua de sinais, não há distinção entre os sinais MALA e SACOLA, que são precisamente o sinal representado na Figura 31. Portanto, a eventual ocorrência da escrita *sacola* para designar a figura de uma mala constituiria um claro e elegante exemplo de paragrafia.

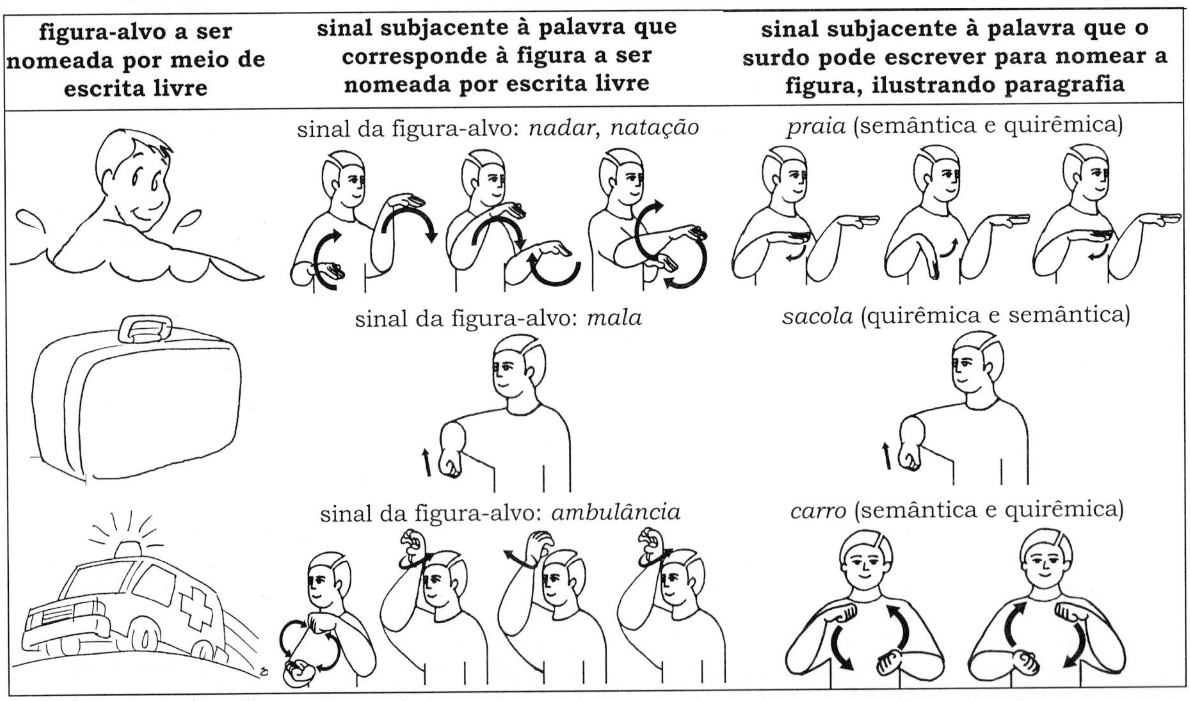

Figura 31. Exemplos de paragrafias semântico–quirêmicas esperadas no TNF2.1–Escrita. A coluna esquerda contém algumas figuras-alvo a serem nomeadas por escrito no teste. A coluna central contém as palavras correspondentes a serem escritas pelos examinandos nesse teste de nomeação escrita de figuras, bem como os sinais correspondentes que subjazem a elas. A coluna direita contém as palavras correspondentes que podem acabar sendo escritas e que constituiriam paragrafias semântico–quirêmicas, bem como os sinais correspondentes que subjazem a elas, os quais compartilham elementos quirêmicos com os sinais (na coluna central) que subjazem às figuras-alvo (na coluna

esquerda). Segundo o modelo de indexação semântico–quirêmica de representação ortográfica das palavras no surdo sinalizador, espera-se a ocorrência de paragrafias semântico–quirêmicas, com a escrita das palavras da coluna direita para nomear as figuras da coluna esquerda. Tais paragrafias poderiam dever-se tanto à similaridade semântica entre os conceitos quanto à similaridade quirêmica entre o sinal subjacente à palavra da coluna direita e o sinal que se aplica à figura na coluna esquerda. Isto porque esses sinais compartilham consideráveis elementos quirêmicos, como pode ser observado na ilustração e quantificado pelo sistema de indexação quirêmica de sinais (F. Capovilla, Duduchi, & Rozados, 2004). No caso de mala e sacola, como o sinal subjacente é o mesmo, a escrita da palavra *sacola* para designar a figura de uma mala constituiria um exemplo de paragrafia semântico–quirêmica radicada no sinal subjacente. Devido à elevada proporção de elementos quirêmicos compartilhados na estrutura sublexical dos sinais, bem como à semelhança semântica entre os conceitos, podem ocorrer paragrafias semântico–quirêmicas como as de escrever *praia* para nomear a figura de natação, *sacola* para nomear a figura de uma mala, e *carro* para nomear uma ambulância.

Paragrafias semântico–quirêmicas são esperadas em casos nos quais, apesar da inexistência de semelhança ortográfica entre as palavras, existe semelhança semântica entre os conceitos e semelhança quirêmica entre os sinais. Tal expectativa teórica e experimental é ilustrada no presente caso, com a previsão de que, ao ter de nomear por escrito figuras como as de natação, mala e ambulância, alguns examinandos surdos sinalizadores possam cometer paragrafias semântico–quirêmicas como as de escrever *praia* para nomear natação, *sacola* para nomear mala, e *carro* para nomear ambulância, dentre outras. Tais paragrafias não poderiam ser baseadas em qualquer semelhança ortográfica entre essas palavras, mas, sim, na semelhança semântica entre os conceitos, bem como na semelhança, ou mesmo identidade, quirêmica entre os sinais. Assim, sugerem a mediação pela sinalização interna a partir da semelhança entre a composição sublexical do sinal correspondente à palavra-alvo e a composição sublexical do sinal que indexa a palavra que acaba sendo livremente escrita pelo examinando. Esse arrazoado (F. Capovilla, no prelo) encontra suporte em experimentos de memorização em surdos sinalizadores relatados na bibliografia científica (e.g., Klima & Bellugi, 1979) que demonstram que surdos codificam, processam e recuperam informação lingüística com base nos parâmetros sublexicais (i.e., composição quirêmica) dos sinais. Tais dados sugerem que, em tarefas como a de escrever livremente os nomes de figuras e sinais da Libras (mas também eventualmente em tarefas como a de escolher palavras escritas para nomear figuras e sinais da Libras), o processo de evocação dos nomes escritos parece envolver processamento quirêmico e indexação sublexical. Além disso, também importante é o apoio recebido dos estudos da presente série de experimentos (sumariados em F. Capovilla & Viggiano, 2004), tanto os de nomeação por escrita, quanto os de nomeação por escolha, e tanto os de nomeação de sinais, quanto os de nomeação de figuras.

4.10.1.2.6.5.) Modos de aplicação do TNF2.1–Escrita

A versão 2.1 do Teste de Nomeação de Figuras por Escrita (TNF2.1–Escrita) pode ser aplicada de diferentes formas, conforme explicado a seguir.

4.10.1.2.6.5.1.) Aplicação do TNF2.1–Escrita com caderno completo descartável: *Caderno completo de aplicação com figuras e pautas para escrever os nomes das figuras do TNF2.1–Escrita – versão descartável*

A forma de aplicação mais estandardizada, auto-suficiente e prática consiste no uso do *Caderno completo de aplicação com figuras e pautas para escrita de nomes de figuras do TNF2.1–Escrita*. É auto-suficiente porque prescinde da necessidade de usar retroprojetor, tela e transparências para projeção de figuras. É estandardizada porque garante que as figuras sejam apresentados sempre do mesmo modo, de aplicação em aplicação, sem as variações espúrias que ocorrem com o uso de retroprojetor em termos de tamanho da imagem projetada, de período de tempo permitido para as respostas, e assim por diante. É prática porque o mesmo caderno único desempenha as funções de apresentação das figuras e de coleta das respostas, podendo ser aplicado de modo individual ou coletivo, tanto no contexto educacional quanto no clínico. Além disso, já que consiste em apenas duas folhas impressas em frente e verso (i.e., quatro páginas), seu custo é bastante baixo, podendo ser facilmente arquivado ou descartado após a transposição dos dados coletados para planilhas eletrônicas de pacotes estatísticos. Trata-se de um caderno com 36 figuras e respectivas linhas em branco (i.e., pautas) para que o examinando surdo escreva livremente os nomes correspondentes dessas figuras. Esse *Caderno completo de aplicação com figuras e pautas para escrever os nomes de figuras do TNF2.1–Escrita* apresenta-se em duas folhas impressas em frente e verso, num total de quatro páginas, e se encontra publicado no estudo original do TNF2.1–Escrita (F. Capovilla, Viggiano, Raphael, Bidá, A. Capovilla, & Neves, 2004). A Figura 28 ilustra dois de seus 36 itens.

4.10.1.2.6.5.2.) Coleta de dados do TNF2.1–Escrita com *Folha de respostas avulsa pautada* para escrever os nomes de figuras do TNF2.1–Escrita e apresentação de figuras por diferentes meios

Para economizar recursos na avaliação do corpo discente surdo, em vez de distribuir exemplares descartáveis do *Caderno completo de aplicação com figuras e pautas para escrita do TNF2.1–Escrita*, pode-se distribuir apenas a *Folha pautada para escrita do TNF2.1–Escrita*, a ser descartada após a aplicação. Tal *Folha de respostas avulsa* consiste simplesmente em uma folha de papel sulfite pautada, com 36 linhas, numeradas de 1 a 36, correspondentes às figuras 1 a 36 do teste. Alternativamente, pode-se, também, usar o próprio caderno escolar do estudante. Para apresentar as figuras, pode-se distribuir uma forma plastificada do *Caderno completo de aplicação e resposta do TNF2.1–Escrita*, que pode ser reutilizada inúmeras vezes, já que ela não se destina à coleta da produção escrita por parte do examinando. Para cortar ainda mais os custos, em vez de plastificar um grande número de cadernos, pode-se fotocopiar um caderno em transparências de acetato e, então, projetar as figuras na parede da sala de aula por meio do retroprojetor da escola. Esses dois recursos podem ser usados tanto para a aplicação coletiva quanto para a aplicação individual. A projeção das figuras com transparências e retroprojetor estabelece um ritmo coletivo à avaliação, em que todas as crianças respondem a cada um dos 36 itens ao mesmo tempo. Já o uso de cadernos individuais estabelece um ritmo individual, em que a criança responde aos 36 itens na ordem, velocidade e ritmo que desejar, dentro dos limites de tempo permitidos pelo examinador. Cabe ao examinador escolher o modo de aplicação mais apropriado às suas circunstâncias.

4.10.1.2.6.5.2.1.) Apresentação de figuras do TNF2.1–Escrita com caderno completo plastificado reutilizável: *Caderno completo de aplicação do TNF2.1–Escrita – versão reutilizável*

O *Caderno completo de aplicação com figuras e pautas para a escrita do TNF2.1–Escrita* pode ser usado em aplicações individuais e coletivas. Se for plastificado e empregado apenas para fazer a apresentação dos sinais, pode ser reutilizado em inúmeras aplicações. Para aplicação coletiva, devem ser preparados tantos cadernos quantos examinandos, já que cada examinando deve ter o seu próprio caderno individual de aplicação e resposta.

4.10.1.2.6.5.2.2.) Apresentação de figuras do TNF2.1–Escrita com retroprojetor e transparências: *Conjunto de transparências de figuras do TNF2.1–Escrita*

O *Conjunto de transparências de figuras do TNF2.1–Escrita* é um recurso econômico e prático para a aplicação coletiva do teste, com a vantagem de reduzir os riscos de os examinandos saltarem itens ou se confundirem no momento de preencher a folha de respostas, já que o examinador, ao apontar uma figura por vez, acaba estabelecendo um ritmo coletivo e sistemático para o responder por parte dos alunos. A matriz para o *Conjunto de transparências de figuras do TNF2.1–Escrita*, que consiste, também, no *Caderno completo de aplicação e resposta do TNF2.1–Escrita*, encontra-se no estudo original da versão 2.1 do teste (TNF2.1–Escrita: F. Capovilla, Viggiano, Raphael, Bidá, A. Capovilla, & Neves, 2004). A cada um dos 36 itens, o examinador deve apontar para a figura exibida pelo retroprojetor na tela ou na parede da sala de aula e instruir os examinandos surdos a, usando sua *Folha de respostas avulsa* ou mesmo seu caderno escolar, escrever cuidadosamente o nome da figura em Português.

4.10.1.2.6.5.2.3.) Aplicação computadorizada do TNF2.1–Escrita

A versão original TNF2.1–Escrita e as duas outras versões dela derivadas (i.e., a reordenada TNF2.2–Escrita e a revisada TNF2.3–Escrita) são eficientemente implementadas como testes de papel e lápis em seus respectivos cadernos de aplicação. Além disso, as três versões também se encontram disponíveis para execução em qualquer computador com plataforma Windows para avaliar crianças surdas com os mais severos e variados tipos de impedimento motor (e.g., amputação ou defeitos congênitos) e de distúrbios neuromotores (e.g., tetraplegia por lesão cervical, paralisia cerebral ou esclerose lateral amiotrófica) que se encontrem incapacitadas de segurar um lápis ou mesmo de apontar com os dedos para assinalar a alternativa correta. O compêndio de avaliação do desenvolvimento da linguagem de sinais, leitura e escrita na criança surda (F. Capovilla & Viggiano, 2004) apresenta a versão computadorizada revisada 2.3 do Teste de Nomeação de Figuras por Escrita Livre (TNF2.3–Escrita–Comp: Macedo, F. Capovilla, Raphael, Viggiano, Charin, A. Capovilla, Duduchi, Diana, & Covre, 2004).

As três versões computadorizadas permitem a coleta da escrita por meio de teclado quando se trata de avaliar examinandos surdos sem distúrbios motores. Já para avaliar examinandos surdos com severos distúrbios neuromotores, as versões computadorizadas permitem coletar a escrita por meio de varredura automática entre as letras do alfabeto. Nesse caso, para escrever, tudo que o examinando surdo paralisado ou amputado tem de fazer é emitir um movimento qualquer, como o piscar, quando a letra desejada estiver disponível para escolha, movimento esse que é captado por diferentes tipos de detetores infravermelho. Os tipos e as estratégias de varredura (Gonçalves, F. Capovilla, Macedo, & Duduchi, 1997), os parâmetros temporais de varredura entre as alternativas de escolha (F. Capovilla, Thiers, & Macedo, 2002; F. Capovilla, Thiers, Macedo, & Duduchi, 1998; F. Capovilla, Thiers, Macedo, Raphael, & Duduchi, 1998; F. Capovilla, Thiers, & A. Capovilla, 2003), e os tipos de acionador a serem usados para operar o computador (Charin & F. Capovilla, 2000; Macedo & F. Capovilla, 2000a) podem ser adaptados precisamente às características neuromotoras (F. Capovilla, Macedo, Duduchi, A. Capovilla, & Thiers, 1998) do examinando surdo (F. Capovilla, Macedo, A. Capovilla, Thiers, Raphael, & Duduchi, 1998). Tais versões computadorizadas foram elaboradas a partir da tecnologia que vem sendo desenvolvida e aperfeiçoada de maneira contínua ao longo da última década (F. Capovilla, A. Capovilla, & Macedo, 2001a; F. Capovilla, Gonçalves, & Macedo, 1998; F. Capovilla, Macedo, A. Capovilla, Thiers, & Duduchi, 1997; Gonçalves, Macedo, Sennyey, & F. Capovilla, 2000; Macedo, Gonçalves, F. Capovilla, & Sennyey, 2002) para avaliar examinandos surdos e ouvintes com paralisia cerebral (F. Capovilla, Macedo, Duduchi, A. Capovilla, & Gonçalves, 1998; F. Capovilla & Nunes, 2003; Thiers, F. Capovilla, Charin, Duduchi, & Macedo, 2000), esclerose lateral amiotrófica (F. Capovilla, A. Duduchi, Macedo, A. Capovilla, & Sazonov, 2000; Lima, Macedo, F. Capovilla, & Sazonov, 2000) e afasia (F. Capovilla, 1997a; F. Capovilla, A. Capovilla, Macedo, & Duduchi, 2000a; Macedo, F. Capovilla, Charin, & Duduchi, 1998), dentre outros.

Além dessas versões para computadores locais, as três versões com teclado também já se encontram disponíveis na Internet (Macedo, F. Capovilla, Diana, & Covre, 2002) para realizar a teleavaliação do escolar surdo em todos os estados da federação, acompanhar o desenvolvimento cognitivo ao longo da escolarização, aperfeiçoar constantemente os procedimentos e materiais de avaliação e ensino, e auxiliar a subsidiar políticas públicas de educação da criança e do jovem surdo brasileiro em nível nacional.

É preciso apenas lembrar que, como é muito provável que os desempenhos variem como função do modo de aplicação de cada uma das versões do teste (i.e., a original TNF2.1–Escrita, a reordenada TNF2.2–Escrita, e a revisada TNF2.3–Escrita), é recomendável que sejam geradas normas específicas para cada uma dessas versões sob cada um dos diferentes modos de aplicação, em termos de aplicação individual ou coletiva, e:

- 1.) Aplicação com *Caderno completo de aplicação com figuras e pautas para escrever os nomes de figuras do TNF2.1–Escrita*; ou
- 2.) Aplicação com *Caderno de aplicação com figuras do TNF2.1–Escrita*, plastificado, e coleta de escrita com *Folha pautada para escrever os nomes de figuras;* ou
- 3.) Aplicação com *Conjunto de transparências de figuras do TNF2.1–Escrita* e coleta de dados com *Folha pautada para escrever os nomes de figuras*; ou
- 4.) Aplicação computadorizada local com entrada de escrita pelo teclado; ou
- 5.) Aplicação computadorizada local com entrada de escrita por varredura automática com diferentes intervalos temporais de varredura e diferentes tipos de acionamento para avaliação de examinandos surdos com distúrbios neuromotores; ou
- 6.) Aplicação via Internet para teleavaliação, com entrada de escrita pelo teclado.

Na presente série de estudos, a tabela de dados normativos da versão original TNF2.1–Escrita foi gerada a partir de aplicação coletiva com o *Conjunto de transparências de figuras do TNF2.1–Escrita* e a coleta de dados por meio da *Folha pautada para escrever os nomes de figuras.* Logo, a tabela de dados normativos do TNF2.1–Escrita (F. Capovilla, Viggiano, Raphael, Bidá, A. Capovilla, & Neves, 2004) reflete os resultados desse modo de aplicação coletiva com conjunto de transparências de figuras e coleta de dados por folha pautada para escrever os nomes de figuras. Assim, recomenda-se que esse mesmo modo de aplicação seja empregado sempre que se desejar fazer uso das tabelas de dados normativos do TNF2.1–Escrita para mensurar a competência de escrita de um determinado grupo de estudantes surdos, comparando-os a padrões normativos de seus grupos de referência por nível escolar (i.e., 1ª. série do Ensino Fundamental a 1ª. série do Ensino Médio).

Numa nova série de estudos de normatização e validação, a versão revisada TNF2.3–Escrita vem sendo normatizada e validada por aplicação com *Caderno completo de aplicação com figuras e pautas para escrever os nomes de figuras do TNF2.3–Escrita*, em vez de com *Conjunto de transparências de figuras* e coleta de dados com *Folha pautada para escrever os nomes de figuras*, como ocorreu no TNF2.1–Escrita, uma vez que essa versão revisada TNS2.3–Escrita foi elaborada para ser auto-suficiente e independer da apresentação das figuras pelo examinador por meio de transparências. Esse novo estudo de normatização e validação da versão revisada TNF2.3–Escrita está empregando uma amostra ainda maior e mais variada de estudantes surdos, e deverá ser publicado proximamente.

4.10.1.2.7.) A versão original 1.1 do Teste de Nomeação de Sinais por Escolha de Palavras Escritas (TNS1.1–Escolha) para avaliar a competência conjunta de vocabulário receptivo de sinais da Libras e de vocabulário de leitura em Português

4.10.1.2.7.1.) Natureza e objetivos do TNS1.1–Escolha

O Teste de Nomeação de Sinais por Escolha de Palavras Escritas (TNS–Escolha), também denominado Teste de Escolha do Nome Escrito de Sinais, avalia a competência conjunta de vocabulário receptivo de sinais da Libras e de vocabulário de leitura em Português. Trata-se de um teste de competência de leitura de palavras isoladas que avalia a habilidade do examinando de selecionar palavras escritas para nomear sinais da Libras sem cometer erros induzidos por distratores quirêmicos, ortográficos e semânticos. O teste fornece um escore geral de competência de nomeação de sinais por escolha de palavras escritas. Além desse escore geral, o teste também fornece informações sobre a participação de processos quirêmicos, ortográficos e semânticos nessa nomeação de sinais. Tais informações são obtidas a partir da análise da distribuição de freqüência relativa de erros induzidos por distratores quirêmicos, ortográficos e semânticos. O teste é implementado em duas versões originais, a versão 1.1 (TNS1.1–Escolha: F. Capovilla, Viggiano, Raphael, Mauricio, A. Capovilla, & Bidá, 2004) e a versão 2.1 (TNS2.1–Escolha: F. Capovilla, Viggiano, Bidá, Luz, A. Capovilla, & Neves, 2004), sendo que, a partir desta série de estudos, cada qual deu origem a uma versão reordenada (i.e., 1.2 e 2.2) e a uma versão revisada (i.e., 1.3 e 2.3) com novos distratores quirêmicos, semânticos e ortográficos. Todas as novas versões podem ser encontradas nessas mesmas publicações.

A implementação do teste em duas versões originais (i.e., 1.1 e 2.1) almeja reduzir o efeito de aprendizagem de uma avaliação para a seguinte (i.e., carreamento) e, assim, permitir implementar delineamentos de pesquisa de grupo para controle experimental com vistas a conduzir estudos de intervenção educacional e clínica envolvendo delineamentos de pré-teste, tratamento e pós-teste (Campbell & Stanley, 1979), que possibilitam avaliar sistematicamente os resultados dessas intervenções. Em termos de pesquisa educacional, a disponibilidade de versões alternativas possibilita comparar a eficácia relativa de diferentes métodos de ensino a crianças com perfis distintos. Assim, permite identificar e mapear precisamente os ganhos produzidos por diferentes procedimentos derivados de abordagens distintas (e.g., oralismo, comunicação total e bilingüismo) sobre competências e desempenhos específicos (e.g., leitura, escrita, sinalização e rendimento escolar) de crianças com características particulares (e.g., tipo e grau de perda auditiva, idade em que ocorreu perda auditiva, tempo decorrido desde a perda auditiva, idade de inserção em comunidade lingüística sinalizadora ou em programa de reabilitação auditiva, tipo de implante coclear, idade em que foi feito o implante, e tempo decorrido desde o implante). Além desses estudos com delineamentos de pesquisa de grupo no contexto educacional, a disponibilidade de instrumentos em diferentes versões também torna possível conduzir pesquisas experimentais de caso único (e.g., delineamentos de séries temporais, cf. Barlow & Hersen, 1984) que são importantes para a prática clínica e a pesquisa em neuropsicolingüística, especialmente na complexa área de processamento cognitivo em sinais.

4.10.1.2.7.2.) Constituição do TNS1.1–Escolha

Cada uma das duas versões do Teste de Nomeação de Sinais por Escolha de Palavras Escritas consiste em um conjunto de 36 sinais individuais a serem nomeados, e de 36 conjuntos de quatro palavras escritas como alternativas de escolha, sendo oferecido um conjunto de quatro palavras para cada sinal. A tarefa do examinando surdo consiste em escolher, dentre as quatro palavras escritas apresentadas para cada sinal, aquela que corresponde ao nome do sinal (i.e., identificar o nome escrito do sinal) e, usando um lápis, circundar ou sublinhar ou cruzar com um *"X"* essa palavra que corresponde ao nome do sinal. A única diferença entre as versões 1.1 e 2.1 (TNS1.1–Escolha e TNS2.1–Escolha) diz respeito ao conjunto de 36 sinais que difere de uma versão para outra, o que reduz a chance de contaminação dos resultados por aprendizagem entre as avaliações.

De modo a examinar os processos cognitivos envolvidos nas relações entre as competências de compreensão de leitura de palavras e de compreensão de sinais no surdo, em termos dos processos quirêmicos, ortográficos e semânticos envolvidos, o teste apresenta, como alternativas de escolha, palavras escritas distratoras de três classes diferentes, que são as distratoras quirêmicas, ortográficas e semânticas. Assim, para cada sinal, dentre as quatro palavras escritas oferecidas como alternativas de escolha, uma consiste na palavra-alvo (i.e., a palavra escrita que melhor corresponde ao sinal da Libras), e as outras três consistem em palavras distratoras, sendo que uma é a distratora quirêmica, outra é a distratora ortográfica, e ainda outra é a distratora semântica. A posição (i.e., 1ª. a 4ª.) da palavra-alvo e dos três tipos de palavras distratoras varia de maneira contrabalançada e semi-aleatória ao longo da série de sinais. A distratora semântica é uma palavra escrita cujo sinal correspondente subjacente é semanticamente relacionado ao sinal-alvo. A distratora ortográfica é uma palavra escrita que é ortograficamente semelhante à palavra-alvo que designa o sinal. A distratora quirêmica é uma palavra escrita cujo sinal correspondente subjacente é quiremicamente semelhante ao sinal correspondente à palavra-alvo. Ou seja, o sinal distrator quirêmico é aquele que se assemelha ao sinal-alvo com respeito à composição sublexical por quiremas como a articulação de mão, o local dessa articulação, a orientação da palma no plano da sinalização, o movimento descrito no espaço da sinalização e a expressão facial associada. Um viés de escolha de palavras distratoras ortográficas sugere um estilo de leitura ideovisual geral ou logográfico; um viés de escolha de palavras distratoras semânticas sugere um estilo de leitura ideovisual geral bastante indiferenciado e incipiente, com trocas semânticas possivelmente devidas a insuficiente vocabulário; e um viés de escolha de palavras distratoras quirêmicas sugere um estilo de leitura por mediação de sinalização interna.

O Quadro 9 arrola as quatro palavras alternativas de escolha para cada um dos 36 itens que compoem a versao 1.1 do Teste de Nomeaçao de Sinais por Escolha de Palavras Escritas (TNS1.1–Escolha), juntamente com a classificação da natureza de cada uma dessas palavras: Palavras-alvo a serem escolhidas e os três tipos de palavras distratoras a serem descartadas.

Quadro 9. Lista dos 36 itens do TNS1.1–Escolha, com a classificação das quatro palavras escritas alternativas de escolha para cada um dos 36 sinais que compõem essa versão do teste: A palavra-alvo e ser escolhida e as três palavras distratoras (i.e., ortográfica, semântica e quirêmica) a serem descartadas.

item	palavra alvo	palavras distratoras ortográfica	semântica	quirêmica
1	MÃE	MÃO	PAI	MULHER
2	LEITE	LEITO	CAFÉ	SÁBADO
3	LUZ	LUA	VELA	CHUVA
4	ARROZ	AROS	FEIJÃO	LAVAR
5	AMARELO	AMARRADO	VERDE	MANDAR
6	AÇÚCAR	AÇUDE	SAL	BOCEJAR
7	ALEGRE	ALARGUE	TRISTE	PASSEAR
8	MENTIRA	MENDIGA	VERDADE	GELAR
9	MANGA	MANTA	ABACATE	ÓBVIO
10	FEIO	FEITO	BONITO	TER
11	COR	DOR	AZUL	FUMAR
12	PROFESSOR	PROFESSAR	DIRETOR	SEMPRE
13	LONGE	MONGE	PERTO	FINO
14	ERRADO	SERRADO	CERTO	COLHER
15	ESPERAR	ESPERNEAR	HORA	AJUDAR
16	TOMATE	TOMADA	SALADA	LUGAR
17	ESTRELA	ESTEIRA	LUA	ESCOLHER
18	ENSINAR	ENSAIAR	APRENDER	VENDER
19	BALEIA	BOLÉIA	MAR	FÁCIL
20	FOME	FONE	COMIDA	EMPREGADA
21	DÓ	PÓ	AMOR	SAÚDE
22	VIAJAR	VICIAR	PASSEAR	ENSINAR ME
23	COMPUTADOR	COMPETIDOR	INTERNET	AGRICULTURA
24	NOITE	NOTE	DIA	ESCONDER
25	GINÁSTICA	CIANÓTICA	CORRER	APLAUSO
26	CHEFE	CHAVE	RESPONSÁVEL	FERRO
27	EXPLICAR	EXPULSAR	APRENDER	LIMPO
28	DÚVIDA	DÍVIDA	CERTEZA	IDÉIA
29	RESPEITAR	RESPIRAR	OFENDER	OBRIGADO
30	SURPRESA	SUSPENSA	FESTA	MEU
31	DISTRAIR	DISTRIBUIR	CONCENTRAR-SE	CORES
32	ARANHA	ARRANHA	TEIA	PIANO
33	TEIMOSO	TREMOÇO	CHATO	PEDRA
34	DESLEIXADO	DESLIGADO	MENDIGO	DIZER
35	AZAR	ASSAR	SORTE	DESCULPA
36	SUBORNAR	SUPORTAR	NEGOCIAR	VICIAR

A Figura 32 ilustra um dos 36 itens (no caso, item 9) da versão 1.1 do Teste de Nomeação de Sinais por Escolha de Palavras Escritas (TNS1.1–Escolha). Conforme a figura, cada item é composto de um sinal da Libras e de quatro palavras escritas alternativas para a escolha daquela que melhor designa o sinal. Dentre as palavras escritas alternativas, uma é a palavra-alvo (no caso, MANGA), e as outras três são palavras distratoras, sendo uma ortográfica (no caso, MANTA), uma quirêmica (no caso, ÓBVIO), e uma semântica (no caso, ABACATE). Deve-se notar que as posições relativas dos quatro tipos de palavras alternativas (i.e., palavra-alvo, distratora ortográfica, distratora quirêmica e distratora semântica) encontram-se contrabalançadas ao longo dos 36 itens do teste, de modo a controlar o efeito de viés de posição.

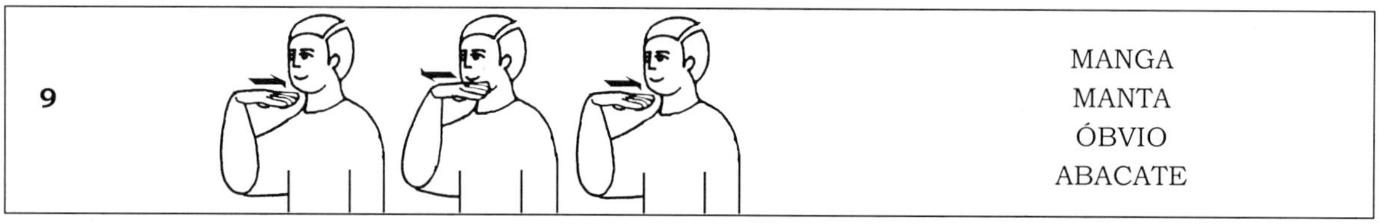

Figura 32. Amostra de um dos 36 itens do *Caderno completo de aplicação com sinais e palavras de escolha do TNS1.1–Escolha*, composto de um sinal da Libras (no caso, o sinal MANGA) e de quatro palavras escritas alternativas para escolha daquela que melhor designa o sinal (no caso, a palavra-alvo MANGA).

4.10.1.2.7.3.) Breve arrazoado do TNS1.1–Escolha

A Figura 33 ilustra os sinais correspondentes a cada uma das quatro alternativas de escolha de um dos itens (no caso, item 9) da versão 1.1 do Teste de Nomeação de Sinais por Escolha de Palavras Escritas (TNS1.1–Escolha). O teste apresenta apenas o sinal-alvo para nomeação. Os outros três podem ser evocados na mente do examinando pelas correspondentes palavras distratoras.

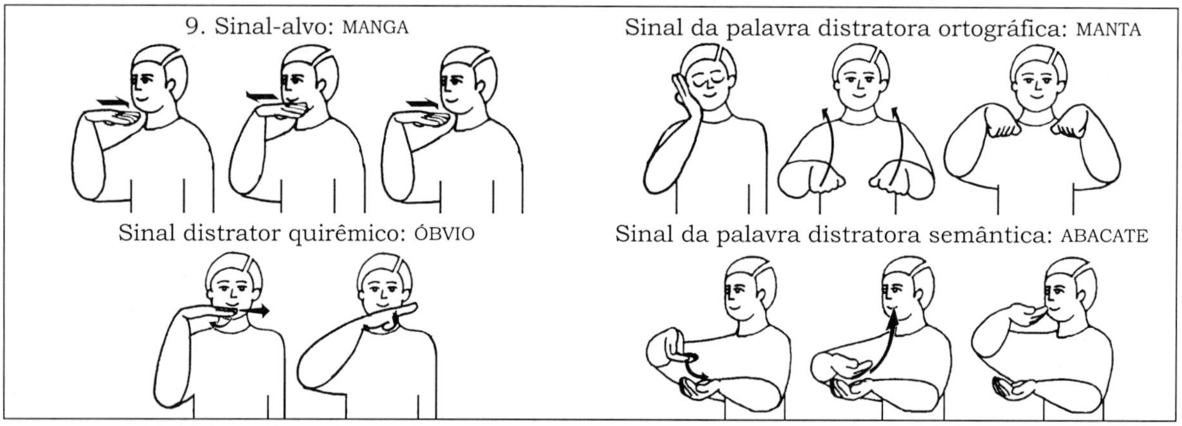

Figura 33. Ilustração dos quatro sinais subjacentes às quatro palavras alternativas de escolha de um dos itens do TNS1.1–Escolha: O sinal-alvo, que é apresentado para nomeação nesse item do teste, e que subjaz à palavra-alvo que deve ser escolhida; o sinal distrator quirêmico que é semelhante a ele; o sinal correspondente à palavra distratora ortográfica; e o sinal correspondente à palavra distratora semântica. Frente a um dado sinal da Libras, a palavra-alvo (i.e., a palavra estritamente correspondente ao sinal-alvo a ser nomeado) deve ser escolhida, e as três palavras distratoras (i.e., as palavras não correspondentes ao sinal) devem ser descartadas. Enquanto erros espúrios podem ser devidos a fatores aleatórios não controlados, um padrão de escolha sistemática de determinado tipo de palavra distratora pode configurar um viés definido por um tipo específico de processamento, quer quirêmico (i.e., por semelhança entre a composição sublexical do sinal subjacente à palavra-alvo e a composição sublexical do sinal subjacente à palavra distratora quirêmica), quer ortográfico (i.e., por semelhança visual entre a forma ortográfica ou composição grafêmica da palavra-alvo e a forma ortográfica ou composição grafêmica da palavra distratora ortográfica), quer semântico (i.e., por relação de semelhança, contigüidade ou oposição entre os conceitos representados, ou seja, o significado da palavra-alvo e o significado da palavra distratora semântica).

Como ilustrado na figura, há uma semelhança quirêmica (i.e., de forma ou de composição sublexical) entre o sinal-alvo a ser nomeado (i.e., MANGA) e o sinal distrator quirêmico (i.e., ÓBVIO) correspondente à palavra distratora quirêmica, mas não entre o sinal-alvo (i.e., MANGA) e os sinais (i.e., MANTA e ABACATE) correspondentes às palavras distratoras ortográfica e semântica, respectivamente. Para constatar isso, basta inspecionar o sinal MANGA e os sinais MANTA e ABACATE. Assim, a escolha de qualquer uma dessas palavras distratoras semântica e ortográfica seria conseqüência não da semelhança quirêmica entre os sinais MANTA ou ABACATE com o sinal subjacente à palavra-alvo (MANGA), mas, sim, da semelhança ortográfica (i.e., em termos de composição visual das letras) entre a palavra-alvo (i.e., MANGA) e a palavra distratora ortográfica (i.e., MANTA), ou da relação semântica entre a palavra-alvo (i.e., MANGA) e a palavra distratora semântica (i.e., ABACATE). Dada a inexistência de semelhança, quer semântica, quer ortográfica, entre a palavra-alvo (i.e., MANGA) e a palavra correspondente ao distrator quirêmico (i.e., ÓBVIO), a escolha da palavra escrita ÓBVIO para designar o sinal-alvo MANGA a ser nomeado ou a figura de uma manga não seria explicável por semelhança ortográfica entre essas palavras nem por relação semântica significativa, mas pareceria, isto sim, indicar mediação pela sinalização interna a partir da semelhança entre a composição sublexical do sinal correspondente à palavra-alvo e a composição sublexical do sinal distrator quirêmico. Esse arrazoado (F. Capovilla, no prelo) encontra suporte em experimentos de memorização em surdos sinalizadores relatados na bibliografia científica (e.g., Klima & Bellugi, 1979) que demonstram que surdos codificam, processam e recuperam informação lingüística com base nos parâmetros sublexicais dos sinais. Tais dados sugerem que, em tarefas como a de nomear figuras por escrita livre ou por escolha de palavras escritas, o processo de evocação dos nomes escritos parece envolver indexação sublexical (i.e., pelas propriedades quirêmicas dos sinais).

4.10.1.2.7.4.) Breve substrato teórico do TNS1.1–Escolha

A hipótese de mediação por sinalização interna (F. Capovilla, no prelo) expandida a partir da bibliografia (Bellugi, 1983; Bellugi, Klima, & Poizner, 1988; Bellugi, Poizner, & Klima, 1983; Bellugi, Tzeng, Klima, & Fok, 1989; F. Capovilla & A. Capovilla, 2001b; Hanson, 1991; Hanson & Fowler, 1987; Klima & Bellugi, 1979; Klima, Bellugi, & Poizner, 1988; Poizner, Bellugi, Tweney, 1981; Poizner, Klima, & Bellugi, 1987) explica fenômenos de paralexias e paragrafias quirêmicas que ocorrem exclusivamente em surdos durante tarefas de leitura e escrita. Segundo essa hipótese, durante a leitura, a compreensão de palavras escritas e de textos por parte do sinalizador com surdez profunda pré-lingual ou perilingual envolve sinalização interna, sendo que o acesso ao léxico semântico se dá pela porta de entrada do léxico quirêmico, que contém as imagens visuais e articulatórias dos sinais relevantes ao pensamento e à comunicação interpessoal do surdo. Do mesmo modo, durante a escrita, a produção de palavras escritas e de textos por parte do surdo se dá sob controle de sinalização interna, sendo que o léxico quirêmico é a porta de saída do léxico semântico, intermediando a produção escrita alfabética, freqüentemente por codificação quirografêmica (i.e., convertendo a articulação da mão em escrita).

Em termos do desempenho de escolha de palavras escritas para nomear sinais da Libras, tal como avaliado pela versão 1.1 do Teste de Nomeação de Sinais por Escolha (TNS1.1–Escolha), de acordo com a hipótese, ao ter de escolher palavras escritas para denominar sinais da Libras, os examinandos surdos sinalizadores podem cometer paralexias radicadas na similaridade entre os sinais subjacentes, isto é, na similaridade entre o sinal-alvo a ser nomeado (i.e., que corresponde à palavra-alvo que deve ser escolhida pelo examinando) e o sinal subjacente à palavra distratora quirêmica que pode acabar sendo escolhida. Ou seja, ao ter de escolher palavras escritas para denominar sinais da Libras, os examinandos sinalizadores com surdez profunda pré-lingual ou perilingual podem escolher palavras escritas que nada têm a ver com os sinais a serem nomeados (i.e., que não correspondem a eles e não podem ser encontradas associadas a eles em nenhum dicionário de Libras), exceto pela similaridade entre o sinal-alvo a ser nomeado e o sinal que subjaz à palavra distratora quirêmica. Nesse caso de processamento quirêmico, a palavra distratora que acaba sendo incorretamente escolhida é aquela cujo sinal subjacente é similar ao sinal-alvo a ser nomeado. Tal similaridade é baseada na presença de um certo número de elementos sublexicais quirêmicos (e.g., forma de mão, orientação de palma, local do sinal, movimento e expressão facial associada) em comum entre os dois sinais, sendo que, em termos teóricos, quanto maior a proporção de elementos quirêmicos coincidentes, tanto maior a similaridade quirêmica e, logo, o poder do distrator quirêmico em induzir erros dessa natureza. O número de elementos quirêmicos em comum entre os sinais pode ser determinado por meio do sistema de indexação quirêmica de sinais (F. Capovilla, Duduchi, Raphael, Luz, Rozados, A. Capovilla, & Macedo, 2003; F. Capovilla, Duduchi, & Rozados, 2002; F. Capovilla, Duduchi, & Rozados, 2004), que fornece automaticamente a composição quirêmica precisa de qualquer sinal do léxico documentado da Libras numa seqüência de códigos alfanuméricos em que as letras representam quiremas e os números representam alóquiros (i.e., níveis ou valores de quiremas). A hipótese de mediação pelo sinal explica a ocorrência dessas paralexias de base quirêmica. Um viés de escolha de distratores quirêmicos seria típico de sinalizadores com surdez profunda pré-lingual e perilingual, mas não de examinandos sem qualquer familiaridade com a língua de sinais. Tal hipótese de paralexias radicadas na similaridade quirêmica durante a nomeação de sinais foi testada experimentalmente nos estudos sobre as duas versões originais do Teste de Nomeação de Sinais por Escolha (TNS1.1–Escolha: F. Capovilla, Viggiano, Raphael, Mauricio, A. Capovilla, & Bidá, 2004; e TNS2.1–Escolha: F. Capovilla, Viggiano, Bidá, Luz, A. Capovilla, & Neves, 2004). A propósito, o processamento cognitivo quirêmico envolvido no resgate lexical de sinais da Libras foi objeto de análise experimental computadorizada (F. Capovilla, Duduchi, & Rozados, 2004). Tal análise revelou que o valor de um quirema como recurso para a busca e o resgate quirêmicos de sinais é inversamente proporcional à sua freqüência de ocorrência na Libras (i.e., diretamente proporcional à sua raridade), já que quanto mais raro for um quirema, tanto menor será o número de sinais de que ele participa e, logo, tanto menor será o número de sinais competidores que sua escolha acaba evocando. Assim, quando se trata de usar o sistema de busca quirêmica de sinais para recuperar, na tela do computador, um sinal em que se está pensando, é muito mais produtivo proceder à busca pela escolha de quiremas incomuns do que pela escolha de comuns.

De acordo com a hipótese de mediação por sinais, as tarefas de nomeação de figuras e de sinais, tanto por escrita livre quanto por escolha de palavras escritas, envolvem mediação por sinalização interna. Como a codificação de informações lingüísticas se dá por elementos sublexicais quirêmicos, a presença de elementos quirêmicos em comum entre sinais diferentes pode produzir confusão entre esses sinais, acarretando problemas de armazenamento, recuperação ou processamento de informação que levam a paralexias quirêmicas (no caso de nomeação por escolha) e paragrafias quirêmicas (no caso de nomeação por escrita). Assim, frente a sinais a serem nomeados, em vez de escolher as palavras-alvo escritas que correspondem a esses sinais, examinandos sinalizadores com surdez profunda pré-lingual e perilingual podem escolher palavras distratoras quirêmicas devido à semelhança entre os sinais que indexam essas palavras distratoras quirêmicas e os sinais-alvo a serem nomeados. Em termos práticos, considerando o TNS1.1–Escolha, uma predição típica da hipótese é que, ao ter de nomear o sinal DISTRAIR, os examinandos surdos poderiam selecionar a palavra escrita CORES; ao ter de nomear o sinal MENTIRA, eles poderiam escolher a palavra escrita GELAR; para nomear o sinal DESLEIXADO, eles poderiam selecionar DIZER; para nomear o sinal CHEFE, eles poderiam selecionar FERRO; para nomear COR, eles poderiam escolher FUMAR; e, finalmente, para nomear AZAR, eles poderiam selecionar DESCULPA, e assim por diante.

Tal expectativa experimental, decorrente da hipótese de acesso semântico mediado por sinalização subjacente durante a leitura, é ilustrada na Figura 34 que apresenta seis pares de sinais que, de acordo com a hipótese de mediação por sinais, podem originar paralexias e paragrafias quirêmicas. Trata-se de um conjunto de sinais a serem nomeados (juntamente com seus nomes correspondentes em Português), e respectivos sinais distratores quirêmicos (juntamente com seus nomes correspondentes em Português), os quais compartilham elementos quirêmicos com os sinais a serem nomeados. A coluna esquerda apresenta os sinais a serem nomeados e as correspondentes palavras-alvo escritas que devem ser escolhidas (as quais, de acordo com a hipótese de mediação por sinais, são indexadas por eles). A coluna direita apresenta os sinais distratores quirêmicos que subjazem às correspondentes palavras distratoras quirêmicas, as quais podem ser escolhidas em lugar das palavras-alvo devido à semelhança entre o sinal distrator quirêmico (na coluna direita) e o sinal-alvo a ser nomeado (na coluna esquerda).

A hipótese de mediação por sinalização interna também estabelece expectativas experimentais relacionadas à eficácia dos distratores quirêmicos e ortográficos das duas versões originais do Teste de Nomeação de Sinais por Escolha (TNS1.1–Escolha e TNS2.1–Escolha) e das duas versões originais do Teste de Nomeação de Figuras por Escolha (TNF1.1–Escolha e TNF2.1–Escolha). Quanto à distribuição de erros e à eficácia dos distratores ortográficos e quirêmicos do Teste de Escolha do Nome de Figuras, as expectativas são as seguintes: Com referência à eficácia de distratores ortográficos, espera-se que, quanto maior a competência de leitura de palavras em Português (em termos de habilidades de decodificação de palavras pouco familiares e de reconhecimento visual direto de palavras familiares), tal como medida pelo Teste de Competência de Leitura de Palavras (TCLP), tanto menor deva ser a eficácia de distratores ortográficos em induzir erros de nomeação. Do mesmo modo, no tocante à eficácia dos distratores quirêmicos, espera-se que, quanto maior a compreensão de sinais da Libras, tal como medida pelo Teste de Vocabulário Receptivo de Sinais da Libras (TVRSL), tanto menor deva ser a eficácia de distratores quirêmicos em induzir erros de nomeação de figuras. Tais expectativas foram testadas experimentalmente nos estudos com as versões 1.1 e 2.1 do Teste de Nomeação de Sinais por Escolha (TNS1.1–Escolha: F. Capovilla, Viggiano, Raphael, Mauricio, A. Capovilla, & Bidá, 2004; e TNS2.1–Escolha: F. Capovilla, Viggiano, Bidá, Luz, A. Capovilla, & Neves, 2004).

Ainda segundo a hipótese de mediação por sinais, no que diz respeito à distribuição de erros, espera-se que, quanto melhor o desempenho no Teste de Vocabulário Receptivo de Sinais da Libras (TVRSL), tanto menor seja a freqüência de erros induzidos por distratores quirêmicos. Além disso, também se espera que, quanto melhor o desempenho no Teste de Competência de Leitura de Palavras (TCLP), tanto menor seja a freqüência de erros induzidos por distratores ortográficos. Mais precisamente, espera-se que seja possível encontrar correlações negativas entre a compreensão de sinais da Libras (i.e., vocabulário receptivo visual de sinais da Libras) e a freqüência de erros quirêmicos; bem como entre a competência de leitura de palavras e a freqüência de erros ortográficos. Além disso, espera-se que seja possível encontrar uma dupla dissociação entre a freqüência de erros quirêmicos e o vocabulário de sinais de um lado, e entre a freqüência de erros ortográficos e a competência de leitura de palavras de outro, de modo que, comparando as correlações negativas entre a competência de leitura e a indução de erros por distratores quirêmicos e ortográficos, deva ser observada maior correlação negativa com os distratores ortográficos. E, reciprocamente, comparando as correlações negativas entre a compreensão de sinais da Libras e a indução de erros por distratores quirêmicos e ortográficos, deva ser observada maior correlação negativa com os distratores quirêmicos. Tais expectativas foram testadas experimentalmente nos estudos sobre as versões 1.1 e 2.1 do Teste de Nomeação de Figuras por Escolha (TNF1.1 Escolha: F. Capovilla, Viggiano, Raphael, Bidá, A. Capovilla, Neves, & Mauricio, 2004; e TNF2.1–Escolha: F. Capovilla, Viggiano, Bidá, A. Capovilla, Raphael, Neves, & Mauricio, 2004).

sinal-alvo a ser denominado cuja palavra correspondente, que aqui aparece acima dele, deve ser escolhida dentre as demais	**sinal distrator quirêmico cuja palavra correspondente pode vir a ser escolhida, ilustrando caso de paralexia quirêmica**

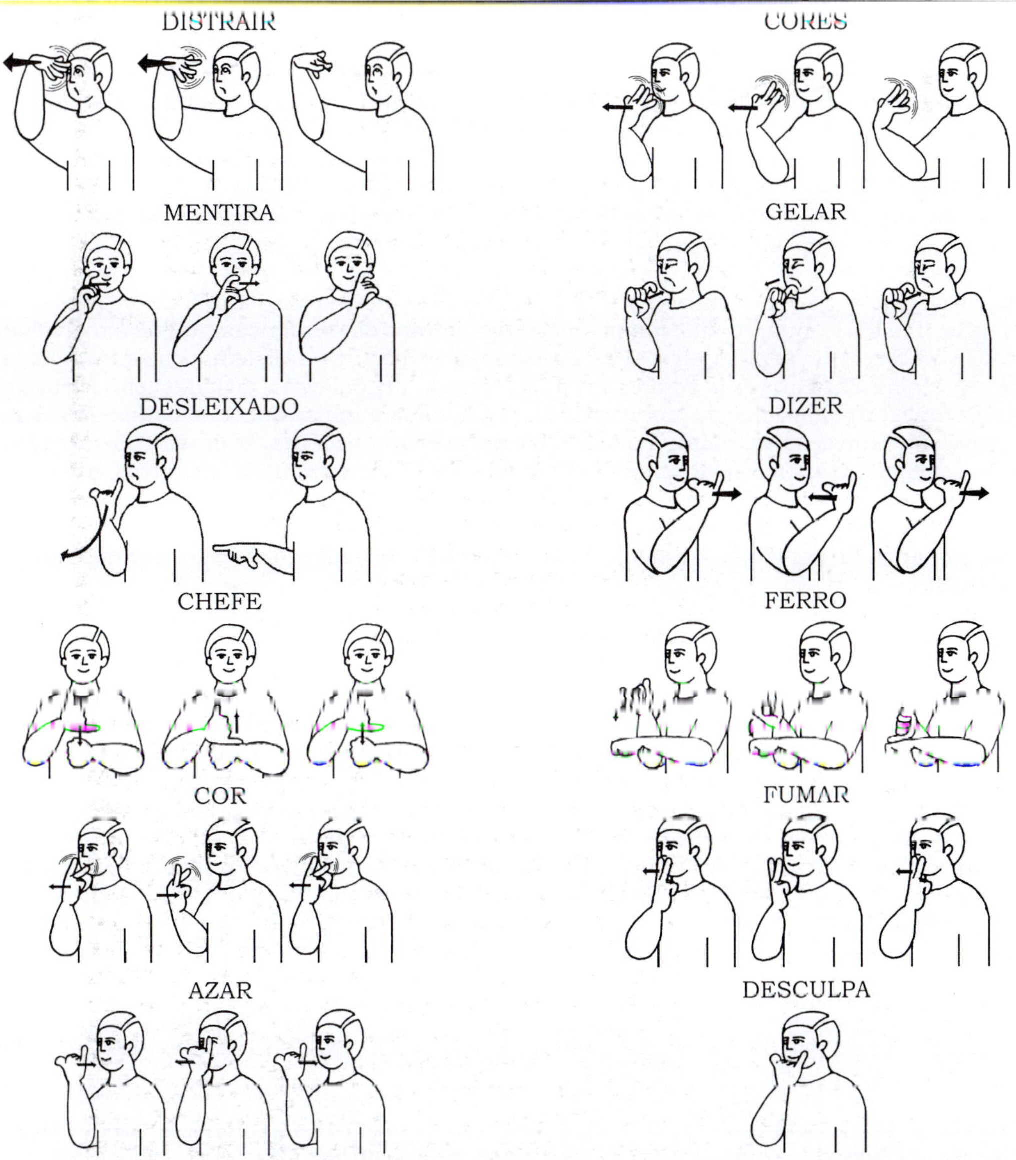

Figura 34. Amostra de seis pares de sinais da versão 1.1 do Teste de Nomeação de Sinais por Escolha (TNS1.1–Escolha) que, segundo a hipótese de mediação por sinais, podem originar paralexias e

paragrafias quirêmicas. A coluna esquerda apresenta os sinais a serem nomeados e as correspondentes palavras-alvo escritas que devem ser escolhidas (as quais, de acordo com a hipótese de mediação por sinais, são indexadas por eles). A coluna direita apresenta os sinais distratores quirêmicos que subjazem às correspondentes palavras distratoras quirêmicas, as quais podem ser escolhidas em lugar das palavras-alvo devido à semelhança entre o sinal distrator quirêmico e o sinal-alvo a ser nomeado. Segundo a hipótese de mediação por sinais, a escolha de palavras escritas para nomear figuras ou sinais envolve mediação de sinalização interna; e, como a codificação de informações lingüísticas se dá por elementos sublexicais quirêmicos, a presença de elementos quirêmicos em comum entre sinais diferentes pode acarretar confusão entre os sinais, produzindo problemas de armazenamento, recuperação ou processamento de informação que podem resultar em paralexias quirêmicas e paragrafias quirêmicas. Isso explicaria as paralexias ilustradas: Surdos poderiam selecionar a palavra escrita CORES para nomear o sinal DISTRAIR; a palavra GELAR para nomear o sinal MENTIRA; a palavra DIZER para nomear DESLEIXADO; FERRO para nomear CHEFE; FUMAR para nomear COR; e DESCULPA para nomear AZAR.

Quando se trata de nomear *figuras* por escolha de palavras escritas, tal como avaliado pelo Teste de Nomeação de Figuras por Escolha nas versões originais 1.1 e 2.1 (TNF1.1–Escolha e TNF2.1–Escolha), espera-se que haja um maior equilíbrio entre as contribuições relativas do vocabulário receptivo de sinais da Libras e da competência de leitura de palavras para o controle da indução de erros por distratores quirêmicos e ortográficos. Assim, espera-se que o efeito dos distratores quirêmicos deva ser inversamente proporcional à compreensão de sinais da Libras (avaliada pelo Teste de Vocabulário de Sinais da Libras) e que o efeito de distratores ortográficos deva ser inversamente proporcional à competência de leitura de palavras. Tais expectativas foram testadas experimentalmente nos estudos sobre nomeação de figuras por escolha com as versões originais 1.1 (TNF1.1–Escolha: F. Capovilla, Viggiano, Raphael, Bidá, A. Capovilla, Neves, & Mauricio, 2004) e 2.1 (TNF2.1–Escolha: F. Capovilla, Viggiano, Bidá, A. Capovilla, Raphael, Neves, & Mauricio, 2004).

Contudo, quando se trata de nomear *sinais* por escolha de palavras escritas, tal como avaliado pelo Teste de Nomeação de Sinais por Escolha em suas versões originais 1.1 e 2.1 (TNS1.1–Escolha e TNS2.1–Escolha), espera-se que a contribuição do vocabulário de sinais, tal como avaliada pelo TVRSL1.1, seja maior que as contribuições, tanto da competência de leitura de palavras, tal como avaliada pelo TCLP1.1, quanto da competência de leitura de sentenças, tal como avaliada pelo TCLS1.1. Dessa forma, espera-se algo além da covariação positiva e sistemática entre o vocabulário receptivo de sinais da Libras, a competência de leitura de palavras isoladas em Português, e a competência de leitura de sentenças em Português. Pois, dada a importância da compreensão de sinais para a prova de nomeação de sinais por escolha de palavras escritas, é de se esperar que as três habilidades estejam mais correlacionadas de modo inversa à indução de erros por distratores quirêmicos do que à indução de erros por distratores ortográficos. Ou seja, enquanto na tarefa de nomeação de figuras a compreensão de sinais é um elo intermediário interno que facilita a atividade de nomeação, na tarefa de nomeação de sinais a compreensão de sinais é o quesito *sine qua non* para que haja nomeação.

Em outras palavras, embora a compreensão de sinais não seja suficiente para a nomeação (já que esta requer, também, habilidades em Português), ela é uma habilidade de entrada absolutamente necessária para que a nomeação possa ocorrer. Por isso, espera-se uma importância relativamente maior do processamento quirêmico em tarefas de nomeação de sinais por escolha de palavras do que em tarefas de nomeação de figuras por escolha de palavras. Ou seja, quando se trata de nomear sinais por escolha de palavras escritas, espera-se que o conhecimento de sinais da Libras seja mais importante que a competência de leitura de palavras e a competência de leitura de sentenças em Português, sendo que os distratores quirêmicos devem ser capazes de predizer melhor do que os distratores ortográficos o bom desempenho em nomeação de sinais por escolha de palavras escritas. Tais expectativas foram testadas experimentalmente nos estudos sobre as versões 1.1 e 2.1 do Teste de Nomeação de Sinais por Escolha (TNS1.1–Escolha: F. Capovilla, Viggiano, Raphael, Mauricio, A. Capovilla, & Bidá, 2004; e TNS2.1–Escolha: F. Capovilla, Viggiano, Bidá, Luz, A. Capovilla, & Neves, 2004).

4.10.1.2.7.5.) Modos de aplicação do TNS1.1–Escolha

A versão 1.1 do Teste de Nomeação de Sinais por Escolha (TNS1.1–Escolha) pode ser aplicada de diferentes formas, conforme explicado a seguir.

4.10.1.2.7.5.1.) Aplicação do TNS1.1–Escolha com caderno completo descartável: *Caderno completo de aplicação com sinais e palavras de escolha do TNS1.1–Escolha – versão descartável*

A forma de aplicação mais estandardizada, auto-suficiente e prática consiste no uso do *Caderno completo de aplicação com sinais e palavras de escolha do TNS1.1–Escolha.* É auto-suficiente porque prescinde de sinalização ao vivo ou da necessidade de uso de retroprojetor, tela e transparências para projeção de sinais. É estandardizada porque garante que os sinais sejam apresentados sempre do mesmo modo, de aplicação em aplicação, sem as variações espúrias que ocorrem na sinalização ao vivo ou no uso de retroprojetor em termos de tamanho da imagem projetada, de período de tempo permitido para as respostas, e assim por diante. É prática porque o mesmo caderno desempenha as funções de apresentação dos sinais e de coleta das respostas, podendo ser aplicado de modo individual ou coletivo nos contextos educacional e clínico. Além disso, já que o caderno consiste em apenas duas folhas impressas em frente e verso (i.e., quatro páginas), seu custo é bastante baixo, podendo ser facilmente arquivado ou descartado após a transposição dos dados para planilhas estatísticas. Trata-se de um caderno com quatro páginas, contendo cada qual nove itens, num total de 36, cada um composto de um sinal (à esquerda) e de quatro palavras escritas em Português (à direita) como alternativas de escolha para cada sinal. O *Caderno completo de aplicação com sinais e palavras de escolha do TNS1.1–Escolha* pode ser encontrado no estudo original sobre o TNS1.1–Escolha (F. Capovilla, Viggiano, Raphael, Mauricio, A. Capovilla, & Bidá, 2004). A Figura 32 ilustra um item desse *Caderno completo de aplicação com sinais e palavras de escolha do TNS1.1–Escolha*, em que o examinando surdo deve assinalar a palavra escrita que corresponde ao nome do sinal, circundando, sublinhando ou simplesmente cruzando com um "*X*" essa palavra.

4.10.1.2.7.5.2.) Coleta de dados do TNS1.1–Escolha com *Folha de respostas com palavras de escolha do TNS1.1–Escolha* e apresentação de sinais por diferentes meios

Para economia de recursos, em vez de distribuir aos examinandos o *Caderno completo de aplicação com sinais e palavras de escolha do TNS1.1–Escolha*, pode-se distribuir apenas a *Folha de escolha de nomes de sinais do TNS1.1–Escolha*, que deve ser descartada após a aplicação. Nesse caso, para a apresentação dos sinais, o examinador pode se valer de diferentes recursos, como a distribuição de cadernos contendo apenas os sinais, a projeção de transparências contendo sinais, ou a sinalização ao vivo. Os três recursos podem ser usados para aplicação individual e coletiva. A principal diferença entre o uso de sinalização ao vivo em relação ao uso de caderno e de transparências é que, nos cadernos e nas transparências, embora a forma dos sinais seja mais padronizada e regular, ela também é bidimensional, mais complexa e abstrata. A vantagem desse emprego de sinais mais padronizados e regulares, que ocorre com a administração do teste por meio de caderno e retroprojetor, é que há menos variabilidade espúria entre diferentes aplicações e entre diferentes examinadores. Isso deixa o teste mais fidedigno e confiável, e torna seus resultados mais estáveis ao longo de aplicações diferentes e com examinadores diferentes. Já a vantagem do emprego de sinais tridimensionais e de aparência real e natural, que ocorre com a administração do teste por meio de articulação ao vivo por parte de examinadores fluentes em Libras, é que os sinais parecem mais reais, naturais e concretos aos olhos dos examinandos. Isso deixa o teste mais válido e sensível àquilo que se deseja avaliar, tornando seus resultados mais representativos do fenômeno e dos processos cujas características se almeja medir. A principal diferença entre o uso de cadernos individuais e de transparências é que o uso de transparências, assim como o de sinalização ao vivo, estabelece um ritmo coletivo à avaliação em que todas as crianças respondem a cada um dos 36 itens ao mesmo tempo, enquanto o uso de cadernos individuais estabelece um ritmo individual em que a criança responde aos 36 itens na ordem, velocidade e ritmo que desejar, dentro dos limites de tempo permitidos. Cabe ao examinador escolher o modo de apresentação de sinais mais adequado às circunstâncias particulares de avaliação.

A *Folha de escolha de nomes de sinais do TNS1.1–Escolha* contém um quadro de 36 linhas, correspondentes aos itens 1 a 36, e cinco colunas, correspondentes ao número do item e às quatro palavras escritas como alternativas de escolha para cada item. Essencialmente, trata-se de uma folha de papel sulfite contendo 36 linhas, uma por item, com quatro colunas por linha, num total de 144 células (i.e., 36 linhas com quatro colunas por linha), cada qual com uma palavra escrita diferente. A tarefa dos examinandos surdos é a de, a cada um dos 36 itens ou linhas, sublinhar ou circundar ou assinalar com um "*X*" a palavra que corresponde ao sinal a ser nomeado naquele item do teste. A *Folha de escolha de nomes de sinais do TNS1.1–Escolha* pode ser encontrada no estudo original sobre o TNS1.1–Escolha (F. Capovilla, Viggiano, Raphael, Mauricio, A. Capovilla, & Bidá, 2004). O Quadro 10 ilustra dois itens dessa folha.

Quadro 10. Amostra de dois itens da *Folha de resposta de escolha de nomes de sinais do TNS1.1–Escolha.*

8	GELAR	MENTIRA	VERDADE	MENDIGA
9	MANGA	MANTA	ÓBVIO	ABACATE

4.10.1.2.7.5.2.1.) Apresentação de sinais do TNS1.1–Escolha com caderno de sinais plastificado reutilizável: *Caderno de aplicação com sinais do TNS1.1–Escolha – versão reutilizável*

Assim como o *Caderno completo de aplicação com sinais e palavras de escolha do TNS1.1–Escolha*, o *Caderno de aplicação com sinais do TNS1.1–Escolha* pode ser reutilizado para inúmeras aplicações. Ele é composto de quatro páginas, com nove figuras cada uma. A diferença entre os cadernos de aplicação consiste no fato de que o *Caderno de aplicação com sinais do TNS1.1–Escolha* apresenta apenas os sinais, sem as palavras escritas para escolha, e pode ser usado tanto para aplicação individual quanto para aplicação coletiva. Para aplicação coletiva, devem ser preparados tantos cadernos quantos examinandos, já que cada examinando deve ter o seu próprio caderno de aplicação. O *Caderno de aplicação com sinais do TNS1.1–Escolha* pode ser encontrado no estudo de validação e normatização do TNS1.1–Escolha (F. Capovilla, Viggiano, Raphael, Mauricio, A. Capovilla, & Bidá, 2004).

4.10.1.2.7.5.2.2.) Apresentação de sinais do TNS1.1–Escolha com retroprojetor e transparências: *Conjunto de transparências de sinais do TNS1.1–Escolha*

O *Conjunto de transparências de sinais do TNS1.1–Escolha* tem o mesmo *layout* e número de páginas do *Caderno de aplicação com sinais do TNS1.1–Escolha.* É um recurso econômico e prático para aplicação coletiva, com a vantagem adicional de reduzir os riscos de os examinandos saltarem itens ou se confundirem no momento de preencher a folha de respostas, já que o examinador, ao apontar um sinal por vez, estabelece um ritmo coletivo e sistemático ao responder dos alunos. Novamente, a tarefa dos examinandos surdos é a de, a cada um dos 36 itens ou linhas da *Folha de escolha de nomes de sinais do TNS1.1–Escolha*, sublinhar ou circundar ou assinalar com um "*X*" a palavra que corresponde ao sinal exibido na tela pelo retroprojetor à medida que o examinador for projetando os sinais. Em outras palavras, o examinador deve apontar para um sinal exibido na tela com o auxílio do retroprojetor e instruir os examinandos surdos a escolher, dentre as quatro palavras escritas alternativas em Português, aquela que melhor corresponde ao sinal exibido na tela e, então, sublinhá-la, circundá-la ou assinalá-la com um "*X*". A matriz para o *Conjunto de transparências de sinais do TNS1.1–Escolha*, que consiste, também, no *Caderno de aplicação com sinais do TNS1.1–Escolha*, encontra-se no estudo original de validação e normatização do TNS1.1–Escolha (F. Capovilla, Viggiano, Raphael, Mauricio, A. Capovilla, & Bidá, 2004). A cada item, o examinador deve apontar para um sinal exibido na tela com o auxílio do retroprojetor e instruir os examinandos surdos a usar sua *Folha de resposta de escolha de nomes de sinais do TNS1.1–Escolha* para escolher, dentre as quatro palavras escritas alternativas em Português, aquela que melhor corresponde ao sinal exibido na tela, sublinhando-a, circundando-a ou assinalando-a com um "*X*".

4.10.1.2.7.5.2.3.) Apresentação de sinais do TNS1.1–Escolha por meio de articulação de sinais ao vivo: *Sinalização ao vivo por examinador fluente em Libras*

O recurso mais econômico e prático para aplicação por parte de examinadores fluentes em Libras consiste no uso de *Articulação dos sinais ao vivo pelo examinador.* Para reduzir a variabilidade espúria entre diferentes aplicações e por diferentes examinadores, é essencial que todos os sinais sejam articulados precisamente da mesma forma a cada aplicação e por examinadores diferentes. Para tanto, foi elaborado um *Guia de sinais para aplicação do TNS1.1–Escolha*, que traz precisamente a forma de cada um dos 36 sinais a serem articulados pelo examinador defronte os seus examinandos durante a prova. O *Guia de sinais para aplicação do TNS1.1–Escolha*, que também corresponde à matriz para o *Conjunto de transparências de sinais do TNS1.1–Escolha* e ao *Caderno de aplicação com sinais do TNS1.1–Escolha*, encontra-se disponível no estudo original sobre o TNS1.1–Escolha (F. Capovilla, Viggiano, Raphael, Mauricio, A. Capovilla, & Bidá, 2004). A cada item, o examinador deve articular um sinal precisamente na forma orientada pelo *Guia*, e instruir os examinandos surdos a usar sua *Folha de resposta de escolha de nomes de sinais do TNS1.1–Escolha* para escolher, dentre as quatro palavras escritas alternativas em Português, aquela que melhor corresponde ao sinal articulado, sublinhando-a, circundando-a ou assinalando-a com um "*X*".

4.10.1.2.7.5.3.) Aplicação computadorizada do TNS1.1–Escolha

A versão original TNS1.1–Escolha e as duas outras versões dela derivadas (i.e., a reordenada TNS1.2– Escolha e a revisada TNS1.3– Escolha) são eficientemente implementadas como testes de papel e lápis em seus respectivos cadernos de aplicação. Além disso, as três versões também se encontram disponíveis para execução em qualquer computador com plataforma Windows para avaliar crianças surdas com os mais severos e variados tipos de impedimento motor (e.g., amputação ou defeitos congênitos) e de distúrbios neuromotores (e.g., tetraplegia por lesão cervical, paralisia cerebral ou esclerose lateral amiotrófica), que se encontrem incapacitadas de segurar um lápis ou sequer de apontar com os dedos para assinalar a alternativa correta. O compêndio de avaliação do desenvolvimento da linguagem de sinais, leitura e escrita na criança surda (F. Capovilla & Viggiano, 2004) apresenta a versão computadorizada reordenada 1.2 do Teste de Nomeação de Sinais por Escolha de Palavras (TNS1.2–Escolha–Comp: Macedo, F. Capovilla, Viggiano, Raphael, Charin, Diana, Covre, Duduchi, & A. Capovilla, 2004).

As três versões computadorizadas fazem varredura automática entre as palavras alternativas de escolha sendo que, para escolher entre elas, tudo que o examinando surdo paralisado ou amputado tem de fazer é emitir um movimento qualquer, como o piscar, quando a palavra alternativa desejada estiver disponível para escolha. Esse movimento é captado por diferentes tipos de detetores infravermelho. As estratégias e os tipos de varredura (Gonçalves, F. Capovilla, Macedo, & Duduchi, 1997), os parâmetros temporais dessa varredura (F. Capovilla, Thiers, & Macedo, 2002; F. Capovilla, Thiers, Macedo, & Duduchi, 1998; F. Capovilla, Thiers, Macedo, Raphael, & Duduchi, 1998; F. Capovilla, Thiers, & A. Capovilla, 2003), e os tipos de acionadores empregados para operar o computador (Charin & F. Capovilla, 2000; Macedo & F. Capovilla, 2000) podem ser adaptados precisamente às características neuromotoras (F. Capovilla, Macedo, Duduchi, A. Capovilla, & Thiers, 1998) do examinando surdo (F. Capovilla, Macedo, A. Capovilla, Thiers, Raphael, & Duduchi, 1998). Essas versões computadorizadas também têm sido implementadas com seleção direta por toque sobre tela sensível; coletam e tabulam dados, e produzem automaticamente um relatório de resultados após a aplicação (Macedo, F. Capovilla, & Sazonov, 2000), incluindo o acerto total e em cada subteste, o tipo e a freqüência de cada um dos tipos de paralexia (i.e., quirêmica, semântica, ortográfica), e o tempo de resposta por subteste. Tais versões computadorizadas têm sido elaboradas e aperfeiçoadas a partir da tecnologia acumulada na última década (F. Capovilla, A. Capovilla, & Macedo, 2001a; F. Capovilla, Gonçalves, & Macedo, 1998; F. Capovilla, Macedo, A. Capovilla, Thiers, & Duduchi, 1997; Gonçalves, Macedo, Sennyey, & F. Capovilla, 2000; Macedo, Gonçalves, F. Capovilla, & Sennyey, 2002) para avaliar examinandos surdos e ouvintes com paralisia cerebral (F. Capovilla, Macedo, Duduchi, A. Capovilla, & Gonçalves 1998; F. Capovilla & Nunes, 2003; Thiers, F. Capovilla, Charin, Duduchi, & Macedo, 2000), esclerose lateral amiotrófica (F. Capovilla, A. Duduchi, Macedo, A. Capovilla, & Sazonov, 2000; Lima, Macedo, F. Capovilla, & Sazonov, 2000) e afasia (F. Capovilla, 1997a; F. Capovilla, A. Capovilla, Macedo, & Duduchi, 2000a; Macedo, F. Capovilla, Charin, & Duduchi, 1998), entre outros.

Além dessas versões para computadores locais, as três versões também se encontram disponíveis na Internet (Macedo, F. Capovilla, Diana, & Covre, 2002) para avaliação à distância (i.e., teleavaliação), num sistema capaz de acompanhar o desenvolvimento das competências lingüísticas, cognitivas e acadêmicas de toda a população escolar surda brasileira em cada um dos estados da federação, com vistas a auxiliar a subsidiar políticas públicas de educação do surdo brasileiro em nível nacional.

Como é quase certo que os desempenhos variem como função do modo de aplicação de cada uma das versões do teste (i.e., a original TNS1.1–Escolha, a reordenada TNS1.2–Escolha, e a revisada TNS1.3–Escolha), é recomendável que sejam geradas tabelas de dados normativos específicos para cada uma dessas versões sob cada um dos diferentes modos de aplicação, em termos de aplicação individual ou coletiva, e:

- 1.) Aplicação com *Caderno completo de aplicação com sinais e palavras de escolha do TNS1.1–Escolha*; ou
- 2.) Aplicação com *Caderno de aplicação com sinais do TNS1.1–Escolha* associado à *Folha de resposta de escolha de nomes de sinais do TNS1.1–Escolha;* ou
- 3.) Aplicação com *Sinalização ao vivo pelo examinador* associada à *Folha de resposta de escolha de nomes de sinais do TNS1.1–Escolha*; ou
- 4.) Aplicação com *Conjunto de transparências de sinais do TNS1.1–Escolha* associado à *Folha de resposta de escolha de nomes de sinais do TNS1.1–Escolha*; ou
- 5.) Aplicação computadorizada local com tela sensível ao toque; ou
- 6.) Aplicação computadorizada local com seleção de palavras escritas por varredura automática com diferentes intervalos temporais de varredura e diferentes tipos de acionamento; ou
- 7.) Aplicação via Internet para a teleavaliação em todo o território nacional.

Na presente série de estudos, a tabela de dados normativos da versão original TNS1.1–Escolha foi gerada a partir de aplicação coletiva com *Sinalização ao vivo por examinador fluente em Libras* e coleta de dados com *Folha de resposta de escolha de nomes de sinais do TNS1.1–Escolha.* Assim, a tabela de dados normativos do TNS1.1– Escolha (F. Capovilla, Viggiano, Raphael, Mauricio, A.

Capovilla, & Bidá, 2004) reflete os resultados desse modo de aplicação coletiva com *Sinalização ao vivo* e coleta com *Folha de resposta de escolha de nomes de sinais do TNS1.1–Escolha,* e deve ser usada para avaliar o desempenho sob esse modo específico de aplicação.

Numa nova série de estudos de normatização e validação, a versão revisada TNS1.3–Escolha vem sendo normatizada e validada por aplicação com *Caderno completo de aplicação com sinais e palavras de escolha do TNS1.3–Escolha,* em vez de com *Sinalização ao vivo por examinador fluente em Libras* e coleta de dados com *Folha de resposta de escolha de nomes de sinais* como ocorreu no TNS1.1–Escolha, uma vez que essa versão revisada TNS1.3–Escolha foi elaborada para ser auto-suficiente e independer da apresentação de sinais pelo examinador, quer por sinalização ao vivo, quer por transparências.

4.10.1.2.8.) A versão original 2.1 do Teste de Nomeação de Sinais por Escolha de Palavras Escritas (TNS2.1–Escolha) para controlar o efeito de carreamento na avaliação repetida conjunta de vocabulário receptivo de sinais da Libras e de vocabulário de leitura em Português

4.10.1.2.8.1.) Natureza e objetivos do TNS2.1–Escolha

O Teste de Nomeação de Sinais por Escolha de Palavras Escritas (TNS–Escolha), também denominado Teste de Escolha do Nome Escrito de Sinais, avalia conjuntamente o vocabulário receptivo visual de sinais da Libras e o vocabulário de leitura de palavras em Português. Trata-se de um teste de competência de leitura de palavras isoladas que avalia a habilidade do examinando de selecionar palavras escritas para nomear sinais da Libras sem cometer erros induzidos por distratores quirêmicos, ortográficos ou semânticos. Ele fornece um escore geral de competencia de nomeação de sinais por escolha de palavras escritas. Além desse escore geral, o teste também fornece informações sobre a participação de processos quirêmicos, ortográficos e semânticos nessa nomeação de sinais. Tal informação é obtida a partir da análise da distribuição de freqüência relativa de erros induzidos por distratores quirêmicos, ortográficos e semânticos. O teste é implementado nas versões originais 1.1 (TNS1.1–Escolha, de F. Capovilla, Viggiano, Raphael, Mauricio, A. Capovilla, & Bidá, 2004) e 2.1 (TNS2.1–Escolha, de F. Capovilla, Viggiano, Bidá, Luz, A. Capovilla, & Neves, 2004). A partir desta série de estudos, essas versões originais deram origem às versões reordenadas (i.e., 1.2 e 2.2) e revisadas (i.e., 1.3 e 2.3) com novos distratores quirêmicos, semânticos e ortográficos. A implementação do teste em duas versões originais (i.e., 1.1 e 2.1) almeja reduzir o efeito de aprendizagem entre as avaliações, permitindo implementar delineamentos de grupo envolvendo pré-teste, tratamento e pós-teste (Campbell & Stanley, 1979), que são importantes para comparar os benefícios de diferentes intervenções educacionais e clínicas. A disponibilidade das duas versões possibilita comparar a eficácia relativa de diferentes procedimentos derivados de abordagens distintas (e.g., oralismo, comunicação total e bilingüismo) sobre competências específicas (e.g., leitura, escrita, sinalização e rendimento escolar) de crianças com perfis distintos e características particulares (e.g., tipo e grau de perda auditiva, idade em que ocorreu perda auditiva, tempo decorrido desde a perda auditiva, idade de inserção em comunidade lingüística sinalizadora ou em programa de reabilitação auditiva, tipo de implante coclear, idade em que foi feito o implante, e tempo decorrido desde o implante). Permite, também, conduzir pesquisas experimentais de caso único (e.g., delineamentos de séries temporais de Barlow & Hersen, 1984) importantes para a neuropsicolingüística do processamento de sinais.

4.10.1.2.8.2.) Constituição do TNS2.1–Escolha

Cada uma das duas versões do TNS–Escolha consiste em um conjunto de 36 sinais individuais a serem nomeados por escolha dentre quatro palavras escritas por sinal, e de 36 conjuntos de quatro palavras escritas como alternativas de escolha, sendo um conjunto de quatro palavras para cada sinal. A tarefa do examinando surdo consiste em escolher, dentre as quatro palavras escritas apresentadas para cada sinal, aquela que corresponde ao nome do sinal (i.e., identificar o nome escrito do sinal) e, usando um lápis, circundar, sublinhar ou cruzar com um "*X*" essa palavra. A única diferença entre as versões originais 1.1 e 2.1 (TNS1.1–Escolha e TNS2.1–Escolha) diz respeito ao conjunto de 36 sinais, que difere de uma versão para outra de modo a controlar o efeito de aprendizagem entre as avaliações.

Para examinar os processos quirêmicos, ortográficos e semânticos envolvidos nas relações entre compreensão de leitura de palavras e compreensão de sinais no surdo sinalizador, foram empregados distratores quirêmicos, ortográficos e semânticos como alternativas de escolha. Assim, dentre as quatro palavras escritas alternativas para escolha, uma é a palavra-alvo (i.e., a palavra escrita que melhor corresponde ao sinal da Libras) e as outras três palavras são distratoras, sendo uma quirêmica, uma ortográfica e uma semântica. A distratora semântica é uma palavra escrita cujo sinal subjacente é semanticamente relacionado ao sinal-alvo, mas não corresponde precisamente a ele, não podendo ser encontrado como sinônimo dele em nenhum dicionário. A distratora ortográfica é uma palavra escrita que é ortograficamente semelhante à palavra-alvo que designa o sinal. A distratora quirêmica é uma palavra escrita cujo sinal subjacente é semelhante ao sinal-alvo com respeito à composição sublexical quirêmica como a articulação de mão, o local dessa articulação, a orientação da palma no plano da sinalização, o movimento descrito no espaço da sinalização e a expressão facial associada.

A Figura 35 ilustra um dos 36 itens da versão 2.1 do Teste de Nomeação de Sinais por Escolha de Palavras Escritas (TNS2.1–Escolha). Conforme a figura, cada item é composto de um sinal da Libras e de quatro palavras escritas alternativas para a escolha daquela que melhor designa o sinal. Dentre as palavras escritas alternativas, uma é a palavra-alvo (no caso, QUENTE), enquanto as outras três palavras são distratoras, sendo uma ortográfica (no caso, MENTE), uma quirêmica (no caso, RÁPIDO) e uma semântica (no caso, FRIO). Deve-se notar que as posições relativas dos quatro tipos de palavras alternativas (i.e., palavra-alvo, distratora ortográfica, distratora quirêmica e distratora semântica) encontram-se contrabalançadas ao longo dos 36 itens do teste de modo a evitar viés de posição. Um viés de escolha de palavras distratoras ortográficas sugere um estilo de leitura ideovisual geral ou logográfico; um viés de escolha de palavras distratoras semânticas sugere um estilo de leitura ideovisual geral bastante indiferenciado e incipiente, com trocas semânticas; e um viés de escolha de palavras distratoras quirêmicas sugere um estilo de leitura por mediação de sinalização interna.

8

FRIO
QUENTE
MENTE
RÁPIDO

Figura 35. Amostra de um dos itens do *Caderno completo de aplicação com sinais e palavras de escolha do TNS2.1–Escolha*, composto de um sinal da Libras e de quatro palavras escritas alternativas para a escolha daquela que melhor designa o sinal, no caso, QUENTE.

O Quadro 11 arrola as quatro palavras alternativas de escolha para cada um dos 36 itens que compõem o TNS2.1–Escolha, juntamente com a classificação da natureza de cada palavra: Palavras-alvo a serem escolhidas e as três distratoras a serem descartadas (i.e., ortográficas, semânticas e quirêmicas).

Quadro 11. Lista dos 36 itens do TNS2.1–Escolha), com classificação das quatro palavras escritas alternativas de escolha para cada um dos 36 sinais: A palavra-alvo a ser escolhida e as três distratoras ortográfica, semântica e quirêmica a serem descartadas.

item	**palavra alvo**	**ortográfica**	**palavras distratoras semântica**	**quirêmica**
1	FLOR	FLÚOR	RAMALHETE	FUTURO
2	FILHO	MILHO	AFILHADO	SENTIR
3	CERTO	PERTO	ERRADO	DIRETOR
4	BOCA	BOTA	COMIDA	BATOM
5	ROSA	RODA	VERMELHO	BOCHECHA
6	COELHO	JOELHO	GATO	DIABO
7	SORVETE	SOLVENTE	GELADO	CANTOR
8	QUENTE	MENTE	FRIO	RÁPIDO
9	DEPOIS	DEPOR	ANTES	IR
10	BORBOLETA	BORBULHAR	VOAR	NEGLIGÊNCIA
11	EDUCAÇÃO	EVOCAÇÃO	RESPEITO	COSTUME
12	GELATINA	SELADINHA	SORVETE	POLVO
13	PERTO	PERCO	LONGE	ÔNIBUS
14	LISO	USO	ÁSPERO	LIMPAR
15	CÍLIO	SÍRIO	SOBRANCELHA	NÃO SABER
16	JOVEM	JOGUEM	NOVO	CHAMAR
17	ESTÓRIA	ESCÓRIA	LIVRO	LEMBRAR
18	LIMPAR	LIMAR	SUJAR	COMPRAR
19	DEMORAR	DESMORONAR	ATRASAR	BONITO
20	ABELHA	ABULIA	PERNILONGO	BRADESCO
21	VERGONHA	VERGAMOTA	TRISTEZA	VINHO
22	HIPOPÓTAMO	HIPOCAMPO	RINOCERONTE	PERNAMBUCO
23	ENFERMEIRA	EMPREITEIRA	MÉDICO	FREIRA
24	DADOS	DEDOS	APOSTAR	QUANTO
25	ACEITAR	ACERTAR	CONCORDAR	MAGOAR
26	NOZ	NÓS	NATAL	ABRIDOR
27	FANTASMA	FANTASIA	CEMITÉRIO	XEROX
28	PERCEBER	PERTENCER	ESPERTO	VISITAR-ME
29	VERDADE	VERDURA	MENTIRA	PEDRA
30	COLOCAR	COLORAR	TIRAR	QUEM
31	ENVIAR	ENFIAR	RECEBER	LUZ
32	MEDIR	MENTIR	PESAR	PROJETAR
33	ESCORPIÃO	ESPIGÃO	VENENO	VELA
34	AMAZONAS	AMASIADAS	FLORESTA	GALINHA
35	OFENDER	OFERECER	CHATEAR	DE NOVO
36	PESSOA	PASSEIO	HOMEM	INOCENTE

4.10.1.2.8.3.) Breve arrazoado do TNS2.1–Escolha

A Figura 36 ilustra sinais correspondentes a cada uma das quatro alternativas de escolha de um dos itens (no caso, item 8) do TNS2.1–Escolha. Conforme a figura, existe uma grande semelhança quirêmica (i.e., de forma ou de composição sublexical) entre o sinal-alvo (no caso, QUENTE) e o sinal (i.e., RÁPIDO) correspondente à palavra distratora quirêmica, mas não entre o sinal-alvo (i.e., QUENTE) e os sinais (i.e., MENTE e FRIO) que correspondem às palavras distratoras ortográfica e semântica, respectivamente. Para constatar isso, basta inspecionar o sinal QUENTE e os sinais MENTE e FRIO. Assim, a escolha de qualquer uma dessas duas palavras alternativas distratoras seria conseqüência, não da semelhança entre os sinais MENTE ou FRIO com o sinal subjacente à palavra-alvo (i.e., QUENTE), mas, sim, da semelhança ortográfica (i.e., de composição visual geral das letras) entre a palavra-alvo (i.e., QUENTE) e a palavra distratora ortográfica (i.e., MENTE), ou da relação semântica entre a palavra-alvo (i.e., QUENTE) e a palavra distratora semântica (i.e., FRIO). Dada a inexistência de semelhança, quer semântica, quer ortográfica, entre a palavra-alvo (i.e., QUENTE) e a palavra correspondente ao distrator quirêmico (i.e., RÁPIDO), a escolha, com freqüência significativamente acima do acaso, da palavra escrita RÁPIDO para designar o sinal ou a figura que representa o conceito de quente não seria satisfatoriamente explicada por semelhança ortográfica entre essas palavras ou sequer por relação semântica significativa, mas pareceria, sim, indicar mediação pela sinalização interna a partir da semelhança entre a composição sublexical do sinal-alvo a ser nomeado pela escolha da palavra-alvo e a composição sublexical do sinal distrator quirêmico. Esse arrazoado (F. Capovilla, no prelo) encontra suporte em achados de experimentos sobre memorização em sinalizadores com surdez profunda pré-lingual ou perilingual relatados na bibliografia científica (e.g., Klima & Bellugi, 1979), que indicam que esses surdos codificam, processam e recuperam informação lingüística com base nos parâmetros sublexicais dos sinais. Tais dados sugerem que, em tarefas como as de nomear sinais e figuras, quer por escrita livre ou por escolha de palavras escritas, o processo de evocação dos nomes escritos parece envolver a indexação sublexical por componentes quirêmicos dos sinais subjacentes.

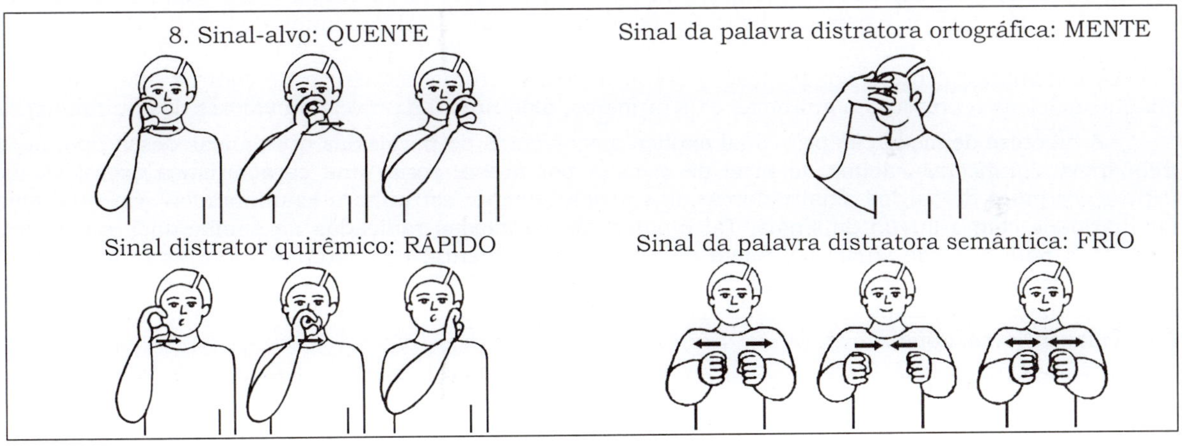

Figura 36. Ilustração dos quatro sinais subjacentes às quatro alternativas de escolha de um dos itens do TNS2.1–Escolha: A palavra-alvo, o distrator quirêmico, o distrator ortográfico e o distrator semântico. Diante de um determinado sinal da Libras, a palavra-alvo (i.e., a palavra estritamente correspondente ao sinal) deve ser escolhida, e as três palavras distratoras (i.e., as palavras não correspondentes ao sinal) devem ser descartadas. Enquanto erros espúrios podem ser devidos a fatores aleatórios não controlados, um padrão de escolha sistemática de determinado tipo de palavra distratora pode configurar um viés definido por um tipo específico de processamento, quer quirêmico (i.e., por semelhança entre a composição sublexical do sinal subjacente à palavra-alvo e a composição sublexical do sinal subjacente à palavra distratora quirêmica), quer ortográfico (i.e., por semelhança visual entre a composição grafêmica da palavra-alvo e a composição grafêmica da palavra distratora ortográfica), quer semântico (i.e., por relação de semelhança, contigüidade ou oposição entre o significado da palavra-alvo e o significado da palavra distratora semântica).

4.10.1.2.8.4.) Breve substrato teórico do TNS2.1–Escolha

A hipótese de mediação por sinalização interna (F. Capovilla, no prelo) expandida a partir da bibliografia (Bellugi, 1983; Bellugi, Klima, & Poizner, 1988; Bellugi, Poizner, & Klima, 1983; Bellugi, Tzeng, Klima, & Fok, 1989; F. Capovilla & A. Capovilla, 2001b; Hanson, 1991; Hanson & Fowler, 1987; Klima & Bellugi, 1979; Klima, Bellugi, & Poizner, 1988; Poizner, Bellugi, Tweney, 1981; Poizner, Klima, & Bellugi, 1987) explica fenômenos de paralexias e paragrafias quirêmicas que ocorrem exclusivamente em surdos durante tarefas de leitura e escrita. Segundo essa hipótese, durante a leitura, a sinalização interna está envolvida na compreensão de palavras escritas e de textos por parte do sinalizador com surdez profunda pré-lingual ou perilingual, sendo que o acesso ao léxico semântico se dá pela porta de entrada do léxico quirêmico, que contém as imagens visuais e articulatórias dos sinais relevantes ao pensamento e à comunicação do surdo. Do mesmo modo, durante a escrita, a produção de palavras escritas e de textos por parte do surdo se dá sob controle de sinalização interna, sendo que o léxico quirêmico é a porta de saída do léxico semântico, intermediando a produção escrita alfabética, freqüentemente por codificação quirografêmica, em que a soletração digital facilita a escrita.

No tocante ao desempenho de escolha de palavras escritas para nomear sinais da Libras, tal como avaliado pelo TNS2.1–Escolha, de acordo com essa hipótese, ao ter de escolher palavras escritas para denominar sinais da Libras, muitos examinandos sinalizadores com surdez profunda pré-lingual ou perilingual tenderiam a cometer paralexias radicadas na similaridade quirêmica entre os sinais subjacentes, isto é, na similaridade entre o sinal a ser nomeado, que subjaz à palavra-alvo que deve ser escolhida, e o sinal subjacente à palavra distratora quirêmica que acaba sendo escolhida. Em outras palavras, ao ter de escolher palavras escritas para denominar sinais, esses examinandos surdos poderiam escolher palavras escritas que nada têm a ver com os sinais, exceto pela similaridade entre o sinal-alvo a ser nomeado e o sinal que subjaz à palavra distratora quirêmica. Assim, a palavra distratora quirêmica que acaba sendo incorretamente escolhida é aquela cujo sinal subjacente é quiremicamente semelhante ao sinal-alvo a ser nomeado. Tal similaridade se deve a um certo número de elementos sublexicais quirêmicos em comum entre os dois sinais (e.g., forma de mão, orientação de palma, local do sinal, movimento e expressão facial associada), sendo que, de acordo com as expectativas do modelo teórico, quanto maior for a proporção de elementos quirêmicos coincidentes entre os sinais, tanto maior será o poder do distrator quirêmico em induzir erros de escolha de palavras. A propósito, para obter o número de elementos quirêmicos em comum entre os sinais, basta empregar o sistema de indexação quirêmica de sinais (F. Capovilla, Duduchi, Raphael, Luz, Rozados, A. Capovilla, & Macedo, 2003; F. Capovilla, Duduchi, & Rozados, 2002; F. Capovilla, Duduchi, & Rozados, 2004), que, a partir da digitação do nome de um sinal qualquer do léxico do *Dicionário enciclopédico ilustrado trilíngüe da Língua de Sinais Brasileira* (F. Capovilla & Raphael, 2001b, 2001c), fornece automaticamente a composição quirêmica precisa numa seqüência de códigos alfanuméricos em que as letras representam quiremas e os números, alóquiros (i.e., níveis ou valores dos quiremas).

A hipótese de mediação pelo sinal explica a ocorrência de paralexias quirêmicas desse tipo, cuja freqüência significativa, acima do nível de escolha por acaso, seria uma característica exclusiva da leitura por parte de surdos sinalizadores, mas absolutamente estranha a examinandos sem qualquer familiaridade com a língua de sinais. Tal hipótese de paralexias radicadas na similaridade quirêmica durante a nomeação de sinais foi objeto de análise experimental nos estudos sobre as duas versões originais do Teste de Nomeação de Sinais por Escolha (TNS1.1–Escolha: F. Capovilla, Viggiano, Raphael, Mauricio, A. Capovilla, & Bidá, 2004; e TNS2.1–Escolha: F. Capovilla, Viggiano, Bidá, Luz, A. Capovilla, & Neves, 2004).

Segundo o modelo teórico, como a codificação de informações lingüísticas se dá por meio de quiremas, a presença de elementos sublexicais quirêmicos em comum entre sinais diferentes pode resultar em confusão entre esses sinais, bem como entre as informações lingüísticas por eles indexadas nas etapas de armazenamento, recuperação ou processamento, resultando daí paragrafias quirêmicas que se manifestam em testes de nomeação por escrita livre (e.g., TNF–Escrita e TNS–Escrita), e em paralexias quirêmicas que se manifestam em testes de nomeação por escolha de palavras escritas (e.g., TNF–Escolha e TNS–Escolha). Assim, frente a sinais a serem nomeados, em vez de escolher as palavras-alvo escritas que correspondem a esses sinais, examinandos surdos podem acabar escolhendo palavras distratoras quirêmicas devido à semelhança entre os sinais que indexam essas palavras e os sinais a serem nomeados. Em termos práticos, considerando o TNS2.1–Escolha, uma predição típica da hipótese é a de que, ao ter de nomear por escrito o sinal VERDADE, alguns surdos poderiam selecionar a palavra escrita PEDRA; para nomear o sinal FANTASMA, poderiam selecionar a palavra XEROX; para nomear AMAZONAS, poderiam selecionar GALINHA; para nomear PERCEBER, poderiam selecionar VISITAR-ME; para nomear HIPOPÓTAMO, poderiam selecionar PERNAMBUCO; e para nomear OFENDER, poderiam selecionar DE NOVO. Tais expectativas experimentais decorrem da hipótese de acesso semântico mediado por sinalização subjacente durante a leitura e são ilustradas na Figura 37, que apresenta seis pares de sinais que, segundo a hipótese de mediação por sinais, poderiam originar paralexias e paragrafias quirêmicas. A coluna esquerda apresenta os sinais a serem nomeados e as correspondentes palavras-alvo escritas que devem ser escolhidas (que, conforme a hipótese de mediação por sinais, seriam indexadas por eles). A coluna direita apresenta os sinais distratores quirêmicos que subjazem às correspondentes palavras distratoras quirêmicas, as quais poderiam acabar sendo escolhidas em lugar das palavras-alvo, devido à semelhança entre o sinal distrator quirêmico e o sinal-alvo a ser nomeado.

Figura 37. Amostra de seis pares de sinais do TNS2.1–Escolha que, segundo a hipótese de indexação do léxico ortográfico pelo léxico quirêmico, podem acarretar paralexias quirêmicas. A coluna esquerda apresenta os sinais a serem nomeados e as correspondentes palavras-alvo escritas que devem ser escolhidas. A coluna direita apresenta os sinais distratores quirêmicos subjacentes às palavras distratoras quirêmicas correspondentes, que podem ser escolhidas em lugar das palavras-alvo devido à semelhança entre o sinal distrator quirêmico e o sinal a ser nomeado. Como alguns elementos do léxico ortográfico (i.e., morfemas e palavras) encontram-se indexados por elementos do léxico quirêmico, a

existência de elementos quirêmicos em comum entre sinais diferentes pode acarretar problemas de armazenamento, recuperação ou processamento da informação ortográfica que é indexada por esses sinais, resultando em paralexias quirêmicas. Isso poderia ajudar a explicar os achados ilustrados: Frente à tarefa de escolher a palavra escrita para nomear sinais, alguns surdos poderiam selecionar PEDRA para denominar VERDADE; XEROX para denominar FANTASMA; GALINHA para denominar AMAZONAS; VISITAR-ME para denominar PERCEBER; PERNAMBUCO para denominar HIPOPÓTAMO; e DE NOVO para denominar OFENDER.

Espera-se que os achados da aplicação dos diversos instrumentos de avaliação de escrita dos nomes de figuras (TNF–Escrita) e de sinais (TNS–Escrita), e de escolha dos nomes de figuras (TNF–Escolha) e de sinais (TNS–Escolha), especialmente os achados pertinentes ao efeito dos distratores quirêmicos, forneçam importante validação preliminar do complexo modelo teórico sobre leitura e escrita no sinalizador com surdez profunda pré-lingual e perilingual (F. Capovilla, no prelo), explicando a importância da mediação pela sinalização interna (i.e., processos baseados no léxico quirêmico), bem como o papel desempenhado pelo léxico quirêmico (i.e., representações dos sinais da Libras e dos elementos componentes de sua estrutura sublexical, ou seja, quiremas) como indexador tanto do léxico ortográfico (i.e., representações das palavras escritas do Português e de seus componentes morfêmicos) quanto do léxico semântico (i.e., representações e redes de significado), fazendo a ponte entre ambos, tanto durante a leitura com compreensão (i.e., do ortográfico ao semântico), quanto durante a escrita com significado (i.e., do semântico ao ortográfico).

O modelo estabelece expectativas experimentais relacionadas à distribuição de erros e à eficácia dos distratores quirêmicos e ortográficos nos dois testes de nomeação por escolha: O Teste de Nomeação de Sinais por Escolha em suas versões 1.1 e 2.1 (TNS1.1–Escolha e TNS2.1–Escolha) e o Teste de Nomeação de Figuras por Escolha, em suas versões 1.1 e 2.1 (TNF1.1–Escolha e TNF2.1–Escolha). Tais expectativas são bastante diferentes, dependendo do objeto da nomeação (i.e., figuras ou sinais), sendo que o padrão de distribuição de erros e a eficácia dos diferentes distratores devem diferir de modo marcante entre os testes TNF–Escolha e TNS–Escolha. Considerando primeiramente a nomeação de figuras por escolha (i.e., TNF–Escolha):

Quanto à eficácia dos distratores no TNF–Escolha, as expectativas são as seguintes:

- 1.) Em termos de eficácia dos distratores quirêmicos, espera-se que, quanto maior a compreensão de sinais, ou seja, a pontuação de vocabulário receptivo de sinais da Libras no TVRSL1.1, tanto menor seja a eficácia de distratores quirêmicos em induzir erros de nomeação de figuras;
- 2.) Em termos de eficácia de distratores ortográficos, espera-se que, quanto maior a pontuação em competência de leitura de palavras em Português (em termos de habilidades de decodificação de palavras pouco familiares e de reconhecimento visual direto de palavras familiares) no TCLP1.1, tanto menor seja a eficácia de distratores ortográficos em induzir erros de nomeação.

Tais expectativas foram testadas experimentalmente nos estudos sobre as versões originais 1.1 e 2.1 do Teste de Nomeação de Figuras por Escolha (TNF1.1–Escolha: F. Capovilla, Viggiano, Raphael, Bidá, A. Capovilla, Neves, & Mauricio, 2004; e TNF2.1–Escolha: F. Capovilla, Viggiano, Bidá, A. Capovilla, Raphael, Neves, & Mauricio, 2004).

Quanto à distribuição de erros no TNF–Escolha, as expectativas são as seguintes:

- 1.) Quanto maior a pontuação no TVRSL1.1, tanto menor a freqüência de erros induzidos por distratores quirêmicos;
- 2.) Quanto maior a pontuação no TCLP1.1, tanto menor a freqüência de erros induzidos por distratores ortográficos.

Ou seja, esperam-se correlações negativas entre a compreensão de sinais da Libras (i.e., vocabulário receptivo visual de sinais da Libras) e a freqüência de erros quirêmicos, bem como entre a competência de leitura de palavras e a freqüência de erros ortográficos.

Ainda mais importante, espera-se uma dupla dissociação entre a freqüência de erros quirêmicos e o vocabulário de sinais de um lado, e entre a freqüência de erros ortográficos e a competência de leitura de palavras de outro lado, de modo que, comparando as correlações negativas entre a competência de leitura e a indução de erros por distratores quirêmicos e ortográficos, deva ser observada maior correlação negativa com os distratores ortográficos. E, reciprocamente, comparando as correlações negativas entre a compreensão de sinais da Libras e a indução de erros por distratores quirêmicos e ortográficos, deva ser observada uma maior correlação negativa com os distratores quirêmicos. Tais expectativas foram testadas experimentalmente nos estudos sobre as versões originais 1.1 e 2.1 do Teste de Nomeação de Figuras por Escolha (TNF1.1–Escolha: F. Capovilla, Viggiano,

Raphael, Bidá, A. Capovilla, Neves, & Mauricio, 2004; e TNF2.1–Escolha: F. Capovilla, Viggiano, Bidá, A. Capovilla, Raphael, Neves, & Mauricio, 2004).

Segundo o modelo, diferentes processos estão envolvidos na nomeação de figuras e de sinais. Por isso, espera-se uma assimetria entre os resultados dos testes (i.e., TNF–Escolha e TNS–Escolha), tanto no padrão de distribuição de erros quanto na eficácia relativa dos distratores quirêmico e ortográfico:

- 1.) Quando se trata de nomear *figuras* por escolha de palavras escritas, tal como avaliado por TNF1.1–Escolha e TNF2.1–Escolha, espera-se um maior equilíbrio entre as contribuições relativas do vocabulário receptivo de sinais da Libras e da competência de leitura de palavras para o controle da indução de erros por distratores quirêmicos e ortográficos. Assim, espera-se que o efeito dos distratores quirêmicos deva ser inversamente proporcional à compreensão de sinais da Libras no TVRSL1.1, e que o efeito dos distratores ortográficos deva ser inversamente proporcional à competência de leitura de palavras no TCLP1.1. Ou seja, são esperadas correlações negativas significativas entre a freqüência de erros quirêmicos e a pontuação no TVRSL1.1; bem como entre a freqüência de erros ortográficos e a pontuação no TCLP1.1. Tais expectativas foram testadas experimentalmente nos estudos sobre nomeação de figuras por escolha com as versões originais 1.1 (TNF1.1–Escolha: F. Capovilla, Viggiano, Raphael, Bidá, A. Capovilla, Neves, & Mauricio, 2004) e 2.1 (TNF2.1–Escolha: F. Capovilla, Viggiano, Bidá, A. Capovilla, Raphael, Neves, & Mauricio, 2004).
- 2.) Já quando se trata de nomear *sinais* por escolha de palavras escritas, tal como avaliado por TNS1.1–Escolha e TNS2.1–Escolha, espera-se que a contribuição do vocabulário de sinais no TVRSL1.1 seja maior que tanto a contribuição da competência de leitura de palavras no TCLP1.1 quanto a contribuição da competência de leitura de sentenças no TCLS1.1. Ou seja, espera-se algo além da covariação positiva e sistemática entre o vocabulário receptivo de sinais da Libras, a competência de leitura de palavras isoladas em Português e a competência de leitura de sentenças em Português. Pois, dada a importância da compreensão de sinais para a prova de nomeação de sinais por escolha de palavras escritas, espera-se que as três habilidades devam estar mais correlacionadas de maneira inversa à indução de erros por distratores quirêmicos do que à indução de erros por distratores ortográficos. Assim, enquanto na tarefa de nomeação de figuras a compreensão de sinais é um elo intermediário interno que pode facilitar bastante a atividade de nomeação, na tarefa de nomeação de sinais a compreensão de sinais é o quesito *sine qua non* para que haja nomeação. Em outras palavras, embora a compreensão de sinais não seja suficiente para a nomeação (já que esta requer, também, habilidades em Português), ela é uma habilidade de entrada absolutamente indispensável para que essa nomeação possa ocorrer. Por isso, espera-se uma importância relativamente maior do processamento quirêmico em tarefas de nomeação de sinais por escolha de palavras do que em tarefas de nomeação de figuras por escolha de palavras. Portanto, quando se trata de nomear sinais por escolha de palavras escritas, espera-se que o conhecimento de sinais da Libras seja mais importante que a competência de leitura de palavras e a competência de leitura de sentenças em Português, sendo que os distratores quirêmicos devem ser capazes de predizer, melhor do que os distratores ortográficos, o bom desempenho em nomeação de sinais por escolha de palavras escritas (i.e., o desempenho no TNS–Escolha). Tais expectativas foram testadas experimentalmente nos estudos sobre as versões originais 1.1 e 2.1 do Teste de Nomeação de Sinais por Escolha (TNS1.1–Escolha: F. Capovilla, Viggiano, Raphael, Mauricio, A. Capovilla, & Bidá, 2004; e TNS2.1–Escolha: F. Capovilla, Viggiano, Bidá, Luz, A. Capovilla, & Neves, 2004).

4.10.1.2.8.5.) Modos de aplicação do TNS2.1–Escolha

A versão 2.1 do Teste de Nomeação de Sinais por Escolha (TNS2.1–Escolha) pode ser aplicada de diferentes modos, conforme explicado a seguir.

4.10.1.2.8.5.1.) Aplicação do TNS2.1–Escolha com caderno completo descartável: *Caderno completo de aplicação com sinais e palavras de escolha do TNS2.1–Escolha – versão descartável*

A forma de aplicação mais estandardizada, auto-suficiente e prática consiste no uso do *Caderno completo de aplicação com sinais e palavras de escolha do TNS2.1–Escolha.* É auto-suficiente porque prescinde de sinalização ao vivo ou da necessidade de uso de retroprojetor, tela e transparências para projeção de sinais. É estandardizada porque garante que os sinais sejam apresentados sempre do mesmo modo, de aplicação em aplicação, sem as variações que ocorrem na sinalização ao vivo ou no uso de retroprojetor em termos de tamanho da imagem projetada, de período de tempo permitido para as respostas, e assim por diante. É prática porque o mesmo caderno único desempenha as funções de apresentação dos sinais e de coleta das respostas, podendo ser aplicado de modo individual ou coletivo nos contextos educacional e clínico. Além disso, já que consiste em apenas duas folhas impressas em frente e verso (i.e., quatro páginas), seu custo é bastante baixo, podendo ser facilmente arquivado ou descartado após a transposição dos dados para planilhas estatísticas. Trata-se de um caderno com duas folhas impressas em frente e verso, compondo quatro páginas com um total de 36 itens. Cada item é composto de um sinal (à esquerda) e de quatro palavras escritas em Português (à direita) como alternativas de escolha para cada sinal. O examinando surdo deve assinalar a palavra escrita que melhor corresponde ao nome do sinal, circundando, sublinhando ou simplesmente cruzando com um "X" essa palavra. O *Caderno completo de aplicação com sinais e palavras de escolha do TNS2.1–Escolha* pode ser encontrado no estudo original sobre o TNS2.1–Escolha (F. Capovilla, Viggiano, Bidá, Luz, A. Capovilla, & Neves, 2004), e a Figura 35 ilustra um dos 36 itens desse caderno.

4.10.1.2.8.5.2.) Coleta de dados do TNS2.1–Escolha com *Folha de respostas com palavras de escolha do TNS2.1–Escolha* e apresentação de sinais por diferentes meios

Para cortar custos, em vez de distribuir a cada examinando um *Caderno completo de aplicação com sinais e palavras de escolha do TNS2.1–Escolha*, pode-se distribuir apenas uma *Folha de respostas com palavras de escolha do TNS2.1–Escolha*, a ser descartada após a aplicação. Nesse caso, para apresentar os sinais, o examinador pode fazer sinalização ao vivo, distribuir cadernos menores contendo apenas os sinais, ou projetar os sinais por meio de transparências e retroprojetor. Os três recursos podem ser usados para aplicação individual e coletiva. A sinalização ao vivo, por ser mais natural, tende a produzir resultados mais válidos e sensíveis, embora menos estáveis e fidedignos. Por outro lado, os sinais são apresentados de uma maneira mais regular e padronizada no caderno de sinais e nas transparências de sinais, o que aumenta a estabilidade, confiabilidade e fidedignidade dos achados, embora essa apresentação bidimensional seja mais complexa e abstrata, reduzindo a sensibilidade do teste quando da avaliação de crianças mais jovens.

Em termos de modo de apresentação dos sinais, comparando a sinalização ao vivo com os cadernos e transparências, pode-se dizer que o emprego de sinais mais padronizados e regulares na administração do teste, que ocorre com a testagem por meio de caderno ou retroprojetor, tende a reduzir substancialmente a variabilidade espúria entre diferentes aplicações e entre diferentes examinadores. Isso aumenta a fidedignidade e confiabilidade do teste, tornando seus resultados mais estáveis ao longo de aplicações diferentes e com examinadores diferentes. Já o emprego de sinais tridimensionais e de aparência real e natural, que ocorre com a administração do teste por meio de articulação ao vivo por parte de examinadores fluentes em Libras, tende a tornar os sinais mais reais, naturais e concretos aos olhos dos examinandos, o que aumenta a validade do teste e sua sensibilidade àquilo que ele se propõe a avaliar, tornando seus resultados mais representativos do fenômeno e dos processos cujas características se almeja medir, especialmente com crianças mais jovens.

Comparando o uso de cadernos individuais com o de transparências, pode-se dizer que o uso de transparências, assim como o de sinalização ao vivo, estabelece um ritmo coletivo à avaliação em que todas as crianças respondem a cada um dos 36 itens ao mesmo tempo, enquanto o uso de cadernos individuais estabelece um ritmo individual em que a criança responde aos 36 itens na ordem, velocidade e ritmo que desejar, dentro dos limites de tempo permitidos. Cabe ao avaliador escolher o modo de apresentação dos sinais mais adequado às características dos examinandos e ao contexto e propósito da avaliação.

A *Folha de respostas com palavras de escolha do TNS2.1–Escolha* contém um quadro de 36 linhas, correspondentes aos itens 1 a 36, além de cinco colunas, correspondentes ao número do item e às quatro palavras escritas como alternativas de escolha para cada item. Essencialmente, trata-se de uma folha de papel sulfite contendo 36 linhas, uma por item, com quatro colunas por linha, num total de 144 células (i.e., 36 linhas com quatro colunas por linha), cada qual com uma palavra escrita diferente. A tarefa dos examinandos surdos é a de, a cada um dos 36 itens ou linhas, sublinhar ou circundar ou assinalar com um "X" a palavra que corresponde ao sinal a ser nomeado naquele item do teste. A *Folha de respostas com palavras de escolha do TNS2.1–Escolha* pode ser encontrada publicada no estudo original sobre o TNS2.1–Escolha (F. Capovilla, Viggiano, Bidá, Luz, A. Capovilla, & Neves, 2004). O Quadro 12 ilustra dois itens dessa folha de respostas.

Quadro 12. Amostra de dois itens da *Folha de respostas com palavras de escolha do TNS2.1–Escolha.*

9	DEPOIS	IR	ANTES	DEPOR
10	VOAR	BORBULHAR	BORBOLETA	NEGLIGÊNCIA

4.10.1.2.8.5.2.1.) Apresentação de sinais do TNS2.1–Escolha com caderno de sinais plastificado reutilizável: *Caderno de aplicação com sinais do TNS2.1–Escolha – versão reutilizável*

O *Caderno de aplicação com sinais do TNS2.1–Escolha* tem quatro páginas, com nove figuras cada uma e pode ser reutilizado para inúmeras aplicações. O *Caderno de aplicação com sinais do TNS2.1–Escolha* apresenta apenas os sinais, sem as palavras escritas para escolha, e pode ser usado tanto para aplicação individual quanto para aplicação coletiva. Para aplicação coletiva, devem ser separados tantos cadernos quantos examinandos forem ser avaliados, já que cada examinando deve ter o seu próprio caderno de aplicação. O *Caderno de aplicação com sinais do TNS2.1–Escolha* encontra-se publicado no estudo original sobre o TNS2.1–Escolha (F. Capovilla, Viggiano, Bidá, Luz, A. Capovilla, & Neves, 2004).

4.10.1.2.8.5.2.2.) Apresentação de sinais do TNS2.1–Escolha com retroprojetor e transparências: *Conjunto de transparências de sinais do TNS2.1–Escolha*

O *Conjunto de transparências de sinais do TNS2.1–Escolha* é um recurso econômico e prático para aplicação coletiva. Em comparação com o *Caderno de aplicação com sinais do TNS2.1–Escolha*, esse conjunto de transparências reduz os riscos de os examinandos saltarem itens ou se confundirem no momento de preencher a folha de respostas, já que o examinador, ao apontar um sinal por vez, estabelece um ritmo coletivo e sistemático ao responder dos alunos. A tarefa dos examinandos surdos é a de, a cada um dos 36 itens ou linhas da *Folha de respostas com palavras de escolha do TNS2.1–Escolha*, escolher e sublinhar ou circundar ou assinalar com um "*X*" a palavra que corresponde ao sinal exibido na tela pelo retroprojetor à medida que o examinador for projetando os sinais. Em outras palavras, o examinador deve apontar para um sinal exibido na tela por meio do retroprojetor e instruir os examinandos surdos a escolher, dentre as quatro palavras escritas alternativas, aquela que melhor corresponde ao sinal exibido na tela e, então, sublinhá-la, circundá-la ou assinalá-la com um "*X*". A matriz para o *Conjunto de transparências de sinais do TNS2.1–Escolha*, que consiste, também, no *Caderno de aplicação com sinais do TNS2.1–Escolha*, encontra-se publicada no estudo original sobre o TNS2.1–Escolha (F. Capovilla, Viggiano, Bidá, Luz, A. Capovilla, & Neves, 2004). Em suma, a cada um dos 36 itens, o examinador aponta para um sinal exibido na tela pelo retroprojetor e os examinandos surdos escolhem, em sua *Folha de respostas com palavras de escolha do TNS2.1–Escolha*, dentre as quatro palavras escritas alternativas, aquela que melhor corresponde ao sinal exibido na tela, sublinhando-a, circundando-a ou assinalando-a com um "*X*".

4.10.1.2.8.5.2.3.) Apresentação de sinais do TNS2.1–Escolha por meio de articulação de sinais ao vivo: *Sinalização ao vivo por examinador fluente em Libras*

Para examinadores fluentes em Libras, o modo de aplicação mais prático e econômico consiste no uso de *Articulação dos sinais ao vivo pelo examinador*. Contudo, para reduzir a variabilidade espúria entre diferentes aplicações e por diferentes examinadores, é essencial que todos os sinais sejam articulados precisamente da mesma forma a cada aplicação. Para tanto, foi elaborado um *Guia de sinais para aplicação do TNS2.1–Escolha*, que traz precisamente a forma de cada um dos 36 sinais a serem articulados pelo examinador defronte os seus examinandos durante a prova. O *Guia de sinais para aplicação do TNS2.1–Escolha*, que também corresponde à matriz para o *Conjunto de transparências de sinais do TNS2.1–Escolha* e ao *Caderno de aplicação com sinais do TNS2.1–Escolha*, encontra-se publicado no estudo original sobre o TNS2.1–Escolha (F. Capovilla, Viggiano, Bidá, Luz, A. Capovilla, & Neves, 2004). A cada item, o examinador deve articular um sinal precisamente na forma orientada pelo *Guia* e instruir os examinandos surdos a usar sua *Folha de respostas com palavras de escolha do TNS2.1–Escolha* para escolher, dentre as quatro palavras escritas alternativas, aquela que melhor corresponde ao sinal articulado, sublinhando-a, circundando-a ou assinalando-a com um "*X*".

4.10.1.2.8.5.3.) Aplicação computadorizada do TNS2.1–Escolha

A versão original TNS2.1–Escolha e as duas dela derivadas (i.e., a reordenada TNS2.2–Escolha e a revisada TNS2.3–Escolha) são eficientemente implementadas como testes de papel e lápis em seus respectivos cadernos de aplicação. Além disso, as três versões também se encontram disponíveis em qualquer computador com plataforma Windows para avaliar crianças surdas com os mais severos e variados tipos de impedimento motor (e.g., amputação ou defeitos congênitos) e de distúrbios neuromotores (e.g., tetraplegia por lesão cervical, paralisia cerebral ou esclerose lateral amiotrófica), que se encontrem incapacitadas de segurar um lápis ou sequer de apontar com os dedos para assinalar a alternativa correta. O compêndio de avaliação do desenvolvimento da linguagem de sinais, assinalar a alternativa correta. O compêndio de avaliação do desenvolvimento da linguagem de sinais, leitura e escrita na criança surda (F. Capovilla & Viggiano, 2004) apresenta a versão computadorizada reordenada 2.2 do Teste de Nomeação de Sinais por Escolha de Palavras (TNS2.2–Escolha–Comp: Macedo, F. Capovilla, Viggiano, Duduchi, Raphael, Charin, Diana, Covre, & A. Capovilla, 2004).

As três versões computadorizadas fazem varredura automática entre as palavras alternativas de escolha sendo que, para escolher entre elas, tudo que o examinando surdo paralisado ou amputado tem de fazer é emitir um movimento qualquer, como o piscar, quando a palavra alternativa desejada estiver disponível para escolha, movimento esse que é captado por detetor infravermelho. O tipo e a estratégia de varredura (Gonçalves, F. Capovilla, Macedo, & Duduchi, 1997), o parâmetro temporal de varredura (F. Capovilla, Thiers, & Macedo, 2002; F. Capovilla, Thiers, Macedo, & Duduchi, 1998; F. Capovilla, Thiers, Macedo, Raphael, & Duduchi, 1998; F. Capovilla, Thiers, & A. Capovilla, 2003), e o tipo de acionador (Charin & F. Capovilla, 2000; Macedo & F. Capovilla, 2000a) podem ser adaptados precisamente às características neuromotoras (F. Capovilla, Macedo, Duduchi, A. Capovilla, & Thiers, 1998) do examinando surdo (F. Capovilla, Macedo, A. Capovilla, Thiers, Raphael, & Duduchi, 1998). Essas versões computadorizadas também são implementadas com seleção direta por toque sobre tela sensível; e coletam e tabulam dados automaticamente, produzindo um relatório de resultados após a aplicação (Macedo, F. Capovilla, & Sazonov, 2000), incluindo o acerto total e em cada subteste, o tipo de erro e a freqüência de cada um dos tipos de paralexia (i.e., quirêmica, semântica, ortográfica), e o tempo de resposta por subteste. Tais versões computadorizadas foram elaboradas a partir de tecnologia acumulada na última década (F. Capovilla, A. Capovilla, & Macedo, 2001a; F. Capovilla, Gonçalves, & Macedo, 1998; F. Capovilla, Macedo, A. Capovilla, Thiers, & Duduchi, 1997; Gonçalves, Macedo, Sennyey, & F. Capovilla, 2000; Macedo, Gonçalves, F. Capovilla, & Sennyey, 2002) para avaliar examinandos surdos e ouvintes com paralisia cerebral (F. Capovilla, Macedo, Duduchi, A. Capovilla, & Gonçalves 1998; F. Capovilla & Nunes, 2003; Thiers, F. Capovilla, Charin, Duduchi, & Macedo, 2000), esclerose lateral amiotrófica (F. Capovilla, A. Duduchi, Macedo, A. Capovilla, & Sazonov, 2000; Lima, Macedo, F. Capovilla, & Sazonov, 2000) e afasia (F. Capovilla, 1997a; F. Capovilla, A. Capovilla, Macedo, & Duduchi, 2000a; Macedo, F. Capovilla, Charin, & Duduchi, 1998).

Além dessas versões para computadores locais, as três versões também se encontram disponíveis na Internet (Macedo, F. Capovilla, Diana, & Covre, 2002), num sistema capaz de proceder à teleavaliação para acompanhar o desenvolvimento dos escolares surdos em todos os estados da federação, aperfeiçoar constantemente os procedimentos e materiais para a educação da criança e do jovem surdo brasileiro, e auxiliar a subsidiar políticas públicas de educação do surdo brasileiro em nível nacional.

Como é muito provável que os desempenhos variem como função do modo de aplicação de cada uma das versões do teste (i.e., a original TNS2.1–Escolha, a reordenada TNS2.2–Escolha, e a revisada TNS2.3–Escolha), é recomendável que sejam geradas normas específicas para cada uma dessas versões sob cada um dos diferentes modos de aplicação, em termos de aplicação individual ou coletiva, e:

- 1.) Aplicação com *Caderno completo de aplicação com sinais e palavras de escolha do TNS2.1–Escolha*; ou
- 2.) Aplicação com *Caderno de aplicação com sinais do TNS2.1–Escolha* associado à *Folha de respostas com palavras de escolha do TNS2.1–Escolha;* ou
- 3.) Aplicação com *Conjunto de transparências de sinais do TNS2.1–Escolha* associado à *Folha de respostas com palavras de escolha do TNS2.1–Escolha*; ou
- 4.) Aplicação com *Sinalização ao vivo pelo examinador* associada à *Folha de respostas com palavras de escolha do TNS2.1–Escolha*; ou
- 5.) Aplicação computadorizada local com tela sensível ao toque; ou
- 6.) Aplicação computadorizada local com seleção de palavras escritas por varredura automática com diferentes intervalos temporais de varredura e diferentes tipos de acionamento para avaliação de examinandos surdos com severos impedimentos motores; ou
- 7.) Aplicação via Internet para a teleavaliação em todo o território nacional.

Nesta série de estudos, a tabela de dados normativos foi gerada a partir de aplicação coletiva por meio do *Sinalização ao vivo por examinador fluente em Libras* e coleta de dados por meio da folha de registro à parte usando *Folha de respostas com palavras de escolha do TNS2.1–Escolha.* Assim, a tabela de dados normativos publicadas para o TNS2.1–Escolha (F. Capovilla, Viggiano, Luz, A. Capovilla, Bidá, & Mauricio, 2004) deve ser usada para avaliar os resultados desse modo de aplicação coletiva com sinalização ao vivo e coleta de dados por meio de *Folha de respostas com palavras de escolha do TNS2.1–Escolha.*

Numa série subseqüente de estudos de normatização e validação com as versões reordenadas, revisadas e abreviadas, a versão revisada TNS2.3–Escolha vem sendo normatizada e validada por aplicação coletiva com *Caderno completo de aplicação com sinais e palavras de escolha do TNS2.3–Escolha,* em vez de com *Sinalização ao vivo por examinador fluente em Libras* e coleta de dados com *Folha de escolha de palavras* como ocorreu no TNS2.1– Escolha, uma vez que essa versão revisada TNS2.3–Escolha foi elaborada para ser auto-suficiente e independer da apresentação de sinais pelo examinador, quer por sinalização ao vivo, quer por transparências.

4.10.1.2.9.) A versão original 1.1 do Teste de Nomeação de Figuras por Escolha de Palavras Escritas (TNF1.1–Escolha) para avaliar a competência de leitura de palavras isoladas e o processamento quirêmico e ortográfico

4.10.1.2.9.1.) Natureza e objetivos do TNF1.1–Escolha

O Teste de Nomeação de Figuras por Escolha de Palavras Escritas (TNF–Escolha), também conhecido como Teste de Escolha do Nome Escrito de Figuras, é um teste de competência de leitura de palavras isoladas que avalia a habilidade do examinando de selecionar palavras escritas para nomear figuras conhecidas enquanto, ao mesmo tempo, procura evitar cometer erros induzidos por distratores quirêmicos, ortográficos e semânticos. O teste fornece um escore geral da competência de nomeação de figuras por escolha de palavras escritas. Além desse escore geral, o teste fornece também informações sobre a participação de processos quirêmicos, ortográficos e semânticos nessa nomeação de figuras por escolha. Essas informações são obtidas por meio da análise da distribuição de freqüência relativa de erros induzidos por distratores quirêmicos, ortográficos e semânticos. O teste é implementado em duas versões originais (TNF1.1–Escolha, de F. Capovilla, Viggiano, Raphael, Bidá, A. Capovilla, Neves, & Mauricio, 2004; e TNF2.1–Escolha, de F. Capovilla, Viggiano, Bidá, A. Capovilla, Raphael, Neves, & Mauricio, 2004), sendo que, a partir desta série de estudos, cada qual deu origem a uma versão reordenada (i.e., 1.2 e 2.2), e a uma versão revisada (i.e., 1.3 e 2.3) com novos distratores quirêmicos, semânticos e ortográficos. Todas as novas versões podem ser encontradas nessas mesmas publicações.

A implementação do teste em duas versões originais (i.e., 1.1 e 2.1) almeja reduzir o efeito de aprendizagem de uma avaliação para a seguinte e, assim, permitir implementar delineamentos de grupo para controle experimental na condução de estudos de intervenção envolvendo pré-teste, tratamento e pós-teste (Campbell & Stanley, 1979). Tais delineamentos são de extraordinária importância a qualquer pesquisa sobre resultados de intervenções educacionais e clínicas. No tocante à pesquisa educacional, possibilitam comparar a eficácia relativa de diferentes métodos de ensino aplicados a crianças com diferentes perfis. Assim, permitem identificar e mapear precisamente os ganhos produzidos por diferentes procedimentos derivados de abordagens, como o oralismo, a comunicação total e o bilingüismo, sobre competências e desempenhos de leitura, escrita, sinalização e rendimento escolar por parte de crianças com diferentes características, tais como tipo e grau de perda auditiva, idade em que ocorreu a perda auditiva, tempo decorrido desde a perda auditiva, idade de inserção em comunidade lingüística sinalizadora ou em reabilitação auditiva, tipo de implante coclear, idade em que foi feito o implante, e tempo decorrido desde o implante. Além desses estudos com delineamentos de pesquisa de grupo no contexto educacional, a disponibilidade de instrumentos em diferentes versões também permite conduzir pesquisas experimentais de caso único (e.g., delineamentos de séries temporais, de Barlow & Hersen, 1984) que são de excepcional importância para a prática clínica e a pesquisa em neuropsicolingüística, especialmente no que tange ao processamento cognitivo em sinais.

4.10.1.2.9.2.) Constituição do TNF1.1–Escolha

Cada uma das duas versões do Teste de Nomeação de Figuras por Escolha de Palavras Escritas consiste em um conjunto de 36 figuras (i.e., desenhos de linha) individuais a serem nomeadas, e de 36 conjuntos de quatro palavras escritas como alternativas de escolha, sendo um conjunto de quatro palavras para cada figura. A tarefa do examinando surdo é a de escolher, dentre as quatro palavras escritas apresentadas para cada figura, aquela que corresponde ao nome da figura (i.e., identificar o nome escrito da figura) e, usando um lápis, circundar, sublinhar ou cruzar com um "*X*" essa palavra que corresponde ao nome da figura. A única diferença entre as versões 1.1 e 2.1 diz respeito ao conjunto de 36 figuras, que difere de uma versão para outra com vistas a reduzir a aprendizagem do teste de uma avaliação para a seguinte.

De modo a examinar o processamento cognitivo subjacente à leitura do surdo, no que se refere aos processos quirêmicos, ortográficos e semânticos envolvidos, foram empregados distratores quirêmicos, ortográficos e semânticos como alternativas de escolha. Assim, dentre as quatro palavras escritas alternativas para escolha, uma corresponde à palavra-alvo (i.e., a palavra escrita que melhor corresponde à figura-alvo a ser nomeada) e as outras três consistem em palavras distratoras, sendo uma quirêmica, outra ortográfica, e ainda outra semântica. A distratora semântica é uma palavra escrita cujo sinal correspondente subjacente é semanticamente relacionado à figura-alvo a ser nomeada. A distratora ortográfica é uma palavra escrita que é ortograficamente semelhante à palavra-alvo que designa a figura-alvo. A distratora quirêmica é uma palavra escrita cujo sinal correspondente subjacente é quiremicamente semelhante ao sinal que se aplica à figura-alvo a ser nomeada; ou seja, o sinal distrator subjacente é similar ao sinal que subjaz à palavra-alvo, o qual vincula a figura-alvo a ser nomeada à palavra-alvo a ser escolhida, com respeito à composição sublexical por quiremas como a articulação de mão, o local dessa articulação, a orientação da palma no plano da sinalização, o movimento descrito no espaço da sinalização e a expressão facial associada.

O Quadro 13 arrola a lista das quatro palavras alternativas de escolha para cada um dos 36 itens que compõem a versão 1.1 do Teste de Nomeação de Figuras por Escolha de Palavras Escritas (TNF1.1–Escolha), juntamente com a classificação da natureza de cada uma dessas palavras: Palavras-alvo a serem escolhidas e os três tipos de palavras distratoras a serem descartados, ou seja: Distratores ortográficos, que são sensíveis a um estilo de leitura ideovisual geral ou logográfico; distratores semânticos, que são sensíveis a um estilo de leitura ideovisual geral bastante indiferenciado e incipiente, com trocas semânticas; e distratores quirêmicos, que são sensíveis a um estilo de leitura cujo acesso ao significado é mediado por sinalização interna.

Quadro 13. Lista dos 36 itens da versão 1.1 do Teste de Nomeação de Figuras por Escolha de Palavras Escritas (TNF1.1–Escolha), com a classificação das quatro palavras escritas alternativas de escolha para cada uma das 36 figuras que compõem essa versão do teste: A palavra-alvo a ser escolhida e as três palavras distratoras (i.e., ortográfica, semântica e quirêmica) a serem descartadas.

item	**palavra alvo**	**palavras distratoras** **ortográfica**	**semântica**	**quirêmica**
1	UVA	LUVA	JABUTICABA	OPINIÃO
2	FACA	FADA	GARFO	CHOCOLATE
3	CASA	ASA	ESCOLA	IGREJA
4	SAPO	SOPA	PATO	CANGURU
5	BOCA	BOTA	NARIZ	BATOM
6	MALA	MELA	CESTA	PUXÃO
7	COCO	TOCO	GRAVIOLA	CONCHA
8	SOFÁ	SOPRAR	CAMA	CADEIRA
9	PENTE	MENTE	ESCOVA	CARECA
10	NAVIO	PAVIO	BOTE	LIVRO
11	PEIXE	DEIXE	BALEIA	MENTIRA
12	MAÇÃ	MASSA	LARANJA	RÁPIDO
13	CÃO	MÃO	RAPOSA	MAÇÃ
14	PIANO	CIGANO	SANFONA	DIGITAR
15	LIVRO	LIVRE	BLOCO	BARCO
16	MILHO	MOLHO	FEIJÃO	BOMBOM
17	COLHER	MULHER	FACA	SOPA
18	TREM	TEM	TRATOR	LIBRAS
19	CALÇA	CALDA	BERMUDA	MALA
20	FLOR	DOR	JARDIM	FUTURO
21	PETECA	BONECA	RAQUETE	TÊNIS
22	CHAVE	NAVE	ABRIR	MAÇANETA
23	CHAPÉU	PAPEL	CABEÇA	CAPACETE
24	BONECA	MOLECA	BAQUETA	BRINCAR
25	CASTELO	RASTELO	CASA	CATEDRAL
26	ESPADA	ESCADA	ESPÁTULA	VENCER
27	VIOLÃO	AVIÃO	VIOLINO	DANÇAR
28	ESMALTE	MALTE	PERFUME	UNHA
29	OVELHA	ORELHA	BODE	PREOCUPAR
30	GARRAFA	GIRAFA	JARRA	SOBRE
31	ABACAXI	ABACATE	KIWI	ÁRVORE
32	XÍCARA	CHÁCARA	COPO	OPINIÃO
33	BORBOLETA	BORBULHAR	PASSARINHO	NEGLIGÊNCIA
34	HIPOPÓTAMO	HIPÓDROMO	RINOCERONTE	PERNAMBUCO
35	TELEVISÃO	TELEFONE	CINEMA	VÍDEO
36	COTOVELO	NOVELO	JOELHO	CIÚME

A Figura 38 ilustra dois dos 36 itens da versão 1.1 do Teste de Nomeação de Figuras por Escolha (TNF1.1–Escolha). Conforme ilustrado, o item é composto de uma figura e de quatro palavras escritas alternativas para a escolha daquela que melhor designa a figura. Dentre as palavras escritas alternativas, uma é a palavra-alvo (no caso à esquerda, FACA e, à direita, PEIXE) e as outras três são distratoras, sendo uma ortográfica (no caso à esquerda, FADA e, à direita, DEIXE), uma quirêmica (no caso à esquerda, CHOCOLATE e, à direita, MENTIRA) e uma semântica (no caso à esquerda, GARFO e, à direita, BALEIA). Deve-se notar que as posições relativas dos quatro tipos de palavras alternativas (i.e., palavra-alvo, distratora ortográfica, distratora quirêmica e distratora semântica) encontram-se contrabalançadas ao longo dos 36 itens do teste, de modo a controlar o efeito de viés de posição.

2		CHOCOLATE FACA FADA GARFO	11		PEIXE DEIXE BALEIA MENTIRA

Figura 38. Amostra de dois dos 36 itens (nos casos, itens 2 e 11) da *Folha completa de aplicação com figuras e palavras de escolha do TNF1.1–Escolha.* Cada item é composto de uma figura e de quatro palavras escritas alternativas para a escolha daquela que melhor designa a figura, no caso, FACA (à esquerda) e PEIXE (à direita). A folha é impressa em frente e verso, num total de duas páginas, com dezoito itens por página.

4.10.1.2.9.3.) Breve arrazoado do TNF1.1–Escolha

A Figura 39 ilustra os sinais correspondentes a cada uma das quatro alternativas de escolha de um dos itens (no caso, item 2) da versão 1.1 do Teste de Nomeação de Figuras por Escolha de Palavras Escritas (TNF1.1–Escolha). Conforme a figura, há uma semelhança quirêmica (i.e., de forma ou de composição sublexical) entre o sinal correspondente à palavra-alvo (i.e., FACA) e o sinal correspondente à distratora quirêmica (i.e., CHOCOLATE). Por outro lado, não existe tal semelhança quirêmica entre o sinal correspondente à palavra-alvo (i.e., FACA) e os sinais correspondentes às palavras distratoras ortográfica (i.e., FADA) e semântica (i.e., GARFO). Para constatar essa ausência de semelhança quirêmica, basta inspecionar os sinais, comparando o sinal FACA de um lado, e os sinais FADA e GARFO de outro lado. Assim, a escolha de qualquer uma dessas palavras alternativas distratoras (i.e., a ortográfica e a semântica) seria conseqüência, não da semelhança quirêmica entre os sinais FADA ou GARFO com o sinal subjacente à palavra-alvo (i.e., FACA), mas, sim, da semelhança ortográfica (i.e., em termos de composição visual das letras) entre a palavra-alvo (i.e., FACA) e a palavra distratora ortográfica (i.e., FADA), ou da relação semântica entre a palavra-alvo (i.e., FACA) e a palavra distratora semântica (i.e., GARFO).

Dada a inexistência de semelhança, quer semântica, quer ortográfica, entre a palavra-alvo (i.e., FACA) e a palavra distratora quirêmica (i.e., CHOCOLATE), a escolha (acima do nível do acaso) da palavra escrita CHOCOLATE para designar a figura de uma faca não seria satisfatoriamente explicada por semelhança ortográfica entre essas palavras ou sequer por relação semântica significativa, mas pareceria, isto sim, indicar mediação pela sinalização interna a partir da semelhança entre a composição sublexical do sinal correspondente à palavra-alvo e a composição sublexical do sinal distrator quirêmico. Tal arrazoado (F. Capovilla, no prelo) encontra suporte em experimentos de memorização em surdos sinalizadores relatados na bibliografia científica (e.g., Klima & Bellugi, 1979) que têm demonstrado que surdos codificam, processam e recuperam informação lingüística com base nos parâmetros sublexicais dos sinais. Tais dados sugerem que, em tarefas como a de nomear figuras por escrita livre ou por escolha de palavras escritas, o processo de evocação dos nomes escritos parece envolver a indexação sublexical.

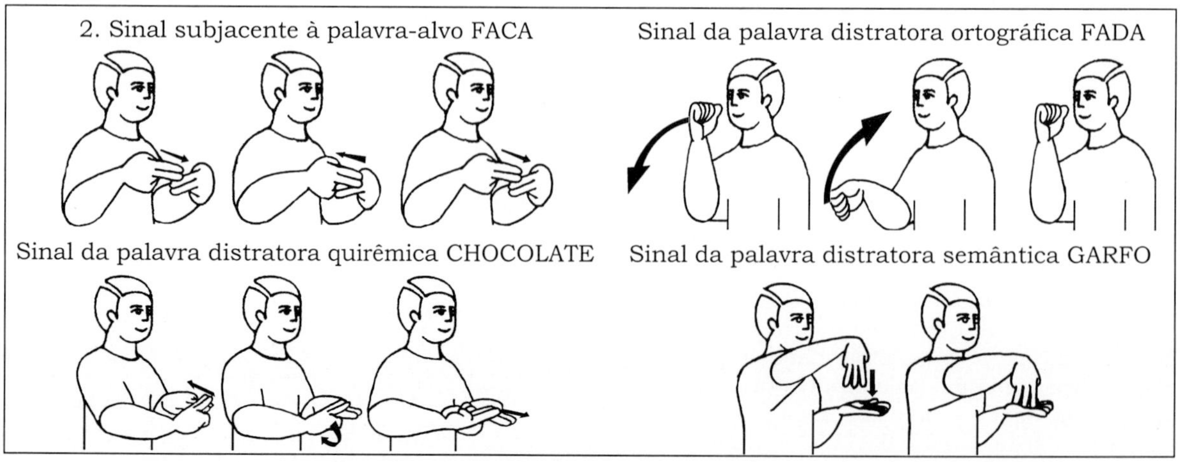

Figura 39. Ilustração dos quatro sinais subjacentes às quatro alternativas de escolha de um dos itens do TNF1.1–Escolha: A palavra-alvo, o distrator quirêmico, o distrator ortográfico e o distrator

semântico. Frente a uma dada figura, a palavra-alvo (i.e., a palavra estritamente correspondente à figura) deve ser escolhida, e as três palavras distratoras (i.e., as palavras não correspondentes à figura) devem ser descartadas. Enquanto erros espúrios podem ser devidos a fatores aleatórios não controlados, um padrão de escolha sistemática de determinado tipo de palavra distratora em vez da palavra-alvo pode configurar um viés definido por um tipo específico de processamento, quer quirêmico (i.e., por semelhança entre a composição sublexical do sinal subjacente à palavra-alvo e a composição sublexical do sinal subjacente à palavra distratora), quer ortográfico (i.e., por semelhança visual entre a composição grafêmica da palavra-alvo e a composição grafêmica da palavra distratora ortográfica), quer semântico (i.e., por relação de semelhança, contigüidade ou oposição entre o significado da palavra-alvo e o significado da palavra distratora semântica).

4.10.1.2.9.4.) Breve substrato teórico do TNF1.1–Escolha

A hipótese da mediação por sinalização interna (F. Capovilla, no prelo) expandida a partir da bibliografia (Bellugi, 1983; Bellugi, Klima, & Poizner, 1988; Bellugi, Poizner, & Klima, 1983; Bellugi, Tzeng, Klima, & Fok, 1989; F. Capovilla & A. Capovilla, 2001b; Hanson, 1991; Hanson & Fowler, 1987; Klima & Bellugi, 1979; Klima, Bellugi, & Poizner, 1988; Poizner, Bellugi, Tweney, 1981; Poizner, Klima, & Bellugi, 1987) explica fenômenos de paralexias e paragrafias quirêmicas que ocorrem exclusivamente em surdos durante tarefas de leitura e escrita. Segundo ela, durante a leitura, a compreensão de palavras escritas e de textos por parte do surdo envolve sinalização interna, sendo que o acesso ao léxico semântico se dá pela porta de entrada do léxico quirêmico, que contém as imagens visuais e articulatórias dos sinais relevantes ao pensamento e à comunicação do surdo. Do mesmo modo, durante a escrita, a produção de palavras escritas e de textos por parte do surdo se dá sob controle de sinalização interna, sendo que o léxico quirêmico é a porta de saída do léxico semântico, intermediando a produção escrita alfabética, freqüentemente por codificação quirografêmica (i.e., da soletração digital à escrita).

Tal hipótese fundamenta-se em modelos teóricos da abordagem de processamento de informações e encontra suporte empírico numa série de achados experimentais da neuropsicologia cognitiva que vêm sendo obtidos desde a década de 1980. A língua escrita é um sistema de representação secundário e se baseia num sistema de representação primário, que é a língua falada para o ouvinte e a língua de sinais para o surdo. A comparação entre os padrões de erro de escrita alfabética cometidos por crianças ouvintes e surdas revela isso com clareza. De fato, na fase alfabética (A. Capovilla & F. Capovilla, 2003c, 2003d; F. Capovilla & A. Capovilla, 2001b), as crianças ouvintes tendem a cometer erros de regularização grafofonêmica (A. Capovilla & F. Capovilla, 2003c, 2003d; F. Capovilla & A. Capovilla, 2001b; Lemle, 1991, Luria, 1970) que revelam a mediação pela fala interna (Baddeley, 1986; Baddeley & Hitch, 1974; Baddeley, Lewis, & Vallar, 1984; Baddeley & Wilson, 1985; F. Capovilla, Gonçalves, Macedo, & Duduchi, 1998; F. Capovilla, A. Capovilla, & Macedo, 2001; Halliday, Hitch, Lennon, & Pettipher, 1990). Tais erros revelam que, nessa fase alfabética, as crianças ouvintes tendem a ler por decodificação grafofonêmica (convertendo os segmentos das palavras escritas em segmentos da fala interna tendo, assim, a experiência subjetiva de ouvir a própria fala), e a escrever por codificação fonografêmica (como se estivessem a transcrever os sons da própria fala interna). Em contraste, em sua leitura as crianças surdas tendem a cometer trocas visuais de letras e palavras com base na semelhança visual entre a palavra-alvo e a palavra escrita. Tais trocas de letras (i.e., paralexias literais) e de palavras (i.e., paralexias semânticas) revelam um padrão de leitura consistente com o padrão logográfico das crianças ouvintes ainda não alfabetizadas (A. Capovilla & F. Capovilla, 2003c, 2003d; F. Capovilla & A. Capovilla, 2001b). Do mesmo modo, na escrita, as crianças surdas tendem a cometer erros de omissão, acréscimo e substituição de letras, bem como inversão da ordem das letras, que revelam um padrão de escrita do mesmo estágio logográfico, pré-alfabético. Contudo, as crianças surdas tendem a cometer, também, outro tipo de troca, própria e exclusiva do leitor surdo, ou seja, troca radicada em sinais, mais propriamente na similaridade entre o sinal subjacente à palavra correta que ela deveria ler e escrever, e o sinal subjacente à palavra incorreta que ela acaba lendo e escrevendo. Tal similaridade entre os sinais é de natureza quirêmica e se deve a um certo número de elementos em comum na composição sublexical dos sinais envolvidos, em termos de forma de mão, orientação da palma, local de articulação, movimento da mão e expressão facial associada. Tais trocas radicadas em sinais ocorrem tanto na leitura (i.e., paralexias) quanto na escrita (i.e., paragrafias).

Considerando o desempenho de escolha de palavras escritas para nomear figuras conhecidas, tal como avaliado pela versão 1.1 do Teste de Nomeação de Figuras por Escolha (TNF1.1–Escolha), segundo a mesma hipótese, ao ter de nomear uma figura, o examinando surdo tende a, primeiramente, evocar o sinal da Libras correspondente à figura e só então, usando esse sinal, resgatar a palavra escrita a ele correspondente. Em outros termos, segundo a hipótese de mediação pelo sinal, as palavras escritas em Português encontram-se indexadas pelos sinais subjacentes em Libras, de modo que, para nomear uma figura em Português, é preciso que o examinando surdo primeiro nomeie a figura em Libras para que possa, então, usando esse sinal evocado como se fosse um indexador, resgatar a palavra escrita a ele associada. Desse modo, como o sistema secundário de representação de informação (i.e., a escrita alfabética) encontra-se ancorado no sistema primário (i.e., sinalização em Libras), conforme F. Capovilla (no prelo), os erros de leitura (i.e., paralexias) e de escrita (i.e., paragrafias) podem decorrer tanto de falhas no estágio de evocação do sinal correspondente, a partir do léxico quirêmico, para nomear uma figura, quanto de falhas no estágio de evocação da palavra escrita correspondente ao sinal, a partir do léxico ortográfico. Conforme demonstrações experimentais (e.g., F. Capovilla, no prelo; Klima & Bellugi, 1979), a codificação de informação lingüística em língua de sinais se dá por meio das propriedades sublexicais, que são os elementos quirêmicos constitutivos dos sinais. Assim, a similaridade de composição quirêmica entre sinais diferentes pode ocasionar confusão entre esses mesmos sinais, tanto no estágio de evocação da representação quirêmica de um sinal para nomear uma figura, quanto no estágio de evocação da representação ortográfica de uma palavra escrita a partir do sinal associado. Tais confusões entre sinais diferentes, decorrentes da similaridade na composição sublexical desses sinais, podem originar paralexias e paragrafias típicas dos surdos e não encontradas em qualquer outro tipo de leitor. Tal hipótese de mediação por sinalização interna durante a leitura e de paralexias radicadas na similaridade quirêmica durante a nomeação de figuras por escolha recebeu corroboração experimental nos estudos sobre as versões 1.1 e 2.1 do Teste de Nomeação de Figuras por Escolha (TNF1.1–Escolha: F. Capovilla, Viggiano, Raphael, Bidá, A. Capovilla, Neves, & Mauricio, 2004; e TNF2.1–Escolha: F. Capovilla, Viggiano, Bidá, A. Capovilla, Raphael, Neves, & Mauricio, 2004).

Segundo a hipótese de mediação por sinais, espera-se que, ao ter de escolher palavras escritas para denominar figuras, os examinandos surdos freqüentemente venham a cometer paralexias radicadas na similaridade entre os sinais subjacentes, isto é, entre o sinal subjacente à palavra-alvo que deve ser escolhida e o sinal subjacente à palavra distratora quirêmica que acaba sendo escolhida. Ao ter de escolher palavras escritas para denominar figuras, espera-se que examinandos surdos tendam a escolher palavras escritas que nada têm a ver com as figuras, exceto pela similaridade entre os sinais subjacentes às palavras-alvo que devem ser escolhidas e os sinais às palavras distratoras quirêmicas que acabam sendo escolhidas. A palavra distratora que acaba sendo incorretamente escolhida (i.e., a quirêmica) é aquela cujo sinal subjacente é similar ao sinal subjacente à palavra-alvo que deveria ter sido escolhida. Tal similaridade decorre de um certo número de elementos sublexicais quirêmicos em comum entre os dois sinais (e.g., forma de mão, orientação de palma, local do sinal, movimento e expressão facial associada), sendo que quanto maior a proporção de elementos quirêmicos coincidentes, tanto maior a similaridade quirêmica e, logo, o poder do distrator quirêmico. Essa proporção de elementos quirêmicos em comum entre os sinais pode ser determinada a partir do sistema de indexação quirêmica de sinais (F. Capovilla, Duduchi, & Rozados, 2004), que fornece automaticamente a composição quirêmica precisa dos sinais indicados, por meio de uma seqüência alfanumérica em que as letras representam quiremas e os números, alóquiros.

figura-alvo a ser nomeada e palavra distratora que pode vir a ser escolhida	**sinal correspondente à figura-alvo que indexa essa figura à palavra-alvo que deve ser escolhida para nomear essa figura por escolha de palavra**	**sinal similar ao da figura-alvo que subjaz à palavra distratora que, se escolhida para nomear a figura, ilustraria paralexia quirêmica**

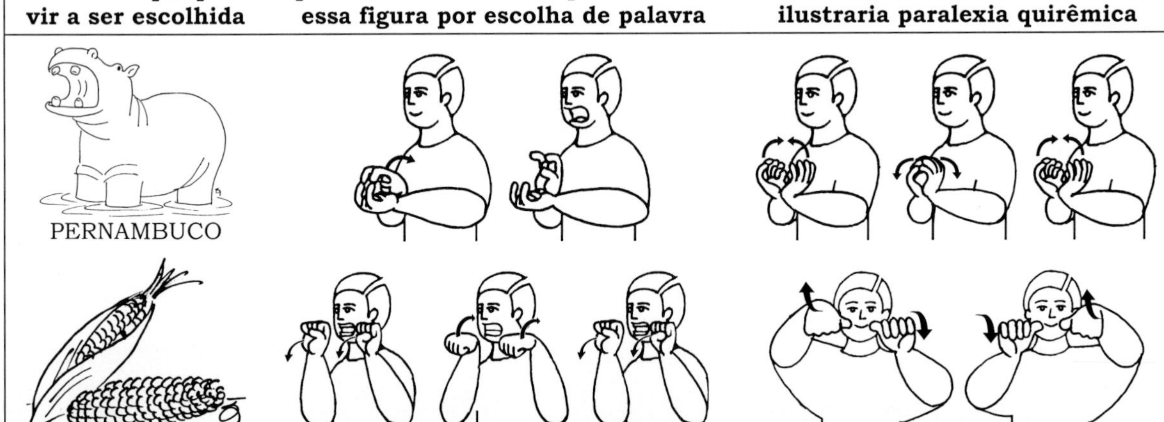

Figura 40. Amostra de duas das 36 figuras da versão 1.1 do Teste de Nomeação de Figuras por Escolha (TNF1.1–Escolha) que, segundo a hipótese de mediação por sinais, podem originar paralexias quirêmicas. Na coluna esquerda, as figuras de hipopótamo e milho a serem denominadas por meio da escolha da palavra escrita correspondente, e as palavras escritas PERNAMBUCO e BOMBOM que

podem ser escolhidas pelos examinandos surdos para denominá-las, e que correspondem aos respectivos distratores quirêmicos. Na coluna central, os sinais HIPOPÓTAMO e MILHO correspondentes às figuras da coluna da esquerda. Na coluna direita, os sinais PERNAMBUCO e BOMBOM subjacentes às palavras distratoras quirêmicas (que, segundo a hipótese, podem ser escolhidas para denominar as figuras) correspondentes às figuras de hipopótamo e milho. Segundo a hipótese de mediação por sinais, espera-se que a similaridade quirêmica entre os sinais subjacentes às palavras distratoras quirêmicas (e.g., PERNAMBUCO, BOMBOM) e às suas respectivas palavras-alvo (e.g., HIPOPÓTAMO, MILHO), induza examinandos surdos a cometer paralexias quirêmicas, escolhendo as palavras distratoras quirêmicas em vez de as palavras-alvo, o que os levaria a nomear um hipopótamo como PERNAMBUCO, e uma espiga de milho como BOMBOM.

A hipótese de mediação pelo sinal explica a ocorrência dessas paralexias quirêmicas que são típicas de surdos sinalizadores, mas estranhas a examinandos sem qualquer familiaridade com língua de sinais. Em termos práticos, considerando a versão 1.1 do Teste de Nomeação de Figuras por Escolha (TNF1.1–Escolha), uma predição típica da hipótese de mediação por sinais é de que deve ser possível encontrar, com freqüência acima do nível do acaso, surdos que designem um hipopótamo como PERNAMBUCO, e uma espiga de milho como BOMBOM. Confrontados com a tarefa de escolher palavras escritas para nomear figuras, alguns surdos podem escolher a palavra escrita PERNAMBUCO para denominar um hipopótamo e BOMBOM para denominar uma espiga de milho, simplesmente por causa da similaridade quirêmica entre os sinais subjacentes (i.e., entre HIPOPÓTAMO e PERNAMBUCO, e entre MILHO e BOMBOM). A hipótese de mediação por sinais decorre do modelo de processamento de leitura em surdos (F. Capovilla, no prelo), segundo o qual, no leitor surdo sinalizador, o acesso ao léxico semântico se dá pela porta de entrada do léxico quirêmico, que contém a representação da composição quirêmica de todos os sinais articulados e vistos com relevância no passado pelo leitor. A Figura 40 ilustra essa expectativa experimental decorrente da hipótese de mediação pelo sinal.

A hipótese de mediação por sinais também estabelece expectativas experimentais relacionadas à eficácia dos distratores quirêmicos e ortográficos da versão 1.1 do Teste de Nomeação de Figuras por Escolha (TNF1.1–Escolha). Quanto à distribuição de erros e à eficácia dos distratores ortográficos e quirêmicos do Teste de Escolha do Nome de Figuras, as expectativas são as seguintes: Quanto à eficácia de distratores ortográficos, espera-se que, quanto maior a competência de leitura de palavras em Português (em termos de habilidades de decodificação de palavras pouco familiares e de reconhecimento visual direto de palavras familiares), tal como medida pelo Teste de Competência de Leitura de Palavras (TCLP), tanto menor deva ser a eficácia de distratores ortográficos em induzir erros de nomeação de figuras. Do mesmo modo, no tocante à eficácia dos distratores quirêmicos, espera-se que, quanto maior a compreensão de sinais da Libras, tal como medida pelo Teste de Vocabulário Receptivo de Sinais da Libras (TVRSL: F. Capovilla, Viggiano, A. Capovilla, Raphael, Bidá, & Mauricio, 2004), tanto menor deva ser a eficácia de distratores quirêmicos em induzir erros de nomeação de figuras.

Ainda segundo a hipótese de mediação por sinais, em termos de distribuição de erros, espera-se que, quanto melhor o desempenho no Teste de Vocabulário Receptivo de Sinais da Libras (TVRSL), tanto menor seja a freqüência de erros induzidos por distratores quirêmicos no Teste de Nomeação de Figuras por Escolha. Além disso, também se espera que, quanto melhor o desempenho no Teste de Competência de Leitura de Palavras (TCLP), tanto menor seja a freqüência de erros induzidos por distratores ortográficos no Teste de Nomeação de Figuras por Escolha. Mais precisamente, é esperado que seja possível encontrar correlações negativas entre a compreensão de sinais da Libras (i.e., o vocabulário receptivo visual de sinais da Libras) e a freqüência de erros quirêmicos, bem como entre a competência de leitura de palavras e a freqüência de erros ortográficos. Além disso, espera-se que seja possível encontrar uma dupla dissociação entre a freqüência de erros quirêmicos e o vocabulário de sinais de um lado, e entre a freqüência de erros ortográficos e a competência de leitura de palavras de outro, de modo que, comparando as correlações negativas entre a competência de leitura e a indução de erros por distratores quirêmicos e ortográficos, deve ser observada maior correlação negativa com os distratores ortográficos. E, reciprocamente, comparando as correlações negativas entre a compreensão de sinais da Libras e a indução de erros por distratores quirêmicos e ortográficos, deve ser observada maior correlação negativa com os distratores quirêmicos. Tais expectativas experimentais foram corroboradas no estudo sobre a versão 1.1 do Teste de Nomeação de Figuras por Escolha (TNF1.1–Escolha: F. Capovilla, Viggiano, Raphael, Bidá, A. Capovilla, Neves, & Mauricio, 2004).

Assim, quando se trata de nomear *figuras* por escolha de palavras escritas (tal como avaliado pelo TNF1.1–Escolha), espera-se que haja maior equilíbrio entre as contribuições relativas do vocabulário receptivo de sinais da Libras e da competência de leitura de palavras para o controle da indução de erros por distratores quirêmicos e ortográficos. Assim, espera-se que o efeito dos distratores quirêmicos deva ser inversamente proporcional à compreensão de sinais da Libras (tal como avaliado pelo TVRSL) e que o efeito de distratores ortográficos deva ser inversamente proporcional à competência de leitura de palavras. Tais expectativas foram testadas experimentalmente no estudo sobre a versão 1.1 do Teste de Nomeação de Figuras por Escolha (TNF1.1–Escolha: F. Capovilla, Viggiano, Raphael, Bidá, A. Capovilla, Neves, & Mauricio, 2004).

Contudo, quando se trata de nomear *sinais* por escolha de palavras escritas, tal como avaliado pelas versões 1.1 e 2.1 do Teste de Nomeação de Sinais por Escolha (TNS1.1–Escolha: F. Capovilla, Viggiano, Raphael, Mauricio, A. Capovilla, & Bidá, 2004; e TNS2.1–Escolha: F. Capovilla, Viggiano, Bidá, Luz, A. Capovilla, & Neves, 2004), espera-se que a contribuição do vocabulário de sinais seja maior que a contribuição da competência de leitura, quer de palavras, tal como avaliada pelo Teste de Competência de Leitura de Palavras (TCLP: F. Capovilla, Viggiano, A. Capovilla, Raphael, Mauricio, & Bidá, 2004), quer de sentenças, tal como avaliada por meio do Teste de Competência de Leitura de Sentenças (TCLS: F. Capovilla, Viggiano, A. Capovilla, Raphael, Bidá, Neves, & Mauricio, 2004). Dessa forma, é esperado algo além da covariação positiva e sistemática entre o vocabulário receptivo de sinais da Libras, a competência de leitura de palavras isoladas em Português e a competência de leitura de sentenças em Português, pois, dada a importância da compreensão de sinais para a prova de nomeação de sinais por escolha de palavras escritas, espera-se que as três habilidades devam estar mais correlacionadas de maneira inversa à indução de erros por distratores quirêmicos do que à indução de erros por distratores ortográficos. Ou seja, enquanto na tarefa de nomeação de figuras a compreensão de sinais é um elo intermediário interno que facilita a atividade de nomeação, na tarefa de nomeação de sinais a compreensão de sinais é o quesito *sine qua non* para que haja nomeação. Assim, embora a compreensão de sinais não seja suficiente para a nomeação (já que esta requer, também, habilidades em Português), ela é uma habilidade de entrada indispensável para que essa nomeação possa ocorrer. Por isso, em tarefas de nomeação por escolha de palavras, espera-se uma importância relativamente maior do processamento quirêmico em tarefas de nomeação de sinais do que em tarefas de nomeação de figuras. Portanto, quando se trata de nomear sinais por escolha de palavras escritas, espera-se que o conhecimento de sinais da Libras seja mais importante que a competência de leitura de palavras e a competência de leitura de sentenças em Português, sendo que os distratores quirêmicos devem ser capazes de predizer melhor do que os distratores ortográficos o bom desempenho em nomeação de sinais por escolha de palavras escritas.

4.10.1.2.9.5.) Modos de aplicação do TNF1.1–Escolha

O TNF1.1–Escolha pode ser aplicado em uma série de formas, como descrito a seguir.

4.10.1.2.9.5.1.) Aplicação do TNF1.1–Escolha com *Folha completa de aplicação com figuras e palavras de escolha do TNF1.1–Escolha*

A forma de aplicação mais estandardizada, auto-suficiente e prática consiste no uso da *Folha completa de aplicação com figuras e palavras para escolha do TNF1.1–Escolha.* É auto-suficiente porque prescinde da necessidade de uso de retroprojetor, tela e transparências para projeção de figuras. É estandardizada porque garante que as figuras sejam apresentadas sempre do mesmo modo, de aplicação em aplicação, sem as variações que ocorrem com o uso de retroprojetor em termos de tamanho da imagem projetada, de período de tempo concedido para as respostas, e assim por diante. É prática porque a mesma folha única desempenha as funções de apresentação das figuras e de coleta das respostas, podendo ser aplicada de modo individual ou coletivo nos contextos educacional e clínico. Além disso, já que consiste em apenas uma folha impressa em frente e verso (i.e., duas páginas), seu custo é desprezível, podendo ser facilmente arquivado ou descartado após a transposição dos dados para planilhas estatísticas. Trata-se de uma folha com duas páginas (i.e., uma folha de sulfite impressa em frente e verso), contendo cada qual duas colunas, com nove itens por coluna, num total de 36 itens, sendo cada item composto de uma figura (à esquerda) e de quatro palavras escritas em Português (à direita) como alternativas de escolha para cada figura. A *Folha completa de aplicação com figuras e palavras de escolha do TNF1.1–Escolha* pode ser encontrada no estudo original sobre o TNF1.1–Escolha (F. Capovilla, Viggiano, Raphael, Bidá, A. Capovilla, Neves, & Mauricio, 2004). A Figura 38 ilustra dois itens dessa *Folha completa de aplicação com figuras e palavras de escolha do TNF1.1–Escolha,* em que o examinando surdo deve assinalar a palavra escrita que corresponde ao nome da figura, circundando, sublinhando ou simplesmente cruzando com um "*X*" essa palavra.

4.10.1.2.9.5.2.) Coleta de dados do TNF1.1–Escolha via *Folha de respostas com palavras de escolha do TNF1.1–Escolha* e apresentação de figuras via *Folha de aplicação com figuras do TNF1.1–Escolha* ou *Conjunto de duas transparências de figuras do TNF1.1–Escolha*

A *Folha completa de aplicação com figuras e palavras de escolha do TNF1.1–Escolha* permite uma aplicação autônoma do teste, tanto individual quanto coletiva, sendo que os examinandos progridem em ritmo próprio. Para aplicação coletiva em que todos os examinandos progridem no mesmo ritmo, pode-se usar o *Conjunto de duas transparências de figuras do TNF1.1–Escolha*. Nesse caso, em vez de distribuir aos examinandos a *Folha completa de aplicação com figuras e palavras de escolha do TNF1.1–Escolha*, pode-se distribuir apenas a *Folha de respostas com palavras de escolha do TNF1.1–Escolha*. Essa *Folha de respostas com palavras de escolha do TNF1.1–Escolha* contém um quadro de 36 linhas, correspondentes aos itens 1 a 36, e cinco colunas. A primeira corresponde ao número do item de 1 a 36, e as quatro seguintes correspondem às quatro palavras escritas como alternativas de escolha para cada item. Trata-se de uma folha de papel sulfite contendo 36 linhas, uma por item, com quatro colunas por linha, num total de 144 células (i.e., 36 linhas com quatro colunas por linha), cada qual com uma palavra escrita diferente. A tarefa dos examinandos surdos é a de, a cada um dos 36 itens ou linhas, sublinhar ou circundar ou assinalar com um "*X*" a palavra que corresponde à figura a ser nomeada naquele item do teste.

O Quadro 14 ilustra dois itens da *Folha de respostas com palavras de escolha do TNF1.1–Escolha* (no caso, os itens 33 e 34). A *Folha de respostas* inteira pode ser encontrada no estudo original sobre o TNF1.1–Escolha (F. Capovilla, Viggiano, Raphael, Bidá, A. Capovilla, Neves, & Mauricio, 2004).

Quadro 14. Amostra de dois itens da *Folha de respostas com palavras de escolha do TNF1.1–Escolha*.

33	PASSARINHO	BORBULHAR	BORBOLETA	NEGLIGÊNCIA
34	HIPÓDROMO	PERNAMBUCO	HIPOPÓTAMO	RINOCERONTE

O material completo para aplicação prática e autônoma do TNF1.1–Escolha, tanto individual quanto coletiva, consiste na *Folha completa de aplicação com figuras e palavras de escolha do TNF1.1–Escolha*. Seu custo é também desprezível, já que se trata apenas de uma folha de papel sulfite impressa em frente e verso. No entanto, se o desejar, o examinador pode querer apresentar as figuras por meio da *Folha de aplicação com figuras do TNF1.1–Escolha*, que pode ser plastificada para reutilização em aplicações repetidas, ou do *Conjunto de duas transparências de figuras do TNF1.1–Escolha*, que permite projeção na parede ou na tela com o auxílio de um retroprojetor. Nesses dois casos, a coleta de respostas deve ser feita por meio da *Folha de respostas com palavras de escolha do TNF1.1–Escolha*.

Como a *Folha completa de aplicação com figuras e palavras de escolha do TNF1.1–Escolha*, a *Folha de aplicação com figuras do TNF1.1–Escolha* tem duas páginas, contendo duas colunas com nove figuras cada uma. A única diferença entre as folhas de aplicação consiste no fato de que a *Folha de aplicação com figuras do TNF1.1–Escolha* apresenta apenas as figuras, sem as palavras escritas para escolha. Contudo, o meio mais usual para aplicação coletiva consiste no uso da *Folha completa de aplicação com figuras e palavras de escolha do TNF1.1–Escolha*; ou, então, na combinação entre o *Conjunto de duas transparências de figuras do TNF1.1–Escolha* e a *Folha de respostas com palavras de escolha do TNF1.1–Escolha*. No estudo pioneiro de normatização e validação do TNF1.1–Escolha (F. Capovilla, Viggiano, Raphael, Bidá, A. Capovilla, Neves, & Mauricio, 2004) foi empregada a combinação entre o *Conjunto de duas transparências de figuras do TNF1.1–Escolha* e a *Folha de respostas com palavras de escolha do TNF1.1–Escolha*.

O *Conjunto de duas transparências de figuras do TNF1.1–Escolha* tem o mesmo *layout* e número de páginas da *Folha de aplicação com figuras do TNF1.1–Escolha*. É usualmente o recurso mais econômico e prático para aplicação coletiva, com a vantagem adicional de reduzir os riscos de os examinandos saltarem itens ou se confundirem no momento de preencher a folha de respostas, já que o examinador, ao apontar uma figura por vez, estabelece um ritmo coletivo e sistemático ao responder dos alunos. Novamente, a tarefa dos examinandos surdos é a dc, a cada um dos 36 itens ou linhas, sublinhar ou circundar ou assinalar com um "*X*" a palavra que corresponde à figura exibida na tela pelo retroprojetor à medida que o examinador for apresentando as figuras. Assim, o examinador deve apontar para uma figura exibida na tela pelo retroprojetor e instruir os examinandos surdos a escolher, dentre as quatro palavras escritas alternativas em Português, aquela que melhor corresponde à figura exibida na tela, e sublinhá-la, circundá-la ou assinalá-la com um "*X*". A *Folha de aplicação com figuras do TNF1.1–Escolha* e o *Conjunto de duas transparências de figuras do TNF1.1–Escolha* encontram-se no estudo original sobre o TNF1.1–Escolha (F. Capovilla, Viggiano, Raphael, Bidá, A. Capovilla, Neves, & Mauricio, 2004).

4.10.1.2.9.5.3.) Aplicação computadorizada do TNF1.1–Escolha

A versão original TNF1.1–Escolha e as duas versões dela derivadas (i.e., a reordenada TNF1.2–Escolha e a revisada TNF1.3–Escolha) são eficientemente implementadas como testes de papel e lápis em seus respectivos cadernos de aplicação. Além disso, há uma versão computadorizada de cada uma dessas três versões que é executável em qualquer terminal com plataforma Windows. Tais versões computadorizadas permitem avaliar crianças surdas que se encontram incapacitadas de segurar um lápis ou sequer de apontar com os dedos para assinalar a alternativa correta devido a severos e variados tipos de impedimento motor (e.g., amputação ou impedimentos congênitos) e de distúrbios neuromotores (e.g., tetraplegia por lesão cervical, paralisia cerebral ou esclerose lateral amiotrófica).

O compêndio de avaliação do desenvolvimento da linguagem de sinais, leitura e escrita na criança surda (F. Capovilla & Viggiano, 2004) apresenta a versão computadorizada revisada 1.3 do Teste de Nomeação de Figuras por Escolha de Palavras (TNF1.3–Escolha–Comp: Macedo, F. Capovilla, Viggiano, Charin, Covre, Diana, Duduchi, A. Capovilla, & Raphael, 2004). As três versões computadorizadas fazem varredura automática entre as palavras alternativas de escolha sendo que, para escolher entre elas, tudo que o examinando surdo paralisado ou amputado tem de fazer é emitir um movimento qualquer, como o piscar, quando a palavra alternativa desejada estiver disponível para escolha. Esse movimento é captado por detetores infravermelhos apropriados às características particulares de cada usuário. O tipo e a estratégia de varredura (Gonçalves, F. Capovilla, Macedo, & Duduchi, 1997), o parâmetro temporal de varredura (F. Capovilla, Thiers, & Macedo, 2002; F. Capovilla, Thiers, Macedo, & Duduchi, 1998; F. Capovilla, Thiers, Macedo, Raphael, & Duduchi, 1998; F. Capovilla, Thiers, & A. Capovilla, 2003), e o tipo de acionador (Charin & F. Capovilla, 2000; Macedo & F. Capovilla, 2000a) podem ser adaptados precisamente às características neuromotoras (F. Capovilla, Macedo, Duduchi, A. Capovilla, & Thiers, 1998) do examinando surdo (F. Capovilla, Macedo, A. Capovilla, Thiers, Raphael, & Duduchi, 1998). Essas versões computadorizadas também podem ser implementadas com seleção direta por toque sobre tela sensível; e coletam e tabulam dados automaticamente, produzindo um relatório de resultados após cada aplicação (Macedo, F. Capovilla, & Sazonov, 2000), que inclui dados de desempenho tais como o acerto total e em cada subteste, o tipo de erro e a freqüência de cada um dos tipos de paralexia (i.e., quirêmica, semântica, ortográfica), e o tempo de resposta por subteste. Tais versões computadorizadas têm sido elaboradas e aperfeiçoadas a partir de tecnologia acumulada na última década (F. Capovilla, A. Capovilla, & Macedo, 2001a; F. Capovilla, Gonçalves, & Macedo, 1998; F. Capovilla, Macedo, A. Capovilla, Thiers, & Duduchi, 1997; Gonçalves, Macedo, Sennyey, & F. Capovilla, 2000; Macedo, Gonçalves, F. Capovilla, & Sennyey, 2002) para avaliar examinandos surdos e ouvintes com paralisia cerebral (F. Capovilla, Macedo, Duduchi, A. Capovilla, & Gonçalves 1998; F. Capovilla & Nunes, 2003; Thiers, F. Capovilla, Charin, Duduchi, & Macedo, 2000), esclerose lateral amiotrófica (F. Capovilla, A. Duduchi, Macedo, A. Capovilla, & Sazonov, 2000; Lima, Macedo, F. Capovilla, & Sazonov, 2000) e afasia (F. Capovilla, 1997a; F. Capovilla, A. Capovilla, Macedo, & Duduchi, 2000a; Macedo, F. Capovilla, Charin, & Duduchi, 1998), dentre outras.

Além dessas versões para computadores locais, as três versões também se encontram disponíveis na Internet (Macedo, F. Capovilla, Diana, & Covre, 2002), para conduzir uma teleavaliação em todo o território nacional, de modo a acompanhar o desenvolvimento dos escolares surdos em todos os estados da federação e, assim, obter subsídios para o aperfeiçoamento constante de procedimentos e materiais para a educação da criança e do jovem surdo brasileiro e a derivação de uma política nacional de educação de surdos fundamentada em dados refinados e concretos de desempenho sob diferentes procedimentos, materiais e métodos de ensino.

Como é muito provável que os desempenhos variem em função do modo de aplicação de cada uma das versões do teste (i.e., a original TNF1.1–Escolha, a reordenada TNF1.2–Escolha, e a revisada TNF1.3–Escolha), é altamente recomendável que sejam geradas normas específicas para cada uma dessas versões sob cada um dos diferentes modos de aplicação, em termos de aplicação individual ou coletiva, e:

- 1.) Aplicação com *Folha completa de aplicação com figuras e palavras de escolha do TNF1.1–Escolha*; ou
- 2.) Aplicação com *Folha de aplicação com figuras do TNF1.1–Escolha* associada à *Folha de respostas com palavras de escolha do TNF1.1–Escolha*; ou
- 3.) Aplicação com *Conjunto de duas transparências de figuras do TNF1.1–Escolha* associado à *Folha de respostas com palavras de escolha do TNF1.1–Escolha*; ou
- 4.) Aplicação computadorizada local com tela sensível ao toque; ou
- 5.) Aplicação computadorizada local com seleção de palavras escritas por varredura automática com diferentes intervalos temporais de varredura e diferentes tipos de acionamento; ou
- 6.) Aplicação via Internet para a teleavaliação em todo o território nacional.

Nesta série de estudos, a tabela de dados normativos da versão original TNF1.1–Escolha foi gerada a partir de aplicação coletiva com *Conjunto de duas transparências de figuras do TNF1.1–Escolha* e coleta de dados com *Folha de respostas com palavras de escolha do TNF1.1–Escolha.* Assim, a tabela de dados normativos obtida para a versão original TNF1.1–Escolha (F. Capovilla, Viggiano,

Raphael, Bidá, A. Capovilla, Neves, & Mauricio, 2004) deve ser empregada para avaliar os resultados desse modo de aplicação coletiva com transparências e folha de registro à parte.

Numa série subseqüente de estudos de normatização e validação presentemente em andamento com as versões reordenadas, revisadas e abreviadas, a versão revisada TNF1.3-Escolha vem sendo normatizada e validada por aplicação coletiva com o *Folha completa de aplicação com figuras e palavras de escolha do TNF1.3-Escolha*, em vez de com o *Conjunto de duas transparências de figuras* e coleta de dados com *Folha de respostas com palavras de escolha*, como ocorreu no TNF1.1-Escolha, uma vez que essa versão revisada TNF1.3-Escolha foi elaborada para ser auto-suficiente e independer da apresentação de figuras pelo examinador por meio de transparências.

4.10.1.2.10.) A versão original 2.1 do Teste de Nomeação de Figuras por Escolha de Palavras Escritas (TNF2.1–Escolha) para controlar o efeito de carreamento em avaliações repetidas da competência de leitura de palavras isoladas e o processamento quirêmico e ortográfico

4.10.1.2.10.1.) Natureza e objetivos do TNF2.1–Escolha

O Teste de Nomeação de Figuras por Escolha de Palavras Escritas (TNF–Escolha) é também conhecido como Teste de Escolha do Nome Escrito de Figuras. Trata-se de um teste de competência de leitura de palavras isoladas que avalia a habilidade do examinando de selecionar palavras escritas para nomear figuras conhecidas enquanto procura, ao mesmo tempo, evitar cometer erros induzidos por distratores quirêmicos, ortográficos e semânticos. O teste fornece um escore geral da competência de nomeação de figuras por escolha de palavras escritas, além de informações sobre a participação de processos quirêmicos, ortográficos e semânticos nessa nomeação de figuras. Tais informações são obtidas por meio da análise da distribuição de freqüência relativa de erros induzidos por distratores quirêmicos, ortográficos e semânticos. O teste é implementado nas versões originais 1.1 e 2.1 (TNF1.1–Escolha: F. Capovilla, Viggiano, Raphael, Bidá, A. Capovilla, Neves, & Mauricio, 2004; e TNF2.1–Escolha: F. Capovilla, Viggiano, Bidá, A. Capovilla, Raphael, Neves, & Mauricio, 2004), que, a partir desta série de estudos, originaram as versões reordenadas (i.e., 1.2 e 2.2) e revisadas (i.e., 1.3 e 2.3) com novas figuras e novos distratores quirêmicos, semânticos e ortográficos. A implementação do teste em duas versões originais (i.e., 1.1 e 2.1) é útil para reduzir o efeito de aprendizagem entre avaliações, permitindo implementar delineamentos de grupo com pré-teste, intervenção e pós-teste (Campbell & Stanley, 1979), bem como delineamentos experimentais de caso único (Barlow & Hersen, 1984).

4.10.1.2.10.2.) Constituição do TNF2.1–Escolha

Cada uma das duas versões do Teste de Nomeação de Figuras por Escolha de Palavras Escritas consiste em um conjunto de 36 figuras individuais (i.e., desenhos de linha) a serem nomeadas e de 36 conjuntos de quatro palavras escritas como alternativas de escolha, sendo um conjunto de quatro palavras para cada figura. A tarefa do examinando surdo consiste em escolher, dentre as quatro palavras escritas apresentadas para cada figura, aquela que corresponde ao nome da figura (i.e., identificar o nome escrito da figura) e, usando um lápis, circundar ou sublinhar ou cruzar com um "*X*" essa palavra que corresponde ao nome da figura. A única diferença entre as versões 1.1 e 2.1 diz respeito ao conjunto de 36 figuras, que difere de uma versão para outra para reduzir efeito de carreamento entre as avaliações repetidas.

O uso de distratores quirêmicos, ortográficos e semânticos como alternativas de escolha permite examinar o processamento cognitivo subjacente no surdo, no que diz respeito a processos quirêmicos, ortográficos e semânticos envolvidos. Dentre as quatro palavras escritas alternativas para escolha, uma consiste na palavra-alvo (i.e., que corresponde à figura a ser nomeada), e as outras três consistem em uma distratora quirêmica (i.e., palavra escrita cujo sinal correspondente subjacente é semelhante, em forma, ao sinal que se aplica à figura-alvo), uma distratora ortográfica (i.e., palavra escrita que é ortograficamente semelhante à palavra-alvo que designa a figura-alvo), e uma distratora semântica (i.e., palavra escrita cujo sinal correspondente subjacente é semanticamente relacionado à figura-alvo). Das três distratoras, a mais importante é a quirêmica. Nela, o sinal distrator subjacente é similar ao sinal subjacente à palavra-alvo (o qual vincula a figura-alvo a ser nomeada à palavra-alvo a ser escolhida) em termos de articulação de mão, local dessa articulação, orientação da palma no plano da sinalização, movimento descrito no espaço da sinalização e expressão facial associada.

A Figura 41 ilustra dois dos 36 itens da versão 2.1 do Teste de Nomeação de Figuras por Escolha de Palavras (itens 1 e 10 do TNF2.1–Escolha). Conforme ilustrado, cada item é composto de uma figura e de quatro palavras escritas alternativas para a escolha daquela que melhor designa a figura. Dentre as palavras escritas alternativas, uma é a palavra-alvo (no caso à esquerda, PÉ e, à direita, CABRA) e as outras três são distratoras, sendo uma ortográfica (no caso à esquerda, FÉ e, à direita, COBRA), uma quirêmica (no caso à esquerda, DEPENDE e, à direita, BARATA) e uma semântica (no caso à esquerda, MÃO e, à direita, OVELHA). As posições relativas dos quatro tipos de palavras alternativas (i.e., palavra-alvo, distratora ortográfica, distratora quirêmica e distratora semântica) encontram-se contrabalançadas ao longo dos 36 itens do teste, de modo a controlar o efeito de viés de posição.

O Quadro 15 arrola a lista das quatro palavras alternativas de escolha para cada um dos 36 itens que compõem a versão 2.1 do Teste de Nomeação de Figuras por Escolha de Palavras Escritas (TNF2.1–Escolha), juntamente com a classificação da natureza de cada uma dessas palavras: Palavras-alvo a serem escolhidas e os três tipos de palavras distratoras a serem descartados: Distratores ortográficos, que são sensíveis a um estilo de leitura ideovisual geral ou logográfico; distratores semânticos, que são sensíveis a um estilo de leitura ideovisual geral bastante indiferenciado e incipiente, com trocas semânticas; e distratores quirêmicos, que são sensíveis a um estilo de leitura por mediação de sinalização interna.

1	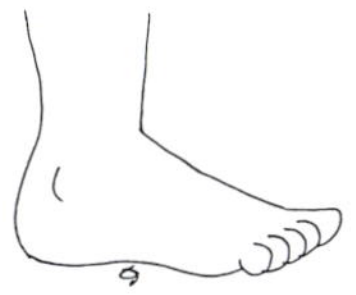	MÃO FÉ DEPENDE PÉ	10		COBRA BARATA OVELHA CABRA

Figura 41. Amostra de dois itens da *Folha completa de aplicação com figuras e palavras de escolha do TNF2.1–Escolha*, cada qual composto de uma figura e de quatro palavras escritas para escolha daquela que melhor designa a figura, no caso, PÉ (à esquerda) e CABRA (à direita). A folha é impressa em frente e verso, num total de duas páginas, com dezoito itens por página.

Quadro 15. Lista dos 36 itens da versão 2.1 do Teste de Nomeação de Figuras por Escolha de Palavras Escritas (TNF2.1-Escolha), com a classificação das quatro palavras escritas alternativas de escolha para cada uma das 36 figuras que compõem essa versão do teste: A palavra-alvo a ser escolhida e as três palavras distratoras (i.e., ortográfica, semântica e quirêmica) a serem descartadas.

item	**palavra**		**palavras distratoras**	
	alvo	**ortográfica**	**semântica**	**quirêmica**
1	PÉ	FÉ	MÃO	DEPENDE
2	COPO	TOPO	CANECA	CAFÉ
3	BOLA	BALA	PETECA	GRUPO
4	MÃO	PÃO	PERNA	BRILHO
5	CAMA	DAMA	BERÇO	BELICHE
6	GATO	GALO	TIGRE	LEÃO
7	DADO	DARDO	XADREZ	AGORA
8	VACA	PACA	CABRA	DIABO
9	ANEL	TONEL	DEDAL	CHINELO
10	CABRA	COBRA	OVELHA	BARATA
11	URSO	PULSO	GORILA	CULPA
12	NARIZ	PARIS	OLHO	BRUXA
13	RODO	ROLO	VASSOURA	PUXAR
14	FUNIL	PERNIL	ABRIDOR	FILTRAR
15	PORCO	POUCO	PACA	AZAR
16	CADEIRA	CAVEIRA	POLTRONA	JUNHO
17	PANELA	CANELA	FRIGIDEIRA	FARMÁCIA
18	ÓCULOS	ÓCULO	LUNETA	PANDA
19	BATOM	BASTÃO	PERFUME	BOCA
20	SAPATO	SÁBADO	BOTA	CHINELO
21	CARRO	JARRO	CAMINHÃO	BANHAR
22	BRUXA	BUCHA	FADA	NARIZ
23	ABAJUR	ABAFAR	ESCURO	POLVO
24	BANANA	BACANA	FIGO	MÊS
25	CAMISA	BALIZA	CAMISETA	GARÇOM
26	RELÓGIO	ELOGIO	CALENDÁRIO	PRETO
27	AVIÃO	VIOLÃO	HELICÓPTERO	FALTAR
28	TESOURA	TESOURO	ALICATE	SEMPRE
29	ESTRELA	ESTEIRA	LUA	COLA
30	ORELHA	OVELHA	SOBRANCELHA	CONCHA
31	GALINHA	LATINHA	PATA	AMAZONAS
32	TELEFONE	TELETOM	INTERNET	DESCULPA
33	VENTILADOR	VENDEDOR	BATEDEIRA	BANDEIRA
34	BICICLETA	BIATLETA	MOTO	BOXE
35	COMPUTADOR	COMPETIDOR	IMPRESSORA	AGRICULTURA
36	LIQÜIDIFICADOR	LUBRIFICADOR	BATEDEIRA	GIRAR

4.10.1.2.10.3.) Breve arrazoado do TNF2.1–Escolha

A Figura 42 ilustra sinais correspondentes a cada uma das quatro alternativas de escolha de um dos itens (no caso, item 10) da versão 2.1 do Teste de Nomeação de Figuras por Escolha de Palavras Escritas (TNF2.1–Escolha). Conforme a figura, existe semelhança quirêmica (i.e., de forma ou de composição sublexical) entre o sinal correspondente à palavra-alvo (i.e., CABRA) e o sinal distrator quirêmico (i.e., BARATA), mas não entre o sinal correspondente à palavra-alvo (i.e., CABRA) e os sinais que correspondem às palavras distratoras ortográfica (i.e., COBRA) ou semântica (i.e., OVELHA). Para constatar isso, basta inspecionar o sinal CABRA (que subjaz à figura-alvo a ser nomeada e à palavra-alvo a ser escolhida) e os sinais COBRA (que é distrator ortográfico do sinal subjacente à figura-alvo) e OVELHA (que subjaz à palavra distratora semântica). Assim, a escolha de qualquer uma dessas palavras alternativas distratoras (i.e., a ortográfica COBRA, e a semântica OVELHA) seria conseqüência, não da semelhança entre, de um lado, o sinal COBRA ou OVELHA, e, de outro, o sinal CABRA mas, isto sim, da semelhança ortográfica (i.e., em termos de composição visual das letras) entre a palavra-alvo (i.e., CABRA) e a palavra distratora ortográfica (i.e., COBRA), ou da relação semântica entre a palavra-alvo (i.e., CABRA) e a palavra distratora semântica (i.e., OVELHA). Dada a inexistência de semelhança, quer semântica, quer ortográfica, entre a palavra-alvo (i.e., CABRA) e a palavra distratora quirêmica (i.e., BARATA), a escolha da palavra escrita BARATA para designar a figura de uma cabra não seria satisfatoriamente explicada por semelhança ortográfica entre essas palavras ou sequer por alguma relação semântica significativa, mas pareceria, isso sim, indicar mediação pela sinalização interna a partir da semelhança entre a composição sublexical do sinal que se aplica à figura a ser descrita (i.e., o sinal CABRA) e a composição sublexical do sinal distrator quirêmico (i.e., o sinal BARATA). Tal arrazoado (F. Capovilla, no prelo) encontra suporte em experimentos de memorização em surdos sinalizadores relatados na bibliografia científica (e.g., Klima & Bellugi, 1979) que têm demonstrado que surdos codificam, processam e recuperam informação lingüística com base nos parâmetros sublexicais dos sinais. Tais dados sugerem que, em tarefas como a de nomear figuras ou de escolher palavras escritas correspondentes a figuras, o processo de evocação dos nomes escritos parece envolver indexação sublexical.

Figura 42. Ilustração dos quatro sinais subjacentes às quatro alternativas de escolha de um dos itens da versão 2.1 do Teste de Nomeação de Figuras por Escolha de Palavras Escritas (TNF2.1–Escolha): A palavra-alvo, o distrator quirêmico, o distrator ortográfico e o distrator semântico. Diante de uma dada figura, a palavra-alvo correspondente à figura deve ser escolhida, e as três palavras distratoras devem ser descartadas. Enquanto erros espúrios podem ser devidos a fatores aleatórios não controlados, um padrão de escolha sistemática de determinado tipo de palavra distratora configura um viés por um determinado tipo de processamento, quer quirêmico (i.e., por semelhança entre a composição sublexical do sinal subjacente à palavra-alvo e a composição sublexical do sinal subjacente à palavra distratora), quer ortográfico (i.e., por semelhança visual geral entre a composição de letras da palavra-alvo e a da palavra distratora ortográfica), quer semântico (i.e., por relação de semelhança, contigüidade ou oposição entre os significados da palavra-alvo e da palavra distratora semântica).

4.10.1.2.10.4.) Breve substrato teórico do TNF2.1–Escolha

A hipótese de mediação por sinalização interna (F. Capovilla, no prelo) expandida a partir da bibliografia (Bellugi, 1983; Bellugi, Klima, & Poizner, 1988; Bellugi, Poizner, & Klima, 1983; Bellugi,

Tzeng, Klima, & Fok, 1989; F. Capovilla & A. Capovilla, 2001b; Hanson, 1991; Hanson & Fowler, 1987; Klima & Bellugi, 1979; Klima, Bellugi, & Poizner, 1988; Poizner, Bellugi, Tweney, 1981; Poizner, Klima, & Bellugi, 1987) explica fenômenos de paralexias e paragrafias quirêmicas que ocorrem exclusivamente em surdos sinalizadores durante tarefas de leitura e escrita. Segundo ela, durante a leitura, a compreensão de palavras escritas e de textos por parte do surdo envolve sinalização interna, sendo que o acesso ao léxico semântico se dá pela porta de entrada do léxico quirêmico, que contém as imagens visuais e articulatórias dos sinais relevantes ao pensamento e à comunicação do surdo. Do mesmo modo, durante a escrita, a produção de palavras escritas e de textos por parte do surdo se dá sob controle de sinalização interna, sendo que o léxico quirêmico é a porta de saída do léxico semântico, intermediando a produção escrita alfabética, freqüentemente por codificação quirografêmica, em que a soletração digital auxilia a produção da escrita.

Tal hipótese fundamenta-se em modelos teóricos da abordagem de processamento de informações e encontra suporte empírico em diversos achados experimentais da neuropsicologia cognitiva que vêm sendo replicados desde a década de 1980. A língua escrita é um sistema de representação secundário que se baseia num sistema de representação primário, que é a língua falada para o ouvinte e a língua de sinais para o surdo. A comparação entre os padrões de erro de escrita alfabética cometidos por crianças ouvintes e por crianças surdas revela isso com clareza. De fato, na fase alfabética (A. Capovilla & F. Capovilla, 2003c, 2003d; F. Capovilla & A. Capovilla, 2001b), as crianças ouvintes tendem a cometer erros de regularização grafofonêmica (A. Capovilla & F. Capovilla, 2003c, 2003d; F. Capovilla & A. Capovilla, 2001b; Lemle, 1991, Luria, 1970) que revelam a mediação pela fala interna (Baddeley, 1986; Baddeley & Hitch, 1974; Baddeley, Lewis, & Vallar, 1984; Baddeley & Wilson, 1985; F. Capovilla, Gonçalves, Macedo, & Duduchi, 1998; F. Capovilla, A. Capovilla, & Macedo, 2001; Halliday, Hitch, Lennon, & Pettipher, 1990). Tais erros revelam que, nessa fase alfabética, as crianças ouvintes tendem a escrever por codificação fonografêmica, como se estivessem transcrevendo os sons da fala interna, e a ler por decodificação grafofonêmica, convertendo segmentos da escrita em segmentos da fala e obtendo, assim, a experiência subjetiva de recitar o que está sendo decodificado. Em contraste, durante a leitura, as crianças surdas tendem a cometer trocas visuais de letras e palavras com base na semelhança visual entre a palavra-alvo e a palavra escrita. Tais trocas de letras (i.e., paralexias literais) e de palavras (i.e., paralexias semânticas) revelam um padrão de leitura consistente com o padrão de leitura logográfico das crianças ouvintes ainda não alfabetizadas (A. Capovilla & F. Capovilla, 2003c, 2003d; F. Capovilla & A. Capovilla, 2001b). Do mesmo modo, durante a escrita, as crianças surdas também tendem a cometer omissões, acréscimos e substituições de letras, bem como inversões das posições ou da ordem das letras. Tais trocas constituem paragrafias e, quer no nível das letras (i.e., paragrafias literais), quer no nível das palavras (i.e., paragrafias semânticas), também revelam um padrão de escrita consistente com o padrão de escrita logográfico das crianças ouvintes ainda não alfabetizadas. Contudo, as crianças surdas tendem a cometer também outro tipo de paralexia e de paragrafia, que é própria e exclusiva do leitor surdo, ou seja, troca radicada em sinais, mais propriamente na similaridade entre o sinal subjacente à palavra correta que se deveria ler e escrever e o sinal subjacente à palavra incorreta que acaba lendo e escrevendo. Tal similaridade entre os sinais é de natureza quirêmica, e se deve a um certo número de elementos em comum na composição sublexical dos sinais envolvidos, em termos de forma de mão, orientação da palma, local de articulação, movimento e expressão facial associada. Tais trocas radicadas em sinais ocorrem tanto na leitura (i.e., paralexia) quanto na escrita (i.e., paragrafia).

Em termos do desempenho de escrita de palavras escritas para nomear figuras conhecidas, tal como avaliado pela versão original 2.1 do Teste de Nomeação de Figuras por Escolha (TNF2.1-Escolha), de acordo com a mesma hipótese, ao ter de nomear uma figura, o examinando surdo tende a, primeiramente, evocar o sinal da Libras correspondente à figura e só então, usando esse sinal, resgatar a palavra escrita a ele correspondente. Ou seja, segundo essa hipótese de mediação pelo sinal, as palavras escritas em Português encontram-se indexadas pelos sinais subjacentes em Libras, de modo que, para nomear uma figura em Português, é preciso que o examinando surdo primeiro nomeie a figura em Libras para que possa, então, usando esse sinal evocado como se fosse um indexador, resgatar a palavra escrita a ele associada. Deste modo, como o sistema secundário de representação de informação (i.e., a escrita alfabética) encontra-se ancorado no sistema primário (i.e., sinalização em Libras), segundo F. Capovilla (no prelo), os erros de leitura (i.e., paralexias) e de escrita (i.e., paragrafias) podem dever-se tanto a falhas no estágio de evocação do sinal correspondente, a partir do léxico quirêmico, para nomear uma figura, quanto a falhas no estágio de evocação da palavra escrita correspondente ao sinal, a partir do léxico ortográfico. Conforme demonstrações experimentais (e.g., F. Capovilla, no prelo; Klima & Bellugi, 1979), a codificação de informação lingüística em língua de sinais se dá por meio das propriedades sublexicais, que são os elementos quirêmicos constitutivos dos sinais. Assim, a similaridade de composição quirêmica entre sinais diferentes pode ocasionar confusão entre esses mesmos sinais, tanto no estágio de evocação da representação quirêmica de um sinal para nomear uma figura quanto no estágio de evocação da representação ortográfica de uma palavra escrita a partir do sinal associado. Tais confusões entre sinais diferentes, decorrentes da similaridade de composição sublexical desses sinais, podem originar paralexias e paragrafias típicas dos surdos e não encontradas em qualquer outro tipo de leitor. Essa hipótese de mediação por sinalização interna durante a leitura e de paralexias radicadas na similaridade quirêmica durante a nomeação de figuras recebeu corroboração experimental nos estudos sobre as versões originais 1.1 e 2.1 do Teste de Nomeação de Figuras por Escolha (TNF1.1–Escolha: F. Capovilla, Viggiano, Raphael, Bidá, A. Capovilla, Neves, & Mauricio, 2004; e TNF2.1–Escolha: F. Capovilla, Viggiano, Bidá, A. Capovilla, Raphael, Neves, & Mauricio, 2004).

Segundo a hipótese de mediação por sinais, espera-se que, ao ter de escolher palavras escritas para denominar figuras, os examinandos surdos freqüentemente venham a cometer paralexias radicadas na similaridade entre os sinais subjacentes, isto é, entre o sinal subjacente à palavra-alvo que deve ser escolhida e o sinal subjacente à palavra distratora quirêmica que acaba sendo escolhida. Ao ter de escolher palavras escritas para denominar figuras, espera-se que examinandos surdos tendam a escolher palavras escritas que nada têm a ver com as figuras, exceto pela similaridade entre os sinais subjacentes às palavras-alvo que deveriam ter sido escolhidas e às palavras distratoras quirêmicas que acabam sendo escolhidas. A palavra distratora quirêmica que acaba sendo incorretamente escolhida é aquela cujo sinal subjacente é similar ao sinal subjacente à palavra-alvo que deveria ter sido escolhida. Tal similaridade se deve a um certo número de elementos sublexicais quirêmicos em comum entre os dois sinais (e.g., forma de mão, orientação de palma, local do sinal, movimento e expressão facial associada), sendo que, quanto maior a proporção de elementos quirêmicos coincidentes, tanto maior a similaridade quirêmica e, logo, o poder do distrator quirêmico. A hipótese de mediação pelo sinal explica a ocorrência de paralexias quirêmicas, típicas de surdos sinalizadores mas estranhas a examinandos ingênuos em relação a língua de sinais. Em termos práticos, considerando a versão 2.1 do Teste de Nomeação de Figuras por Escolha (TNF2.1–Escolha), uma predição típica da hipótese de mediação por sinais é que deve ser possível encontrar, com freqüência acima do nível do acaso, surdos que designem um abajur como POLVO, uma cabra como BARATA, um telefone como DESCULPA, um computador como AGRICULTURA, uma galinha como AMAZONAS e uma cadeira como JUNHO. Ou seja, confrontados com a tarefa de escolher palavras escritas para nomear figuras, espera-se que os surdos tendam a escolher a palavra escrita POLVO para denominar um abajur, BARATA para denominar uma cabra, DESCULPA para denominar telefone, AGRICULTURA para denominar computador, AMAZONAS para denominar galinha, e JUNHO para denominar cadeira, simplesmente por causa da similaridade quirêmica entre os sinais subjacentes ABAJUR e POLVO, CABRA e BARATA, TELEFONE e DESCULPA, COMPUTADOR e AGRICULTURA, GALINHA e AMAZONAS, e finalmente CADEIRA e JUNHO. A hipótese de mediação por sinais decorre do modelo de processamento de leitura de surdos (F. Capovilla, no prelo), segundo o qual, no leitor surdo sinalizador, o acesso ao léxico semântico se dá pela porta de entrada do léxico quirêmico, que contém a representação da composição quirêmica de todos os sinais relevantes que já foram articulados e vistos pelo leitor. A Figura 43 ilustra esta expectativa experimental decorrente da hipótese de mediação pelo sinal.

A hipótese de mediação por sinais também estabelece expectativas experimentais relacionadas à eficácia dos distratores quirêmicos e ortográficos da versão 2.1 do Teste de Nomeação de Figuras por Escolha (TNF2.1–Escolha). Quanto à distribuição de erros e à eficácia dos distratores ortográficos e quirêmicos do Teste de Escolha do Nome de Figuras, as expectativas são as seguintes:

- Em termos de eficácia de distratores ortográficos, espera-se que, quanto maior a competência de leitura de palavras em Português (em termos de habilidades de decodificação de palavras pouco familiares e de reconhecimento visual direto de palavras familiares), tal como avaliada pelo Teste de Competência de Leitura de Palavras (TCLP: F. Capovilla, Viggiano, A. Capovilla, Raphael, Mauricio, & Bidá, 2004), tanto menor deva ser a eficácia de distratores ortográficos em induzir erros de nomeação de figuras.
- Do mesmo modo, em termos de eficácia dos distratores quirêmicos, espera-se que, quanto maior a compreensão de sinais da Libras, tal como medida pelo Teste de Vocabulário Receptivo de Sinais da Libras (TVRSL: F. Capovilla, Viggiano, A. Capovilla, Raphael, Bidá, & Mauricio, 2004), tanto menor deva ser a eficácia de distratores quirêmicos em induzir erros de nomeação de figuras.

Tais expectativas foram corroboradas experimentalmente nos estudos sobre as versões 1.1 e 2.1 do Teste de Nomeação de Figuras por Escolha (TNF1.1–Escolha: F. Capovilla, Viggiano, Raphael, Bidá, A. Capovilla, Neves, & Mauricio, 2004; e TNF2.1–Escolha: F. Capovilla, Viggiano, Bidá, A. Capovilla, Raphael, Neves, & Mauricio, 2004).

Ainda segundo a hipótese de mediação por sinais, em termos de distribuição de erros:

- Espera-se que, quanto melhor o desempenho no Teste de Vocabulário Receptivo de Sinais da Libras (TVRSL), tanto menor seja a freqüência de erros induzidos por distratores quirêmicos no Teste de Nomeação de Figuras por Escolha. Além disso,

- Espera-se também que, quanto melhor o desempenho no Teste de Competência de Leitura de Palavras (TCLP), tanto menor seja a freqüência de erros induzidos por distratores ortográficos no Teste de Nomeação de Figuras por Escolha.

Mais precisamente:

- Espera-se que seja possível encontrar correlações negativas entre a compreensão de sinais da Libras (i.e., o vocabulário receptivo visual de sinais da Libras) e a freqüência de erros quirêmicos, bem como entre a competência de leitura de palavras e a freqüência de erros ortográficos.

Além disso:

- Espera-se que seja possível encontrar uma dupla dissociação entre a freqüência de erros quirêmicos e o vocabulário de sinais de um lado, assim como entre a freqüência de erros ortográficos e a competência de leitura de palavras de outro, de modo que:
    - Comparando as correlações negativas entre a competência de leitura e a indução de erros por distratores quirêmicos e ortográficos, deve ser observada maior correlação negativa com os distratores ortográficos. E, reciprocamente:
    - Comparando as correlações negativas entre a compreensão de sinais da Libras e a indução de erros por distratores quirêmicos e ortográficos, deve ser observada maior correlação negativa com os distratores quirêmicos.

Assim, quando se trata de nomear *figuras* por escolha de palavras escritas, tal como avaliado pelo Teste de Nomeação de Figuras por Escolha em suas versões 1.1 e 2.1 (TNF1.1–Escolha e TNF2.1–Escolha), espera-se que haja um maior equilíbrio entre as contribuições relativas do vocabulário receptivo de sinais da Libras e da competência de leitura de palavras para o controle da indução de erros por distratores quirêmicos e ortográficos. Dessa forma, espera-se:

- Que o efeito dos distratores quirêmicos deva ser inversamente proporcional à compreensão de sinais da Libras, tal como avaliado pelo Teste de Vocabulário Receptivo de Sinais da Libras (TVRSL); e
- Que o efeito de distratores ortográficos deva ser inversamente proporcional à competência de leitura de palavras.

Tais expectativas foram corroboradas experimentalmente no estudo com a versão 2.1 (TNF2.1–Escolha: F. Capovilla, Viggiano, Bidá, A. Capovilla, Raphael, Neves, & Mauricio, 2004).

Contudo, quando se trata de nomear *sinais* por escolha de palavras escritas (tal como avaliado pelo Teste de Nomeação de Sinais por Escolha em suas versões 1.1 e 2.1 (i.e., TNS1.1–Escolha e TNS2.1–Escolha):

- Espera-se que a contribuição do vocabulário de sinais seja maior que a contribuição da competência de leitura de palavras (tal como avaliada pelo Teste de Competência de Leitura de Palavras, TCLP) e de sentenças (tal como avaliada pelo Teste de Competência de Leitura de Sentenças, TCLS).

Ou seja, espera-se algo além da covariação positiva e sistemática entre o vocabulário receptivo de sinais da Libras, a competência de leitura de palavras isoladas em Português e a competência de leitura de sentenças em Português. Pois, dada a importância da compreensão de sinais para a prova de nomeação de sinais por escolha de palavras escritas, espera-se que as três habilidades estejam mais correlacionadas de maneira inversa à indução de erros por distratores quirêmicos do que à indução de erros por distratores ortográficos.

Portanto, enquanto na tarefa de nomeação de figuras a compreensão de sinais é um elo intermediário interno que facilita a atividade de nomeação, na tarefa de nomeação de sinais a compreensão de sinais é o quesito *sine qua non* para que haja nomeação. Em outras palavras, embora a compreensão de sinais não seja suficiente para a nomeação (já que esta requer, também, habilidades em Português), ela é uma habilidade de entrada indispensável para que a nomeação possa ocorrer.

Por isso, em tarefas de nomeação por escolha de palavras, espera-se uma importância relativamente maior do processamento quirêmico em tarefas de nomeação de sinais do que em tarefas de nomeação de figuras.

Isso significa que, quando se trata de nomear sinais por escolha de palavras escritas, espera-se que o conhecimento de sinais da Libras seja mais importante que a competência de leitura de palavras e a competência de leitura de sentenças em Português, sendo que os distratores quirêmicos devem ser capazes de predizer melhor do que os distratores ortográficos o bom desempenho em nomeação de sinais por escolha de palavras escritas.

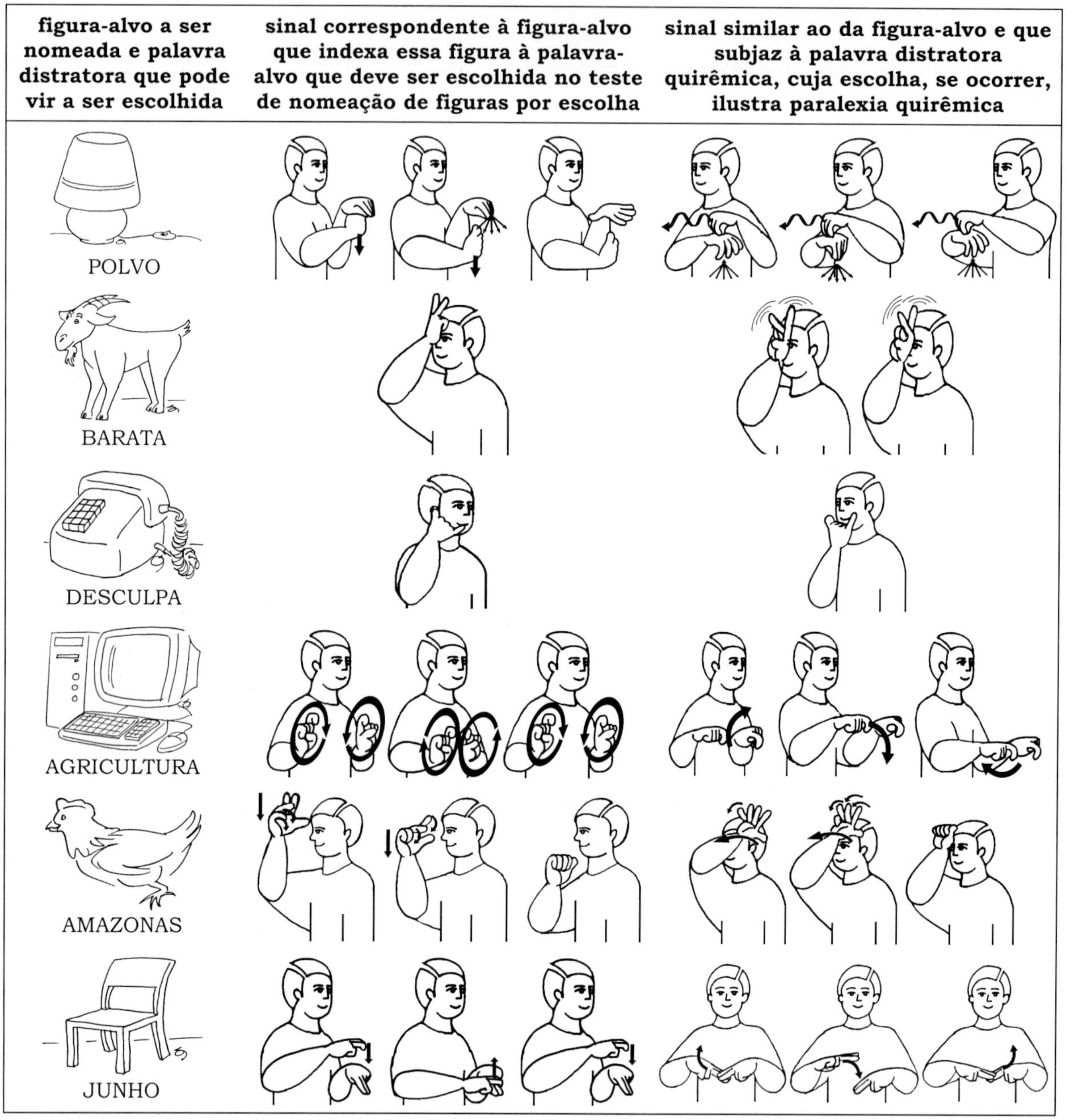

Figura 43. Amostra de seis das 36 figuras da versão 2.1 do Teste de Nomeação de Figuras por Escolha (TNF2.1–Escolha) que, segundo a hipótese de mediação por sinais, podem originar paralexias quirêmicas. Na coluna esquerda, as figuras de abajur, cabra, telefone, computador, galinha e cadeira a serem denominadas por meio da escolha da palavra escrita correspondente, e as palavras escritas que podem ser escolhidas pelos examinandos surdos para denominá-las, que correspondem às palavras distratoras quirêmicas POLVO, BARATA, DESCULPA, AGRICULTURA, AMAZONAS e JUNHO, respectivamente. Na coluna central, os sinais ABAJUR, CABRA, TELEFONE, COMPUTADOR, GALINHA e CADEIRA correspondentes às figuras da coluna esquerda a serem nomeadas. Na coluna direita, os sinais POLVO, BARATA, DESCULPA, AGRICULTURA, AMAZONAS e JUNHO, subjacentes às palavras distratoras quirêmicas (as quais, de acordo com a hipótese, podem ser escolhidas para denominar as figuras) correspondentes às figuras de abajur, cabra, telefone, computador, galinha e cadeira, respectivamente. Segundo a hipótese de mediação por sinais subjacentes, espera-se que a similaridade quirêmica entre os sinais subjacentes às figuras a serem nomeadas e às palavras distratoras quirêmicas induza examinandos surdos sinalizadores a cometer paralexias quirêmicas, escolhendo as palavras distratoras quirêmicas em vez das palavras-alvo e, consequentemente, nomeando um abajur como POLVO, uma cabra como BARATA, um telefone como DESCULPA, um computador como AGRICULTURA, uma galinha como AMAZONAS e uma cadeira como JUNHO.

4.10.1.2.10.5.) Modo de aplicação do TNF2.1–Escolha

O TNF2.1–Escolha pode ser aplicado em uma série de formas, como descrito a seguir.

4.10.1.2.10.5.1.) Aplicação do TNF2.1–Escolha com *Folha completa de aplicação com figuras e palavras de escolha do TNF2.1–Escolha*

A forma de aplicação mais estandardizada, auto-suficiente e prática consiste no uso da *Folha completa de aplicação com figuras e palavras para escolha do TNF2.1–Escolha.* É auto-suficiente porque prescinde da necessidade de uso de retroprojetor, tela e transparências para projeção de figuras. É estandardizada porque garante que as figuras sejam apresentadas sempre do mesmo modo, de aplicação em aplicação, sem as variações espúrias que ocorrem com o uso de retroprojetor em termos de tamanho da imagem projetada, de período de tempo concedido para as respostas, e assim por diante.

É prática porque a mesma folha única desempenha as funções de apresentação das figuras e de coleta das respostas, podendo ser aplicada de modo individual ou coletivo nos contextos educacional e clínico. Além disso, já que consiste em apenas uma folha impressa em frente e verso (i.e., duas páginas), seu custo é desprezível, podendo ser facilmente arquivado ou descartado após a transposição dos dados para planilhas estatísticas.

Trata-se de uma folha que contém duas páginas, cada qual com duas colunas, e nove itens por coluna, num total de 36 itens, sendo cada item composto de uma figura (à esquerda) e de quatro palavras escritas em Português (à direita) como alternativas de escolha para cada figura. A tarefa do examinando surdo é a de assinalar a palavra escrita que corresponde ao nome da figura, circundando, sublinhando ou simplesmente cruzando com um "*X*" essa palavra.

A Figura 41 ilustra dois itens dessa *Folha completa de aplicação com figuras e palavras de escolha do TNF2.1–Escolha.* Essa *Folha completa de aplicação com figuras e palavras de escolha* pode ser encontrada no estudo original sobre o TNF2.1–Escolha (F. Capovilla, Viggiano, Bidá, A. Capovilla, Raphael, Neves, & Mauricio, 2004).

4.10.1.2.10.5.2.) Coleta de dados do TNF2.1–Escolha via *Folha de respostas com palavras de escolha do TNF2.1–Escolha* e apresentação de figuras via *Folha de aplicação com figuras do TNF2.1–Escolha* ou *Conjunto de duas transparências de figuras do TNF2.1–Escolha*

A *Folha completa de aplicação com figuras e palavras de escolha do TNF2.1–Escolha* permite uma aplicação autônoma do teste, tanto individual quanto coletiva, sendo que os examinandos progridem em ritmo próprio. Para aplicação coletiva, em que todos os examinandos progridem no mesmo ritmo, pode-se usar o *Conjunto de duas transparências de figuras do TNF2.1–Escolha.* Nesse caso, em vez de distribuir aos examinandos a *Folha completa de aplicação com figuras e palavras de escolha do TNF2.1–Escolha,* pode-se distribuir apenas a *Folha de respostas com palavras de escolha do TNF2.1–Escolha.*

Essa *Folha de respostas com palavras de escolha do TNF2.1–Escolha* contém um quadro de 36 linhas, correspondentes aos itens 1 a 36, e cinco colunas. A primeira corresponde ao número do item (i.e., de 1 a 36), e as quatro seguintes correspondem às quatro palavras escritas como alternativas de escolha para cada item. Trata-se de uma folha de papel sulfite contendo 36 linhas, uma por item, com quatro colunas por linha, num total de 144 células (i.e., 36 linhas com quatro colunas por linha), cada qual com uma palavra escrita diferente. A tarefa dos examinandos surdos é a de, a cada um dos 36 itens ou linhas, sublinhar ou circundar ou assinalar com um "*X*" a palavra que corresponde à figura a ser nomeada naquele item do teste.

O Quadro 16 ilustra dois itens da *Folha de respostas com palavras de escolha do TNF2.1–Escolha* (no caso, os itens 30 e 31). Essa *Folha de respostas com palavras de escolha do TNF2.1–Escolha* pode ser encontrada no estudo original sobre o TNF2.1–Escolha (F. Capovilla, Viggiano, Bidá, A. Capovilla, Raphael, Neves, & Mauricio, 2004).

Quadro 16. Amostra de dois itens da *Folha de respostas com palavras de escolha do TNF2.1–Escolha.*

30	OVELHA	CONCHA	ORELHA	SOBRANCELHA
31	GALINHA	AMAZONAS	PATA	LATINHA

O material completo para aplicação prática e autônoma, tanto individual quanto coletiva do TNF2.1–Escolha, consiste na *Folha completa de aplicação com figuras e palavras de escolha do TNF2.1–*

Escolha. Seu custo é desprezível, já que se trata apenas de uma folha de papel sulfite impressa em frente e verso. No entanto, se o desejar, o examinador pode apresentar as figuras por meio da *Folha de aplicação com figuras do TNF2.1–Escolha,* que pode ser plastificada para reutilização em aplicações repetidas, ou do *Conjunto de duas transparências de figuras do TNF2.1–Escolha,* que permite projeção na parede ou na tela com o auxílio de um retroprojetor. Nesses dois casos, a coleta de respostas deve ser feita por meio da *Folha de respostas com palavras de escolha do TNF2.1–Escolha.*

Como a *Folha completa de aplicação com figuras e palavras de escolha do TNF2.1–Escolha,* a *Folha de aplicação com figuras do TNF2.1–Escolha* tem duas páginas, contendo duas colunas com nove figuras cada uma. A *Folha de aplicação com figuras do TNF2.1–Escolha* apresenta apenas as figuras, sem as palavras escritas para escolha, ao passo que a *Folha completa de aplicação com figuras e palavras de escolha do TNF2.1–Escolha* contém tanto as figuras quanto as palavras escritas para escolha. A *Folha de aplicação com figuras do TNF2.1–Escolha* pode ser usada tanto para aplicação individual quanto para aplicação coletiva. Para aplicação coletiva, devem ser preparadas tantas *Folhas de aplicação com figuras* quantos examinandos, já que cada examinando deve ter a sua própria *Folha de aplicação com figuras.*

O *Conjunto de duas transparências de figuras do TNF2.1–Escolha* tem o mesmo *layout* e número de páginas da *Folha de aplicação com figuras do TNF2.1–Escolha.* É usualmente o recurso mais econômico e prático para aplicação coletiva, com a vantagem adicional de reduzir o risco de os examinandos saltarem itens ou se confundirem no momento de preencher a folha de respostas, já que o examinador, ao apontar uma figura por vez, estabelece um ritmo coletivo e sistemático ao responder dos alunos. Novamente, a tarefa dos examinandos surdos é a de, a cada um dos 36 itens ou linhas, sublinhar, circundar ou assinalar com um "*X*" a palavra que corresponde à figura exibida na tela pelo retroprojetor à medida que o examinador for apresentando as figuras. Ou seja, o examinador deve apontar para uma figura exibida na tela pelo retroprojetor e instruir os examinandos surdos a escolher, dentre as quatro palavras escritas alternativas em Português, aquela que melhor corresponde à figura exibida na tela, e sublinhar, circundar ou assinalar essa palavra com um "*X*".

A *Folha de aplicação com figuras do TNF2.1–Escolha* e o *Conjunto de duas transparências de figuras do TNF2.1–Escolha* encontram-se no estudo original sobre o TNF2.1–Escolha (F. Capovilla, Viggiano, Bidá, A. Capovilla, Raphael, Neves, & Mauricio, 2004).

4.10.1.2.10.5.3.) Aplicação computadorizada do TNF2.1–Escolha

A versão original TNF2.1–Escolha e as duas versões dela derivadas (i.e., a reordenada TNF2.2–Escolha e a revisada TNF2.3–Escolha) são eficientemente implementadas como testes de papel e lápis em seus respectivos cadernos de aplicação. Além disso, há uma versão computadorizada de cada uma dessas três versões que é executável em qualquer terminal com plataforma Windows. Essas três versões computadorizadas permitem avaliar crianças surdas que se encontrem incapacitadas de segurar um lápis ou sequer de apontar com os dedos para assinalar a alternativa correta devido a severos e variados tipos de impedimento motor (e.g., amputação ou impedimentos congênitos) e de distúrbios neuromotores (e.g., tetraplegia por lesão cervical, paralisia cerebral ou esclerose lateral amiotrófica).

O compêndio de avaliação do desenvolvimento da linguagem de sinais, leitura e escrita na criança surda (F. Capovilla & Viggiano, 2004) apresenta a versão computadorizada revisada 2.3 do Teste de Nomeação de Figuras por Escolha de Palavras (TNF2.3–Escolha–Comp: Macedo, F. Capovilla, Charin, Viggiano, Duduchi, Covre, Diana, A. Capovilla, & Raphael, 2004). As três versões computadorizadas fazem varredura automática entre as palavras alternativas de escolha sendo que, para escolher entre elas, tudo que o examinando surdo paralisado ou amputado tem de fazer é emitir um movimento qualquer, como o piscar, quando a palavra alternativa desejada estiver disponível para escolha. Esse movimento pode ser, então, capturado por diversos tipos de detetor infravermelho para acionar o computador. O tipo e a estratégia de varredura (Gonçalves, F. Capovilla, Macedo, & Duduchi, 1997), o parâmetro temporal dessa varredura (F. Capovilla, Thiers, & Macedo, 2002; F. Capovilla, Thiers, Macedo, & Duduchi, 1998; F. Capovilla, Thiers, Macedo, Raphael, & Duduchi, 1998; F. Capovilla, Thiers, & A. Capovilla, 2003), e o tipo de acionador (Charin & F. Capovilla, 2000; Macedo & F. Capovilla, 2000a) podem ser adaptados precisamente às características neuromotoras (F. Capovilla, Macedo, Duduchi, A. Capovilla, & Thiers, 1998) do examinando surdo (F. Capovilla, Macedo, A. Capovilla, Thiers, Raphael, & Duduchi, 1998). Essas versões computadorizadas também podem ser implementadas com seleção direta por toque sobre tela sensível; e coletam e tabulam dados automaticamente, produzindo um relatório de resultados após a aplicação (Macedo, F. Capovilla, & Sazonov, 2000), com medidas detalhadas de uma série de dimensões de resposta, incluindo o acerto total e em cada subteste, o tipo de erro e a freqüência de cada um dos tipos de paralexia (i.e., quirêmica, semântica, ortográfica), e o tempo de resposta por subteste. Tais versões computadorizadas vêm sendo elaboradas a partir de tecnologia acumulada na última década (F. Capovilla, A. Capovilla, & Macedo, 2001a; F. Capovilla, Gonçalves, & Macedo, 1998; F. Capovilla, Macedo, A. Capovilla, Thiers, & Duduchi, 1997; Gonçalves, Macedo, Sennyey, & F. Capovilla, 2000; Macedo, Gonçalves, F. Capovilla, & Sennyey, 2002) para avaliar examinandos surdos e ouvintes com diferentes quadros de paralisia cerebral (F. Capovilla, Macedo, Duduchi, A. Capovilla, & Gonçalves 1998; F. Capovilla & Nunes, 2003; Thiers, F. Capovilla, Charin, Duduchi, & Macedo, 2000), esclerose lateral amiotrófica (F. Capovilla, A. Duduchi, Macedo, A. Capovilla, & Sazonov, 2000; Lima, Macedo, F. Capovilla, & Sazonov, 2000) e afasia (F. Capovilla, A. Capovilla, Macedo, & Duduchi, 2000a; Macedo, F. Capovilla, Charin, & Duduchi, 1998), dentre outros.

Além dessas versões para computadores locais, as três versões também já se encontram disponíveis na Internet (Macedo, F. Capovilla, Diana, & Covre, 2002), para conduzir uma teleavaliação em todo o território nacional, de modo a acompanhar o desenvolvimento dos escolares surdos em todos os estados da federação e, assim, obter subsídios para o aperfeiçoamento constante de procedimentos e materiais para a educação da criança e do jovem surdo brasileiro e a derivação de uma política nacional de educação de surdos fundamentada em dados de desempenho.

É preciso apenas lembrar que, como é muito provável que os desempenhos variem como função do modo de aplicação de cada uma das versões do teste (i.e., a original TNF2.1–Escolha, a reordenada TNF2.2–Escolha, e a revisada TNF2.3–Escolha), é recomendável que sejam geradas normas específicas para cada uma dessas versões sob cada um dos diferentes modos de aplicação, em termos de aplicação individual ou coletiva, e:

- 1.) Aplicação com *Folha completa de aplicação com figuras e palavras de escolha do TNF2.1–Escolha*; ou
- 2.) Aplicação com *Folha de aplicação com figuras do TNF2.1–Escolha* associada à *Folha de respostas com palavras de escolha do TNF2.1–Escolha*; ou
- 3.) Aplicação com *Conjunto de duas transparências de figuras do TNF2.1–Escolha* associado à *Folha de respostas com palavras de escolha do TNF2.1–Escolha*; ou
- 4.) Aplicação computadorizada local com tela sensível ao toque; ou
- 5.) Aplicação computadorizada local com seleção de palavras escritas por varredura automática com diferentes intervalos temporais de varredura e diferentes tipos de acionamento para avaliação de examinandos surdos com distúrbios neuromotores; ou
- 6.) Aplicação via Internet para a teleavaliação em todo o território nacional.

Na presente série de estudos, a tabela de dados normativos da versão original TNF2.1–Escolha foi gerada a partir de aplicação coletiva com o *Conjunto de duas transparências de figuras do TNF2.1–Escolha* e coleta de dados com folha de registro à parte, a *Folha de respostas com palavras de escolha do TNF2.1–Escolha*. Assim, a tabela de dados normativos obtida para a versão original TNF2.1–Escolha (F. Capovilla, Viggiano, Bidá, A. Capovilla, Raphael, Neves, & Mauricio, 2004) deve ser empregada para avaliar os resultados desse modo de aplicação coletiva com transparências e folha de registro à parte, sendo eventualmente menos válida para avaliar os resultados obtidos a partir de outros modos de aplicação.

Numa série subseqüente de estudos de normatização e validação presentemente em andamento com as versões reordenadas, revisadas e abreviadas, a versão revisada TNF2.3–Escolha vem sendo normatizada e validada por aplicação coletiva com a *Folha completa de aplicação com figuras e palavras de escolha do TNF2.3–Escolha*, em vez de com o *Conjunto de duas transparências de figuras* e coleta de dados com *Folha de respostas com palavras de escolha*, como ocorreu no TNF2.1–Escolha, uma vez que essa versão revisada TNF2.3–Escolha foi elaborada para ser auto-suficiente e independer da apresentação de figuras pelo examinador por meio de transparências. Essa versão revisada TNF2.3–Escolha, normatizada com uma amostra ampliada de mais de 1.500 estudantes surdos da 1ª. série do Ensino Fundamental até a 3ª. série do Ensino Médio, estará brevemente disponível.

4.10.1.2.11.) A versão original 1.1 do Teste de Vocabulário Receptivo de Sinais da Libras (TVRSL1.1)

O TVRSL1.1 já foi descrito anteriormente neste capítulo.

4.10.1.2.12.) Visão geral sumária dos materiais empregados no presente estudo

No presente estudo de normatização e validação da versão original do Teste de Vocabulário Receptivo de Sinais da Libras (TVRSL1.1), os seguintes materiais foram empregados:

- 01.) Versão original do Teste de Vocabulário Receptivo de Sinais da Libras: TVRSL1.1 (F. Capovilla, Viggiano, A. Capovilla, Raphael, Bidá, & Mauricio, 2004), com *Caderno de figuras para aplicação do TVRSL1*, um lápis preto e uma borracha para cada examinando surdo. *Guia para aplicação de sinais do TVRSL1.1*, retroprojetor e transparências de acetato;
- 02.) Versão original do Teste de Competência de Leitura de Palavras: TCLP1.1 (F. Capovilla, Viggiano, A. Capovilla, Raphael, Mauricio, & Bidá, 2004), com *Caderno completo para aplicação do TCLP1.1*, um lápis preto e uma borracha para cada examinando surdo;
- 03.) Versão original 1.1 do Teste de Nomeação de Figuras por Escolha: TNF1.1–Escolha (F. Capovilla, Viggiano, Raphael, Bidá, A. Capovilla, Neves, & Mauricio, 2004), com retroprojetor, tela de projeção e *Conjunto de transparências de figuras do TNF1.1–Escolha, Folha de coleta de respostas de escolha dos nomes das figuras do TNF1.1–Escolha*, um lápis preto e uma borracha para cada examinando;
- 04.) Versão original 2.1 do Teste de Nomeação de Figuras por Escolha: TNF2.1–Escolha (F. Capovilla, Viggiano, Bidá, A. Capovilla, Raphael, Neves, & Mauricio, 2004), com retroprojetor, tela de projeção, *Conjunto de transparências de figuras do TNF2.1–Escolha, Folha de coleta de respostas de escolha dos nomes de figuras do TNF2.1–Escolha*, um lápis preto e uma borracha para cada examinando;
- 05.) Versão original 1.1 do Teste de Nomeação de Sinais por Escolha: TNS1.1–Escolha (F. Capovilla, Viggiano, Raphael, Mauricio, A. Capovilla, & Bidá, 2004), *Guia para aplicação de sinais do TNS1.1–Escolha, Folha de coleta de escolha dos nomes dos sinais do TNS1.1–Escolha.*, um lápis preto e uma borracha para cada examinando surdo;
- 06.) Versão original 2.1 do Teste de Nomeação de Sinais por Escolha: TNS2.1–Escolha (F. Capovilla, Viggiano, Bidá, Luz, A. Capovilla, & Neves, 2004), *Guia para aplicação de sinais do TNS2.1–Escolha, Folha de coleta de respostas de escolha dos nomes dos sinais do TNS2.1–Escolha.*, um lápis preto e uma borracha para cada examinando surdo;
- 07.) Versão original 1.1 do Teste de Nomeação de Figuras por Escrita: TNF1.1–Escrita (F. Capovilla, Viggiano, Raphael, Bidá, A. Capovilla, Mauricio, & Neves, 2004), com retroprojetor, tela de projeção, *Conjunto de transparências de figuras do TNF1.1–Escrita, Folha de coleta de escrita dos nomes de figuras do TNF1.1–Escrita*, um lápis preto e uma borracha para cada examinando;
- 08.) Versão original 2.1 do Teste de Nomeação de Figuras por Escrita: TNF2.1–Escrita (F. Capovilla, Viggiano, Raphael, Bidá, A. Capovilla, & Neves, 2004), com retroprojetor, tela de projeção, *Conjunto de transparências de figuras do TNF2.1–Escrita, Folha de coleta de escrita dos nomes de figuras do TNF2.1–Escrita*, um lápis preto e uma borracha para cada examinando;
- 09.) Versão original 1.1 do Teste de Nomeação de Sinais por Escrita: TNS1.1–Escrita (F. Capovilla, Viggiano, Bidá, Raphael, A. Capovilla, & Mauricio, 2004), *Guia para aplicação de sinais do TNS1.1–Escrita, Folha de coleta de escrita dos nomes dos sinais do TNS1.1–Escrita.*, um lápis preto e uma borracha para cada examinando surdo;
- 10.) Versão original 2.1 do Teste de Nomeação de Sinais por Escrita: TNS2.1–Escrita (F. Capovilla, Viggiano, Luz, A. Capovilla, Bidá, & Mauricio, 2004), *Guia para aplicação de sinais do TNS2.1–Escrita, Folha de coleta de escrita dos nomes dos sinais do TNS2.1–Escrita*, um lápis preto e uma borracha para cada examinando surdo;
- 11.) Versão original do Teste de Competência de Leitura de Sentenças: TCLS1.1 (F. Capovilla, Viggiano, A. Capovilla, Raphael, Bidá, Neves, & Mauricio, 2004), com *Caderno completo para aplicação do TCLS1.1*, um lápis preto e uma borracha para cada examinando surdo.

4.10.1.3.) Procedimento

Todos os 505 estudantes das seis escolas foram avaliados nos três testes que tinham apenas uma versão (i.e., Teste de Vocabulário Receptivo de Sinais da Libras, Teste de Competência de Leitura de Palavras, Teste de Competência de Leitura de Sentenças). Já com respeito aos quatro testes que tinham duas versões (i.e., Teste de Nomeação de Figuras por Escolha, Teste de Nomeação de Sinais por Escolha, Teste de Nomeação de Figuras por Escrita e Teste de Nomeação de Sinais por Escrita), os 361 estudantes das quatro Emees da capital (i.e., Anne Sullivan, Helen Keller, Lucie Bray, e Neusa Bassetto) foram avaliados em apenas uma das versões com o objetivo de evitar qualquer carreamento de uma a outra versão. Já os 144 estudantes das duas escolas filantrópicas do interior (i.e., Escola Especial de Crianças Surdas da Fundação Rotarianos, e Associação Terapêutica de Estimulação Auditiva e Linguagem) foram avaliados nas duas versões com o objetivo de permitir a aferição do grau de correlação entre essas versões.

Assim, os 361 estudantes das Emees da capital foram avaliados em apenas uma das versões dos quatro testes que têm duas versões (i.e., Teste de Nomeação de Figuras por Escolha, Teste de Nomeação de Sinais por Escolha, Teste de Nomeação de Figuras por Escrita e Teste de Nomeação de Sinais por Escrita), além de nos três testes que têm apenas uma versão (i.e., Teste de Vocabulário Receptivo de Sinais da Libras, Teste de Competência de Leitura de Palavras, e Teste de Competência de Leitura de Sentenças). Nessas quatro Emees da capital, os testes foram empregados na seguinte ordem:

- 1.) Versão original do Teste de Competência de Leitura de Palavras:
  TCLP1.1;
- 2.) Versão original do Teste de Competência de Leitura de Sentenças:
  TCLS1.1;
- 3.) Versão original do Teste de Vocabulário Receptivo de Sinais da Libras:
  TVRSL1.1;
- 4.) Versões originais 1.1 ou 2.1 do Teste de Nomeação de Sinais por Escolha:
  TNS1.1–Escolha ou TNS2.1–Escolha;
- 5.) Versões originais 1.1 ou 2.1 do Teste de Nomeação de Sinais por Escrita:
  TNS1.1–Escrita ou TNS2.1–Escrita;
- 6.) Versões originais 1.1 ou 2.1 do Teste de Nomeação de Figuras por Escolha:
  TNF1.1–Escolha ou TNF2.1–Escolha;
- 7.) Versões originais 1.1 ou 2.1 do Teste de Nomeação de Figuras por Escrita:
  TNF1.1–Escrita ou TNF2.1–Escrita.

Por outro lado, os 144 estudantes das duas escolas filantrópicas do interior foram avaliados tanto na versão 1.1 quanto na versão 2.1 dos quatro testes que têm duas versões (i.e., Teste de Nomeação de Figuras por Escolha, Teste de Nomeação de Sinais por Escolha, Teste de Nomeação de Figuras por Escrita, e Teste de Nomeação de Sinais por Escrita), além de nos três testes que têm apenas uma versão (i.e., Teste de Vocabulário Receptivo de Sinais da Libras, Teste de Competência de Leitura de Palavras, e Teste de Competência de Leitura de Sentenças). Nessas duas escolas do interior, os testes foram empregados na seguinte ordem:

- 01.) Versão original do Teste de Competência de Leitura de Palavras:
  TCLP1.1;
- 02.) Versão original do Teste de Vocabulário Receptivo de Sinais da Libras:
  TVRSL1.1;
- 03.) Versão original 1.1 do Teste de Nomeação de Figuras por Escolha:
  TNF1.1–Escolha;
- 04.) Versão original 2.1 do Teste de Nomeação de Figuras por Escolha:
  TNF2.1–Escolha;
- 05.) Versão original 1.1 do Teste de Nomeação de Sinais por Escolha:
  TNS1.1–Escolha;
- 06.) Versão original 2.1 do Teste de Nomeação de Sinais por Escolha:
  TNS2.1–Escolha;
- 07.) Versão original 1.1 do Teste de Nomeação de Figuras por Escrita:
  TNF1.1–Escrita;
- 08.) Versão original 2.1 do Teste de Nomeação de Figuras por Escrita:
  TNF2.1–Escrita;
- 09.) Versão original 1.1 do Teste de Nomeação de Sinais por Escrita:
  TNS1.1–Escrita;
- 10.) Versão original 2.1 do Teste de Nomeação de Sinais por Escrita:
  TNS2.1–Escrita;

- 11.) Versão original do Teste de Competência de Leitura de Sentenças: TCLS1.1.

Todos os onze testes foram aplicados em situação coletiva em sala de aula. Com exceção do TVRSL1.1, que foi dividido em duas sessões de 60 minutos cada uma, cada um dos demais dez testes foi aplicado em uma sessão única, com duração variando de 30 a 75 minutos. Um único examinador fluente em Libras administrou todos os onze testes.

- 01.) O TCLP1.1 foi aplicado coletivamente em sala de aula em sessão única de 60 minutos por meio de caderno completo de setenta itens, com uma figura e um item escrito por item. Para a aplicação o examinador distribuía o *Caderno completo para aplicação do TCLP1.1*, um lápis preto e uma borracha para cada examinando surdo;
- 02.) O TVRSL1.1 foi aplicado coletivamente em sala de aula, em 120 minutos, divididos em duas sessões de 60 minutos cada uma, com articulação ao vivo dos 139 sinais pelo examinador orientado por um guia de aplicação, e coleta de dados por meio de um caderno de figuras, contendo quatro figuras para cada um dos 139 sinais apresentados pelo examinador. Previamente à aplicação, o examinador havia dividido ao meio o *Caderno de figuras para aplicação do TVRSL1*, reservando a primeira metade para a primeira sessão e a segunda metade para a segunda sessão. Antes de cada sessão, o examinador distribuía a metade do *Caderno de figuras para aplicação do TVRSL1.1*, um lápis preto e uma borracha para cada examinando surdo. Durante as sessões, para assegurar-se de que os sinais fossem articulados precisamente do mesmo modo, o examinador fazia uso do *Guia para aplicação de sinais do TVRSL1.1*. Ao mesmo tempo, para assegurar que os alunos não se perdessem no caderno, ele projetava as quatro alternativas de escolha na tela por meio de retroprojetor e transparências, e instruía os examinandos a escolher uma das quatro figuras (i.e., aquela que melhor correspondesse ao significado do sinal) e a assinalassem em seus cadernos;
- 03.) O TCLS1.1 foi aplicado coletivamente em sala de aula em uma sessão única de 75 minutos por meio de caderno completo de quarenta itens, ou seja, de quarenta sentenças, cada qual seguida de cinco figuras alternativas de escolha. Para a aplicação, o examinador distribuía o *Caderno completo para aplicação do TCLS1.1*, um lápis preto e uma borracha para cada examinando surdo;
- 04.) O TNF1.1–Escolha foi aplicado coletivamente em sala de aula em uma sessão única de 30 minutos, sendo as 36 figuras do teste projetadas em tela por meio de transparências de acetato e retroprojetor, e as respostas coletadas por meio de folha avulsa contendo 36 linhas, uma para cada figura requerida no item, com quatro colunas por linha, cada coluna contendo uma palavra alternativa de escolha. Previamente à aplicação, o examinador havia confeccionado as transparências por meio da fotocópia da *Matriz para a confecção do conjunto de transparências de figuras do TNF1.1–Escolha.* Antes da aplicação, o examinador distribuía a *Folha de coleta de respostas de escolha dos nomes de figuras do TNF1.1–Escolha*, juntamente com um lápis preto e uma borracha para cada examinando. Então, fazendo uso do retroprojetor, da tela de projeção e do *Conjunto de transparências de figuras do TNF1.1–Escolha*, o examinador projetava uma figura por vez para que os alunos escolhessem a palavra apropriada em sua *Folha de coleta de respostas de escolha dos nomes das figuras do TNF1.1–Escolha*;
- 05.) O TNF2.1–Escolha foi aplicado coletivamente em sala de aula em uma sessão única de 30 minutos, sendo as 36 figuras do teste projetadas em tela por meio de transparências de acetato e retroprojetor, e as respostas coletadas por meio de folha avulsa contendo 36 linhas, uma para cada figura requerida no item, com quatro colunas por linha, cada coluna contendo uma palavra alternativa de escolha. Previamente à aplicação, o examinador havia confeccionado as transparências por meio da fotocópia da *Matriz para a confecção do conjunto de transparências de figuras do TNF2.1–Escolha.* Antes da aplicação, o examinador distribuía a *Folha de coleta de respostas de escolha dos nomes de figuras do TNF2.1–Escolha*, juntamente com um lápis preto e uma borracha para cada examinando. Então, fazendo uso do retroprojetor, da tela de projeção e do *Conjunto de transparências de figuras do TNF2.1–Escolha*, o examinador projetava uma figura por vez para que os alunos escolhessem a palavra apropriada em sua *Folha de coleta de respostas de escolha dos nomes das figuras do TNF2.1–Escolha*;
- 06.) O TNF1.1–Escrita foi aplicado coletivamente em sala de aula em uma sessão única de 60 minutos, sendo as 36 figuras do teste projetadas em tela por meio de transparências de acetato e retroprojetor, e as respostas coletadas por meio de folha avulsa contendo 36 linhas em branco, cada qual para a escrita da palavra correspondente a cada figura. Previamente à

aplicação, o examinador havia confeccionado as transparências por meio da fotocópia da *Matriz para a confecção do conjunto de transparências de figuras do TNF1.1–Escrita*. Antes da aplicação, o examinador distribuía a *Folha de coleta de escrita dos nomes de figuras do TNF1.1–Escrita*, juntamente com um lápis preto e uma borracha para cada examinando. Então, fazendo uso do retroprojetor, da tela de projeção e do *Conjunto de transparências de figuras do TNF1.1–Escrita*, o examinador projetava uma figura por vez para que os alunos escrevessem o nome da figura projetada em sua *Folha de coleta de escrita dos nomes das figuras do TNF1.1–Escrita*;

- 07.) O TNF2.1–Escrita foi aplicado coletivamente em sala de aula em uma sessão única de 60 minutos, sendo as 36 figuras do teste projetadas em tela por meio de transparências de acetato e retroprojetor, e as respostas coletadas por meio de folha avulsa contendo 36 linhas em branco, cada qual para a escrita da palavra correspondente a cada figura. Previamente à aplicação, o examinador havia confeccionado as transparências por meio da fotocópia da *Matriz para a confecção do conjunto de transparências de figuras do TNF2.1–Escrita*. Antes da aplicação, o examinador distribuía a *Folha de coleta de escrita dos nomes de figuras do TNF2.1–Escrita*, juntamente com um lápis preto e uma borracha para cada examinando. Então, fazendo uso do retroprojetor, da tela de projeção e do *Conjunto de transparências de figuras do TNF2.1–Escrita*, o examinador projetava uma figura por vez para que os alunos escrevessem o nome da figura projetada em sua *Folha de coleta de escrita dos nomes das figuras do TNF2.1–Escrita*;

- 08.) O TNS1.1–Escolha foi aplicado coletivamente em sala de aula em uma sessão única de 30 minutos, sendo os 36 sinais de cada teste articulados ao vivo pelo examinador, e as respostas coletadas por meio de folha avulsa contendo 36 linhas, uma para cada sinal requerido no item, e quatro colunas, uma para cada palavra alternativa de escolha. Antes da aplicação, o examinador distribuía a *Folha de coleta de respostas de escolha dos nomes dos sinais do TNS1.1–Escolha*, um lápis preto e uma borracha para cada examinando surdo. Durante a aplicação, para assegurar-se de que os sinais fossem articulados precisamente do mesmo modo, o examinador fazia uso do *Guia para aplicação de sinais do TNS1.1–Escolha*. Assim, o examinador articulava um sinal por vez e pedia que os alunos escolhessem o nome do sinal em sua *Folha de coleta de escolha dos nomes dos sinais do TNS1.1–Escolha*;

- 09.) O TNS2.1–Escolha foi aplicado coletivamente em sala de aula em uma sessão única de 30 minutos, sendo os 36 sinais de cada teste articulados ao vivo pelo examinador, e as respostas coletadas por meio de folha avulsa contendo 36 linhas, uma para cada sinal requerido no item, e quatro colunas, uma para cada palavra alternativa de escolha. Antes da aplicação, o examinador distribuía a *Folha de coleta de respostas de escolha dos nomes dos sinais do TNS2.1–Escolha*, um lápis preto e uma borracha para cada examinando surdo. Durante a aplicação, para assegurar-se de que os sinais fossem articulados precisamente do mesmo modo, o examinador fazia uso do *Guia para aplicação de sinais do TNS2.1–Escolha*. Assim, o examinador articulava um sinal por vez e pedia que os alunos escolhessem o nome do sinal em sua *Folha de coleta de respostas de escolha dos nomes dos sinais do TNS2.1–Escolha*;

- 10.) O TNS1.1–Escrita foi aplicado coletivamente em sala de aula em uma sessão única de 60 minutos, sendo os 36 sinais de cada teste articulados ao vivo pelo examinador, e as respostas coletadas por meio de folha avulsa contendo 36 linhas em branco, cada qual para a escrita da palavra correspondente ao sinal requerido no item. Antes da aplicação, o examinador distribuía a *Folha de coleta de escrita dos nomes dos sinais do TNS1.1–Escrita*, um lápis preto e uma borracha para cada examinando surdo. Durante a aplicação, para assegurar-se de que os sinais fossem articulados precisamente do mesmo modo, o examinador fazia uso do *Guia para aplicação de sinais do TNS1.1–Escrita*. Assim, o examinador articulava um sinal por vez e pedia que os alunos escrevessem o nome do sinal em sua *Folha de coleta de escrita dos nomes dos sinais do TNS1.1–Escrita*;

- 11.) O TNS2.1–Escrita foi aplicado coletivamente em sala de aula em uma sessão única de 60 minutos, sendo os 36 sinais de cada teste articulados ao vivo pelo examinador, e as respostas coletadas por meio de folha avulsa contendo 36 linhas em branco, cada qual para a escrita da palavra correspondente ao sinal requerido no item. Antes da aplicação, o examinador distribuía a *Folha de coleta de escrita dos nomes dos sinais do TNS2.1–Escrita*, um lápis preto e uma borracha para cada examinando surdo. Durante a aplicação, para assegurar-se de que os sinais fossem articulados precisamente do mesmo modo, o examinador fazia uso do *Guia para aplicação de sinais do TNS2.1–Escrita*. Assim, o examinador articulava um sinal por vez e pedia que os alunos escrevessem o nome do sinal em sua *Folha de coleta de escrita dos nomes dos sinais do TNS2.1–Escrita*.

4.10.2.) Resultados

4.10.2.1.) Efeito de série escolar sobre escore total na versão original do Teste de Vocabulário Receptivo de Sinais da Libras (TVRSL1.1)

A análise de variância do escore total na versão 1.1 do Teste de Vocabulário Receptivo de Sinais da Libras (TVRSL1.1) como função da série escolar revelou efeito significativo da série escolar, F (8, 452) = 21,16, $p < 0,000$), $r = 0,52$, $r^2 = 0,27$, $N = 461$. Conforme sumariado na Tabela 11 e representado na Figura 44 (à esquerda), o escore aumentou desde a 1ª. até a 8ª série do Ensino Fundamental.

As análises de comparação de pares por meio do teste conservador de Bonferroni revelaram que o escore cresceu significativamente da 1ª. série às demais a partir da 3ª. série; da 2ª. série às demais a partir da 4ª. série; da 3ª. série às demais a partir da 5ª. série; e da 4ª. série às 6ª. e 7ª. séries. A partir daí, não houve diferença significativa.

As análises de comparação de pares por meio do teste liberal de Fisher LSD revelaram que o escore cresceu significativamente da 1ª. série a todas as demais já a partir da 2ª. série; da 2ª. série a todas as demais já a partir da 3ª. série; da 3ª. série às demais a partir da 5ª. série; e da 4ª. série às demais a partir da 5ª. série. A partir daí não houve diferença significativa.

Tabela 11. Escore total na versão original do Teste de Vocabulário Receptivo de Sinais da Libras (TVRSL1.1) como função da série escolar dos 461 estudantes desde a 1ª. série do Ensino Fundamental até a 1ª. série do Ensino Médio. Média (*M*) e erro-padrão (*EP*) resultantes de análise de variância (Anova).

Série	Média ajustada pela Anova	Erro-padrão obtido da Anova	N
1ª.	91,60	1,89	70
2ª.	97,70	1,85	73
3ª.	102,79	1,81	76
4ª.	107,46	1,89	70
5ª.	115,86	2,19	52
6ª.	116,62	2,11	56
7ª.	118,53	2,56	38
8ª.	119,41	3,36	22
9ª.	116,75	7,89	4

4.10.2.2.) Efeito de série escolar sobre escore total na versão original do Teste de Vocabulário Receptivo de Sinais da Libras (TVRSL1.1), controlando o efeito da perda auditiva

A Figura 44 representa o escore na versão original do Teste de Vocabulário Receptivo de Sinais da Libras (TVRSL1.1) como função da série escolar dos 439 estudantes com grau de perda auditiva conhecido, da 1ª. série do Ensino Fundamental até a 1ª. série do Ensino Médio. Na figura à esquerda, as médias são resultantes de Anova e, naquela à direita, de análise de covariância (Ancova), em que o efeito da variação do grau de perda auditiva foi controlado como covariante. Comparando as figuras nota-se que o controle da variação da perda auditiva por meio da análise de covariância resultou em uma função bastante semelhante.

A análise de covariância do escore total na versão original do Teste de Vocabulário Receptivo de Sinais da Libras (TVRSL1.1) como função da série escolar, tendo como covariante o grau de perda auditiva, revelou efeito significativo da série escolar, F (8, 737) = 30,93, $p < 0,000$, $r = 0,56$, $r^2 = 0,31$, $N = 747$, bem como do covariante idade em anos, F (1, 737) = 11,48, $p < 0,001$. Conforme sumariado na Tabela 12 e representado na Figura 44 (à direita), o escore aumentou desde a 1ª. até a 8ª. série do Ensino Fundamental.

As análises de comparação de pares por meio do teste conservador de Bonferroni revelaram que o escore cresceu significativamente da 1ª. série a todas as demais a partir da 3ª. série; da 2ª. série às demais (exceto a 1ª. série do Ensino Médio) a partir da 4ª. série; da 3ª. série às demais (exceto a 1ª. série do Ensino Médio) a partir da 5ª. série; e da 4ª. série à 6ª. e 7ª. séries. Não houve diferença significativa a partir daí.

As análises de comparação de pares por meio do teste liberal de Fisher LSD revelaram que o escore cresceu significativamente da 1ª. série a todas as demais já a partir da 2ª. série; da 2ª. série às demais a partir da 4ª. série; da 3ª. série às demais já a partir da 4ª. série (com exceção da 1ª. série do

Ensino Médio); e da 4ª. série às demais já a partir da 5ª. série (com exceção da 1ª. série do Ensino Médio). Não houve diferença significativa a partir daí.

Tabela 12. Escore total na versão original do Teste de Vocabulário Receptivo de Sinais da Libras (TVRSL1.1) como função da série escolar, controlando o efeito da variação da perda auditiva. Dados da Ancova de 439 estudantes com idades conhecidas, desde a 1ª. série do Ensino Fundamental até a 1ª. série do Ensino Médio.

Série	*M* ajustada pela Ancova	*EP* obtido da Ancova	N	*DP* obtido da Ancova
1ª.	91,22	1,83	69	15,20
2ª.	98,66	1,80	71	15,17
3ª.	101,62	1,82	70	15,22
4ª.	108,27	1,86	66	15,11
5ª.	115,12	2,10	52	15,14
6ª.	117,55	2,04	55	15,13
7ª.	118,76	2,52	36	15,12
8ª.	119,34	3,78	16	15,12
9ª.	116,00	7,57	4	15,04

Notas:
M: Média; *EP*: Erro-padrão; *DP*: Desvio-padrão;
DP obtido da Ancova: Desvio-padrão obtido a partir da transformação do erro-padrão da análise de covariância conforme a fórmula:
Erro-padrão = desvio-padrão multiplicado pela raiz quadrada do número de participantes.
A média ajustada e o desvio-padrão obtido da análise de covariância foram empregados para gerar cada uma das colunas das Tabelas 13, 14 e 15. Cada coluna de pontuação padrão foi obtida por meio da seguinte fórmula: Pontuação padrão da série = [(pontuação bruta de 1 a 139 – média da série) / desvio-padrão da série] * 15 + 100.
Assim:
1.) Pontuação padrão da 1ª. série = [(pontuação bruta de 1 a 139 – 91,22) / 15,20) * 15 + 100;
2.) Pontuação padrão da 2ª. série = [(pontuação bruta de 1 a 139 – 98,66) / 15,17) * 15 + 100;
3.) Pontuação padrão da 3ª. série = [(pontuação bruta de 1 a 139 – 101,62) / 15,22) * 15 + 100;
4.) Pontuação padrão da 4ª. série = [(pontuação bruta de 1 a 139 – 108,27) / 15,11) * 15 + 100;
5.) Pontuação padrão da 5ª. série = [(pontuação bruta de 1 a 139 – 115,12) / 15,14) * 15 + 100;
6.) Pontuação padrão da 6ª. série = [(pontuação bruta de 1 a 139 – 117,55) / 15,13) * 15 + 100;
7.) Pontuação padrão da 7ª. série = [(pontuação bruta de 1 a 139 – 118,76) / 15,12) * 15 + 100;
8.) Pontuação padrão da 8ª. série = [(pontuação bruta de 1 a 139 – 119,34) / 15,12) * 15 + 100;
9.) Pontuação padrão da 9ª. série = [(pontuação bruta de 1 a 139 – 116,00) / 15,04) * 15 + 100.

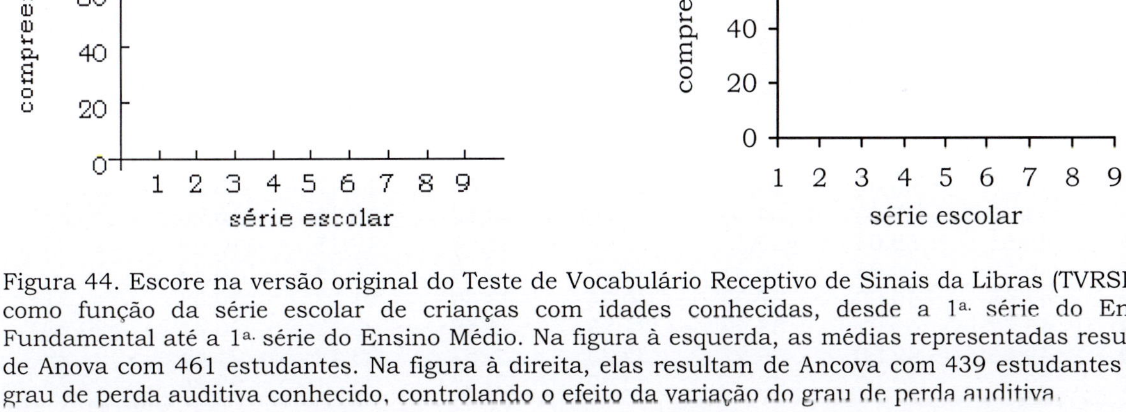

Figura 44. Escore na versão original do Teste de Vocabulário Receptivo de Sinais da Libras (TVRSL1.1) como função da série escolar de crianças com idades conhecidas, desde a 1ª. série do Ensino Fundamental até a 1ª. série do Ensino Médio. Na figura à esquerda, as médias representadas resultam de Anova com 461 estudantes. Na figura à direita, elas resultam de Ancova com 439 estudantes com grau de perda auditiva conhecido, controlando o efeito da variação do grau de perda auditiva.

4.10.2.3.) Normatização da versão original do Teste de Vocabulário Receptivo de Sinais da Libras (TVRSL1.1) por série escolar: Tabela de dados normativos da compreensão de sinais por série escolar

As Tabelas 13, 14 e 15 sumariam os dados normativos do TVRSL1.1, com a pontuação padrão como função da pontuação bruta para as oito séries escolares, desde a 1ª. até a 8ª. série do Ensino Fundamental. Os dados foram obtidos a partir da Ancova com 439 estudantes com grau de perda auditiva conhecido, controlando o efeito da variação do grau de perda auditiva. Devido ao baixo número de estudantes da 1ª. série do Ensino Médio, essa série não foi incluída nas tabelas de dados normativos, embora seus dados tenham sido incluídos na Ancova.

Tabela 13. Dados normativos do escore total na versão original do Teste de Vocabulário Receptivo de Sinais da Libras (TVRSL1.1) como função da série escolar, da 1ª. à 8ª série do Ensino Fundamental. A tabela foi elaborada a partir das médias e desvios-padrão da distribuição de escores em cada série escolar obtidos por meio de análise de covariância, tendo o grau de perda auditiva como covariante. Assim, a pontuação padrão foi obtida como função da série escolar dos 439 escolares com grau de perda auditiva conhecido, desde a 1ª. série do Ensino Fundamental até a 1ª. série do Ensino Médio.

Pont. bruta	**Pont. padrão 1ª Série**	**Pont. padrão 2ª Série**	**Pont. padrão 3ª Série**	**Pont. padrão 4ª Série**	**Pont. padrão 5ª Série**	**Pont. padrão 6ª Série**	**Pont. padrão 7ª Série**	**Pont. padrão 8ª Série**
1	10,97	3,43	0,83					
2	11,95	4,42	1,82					
3	12,94	5,41	2,81					
4	13,93	6,40	3,79					
5	14,91	7,39	4,78					
6	15,90	8,38	5,76					
7	16,89	9,37	6,75					
8	17,87	10,36	7,73	0,46				
9	18,86	11,34	8,72	1,45				
10	19,85	12,33	9,70	2,45				
11	20,84	13,32	10,69	3,44				
12	21,82	14,31	11,68	4,43				
13	22,81	15,30	12,66	5,42				
14	23,80	16,29	13,65	6,42				
15	24,78	17,28	14,63	7,41	0,81			
16	25,77	18,27	15,62	8,40	1,80			
17	26,76	19,26	16,60	9,39	2,79	0,31		
18	27,74	20,24	17,59	10,39	3,78	1,31	0,04	
19	28,73	21,23	18,57	11,38	4,77	2,30	1,03	0,46
20	29,72	22,22	19,56	12,37	5,76	3,29	2,02	1,45
21	30,70	23,21	20,55	13,37	6,75	4,28	3,02	2,44
22	31,69	24,20	21,53	14,36	7,74	5,27	4,01	3,43
23	32,68	25,19	22,52	15,35	8,73	6,26	5,00	4,42
24	33,66	26,18	23,50	16,34	9,72	7,25	5,99	5,42
25	34,65	27,17	24,49	17,34	10,71	8,25	6,98	6,41
26	35,64	28,15	25,47	18,33	11,70	9,24	7,98	7,40
27	36,62	29,14	26,46	19,32	12,69	10,23	8,97	8,39
28	37,61	30,13	27,44	20,31	13,69	11,22	9,96	9,38
29	38,60	31,12	28,43	21,31	14,68	12,21	10,95	10,38
30	39,59	32,11	29,42	22,30	15,67	13,20	11,94	11,37
31	40,57	33,10	30,40	23,29	16,66	14,19	12,94	12,36
32	41,56	34,09	31,39	24,29	17,65	15,19	13,93	13,35
33	42,55	35,08	32,37	25,28	18,64	16,18	14,92	14,35
34	43,53	36,06	33,36	26,27	19,63	17,17	15,91	15,34
35	44,52	37,05	34,34	27,26	20,62	18,16	16,90	16,33
36	45,51	38,04	35,33	28,26	21,61	19,15	17,90	17,32
37	46,49	39,03	36,31	29,25	22,60	20,14	18,89	18,31
38	47,48	40,02	37,30	30,24	23,59	21,13	19,88	19,31
39	48,47	41,01	38,29	31,23	24,58	22,12	20,87	20,30
40	49,45	42,00	39,27	32,23	25,57	23,12	21,87	21,29
41	50,44	42,99	40,26	33,22	26,57	24,11	22,86	22,28

Tabela 14. Continuação dos dados normativos do escore total na versão original do Teste de Vocabulário Receptivo de Sinais da Libras (TVRSL1.1) como função da série escolar, da 1ª. à 8ª. série do Ensino Fundamental. A tabela foi elaborada a partir das médias e desvios-padrão da distribuição de escores em cada série escolar obtidos por meio de análise de covariância, tendo o grau de perda auditiva como covariante. Assim, a pontuação padrão foi obtida como função da série escolar dos 439 escolares com grau de perda auditiva conhecido, desde a 1ª. série do Ensino Fundamental até a 1ª. série do Ensino Médio.

Pont. bruta	Pont. padrão 1ª Série	Pont. padrão 2ª Série	Pont. padrão 3ª Série	Pont. padrão 4ª Série	Pont. padrão 5ª Série	Pont. padrão 6ª Série	Pont. padrão 7ª Série	Pont. padrão 8ª Série
42	51,43	43,97	41,24	34,21	27,56	25,10	23,85	23,27
43	52,41	44,96	42,23	35,21	28,55	26,09	24,84	24,27
44	53,40	45,95	43,21	36,20	29,54	27,08	25,83	25,26
45	54,39	46,94	44,20	37,19	30,53	28,07	26,83	26,25
46	55,38	47,93	45,18	38,18	31,52	29,06	27,82	27,24
47	[illegible]	[illegible]	[illegible]	[illegible]	[illegible]	[illegible]	[illegible]	[illegible]
48	57,35	49,91	47,16	40,17	33,50	31,05	29,80	29,23
49	56,36	48,92	46,17	39,18	32,51	30,06	28,81	28,23
50	59,32	51,89	49,13	42,15	35,48	33,03	31,79	31,21
51	60,31	52,87	50,11	43,15	36,47	34,02	32,78	32,20
52	61,30	53,86	51,10	44,14	37,46	35,01	33,77	33,19
53	62,28	54,85	52,08	45,13	38,45	36,00	34,76	34,19
54	63,27	55,84	53,07	46,13	39,45	37,00	35,75	35,18
55	64,26	56,83	54,05	47,12	40,44	37,99	36,75	36,17
56	65,24	57,82	55,04	48,11	41,43	38,98	37,74	37,16
57	66,23	58,81	56,02	49,10	42,42	39,97	38,73	38,15
58	67,22	59,80	57,01	50,10	43,41	40,96	39,72	39,15
59	68,20	60,78	58,00	51,09	44,40	41,95	40,71	40,14
60	69,19	61,77	58,98	52,08	45,39	42,94	41,71	41,13
61	70,18	62,76	59,97	53,07	46,38	43,94	42,70	42,12
62	71,16	63,75	60,95	54,07	47,37	44,93	43,69	43,12
63	72,15	64,74	61,94	55,06	48,36	45,92	44,68	44,11
64	73,14	65,73	62,92	56,05	49,35	46,91	45,67	45,10
65	74,13	66,72	63,91	57,05	50,34	47,90	46,67	46,09
66	75,11	67,71	64,89	58,04	51,33	48,89	47,66	47,08
67	76,10	68,69	65,88	59,03	52,32	49,88	48,65	48,08
68	77,09	69,68	66,87	60,02	53,32	50,88	49,64	49,07
69	78,07	70,67	67,85	61,02	54,31	51,87	50,63	50,06
70	79,06	71,66	68,84	62,01	55,30	52,86	51,63	51,05
71	80,05	72,65	69,82	63,00	56,29	53,85	52,62	52,04
72	81,03	73,64	70,81	63,99	57,28	54,84	53,61	53,04
73	82,02	74,63	71,79	64,99	58,27	55,83	54,60	54,03
74	83,01	75,62	72,78	65,98	59,26	56,82	55,60	55,02
75	83,99	76,61	73,76	66,97	60,25	57,82	56,59	56,01
76	84,98	77,59	74,75	67,96	61,24	58,81	57,58	57,00
77	85,97	78,58	75,74	68,96	62,23	59,80	58,57	58,00
78	86,95	79,57	76,72	69,95	63,22	60,79	59,56	58,99
79	87,94	80,56	77,71	70,94	64,21	61,78	60,56	59,98
80	88,93	81,55	78,69	71,94	65,20	62,77	61,55	60,97
81	89,91	82,54	79,68	72,93	66,20	63,76	62,54	61,96
82	90,90	83,53	80,66	73,92	67,19	64,76	63,53	62,96
83	91,89	84,52	81,65	74,91	68,18	65,75	64,52	63,95
84	92,88	85,50	82,63	75,91	69,17	66,74	65,52	64,94
85	93,86	86,49	83,62	76,90	70,16	67,73	66,51	65,93
86	94,85	87,48	84,61	77,89	71,15	68,72	67,50	66,92
87	95,84	88,47	85,59	78,88	72,14	69,71	68,49	67,92
88	96,82	89,46	86,58	79,88	73,13	70,70	69,48	68,91
89	97,81	90,45	87,56	80,87	74,12	71,70	70,48	69,90
90	98,80	91,44	88,55	81,86	75,11	72,69	71,47	70,89

Tabela 15. Continuação dos dados normativos do escore total na versão original do Teste de Vocabulário Receptivo de Sinais da Libras (TVRSL1.1) como função da série escolar, da 1ª. à 8ª. série do Ensino Fundamental. A tabela foi elaborada a partir das médias e desvios-padrão da distribuição de escores em cada série escolar obtidos por meio de análise de covariância, tendo o grau de perda auditiva como covariante. Assim, a pontuação padrão foi obtida como função da série escolar dos 439 escolares com grau de perda auditiva conhecido, desde a 1ª. série do Ensino Fundamental até a 1ª. série do Ensino Médio.

Pont. bruta	Pont. padrão 1ª Série	Pont. padrão 2ª Série	Pont. padrão 3ª Série	Pont. padrão 4ª Série	Pont. padrão 5ª Série	Pont. padrão 6ª Série	Pont. padrão 7ª Série	Pont. padrão 8ª Série
91	99,78	92,43	89,53	82,86	76,10	73,68	72,46	71,88
92	100,77	93,41	90,52	83,85	77,09	74,67	73,45	72,88
93	101,76	94,40	91,50	84,84	78,08	75,66	74,44	73,87
94	102,74	95,39	92,49	85,83	79,08	76,65	75,44	74,86
95	103,73	96,38	93,48	86,83	80,07	77,64	76,43	75,85
96	104,72	97,37	94,46	87,82	81,06	78,64	77,42	76,85
97	105,70	98,36	95,45	88,81	82,05	79,63	78,41	77,84
98	106,69	99,35	96,43	89,80	83,04	80,62	79,40	78,83
99	107,68	100,34	97,42	90,80	84,03	81,61	80,40	79,82
100	108,66	101,32	98,40	91,79	85,02	82,60	81,39	80,81
101	109,65	102,31	99,39	92,78	86,01	83,59	82,38	81,81
102	110,64	103,30	100,37	93,78	87,00	84,58	83,37	82,80
103	111,63	104,29	101,36	94,77	87,99	85,58	84,37	83,79
104	112,61	105,28	102,35	95,76	88,98	86,57	85,36	84,78
105	113,60	106,27	103,33	96,75	89,97	87,56	86,35	85,77
106	114,59	107,26	104,32	97,75	90,96	88,55	87,34	86,77
107	115,57	108,25	105,30	98,74	91,96	89,54	88,33	87,76
108	116,56	109,24	106,29	99,73	92,95	90,53	89,33	88,75
109	117,55	110,22	107,27	100,72	93,94	91,52	90,32	89,74
110	118,53	111,21	108,26	101,72	94,93	92,51	91,31	90,73
111	119,52	112,20	109,24	102,71	95,92	93,51	92,30	91,73
112	120,51	113,19	110,23	103,70	96,91	94,50	93,29	92,72
113	121,49	114,18	111,22	104,70	97,90	95,49	94,29	93,71
114	122,48	115,17	112,20	105,69	98,89	96,48	95,28	94,70
115	123,47	116,16	113,19	106,68	99,88	97,47	96,27	95,69
116	124,45	117,15	114,17	107,67	100,87	98,46	97,26	96,69
117	125,44	118,13	115,16	108,67	101,86	99,45	98,25	97,68
118	126,43	119,12	116,14	109,66	102,85	100,45	99,25	98,67
119	127,41	120,11	117,13	110,65	103,84	101,44	100,24	99,66
120	128,40	121,10	118,11	111,64	104,83	102,43	101,23	100,65
121	129,39	122,09	119,10	112,64	105,83	103,42	102,22	101,65
122	130,38	123,08	120,09	113,63	106,82	104,41	103,21	102,64
123	131,36	124,07	121,07	114,62	107,81	105,40	104,21	103,63
124	132,35	125,06	122,06	115,62	108,80	106,39	105,20	104,62
125	133,34	126,04	123,04	116,61	109,79	107,39	106,19	105,62
126	134,32	127,03	124,03	117,60	110,78	108,38	107,18	106,61
127	135,31	128,02	125,01	118,59	111,77	109,37	108,17	107,60
128	136,30	129,01	126,00	119,59	112,76	110,36	109,17	108,59
129	137,28	130,00	126,98	120,58	113,75	111,35	110,16	109,58
130	138,27	130,99	127,97	121,57	114,74	112,34	111,15	110,58
131	139,26	131,98	128,96	122,56	115,73	113,33	112,14	111,57
132	140,24	132,97	129,94	123,56	116,72	114,33	113,13	112,56
133	141,23	133,96	130,93	124,55	117,71	115,32	114,13	113,55
134	142,22	134,94	131,91	125,54	118,71	116,31	115,12	114,54
135	143,20	135,93	132,90	126,54	119,70	117,30	116,11	115,54
136	144,19	136,92	133,88	127,53	120,69	118,29	117,10	116,53
137	145,18	137,91	134,87	128,52	121,68	119,28	118,10	117,52
138	146,16	138,90	135,85	129,51	122,67	120,27	119,09	118,51
139	147,15	139,89	136,84	130,51	123,66	121,27	120,08	119,50

Conforme as propriedades de distribuições normais de escores, sabe-se que:

- A média corresponde ao percentil 50, sendo que 50% dos casos localizam-se acima da média, e 50% dos casos localizam-se abaixo da média.

Sabe-se que:

- 68% dos casos da distribuição pontuam entre –1 *DP* (i.e., percentil 16) e +1 *DP* (i.e., percentil 84) em relação à média;
- 96% dos casos da distribuição pontuam entre –2 *DP* (i.e., percentil 2) e +2 *DP* (i.e., percentil 98) em relação à média, e
- Praticamente 100% (i.e., 99,72%) dos casos da distribuição pontuam entre –3 *DP* (i.e., percentil 1) e +3 *DP* (i.e., percentil 99) em relação à média.

Assim:

- Pontuações *médias* são aquelas que se situam entre –1 *DP* e +1 *DP*, e englobam 68% dos casos;
- Pontuações *elevadas* são aquelas que se situam entre +1 *DP* e +2 *DP*, e englobam 14% dos casos;
- Pontuações *rebaixadas* são aquelas que se situam entre –1 *DP* e –2 *DP*, e também englobam 14% dos casos;
- Pontuações *muito elevadas* são aquelas que se situam entre +2 *DP* e +3 *DP*, e englobam 2% dos casos; e
- Pontuações *muito rebaixadas* são aquelas que se situam entre –3 *DP* e –2 *DP*, e também englobam 2% dos casos.

Com base nessas propriedades, e a partir dos dados de média (i.e., *M*) e desvio-padrão (i.e., *DP*) obtidos dos estudantes das diferentes séries escolares por meio das análises de covariância, a Tabela 16 sumaria as pontuações correspondentes aos percentis 1 (i.e., –3 *DP*), 2 (i.e., –2 *DP*), 16 (i.e., –1 *DP*), 50 (i.e., média), 84 (i.e., +1 *DP*), 98 (i.e., +2 *DP*), e 99 (i.e., +3 *DP*) para cada uma das oito séries escolares do Ensino Fundamental.

Tabela 16. Pontuações brutas correspondentes aos percentis 1 (i.e., –3 *DP*), 2 (i.e., –2 *DP*), 16 (i.e., –1 *DP*), 50 (i.e., média), 84 (i.e., +1 *DP*), 98 (i.e., +2 *DP*), e 99 (i.e., +3 *DP*) para cada uma das oito séries escolares do Ensino Fundamental. Escores brutos dos extremos superior e inferior dos intervalos que constituem as cinco classificações de escores para cada série: Muito rebaixado (i.e., entre –3 *DP* e –2 *DP*), rebaixado (i.e., entre –2 *DP* e –1 *DP*), médio (i.e., entre –1 *DP* e +1 *DP*), elevado (i.e., entre +1 *DP* e +2 *DP*), e muito elevado (i.e., entre +2 *DP* e +3 *DP*).

Série	Média ajustada (Ancova)	Desvio-padrão (Ancova)	Muito rebaixado –3 *DP*	Rebaixado –2 *DP*	Médio –1 *DP*	Elevado +1 *DP*	Muito elevado +2 *DP*	+3 *DP*
1ª.	91,22	15,20	45,62	60,82	76,02	106,42	121,62	136,82
2ª.	98,66	15,17	53,15	68,32	83,49	113,83	129,00	139,00
3ª.	101,62	15,22	55,96	71,18	86,40	116,84	132,06	139,00
4ª.	108,27	15,11	62,94	78,05	93,16	123,38	138,49	139,00
5ª.	115,12	15,14	69,70	84,84	99,98	130,26	139,00	139,00
6ª.	117,55	15,13	72,16	87,29	102,42	132,68	139,00	-----
7ª.	118,76	15,12	73,40	88,52	103,64	133,88	139,00	-----
8ª.	119,34	15,12	73,98	89,10	104,22	134,46	139,00	

Tabela 17. Pontuações arredondadas correspondentes aos percentis 1 (i.e., –3 *DP*), 2 (i.e., –2 *DP*), 16 (i.e., –1 *DP*), 50 (i.e., média), 84 (i.e., +1 *DP*), 98 (i.e., +2 *DP*), e 99 (i.e., +3 *DP*) para cada uma das oito séries escolares no TVRSL1.1. Escores arredondados dos extremos superior e inferior dos intervalos que constituem as cinco classificações de escores para cada série: Muito rebaixado (i.e., entre –3 *DP* e –2 *DP*), rebaixado (i.e., entre –2 *DP* e –1 *DP*), médio (i.e., entre –1 *DP* e +1 *DP*), elevado (i.e., entre +1 *DP* e +2 *DP*), e muito elevado (i.e., entre +2 *DP* e +3 *DP*).

Série	Média ajustada (Ancova)	Desvio-padrão (Ancova)	Muito rebaixado –3 *DP*	Rebaixado –2 *DP*	Médio –1 *DP*	Elevado +1 *DP*	Muito elevado +2 *DP*	+3 *DP*
1ª.	91,22	15,20	46	61	76	106	122	137
2ª.	98,66	15,17	53	68	83	114	129	139
3ª.	101,62	15,22	56	71	86	117	132	139
4ª.	108,27	15,11	63	78	93	123	138	139
5ª.	115,12	15,14	70	85	100	130	139	-----
6ª.	117,55	15,13	72	87	102	133	139	-----
7ª.	118,76	15,12	73	88	103	134	139	-----
8ª.	119,34	15,12	74	89	104	135	139	-----

A Tabela 17 sumaria os mesmos dados arredondados, o que permite obter as notas de corte para a classificação dos escores dos participantes de cada uma das oito séries escolares em cada uma de cinco faixas (i.e., muito rebaixado, rebaixado, médio, elevado, muito elevado).

A Tabela 18 sumaria, para cada uma das oito séries escolares, as pontuações inferior e superior de cada um dos cinco intervalos que constituem as cinco faixas de classificação de escores: Muito rebaixado (i.e., entre –3 *DP* e –2 *DP*), rebaixado (i.e., entre –2 *DP* e –1 *DP*), médio (i.e., entre –1 *DP* e +1 *DP*), elevado (i.e., entre +1 *DP* e +2 *DP*), e muito elevado (i.e., entre +2 *DP* e +3 *DP*).

Conforme a tabela:

- Para a 1ª. série, as crianças com escore:
  - Médio pontuam entre 76 e 106;
  - Rebaixado pontuam entre 61 e 75;
  - Muito rebaixado pontuam entre 46 e 60;
  - Elevado pontuam entre 107 e 122; e
  - Muito elevado pontuam entre 123 e 137.
- Para a 2ª. série, as crianças com escore:
  - Médio pontuam entre 83 e 114;
  - Rebaixado pontuam entre 68 e 82;
  - Muito rebaixado pontuam entre 53 e 67;
  - Elevado pontuam entre 115 e 129; e
  - Muito elevado pontuam 130 e 139.
- Para a 3ª. série, as crianças com escore:
  - Médio pontuam entre 86 e 117;
  - Rebaixado pontuam entre 71 e 85;
  - Muito rebaixado pontuam entre 56 e 70;
  - Elevado pontuam entre 118 e 132; e
  - Muito elevado pontuam entre 133 e 139.
- Para a 4ª. série, as crianças com escore:
  - Médio pontuam entre 93 e 123;
  - Rebaixado pontuam entre 78 e 92;
  - Muito rebaixado pontuam entre 63 e 77;
  - Elevado pontuam entre 124 e 138; e
  - Muito elevado obtêm a pontuação máxima (i.e., 139 pontos).

Tabela 18. Pontuações dos limites superior e inferior dos intervalos que constituem as cinco classificações de escores do TVRSL1.1 para cada série: Muito rebaixado (i.e., entre –3 *DP* e –2 *DP*), rebaixado (i.e., entre –2 *DP* e –1 *DP*), médio (i.e., entre –1 *DP* e +1 *DP*), elevado (i.e., entre +1 *DP* e +2 *DP*), e muito elevado (i.e., entre +2 *DP* e +3 *DP*) para cada uma das oito séries escolares do Ensino Fundamental.

Série	**Muito rebaixado**	**Rebaixado**	**Médio**	**Elevado**	**Muito elevado**
	–3 *DP* a –2 *DP*	**–2 *DP* a –1 *DP***	**–1 *DP* a +1 *DP***	**+1 *DP* a +2 *DP***	**+2 *DP* a +3 *DP***
1ª.	46 a 60	61 a 75	76 a 106	107 a 122	123 a 137
2ª.	53 a 67	68 a 82	83 a 114	115 a 129	130 a 139
3ª.	56 a 70	71 a 85	86 a 117	118 a 132	133 a 139
4ª.	63 a 77	78 a 92	93 a 123	124 a 138	139
5ª.	70 a 84	85 a 99	100 a 130	131 a 139	-----
6ª.	72 a 86	87 a 101	102 a 133	134 a 139	-----
7ª.	73 a 87	88 a 102	103 a 134	135 a 139	-----
8ª.	74 a 88	89 a 103	104 a 135	136 a 139	-----

4.10.2.4.) Análise da freqüência de acertos por item para fins de reordenação dos itens por grau de dificuldade crescente

A Tabela 19 sumaria os 139 sinais na ordenação original do TVRSL1.1 aplicado, juntamente com a posição na matriz de figuras (de 1 a 4), a freqüência (ou incidência) e a porcentagem de acerto.

Tabela 19. Versão original do Teste de Vocabulário Receptivo de Sinais da Libras (TVRSL1.1), com os 139 sinais na ordem original aplicada, juntamente com a posição original de cada sinal correto na matriz de quatro figuras (1ª, 2ª, 3ª, 4ª), a freqüência e a porcentagem de acerto obtidas para cada sinal a partir da análise dos dados de 346 estudantes de 1ª. a 8ª. séries do Ensino Fundamental.

SO	Sinal	PM	FA	%A	SO	Sinal	PM	FA	%A	SO	Sinal	PM	FA	%A
										93	ensinar	1ª.	276	79,8
1	cobra	4ª.	289	83,5	**47**	médico	4ª.	290	83,8	**94**	ira	3ª.	229	66,2
2	coruja	3ª.	333	96,2	**48**	grampeador	1ª.	337	97,4	**95**	saudade	2ª.	181	52,3
3	bebida	1ª.	328	94,8	**49**	multa	3ª.	238	68,8	**96**	lustrar	3ª.	236	68,2
4	barco	2ª.	338	97,7	**50**	ramalhete	1ª.	232	67,1	**97**	obrigar	4ª.	57	16,5
5	pé	1ª.	247	71,4	**51**	inaugurar	3ª.	321	92,8	**98**	arrogante	2ª.	319	92,2
6	vela	2ª.	267	77,2	**52**	cientista	2ª.	31	9,0	**99**	sede	4ª.	259	74,9
7	coraçao	4ª.	326	94,2	**53**	famoso	1ª.	119	34,4	**100**	sonhar	4ª.	296	85,5
8	termômetro	3ª.	327	94,5	**54**	vencedor	3ª.	249	72,0	**101**	marceneiro	2ª.	326	94,2
9	baleia	2ª.	295	85,3	**55**	dupla	2ª.	253	73,1	**102**	comprar	4ª.	297	85,8
10	batida	1ª.	331	95,7	**56**	guarda-chuva	4ª.	340	98,3	**103**	fígado	2ª.	121	35,0
11	revólver	4ª.	324	93,6	**57**	girafa	4ª.	334	96,5	**104**	castelo	3ª.	235	67,9
12	quebrado	2ª.	336	97,1	**58**	ângulo	3ª.	323	93,4	**105**	pimenta	4ª.	304	87,9
13	descascar	3ª.	322	93,1	**59**	trigêmeos	4ª.	292	84,4	**106**	Europa	2ª.	102	29,5
14	baú	1ª.	322	93,1	**60**	igreja	4ª.	321	92,8	**107**	sapateiro	1ª.	335	96,8
15	abajur	4ª.	244	70,5	**61**	bicampeão	1ª.	184	53,2	**108**	distração	1ª.	335	96,8
16	binóculo	3ª.	342	98,8	**62**	adorar	3ª.	181	52,3	**109**	evitar	4ª.	321	92,8
17	ambulância	1ª.	333	96,2	**63**	derramar	2ª.	265	76,6	**110**	deserto	3ª.	202	58,4
18	rasgar	4ª.	331	95,7	**64**	abridor	1ª.	329	95,1	**111**	alarme	1ª.	15	4,3
19	medir	2ª.	331	95,7	**65**	aconselhar	4ª.	279	80,6	**112**	pedaço	4ª.	302	87,3
20	cadeia	3ª.	333	96,2	**66**	estetoscópio	3ª.	338	97,7	**113**	corrente	3ª.	340	98,3
21	canguru	4ª.	335	96,8	**67**	tartaruga	1ª.	337	97,4	**114**	batedeira	2ª.	335	96,8
22	desenhista	1ª.	307	88,7	**68**	agricultura	2ª.	301	87,0	**115**	espantado	3ª.	243	70,2
23	violão	4ª.	341	98,6	**69**	único	1ª.	282	81,5	**116**	subornar	2ª.	216	62,4
24	construção	2ª.	333	96,2	**70**	sapo	2ª.	332	96,0	**117**	emergir	4ª.	330	95,4
25	vazio	1ª.	252	72,8	**71**	liqüidificador	3ª.	343	99,1	**118**	raposa	3ª.	18	5,2
26	pensar	2ª.	331	95,7	**72**	trem	2ª.	344	99,4	**119**	submergir	1ª.	287	82,9
27	duro	3ª.	340	98,3	**73**	sapato	2ª.	218	63,0	**120**	procurar	2ª.	334	96,5
28	barbeiro	1ª.	340	98,3	**74**	cachoeira	4ª.	307	88,7	**121**	volúvel	3ª.	188	54,3
29	rio	3ª.	336	97,1	**75**	profundo	3ª.	336	97,1	**122**	batizar	1ª.	290	83,8
30	dentista	3ª.	333	96,2	**76**	bosque	1ª.	337	97,4	**123**	desleixado	3ª.	125	36,1
31	hospital	2ª.	312	90,2	**77**	arquivar	4ª.	309	89,3	**124**	apólido	2ª.	277	80,1
32	pulmão	1ª.	46	13,3	**78**	perfumado	3ª.	316	91,3	**125**	inocente	4ª.	247	71,4
33	sofá	4ª.	263	76,0	**79**	morcego	2ª.	341	98,6	**126**	desprezar	1ª.	327	94,5
34	iluminar	2ª.	339	98,0	**80**	projeto	4ª.	237	68,5	**127**	eterno	4ª.	217	62,7
35	meia	4ª.	213	61,6	**81**	processo	3ª.	167	48,3	**128**	telescópio	3ª.	318	91,9
36	cérebro	2ª.	279	80,6	**82**	caule	4ª.	320	92,5	**129**	escorpião	4ª.	260	75,1
37	tronco	3ª.	284	82,1	**83**	dança	4ª.	324	93,6	**130**	rico	1ª.	318	91,9
38	funil	4ª.	310	89,6	**84**	felino	3ª.	23	6,6	**131**	alicate	3ª.	298	86,1
39	parabenizar	3ª.	319	92,2	**85**	sob	4ª.	228	65,9	**132**	dicionário	2ª.	220	63,6
40	gotejar	2ª.	298	86,1	**86**	comércio	1ª.	302	87,3	**133**	dialogar	1ª.	192	55,5
41	mecânico	1ª.	319	92,2	**87**	encanador	4ª.	329	95,1	**134**	marinha	3ª.	176	50,9
42	venenoso	4ª.	179	51,7	**88**	bússola	2ª.	267	77,2	**135**	hipopótamo	2ª.	331	95,7
43	grupo	1ª.	252	72,8	**89**	assustado	3ª.	331	95,7	**136**	hierarquia	3ª.	103	29,8
44	pavão	3ª.	338	97,7	**90**	pesado	2ª.	317	91,6	**137**	greve	1ª.	209	60,4
45	acrobata	2ª.	331	95,7	**91**	vidro	1ª.	274	79,2	**138**	vertigem	2ª.	318	91,9
46	discutir	1ª.	316	91,3	**92**	angústia	4ª.	239	69,1	**139**	rinoceronte	2ª.	283	81,8

Nota: SO: Seqüência original dos itens de 1 a 139 na ordem em que eles apareciam na versão original do teste aplicado aos 346 estudantes surdos de 1ª. a 8ª. série; Sinal: Sinal cuja figura correspondente devia ser escolhida na matriz de quatro alternativas; PM: Posição da figura correta (i.e., correspondente ao sinal) na matriz de quatro figuras alternativas de escolha; FA: Freqüência de acertos, isto é, número de estudantes que responderam corretamente ao item; %A: Porcentagem de acertos, isto é, freqüência de acertos multiplicada por 100 e dividida pelo número de estudantes.

Dos 505 estudantes surdos que responderam ao teste (sendo 461 deles com série escolar definida), os primeiros 346 foram separados, e as suas folhas de resposta foram analisadas para cômputo de incidência de acerto em cada um dos 139 itens do teste. Ao cabo da análise, cada um dos 139 itens teve sua incidência de acerto arrolada. Os itens foram, então, reordenados de acordo com a incidência de acerto decrescente, com vistas a obter uma reordenação dos itens por grau de dificuldade crescente. Portanto, nessa análise, a incidência de acerto de um dado sinal correspondia ao número de acertos obtidos naquele sinal pela amostra de 346 estudantes. Assim, a incidência de acertos em qualquer sinal podia variar de 0 (no caso de nenhum dos estudantes acertar o significado do sinal) a 346 (no caso de todos os estudantes acertarem o significado do sinal). A porcentagem de acertos num dado sinal corresponde à freqüência de acerto multiplicada por 100 e dividida pelo número de estudantes (i.e., 346). Assim, por exemplo, como o sinal COBRA foi acertado por 289 dos 346 estudantes, sua porcentagem de acerto correspondeu a 83,5%.

4.10.2.5.) A versão reordenada do Teste de Vocabulário Receptivo de Sinais da Libras (TVRSL1.2), com itens ordenados de acordo com o grau crescente de dificuldade de resposta

Um dos quesitos de um bom teste psicométrico e neuropsicológico é o de exercer um controle sistemático do grau de dificuldade de seus itens, com uma progressão sistemática desse grau de dificuldade. De fato, um bom teste é usualmente caracterizado pela progressão crescente do nível de dificuldade ao longo dos itens que o compõem. A análise de itens empreendida na seção anterior permitiu reordenar os 139 itens que compõem o TVRSL, de modo a chegar a uma nova versão com graduação crescente de dificuldade.

A Tabela 20 sumaria a versão reordenada do Teste de Vocabulário Receptivo de Sinais da Libras (TVRSL1.2), em que a seqüência dos 139 itens do teste encontra-se reordenada de acordo com o grau de dificuldade crescente (i.e., freqüência e porcentagem de acerto decrescentes). Esse grau de dificuldade crescente foi obtido a partir do presente estudo de aplicação da versão original do TVRSL1.1 aos 346 estudantes surdos desde a 1ª. até a 8ª. série do Ensino Fundamental. Os *Cadernos de Aplicação* da versão reordenada do Teste de Vocabulário Receptivo de Sinais da Libras (TVRSL1.2) encontram-se nos Anexos 2 e 3.

A versão reordenada TVRSL1.2 assegura uma graduação progressiva da dificuldade de resposta ao longo do teste. Ela tem sido objeto de um estudo de normatização e validação presentemente em andamento com uma amostra de 1.500 estudantes surdos da 1ª. série do Ensino Fundamental até a 3ª. série do Ensino Médio. Esse estudo permitirá estabelecer critérios de piso e teto como função da série escolar do estudante a ser avaliado e de seus desempenhos inicial e final. O critério de piso determina o ponto a partir do qual a aplicação deve ser iniciada. Usualmente, ele é estabelecido a partir da série escolar do examinando e da exigência de acerto de cerca dos primeiros cinco itens em seqüência. O critério de teto determina o ponto em que a aplicação deve ser interrompida. Usualmente, ele estabelece que a aplicação deve ser interrompida no momento da ocorrência de um certo número de erros em seqüência, que usualmente corresponde a cinco erros em seguida. O estabelecimento de tais critérios de piso e teto tornará possível, na aplicação individual no contexto clínico e de educação especial, aplicar apenas os itens do TVRSL1.2 que estão na faixa crítica, que é mais relevante e discriminativa do desempenho de cada examinando, conforme a sua série escolar e o seu desempenho. Em conseqüência, será obtida substancial economia de tempo e esforço de avaliação por parte do avaliador e do examinando. Mais detalhes acerca das características e vantagens do emprego de critérios de piso e teto para avaliação psicométrica podem ser obtidos em F. Capovilla, L. Nunes, D. Nunes et al. (1997).

Assim, a versão reordenada TVRSL1.2 apresenta uma grande vantagem em relação à versão original TVRSL1.1: Como na versão reordenada TVRSL1.2 o grau de dificuldade de resposta aumenta de modo sistemático e contínuo do item 1 ao item 139, esse aumento sistemático e contínuo do grau de dificuldade permite usar critérios de piso e teto, que reduzem a duração da administração do teste a examinandos muito jovens (que não precisariam ser expostos aos últimos itens do teste) ou muito experientes (que não precisariam ser expostos aos primeiros itens do teste). Isso significa que, enquanto a versão original TVRS1.1 deve ser empregada por inteiro em qualquer avaliação, a versão reordenada TVRSL1.2 permite a aplicação apenas da faixa mais crítica ao examinando, em função de sua idade e desempenho inicial (i.e., critério de piso), bem como do grau de desempenho avançado no teste (i.e., critério de teto).

Em suma, a principal vantagem da versão reordenada TVRSL1.2 é a de permitir usar critérios de piso e teto para a aplicação individual do teste no contexto clínico, já que, nessa versão, o grau de dificuldade de resposta aumenta sistematicamente do primeiro ao último item, graças à reordenação de seus setenta itens por grau de dificuldade crescente.

A Tabela 20 sumaria a versão reordenada TVRSL1.2 com os 139 itens de teste. Para cada um dos 139 itens ordenados, a tabela sumaria:

- O sinal-alvo cujo significado deve ser indicado pela escolha da figura correspondente na matriz de quatro figuras por item;
- A nova posição ocupada pelo sinal reordenado na nova seqüência por grau de dificuldade;
- A posição que a figura alternativa correta ocupa (1ª, 2ª, 3ª ou 4ª posição) na matriz de quatro alternativas por sinal;
- A incidência ou freqüência de acerto do item na amostra de 346 estudantes;
- A porcentagem de acerto do item (i.e., freqüência de acerto multiplicada por 100 dividida pelo número total de estudantes avaliados); bem como
- A posição ocupada pelo sinal na seqüência original (TVRSL1.1) que foi aplicada aos 346 estudantes surdos de 1ª. a 8ª. séries do Ensino Fundamental.

Tabela 20. Versão reordenada do Teste de Vocabulário Receptivo de Sinais da Libras (TVRSL1.2), com os 139 sinais reordenados de acordo com grau de dificuldade crescente, juntamente com a posição original de cada sinal correto na matriz de quatro figuras (1ª, 2ª, 3ª ou 4ª), a freqüência de acerto e a porcentagem de acerto obtidas para cada sinal a partir da análise dos dados de 346 estudantes de 1ª. até a 8ª. série do Ensino Fundamental.

SR	Sinal	PM	FA	%A	SO	SR	Sinal	PM	FA	%A	SO	SR	Sinal	PM	FA	%A	SO
												93	bússola	2ª.	267	77,2	88
1	trem	2ª.	344	99,4	72	**47**	revólver	4ª.	324	93,6	11	**94**	derramar	2ª.	265	76,6	63
2	liqüidificador	3ª.	343	99,1	71	**48**	dança	4ª.	324	93,6	83	**95**	sofá	4ª.	263	76,0	33
3	binóculo	3ª.	342	98,8	16	**49**	ângulo	3ª.	323	93,4	58	**96**	escorpião	4ª.	260	75,1	129
4	violão	4ª.	341	98,6	23	**50**	descascar	3ª.	322	93,1	13	**97**	sede	4ª.	259	74,9	99
5	morcego	2ª.	341	98,6	79	**51**	baú	1ª.	322	93,1	14	**98**	dupla	2ª.	253	73,1	55
6	duro	3ª.	340	98,3	27	**52**	inaugurar	3ª.	321	92,8	51	**99**	vazio	1ª.	252	72,8	25
7	barbeiro	1ª.	340	98,3	28	**53**	igreja	4ª.	321	92,8	60	**100**	grupo	1ª.	252	72,8	43
8	guarda-chuva	4ª.	340	98,3	56	**54**	evitar	4ª.	321	92,8	109	**101**	vencedor	3ª.	249	72,0	54
9	corrente	3ª.	340	98,3	113	**55**	caule	4ª.	320	92,5	82	**102**	pé	1ª.	247	71,4	5
10	iluminar	2ª.	339	98,0	34	**56**	parabenizar	3ª.	319	92,2	39	**103**	inocente	4ª.	247	71,4	125
11	barco	2ª.	338	97,7	4	**57**	mecânico	1ª.	319	92,2	41	**104**	abajur	4ª.	244	70,5	15
12	pavão	3ª.	338	97,7	44	**58**	arrogante	2ª.	319	92,2	98	**105**	espantado	3ª.	243	70,2	115
13	estetoscópio	3ª.	338	97,7	66	**59**	telescópio	3ª.	318	91,9	128	**106**	angústia	4ª.	239	69,1	92
14	grampeador	1ª.	337	97,4	48	**60**	rico	1ª.	318	91,9	130	**107**	multa	3ª.	238	68,8	49
15	tartaruga	1ª.	337	97,4	67	**61**	vertigem	2ª.	318	91,9	138	**108**	projeto	4ª.	237	68,5	80
16	bosque	1ª.	337	97,4	76	**62**	pesado	2ª.	317	91,6	90	**109**	lustrar	3ª.	236	68,2	96
17	quebrado	2ª	336	97,1	12	**63**	discutir	1ª.	316	91,3	46	**110**	castelo	3ª.	235	67,9	104
18	rio	3ª.	336	97,1	29	**64**	perfume	3ª.	316	91,3	78	**111**	ramalhete	1ª.	232	67,1	50
19	profundo	3ª.	336	97,1	75	**65**	despertar	2ª.	312	90,2	31	**112**	ira	3ª.	229	66,2	94
20	canguru	4ª.	335	96,8	21	**66**	funil	4ª.	310	89,6	38	**113**	sob	4ª.	228	65,9	85
21	sapateiro	1ª.	335	96,8	107	**67**	arquivar	4ª.	309	89,3	77	**114**	dicionário	2ª.	220	63,6	132
22	distração	1ª.	335	96,8	108	**68**	desenhista	1ª.	307	88,7	22	**115**	sapato	2ª.	218	63,0	73
23	batedeira	2ª.	335	96,8	114	**69**	cachoeira	4ª.	307	88,7	74	**116**	eterno	4ª.	217	62,7	127
24	girafa	4ª.	334	96,5	57	**70**	pimenta	4ª.	304	87,9	105	**117**	subornar	2ª.	216	62,4	116
25	procurar	2ª.	334	96,5	120	**71**	comércio	1ª.	302	87,3	86	**118**	meia	4ª.	213	61,6	35
26	coruja	3ª.	333	96,2	2	**72**	pedaço	4ª.	302	87,3	112	**119**	greve	1ª.	209	60,4	137
27	ambulância	1ª.	333	96,2	17	**73**	agricultura	2ª.	301	87,0	68	**120**	deserto	3ª.	202	58,4	110
28	cadeia	3ª.	333	96,2	20	**74**	gotejar	2ª.	298	86,1	40	**121**	dialogar	1ª.	192	55,5	133
29	construção	2ª.	333	96,2	24	**75**	alicate	3ª.	298	86,1	131	**122**	volúvel	3ª.	188	54,3	121
30	dentista	3ª.	333	96,2	30	**76**	comprar	4ª.	297	85,8	102	**123**	bicampeão	1ª.	184	53,2	61
31	sapo	2ª.	332	96,0	70	**77**	sonhar	4ª.	296	85,5	100	**124**	adorar	3ª.	181	52,3	62
32	batida	1ª.	331	95,7	10	**78**	baleia	2ª.	295	85,3	9	**125**	saudade	2ª.	181	52,3	95
33	rasgar	4ª.	331	95,7	18	**79**	trigêmeos	4ª.	292	84,4	59	**126**	venenoso	4ª.	179	51,7	42
34	medir	2ª.	331	95,7	19	**80**	médico	4ª.	290	83,8	47	**127**	marinha	3ª.	176	50,9	134
35	pensar	2ª.	331	95,7	26	**81**	batizar	1ª.	290	83,8	122	**128**	processo	3ª.	167	48,3	81
36	acrobata	2ª.	331	95,7	45	**82**	cobra	4ª.	289	83,5	1	**129**	desleixado	3ª.	125	36,1	123
37	assustado	3ª.	331	95,7	89	**83**	submergir	1ª.	287	82,9	119	**130**	fígado	2ª.	121	35,0	103
38	hipopótamo	2ª.	331	95,7	135	**84**	tronco	3ª.	284	82,1	37	**131**	famoso	1ª.	119	34,4	53
39	emergir	4ª.	330	95,4	117	**85**	rinoceronte	2ª.	283	81,8	139	**132**	hierarquia	3ª.	103	29,8	136
40	abridor	1ª.	329	95,1	64	**86**	único	1ª.	282	81,5	69	**133**	Europa	2ª.	102	29,5	106
41	encanador	4ª.	329	95,1	87	**87**	cérebro	2ª.	279	80,6	36	**134**	obrigar	4ª.	57	16,5	97
42	bebida	1ª.	328	94,8	3	**88**	aconselhar	4ª.	279	80,6	65	**135**	pulmão	1ª.	46	13,3	32
43	termômetro	3ª.	327	94,5	8	**89**	apelido	2ª.	277	80,1	124	**136**	cientista	2ª.	31	9,0	52
44	desprezar	1ª.	327	94,5	126	**90**	ensinar	1ª.	276	79,8	93	**137**	felino	3ª.	23	6,6	84
45	coração	4ª.	326	94,2	7	**91**	vidro	1ª.	274	79,2	91	**138**	raposa	3ª.	18	5,2	118
46	marceneiro	2ª.	326	94,2	101	**92**	vela	2ª.	267	77,2	6	**139**	alarme	1ª.	15	4,3	111

Nota: SR: Seqüência reordenada: Nova seqüência dos mesmos 139 itens reordenados de acordo com grau de dificuldade crescente (i.e., por incidência ou freqüência de acerto decrescente); Sinal: Sinal-alvo cujo significado deve ser indicado pela escolha da figura correspondente na matriz de quatro figuras por item; PM: Posição da figura alternativa correta na matriz de quatro alternativas por item (1ª, 2ª, 3ª ou 4ª posição), FA: Freqüência de acerto do item na amostra de 346 estudantes, %C: Porcentagem de acerto do item (i.e., freqüência de acerto multiplicada por 100 dividida pelo número total de estudantes avaliados); SO: Seqüência original dos itens 1 a 139 na ordem em que eles aparecem no TVRSL1.1 que foi aplicada aos 346 estudantes surdos de 1ª. a 8ª. série.

4.10.2.6.) A versão abreviada do Teste de Vocabulário Receptivo de Sinais da Libras (TVRSL1.3), com 66 itens ordenados com grau crescente de dificuldade de resposta

A Tabela 21 sumaria a versão abreviada do Teste de Vocabulário Receptivo de Sinais da Libras (TVRSL1.3), com apenas 66 itens de teste.

Tabela 21. Versão abreviada TVRSL1.3, com apenas 66 itens, ordenados por dificuldade crescente. Os 66 itens de teste foram selecionados a partir da versão reordenada TVRSL1.2, mais extensa, com 139 itens reordenados conforme grau de dificuldade. Os 66 itens selecionados cobrem toda a amplitude de variação de porcentagem de acerto, variando de 5,2% a 99,40%, com média de 65,40% e desvio-padrão de 22,97. Para cada um dos 66 sinais ordenados com dificuldade crescente encontram-se sumariadas a posição da alternativa correta (i.e., PM), a freqüência de acertos (i.e., FA) e a porcentagem de acertos (i.e., %A) no estudo da versão original TVRSL1.1, a posição original que eles ocupam na versão original TVRSL1.1 aplicada (i.e., SO), e a posição que ocupam na versão reordenada TVRSL1.2 (i.e., SR).

Ord.	Sinal	PM	FA	%A	SO	SR	Ord.	Sinal	PM	FA	%A	SO	SR
1	trem	2ª	344	99,4	72	1	**34**	muito	1ª	238	68,8	49	107
2	tartaruga	1ª	337	97,4	67	15	**35**	projeto	4ª	237	68,5	80	108
3	distração	2ª	335	96,8	108	22	**36**	lustrar	3ª	236	68,2	96	109
4	procurar	2ª	334	96,5	120	25	**37**	castelo	3ª	235	67,9	104	110
5	encanador	4ª	329	95,1	87	41	**38**	ramalhete	1ª	232	67,1	50	111
6	termômetro	3ª	327	94,5	8	43	**39**	ira	3ª	229	66,2	94	112
7	descascar	3ª	322	93,1	13	50	**40**	sob	4ª	228	65,9	85	113
8	mecânico	1ª	319	92,2	41	57	**41**	dicionário	2ª	220	63,6	132	114
9	vertigem	2ª	318	91,9	138	61	**42**	sapato	2ª	218	63,0	73	115
10	desenhista	1ª	307	88,7	22	68	**43**	eterno	4ª	217	62,7	127	116
11	agricultura	2ª	301	87,0	68	73	**44**	subornar	2ª	216	62,4	116	117
12	comprar	4ª	297	85,8	102	76	**45**	meia	4ª	213	61,6	35	118
13	batizar	1ª	290	83,8	122	81	**46**	greve	1ª	209	60,4	137	119
14	cobra	4ª	289	83,5	1	82	**47**	deserto	3ª	202	58,4	110	120
15	aconselhar	4ª	279	80,6	65	88	**48**	dialogar	1ª	192	55,5	133	121
16	apelido	2ª	277	80,1	124	89	**49**	volúvel	3ª	188	54,3	121	122
17	ensinar	1ª	276	79,8	93	90	**50**	bicampeão	1ª	184	53,2	61	123
18	vidro	1ª	274	79,2	91	91	**51**	adorar	3ª	181	52,3	62	124
19	vela	2ª	267	77,2	6	92	**52**	saudade	2ª	181	52,3	95	125
20	bússola	3ª	267	77,2	88	93	**53**	venenoso	4ª	179	51,7	42	126
21	derramar	2ª	265	76,6	63	94	**54**	marinha	3ª	176	50,9	134	127
22	sofá	4ª	263	76,0	33	95	**55**	processo	4ª	167	48,3	81	128
23	escorpião	4ª	260	75,1	129	96	**56**	desleixado	3ª	125	36,1	123	129
24	sede	4ª	259	74,9	99	97	**57**	fígado	2ª	121	35,0	103	130
25	duplo	2ª	253	73,1	66	98	**58**	famoso	1ª	119	34,4	53	131
26	vazio	1ª	252	72,8	25	99	**59**	hierarquia	3ª	103	29,8	136	132
27	grupo	1ª	252	72,8	43	100	**60**	Europa	2ª	102	29,5	106	133
28	vencedor	3ª	249	72,0	54	101	**61**	obrigar	4ª	57	16,5	97	134
29	pé	1ª	247	71,4	5	102	**62**	pulmão	1ª	46	13,3	32	135
30	inocente	4ª	247	71,4	125	103	**63**	cientista	2ª	31	9,0	52	136
31	abajur	4ª	244	70,5	15	104	**64**	felino	3ª	23	6,6	84	137
32	espantado	3ª	243	70,2	115	105	**65**	raposa	3ª	18	5,2	118	138
33	angústia	4ª	239	69,1	92	106	**66**	alarme	1ª	15	4,3	111	139

Nota: Ord.: Nova posição que o item ocupa na versão reordenada abreviada com 66 itens; Sinal: Sinal-alvo cujo significado deve ser indicado pela escolha da figura correspondente na matriz de quatro figuras por item; PM: Posição na matriz de quatro alternativas por item (1ª, 2ª, 3ª ou 4ª posição), FA: Freqüência de acerto que o item obteve na aplicação da versão original de 139 itens à amostra de 346 estudantes; %A: Porcentagem de acerto que o item obteve na aplicação da versão original de 139 itens à amostra de 346 estudantes (i.e., freqüência de acerto multiplicada por 100 dividida pelo número de estudantes avaliados); SO: Seqüência original do item na versão aplicada aos estudantes; Posição que o item ocupava na versão original completa com 139 itens que foi aplicada aos 346 estudantes surdos; SR: Posição que o item ocupava na versão completa com 139 itens que havia sido reordenada de acordo com grau de dificuldade crescente definido como sendo inversamente proporcional à freqüência de acerto.

Um bom teste psicométrico e neuropsicológico é caracterizado não apenas pela graduação crescente do nível de dificuldade ao longo dos itens que o compõem, como, também, pela sua praticidade, que usualmente se reflete em brevidade e simplicidade de aplicação e de pontuação. Para aumentar a praticidade do teste, foi elaborada uma versão abreviada TVRSL1.3 com apenas 66 itens selecionados a partir da versão reordenada TVRSL1.2, mais extensa, que contém os 139 itens ordenados por grau de dificuldade. A seleção dos itens foi feita para evitar a repetição de sinais com o mesmo grau de dificuldade. Ao permitir uma aplicação mais breve, o TVRSL1.3 evita o declínio do responder devido aos efeitos deletérios da fadiga de resposta. Ao mesmo tempo, ao cobrir, de modo equilibrado, toda a gama de variação de grau de dificuldade, a versão abreviada TVRSL1.3 evita a descontinuidade na escala de graus de dificuldade, bem como os efeitos indesejáveis de piso (que ocorrem quando os itens do teste são, em sua maioria, difíceis demais para um determinado examinando) e de teto (que ocorrem quando os itens do teste são, em sua maioria, fáceis demais para um determinado examinando).

Os 66 itens foram selecionados a partir da versão reordenada TVRSL1.2, com grau de dificuldade crescente, de modo a cobrir toda a faixa de variação de porcentagem de acerto. Os resultados revelaram que, na amostra de 346 examinandos surdos, a freqüência de acertos nos 66 itens variou de 15 a 344, com média de 222,73 acertos e desvio-padrão de 83,58. A porcentagem de acertos por parte desses estudantes nesses 66 itens variou de 5,2% a 99,40%, com média de 65,40% e desvio-padrão de 22,97. Esta nova versão abreviada TVRSL1.3 com apenas 66 itens tem uma série de vantagens em relação à versão reordenada TVRSL1.2 de 139 itens. Além de ser de aplicação mais fácil e breve, consumindo apenas uma sessão, essa versão abreviada TVRSL1.3 evita efeitos de teto e de piso.

A Tabela 22 sumaria a versão abreviada TVRSL1.3, completa, com os cinco itens de treino e os 66 itens de teste, juntamente com a posição da alternativa correta na matriz de quatro figuras alternativas de escolha (PM: 1a. a 4a.).

Tabela 22. Versão abreviada TVRSL1.3, completa, com os cinco itens de treino e os 66 itens de teste, juntamente com a posição da alternativa correta (PM: 1a. a 4a.).

Ord.	Sinal	PM	Ord.	Sinal	PM	Ord.	Sinal	PM
A	boneca	4a.				**43**	eterno	4a.
B	homem	2a.	**20**	bússola	3a.	**44**	subornar	2a.
C	balanço	3a.	**21**	derramar	2a.	**45**	meia	4a.
D	telefone	1a.	**22**	sofá	4a.	**46**	greve	1a.
E	vaca	2a	**23**	escorpião	4a.	**47**	deserto	3a.
1	trem	2a.	**24**	sede	4a.	**48**	dialogar	1a.
2	tartaruga	1a.	**25**	dupla	2a.	**49**	volúvel	3a.
3	distração	2a.	**26**	vazio	1a.	**50**	bicampeão	1a.
4	procurar	2a.	**27**	grupo	1a.	**51**	adorar	3a.
5	encanador	4a.	**28**	vencedor	3a.	**52**	saudade	2a.
6	termômetro	3a.	**29**	pé	1a.	**53**	venenoso	4a.
7	descascar	3a.	**30**	inocente	4a.	**54**	marinha	3a.
8	mecânico	1a.	**31**	abajur	4a.	**55**	processo	4a.
9	vertigem	2a.	**32**	espantado		**56**	desleixado	3a.
10	desenhista	1a.	**33**	angústia		**57**	fígado	2a.
11	agricultura	2a.	**34**	multa		**58**	famoso	1a.
12	comprar	4a.	**35**	projeto		**59**	hierarquia	3a.
13	batizar	1a.	**36**	lustrar		**60**	Europa	2a.
14	cobra	4a.	**37**	castelo		**61**	obrigar	4a.
15	aconselhar	4a.	**38**	ramalhete		**62**	pulmão	1a.
16	apelido	2a.	**39**	ira		**63**	cientista	2a.
17	ensinar	1a.	**40**	sob		**64**	felino	3a.
18	vidro	1a.	**41**	dicionário		**65**	raposa	3a.
19	vela	2a.	**42**	sapato		**66**	alarme	1a.

Nota: Ord.: Nova posição que o item ocupa na versão abreviada TVRSL1.3, com 66 itens; Sinal: Sinal-alvo cujo significado deve ser indicado pela escolha da figura correspondente na matriz de quatro figuras por item; PM: Posição na matriz de quatro alternativas por item (1a., 2a., 3a. ou 4a. posição).

4.10.2.7.) Relações entre vocabulário receptivo de sinais da Libras e outras habilidades lingüísticas

Os 505 estudantes avaliados em compreensão de sinais da Libras (por meio da versão original do Teste de Vocabulário Receptivo de Sinais da Libras, TVRSL1.1) também foram avaliados em uma série de outras habilidades lingüísticas pertinentes, como a competência de leitura de palavras, a compreensão de leitura de sentenças, a nomeação de figuras por meio da escolha de palavras escritas bem como da escrita livre, e a nomeação de sinais da Libras por meio da escolha de palavras escritas bem como da escrita livre. Isto permitiu avaliar as relações entre essas diversas habilidades.

Assim, além da versão original do

- Teste de Vocabulário Receptivo de Sinais da Libras (TVRSL1.1),

os estudantes também responderam às versões originais dos seguintes testes:

- Teste de Competência de Leitura de Palavras (TCLP1.1),
- Teste de Competência de Leitura de Sentenças (TCLS1.1),
- Teste de Nomeação de Figuras por Escolha (TNF1.1–Escolha e TNF2.1–Escolha),
- Teste de Nomeação de Sinais por Escolha (TNS1.1–Escolha e TNS2.1–Escolha),
- Teste de Nomeação de Figuras por Escrita (TNF1.1–Escrita e TNF2.1–Escrita), e
- Teste de Nomeação de Sinais por Escrita (TNS1.1–Escrita e TNS2.1–Escrita).

Nesta seção, os resultados em cada uma das versões originais desses testes foram analisados tendo como base os resultados na versão original do Teste de Vocabulário Receptivo de Sinais da Libras (TVRSL1.1). A seção descreve os resultados da análise de regressão dos dados em cada uma das versões originais desses testes sobre os dados no TVRSL1.1. Por fim, a seção compara as várias correlações entre o desempenho na versão original do Teste de Vocabulário Receptivo de Sinais da Libras e em todas as demais dez versões originais dos outros testes, ordenando-as por tamanho do coeficiente de correlação, de modo a descobrir quais os testes cujos resultados mais se aproximam aos do Teste de Vocabulário Receptivo de Sinais da Libras.

4.10.2.7.1.) Correlação entre compreensão de sinais da Libras e competência de leitura de palavras: Versão original do Teste de Vocabulário Receptivo de Sinais da Libras (TVRSL1.1) e versão original do Teste de Competência de Leitura de Palavras (TCLP1.1)

Dos 505 estudantes que responderam à versão original do Teste de Vocabulário Receptivo de Sinais da Libras (TVRSL1.1), 425 também responderam à versão original do Teste de Competência de Leitura de Palavras (TCLP1.1). Esses 425 estudantes obtiveram pontuação variando entre 15 e 70 pontos, com média de 48,16 pontos e desvio-padrão de 10,98. Análise de regressão dos escores nesse teste como função dos escores na versão original do Teste de Vocabulário Receptivo de Sinais da Libras (TVRSL1.1) revelou efeito significativo, $r = 0,37$, $r^2 = 0,14$, $F(1, 423) = 66,01$, $p < 0,000$, $N = 425$.

A Figura 45 representa o correlograma, com reta de regressão e intervalo de confiança, dos escores na versão original do Teste de Competência de Leitura de Palavras (TCLP1.1) como função dos escores na versão original do Teste de Vocabulário Receptivo de Sinais da Libras (TVRSL1.1). Conforme o correlograma, nos estudantes surdos, a competência de leitura silenciosa de palavras esteve positivamente correlacionada com o vocabulário receptivo visual de sinais da Libras, sendo que, quanto maior a compreensão de sinais da Libras, tanto maior a competência de leitura silenciosa de palavras.

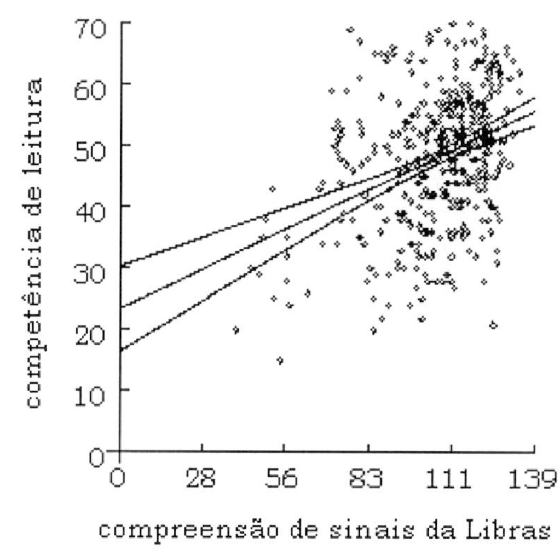

Figura 45. Correlograma, com reta de regressão e intervalo de confiança, dos escores na versão original do Teste de Competência de Leitura de Palavras (TCLP1.1) como função dos escores na versão original do Teste de Vocabulário Receptivo de Sinais da Libras (TVRSL1.1) obtidos por 425 estudantes da 1ª série do Ensino Fundamental até a 1ª série do Ensino Médio.

Como a versão original do Teste de Vocabulário Receptivo de Sinais da Libras (TVRSL1.1) é composta de 139 itens, e como cada item é composto de quatro alternativas, a chance de acerto casual é de 25%, ou seja, 35 pontos. Assim, um desempenho médio de 35 pontos na versão original do Teste de Vocabulário Receptivo de Sinais da Libras (TVRSL1.1) indica ausência de compreensão de sinais. Nesta amostra de 505 estudantes, os escores na versão original do Teste de Vocabulário Receptivo de Sinais da Libras (TVRSL1.1) variaram de 39 a 133, com média de 106,21 pontos e desvio-padrão de 17,15, o que sugere a presença de um grande número de sinais altamente transparentes e/ou uma elevada compreensão de sinais. Do mesmo modo, como a versão original do Teste de Competência de Leitura Silenciosa de Palavras (TCLP1.1) é composta de setenta itens, e como a resposta a cada item consiste numa escolha do tipo "certo *versus* errado", a chance de acerto casual é de 50%, ou seja, 35 pontos. Assim, um desempenho médio de 35 pontos na versão original do Teste de Competência de Leitura de Palavras (TCLP1.1) indica ausência de leitura. Observando o correlograma, chama a atenção a inclinação da reta de regressão de 25 graus.

4.10.2.7.2.) Correlação entre compreensão de sinais da Libras e compreensão de leitura de sentenças: Versão original do Teste de Vocabulário Receptivo de Sinais da Libras (TVRSL1.1) e versão original do Teste de Competência de Leitura de Sentenças (TCLS1.1)

Dos 505 estudantes que responderam à versão original do Teste de Vocabulário Receptivo de Sinais da Libras (TVRSL1.1), 323 também responderam à versão original do Teste de Competência de Leitura de Sentenças (TCLS1.1). Esses 323 estudantes obtiveram pontuação variando entre 0 e 40 pontos, com média de 16,62 pontos e desvio-padrão de 11,02. Análise de regressão dos escores nesse teste como função dos escores na versão original do Teste de Vocabulário Receptivo de Sinais da Libras (TVRSL1.1) revelou efeito significativo, $r = 0{,}40$, $r^2 = 0{,}16$, $F(1, 321) = 60{,}53$, $p < 0{,}000$, $N = 323$.

A Figura 46 representa o correlograma, com reta de regressão e intervalo de confiança, dos escores na versão original do Teste de Competência de Leitura de Sentenças (TCLS1.1) como função dos escores na versão original do Teste de Vocabulário Receptivo de Sinais da Libras (TVRSL1.1). Conforme o correlograma, nos estudantes surdos, a compreensão de leitura de sentenças esteve positivamente correlacionada com a compreensão dos sinais da Libras, sendo que, quanto maior a compreensão de sinais, tanto maior a competência de leitura de sentenças, e vice-versa.

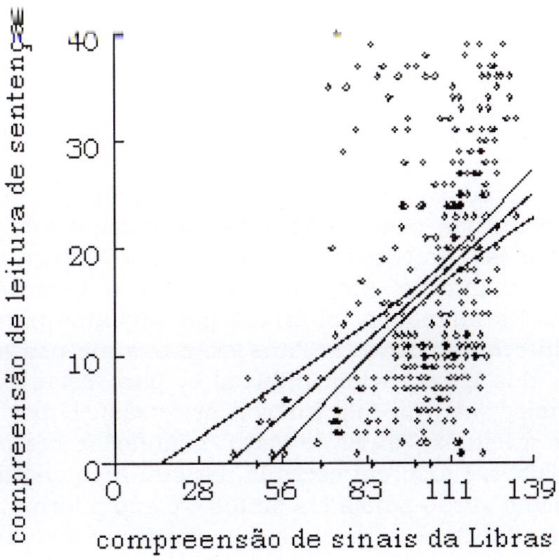

Figura 46. Correlograma, com reta de regressão e intervalo de confiança, dos escores na versão original do Teste de Competência de Leitura de Sentenças (TCLS1.1) como função dos escores na versão original do Teste de Vocabulário Receptivo de Sinais da Libras (TVRSL1.1) obtidos por 323 estudantes da 1ª. série do Ensino Fundamental até a 1ª. série do Ensino Médio.

A versão original do Teste de Competência de Leitura de Sentenças (TCLS1.1) é composta de quarenta itens, cada qual com cinco alternativas de escolha. Portanto, a chance de acerto casual é de 20%, ou seja, 8 pontos. Assim, um desempenho médio de 8 pontos na versão original do Teste de Competência de Leitura de Sentenças (TCLS1.1) indica ausência de compreensão de leitura de sentenças e textos. Na amostra deste estudo, os escores de 323 estudantes nesse teste variaram de 0 a 40 pontos, com média (*M*) de 16,62 pontos e desvio-padrão (*DP*) de 11,02. Assim, a versão original do Teste de Competência de Leitura de Sentenças (TCLS1.1) apresenta um controle elevado do acerto casual, e um nível de dificuldade elevado. Por outro lado, a versão original do Teste de Vocabulário Receptivo de Sinais da Libras (TVRSL1.1) é composta de 139 itens, com quatro alternativas por item, e chance de acerto casual de 25%, ou seja, 35 pontos. Assim, um desempenho médio de 35 pontos na versão original do Teste de Vocabulário Receptivo de Sinais da Libras (TVRSL1.1) indica ausência de compreensão de sinais. Na amostra deste estudo, os escores na versão original do Teste de Vocabulário Receptivo de Sinais da Libras (TVRSL1.1) variaram de 39 a 133, com média de 106,21 pontos e desvio-padrão de 17,15, o que sugere a presença de um grande número de sinais altamente transparentes e/ou elevada compreensão de sinais.

Observando o correlograma, chama a atenção a inclinação da reta de regressão de pouco mais de 40 graus. Chama também a atenção uma concentração de pontos nos quadrantes direitos (i.e., superior direito e inferior direito) e uma escassez de pontos nos quadrantes esquerdos (i.e., superior esquerdo e inferior esquerdo). Isto indica que o desempenho dessa amostra de escolares na versão original do Teste de Vocabulário Receptivo de Sinais da Libras (TVRSL1.1) foi bastante elevado. Em outras palavras, o teste sofreu efeito de teto nesta amostra, e precisa ser "enxugado" com a redução dos itens que foram acertados pela quase totalidade da amostra. Isto justifica a necessidade e adequação da elaboração da versão abreviada TVRSL1.3, com apenas 66 itens, que foi aqui descrita. Por outro lado, a dispersão dos pontos entre os quadrantes direitos (i.e., superior e inferior) indica que a versão original do Teste de Competência de Leitura de Sentenças TCLS1.1 foi bastante discriminativa da dispersão de competências nesta população, evitando tanto o efeito de piso, que ocorreria se o teste fosse difícil demais para esta amostra de escolares surdos, quanto o efeito de teto, que ocorreria se o teste fosse fácil demais para esta amostra de escolares surdos.

Assim, a versão original do Teste de Competência de Leitura de Sentenças (TCLS1.1) pareceu ter sido bastante adequada a esta ampla amostra de escolares surdos de 7 a 40 anos. A maior concentração de pontos no extremo médio superior da escala de vocabulário (i.e., no eixo das abscissas) e a grande dispersão de pontos ao longo da escala de compreensão de leitura de sentenças (i.e., no eixo das ordenadas) revelam que os estudantes que obtiveram altos escores em compreensão de sinais obtiveram escores os mais variados em compreensão de sentenças. Ou seja, estudantes com bom vocabulário de sinais em Libras não necessariamente demonstraram boa compreensão de leitura de sentenças. Embora um bom vocabulário de sinais em Libras não tenha sido necessariamente acompanhado de boa compreensão de leitura de sentenças, uma boa compreensão de leitura de sentenças tendeu a ser acompanhada de um relativamente bom vocabulário de sinais em Libras.

Tais resultados sugerem que, embora a língua de sinais seja grandemente relevante ao processamento cognitivo, não parece ser suficiente para produzir a compreensão de leitura alfabética. Tais resultados se coadunam com as expectativas baseadas na bibliografia (e.g., F. Capovilla & A. Capovilla, 2001b; F. Capovilla, Viggiano, Raphael, Neves, Maurício, Vieira, & Sutton, 2001) sobre os mecanismos de leitura da escrita alfabética, ressaltando a existência de uma descontinuidade entre o sinal e a escrita alfabética, que contrasta com a continuidade entre a fala e a escrita alfabética. Tal descontinuidade tende a dissociar os processos secundários de leitura e escrita alfabéticas dos processos primários de linguagem interna (i.e., pensamento) e externa (i.e., comunicação) da sinalização do surdo. Como a escrita alfabética foi criada por ouvintes para mapear os sons da fala (i.e., fonemas), ela engaja a fala interna do ouvinte. Para ler, o ouvinte usa mecanismos de leitura por decodificação grafofonêmica (i.e., das letras à fala interna) e, para escrever, usa os mecanismos de escrita por codificação fonografêmica (i.e., da fala interna às letras). É por isso que o ouvinte tem a experiência subjetiva de, durante a leitura, "ouvir" o texto "falando" à sua mente, e durante a escrita "ouvir" a sua mente ditando as palavras a serem escritas por sua mão enquanto ela traça as palavras durante a produção do texto. Como o surdo pensa em sinais e como a forma dos sinais difere da forma dos sons da fala, embora a escrita alfabética se preste a mapear muito bem as propriedades sonoras da fala (i.e., fonemas), ela não se presta a mapear as propriedades visuais da sinalização (i.e., quiremas). Tal dissociação entre o sinal e o alfabeto coloca o surdo em desvantagem, pois torna as atividades de ler e escrever mais artificiais e desvinculadas da sinalização natural com que ele pensa e se comunica. A associação entre a fala e o alfabeto beneficia o ouvinte, tornando naturais as suas atividades de leitura e escrita alfabéticas, uma vez que essas atividades são baseadas nos mesmos processos fonológicos envolvidos na compreensão da fala e na produção da fala pelo ouvinte. É por esta razão que as instruções fônicas (i.e., treino de correspondências entre grafemas e fonemas) e metafonológicas (i.e., treino de consciência fonológica) são tão eficazes em produzir alfabetização competente de crianças ouvintes com queixa de dificuldades de aprendizagem de leitura e escrita, conforme demonstrado extensamente (A. Capovilla & F. Capovilla, 2000b, 2002a). A descontinuidade entre o sinal e a escrita alfabética é um dos maiores desafios para a educação do surdo, um desafio que ainda não tem sido encarado de frente pelo bilingüismo que, até o momento, ainda tem limitado seus esforços ao primeiro estágio do movimento (i.e., o resgate da língua de sinais). Embora esse resgate seja necessário e legítimo, ele é insuficiente para resolver a miríade de necessidades cognitivas do surdo para a aquisição de leitura e escrita alfabética proficientes. Cedo ou tarde, a educação do surdo confrontará o bilingüismo com a necessidade de resolver esta importante questão. É possível que, quando isto finalmente vier a ocorrer, o bilingüismo já tenha concluído a sua contribuição histórica de resgatar a língua de sinais e esteja, por fim, preparado para avançar e ir além, considerando com equilíbrio e lucidez as vantagens de reincorporar procedimentos e técnicas oralistas que haviam sido deixadas de lado. A História, que testemunha a passagem do tempo, é a senhora da razão, e deverá responder também a esta questão, para o bem maior da educação da criança surda brasileira.

4.10.2.7.3.) Correlação entre compreensão de sinais da Libras e escolha do nome escrito de figuras: Versão original do Teste de Vocabulário Receptivo de Sinais da Libras (TVRSL1.1) e versões originais do Teste de Nomeação de Figuras por Escolha (TNF1.1–Escolha e TNF2.1–Escolha)

Dos 505 estudantes que responderam à versão original do Teste de Vocabulário Receptivo de Sinais da Libras (TVRSL1.1), 207 também responderam à versão original 1.1 do Teste de Nomeação de Figuras por Escolha (TNF1.1–Escolha). Esses 207 estudantes obtiveram pontuação variando entre 2 a 36 pontos, com média de 24,44 pontos e desvio-padrão de 9,35. Análise de regressão dos escores nesse teste como função dos escores na versão original do Teste de Vocabulário Receptivo de Sinais da Libras (TVRSL1.1) revelou efeito significativo, $r = 0,41$, $r^2 = 0,17$, F (1, 205) = 42,41, $p < 0,000$, $N = 207$.

Dos 505 estudantes que responderam à versão original do Teste de Vocabulário Receptivo de Sinais da Libras (TVRSL1.1), 194 também responderam à versão original 2.1 do Teste de Nomeação de Figuras por Escolha (TNF2.1–Escolha). Esses 194 estudantes obtiveram pontuação variando entre 0 a 36 pontos, com média de 23,86 pontos e desvio-padrão de 8,93. Análise de regressão dos escores nesse teste como função dos escores na versão original do Teste de Vocabulário Receptivo de Sinais da Libras revelou efeito significativo, $r = 0,36$, $r^2 = 0,13$, F (1, 192) = 28,48, $p < 0,000$, $N = 194$.

A Figura 47 representa os correlogramas, com reta de regressão e intervalo de confiança, dos escores na versão original do Teste de Nomeação de Figuras por Escolha (TNF1.1–Escolha à esquerda, e TNF2.1–Escolha à direita) como função dos escores na versão original do Teste de Vocabulário Receptivo de Sinais da Libras (TVRSL1.1). Conforme os correlogramas, em estudantes surdos, a habilidade de nomear figuras por meio da escolha de palavras escritas está positivamente correlacionada ao vocabulário de sinais em Libras, sendo que quanto maior a compreensão de sinais, tanto maior a habilidade de escolher palavras escritas para nomear figuras.

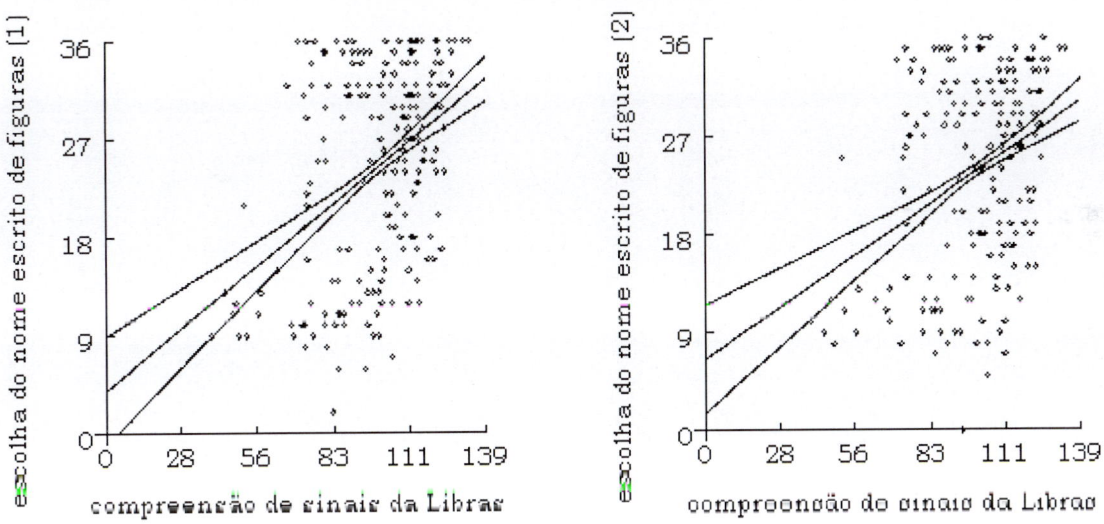

Figura 47. Correlograma, com reta de regressão e intervalo de confiança, dos escores nas versões originais 1.1 e 2.1 do Teste de Nomeação de Figuras por Escolha (à esquerda, dados de TNF1.1–Escolha com 207 estudantes; à direita, dados de TNF2.1–Escolha com 194 estudantes) sobre os escores na versão original do Teste de Vocabulário Receptivo de Sinais da Libras (TVRSL1.1) para estudantes da 1a. série do Ensino Fundamental até a 1a. série do Ensino Médio.

Observando os correlogramas, chama a atenção a inclinação da reta de regressão de 40 graus para o TNF1.1–Escolha e de 35 graus para o TNF2.1–Escolha. Cada uma das duas versões do Teste de Nomeação de Figuras por Escolha (TNF–Escolha) é composta de 36 itens, sendo que cada item tem quatro alternativas de escolha. Portanto, a chance de acerto casual é de 25%, ou seja, 9 pontos. Assim, um desempenho médio de 9 pontos no Teste de Nomeação de Figuras por Escolha (TNF–Escolha) indica ausência de nomeação de figuras por escolha de palavra escrita. Logo, o Teste de Nomeação de Figuras por Escolha (TNF–Escolha) apresenta considerável controle sobre acerto casual. Já a versão original do Teste de Vocabulário Receptivo de Sinais da Libras (TVRSL1.1) é composta de 139 itens, com quatro alternativas por item, e chance de acerto casual de 25%, ou seja, 35 pontos. Assim, um desempenho médio de 35 pontos na versão original do Teste de Vocabulário Receptivo de Sinais da Libras (TVRSL1.1) indica ausência de compreensão de sinais.

Na amostra deste estudo, na versão 1.1 do Teste de Nomeação de Figuras por Escolha (TNF1.1–Escolha) os escores variaram de 2 a 36 pontos, com média de 24,44 pontos e desvio-padrão de 9,35, e na versão 2.1 (TNF2.1–Escolha) os escores variaram de 0 a 36 pontos, com média de 23,86 pontos e desvio-padrão de 8,93. Já na versão original do Teste de Vocabulário Receptivo de Sinais da Libras (TVRSL1.1), os escores variaram de 39 a 133, com média de 106,21 pontos e desvio-padrão de 17,15, o que sugere a presença de um grande número de sinais altamente transparentes e/ou elevada compreensão de sinais. Conforme as figuras, a reta de regressão cruza as coordenadas nos pontos médios de 106 para compreensão de sinais e de 24 para escolha de palavras escritas para nomear figuras.

4.10.2.7.4.) Correlação entre compreensão de sinais da Libras e escolha do nome escrito de sinais da Libras: Versão original do Teste de Vocabulário Receptivo de Sinais da Libras (TVRSL1.1) e versões originais do Teste de Nomeação de Sinais por Escolha (TNS1.1–Escolha e TNS2.1–Escolha)

Dos 505 estudantes que responderam à versão original do Teste de Vocabulário Receptivo de Sinais da Libras (TVRSL1.1), 261 também responderam à versão 1.1 do Teste de Nomeação de Sinais por Escolha (TNS1.1–Escolha). Esses 261 estudantes obtiveram pontuação variando entre 3 a 36 pontos, com média de 16,42 pontos e desvio-padrão de 8,29. A análise de regressão dos escores nesse teste como função dos escores na versão original do Teste de Vocabulário Receptivo de Sinais da Libras (TVRSL1.1) revelou efeito significativo, $r = 0{,}59$, $r^2 = 0{,}35$, $F\,(1, 259) = 140{,}92$, $p < 0{,}000$, $N = 261$.

Dos 505 estudantes que responderam à versão original do Teste de Vocabulário Receptivo de Sinais da Libras (TVRSL1.1), 270 também responderam à versão 2.1 do Teste de Nomeação de Sinais por Escolha (TNS2.1 Escolha). Esses 270 estudantes obtiveram pontuação variando entre 3 a 34 pontos, com média de 17,96 pontos e desvio-padrão de 7,66. Análise de regressão dos escores nesse teste como função dos escores na versão original do Teste de Vocabulário Receptivo de Sinais da Libras (TVRSL1.1) revelou efeito significativo, $r = 0{,}59$, $r^2 = 0{,}35$, $F\,(1, 268) = 144{,}64$, $p < 0{,}000$, $N = 270$.

A Figura 18 representa os correlogramas, com reta de regressão e intervalo de confiança, dos escores nas versões originais do Teste de Nomeação de Sinais por Escolha (TNS1.1–Escolha à esquerda, e TNS2.1–Escolha à direita) como função dos escores na versão original do Teste de Vocabulário Receptivo de Sinais da Libras (TVRSL1.1). Conforme os correlogramas, a habilidade de nomear sinais da Libras por meio da escolha de palavras escritas para designá-los esteve correlacionada de maneira positiva e significativa com a compreensão dos sinais da Libras, de modo que, quanto maior o vocabulário em sinais, tanto maior a habilidade de nomear sinais por escolha de palavras escritas.

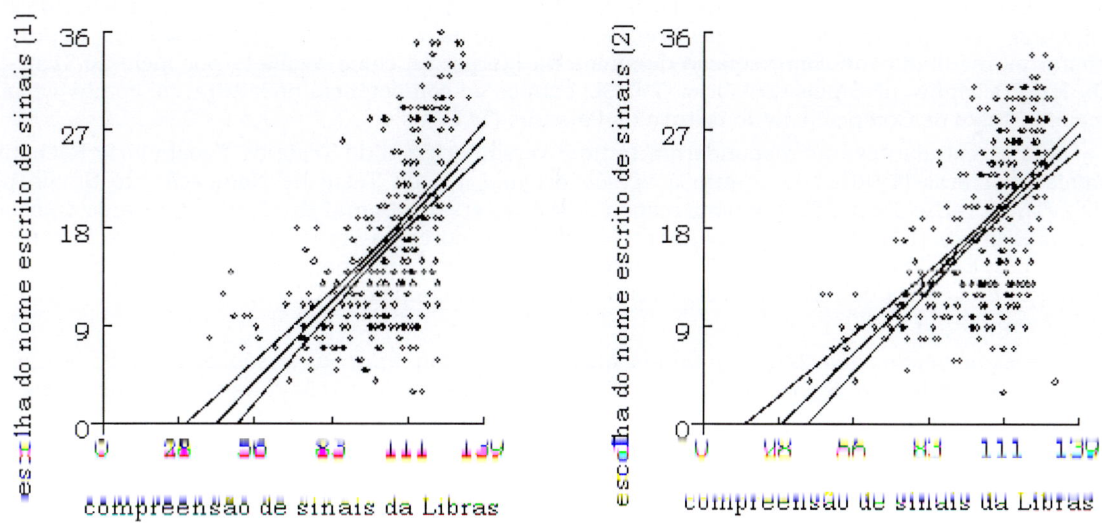

Figura 18. Correlograma, com reta de regressão e intervalo de confiança, dos escores nas versões originais 1.1 e 2.1 do Teste de Nomeação de Sinais por Escolha (à esquerda, dados de TNS1.1–Escolha com 261 estudantes; e, à direita, dados de TNS2.1–Escolha com 270 estudantes) sobre os escores na versão original do Teste de Vocabulário Receptivo de Sinais da Libras (TVRSL1.1), para estudantes da 1a. série do Ensino Fundamental até a 1a. série do Ensino Médio.

Observando os correlogramas, chama a atenção a inclinação das retas de regressão de cerca de 45 graus. Também chama a atenção uma concentração de pontos nos quadrantes direitos (i.e., superior direito e inferior direito) e uma escassez de pontos nos quadrantes esquerdos, especialmente no superior. Já foi discutido que o desempenho em vocabulário foi bastante elevado, e que o teste sofreu efeito de teto, devendo ser "enxugado" com o corte dos itens iniciais na escala de dificuldade crescente, o que justifica a necessidade da versão abreviada, com apenas 66 itens, do Teste de Vocabulário Receptivo de Sinais da Libras (TVRSL1.3), apresentada neste capítulo. Por outro lado, a dispersão dos pontos entre os quadrantes direitos superior e inferior indica que o Teste de Nomeação de Sinais por Escolha (TNS–Escolha) foi bastante discriminativo do desempenho desta população, evitando tanto efeito de piso, que ocorre quando o teste é difícil demais para os respondentes, quanto efeito de teto, que ocorre quando o teste é fácil demais para eles.

Assim, o Teste de Nomeação de Sinais por Escolha (TNS–Escolha) pareceu ter sido bastante adequado a esta ampla amostra de 505 escolares surdos de 6 a 41 anos de idade. A maior concentração de pontos no extremo médio superior da escala de vocabulário (i.e., no eixo das abscissas), e a ampla dispersão de pontos ao longo da escala de escolha do nome escrito de sinais (i.e., no eixo das ordenadas) revelam que os estudantes que obtiveram altos escores em compreensão de sinais obtiveram escores variados em escolha do nome escrito dos sinais; contudo, revelam também que os estudantes que obtiveram altos escores em escolha do nome escrito dos sinais obtiveram escores mais altos em compreensão de sinais. Ou seja, embora os estudantes que demonstraram muito bom vocabulário de sinais em Libras não tivessem necessariamente demonstrado boa escolha do nome escrito dos sinais, aqueles que demonstraram boa escolha do nome escrito dos sinais também exibiram melhor vocabulário de sinais em Libras. Em outras palavras, embora um bom vocabulário de sinais em Libras não seja necessariamente acompanhado de boa habilidade de escolher os nomes escritos de sinais, a boa habilidade de escolher nomes escritos de sinais normalmente é acompanhada de um bom vocabulário de sinais em Libras. Isto é esperado, pois enquanto o vocabulário de sinais é um pré-requisito para a habilidade de nomear os sinais por escolha de nomes escritos, essa habilidade de nomear os sinais escolhendo nomes escritos envolve mais do que meramente vocabulário em sinais, ou seja, ela envolve competência de leitura alfabética. Assim, pode-se esperar que o desempenho de escolha do nome escrito de sinais reflita tanto o vocabulário de sinais quanto a competência de leitura.

A vantagem do Teste de Nomeação de Sinais por Escolha (TNS–Escolha) é que ele avalia, ao mesmo tempo, o fruto da coordenação de duas habilidades lingüísticas individuais até certo ponto independentes em Português e em Libras. Se for encontrado um bom desempenho, isto indica que o estudante tem boas habilidades nas duas línguas. Contudo, se for encontrado um desempenho insatisfatório, então são necessárias análises adicionais. Um desempenho em nível do acaso no Teste de Nomeação de Sinais por Escolha (TNS–Escolha) pode revelar pouco conhecimento dos sinais da Libras ou baixa competência de leitura. Para compreender a natureza do problema, ou seja, de um desempenho insatisfatório no Teste de Nomeação de Sinais por Escolha (TNS–Escolha), é preciso contrastar os resultados de compreensão de sinais da Libras, tal como avaliada por meio do Teste de Vocabulário Receptivo de Sinais da Libras (TVRSL) com os de competência de leitura, tal como avaliada por meio do Teste de Competência de Leitura de Palavras (TCLP).

Dos 261 estudantes que responderam tanto à versão original do Teste de Vocabulário Receptivo de Sinais da Libras (TVRSL1.1) quanto à versão original 1.1 do Teste de Nomeação de Sinais por Escolha (TNS1.1–Escolha), 250 também responderam à versão original do Teste de Competência de Leitura de Palavras (TCLP1.1). A análise de regressão dos escores na versão 1.1 do Teste de Nomeação de Sinais por Escolha (TNS1.1–Escolha) como função dos escores na versão original do Teste de Competência de Leitura de Palavras (TCLP1.1) revelou efeito significativo, $r = 0,53$, $r^2 = 0,28$, $F\ (1, 248) = 97,68$, $p < 0,000$, $N = 250$.

Do mesmo modo, dos 270 estudantes que responderam tanto à versão original do Teste de Vocabulário Receptivo de Sinais da Libras (TVRSL1.1) quanto à versão original 2.1 do Teste de Nomeação de Sinais por Escolha (TNS2.1–Escolha), 247 também responderam à versão original do Teste de Competência de Leitura de Palavras (TCLP1.1). A análise de regressão dos escores na versão 2.1 do Teste de Nomeação de Sinais por Escolha (TNS2.1–Escolha) como função dos escores na versão original do Teste de Competência de Leitura de Palavras (TCLP1.1) revelou efeito significativo, $r = 0,50$, $r^2 = 0,25$, $F\ (1, 245) = 82,96$, $p < 0,000$, $N = 247$.

A Figura 49 representa os correlogramas, com reta de regressão e intervalo de confiança, dos escores nas versões originais 1.1 e 2.1 do Teste de Nomeação de Sinais por Escolha (TNS1.1–Escolha à esquerda, e TNS2.1–Escolha à direita) como função dos escores na versão original do Teste de Competência de Leitura de Palavras (TCLP1.1). Conforme os correlogramas, a habilidade de nomear sinais da Libras por meio da escolha de palavras escritas esteve positivamente correlacionada com a competência de leitura de palavras, sendo que quanto maior essa competência de leitura de palavras, tanto maior a habilidade de escolher o nome escrito de sinais. Contudo, a maior dispersão dos pontos em torno da reta de regressão revela maior dissociação entre as habilidades, sendo possível encontrar casos de estudantes com alta competência de leitura de palavras e baixa habilidade de escolha de palavras escritas para denominar sinais. Tais estudantes tendem a apresentar baixa compreensão de sinais, conforme revelado pela versão original do Teste de Vocabulário Receptivo de Sinais da Libras (TVRSL1.1). Dentre os estudantes surdos que apresentam menor compreensão de sinais (independentemente do nível de competência de leitura de palavras), destacam-se aqueles que estudam no sistema de ensino regular (e não em escolas especiais para crianças surdas) em que as aulas não são ministradas em Libras, mas em Português. Observando os correlogramas, chama a atenção a inclinação das retas de regressão de pouco menos de 35 graus.

Em suma, os dados revelaram que a habilidade de escolher palavras escritas para nomear sinais da Libras está correlacionada de maneira positiva e significativa não apenas com o vocabulário receptivo de sinais da Libras como, também, com a competência de leitura de palavras, sendo que os dados revelaram que a correlação foi maior com o vocabulário de sinais do que com a competência de leitura de palavras. Ou seja, crianças com maior vocabulário de sinais apresentam maior habilidade de nomear os sinais pela escolha de palavras escritas do que as crianças que apresentam apenas maior competência de leitura de palavras.

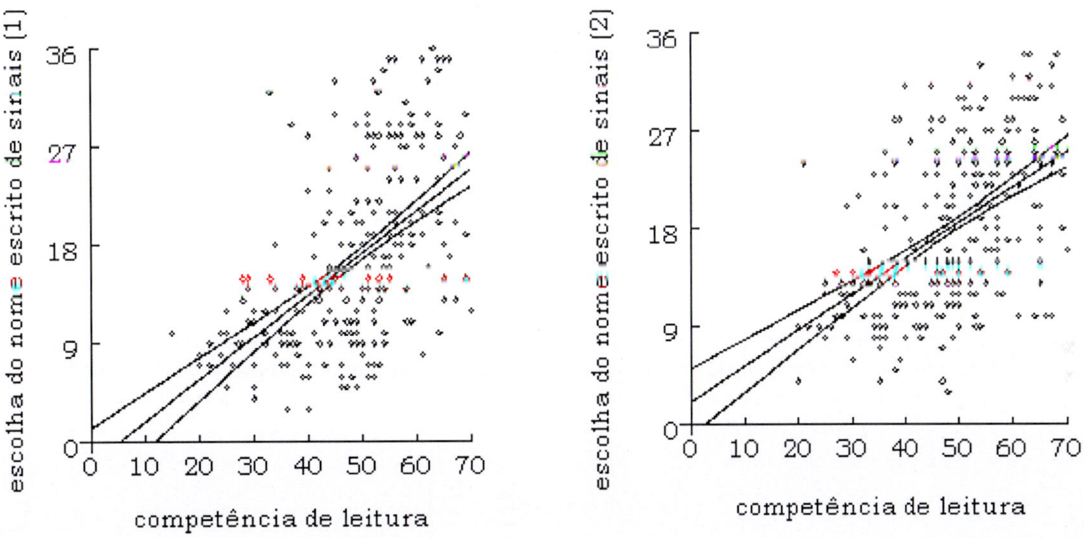

Figura 49. Correlograma, com reta de regressão e intervalo de confiança, dos escores nas versões originais 1.1 e 2.1 do Teste de Nomeação de Sinais por Escolha (à esquerda, dados do TNS1.1–Escolha com 250 estudantes; e, à direita, dados do TNS2.1–Escolha com 247 estudantes) sobre os escores na versão original do Teste de Competência de Leitura Silenciosa de Palavras (TCLP1.1) de estudantes da 1ª. série do Ensino Fundamental até a 1ª. série do Ensino Médio.

4.10.2.7.5.) Correlação entre compreensão de sinais da Libras e escrita do nome de figuras: Versão original do Teste de Vocabulário Receptivo de Sinais da Libras (TVRSL1.1) versões originais do Teste de Nomeação de Figuras por Escrita (TNF1.1–Escrita e TNF2.1–Escrita)

Dos 505 estudantes que responderam à versão original do Teste de Vocabulário Receptivo de Sinais da Libras (TVRSL1.1), 206 também responderam à versão 1.1 do Teste de Nomeação de Figuras por Escrita (TNF1.1–Escrita). Esses 206 estudantes obtiveram pontuação variando entre 0 e 32 pontos, com média de 10,06 pontos e desvio-padrão de 9,05. Análise de regressão dos escores nesse teste como função dos escores na versão original do Teste de Vocabulário Receptivo de Sinais da Libras (TVRSL1.1) revelou efeito significativo, $r = 0{,}32$, $r^2 = 0{,}10$, $F\,(1, 204) = 22{,}70$, $p < 0{,}000$, $N = 206$.

Dos 505 estudantes que responderam à versão original do Teste de Vocabulário Receptivo de Sinais da Libras (TVRSL1.1), 179 também responderam à versão 2.1 do Teste de Nomeação de Figuras por Escrita (TNF2.1–Escrita). Esses 179 estudantes obtiveram pontuação variando entre 0 e 32 pontos, com média de 8,58 pontos e desvio-padrão de 8,91. A análise de regressão dos escores nesse teste como função dos escores na versão original do Teste de Vocabulário Receptivo de Sinais da Libras (TVRSL1.1) revelou efeito significativo, $r = 0{,}30$, $r^2 = 0{,}09$, $F\,(1, 177) = 17{,}30$, $p < 0{,}000$, $N = 179$.

A Figura 50 representa os correlogramas, com reta de regressão e intervalo de confiança, dos escores nas versões originais 1.1 e 2.1 do Teste de Nomeação de Figuras por Escrita (TNF1.1–Escrita à esquerda, e TNF2.1–Escrita à direita) como função dos escores na versão original do Teste de Vocabulário Receptivo de Sinais da Libras (TVRSL1.1). Conforme os correlogramas, em estudantes surdos, a habilidade de escrever os nomes de figuras mostrou-se correlacionada com a compreensão dos sinais da Libras. Tal correlação, contudo, foi bastante baixa.

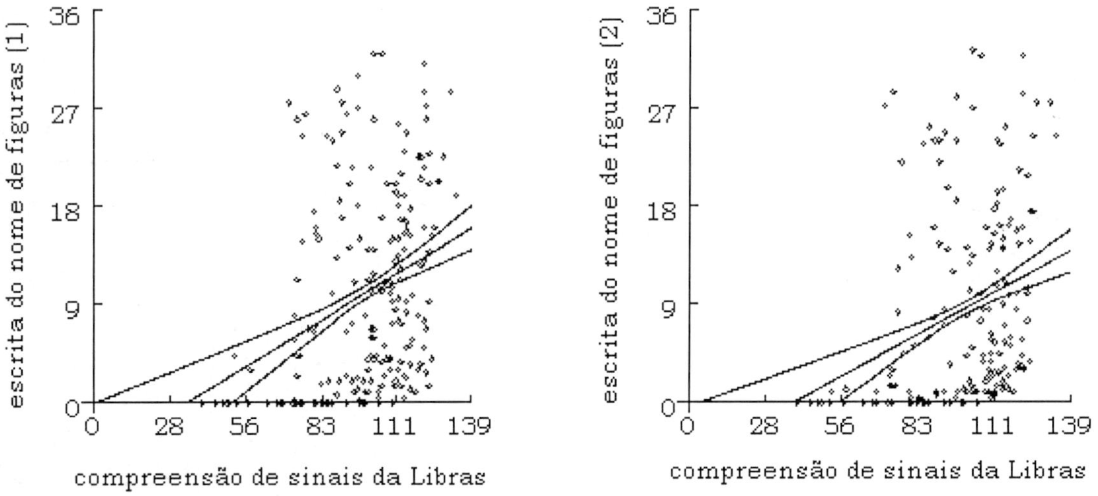

Figura 50. Correlograma, com reta de regressão e intervalo de confiança, dos escores nas versões originais 1.1 e 2.1 do Teste de Nomeação de Figuras por Escrita (à esquerda, dados do TNF1.1–Escrita com 206 estudantes; e, à direita, dados do TNF2.1–Escrita com 179 estudantes) sobre os escores na versão original do Teste de Vocabulário Receptivo de Sinais da Libras (TVRSL1.1) para estudantes da 1ª. série do Ensino Fundamental até a 1ª. série do Ensino Médio.

Observando os correlogramas, chama a atenção a inclinação das retas de regressão de cerca de 30 graus. Chama também a atenção a concentração de dados nos quadrantes direitos, o que revela que as duas versões do Teste de Nomeação de Figuras por Escrita foram bastante discriminativas dessa habilidade e evitaram efeito de piso e teto. Os escores nas duas versões variaram de 0 a 32, sendo que no TNF1.1–Escrita a média dos 206 estudantes foi de 10,06 e desvio-padrão de 9,05 e, no TNF2.1–Escrita, a média dos 179 estudantes foi de 8,58 e desvio-padrão de 8,91. Já os escores dos 505 estudantes na versão original do Teste de Vocabulário Receptivo de Sinais da Libras (TVRSL1.1) variaram de 39 a 133, com média de 106,21 pontos e desvio-padrão de 17,15. Conforme revelam as figuras, estudantes com escore abaixo de cerca de 1 desvio-padrão (i.e., -1 *DP* = 89 pontos) em vocabulário tiveram desempenho quase nulo na escrita do nome de figuras. Contudo, a partir dessa pontuação em vocabulário (mais precisamente na faixa de 83 a 130), houve uma ampla dispersão na habilidade de escrita, com estudantes exibindo os mais variados níveis de habilidade de escrita para os mesmos valores de vocabulário receptivo de sinais. Da mesma forma, a ampla variação observada no vocabulário de sinais por estudantes que obtiveram desempenho zero em escrita de palavras indica uma dissociação entre a escrita de palavras e a compreensão de sinais

Como revela a grande concentração de pontos no eixo das abscissas, um desempenho de escrita de palavras absolutamente nulo foi demonstrado no TNF1.1–Escrita por 29 estudantes com vocabulário receptivo em sinais variando numa ampla faixa de 39 a 110 (com média de 75,48 pontos e desvio-padrão de 19,18) e no TNF2.1–Escrita por 26 estudantes com vocabulário receptivo em sinais variando numa ampla faixa de 39 a 105 (com média de 75,69 pontos e desvio-padrão de 19,08). Tais dados sugerem uma relativa dissociação entre as habilidade de compreensão de sinais e de escrita alfabética, e lembram a necessidade de investir em pesquisa sobre a eficácia de procedimentos mais especificamente voltados ao desenvolvimento do processamento do código alfabético e à aquisição de leitura e escrita proficientes por parte da população escolar surda.

4.10.2.7.6.) Correlação entre compreensão de sinais da Libras e escrita do nome de sinais da Libras: Versão original do Teste de Vocabulário Receptivo de Sinais da Libras (TVRSL1.1) e versões originais do Teste de Nomeação de Sinais por Escrita (TNS1.1–Escrita e TNS2.1–Escrita)

Dos 505 estudantes que responderam à versão original do Teste de Vocabulário Receptivo de Sinais da Libras (TVRSL1.1), 257 também responderam à versão 1.1 do Teste de Nomeação de Sinais por Escrita (TNS1.1–Escrita). Esses 257 estudantes obtiveram pontuação variando entre 0 e 36 pontos, com média de 10,65 pontos e desvio-padrão de 11,24. Análise de regressão dos escores no TNS1.1–Escrita como função dos escores no TVRSL1.1 revelou efeito significativo, $r = 0{,}64$, $r^2 = 0{,}41$, $F\,(1,\ 255) = 176{,}00$, $p < 0{,}000$, $N = 257$.

Dos 505 estudantes que responderam à versão original do Teste de Vocabulário Receptivo de Sinais da Libras (TVRSL1.1), 258 também responderam à versão 2.1 do Teste de Nomeação de Sinais por Escrita (TNS2.1–Escrita). Esses 258 estudantes obtiveram pontuação variando entre 0 e 36 pontos, com média de 11,52 pontos e desvio-padrão de 11,06. Análise de regressão dos escores no TNS2.1–Escrita como função dos escores no TVRSL1.1 revelou efeito significativo, $r = 0{,}63$, $r^2 = 0{,}40$, $F\,(1,\ 256) = 170{,}89$, $p < 0{,}000$, $N = 258$.

A Figura 51 representa os correlogramas, com reta de regressão e intervalo de confiança, dos escores na versão original do Teste de Nomeação de Sinais por Escrita (TNS2.1–Escrita à esquerda, e TNS2.1–Escrita à direita) como função dos escores na versão original do Teste de Vocabulário Receptivo de Sinais da Libras (TVRSL1.1). Conforme os correlogramas, a escrita de palavras para nomear sinais da Libras mostrou-se correlacionada, de maneira positiva e significativa, com a compreensão dos sinais da Libras, de modo que quanto maior o vocabulário receptivo de sinais, tanto maior a habilidade de escrever os nomes dos sinais da Libras.

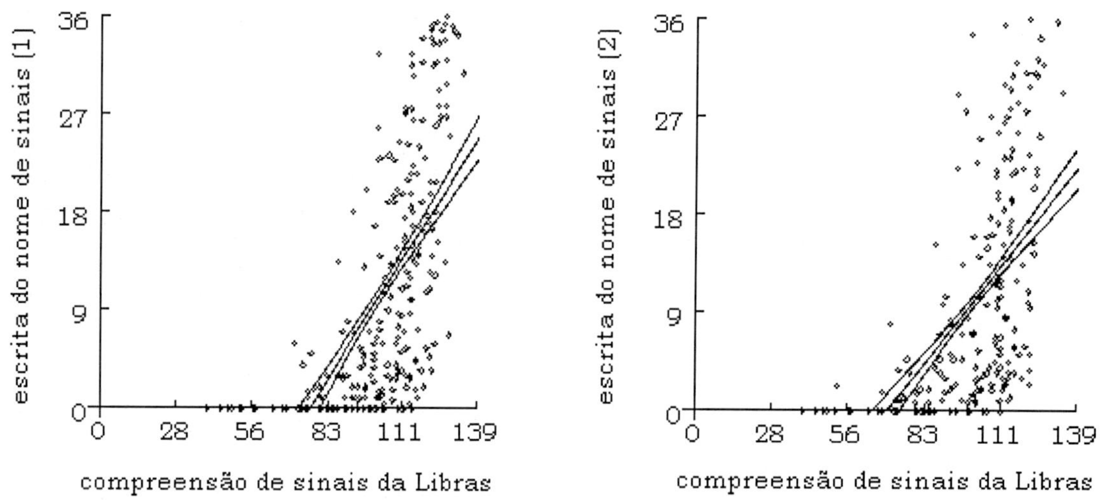

Figura 51. Correlograma, com reta de regressão e intervalo de confiança, dos escores nas versões originais 1.1 e 2.1 do Teste de Nomeação de Sinais por Escrita (à esquerda, dados do TNS1.1–Escrita com 257 estudantes; e, à direita, dados do TNS2.1–Escrita com 258 estudantes) sobre os escores na versão original do Teste de Vocabulário Receptivo de Sinais da Libras (TVRSL1.1) para estudantes da 1ª. série do Ensino Fundamental até a 1ª. série do Ensino Médio.

Observando os correlogramas, chama a atenção a inclinação das retas de regressão de cerca de 55 graus para o TNS1.1–Escrita e de cerca de 50 graus para o TNS2.1–Escrita. Enquanto cada uma das versões originais do Teste de Nomeação de Sinais por Escolha (TNS–Escolha) tem 36 itens com quatro alternativas cada um e oferece uma chance de acerto casual de 25% ou 9 pontos, cada uma das versões originais do Teste de Nomeação de Sinais por Escrita (TNS–Escrita) consiste num teste de escrita livre, que requer a produção efetiva da escrita e não oferece chance de acerto casual. Assim, nas versões originais do Teste de Nomeação de Sinais por Escrita (TNS1.1–Escrita e TNS2.1–Escrita), a ausência de nomeação escrita é indicada por um escore de 0. Como a versão original do Teste de Vocabulário Receptivo de Sinais da Libras (TVRSL1.1) oferece uma chance de acerto casual de 35 pontos, a ausência de conhecimento de sinais é indicada por um escore médio de 35. Neste estudo, o desempenho no teste de vocabulário variou de 39 (i.e., pontuação levemente superior ao nível do acaso) a 133 pontos, com média de 106,21 pontos e desvio-padrão de 17,15.

Chama a atenção a ampla variação observada no vocabulário de sinais por estudantes que obtiveram desempenho zero em escrita de palavras para designar os sinais. Analisando mais detidamente a grande concentração de pontos no eixo das abscissas, nota-se que um desempenho nulo na escrita de palavras para designar sinais foi demonstrado no TNS1.1–Escrita por 57 estudantes com vocabulário receptivo em sinais variando numa ampla faixa de 39 a 115 pontos (com amplitude de variação de 76 pontos, média de 82,68 e desvio-padrão de 18,80) e no TNS2.1–Escrita por 44 estudantes com vocabulário receptivo em sinais variando numa ampla faixa de 39 a 111 (com amplitude de variação de 72 pontos, média de 76,64 e desvio-padrão de 17,85). Como o vocabulário de sinais dos 322 estudantes variou de 39 a 133, com média de 106,21 pontos e desvio-padrão de 17,15, nota-se que os estudantes com desempenho nulo em escrita do nome de sinais obtiveram desempenho inferior à média na amostra toda avaliada em vocabulário de sinais, estando entre –1 e –2 desvios-padrão em relação a esta média. Ou seja, os estudantes que se mostraram incapazes de escrever livremente os nomes dos sinais no TNS1.1–Escrita apresentaram um vocabulário receptivo em sinais de 82,68 pontos. Aqueles que se mostraram incapazes de escrever livremente os nomes dos sinais no TNS2.1–Escrita apresentaram vocabulário receptivo em sinais de 76,64 pontos. Em relação à amostra toda, os dois grupos situaram-se entre –1 *DP* (i.e., 1 desvio-padrão abaixo da média, que corresponde a 89,06 pontos) e –2 *DP* (i.e., 2 desvios-padrão abaixo da média, que corresponde a 71,91 pontos), estando no extremo inferior da distribuição de vocabulário em sinais. De fato, dos 322 estudantes que responderam ao teste de vocabulário de sinais, apenas 51 apresentaram vocabulário de sinais inferior a 82 pontos.

Ainda assim, apesar de estarem no extremo inferior de compreensão de sinais, os estudantes obtiveram pontuação bem acima do nível do acaso (i.e., 34,75 pontos): 47,93 pontos acima para os estudantes que responderam à versão 1.1, e 41,89 pontos acima para os estudantes que responderam à versão 2.1. Apesar do efeito de teto ter revelado que o grau de dificuldade da versão completa com 139 itens do Teste de Vocabulário Receptivo de Sinais da Libras (TVRSL1.1) ser menor que desejado, os presentes dados sugerem que a incapacidade de nomear por escrito os sinais da Libras não decorre principalmente da ausência de vocabulário de sinais da Libras, mas, sim, de dificuldades com a escrita alfabética do Português.

Apesar do desempenho nulo em escrita exibido por 53 estudantes avaliados no TNS1.1–Escrita e por 36 no TNS2.1–Escrita, a relação entre o vocabulário receptivo em sinais e a nomeação desses sinais por escrita livre mostrou-se razoavelmente boa e significativa. Como revelam os correlogramas, o vocabulário de sinais e a escrita alfabética para nomear esses sinais mostraram-se correlacionados de maneira positiva e importante, de modo que quanto maior o vocabulário de sinais, tanto melhor a escrita alfabética para denominar sinais.

O vocabulário de sinais é um pré-requisito para a nomeação escrita de sinais, e uma habilidade de nomeação escrita de sinais elevada é normalmente acompanhada de um vocabulário receptivo de sinais elevado. Contudo, o grande número de estudantes que exibiram vocabulário receptivo em sinais médio ou acima da média mas que se mostraram incapazes de escrever os nomes de sinais ressalta a necessidade de investir em pesquisa sobre a eficácia de procedimentos mais especificamente voltados ao desenvolvimento do processamento do código alfabético e à aquisição de leitura e escrita proficientes por parte da população escolar surda.

Para compreender melhor o efeito dessas dificuldades com a escrita alfabética, e sua participação relativa na ausência de escrita por parte desses estudantes, pode-se analisar a habilidade de escrever os nomes de sinais como função da competência de leitura, e não apenas do vocabulário de sinais.

A vantagem do Teste de Nomeação de Sinais por Escrita é que ele avalia, ao mesmo tempo, o resultado conjunto de duas habilidades individuais em duas línguas independentes: Português e Libras. Um bom desempenho indica que o estudante tem boas habilidades nas duas línguas. Contudo, um desempenho insatisfatório requer exame adicional, pois pode decorrer de problemas com uma das línguas ou com ambas. Um desempenho rebaixado no Teste de Nomeação de Sinais por Escrita pode revelar problemas com o Português se estiver associado a baixa competência de leitura silenciosa de palavras, baixa compreensão de leitura de sentenças, baixa habilidade de escolher palavras escritas para nomear figuras, e baixa habilidade de escrever palavras para nomear figuras. Por outro lado, ele pode revelar problemas com a Libras se estiver associado com baixa compreensão de vocabulário de sinais, e baixa habilidade de escolher palavras escritas para nomear sinais da Libras. Para começar a compreender a natureza do problema, ou seja, o desempenho insatisfatório no Teste de Nomeação de Sinais por Escrita, pode-se contrastar a compreensão de sinais da Libras, avaliada por meio do Teste de Vocabulário Receptivo de Sinais da Libras (TVRSL1.1) com a competência de leitura, avaliada por meio do Teste de Competência de Leitura de Palavras.

Problemas com a escrita de nomes de sinais podem decorrer não apenas de vocabulário de sinais insuficiente, como, também, de dificuldades com o código alfabético do Português. Para avaliar se é este o caso, pode-se tomar os estudantes avaliados no Teste de Vocabulário Receptivo de Sinais da Libras (TVRSL1.1) e conduzir análise de regressão dos escores desses estudantes no Teste de Nomeação de Sinais por Escrita (TNS1.1–Escrita e TNS2.1–Escrita) sobre os escores no Teste de Competência de Leitura de Palavras (TCLP1.1). Isto foi feito aqui, a título de ilustração.

Dos 257 estudantes que responderam ao Teste de Vocabulário Receptivo de Sinais da Libras (TVRSL1.1) e à versão 1.1 do Teste de Nomeação de Sinais por Escrita (TNS1.1–Escrita), 243 também responderam à versão original do Teste de Competência de Leitura de Palavras (TCLP1.1). Análise de regressão dos escores no TNS1.1–Escrita como função dos escores no TCLP1.1 revelou efeito significativo, $r = 0{,}55$, $r^2 = 0{,}30$, $F(1, 241) = 102{,}82$, $p < 0{,}000$, $N = 243$.

Do mesmo modo, dos 258 estudantes que responderam à versão original do Teste de Vocabulário Receptivo de Sinais da Libras (TVRSL1.1) e à versão 2.1 do Teste de Nomeação de Sinais por Escrita (TNS2.1–Escrita), 238 também responderam à versão original do Teste de Competência de Leitura de Palavras (TCLP1.1). Análise de regressão dos escores no TNS2.1–Escrita como função dos escores no TCLP1.1 também revelou efeito significativo, $r = 0{,}49$, $r^2 = 0{,}24$, $F(1, 236) = 75{,}62$, $p < 0{,}000$, $N = 238$.

A Figura 52 representa os correlogramas, com reta de regressão e intervalo de confiança, dos escores no Teste de Nomeação de Sinais por Escrita (TNS1.1–Escrita à esquerda, e TNS2.1–Escrita à direita) como função dos escores na versão original do Teste de Competência de Leitura de Palavras (TCLP1.1). Como indica a reta de regressão, nos estudantes surdos, a habilidade de escrever os nomes de sinais da Libras esteve correlacionada, de modo positivo e significativo, com a competência de leitura de palavras, sendo que, quanto maior a competência de leitura de palavras, tanto maior a habilidade de escrever os nomes de sinais.

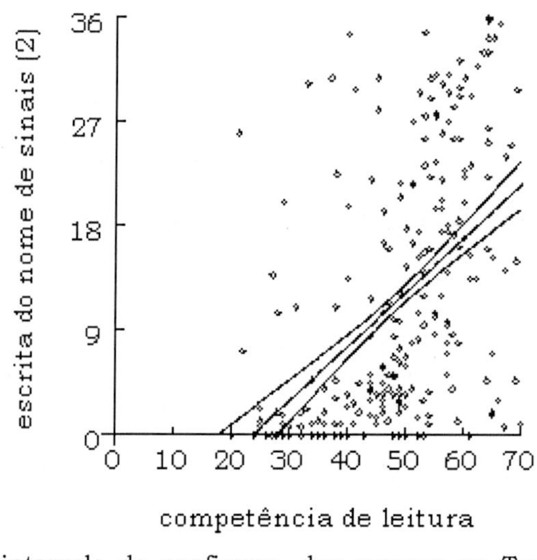

Figura 52. Correlograma, com reta de regressão e intervalo de confiança, dos escores no Teste de Nomeação de Sinais por Escrita (à esquerda, dados do TNS1.1–Escrita com 243 estudantes; e à direita, dados do TNS2.1–Escrita com 238 estudantes) sobre os escores na versão original do Teste de Competência de Leitura de Palavras (TCLP1.1) para estudantes da 1ª. série do Ensino Fundamental até a 1ª. série do Ensino Médio.

Observando os correlogramas, chama a atenção a inclinação das retas de regressão de cerca de 45 graus. Como explicado, o Teste de Nomeação de Sinais por Escrita (TNS–Escrita) é um teste aberto de escrita livre e não oferece chance de acerto casual, sendo que a ausência de nomeação escrita é indicada por um escore de 0. Por outro lado, o Teste de Competência de Leitura de Palavras (TCLP) oferece uma chance de acerto casual de 35 pontos. De fato, Conforme a Figura 52, um número considerável de estudantes com escore médio em nível de acaso no Teste de Competência de Leitura de Palavras tendeu a apresentar escore próximo de 0 no Teste de Nomeação de Sinais por Escrita. Contudo, as evidências são mais complexas.

Na amostra deste estudo, no TNS1.1–Escrita os escores variaram de 0 a 36 pontos, com média de 10,65 pontos e desvio-padrão de 11,24, e no TNS2.1–Escrita os escores também variaram de 0 a 36 pontos, com média de 11,52 pontos e desvio-padrão de 11,06. Já no TCLP1.1 os escores variaram de 15 a 70, com média de 48,16 pontos e desvio-padrão de 10,98. De fato, conforme as figuras, a reta de regressão cruza as coordenadas 48 do eixo de competência de leitura de palavras e 11 do eixo de escrita de palavras para nomear sinais da Libras.

A ampla variação observada na competência de leitura de palavras por estudantes que obtiveram desempenho zero em escrita de palavras para denominar sinais chama a atenção. A grande concentração de pontos no eixo das abscissas revela que um grande número de estudantes foi incapaz de obter qualquer pontuação no Teste de Nomeação de Sinais por Escrita. No TNS1.1–Escrita, 56 estudantes obtiveram escore 0 na escrita de palavras para designar sinais. A competência média de leitura de palavras desses 56 estudantes foi de 39,95 pontos (variando amplamente de 20 a 70 pontos, com amplitude de 50 pontos, e desvio-padrão de 12,23). No TNS2.1–Escrita, 38 estudantes obtiveram escore 0 na escrita de palavras para designar sinais. A competência média de leitura de palavras desses 38 estudantes foi de 36,56 pontos (variando de 20 a 61 pontos, com amplitude de 41 pontos, e desvio-padrão de 9,73).

A competência de leitura dos 427 estudantes variou de 15 a 70 pontos, com média de 48,16 pontos e desvio-padrão de 10,99. Contudo, como já explicado, a freqüência de acerto casual em competência de leitura desse teste é de 35 pontos. Assim, a competência de leitura dos estudantes com desempenho nulo em escrita do nome de sinais foi apenas 4,95 pontos acima do nível do acaso no TNS1.1–Escrita, e apenas 1,56 ponto acima do nível do acaso no TNS2.1–Escrita. Portanto, o conjunto desses dados indica que a inabilidade dos estudantes em escrever nomes de sinais decorre mais de um domínio insuficiente do Português (tal como revelado pelo TCLP1.1) do que de um baixo vocabulário em Libras (tal como revelado pelo TVRSL1.1). Ainda assim, conforme demonstrado neste estudo, o vocabulário em Libras também é importante, já que o vocabulário médio de sinais de estudantes incapazes de escrever os nomes de sinais mostrou-se rebaixado entre 1 desvio-padrão e 2 desvios-padrão em relação à média da amostra (i.e., entre –2 *DP* e –1 *DP*).

Demonstração ulterior da importância da competência de leitura na produção da escrita livre pode ser obtida analisando a relação entre a competência de leitura de palavras e a produção de escrita para denominar figuras. Dos 206 estudantes que responderam à versão original do Teste de Vocabulário Receptivo de Sinais da Libras (TVRSL1.1) e à versão 1.1 do Teste de Nomeação de Figuras por Escrita (TNF1.1–Escrita), 199 também responderam à versão original do Teste de Competência de Leitura de Palavras (TCLP1.1). A análise de regressão dos escores na versão 1.1 do Teste de Nomeação de Figuras por Escrita (TNF1.1–Escrita) como função dos escores na versão original do Teste de Competência de Leitura de Palavras (TCLP1.1) revelou efeito significativo, $r = 0,66$, $r^2 = 0,44$, $F\ (1, 197) = 155,99$, $p < 0,000$, $N = 199$. Do mesmo modo, dos 180 estudantes que ao TVRSL1.1 e ao TNF2.1–Escrita, 180 também responderam ao TCLP1.1. A análise de regressão dos escores no TNF2.1–Escrita como função dos escores no TCLP1.1 revelou efeito significativo, $r = 0,65$, $r^2 = 0,43$, $F\ (1, 178) = 132,39$, $p < 0,000$, $N = 180$.

A Figura 53 representa os correlogramas, com reta de regressão e intervalo de confiança, dos escores no Teste de Nomeação de Figuras por Escrita (TNF1.1–Escrita à esquerda, e TNF2.1–Escrita à direita) como função dos escores na versão original do Teste de Competência de Leitura de Palavras (TCLP1.1). Conforme os correlogramas a habilidade de escrever os nomes de figuras conhecidas esteve correlacionada de modo positivo e significativo com a competência de leitura silenciosa de palavras, sendo que, quanto maior a competência de leitura de palavras, tanto maior a habilidade de escrever os nomes de figuras.

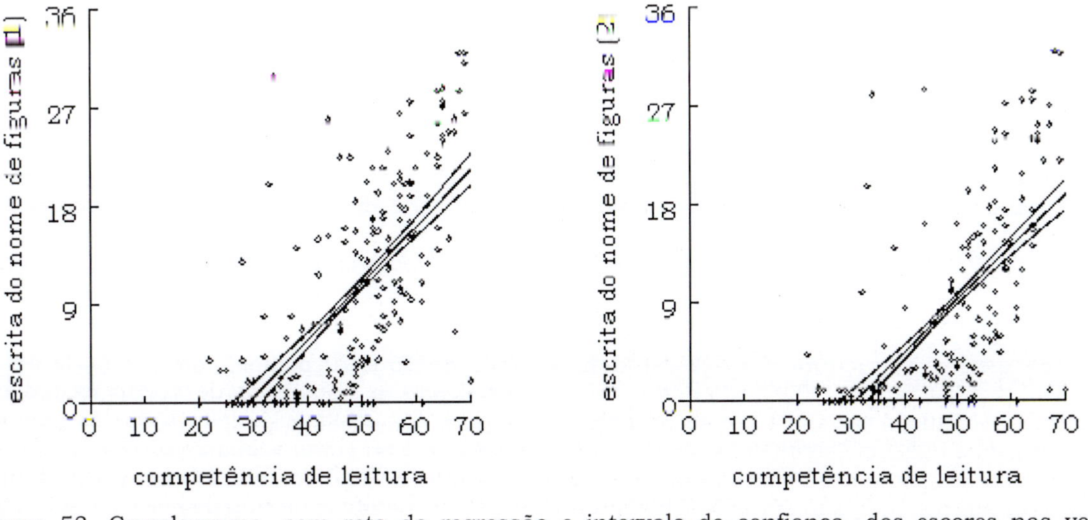

Figura 53. Correlograma, com reta de regressão e intervalo de confiança, dos escores nas versões originais 1.1 e 2.1 do Teste de Nomeação de Figuras por Escrita (à esquerda, dados do TNF1.1–Escrita

com 199 estudantes; à direita, dados do TNF2.1–Escrita com 180 estudantes) sobre os escores na versão original do Teste de Competência de Leitura de Palavras (TCLP1.1) para estudantes da 1ª. série do Ensino Fundamental até a 1ª. série do Ensino Médio.

Observando os correlogramas, chama a atenção a inclinação das retas de regressão de cerca de 45 graus. Comparando esta figura com a figura anterior, nota-se que a correlação entre a escrita do nome de figuras e a competência de leitura de palavras foi ainda maior que a correlação entre a escrita do nome de sinais e a competência de leitura de palavras, provavelmente porque nesta tarefa de escrita de nomes de figuras a importância do conhecimento de sinais é, de certa forma, menor, sendo que os processos mais diretamente envolvidos dizem respeito ao processamento do Português (i.e., vocabulário e codificação grafêmica) do que ao processamento em Libras.

De novo, a ampla variação observada na competência de leitura de palavras por estudantes que obtiveram desempenho zero na escrita de palavras para denominar figuras chama a atenção, pois sugere uma certa *dissociação funcional* entre os desempenhos de leitura de um lado, e de produção de escrita de outro lado, tal como avaliados pelos diferentes paradigmas subjacentes aos testes (TCLP *versus* TNF–Escrita). De fato, o TCLP avalia leitura por julgamento do tipo "certo *versus* errado" com resposta do tipo circundar *versus* cruzar, respectivamente, dá margem a acerto casual, e coloca mais forte demanda sobre a habilidade de reconhecimento visual direto de vocabulário em Português (que é mais fortemente requerida em subtestes como os de rejeição de palavras vizinhas semânticas e de pseudopalavras estranhas, e os de aceitação de palavras corretas regulares e de corretas irregulares) do que da habilidade de decodificação grafêmica (que é mais fortemente requerida em subtestes como os de rejeição de pseudopalavras vizinhas visuais, vizinhas fonológicas, e homófonas). Do mesmo modo, o TNF–Escrita avalia a escrita por produção livre, o que elimina a chance de acerto casual e coloca talvez mais forte demanda sobre a habilidade de codificação grafêmica do que sobre a habilidade de vocabulário em Português. Assim, é possível que o peso do primeiro fator (i.e., habilidade de reconhecimento visual direto de vocabulário em Português) seja um pouco maior no TCLP, ao passo que o peso do segundo fator (i.e., habilidade de lidar com o código de correspondências entre grafemas e fonemas) seja um pouco maior no TNF–Escrita. Mais precisamente, pode-se dizer que:

- Como teste de habilidade de leitura, o TCLP demanda tanto vocabulário receptivo em Português (i.e., vocabulário de leitura no léxico de reconhecimento ortográfico, na porta de entrada do sistema lexical) quanto habilidade de decodificação grafêmica (i.e., de lidar com o código grafêmico na decifração da seqüência grafêmica para identificar as formas ortográficas).
- Como teste de habilidade de escrita, o TNF–Escrita demanda tanto vocabulário expressivo em Português (i.e., vocabulário de escrita no léxico de produção ortográfica, na porta de saída do sistema lexical) quanto habilidade de codificação grafêmica (i.e., de lidar com o código grafêmico na produção da seqüências grafêmicas para articular as formas ortográficas).

O que parece diferir entre os testes é o peso relativo entre a habilidade de lidar com o código grafêmico em Português e o vocabulário em Português, sendo:

- O peso da habilidade de lidar com o código grafêmico em Português é maior no TNF–Escrita do que no TCLP, ao passo que
- O peso do vocabulário em Português é maior no TCLP do que no TNF–Escrita.

A grande concentração de pontos no eixo das abscissas revela que um grande número de estudantes foi incapaz de obter qualquer pontuação no Teste de Nomeação de Figuras por Escrita (TNF–Escrita):

- No TNF1.1–Escrita, trinta estudantes obtiveram escore 0 na escrita de palavras para designar figuras. A competência média de leitura de palavras desses trinta estudantes foi de 36,80 pontos (variando amplamente de 20 a 61 pontos, com amplitude de 41 pontos, e desvio-padrão de 10,39).
- No TNF2.1–Escrita, 27 estudantes obtiveram escore 0 na escrita de palavras para designar figuras. A competência média de leitura de palavras desses 27 estudantes foi de 35,93 pontos (variando de 20 a 61 pontos, com amplitude de 41 pontos, e desvio-padrão de 10,26).

A competência de leitura dos 427 estudantes variou de 15 a 70 pontos, com média de 48,16 pontos e desvio-padrão de 10,99. Contudo, como já explicado, a freqüência de acerto casual em competência de leitura no TCLP1.1 é de 35 pontos. Assim, a competência de leitura dos estudantes com desempenho nulo em escrita do nome de figuras foi apenas 1,80 ponto acima do nível do acaso no TNF1.1–Escrita, e apenas 0,93 ponto acima do nível do acaso no TNF2.1–Escrita. Portanto, estudantes que fracassaram por completo em produzir escrita livre para denominar figuras de coisas conhecidas também fracassaram em leitura, demonstrando competência de leitura no nível do acerto casual. Assim, as competências de leitura e de escrita mostraram-se bastante inter-relacionadas.

Conforme se poderia esperar, um maior número de estudantes fracassou na tarefa de escrever os nomes de sinais (56 estudantes no TNS1.1–Escrita, e 38 no TNS2.1–Escrita) do que na tarefa de escrever os nomes de figuras (trinta no TNF1.1–Escrita, e 27 no TNF2.1–Escrita), já que o TNS–Escrita requer competência explícita em duas línguas (i.e., Libras e Português, mais precisamente, vocabulário receptivo em Libras, vocabulário expressivo em Português, e competência de escrita em Português), ao passo que o TNF–Escrita requer competência explícita em apenas uma língua (i.e., Português, mais precisamente, vocabulário expressivo em Português e competência de escrita em Português). Conforme também esperado, a competência de leitura dos estudantes que fracassaram em escrever os nomes de figuras mostrou-se menor, e se manteve no nível do acaso. Ou seja, os dois testes, o TNF–Escrita e o TCLP, requerem competência explícita só em Português (mais precisamente, vocabulário expressivo em Português e habilidade de lidar com o código grafêmico do Português); ao passo que o TNS–Escrita requer competência explícita tanto em Português (vocabulário expressivo em Português e habilidade de lidar com o código grafêmico do Português) quanto em Libras (vocabulário receptivo em Libras). Portanto enquanto o TCLP e o TNF–Escrita tendem a refletir habilidades num mesmo idioma (i.e., Português), o TCLP e o TNS–Escrita tendem a refletir habilidades em idiomas diferentes (i.e., Português e Libras). Portanto, é esperado que o desempenho no TCLP tenda a estar mais diretamente relacionado ao desempenho no TNF–Escrita do que ao desempenho no TNS–Escrita. Em outras palavras, estudantes que fracassam em produzir escrita livre para fins de nomeação tendem a apresentar incompetência de leitura. Mas enquanto o fracasso em denominar sinais pode envolver dificuldade em vocabulário de sinais, o fracasso em denominar figuras é um indicador mais direto de incompetência de lidar com o código grafêmico do Português, sendo que estudantes que se mostram incapazes de escrever nomes de figuras tendem a apresentar competência de leitura em nível de acerto casual.

Esta seção demonstrou que a habilidade de escrever nomes de sinais (tal como medida pelo TNS–Escrita) envolve vocabulário receptivo em Libras, vocabulário expressivo em Português, e competência de lidar com o código grafêmico do Português (i.e., a habilidade de codificação grafêmica), ao passo que a habilidade de escrever os nomes de figuras (tal como medida pelo TNF–Escrita) envolve tanto o vocabulário expressivo em Português quanto a competência de lidar com o código grafêmico do Português (i.e., a habilidade de codificação grafêmica). Para o desempenho de escrita do nome de sinais (tal como medido pelo TNS–Escrita), constitui a evidência do envolvimento do vocabulário em sinais o fato de que a média do vocabulário receptivo de sinais (tal como medida pelo TVRSL1.1), por parte dos estudantes incapazes de escrever os nomes de sinais no TNS–Escrita, mostrou-se rebaixada entre 1 desvio-padrão e 2 desvios-padrão (i.e., entre –2 *DP* e –1 *DP*) em relação à média da amostra. Constitui evidência do envolvimento da competência no código alfabético do Português o fato de que estudantes que não conseguem escrever os nomes de sinais no TNS–Escrita também tenderem a fracassar na tarefa de escrever os nomes de figuras (tal como medido pelo TNF–Escrita). Como um todo, o conjunto dos dados da presente amostra indicou que, apesar da importância demonstrada do vocabulário de sinais da Libras (tal como relevada pelo TVRSL1.1), a inabilidade dos estudantes em escrever nomes de sinais no TNS–Escrita decorre mais de insuficiente domínio do Português (i.e., de lidar com o código grafêmico do Português, tal como revelado pelo TCLP1.1) do que insuficiente domínio da Libras (i.e., de baixo vocabulário receptivo em Libras, tal como revelado pelo TVRSL1.1).

4.10.2.8.) Panorama das intercorrelações envolvendo a versão 1.1 do Teste de Vocabulário Receptivo de Sinais da Libras (TVRSL1.1) e todos os demais seis testes em suas dez variações

Nas seções anteriores, este estudo analisou as relações entre a compreensão de sinais da Libras (i.e., o vocabulário receptivo de sinais da Libras) e uma série de habilidades, como: A competência de leitura de palavras, a competência de leitura de sentenças, a habilidade de nomear figuras pela escolha de palavras escritas, a habilidade de nomear sinais da Libras pela escolha de palavras escritas, a habilidade de nomear figuras por escrita livre, a habilidade de nomear sinais da Libras por escrita livre. Com vistas a obter uma perspectiva das correlações entre o vocabulário receptivo de sinais da Libras de um lado e, de outro lado, todas essas demais habilidades, as intercorrelações obtidas a partir das análises de regressão foram ordenadas de acordo com a magnitude das correlações. A Tabela 23 sumaria os resultados. Conforme a tabela, as dez inter-relações envolvendo o vocabulário receptivo de sinais da Libras foram distribuídas em duas faixas:

1.) Correlações mais altas (r na faixa de 0,59 a 0,64): Com as duas versões do Teste de Nomeação de Sinais por Escrita e as duas versões do Teste de Nomeação de Sinais por Escolha;

2.) Correlações mais baixas (r na faixa de 0,30 a 0,41): Com as duas versões do Teste de Nomeação de Figuras por Escrita e as duas versões do Teste de Nomeação de Figuras por Escolha, e com o Teste de Competência de Leitura de Palavras, e o Teste de Competência de Leitura de Sentenças.

Conforme a tabela, a compreensão de sinais da Libras apresentou correlações mais altas (i.e., em torno de 0,60) com as duas versões originais do Teste de Nomeação de Sinais por Escrita e as duas versões originais do Teste de Nomeação de Sinais por Escolha. Ainda conforme a tabela, a compreensão de sinais da Libras apresentou correlações mais baixas (i.e., em torno de 0,35) com as duas versões originais do Teste de Nomeação de Figuras por Escrita e as duas versões originais do Teste de Nomeação de Figuras por Escolha, com a versão original do Teste de Competência de Leitura de Palavras, e a versão original do Teste de Competência de Leitura de Sentenças. Ou seja, conforme se poderia esperar, a compreensão de sinais da Libras esteve mais correlacionada com os desempenhos em nomeação de sinais da Libras por escrita e escolha do que com os desempenhos de nomeação de figuras por escrita ou escolha, ou de competência de leitura de palavras e de sentenças.

Tabela 23. Na coluna direita, as estatísticas (i.e., coeficiente de correlação r, coeficiente de determinação r^2, tamanho do efeito F, significância do efeito p, e tamanho da amostra N) resultantes da análise de regressão dos escores dos dez testes (listados na coluna central) sobre os escores na versão original do Teste de Vocabulário Receptivo de Sinais da Libras (TVRSL1.1). Na coluna esquerda, as dez intercorrelações envolvendo a compreensão de sinais foram distribuídas em duas faixas de correlação: Mais alta (na faixa de 0,59 a 0,64) e mais baixa (na faixa de 0,30 a 0,41).

Faixas de correlação	Testes	Teste de Vocabulário Receptivo de Sinais da Libras (TVRSL1.1)
alta (0,59 a 0,64)	TNS1.1-Escrita	$r = 0,64$, $r^2 = 0,41$, $F\,(1, 255) = 176,00$, $p < 0,000$, $N = 257$
	TNS2.1-Escrita	$r = 0,63$, $r^2 = 0,40$, $F\,(1, 256) = 170,89$, $p < 0,000$, $N = 258$
	TNS2.1-Escolha	$r = 0,59$, $r^2 = 0,35$, $F\,(1, 268) = 144,64$, $p < 0,000$, $N = 270$
	TNS1.1-Escolha	$r = 0,59$, $r^2 = 0,35$, $F\,(1, 259) = 140,92$, $p < 0,000$, $N = 261$
baixa (0,30 a 0,41)	TNF1.1-Escolha	$r = 0,41$, $r^2 = 0,17$, $F\,(1, 205) = 42,41$, $p < 0,000$, $N = 207$
	TCLS1.1	$r = 0,40$, $r^2 = 0,16$, $F\,(1, 321) = 60,53$, $p < 0,000$, $N = 323$
	TCLP1.1	$r = 0,37$, $r^2 = 0,14$, $F\,(1, 423) = 66,01$, $p < 0,000$, $N = 425$
	TNF2.1-Escolha	$r = 0,36$, $r^2 = 0,13$, F (1, 192) = 28,48, $p < 0,000$, $N = 194$
	TNF1.1-Escrita	$r = 0,32$, $r^2 = 0,10$, $F\,(1, 204) = 22,70$, $p < 0,000$, $N = 206$
	TNF2.1-Escrita	$r = 0,30$, $r^2 = 0,09$, $F\,(1, 177) = 17,30$, $p < 0,000$, $N = 179$

Nota: TNS1.1–Escrita: Versão 1.1 do Teste de Nomeação de Sinais por Escrita; TNS2.1–Escrita: Versão 2.1 do Teste de Nomeação de Sinais por Escrita; TNS1.1–Escolha: Versão 1.1 do Teste de Nomeação de Sinais por Escolha; TNS2.1–Escolha: Versão 2.1 do Teste de Nomeação de Sinais por Escolha; TNF1.1–Escolha: Versão 1.1 do Teste de Nomeação de Figuras por Escolha;TNF2.1–Escolha: Versão 2.1 do Teste de Nomeação de Figuras por Escolha; TCLS1.1: Versão original do Teste de Competência de Leitura de Sentenças; TCLP1.1: Versão original do Teste de Competência de Leitura de Palavras;TNF1.1–Escrita: Versão 1.1 do Teste de Nomeação de Figuras por Escrita; TNF2.1–Escrita: Versão 2.1 do Teste de Nomeação de Figuras por Escrita;

4.10.3.) Visão geral sumária de alguns dos mais importantes achados específicos dos instrumentos usados na presente série de onze estudos

Esta seção 4.10.3 sumaria alguns dos mais importantes achados específicos dos instrumentos usados na presente série de onze estudos.

A subseção 1 envolve achados sobre competência em Libras, mais especificamente:

4.10.3.1.) Esta subseção 1 sumaria os achados relativos à avaliação da *compreensão de sinais da Libras*. Para tanto, descreve os dados respeitantes ao instrumento:

4.10.3.1.1.) Versão original 1.1 do Teste de Vocabulário Receptivo de Sinais da Libras (TVRSL1.1: F. Capovilla, Viggiano, A. Capovilla, Raphael, Bidá, & Mauricio, 2004).

A subseção 2 envolve achados sobre a interseção de competências em Português e Libras, sendo que a subseção 4.1 analisa achados sobre competência de escrita, e a subseção 4.2 analisa os achados sobre competência de leitura:

4.10.3.2.) Esta subseção 2 sumaria os achados relativos à interseção das competências em Português (i.e., competência de leitura e produção de escrita livre) e Libras (i.e., vocabulario receptivo de sinais)

4.10.3.2.1.) A primeira parte da subseção 2 resume os achados respeitantes à avaliação da *competência de escrita de nomes de sinais*, que envolve a combinação entre o vocabulário receptivo (i.e., compreensão) de sinais da Libras e a escrita de palavras em Português. Para tanto, analisa os dados concernentes ao seguinte instrumento:

4.10.3.2.1.1.) Teste de Nomeação de Sinais por Escrita, em suas duas versões:

4.10.3.2.1.1.1.) Versão original 1.1: TNS1.1–Escrita (F. Capovilla, Viggiano, Bidá, Raphael, A. Capovilla, & Mauricio, 2004); e

4.10.3.2.1.1.2.) Versão original 2.1: TNS2.1–Escrita (F. Capovilla, Viggiano, Luz, A. Capovilla, Bidá, & Mauricio, 2004).

4.10.3.2.2.) A segunda parte da subseção 2 sumaria os achados referentes à avaliação da *competência de leitura de nomes de sinais*, que envolve a combinação entre o vocabulário receptivo (i.e., compreensão) de sinais da Libras e a leitura de palavras em Português. Para tanto, analisa os dados relativos ao seguinte instrumento:

4.10.3.2.2.1.) Teste de Nomeação de Sinais por Escolha, em suas duas versões:

4.10.3.2.2.1.1.) Versão original 1.1: TNS1.1–Escolha (F. Capovilla, Viggiano, Raphael, Mauricio, A. Capovilla, & Bidá, 2004); e

4.10.3.2.2.1.2.) Versão original 2.1: TNS2.1–Escolha (F. Capovilla, Viggiano, Bidá, Luz, A. Capovilla, & Neves, 2004).

A subseção 3 envolve achados sobre a competências em Português, mais especificamente:

4.10.3.3.) Esta subseção 3 sumaria os achados sobre a competência de leitura e a produção de escrita livre em Português

4.10.3.3.1.) A primeira parte da subseção 3 sumaria os achados concernentes à avaliação da *competência de leitura em Português*. Para tanto, aprecia os dados referentes aos seguintes instrumentos:

4.10.3.3.1.1.) Versão original 1.1 do Teste de Competência de Leitura de Palavras: TCLP1.1 (F. Capovilla, Viggiano, A. Capovilla, Raphael, Mauricio, & Bidá, 2004);

4.10.3.3.1.2.) Versão original 1.1 do Teste de Competência de Leitura de Sentenças: TCLS1.1 (F. Capovilla, Viggiano, A. Capovilla, Raphael, Bidá, Neves, & Mauricio, 2004); e

4.10.3.3.1.3.) Teste de Nomeação de Figuras por Escolha, em suas duas versões:

4.10.3.3.1.3.1.) Versão 1.1: TNF1.1–Escolha (F. Capovilla, Viggiano, Raphael, Bidá, A. Capovilla, Neves, & Mauricio, 2004); e

4.10.3.3.1.3.2.) Versão 2.1: TNF2.1–Escolha (F. Capovilla, Viggiano, Bidá, A. Capovilla, Raphael, Neves, & Mauricio, 2004).

4.10.3.3.2.) A segunda parte da subseção 3 sumaria os achados referentes à avaliação da *competência de escrita de nomes de figuras*. Para tanto, avalia os dados referentes ao seguinte instrumento:

4.10.3.3.2.1.) Teste de Nomeação de Nomeação de Figuras por Escrita, em suas duas versões:

4.10.3.3.2.1.1.) Versão original 1.1: TNF1.1–Escrita (F. Capovilla, Viggiano, Raphael, Bidá, A. Capovilla, Mauricio, & Neves, 2004); e

4.10.3.3.2.1.2.) Versão original 2.1: TNF2.1–Escrita (F. Capovilla, Viggiano, Raphael, Bidá, A. Capovilla, & Neves, 2004).

Finda essa análise, por último, a seção 4.10.3.4 traça um vasto panorama das intercorrelações envolvendo cada um dos onze testes (i.e., TVRSL1.1, TCLP1.1, TCLS1.1, TNF1.1–Escolha, TNF2.1–Escolha, TNF1.1–Escrita, TNF2.1–Escrita, TNS1.1–Escolha, TNS2.1–Escolha, TNS1.1–Escrita, TNS2.1–Escrita) com os demais dez testes, e esboça um quadro sinóptico de todas as intercorrelações entre cada um dos onze testes e todos os demais empregados na presente série de onze estudos.

4.10.3.1.) Subseção 1: Achados sobre a competência em Libras

4.10.3.1.1.) Achados sobre compreensão de sinais da Libras, com a versão 1.1 do Teste de Vocabulário Receptivo de Sinais da Libras (TVRSL1.1)

O Teste de Vocabulário Receptivo de Sinais da Libras (TVRSL) é parte de uma bateria de onze testes originais de desenvolvimento da linguagem de sinais e de competência de leitura e escrita, que foi elaborada especialmente para a população escolar surda brasileira, aplicada com sinalização ao vivo a uma amostra de 1.158 escolares surdos, e especialmente validada e normatizada para essa população. O TVRSL avalia o desenvolvimento da compreensão de sinais da Língua de Sinais Brasileira (Libras) em escolares surdos por meio da escolha de figuras que correspondem a sinais da Libras. Ele se baseia na adaptação, para a Libras, do Teste de Vocabulário por Figuras USP que avalia, por meio da escolha de figuras, a compreensão de palavras do Português em escolares ouvintes. O TVRSL contém 139 itens, cada qual composto de um sinal da Libras e quatro figuras alternativas de escolha. A tarefa consiste em escolher, dentre as quatro figuras alternativas, a que melhor corresponde ao sinal da Libras. O teste produz um escore geral do vocabulário receptivo visual de sinais, que indica quão bem o examinando surdo compreende os sinais da Libras.

O TVRSL pode ser aplicado individualmente na clínica ou coletivamente na escola, e com sinalização ao vivo pelo examinador ou exibição dos sinais padronizados por meio de retroprojetor e transparências. A aplicação pode ser feita com um caderno completo com 139 sinais e respectivas figuras alternativas de escolha, em que o examinando assinala com um lápis a figura correspondente a cada sinal, prescindindo da necessidade de examinadores com sinalização fluente ou de retroprojetor e transparências. Para economia de recursos na aplicação individual pode-se empregar o caderno completo plastificado e substituir a resposta de marcar com lápis pela de apontar. Para diminuir gastos na aplicação coletiva, pode-se usar o caderno abreviado contendo apenas as figuras alternativas de escolha, sem os sinais. Nesse caso, os sinais podem ser articulados ao vivo pelo examinador, ou projetados em tela usando retroprojetor e transparências. Enquanto a apresentação de sinais por articulação ao vivo pelo examinador produz resultados mais válidos e sensíveis à compreensão de sinais em crianças menores, a apresentação de sinais como desenho no caderno de aplicação produz resultados mais fidedignos e estáveis, e menos vulneráveis a variações espúrias de fluência de sinalização por parte do examinador. Um guia de aplicação controla tais variações, especificando a forma como cada sinal deve ser articulado pelo examinador.

O TVRSL apresenta-se em três versões: A original 1.1 com 139 sinais (TVRSL1.1), a reordenada 1.2 com os 139 sinais ordenados de acordo com grau crescente de dificuldade (TVRSL1.2), e a abreviada 1.3 com apenas 66 sinais críticos e ordenados por grau de dificuldade crescente (TVRSL1.3). No presente estudo sobre a versão original 1.1 (TVRSL1.1: F. Capovilla, Viggiano, A. Capovilla, Raphael, Bidá, & Mauricio, 2004), a normatização por série escolar foi feita a partir da aplicação com sinalizaçao ao vivo. Esse estudo fornece o caderno completo, o caderno abreviado, o guia de aplicação e uma matriz para produzir as transparências de aplicação. Um estudo ulterior traz a versão abreviada 1.3 (TVRSL1.3) validada e normatizada com uma população escolar de cerca de 1.500 surdos de quinze escolas, sendo que, nesse estudo de validação e normatização, o TVRSL1.3 foi aplicado usando o caderno completo de aplicação, que contém todos os 66 sinais ilustrados já embutidos no próprio teste.

Em seu estudo de validação, o TVRSL1.1 foi aplicado com sinalização ao vivo a uma amostra de 505 crianças, jovens e adultos surdos, de 6 a 41 anos de idade, estudantes de 1ª. série do Ensino Fundamental até a 1ª. série do Ensino Médio, provenientes de seis escolas, sendo quatro escolas municipais de educação especial de São Paulo (i.e., Emee Anne Sullivan, Emee Helen Keller, Emee Madre Lucie Bray, e Emee Professora Neusa Bassetto) e duas escolas filantrópicas do interior do estado de São Paulo (i.e., Escola Especial para Crianças Surdas da Fundação Rotarianos, e Associação Terapêutica de Estimulação Auditiva e Linguagem). Dos 505 estudantes, quatrocentos estudavam em escolas especiais para crianças surdas, oitenta em classes regulares de escolas regulares, e 25 em classes especiais. Esses últimos 105 não recebiam ensino em Libras, mas apenas ensino comum em Português, e seu contato com Libras restringia-se ao convívio com membros da comunidade surda em clubes e associações. Desses 505 surdos, 479 tinham série escolar definida. Dos 26 restantes sem série definida, 25 pertenciam a classes especiais que seguem programas e regimes diferentes, e um tinha problema de registro. A escolaridade média desses 479 era de 4 anos, ou seja, 4ª. série do Ensino Fundamental. Dos 505 estudantes, 498 tinham idade conhecida a partir dos prontuários, que variou de 6 a 41 anos, com média de 13a11m (i.e., 13 anos e 11 meses). O número de escolares surdos e idade média por série escolar foi de setenta com idade média de 10a2m na 1ª. série, 71 com 10a6m na 2ª., 76 com 12a6m na 3ª., 68 com 14a na 4ª., 53 com 15a7m na 5ª., 63 com 17a6m na 6ª. série, 41 com 17a10m na 7ª., 23 com 18a5m na 8ª., e sete com 17a8m na 1ª. série do Ensino Médio.

Na amostra de 505 escolares, a vasta maioria tinha surdez profunda pré-lingual e perilingual. Nos prontuários desses 505, constava o grau de perda auditiva de 482 deles, sendo que 338 tinham perda profunda, 97 severa, 44 moderada, e três leve. Em termos de perda auditiva por série, dos 71 estudantes da 1a. série, 51 tinham perda profunda, dezesseis severa e três moderada. Dos 73 de 2a. série, 44 tinham perda profunda, dezoito severa, e nove moderada. Dos 76 da 3a., 56 tinham perda profunda, nove severa, e cinco moderada. Dos setenta da 4a., 48 tinham perda profunda, nove severa, oito moderada, e um leve. Dos 53 da 5a., quarenta tinham perda profunda, dez severa, e três moderada. Dos 63 da 6a., 38 tinham perda profunda, quatorze severa, nove moderada, e um leve. Dos 42 da 7a., 25 tinham perda profunda, nove severa, cinco moderada, e um leve. Dos 24 da 8a., onze tinham perda profunda, quatro severa, e dois moderada. Dos sete estudantes da 1a. série do Ensino Médio, quatro tinham perda profunda e três severa. Dos 505 estudantes, havia informações sobre uso de aparelho auditivo nos prontuários de 336 deles, e não dos outros 169. Segundo os prontuários, dos 336 estudantes, 281 usavam aparelho auditivo, e 55 não. Dos três com perda leve, um usava e dois não. Dos 44 com perda moderada, 27 usavam e seis não. Dos 97 com perda severa, sessenta usavam e onze não. Dos 338 com perda profunda, 191 usavam e 36 não. Em termos de tipo de perda auditiva (i.e., congênita ou adquirida), dos 505 estudantes, apenas 387 sabiam de seu tipo de perda, sendo que, destes, 288 tinham perda congênita (i.e., quatro casos de grau de perda ignorada, três casos de perda leve, 28 de moderada, sessenta de severa, e 193 de profunda) e 99 tinham perda adquirida (i.e., oito casos de perda moderada, 21 de severa, setenta de profunda).

Quanto ao modo de comunicação (i.e., oralização, gesticulação, e sinalização) em diferentes contextos, foi constatada nessa amostra uma importância crescente da sinalização e decrescente da oralização e da gesticulação à medida que o surdo passa da família para a escola, e dessa para a comunidade. Conforme os prontuários dos 505 escolares, nessa passagem a preponderância da sinalização aumentou de 52,76% para 62,13% para 68,75%, enquanto a da oralização declinou de 36,20% para 32,54% para 28,90%, e a da gesticulação declinou de 11,04% para 5,32% para 2,34%.

No presente estudo de validação e normatização do TVRSL1.1, a amostra de 505 escolares obteve pontuação variando de 39 a 133 pontos, com média de 106,21 pontos (*DP* = 17,15), sendo que a análise de covariância revelou um aumento sistemático na compreensão de sinais da Libras, desde a 1a. até a 8a. série do Ensino Fundamental (i.e., de 91,60 a 97,70 a 102,79 a 107,46 a 115,86 a 116,62 a 118,53 a 119,41 pontos, respectivamente). Assim, a pontuação cresceu de maneira monotônica, embora não tenha chegado a alcançar o teto (i.e., 139 pontos), o que sugere que a escala superior pode ser expandida para além do Ensino Fundamental. Com base nesses dados, o estudo normatizou o TVRSL1.1 por série escolar e o validou por comparação com os resultados em dez outros testes de desenvolvimento da linguagem de sinais e escrita, igualmente normatizados para essa população escolar surda.

Em termos de validade por critério de correlação com outros testes, os resultados revelaram que o teste de compreensão de sinais da Libras (TVRSL1.1) apresentou:

1.) Correlações mais altas (i.e., r = 0,59 a 0,60) com as duas versões originais do teste de nomeação de sinais por escrita (i.e., TNS1.1–Escrita e TNS2.1–Escrita) e com as duas do teste de nomeação de sinais por escolha (i.e., TNS1.1–Escolha e TNS2.1–Escolha);

2.) Correlações mais baixas (i.e., r = 0,30 a 0,41) com as duas versões originais do teste de nomeação de figuras por escolha (i.e., TNF1.1–Escolha e TNF2.1–Escolha), com as duas versões originais do teste de nomeação de figuras por escrita (i.e., TNF1.1–Escrita e TNF2.1–Escrita), com a versão original do teste de competência de leitura de sentenças (i.e., TCLS1.1), e com a versão original do teste de competência de leitura de palavras (i.e., TCLP1.1).

Ou seja, a compreensão de sinais da Libras esteve mais correlacionada com os desempenhos de nomeação de sinais por escrita livre e por escolha do que com os desempenhos de nomeação de figuras por escrita ou escolha, ou com as competências de leitura de palavras ou de sentenças.

Além da tabela de normatização e dos dados de validação, a partir da análise do grau de dificuldade de cada um dos 139 itens, esse estudo ofereceu, também, a versão reordenada 1.2, em que os 139 itens encontram-se ordenados por grau de dificuldade crescente. Finalmente, a partir da mesma análise do grau de dificuldade médio dos 139 itens, o estudo ofereceu ainda a versão abreviada 1.3 composta dos 66 itens mais importantes para avaliação rápida e eficaz do vocabulário receptivo de sinais. Nela foram eliminados itens que apresentavam os mesmos graus de dificuldade baixo e médio, e preservados apenas itens com graus de dificuldade diferentes capazes de cobrir toda a escala.

Por último, o estudo oferece, também, um modelo teórico do processamento de leitura em surdos conforme os mais recentes desenvolvimentos na área e uma discussão fundamentada em dados sobre as relações entre competências de escrita, leitura e sinalização, e paralexias e paragrafias cometidas por surdos ao lidar com o código alfabético. O estudo torna possível acompanhar o desenvolvimento do vocabulário receptivo de sinais da Libras (i.e., de compreensão de sinais) por parte de escolares surdos de 1a. a 8a. série do Ensino Fundamental, o que permite identificar e propiciar as condições mais eficazes ao desenvolvimento e à aquisição das competências lingüísticas, cognitivas e escolares. Assim, fica demonstrado que, em conjunto com os outros dez testes que compõem a bateria de avaliação de desenvolvimento da linguagem escrita e de sinais no surdo, o TVRSL1.1 (e sua versão abreviada TVRSL1.3) constituem instrumentos de grande valor para a educação do surdo brasileiro.

4.10.3.2.) Subseção 2: Achados sobre a interseção de competências em Português e Libras

4.10.3.2.1.) Primeira parte da subseção 2: Achados sobre competência de escrita de nomes de sinais: Combinação entre vocabulário receptivo (i.e., compreensão) de sinais em Libras e escrita de palavras em Português, com as versões 1.1 e 2.1 do Teste de Nomeação de Sinais por Escrita (TNS1.1–Escrita e TNS2.1–Escrita)

O Teste de Nomeação de Sinais por Escrita (TNS–Escrita) é parte de uma bateria de onze testes originais de desenvolvimento da linguagem de sinais e de competência de leitura e escrita, que foi desenvolvida especialmente para a população escolar surda brasileira, além de validada e normatizada com uma amostra de 1.158 escolares surdos. O TNS–Escrita avalia o desenvolvimento conjunto da compreensão de sinais da Libras e da competência de escrita em Português, por meio da produção de escrita livre para nomear sinais da Libras. O teste possibilita detectar e analisar processos quirêmicos, ortográficos e semânticos envolvidos na escrita de palavras para nomear sinais da Libras.

O TNS–Escrita apresenta-se em duas versões originais (TNS1.1–Escrita e TNS2.1–Escrita) para permitir avaliações repetidas sem contaminação pelo efeito de aprendizagem entre uma e outra avaliação. Cada uma das duas versões contém 36 itens, sendo que cada item é composto de um sinal e uma linha em branco (i.e., pauta) para ser preenchida. O sinal pode ser articulado ao vivo pelo examinador ou apresentado ilustrado no próprio caderno de teste, logo acima da linha a ser preenchida com a escrita. A tarefa do examinando consiste em nomear o sinal por escrito, escrevendo livremente a palavra que corresponde a ele. Nos estudos com as versões originais 1.1 e 2.1 que compõem a presente série de onze estudos, essas versões TNS1.1–Escrita e TNS2.1–Escrita foram aplicadas a surdos de seis escolas, e encontram-se normatizadas para aplicação com sinalização ao vivo por examinador fluente em Libras. Já em estudos ulteriores presentemente em andamento com as versões reordenadas 1.2 e 2.2, essas versões TNS1.2–Escrita e TNS2.2–Escrita foram aplicadas a surdos de quinze escolas, e estão sendo normatizadas por aplicação com cadernos completos que incluem os desenhos dos sinais, o que dispensa a sinalização ao vivo. Recomenda-se que sejam usadas as normas da presente série de onze estudos para aplicação com sinalização ao vivo, e as normas dessa série ulterior de estudos para aplicação com cadernos completos que incluem os desenhos dos sinais.

O teste computa a freqüência de omissão de escrita e detecta erros ortográficos semelhantes a paragrafias ortográficas ou literais (i.e., troca ou omissão de grafemas), erros semânticos semelhantes a paragrafias semânticas (i.e., escrita de palavra cujo significado não corresponde ao do sinal, mas que se relaciona ao desse sinal de modo pouco canônico), e erros quirêmicos semelhantes a paragrafias quirêmicas (i.e., escrita de palavra cujo significado corresponde ao de um sinal que compartilha elevada proporção de elementos sublexicais com o sinal-alvo a ser nomeado e que tende a ser, por isso, confundido com ele).

Erros ortográficos do tipo paragrafias literais podem indicar insuficiente aquisição da representação ortográfica das palavras (ou, mais raramente, formas periféricas de alexia em pacientes neurológicos até então competentes em leitura e escrita), e são aferidos conforme critérios objetivos de pontuação descritos nesse estudo.

Erros semânticos podem indicar insuficiente desenvolvimento de conceitos e de conhecimento de mundo, ou insuficiente aquisição de vocabulário em Português (ou, mais raramente, alexia profunda, que freqüentemente acompanha quadros afásicos, em pacientes neurológicos até então competentes em leitura e escrita).

Erros quirêmicos podem indicar problemas na mediação da sinalização interna durante essa tarefa de nomeação de sinais da Libras em Português, quer nos processos iniciais de reconhecimento do significado dos sinais da Libras, quer nos processos finais de conexão entre sinais da Libras e palavras escritas em Português.

Paragrafias quirêmicas sugerem que os elementos do léxico ortográfico (i.e., representação das palavras escritas em Português, em termos das propriedades visoespaciais e proprioceptivas de sua produção na articulação escrita) encontram-se indexados aos elementos do léxico semântico (i.e., representações de significado, ou conceitos) por meio dos elementos do léxico quirêmico (i.e., representação dos sinais em Libras, em termos das propriedades visoespaciais e proprioceptivas de sua produção na articulação sinalizada). Sugerem, também, que pode haver problemas nessa indexação.

Conforme F. Capovilla (no prelo), em surdos sinalizadores que pensam em Libras, as origens das omissões e das paragrafias podem situar-se em qualquer um dos seguintes estágios de processamento, dos iniciais aos finais:

1.) Dificuldade em reconhecer o significado de um sinal da Libras (i.e., em obter acesso ao léxico semântico a partir dele, ou de indexação entre sinal e significado, que pode ocorrer devido a um baixo vocabulário receptivo de sinais da Libras, em decorrência de exposição insuficiente a ambiente lingüisticamente estimulante em Libras, ou seja, a uma comunidade surda sinalizadora social e cognitivamente estimulante;

2.) Dificuldade em evocar a palavra escrita correspondente ao sinal (i.e., problema de indexação entre sinal e palavra, eventualmente por insuficiente vocabulário de leitura de palavras em Português, em decorrência de exposição insuficiente a ambiente lingüisticamente estimulante em Português, ou seja, a comunidades mistas de surdos e ouvintes que se comunicam eficientemente por meio de leitura e escrita em Português);

3.) Dificuldade na produção ortográfica da escrita (i.e., problemas ortográficos, provavelmente por insuficiente aprendizagem da ortografia da Língua Portuguesa, em decorrência de baixa freqüência de uso efetivo de leitura e escrita em Português).

De acordo com F. Capovilla (no prelo), os problemas típicos que resultam das dificuldades dos estágios 1 a 3 são variados:

1.) A insuficiência de desenvolvimento lexical receptivo em Libras (i.e., insuficiente léxico quirêmico) acarreta problemas no estágio 1, que podem resultar em omissão de resposta, bem como, menos freqüentemente, em paragrafias quirêmicas e semânticas;

2.) A insuficiência de desenvolvimento lexical ortográfico em Português (i.e., pequeno léxico ortográfico, ou seja, baixo número de representações lexicais armazenadas no léxico ortográfico) acarreta problemas no estágio 2, que podem resultar em paragrafias semânticas e, em menor medida, ortográficas;

3.) A insuficiência de desenvolvimento ortográfico em Português (i.e., baixa precisão das representações ortográficas das palavras) acarreta problemas no estágio 3, que podem resultar em paragrafias ortográficas e, em menor medida, em casos de imprecisão extrema, em paragrafias semânticas com a produção de neologismos incompreensíveis que decorrem de extremado grau de imprecisão ortográfica.

Além da análise dos processos semânticos, quirêmicos e ortográficos subjacentes à distribuição dos tipos de paragrafias, o teste também fornece um escore geral de competência de nomeação escrita, que é aferido a partir dos critérios objetivos de pontuação já mencionados.

A disponibilidade das duas versões originais (TNS1.1–Escrita e TNS2.1–Escrita) permite avaliar repetidamente o desenvolvimento da escrita livre para nomear sinais da Libras, controlando, assim, o efeito de carreamento da aprendizagem de uma situação de avaliação para a seguinte. As duas versões originais avaliam, de maneira independente, a compreensão de sinais da Libras, a escrita em Português, e a complexa articulação entre essas duas habilidades que são cruciais ao desenvolvimento cognitivo e à educação da população escolar surda. Por isso constituem preciosos instrumentos para a avaliação do desenvolvimento lingüístico, cognitivo e acadêmico dessa população no Brasil. O uso desses instrumentos, em associação com todos os demais instrumentos da bateria, permitirá descobrir quais são os procedimentos de ensino e aprendizagem mais adequados a diferentes segmentos dessa população.

4.10.3.2.1.1.) Achados com as versões originais 1.1 e 2.1 do Teste de Nomeação de Sinais por Escrita (TNS1.1–Escrita e TNS2.1–Escrita)

4.10.3.2.1.1.1.) Achados com a versão original 1.1 do Teste de Nomeação de Sinais por Escrita (TNS1.1–Escrita)

O estudo sobre o TNS1.1–Escrita (F. Capovilla, Viggiano, Bidá, Raphael, A. Capovilla, & Mauricio, 2004) disponibiliza integralmente a versão 1.1, bem como a tabela de dados normativos por série escolar da 1ª. série do Ensino Fundamental à 1ª. série do Ensino Médio. O estudo também apresenta dados completos da validade de critério dessa versão 1.1 por comparação com os resultados em dez outros testes de desenvolvimento da linguagem de sinais e escrita, igualmente normatizados para a mesma população escolar surda. Demonstra, ainda, a elevada correlação entre as duas formas alternativas do teste (TNS1.1–Escrita e TNS2.1–Escrita), o que corrobora a asserção quanto à adequação da estratégia de fazer uso alternado delas para controlar o efeito de carreamento de uma avaliação à seguinte durante o acompanhamento do desenvolvimento das competências. Além da tabela de normatização e dos dados de validação, o estudo oferece:

(1) A versão reordenada 1.2 (TNS1.2–Escrita) com os 36 itens ordenados por grau de dificuldade crescente;

(2) Dados que indicam que as duas versões originais alternativas do teste (TNS1.1–Escrita e TNS2.1–Escrita) podem ser usadas de modo intercalado para acompanhar o desenvolvimento da competência de compreensão de sinais e de leitura, evitando o efeito de carreamento entre as avaliações;

(3) Um modelo teórico do processamento de leitura em surdos de acordo com os mais recentes desenvolvimentos na área; e

(4) Uma discussão fundamentada em dados acerca das relações entre competências de escrita, leitura e sinalização, e das paralexias e paragrafias cometidas por surdos ao lidar com o código alfabético.

Assim esse estudo disponibiliza integralmente duas versões do Teste de Nomeação de Sinais por Escrita: A versão original 1.1 (TNS1.1–Escrita) e a versão reordenada 1.2 (TNS1.2–Escrita), que consiste na original 1.1 com os 36 itens reordenados por grau de dificuldade crescente, a partir da análise de itens feita com os dados desse estudo.

Além disso, nesse estudo a versão 1.1 (i.e., TNS1.1–Escrita), para aplicação com sinalização ao vivo, encontra-se normatizada por série escolar, da 1ª. série do Ensino Fundamental à 1ª. série do Ensino Médio, e validada por comparação com os resultados em dez outros testes de desenvolvimento da linguagem de sinais e escrita, igualmente normatizados para a mesma população escolar surda.

Nesse estudo, o TNS1.1–Escrita foi aplicado com sinalização ao vivo a uma amostra de 380 surdos de 6 a 41 anos de idade, estudantes da 1ª. série do Ensino Fundamental até a 1ª. série do Ensino Médio, provenientes de seis escolas, sendo quatro Emees de São Paulo e duas escolas filantrópicas do interior do estado. Essa amostra era parte da amostra maior de 1.158 surdos avaliados na série de onze estudos. Desses 1.158 surdos, havia 862 com perda auditiva profunda (congênita em 401 casos, adquirida em 167, e ignorada nos demais), 192 com perda severa (congênita em 107 casos, adquirida em 29), setenta com perda moderada (congênita em quarenta casos, adquirida em treze), e quatro com perda leve (congênita em todos). Na amostra toda, a incidência de perda auditiva congênita era 0,7 vezes maior que a de perda adquirida. Quanto ao modo de comunicação (i.e., oralização, gesticulação, e sinalização) em diferentes contextos, nessa amostra de 380 escolares surdos foi constatada uma importância crescente da sinalização e decrescente da oralização e gesticulação à medida que o surdo passa da família para a escola, e dessa para a comunidade. Nessa passagem, a preponderância da sinalização aumentou de 51,95% para 59,74% para 68,07%, enquanto a da oralização declinou de 37,01% para 35,06% para 29,01%, e a da gesticulação declinou de 11,04% para 5,19% para 2,52%. A idade dos 380 estudantes variou de 6 a 34 anos, com média de 13a5m (i.e., 13 anos e 5 meses). O número de estudantes surdos e a idade média por série escolar foram os seguintes: 58 surdos com 7a5m na 1ª. série, 53 com 10a1m na 2ª., 45 com 12a10m na 3ª., 63 com 14a1m na 4ª., trinta com 16a5m na 5ª., 48 com 16a10m na 6ª. série, 38 com 18a4m na 7ª., quatro com 17a10m na 8ª., e seis com 17a10m na 1ª. série do Ensino Médio. Dos 380 estudantes surdos, 277 estudavam em escolas para crianças surdas, 78 estudavam em classes regulares em escolas regulares, e 25 estudavam em classes especiais. Essas últimas 103 crianças não recebiam ensino em Libras, mas apenas ensino comum em Português, e seu contato com a Libras e a comunidade surda era restrito a associações de surdos. Dos 380 estudantes surdos, 345 tinham série escolar definida (sendo que, dos outros 35, 25 pertenciam a classes especiais que seguem programas e regimes diferentes e dez tinham problema de registro). A escolaridade média desses 345 estudantes, em termos de número de anos no Ensino Fundamental, era de 3 anos e 11 meses, ou seja, pouco menos que a 4ª. série.

Essa amostra de 380 escolares surdos avaliados era composta, em sua maioria, de sinalizadores com surdez profunda pré-lingual e perilingual. Em termos de tipo de perda auditiva (i.e., congênita ou adquirida), dos 380 estudantes, 303 tinham algum tipo de perda declarada, sendo que, desses, 245 declararam ter perda congênita (sendo um caso de grau de perda ignorada, três casos de perda leve, 28 casos de perda moderada, 49 casos de perda severa, e 164 casos de perda profunda) e 58 declararam ter perda adquirida (sendo sete casos de perda moderada, quatorze casos de perda severa, e 37 casos de perda profunda). Dos 380 estudantes, havia informações sobre uso de aparelho auditivo nos prontuários de 263 deles, mas não nos dos outros 117. Segundo os prontuários, dos 263 estudantes, 221 faziam uso de aparelho auditivo (sendo um com grau de perda ignorada, um com perda leve, 26 com perda moderada, cinqüenta com perda severa, e 143 com perda profunda), e 42 não faziam (sendo dois com perda leve, seis com perda moderada, cinco com perda severa, e 29 com perda profunda).

Quanto ao modo de comunicação (i.e., oralização, gesticulação, e sinalização) em diferentes contextos, foi constatada nessa amostra uma importância crescente da sinalização e decrescente da oralização e da gesticulação à medida que o surdo passa da família para a escola, e dessa para a comunidade. Conforme os prontuários dos 380 escolares surdos, nessa passagem, a preponderância da sinalização aumentou de 51,95% para 59,74% para 68,07%, enquanto a da oralização declinou de 37,01% para 35,06% para 29,41%, e a da gesticulação declinou de 11,04% para 5,19% para 2,52%.

Os resultados da aplicação do TNS1.1–Escrita com sinalização ao vivo a essa amostra de 380 escolares surdos revelaram um aumento sistemático na competência de escrita dos nomes de sinais da 1ª. série do Ensino Fundamental à 1ª. série do Ensino Médio. Conforme as médias obtidas pela análise de variância, da 1ª. à 9ª. série, esse aumento sistemático foi de 1,22 a 2,80 a 6,88 a 12,68 a 17,70 a 19,35 a 22,27 a 23,38 a 24,50 pontos, respectivamente. Conforme as médias corrigidas pela análise de covariância, controlando o efeito da idade como covariante e considerando apenas os dados dos 345 estudantes com idades conhecidas, esse aumento sistemático ao longo das nove séries escolares foi de 4,47 a 4,55 a 7,15 a 12,26 a 16,05 a 17,50 a 19,56 a 20,97 a 22,05 pontos, respectivamente. Do mesmo modo, controlando o efeito da perda auditiva como covariante e considerando apenas os dados dos 339 estudantes com perda auditiva conhecida, esse aumento sistemático ao longo das nove séries escolares foi de 3,63 a 4,49 a 6,91 a 12,64 a 16,31 a 17,79 a 20,39 a 21,40 a 22,39 pontos, respectivamente. Assim, a pontuação cresceu de maneira sistemática e monotônica, mas não chegou a alcançar o teto (i.e., 36 pontos), o que sugere que o extremo superior da escala de escolaridade pode ser expandido para além da 1ª. série do Ensino Médio, provavelmente até a conclusão do Ensino Superior. Por isso é que, nos estudos subseqüentes de normatização da versão revisada 1.3 dos testes, o TNS1.1–Escrita tem sido aplicado a escolares até a 3ª. série do Ensino Médio.

Com base nesses dados, esse estudo normatizou o TNS1.1–Escrita por série escolar para sinalização ao vivo e o validou por comparação com os resultados em dez outros testes de desenvolvimento da linguagem de sinais e escrita, igualmente normatizados para a mesma população na mesma faixa de escolaridade. Em termos de validade por critério de correlação com outros testes, os resultados revelaram o seguinte padrão de intercorrelações do TNS1.1–Escrita com os demais testes:

1.) Correlação muito alta (r = 0,96) com a versão original 2.1 do mesmo teste (TNS2.1–Escrita);

2.) Correlação alta (r = 0,84 a 0,87) com a habilidade de nomear sinais por escolha (TNS1.1–Escolha e TNS2.1–Escolha);

3.) Correlação média (r = 0,62 a 0,70) com a competência de leitura de sentenças (TCLS1.1), com a habilidade de nomear figuras por escrita (TNF1.1–Escrita e TNF2.1–Escrita), com o vocabulário receptivo de sinais da Libras (TVRSL1.1) e com a habilidade de nomear figuras por escolha (TNF1.1–Escolha e TNF2.1–Escolha);

4.) Correlação baixa (r = 0,57) com a competência de leitura de palavras (TCLP1.1).

Ou seja, os dados mostraram que a versão 1.1 do Teste de Nomeação de Sinais por Escrita livre (TNS1.1–Escrita) apresenta uma correlação quase perfeita com sua versão original alternativa 2.1 (TNS2.1–Escrita); uma correlação extraordinariamente boa com a habilidade de nomear sinais por escolha (TNS1.1–Escolha e TNS2.1–Escolha); uma correlação muito boa com a competência de leitura de sentenças (TCLS1.1), a habilidade de nomear figuras por escrita (TNF1.1–Escrita e TNF2.1–Escrita), o vocabulário receptivo de sinais da Libras (TVRSL1.1) e a habilidade de nomear figuras por escolha (TNF1.1–Escolha e TNF2.1–Escolha); e finalmente uma correlação razoavelmente boa com a competência de leitura de palavras (TCLP1.1).

Além da tabela de normatização e dos dados de validação, o estudo oferece a versão reordenada 1.2 (TNS1.2–Escrita) com os 36 itens ordenados por grau de dificuldade crescente, além de dados que indicam que as duas versões originais do teste (i.e., TNS1.1–Escrita e TNS2.1–Escrita) podem ser usadas uma em lugar da outra, ou de modo intercalado, uma em seguida à outra, para evitar o efeito de carreamento entre as avaliações enquanto se acompanha o desenvolvimento da competência conjunta de produção escrita e de compreensão de sinais em crianças surdas. De fato, na comparação entre os resultados das duas versões originais do teste, foi obtida uma correlação positiva, significativa e quase perfeita (r = 0,96) entre ambas.

Dos 380 escolares surdos, foram analisadas as folhas de respostas de todos os 238 que estudavam em escolas especiais para surdos (i.e., Emees), sendo 38 estudantes da 1ª. série, 31 da 2ª., 28 da 3ª., 46 da 4ª., 23 da 5ª., 35 da 6ª., 29 da 7ª., um da 8ª. série, e sete de série indeterminada devido a problemas de registro. Para obter um quadro da incidência de paragrafias semânticas e quirêmicas, foram analisadas as folhas de respostas desses 238 estudantes em termos do significado inteligível, independentemente da correção ortográfica, já analisada ulteriormente. O objetivo foi detectar possíveis paragrafias quirêmicas nessa tarefa de nomeação de sinais por escrita livre, eventualmente análogas às paralexias quirêmicas já fartamente demonstradas em nossos estudos paralelos de nomeação de figuras e de sinais por escolha de palavras escritas usando TNF1.1–Escolha, TNF2.1–Escolha, TNS1.1–Escolha, e TNS2.1–Escolha.

Essa análise das respostas dos 238 examinandos surdos no TNS1.1–Escrita revelou paragrafias quirêmicas, paragrafias semântico-quirêmicas, paragrafias semânticas, e paragrafias semântico-ortográficas.

Dentre os exemplos de paragrafias quirêmicas, encontram-se os seguintes:

1.) Escrever *rei* (109 casos) ou *rainha* (três casos) para denominar o sinal CULPA;

2.) Escrever *apontador* (um caso) para denominar o sinal FEIJÃO;

3.) Escrever *motel* (um caso) para denominar o sinal BANDEIRA;

4.) Escrever *à toa* (dois casos) e *ficar à toa* (sete casos) para denominar o sinal EXEMPLO;

5.) Escrever *beijar* ou *beijo* (dezenove casos) e *experimentar* (cinco casos) para denominar o sinal TENTAR.

Dentre os exemplos de paragrafias semântico-quirêmicas, encontram-se os seguintes:

1.) Escrever *xícara* (cinco casos) e *copo* (um caso) para denominar o sinal CAFÉ;

2.) Escrever *ver* (três casos) para denominar o sinal LER;

3.) Escrever *fogão* (21 casos) para denominar o sinal FOGO, FERVER;

4.) Escrever *saber* (oito casos) para denominar o sinal ENTENDER;

5.) Escrever *pesquisar* (três casos) para denominar o sinal PERGUNTAR;

6.) Escrever *chá* para denominar o sinal CAFÉ.

Dentre os exemplos de paragrafias semânticas, encontram-se os seguintes:

1.) Escrever *livro* e *nome* para denominar o sinal LER;

2.) Escrever *experimentar* e *prova* para denominar o sinal TENTAR;

3.) Escrever *zero* para denominar o sinal NADA;

4.) Escrever *lixo* para denominar o sinal SUJO;

5.) Escrever *verão* para denominar o sinal VENTO;

6.) Escrever *pessoas* para denominar o sinal FILA;

7.) Escrever *Brasil* e *brasileira* e *Palmeiras* para denominar o sinal BANDEIRA;

8.) Escrever *bravo* para denominar o sinal NERVOSO.

Dentre os exemplos de paragrafias semântico-ortográficas, encontram-se os seguintes:

1.) Escrever *fogão* para denominar o sinal FOGO, FERVER;

2.) Escrever *Palmeiras* para denominar o sinal BANDEIRA;

3.) Escrever *nervo* para denominar o sinal NERVOSO;

4.) Escrever *tempo* para denominar o sinal EXEMPLO.

O estudo conclui com a explanação de um modelo teórico do processamento de leitura em surdos, elaborado de acordo com os mais recentes desenvolvimentos na área, além de uma discussão fundamentada em dados acerca das relações entre competências de escrita, leitura e sinalização, e das paralexias e paragrafias cometidas por surdos ao lidar com o código alfabético.

A partir desse estudo torna-se possível avaliar o envolvimento relativo de processos quirêmicos, ortográficos e semânticos subjacentes ao desenvolvimento da competência de escrita de palavras para nomear sinais por parte de escolares surdos, desde o início do Ensino Fundamental até o início do Ensino Médio. Isso permitirá aperfeiçoar a eficácia das condições de ensino para a consecução da alfabetização e da escolarização competentes.

Em conjunto com os outros testes que compõem a bateria de avaliação de desenvolvimento da linguagem escrita e de sinais no surdo, o TNS1.1–Escrita e sua versão original alternativa (TNS2.1–Escrita) constituem importantes instrumentos no arsenal de recursos disponíveis ao educador da criança e do jovem surdo brasileiro.

4.10.3.2.1.1.2.) Achados com a versão original 2.1 do Teste de Nomeação de Sinais por Escrita (TNS2.1–Escrita)

O estudo sobre o TNS2.1–Escrita (F. Capovilla, Viggiano, Luz, A. Capovilla, Bidá, & Mauricio, 2004) disponibiliza integralmente a versão 2.1 do Teste de Nomeação de Sinais por Escrita, bem como a tabela de dados normativos por série escolar da 1a. série do Ensino Fundamental à 1a. série do Ensino Médio. O estudo também apresenta dados completos da validação de critério dessa versão original 2.1 por comparação com os resultados em dez outros testes de desenvolvimento da linguagem, tanto de sinais e quanto escrita, igualmente normatizados para a mesma população escolar surda. Demonstra, ainda, a elevada correlação entre as duas versões originais que constituem formas alternativas do teste (TNS2.1–Escrita e TNS1.1–Escrita), corroborando a asserção quanto à adequação da estratégia de fazer uso alternado delas para controlar o efeito de carreamento de uma avaliação à seguinte durante o acompanhamento do desenvolvimento das competências lingüísticas. Além da tabela de normatização e dos dados de validação, o estudo oferece:

(1) A versão reordenada 2.2 (TNS2.2–Escrita) com os 36 itens ordenados por grau de dificuldade crescente;

(2) Dados que indicam que as duas versões originais do teste (TNS2.1–Escrita e TNS1.1–Escrita) podem ser usadas de modo intercalado para acompanhar o desenvolvimento da competência de compreensão de sinais e de leitura evitando, assim, o efeito de carreamento de uma avaliação para a seguinte;

(3) Um modelo teórico sobre o processamento de leitura em surdos de acordo com os mais recentes desenvolvimentos na área; e

(4) Uma discussão fundamentada em dados acerca das relações entre competências de escrita, leitura e sinalização, e das paralexias e paragrafias cometidas por surdos ao lidar com o código alfabético.

Assim esse estudo disponibiliza integralmente duas versões do Teste de Nomeação de Sinais por Escrita: A versão original 2.1 (TNS2.1–Escrita) e a versão reordenada 2.2 (TNS2.2–Escrita), que consiste simplesmente na versão original 2.1 com os 36 itens reordenados por grau de dificuldade crescente, conforme os dados desse estudo.

Além disso, nesse estudo, a versão TNS2.1–Escrita, para aplicação com sinalização ao vivo, encontra-se normatizada por série escolar da 1a. série do Ensino Fundamental à 1a. série do Ensino Médio, e validada por comparação com os resultados em dez outros testes de desenvolvimento da linguagem de sinais e escrita, igualmente normatizados para a mesma população escolar surda.

Nesse estudo, a versão original 2.1 (i.e., TNS2.1–Escrita) foi aplicada com sinalização ao vivo a uma amostra de 395 surdos de 6 a 41 anos de idade, estudantes da 1a. série do Ensino Fundamental até a 1a. série do Ensino Médio, provenientes de seis escolas, sendo quatro Emees de São Paulo e duas escolas filantrópicas do interior do estado. Essa amostra era parte da amostra maior de 1.158 surdos avaliados na série de onze estudos. Desses 1.158 estudantes, havia 862 com perda auditiva profunda (que era congênita em 401 casos, adquirida em 167, e ignorada nos demais), 192 com perda severa (que era congênita em 107 casos, e adquirida em 29), setenta com perda moderada (que era congênita em quarenta deles e moderada em treze), e quatro com perda leve (todas congênitas). Na amostra toda, a incidência de perda auditiva congênita era 2,7 vezes maior que a de perda adquirida. Em termos de modo de comunicação (i.e., oralização, gesticulação e sinalização) em diferentes contextos, nessa amostra de 395 escolares surdos, foi constatada uma importância crescente da sinalização e decrescente da oralização e da gesticulação à medida que o surdo passa da família para a escola, e dessa para a comunidade. Nessa passagem, a preponderância da sinalização aumentou de 50,00% para 59,48% para 68,80%, enquanto a da oralização declinou de 38,00% para 34,64% para 28,80%, e a da gesticulação declinou de 12,00% para 5,88% para 2,40%.

Dos 395 estudantes, 394 tinham idade conhecida a partir dos prontuários. Essa idade variou de 6 a 41 anos, com média de 13a11m (i.e., 13 anos e 11 meses). O número de estudantes surdos e a sua respectiva idade média por série escolar foram os seguintes: 37 surdos com 8a4m na 1a. série, 51 com 10a1m na 2a., 55 com 12a7m na 3a., 64 com 13a6m na 4a., 45 com 16a2m na 5a., 51 com 18a5m na 6a. série, 28 com 16a10m na 7a., onze com 16a10m na 8a., e sete com 17a8m na 1a. série do Ensino Médio. Dos 395 estudantes surdos, 291 estudavam em escolas para crianças surdas, 79 estudavam em classes regulares em escolas regulares, e 25 estudavam em classes especiais. Essas últimas 104 crianças não recebiam ensino em Libras, mas apenas ensino comum em Português, e seu contato com a Libras e a comunidade surda era restrito a associações de surdos. Dos 395 estudantes surdos, 350 tinham série escolar definida (sendo que, dos outros 45, 25 pertenciam a classes especiais que seguem programas e regimes diferentes, e vinte tinham problema de registro). A escolaridade média desses 350 estudantes, em termos de número de anos no Ensino Fundamental, era de 4 anos e 1 mês, ou seja, pouco mais que a 4ª. série.

A amostra de 395 escolares era composta, em sua maioria, de sinalizadores com surdez profunda pré-lingual e perilingual. Em termos de tipo de perda auditiva (i.e., congênita ou adquirida), dos 395 estudantes, 309 tinham algum tipo de perda declarada e os outros 86 não, sendo que, desses 309 surdos com tipo de perda declarada, conhecia-se o grau de perda de 308 deles. Desses 308 estudantes com tipo de perda e grau de perda conhecidos havia 229 casos de perda congênita (sendo 156 casos de perda profunda, 48 de perda severa, 22 de perda moderada e três de perda leve) e 79 casos de perda adquirida (sendo 57 casos de perda profunda, quinze de perda severa e sete de perda moderada). Dos 395 estudantes, havia informações sobre uso de aparelho auditivo nos prontuários de 274 deles, mas não nos dos outros 121. Segundo os prontuários, dos 274 estudantes, 233 faziam uso do aparelho auditivo, e 41 não faziam. Segundo os registros dos 395 estudantes, dentre os quatro estudantes sem grau de perda informada, um usava aparelho e os outros três não informaram. Dos três com perda leve, um usava aparelho e dois não usavam. Dos 34 com perda moderada, 24 usavam, cinco não usavam, e cinco não informaram. Dos 79 surdos com perda severa, 48 usavam aparelho, oito não usavam e 23 não informaram. Dos 275 surdos com perda profunda, 159 usavam aparelho, 26 não usavam e noventa não informaram.

Quanto ao modo de comunicação (i.e., oralização, gesticulação, e sinalização) em diferentes contextos, foi constatada nessa amostra uma importância crescente da sinalização e decrescente da oralização e da gesticulação, à medida que o surdo passa da família para a escola, e dessa para a comunidade. Conforme os prontuários dos 395 escolares surdos, nessa passagem, a preponderância da sinalização aumentou de 50,00% para 59,48% para 68,80%, enquanto a da oralização declinou de 38,00% para 34,64 para 28,80%, e a da gesticulação declinou de 12,00% para 5,88 para 2,40%.

Os resultados da aplicação do TNS2.1–Escrita com sinalização ao vivo a essa amostra de 395 escolares surdos revelaram um aumento sistemático na competência de escrita da 1ª. série do Ensino Fundamental à 1ª. série do Ensino Médio. Conforme as médias obtidas pela análise de variância, da 1ª. à 9ª. série, esse aumento sistemático foi de 1,05 a 4,89 a 12,30 a 13,98 a 15,95 a 16,19 a 18,64 a 19,00 a 22,75. Conforme as médias corrigidas pela análise de covariância, controlando o efeito da idade como covariante, e considerando apenas os dados dos 346 estudantes com idades conhecidas, esse aumento sistemático ao longo das nove séries escolares foi de 0,87 a 5,62 a 11,72 a 13,67 a 15,63 a 16,80 a 18,61 a 19,45 a 23,09. Assim, a pontuação cresceu de modo sistemático e monotônico, mas não chegou a alcançar o teto (i.e., 36 pontos), o que sugere que a escala superior pode ser expandida para além da 1ª. série do Ensino Médio, provavelmente até a conclusão do Ensino Superior. Com base nesses dados, esse estudo normatizou o TNS2.1–Escrita por série escolar para sinalização ao vivo e o validou por comparação com os resultados em dez outros testes de desenvolvimento da linguagem de sinais e escrita, igualmente normatizados para a mesma população na mesma faixa de escolaridade.

Em termos de validade por critério de correlação com outros testes, os resultados revelaram o seguinte padrão de intercorrelações da versão 2.1 do Teste de Nomeação de Sinais por Escrita (TNS2.1–Escrita) com os demais testes:

1.) Correlação muito alta (r = 0,96) com a versão 1.1 do mesmo teste (TNS1.1–Escrita);
2.) Correlação alta (r = 0,81 a 0,83) com a habilidade de nomear sinais por escolha (TNS1.1–Escolha e TNS2.1–Escolha);
3.) Correlação média (r = 0,61 a 0,68) com a competência de leitura de sentenças (TCLS1.1), com a habilidade de nomear figuras por escrita (TNF1.1–Escrita e TNF2.1–Escrita), com o vocabulário receptivo de sinais da Libras (TVRSL1.1) e com a habilidade de nomear figuras por escolha (TNF1.1–Escolha e TNF2.1–Escolha);
4.) Correlação baixa (r = 0,55) com a competência de leitura de palavras (TCLP1.1).

Ou seja, os dados mostraram que a versão 2.1 do teste de nomeação de sinais por escrita livre (TNS2.1–Escrita) apresenta uma correlação quase perfeita com a versão original 1.1 alternativa (TNS1.1–Escrita); uma correlação extraordinariamente boa com a habilidade de nomear sinais por escolha (TNS1.1–Escolha e TNS2.1–Escolha); uma correlação muito boa com a competência de leitura de sentenças (TCLS1.1), a habilidade de nomear figuras por escrita (TNF1.1–Escrita e TNF2.1–Escrita), o vocabulário receptivo de sinais da Libras (TVRSL1.1) e a habilidade de nomear figuras por escolha (TNF1.1–Escolha e TNF2.1–Escolha); e uma correlação razoavelmente boa com a competência de leitura de palavras (TCLP1.1).

Além da tabela de normatização e dos dados de validação, o estudo oferece a versão reordenada 2.2 (TNS2.2–Escrita) com os 36 itens ordenados por grau de dificuldade crescente, além de dados que indicam que as duas versões do teste (i.e., TNS2.1–Escrita e TNS1.1–Escrita) podem ser usadas de modo intercalado, uma em lugar da outra, ou de modo intercalado, um após a outra, para acompanhar o desenvolvimento da competência conjunta de escrita e de compreensão de sinais, evitando o efeito de carreamento entre as avaliações. De fato, a comparação dos resultados das duas versões originais do teste, produziu uma correlação positiva, significativa e quase perfeita (r = 0,96) entre ambas. Além disso, o estudo apresenta, também, um modelo teórico do processamento de leitura em surdos de acordo com os mais recentes desenvolvimentos na área e uma discussão fundamentada em dados acerca das relações entre competências de escrita, leitura e sinalização, e das paralexias e paragrafias cometidas por surdos ao lidar com o código alfabético.

Dos 395 participantes surdos, foram tomadas as folhas de respostas de todos os 252 escolares que estudavam em escolas especiais para surdos (i.e., Emees), sendo dezesseis estudantes da 1a. série, 29 da 2a., 38 da 3a., 47 da 4a., 38 da 5a., 39 da 6a., dezenove da 7a., seis da 8a. série, e vinte de série indeterminada devido a problemas de registro. Para obter um quadro da incidência de paragrafias semânticas e quirêmicas, foram analisadas as folhas de respostas desses 252 estudantes em termos do significado inteligível, independentemente da correção ortográfica, já analisada ulteriormente. O objetivo foi detectar eventuais paragrafias quirêmicas nessa tarefa de nomeação de sinais por escrita livre, possivelmente análogas às paralexias quirêmicas já fartamente demonstradas em nossos estudos paralelos de nomeação de figuras e sinais por escolha usando TNF1.1–Escolha, TNF2.1–Escolha, TNS1.1–Escolha, e TNS2.1–Escolha.

Essa análise das respostas dos 252 examinandos surdos no TNS2.1–Escrita revelou paragrafias quirêmicas, paragrafias semântico–quirêmicas, e paragrafias semânticas.

Dentre os exemplos de paragrafias quirêmicas, encontram-se os seguintes:

1.) Escrever *frio* (oito casos), *gelo* (quatro casos) e *gelado* (dois casos) para denominar o sinal VERDE;
2.) Escrever *livro* (dois casos) para denominar o sinal POBRE, POBREZA;,
3.) Escrever *tempo* (quatro casos) para denominar o sinal ACONTECER.

Dentre os exemplos de paragrafias semântico-quirêmicas, encontram-se os seguintes:

1.) Escrever *gostar* (45 casos) para denominar o sinal AMAR, AMOR;
2.) Escrever *água* (dez casos) para denominar o sinal MAR;
3.) Escrever *fome* (22 casos) para denominar o sinal SOFRER, SOFRIMENTO;
4.) Escrever *educação* (oito casos) e *costume* (quatro casos) para denominar o sinal TREINAR;
5.) Escrever *anos* (65 casos) e *aniversário* (cinco casos) para denominar o sinal IDADE.

Dentre os exemplos de paragrafias semânticas, encontram-se os seguintes:

1.) Escrever *gostar* para denominar o sinal AMAR, AMOR;
2.) Escrever *praia*, *água* e *Rio* para denominar o sinal MAR;
3.) Escrever *cama* para denominar o sinal DORMIR;
4.) Escrever *fome* para denominar o sinal SOFRER, SOFRIMENTO;
5.) Escrever *educação física* para denominar o sinal TREINAR;
6.) Escrever *anos* e *aniversário* para denominar o sinal IDADE;
7.) Escrever *cuidado* para denominar o sinal PERIGO.

Esse estudo conclui com a explanação de um modelo teórico do processamento de leitura em surdos de acordo com os mais recentes desenvolvimentos na área e uma discussão fundamentada em dados acerca das relações entre competências de escrita, leitura e sinalização, e das paralexias e paragrafias cometidas por surdos ao lidar com o código alfabético.

A partir desse estudo, torna-se possível avaliar o envolvimento relativo de processos quirêmicos, ortográficos e semânticos subjacentes ao desenvolvimento da competência de escrita de palavras para nomear sinais por parte de escolares surdos desde o início do Ensino Fundamental até o início do Ensino Médio. Isso permitirá aperfeiçoar a eficácia das condições de ensino para a consecução da alfabetização e da escolarização competentes.

Em conjunto com os outros testes que compõem a bateria de avaliação de desenvolvimento da linguagem escrita e de sinais no surdo, o TNS2.1–Escrita e sua versão original alternativa (TNS1.1–Escrita) constituem importantes instrumentos no arsenal de recursos disponíveis ao educador da criança e do jovem surdo brasileiro.

4.10.3.2.2.) Segunda parte da subseção 2: Achados sobre competência de leitura de nomes de sinais: Combinação entre vocabulário receptivo de sinais da Libras e leitura de palavras em Português, com as versões 1.1 e 2.1 do Teste de Nomeação de Sinais por Escolha (TNS1.1–Escolha e TNS2.1–Escolha)

O Teste de Nomeação de Sinais por Escolha (TNS–Escolha) é parte de uma bateria de onze testes originais elaborados para avaliar o desenvolvimento da linguagem de sinais e da competência de leitura e escrita. Criada especialmente para a população escolar surda brasileira, essa bateria foi validada e normatizada a partir de uma amostra de 1.158 escolares surdos da 1ª série do Ensino Fundamental à 1ª série do Ensino Médio.

O TNS Escolha avalia o desenvolvimento conjunto de compreensão de sinais da Libras e de leitura de palavras em Português, e analisa a participação de processos quirêmicos, ortográficos e semânticos envolvidos na escolha de palavras escritas para denominar sinais da Libras. O teste se apresenta em duas versões originais (TNS1.1–Escolha e TNS2.1–Escolha) para permitir avaliações repetidas sem que o efeito da aprendizagem entre avaliações contamine os resultados.

Nos estudos com as versões originais 1.1 e 2.1 que compõem a presente série de onze estudos, essas versões TNS1.1–Escolha e TNS2.1–Escolha foram aplicadas a surdos de seis escolas, e encontram-se normatizadas para aplicação com sinalização ao vivo por parte de examinador fluente em Libras.

Esses estudos de aplicação das versões originais 1.1 e 2.1 permitiram descobrir, por meio da análise da proporção de acerto em cada um dos sinais componentes, o grau de dificuldade de cada um desses sinais. Isso possibilitou gerar as versões reordenadas 1.2 e 2.2 (TNS1.2–Escolha e TNS2.2–Escolha) em que os sinais se encontram ordenados de acordo com o grau crescente de dificuldade (i.e., do mais fácil ao mais difícil).

Além disso, tais estudos permitiram descobrir como aperfeiçoar ainda mais o teste, substituindo alguns dos sinais das versões originais por sinais ainda mais adequados, o que gerou as versões revisadas 1.3 e 2.3 (TNS1.3–Escolha e TNS2.3–Escolha), respectivamente. Em estudos ulteriores presentemente em andamento, tais versões revisadas foram aplicadas com cadernos completos que incluem os desenhos dos sinais a surdos de quinze escolas, e estão sendo normatizadas para esse modo de aplicação, o que dispensa a sinalização ao vivo e permite obter resultados ainda mais fidedignos e, portanto, estáveis ao longo de aplicações repetidas.

Cada uma das duas versões originais do TNS–Escolha contém 36 itens, sendo que cada item é composto de um sinal e de quatro palavras escritas que constituem alternativas de escolha. O sinal pode ser articulado ao vivo pelo examinador ou apresentado como desenho no próprio teste, logo acima das palavras escritas alternativas. No caderno de aplicação, as quatro palavras escritas alternativas aparecem logo abaixo a ilustração de cada sinal a ser nomeado. A tarefa do examinando consiste em escolher, dentre as quatro palavras escritas alternativas, aquela que corresponde ao sinal.

Dentre as quatro alternativas, uma é a palavra-alvo que corresponde ao sinal-alvo a ser nomeado e as outras três são palavras distratoras. A inclusão das distratoras no teste objetiva induzir erros de leitura (i.e., paralexias quirêmicas, paralexias ortográficas e paralexias semânticas) que revelam os tipos de processos empregados para a leitura e o estágio de desenvolvimento da leitura em que se situa o examinando. Para cada item há três tipos de palavras distratoras (i.e., distratoras quirêmicas, distratoras ortográficas e distratoras semânticas), que induzem erros de importante valor teórico conceptual e diagnóstico. Tais palavras distratoras, e as respectivas paralexias que induzem, são as seguintes:

1.) Em testes de nomeação de sinais por escolha de palavras escritas, palavras distratoras quirêmicas são aquelas cujo sinal subjacente assemelha-se ao sinal-alvo a ser nomeado. Nessa tarefa de nomeação de sinais por escolha, tal semelhança pode induzir paralexias quirêmicas, que consistem em escolher palavras escritas que não se aplicam aos sinais-alvo e que não têm qualquer relação com eles, exceto pela semelhança entre os sinais subjacentes a essas palavras e os sinais-alvo a serem nomeados. Tais paralexias quirêmicas são de interesse teórico e diagnóstico, e sua ocorrência com freqüência significativa (i.e., acima do nível do acaso) sugere que os elementos do léxico ortográfico (i.e., as representações ortográficas das palavras escritas e seus morfemas componentes) encontram-se indexados pelos elementos do léxico quirêmico (i.e., as representações quirêmicas dos sinais e seus componentes morfológicos), de modo que as trocas na escrita só podem ser explicadas pela semelhança quirêmica entre o sinal subjacente à palavra incorretamente selecionada (i.e., distratora quirêmica) e o sinal-alvo a ser nomeado, mas não por outros tipos de semelhança como a ortográfica ou a semântica. Assim, paralexias quirêmicas indicam que, durante a tarefa de resgatar palavras escritas para nomear sinais, os elementos quirêmicos compartilhados por sinais diferentes podem fazer com que esses sinais sejam confundidos entre si, ocasionando trocas entre as palavras escritas evocadas por esses sinais;

2.) Palavras distratoras ortográficas são aquelas cuja forma escrita assemelha-se à forma escrita da palavra-alvo a ser escolhida. Na tarefa de nomeação de sinais por escolha de palavras escritas, tal semelhança pode induzir paralexias ortográficas que consistem em escolher palavras escritas cuja forma ortográfica global tem semelhança genérica com a da palavra escrita que corresponde ao sinal. Tais paralexias ortográficas são de interesse teórico e diagnóstico, e sua ocorrência significativa sugere que o leitor faz uso de um estilo logográfico baseado na tentativa de reconhecimento visual direto da forma ortográfica geral das palavras familiares. Esse estilo logográfico falha em incorporar o processo de decodificação grafêmica de modo suficientemente eficaz para permitir penetrar na intimidade grafêmica da palavra e identificar malformações ortográficas. Em conseqüência desse estilo de leitura, resultam paralexias ortográficas, cuja freqüência de ocorrência tende a ser inversamente proporcional à freqüência de ocorrência da palavra para o surdo (i.e., em seu léxico). Ou seja, quanto menor a força da representação ortográfica de uma dada palavra no léxico ortográfico do leitor surdo, tanto maior a probabilidade de paralexias e paragrafias ortográficas envolvendo essa palavra;

3.) Em testes de nomeação de sinais por escolha de palavras escritas, palavras distratoras semânticas são aquelas cujos significados estão relacionados aos significados dos sinais-alvo a serem nomeados, embora não correspondam precisamente a eles. Na tarefa de nomeação de sinais por escolha de palavras, essa relação pode induzir paralexias semânticas, que consistem em escolher palavras escritas com significado diferente do significado do sinal, mas de alguma forma relacionado a ele. Tais paralexias semânticas são de interesse teórico e diagnóstico, e sua ocorrência significativa sugere que o leitor tenta obter acesso ao léxico semântico, mas que esse acesso é dificultado por insuficiência de conceitos, vocabulário, ou habilidade de leitura.

4.10.3.2.2.1.) Achados com as versões 1.1 e 2.1 do Teste de Nomeação de Sinais por Escolha (TNS1.1–Escolha e TNS2.1–Escolha)

4.10.3.2.2.1.1) Achados com a versão 1.1 do Teste de Nomeação de Sinais por Escolha (TNS1.1–Escolha)

O estudo sobre a versão original 1.1 do Teste de Nomeação de Sinais por Escolha (TNS1.1–Escolha: F. Capovilla, Viggiano, Raphael, Mauricio, A. Capovilla, & Bidá, 2004) disponibiliza integralmente essa versão do teste, bem como a tabela de dados normativos por série escolar, da 1ª. série do Ensino Fundamental à 1ª. série do Ensino Médio. Esse estudo tambem apresenta dados completos da validade de critério de TNS1.1–Escolha por comparação com os resultados em dez outros testes de desenvolvimento da linguagem de sinais e escrita, igualmente normatizados para a mesma população escolar surda. Demonstra, ainda, a elevada correlação entre as duas formas alternativas originais do teste (TNS1.1–Escolha e TNS2.1–Escolha), corroborando a adequação da estratégia de fazer uso alternado delas para controlar o efeito de carreamento de uma avaliação à seguinte durante o acompanhamento do desenvolvimento das competências. Além da tabela de normatização e dos dados de validação, o estudo oferece a versão reordenada 1.2 (TNS1.2–Escolha) em que os 36 itens encontram-se ordenados por grau de dificuldade crescente. Apresenta, também, dados que indicam que as duas versões do teste podem ser usadas de modo intercalado para acompanhar o desenvolvimento da compreensão de sinais e da competência de leitura, evitando o efeito de carreamento entre as avaliações. O estudo apresenta, ainda, um modelo teórico do processamento de leitura em surdos de acordo com os mais recentes desenvolvimentos na área, além de uma discussão fundamentada em dados acerca das relações entre competências de escrita, leitura e sinalização, e das paralexias e paragrafias cometidas por surdos ao lidar com o código alfabético. Finalmente, o estudo também oferece a versão revisada 1.3 (TNS1.3–Escolha) com cinco aperfeiçoamentos de distratores para aumentar a indução de paralexias semânticas, quirêmicas e ortográficas.

Nesse estudo, TNS1.1–Escolha foi aplicado a uma amostra de 413 escolares surdos, estudantes da 1ª. série do Ensino Fundamental até a 1ª. série do Ensino Médio, provenientes de seis escolas, sendo quatro Emees da cidade de São Paulo e duas escolas filantrópicas do interior do estado. Dos 413 estudantes, 412 tinham idade registrada nos prontuários, que variou de 6 a 40 anos, com média de 13a7m (i.e., 13 anos e 7 meses). O número de estudantes surdos e a idade média para cada série escolar foram os seguintes: 58 surdos com 7a11m na 1ª. série, 59 com 10a7m na 2ª., 46 com 12a8m na 3ª., 86 com 14a4m na 4ª., 46 com 16a2m na 5ª., 45 com 17a na 6ª. série, 31 com 17a4m na 7ª., sete com 19a na 8ª., e sete com 17a8m na 1ª. série do Ensino Médio. Dos 413 estudantes surdos, 311 estudavam em escolas para crianças surdas, 77 estudavam em classes regulares em escolas regulares, e 25 estudavam em classes especiais. Essas últimas 102 crianças não recebiam ensino em Libras, mas apenas ensino comum em Português, e seu contato com a Libras e a comunidade surda era restrito a associações de surdos. Dos 413 estudantes surdos, 385 tinham série escolar definida (sendo que, dos outros 28, 25 pertenciam a classes especiais e três tinham problema de registro). A escolaridade média desses 385 estudantes no Ensino Fundamental era de 3 anos e 11 meses, ou seja, pouco menos que a 4ª. série.

A amostra de 413 escolares era composta, em sua maioria, de sinalizadores com surdez profunda pré-lingual e perilingual. Segundo os registros, dos 413 estudantes, havia informações quanto ao grau de perda auditiva de 405, sendo que 280 tinham perda profunda; 70, severa; 21, moderada; e três, leve. Dos 413, 316 tinham algum tipo de perda declarada, sendo que, destes, 251 declararam ter perda congênita (i.e., um caso de grau de perda ignorada, três casos de perda leve, 24 casos de perda moderada, 49 casos de perda severa, 174 casos de perda profunda) e 65 declararam ter perda adquirida (i.e., seis casos de perda moderada, quatorze casos de perda severa, 45 casos de perda profunda). Em termos de modo de comunicação (i.e., oralização, gesticulação e sinalização) em diferentes contextos, foi constatada nessa amostra uma importância crescente da sinalização e uma importância decrescente da oralização e da gesticulação à medida que o surdo passa da família para a escola, e dessa para a comunidade. Conforme os prontuários dos 413 escolares surdos, nessa passagem, a preponderância da sinalização aumentou de 39,42% para 58,04% para 68,38%, enquanto a da oralização declinou de 40,14% para 36,36% para 29,06%, e a da gesticulação declinou de 20,44% para 5,59% para 2,56%.

Os resultados mostraram que, no TNS1.1–Escolha, os 413 escolares surdos obtiveram escores variando de 0 a 36 pontos, com média de 16,97 pontos (*DP* = 8,67). A análise de covariância com 385 escolares com série e grau de perda auditiva conhecida revelou um aumento sistemático na habilidade de nomeação de sinais por escolha de palavras escritas, desde a 1ª. série do Ensino Fundamental até a 1ª. série do Ensino Médio (i.e., de 10,34 a 11,14 a 14,41 a 17,65 a 22,89 a 23,02 a 24,58 a 24,71 a 25,00 pontos, respectivamente), contudo, permanecendo longe de atingir a pontuação máxima (i.e., 36 pontos). Com base em tais dados, esse estudo normatizou o TNS1.1–Escolha por série escolar e o validou por comparação com os resultados nos dez outros testes de desenvolvimento da linguagem de sinais e escrita, igualmente normatizados para a mesma população escolar surda. Além da tabela de normatização e dos dados de validação, o estudo ofereceu a versão reordenada 1.2 (TNS1.2–Escolha) com os 36 itens reordenados por grau de dificuldade crescente.

Comparando os resultados sob as duas versões originais do teste (i.e., TNS1.1–Escolha e TNS2.1–Escolha), o estudo demonstrou que essas duas versões originais podem ser usadas de modo intercalado (i.e., uma em vez da outra) e intercalado (i.e., uma depois da outra) para acompanhar o desenvolvimento da competência de leitura, evitando o efeito de carreamento entre as avaliações. O estudo também ofereceu a versão revisada 1.3 (TNS1.3–Escolha) com cinco aperfeiçoamentos de distratores para aumentar a indução de paralexias semânticas, quirêmicas e ortográficas.

Em termos de validade por critério de correlação com outros testes, os resultados revelaram o seguinte padrão de intercorrelações do TNS1.1–Escolha com os demais testes:

1.) Correlação muito alta (r = 0,85 a 0,87) com a habilidade de escrever os nomes de sinais da Libras (TNS1.1–Escrita e TNS2.1–Escrita);

2.) Correlação alta (r = 0,79) com a habilidade de escolher os nomes de sinais, isto é, com a versão 2.1 do mesmo teste (TNS2.1–Escolha);

3.) Correlação média (r = 0,66 a 0,69) com a competência de leitura de sentenças (TCLS1.1), com a habilidade de escrever os nomes de figuras (TNF1.1–Escrita e TNF2.1–Escrita), e com a habilidade de escolher os nomes de figuras (TNF1.1–Escolha e TNF2.1–Escolha);

4.) Correlação baixa (r = 0,58 e 0,59) com o vocabulário receptivo de sinais da Libras (TVRSL1.1) e com a competência de leitura de palavras (TCLP1.1).

Em termos de eficácia dos distratores em induzir paralexias quirêmicas, ortográficas e semânticas, foi constatado que os distratores ortográficos se mostraram mais eficazes que os quirêmicos, que, por sua vez, se mostraram mais eficazes que os semânticos. Dentre 10.116 oportunidades (i.e., 281 estudantes expostos a 36 julgamentos cada um), houve 4.562 casos de indução ao erro. Dentre esses, houve 1.780 casos de indução por distratores ortográficos, 1.508 casos de indução por distratores quirêmicos, e 1.274 casos de indução por distratores semânticos.

Dentre os 1.780 casos de paralexia ortográfica estão os seguintes:

1.) Para nomear o sinal PROFESSOR, 147 surdos escolheram a palavra distratora ortográfica PROFESSAR;
2.) Para TEIMOSO, noventa escolheram TREMOÇO;
3.) Para BALEIA, 87 escolheram BOLÉIA;
4.) Para SURPRESA, 86 escolheram SUSPENSA;
5.) Para SUBORNAR, 82 escolheram SUPORTAR;
6.) Para DÚVIDA, 75 escolheram DÍVIDA;
7.) Para COMPUTADOR, 69 escolheram COMPETIDOR;
8.) Para FEIO, 59 escolheram FEITO;
9.) Para ALEGRE, 59 escolheram ALARGUE;
10.) Para ENSINAR, 56 escolheram ENSAIAR;
11.) Para MANGA, 54 escolheram MANTA;
12.) Para VIAJAR, cinqüenta escolheram VIGIAR;
13.) Para ARANHA, 49 escolheram ARRANHA.

Dentre os 1.274 casos de paralexia semântica estão os seguintes:

1.) Para nomear o sinal ESTRELA, 94 surdos escolheram a palavra distratora semântica LUA;
2.) Para EXPLICAR, 79 escolheram APRENDER;
3.) Para FOME, 54 escolheram COMIDA;
4.) Para COR, 52 escolheram AZUL;
5.) Para ERRADO, 41 escolheram CERTO;
6.) Para ARANHA, 41 escolheram TEIA.

Dentre os 1.508 casos de paralexia quirêmica estão os seguintes:

1.) Para RESPEITAR, 73 escolheram OBRIGADO (apesar da relação semântica com ofender e ortográfica com respirar);
2.) Para DÓ, 71 escolheram SAÚDE;
3.) Para NOITE, setenta escolheram ESCONDER;
4.) Para DESLEIXADO, 69 escolheram DIZER;
5.) Para DISTRAIR, 66 escolheram CORES;
6.) Para MENTIRA, 64 escolheram GELAR;
7.) Para AZAR, sessenta escolheram DESCULPA;
8.) Para COR, 57 escolheram FUMAR;

9.) Para ALEGRE, 57 escolheram PASSEAR;
10.) Para MANGA, 55 escolheram ÓBVIO;
11.) Para CHEFE, 53 escolheram FERRO;
12.) Para AÇÚCAR, cinqüenta escolheram BOCEJAR;
13.) Para LONGE, 47 escolheram FINO;
14.) Para ESPERAR, 44 escolheram AJUDAR.

Assim, frente à tarefa de escolher palavras escritas para denominar sinais como RESPEITAR, DÓ, NOITE, DESLEIXADO, DISTRAIR, MENTIRA, AZAR, COR e ALEGRE, dentre outros, mais de 20% dos estudantes foram induzidos a escolher uma palavra escrita que não tinha qualquer relação ortográfica ou semântica com a palavra-alvo que deveria ter sido escolhida para designar o sinal, mas que estava indexada por um sinal muito semelhante ao sinal-alvo.

As análises dos coeficientes de correlação entre, de um lado, o desempenho em nomeação de sinais por escolha e, de outro lado, os desempenhos de competência de leitura de sentenças, competência de leitura de palavras, e vocabulário em Libras revelaram que, quanto melhor a competência de leitura de sentenças (r = 0,80), a competência de leitura de palavras (r = 0,64), e o vocabulário em Libras (r = 0,60), os três nessa ordem, tanto melhor o desempenho em nomeação de sinais por escolha de palavras escritas. Os resultados sugerem que:

1.) A habilidade de nomear sinais da Libras por escolha de palavras escritas (i.e., desempenho no TNS1.1–Escolha), é uma excelente preditora da habilidade de extrair o significado na leitura de sentenças (i.e., desempenho no TCLS1.1);
2.) As habilidades de decodificar e reconhecer palavras escritas em Português (i.e., desempenho no TCLP1.1) são preditoras razoavelmente boas da habilidade de escolher palavras para nomear sinais da Libras (i.e., desempenho no TNS1.1–Escolha), mas esse poder preditivo é apenas parcial, já que essa habilidade de nomeação também demanda vocabulário em Libras; e
3.) O vocabulário de sinais (TVRSL1.1) é um preditor razoável da habilidade de escolher palavras para nomear sinais (TNS1.1–Escolha), mas seu poder preditivo é apenas parcial, já que essa habilidade de nomeação também demanda competência de leitura em termos de decodificação e reconhecimento visual de palavras escritas.

Em suma, comparando as contribuições relativas da competência de leitura de palavras (i.e., TCLP1.1) e do vocabulário de sinais (i.e., TVRSL1.1), os resultados desse estudo sugerem que o desempenho de nomeação de sinais por escolha de palavras escritas (i.e., TNS1.1–Escolha) parece depender mais da competência de leitura de palavras do que do vocabulário de sinais, sendo que esse desempenho de nomeação de sinais por escolha de palavras escritas (i.e., TNS1.1–Escolha) é um bom preditor da compreensão de leitura de sentenças (TCLS1.1).

Esse estudo também estabeleceu a validade dos distratores quirêmicos, ortográficos e semânticos. As análises dos efeitos das três competências separadas (i.e., leitura de sentenças, leitura de palavras, e vocabulário de sinais) sobre o poder dos distratores em induzir erros de escolha de palavras para nomeação revelaram que, quanto maior for qualquer uma das três competências (i.e., compreensão de leitura de sentenças no TCLS1.1; compreensão de leitura de palavras no TCLP1.1; e compreensão de sinais da Libras no TVRSL1.1), tanto menor tenderá a ser a freqüência de erros induzidos por distratores quirêmicos, semânticos e ortográficos, nessa ordem, no TNS1.1–Escolha. Os resultados desse estudo revelaram que o efeito de cada uma dessas três habilidades em reduzir o poder de indução de erros dos distratores sempre tende a ser maior para distratores quirêmicos do que para distratores ortográficos. Enfim, comparando os distratores quirêmicos e ortográficos no Teste de Nomeação de Sinais por Escolha (TNS1.1–Escolha), observou-se que os distratores quirêmicos se mostraram mais sensíveis para detectar variações na compreensão de sinais (TVRSL1.1), na compreensão de leitura de palavras (TCLP1.1) e na compreensão de leitura de sentenças (TCLS1.1).

Além da validação e normatização da versão original 1.1, e da geração das versões reordenada 1.2 e revisada 1.3 do teste, esse estudo também forneceu um modelo teórico do processamento de leitura em surdos de acordo com os mais recentes desenvolvimentos na área, além de uma discussão fundamentada em dados acerca das relações entre competências de escrita, leitura e sinalização, e das paralexias e paragrafias cometidas por surdos ao lidar com o código alfabético. A partir desse estudo torna-se possível avaliar o envolvimento relativo de processos quirêmicos, ortográficos e semânticos subjacentes ao desenvolvimento da competência de leitura de palavras e da habilidade de nomear sinais por escolha de palavras escritas por parte de escolares surdos, desde o início do Ensino Fundamental até o início do Ensino Médio. Isso permite aperfeiçoar a eficácia das condições de ensino, de modo a fomentar o desenvolvimento da alfabetização e da escolarização competentes. Em conjunto com os outros testes que compõem a bateria de avaliação de desenvolvimento da linguagem escrita e de sinais no surdo, o TNS1.1–Escolha e sua forma original alternativa (TNS2.1–Escolha) constituem importantes instrumentos no arsenal de recursos disponíveis ao educador do surdo brasileiro.

4.10.3.2.2.1.2) Achados com a versão 2.1 do Teste de Nomeação de Sinais por Escolha (TNS2.1-Escolha)

O estudo sobre a versão original 2.1 do Teste de Nomeação de Sinais por Escolha (TNS2.1-Escolha: F. Capovilla, Viggiano, Bidá, Luz, A. Capovilla, & Neves, 2004) disponibiliza integralmente essa versão 2.1 do teste, bem como a tabela de dados normativos por série escolar da 1a. série do Ensino Fundamental à 1a. série do Ensino Médio. O estudo também apresenta dados completos da validade de critério dessa versão 2.1 por comparação com os resultados em dez outros testes de desenvolvimento da linguagem de sinais e escrita, igualmente normatizados para a mesma população escolar surda. Demonstra, também, a elevada correlação entre as duas formas originais alternativas do teste (i.e., TNS1.1-Escolha e TNS2.1-Escolha), corroborando a adequação da estratégia de empregá-las alternadamente para controlar o efeito de carreamento de uma avaliação à seguinte durante o acompanhamento do desenvolvimento das competências. Juntamente com a tabela de normatização e os dados de validação, o estudo oferece também a versão reordenada 2.2 (TNS2.2-Escolha), com os 36 itens ordenados por grau de dificuldade crescente, além de dados que indicam que as duas versões do teste podem ser usadas de modo intercalado para acompanhar o desenvolvimento da competência de compreensão de sinais e de leitura, evitando, assim, o efeito de carreamento entre as avaliações. Oferece, ainda, um modelo teórico do processamento de leitura em surdos de acordo com os mais recentes desenvolvimentos na área, além de uma discussão fundamentada em dados acerca das relações entre competências de escrita, leitura e sinalização, e das paralexias e paragrafias cometidas por surdos ao lidar com o código alfabético. O estudo oferece, ainda, a versão revisada 2.3 (TNS2.3-Escolha), com sete aperfeiçoamentos de distratores para aumentar a indução de paralexias semânticas, quirêmicas e ortográficas.

Neste estudo, o TNS2.1-Escolha foi aplicado a uma amostra de 443 escolares surdos de 6 a 41 anos de idade, estudantes da 1a. série do Ensino Fundamental até a 1a. série do Ensino Médio, provenientes de seis escolas, sendo quatro Emees de São Paulo e duas escolas filantrópicas do interior do estado. Dos 443 estudantes, 412 tinham idade conhecida nos prontuários, que variava de 6 a 41 anos, com média de 13a4m (i.e., 13 anos e 4 meses). O número de estudantes surdos e a idade média para cada série escolar foram os seguintes: 61 surdos com 7a8m na 1a. série, 72 com 9a11m na 2a., 68 com 12a8m na 3a., 56 com 12a10m na 4a., 45 com 16a5m na 5a., 53 com 17a6m na 6a. série, quarenta com 18a2m na 7a., oito com 14a10m na 8a., e quatro com 17a8m na 1a. série do Ensino Médio. Dos 443 estudantes surdos, 341 estudavam em escolas para surdos, 77 estudavam em classes regulares em escolas regulares, e 25 estudavam em classes especiais de escolas regulares. Essas últimas 102 crianças não recebiam ensino em Libras, mas apenas ensino comum em Português, e seu contato com a Libras e a comunidade surda era restrito a associações de surdos. Dos 443 estudantes surdos, 412 tinham série escolar definida, sendo que, dos outros 31, 25 pertenciam a classes especiais e seis tinham problema de registro. A escolaridade média desses 412 estudantes, em termos de número de anos no Ensino Fundamental, era de 3 anos e 10 meses, ou seja, pouco menos que a 4a. série.

Essa amostra era composta em sua maioria de sinalizadores com surdez profunda pré-lingual e perilingual. Segundo os registros, dos 443 escolares, quanto ao grau de perda auditiva, havia informações de apenas 435 deles e, quanto ao uso de aparelho auditivo, de apenas 294 deles (sendo que, desses, 252 faziam uso de aparelho e 42 não). Dos 435 estudantes, 301 tinham perda profunda (dos quais 173 usavam aparelho e 27 não), 88 tinham perda severa (dos quais cinqüenta usavam aparelho e oito não), 43 tinham perda moderada (dos quais 27 usavam aparelho e cinco não), e três tinham perda leve (dos quais um usava aparelho e outro não). Em termos de tipo de perda auditiva (i.e., congênita ou adquirida), dos 443 estudantes, 325 tinham algum tipo de perda declarada, sendo que, desses, 244 declararam ter perda congênita (um caso de grau de perda ignorada, três casos de perda leve, 26 casos de perda moderada, 56 casos de perda severa, 158 casos de perda profunda) e 81 declararam ter perda adquirida (um caso de grau de perda ignorada, nove casos de perda moderada, treze casos de perda severa, 58 casos de perda profunda).

Em termos de modo de comunicação (i.e., oralização, gesticulação e sinalização) em diferentes contextos, foi constatada, nessa amostra, uma importância crescente da sinalização e uma importância decrescente da oralização e da gesticulação à medida que o surdo passa da família para a escola, e dessa para a comunidade. Conforme os prontuários dos 443 escolares surdos, nessa passagem, a preponderância da sinalização aumentou de 37,32% para 61,29% para 69,60%, enquanto a da oralização declinou de 40,84% para 33,55% para 28,00%, e a da gesticulação declinou de 21,83% para 5,16% para 2,40%.

Os resultados mostraram que, no TNS2.1-Escolha, os 443 escolares surdos obtiveram escores variando de 0 a 35 pontos, com média de 17,47 pontos (DP = 7,74). A análise de variância com 411 escolares surdos com série escolar registrada revelou um aumento sistemático na habilidade de nomeação de sinais por escolha de palavras escritas, desde a 1a. até a 8a. série do Ensino Fundamental (i.e., de 9,81 a 12,86 a 16,37 a 20,65 a 21,93 a 22,09 a 24,49 a 26,62 pontos, respectivamente), contudo, permanecendo longe de atingir a pontuação máxima (i.e., 36 pontos). Do mesmo modo, a análise de covariância com 402 escolares com série e grau de perda auditiva conhecidos revelou um aumento sistemático na habilidade de nomeação de sinais por escolha de palavras escritas, desde a 1ª. até a 8ª. série do Ensino Fundamental (i.e., de 9,56 a 13,12 a 16,32 a 20,60 a 21,88 a 22,49 a 24,66 a 27,11 pontos, respectivamente), contudo, permanecendo longe de atingir a pontuação máxima (i.e., 36 pontos). Com base em tais dados, esse estudo normatizou o TNS2.1–Escolha por série escolar e o validou por comparação com os resultados nos dez outros testes de desenvolvimento da linguagem de sinais e escrita, igualmente normatizados para a mesma população escolar surda.

Além da tabela de normatização e dos dados de validação, o estudo ofereceu a versão reordenada 2.2 (TNS2.2–Escolha) com os 36 itens reordenados por grau de dificuldade crescente a partir da análise da freqüência de acerto obtida por 302 estudantes surdos. Comparando os resultados sob as duas versões originais do teste (i.e., TNS2.1 Escolha e TNS1.1–Escolha), o estudo demonstrou que essas duas versões podem ser usadas de modo intercalado para acompanhar o desenvolvimento da competência de leitura, evitando, assim, o efeito de carreamento entre as avaliações. O estudo também ofereceu a versão revisada 2.3 (TNS2.3–Escolha), com sete aperfeiçoamentos de distratores para aumentar a indução de paralexias semânticas, quirêmicas e ortográficas.

Em termos de validade por critério de correlação com outros testes, os resultados revelaram o seguinte padrão de intercorrelações da versão 2.1 do Teste de Nomeação de Sinais por Escolha (TNS2.1–Escolha) com os demais testes:

1.) Correlação alta (*r* = 0,79 a 0,84) com a habilidade de nomear sinais por escrita (TNS1.1–Escrita e TNS2.1–Escrita), e com a versão 1.1 do mesmo teste (TNS1.1–Escolha);
2.) Correlação média (*r* = 0,64 a 0,68) com a habilidade de nomear figuras por escolha (TNF1.1–Escolha e TNF2.1–Escolha), a habilidade de nomear figuras por escrita (TNF1.1–Escrita e TNF2.1–Escrita), e a competência de leitura de sentenças (TCLS1.1);
3.) Correlação baixa (*r* = 0,53 a 0,59) com o vocabulário receptivo de sinais da Libras (TVRSL1.1) e com a competência de leitura de palavras (TCLP1.1).

A eficácia dos distratores em induzir paralexias quirêmicas, ortográficas e semânticas foi obtida a partir da análise da distribuição dos acertos e dos tipos de erros cometidos por 302 estudantes surdos em cada um dos 36 itens.

Algumas das principais paralexias ortográficas observadas nos 302 estudantes surdos foram as seguintes:

1.) Diante do sinal ACEITAR, 93 surdos escolheram a palavra distratora ortográfica ACERTAR;
2.) Para nomear o sinal ESCORPIÃO, 78 surdos escolheram ESPIGÃO;
3.) Para CÍLIO, 75 escolheram SÍRIO;
4.) Para ENVIAR, 66 escolheram ENFIAR;
5.) Para sinal DADOS, 64 escolheram DEDOS;
6.) Para LIMPAR, 63 escolheram LIMAR;
7.) Para PERTO, 63 escolheram PERCO;
8.) Para SORVETE, 59 escolheram SOLVENTE;
9.) Para VERGONHA, 53 escolheram VERGAMOTA;
10.) Para FANTASMA, 53 escolheram FANTASIA;
11.) Para ABELHA, 51 escolheram ABULIA;
12.) Para OFENDER, 51 escolheram OFERECER.

Algumas das principais paralexias semânticas observadas nos 302 estudantes surdos foram as seguintes:

1.) Diante do sinal ENFERMEIRA, 91 surdos escolheram a palavra distratora semântica MÉDICO;
2.) Para nomear o sinal ENVIAR, 73 surdos escolheram RECEBER;
3.) Para PERCEBER, 71 escolheram ESPERTO;
4.) Para FANTASMA, 58 escolheram CEMITÉRIO;
5.) Para QUENTE, 57 escolheram FRIO;
6.) Para ESTÓRIA, 57 escolheram LIVRO;
7.) Para EDUCAÇÃO, 53 escolheram RESPEITO;
8.) Para MEDIR, 52 escolheram PESAR;
9.) Para COLOCAR, 46 escolheram TIRAR;
10.) Para LISO, 42 escolheram ÁSPERO.

Algumas das principais paralexias quirêmicas observadas nos 302 estudantes surdos foram as seguintes:

1.) Diante do sinal NOZ, 185 surdos escolheram a palavra distratora quirêmica ABRIDOR;
2.) Para nomear o sinal AMAZONAS, 122 surdos escolheram GALINHA;
3.) Diante de ENFERMEIRA, 103 escolheram FREIRA;
4.) Para VERDADE, 102 escolheram PEDRA;
5.) Para ESTÓRIA, 89 escolheram LEMBRAR;
6.) Para LISO, 86 escolheram LIMPAR;
7.) Para HIPOPÓTAMO, 82 escolheram PERNAMBUCO;
8.) Para FANTASMA, oitenta escolheram XEROX;
9.) Para PERCEBER, 77 escolheram VISITAR-ME;
10.) Para OFENDER, 72 escolheram DE NOVO;
11.) Para GELATINA, 67 escolheram POLVO;
12.) Para DEMORAR, 62 escolheram BONITO;
13.) Para MEDIR, 62 escolheram PROJETAR;
14.) Para VERGONHA, 58 escolheram VINHO;
15.) Para ENVIAR, 58 escolheram LUZ.

Assim, frente à tarefa de escolher palavras escritas para denominar sinais como NOZ, AMAZONAS, ENFERMEIRA, VERDADE, ESTÓRIA, LISO, HIPOPÓTAMO e FANTASMA, mais de 25% dos estudantes foram induzidos a escolher uma palavra escrita que não tinha nenhuma relação ortográfica ou semântica com a palavra-alvo que deveria ter sido escolhida para designar o sinal, mas que estava indexada por um sinal muito semelhante ao sinal-alvo.

Nesse estudo foi também comparada a eficácia dos distratores ortográficos, quirêmicos e semânticos do TNS2.1–Escolha. Para tanto, foi analisada a relação entre, de um lado, a indução de erro pelos distratores e, de outro lado, a compreensão de sinais, a competência de leitura de palavras, e a competência de leitura de sentenças.

As análises dos coeficientes de correlação entre, de um lado, o desempenho em nomeação de sinais por escolha e, de outro lado, os desempenhos de competência de leitura de sentenças, competência de leitura de palavras, e vocabulário em Libras revelaram que o desempenho em nomeação de sinais por escolha de palavras escritas foi diretamente proporcional à competência de leitura de sentenças (r = 0,72), à competência de leitura de palavras (r = 0,56), e ao vocabulário em Libras (r = 0,48). Os resultados com o TNS2.1–Escolha sugerem que:

1.) A habilidade de nomear sinais da Libras por escolha de palavras escritas (i.e., desempenho no TNS2.1–Escolha) é muito boa preditora da habilidade de extrair o significado na leitura de sentenças (i.e., desempenho no TCLS1.1);
2.) As habilidades de decodificar e reconhecer palavras escritas em Português (i.e., desempenho no TCLP1.1) são preditoras razoáveis da habilidade de escolher palavras para nomear sinais da Libras (i.e., desempenho no TNS2.1–Escolha), sendo que o teor mediano dessa correlação decorre do fato de que essa habilidade de nomeação demanda, também, vocabulário em Libras; e
3.) O vocabulário de sinais (TVRSL1.1) é um preditor relativamente fraco da habilidade de escolher palavras para nomear sinais (TNS2.1–Escolha), sendo que o teor relativamente fraco dessa correlação decorre do fato de que essa habilidade de nomeação demanda, também, competência de leitura em termos de decodificação e reconhecimento visual de palavras escritas.

Em suma, comparando as contribuições relativas da competência de leitura de palavras (i.e., TCLP1.1) e do vocabulário de sinais (i.e., TVRSL1.1), os resultados desse estudo sugerem que o desempenho de nomeação de sinais por escolha de palavras escritas (i.e., TNS2.1–Escolha) parece depender mais da competência de leitura de palavras do que do vocabulário de sinais, sendo que esse desempenho de nomeação de sinais por escolha de palavras escritas (i.e., TNS2.1–Escolha) é um bom preditor da compreensão de leitura de sentenças (TCLS1.1).

Esse estudo também estabeleceu a validade dos distratores quirêmicos, ortográficos e semânticos. As análises dos efeitos das três competências separadas (i.e., leitura de sentenças, leitura de palavras, e vocabulário de sinais) sobre o poder dos distratores em induzir erros de escolha de palavras para nomeação revelaram que, quanto maior for qualquer uma das três competências (i.e., compreensão de leitura de sentenças no TCLS1.1, compreensão de leitura de palavras no TCLP1.1, e compreensão de sinais da Libras no TVRSL1.1), tanto menor tenderá a ser a freqüência de erros induzidos por distratores quirêmicos, semânticos e ortográficos, nessa ordem, no TNS2.1–Escolha. Os resultados desse estudo revelaram que o efeito de cada uma dessas três habilidades em reduzir o poder de indução de erros dos distratores sempre tende a ser maior para distratores quirêmicos do que para distratores semânticos e para esses do que para distratores ortográficos. Enfim, comparando os distratores quirêmicos, semânticos e ortográficos na versão original 2.1 do Teste de Nomeação de Sinais por Escolha (TNS2.1–Escolha), observou-se que os distratores quirêmicos se mostraram mais sensíveis para detectar variações na compreensão de sinais (TVRSL1.1), na compreensão de leitura de palavras (TCLP1.1) e na compreensão de leitura de sentenças (TCLS1.1) do que distratores semânticos e, esses, mais do que distratores ortográficos.

Juntamente com a validação e a normatização da versão original 2.1, e o oferecimento das versões reordenada 2.2 e revisada 2.3 do teste, esse estudo também forneceu um modelo teórico do processamento de leitura em surdos elaborado de acordo com os mais recentes desenvolvimentos na área, além de uma discussão fundamentada em dados acerca das relações entre as competências de escrita, leitura e sinalização, e das paralexias e paragrafias cometidas por surdos ao lidar com o código alfabético.

A partir desse estudo, torna-se possível avaliar o envolvimento relativo de processos quirêmicos, ortográficos e semânticos subjacentes ao desenvolvimento da competência de leitura de palavras e da habilidade de nomear sinais por escolha de palavras escritas por parte de escolares surdos desde o início do Ensino Fundamental até o início do Ensino Médio. Isso permite aperfeiçoar a eficácia das condições de ensino capazes de fomentar o desenvolvimento da alfabetização e da escolarização competentes.

Em conjunto com os outros testes que compõem a bateria de avaliação de desenvolvimento da linguagem escrita e de sinais no surdo, o TNS2.1–Escolha e a sua forma original alternativa (TNS1.1–Escolha) constituem importantes instrumentos no arsenal de recursos recentemente disponibilizados para o educador da criança surda e do jovem surdo brasileiro.

4.10.3.3.) Subseção 3: Achados sobre a competência de leitura e a produção de escrita livre em Português

4.10.3.3.1.) Primeira parte da subseção 3: Achados sobre a competência de leitura em Português

A competência de leitura em Português foi avaliada por meio dos seguintes testes: A versão original 1.1 do Teste de Competência de Leitura de Palavras, a versão original 1.1 do Teste de Competência de Leitura de Sentenças, e as duas versões originais 1.1 e 2.1 do Teste de Nomeação de Figuras por Escolha. Nesta série de estudos, todos esses instrumentos foram aplicados, normatizados e validados por referência cruzada, cada qual com dez instrumentos diferentes, e empregados para avaliar mecanismos de leitura em crianças surdas, em termos de estrutura, função e desenvolvimento, bem como as variáveis que os afetam.

4.10.3.3.1.1.) Achados com a versão original 1.1 do Teste de Competência de Leitura de Palavras (TCLP1.1)

O Teste de Competência de Leitura de Palavras contém setenta itens de teste, cada qual composto de um par de elementos, sendo que o primeiro é uma figura e o segundo é ou uma palavra escrita ou uma pseudopalavra escrita. A tarefa consiste em circundar os itens aceitáveis (i.e., aqueles cuja palavra escrita é ortograficamente correta e semanticamente adequada à figura) e cruzar com um "*X*" os itens inaceitáveis (i.e., aqueles cuja palavra escrita é ou ortograficamente incorreta – ou seja, uma pseudopalavra –, ou semanticamente incompatível com a figura). Há sete subtestes, sendo dois deles compostos por palavras corretas a serem aceitas (i.e., CR: Palavras corretas regulares; e CI: Palavras corretas irregulares) e cinco subtestes compostos por itens incorretos a serem rejeitados (i.e., VS: Palavras semanticamente incorretas; PE: Pseudopalavras estranhas; PH: Pseudopalavras homófonas; VF: Pseudopalavras com trocas fonológicas; VV: Pseudopalavras com trocas visuais). Como há sete subtestes, cada qual com um tipo de par, e dez itens por subteste, a pontuação máxima por subteste é de 10 pontos, e a pontuação máxima no teste todo é de 70 pontos. Destes 70 pontos, 20 pontos devem ser obtidos por aceitação apropriada de itens corretos (i.e., CR e CI) e 50 pontos devem ser obtidos por rejeição apropriada de itens incorretos (i.e., VS, VF, VV, PH, PE).

Os sete subtestes avaliam diferentes habilidades de processamento de palavras isoladas, como a logográfica, a fonológica e a lexical. Considerando-se alguns dos diversos padrões de falhas nos diversos subtestes, e o que eles revelam, temos o seguinte:

1.) A ausência de qualquer tipo de processamento de leitura é revelada por falha em obter pontuação significativamente acima do acaso no subteste de pseudopalavras estranhas (PE), isto é, por falha em rejeitar apropriadamente pseudopalavras estranhas que não têm qualquer semelhança, quer de natureza visual, quer de natureza fonológica, com palavras reais que fazem parte do léxico da Língua Portuguesa. De todos os subtestes, os itens PE são os mais fáceis, sendo que a falha em corretamente rejeitar, em nível acima do acaso, essas pseudopalavras estranhas revela a falta de qualquer processamento de leitura, ou da manutenção de um nível mínimo de atenção necessário para fazê-lo. Além disso, a ausência geral de leitura é, também, indicada por escores, tanto o geral quanto aqueles em cada um dos sete subtestes, que não diferem significativamente do nível do acerto casual no teste como um todo. Como o teste é composto de setenta itens com resposta do tipo "certo *versus* errado", a chance de acerto ao acaso é de 50%, ou seja, 35 pontos no escore geral, e 5 pontos no escore em cada subteste.

2.) A leitura no nível meramente logográfico, com falta de processamento perilexical de decodificação, é revelada por falha em obter pontuação significativamente acima do acaso no subteste de pseudopalavras com trocas visuais (VV), isto é, por falha em rejeitar apropriadamente essas pseudopalavras cuja *gestalt* (i.e., aspecto visual global) guarda certa semelhança geral com a de palavras reais que fazem parte do léxico da Língua Portuguesa. De fato pseudopalavras com trocas visuais (VV) poderiam ser facilmente "desmascaradas" (i.e., reconhecidas e rejeitadas como falsas) por meio do simples recurso à decodificação grafofonêmica, cuja aplicação a essas pseudopalavras com trocas visuais resultaria fatalmente em imagens fonológicas bizarras e facilmente reconhecíveis como erradas. Contudo, como a leitura no nível meramente logográfico ainda não se beneficia da decodificação grafofonêmica, ela é facilmente ludibriável por itens com trocas visuais (VV) que tendem a passar despercebidos. Por outro lado, no entanto, sendo incapaz de usar a decodificação grafofonêmica para converter a forma grafêmica em forma fonológica, a leitura no nível meramente logográfico é também imune à indução de erros pela homofonia ou semi-homofonia de pseudopalavras em relação a palavras reais. Ou seja, essa leitura no nível meramente logográfico, que se limita ao reconhecimento bruto do aspecto visual global de algumas palavras muito familiares é, também, indicada pela ausência de sensibilidade à similaridade fonológica das pseudopalavras escritas em relação às palavras reais. Portanto, a leitura logográfica é, também, indicada por ausência de erros sistemáticos induzidos, tanto pelas pseudopalavras homófonas (PH), quanto, em menor medida, pelas pseudopalavras quase-homófonas (VF). Enquanto as crianças que estão começando a fazer leitura fonológica (i.e., por decodificação grafofonêmica) tendem a deixar-se enganar não só pela homofonia (itens PH) como, também, pela semi-homofonia (itens VF) das pseudopalavras; aquelas que já se tornaram proficientes na decodificação já não mais se deixam enganar pela semi-homofonia (VF) mas, apenas, pela homofonia (itens PH). Ou seja, elas já são capazes de rejeitar pseudopalavras pseudo-homófonas, embora ainda não sejam capazes de rejeitar as homófonas, já que não têm a leitura lexical bem desenvolvida. Contudo, aquelas que ainda não fazem leitura fonológica mas que se restringem à leitura logográfica apenas ainda não se deixam enganar por esses itens PH e VF, mas apenas por itens VV. Finalmente, a leitura no nível meramente logográfico pode ser, também, indicada pela falha em tirar vantagem da regularidade grafofonêmica das palavras corretas regulares (CR) em relação à irregularidade de itens CI. Essa falha em tirar vantagem da regularidade grafofonêmica é indicada pela falta da superioridade significativa da freqüência de acerto em itens CR em relação à freqüência de acerto em itens CI, sendo que o desempenho em ambos os tipos de palavras corretas (i.e., CR e CI) encontra-se igualmente deficitário. Nesses casos, o acerto é função, apenas, da elevada familiaridade de algumas poucas palavras, independentemente de sua regularidade grafofonêmica.

3.) A leitura no nível meramente perilexical incipiente, com falta de acesso ao léxico ortográfico e dificuldade de processamento perilexical de decodificação, é revelada por falha em obter pontuação significativamente acima do acaso no subteste de pseudopalavras com trocas fonológicas (VF), isto é, por falha em rejeitar esses itens VF. À medida que adquirem bom domínio de decodificação grafofonêmica, as crianças param de deixar-se enganar por itens pseudo-homófonos (VF), embora ainda se deixem enganar por itens homófonos PH, pelo menos até que desenvolvam um bom léxico ortográfico que lhes permita fazer leitura lexical por reconhecimento visual das formas ortográficas das palavras. Contudo, a pseudo-homofonia de itens com trocas fonológicas (VF) ainda passará despercebida por crianças que ainda estão aprendendo a decodificar bem ou que, apesar de audição normal e de boas oportunidades de alfabetização, ainda não conseguiram atingir um bom nível de habilidade de decodificação proficiente devido a alguma dificuldade de processamento fonológico, como ocorre na dislexia do desenvolvimento ou no distúrbio de processamento auditivo central.

4.) A leitura no nível meramente perilexical, com falta de acesso ao léxico ortográfico, é revelada por falha em obter pontuação significativamente acima do acaso no subteste de pseudopalavras homófonas (PH), isto é, por falha em rejeitar pseudopalavras homófonas; e é, também, revelada por falha em obter pontuação significativamente acima do acaso no subteste de corretas irregulares (CI), isto é, por falha em aceitar palavras corretas irregulares, as quais só podem ser lidas pela leitura lexical de reconhecimento das formas ortográficas.

5.) A falha em obter pontuação significativamente acima do acaso no subteste de palavras com troca semântica (VS), i.e., que não são apropriadas às figuras a elas associadas, revela falta de acesso ao léxico semântico. Isso pode sugerir uma série de quadros diferentes, sendo que a interpretação do caso específico dependerá da distribuição de erros nos demais subtestes. Uma das possibilidades mais elementares é a de um quadro de distúrbio de atenção (como em quadros de TDAH, i.e., transtorno de déficit de atenção e hiperatividade) ou de ausência de leitura. Nesse caso, contudo, o escore geral do teste deve estar no nível do acerto casual. A falha em obter pontuação significativamente acima do acaso nos itens VS pode, também, indicar leitura perilexical incipiente em que, devido à falta de automatismo no processo de decodificação perilexical, os recursos centrais de atenção e memória ficam de tal modo dedicados ao processo de decodificação que não sobram recursos suficientes para fazer acesso ao léxico semântico. Nesse caso, contudo, é esperado que o tempo de execução da prova consumido pelo examinando seja significativamente mais longo que o da média para a sua faixa etária ou série escolar. Neste caso, também é esperado que o examinando falhe em obter pontuação significativamente acima do acaso no subteste de pseudopalavras homófonas (PH) e, possivelmente, também no subteste de corretas irregulares (CI). A falha em obter pontuação significativamente acima do acaso no subteste de palavras com troca semântica (VS) pode, também, indicar leitura lexical direta, sem passar pelo léxico semântico. Nesse caso, é esperado que o tempo de execução da prova que o examinando consome esteja dentro da média para sua série escolar ou, até mesmo, abaixo dela.

O estudo de validação e normatização da versão 1.1 do Teste de Competência de Leitura de Palavras (TCLP1.1: F. Capovilla, Viggiano, A. Capovilla, Raphael, Bidá, & Mauricio, 2004) forneceu a primeira avaliação preliminar da competência de leitura de itens isolados por parte de 805 crianças, jovens e adultos surdos de 6 a 45 anos de idade, estudantes da 1ª. série do Ensino Fundamental até a 1ª. série do Ensino Médio, provenientes de quatro escolas municipais de educação especial de São Paulo (i.e., Emee–AS: Emee Anne Sullivan; Emee–HK: Emee Helen Keller; Emee–LB: Emee Madre Lucie Bray; e Emee–NB: Emee Professora Neusa Bassetto) e de duas escolas filantrópicas do interior do estado de São Paulo (i.e., EECR–FR: Escola Especial para Crianças Surdas da Fundação Rotarianos; e Ateal: Associação Terapêutica de Estimulação Auditiva e Linguagem). Naquele estudo, a amostra de 1.158 participantes era composta de surdos pré-linguais e perilinguais em sua vasta maioria, já que, segundo dados de prontuário de 608 estudantes, a idade média em que a surdez foi percebida foi de 1 ano e 7 meses (*DP* = 1,5). O desempenho dos 805 estudantes variou de 15 a 70 pontos, com média de 48 pontos (*DP* = 11,2). Em termos de desempenho nos subtestes, a média de acerto na aceitação das palavras com correção semântica e ortográfica foi de 6,5 pontos, e a média de acerto na rejeição dos itens com incorreção semântica ou ortográfica foi de 7,0 pontos.

Com base na média e no desvio-padrão obtidos, por meio de análise de covariância dos escores de 747 estudantes surdos na versão 1.1 do Teste de Competência de Leitura de Palavras (TCLP1.1) como função da série escolar desses estudantes (i.e., com nove níveis, da 1ª. série do Ensino Fundamental até a 1ª. série do Ensino Médio), tendo a idade como covariante, o estudo sobre o TCLP1.1 ofereceu uma tabela de dados normativos preliminares da 1ª. série do Ensino Fundamental até a 1ª. série do Ensino Médio. Com base na freqüência de acertos de cada um dos setenta itens de teste, o estudo sobre o TCLP1.1 também ofereceu a versão reordenada TCLP1.2 em que os setenta itens encontram-se ordenados por grau de dificuldade crescente.

Além disso, o estudo descreveu o padrão de distribuição de escores nos subtestes, e definiu a ordem de dificuldade dos sete subtestes. Por ordem, do mais difícil ao mais fácil, o grau de dificuldade médio de cada um dos sete tipos de pares foi o seguinte:

1.) Pseudopalavras pseudo-homógrafas, i.e., pseudopalavras com trocas visuais (VV): 51,80;
2.) Palavras corretas irregulares (CI): 46,80;
3.) Pseudopalavras pseudo-homófonas, i.e., pseudopalavras com trocas fonológicas (VF): 46,10;
4.) Palavras corretas regulares (CR): 37,60;
5.) Pseudopalavras homófonas (PH): 33,20;
6.) Pseudopalavras estranhas (PE): 19,50;
7.) Palavras com incorreção semântica (VS): 13,50.

Comparando os desempenhos entre os vários subtestes da versão 1.1 do Teste de Competência de Leitura de Palavras (TCLP1.1), as análises de regressão resultaram no seguinte padrão:

1.) Correlação fortemente positiva e significativa entre acerto na aceitação de palavras corretas regulares e acerto na aceitação de palavras corretas irregulares (i.e., entre CR e CI);
2.) Correlações fortemente positivas e significativas entre acertos na rejeição dos diversos tipos de pseudopalavras incorretas (i.e., entre VF, PH, PE, VV);
3.) Correlações fortemente positivas e significativas entre acertos na rejeição de palavras semanticamente incorretas (i.e., VS) e acertos na rejeição de cada um dos quatro tipos de pseudopalavras incorretas (i.e., VF, PH, PE, VV) (i.e., VS–VF, VS–PH, VS–PE, VS–VV);
4.) Correlações fracamente positivas e significativas entre acertos na aceitação de palavras corretas (i.e., CR e CI) e acertos na rejeição de palavras incorretas (i.e., VS);
5.) Correlações praticamente nulas (i.e., fracamente negativas e significativas, ou fracamente positivas mas não-significativas) entre acertos na aceitação de palavras corretas (i.e., CR e CI) e acertos na rejeição dos diversos tipos de pseudopalavras incorretas (i.e., VF, PH, PE, VS, VV), sendo:
5.1.) Correlações fracamente negativas e significativas entre os desempenhos de aceitação apropriada de palavras corretas (i.e., CR e CI) e de rejeição apropriada das pseudopalavras incorretas dos tipos VF e VV (i.e., CR–VF, CI–VV, CI–VF);
5.2.) Correlações fracamente positivas e não-significativas entre os desempenhos de aceitação apropriada de palavras corretas (i.e., CR e CI) e de rejeição apropriada de pseudopalavras incorretas dos tipos PH, PE e VV (i.e., CR–VV, CR–PH, CR–PE, CI–PH, CI–PE).

Assim, a correlação entre a aceitação apropriada das palavras corretas regulares e a de palavras corretas irregulares (i.e., CR–CI) foi fortemente positiva e significativa. Do mesmo modo, as intercorrelações na rejeição apropriada dos vários tipos de pseudopalavras estranhas, homófonas, com trocas visuais e com trocas fonológicas (i.e., VF–PH–PE–VV) também foram fortemente positivas e significativas. Da mesma forma, as correlações entre a rejeição apropriada de palavras semanticamente incorretas (i.e., VS) e a rejeição apropriada dos quatro tipos de pseudopalavras (i.e., VF, PH, PE, VV) também foram fortemente positivas e significativas (i.e., VS–VF, VS–PH, VS–PE, VS–VV). Por outro lado, as correlações entre a aceitação apropriada de palavras corretas (i.e., CR e CI) e a rejeição apropriada de palavras semanticamente incorretas (i.e., VS) foram fracamente positivas e significativas (i.e., CR–VS e CI–VS). Ainda mais fracamente positivas e não-significativas, ou mesmo fracamente negativas e significativas, foram as correlações entre a aceitação apropriada de palavras corretas (i.e., CR e CI) e a rejeição apropriada de pseudopalavras incorretas (i.e., VF, PH, PE, VV). De fato, cinco das oito correlações entre os acertos nas palavras corretas e os acertos nas pseudopalavras foram não-significativas (i.e., CR–VV, CR–PH, CR–PE, CI–PH, CI–PE). As outras três correlações foram negativas e significativas, embora muito baixas (i.e., CR–VF, CI–VV, CI–VF). Tais dados sugerem que, ao responder à versão 1.1 do Teste de Competência de Leitura de Palavras (TCLP1.1), os estudantes surdos usaram dois tipos de processamentos distintos para empreender a leitura dos itens isolados:

1.) Um tipo de processo que foi usado para a aceitação apropriada de palavras corretas, sendo que quanto melhor o desempenho de aceitação de um tipo de palavra correta, tanto melhor o de aceitação do outro tipo (e.g., quanto maior a aceitação correta de CR, tanto maior a aceitação correta de CI, e *vice-versa*), e

2.) Outro tipo de processo que foi usado:

2.1.) Para a rejeição apropriada de pseudopalavras, sendo que, quanto melhor o desempenho de rejeição apropriada de um tipo de pseudopalavra, tanto melhor o desempenho de rejeição apropriada dos demais tipos de pseudopalavras (e.g., quanto melhor o desempenho de rejeição apropriada de VF, tanto melhor o desempenho de rejeição apropriada de PH, PE e VV, e *vice-versa*), e

2.2.) Para a rejeição apropriada de palavras semanticamente incorretas, sendo que, quanto melhor o desempenho de rejeição apropriada de VS, tanto melhor o desempenho de rejeição apropriada dos quatro tipos de pseudopalavras VF, PH, PE e VV.

Portanto, o mesmo processo usado para a rejeição apropriada de pseudopalavras foi também usado para a rejeição apropriada de palavras semanticamente incorretas, sendo que, quanto melhor o desempenho de rejeição apropriada de palavras semanticamente incorretas, tanto melhor o desempenho de rejeição apropriada dos quatro tipos de pseudopalavras. Assim, para o julgamento de um item, muito mais importante do que ele ser uma palavra ou uma pseudopalavra é ele ser correto ou incorreto, ou seja, é ele dever ser aceito ou rejeitado. Parece haver uma relativa independência funcional entre os dois tipos de processo de aceitação e de rejeição (i.e., o processo de *aceitação* de palavras corretas, e o processo de *rejeição*, tanto de pseudopalavras quanto de palavras semanticamente incorretas), sendo que o grau de desenvolvimento de um processo não parece ser necessariamente proporcional ao grau de desenvolvimento do outro processo. Isso explica o achado de correlações praticamente nulas e não-significativas entre certos desempenhos de aceitação apropriada e de rejeição apropriada (i.e., CR–VV, CR–PH, CR–PE, CI–PH, e CI–PE), bem como as correlações levemente negativas significativas entre outros desempenhos de aceitação apropriada e de rejeição apropriada (i.e., CR–VF, CI–VV, e CI–VF).

O desempenho da amostra de 805 estudantes surdos nas diferentes habilidades de decodificação grafofonêmica, reconhecimento visual direto da forma ortográfica, e acesso ao significado no estudo com a versão 1.1 do Teste de Competência de Leitura de Palavras (TCLP1.1) revelou como os surdos sinalizadores pré-linguais e perilinguais empregam as rotas logográfica, perilexical e lexical no processamento da leitura de itens psicolingüísticos isolados, como palavras e pseudopalavras. Assim, esse teste permite uma compreensão fina dos mecanismos envolvidos na leitura, especialmente quando empregado em conjunção com o estudo sobre a versão 1.1 do Teste de Competência de Leitura de Sentenças (TCLS1.1), que revela como os surdos sinalizadores pré-linguais e perilinguais empreendem o processamento sintático de sentenças para a extração do significado. Exceto por decodificação grafoquirêmica de palavras pouco familiares por meio de soletração digital, cujas conseqüências já foram analisadas, os examinandos sinalizadores com surdez profunda pré-lingual e perilingual usualmente não decodificam grafofonemicamente o que lêem, exceto os surdos muito oralizados ou implantados. Ao ter de ler palavras cuja forma ortográfica é relativamente familiar, esses surdos sinalizadores com surdez profunda pré-lingual e perilingual tendem a confiar mais no reconhecimento visual direto da forma ortográfica global das palavras escritas para conseguir obter acesso direto ao significado. Tal processamento logográfico dá conta de resolver uma parte inicial dos problemas envolvidos na aquisição da leitura. Dois achados iniciais da presente série de estudos com a versão 1.1 do Teste de Competência de Leitura de Palavras (TCLP1.1) revelam dois tipos de problemas envolvidos na aquisição de leitura que são passíveis de tratamento por esse tipo de processamento visual global de palavras que esses surdos tendem a usar:

- 1.) O desempenho de leitores surdos na identificação de disparidade entre o significado de palavras escritas e o de figuras com que são emparelhadas tende a ser bastante bom, já que essas disparidades semânticas são facilmente detectáveis por esse processo, de que dispõem, de escrutínio de significado baseado em itens lexicais e morfemas. De fato, seu desempenho em palavras com trocas semânticas (VS) foi muito bom (i.e., 8,2 pontos, *DP* = 2,3);

- 2.) O desempenho de leitores surdos na identificação da incorreção de pseudopalavras com formas ortográficas muito diferentes das formas ortográficas de palavras conhecidas também tende a ser bom, já que essas formas ortográficas claramente distintas são facilmente detectáveis por esse mesmo processo de reconhecimento visual global, de que eles dispõem. De fato, seu desempenho em pseudopalavras visualmente bem distintas (PE) também foi muito bom (i.e., 7,8 pontos).

Contudo, esse processamento logográfico tem uma típica e séria desvantagem, especialmente para os leitores surdos. Os leitores ouvintes podem aprender a usar a decodificação grafofonêmica e conferir se a forma fonológica, que é produzida pela decodificação, soa como a forma fonológica de uma das palavras familiares que se encontram armazenadas em seu léxico fonológico, o qual contém as imagens fonológicas das palavras relevantes já ouvidas. Contudo, conforme já explicado, mesmo que façam decodificação grafoquirêmica, estudantes sinalizadores não-oralizados e com surdez profunda pré-lingual ou perilingual não podem chegar a uma forma lexical, quer quirêmica quer fonológica, passível de comparação com outras formas quirêmicas que se encontram armazenadas em seu léxico quirêmico, o qual contém as imagens quirêmicas dos sinais relevantes já vistos. Assim, tendem a contar em grande medida com o recurso de reconhecimento visual global e quase ideográfico das palavras (Zaidel, 1978c, 1981; Zaidel & Peters, 1981), baseado na imagem ortográfica global (i.e., gestáltica) da palavra escrita. Contudo, conforme demonstrado por Freebody e Byrne (1988) e explicado por A. Capovilla e F. Capovilla (2003d), o código alfabético não se presta bem a ser adquirido por meio desse tipo de processamento ideográfico, de modo que o crescimento lexical apresenta uma tendência assintótica de parada devido à sobrecarga dos circuitos de armazenamento visual que funcionam em isolamento, sem o auxílio dos circuitos auxiliares de decodificação grafofonêmica que se encontram usualmente funcionais nos leitores ouvintes (exceto nos disléxicos fonológicos, conforme A. Capovilla & F. Capovilla, 2002a), resultando disso o limite usualmente relatado (Prillwitz, 1990) do nível de leitura de estudantes não-oralizados e com surdez profunda pré-lingual ou perilingual como sendo típico da 3ª. série do Ensino Fundamental. Diante das demandas crescentes de compreensão e produção de itens lexicais impostas pelo meio, a conseqüência da estagnação do crescimento lexical é um forte aumento do número de paralexias e paragrafias, que é observado tanto em estudantes disléxicos fonológicos quanto em estudantes surdos, uma vez que ambos tendem a limitar-se a um estilo logográfico.

Por outro lado, ouvintes expostos ao método de alfabetização fônica tornam-se fluentes no processo perilexical de decodificação grafofonêmica, o qual passa a vir em auxílio ao processo lexical de reconhecimento visual direto. Desse modo, esses ouvintes treinados no método fônico passam a conseguir detectar, com facilidade, na leitura, erros ortográficos produzidos por trocas de letras e de ordem de letras, e evitar os mesmos erros na escrita. Isso porque, quando os ouvintes bem alfabetizados decodificam palavras contendo esse tipo de troca visual (i.e., troca entre letras e troca da ordem entre as letras), a imagem fonológica que é produzida em sua mente pelo processo de decodificação grafofonêmica tende a soar de modo bizarro, sem qualquer correspondente no léxico fonológico. É essa disparidade entre a imagem fonológica das palavras que eles produzem por decodificação e as imagens fonológicas armazenadas em seu léxico que lhes permite detectar que a palavra que estão lendo se encontra mal-escrita. Contudo, por sua vez, os surdos pré-linguais e perilinguais não-oralizados não podem fazer uso desse mesmo processo de decodificação grafofonêmica para resgatar as imagens fonológicas de palavras conhecidas e armazenadas em seus bancos de memória fonológica. Primeiramente porque, dentre outras coisas, tendo perda profunda desde a fase pré-lingual, não tiveram oportunidade de constituir esse banco de memória fonológica e, assim, não dispõem dele. Incapazes de decodificação grafofonêmica que lhes permita construir a forma fonológica da palavra escrita, e destituídos de léxico fonológico com imagens fonológicas de palavras ouvidas conhecidas, esses leitores surdos não têm como detectar facilmente sutis trocas em letras e em ordens de letras, porque a melhor forma de detectar essas sutis trocas em letras e em ordens de letras é precisamente pela decodificação grafofonêmica das palavras, seguida da comparação entre as imagens fonológicas bizarras resultantes da decodificação de palavras ortograficamente incorretas e as imagens fonológicas armazenadas no léxico mental (as quais já foram repetidamente ouvidas no passado e que resultam da decodificação de palavras ortograficamente corretas). Na ausência desses dois recursos de importância capital (i.e., decodificação grafofonêmica e léxico fonológico), os surdos não-oralizados e não-implantados, com perda pré-lingual e perilingual profunda, tendem a depender quase que exclusivamente do processamento pelo sistema de reconhecimento visual de palavras, que se baseia na forma global das palavras escritas. Como esse processamento não se presta bem à identificação de irregularidades nas letras e nas ordens de letras típicas do código alfabético, esses leitores surdos tendem a se enganar mais freqüentemente que os leitores ouvintes quando se trata de detectar trocas de letras e de ordem de letras durante a leitura de palavras.

Conforme explicado nesta série de estudos, há uma disparidade entre o produto da decodificação grafoquirêmica (i.e., seqüência de articulações de mão que correspondem às letras da palavra escrita em Português) e o item lexical com o qual o surdo pensa e que lhe permite compreender o significado do que lê (i.e., os sinais da Libras). Devido a essa disparidade, mesmo quando o processo de reconhecimento visual direto e logográfico da forma geral (i.e., *gestalt*) das palavras escritas é auxiliado pelo processo de decodificação grafoquirêmica por meio de soletração digital, os resultados deixam a desejar porque a seqüência de articulações digitais de letras das palavras do Português, que é produzida pela decodificação grafoquirêmica, não corresponde aos sinais lexicais da Libras que permitem acesso direto ao léxico semântico. Assim, o surdo não pode estabelecer comparações diretas entre o produto de sua decodificação grafoquirêmica e os itens lexicais com que pensa e se expressa, como faz o ouvinte. No caso do surdo, tais comparações são mediadas por um complexo encadeamento de associações indiretas entre as seqüências de articulações de mão, que mapeiam as letras de palavras do Português e os sinais lexicais individuais da Libras, que permitem acesso ao significado. Esse complexo encadeamento de associações é relativamente frágil e teve de ser aprendido pelo leitor surdo à custa de considerável esforço cognitivo e emocional. Esse tipo de processamento visual global de palavras de que dependem os surdos pré-linguais e perilinguais não-oralizados acarreta boa parte das paralexias e paragrafias literais dos surdos. (As paralexias e paragrafias quirêmicas, por outro lado, conforme explicado nesse capítulo, se devem à mediação pela sinalização interna.) Esse processamento logográfico é ontogenicamente mais primitivo que o processamento serial de decodificação grafofonêmica. Suas conseqüências para a precisão da leitura e escrita dos surdos são reveladas quando o leitor surdo é confrontado com pseudopalavras visualmente semelhantes às palavras conhecidas e que diferem apenas por troca de letras e de ordem de letras. O desempenho sob tais circunstâncias de pseudopalavras vizinhas visuais é outra das várias medidas avaliadas pelo Teste de Competência de Leitura de Palavras. Nesse caso, o estudo sobre o TCLP1.1 com esse tipo de item de teste corroborou a existência de um terceiro problema já teoricamente esperado em leitores surdos:

- 3.) O desempenho de leitores surdos na identificação de incorreção de pseudopalavras com formas ortográficas visualmente semelhantes às das palavras conhecidas, e que diferem apenas por trocas de letras e de ordem de letras (i.e., itens VV), tende a ser especialmente ruim, já que essas trocas ortográficas visuais não são facilmente detectáveis pelo processo de reconhecimento visual global, mas apenas pelo processo serial de decodificação grafofonêmica e comparação com o léxico fonológico, de que esses surdos pré-linguais e perilinguais não-oralizados não dispõem. De fato, seu desempenho em pseudopalavras visualmente semelhantes com trocas de natureza visual (i.e., itens VV) foi bastante baixo (i.e., 5,8 pontos), e bem inferior ao de leitores ouvintes.

No entanto, leitores surdos também têm algumas vantagens sob certas circunstâncias e podem detectar outros tipos de malformações de redação ainda melhor do que alfabetizandos ouvintes. Isso ocorre porque esse mesmo processo de decodificação grafofonêmica que as crianças ouvintes alfabetizandas ou recém–alfabetizadas usam quando "lêem de ouvido" faz com que deixem de perceber palavras malformadas que contêm trocas de natureza fonológica, especialmente quando essas palavras malformadas soam exatamente como as palavras conhecidas, isto é, quando elas são exatamente homófonas às palavras conhecidas (i.e., PH). Um ouvinte "lê de ouvido" quando se atém apenas à imagem fonológica resultante da decodificação da palavra, deixando de atentar à forma visual ortográfica da palavra e de conferir se ela corresponde ou não à forma ortográfica armazenada em seu léxico mental ortográfico (i.e., banco de memória visual ortográfica). Quando uma criança alfabetizanda ouvinte "lê de ouvido" uma pseudopalavra como *aumossu*, ela ouve mentalmente (i.e., audibiliza) o mesmo que ouviria se estivesse a ler a palavra *almoço* e, assim, compreende o que está escrito, apesar de tal item escrito não pertencer a nenhum léxico ou dicionário, seja mental ou impresso. Ao decodificar grafofonemicamente a escrita, a criança alfabetizanda ouvinte é capaz de compreender o que está escrito porque esse processo de decodificação resgata a imagem fonológica da palavra conhecida (i.e., correspondente à palavra *almoço*) que se encontra armazenada em seu léxico fonológico, ou banco de memória fonológica. A decodificação grafofonêmica de pseudopalavras homófonas é capaz de, pelo som, levar o leitor incipiente a ter acesso ao significado precisamente porque o escritor incipiente fez uso desse mesmo processo, mas em ordem inversa (i.e., codificação fonografêmica) quando, partindo do significado, por meio dos sons audíveis ou meramente audibilizados, produziu as seqüências das letras que resultaram numa pseudopalavra (e.g., *aumossu*) que é homófona à palavra (e.g., *almoço*) que se encontra registrada no léxico mental da maior parte dos leitores (i.e., léxico ortográfico) bem como no léxico oficial da cultura letrada (i.e., dicionário) a que pertencem esses leitores. Assim, enquanto o aprendiz de leitor ouvinte pode deixar-se levar por erros ortográficos devidos à homofonia, o aprendiz de leitor surdo sinalizador profundo pré-lingual e perilingual não-oralizado, precisamente porque não ouve e não tem um léxico fonológico que lhe permita "ler de ouvido", não se deixa iludir do mesmo modo pela homofonia, e acaba por detectar essas trocas baseadas na homofonia com maior freqüência e facilidade do que o alfabetizando ouvinte. De fato, isso explica o quarto achado do estudo sobre o TCLP1.1 com os escolares surdos, que é de relevância à compreensão do processamento de leitura de palavras pelos surdos:

- 4.) O desempenho de leitores surdos na detecção de incorreção de pseudopalavras com formas ortográficas claramente distintas que são, para os ouvintes, homófonas às palavras conhecidas, tende a ser especialmente bom, já que essa homofonia só ilude quem lê "de ouvido" (i.e., de maneira primordialmente fonológica, sem atentar à correção da forma ortográfica), e é facilmente detectável pelo processo de reconhecimento visual global de que os surdos usualmente dispõem perfeitamente. De fato, seu desempenho na detecção da incorreção de pseudopalavras homófonas foi acima da média e quase tão bom quanto o de detecção da incorreção de pseudopalavras estanhas (i.e., 7,1 pontos). Isso, por sua vez, ajuda a explicar a abundância das paragrafias ortográficas cometidas na escrita por surdos não-oralizados, tal como demonstrado nos estudos sobre a avaliação de competência de escrita em surdos da presente série de estudos (i.e., TNF1.1–Escrita, TNF2.1–Escrita, TNS1.1–Escrita e TNS2.1–Escrita).

Assim, contrastando o pobre desempenho de detecção de pseudopalavras com trocas visuais (i.e., 5,8 pontos, *DP* = 2,6) e o muito bom desempenho de detecção de pseudopalavras com trocas fonológicas (i.e., 7,1 pontos, *DP* = 2,6), que foi quase tão bom quanto o de pseudopalavras com forma ortográfica claramente distinta (i.e., 7,8 pontos, *DP* = 2,4), o qual, por sua vez, foi apenas levemente inferior ao de palavras com trocas semânticas (i.e., 8,2 pontos, *DP* = 2,3), percebe-se a força do estilo de leitura visual logográfico nos surdos, dedicado integralmente ao acesso ao significado.

Esse estudo também identificou diferenças entre surdos e ouvintes quanto ao padrão de acerto nos subtestes, que revela particularidades do processamento ideovisual, fonológico e semântico dos leitores surdos. O padrão de acertos médios ao longo dos cinco subtestes dos leitores surdos de 1ª. a 8ª. série (i.e., [VS = 8,4] > [PE = 8,0] > [PH = 7,4] > [VF = 6,5] > [VV = 6,0]) discrepou, de modo muito elucidativo, do padrão de leitores ouvintes de 1ª. a 3ª. série (i.e., [PE = 9,2] > [VS = 8,8] > [VV = 7,9] > [VF = 6,9] > [PH = 5,9]), estabelecido no estudo de A. Capovilla e F. Capovilla (no prelo a). Foram observadas quatro discrepâncias entre os padrões de surdos e de ouvintes:

1.) Para os leitores ouvintes, a rejeição correta de VV foi maior que de PH;
já, para os surdos, a rejeição correta de PH foi maior que de VV;
2.) Para os leitores ouvintes, a rejeição correta de VV foi maior que de VF;
já, para os surdos, a rejeição correta de VF foi maior que de VV;
3.) Para os leitores ouvintes, a rejeição correta de VF foi maior que de PH;
já, para os surdos, a rejeição correta de PH foi maior que de VF;
4.) Para os leitores ouvintes, a rejeição correta de PE foi maior que de VS;
já, para os surdos, a rejeição correta de VS foi maior que de PE.

Embora, em termos absolutos, a ordem de pontuação dos leitores surdos tenha sido VS > PE > PH > VF > VV, em termos de relação com os ouvintes, a ordem de pontuação dos leitores surdos foi a seguinte:

- PH (em que pontuaram pouco mais que leitores ouvintes de 3ª. série),
- VF e VS (em que pontuaram como leitores ouvintes entre a 1ª. e a 2ª. séries), e
- VV e PE (em que pontuaram como leitores ouvintes de 1ª. série).

Assim, foram observadas diversas duplas dissociações entre as estratégias de processamento ideovisual e fonológico empregadas por leitores surdos, de um lado, e por leitores ouvintes, de outro lado. Por exemplo, em surdos, foi observada uma clara superioridade na identificação de incorreções em PH do que em VF, e nessa do que em VV (i.e., em PH do que em VF, em VF do que em VV, em PH do que em VV), e de incorreções em VS do que em PE.

Reciprocamente, em ouvintes, foi identificada uma clara superioridade na identificação de incorreções em VV do que em VF, e nessa do que em PH (i.e., em VV do que em VF, em VF do que em PH, e em VV do que em PH), e de incorreções em PE do que em VS.

A mais clara e relevante dissociação entre processos ideovisuais e fonológicos de leitores surdos e ouvintes foi encontrada entre VV e PH, em que surdos foram superiores a ouvintes na rejeição correta de PH mais do que de VV, ao passo que os ouvintes (que usaram a decodificação mas se deixaram enganar mais pela homofonia) foram superiores a surdos na rejeição correta de VV do que de PH.

Tais dados revelam quão dependente de mecanismos visuais diretos de reconhecimento e acesso ao significado é a leitura do surdo. Desprovido do mecanismo de checagem perilexical, esse mecanismo de reconhecimento visual direto freqüentemente se limita ao nível logográfico, resultando daí alta freqüência de paralexias, em especial em palavras de baixa ocorrência no léxico do leitor surdo.

Por último, este estudo também analisou as relações entre a competência de leitura de palavras e uma série de habilidades, como a competência de leitura de sentenças, o vocabulário receptivo de sinais da Libras, a habilidade de nomear figuras conhecidas pela escolha de palavras escritas, a habilidade de nomear sinais da Libras pela escolha de palavras escritas, a habilidade de nomear figuras conhecidas por escrita livre, a habilidade de nomear sinais da Libras por escrita livre.

Com vistas a obter uma perspectiva das correlações entre a competência de leitura de palavras de um lado e, de outro lado, todas essas demais habilidades, as intercorrelações obtidas a partir das análises de regressão foram ordenadas de acordo com a magnitude das correlações.

As dez intercorrelações envolvendo a competência de leitura de palavras, todas estatisticamente significativas, foram distribuídas em três faixas:

- Correlação alta (na faixa de 0,61 a 0,70),
- Correlação média (na faixa de 0,51 a 0,60), e
- Correlação baixa (na faixa de 0,31 a 0,40).

Resultados revelaram que o desempenho no Teste de Competência de Leitura de Palavras teve:

- Correlações mais altas (i.e., em torno de 0,65) com
  os Testes de Nomeação de Figuras por Escolha e por Escrita, e com
  o Teste de Competência de Leitura de Sentenças;
- Correlações médias (i.e., em torno de 0,55) com
  os Testes de Nomeação de Sinais por Escolha e por Escrita; e, finalmente,
- Correlações mais baixas (i.e., em torno de 0,37) com
  o Teste de Vocabulário Receptivo de Sinais da Libras.

Assim, a competência de leitura de palavras esteve mais correlacionada à competência de leitura de sentenças e à habilidade de nomeação de figuras (quer por escolha, quer por escrita), do que à habilidade de nomeação de sinais (quer por escolha, quer por escrita) ou ao vocabulário receptivo de sinais. Ou seja, a competência de leitura de palavras esteve mais correlacionada com as competências de leitura e de escrita que não envolvem habilidades em Libras.

4.10.3.3.1.2.) Achados com a versão original do Teste de Competência de Leitura de Sentenças (TCLS1.1)

O Teste de Competência de Leitura de Sentenças (TCLS) avalia o desenvolvimento da habilidade de extrair o significado de sentenças de complexidade variável. Essa habilidade de extração de significado demanda não apenas habilidades de decodificação, como, também, de vocabulário e memória e processamento sintático, dentre outras. Para avaliar a habilidade de extração de significado na leitura, o teste apresenta sentenças escritas com extensão, vocabulário e complexidade sintática variáveis, e requer a escolha, dentre cinco figuras alternativas, daquela que melhor corresponde a esse significado preciso. O TCLS é composto de seis itens de treino e quarenta itens de teste, sendo cada item composto de uma sentença e de cinco figuras alternativas para a escolha da única correta, ou seja, daquela que melhor corresponde ao significado da sentença. As outras quatro figuras são distratoras que se referem a palavras isoladas ou a segmentos menores da sentença. O propósito das figuras distratoras é induzir erros decorrentes de extração incompleta do significado e, assim, permitir detectar insuficiência de processamento sintático. Para a aferição do desempenho no teste, cada sentença respondida corretamente conta um ponto; assim, a pontuação máxima é 40 pontos.

O Teste de Competência de Leitura de Sentenças apresenta-se nas versões original (TCLS1.1) e reordenada (TCLS1.2). No estudo de validação e normatização do Teste de Competência de Leitura de Sentenças (F. Capovilla, Viggiano, A. Capovilla, Raphael, Bidá, Neves, & Mauricio, 2004), a versão TCLS1.1 foi aplicada a uma amostra de 549 crianças, jovens e adultos surdos de 6 a 38 anos de idade, estudantes da 1ª série do Ensino Fundamental até a 1ª série do Ensino Médio, provenientes de seis escolas, sendo quatro escolas municipais de educação especial de São Paulo (i.e., Emee Anne Sullivan, Emee Helen Keller, Emee Madre Lucie Bray, e Emee Professora Neusa Bassetto) e duas escolas filantrópicas do interior do estado de São Paulo (i.e., Escola Especial para Crianças Surdas da Fundação Rotarianos, e Associação Terapêutica de Estimulação Auditiva e Linguagem). Essa amostra de 549 escolares surdos avaliados era composta de examinandos com surdez profunda pré-lingual e perilingual em sua vasta maioria. Desses 549 escolares surdos, 423 tinham algum tipo de perda declarada e, destes, 322 apresentavam perda congênita (sendo 224 casos com perda profunda e 67 casos com perda severa). Quanto ao modo de comunicação (i.e., oralização, gesticulação e sinalização) em diferentes contextos, foi constatada nessa amostra uma importância crescente de sinalização e decrescente de oralização e gesticulação à medida que o surdo passa da família para a escola, e desta para a comunidade. Conforme dados dos prontuários dos 549 escolares surdos participantes, nessa passagem, a preponderância da sinalização aumentou de 59,16% para 65,38% para 79,80%, enquanto a da oralização declinou de 31,93% para 30,22% para 27,00%, e a da gesticulação declinou de 8,90% para 4,40% para 2,20%.

Nesse estudo de validação e normatização do TCLS1.1, o teste foi aplicado a essa amostra de 549 escolares surdos, composta em sua maioria de sinalizadores com surdez profunda pré-lingual e perilingual. Os resultados revelaram que o desempenho dos estudantes surdos variou de 0 a 40 pontos, com média de 16,6 pontos (*DP* = 2,2). A análise de covariância revelou um aumento sistemático na competência de leitura de sentenças da 1ª série do Ensino Fundamental até a 1ª série do Ensino Médio (i.e., de 7,0 a 9,5 a 13,8 a 20,4 a 22,8 a 23,6 a 26,7 a 30,7 a 31,0 pontos, respectivamente), sem, contudo, atingir o teto (i.e., 40 pontos). Com base em tais dados, esse estudo normatizou o TCLS1.1 por série escolar e o validou por comparação com os resultados em dez outros testes de desenvolvimento da linguagem de sinais e escrita, igualmente normatizados para a mesma população escolar surda.

Em termos de validade por critério de correlação com outros testes, os resultados revelaram que o TCLS1.1 apresentou:

1.) Correlações mais altas (i.e., coeficientes em torno de 0,85) com a competência de escrita do nome de figuras (i.e., as duas versões originais do Teste de Nomeação de Figuras por Escrita);
2.) Correlações altas (i.e., coeficientes em torno de 0,75) com a habilidade de nomear figuras por escolha de palavras escritas (i.e., as duas versões originais do Teste de Nomeação de Figuras por Escolha);
3.) Correlações médias (i.e., coeficientes em torno de 0,65) com a habilidade de nomear sinais por escolha e por escrita, bem como com a competência de leitura de palavras (i.e., as duas versões originais do Teste de Nomeação de Sinais por Escolha, as duas versões originais do Teste de Nomeação de Sinais por Escrita, e a versão original do Teste de Competência de Leitura de Palavras); e
4.) Correlação baixa com a compreensão de sinais da Libras (i.e., a versão original do Teste de Vocabulário Receptivo de Sinais da Libras).

Assim, a competência de leitura de sentenças no TCLS1.1 esteve correlacionada:

- Em primeiro lugar, com a habilidade de nomear figuras por escrita livre;
- Em segundo lugar, com a habilidade de nomear figuras por escolha dentre palavras escritas alternativas;
- Em terceiro lugar, com a habilidade de nomear sinais da Libras (quer por escrita, quer por escolha) e com a competência de leitura de palavras; e,
- Em quarto lugar, com o vocabulário receptivo de sinais da Libras.

Ou seja, a competência de leitura de sentenças esteve mais correlacionada primeiramente com a competência de escrita do nome de figuras e de leitura do nome de figuras, em seguida com a competência de leitura de palavras isoladas e a nomeação de sinais (por escrita ou escolha), e finalmente, com a compreensão de sinais da Libras.

Além da tabela de normatização e dos dados de validação, a partir da análise do grau de dificuldade de cada um dos quarenta itens, esse estudo ofereceu a versão reordenada 1.2 do teste (i.e., TCLS1.2), em que os quarenta itens encontram-se reordenados por grau de dificuldade crescente, e agrupados por série escolar a partir da qual passam a ser respondidos corretamente pela maioria dos estudantes surdos daquela série escolar.

A partir da análise da indução de erro pelas cinco figuras alternativas (i.e., a figura-alvo e as quatro distratoras) de cada uma das quarenta sentenças, esse estudo distribuiu essas quarenta sentenças em oito conjuntos de itens com graus de dificuldade progressivos. Esses oito conjuntos de itens foram, então, ordenados ao longo das nove séries escolares, da 1ª. série do Ensino Fundamental até a 1ª. série do Ensino Médio, com base na série a partir da qual todos os itens componentes de cada um dos conjuntos passam a ser respondidos corretamente pela maioria dos examinandos surdos daquela série. Essa análise revelou que:

1.) As sentenças do primeiro conjunto de itens (i.e., itens 2, 5, 16, 19, e 38) são bastante simples já que puderam ser resolvidas pela maioria dos escolares surdos da 1ª. série do Ensino Fundamental;

2.) As sentenças do segundo conjunto de itens (i.e., itens 1, 3, 4, 7, 8, 13, 15, 21, 29, 30, 31, 35 e 36) são um pouco menos simples, já que puderam ser resolvidas pela maioria dos escolares surdos apenas a partir da 2ª. série do Ensino Fundamental;

3.) As sentenças do terceiro conjunto (i.e., itens 6, 17, 18, 20, 23, 24, 26, 33, 34, 39 e 40) são ainda menos simples, já que puderam ser resolvidas pela maioria dos escolares surdos apenas a partir da 3ª. série do Ensino Fundamental;

4.) As sentenças do quarto conjunto (i.e., itens 27, 28, 32 e 37) são um pouco difíceis, já que puderam ser resolvidas pela maioria dos escolares surdos apenas a partir da 4ª. série do Ensino Fundamental;

5.) As sentenças do quinto conjunto (i.e., itens 9 e 25) são consideradas relativamente difíceis, já que puderam ser resolvidas pela maioria dos escolares surdos apenas a partir da 5ª. série do Ensino Fundamental;

6.) As sentenças do sexto conjunto (i.e., itens 12, 14 e 22) são mais difíceis, já que puderam ser resolvidas pela maioria dos escolares surdos apenas a partir da 7ª. série do Ensino Fundamental;

7.) A sentença do sétimo conjunto (i.e., item 10) é ainda mais difícil, já que pôde ser resolvida pela maioria dos escolares surdos apenas a partir da 1ª. série do Ensino Médio;

8.) A sentença do oitavo conjunto (i.e., item 11) é a mais difícil de todas e, nesse estudo, não pôde ser resolvida nem sequer pela maioria dos escolares surdos da 1ª. série do Ensino Médio.

Esse estudo também ofereceu um modelo teórico do processamento de leitura em surdos de acordo com os mais recentes desenvolvimentos na área e uma discussão fundamentada em dados acerca das relações entre as competências de escrita, de leitura e de sinalização.

A partir deste estudo torna-se possível acompanhar o desenvolvimento da competência de leitura de sentenças (em termos dos níveis de processamento sintático alcançados e da habilidade de extração de significado demonstrada) por parte de escolares surdos desde o início do Ensino Fundamental até o início do Ensino Médio, o que permitirá identificar e propiciar as condições mais eficazes ao desenvolvimento da alfabetização e da escolarização competentes da população escolar surda brasileira. Assim, fica demonstrado que, em conjunto com os outros dez testes que compõem a bateria de avaliação de desenvolvimento da linguagem escrita e de sinais no surdo, a versão original 1.1 do Teste de Competência de Leitura de Sentenças (TCLS1.1) constitui um instrumento de inestimável valor para a educação brasileira.

4.10.3.3.1.3.) Achados sobre competência de leitura a partir das versões originais 1.1 e 2.1 do Teste de Nomeação de Figuras por Escolha (TNF1.1–Escolha e TNF2.1–Escolha)

O Teste de Nomeação de Figuras por Escolha (TNF–Escolha) avalia o desenvolvimento da competência de leitura e analisa processos quirêmicos, ortográficos e semânticos envolvidos na escolha de palavras escritas para nomear figuras que representam objetos ou animais conhecidos. O TNF–Escolha se apresenta em duas versões originais (i.e., TNF1.1–Escolha e TNF2.1–Escolha) para permitir avaliações repetidas sem contaminação de efeito de carreamento entre as avaliações. Cada uma das versões desse teste de nomeação de figuras por escolha de palavras escritas contém 36 itens, sendo que cada item é composto de uma figura e de quatro palavras escritas que constituem alternativas de escolha. No caderno de aplicação, a figura é apresentada logo acima das quatro palavras escritas alternativas. A tarefa do examinando consiste em escolher e assinalar a palavra escrita que corresponde à figura. Dentre as quatro palavras escritas alternativas, uma é a palavra-alvo que corresponde à figura e as outras três são palavras distratoras, que objetivam induzir erros de leitura (i.e., paralexias quirêmicas, paralexias ortográficas e paralexias semânticas). Para cada item há três tipos de palavras distratoras:

1.) A distratora quirêmica, cujo sinal subjacente assemelha-se ao sinal que subjaz à figura-alvo a ser nomeada;
2.) A distratora ortográfica, cuja forma ortográfica assemelha-se de algum modo à forma ortográfica da palavra-alvo que deve ser escolhida; e
3.) A distratora semântica, cujo significado se encontra relacionado de algum modo ao significado da figura-alvo a ser nomeada, embora não corresponda precisamente a ele.

O objetivo da inclusão de palavras distratoras semânticas no TNF–Escolha é induzir erros semânticos, que são de interesse porque sugerem insuficiência de vocabulário em Português ou de habilidade de leitura.

O objetivo da inclusão de palavras distratoras quirêmicas no TNF–Escolha é o de induzir paralexias quirêmicas. Tais paralexias quirêmicas são de interesse teórico e diagnóstico, e sua ocorrência significativa sugere que, durante a leitura, de modo a conseguir resgatar palavras escritas para nomear figuras, o leitor costuma obter acesso ao significado por meio de sinalização interna, isto é, evocando o sinal correspondente à figura-alvo para nomeá-la com um sinal, e usando esse sinal como indexador da forma ortográfica a ser resgatada do léxico ortográfico.

O objetivo da inclusão de palavras distratoras ortográficas no TNF–Escolha é o de induzir paralexias ortográficas. Tais paralexias ortográficas também são de interesse teórico e diagnóstico, e sua ocorrência com freqüência significativa sugere que o leitor faz uso de um estilo logográfico baseado na tentativa de reconhecimento visual direto da forma ortográfica geral das palavras familiares, estilo esse que falha em incorporar o processo de decodificação grafêmica de modo suficientemente eficaz para permitir penetrar na intimidade grafêmica da palavra e identificar malformações ortográficas, resultando, assim, em paralexias ortográficas cuja freqüência de ocorrência tende a ser inversamente proporcional à freqüência de ocorrência da palavra para o surdo (i.e., quanto menor a força da representação ortográfica de uma dada palavra no léxico ortográfico do leitor surdo, tanto maior a probabilidade de paralexias e paragrafias ortográficas envolvendo essa palavra).

Nos estudos com as versões originais 1.1 e 2.1 que compõem a presente série de onze estudos, essas versões TNF1.1–Escolha e TNF2.1–Escolha foram aplicadas a surdos de seis escolas, e encontram-se normatizadas e validadas. Tais estudos de aplicação das versões originais 1.1 e 2.1 permitiram descobrir, por meio da análise da proporção de acerto das figuras componentes, o grau de dificuldade de cada uma dessas figuras. Isso possibilitou gerar as versões reordenadas 1.2 e 2.2 em que as figuras encontram-se reordenadas de acordo com o grau crescente de dificuldade (i.e., da mais fácil à mais difícil). Além disso, tais estudos permitiram descobrir como aperfeiçoar ainda mais o teste, substituindo algumas das figuras das versões originais por figuras ainda mais adequadas, o que gerou as versões revisadas 1.3 e 2.3, respectivamente. Em estudos ulteriores presentemente em andamento, tais versões revisadas (i.e., TNF1.3–Escolha e TNF2.3–Escolha) foram aplicadas com cadernos completos a uma população aproximada de 1.500 estudantes surdos de quinze escolas e estão sendo presentemente normatizadas e validadas.

4.10.3.3.1.3.1.) Achados com a versão original 1.1 do Teste de Nomeação de Figuras por Escolha (TNF1.1–Escolha)

No estudo sobre a versão 1.1 do Teste de Nomeação de Figuras por Escolha, o TNF1.1–Escolha foi aplicado a uma amostra de 320 escolares surdos de 6 a 45 anos de idade, estudantes da 1ª. série do Ensino Fundamental até a 1ª. série do Ensino Médio, provenientes de quatro escolas, sendo duas Emees de São Paulo e duas escolas filantrópicas do interior do estado.

Essa amostra era composta, em sua maioria, de estudantes sinalizadores com surdez profunda pré-lingual e perilingual. Dos 320 estudantes, 262 tinham algum tipo de perda auditiva (i.e., congênita ou adquirida) declarada, sendo que, desses, 203 tinham perda congênita (três casos de perda leve, 25 de moderada, 45 de severa, 130 de profunda) e 59 tinham perda adquirida (seis casos de perda moderada, dezessete de severa, 36 de profunda).

Em termos do modo de comunicação (i.e., oralização, gesticulação, e sinalização) em diferentes contextos, foi constatada nessa amostra uma importância crescente de sinalização e uma importância decrescente de oralização e da gesticulação à medida que o surdo passa da família para a escola, e desta para a comunidade. Conforme os prontuários dos 320 escolares surdos, nessa passagem, a preponderância da sinalização aumentou de 45,46% para 57,53% para 66,67%, enquanto a da oralização declinou de 31,13% para 36,99% para 30,83%, e a da gesticulação declinou de 23,40% para 5,48% para 2,50%.

Os resultados revelaram que, no TNF1.1–Escolha, os 320 escolares surdos obtiveram média de 24,8 pontos (*DP* = 9,2). A análise de covariância revelou um aumento sistemático na habilidade de escolher palavras escritas em Português para denominar sinais da Libras, desde a 1ª. série do Ensino Fundamental até a 1ª. série do Ensino Médio (i.e., de 13,34 a 21,50 a 22,86 a 29,14 a 31,35 a 32,47 a 33,59 a 34,51 a 34,62 pontos, respectivamente), quase atingindo a pontuação máxima (i.e., 36 pontos).

Com base em tais dados, o estudo sobre o TNF1.1–Escolha normatizou esse TNF1.1–Escolha por série escolar e o validou por comparação com os resultados nos dez outros testes de desenvolvimento da linguagem de sinais e escrita, igualmente normatizados para a mesma população escolar surda.

Além da tabela de normatização e dos dados de validação, o estudo ofereceu a versão 1.2 reordenada (TNF1.2–Escolha) com os 36 itens reordenados por grau de dificuldade crescente. Comparando os resultados sob as duas versões originais do teste (i.e., TNF1.1–Escolha e TNF2.1–Escolha), o estudo demonstrou que elas podem ser usadas de modo intercalado para acompanhar o desenvolvimento da competência de leitura evitando o efeito de carreamento entre avaliações.

O estudo também ofereceu a versão 1.3 (revisada) com vinte aperfeiçoamentos de distratores para aumentar a indução de paralexias semânticas, quirêmicas e ortográficas.

Em termos de validade por critério de inter-relação com outros testes, os resultados revelaram o seguinte padrão de intercorrelações do TNF1.1–Escolha com os demais testes:

1.) Correlação muito alta (r = 0,90) com a versão 2.1 do mesmo teste (TNF2.1–Escolha);
2.) Correlação alta (r = 0,78 a 0,84) com a habilidade de escrever os nomes de figuras (TNF1.1–Escrita e TNF2.1–Escrita);
3.) Correlação média alta (r = 0,74) com a competência de leitura de sentenças (TCLS1.1);
4.) Correlação média (r = 0,65 a 0,66) com a habilidade de escolher os nomes de sinais da Libras (TNS1.1–Escolha e TNS2.1–Escolha);
5.) Correlação média baixa (r = 0,64) com a competência de leitura de palavras (TCLP1.1);
6.) Correlação baixa (r = 0,62 a 0,63) com a habilidade de escrever os nomes de sinais da Libras (TNS1.1–Escrita e TNS2.1–Escrita); e
7.) Correlação muito baixa (r = 0,41) com o vocabulário receptivo de sinais da Libras (TVRSL1.1).

Em termos de eficácia dos distratores em induzir paralexias quirêmicas, ortográficas e semânticas, foi constatado que o TNF1.1–Escolha produziu 470 casos de paralexia quirêmica, dentre as quais:

1.) Para nomear a figura de hipopótamo, dezoito surdos escolheram a palavra distratora PERNAMBUCO; e
2.) Para a figura de milho, dezoito surdos escolheram a palavra distratora BOMBOM.

O TNF1.1–Escolha produziu 491 casos de paralexia semântica, dentre as quais:

1.) Para nomear a figura de piano, 47 surdos escolheram a palavra distratora SANFONA;
2.) Para nomear a figura de cotovelo, 38 escolheram a palavra JOELHO;

3.) Para nomear a figura de ovelha, 36 escolheram a palavra BODE;
4.) Para nomear a figura de sofá, vinte escolheram a palavra CAMA;
5.) Para nomear a figura de trem, vinte escolheram a palavra TRATOR.

O TNF1.1–Escolha produziu 544 casos de paralexia ortográfica, dentre as quais:

1.) Para nomear a figura de sapo, 45 surdos escolheram a palavra distratora ortográfica SOPA;
2.) Para nomear a figura de garrafa, 38 escolheram a palavra GIRAFA;
3.) Para nomear a figura de esmalte, 35 escolheram a palavra MALTE;
4.) Para nomear a figura de hipopótamo, 33 escolheram a palavra HIPÓDROMO;
5.) Para nomear a figura de borboleta, 26 escolheram a palavra BORBULHAR;
6.) Para nomear a figura de mala, 24 escolheram a palavra MELA;
7.) Para nomear a figura de calça, 23 escolheram a palavra CALDA;
8.) Para nomear a figura de xícara, 22 escolheram a palavra CHÁCARA.

O estudo contribuiu para corroborar a hipótese de que o léxico quirêmico indexa itens do léxico ortográfico a itens do léxico semântico.

A plausibilidade da hipótese de mediação por sinalização interna é exemplificada pelo efeito do distrator quirêmico PERNAMBUCO. Dos 176 examinandos surdos confrontados com a tarefa de escolher a palavra escrita para nomear a figura de um hipopótamo, apesar da forte relação semântica entre hipopótamo e rinoceronte, e apesar da forte similaridade ortográfica entre as palavras HIPOPÓTAMO e HIPÓDROMO, dezoito sinalizadores com surdez pré-lingual profunda escolheram a palavra PERNAMBUCO, que não tem qualquer similaridade ortográfica nem semântica com a palavra HIPOPÓTAMO. Esse item qualifica-se, assim, como um caso provável de mediação por sinalização interna, uma vez que os sinais HIPOPÓTAMO e PERNAMBUCO compartilham muitos elementos sublexicais, o que os torna muito semelhantes entre si.

Diversas análises adicionais demonstraram ulteriormente a validade dos distratores ortográficos e quirêmicos do TNF1.1–Escolha.

A lógica da demonstração é que se os erros induzidos por distratores ortográficos e quirêmicos são, de fato, de natureza ortográfica e quirêmica, respectivamente, então deve ser possível identificar correlações negativas entre a freqüência de erros ortográficos e a competência de leitura de palavras, bem como entre a freqüência de erros quirêmicos e a compreensão de sinais da Libras.

Além disso, deve ser possível encontrar uma dupla dissociação envolvendo erros quirêmicos e vocabulário de sinais de um lado, e erros ortográficos e de competência de leitura de palavras de outro lado, de modo que, comparando as correlações negativas entre a competência de leitura e a indução de erros por distratores quirêmicos e ortográficos, deve ser observada maior correlação negativa com os distratores ortográficos.

E, reciprocamente, comparando as correlações negativas entre a compreensão de sinais da Libras e a indução de erros por distratores quirêmicos e ortográficos, deve ser observada maior correlação negativa com os distratores quirêmicos.

Para testar essa hipótese, foram obtidos os correlogramas entre a freqüência de erro induzido pelos dois tipos de distratores (i.e., ortográfico e quirêmico) e o desempenho nos dois tipos de teste (i.e., competência de leitura de palavras em Português e conhecimento de sinais da Libras). Foram também calculadas as regressões das freqüências de erros induzidos pelos distratores ortográfico e quirêmico sobre a competência de leitura de palavras em Português e conhecimento de sinais da Libras. Os resultados revelaram o seguinte:

1.) Em termos da força dos distratores como função do vocabulário de sinais da Libras, foi observado que, quanto maior a compreensão de sinais, tanto melhor a nomeação de figuras por escolha de palavras escritas e tanto menor o efeito dos distratores, sendo que esses benefícios de redução de erro, produzidos pelo conhecimento de sinais, foram maiores para controlar o efeito de distratores quirêmicos, seguidos de ortográficos e de semânticos. As análises de regressão da freqüência de erros induzidos por distratores como função da compreensão de sinais revelaram correlações negativas significativas que foram maiores para distratores quirêmicos ($r = 0,54$) do que ortográficos ($r = 0,48$), e para estes do que semânticos ($r = 0,44$).

2.) Em termos da força dos distratores como função da competência de leitura de palavras, foi observado que quanto maior a competência de leitura de palavras, tanto melhor a nomeação de figuras por escolha de palavras escritas, e tanto menor o efeito dos distratores, sendo que esses benefícios de redução de erro, produzidos pela competência de leitura, foram maiores para controlar o efeito de distratores ortográficos, seguidos de quirêmicos e de semânticos. As análises de regressão da freqüência de erros induzidos por distratores como função da competência de leitura de palavras revelaram correlações negativas significativas que foram bem maiores para distratores ortográficos (r = 0,60) do que quirêmicos (r = 0,40) do que semânticos (r = 0,32).

Fica, assim, empiricamente demonstrada a dupla dissociação teoricamente esperada.

Em suma, no TNF1.1–Escolha:

- A freqüência de indução de erros por distratores ortográficos foi inversamente proporcional à competência de leitura de palavras, tal como medida pelo Teste de Competência de Leitura de Palavras (TCLP1.1). Do mesmo modo,
- A freqüência de indução de erros por distratores quirêmicos foi inversamente proporcional ao conhecimento de sinais da Libras, tal como medido pelo Teste de Vocabulário Receptivo de Sinais da Libras (TVRSL1.1).

Assim, este estudo estabeleceu a validade dos distratores quirêmicos e ortográficos do TNF1.1–Escolha em, de fato, induzir erros de natureza quirêmica e ortográfica, respectivamente.

Além da validação e normatização da versão original e das versões reordenada e revisada do teste, esse estudo também forneceu um modelo teórico do processamento de leitura em surdos de acordo com os mais recentes desenvolvimentos na área e uma discussão fundamentada em dados acerca das relações entre competências de escrita, leitura e sinalização, e das paralexias e paragrafias cometidas por surdos ao lidar com o código alfabético.

A partir desse estudo, torna-se possível avaliar o envolvimento relativo de processos quirêmicos, ortográficos e semânticos subjacentes ao desenvolvimento da competência de leitura de palavras e da habilidade de nomear figuras por escolha de palavras escritas por parte de escolares surdos desde o início do Ensino Fundamental até o Ensino Médio. Isso permitirá aperfeiçoar as condições de ensino mais eficazes ao desenvolvimento da alfabetização e escolarização competentes.

Em conjunto com os outros testes que compõem a bateria de avaliação de desenvolvimento da linguagem escrita e de sinais no surdo, o TNF1.1–Escolha e sua forma alternada (TNF2.1–Escolha) constituem importantes instrumentos no arsenal de recursos do educador do surdo brasileiro.

4.10.3.3.1.3.2.) Achados com a versão original 2.1 do Teste de Nomeação de Figuras por Escolha (TNF2.1–Escolha)

No estudo sobre a versão 2.1 do Teste de Nomeação de Figuras por Escolha, o TNF2.1–Escolha foi aplicado a uma amostra de 313 escolares surdos de 6 a 34 anos de idade, estudantes da 1ª série do Ensino Fundamental até a 1ª série do Ensino Médio, provenientes de quatro escolas, sendo duas Emees de São Paulo e duas escolas filantrópicas do interior do estado.

Essa amostra era composta, em sua maioria, de sinalizadores com surdez profunda pré-lingual e perilingual. Dos 313 estudantes, 248 tinham algum tipo de perda auditiva (i.e., congênita ou adquirida) declarada, sendo que, destes, 192 tinham perda congênita (i.e., três com perda leve, 23 moderada, 34 severa, e 131 profunda) e 56 tinham perda adquirida (i.e., seis com perda moderada, treze severa, e 37 profunda).

Quanto ao modo de comunicação (i.e., oralização, gesticulação, e sinalização) em diferentes contextos, foi constatada nessa amostra uma importância crescente de sinalização e decrescente de oralização e gesticulação à medida que o surdo passa da família para a escola, e desta para a comunidade. Conforme os prontuários dos 313 escolares surdos, nessa passagem, a preponderância da sinalização aumentou de 48,98% para 56,25% para 66,67%, enquanto a da oralização declinou de 39,46% para 38,20% para 30,77%, e a da gesticulação declinou de 11,56% para 5,56% para 2,56%. Os resultados mostraram que, no TNF2.1–Escolha, os 313 escolares surdos obtiveram média de 23,7 pontos (DP = 9,3).

A análise de covariância revelou um aumento sistemático na habilidade de escolher palavras escritas em Português para denominar sinais da Libras, desde a 1ª até a 8ª série do Ensino Fundamental (i.e., de 12,27 a 18,08 a 21,89 a 27,80 a 29,27 a 29,87 a 32,38 a 35,38 a 35,10 pontos, respectivamente), quase atingindo o teto (i.e., 36 pontos).

Com base em tais dados, esse estudo ofereceu a normatização do TNF2.1–Escolha por série escolar.

Em termos da eficácia dos distratores em induzir paralexias quirêmicas, ortográficas e semânticas, de um total de 1.507 erros induzidos por distratores no TNF2.1–Escolha, houve 583 erros induzidos por distratores ortográficos, 546 erros induzidos por distratores semânticos e 378 erros induzidos por distratores quirêmicos.

Algumas das palavras que se mostraram boas distratoras são as seguintes:

1.) Distratoras ortográficas: ÓCULOS, ABAJUR, PORCO, ESTRELA, TESOURA, COMPUTADOR, ORELHA e VENTILADOR.
2.) Distratoras semânticas: RODO, CAMISA, CABRA e LIQÜIDIFICADOR.
3.) Distratoras quirêmicas: FUNIL, BATOM, SAPATO, RELÓGIO e ANEL.

Assim, diante da tarefa de escolher palavras escritas para denominar figuras como funil, batom, sapato, relógio e anel, cerca de 10% dos estudantes foram induzidos a escolher palavras escritas que não tinham qualquer relação ortográfica ou semântica com as palavras-alvo que deveriam ter sido escolhidas, mas que estavam indexadas por sinais muito semelhantes aos sinais que efetivamente designam aquelas figuras-alvo.

Alguns casos de paralexia quirêmica foram:

1.) Para nomear a figura de abajur, 24 surdos escolheram a palavra distratora POLVO;
2.) Para liqüidificador, 24 escolheram GIRAR;
3.) Para camisa, quatorze escolheram GARÇOM;
4.) Para relógio, quatorze escolheram PRETO;
5.) Para ventilador, quatorze escolheram BANDEIRA;
6.) Para anel, treze escolheram CHINELO;
7.) Para cabra, doze escolheram BARATA;
8.) Para computador, onze escolheram AGRICULTURA.

Alguns casos de paralexia semântica foram:

1.) Para nomear a figura de rodo, 59 surdos escolheram a palavra distratora semântica VASSOURA;
2.) Para cabra, cinqüenta escolheram OVELHA;
3.) Para liqüidificador, 32 escolheram BATEDEIRA;
4.) Para funil, 27 escolheram ABRIDOR;
5.) Para abajur, 25 escolheram ESCURO;
6.) Para estrela, 22 escolheram LUA.

Alguns casos de paralexia ortográfica foram:

1.) Para nomear a figura de óculos, 37 surdos escolheram a palavra distratora ortográfica ÓSCULO;
2.) Para abajur, 35 escolheram ABAFAR;
3.) Para porco, 34 escolheram POUCO;
4.) Para estrela, 33 escolheram ESTEIRA;
5.) Para tesoura, trinta escolheram TESOURO;
6.) Para computador, trinta escolheram COMPETIDOR;
7.) Para orelha, 27 escolheram OVELHA;
8.) Para ventilador, 27 escolheram VENDEDOR;
9.) Para rodo, 25 escolheram ROLO;
10.) Para liqüidificador, 24 escolheram LUBRIFICADOR;
11.) Para panela, 23 escolheram CANELA;
12.) Para cadeira, vinte escolheram CAVEIRA.

A análise da distribuição dos erros de 167 examinandos contribuiu para corroborar a hipótese do papel do léxico quirêmico em permitir a indexação entre itens do léxico ortográfico e itens do léxico semântico.

Os seguintes sinais merecem atenção como distratores quirêmicos livres de contaminação por relações de similaridade semântica ou ortográfica:

1.) POLVO, que foi evocado 24 vezes pela figura de abajur, mesmo competindo com os distratores ortográfico ABAFAR e semântico ESCURO;
2.) GARÇOM, evocado quatorze vezes pela figura de camisa, mesmo competindo com os distratores ortográfico BALIZA e semântico CAMISETA;
3.) PRETO, evocado quatorze vezes pela figura de relógio, mesmo competindo com os distratores ortográfico ELOGIO e semântico CALENDÁRIO;
4.) BANDEIRA, evocado quatorze vezes pela figura de um ventilador, mesmo competindo com os distratores ortográfico VENDEDOR e semântico BATEDEIRA;
5.) CHINELO, evocado treze vezes pela figura de anel, mesmo competindo com os distratores

ortográfico TONEL e semântico DEDAL;

6.) BARATA, evocado doze vezes pela figura de uma cabra, mesmo competindo com os distratores ortográfico COBRA e semântico OVELHA;

7.) AGRICULTURA, evocado onze vezes pela figura de um computador, mesmo competindo com os distratores ortográfico COMPETIDOR e semântico IMPRESSORA;

8.) AMAZONAS, evocado dez vezes pela figura de uma galinha, mesmo competindo com os distratores ortográfico LATINHA e semântico PATA;

9.) JUNHO, evocado dez vezes pela figura de uma cadeira, mesmo competindo com os distratores ortográfico CAVEIRA e semântico POLTRONA;

10.) DESCULPA, evocado nove vezes pela figura de um telefone, mesmo competindo com os distratores ortográfico TELETON e semântico INTERNET; e

11.) COLA, evocado nove vezes pela figura de estrela, mesmo competindo com os distratores ortográfico ESTEIRA e semântico LUA.

Radicadas na sinalização interna, tais paralexias demonstram a mediação pela sinalização interna em tarefas de leitura e escrita que envolvem processamento profundo para acesso ao léxico semântico, como ocorre em todas as provas de competência de leitura e de escrita elaboradas, aplicadas, normatizadas e validadas na presente série de estudos.

O estudo demonstrou como tais paralexias quirêmicas são capazes de revelar os processos relativos à sinalização interna em que os surdos sinalizadores se engajam espontaneamente durante tarefas de leitura e escrita envolvendo acesso semântico.

Assim, a presente série de estudos fornece evidências conservadoras acerca da importância da língua de sinais como meio de armazenamento, processamento e recuperação de informação lingüística e resolução de problemas por parte de pessoas surdas sinalizadoras.

Portanto, esse estudo apresentou a versão 2.1 original (TNF2.1–Escolha) normatizada por série escolar e validada por comparação com os resultados nos dez outros testes de desenvolvimento da linguagem de sinais e escrita, igualmente normatizados para a mesma população escolar surda.

Em termos de fidedignidade, comparando os resultados sob as duas versões originais do teste (i.e., TNF2.1–Escolha e TNF1.1–Escolha), o estudo demonstrou que essas duas versões originais podem ser usadas de modo intercalado para acompanhar o desenvolvimento da competência de leitura, evitando o efeito de carreamento entre avaliações.

Quanto à validade por critério de inter-relação com outros testes, os resultados revelaram o seguinte padrão de intercorrelações do TNF2.1–Escolha com os demais testes:

1.) Correlação muito alta (r = 0,89) com a versão 1.1 do mesmo teste (TNF1.1–Escolha);

2.) Correlação alta (r = 0,77 a 0,80) com a habilidade de escrever os nomes de figuras (TNF1.1–Escrita e TNF2.1–Escrita) e com a compreensão de leitura de sentenças (TCLS1.1);

3.) Correlação média (r = 0,62 a 0,68) com a habilidade de escolher os nomes de sinais da Libras (TNS1.1–Escolha e TNS2.1–Escolha), com a habilidade de escrever os nomes de sinais da Libras (TNS1.1–Escrita e TNS2.1–Escrita), e com a competência de leitura de palavras (TCLP1.1);

4.) Correlação baixa (r = 0,36) com o vocabulário receptivo de sinais da Libras (TVRSL1.1).

Além da tabela de normatização e dos dados de validação da versão 2.1 original (i.e., TNF2.1–Escolha), o estudo ofereceu também a versão 2.2 reordenada (i.e., TNF2.2–Escolha) com os 36 itens reordenados por grau de dificuldade crescente, e a versão 2.3 revisada (i.e., TNF2.3–Escolha) com quatorze aperfeiçoamentos de distratores quirêmicos, ortográficos e semânticos para aprimorar a indução de paralexias quirêmicas, ortográficas e semânticas.

Por fim, o estudo também forneceu um modelo teórico do processamento de leitura em surdos de acordo com os mais recentes desenvolvimentos na área e uma discussão fundamentada em dados acerca das relações entre competências de escrita, leitura e sinalização, e das paralexias e paragrafias cometidas por surdos ao lidar com o código alfabético.

Estabelecendo a validade e fidedignidade da forma alternativa do teste (TNF2.1–Escolha) esse estudo tornou possível empreender avaliações repetidas acerca do envolvimento relativo de processos quirêmicos, ortográficos e semânticos subjacentes ao desenvolvimento da competência de leitura de palavras e da habilidade de nomear figuras por escolha de palavras escritas por parte de escolares surdos, desde o início do Ensino Fundamental até o Ensino Médio.

Em conjunto com a primeira versão do teste (TNF1.1–Escolha) e com todos os demais testes que compõem a bateria de avaliação de desenvolvimento da linguagem escrita e de sinais no surdo, a versão 2.1 do Teste de Nomeação de Figuras por Escolha (TNF2.1–Escolha) constitui um importante instrumento no arsenal de recursos para pesquisas dedicadas à alfabetização e escolarização competentes do educando surdo brasileiro.

4.10.3.3.2.) Segunda parte da subseção 3: Achados sobre a competência de escrita livre em Português

4.10.3.3.2.1.) Alguns achados sobre competência de escrita de nomes de figuras a partir das versões originais 1.1 e 2.1 do Teste de Nomeação de Figuras por Escrita (TNF1.1–Escrita e TNF2.1–Escrita)

O Teste de Nomeação de Figuras por Escrita (TNF–Escrita) é parte da bateria de onze testes originais para avaliar o desenvolvimento da linguagem de sinais e da competência de leitura e escrita, que foi elaborada especialmente para a população escolar surda brasileira, além de validada e normatizada com uma amostra de 1.158 escolares surdos.

O TNF–Escrita avalia o desenvolvimento da competência de escrita livre para nomear figuras e permite detectar processos quirêmicos, ortográficos e semânticos envolvidos na escrita de palavras para nomear figuras que representam conceitos relativamente familiares. Contém 36 itens, cada qual composto de uma figura e de uma linha em branco para preenchimento com escrita. No caderno de aplicação, a linha a ser preenchida aparece logo abaixo da figura. A tarefa é escrever livremente as palavras em Português que correspondem a essas 36 figuras a serem nomeadas.

Para a aferição do desempenho no TNF–Escrita, é computada a freqüência de omissão de escrita e são detectados erros ortográficos semelhantes a paragrafias ortográficas ou literais (i.e., escrita contendo troca de grafemas com adição ou omissão, bem como troca da ordem dos grafemas), erros semânticos semelhantes a paragrafias semânticas (i.e., escrita de palavra cujo significado não corresponde ao da figura, mas que se relaciona ao dessa figura de modo pouco canônico), e erros quirêmicos semelhantes a paragrafias quirêmicas (i.e., escrita de palavra cujo significado corresponde ao de um sinal que compartilha elevada proporção de elementos sublexicais com o sinal que corresponde à figura a ser nomeada e que, por isso, é confundido com ele).

- Erros ortográficos do tipo paragrafias literais podem indicar insuficiente aquisição da representação ortográfica das palavras, e são aferidos conforme os critérios de pontuação objetivos descritos neste estudo.
- Erros semânticos podem indicar insuficiente desenvolvimento de conceitos e de conhecimento de mundo, ou insuficiente aquisição de vocabulário em Português.
- Erros quirêmicos podem indicar problemas na mediação da sinalização interna durante essa tarefa de nomeação de figuras em Português, quer nos processos iniciais de conexão entre figuras e sinais, quer nos processos finais de conexão entre sinais e palavras.

Paragrafias quirêmicas sugerem não apenas que os elementos do léxico ortográfico (i.e., representação das palavras escritas em Português, em termos das propriedades visoespaciais e proprioceptivas de sua produção na articulação escrita) encontram-se indexados aos elementos do léxico semântico (i.e., representações de significado, ou conceitos) por meio dos elementos do léxico quirêmico (i.e., representação dos sinais em Libras, em termos das propriedades visoespaciais e proprioceptivas de sua produção na articulação sinalizada), como, também, que pode haver problemas nessa indexação.

Conforme F. Capovilla (no prelo), em surdos sinalizadores que pensam em Libras, as origens das omissões e das paragrafias podem situar-se em qualquer um dos seguintes estágios de processamento, dos iniciais aos finais:

1.) Dificuldade em reconhecer a figura (i.e., em obter acesso ao léxico semântico a partir dela, ou de indexação entre figura e significado, devido a insuficiente conhecimento de mundo, eventualmente decorrente de baixa exposição a ambiente física e socialmente estimulante);
2.) Dificuldade em evocar o sinal correspondente à figura para nomear figuras por meio de sinais (i.e., problema de indexação entre figura e sinal, eventualmente por pobre vocabulário de sinais, em decorrência de exposição insuficiente a ambiente lingüisticamente estimulante em Libras, ou seja, a comunidade lingüística surda sinalizadora);
3.) Dificuldade em fazer uso do sinal para evocar a palavra escrita correspondente (i.e., problema de indexação entre sinal e palavra, eventualmente por insuficiente vocabulário de leitura e escrita em Português, em decorrência de exposição insuficiente a ambiente lingüisticamente estimulante em Português, ou seja, a comunidades mistas de surdos e ouvintes que se comunicam eficientemente por leitura e escrita em Português);
4.) Dificuldade na produção ortográfica da escrita (i.e., problemas ortográficos, provavelmente por insuficiente aprendizagem da ortografia portuguesa, em decorrência de baixa freqüência de uso efetivo de leitura e escrita em Português).

Os problemas típicos que resultam das dificuldades dos níveis de processamento 1 a 4 descritos acima são variados:

1.) Problemas no estágio 1 podem produzir omissão de resposta ou paragrafias semânticas;
2.) Problemas nos estágios 2 e 3, que constituem problemas de indexação do léxico ortográfico (i.e., representação das palavras escritas) ao léxico semântico (i.e., significado ou conceito) pelo léxico quirêmico (i.e., representação dos sinais), podem produzir paragrafias semânticas ou paragrafias quirêmicas, dependendo do grau de prevalência do processamento quirêmico;
3.) Problemas no estágio 4 podem produzir paragrafias ortográficas.

Porque no surdo sinalizador o léxico quirêmico indexa o ortográfico ao semântico, podem ocorrer paragrafias quirêmicas durante a nomeação de figuras por escrito se houver falha:

• No estágio 2 (i.e., por conexão fraca entre a figura e o sinal correto, de modo que outro sinal mais usual acaba sendo evocado para nomear a figura) ou

• No estágio 3 (i.e., por conexão fraca entre o sinal correto e a palavra escrita, de modo que um outro sinal acaba sendo evocado devido à sua conexão forte com certa palavra cuja escrita é bem conhecida).

Os tipos de erro revelam o nível em que o processamento se encontra comprometido, sendo que:

• Omissão de resposta e paragrafia semântica indicam comprometimentos no nível de entrada;
• Paragrafia quirêmica indica comprometimento em níveis intermediários de indexação por sinais (i.e., conexão figura–sinal–escrita); e
• Paragrafia ortográfica indica comprometimento no nível da saída.

Além da análise dos processos semânticos, quirêmicos e ortográficos subjacentes à distribuição dos tipos de paragrafias, o TNF–Escrita também fornece um escore geral de competência de nomeação escrita.

O TNF–Escrita apresenta-se em duas versões originais (TNF1.1–Escrita e TNF2.1–Escrita), o que permite avaliar repetidamente o desenvolvimento da escrita livre para nomear figuras, controlando, assim, o efeito de carreamento da aprendizagem de uma situação de avaliação para a seguinte.

Nos estudos com as versões originais 1.1 e 2.1 que compõem a presente série de onze estudos, essas versões TNF1.1–Escrita e TNF2.1–Escrita foram aplicadas a surdos de seis escolas, e encontram-se normatizadas e validadas. Tais estudos de aplicação das versões originais 1.1 e 2.1 permitiram descobrir, por meio da análise da proporção de acerto das figuras componentes, o grau de dificuldade de cada uma dessas figuras. Isso possibilitou gerar as versões reordenadas 1.2 e 2.2 (TNF1.2–Escrita e TNF2.2–Escrita) em que as figuras encontram-se ordenadas de acordo com o grau crescente de dificuldade (i.e., da mais fácil à mais difícil). Além disso, tais estudos permitiram descobrir como aperfeiçoar ainda mais o teste, substituindo algumas das figuras das versões originais por figuras ainda mais adequadas, o que gerou as versões revisadas 1.3 e 2.3, respectivamente. Em estudos ulteriores presentemente em andamento, tais versões revisadas (i.e., TNF1.3–Escrita e TNF2.3–Escrita) foram aplicadas com cadernos completos a uma população de cerca de 1.500 surdos de quinze escolas, e estão sendo normatizadas e validadas.

4.10.3.3.2.1.1.) Achados com a versão original 1.1 do Teste de Nomeação de Figuras por Escrita (TNF1.1-Escrita)

O estudo sobre a versão 1.1 do Teste de Nomeação de Figuras por Escrita (TNF1.1–Escrita: F. Capovilla, Viggiano, Raphael, Bidá, A. Capovilla, Mauricio, & Neves, 2004) disponibiliza integralmente três versões do TNF–Escrita: A versão original (TNF1.1–Escrita), a versão reordenada (TNF1.2–Escrita), e a versão revisada (TNF1.3–Escrita). Além disso, esse estudo também apresenta a tabela de dados normativos da versão 1.1 por série escolar, e os dados de validade de critério por meio de comparação com todos os demais dez testes de desenvolvimento da linguagem de sinais e escrita, igualmente normatizados para a mesma população escolar surda.

No estudo, o TNF1.1–Escrita foi aplicado a uma amostra de 320 surdos de 6 a 45 anos de idade, estudantes da 1ª. série do Ensino Fundamental até a 1ª. série do Ensino Médio, provenientes de quatro escolas, sendo duas Emees de São Paulo e duas escolas filantrópicas do interior do estado. Essa amostra era parte da amostra maior de 1.158 surdos avaliados na série de onze estudos. Desses 1.158 estudantes, havia 862 com perda auditiva profunda (401 com perda congênita e 167, adquirida), 192 com perda severa (107 com perda congênita e 29, adquirida), setenta com perda moderada (quarenta com perda congênita e, treze adquirida), e quatro com perda leve (todos com perda congênita). Na amostra toda, a incidência de perda auditiva congênita era 2,7 vezes maior que a de perda adquirida.

Em termos de modo de comunicação (i.e., oralização, gesticulação, e sinalização) em diferentes contextos, na amostra de 320 escolares surdos foi constatada a importância crescente da sinalização e decrescente da oralização e da gesticulação, à medida que o surdo passa da família para a escola e, desta, para a comunidade. Nessa passagem, a preponderância da sinalização aumentou de 49,67% para 58,28% para 67,21%, enquanto a da oralização declinou de 39,07% para 36,42% para 30,32%, e a da gesticulação declinou de 11,25% para 5,30% para 2,46%.

Aplicando o TNF1.1–Escrita a essa amostra de 320 escolares surdos, composta em sua maioria de sinalizadores com surdez profunda pré-lingual e perilingual, esse estudo identificou um aumento geral na competência de escrita da 1ª. série do Ensino Fundamental à 1ª. série do Ensino Médio. Segundo as médias obtidas pela análise de variância, da 1ª. à 9ª. série, esse aumento foi de 1,7 a 7,2 a 8,6 a 13,8 a 17,0 a 16,9 a 17,6 a 22,4 a 22,2. Conforme as médias corrigidas pela análise de covariância, controlando o efeito da idade, esse aumento foi de 0,0 a 6,1 a 9,4 a 13,7 a 18,3 a 18,3 a 20,0 a 23,6 a 24,0. Assim, a pontuação cresceu sistematicamente, embora tenha ficado abaixo do nível do teto (i.e., 36 pontos). Isso sugere que a escala superior pode ser expandida para além da 3ª. série do Ensino Médio, provavelmente até a conclusão do Ensino Superior.

Com base nesses dados, o estudo normatizou o TNF1.1–Escrita por série escolar e o validou por comparação com os resultados em dez outros testes de desenvolvimento da linguagem de sinais e escrita, igualmente normatizados para a mesma população na mesma faixa de escolaridade.

Em termos de validade por critério de correlação com outros testes, os resultados revelaram o seguinte padrão de intercorrelações do TNF1.1–Escrita com os demais testes:

1.) Correlação muito alta (r = 0,94) com a versão 2.1 do mesmo teste (TNF2.1–Escrita);
2.) Correlação alta (r = 0,80 a 0,85) com a competência de leitura de sentenças (TCLS1.1) e com a habilidade de escolher os nomes de figuras (TNF1.1–Escolha e TNF2.1–Escolha);
3.) Correlação média (r = 0,62 a 0,69) com a competência de leitura de palavras (TCLP1.1), com a habilidade de escolher os nomes de sinais da Libras (TNS1.1–Escolha e TNS2.1–Escolha) e com a habilidade de escrever os nomes de sinais da Libras (TNS1.1–Escrita e TNS2.1–Escrita); e
4.) Correlação baixa (r = 0,32) com o vocabulário receptivo de sinais da Libras (TVRSL1.1).

Assim, conforme os dados, a versão 1.1 do teste de nomeação de figuras por escrita livre correlaciona-se extraordinariamente bem com sua versão original alternativa 2.1, e muito bem com a competência de leitura de sentenças, e com a habilidade de nomear figuras por escolha de palavras.

Além da tabela de normatização e dos dados de validação, o estudo oferece a versão reordenada 1.2 (TNF1.2–Escrita) com os 36 itens ordenados por grau de dificuldade crescente, além de dados que indicam que as duas versões do teste podem ser usadas de modo intercalado para acompanhar o desenvolvimento da competência de escrita do nome de figuras, evitando o efeito de carreamento entre as avaliações. De fato, comparando os resultados sob as duas versões originais do teste (i.e., TNF1.1–Escrita e TNF2.1–Escrita), foi demonstrado que as duas versões originais podem ser usadas de modo intercalado para acompanhar o desenvolvimento da competência de escrita, controlando o efeito de aprendizagem de uma a outra situação de teste. O estudo também oferece a versão revisada 1.3 (TNF1.3–Escrita), com aperfeiçoamentos para aumentar a freqüência de indução de paralexias semânticas, quirêmicas e ortográficas.

Além da validação e da normatização da versão original 1.1, e além das versões reordenada 1.2 e revisada 1.3, o estudo também forneceu um modelo teórico do processamento de leitura em surdos de acordo com os mais recentes desenvolvimentos na área, em adição a uma discussão fundamentada em dados acerca das relações entre as competências de escrita, leitura e sinalização, e da natureza das paragrafias cometidas por surdos ao lidar com o código alfabético.

As análises dos dados de 177 examinandos surdos (31 da 1ª. série, vinte da 2ª., 21 da 3ª., 33 da 4ª., 24 da 5ª., dezoito da 6ª., dezesseis da 7ª., e quatorze com série indeterminada) mostraram evidências dos seguintes tipos de paragrafia:

1.) Paragrafias quirossemânticas como, por exemplo, escrever *banho* para denominar chuveiro; *fogo* para denominar fogão; *justiça, juiz, peso* e *Libra* (signo) para denominar balança; e *dama* para denominar xadrez,

2.) Paragrafias semânticas como, por exemplo, escrever *pé* para denominar meia; *sapato* e *pé* para denominar tênis, *trem* para denominar metrô; *Jesus* para denominar igreja; *quilo* para denominar balança; *teia* para denominar aranha; e *hipopótamo* para denominar rinoceronte.

A partir desse estudo torna-se possível avaliar o envolvimento relativo de processos quirêmicos, ortográficos e semânticos subjacentes ao desenvolvimento da competência de escrita de palavras para nomear figuras por parte de escolares surdos desde o início do Ensino Fundamental até o Ensino Médio. Isso permitirá aperfeiçoar as condições de ensino mais eficazes ao desenvolvimento da alfabetização e escolarização competentes.

Em conjunto com os outros testes que compõem a bateria de avaliação de desenvolvimento da linguagem escrita e de sinais no surdo, o TNF1.1–Escrita e sua versão original alternativa (TNF2.1–Escrita) constituem importantes instrumentos no arsenal de recursos disponíveis ao educador do surdo brasileiro.

4.10.3.3.2.1.2.) Achados com a versão original 2.1 do Teste de Nomeação de Figuras por Escrita (TNF2.1–Escrita)

Como explicado, o Teste de Nomeação de Figuras por Escrita (TNF–Escrita) apresenta-se em duas versões originais: A versão 1.1 (TNF1.1–Escrita) e a sua alternativa 2.1 (TNF2.1–Escrita). O objetivo da versão 2.1 é reduzir a contaminação por carreamento em avaliações repetidas do teste. O estudo sobre o TNF2.1–Escrita (F. Capovilla, Viggiano, Raphael, Bidá, A. Capovilla, & Neves, 2004) disponibiliza integralmente essa versão alternativa TNF2.1–Escrita, bem como duas versões derivadas dela: A versão reordenada alternativa 2.2 (TNF2.2–Escrita), e a versão revisada alternativa 2.3 (TNF2.3–Escrita). Além disso, esse estudo também apresenta a tabela de dados normativos da versão 2.1 por série escolar, e os dados de validade de critério por meio de comparação com todos os demais dez testes de desenvolvimento da linguagem de sinais e escrita, igualmente normatizados para a mesma população escolar surda.

No estudo, o TNF2.1–Escrita foi aplicado a uma amostra de 284 surdos de 6 a 41 anos de idade, estudantes da 1ª. série do Ensino Fundamental até a 1ª. série do Ensino Médio, provenientes de quatro escolas, sendo duas Emees de São Paulo e duas escolas filantrópicas do interior do estado. Essa amostra era parte da amostra maior de 1.158 surdos avaliados na série de onze estudos. Desses 1.158 estudantes, havia 862 com perda auditiva profunda (401 congênita e 167 adquirida), 192 com perda severa (107 congênita e 29 adquirida), setenta com perda moderada (quarenta congênita e treze adquirida), e quatro com perda leve (todas congênitas). Na amostra toda, a incidência de perda auditiva congênita era 2,7 vezes maior que a de perda adquirida.

Quanto ao modo de comunicação (i.e., oralização, gesticulação, e sinalização) em diferentes contextos, nessa amostra de 284 surdos, foi constatada a importância crescente da sinalização e decrescente da oralização e da gesticulação à medida que o surdo passa da família para a escola, e desta para a comunidade. Nessa passagem, a preponderância da sinalização aumentou de 48,98% para 56,03% para 66,38%, enquanto a da oralização declinou de 39,46% para 38,30% para 31,03%, e a da gesticulação declinou de 11,56% para 5,67% para 2,59%.

Aplicando o TNF2.1–Escrita a essa amostra de 284 escolares surdos, composta em sua maioria de sinalizadores com surdez profunda pré-lingual e perilingual, o estudo sobre o TNF2.1–Escrita identificou um aumento geral na competência de escrita da 1ª. série do Ensino Fundamental à 1ª. série do Ensino Médio. Conforme as médias obtidas pela análise de variância, da 1ª. à 9ª. série, esse aumento foi de 0,0,7 a 3,3 a 5,4 a 12,8 a 14,3 a 14,3 a 17,2 a 21,9 a 22,5. Conforme as médias corrigidas pela análise de covariância, controlando o efeito da idade, esse aumento foi de 0,0 a 2,4 a

5,0 a 12,5 a 15,2 a 15,5 a 18,3 a 22,5 a 22,7. Assim, a pontuação cresceu de maneira monotônica, mas não chegou a alcançar o teto (i.e., 36 pontos), o que sugere que a escala superior pode ser expandida para além da 3a. série do Ensino Médio, provavelmente até a conclusão do Ensino Superior.

Com base nesses dados, esse estudo normatizou o TNF2.1–Escrita por série escolar e o validou por comparação com os resultados em dez outros testes de desenvolvimento da linguagem de sinais e escrita, igualmente normatizados para a mesma população na mesma faixa de escolaridade. Em termos de validade por critério de correlação com outros testes, os resultados revelaram o seguinte padrão de intercorrelações do TNF2.1–Escrita com os demais testes:

1.) Correlação muito alta (r = 0,94) com a versão 1.1 do mesmo teste (TNF1.1–Escrita);
2.) Correlação alta (r = 0,87) com a competência de leitura de sentenças (TCLS1.1);
3.) Correlação média (r = 0,77 a 0,78) com a habilidade de escolher os nomes de figuras (TNF1.1–Escolha e TNF2.1–Escolha);
4.) Correlação baixa (r = 0,66 a 0,68) com a competência de leitura de palavras (TCLP1.1), com a habilidade de escolher os nomes de sinais da Libras (TNS1.1–Escolha e TNS2.1–Escolha) e com a habilidade de escrever os nomes de sinais da Libras (TNS1.1–Escrita e TNS2.1–Escrita); e
5.) Correlação muito baixa (r = 0,30) com o vocabulário receptivo de sinais da Libras (TVRSL1.1).

Ou seja, os dados mostraram que a versão 2.1 do teste de nomeação de figuras por escrita livre correlaciona-se extraordinariamente bem com a versão 1.1 do mesmo teste, muito bem com a competência de leitura de sentenças, e bem com a habilidade de nomear figuras por escolha de palavras.

Além da tabela de normatização e dos dados de validação, o estudo oferece a versão 2.2 (reordenada) com os 36 itens ordenados por grau de dificuldade crescente, além de dados que indicam que as duas versões do teste podem ser usadas de modo intercalado para acompanhar o desenvolvimento da competência de escrita do nome de figuras, evitando o efeito de carreamento entre as avaliações. De fato, comparando os resultados sob as duas versões originais do teste (i.e., TNF2.1–Escrita e TNF1.1–Escrita), foi demonstrado que elas podem ser usadas de modo intercalado para acompanhar o desenvolvimento da competência de escrita, controlando o efeito de aprendizagem de uma a outra situação de teste.

O estudo também oferece a versão 2.3 (revisada), com aperfeiçoamentos para aumentar a indução de paralexias semânticas, quirêmicas e ortográficas.

Além da validação e normatização da versão original 2.1, e além das versões 2.2 (reordenada) e 2.3 (revisada), o estudo também forneceu um modelo teórico do processamento de leitura em surdos de acordo com os mais recentes desenvolvimentos na área e uma discussão fundamentada em dados acerca das relações entre competências de escrita, leitura e sinalização, e das paragrafias cometidas por surdos ao lidar com o código alfabético.

As análises dos dados de 141 examinandos surdos (23 da 2a. série, 22 da 3a., 28 da 4a., 29 da 5a., quinze da 6a., treze da 7a., três da 8a., e oito sem série definida) revelaram evidências dos seguintes tipos de paragrafias:

1.) Paragrafias semânticas como, por exemplo: Escrever *pavão* para nomear peru; *ouro* para nomear colar, *nublado* para denominar chuva; *mamão* para denominar abacate; *lápis* para denominar caneta; *lagosta* para denominar escorpião; *bola* para denominar futebol; *baleia* e *peixe* para denominar golfinho; e *hospital, emergência, bombeiro* e *táxi* para denominar ambulância;
2.) Paragrafias quirossemânticas como, por exemplo: Escrever *praia* e *mar* para denominar nadar; *sacola* para denominar mala; e *carro* para denominar ambulância; e
3.) Paragrafias ortográfico–semânticas como, por exemplo: Escrever *cavalo* para denominar cavalo-marinho; e *camarão* para denominar escorpião.

A partir desse estudo torna-se possível avaliar o envolvimento relativo de processos quirêmicos, ortográficos e semânticos subjacentes ao desenvolvimento da competência de escrita de palavras para nomear figuras por parte de escolares surdos, desde o início do Ensino Fundamental até o Ensino Médio. Isso permitirá aperfeiçoar as condições de ensino mais eficazes ao desenvolvimento da alfabetização e escolarização competentes.

Portanto, em conjunto com os outros testes que compõem a bateria de avaliação de desenvolvimento da linguagem escrita e de sinais no surdo, o TNF2.1–Escrita e o TNF1.1–Escrita constituem importantes instrumentos no arsenal de recursos disponíveis à educação do surdo brasileiro.

4.10.3.4.) Panorama das intercorrelações envolvendo cada um dos testes com os demais dez testes

A presente série de onze estudos individuais abrangeu sete áreas:

- 1.) *Vocabulário receptivo visual de sinais da Libras*, por meio da versão original 1.1 do Teste de Vocabulário Receptivo de Sinais da Libras (TVRSL1.1: F. Capovilla, Viggiano, A. Capovilla, Raphael, Bidá, & Mauricio, 2004);
- 2.) *Competência de leitura silenciosa de palavras isoladas em Português*, por meio da versão 1.1 do Teste de Competência de Leitura de Palavras (TCLP1.1: F. Capovilla, Viggiano, A. Capovilla, Raphael, Mauricio, & Bidá, 2004);
- 3.) *Competência de leitura de sentenças em Português*, por meio da versão 1.1 do Teste de Competência de Leitura de Sentenças (TCLS1.1: F. Capovilla, Viggiano, A. Capovilla, Raphael, Bidá, Neves, & Mauricio, 2004);
- 4.) *Competência de escrita de palavras em Português para nomear figuras* conhecidas, por meio do Teste de Nomeação de Figuras por Escrita (TNF–Escrita), em duas versões:
  - 4.1.) A versão original 1.1 (TNF1.1–Escrita: F. Capovilla, Viggiano, Raphael, Bidá, A. Capovilla, Mauricio, & Neves, 2004) e
  - 4.2.) A versão original 2.1 (TNF2.1–Escrita: F. Capovilla, Viggiano, Raphael, Bidá, A. Capovilla, & Neves, 2004);
- 5.) *Competência de escrita de palavras em Português para nomear sinais* da Libras, por meio do Teste de Nomeação de Sinais por Escrita (TNS–Escrita), em duas versões:
  - 5.1.) A versão original 1.1 (TNS1.1–Escrita: F. Capovilla, Viggiano, Bidá, Raphael, A. Capovilla, & Mauricio, 2004) e
  - 5.2.) A versão original 2.1 (TNS2.1–Escrita: F. Capovilla, Viggiano, Luz, A. Capovilla, Bidá, & Mauricio, 2004);
- 6.) *Habilidade de escolher palavras escritas para nomear figuras* conhecidas, por meio do Teste de Nomeação de Figuras por Escolha de palavras escritas (TNF–Escolha), em duas versões:
  - 6.1.) A versão original 1.1 (TNF1.1–Escolha: F. Capovilla, Viggiano, Raphael, Bidá, A. Capovilla, Neves, & Mauricio, 2004) e
  - 6.2.) A versão original 2.1 (TNF2.1–Escolha: F. Capovilla, Viggiano, Bidá, A. Capovilla, Raphael, Neves, & Mauricio, 2004); e
- 7) *Habilidade de escolher palavras escritas para nomear sinais* da Libras, por meio do Teste de Nomeação de Sinais por Escolha de palavras escritas (TNS–Escolha), em duas versões:
  - 7.1.) A versão original 1.1 (TNS1.1–Escolha: F. Capovilla, Viggiano, Raphael, Mauricio, A. Capovilla, & Bidá, 2004) e
  - 7.2.) A versão original 2.1 (TNS2.1–Escolha: F. Capovilla, Viggiano, Bidá, Luz, A. Capovilla, & Neves, 2004).

Com vistas a obter uma perspectiva das correlações entre os desempenhos em todos esses onze testes, foram obtidas as intercorrelações a partir das análises de regressão, sobre cada um desses onze testes, de todos os outros dez testes. Essas intercorrelações foram, então, ordenadas de acordo com a magnitude dos coeficientes de correlação. A presente seção descreve uma visão panorâmica de todos os resultados dos onze estudos.

Nas tabelas, são sempre empregadas as abreviaturas convencionadas nesta série de estudos:

- TVRSL1.1: Teste de Vocabulário Receptivo de Sinais da Libras, versão 1.1;
- TCLP1.1: Teste de Competência de Leitura de Palavras, versão 1.1;
- TCLS1.1: Teste de Competência de Leitura de Sentenças, versão 1.1;
- TNF1.1–Escolha: Teste de Nomeação de Figuras por Escolha, versão 1.1;
- TNF2.1–Escolha: Teste de Nomeação de Figuras por Escolha, versão 2.1;
- TNF1.1–Escrita: Teste de Nomeação de Figuras por Escrita, versão 1.1;
- TNF2.1–Escrita: Teste de Nomeação de Figuras por Escrita, versão 2.1;
- TNS1.1–Escolha: Teste de Nomeação de Sinais por Escolha, versão 1.1;
- TNS2.1–Escolha: Teste de Nomeação de Sinais por Escolha, versão 2.1;
- TNS1.1–Escrita: Teste de Nomeação de Sinais por Escrita, versão 1.1;
- TNS2.1–Escrita: Teste de Nomeação de Sinais por Escolha, versão 2.1.

4.10.3.4.1.) A versão 1.1 do Teste de Vocabulário Receptivo de Sinais da Libras (TVRSL1.1) e todos os outros dez testes

O presente estudo sobre a versão 1.1 do Teste de Vocabulário Receptivo de Sinais da Libras (TVRSL1.1: F. Capovilla, Viggiano, A. Capovilla, Raphael, Bidá, & Mauricio, 2004) analisou as relações entre a compreensão de sinais da Libras (tal como avaliada pelo TVRSL1.1) e uma série de habilidades como: A competência de leitura de palavras, a competência de leitura de sentenças, a habilidade de nomear figuras conhecidas pela escolha de palavras escritas, a habilidade de nomear sinais da Libras pela escolha de palavras escritas, a habilidade de nomear figuras conhecidas por escrita livre, e a habilidade de nomear sinais da Libras por escrita livre.

Com vistas a obter uma perspectiva das correlações entre o vocabulário receptivo de sinais da Libras de um lado e, de outro lado, todas essas demais habilidades, as intercorrelações obtidas a partir das análises de regressão foram ordenadas de acordo com a magnitude dos coeficientes de correlação (r).

A Tabela 24 sumaria os resultados. Conforme a tabela, as dez intercorrelações envolvendo o vocabulário receptivo visual de sinais da Libras foram distribuídas em duas faixas:

1.) Correlações altas (r na faixa de 0,59 a 0,64) com as duas versões originais 1.1 e 2.1 do Teste de Nomeação de Sinais por Escrita (TNS1.1–Escrita e TNS2.1–Escrita) e as duas versões originais 1.1 e 2.1 do Teste de Nomeação de Sinais por Escolha (TNS1.1–Escolha e TNS2.1–Escolha);

2.) Correlações baixas (r na faixa de 0,30 a 0,41) com as duas versões originais 1.1 e 2.1 do Teste de Nomeação de Figuras por Escrita (TNF1.1–Escrita e TNF2.1–Escrita), as duas versões originais 1.1 e 2.1 do Teste de Nomeação de Figuras por Escolha (TNF1.1–Escolha e TNF2.1–Escolha), com a versão original 1.1 do Teste de Competência de Leitura de Palavras (TCLP1.1), e a versão original 1.1 do Teste de Competência de Leitura de Sentenças (TCLS1.1).

Conforme a tabela, a compreensão de sinais da Libras teve correlações mais altas (i.e., r em torno de 0,60; ou seja, $r \cong 0{,}60$) com as duas versões originais do teste de nomeação de sinais por escrita (TNS1.1–Escrita e TNS2.1–Escrita) e as duas versões originais do teste de nomeação de sinais por escolha (TNS1.1–Escolha e TNS2.1–Escolha); e correlações mais baixas (i.e., $r \cong 0{,}35$) com as duas versões originais do teste de nomeação de figuras por escrita (TNF1.1–Escrita e TNF2.1–Escrita), com as duas versões originais do teste de nomeação de figuras por escolha (TNF1.1–Escolha e TNF2.1–Escolha), com a versão original do teste de competência de leitura de palavras (TCLP1.1), e com a versão original do teste de competência de leitura de sentenças (TCLS1.1).

Ou seja, a compreensão de sinais da Libras esteve mais correlacionada com os desempenhos em nomeação de sinais por escrita e escolha do que com os desempenhos de nomeação de figuras por escrita ou escolha, ou de competência de leitura de palavras e sentenças.

Tabela 24. Estatísticas coeficiente de correlação (r), coeficiente de determinação (r^2), tamanho do efeito (F), significância do efeito (p), e tamanho da amostra (N) resultantes da análise de regressão dos escores dos dez testes (coluna esquerda) sobre os escores na versão original 1.1 do Teste de Vocabulário Receptivo de Sinais da Libras (TVRSL1.1) (coluna direita). As dez intercorrelações envolvendo a compreensão de sinais foram distribuídas em duas faixas de correlação: Alta (r = 0,59 a 0,64) e baixa (r = 0,30 a 0,41).

faixas de correlação		**versão 1.1 do Teste de Vocabulário Receptivo de Sinais da Libras (TVRSL1.1)**
alta (0,59 a 0,64)	**TNS1.1–Escrita**	r = 0,64, r^2 = 0,41, F (1, 255) = 176,00, p < 0,000, N = 257
	TNS2.1–Escrita	r = 0,63, r^2 = 0,40, F (1, 256) = 170,89, p < 0,000, N = 258
	TNS2.1–Escolha	r = 0,59, r^2 = 0,35, F (1, 268) = 144,64, p < 0,000, N = 270
	TNS1.1–Escolha	r = 0,59, r^2 = 0,35, F (1, 259) = 140,92, p < 0,000, N = 261
baixa (0,30 a 0,41)	**TNF1.1–Escolha**	r = 0,41, r^2 = 0,17, F (1, 205) = 42,41, p < 0,000, N = 207
	TCLS1.1	r = 0,40, r^2 = 0,16, F (1, 321) = 60,53, p < 0,000, N = 323
	TCLP1.1	r = 0,37, r^2 = 0,14, F (1, 423) = 66,01, p < 0,000, N = 425
	TNF2.1–Escolha	r = 0,36, r^2 = 0,13, F (1, 192) = 28,48, p < 0,000, N = 194
	TNF1.1–Escrita	r = 0,32, r^2 = 0,10, F (1, 204) = 22,70, p < 0,000, N = 206
	TNF2.1–Escrita	r = 0,30, r^2 = 0,09, F (1, 177) = 17,30, p < 0,000, N = 179

4.10.3.4.2.) A versão 1.1 do Teste de Competência de Leitura de Palavras (TCLP1.1) e todos os outros dez testes

O estudo sobre a versão 1.1 do Teste de Competência de Leitura de Palavras (TCLP1.1: F. Capovilla, Viggiano, A. Capovilla, Raphael, Mauricio, & Bidá, 2004) analisou as relações entre a competência de leitura de palavras (tal como avaliada pelo TCLP1.1) e uma série de habilidades como a competência de leitura de sentenças, o vocabulário receptivo visual de sinais da Libras, a habilidade de nomear figuras conhecidas pela escolha de palavras escritas, a habilidade de nomear sinais da Libras pela escolha de palavras escritas, a habilidade de nomear figuras conhecidas por escrita livre, e a habilidade de nomear sinais da Libras por escrita livre.

Com vistas a obter uma perspectiva das correlações entre a competência de leitura de palavras de um lado e, de outro lado, todas essas demais habilidades, as intercorrelações obtidas a partir das análises de regressão foram ordenadas de acordo com a magnitude dos coeficientes de correlação (*r*). A Tabela 25 sumaria os resultados. Conforme a tabela, as dez intercorrelações envolvendo a competencia de leitura de palavras foram distribuídas em três faixas:

1.) Correlação alta (*r* na faixa de 0,61 a 0,70) com as duas versões originais 1.1 e 2.1 do Teste de Nomeação de Figuras por Escrita (TNF1.1–Escrita e TNF2.1–Escrita), as duas versões originais 1.1 e 2.1 do Teste de Nomeação de Figuras por Escolha (TNF1.1–Escolha e TNF2.1–Escolha) e a versão original 1.1 do Teste de Competência de Leitura de Sentenças (TCLS1.1);
2.) Correlação média (*r* na faixa de 0,51 a 0,60) com as duas versões originais 1.1 e 2.1 do Teste de Nomeação de Sinais por Escrita (TNS1.1–Escrita e TNS2.1–Escrita) e as duas versões originais 1.1 e 2.1 do Teste de Nomeação de Sinais por Escolha (TNS1.1–Escolha e TNS2.1–Escolha);
3.) Correlação baixa (*r* na faixa de 0,31 a 0,40) com a versão original 1.1 do Teste de Vocabulário Receptivo de Sinais da Libras (TVRSL1.1).

Tabela 25. Estatísticas coeficiente de correlação (*r*), coeficiente de determinação (r^2), tamanho do efeito (*F*), significância do efeito (*p*), e tamanho da amostra (*N*) resultantes da análise de regressão dos escores dos dez testes (coluna esquerda) sobre os escores na versão 1.1 do Teste de Competência de Leitura de Palavras (coluna direita). As dez intercorrelações envolvendo a competência de leitura de palavras foram distribuídas em três faixas de correlação: Alta (r = 0,61 a 0,70), média (r = 0,51 a 0,60), e baixa (r = 0,31 a 0,40).

faixas de correlação		**versão 1.1 do Teste de Competência de Leitura de Palavras (TCLP1.1)**
alta (0,61 a 0,70)	**TNF1.1–Escrita**	r = 0,67, r^2 = 0,44, F (1, 277) = 221,85, p < 0,000, N = 279
	TNF2.1–Escolha	r = 0,67, r^2 = 0,45, F (1, 276) = 221,82, p < 0,000, N = 278
	TNF2.1–Escrita	r = 0,66, r^2 = 0,43, F (1, 264) = 200,14, p < 0,000, N = 266
	TCLS1.1	r = 0,64, r^2 = 0,41, F (1, 492) = 335,00, p < 0,000, N = 494
	TNF1.1–Escolha	r = 0,64, r^2 = 0,41, F (1, 276) = 192,38, p < 0,000, N = 278
média (0,51 a 0,60)	**TNS1.1–Escolha**	r = 0,58, r^2 = 0,34, F (1, 346) = 179,44, p < 0,000, N = 348
	TNS1.1–Escrita	r = 0,57, r^2 = 0,32, F (1, 319) = 153,27, p < 0,000, N = 321
	TNS2.1–Escrita	r = 0,55, r^2 = 0,30, F (1, 327) = 141,62, p < 0,000, N = 329
	TNS2.1–Escolha	r = 0,53, r^2 = 0,28, F (1, 350) = 135,56, p < 0,000, N = 352
baixa (0,31 a 0,40)	**TVRSL1.1**	r = 0,37, r^2 = 0,13, F (1, 423) = 65,52, p < 0,000, N = 425

Conforme a tabela, a versão 1.1 do Teste de Competência de Leitura de Palavras (TCLP1.1) teve as correlações mais altas (i.e., *r* em torno de 0,66, ou seja, $r \cong 0,66$) com as versões 1.1 e 2.1 do Teste de Nomeação de Figuras por Escolha (TNF1.1–Escolha e TNF2.1–Escolha), as versões 1.1 e 2.1 do Teste de Nomeação de Figuras por Escrita (TNF1.1–Escrita e TNF2.1–Escrita), e com a versão 1.1 do Teste de Competência de Leitura de Sentenças (TCLS1.1); correlações médias (i.e., $r \cong 0,56$) com as versões 1.1 e 2.1 do Teste de Nomeação de Sinais por Escolha (TNS1.1–Escolha e TNS2.1–Escolha) e as versões 1.1 e 2.1 do Teste de Nomeação de Sinais por Escrita (TNS1.1–Escrita e TNS2.1–Escrita); e as correlações mais baixas (i.e., r = 0,37) com a versão 1.1 do Teste de Vocabulário Receptivo de Sinais da Libras (TVRSL1.1).

Assim, a competência de leitura de palavras esteve mais correlacionada com a competência de leitura de sentenças e com a habilidade de nomeação de figuras (quer por escolha quer por escrita), do que com a habilidade de nomeação de sinais (quer por escolha ou por escrita), e com esta do que com o vocabulário receptivo de sinais. Ou seja, a competência de leitura de palavras esteve mais correlacionada com as competências de leitura e de escrita que não envolvem habilidades em Libras.

4.10.3.4.3.) A versão 1.1 do Teste de Competência de Leitura de Sentenças (TCLS1.1) e todos os outros dez testes

O estudo sobre a versão 1.1 do Teste de Competência de Leitura de Sentenças (TCLS1.1: F. Capovilla, Viggiano, A. Capovilla, Raphael, Bidá, Neves, & Mauricio, 2004) analisou as relações entre a competência de leitura de sentenças (tal como avaliada pelo TCLS1.1) e uma série de habilidades como: A competência de leitura de palavras, o vocabulário receptivo de sinais da Libras, a habilidade de nomear figuras conhecidas pela escolha de palavras escritas, a habilidade de nomear sinais da Libras pela escolha de palavras escritas, a habilidade de nomear figuras conhecidas por escrita livre, e a habilidade de nomear sinais da Libras por escrita livre.

Com vistas a obter uma perspectiva das correlações entre a competência de leitura de sentenças de um lado e, de outro lado, todas essas demais habilidades, as intercorrelações obtidas a partir das análises de regressão foram ordenadas de acordo com a magnitude dos coeficientes de correlação (*r*).

A Tabela 26 sumaria os resultados. Conforme a tabela, as dez intercorrelações envolvendo a competência de leitura de sentenças foram distribuídas em quatro faixas:

1.) Correlação muito alta (*r* na faixa de 0,81 a 0,90) com as duas versões originais 1.1 e 2.1 do Teste de Nomeação de Figuras por Escrita (TNF1.1–Escrita e TNF2.1–Escrita);
2.) Correlação alta (*r* na faixa de 0,71 a 0,80) com as duas versões originais 1.1 e 2.1 do Teste de Nomeação de Figuras por Escolha (TNF1.1–Escolha e TNF2.1–Escolha);
3.) Correlação média (*r* na faixa de 0,61 a 0,70) com as duas versões originais 1.1 e 2.1 do Teste de Nomeação de Sinais por Escrita (TNS1.1–Escrita e TNS2.1–Escrita) e as duas versões originais 1.1 e 2.1 do Teste de Nomeação de Sinais por Escolha (TNS1.1–Escolha e TNS2.1–Escolha), e com o Teste de Competência de Leitura de Palavras (TCLP1.1); e
4.) Correlação baixa (*r* na faixa de 0,31 a 0,40) com a versão original 1.1 do Teste de Vocabulário Receptivo de Sinais da Libras (TVRSL1.1).

Conforme a tabela, a versão 1.1 do Teste de Competência de Leitura de Sentenças (TCLS1.1) teve correlações mais altas (i.e., *r* em torno de 0,85, ou seja, $r \cong 0,85$) com a competência de escrita do nome de figuras (i.e., as duas versões 1.1 e 2.1 do TNF–Escrita); correlações altas (i.e., $r \cong 0,75$) com a habilidade de nomear figuras por escolha de palavras escritas (i.e., as duas versões 1.1 e 2.1 do TNF–Escolha); correlações médias (i.e., $r \cong 0,65$) com a habilidade de nomear sinais por escolha e por escrita, bem como com a competência de leitura de palavras (i.e., as duas versões 1.1 e 2.1 do TNS–Escolha, as duas versões 1.1 e 2.1 do TNS–Escrita, e o TCLP1.1); e correlação baixa (i.e., $r \cong 0,35$) com a compreensão de sinais da Libras (i.e., TVRSL1.1).

Tabela 26. Estatísticas coeficiente de correlação (*r*), coeficiente de determinação (r^2), tamanho do efeito (*F*), significância do efeito (*p*), e tamanho da amostra (*N*) resultantes da análise de regressão dos escores dos dez testes (coluna esquerda) sobre os escores na versão 1.1 do Teste de Competência de Leitura de Sentenças (TCLS1.1) (coluna direita). As dez intercorrelações envolvendo a competência de leitura de sentenças foram distribuídas em quatro faixas de correlação: Muito alta (r = 0,81 a 0,90), alta (r = 0,71 a 0,80), média (r = 0,61 a 0,70), e baixa (r = 0,31 a 0,40).

faixas de correlação		versão 1.1 do Teste de Competência de Leitura de Sentenças (TCLS1.1)
muito alta	**TNF2.1-Escrita**	$r = 0{,}87$, $r^2 = 0{,}75$, $F(1, 249) = 764{,}66$, $p < 0{,}000$, $N = 251$
(0,81 a 0,90)	**TNF1.1-Escrita**	$r = 0{,}85$, $r^2 = 0{,}73$, $F(1, 265) = 708{,}61$, $p < 0{,}000$, $N = 267$
alta	**TNF2.1-Escolha**	$r = 0{,}77$, $r^2 = 0{,}60$, $F(1, 259) = 386{,}83$, $p < 0{,}000$, $N = 261$
(0,71 a 0,80)	**TNF1.1-Escolha**	$r = 0{,}74$, $r^2 = 0{,}55$, $F(1, 263) = 325{,}12$, $p < 0{,}000$, $N = 265$
média	**TNS1.1-Escrita**	$r = 0{,}70$, $r^2 = 0{,}49$, $F(1, 260) = 247{,}57$, $p < 0{,}000$, $N = 262$
(0,61 a 0,70)	**TNS1.1-Escolha**	$r = 0{,}69$, $r^2 = 0{,}48$, $F(1, 248) = 229{,}57$, $p < 0{,}000$, $N = 250$
	TNS2.1-Escolha	$r = 0{,}66$, $r^2 = 0{,}44$, $F(1, 286) = 221{,}38$, $p < 0{,}000$, $N = 288$
	TNS2.1-Escrita	$r = 0{,}66$, $r^2 = 0{,}44$, $F(1, 260) = 203{,}15$, $p < 0{,}000$, $N = 262$
	TCLP1.1	$r = 0{,}64$, $r^2 = 0{,}40$, $F(1, 490) = 332{,}63$, $p < 0{,}000$, $N = 492$
baixa (0,31 a 0,40)	**TVRSL1.1**	$r = 0{,}40$, $r^2 = 0{,}16$, $F(1, 320) = 61{,}51$, $p < 0{,}000$, $N = 322$

4.10.3.4.4.) A versão 1.1 do Teste de Nomeação de Figuras por Escolha (TNF1.1–Escolha) e todos os outros dez testes

O estudo sobre a versão 1.1 do Teste de Nomeação de Figuras por Escolha (TNF1.1–Escolha: (F. Capovilla, Viggiano, Raphael, Bidá, A. Capovilla, Neves, & Mauricio, 2004) analisou as relações entre a habilidade de escolher os nomes de figuras (tal como avaliada pelo TNF1.1–Escolha) e uma série de habilidades, como a competência de leitura de palavras, a competência de leitura de sentenças, o vocabulário receptivo de sinais da Libras, a habilidade de nomear figuras conhecidas por meio da escrita livre, a habilidade de nomear sinais da Libras pela escolha de palavras escritas, e a habilidade de nomear sinais da Libras por escrita livre. Com vistas a obter uma perspectiva das correlações entre a habilidade de escolher os nomes de figuras de um lado e, de outro lado, todas essas demais habilidades, as intercorrelações obtidas a partir das análises de regressão foram ordenadas de acordo com a magnitude dos coeficientes de correlação (*r*).

A Tabela 27 sumaria os resultados. Conforme a tabela, as dez intercorrelações envolvendo a habilidade de escolher os nomes de figuras foram distribuídas em sete faixas de correlação:

1.) Muito alta (*r* na faixa a partir de 0,90);
2.) Alta (*r* na faixa de 0,75 a 0,89);
3.) Média alta (*r* na faixa de 0,70 a 0,74);
4.) Média (*r* na faixa de 0,65 a 0,69);
5.) Média baixa (*r* na faixa de 0,64);
6.) Baixa (*r* na faixa de 0,50 a 0,63); e
7.) Muito baixa (*r* na faixa 0,40 a 0,49).

Conforme a tabela, o padrão de intercorrelações da versão 1.1 do Teste de Nomeação de Figuras por Escolha (TNF1.1–Escolha) com os demais testes foi o seguinte:

1.) Correlação muito alta ($r = 0,90$) com a versão 2.1 do mesmo teste (TNF2.1–Escolha);
2.) Correlação alta ($r = 0,78$ a $0,84$) com a habilidade de escrever os nomes de figuras (TNF1.1–Escrita e TNF2.1–Escrita);
3.) Correlação média alta ($r = 0,74$) com a competência de leitura de sentenças (TCLS1.1);
4.) Correlação média ($r = 0,65$ a $0,66$) com a habilidade de escolher os nomes de sinais da Libras (TNS1.1–Escolha e TNS2.1–Escolha);
5.) Correlação média baixa ($r = 0,64$) com a competência de leitura de palavras (TCLP1.1);
6.) Correlação baixa ($r = 0,62$ a $0,63$) com a habilidade de escrever os nomes de sinais da Libras (TNS1.1–Escrita e TNS2.1–Escrita);
7.) Correlação muito baixa ($r = 0,41$) com o vocabulário receptivo de sinais da Libras (TVRSL1.1).

A presente distribuição geral dos dez testes na hierarquia de correlações com a versão 1.1 do Teste de Nomeação de Figuras por Escolha foi similar à distribuição obtida com a versão 2.1 do mesmo teste (TNF2.1–Escolha: F. Capovilla, Viggiano, Bidá, A. Capovilla, Raphael, Neves, & Mauricio, 2004).

Tabela 27. Estatísticas coeficiente de correlação (*r*), coeficiente de determinação (r^2), tamanho do efeito (*F*), significância do efeito (*p*), e tamanho da amostra (*N*) resultantes da análise de regressão dos escores dos dez testes (coluna esquerda) sobre os escores na versão 1.1 do Teste de Nomeação de Figuras por Escolha de palavras escritas (TNF1.1–Escolha) (coluna direita). As dez intercorrelações envolvendo a habilidade de escolher os nomes de figuras foram distribuídas em sete faixas de correlação: Muito alta (*r* a partir de 0,90), alta (de 0,75 a 0,89), média alta ($r = 0,70$ a $0,74$), média ($r = 0,65$ a $0,69$), média baixa ($r = 0,64$), baixa ($r = 0,50$ a $0,63$), e muito baixa ($r = 0,40$ a $0,49$).

faixas de correlação		**versão 1.1 do Teste de Nomeação de Figuras por Escolha de palavras escritas (TNF1.1–Escolha)**
muito alta	**TNF2.1–Escolha**	$r = 0,90$, $r^2 = 0,80$, $F(1, 248) = 976,29$, $p < 0,000$, $N = 250$
alta	**TNF1.1–Escrita**	$r = 0,84$, $r^2 = 0,70$, $F(1, 294) = 675,68$, $p < 0,000$, $N = 296$
	TNF2.1–Escrita	$r = 0,78$, $r^2 = 0,61$, $F(1, 215) = 338,24$, $p < 0,000$, $N = 217$
média alta	**TCLS1.1**	$r = 0,74$, $r^2 = 0,55$, $F(1, 263) = 325,12$, $p < 0,000$, $N = 265$
média	**TNS1.1–Escolha**	$r = 0,66$, $r^2 = 0,43$, $F(1, 213) = 159,64$, $p < 0,000$, $N = 215$
	TNS2.1–Escolha	$r = 0,65$, $r^2 = 0,42$, $F(1, 218) = 159,71$, $p < 0,000$, $N = 220$
média baixa	**TCLP1.1**	$r = 0,64$, $r^2 = 0,41$, $F(1, 276) = 192,38$, $p < 0,000$, $N = 278$
baixa	**TNS1.1–Escrita**	$r = 0,63$, $r^2 = 0,39$, $F(1, 232) = 150,63$, $p < 0,000$, $N = 234$
	TNS2.1–Escrita	$r = 0,62$, $r^2 = 0,39$, $F(1, 197) = 125,57$, $p < 0,000$, $N = 199$
muito baixa	**TVRSL1.1**	$r = 0,41$, $r^2 = 0,17$, $F(1, 205) = 42,41$, $p < 0,000$, $N = 207$

4.10.3.4.5.) A versão 2.1 do Teste de Nomeação de Figuras por Escolha (TNF2.1–Escolha) e todos os outros dez testes

O estudo sobre a versão 2.1 do Teste de Nomeação de Figuras por Escolha (TNF2.1–Escolha: F. Capovilla, Viggiano, Bidá, A. Capovilla, Raphael, Neves, & Mauricio, 2004) analisou as relações entre a habilidade de escolher os nomes de figuras (tal como avaliada pelo TNF2.1–Escolha) e uma série de habilidades, como a competência de leitura de palavras, a competência de leitura de sentenças, o vocabulário receptivo de sinais da Libras, a habilidade de nomear figuras conhecidas por meio da escrita livre, a habilidade de nomear sinais da Libras pela escolha de palavras escritas, e a habilidade de nomear sinais da Libras por escrita livre.

Com vistas a obter uma perspectiva das correlações entre a habilidade de escolher os nomes de figuras de um lado e, de outro lado, todas essas demais habilidades, as intercorrelações obtidas a partir das análises de regressão foram ordenadas de acordo com a magnitude dos coeficientes de correlação (*r*).

A Tabela 28 sumaria os resultados. Conforme a tabela, as dez intercorrelações envolvendo a habilidade de escolher os nomes de figuras foram distribuídas em quatro faixas de correlação:

1.) Muito alta (*r* na faixa de 0,81 a 0,90);
2.) Alta (*r* na faixa de 0,71 a 0,80);
3.) Média (*r* na faixa de 0,61 a 0,70);
4.) Baixa (*r* na faixa de 0,31 a 40).

Conforme a tabela, o padrão de intercorrelações da versão 2.1 do Teste de Nomeação de Figuras por Escolha (TNF2.1–Escolha) com os demais testes foi o seguinte:

1.) Correlação muito alta (r = 0,89) com a versão 1.1 do mesmo teste (TNF1.1–Escolha);
2.) Correlação alta (r = 0,77 a 0,80) com a habilidade de escrever os nomes de figuras (TNF1.1–Escrita e TNF2.1–Escrita) e com a compreensão de leitura de sentenças (TCLS1.1);
3.) Correlação média (r = 0,62 a 0,68) com a habilidade de escolher os nomes de sinais da Libras (TNS1.1–Escolha e TNS2.1–Escolha), com a habilidade de escrever os nomes de sinais da Libras (TNS1.1–Escrita e TNS2.1–Escrita), e com a competência de leitura de palavras (TCLP1.1);
4.) Correlação baixa (r = 0,36) com o vocabulário receptivo de sinais da Libras (TVRSL1.1).

A presente distribuição geral dos dez testes na hierarquia de correlações com a versão 2.1 do Teste de Nomeação de Figuras por Escolha foi similar à distribuição obtida com a versão 1.1 do mesmo teste (TNF1.1–Escolha: F. Capovilla, Viggiano, Raphael, Bidá, A. Capovilla, Neves, & Mauricio, 2004).

Tabela 28. Estatísticas coeficiente de correlação (*r*), coeficiente de determinação (r^2), tamanho do efeito (*F*), significância do efeito (*p*), e tamanho da amostra (*N*) resultantes da análise de regressão dos escores dos dez testes (coluna esquerda) sobre os escores na versão 2.1 do Teste de Nomeação de Figuras por Escolha de palavras escritas (TNF2.1–Escolha) (coluna direita). As dez intercorrelações envolvendo a habilidade de escolher os nomes de figuras foram distribuídas em quatro faixas de correlação: 1.) Muito alta (r = 0,81 a 0,90); 2.) alta (r = 0,71 a 0,80); 3.) média (r = 0,61 a 0,70); 4.) baixa (r = 0,31 a 40).

faixas de correlação		**versão 2.1 do Teste de Nomeação de Figuras por Escolha de palavras escritas (TNF2.1–Escolha)**
muito alta	**TNF1.1–Escolha**	r = 0,89, r^2 = 0,80, F (1, 248) = 976,29, p < 0,000, N = 250
alta	**TNF1.1–Escrita**	r = 0,80, r^2 = 0,64, F (1, 236) = 413,71, p < 0,000, N = 238
	TNF2.1–Escrita	r = 0,77, r^2 = 0,59, F (1, 262) = 376,50, p < 0,000, N = 264
	TCLS1.1	r = 0,77, r^2 = 0,60, F (1, 259) = 386,83, p < 0,000, N = 261
média	**TNS2.1–Escolha**	r = 0,68, r^2 = 0,46, F (1, 219) = 189,41, p < 0,000, N = 221
	TCLP1.1	r = 0,67, r^2 = 0,45, F (1, 276) = 221,82, p < 0,000, N = 278
	TNS1.1–Escolha	r = 0,66, r^2 = 0,43, F (1, 202) = 154,34, p < 0,000, N = 204
	TNS2.1–Escrita	r = 0,64, r^2 = 0,41, F (1, 220) = 154,04, p < 0,000, N = 222
	TNS1.1–Escrita	r = 0,62, r^2 = 0,39, F (1, 203) = 127,98, p < 0,000, N = 205
baixa	**TVRSL1.1**	r = 0,36, r^2 = 0,13, F (1, 192) = 28,48, p < 0,000, N = 194

4.10.3.4.6.) A versão 1.1 do Teste de Nomeação de Figuras por Escrita (TNF1.1–Escrita) e todos os outros dez testes

O estudo sobre a versão 1.1 do Teste de Nomeação de Figuras por Escrita (TNF1.1–Escrita: F. Capovilla, Viggiano, Raphael, Bidá, A. Capovilla, Mauricio, & Neves, 2004) analisou as relações entre a habilidade de escrever os nomes de figuras (tal como avaliada pelo TNF1.1–Escrita) e uma série de habilidades, como a competência de leitura de palavras, a competência de leitura de sentenças, o vocabulário receptivo de sinais da Libras, a habilidade de nomear figuras conhecidas por meio da escolha de palavras escritas, a habilidade de nomear sinais da Libras pela escolha de palavras escritas, e a habilidade de nomear sinais da Libras por escrita livre.

Com vistas a obter uma perspectiva das correlações entre a habilidade de escrever os nomes de figuras de um lado e, de outro lado, todas essas demais habilidades, as intercorrelações obtidas a partir das análises de regressão foram ordenadas de acordo com a magnitude dos coeficientes de correlação (*r*).

A Tabela 29 sumaria os resultados. Conforme a tabela, as dez intercorrelações envolvendo a habilidade de escrever os nomes de figuras foram distribuídas em quatro faixas de correlação:

1.) Muito alta (*r* na faixa de 0,90 a 1,00);
2.) Alta (*r* na faixa de 0,80 a 0,89);
3.) Média (*r* na faixa de 0,60 a 0,69);
4.) Baixa (*r* na faixa de 0,30 a 0,39).

Conforme a tabela, o padrão de intercorrelações da versão 1.1 do Teste de Nomeação de Figuras por Escrita (TNF1.1–Escrita) com os demais testes foi o seguinte:

1.) Correlação muito alta ($r = 0,94$) com a versão 2.1 do mesmo teste (TNF2.1–Escrita);
2.) Correlação alta ($r = 0,80$ a $0,85$) com a competência de leitura de sentenças (TCLS1.1), e com a habilidade de escolher os nomes de figuras (TNF1.1–Escolha e TNF2.1–Escolha);
3.) Correlação média ($r = 0,62$ a $0,69$) com a habilidade de nomear sinais da Libras por escrita (TNS1.1–Escrita e TNS2.1–Escrita) e por escolha (TNS1.1–Escolha e TNS2.1–Escolha), e com a competência de leitura de palavras (TCLP1.1);
4.) Correlação baixa ($r = 0,32$) com o vocabulário receptivo de sinais da Libras (TVRSL1.1).

A distribuição geral dos dez testes na hierarquia de correlações com a versão 1.1 do Teste de Nomeação de Figuras por Escrita foi similar à distribuição obtida com a versão 2.1 do mesmo teste (TNF2.1–Escrita: F. Capovilla, Viggiano, Raphael, Bidá, A. Capovilla, & Neves, 2004).

Tabela 29. Estatísticas coeficiente de correlação (*r*), coeficiente de determinação (r^2), tamanho do efeito (*F*), significância do efeito (*p*), e tamanho da amostra (*N*) resultantes da análise de regressão dos escores dos dez testes (coluna esquerda) sobre os escores na versão 1.1 do Teste de Nomeação de Figuras por Escrita (TNF1.1–Escrita) (coluna direita). As dez intercorrelações envolvendo a habilidade de escrever os nomes de figuras foram distribuídas em quatro faixas de correlação: 1.) Muito alta (*r* na faixa de 0,90 a 1,00); 2.) alta (*r* na faixa de 0,80 a 0,89); 3.) média (*r* na faixa de 0,60 a 0,69); 4.) baixa (*r* na faixa de 0,30 a 0,39).

faixa de correlação		versão 1.1 do Teste de Nomeação de Figuras por Escrita (TNF1.1–Escrita)
muito alta	**TNF2.1–Escrita**	$r = 0,94$, $r^2 = 0,88$, $F(1, 218) = 1524,44$, $p < 0,000$, $N = 220$
alta	**TCLS1.1**	$r = 0,85$, $r^2 = 0,73$, $F(1, 265) = 708,61$, $p < 0,000$, $N = 267$
	TNF1.1–Escolha	$r = 0,84$, $r^2 = 0,70$, $F(1, 296) = 679,87$, $p < 0,000$, $N = 298$
	TNF2.1–Escolha	$r = 0,80$, $r^2 = 0,64$, $F(1, 236) = 413,71$, $p < 0,000$, $N = 238$
média	**TNS1.1–Escrita**	$r = 0,69$, $r^2 = 0,47$, $F(1, 229) = 204,50$, $p < 0,000$, $N = 231$
	TCLP1.1	$r = 0,67$, $r^2 = 0,44$, $F(1, 277) = 221,85$, $p < 0,000$, $N = 279$
	TNS1.1–Escolha	$r = 0,67$, $r^2 = 0,45$, $F(1, 208) = 169,54$, $p < 0,000$, $N = 210$
	TNS2.1–Escolha	$r = 0,64$, $r^2 = 0,41$, $F(1, 217) = 151,67$, $p < 0,000$, $N = 219$
	TNS2.1–Escrita	$r = 0,62$, $r^2 = 0,38$, $F(1, 199) = 124,19$, $p < 0,000$, $N = 201$
baixa	**TVRSL1.1**	$r = 0,32$, $r^2 = 0,10$, $F(1, 204) = 22,70$, $p < 0,000$, $N = 206$

4.10.3.4.7.) A versão 2.1 do Teste de Nomeação de Figuras por Escrita (TNF2.1–Escrita) e todos os outros dez testes

O estudo sobre a versão 2.1 do Teste de Nomeação de Figuras por Escrita (TNF2.1–Escrita: F. Capovilla, Viggiano, Raphael, Bidá, A. Capovilla, & Neves, 2004) analisou as relações entre a habilidade de escrever os nomes de figuras (tal como avaliada pelo TNF2.1–Escrita) e uma série de habilidades, como a competência de leitura de palavras, a competência de leitura de sentenças, o vocabulário receptivo de sinais da Libras, a habilidade de nomear figuras conhecidas por meio da escolha de palavras escritas, a habilidade de nomear sinais da Libras pela escolha de palavras escritas, e a habilidade de nomear sinais da Libras por escrita livre.

Com vistas a obter uma perspectiva das correlações entre a habilidade de escrever os nomes de figuras de um lado e, de outro lado, todas essas demais habilidades, as intercorrelações obtidas a partir das análises de regressão foram ordenadas de acordo com a magnitude dos coeficientes de correlação (r).

A Tabela 30 sumaria os resultados. Conforme a tabela, as dez intercorrelações envolvendo a habilidade de escrever os nomes de figuras foram distribuídas em cinco faixas de correlação: 1.) Muito alta (r na faixa de 0,90 a 1,00); 2.) alta (r na faixa de 0,80 a 0,89); 3.) média (r na faixa de 0,70 a 0,79); 4.) baixa (r na faixa de 0,60 a 0,69; 5.) muito baixa (r na faixa de 0,30 a 0,39).

Conforme a tabela, o padrão de intercorrelações da versão 2.1 do Teste de Nomeação de Figuras por Escrita (TNF2.1–Escrita) com os demais testes foi o seguinte:

1.) Correlação muito alta ($r = 0,94$) com a versão 1.1 do mesmo teste (TNF1.1–Escrita);

2.) Correlação alta ($r = 0,87$) com a competência de leitura de sentenças (TCLS1.1);

3.) Correlação média ($r = 0,77$ a 0,78) com a habilidade de escolher os nomes de figuras (TNF1.1–Escolha e TNF2.1–Escolha);

4.) Correlação baixa ($r = 0,66$ a 0,68) com a habilidade de nomear sinais da Libras por escrita (TNS1.1–Escrita e TNS2.1–Escrita) e por escolha (TNS1.1–Escolha e TNS2.1–Escolha), e com a competência de leitura de palavras (TCLP1.1); e

5.) Correlação muito baixa ($r = 0,30$) com o vocabulário receptivo de sinais da Libras (TVRSL1.1).

A distribuição geral dos dez testes na hierarquia de correlações com a versão 2.1 do Teste de Nomeação de Figuras por Escrita foi similar à distribuição obtida com a versão 1.1 do mesmo teste (TNF1.1–Escrita: F. Capovilla, Viggiano, Raphael, Bidá, A. Capovilla, Mauricio, & Neves, 2004).

Tabela 30. Estatísticas coeficiente de correlação (r), coeficiente de determinação (r^2), tamanho do efeito (F), significância do efeito (p), e tamanho da amostra (N) resultantes da análise de regressão dos escores dos dez testes (coluna esquerda) sobre os escores na versão 2.1 do Teste de Nomeação de Figuras por Escrita (TNF2.1–Escrita) (coluna direita). As dez intercorrelações envolvendo a habilidade de escrever os nomes de figuras foram distribuídas em cinco faixas de correlação: 1.) Muito alta ($r = 0,90$ a 1,00); 2.) alta ($r = 0,80$ a 0,89); 3.) média ($r = 0,70$ a 0,79); 4.) baixa ($r = 0,60$ a 0,69; 5.) muito baixa ($r = 0,30$ a 0,39).

faixas de correlação		versão 2.1 do Teste de Nomeação de Figuras por Escrita (TNF2.1–Escrita)
muito alta	**TNF1.1–Escrita**	$r = 0,94$, $r^2 = 0,88$, $F(1, 218) = 1524,44$, $p < 0,000$, $N = 220$
alta	**TCLS1.1**	$r = 0,87$, $r^2 = 0,75$, $F(1, 249) = 764,86$, $p < 0,000$, $N = 251$
média	**TNF1.1–Escolha**	$r = 0,78$, $r^2 = 0,61$, $F(1, 215) = 338,47$, $p < 0,000$, $N = 217$
	TNF2.1–Escolha	$r = 0,77$, $r^2 = 0,59$, $F(1, 262) = 376,67$, $p < 0,000$, $N = 264$
baixa	**TNS2.1–Escrita**	$r = 0,68$, $r^2 = 0,46$, $F(1, 211) = 176,31$, $p < 0,000$, $N = 213$
	TNS2.1–Escolha	$r = 0,67$, $r^2 = 0,45$, $F(1, 208) = 167,12$, $p < 0,000$, $N = 210$
	TCLP1.1	$r = 0,66$, $r^2 = 0,43$, $F(1, 264) = 200,14$, $p < 0,000$, $N = 266$
	TNS1.1–Escrita	$r = 0,66$, $r^2 = 0,44$ $F(1, 194) = 150,61$, $p < 0,000$, $N = 196$
	TNS1.1–Escolha	$r = 0,66$, $r^2 = 0,44$, $F(1, 193) = 148,52$, $p < 0,000$, $N = 195$
muito baixa	**TVRSL1.1**	$r = 0,30$, $r^2 = 0,10$, $F(1, 177) = 17,31$, $p < 0,000$, $N = 179$

4.10.3.4.8.) A versão 1.1 do Teste de Nomeação de Sinais por Escolha (TNS1.1–Escolha) e todos os outros dez testes

O estudo sobre a versão 1.1 do Teste de Nomeação de Sinais por Escolha (TNS1.1–Escolha: F. Capovilla, Viggiano, Raphael, Mauricio, A. Capovilla, & Bidá, 2004) analisou as relações entre a habilidade de escolher os nomes de sinais (tal como avaliada pelo TNS1.1–Escolha) e uma série de habilidades, como a competência de leitura de palavras, a competência de leitura de sentenças, o vocabulário receptivo de sinais da Libras, a habilidade de nomear figuras conhecidas por meio da escrita livre, a habilidade de nomear figuras conhecidas por meio da escolha de palavras escritas, e a habilidade de nomear sinais da Libras por escrita livre. Com vistas a obter uma perspectiva das correlações entre a habilidade de escolher os nomes de sinais de um lado e, de outro lado, todas essas demais habilidades, as intercorrelações obtidas a partir das análises de regressão foram ordenadas de acordo com a magnitude dos coeficientes de correlação (*r*).

A Tabela 31 sumaria os resultados. Conforme a tabela, as dez intercorrelações envolvendo a habilidade de escolher os nomes de sinais foram distribuídas em quatro faixas de correlação:

1.) Muito alta (*r* na faixa de 0,81 a 0,90);
2.) Alta (*r* na faixa de 0,71 a 0,80);
3.) Média (*r* na faixa de 0,61 a 0,70);
4.) Baixa (*r* na faixa de 0,51 a 0,60).

Tabela 31. Estatísticas coeficiente de correlação (*r*), coeficiente de determinação (r^2), tamanho do efeito (*F*), significância do efeito (*p*), e tamanho da amostra (*N*) resultantes da análise de regressão dos escores dos dez testes (coluna esquerda) sobre os escores na versão 1.1 do Teste de Nomeação de Sinais por Escolha de palavras escritas (TNS1.1–Escolha) (coluna direita). As dez intercorrelações envolvendo a habilidade de escolher os nomes de sinais foram distribuídas em sete faixas de correlação: 1.) Muito alta (*r* na faixa de 0,81 a 0,90); 2.) alta (*r* na faixa de 0,71 a 0,80); 3.) média (*r* na faixa de 0,61 a 0,70); 4.) baixa (*r* na faixa de 0,51 a 0,60).

faixas de correlação		versão 1.1 do Teste de Nomeação de Sinais por Escolha de palavras escritas (TNS1.1–Escolha)
muito alta	**TNS1.1–Escrita**	$r = 0{,}87$, $r^2 = 0{,}75$, $F(1, 248) = 756{,}78$, $p < 0{,}000$, $N = 250$
	TNS2.1–Escrita	$r = 0{,}85$, $r^2 = 0{,}72$, $F(1, 240) = 631{,}42$, $p < 0{,}000$, $N = 242$
alta	**TNS2.1–Escolha**	$r = 0{,}79$, $r^2 = 0{,}63$, $F(1, 149) = 254{,}64$, $p < 0{,}000$, $N = 151$
média	**TCLS1.1**	$r = 0{,}69$, $r^2 = 0{,}48$, $F(1, 248) = 229{,}57$, $p < 0{,}000$, $N = 250$
	TNF1.1–Escrita	$r = 0{,}67$, $r^2 = 0{,}45$, $F(1, 208) = 169{,}54$, $p < 0{,}000$, $N = 210$
	TNF2.1–Escrita	$r = 0{,}66$, $r^2 = 0{,}44$, $F(1, 193) = 148{,}50$, $p < 0{,}000$, $N = 195$
	TNF1.1–Escolha	$r = 0{,}66$, $r^2 = 0{,}43$, $F(1, 213) = 159{,}64$, $p < 0{,}000$, $N = 215$
	TNF2.1–Escolha	$r = 0{,}66$, $r^2 = 0{,}43$, $F(1, 202) = 154{,}34$, $p < 0{,}000$, $N = 204$
baixa	**TVRSL1.1**	$r = 0{,}59$, $r^2 = 0{,}35$, $F(1,$ [illegible]$)$ = [illegible], $p < 0{,}000$, N = [illegible]
	TCLP1.1	$r = 0{,}58$, $r^2 = 0{,}34$, $F(1, 346) = 179{,}44$, $p < 0{,}000$, $N = 348$

Conforme a tabela, o padrão de intercorrelações da versão 1.1 do Teste de Nomeação de Sinais por Escolha (TNS1.1–Escolha) com os demais testes foi o seguinte:

1.) Correlação muito alta (r = 0,85 a 0,87) com a habilidade de nomear sinais por escrita (TNS1.1–Escrita e TNS2.1–Escrita);
2.) Correlação alta (r = 0,79) com a versão 2.1 do mesmo teste (TNS2.1–Escolha);
3.) Correlação média (r = 0,66 a 0,69) com a competência de leitura de sentenças (TCLS1.1), a habilidade de nomear figuras por escrita (TNF1.1–Escrita e TNF2.1–Escrita), e a habilidade de nomear figuras por escolha (TNF1.1–Escolha e TNF2.1–Escolha);
4.) Correlação baixa (r = 0,58 a 0,59) com o vocabulário receptivo de sinais da Libras (TVRSL1.1) e com a competência de leitura de palavras (TCLP1.1).

A distribuição geral dos dez testes na hierarquia de correlações com a versão 1.1 do Teste de Nomeação de Sinais por Escolha foi similar à distribuição obtida com a versão 2.1 do mesmo teste (TNS2.1–Escolha: F. Capovilla, Viggiano, Bidá, Luz, A. Capovilla, & Neves, 2004).

4.10.3.4.9.) A versão 2.1 do Teste de Nomeação de Sinais por Escolha (TNS2.1–Escolha) e todos os outros dez testes

O estudo sobre a versão 2.1 do Teste de Nomeação de Sinais por Escolha (TNS2.1–Escolha: F. Capovilla, Viggiano, Bidá, Luz, A. Capovilla, & Neves, 2004) analisou as relações entre a habilidade de escolher os nomes de sinais (tal como avaliada pelo TNS2.1–Escolha) e uma série de habilidades, como a competência de leitura de palavras, a competência de leitura de sentenças, o vocabulário receptivo de sinais da Libras, a habilidade de nomear figuras conhecidas por meio da escrita livre, a habilidade de nomear figuras conhecidas por meio da escolha de palavras escritas, e a habilidade de nomear sinais da Libras por escrita livre.

Com vistas a obter uma perspectiva das correlações entre a habilidade de escolher os nomes de sinais de um lado e, de outro lado, todas essas demais habilidades, as intercorrelações obtidas a partir das análises de regressão foram ordenadas de acordo com a magnitude dos coeficientes de correlação (r).

A Tabela 32 sumaria os resultados. Conforme a tabela, as dez intercorrelações envolvendo a habilidade de escolher os nomes de sinais foram distribuídas em três faixas de correlação:

1.) Alta (r na faixa de 0,79 a 0,84);
2.) Média (r na faixa de 0,64 a 0,68);
3.) Baixa (r na faixa de 0,53 a 0,59).

Conforme a tabela, o padrão de intercorrelações da versão 2.1 do Teste de Nomeação de Sinais por Escolha (TNS2.1–Escolha) com os demais testes foi o seguinte:

1.) Correlação alta (r = 0,79 a 0,84) com a habilidade de nomear sinais por escrita (TNS1.1–Escrita e TNS2.1–Escrita); e com a versão 1.1 do mesmo teste (TNS1.1–Escolha);
2.) Correlação média (r = 0,64 a 0,68) com a habilidade de nomear figuras por escolha (TNF1.1–Escolha e TNF2.1–Escolha), a habilidade de nomear figuras por escrita (TNF1.1–Escrita e TNF2.1–Escrita), e a competência de leitura de sentenças (TCLS1.1);
3.) Correlação baixa (r = 0,53 a 0,59) com o vocabulário receptivo de sinais da Libras (TVRSL1.1) e com a competência de leitura de palavras (TCLP1.1).

A distribuição geral dos dez testes na hierarquia de correlações com a versão 2.1 do Teste de Nomeação de Sinais por Escolha foi similar à distribuição obtida com a versão 1.1 do mesmo teste (TNS1.1–Escolha: F. Capovilla, Viggiano, Raphael, Mauricio, A. Capovilla, & Bidá, 2004).

Tabela 32. Estatísticas coeficiente de correlação (r), coeficiente de determinação (r^2), tamanho do efeito (F), significância do efeito (p), e tamanho da amostra (N) resultantes da análise de regressão dos escores dos dez testes (coluna esquerda) sobre os escores na versão 2.1 do Teste de Nomeação de Sinais por Escolha de palavras escritas (TNS2.1–Escolha) (coluna direita). As dez intercorrelações envolvendo a habilidade de escolher os nomes de sinais foram distribuídas em três faixas de correlação: 1.) Alta (r = 0,79 a 0,84); 2.) média (r = 0,64 a 0,68); 3.) baixa (r = 0,53 a 0,59).

faixas de correlação		**versão 2.1 do Teste de Nomeação de Sinais por Escolha de palavras escritas (TNS2.1–Escolha)**
alta	**TNS1.1–Escrita**	r = 0,84, r^2 = 0,70, F (1, 221) = 509,20, p < 0,000, N = 223
	TNS2.1–Escrita	r = 0,81, r^2 = 0,65, F (1, 261) = 486,44, p < 0,000, N = 263
	TNS1.1–Escolha	r = 0,79, r^2 = 0,63, F (1, 149) = 254,64, p < 0,000, N = 151
média	**TNF2.1–Escolha**	r = 0,68, r^2 = 0,46, F (1, 218) = 182,90, p < 0,000, N = 220
	TNF2.1–Escrita	r = 0,67, r^2 = 0,44, F (1, 207) =164,83, p < 0,000, N = 209
	TCLS1.1	r = 0,66, r^2 = 0,44, F (1, 286) = 220,24, p < 0,000, N = 288
	TNF1.1–Escolha	r = 0,65, r^2 = 0,42, F (1, 218) = 159,71, p < 0,000, N = 220
	TNF1.1–Escrita	r = 0,64, r^2 = 0,41, F (1, 217) = 151,67, p < 0,000, N = 219
baixa	**TVRSL1.1**	r = 0,59, r^2 = 0,35, F (1, 268) = 142,54, p < 0,000, N = 270
	TCLP1.1	r = 0,53, r^2 = 0,28, F (1, 350) = 135,56, p < 0,000, N = 352

4.10.3.4.10.) A versão 1.1 do Teste de Nomeação de Sinais por Escrita (TNS1.1–Escrita) e todos os outros dez testes

O estudo sobre a versão 1.1 do Teste de Nomeação de Sinais por Escrita (TNS1.1–Escrita: F. Capovilla, Viggiano, Bidá, Raphael, A. Capovilla, & Mauricio, 2004) analisou as relações entre a habilidade de escrever os nomes de sinais (tal como avaliada pelo TNS1.1–Escrita) e uma série de habilidades, como a competência de leitura de palavras, a competência de leitura de sentenças, o vocabulário receptivo de sinais da Libras, a habilidade de nomear figuras conhecidas por meio da escolha de palavras escritas, a habilidade de nomear sinais da Libras pela escolha de palavras escritas, e a habilidade de nomear figuras por escrita livre.

Com vistas a obter uma perspectiva das correlações entre a habilidade de escrever os nomes de sinais de um lado e, de outro lado, todas essas demais habilidades, as intercorrelações obtidas a partir das análises de regressão foram ordenadas de acordo com a magnitude dos coeficientes de correlação (r).

A Tabela 33 sumaria os resultados. Conforme a tabela, as dez intercorrelações envolvendo a habilidade de escrever os nomes de sinais foram distribuídas em quatro faixas de correlação:

1.) Muito alta (r = 0,91 a 1,00);
2.) Alta (r = 0,81 a 0,90);
3.) Média (r = 0,61 a 0,70);
4.) Baixa (r = 0,51 a 0,60).

Conforme a tabela, o padrão de intercorrelações da versão 1.1 do Teste de Nomeação de Sinais por Escrita (TNS1.1–Escrita) com os demais testes foi o seguinte:

1.) Correlação muito alta (r = 0,96) com a versão 2.1 do mesmo teste (TNS2.1–Escrita);
2.) Correlação alta (r = 0,84 a 0,87) com a habilidade de nomear sinais por escolha (TNS1.1–Escolha e TNS2.1–Escolha);
3.) Correlação média (r = 0,62 a 0,70) com a competência de leitura de sentenças (TCLS1.1), com a habilidade de nomear figuras por escrita (TNF1.1–Escrita e TNF2.1–Escrita), com o vocabulário receptivo de sinais da Libras (TVRSL1.1) e com a habilidade de nomear figuras por escolha (TNF1.1–Escolha e TNF2.1–Escolha);
4.) Correlação baixa (r = 0,57) com a competência de leitura de palavras (TCLP1.1).

A distribuição geral dos dez testes na hierarquia de correlações com a versão 1.1 do Teste de Nomeação de Sinais por Escrita foi similar à distribuição obtida com a versão 2.1 do mesmo teste (TNS2.1–Escrita: F. Capovilla, Viggiano, Luz, A. Capovilla, Bidá, & Mauricio, 2004).

Tabela 33. Estatísticas coeficiente de correlação (r), coeficiente de determinação (r^2), tamanho do efeito (F), significância do efeito (p), e tamanho da amostra (N) resultantes da análise de regressão dos escores dos dez testes (coluna esquerda) sobre os escores na versão 1.1 do Teste de Nomeação de Sinais por Escrita (TNS1.1–Escrita) (coluna direita). As dez intercorrelações envolvendo a habilidade de escrever os nomes de figuras foram distribuídas em quatro faixas de correlação: 1.) Muito alta (r = 0,91 a 1,00); 2.) alta (r = 0,81 a 0,90); 3.) média (r = 0,61 a 0,70); 4.) baixa (r = 0,51 a 0,60).

faixas de correlação		versão 1.1 do Teste de Nomeação de Sinais por Escrita (TNS1.1–Escrita)
muito alta	**TNS2.1–Escrita**	r = 0,96, r^2 = 0,92, F (1, 145) = 1604,18, p < 0,000, N = 147
alta	**TNS1.1–Escolha**	r = 0,87, r^2 = 0,75, F (1, 248) = 758,78, p < 0,000, N = 250
	TNS2.1–Escolha	r = 0,84, r^2 = 0,70, F (1, 221) = 509,20, p < 0,000, N = 223
média	**TCLS1.1**	r = 0,70, r^2 = 0,49, F (1, 260) = 247,57, p < 0,000, N = 262
	TNF1.1–Escrita	r = 0,69, r^2 = 0,47, F (1, 229) = 204,50, p < 0,000, N = 231
	TNF2.1–Escrita	r = 0,66, r^2 = 0,44, F (1, 194) = 150,59, p < 0,000, N = 196
	TVRSL1.1	r = 0,64, r^2 = 0,40, F (1, 255) = 172,73, p < 0,000, N = 257
	TNF1.1–Escolha	r = 0,63, r^2 = 0,39, F (1, 232) = 150,63, p < 0,000, N = 234
	TNF2.1–Escolha	r = 0,62, r^2 = 0,39, F (1, 203) = 127,98, p < 0,000, N = 205
baixa	**TCLP1.1**	r = 0,57, r^2 = 0,32, F (1, 319) = 153,17, p < 0,000, N = 321

4.10.3.4.11.) A versão 2.1 do Teste de Nomeação de Sinais por Escrita (TNS2.1–Escrita) e todos os outros dez testes

O estudo sobre a versão 2.1 do Teste de Nomeação de Sinais por Escrita (TNS2.1–Escrita: F. Capovilla, Viggiano, Luz, A. Capovilla, Bidá, & Mauricio, 2004) analisou as relações entre a habilidade de escrever os nomes de sinais (tal como avaliada pelo TNS2.1–Escrita) e uma série de habilidades, como a competência de leitura de palavras, a competência de leitura de sentenças, o vocabulário receptivo de sinais da Libras, a habilidade de nomear figuras conhecidas por meio da escolha de palavras escritas, a habilidade de nomear sinais da Libras pela escolha de palavras escritas, e a habilidade de nomear figuras por escrita livre.

Com vistas a obter uma perspectiva das correlações entre a habilidade de escrever os nomes de sinais de um lado e, de outro lado, todas essas demais habilidades, as intercorrelações obtidas a partir das análises de regressão foram ordenadas de acordo com a magnitude dos coeficientes de correlação (*r*).

A Tabela 34 sumaria os resultados. Conforme a tabela, as dez intercorrelações envolvendo a habilidade de escrever os nomes de sinais foram distribuídas em quatro faixas de correlação:

1.) Muito alta (*r* na faixa de 0,91 a 1,00);
2.) Alta (*r* na faixa de 0,81 a 0,90);
3.) Média (*r* na faixa de 0,61 a 0,70);
4.) Baixa (*r* na faixa de 0,51 a 0,60).

Conforme a tabela, o padrão de intercorrelações da versão 2.1 do Teste de Nomeação de Sinais por Escrita (TNS2.1–Escrita) com os demais testes foi o seguinte:

1.) Correlação muito alta (*r* = 0,96) com a versão 1.1 do mesmo teste (TNS1.1–Escrita);
2.) Correlação alta (*r* = 0,81 a 0,85) com a habilidade de nomear sinais por escolha (TNS1.1–Escolha e TNS2.1–Escolha);
3.) Correlação média (*r* = 0,61 a 0,68) com a competência de leitura de sentenças (TCLS1.1), com a habilidade de nomear figuras por escrita (TNF1.1–Escrita e TNF2.1–Escrita), com o vocabulário receptivo de sinais da Libras (TVRSL1.1) e com a habilidade de nomear figuras por escolha (TNF1.1–Escolha e TNF2.1–Escolha);
4.) Correlação baixa (*r* = 0,55) com a competência de leitura de palavras (TCLP1.1).

A distribuição geral dos dez testes na hierarquia de correlações com a versão 2.1 do Teste de Nomeação de Sinais por Escrita foi praticamente idêntica à distribuição obtida com a versão 1.1 do mesmo teste (TNS1.1–Escrita: F. Capovilla, Viggiano, Bidá, Raphael, A. Capovilla, & Mauricio, 2004).

Tabela 34. Estatísticas coeficiente de correlação (*r*), coeficiente de determinação (r^2), tamanho do efeito (*F*), significância do efeito (*p*), e tamanho da amostra (*N*) resultantes da análise de regressão dos escores dos dez testes (coluna esquerda) sobre os escores na versão 2.1 do Teste de Nomeação de Sinais por Escrita (TNS2.1–Escrita) (coluna direita). As dez intercorrelações envolvendo a habilidade de escrever os nomes de figuras foram distribuídas em quatro faixas de correlação: 1.) Muito alta (*r* = 0,91 a 1,00); 2.) alta (*r* = 0,81 a 0,90); 3.) média (*r* = 0,61 a 0,70); 4.) baixa (*r* = 0,51 a 0,60).

faixas de correlação		**versão 2.1 do Teste de Nomeação de Sinais por Escrita (TNS2.1–Escrita)**
muito alta	**TNS1.1–Escrita**	$r = 0{,}96$, $r^2 = 0{,}92$, $F(1, 144) = 1586{,}27$, $p < 0{,}000$, $N = 146$
alta	**TNS1.1–Escolha**	$r = 0{,}85$, $r^2 = 0{,}72$, $F(1, 241) = 629{,}38$, $p < 0{,}000$, $N = 243$
	TNS2.1–Escolha	$r = 0{,}81$, $r^2 = 0{,}65$, $F(1, 256) = 484{,}10$, $p < 0{,}000$, $N = 258$
média	**TNF2.1–Escrita**	$r = 0{,}68$, $r^2 = 0{,}46$, $F(1, 211) = 176{,}26$, $p < 0{,}000$, $N = 213$
	TCLS1.1	$r = 0{,}66$, $r^2 = 0{,}44$, $F(1, 258) = 200{,}67$, $p < 0{,}000$, $N = 260$
	TNF2.1–Escolha	$r = 0{,}64$, $r^2 = 0{,}41$, $F(1, 220) = 154{,}04$, $p < 0{,}000$, $N = 222$
	TVRSL1.1	$r = 0{,}63$, $r^2 = 0{,}40$, $F(1, 249) = 163{,}60$, $p < 0{,}000$, $N = 251$
	TNF1.1–Escrita	$r = 0{,}61$, $r^2 = 0{,}37$, $F(1, 192) = 113{,}52$, $p < 0{,}000$, $N = 194$
	TNF1.1–Escolha	$r = 0{,}61$, $r^2 = 0{,}37$, $F(1, 189) = 112{,}21$, $p < 0{,}000$, $N = 191$
baixa	**TCLP1.1**	$r = 0{,}55$, $r^2 = 0{,}30$, $F(1, 326) = 141{,}36$, $p < 0{,}000$, $N = 328$

4.10.3.4.12.) Sinopse de todas as intercorrelações entre cada um dos onze testes e todos os demais empregados na presente série de onze estudos

Os Quadros 17 e 18 sumariam, de modo sinóptico, as matrizes de todas as intercorrelações estatisticamente significativas entre cada um dos onze testes e os demais dez testes empregados na presente série de onze estudos, com agrupamentos de coeficientes de correlação por níveis de ordem de grandeza para cada teste.

Quadro 17. Matriz sinóptica de intercorrelações estatisticamente significativas entre as versões originais 1.1 dos testes de vocabulário receptivo de Libras (TVRSL1.1), de competência de leitura de palavras (TCLP1.1), e de competência de leitura de sentenças (TCLS1.1) e os demais dez testes empregados na presente série de onze estudos, com agrupamentos de coeficientes de correlação (*r*) por níveis de ordem de grandeza para cada teste.

correlação		**TVRSL1.1**
alta	TNS1.1–Escrita	*r* = 0,64
	TNS2.1–Escrita	*r* = 0,63
	TNS2.1–Escolha	*r* = 0,59
	TNS1.1–Escolha	*r* = 0,59
baixa	TNF1.1–Escolha	*r* = 0,41
	TCLS1.1	*r* = 0,40
	TCLP1.1	*r* = 0,37
	TNF2.1–Escolha	*r* = 0,36
	TNF1.1–Escrita	*r* = 0,32
	TNF2.1–Escrita	*r* = 0,30

correlação		**TCLP1.1**
alta	TNF1.1–Escrita	*r* = 0,67
	TNF2.1–Escolha	*r* = 0,67
	TNF2.1–Escrita	*r* = 0,66
	TCLS1.1	*r* = 0,64
	TNF1.1–Escolha	*r* = 0,64
média	TNS1.1–Escolha	*r* = 0,58
	TNS1.1–Escrita	*r* = 0,57
	TNS2.1–Escrita	*r* = 0,55
	TNS2.1–Escolha	*r* = 0,53
baixa	TVRSL1.1	*r* = 0,37

correlação		**TCLS1.1**
muito alta	TNF2.1–Escrita	*r* = 0,87
	TNF1.1–Escrita	*r* = 0,85
alta	TNF2.1–Escolha	*r* = 0,77
	TNF1.1–Escolha	*r* = 0,74
média	TNS1.1–Escrita	*r* = 0,70
	TNS1.1–Escolha	*r* = 0,69
	TNS2.1–Escolha	*r* = 0,66
	TNS2.1–Escrita	*r* = 0,66
	TCLP1.1	*r* = 0,64
baixa	TVRSL1.1	*r* = 0,40

Alguns dos principais achados sumariados nos Quadros sinópticos 17 e 18 são os seguintes:

1.) O desempenho na versão 1.1 do Teste de Vocabulário Receptivo de Sinais da Libras (TVRSL1.1) foi um preditor razoavelmente bom do desempenho no Teste de Nomeação de Sinais por Escolha (TNS1.1–Escolha e TNS2.1–Escolha) e no Teste de Nomeação de Sinais por Escrita (TNS1.1–Escrita e TNS2.1–Escrita). Assim, a compreensão de sinais da Libras mostrou-se boa preditora da habilidade de nomear sinais da Libras, quer por escolha de palavras escritas, quer por escrita livre dessas palavras. Nesses testes os coeficientes de correlação variaram de 0,59 a 0,64, e só não foram melhores porque a nomeação de sinais envolve não só conhecimento dos sinais da Libras como, também, das palavras correspondentes em Português. De fato, o desempenho no Teste de Vocabulário Receptivo de Sinais da Libras (TVRSL1.1) apresentou correlações mais baixas com os desempenhos no Teste de Nomeação de Figuras por Escolha (TNF1.1–Escolha e TNF2.1–Escolha), no Teste de Nomeação de Figuras por Escrita (TNS1.1–Escrita e TNS2.1–Escrita), no Teste de Competência de Leitura de Sentenças (TCLS1.1) e no Teste de Competência de Leitura de Palavras (TCLP1.1), sendo que, nesses testes, os coeficientes de correlação variaram de 0,30 a 0,41;

2.) O desempenho na versão 1.1 do Teste de Competência de Leitura de Palavras (TCLP1.1) foi um preditor razoavelmente bom do desempenho no Teste de Nomeação de Figuras por Escrita (TNF1.1–Escrita e TNF2.1–Escrita), no Teste de Nomeação de Figuras por Escolha (TNF1.1–Escolha e TNF2.1–Escolha) e no Teste de Competência de Leitura de Sentenças (TCLS1.1). Nesses testes os coeficientes de correlação variaram de 0,64 a 0,67. Assim, a competência de leitura de palavras isoladas mostrou-se uma boa preditora da competência de leitura de sentenças, da competência de leitura na nomeação de figuras por escolha, e da competência de escrita dos nomes de figuras. Por outro lado, o desempenho nesse teste foi um preditor apenas mediano do desempenho nos testes de nomeação de sinais, já que este requer competência não apenas em Português como, também, em Libras, sendo que, nesses testes de nomeação de sinais, os coeficientes de correlação variaram de 0,53 a 0,58. Por fim, o desempenho nesse teste foi um preditor fraco do desempenho no Teste de Vocabulário Receptivo de Sinais da Libras (TVRSL1.1), sendo que, nesse teste, o coeficiente de correlação foi de apenas 0,37.

Quadro 18. Matriz sinóptica de intercorrelações estatisticamente significativas entre cada uma das duas versões originais 1.1 e 2.1 dos testes de nomeação de figuras por escolha (TNF1.1–Escolha e TNF2.1–Escolha), de nomeação de figuras por escrita (TNF1.1–Escrita e TNF2.1–Escrita), de nomeação de sinais por escolha (TNS1.1–Escolha e TNS2.1–Escolha), e de nomeação de sinais por escrita (TNS1.1–Escrita e TNS2.1–Escrita) e os demais dez testes empregados na presente série de onze estudos, com agrupamentos de coeficientes de correlação (*r*) por níveis de ordem de grandeza para cada teste.

correlação		**TNF1.1–Escolha**			**TNF2.1–Escolha**
muito alta	TNF2.1–Escolha	*r* = 0,90	muito alta	TNF1.1–Escolha	*r* = 0,89
alta	TNF1.1–Escrita	*r* = 0,84	alta	TNF1.1–Escrita	*r* = 0,80
	TNF2.1–Escrita	*r* = 0,78		TNF2.1–Escrita	*r* = 0,77
média alta	TCLS1.1	*r* = 0,74		TCLS1.1	*r* = 0,77
média	TNS1.1–Escolha	*r* = 0,66	média	TNS2.1–Escolha	*r* = 0,68
	TNS2.1–Escolha	*r* = 0,65		TCLP1.1	*r* = 0,67
média baixa	TCLP1.1	*r* = 0,64		TNS1.1–Escolha	*r* = 0,66
baixa	TNS1.1–Escrita	*r* = 0,63		TNS2.1–Escrita	*r* = 0,64
	TNS2.1–Escrita	*r* = 0,62		TNS1.1–Escrita	*r* = 0,62
muito baixa	TVRSL1.1	*r* = 0,41	baixa	TVRSL1.1	*r* = 0,36
		TNF1.1–Escrita			**TNF2.1–Escrita**
muito alta	TNF2.1–Escrita	*r* = 0,94	muito alta	TNF1.1–Escrita	*r* = 0,94
alta	TCLS1.1	*r* = 0,85	alta	TCLS1.1	*r* = 0,87
	TNF1.1–Escolha	*r* = 0,84	média	TNF1.1–Escolha	*r* = 0,78
	TNF2.1–Escolha	*r* = 0,80		TNF2.1–Escolha	*r* = 0,77
média	TNS1.1–Escrita	*r* = 0,69	baixa	TNS2.1–Escrita	*r* = 0,68
	TCLP1.1	*r* = 0,67		TNS2.1–Escolha	*r* = 0,67
	TNS1.1–Escolha	*r* = 0,67		TCLP1.1	*r* = 0,66
	TNS2.1–Escolha	*r* = 0,64		TNS1.1–Escrita	*r* = 0,66
	TNS2.1–Escrita	*r* = 0,62		TNS1.1–Escolha	*r* = 0,66
baixa	TVRSL1.1	*r* = 0,32	muito baixa	TVRSL1.1	*r* = 0,30
		TNS1.1–Escolha			**TNS2.1–Escolha**
muito alta	TNS1.1–Escrita	*r* = 0,87	alta	TNS1.1–Escrita	*r* = 0,84
	TNS2.1–Escrita	*r* = 0,85		TNS2.1–Escrita	*r* = 0,81
alta	TNS2.1–Escolha	*r* = 0,79		TNS1.1–Escolha	*r* = 0,79
média	TCLS1.1	*r* = 0,69	média	TNF2.1–Escolha	*r* = 0,68
	TNF1.1–Escrita	*r* = 0,67		TNF2.1–Escrita	*r* = 0,67
	TNF2.1–Escrita	*r* = 0,66		TCLS1.1	*r* = 0,66
	TNF1.1–Escolha	*r* = 0,66		TNF1.1–Escolha	*r* = 0,65
	TNF2.1–Escolha	*r* = 0,66		TNF1.1–Escrita	*r* = 0,64
baixa	TVRSL1.1	*r* = 0,59	baixa	TVRSL1.1	*r* = 0,59
	TCLP1.1	*r* = 0,58		TCLP1.1	*r* = 0,53
		TNS1.1–Escrita			**TNS2.1–Escrita**
muito alta	TNS2.1–Escrita	*r* = 0,96	muito alta	TNS1.1–Escrita	*r* = 0,96
alta	TNS1.1–Escolha	*r* = 0,87	alta	TNS1.1–Escolha	*r* = 0,85
	TNS2.1–Escolha	*r* = 0,84		TNS2.1–Escolha	*r* = 0,81
média	TCLS1.1	*r* = 0,70	média	TNF2.1–Escrita	*r* = 0,68
	TNF1.1–Escrita	*r* = 0,69		TCLS1.1	*r* = 0,66
	TNF2.1–Escrita	*r* = 0,66		TNF2.1–Escolha	*r* = 0,64
	TVRSL1.1	*r* = 0,64		TVRSL1.1	*r* = 0,63
	TNF1.1–Escolha	*r* = 0,63		TNF1.1–Escrita	*r* = 0,61
	TNF2.1–Escolha	*r* = 0,62		TNF1.1–Escolha	*r* = 0,61
baixa	TCLP1.1	*r* = 0,57	baixa	TCLP1.1	*r* = 0,55

3.) O desempenho na versão original 1.1 do Teste de Competência de Leitura de Sentenças (TCLS1.1) foi um preditor muito bom do desempenho no Teste de Nomeação de Figuras por Escrita (TNF1.1–Escrita e TNF2.1–Escrita), sendo que, nesse teste, os coeficientes de correlação variaram de 0,85 a 0,87. Foi, também, um preditor bastante bom do desempenho no Teste de Nomeação de Figuras por Escolha (TNF1.1–Escolha e TNF2.1–Escolha), sendo que, nesse teste, os coeficientes de correlação variaram de 0,74 a 0,77. Além disso, foi também um preditor razoável do desempenho no Teste de Nomeação de Sinais por Escrita (TNS1.1–Escrita e TNS2.1–Escrita) e no Teste de Nomeação de Sinais por Escolha (TNS1.1–Escolha e TNS2.1–Escolha) e do desempenho no Teste de Competência de Leitura de Palavras (TCLP1.1), sendo que, nesses testes, os coeficientes de correlação variaram de 0,64 a 0,70. Por fim, o desempenho nesse teste foi um preditor fraco do desempenho no Teste de Vocabulário Receptivo de Sinais da Libras (TVRSL1.1), com um coeficiente de correlação de 0,40;

4.) O desempenho na versão original 1.1 do Teste de Nomeação de Figuras por Escolha (TNF1.1–Escolha) foi um excelente preditor do desempenho na versão 2.1 do mesmo teste (TNF2.1–Escolha), com coeficiente de correlação de 0,90. Foi, também, um preditor muito bom do desempenho no Teste de Nomeação de Figuras por Escrita (TNF1.1–Escrita e TNF2.1–Escrita), com coeficientes de correlação variando de 0,78 a 0,84. Foi, ainda, bom preditor do desempenho no Teste de Competência de Leitura de Sentenças (TCLS1.1), com coeficiente de correlação de 0,74. Foi, também, preditor razoável do desempenho no Teste de Nomeação de Sinais por Escolha (TNS1.1–Escolha e TNS2.1–Escolha), com coeficientes de correlação variando de 0,65 a 0,66; do desempenho no Teste de Competência de Leitura de Palavras (TCLP1.1), com coeficiente de correlação de 0,64, e do desempenho no Teste de Nomeação de Sinais por Escrita (TNS1.1–Escrita e TNS2.1–Escrita), com coeficientes de correlação variando de 0,62 a 0,63. Por fim, foi fraco preditor do desempenho no Teste de Vocabulário Receptivo de Sinais da Libras (TVRSL1.1), com coeficiente de correlação de 0,41;

5.) O desempenho na versão original 2.1 do mesmo teste (TNF2.1–Escolha) mostrou resultados muito similares aos da versão 1.1. O desempenho nessa versão 2.1 foi um excelente preditor do desempenho na versão 1.1 do mesmo teste (TNF1.1–Escolha), com coeficiente de correlação de 0,89. Foi, também, um preditor muito bom do desempenho no Teste de Nomeação de Figuras por Escrita (TNF1.1–Escrita e TNF2.1–Escrita) e no Teste de Competência de Leitura de Sentenças (TCLS1.1), com coeficientes de correlação variando de 0,77 a 0,80. Foi, ainda, um preditor razoável do desempenho no Teste de Nomeação de Sinais por Escolha (TNS1.1–Escolha e TNS2.1–Escolha), no Teste de Competência de Leitura de Palavras (TCLP1.1), e no Teste de Nomeação de Sinais por Escrita (TNS1.1–Escrita e TNS2.1–Escrita), com coeficientes de correlação variando de 0,62 a 0,68. Por fim, foi fraco preditor do desempenho no Teste de Vocabulário Receptivo de Sinais da Libras (TVRSL1.1), com coeficiente de correlação de 0,36;

6.) O desempenho na versão original 1.1 do Teste de Nomeação de Figuras por Escrita (TNF1.1–Escrita) foi um excelente preditor do desempenho na versão 2.1 do mesmo teste (TNF2.1–Escrita), com coeficiente de correlação de 0,94. Foi, também, muito bom preditor do desempenho no Teste de Competência de Leitura de Sentenças (TCLS1.1) e no Teste de Nomeação de Figuras por Escolha (TNF1.1–Escolha e TNF2.1–Escolha), com coeficientes de correlação variando de 0,80 a 0,85. Foi, ainda, bom preditor do desempenho no Teste de Nomeação de Sinais por Escrita (TNS1.1–Escrita e TNS2.1–Escrita), no Teste de Competência de Leitura de Palavras (TCLP1.1) e no Teste de Nomeação de Sinais por Escolha (TNS1.1–Escolha e TNS2.1–Escolha), com coeficientes de correlação variando de 0,62 a 0,69. Por fim, foi fraco preditor do desempenho no Teste de Vocabulário Receptivo de Sinais da Libras (TVRSL1.1), com coeficiente de correlação de 0,32;

7.) O desempenho na versão original 2.1 do Teste de Nomeação de Figuras por Escrita (TNF2.1–Escrita) foi um excelente preditor do desempenho na versão 1.1 do mesmo teste (TNF1.1–Escrita), com coeficiente de correlação de 0,94. Foi, também, ótimo preditor do desempenho no Teste de Competência de Leitura de Sentenças (TCLS1.1), com coeficiente de correlação de 0,87. Foi, ainda, muito bom preditor do desempenho no Teste de Nomeação de Figuras por Escolha (TNF1.1–Escolha e TNF2.1–Escolha), com coeficientes de correlação variando de 0,77 a 0,78. Foi, além disso, bom preditor do desempenho no Teste de Nomeação de Sinais por Escrita (TNS1.1–Escrita e TNS2.1–Escrita), no Teste de Competência de Leitura de Palavras (TCLP1.1) e no Teste de Nomeação de Sinais por Escolha (TNS1.1–Escolha e TNS2.1–Escolha), com coeficientes de correlação variando de 0,66 a 0,68. Por fim, foi fraco preditor do desempenho no Teste de Vocabulário Receptivo de Sinais da Libras (TVRSL1.1), com coeficiente de correlação de 0,30;

8.) O desempenho na versão original 1.1 do Teste de Nomeação de Sinais por Escolha (TNS1.1–Escolha) mostrou-se ótimo preditor do desempenho no Teste de Nomeação de Sinais por Escrita

(TNS1.1–Escrita e TNS2.1–Escrita), com coeficientes de correlação variando de 0,85 a 0,87. Foi, também, muito bom preditor do desempenho na versão 2.1 do mesmo teste (TNS2.1–Escolha), com coeficiente de correlação de 0,79. Foi, ainda, bom preditor do desempenho no Teste de Competência de Leitura de Sentenças (TCLS1.1), no Teste de Nomeação de Figuras por Escrita (TNF1.1–Escrita e TNF2.1–Escrita) e no Teste de Nomeação de Figuras por Escolha (TNF1.1–Escolha e TNF2.1–Escolha), com coeficientes de correlação variando de 0,66 a 0,69. Por último, foi preditor razoável do desempenho no Teste de Vocabulário Receptivo de Sinais da Libras (TVRSL1.1) e no Teste de Competência de Leitura de Palavras (TCLP1.1), com coeficientes de correlação variando de 0,58 a 0,59;

9.) O desempenho na versão original 2.1 do Teste de Nomeação de Sinais por Escolha (TNS2.1–Escolha) mostrou-se ótimo preditor do desempenho no Teste de Nomeação de Sinais por Escrita (TNS1.1–Escrita e TNS2.1–Escrita), com coeficientes de correlação variando de 0,81 a 0,84. Foi, também, muito bom preditor do desempenho na versão 1.1 do mesmo teste (TNS1.1–Escolha), com coeficiente de correlação de 0,79. Foi, ainda, bom preditor do desempenho no Teste de Nomeação de Figuras por Escolha (TNF1.1–Escolha e TNF2.1–Escolha), no Teste de Nomeação de Figuras por Escrita (TNF1.1–Escrita e TNF2.1–Escrita) e no Teste de Competência de Leitura de Sentenças (TCLS1.1), com coeficientes de correlação variando de 0,64 a 0,68. Por último, foi preditor razoável do desempenho no Teste de Vocabulário Receptivo de Sinais da Libras (TVRSL1.1) e no Teste de Competência de Leitura de Palavras (TCLP1.1), com coeficientes de correlação variando de 0,53 a 0,59;

10.) O desempenho na versão original 1.1 do Teste de Nomeação de Sinais por Escrita (TNS1.1–Escrita) foi um preditor excepcionalmente bom do desempenho na versão 2.1 do mesmo teste (TNF2.1–Escrita), com coeficiente de correlação de 0,96. Foi, também, muito bom preditor do desempenho no Teste de Nomeação de Sinais por Escolha (TNS1.1–Escolha e TNS2.1–Escolha), com coeficientes de correlação variando de 0,84 a 0,87. Foi, ainda, bom preditor do desempenho no Teste de Competência de Leitura de Sentenças (TCLS1.1), no Teste de Nomeação de Figuras por Escrita (TNF1.1–Escrita e TNF2.1–Escrita), no Teste de Vocabulário Receptivo de Sinais da Libras (TVRSL1.1) e no Teste de Nomeação de Figuras por Escolha (TNF1.1–Escolha e TNF2.1–Escolha), com coeficientes de correlação variando de 0,62 a 0,70. Por fim, foi também preditor razoável do desempenho no Teste de Competência de Leitura de Palavras (TCLP1.1), com coeficiente de correlação de 0,57;

11.) O desempenho na versão original 2.1 do Teste de Nomeação de Sinais por Escrita (TNS2.1–Escrita) foi um preditor excepcionalmente bom do desempenho na versão 1.1 do mesmo teste (TNF1.1–Escrita), com coeficiente de correlação de 0,96. Foi, também, muito bom preditor do desempenho no Teste de Nomeação de Sinais por Escolha (TNS1.1–Escolha e TNS2.1–Escolha), com coeficientes de correlação variando de 0,81 a 0,85. Foi, ainda, bom preditor do desempenho no Teste de Nomeação de Figuras por Escrita (TNF1.1–Escrita e TNF2.1–Escrita), no Teste de Competência de Leitura de Sentenças (TCLS1.1), no Teste de Vocabulário Receptivo de Sinais da Libras (TVRSL1.1) e no Teste de Nomeação de Figuras por Escolha (TNF1.1–Escolha e TNF2.1–Escolha), com coeficientes de correlação variando de 0,61 a 0,68. Por fim, foi também preditor razoável do desempenho no Teste de Competência de Leitura de Palavras (TCLP1.1), com coeficiente de correlação de 0,55.

Portanto, todos os onze instrumentos foram devidamente validados nessa série de onze estudos.

4.10.4.) Corroboração da hipótese de mediação por sinalização interna

Esta série de onze estudos corroborou a hipótese de indexação do léxico ortográfico (com suas unidades, desde morfemas a itens lexicais tais como palavras inteiras com significado próprio) pelo léxico quirêmico (com suas respectivas unidades, desde componentes sublexicais dos sinais a itens lexicais tais como sinais inteiros com significado próprio), bem como de mediação, pelo léxico quirêmico, das relações entre o léxico ortográfico e o léxico semântico (F. Capovilla, no prelo). Tal hipótese foi inspirada a partir da bibliografia (Bellugi, 1983; Bellugi, Klima, & Poizner, 1988; Bellugi, Poizner, & Klima, 1983; Bellugi, Tzeng, Klima, & Fok, 1989; F. Capovilla & A. Capovilla, 2001b; Hanson, 1991; Hanson & Fowler, 1987; Klima & Bellugi, 1979; Klima, Bellugi, & Poizner, 1988; Poizner, Bellugi, & Tweney, 1981; Poizner, Klima, & Bellugi, 1987), e explica fenômenos de paralexias e paragrafias quirêmicas que ocorrem exclusivamente em surdos sinalizadores quando se encontram engajados nas atividades de leitura e escrita no código alfabético.

Segundo a hipótese, durante a leitura, a compreensão de palavras escritas e de textos por parte do surdo envolve sinalização interna, sendo que o acesso ao léxico semântico se dá pela porta de entrada do léxico quirêmico, que contém as imagens visuais e articulatórias dos sinais relevantes ao pensamento e comunicação do surdo. Do mesmo modo, durante a escrita, a produção de palavras escritas e de textos por parte do surdo se dá sob controle de sinalização interna, sendo que o léxico quirêmico é a porta de saída do léxico semântico, intermediando a produção escrita alfabética, freqüentemente por codificação quirografêmica.

4.10.4.1.) A hipótese de mediação por sinais corroborada nas versões originais 1.1 e 2.1 do Teste de Nomeação de Sinais por Escolha

O desempenho de escolha de palavras escritas para nomear sinais da Libras, tal como avaliado pelas versões originais 1.1 e 2.1 do Teste de Nomeação de Sinais por Escolha (TNS1.1–Escolha e TNS2.1–Escolha), corroborou a hipótese de mediação. Assim, ao ter de escolher palavras escritas para denominar sinais da Libras, os examinandos surdos cometeram paralexias radicadas na similaridade entre os sinais subjacentes, isto é, na similaridade entre o sinal que devia ser nomeado, e que estava subjacente à palavra-alvo que deve ser escolhida, e o sinal subjacente à palavra distratora quirêmica que acabou sendo escolhida. Ou seja, ao ter de escolher palavras escritas para denominar sinais, os examinandos surdos escolheram palavras escritas que nada tinham a ver com os sinais, exceto pela similaridade entre o sinal-alvo que devia ser nomeado e o sinal que subjazia à palavra distratora quirêmica.

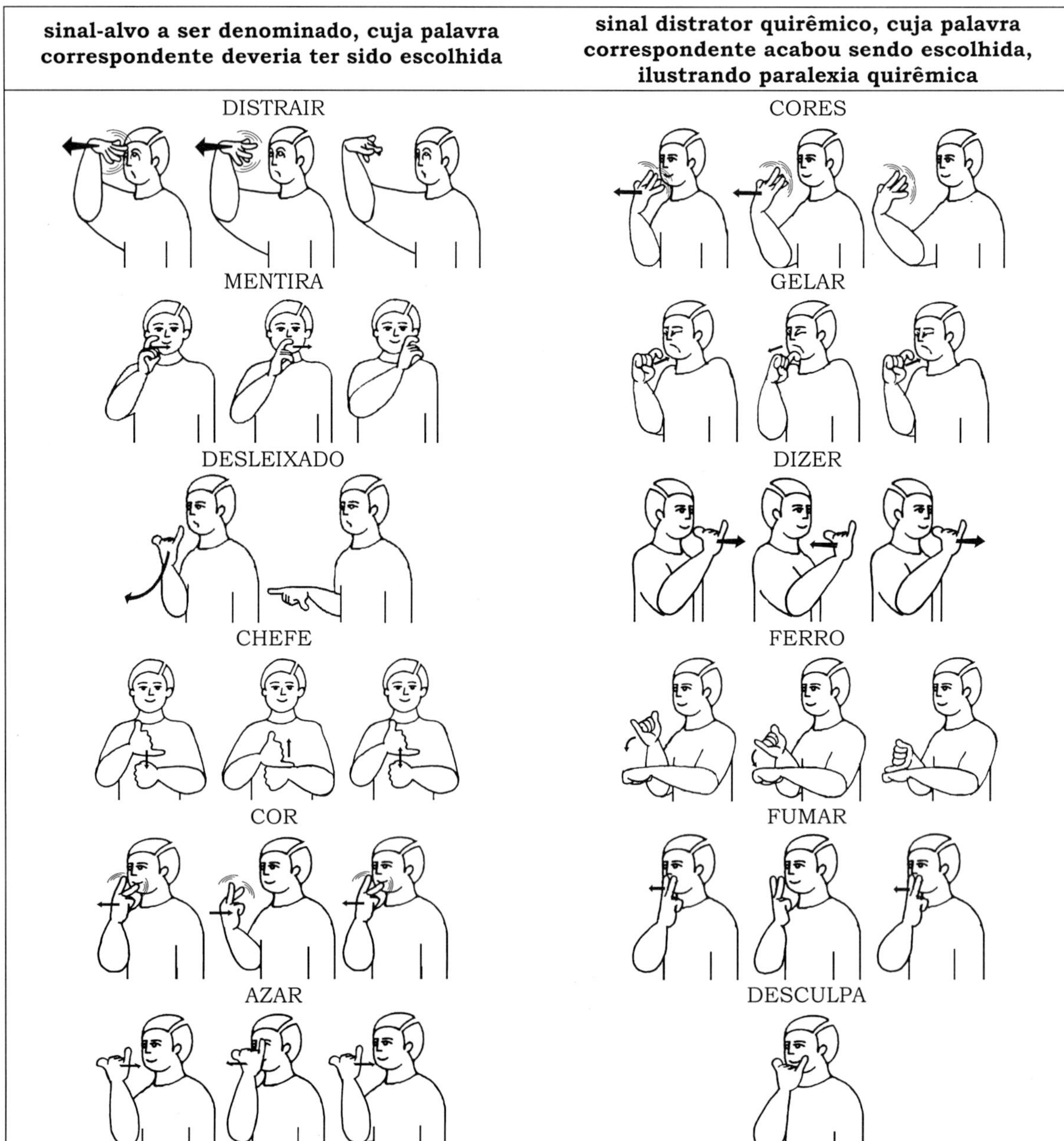

Figura 54. Amostra de seis dos 36 pares de sinais da versão 1.1 do Teste de Nomeação de Sinais por Escolha (TNS1.1–Escolha) que, corroborando a hipótese de mediação por sinais, originaram paralexias

e paragrafias quirêmicas. A coluna esquerda contém sinais a serem nomeados e as correspondentes palavras-alvo escritas que deveriam ter sido escolhidas. A coluna direita contém os sinais distratores quirêmicos que subjaziam às correspondentes palavras distratoras quirêmicas, as quais acabaram sendo escolhidas em lugar das palavras-alvo devido à semelhança entre o sinal distrator quirêmico e o sinal-alvo a ser nomeado.

Assim, palavras distratoras quirêmicas acabaram sendo incorretamente escolhidas devido à similaridade entre os sinais a elas subjacentes e os sinais-alvo a serem nomeados. Tal similaridade é proporcional ao número de elementos sublexicais quirêmicos em comum entre os dois sinais (e.g., forma de mão, orientação de palma, local do sinal, movimento e expressão facial associada), sendo que, quanto maior a proporção de elementos quirêmicos coincidentes, tanto maior a similaridade quirêmica e, logo, o poder do distrator quirêmico em induzir erros. A hipótese de mediação pelo sinal explica a ocorrência de paralexias de base quirêmica típicas de sinalizadores com surdez pré-lingual ou perilingual, mas absolutamente estranhas a examinandos sem familiaridade com língua de sinais. Tal hipótese de paralexias radicadas na similaridade quirêmica durante a nomeação de sinais recebeu corroboração experimental, tanto no estudo sobre a versão 1.1 (TNS1.1–Escolha: F. Capovilla, Viggiano, Raphael, Mauricio, A. Capovilla, & Bidá, 2004) quanto no estudo sobre a versão 2.1 do teste (TNS2.1–Escolha: F. Capovilla, Viggiano, Bidá, Luz, A. Capovilla, & Neves, 2004).

A Figura 54 ilustra seis dos vários pares de sinais que, conforme previsto pela hipótese de mediação por sinais, deram origem a paralexias e paragrafias quirêmicas. Os sinais a serem nomeados, com seus respectivos nomes (ambos na coluna esquerda), foram denominados com as palavras correspondentes aos seus distratores quirêmicos (na coluna da direita). Segundo a hipótese de mediação por sinais, a escolha de palavras escritas para nomear figuras ou sinais envolve mediação por sinalização interna; e, como a codificação de informações lingüísticas se dá por meio de elementos sublexicais quirêmicos, quando sinais diferentes compartilham quiremas, podem ocorrer problemas de armazenamento, recuperação ou processamento de informação que originam paralexias e paragrafias quirêmicas. Isso pode ajudar a explicar achados como os ilustrados na figura: Ao ter de nomear por escrito o sinal DISTRAIR, muitos examinandos surdos sinalizadores selecionaram a palavra escrita CORES; ao ter de nomear o sinal MENTIRA, eles selecionaram a palavra escrita GELAR; para nomear DESLEIXADO, selecionaram DIZER; para nomear CHEFE, selecionaram FERRO; para nomear COR, selecionaram FUMAR; e para nomear AZAR, selecionaram DESCULPA.

Segundo a hipótese de mediação por sinais, a escolha de palavras escritas para nomear figuras ou sinais envolve mediação de sinalização interna. Como a codificação de informações lingüísticas baseia-se em quiremas, a presença desses elementos sublexicais em comum entre sinais diferentes freqüentemente produz paralexias quirêmicas em decorrência de problemas de armazenamento, recuperação ou processamento de informação. De fato, frente a sinais a serem nomeados, em vez de escolher as palavras-alvo escritas que correspondiam a esses sinais, muitos leitores surdos escolheram palavras distratoras quirêmicas devido à semelhança entre os sinais que indexavam essas palavras distratoras quirêmicas e os sinais que deviam ser nomeados. Corroborando as previsões derivadas da hipótese, na versão 1.1 do Teste de Nomeação de Sinais por Escolha (TNS1.1–Escolha), foi observado que, ao ter de nomear por escrito o sinal DISTRAIR, muitos surdos selecionaram a palavra escrita CORES; ao ter de nomear o sinal MENTIRA, eles selecionaram a palavra escrita GELAR; para nomear DESLEIXADO, selecionaram DIZER; para nomear CHEFE, selecionaram FERRO; para nomear COR, selecionaram FUMAR, para nomear AZAR, selecionaram DESCULPA, e assim por diante.

Corroborando as previsões derivadas da hipótese de mediação por sinalização interna, na versão 2.1 do Teste de Nomeação de Sinais por Escolha (TNS2.1–Escolha), foi observado que, ao ter de nomear por escrito o sinal VERDADE, muitos surdos selecionaram a palavra escrita PEDRA; ao ter de nomear o sinal FANTASMA, selecionaram a palavra XEROX; para nomear AMAZONAS, selecionaram GALINHA; para nomear PERCEBER, selecionaram VISITAR-ME; para nomear HIPOPÓTAMO, selecionaram PERNAMBUCO; para nomear OFENDER, selecionaram DE NOVO; e assim por diante A Figura 55 ilustra seis dos pares de sinais que, conforme previsto pela hipótese de mediação por sinais, deram origem a paralexias e paragrafias quirêmicas. Os sinais a serem nomeados com seus respectivos nomes (ambos na coluna esquerda) foram nomeados conforme os nomes de seus distratores quirêmicos (na coluna da direita). Segundo a hipótese de indexação do léxico ortográfico ao léxico semântico por meio do léxico quirêmico, a escolha de palavras escritas para nomear sinais é afetada pelos elementos sublexicais quirêmicos, de modo que a presença de quiremas em comum entre sinais diferentes pode resultar em problemas de armazenamento, recuperação ou processamento de informação que resultam em paralexias quirêmicas. Isto explicaria achados como os ilustrados: Ao ter de nomear por escrito o sinal VERDADE, muitos surdos selecionaram a palavra escrita PEDRA; ao ter de nomear o sinal FANTASMA, eles selecionaram a palavra XEROX; para nomear AMAZONAS, selecionaram GALINHA; para nomear PERCEBER, selecionaram VISITAR-ME; para nomear HIPOPÓTAMO, selecionaram PERNAMBUCO; e para nomear OFENDER, selecionaram DE NOVO.

Sinal-alvo a ser denominado, cuja palavra correspondente deveria ter sido escolhida	**Sinal distrator quirêmico, cuja palavra correspondente acabou sendo escolhida, ilustrando paralexia quirêmica**

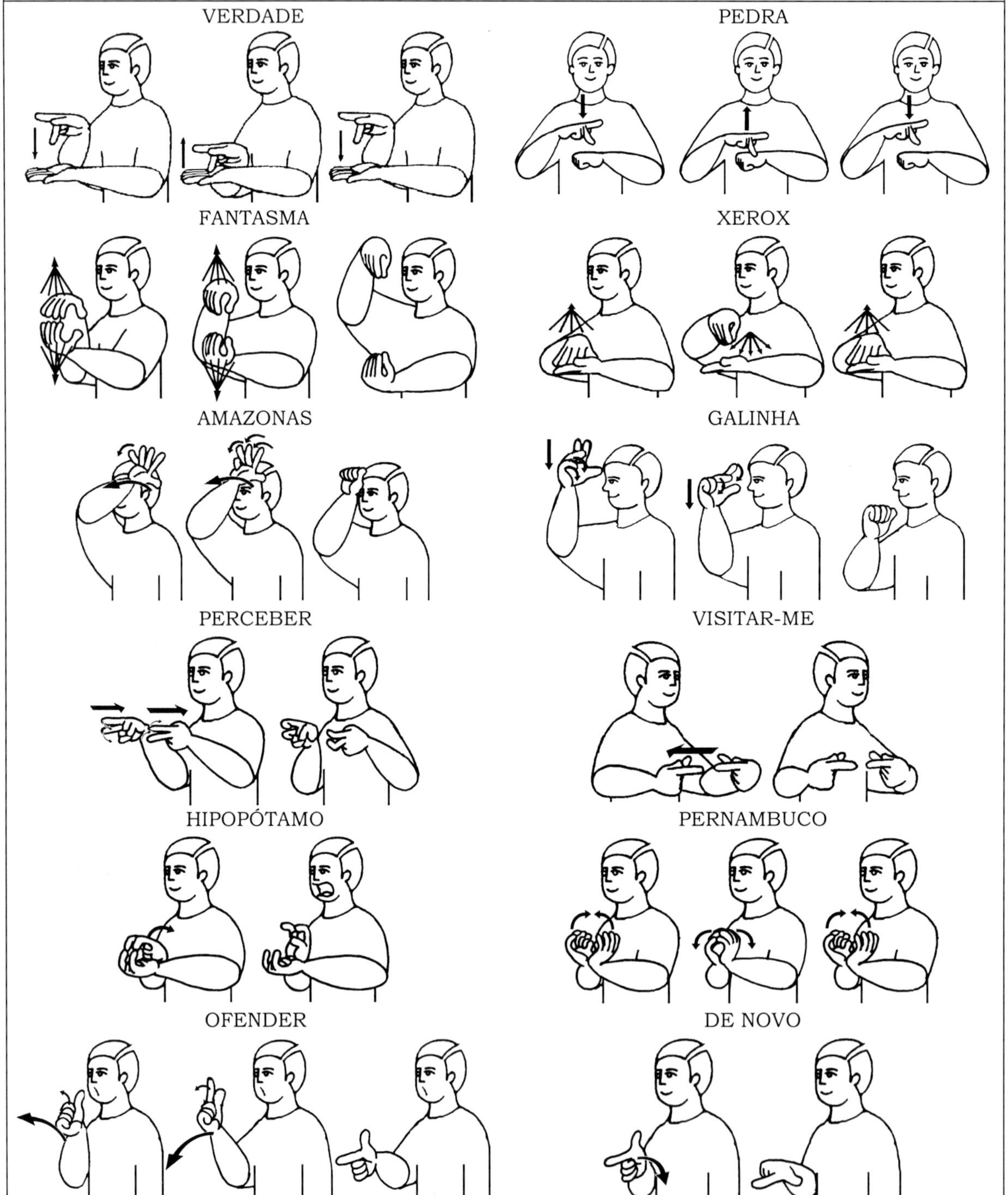

Figura 55. Amostra de seis dos vários pares de sinais da versão 2.1 do Teste de Nomeação de Sinais por Escolha (TNS2.1–Escolha) que, corroborando a hipótese de mediação por sinais, originaram paralexias e paragrafias quirêmicas. A coluna esquerda contém sinais a serem nomeados e as correspondentes palavras-alvo escritas que deveriam ter sido escolhidas. A coluna direita contém os sinais distratores quirêmicos que subjaziam às correspondentes palavras distratoras quirêmicas, as quais acabaram sendo escolhidas em lugar das palavras-alvo devido à semelhança entre o sinal distrator quirêmico e o sinal a ser nomeado.

4.10.4.2.) A hipótese de mediação por sinais corroborada nas versões originais 1.1 e 2.1 do Teste de Nomeação de Figuras por Escolha

O desempenho de escolha de palavras escritas para nomear figuras conhecidas, tal como avaliado pelas versões originais 1.1 e 2.1 do Teste de Nomeação de Figuras por Escolha (TNF1.1–Escolha e TNF2.1–Escolha), corroborou a hipótese de mediação por sinais. A Figura 56 ilustra dois dos 36 casos do TNF1.1–Escolha que, conforme previsto pela hipótese de mediação por sinais, deram origem a paralexias e paragrafias quirêmicas. Do mesmo modo, a Figura 57 ilustra seis dos 36 casos do TNF2.1–Escolha que, conforme previsto pela mesma hipótese de mediação por sinais, também deram origem a paralexias e paragrafias quirêmicas.

figura-alvo a ser nomeada e palavra que foi escolhida para denominá-la	**sinal correspondente à figura-alvo que indexa essa figura à palavra-alvo que deveria ter sido escolhida na nomeação de figuras por escolha**	**sinal similar ao da figura-alvo que subjaz à palavra que foi escolhida para nomear a figura, ilustrando assim uma paralexia quirêmica**
 PERNAMBUCO	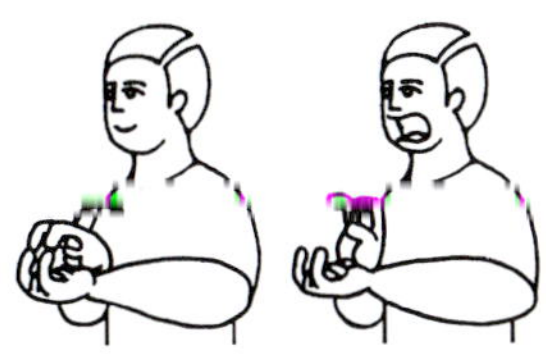	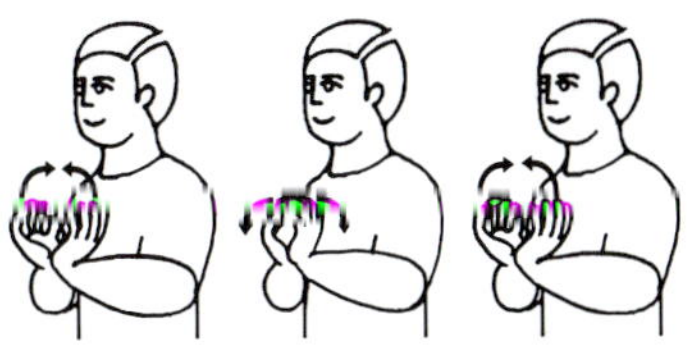
 BOMBOM		

Figura 56. Amostra de dois dos 36 casos do TNF1.1–Escolha que, conforme previsto pela hipótese de mediação por sinais, deram origem a paralexias e paragrafias quirêmicas. Na coluna esquerda, as figuras-alvo de hipopótamo e milho a serem nomeadas por meio da escolha da palavra escrita correspondente, e as palavras escritas distratoras PERNAMBUCO e BOMBOM que foram escolhidas pelos examinandos surdos para denominá-las, e que correspondem aos respectivos distratores quirêmicos. Na coluna central, os sinais HIPOPÓTAMO e MILHO que correspondem às figuras-alvo da coluna da esquerda. Na coluna direita, os sinais PERNAMBUCO e BOMBOM que subjazem às palavras distratoras quirêmicas que, conforme previsto pela hipótese, acabaram sendo escolhidas para denominar as figuras de hipopótamo e milho. Segundo a hipótese de mediação por sinais subjacentes, a similaridade quirêmica entre os sinais (no caso, PERNAMBUCO, BOMBOM) que correspondem às palavras distratoras quirêmicas (PERNAMBUCO, BOMBOM) e os sinais (HIPOPÓTAMO, MILHO) que correspondem às figuras-alvo (hipopótamo, milho) que deveriam ser nomeadas pela escolha de suas respectivas palavras-alvo (HIPOPÓTAMO, MILHO) induziu os examinandos surdos a cometer paralexias quirêmicas, escolhendo as palavras distratoras quirêmicas em vez de as palavras-alvo, o que os levou a nomear, nessa tarefa de escolha de palavras escritas, um hipopótamo como PERNAMBUCO e uma espiga de milho como BOMBOM.

A hipótese de mediação por sinais decorre do modelo de processamento de leitura de surdos (F. Capovilla, no prelo), segundo o qual, no leitor sinalizador com surdez pré-lingual ou perilingual, o acesso ao léxico semântico se dá pela porta de entrada do léxico quirêmico, que contém a representação da composição quirêmica de todos os sinais articulados e vistos, que já tiveram alguma relevância no passado para o leitor. Segundo a hipótese, ao ter de escolher palavras escritas para nomear figuras que representam objetos conhecidos, os examinandos surdos primeiro evocam o sinal da Libras correspondente à figura e só então, usando esse sinal, resgatam a palavra escrita a ele correspondente. Ainda segundo a hipótese, as palavras escritas em Português encontram-se indexadas pelos sinais subjacentes em Libras, de modo que, para nomear uma figura em Português, é preciso que o examinando surdo primeiro nomeie a figura em Libras (i.e., primeiro evoque o sinal da Libras correspondente à figura) para que possa, então, usando esse sinal evocado como se fosse um indexador, resgatar a palavra escrita a ele associada. Como o sistema secundário de representação de informação (i.e., a escrita alfabética) está ancorado no sistema primário (i.e., sinalização em Libras), os erros de leitura (i.e., paralexias) e de escrita (i.e., paragrafias) podem dever-se tanto a falhas no estágio de evocação do sinal correspondente, a partir do léxico quirêmico, para nomear uma figura, quanto a falhas no estágio de evocação da palavra escrita correspondente ao sinal, a partir do léxico ortográfico.

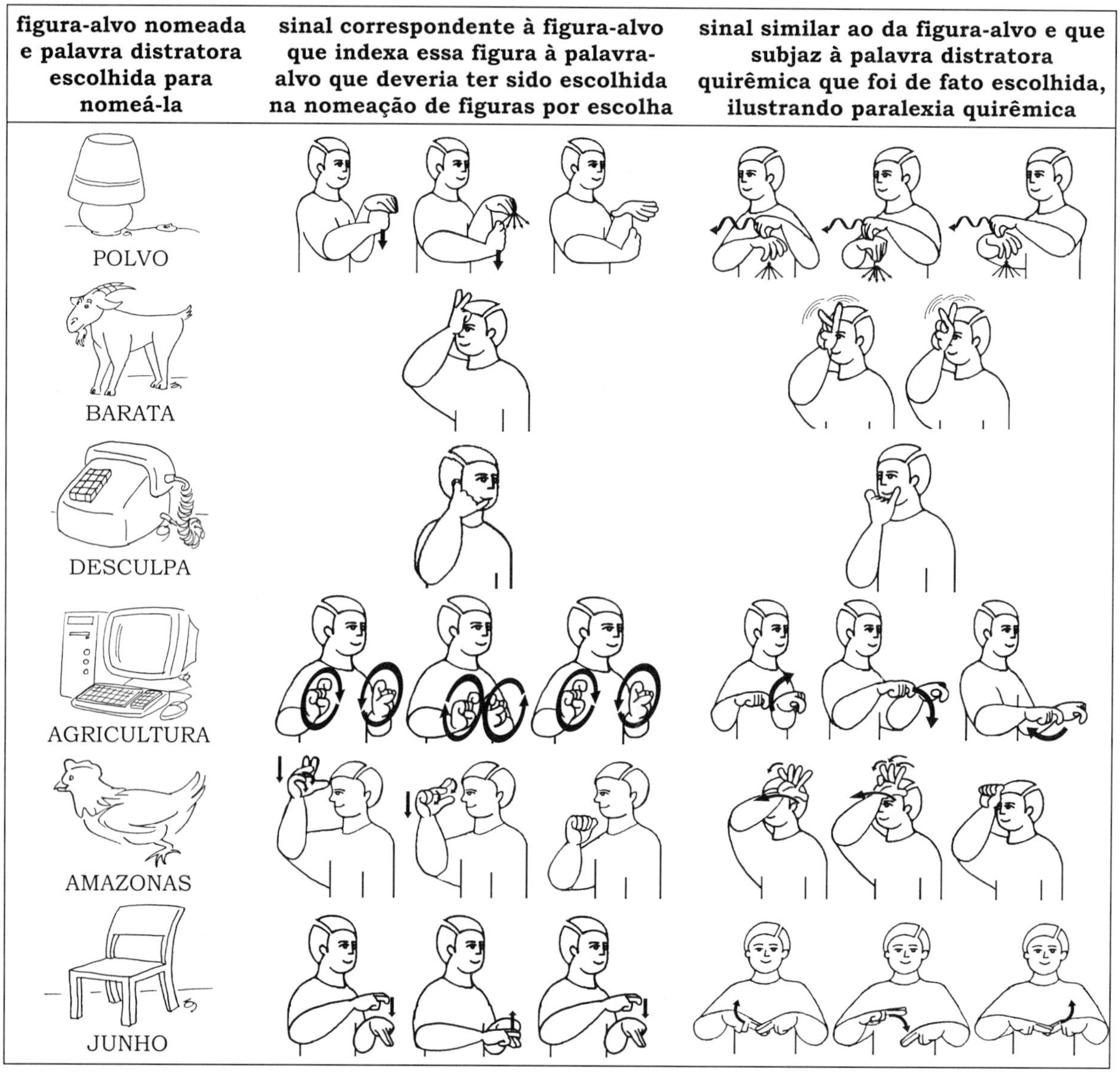

Figura 57. Amostra de seis dos 36 casos do TNF2.1–Escolha que, conforme previsto pela hipótese de mediação por sinais, deram origem a paralexias e paragrafias quirêmicas. Na coluna esquerda, as figuras de abajur, cabra, telefone, computador, galinha e cadeira a serem nomeadas por meio da escolha da palavra escrita correspondente, e as palavras escritas que foram escolhidas pelos examinandos surdos para denominá-las, e que correspondem às palavras distratoras quirêmicas POLVO, BARATA, DESCULPA, AGRICULTURA, AMAZONAS e JUNHO, respectivamente. Na coluna do centro, os sinais ABAJUR, CABRA, TELEFONE, COMPUTADOR, GALINHA e CADEIRA correspondentes às figuras da coluna da esquerda. Na coluna da direita, os sinais POLVO, BARATA, DESCULPA, AGRICULTURA, AMAZONAS e JUNHO subjacentes às palavras distratoras quirêmicas (que, conforme previsto pela hipótese, foram escolhidas para denominar as figuras) correspondentes às figuras de abajur, cabra, telefone, computador, galinha e cadeira. Segundo previsto pela hipótese de mediação entre os léxicos ortográfico e semântico pelo léxico quirêmico, a similaridade quirêmica entre os sinais (no caso, POLVO, BARATA, DESCULPA, AGRICULTURA, AMAZONAS, JUNHO) subjacentes às palavras distratoras quirêmicas (POLVO, BARATA, DESCULPA, AGRICULTURA, AMAZONAS, JUNHO) e os sinais (ABAJUR, CABRA, DESCULPA, COMPUTADOR, GALINHA, CADEIRA) que correspondem às figuras (abajur, cabra, desculpa, computador, galinha, cadeira) que deveriam ser nomeadas pela escolha das palavras-alvo (ABAJUR, CABRA, DESCULPA, COMPUTADOR, GALINHA, CADEIRA) induziu os examinandos surdos a cometer paralexias quirêmicas, escolhendo as palavras distratoras quirêmicas em vez das palavras-alvo. Tal processamento de sinais subjacente poderia levar surdos sinalizadores a nomear um abajur como POLVO, cabra como BARATA, telefone como DESCULPA, computador como AGRICULTURA, galinha como AMAZONAS e cadeira como JUNHO.

A codificação, a decodificação, o armazenamento, a recuperação e o processamento de informação lingüística em língua de sinais ocorrem por meio das propriedades sublexicais, que são os elementos quirêmicos constitutivos dos sinais. Assim, a similaridade de composição quirêmica entre sinais diferentes pode ocasionar confusão entre esses sinais, tanto no estágio de evocação da representação quirêmica de sinais para nomear figuras, quanto no estágio de evocação da representação ortográfica de palavras escritas a partir dos sinais associados. Tais confusões entre sinais diferentes, decorrentes da similaridade na composição sublexical desses sinais, podem originar paralexias e paragrafias típicas de leitores sinalizadores com surdez pré-lingual ou perilingual e não encontradas em qualquer outro tipo de leitor.

A hipótese de mediação por sinalização interna durante a leitura e de paralexias radicadas na similaridade quirêmica durante a nomeação de figuras recebeu corroboração experimental nos estudos sobre o Teste de Nomeação de Figuras por Escolha, tanto sobre a versão 1.1 (TNF1.1–Escolha: F. Capovilla, Viggiano, Raphael, Bidá, A. Capovilla, Neves, & Mauricio, 2004), quanto sobre a versão 2.1 (TNF2.1–Escolha: F. Capovilla, Viggiano, Bidá, A. Capovilla, Raphael, Neves, & Mauricio, 2004).

Corroborando as previsões derivadas da hipótese de sinalização interna, na versão 1.1 do Teste de Nomeação de Figuras por Escolha (TNF1.1–Escolha), foi observado que, ao ter de nomear por escrito figuras conhecidas, um grande número de examinandos surdos designou um hipopótamo como PERNAMBUCO, e uma espiga de milho como BOMBOM.

Ou seja, corroborando as expectativas derivadas da hipótese, quando confrontados com a tarefa de escolher palavras escritas para nomear figuras, muitos surdos escolheram a palavra escrita PERNAMBUCO para denominar a figura de um hipopótamo e BOMBOM para denominar a figura de uma espiga de milho. Tal fato, segundo a hipótese de mediação por sinalização interna, decorreria da similaridade quirêmica entre os sinais subjacentes HIPOPÓTAMO e PERNAMBUCO de um lado, e MILHO e BOMBOM de outro lado.

Do mesmo modo, corroborando as previsões derivadas da hipótese de sinalização interna, na versão 2.1 do Teste de Nomeação de Figuras por Escolha (TNF2.1–Escolha), foi observado que, ao ter de nomear por escrito figuras conhecidas, muitos examinandos surdos designaram um abajur como POLVO, uma cabra como BARATA, um telefone como DESCULPA, um computador como AGRICULTURA, uma galinha como AMAZONAS, e uma cadeira como JUNHO.

Ou seja, confrontados com a tarefa de escolher palavras escritas para nomear figuras, muitos surdos escolheram a palavra escrita POLVO para denominar um abajur, BARATA para denominar uma cabra, DESCULPA para denominar telefone, AGRICULTURA para denominar computador, AMAZONAS para denominar galinha, e JUNHO para denominar cadeira, o que se deu devido à similaridade quirêmica entre os sinais subjacentes ABAJUR e POLVO, CABRA e BARATA, TELEFONE e DESCULPA, COMPUTADOR e AGRICULTURA, GALINHA e AMAZONAS, CADEIRA e JUNHO.

4.10.4.3.) Corroborando a hipótese de mediação por sinais quanto à eficácia de distratores quirêmicos e ortográficos, e às relações com vocabulário de sinais em Libras e competência de leitura em Português

A hipótese de mediação por sinais também estabelece expectativas experimentais relacionadas à eficácia dos distratores quirêmicos e ortográficos que foram corroboradas nos quatro estudos referentes às duas versões de cada um dos dois testes de nomeação por escolha:

- O Teste de Nomeação de Sinais por Escolha em suas versões 1.1 e 2.1:

TNS1.1–Escolha (F. Capovilla, Viggiano, Raphael, Mauricio, A. Capovilla, & Bidá, 2004) e TNS2.1–Escolha (F. Capovilla, Viggiano, Bidá, Luz, A. Capovilla, & Neves, 2004), e

- O Teste de Nomeação de Figuras por Escolha, em suas versões 1.1 e 2.1:

TNF1.1–Escolha (F. Capovilla, Viggiano, Raphael, Bidá, A. Capovilla, Neves, & Mauricio, 2004) e TNF2.1–Escolha (F. Capovilla, Viggiano, Bidá, A. Capovilla, Raphael, Neves, & Mauricio, 2004).

Quanto à distribuição de erros e eficácia dos distratores ortográficos e quirêmicos do Teste de Nomeação de Figuras por Escolha, as expectativas foram corroboradas. Ou seja:

- Em termos de eficácia de distratores ortográficos, foi observado que, quanto maior a competência de leitura de palavras em Português (em termos de habilidades de decodificação de palavras pouco familiares e de reconhecimento visual direto de palavras familiares) tal como medida pelo Teste de Competência de Leitura de Palavras (TCLP: F. Capovilla, Viggiano, A. Capovilla, Raphael, Mauricio, & Bidá, 2004), tanto menor foi a eficácia de distratores ortográficos em induzir erros de nomeação de figuras. Do mesmo modo,
- Em termos de eficácia dos distratores quirêmicos, foi observado que quanto maior a compreensão de sinais da Libras, tal como medida pelo Teste de Vocabulário Receptivo de Sinais da Libras (F. Capovilla, Viggiano, A. Capovilla, Raphael, Bidá, & Mauricio, 2004), tanto menor foi a eficácia de distratores quirêmicos em induzir erros de nomeação de figuras.

Tais expectativas foram corroboradas experimentalmente no estudo sobre o TNF2.1–Escolha.

Corroborando a hipótese de mediação por sinais, no que diz respeito à distribuição de erros, foi observado que:

- Quanto melhor o desempenho no Teste de Vocabulário Receptivo de Sinais da Libras (TVRSL), tanto menor foi a freqüência de erros induzidos por distratores quirêmicos no Teste de Nomeação de Figuras por Escolha. Além disso, também foi observado que,
- Quanto melhor o desempenho no Teste de Competência de Leitura de Palavras (TCLP), tanto menor foi a freqüência de erros induzidos por distratores ortográficos no Teste de Nomeação de Figuras por Escolha.

Mais precisamente, foram observadas correlações negativas entre:

- Compreensão de sinais da Libras (i.e., o vocabulário receptivo visual de sinais da Libras) e
- Freqüência de erros quirêmicos,

Bem como entre:

- Competência de leitura de palavras e
- Freqüência de erros ortográficos.

Além disso, foi encontrada dupla dissociação

- Entre a freqüência de erros quirêmicos e o vocabulário de sinais de um lado, e
- Entre a freqüência de erros ortográficos e a competência de leitura de palavras de outro lado,

de modo que:

- Comparando as correlações negativas entre a competência de leitura e a indução de erros por distratores quirêmicos e ortográficos, foi observada maior correlação negativa com os distratores ortográficos. E, reciprocamente,
- Comparando as correlações negativas entre a compreensão de sinais da Libras e a indução de erros por distratores quirêmicos e ortográficos, foi observada maior correlação negativa com os distratores quirêmicos.

Tais expectativas experimentais foram corroboradas no estudo sobre o TNF1.1–Escolha.

Assim, em se tratando de nomear *figuras* por escolha de palavras escritas, tal como avaliado pelo TNF1.1–Escolha e pelo TNF2.1–Escolha, foi observado, conforme esperado, um maior equilíbrio entre as contribuições relativas do vocabulário receptivo de sinais da Libras e da competência de leitura de palavras para o controle da indução de erros por distratores quirêmicos e ortográficos.

Corroborando as expectativas:

• O efeito dos distratores quirêmicos foi inversamente proporcional à compreensão de sinais da Libras, tal como avaliado pelo TVRSL1.1, e

• O efeito de distratores ortográficos foi inversamente proporcional à competência de leitura de palavras.

Tais expectativas foram corroboradas experimentalmente nos dois estudos sobre nomeação de figuras por escolha, isto é, tanto no estudo sobre o TNF1.1–Escolha quanto no estudo sobre o TNF2.1–Escolha.

Do mesmo modo, em se tratando de nomear *sinais* por escolha de palavras escritas, tal como avaliado pelo TNS1.1–Escolha e pelo TNS2.1–Escolha, foi observado, conforme o esperado, que a contribuição do vocabulário de sinais foi maior que a contribuição da competência de leitura, tanto a competência de leitura de palavras, tal como avaliada pelo TCLP1.1, quanto a competência de leitura de sentenças, tal como avaliada pelo TCLS1.1. Ou seja, foi observado algo além da mera covariação positiva e sistemática entre o vocabulário receptivo de sinais da Libras, a competência de leitura de palavras isoladas em Português e a competência de leitura de sentenças em Português. Conforme o esperado, dada a importância da compreensão de sinais para a prova de nomeação de sinais por escolha de palavras escritas, foi observado que as três habilidades estiveram mais correlacionadas de maneira inversa à indução de erros por distratores quirêmicos do que à indução de erros por distratores ortográficos.

Assim, enquanto na tarefa de nomeaçao de figuras a compreensão de sinais funcionava como elo intermediário interno facilitando a atividade de nomeação, na tarefa de nomeação de sinais a compreensão de sinais é o ponto de partida e o quesito *sine qua non* para que tal nomeação possa vir a ocorrer. Isso mostra que, embora a compreensão de sinais não seja suficiente para a nomeação (já que esta requer, também, habilidades em Português), ela é uma habilidade de entrada absolutamente necessária para que a nomeação possa ocorrer. De fato, foi observada uma importância relativamente maior do processamento quirêmico em tarefas de nomeação de sinais por escolha de palavras do que em tarefas de nomeação de figuras por escolha de palavras. Ou seja, em se tratando de nomear sinais por escolha de palavras escritas, o conhecimento de sinais da Libras mostrou-se mais importante que a competência de leitura de palavras e a competência de leitura de sentenças em Português, sendo que os distratores quirêmicos foram melhores preditores do desempenho em nomeação de sinais por escolha de palavras escritas do que os distratores ortográficos. Tais achados, que corroboram as expectativas derivadas do modelo, foram demonstrados experimentalmente tanto no estudo sobre o TNS1–Escolha, quanto no estudo sobre o TNS2.1–Escolha.

Desse modo, a presente série de estudos fornece forte evidência que corrobora o modelo de processamento de leitura no surdo, também na área relacionada à hipótese de mediação por sinalização interna, ou seja, de acesso ao léxico semântico por meio da porta de entrada do léxico quirêmico. Tal hipótese fundamenta-se em modelos teóricos da abordagem de processamento de informações e encontra suporte empírico numa série de achados experimentais da neuropsicologia cognitiva que vêm sendo obtidos desde a década de 1980. Conforme os fundamentos desse modelo, a língua escrita é um sistema de representação secundário e se baseia num sistema de representação primário, que é a língua falada para o ouvinte e a língua de sinais para o surdo. A comparação entre os padrões de erro de escrita alfabética cometidos por crianças ouvintes e surdas revela isto com clareza. De fato, na fase alfabética (A. Capovilla & F. Capovilla, 2003c, 2003d; F. Capovilla & A. Capovilla, 2001b), as crianças ouvintes tendem a cometer erros de regularização grafofonêmica (A. Capovilla & F. Capovilla, 2003c, 2003d; F. Capovilla & A. Capovilla, 2001b; Lemle, 1991; Luria, 1970), que revelam a mediação pela fala interna (Baddeley, 1986; Baddeley & Hitch, 1974; Baddeley, Lewis, & Vallar, 1984; Baddeley & Wilson, 1985; F. Capovilla, Gonçalves, Macedo, & Duduchi, 1998; F. Capovilla, A. Capovilla, & Macedo, 2001; Halliday, Hitch, Lennon, & Pettipher, 1990). Tais erros revelam que, nessa fase alfabética, as crianças ouvintes tendem a escrever por codificação fonografêmica, como se estivessem transcrevendo os sons da fala interna. Em contraste, as crianças surdas tendem a cometer trocas visuais de letras e palavras com base na semelhança visual entre a palavra-alvo e a palavra escrita. Tais trocas constituem paralexias literais e semânticas, que revelam um padrão de leitura consistente com o padrão de leitura logográfico das crianças ouvintes ainda não alfabetizadas (A. Capovilla & F. Capovilla, 2003c, 2003d; F. Capovilla & A. Capovilla, 2001b). Contudo, as crianças surdas tendem a cometer também outro tipo de paralexia que é própria e exclusiva do leitor surdo sinalizador, ou seja, trocas radicadas em sinais, mais propriamente na similaridade entre o sinal subjacente à palavra correta que se deveria ler e o sinal subjacente à palavra incorreta que se acaba lendo. Tal similaridade entre os sinais é de natureza quirêmica, e se deve a um certo número de elementos em comum na composição sublexical dos sinais envolvidos, em termos de forma de mão, orientação da palma, local de articulação, movimento e expressão facial associada. Tais trocas radicadas em sinais ocorrem não apenas na leitura (i.e., paralexias) como, também, na escrita (i.e., paragrafias).

4.10.4.4.) A hipótese de mediação por sinais corroborada por evidência de paragrafias quirêmicas nas versões originais 1.1 e 2.1 do Teste de Nomeação de Sinais por Escrita

O desempenho de escrita de palavras para nomear sinais da Libras, tal como avaliado pelas versões originais 1.1 e 2.1 do Teste de Nomeação de Sinais por Escrita (TNS1.1–Escrita e TNS2.1–Escrita), corroborou a hipótese de indexação do léxico ortográfico ao léxico semântico pelo léxico quirêmico. Assim, ao ter de escrever palavras para denominar sinais da Libras, os examinandos surdos cometeram paragrafias radicadas na similaridade entre o sinal-alvo a ser nomeado e o sinal subjacente à palavra que acabou sendo livremente escrita. Ou seja, ao ter de escrever palavras para denominar sinais, os examinandos surdos escreveram palavras que nada tinham a ver com os sinais, exceto pela similaridade entre o sinal-alvo que devia ser nomeado e o sinal que subjazia àquela palavra que acabou sendo escrita. Tal similaridade é proporcional ao número de elementos sublexicais quirêmicos (e.g., forma de mão, orientação de palma, local do sinal, movimento e expressão facial associada) em comum entre os dois sinais, sendo que, quanto maior a proporção de elementos quirêmicos coincidentes, tanto maior a similaridade quirêmica e, logo, a probabilidade de cometer paragrafia quirêmica durante a tarefa de encontrar palavras em Português para corresponder a sinais em Libras.

A hipótese de mediação pelo sinal e de indexação quirêmica do léxico ortográfico ao semântico explica a ocorrência de paragrafias desse tipo (i.e., paragrafias quirêmicas) que seriam mais típicas de surdos e absolutamente estranhas a examinandos sem qualquer familiaridade com a língua de sinais. Tal hipótese de paralexias e paragrafias radicadas na similaridade quirêmica entre sinais, durante tarefas de nomeação de figuras e de sinais por escolha e por escrita, tem recebido extensa corroboração experimental na presente série de estudos, tal como sumariado em F. Capovilla & Viggiano (2004).

Em termos do desempenho de escrita de palavras para nomear sinais da Libras, tal como avaliado pelo TNS1.1–Escrita e pelo TNS2.1–Escrita, de acordo com a hipótese de indexação do léxico ortográfico pelo léxico quirêmico, ao escrever palavras para denominar sinais da Libras, os examinandos surdos podem cometer paragrafias radicadas na similaridade entre o sinal subjacente à palavra que é escrita espontaneamente pelo surdo e o sinal-alvo a ser nomeado. Ou seja, ao ter de escrever livremente os nomes de sinais da Libras, os examinandos surdos podem escrever palavras que nada têm a ver com os sinais, exceto pela similaridade entre os sinais a elas subjacentes e os sinais-alvo a serem nomeados. Tais trocas na escrita consistem em paragrafias de natureza quirêmica, já que se devem ao processamento interno de sinais que indexam as palavras escritas aos seus respectivos significados.

A ocorrência dessas paragrafias revela que, no leitor surdo sinalizador, o léxico ortográfico se encontra indexado ao léxico semântico pelo léxico quirêmico. Assim, para conseguir resgatar a forma ortográfica do nome de um determinado sinal, o surdo recorre às propriedades formais (i.e., quirêmicas) desse sinal, de modo que sinais diferentes que compartilham elevada proporção de elementos quirêmicos podem acabar resgatando, uns dos outros, as respectivas palavras por eles indexadas.

A similaridade quirêmica entre os sinais pode acarretar problemas de armazenamento, processamento e recuperação de representações ortográficas de palavras no léxico ortográfico do surdo. Tais problemas de armazenamento, processamento e recuperação dão origem a trocas de palavras na leitura (i.e., paralexias quirêmicas) e na escrita (i.e., paragrafias quirêmicas) que são exclusivas do leitor sinalizador com surdez pré-lingual ou perilingual, não aparecendo em nenhum outro tipo de leitor, e que só podem ser compreendidas apropriadamente a partir da análise do processamento quirêmico interno do leitor surdo. Conforme explicado pode-se quantificar a similaridade quirêmica por meio da análise da composição sublexical dos sinais envolvidos, usando o sistema de indexação quirêmica de sinais, que fornece automaticamente a composição quirêmica precisa numa seqüência de códigos alfanuméricos em que as letras representam quiremas e os números representam alóquiros.

Corroborando a hipótese de indexação quirêmica do léxico ortográfico e de acesso ao léxico semântico pelo léxico quirêmico, no TNS1.1–Escrita foi observado que, conforme o esperado, alguns examinandos surdos sinalizadores escreveram

- *rei* ou *rainha* ao tentar nomear o sinal CULPA;
- *beijar* e *beijo* ao tentar nomear o sinal TENTAR;
- *apontador* ao tentar nomear o sinal FEIJÃO;
- *motel* ao tentar nomear o sinal BANDEIRA; e
- *ficar à toa* ao tentar nomear o sinal EXEMPLO.

Tais paragrafias quirêmicas observadas no TNS1.1–Escrita, já preditas pela hipótese de indexação do léxico ortográfico pelo léxico quirêmico e de acesso ao léxico semântico pelo léxico quirêmico, encontram-se ilustradas na Figura 58.

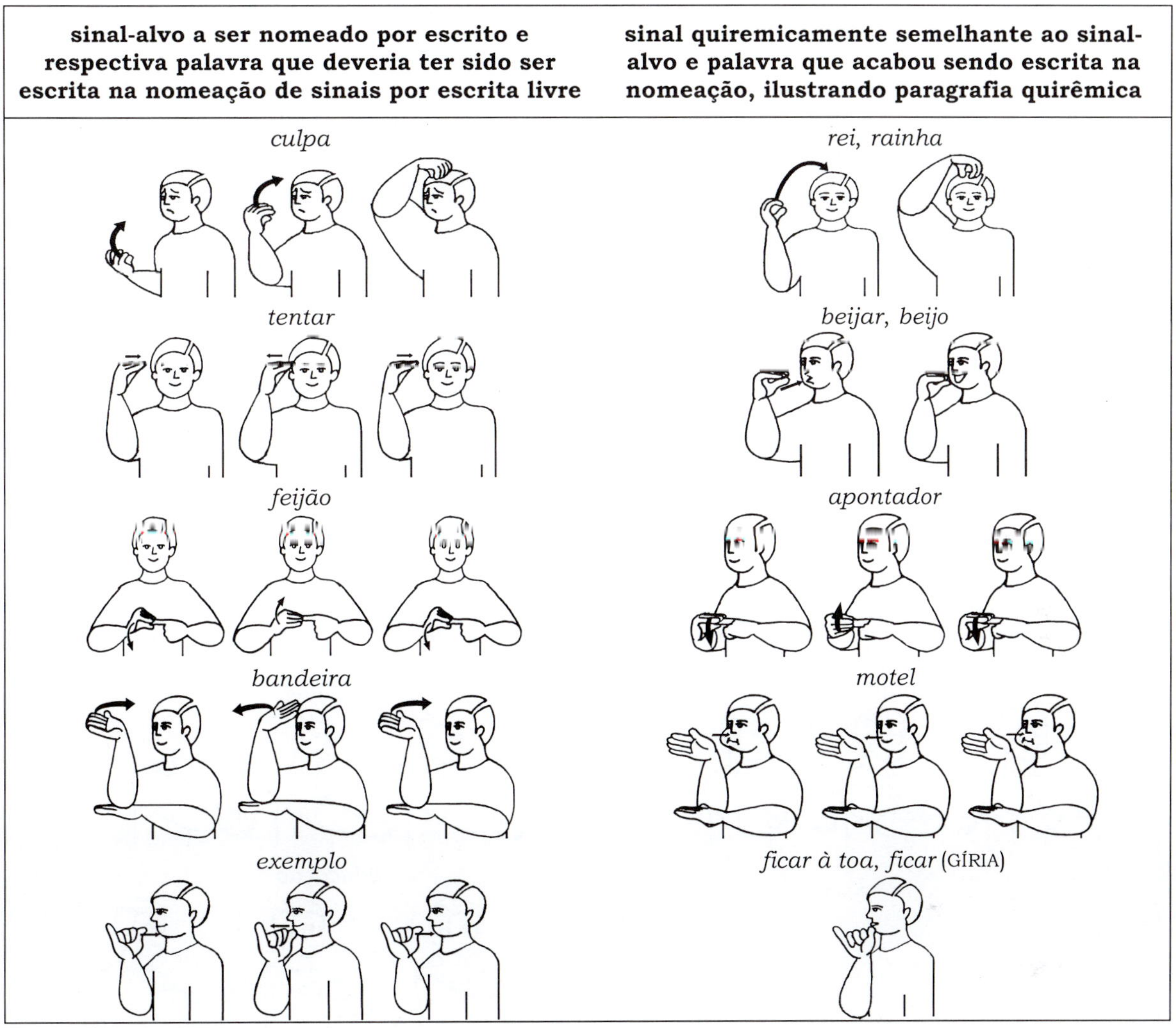

Figura 58. Amostra de cinco sinais-alvo que compõem a versão original 1.1 do Teste de Nomeação de Sinais por Escrita (TNS1.1–Escrita) e respectivos sinais quiremicamente semelhantes a eles. A coluna esquerda contém cinco palavras escritas (e respectivos sinais-alvo) que deveriam ter sido escritas na tarefa de nomeação dos sinais-alvo. A coluna direita contém as cinco palavras que acabaram sendo escritas pelos surdos ilustrando as paragrafias quirêmicas, e os sinais correspondentes a essas palavras, os quais são quiremicamente semelhantes aos sinais-alvo. Na tarefa de nomeação escrita dos sinais da coluna esquerda, em vez de escrever as palavras correspondentes, alguns examinandos surdos cometeram paragrafias quirêmicas, escrevendo as palavras da coluna direita. Influenciados pela semelhança quirêmica entre os sinais alvo a serem nomeados e outros sinais, os surdos acabaram resgatando as formas ortográficas indexadas por esses outros sinais. Ao ter de nomear por escrito os sinais CULPA, TENTAR, FEIJÃO, BANDEIRA e EXEMPLO, esses surdos sinalizadores cometeram as paragrafias quirêmicas de escrever *rei* ou *rainha* para CULPA, *beijar* ou *beijo* para TENTAR, *apontador* para FEIJÃO, *motel* para BANDEIRA, e *à toa* e *ficar* para EXEMPLO.

De acordo com a hipótese de indexação de palavras por sinais, a produção de palavras por escrita livre durante uma tarefa de nomeação de sinais envolve o resgate de formas ortográficas indexadas por formas quirêmicas. Como a codificação de informações linguísticas (dentre as quais, as ortográficas) se dá por elementos sublexicais quirêmicos, a presença de elementos quirêmicos em comum entre sinais diferentes pode acarretar problemas de armazenamento, recuperação ou processamento de informação que resultam em paralexias e paragrafias quirêmicas.

Isto explica achados do tipo ilustrado na Figura 58: Ao ter de nomear por escrito o sinal CULPA, alguns examinandos surdos escreveram *rei* ou *rainha*; para nomear o sinal TENTAR, escreveram *beijo* ou *beijar*; para nomear o sinal FEIJÃO, escreveram *apontador*; para nomear BANDEIRA, escreveram *motel*; para nomear EXEMPLO, escreveram *ficar à toa*.

Figura 59. Amostra de cinco sinais-alvo que compõem a versão 2.1 do Teste de Nomeação de Sinais por Escrita (TNS2.1–Escrita) e respectivos sinais quiremicamente semelhantes a eles. A coluna esquerda contém cinco sinais-alvo para que o surdo escreva as palavras a eles correspondentes. Essas palavras, que deveriam ter sido escritas, aparecem acima de cada sinal na coluna esquerda. A coluna direita contém sinais quiremicamente semelhantes aos sinais-alvo e as palavras escritas que correspondem a esses sinais. Na tarefa de nomeação escrita dos sinais da coluna esquerda, alguns estudantes surdos sinalizadores escreveram as palavras da coluna direita. Influenciados pela semelhança quirêmica entre o sinal-alvo a ser nomeado e um outro sinal, eles acabam escrevendo a palavra que é indexada por esse outro sinal (que aparece na coluna direita). Assim, tais surdos acabaram cometendo as paragrafias quirêmicas de escrever *gelo* ou *gelado* para designar o sinal VERDE, *livro* para POBRE ou POBREZA, *costume* ou *educação* para TREINAR, *aniversário* para IDADE, e *tempo* para ACONTECER.

Do mesmo modo, corroborando a hipótese de indexação quirêmica do léxico ortográfico e de acesso ao léxico semântico pelo léxico quirêmico, no TNS2.1–Escrita foi observado que, conforme o esperado, alguns examinandos surdos sinalizadores escreveram

- *gelo* ou *gelado* ao tentar nomear o sinal VERDE;
- *livro* ao tentar nomear o sinal POBRE, POBREZA;
- *costume* ou *educação* ao tentar nomear o sinal TREINAR;
- *aniversário* ao tentar nomear o sinal IDADE; e
- *tempo* ao tentar nomear o sinal ACONTECER.

Tais paragrafias quirêmicas observadas no TNS2.1–Escrita, já preditas pela hipótese de indexação do léxico ortográfico pelo léxico quirêmico e de acesso ao léxico semântico pelo léxico quirêmico, encontram-se ilustradas na Figura 59. Essa Figura 59 ilustra, na coluna esquerda, cinco dos sinais-alvo que compõem o TNS2.1–Escrita, e, na coluna direita, sinais quiremicamente semelhantes a eles que subjazem às palavras que foram livremente escritas pelos examinandos ao tentar nomear os sinais-alvo. Nessa Figura 59, a coluna esquerda contém cinco dos 36 sinais-alvo que deveriam ter sido nomeados por meio da escrita das palavras a eles correspondentes, as quais aparecem acima de cada sinal. A coluna direita contém, para cada sinal-alvo, a palavra que foi escrita pelos examinandos surdos para nomear esse sinal-alvo, bem como o sinal subjacente a essa palavra incorretamente escrita, o qual é quiremicamente semelhante ao sinal-alvo. Nesse teste de nomeação escrita dos sinais da coluna esquerda, alguns estudantes surdos escreveram as palavras da coluna direita em vez das palavras que deveriam ter sido escritas e que aparecem na coluna esquerda. Tais trocas na escrita consistem em paragrafias, sendo que a semelhança quirêmica entre os sinais a elas correspondentes e os sinais-alvo que deveriam ter sido nomeados sugere que essas paragrafias são de natureza quirêmica. Ou seja, influenciados pela semelhança quirêmica entre o sinal-alvo a ser nomeado e o sinal indexador da palavra produzida, ao ter de nomear por escrito sinais como VERDE, POBRE, TREINAR, IDADE, e ACONTECER, alguns examinandos surdos cometeram paragrafias quirêmicas como as de escrever *gelo* ou *gelado* para VERDE, *livro* para POBRE ou POBREZA, *costume* ou *educação* para TREINAR, *aniversário* para IDADE, e *tempo* para ACONTECER.

Enquanto no delineamento dos testes de nomeação por escolha (i.e., TNF–Escolha e TNS–Escolha) essa nomeação é circunscrita à escolha dentre alternativas, no delineamento dos testes de nomeação por escrita (i.e., TNF–Escrita e TNS–Escrita) essa nomeação é aberta e se dá pela produção de escrita livre. O cruzamento dos dados provenientes de ambos os tipos de delineamento reduz o risco de que os achados da presente série de estudos indicativos de tal processamento pudessem ser atribuíveis a meros artefatos da situação de avaliação, e aumenta a confiança na existência de processamento quirêmico.

Em suma, na presente série de estudos, os achados resultantes da aplicação dos diversos instrumentos de avaliação de escrita dos nomes de figuras (TNF–Escrita) e de sinais (TNS–Escrita), bem como de escolha dos nomes de figuras (TNF–Escolha) e de sinais (TNS–Escolha), especialmente os achados pertinentes ao efeito dos distratores quirêmicos, forneceram importante validação preliminar do complexo modelo teórico sobre leitura e escrita no sinalizador com surdez profunda pré-lingual e perilingual (F. Capovilla, no prelo), explicando a importância da mediação pela sinalização interna (i.e., processos baseados no léxico quirêmico), bem como o papel desempenhado pelo léxico quirêmico (i.e., representações dos sinais da Libras e dos elementos componentes de sua estrutura sublexical, ou seja, quiremas) como indexador tanto do léxico ortográfico (i.e., representações das palavras escritas do Português e de seus componentes morfêmicos) quanto do léxico semântico (i.e., representações e redes de significado), fazendo a ponte entre ambos, tanto durante a leitura com compreensão (i.e., do ortográfico ao semântico), quanto durante a escrita com significado (i.e., do semântico ao ortográfico).

4.11.) Comparação entre as provas de nomeação, em termos de objeto a ser nomeado (sinal *versus* figura) e da resposta de nomeação requerida (escrita livre *versus* escolha de palavras escritas)

Surdos congênitos e pré-linguais educados em comunidades lingüísticas sinalizadoras fazem uso da sinalização interna para comunicar-se consigo mesmos (i.e., pensamento em sinais) e fazem uso da sinalização externa para comunicar-se com os demais membros da comunidade lingüística sinalizadora (i.e., conversação em sinais). Para tais surdos, sempre que uma tarefa demandar acesso semântico, haverá mediação por sinais lexicais. Esse tipo de acesso ao léxico semântico é requerido por todas as provas integrantes da bateria aqui examinada, já que todas elas envolvem selecionar figuras frente a sinais ou palavras ou frases escritas, ou selecionar palavras escritas frente a figuras ou sinais, ou julgar a adequação de palavras escritas associadas a figuras, ou escrever livremente uma palavra para designar uma figura ou um sinal. Dado o envolvimento explícito de sinalização durante o teste ou o uso implícito de sinalização como mediadora no processamento cognitivo do surdo durante o responder ao teste, espera-se que o processamento quirêmico tenha um importante papel no desempenho dos estudantes surdos na presente bateria de testes de desenvolvimento de linguagem.

De acordo com achados de Klima e Bellugi (1979), como o surdo pensa em sinais, quando confrontado com a tarefa de escrever os nomes de figuras, usualmente ele primeiro evoca o sinal correspondente para nomear a figura e, só então, evoca a palavra escrita correspondente ao sinal. Ou seja, frente à tarefa de nomear figuras por escrito, o surdo faz uso da sinalização interna como um sistema indexador entre imagens e palavras escritas. Se tal mediação pelo sinal, de fato, estiver envolvida na atividade de escrita do nome de figuras, então, logicamente, nomear sinais deveria ser mais simples do que nomear figuras. Se a tarefa de escrever livremente o nome de figuras que se encontram à vista demandar sinalização interna para a nomeação da figura, então tal tarefa inclui, em verdade, a tarefa de escrever o nome de sinais, isto é, de sinais internos evocados pelo estudante para nomear a figura ao resgatar a palavra escrita a ela correspondente. Consequentemente, de acordo com esse modelo de F. Capovilla (no prelo), em tarefas de nomeação por escrita livre, deveria ser mais simples escrever os nomes de sinais do que escrever o nome de figuras.

Embora tal hipótese deva vir a ser objeto de teste mais sistemático em estudos ulteriores, pode-se começar a examinar preliminarmente a sua adequação comparando os desempenhos nas provas de escrita livre de sinais e de figuras. Tal comparação inicial justifica-se em parte, já que as duas provas fazem uso dos mesmos critérios de aferição de desempenho e pontuação. E, segundo os dados deste programa de pesquisas, são aproximadamente equivalentes em termos de grau de dificuldade geral. Além disso, a existência de duas versões para cada tipo de teste permite seu uso conjunto para fazer uma checagem inicial da estabilidade das conclusões exploratórias preliminares. Contudo, ainda assim, como a área de avaliação de surdos é praticamente virgem e as listas de itens empregados nas versões não foram elaboradas com preocupação de balanceamento de propriedades psicolingüísticas, os resultados dessa análise preliminar devem ser interpretados com cautela e tomados apenas como indicações preliminares de forte valor heurístico.

Tabela 35. Pontuação média (juntamente com desvio-padrão e tamanho da amostra) nos dois testes de nomeação por escrita livre (i.e., nomeação de sinais e nomeação de figuras, cada qual em duas versões) e nos dois testes de nomeação por escolha de palavra escrita dentre alternativas (i.e., nomeação de sinais e nomeação de figuras, cada qual em duas versões) para a série de onze estudos como um todo, envolvendo a totalidade da amostra de 1.158 estudantes surdos de 1ª série do Ensino Fundamental até a 1ª série do Ensino Médio.

	Nomeação por produção de escrita livre				**Nomeação por escolha de palavra escrita**			
	Nomeação de sinais		**Nomeação de figuras**		**Nomeação de sinais**		**Nomeação de figuras**	
	Versão 1.1	**Versão 2.1**	**Versão 1.1**	**Versão 2.1**	**Versão 1.1**	**Versão 2.1**	**Versão 1.1**	**Versão 2.1**
M	11,05	12,61	10,66	9,73	16,95	17,44	24,81	23,67
(*DP*)	(10,94)	(11,22)	(8,80)	(8,82)	(8,64)	(7,58)	(8,89)	(8,76)
N	381	404	320	284	417	443	319	313

A Tabela 35 sumaria a pontuação média (*M*), juntamente com o desvio-padrão (*DP*) e o tamanho da amostra (*N*) nos dois testes de nomeação por escrita livre (i.e., versões 1.1 e 2.1 do Teste de Nomeação de Sinais por Escrita, e versões 1.1 e 2.1 do Teste de Nomeação de Figuras por Escrita), e nos dois testes de nomeação por escolha da palavra escrita dentre alternativas (i.e., versões 1.1 e 2.1 do Teste de Nomeação de Sinais por Escolha, e versões 1.1 e 2.1 do Teste de Nomeação de Figuras por Escolha). Tais dados de pontuação média foram obtidos a partir do conjunto dos onze estudos, envolvendo a totalidade da amostra de 1.158 estudantes surdos de 1a. série do Ensino Fundamental até a 1a. série do Ensino Médio, de que é parte o estudo descrito neste capítulo.

A metade esquerda da tabela sumaria a pontuação média nos dois testes de nomeação por escrita livre (i.e., nomeação de sinais e nomeação de figuras, cada qual em duas versões). Conforme a tabela, a média de acertos no Teste de Nomeação de Sinais por Escrita foi de 11,05 pontos na versão 1.1 e de 12,61 na versão 2.1. Já a média de acertos na Prova de Nomeação de Figuras por Escrita foi de 10,66 pontos na versão 1.1 e de 9,73 na versão 2.1. Assim, quando se trata de nomeação por escrita livre, nas duas versões, a nomeação de sinais mostrou-se mais fácil do que a nomeação de figuras. Em que pesem as relativamente elevadas variâncias, tais dados preliminares corroboram as expectativas baseadas em Klima e Bellugi (1979) acerca da mediação de sinalização em tarefas de evocação e produção de escrita livre.

Embora não haja expectativas definidas quanto a tarefas de escolha de palavras escritas para nomear figuras e sinais, pode-se empreender o mesmo tipo de comparação preliminar para fins exploratórios.

A metade direita da tabela sumaria a pontuação média (*M*), juntamente com o desvio-padrão (*DP*) e o tamanho da amostra (*N*) nos dois testes de nomeação por escolha de palavras dentre alternativas (i.e., nomeação de sinais e nomeação de figuras, cada qual em duas versões). Conforme a tabela, a média de acertos no Teste de Nomeação de Sinais por Escolha foi de 16,95 na versão 1.1 e de 17,44 na versão 2.1. Por sua vez, a média de acertos no Teste de Nomeação de Figuras por Escolha foi de 24,01 na versão 1.1 e de 23,67 na versão 2.1. Assim, quando se trata de nomeação por escolha de palavras escritas (e não por escrita livre), nas duas versões, a nomeação de figuras mostrou-se claramente mais fácil que a nomeação de sinais. Como nesse caso a variabilidade intracondição foi menor e a variabilidade intercondições foi maior, os resultados parecem ainda mais claros.

Portanto, parece ter havido uma interação entre o tipo de estímulo a ser nomeado (i.e., sinal *versus* figura) e o tipo de resposta de nomeação a ser emitida (i.e., escrita livre *versus* escolha dentre alternativas). A Figura 60 representa essa interação. Conforme a figura, independentemente do objeto a ser nomeado, isto é, tanto para figuras quanto para sinais, a nomeação por escolha de palavras foi mais fácil do que a nomeação por escrita livre. Contudo, enquanto para a nomeação por escrita livre os sinais foram mais fáceis que as figuras (ou, na pior das hipóteses, não houve diferença significativa entre sinais e figuras), para a nomeação por escolha de palavras as figuras foram mais fáceis que os sinais. Ou seja, numa interessante evidência preliminar sugestiva de dupla dissociação, enquanto a nomeação de sinais pode ter sido mais fácil que a de figuras na tarefa de nomeação por escrita livre, a nomeação de figuras foi mais fácil que a de sinais na tarefa de escolha do nome de figuras. De acordo com Shallice (1990), evidências de dupla dissociação são muito úteis à neuropsicologia cognitiva, pois revelam que processos de natureza distinta subjazem às tarefas analisadas. Tais resultados, já teoricamente esperados pelo modelo, são interpretados nas seções a seguir. Ainda que em análises ulteriores a diferença entre sinais e figuras possa vir a revelar-se não-significativa, as diferenças entre escolha e escrita, entre escolha de figuras e de sinais, e entre escolha de figuras e de sinais e escrita livre permanecem interessantes do ponto de vista teórico.

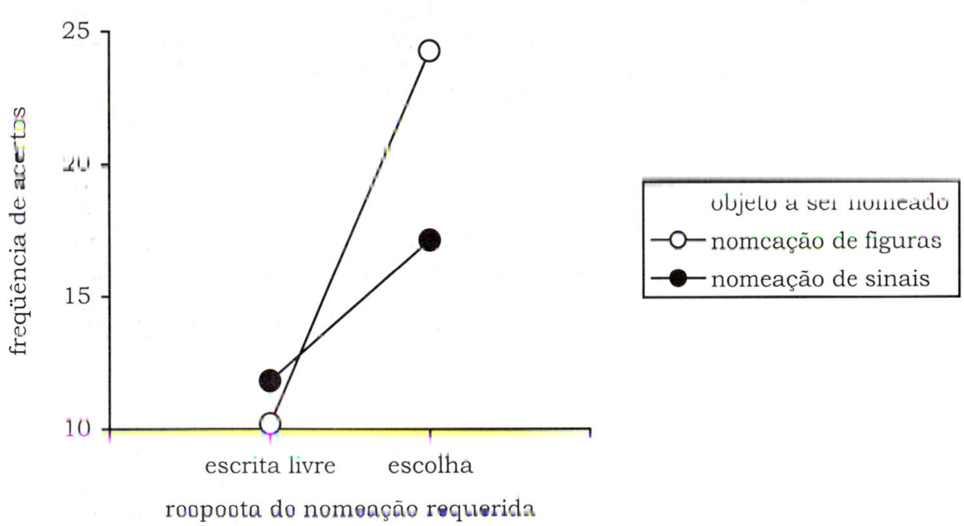

Figura 60. Freqüência de acertos de nomeação como função do tipo de objeto a ser nomeado (figuras *versus* sinais) e da resposta de nomeação requerida (escrita livre *versus* escolha de palavras escritas).

4.11.1.) Nomeação por escrita livre: Efeito do objeto a ser nomeado (sinal *versus* figura)

As tarefas de nomeação por escrita livre requerem a evocação de nomes escritos, ou seja, o resgate de formas ortográficas de palavras a partir do léxico ortográfico mental. Tipicamente, tal evocação da informação ortográfica é feita com o auxílio do mesmo sistema de indexação que foi empregado por ocasião do armazenamento dessa informação. No caso do ouvinte, essa indexação é feita pelo nome da palavra (i.e., a forma fonológica das palavras com que o ouvinte pensa). No caso do surdo, ela é feita pelo sinal correspondente (i.e., a forma quirêmica dos sinais com que o surdo pensa).

Conforme demonstrado fartamente em estudos anteriores (Whitehouse, 1981; Zaidel, 1978a, 1978b, 1978c, 1981; Zaidel & Peters, 1981) ao ser confrontado com uma figura, o ouvinte nomeia a figura por meio de sua fala interna, evocando a forma fonológica da palavra falada a ela correspondente, e, então, usando essa forma fonológica como indexadora, resgata a forma ortográfica por mecanismos bem conhecidos como o de conversão grafofonêmica (A. Capovilla & F. Capovilla, 2003c, 2003d).

Do mesmo modo, podemos supor que, ao ser confrontado com uma figura, o surdo nomeia essa figura por meio de sinalização interna, evocando a forma quirêmica do sinal da Libras a ela correspondente, e, então, usando essa forma quirêmica como indexadora, resgata a soletração digital da palavra correspondente e finalmente converte, por meio de cifragem (Eysenck & Keane, 1990), a soletração digital (F. Capovilla & Raphael, 2001a) em escrita alfabética (F. Capovilla & A. Capovilla, 2001b).

A propósito, esse processamento quirêmico de informações no surdo precisa ser levado em conta quando se pensa em compor materiais instrucionais como dicionários de sinais. Como o surdo pensa em sinais e o ouvinte pensa em palavras, para buscar sinais em dicionários de sinais, o surdo tende a resgatar, a partir de seu léxico mental de sinais, determinados elementos sublexicais quirêmicos desses sinais procurados, assim como o ouvinte tende a resgatar, a partir de seu léxico fonológico de palavras, determinados elementos sublexicais das palavras procuradas. Como a escrita alfabética mapeia as imagens fonológicas das palavras faladas com que o ouvinte pensa e se comunica, e como os dicionários das línguas escritas dos ouvintes indexam as palavras escritas pela ordem alfabética dos verbetes, os processos mentais desempenhados pelos consulentes ouvintes (i.e., evocação da forma fonológica das palavras e conversão dessa forma fonológica na forma grafêmica correspondente) viabilizam de maneira muito eficiente o processo de busca das palavras escritas no dicionário. Ou seja, a busca eficiente por parte do consulente ouvinte se baseia na relação de mapeamento contínuo e ponto a ponto entre as formas fonológicas com que o ouvinte pensa e se comunica e as formas grafêmicas das palavras da escrita alfabética, e na identidade entre as palavras com que pensa e as palavras que busca no dicionário (i.e., os verbetes indexados alfabeticamente). O pensar em palavras (i.e., o ouvir a forma fonológica da fala interna) conduz, por meio do processo de conversão fonografêmica, às formas grafêmicas que se encontram no dicionário como verbetes-alvo que se busca.

A situação do surdo, contudo, é totalmente distinta. Primeiro, o surdo pensa e se comunica em sinais da Libras e não em palavras faladas do Português, que lhe é uma língua estrangeira. Segundo, o surdo não tem acesso à fonologia, sendo que a escrita alfabética, que mapeia as formas fonológicas das palavras faladas, não é apenas alheia e estrangeira, mas totalmente arbitrária e obscura. De fato, a total descontinuidade entre escrita alfabética e sinais fica clara na ausência de qualquer mecanismo de conversão quirografêmica capaz de produzir as formas grafêmicas a partir do pensar em sinais (F. Capovilla & A. Capovilla, 2002b, 2004a; F. Capovilla, A. Capovilla, Viggiano, Raphael, & Dente-Luz, 2002). Diferentemente do mecanismo de conversão fonografêmica do ouvinte que converte fala interna em escrita, o surdo não pode obter as formas escritas a partir de seu pensar natural em sinais, a menos que faça uso da escrita visual direta de sinais em vez da escrita alfabética. É por isso que dicionários de sinais que indexam os sinais pelos verbetes correspondentes são tão arbitrários e difíceis de usar pelo surdo.

Assim, a indexação dos sinais das línguas de sinais pela ordem alfabética dos verbetes correspondentes, que caracteriza os dicionários de sinais dessas línguas – como a Língua de Sinais Brasileira (F. Capovilla & Raphael, 2001b, 2001c), Francesa (Oléron, 1974), Portuguesa (Amaral, Coutinho, & Martins, 1994) ou Americana (Costello, 1994; Sternberg, 1990) –, é muito pouco eficaz em ajudar os surdos brasileiros, franceses e americanos a resgatar os sinais que desejam, a menos que esses surdos já conheçam de antemão as palavras escritas em Português, Francês ou Inglês correspondentes a esses sinais. Do mesmo modo, a indexação semântica (F. Capovilla & Raphael, 2001d; F. Capovilla, Raphael, & Macedo, 1998) é um recurso pouco eficaz para o resgate de sinais, sendo mais apropriada para a aprendizagem de sinais do que para a sua busca eficiente.

O modo mais eficiente de indexar sinais para permitir seu resgate ulterior é fazendo uso dos elementos sublexicais de que se compõem os sinais (i.e., de sua estrutura quirêmica). É precisamente isso que é feito no sistema de indexação quirêmica e busca quirêmica de sinais da Libras (F. Capovilla, Duduchi, Raphael, Luz, Rozados, A. Capovilla, & Macedo, 2003).

A evocação de nomes escritos envolvida em tarefas de nomeação de figuras por escrita livre requer o resgate lexical das formas ortográficas dessas palavras e, logo, o recurso ao sistema de indexação que, no caso do surdo, é baseado em sinais.

Comparando as tarefas de nomeação por escrita livre (i.e., as tarefas de nomeação de sinais e de figuras), faria sentido esperar que a tarefa que requer a nomeação de sinais fosse mesmo mais simples ao surdo sinalizador do que a tarefa que requer a nomeação de figuras. Isso porque, ao apresentar diretamente o estímulo a ser nomeado (i.e., o sinal), a tarefa de nomeação de sinais abrevia o trabalho mental do surdo sinalizador, permitindo que ele prescinda da necessidade de evocação da sinalização interna (necessidade essa que existe na tarefa de nomeação de figuras), restando apenas a necessidade de executar o segundo estágio de processamento (i.e., o resgate da forma ortográfica da palavra para designar o sinal).

Enquanto a tarefa de nomeação de figuras envolve dois estágios (i.e., a nomeação interna da figura por meio da evocação do sinal da Libras a ela correspondente, e o uso desse sinal da Libras como indexador para resgatar a forma escrita da palavra), a tarefa de nomeação de sinais envolve apenas um estágio (i.e., o uso do sinal da Libras, fornecido pelo teste, como indexador para resgatar a forma escrita da palavra).

Assim, na tarefa de nomeação de sinais da Libras por escrita livre não há necessidade de evocar o sinal da Libras simplesmente porque a própria tarefa já fornece o sinal da Libras a ser nomeado por escrito, restando apenas fazer uso desse sinal para resgatar a forma escrita da palavra a ele correspondente.

Por outro lado, na tarefa de nomeação de figuras por escrita livre, primeiramente é preciso evocar o sinal da Libras correspondente à figura e então, uma vez nomeada internamente a figura, fazer uso do sinal internamente evocado para resgatar a forma escrita da palavra a ele correspondente.

Essa diferença de número de estágios explicaria por que a nomeação de sinais por escrita livre tende a produzir mais acertos que a nomeação de figuras por escrita livre. Embora as duas provas sejam comparáveis em termos do segundo estágio, elas diferem fundamentalmente no que diz respeito ao primeiro. Ao demandar evocação da sinalização interna para nomeação da figura, a tarefa de nomeação de figuras torna-se vulnerável a erros de evocação que comprometem o desempenho de nomeação por escrita livre.

4.11.2.) Efeito da resposta de nomeação: Escrita livre *versus* escolha dentre alternativas

Segundo o modelo de F. Capovilla (no prelo), no caso das tarefas de nomeação por escolha de palavras escritas, não há necessidade de iniciar pelo resgate da forma escrita da palavra (i.e., de evocar, a partir do léxico ortográfico mental, a forma ortográfica da palavra com que se deve nomear o objeto), já que se pode simplesmente comparar entre as palavras escritas já fornecidas pelo próprio teste como alternativas de escolha. Ou seja, em termos de processamento de informação (Eysenck & Keane, 1990; Morton, 1989), o oferecimento de palavras escritas alternativas para escolha reduz a necessidade de usar indexadores quirêmicos para evocar a forma ortográfica da palavra (que seria requerida no caso da escrita livre). Aqui também ocorre uma abreviação de trabalho; contudo, o estágio abreviado é o segundo, e não o primeiro.

Isto é, assim como o oferecimento de sinais a serem nomeados durante a tarefa de nomeação por escrita livre abrevia o trabalho ao eliminar o primeiro estágio, já que prescinde da necessidade de evocar a forma quirêmica do sinal mediador interno (necessidade essa que existe no caso de nomeação de figuras por escrita livre); do mesmo modo, o oferecimento de palavras escritas como alternativas de escolha durante as tarefas de nomeação por escolha abrevia o trabalho ao eliminar o segundo estágio, já que prescinde da necessidade de usar o sinal indexador quirêmico para evocar a forma ortográfica da palavra escrita com que se deve nomear o objeto (necessidade essa que existe no caso de nomeação por escrita livre).

Como a tarefa de nomeação por escolha dentre palavras alternativas já oferece as palavras escritas como alternativas de escolha, ela reduz a necessidade de evocar a forma ortográfica da palavra. E, mais importante ainda, ao reduzir a necessidade de evocar a forma ortográfica da palavra, ela reduz também a necessidade dos processos cognitivos responsáveis por esse trabalho de evocação da forma ortográfica da palavra. Tais processos cognitivos são os de evocação da sinalização interna e de utilização desses sinais mediadores internamente evocados como indexadores para o resgate da forma ortográfica da palavra.

Assim, a tarefa de nomeação por escolha dentre palavras alternativas substitui o processo de evocação da forma ortográfica da palavra pelo processo de comparação entre as palavras escritas. Ao reduzir a necessidade do processo de evocar as formas ortográficas das palavras, reduz juntamente a necessidade do processo de evocar os sinais lexicais (F. Capovilla & Raphael, 2001b, 2001c) usualmente empregados como indexadores para a evocação das formas ortográficas das palavras.

Ao substituir o processo de evocação da forma ortográfica das palavras pelo processo de comparação entre as palavras escritas já fornecidas no teste, a tarefa de nomeação por escolha dentre palavras alternativas aumenta o recurso à soletração digital (F. Capovilla & Raphael, 2001a) como meio de comparar entre as palavras escritas e reduz o recurso à evocação da forma quirêmica do sinal lexical indexador.

Em suma, a tarefa de nomeação por escolha dentre palavras alternativas substitui o processo de evocar a forma ortográfica das palavras pelo processo de comparar entre as palavras escritas, e substitui o recurso de evocar os sinais lexicais indexadores pelo recurso de fazer soletração digital. Tal aumento de demanda sobre a soletração digital pode tornar o processo de julgamento mais vulnerável à indução de erros por distratores ortográficos. Por sua vez, tal aumento de vulnerabilidade a distratores ortográficos pode refletir-se em maior eficácia relativa desses distratores ortográficos quando comparados aos distratores quirêmicos.

4.11.3.) Nomeação por escolha: Efeito do objeto a ser nomeado (sinal *versus* figura)

Conforme demonstrado na Figura 60, de forma geral, a nomeação por escolha é mais fácil (i.e., produz maior freqüência de acertos) do que a nomeação por escrita.

Além disso, há uma interação entre tipo de objeto a ser nomeado (i.e., figuras *versus* sinais) e resposta de nomeação requerida (i.e., escrita livre *versus* escolha):

- Quando se trata de nomeação por escolha, a nomeação de figuras é mais fácil do que a de sinais.
- Já quando se trata de nomeação por escrita, a nomeação de sinais é mais fácil do que a de figuras.

Esta seção enfoca mais especificamente a nomeação por escolha, em que se sabe, por demonstração teórica e empírica, que a nomeação de figuras é mais fácil que a de sinais.

Como a freqüência de erros é maior na nomeação de sinais do que na nomeação de figuras, os distratores em geral devem ser mais eficazes na nomeação de sinais do que na nomeação de figuras. A questão é saber se haveria interação entre tipo de distrator (i.e., quirêmico *versus* ortográfico) e tipo de objeto (i.e., sinal *versus* figura) nessa nomeação por escolha de palavras. A expectativa derivada do modelo teórico aqui descrito é que a nomeação de sinais seja mais vulnerável a distratores quirêmicos do que ortográficos, e que a nomeação de figuras seja mais vulnerável a distratores ortográficos do que quirêmicos. A questão é saber se essas expectativas encontrariam corroboração empírica ou se seriam refutadas desde já por evidência empírica contrária.

De acordo com esse modelo teórico (F. Capovilla, no prelo), devido à maior demanda sobre a soletração digital nas provas de nomeação por escolha de palavras escritas, espera-se uma maior probabilidade de indução de erros por distratores ortográficos do que quirêmicos. A soletração digital é um recurso importante usualmente empregado por leitores surdos sempre que precisam comparar a forma ortográfica superficial de palavras escritas para poder escolher entre elas ou julgar a sua adequação ortográfica. Tarefas de escolha que envolvem comparações entre palavras escritas, tais como as provas de nomeação por escolha dentre palavras escritas, demandam uma certa carga de soletração digital. Essa demanda sobre a soletração digital e a conseqüente vulnerabilidade a distratores ortográficos caracterizam as duas tarefas de nomeação por escolha de palavras escritas, ou seja, tanto as de nomeação de figuras quanto as de nomeação de sinais. Contudo, espera-se que a vulnerabilidade a distratores ortográficos seja maior em tarefas de nomeação por escolha de figuras do que por escolha de sinais, já que essas tarefas de nomeação de figuras reduzem substancialmente a mediação por sinais indexadores, conforme explicado nas seções anteriores.

No caso de provas de nomeação de figuras por escolha de palavras escritas, espera-se uma eficácia maior de distratores ortográficos em termos de eficácia de indução de erro, uma vez que essas provas demandam menos processamento da forma lexical dos sinais (já que o que deve ser nomeado é uma figura, e não um sinal) para um mesmo nível de demanda de processamento da soletração digital (já que é preciso comparar as palavras escritas para poder selecionar dentre elas).

Por outro lado, no caso de provas de nomeação de sinais por escolha de palavras escritas, espera-se uma eficácia maior de distratores quirêmicos em termos de eficácia de indução de erro, uma vez que essas provas demandam mais processamento da forma lexical dos sinais (já que o estímulo explicitamente apresentado para ser nomeado é um sinal lexical) para um mesmo nível de processamento da soletração digital (já que é preciso comparar as palavras escritas para poder selecionar dentre elas)

De modo a explorar preliminarmente a adequação dessas expectativas, a eficácia relativa dos distratores quirêmicos e ortográficos em induzir erros foi analisada como função do objeto a ser nomeado (i.e., sinal *versus* figura) nas duas versões de cada uma das provas de nomeação por escolha de palavra escrita (i.e., o Teste de Nomeação de Sinais por Escolha e o Teste de Nomeação de Figuras por Escolha). Para tanto, foram computadas as freqüências de erros induzidos pelos distratores quirêmicos e ortográficos nas duas versões das duas provas de nomeação por escolha dentre palavras escritas. Foram analisados todos os dados da amostra toda de 1.158 estudantes surdos da 1ª. série do Ensino Fundamental até a 1ª. série do Ensino Médio. A Tabela 36 sumaria os resultados. Os dados mais relevantes para a comparação encontram-se em itálico.

Conforme a Tabela, enquanto as versões 1.1 dos dois testes produziram resultados equivalentes, as versões 2.1 dos dois testes corroboraram as expectativas baseadas no modelo teórico descrito:

- Na prova de nomeação de sinais, a eficácia do distrator quirêmico (i.e., média de 6,64 erros) foi maior que a eficácia do ortográfico (i.e., média de 5,43 erros); ao passo que
- Na prova de nomeação de figuras, a eficácia do distrator ortográfico (i.e., média de 3,92) é que foi maior que a do quirêmico (i.e., 2,90).

Em que pese a relativamente elevada variância, tais resultados preliminares têm profundo interesse teórico e forte valor heurístico ao concentrar esforços de pesquisas ulteriores.

Tabela 36. Eficácia relativa de distratores quirêmicos e ortográficos em induzir erros como função do objeto a ser nomeado (i.e., sinal *versus* figura), nas duas versões de cada uma das provas de nomeação por escolha dentre palavras escritas (i.e., Teste de Nomeação de Sinais por Escolha *versus* Teste de Nomeação de Figuras por Escolha). Freqüência média de acertos e de erros quirêmicos e ortográficos para cada teste na amostra de 1.158 estudantes surdos da 1a. série do Ensino Fundamental até a 1a. série do Ensino Médio.

	Nomeação por escolha de palavra escrita			
	Nomeação de sinais		**Nomeação de figuras**	
Freqüência média	**Versão 1.1 (N=417)**	**Versão 2.1 (N = 443)**	**Versão 1.1 (N = 319)**	**Versão 2.1 (N = 312)**
acertos	16,95 (8,69)	17,44 (7,75)	24,81 (9,25)	23,67 (9,33)
erros por *distratores quirêmicos*	6,23 (4,11)	*6,64* (3,44)	3,46 (3,97)	*2,90* (3,10)
erros por *distratores ortográficos*	6,26 (3,35)	*5,43* (3,41)	3,50 (3,29)	*3,92* (3,15)

A Figura 61 representa, de maneira gráfica, a interação entre tipo de objeto a ser nomeado (i.e., sinal *versus* figura) e tipo de distrator (i.e., quirêmico *versus* ortográfico).

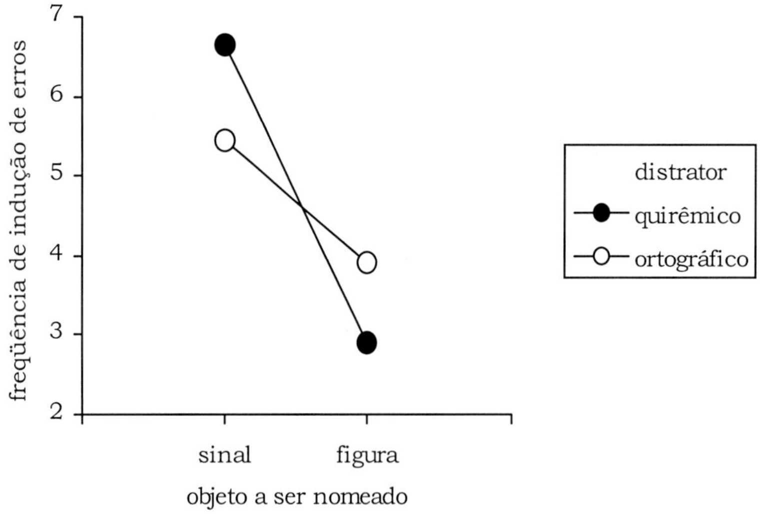

Figura 61. Eficácia de diferentes tipos de distrator (i.e., quirêmico *versus* ortográfico) em tarefas de nomeação por escolha de palavras escritas como função do tipo de objeto a ser nomeado (i.e., sinal *versus* figura). Freqüência de indução de erros como função do tipo de distrator e do tipo de objeto.

Conforme representado, nas tarefas de escolha dentre palavras escritas:

- Quando solicitados a nomear sinais da Libras, os estudantes se mostraram mais vulneráveis a distratores quirêmicos do que a distratores ortográficos; mas
- Quando solicitados a nomear figuras conhecidas, os estudantes se mostraram mais vulneráveis a distratores ortográficos do que a distratores quirêmicos.

Tais achados preliminares corroboram de maneira bastante elegante, embora ainda bastante preliminar, o modelo de F. Capovilla (no prelo) aqui sumariado.

4.12.) Paralelos entre processamento de leitura no surdo e no ouvinte e implicações das intercorrelações nas habilidades lingüísticas

Este estudo é parte de uma série de experimentos integrados sobre desenvolvimento de leitura, escrita e língua de sinais conduzidos com uma amostra de 1.158 estudantes surdos da 1a. série do Ensino Fundamental até a 1a. série do Ensino Médio, com idades variando de 6 a 45 anos. Essa grande amostra de estudantes surdos foi avaliada nas versões originais dos seguintes testes: Teste de Competência de Leitura de Palavras, Teste de Compreensão de Leitura de Sentenças, Teste de Vocabulário Receptivo de Sinais da Libras, Teste de Nomeação de Figuras por Escolha, Teste de Nomeação de Figuras por Escrita, Teste de Nomeação de Sinais por Escolha e Teste de Nomeação de Sinais por Escrita. As distribuições de desempenho e intercorrelações positivas obtidas entre todos esses testes auxiliam a mapear as relações entre as diversas habilidades lingüísticas, ajudando a elucidar os papéis relativos de diferentes habilidades em Libras (e.g., vocabulário em sinais) e em Português (e.g., decodificação grafêmica auxiliada pela soletração digital) na aquisição de leitura e na compreensão de texto pelo surdo.

Um exemplo inicial disso é o achado de correlação positiva entre a compreensão de leitura de palavras e sentenças em Português e as habilidades de escrever e de escolher palavras escritas para nomear sinais da Libras. Esse dado indica que, quanto maior essa habilidade de relacionar sinais da Libras a palavras escritas em Português, tanto maior a compreensão de leitura de palavras e sentenças. Tal achado ajuda a corroborar a hipótese de F. Capovilla (no prelo) acerca da existência de uma relação funcional (e não meramente correlacional) entre essas variáveis, ou seja, a noção de que, subjacente à leitura com compreensão pelo surdo sinalizador, ocorre o processo de fazer uso dos sinais da Libras como ponte para decifrar o significado de palavras e sentenças em Português. Em outras palavras, no leitor surdo sinalizador, o léxico quirêmico (que contém as formas quirêmicas dos sinais da Libras relevantes à vida do surdo) constituiria uma importante via de acesso das formas ortográficas ao léxico semântico durante a leitura, e do semântico ao ortográfico durante a escrita. No leitor surdo sinalizador, essa mediação por sinais (i.e., indexação e processamento quirêmicos) pode ser, às vezes, revelada por erros de processamento de leitura (i.e., paralexias quirêmicas) e de escrita (i.e., paragrafias quirêmicas) que são específicas do leitor surdo sinalizador, e que diferem das demais paralexias e paragrafias mais genéricas de natureza ortográfica e semântica. Tais paralexias e paragrafias quirêmicas são tão particulares ao leitor surdo sinalizador cujo processamento primário se dá em Libras (i.e., cujo pensar se dá primordialmente em sinais na sinalização interna) quanto as paralexias e paragrafias fonêmicas (i.e., erros de regularização grafofonêmica) são particulares ao leitor ouvinte cujo processamento primário se dá na língua falada (i.e., cujo pensar se dá em palavras na fala interna). Para compreender melhor isso, é preciso considerar mais profundamente o processamento de leitura no ouvinte e no surdo.

O fluxograma de processamento de informação de A. Capovilla e F. Capovilla (2003c, 2003d), revisado no início deste capítulo, explica os processos de leitura do código alfabético no leitor ouvinte. É, também, bastante útil para compreender os processos de leitura no surdo sinalizador. De acordo com o fluxograma, a leitura resulta em dois produtos: A pronúncia e a compreensão. A pronúncia e a compreensão podem ocorrer juntas ou separadas. Dois casos em que ocorrem separadas são:

1.) Na pronúncia sem compreensão, como na leitura em voz alta de palavras desconhecidas que é feita por mera decodificação de grafemas em fonemas; e
2.) Na compreensão sem pronúncia, como na leitura silenciosa de palavras escritas bastante familiares que é feita por reconhecimento visual direto da forma ortográfica da palavra escrita.

A compreensão só é obtida quando o léxico semântico é acessado. Compreender é acessar o léxico semântico, e esse acesso pode se dar por duas rotas:

1.) Uma rota direta também chamada de rota lexical ortográfica; e
2.) Uma rota indireta também chamada de rota perilexical (F. Capovilla, A. Capovilla, & Macedo, 2001b).

O uso de uma ou outra rota depende das propriedades do material a ser lido. A leitura lexical ortográfica se dá pelo reconhecimento visual direto das formas ortográficas das palavras. É por isso que se pode obter compreensão sem pronúncia, mais especificamente sem a necessidade de mediação pela linguagem primária, que é a fala interna ou a sinalização interna (Bellugi, Klima, & Siple, 1975; Bellugi, & Siple, 1974).

Contudo, tal reconhecimento visual direto só ocorre quando as palavras a serem lidas forem bastante familiares e sua forma ortográfica for passível de reconhecimento visual direto com facilidade. Neste caso, o acesso ao léxico semântico se dá pela porta do léxico ortográfico. Tal léxico é como um dicionário mental que contém as representações das palavras escritas mais freqüentemente lidas no passado.

De acordo com o modelo de F. Capovilla (no prelo), a leitura perilexical se dá pela mediação da fala interna ou da sinalização interna. Ela tende a ser empregada quando a forma ortográfica das palavras escritas não pode ser reconhecida com facilidade à primeira vista pelo leitor, seja porque as palavras escritas são pouco comuns, seja porque o leitor é ainda incipiente e pouco experiente. Na leitura pelo ouvinte, o texto é decodificado com o auxílio e a mediação da fala, transformando as palavras escritas em palavras faladas por meio da decodificação grafofonêmica (i.e., de grafemas em fonemas). Conforme explicitado no próprio adjetivo *grafofonêmico*, tal decodificação é sempre acompanhada pela fala, seja vocalizada de maneira audível (como na leitura em voz alta) ou subvocalizada de maneira interna (como na leitura silenciosa). Do mesmo modo, na leitura pelo surdo, o texto é decodificado com o auxílio e a mediação da sinalização, seja externa (i.e., articulada de maneira conspícua e visível) ou interna (i.e., subarticulada de maneira discreta e, mesmo, imaginária). Tal sinalização transforma as palavras escritas em sinais pela mediação de dois processos relacionados: A soletração digital e a recuperação das formas lexicais dos sinais. O mecanismo ou processo de conversão da escrita alfabética em soletração digital é denominado decodificação grafoquirêmica, e é típico do surdo sinalizador que está aprendendo a ler ou que está lendo palavras pouco familiares. Durante a leitura incipiente ou de palavras cuja forma ortográfica é ainda pouco familiar, o objetivo desse mecanismo ou processo inicial de soletração digital é precisamente o de auxiliar a recuperar a forma lexical do sinal correspondente, permitindo uma melhor compreensão da escrita, ou seja, um processamento semântico mais adequado. Reciprocamente, como o escritor surdo sinalizador raciocina em sinais, durante a escrita, ele faz uso de um mecanismo de memória articulatória que busca, a partir do sinal lexical com que pensa, evocar a seqüência de articulações de mão que compõem a soletração digital da palavra escrita correspondente a esse sinal. Então, para resgatar a forma ortográfica da palavra escrita correspondente ao sinal, basta converter a seqüência de letras soletradas digitalmente na seqüência correspondente de letras escritas do alfabeto. Essa etapa final de conversão da soletração digital em escrita alfabética é denominada codificação quirografêmica, e é típica de surdos sinalizadores que estão aprendendo a escrever ou que estão escrevendo palavras pouco familiares. Durante a escrita incipiente ou de palavras com forma ortográfica ainda pouco familiar, o objetivo desse mecanismo ou processo final de soletração digital é precisamente o de, a partir da forma lexical do sinal, recuperar a forma ortográfica da palavra escrita a ele correspondente, de modo a produzir escrita ortograficamente correta. Em surdos ainda pouco fluentes em leitura e escrita alfabéticas, ou que estão a processar palavras ainda pouco familiares, a soletração digital é usada na decodificação grafoquirêmica durante a leitura e na codificação quirografêmica durante a escrita. Nos dois casos, ela indica processamento perilexical, típico de leitores e escritores surdos incipientes ou de textos difíceis compostos de palavras pouco comuns, em oposição ao processamento lexical de reconhecimento visual direto e de produção escrita direta, típicos de leitores e escritores experientes ou de textos bastante fáceis compostos de palavras bastante familiares. Durante a leitura, a soletração digital pertence ao processamento inicial de entrada, auxiliando a decompor a seqüência grafêmica das palavras com o objetivo de resgatar o sinal lexical correspondente e, através dele, ter acesso ao léxico semântico. Durante a escrita, a soletração digital pertence ao processamento final de saída, auxiliando a compor a seqüência grafêmica das palavras, a partir dos sinais lexicais com que o escritor surdo pensa.

Portanto, segundo esse modelo de F. Capovilla (no prelo), a leitura perilexical ocorre quando as palavras do texto são novas e a baixa familiaridade de sua forma ortográfica impede o seu reconhecimento direto já à primeira vista. No caso do ouvinte, o acesso ao léxico semântico se dá pela porta de entrada do léxico fonológico. Tal léxico é como um dicionário mental que contém todas as palavras faladas mais freqüentemente ouvidas no passado. Nesse tipo de leitura, a experiência da própria fala interna desempenha um papel muito importante, sendo que, para compreender o texto que processa por decodificação, basta que o leitor preste atenção nas palavras formadas na fala interna como se estivesse ouvindo as palavras serem pronunciadas na leitura em voz alta. De modo paralelo, no caso do surdo, o acesso ao léxico semântico se dá pela porta de entrada do léxico quirêmico, que contém todos os sinais mais freqüentemente emitidos ou recebidos no passado. Nesse tipo de leitura, a experiência da própria sinalização interna desempenha um papel muito importante, sendo que, para compreender o texto, o surdo usualmente decodifica a seqüência grafêmica por meio de soletração digital, e recupera os sinais lexicais correspondentes aos segmentos semânticos das palavras escritas (i.e., morfemas) e, mesmo, das palavras escritas como um todo.

Assim, durante a leitura com compreensão, tanto o leitor ouvinte quanto o leitor surdo acessam o léxico semântico. Quando as palavras do texto são familiares e já foram lidas muitas vezes no passado, o acesso ao léxico semântico é feito pela porta do léxico ortográfico, isto é, por reconhecimento visual direto das formas ortográficas das palavras escritas familiares. Por outro lado, quando as palavras do texto são novas ou pouco familiares, elas não podem ser reconhecidas à primeira vista. Nesse caso, como não é possível usar a via de acesso visual direto por reconhecimento lexical ortográfico das palavras, é preciso usar a via de acesso indireto por mediação da linguagem primária interna. No caso do ouvinte, o acesso ao léxico semântico se dá pela porta de entrada do léxico fonológico, isto é, por reconhecimento fonológico das formas faladas familiares correspondentes às formas escritas das palavras não familiares. Nesse caso, a leitura se dá necessariamente pela mediação da fala, quer audível ou interna, que segmenta as palavras escritas em partes menores (i.e., segmentação da seqüência ortográfica), traduz os segmentos escritos em segmentos falados (i.e., conversão grafofonêmica) e sintetiza esses segmentos falados (i.e., síntese fonêmica), recuperando, assim, as formas ouvidas das palavras do texto, e reagindo a essas palavras ouvidas, assim construídas, como se estivesse ouvindo a leitura do texto em voz alta. De modo paralelo, no caso do surdo, o acesso ao léxico semântico se dá pela porta de entrada do léxico quirêmico, isto é, por reconhecimento visual, proprioceptivo e cinestésico das formas quirêmicas (i.e., sinalizadas) familiares correspondentes às formas escritas das palavras não familiares. Nesse caso, a leitura se dá pela mediação da sinalização, quer manifesta ou interna. Mais propriamente, por três processos:

1.) Um primeiro processo de soletração digital, que segmenta as palavras escritas em partes menores (i.e., segmentação da seqüência ortográfica);
2.) Um segundo processo que resgata os morfemas a partir da soletração digital, traduzindo segmentos escritos em elementos morfêmicos do sinal (i.e., conversão de grafemas em elementos morfêmicos do sinal); e
3.) Um terceiro processo que resgata o sinal lexical canônico da Libras correspondente à fusão dos morfemas (i.e., lexicalização a partir dos morfemas).

Desse modo, o surdo recupera os sinais correspondentes às palavras do texto e reage a esses sinais, assim resgatados, como se estivesse assistindo à sinalização pública do texto traduzido para a Libras.

Conforme explicado, esse fluxograma é bastante útil para compreender os processos de leitura no leitor surdo. Sumariando novamente, do mesmo modo como no leitor ouvinte, no surdo a leitura com compreensão pode se dar por meio das duas estratégias:

1.) A direta, por reconhecimento visual da forma ortográfica de palavras familiares, e
2.) A indireta, por mediação da linguagem interna.

A diferença nesse ponto é que, enquanto no ouvinte essa linguagem interna é o falar, no surdo ela é o sinalizar. O paralelo entre os léxicos e as rotas de leitura, no entanto, é claro. Assim como o sistema de leitura do ouvinte, o sistema de leitura do surdo também tem dois caminhos para o acesso ao léxico semântico:

1.) O caminho direto, pela porta do léxico ortográfico, que é usado para a leitura de palavras familiares cuja forma ortográfica pode ser imediatamente reconhecida à primeira vista. Nesse caminho, o acesso ao léxico semântico do surdo é feito pela porta de entrada lexical ortográfica, de reconhecimento visual direto, que é a via de leitura mais eficaz para o processamento de palavras familiares; e
2.) O caminho indireto, por mediação da linguagem interna, que é usado para a leitura de palavras pouco familiares, cuja forma ortográfica não pode ser imediatamente reconhecida à primeira vista. Nesse caminho, o acesso ao léxico semântico do surdo é feito pela porta de entrada perilexical ou quirêmica, que é a única via de leitura eficaz para o processamento palavras pouco familiares.

A porta lexical ortográfica funciona por reconhecimento visual direto da forma escrita (i.e., representação ortográfica) das palavras, e é usada quando o leitor é fluente e está bastante familiarizado com as palavras escritas do texto que deve ler. Por meio dessa porta, o leitor compreende diretamente o significado das palavras sem que seja necessário acompanhamento da sinalização interna.

A porta perilexical ou quirêmica envolve uma série de processos como a soletração digital, o resgate de morfemas e a conversão de unidades morfêmicas da escrita em unidades morfêmicas correspondentes da sinalização.

Ou seja, para acessar o léxico semântico e compreender o que lê, o leitor surdo pode fazer uso do processo lexical ortográfico, que faz reconhecimento visual direto de palavras familiares, bem como do processo perilexical quirêmico, que engaja a sinalização interna para a leitura de palavras novas ou pouco comuns às quais não se tem muita exposição.

Quando o leitor surdo é exposto a palavras escritas muito familiares, que já leu muitas vezes no passado, ele passa a fazer reconhecimento visual direto da forma ortográfica e acesso ao léxico semântico diretamente pela porta de entrada do léxico ortográfico. Contudo, quando o exposto a palavras escritas menos familiares, que ainda não teve oportunidade de ler no passado, ele não consegue reconhecer logo à primeira vista as formas ortográficas. Como não consegue fazer reconhecimento visual direto dessas formas ortográficas, as palavras escritas do texto não têm acesso direto ao seu léxico semântico, e o surdo não compreende o que está escrito. Nesse caso de palavras pouco familiares, a porta de entrada ao léxico semântico é a perilexical, na via indireta de mediação pela soletração digital e sinalização interna, decodificando as palavras escritas em soletração digital, e convertendo a seqüência de articulações de mão em sinais lexicais. A sinalização interna é a única via pela qual palavras pouco familiares podem obter acesso ao léxico semântico, permitindo a compreensão de leitura. É por meio da sinalização interna que o surdo pensa e se comunica consigo mesmo. E é por meio de sua manifestação, na sinalização externa, que ele se comunica com os demais membros de sua comunidade lingüística. A leitura de textos pelo surdo é acompanhada de sinalização interna, e é por meio dessa sinalização interna que ele compreende o que está lendo.

Na leitura de palavras familiares cuja forma ortográfica pode ser reconhecida à primeira vista, os leitores surdos e os leitores ouvintes fazem uso do mesmo caminho direto (i.e., lexical ortográfico) de reconhecimento visual direto das formas ortográficas dessas palavras escritas familiares. Do mesmo modo, na leitura de palavras não familiares cuja forma ortográfica não pode ser imediatamente reconhecida à primeira vista, leitores surdos e leitores ouvintes também fazem uso do mesmo caminho perilexical indireto, por mediação da linguagem interna. A única diferença nesse ponto é que enquanto no leitor ouvinte a linguagem interna que media a compreensão da leitura é a fala interna, no caso do leitor surdo congênito profundo sinalizador e não-oralizado, essa linguagem interna que media a compreensão da leitura é a sinalização interna.

Esse modelo teórico de F. Capovilla (no prelo) implicaria que as altas correlações positivas obtidas entre os desempenhos no Teste de Nomeação Escrita de Sinais e no Teste de Compreensão de Leitura de Sentenças constituem não apenas correlações propriamente ditas mas, também e especialmente, relações funcionais, de modo que, quanto maior a habilidade de associar sinais da Libras a palavras escritas em Português (tal como refletida por escores elevados no Teste de Nomeação Escrita de Sinais), tanto maior a compreensão de textos (tal como refletida por escores elevados no Teste de Compreensão de Leitura de Sentenças). Como os sinais são usados pela rota indireta, ou perilexical, para permitir acessar o léxico semântico e compreender o significado do texto, quanto maior o vocabulário em sinais (tal como indicado pelo Teste de Vocabulário Receptivo de Sinais da Libras) e maior a habilidade de associar sinais a palavras escritas (tal como indicada pelo Teste de Nomeação Escrita de Sinais), tanto maior o acesso ao léxico semântico e, consequentemente, a compreensão de leitura de textos (tal como indicada pelo Teste de Compreensão de Leitura de Sentenças) e a competência de leitura de palavras (tal como indicada pelo Teste de Competência de Leitura de Palavras). Esse modelo teórico de F. Capovilla (no prelo) não apenas explicaria as intercorrelações positivas observadas neste estudo como, também, implicaria que, mais que meras correlações, tais intercorrelações abrigam relações funcionais produtivas que são parte de processos cognitivos bem definidos e que foram analisados extensamente na presente série de estudos.

Como explicado, a única diferença nesse ponto é que enquanto no leitor ouvinte a linguagem interna que media a compreensão é a fala, no caso do leitor surdo essa linguagem interna que media a compreensão é a sinalização. Para a leitura do código alfabético, contudo, essa diferença tem conseqüências muito importantes, pois embora as duas linguagens internas constituam a porta de acesso ao léxico semântico, essas portas usam chaves com princípios bastante diferentes.

No mundo ocidental, que faz uso da escrita alfabética, a chave que permite unir os dois mundos (i.e., o da fala interna e o da escrita) é o princípio alfabético. Tal princípio ancora a fala à escrita, e a escrita à fala. Permite à fala interna ter acesso ao mundo da escrita, e à palavra escrita ter acesso à fala interna do leitor. Abre o mundo da escrita à mente da criança ouvinte e permite a essa mente traduzir-se de fala interna em escrita. Cada língua escrita tem uma chave que permite que seja lida e escrita. O leitor que possui a chave sabe como pronunciar as palavras escritas dessa língua e sabe como escrever essas palavras quando são pronunciadas, quer de maneira fisicamente audível ou apenas mentalmente audível (i.e., audibilizada). E, uma vez que tenha vocabulário oral nessa língua, esse leitor é capaz não apenas de entender o que lê como, também, de escrever o que ouve. O segredo da chave consiste no código especial que relaciona os fonemas da língua falada aos grafemas da língua escrita. Esse código especial consiste no conjunto de regras que estabelecem as relações entre os fonemas e os grafemas usados para representá-los, atribuindo diferentes combinações de grafemas aos fonemas correspondentes. Como esse código varia de língua para língua, cada chave terá o seu segredo, o seu código especial, que permite ler e escrever a língua para a qual foi elaborado. Embora cada língua falada e escrita tenha a sua chave, no mundo ocidental, todas as chaves são baseadas no princípio alfabético. Isso significa que, apesar de cada língua ter a sua chave própria que lhe permite ser lida e escrita, no mundo ocidental todas essas chaves operam com base nesse mesmo princípio alfabético. Subjacente a todas as chaves, o princípio alfabético permite a leitura por decodificação grafofonêmica e a escrita por codificação fonografêmica, e conecta os mundos da escrita e da fala de uma maneira bastante precisa, de modo a permitir traduzir texto em fala na leitura, e fala em texto na escrita, e, também, de uma maneira bastante gerativa, de modo a permitir transcrever qualquer pseudopalavra ouvida e pronunciar qualquer pseudopalavra escrita (F. Capovilla, no prelo).

A fala interna é a porta de entrada ao léxico semântico do ouvinte. O princípio alfabético é o princípio subjacente a todas as chaves (e.g., a chave da ortografia italiana, a chave da ortografia alemã, a chave da ortografia portuguesa) capazes de abrir essa porta em presença do texto. Ou seja, é o princípio subjacente a todas as chaves capazes de fazer com que o texto evoque a fala interna e, assim, ganhe acesso ao léxico semântico do leitor (i.e., fale à mente do leitor). Esse princípio é o que permite ao texto evocar a fala interna durante a leitura por decodificação grafofonêmica; e que permite à fala interna produzir texto durante a escrita por codificação fonografêmica. De fato, o domínio pleno do princípio alfabético, com a consecução de codificação fonografêmica e de decodificação grafofonêmica fluentes e fáceis, é o principal objetivo da alfabetização, já que permite transformar texto em fala na leitura e fala em texto na escrita, tornando a atividade de ler com compreensão, uma vez assim aprendida, uma extensão natural da atividade de ouvir e escutar com compreensão, e tornando a atividade de expressar-se pela escrita, uma vez assim aprendida, uma extensão natural da atividade de expressar-se pela fala (F. Capovilla, no prelo). É isso que abre o mundo da escrita à criança e permite que ela efetivamente o habite e nele viceje cognitiva, afetiva e experiencialmente.

Diferentemente de sistemas de escrita ideográficos, que representam diretamente o significado como se fossem desenhos, os sistemas de escrita alfabéticos representam o significado indiretamente, por meio do mapeamento da palavra falada que designa esse significado. Por isso é que, ao ler pela rota fonológica, o leitor ouvinte tem a sensação de ouvir a própria voz; e que, ao escrever, o leitor tem a sensação de que sua voz controla sua mão, como se sua mão estivesse tomando ditado, e codificando o que lhe dita a própria voz. Essa característica importante do sistema de escrita alfabético tem implicações de suma importância para a leitura do surdo. Como aquilo que o código alfabético faz é mapear a fala com que o ouvinte pensa e se comunica, esse código, até certo ponto, lastimavelmente exclui o surdo, já que o surdo pensa e se comunica em sinais.

Como o código alfabético foi inventado por ouvintes para mapear a fala e não por surdos para mapear o sinal, há uma produtiva continuidade entre a fala e a escrita, mas uma desafiadora descontinuidade entre o sinal e a escrita (F. Capovilla, no prelo). É essa continuidade entre a fala e a escrita que torna o código alfabético tão bem sucedido como sistema de escrita dos ouvintes, já que engaja o sistema lingüístico primário dos ouvintes durante a leitura e permite fazer uso dele como controlador da escrita. Graças a essa continuidade, no processo de escrita pelos ouvintes, o mecanismo de codificação fonografêmica coloca o sistema lingüístico secundário (i.e., a escrita) sob controle formal e automático direto do sistema lingüístico primário (i.e., a fala), permitindo transcrever com suficiente precisão a forma fonológica das palavras faladas na forma ortográfica das palavras escritas. Reciprocamente, no processo de leitura pelos ouvintes, o mecanismo de decodificação grafofonêmica de leitura coloca o sistema lingüístico primário (i.e., a fala) sob controle formal e automático direto do sistema lingüístico secundário (i.e., a escrita), permitindo construir a pronúncia de palavras familiares, reproduzindo com suficiente precisão a forma fonológica das palavras com que os ouvintes pensam e se expressam. Contudo, tais mecanismos, típicos do código alfabético, não funcionam com a mesma naturalidade para o surdo, já que o recurso de decodificação do surdo incapaz de oralizar e ler lábios (i.e., a soletração digital) não tem, para o surdo, o mesmo efeito de engajamento do sistema lingüístico primário que a decodificação grafofonêmica tem para o ouvinte.

No leitor ouvinte, a decodificação grafofonêmica constrói, de maneira sistemática e precisa, a forma fonológica do item lexical da língua do ouvinte, resultando na palavra falada com que o ouvinte pensa e se comunica. Já no leitor surdo a soletração digital não constrói de forma sistemática e precisa a forma quirêmica do item lexical da língua do surdo e, assim, não resulta no sinal com que ele pensa e se comunica. Isso pode ser ilustrado na maneira como um ouvinte e um surdo de mesmo nível de leitura, ainda incipiente, processam a palavra escrita *gato*. Uma criança ouvinte, aplicando regras de conversão grafofonêmica, chega facilmente à pronúncia /gato/ cuja forma fonológica é precisamente a mesma da palavra que ela usa no dia a dia para se referir ao seu bichinho de estimação. Assim, ela compreende o que lê por decodificação grafofonêmica simplesmente porque esse mecanismo de decodificação grafofonêmica, quando fluente, torna as palavras escritas "transparentes ao ouvido", por assim dizer. Uma criança surda, contudo, aplicando regras de soletração digital, chegará apenas a uma seqüência de articulação manual de quatro letras, seqüência essa que não guarda absolutamente nenhuma relação de continuidade formal ponto-a-ponto com o sinal lexical que essa criança surda costuma usar no dia-a-dia para se referir ao seu bichinho de estimação. Assim, ela pode não compreender inicialmente o que lê por soletração digital simplesmente porque esse mecanismo, por mais fluente que seja, produz apenas uma seqüência de articulações manuais de letras da palavra em Português (i.e., G A T O) que difere das seqüências de quiremas que compõem os sinais lexicais inteligíveis da Libras, que é a língua com que ela pensa e se comunica (i.e., o sinal lexical GATO). Embora tais seqüências de articulações artificiais componham itens lexicais do Português aos quais correspondem sinais da Libras, as relações entre os itens lexicais do Português e da Libras são absolutamente opacas, descontínuas e arbitrárias, e precisam ser aprendidas à custa de muitos ensaios e análises da composição morfêmica das palavras. Esse é um enorme desafio que confronta o bilingüismo e que ainda não foi resolvido por essa filosofia educacional, embora haja propostas experimentais concretas como a do uso da escrita visual direta de sinais SignWriting (F. Capovilla, Raphael, Viggiano, Neves, & Luz, 2000) e a presente proposta de análise e decodificação morfêmica.

Assim, embora a soletração digital seja uma maneira de decodificar os grafemas das palavras escritas em articulações quirêmicas correspondentes às letras, infelizmente ela está muito longe de permitir ao surdo os mesmos processos e fenômenos que a decodificação grafofonêmica permite ao ouvinte, baseados na evocação sistemática e precisa da linguagem interna. Com ou sem soletração digital, o código alfabético não é capaz de falar diretamente à mente do leitor surdo como fala à mente do leitor ouvinte. Essa é talvez a mais importante razão pela qual a leitura pode parecer tão natural e espontânea ao leitor ouvinte proficiente, porém tão artificial e trabalhosa para o leitor surdo. Enquanto a escrita alfabética, decodificada por meio da conversão grafofonêmica, engaja diretamente a fala interna, evocando o fluxo de imagens fonológicas de palavras como se o leitor estivesse ouvindo a fala natural de um locutor, essa mesma escrita alfabética, decodificada por meio da conversão grafoquirêmica na soletração digital, é incapaz de engajar diretamente a sinalização interna do surdo e, portanto, é incapaz de dar à mente do surdo congênito o mesmo prazer natural, fluido, íntimo e intuitivo de que goza o leitor ouvinte fluente. Em vez de direto e contínuo, tal engajamento deve ser conquistado às custas das mais variadas estratégias de andaimização (*scaffolding*, cf. Bruner, 1983), ou suporte externo do processamento de leitura, baseado em processos de soletração digital, codificação proprioceptiva e cinestésica multissensorial para reconhecimento e articulação de escrita, além de um vasto sortimento de técnicas oralistas baseadas na consciência oroarticulatória na articulação da fala e na leitura labial, e de um igualmente vasto sortimento de técnicas de comunicação total com vistas a tornar mais visível a fala e compreensível o texto, especialmente em termos de morfologia e sintaxe.

Essa descontinuidade entre escrita e sinal impõe imensas dificuldades ao pleno domínio por parte do surdo na leitura e escrita proficientes no código alfabético. Esse prazer natural, fluido, íntimo e intuitivo que o ouvinte fluente desfruta durante a leitura (como na leitura de poesia com rima e métrica) decorre da experiência de ouvir mentalmente (i.e., audibilizar) o fluxo da própria fala interna sendo evocada pelo texto com precisão e naturalidade, como se estivesse ouvindo um locutor declamando uma estória em Português. Ao evocar a fala interna, o texto fala diretamente à mente do leitor ouvinte fluente. Para que fale diretamente à mente do leitor surdo, é preciso que o texto evoque a sinalização interna com igual precisão e naturalidade. Como vimos, sistemas de escrita visual direta de sinais como SignWriting (F. Capovilla & Sutton, 2001, 2004) fazem precisamente isso, à medida que permitem ao surdo visualizar o fluxo da própria sinalização interna sendo evocada pelo texto com precisão e naturalidade, como se estivesse observando um sinalizador declamando uma estória em Libras.

O problema da descontinuidade entre escrita e sinal é de tão vital importância para a educação do surdo que as diferentes escolas na educação do surdo podem ser concebidas como tentativas de equacionar precisamente esse problema. No passado, a solução proposta pelos oralistas foi a de proscrever os sinais, demitir os professores surdos e isolar as crianças surdas de qualquer contato com a sua comunidade sinalizadora para evitar que fossem "contagiadas" pela comunicação natural dos sinais. Um século de oralismo depois, contudo, percebeu-se que essa "solução", de fato, resolvia os problemas de uma parcela muito pequena da população surda (i.e., aqueles com surdez pós-lingual e leve, moderada ou, no máximo, severa) e que, como um tiro pela culatra, para a quase totalidade dos demais (i.e., aqueles com surdez profunda pré-lingual), a proibição da língua de sinais acabou embotando, em vez de despertando, a mente dos surdos (F. Capovilla, 2000a, 2001a). De fato, como o oralismo estrito colocava desproporcional ênfase na articulação da fala e leitura labial em detrimento do desenvolvimento cognitivo e lingüístico, e como os recursos necessários para produzir suficiente êxito nessas habilidades eram deveras dispendiosos, quando as antigas escolas que educavam em sinais se viram transformadas em escolas oralistas, para tentar dar conta de levar os alunos a oralizar e ler lábios, elas passaram a substituir as disciplinas escolares que ministravam até então por sessões cada vez mais freqüentes de treino oroarticulatório, a ponto de se verem transformadas em verdadeiras clínicas de fonoaudiologia (Lane, 1984; Sacks, 1990), em vez de verdadeiras escolas transmissoras de cultura e formadoras de cidadãos cognitiva, acadêmica e socialmente competentes e habilidosos. Além disso, no mesmo afã de concentrar todos os recursos disponíveis para obter sucesso na articulação da fala e leitura labial, essas escolas passaram a admitir apenas crianças com perda auditiva leve e moderada ou com surdez tardia, e a fechar as portas às crianças que apresentassem menos chances de oralizar. A ironia é que essas mesmas crianças que passaram a ser rejeitadas pelas escolas e encaminhadas a serviços manuais e colônias agrícolas (ou seja, as crianças com surdez congênita profunda) eram exatamente aquelas para cuja educação específica essas mesmas escolas haviam sido criadas na época do sinal (Lane, 1984). Ou seja, apesar de seu sucesso com educandos com surdez pós-lingual leve, moderada ou severa, na prática, o oralismo, com sua proibição taxativa da sinalização e concentração quase que exclusiva na articulação e leitura labial, acabou resultando no empobrecimento cognitivo e na perda de identidade daqueles com surdez pré-lingual profunda, e na sua exclusão do mesmo sistema educacional que havia sido criado, na época do sinal, para educá-los.

Assim, apesar de heróicos esforços, ao cabo de nove décadas de esforços oralistas, a grande maioria dos surdos egressos das escolas não oralizavam o suficiente para serem compreendidos, e o seu nível de leitura e escrita tendia a limitar-se ao patamar da 3ª· série do Ensino Fundamental (Prillwitz, 1990). Esse e muitos outros fatores sumariados em F. Capovilla (2000a, 2001a) indicavam, já na década de 1970, que a abordagem oralista estrita, que proibia qualquer sinalização, precisava ser seriamente repensada. De fato, noventa anos depois de sua quase hegemônica instituição, a abordagem oralista foi substituída pela abordagem da comunicação total, que passou a introduzir sinais, muitos dos quais artificiais, como recurso para tornar a fala mais visível. Tal abordagem preconizava o uso simultâneo da oralização e da sinalização como meio para obter a comunicação total que, como se supunha na década de 1970, seria o caminho para a educação plena. Contudo, apesar do sucesso em produzir considerável melhora na comunicação interpessoal de surdos e ouvintes, pesquisas indicaram ganhos bastante inferiores aos antecipados. Dentre essas, pesquisas escandinavas sumariadas por Hansen (1990) revelaram a razão: Como a língua de sinais e a língua falada têm estruturas gramaticais diferentes, a cifragem entre elas é imperfeita, sendo que, ao tentar sinalizar e oralizar ao mesmo tempo, os professores tendem a alternar entre a omissão de sinais e a omissão de palavras faladas, a ponto de tornar as mensagens incompreensíveis quando se considera apenas uma língua ou apenas a outra. Conforme explicado em F. Capovilla (2000a, 2001a), esse achado contribuiu de maneira decisiva para levar à substituição da abordagem da comunicação total pela abordagem do bilingüismo, apenas cerca de uma década depois da substituição do oralismo pela comunicação total, logo na primeira metade da década de 1980.

A razão fundamental do fracasso da abordagem da comunicação total repousa no fato de que ela compartilha os mesmos pressupostos básicos que tornaram ultrapassada a epistemologia genética de Piaget (e.g., Piaget & Inhelder, 1969) e toda a abordagem construtivista sobre alfabetização nela baseada. Tais pressupostos, rechaçados no último quarto de século à luz dos achados de neuroimagem e neuropsicologia cognitiva, são, segundo Landsmann (1995), os de:

- Continuidade das formas simbólicas,
- Neutralidade de domínio, e
- Primazia do conceptual (nocional) em relação ao simbólico (notacional).

- Com respeito à continuidade das formas simbólicas, para Piaget, as várias formas de linguagem (oral, escrita, de sinais) são meramente formas de uma mesma simbolização, com o mesmo status das imagens mentais e gestos simbólicos, e servem apenas para representação, sendo irrelevantes as peculiaridades de cada um desses modos de representação.
- Com respeito à neutralidade de domínio, Piaget postulava que os mesmos mecanismos mentais fossem responsáveis por todas as aquisições de conhecimento, mesmo os qualitativamente diferentes. Conforme Landsmann, em conseqüência desse pressuposto, os piagetianos preocuparam-se apenas em estudar mecanismos muito gerais, ignorando a especificidade dos processamentos lingüísticos da linguagem oral, escrita e de sinais, crendo ingenuamente que fossem idênticos uns aos outros e, mesmo, aos não-lingüísticos de imagens mentais, mímica, pantomima e gestos. Por último,
- Com respeito à primazia do conceptual em relação ao simbólico, a crença de Piaget na primazia do conceptual (nocional) em relação ao simbólico (notacional) fez com que supusesse que a quantidade e a natureza do material simbólico aprendido dependessem apenas do nível geral de desenvolvimento cognitivo. A propósito, essa mesma crença piagetiana ingênua de que o desenvolvimento da linguagem escrita decorre naturalmente da consecução de um nível cognitivo geral não apenas desestimulou pesquisas sobre métodos de alfabetização como, também, retardou a compreensão e tratamento das dificuldades específicas de aquisição de leitura e escrita dos disléxicos, e continua se refletindo até hoje em exóticos treinamentos de professores para aplicação, aos alfabetizandos, de jogos de salão que não têm qualquer relação com leitura, treinamentos esses movidos pela vã e infundada expectativa de que esses jogos possam vir a produzir qualquer ganho substancial sobre a aprendizagem de leitura e escrita dessas crianças.

Com os mesmos pressupostos de continuidade das formas simbólicas, neutralidade de domínio, e primazia do conceptual (nocional) em relação ao simbólico (notacional) que caracterizava o velho piagetianismo, a abordagem da comunicação total compartilhava da mesma insistência simplista e míope na absoluta primazia do semântico e da profunda ingenuidade quanto à especificidade do processamento neurolingüístico. Assim, a abordagem da comunicação total acreditava ingenuamente numa compatibilidade maior que a possível entre a língua de sinais e a língua falada, e supunha que tal compatibilidade pudesse gerar uma espécie de compreensão natural e híbrida das duas línguas. Apesar de os pressupostos teóricos do piagetianismo e da comunicação total terem levado educadores de surdos a supor que fosse possível oralizar e sinalizar ao mesmo tempo, o fato científico é que os professores da comunicação total não conseguiam oralizar e sinalizar ao mesmo tempo. Tal fato, só podia ser explicado pela consideração da especificidade do processamento cognitivo das línguas diferentes, e significava que *as formas simbólicas não são contínuas mas descontínuas*; *que o domínio não é neutro e homogêneo, mas modular*, e que *as relações entre o conceptual (nocional) e o simbólico (notacional) não são de mão única (primazia simples), mas de mão dupla*. Que os mesmos pressupostos errôneos da comunicação total acarretassem atraso na aprendizagem de leitura dos educandos surdos não é surpreendente, dadas as conseqüências igualmente deletérias do piagetianismo na alfabetização de ouvintes. Do mesmo modo como a comunicação total foi refutada pelo desenvolvimento científico e tecnológico e pela evidência dos fracassos acarretados na educação do surdo, os pressupostos e o uso do piagetianismo, e do assim chamado "construtivismo" dele derivado (Ferreiro & Teberosky, 1986), vêm sendo objeto de profunda crítica a partir da evidência científica da incorreção dos estudos (Goodman, 1965, 1967; Smith, 1971, 1973) em que tenta fundamentar-se e de seus maus frutos em educação, conforme documentado extensamente em A. Capovilla & F. Capovilla, 2003c; Cardoso-Martins, F. Capovilla, Gombert, Oliveira, Morais, Adams, & Beard, 2003; Oliveira, 2002).

A pesquisa científica rigorosa comparando a eficácia relativa de diferentes métodos de ensino sobre diferentes competências avaliadas por meio de diferentes instrumentos validados e normatizados é o único meio para alcançar soluções eficazes para a educação de surdos e para a alfabetização de ouvintes. Assim como no campo de alfabetização de ouvintes, um vasto programa de pesquisas gerou um arsenal de baterias de avaliação (Acosta, Moreno, Ramos, Quintana, & Espino, 2003; Cronbach, 1990; Grégoire, 2000) comprovadamente sensíveis e válidas para o acompanhamento do desenvolvimento fonológico e lexical e das competências de leitura e escrita (e.g., A. Capovilla & F. Capovilla, 2003d), e de procedimentos de intervenção comprovadamente eficazes para o desenvolvimento dessas habilidades (e.g., A. Capovilla & F. Capovilla, 2003a, 2003b, 2003c), também no campo de educação de surdos, a presente série de estudos tem gerado um arsenal de baterias de avaliação comprovadamente sensíveis e válidas para o acompanhamento do desenvolvimento das competências de compreensão de sinais, leitura e escrita. Nossa esperança é que os presentes instrumentos possam ser usados para selecionar os procedimentos de ensino mais adequados ao desenvolvimento cognitivo, lingüístico e acadêmico de surdos com as mais variadas características. Isso deverá permitir ultrapassar a discussão limitada aos fundamentos filosóficos de uma ou outra abordagem educacional, e atingir um nível mais profundo de desenvolvimento técnico e procedimental.

Na ausência de instrumentos de avaliação normatizados sensíveis, robustos, válidos e fidedignos, torna-se difícil fazer o necessário progresso na área. Com efeito, embora o bilingüismo esteja em vigor desde meados da década de 1980, até hoje o bilingüismo à brasileira não conseguiu se desvencilhar dos mesmos anacrônicos pressupostos construtivistas da comunicação total. Em conseqüência de não ter atualizado seus pressupostos epistemológicos, até hoje o velho bilingüismo à brasileira não conseguiu prestar a necessária atenção à questão da descontinuidade entre a sinalização e o código alfabético. De fato, preso a suposições descabidas, ele ainda crê ingenuamente na compatibilidade entre a língua de sinais e a língua escrita no código alfabético, e supõe que tal compatibilidade possa levar a uma espécie de alfabetização natural e híbrida, algo como o obscuro e neologístico conceito de "letramento" proposto por construtivistas. Tal crença ingênua, contudo, é falsa, conforme demonstrou o experimento escandinavo que destituiu a comunicação total de seu trono logo ao início da década de 1980, como explicado anteriormente. Enquanto o bilingüismo à brasileira não se expurgar de seus anacrônicos e infundados pressupostos, ele falhará em reconhecer a natureza da dificuldade de leitura do surdo e a seriedade dessa dificuldade, e em obter solução para essa dificuldade na pesquisa experimental rigorosa em processamento de informação e no desenvolvimento de recursos à altura da importância e gravidade do desafio.

É preciso que a agenda do bilingüismo no Brasil seja renovada para que possa ultrapassar o primeiro estágio em que se limita a manter a língua de sinais e a escrita alfabética e a esperar que, de alguma forma mágica, a descontinuidade possa vir a resolver-se por si só. São tão baixas e remotas as chances de isso vir a ocorrer que, se não forem feitos investimentos sérios de pesquisa científica sobre alfabetização em surdez, certamente os surdos continuarão a debater-se com o código alfabético pelas próximas décadas. A prolongar-se o descompasso histórico nos pressupostos do velho bilingüismo, mais cedo do que se imagina, o dique de tolerância histórica que tem sustentado suas cumulativas contradições poderá romper-se. Se isso finalmente vier a acontecer, poderá ocorrer um recrudescimento do oralismo, travestido em suas mesmas velhas roupas de debutante dos idos de 1880, quando se apregoava a absoluta necessidade e, ingenuamente, a plena viabilidade de inclusão dos surdos congênitos profundos por meio da oralização e leitura labial. A história (e.g., Lane, 1984; Sacks, 1990) mostrou que, à medida que essas boas intenções originais foram se mostrando cada vez mais remotas e inatingíveis ao longo das décadas de oralismo estrito, elas foram se fazendo acompanhar de medidas adicionais cada vez mais draconianas como a proscrição da língua de sinais, a separação entre irmãos surdos para evitar o "contágio" pelo sinal, a substituição progressiva do conteúdo escolar por treino articulatório a ponto de transformar as escolas em verdadeiras clínicas de articulação com o conseqüente embotamento mental das crianças surdas pré-linguais e, finalmente, a exclusão dessas crianças das escolas que haviam sido criadas para elas (exclusão essa justificada pelas suas "baixas chances de articular fala") e seu envio a colônias agrícolas. Conforme historiadores do porte de Lane (1984) e Sacks (1990), o oralismo estrito acabou por bater a porta das escolas no nariz das crianças com surdez profunda pré-lingual e por mandar essas crianças a colônias agrícolas para, literalmente, "plantar batatas". Não deveria surpreender, portanto, que a reação inicial dos surdos ao assumir o poder na década de 1980 tivesse sido precisamente a mesma, ou seja, a de mandar o oralismo estrito plantar batatas, numa época de forte acirramento dos ânimos. Contudo, se o movimento do bilingüismo não atacar de frente e com maior empenho a questão de como aperfeiçoar a competência de leitura e escrita da população escolar surda, as contradições acumuladas desde a conquista poderão minar seus flancos, tornando-o vulnerável ao recrudescimento do movimento inclusivista e ao desmantelamento do sistema educacional especial tão penosamente conquistado.

Embora, sob o velho bilingüismo à brasileira, a aquisição de leitura e escrita das crianças surdas tenha permanecido insuficiente, se as escolas especiais para surdos forem desmontadas, o nível de competência dos surdos poderá piorar sensivelmente. As escolas especiais têm contribuído de maneira marcante para o desenvolvimento da linguagem, cognição e personalidade das crianças com surdez pré-lingual profunda e severa. Se essas escolas vierem a ser desmanteladas e os estudantes com surdez pré-lingual profunda e severa forem pulverizados de maneira dispersa em uma miríade de escolas regulares em meio a colegas e professores que desconhecem por completo a língua de sinais, o desenvolvimento de sua linguagem, cognição e personalidade poderá ficar profundamente prejudicado. Ou seja, hoje, nas escolas especiais para surdos, o problema é como aperfeiçoar a competência de leitura e escrita, mas se essas escolas especiais vierem a fechar as portas, o problema passará a ser como dar conta da profusão de problemas de atraso mental e distúrbios de comportamento que essas crianças e jovens poderão passar a apresentar.

A presente série de estudos produziu não apenas uma bateria de onze testes originais normatizados e validados por referência cruzada como, também, uma linha de base histórica sobre o desenvolvimento da linguagem escrita e de sinais de boa parte da população escolar surda de São Paulo. Juntos, os onze testes da bateria e os dados de linha de base nesses instrumentos de 1.158 escolares surdos permitirão a condução de estudos de importância crucial para comparar os ganhos produzidos por recursos provenientes de diferentes abordagens educacionais (i.e., oralismo *versus* comunicação total *versus* bilingüismo), por diferentes métodos de ensino, por diferentes estratégias de alocação escolar de estudantes (i.e., escola especial *versus* escola regular; e, na escola regular, classe especial *versus* classe comum), e por diferentes materiais instrucionais como o *Dicionário de Libras*, a *Enciclopédia de Libras* e o *Sistema de busca quirêmica da Libras* (F. Capovilla, Duduchi, Raphael, Luz, Rozados, A. Capovilla, & Macedo, 2003). É possível que escolas com diferentes filosofias educacionais e abordagens de alocação escolar acabem por instalar diferentes competências cognitivas e lingüísticas em seus alunos, as quais, por sua vez, poderiam levar a desempenhos diferentes frente a tarefas de natureza distinta. A avaliação com uma grande variedade de instrumentos de um grande contingente de escolares que estudam sob as mais diferentes circunstâncias permitirá obter uma massa de dados suficientemente significativa para chegar a conclusões relevantes à educação da população surda brasileira. Este estudo constituiu um importante primeiro passo nesse sentido.

Na presente série de estudos, os achados resultantes da aplicação dos diversos instrumentos de avaliação de escrita dos nomes de figuras (TNF–Escrita) e de sinais (TNS–Escrita), bem como de escolha dos nomes de figuras (TNF–Escolha) e de sinais (TNS–Escolha), especialmente os achados pertinentes ao efeito dos distratores quirêmicos, forneceram importante validação preliminar do complexo modelo teórico sobre leitura e escrita no sinalizador com surdez profunda pré-lingual e perilingual (F. Capovilla, no prelo), explicando a importância da mediação pela sinalização interna (i.e., processos baseados no léxico quirêmico), bem como o papel desempenhado pelo léxico quirêmico (i.e., representações dos sinais da Libras e dos elementos componentes de sua estrutura sublexical, ou seja, quiremas) como indexador tanto do léxico ortográfico (i.e., representações das palavras escritas do Português e de seus componentes morfêmicos) quanto do léxico semântico (i.e., representações e redes de significado), fazendo a ponte entre ambos, tanto durante a leitura com compreensão (i.e., do ortográfico ao semântico), quanto durante a escrita com significado (i.e., do semântico ao ortográfico).

Ter como obter respostas científicas às vitais e objetivas questões de ensino que se encontram em aberto é mais importante do que dispor de respostas apriorísticas e ideológicas. Ao permitir uma avaliação válida e fidedigna do desenvolvimento da linguagem escrita e de sinais de escolares surdos da 1ª série do Ensino Fundamental ao Ensino Médio, a bateria de testes descrita na presente série de estudos pode fornecer as respostas à maior parte das questões que vêm sendo feitas na área de educação e que ainda virão a ser feitas nas próximas décadas.

Ao disponibilizar recursos eficazes para obter respostas válidas e objetivas a questões de educação de surdos, encerra-se este estudo. A palavra passa, agora, ao leitor, em cuja voz, sinal e ações repousa nossa forte esperança de um futuro melhor para a educação da criança surda brasileira, a mesma esperança que motivou a condução deste complexo estudo.

4.13.) Referências bibliográficas

Acosta, V. M., Moreno, A., Ramos, V., Quintana, A., & Espino, O. (2003). *Avaliação da linguagem: Teoria e prática do processo de avaliação do comportamento lingüístico infantil*. São Paulo, SP: Editora Santos.

Adams, M. J. (1990). *Beginning to read: Thinking and learning about print*. Cambridge, MA: The MIT Press.

Adams, M. J., Treiman, R., & Pressley, M. (1996). Reading, writing and literacy. In I. Sigel, & A. Renninger (Eds.), *Handbook of child psychology, Vol. 4: Child psychology in practice*. New York, NY: Wiley.

Advanced Bionics Corporation (1998). *Clarion press releases*. Disponível na Internet no endereço: *http://www.cochlearimplant.com/bionic.html*.

Alégria, J., Leybaert, J., & Mousty, P. (1997). Aquisição da leitura e distúrbios associados: Avaliação, tratamento e teoria. Em J. Grégoire, & B. Piérart (Orgs.), *Avaliação dos problemas de leitura: Os novos modelos teóricos e suas implicações diagnósticas* (pp. 105–124). Porto Alegre, RS: Artes Médicas.

Allen, T. E., White, C. S., & Karchmer, M. A. (1983). Issues in the development of a special edition for hearing-impaired students of the seventh edition of the Stanford Achievement Test. *American Annals of the Deaf, 128*(1), 34–39.

Almeida, K., & Iorio, M. C. M. (1996). *Próteses auditivas: Fundamentos teóricos e aplicações clínicas*. São Paulo, SP: Editora Lovise.

Amaral, M. A., Coutinho, A., & Martins, M. R. D. (1994). *Para uma gramática da Língua Gestual Portuguesa*. Lisboa, Portugal: Editorial Caminho.

Ammons, D. K., & Miller, M. S. (1996). Deaf students' recall of Spanish vocabulary under three testing conditions. *American Annals of the Deaf, 141*(5), 340–345.

Anastasi, A., & Urbina, S. (2000). *Testagem psicológica* (7a. edição). Porto Alegre, RS: Artes Médicas.

Anderson, R. C., & Freebody, P. (1983). Vocabulary knowledge. In J. T. Guthrie (Ed.), *Comprehension and teaching: Research reviews* (pp. 77–117). Newark, DE: International Reading Association.

Aram, D., Ekelman, B., & Nation, J. (1984). Preschoolers with language disorders: 10 years later. *Journal of Speech and Hearing Research, 27*(2), 232–244.

Arbruster, B. B., Lehr, F., & Osborn, J. M. (2001). *Putting reading first: The research building blocks for teaching children to read*. Washington, DC: National Institute for Literacy.

Ayres, A. J. (1974). *Sensory integration and learning disorders* (3rd edition). Los Angeles, CA: Western Psychological Services.

Ayres, A. J. (1978). Learning disabilities and the vestibular system. *Journal of Learning Disabilities, 11*, 30–41.

Ayres, A. J. (1995). *Sensory integration and the child* (20th edition). Los Angeles, CA: Western Psychological Services.

Ayres, A. J. (1998). *Sensory integration and praxis tests – Manual* (4th edition). Los Angeles, CA: Western Psychological Services.

Baddeley, A. D. (1966). Short-term memory for word sequences as a function of acoustic, semantic and formal similarity. *Quarterly Journal of Experimental Psychology, 18*, 362–365.

Baddeley, A. D. (1986). *Working memory*. Oxford, UK: Oxford University Press.

Baddeley, A. D. (1992). Is working memory working? *Quarterly Journal of Experimental Psychology, 44*, 1–31.

Baddeley, A. D., Grant, S., Wight, E., & Thomson, N. (1975). Imagery and visual working memory. In M. P. A. Rabbitt, & S. Dornic (Eds.), *Attention and performance* (Vol. 5, pp. 205–217). Hillsdale, NJ: Erlbaum.

Baddeley, A. D., & Hitch, G. (1974). Working memory. In G. H. Bower (Ed.), *The psychology of learning and motivation* (Vol. 8, pp. 120–160). London, UK: Academic Press.

Baddeley, A. D., Lewis, V., & Vallar, G. (1984). Exploring the articulatory loop. *Quarterly Journal of Experimental Psychology, 36*, 233–252.

Baddeley, A. D., & Logie, R. (1992). Auditory imagery and working memory. In D. Reisberg (Ed.), *Auditory imagery* (pp. 179–197). Hillsdale, NJ: Erlbaum.

Baddeley, A. D., & Wilson, B. (1985). Phonological coding and short-term memory in patients without speech. *Journal of Memory and Language, 24*, 490–502.

Ball, E. W., & Blachman, B. A. (1991). Does phoneme awareness training in kindergarten make a difference in early word recognition and developmental spelling? *Reading Research Quarterly, 26*, 49–66.

Baker, C. (1993). *Foundations of bilingual education and bilingualism*. Clevedon, UK: Multilingual Matters.

Barlow, D. H., & Hersen, M. (1984). *Single case experimental designs: Strategies for studying behavior change* (2nd edition). New York, NY: Pergamon Press.

Bates, E., Bretherton, I., Snyder, L., Beeghly, M., Shore, C., McNew, S., Carlson, V., Williamson, C., & Garrison, A., et al. (1988). *From first words to grammar: Individual differences and dissociable mechanisms*. New York, NY: Cambridge University Press.

Batista, A. S. (2003). *Aprendizagem da leitura por crianças surdas em diferentes contextos comunicativos*. Dissertação de mestrado não publicada. Mestrado em Educação Especial, Universidade Federal de São Carlos.

Batista, A. S., & Costa, M. P. R. (2003). Abordagens comunicativas e os impasses na construção da escrita do Português por crianças surdas. *Revista Brasileira de Educação Especial, 9*(2), 155-162.

Battison, R. (1978). *Lexical borrowing in American Sign Language*. Silver Springs, MD: Linstock Press.

Bavelier, D. et al. (1997). Sentence reading: A fMRI study at 4 Tesla. *Journal of Cognitive Neuroscience, 9*, 664–686.

Bax, M., Hart, H., & Jenkins, S. (1980). Assessment of speech and language development in the young child. *Pediatrics, 66*, 350–354.

Beard, R. (1990). *Developing reading 3 – 13*. London, UK: Hodder and Stoughton.

Beard, R. (1999). *The National Literacy Strategy: Review of research and other related evidence*. London, UK: Department of Education and Employment.

Beard, R. (2000). *Developing writing 3 – 13*. London, UK: Hodder and Stoughton.

Beauvois, M. F. (1982). Optic aphasia: A process of interaction between vision and language. *Philosophical Transactions of the Royal Society*, Volume B296, pp. 35-47.

Beauvois, M. F., & Saillant, B. (1985). Optic aphasia for colours and colour agnosia: A distinction between visual and visuo-verbal impairments in the processing of colours. *Cognitive Neuropsychology*, *2*, 1-48.

Beck, I. L., & McKeon, M. G. (1981). Developing questions that promote comprehension: The story map. *Language Arts*, *58*(8), 913–918.

Bellugi, U. (1980). Clues from similarities between signed and spoken language. In U. Bellugi, & M. Studdert-Kennedy (Eds.), *Signed and spoken language: Biological constraints on linguistic form.* Weinheim and Deerfield Beach, FL: Verlag Chemie.

Bellugi, U. (1983). Language structure and language breakdown in American Sign Language. In M. Studdert-Kennedy (Ed.), *Psychobiology of language*. Cambridge, MA: MIT Press.

Bellugi, U., & Klima, E. S. (1976). Two faces of sign: Iconic and abstract. In S. Harnard, D. Harst, & J. Lancaster (Eds.), *Origins and evolution of language and speech. Annals of the New York Academy of Science, 280*, 514–538.

Bellugi, U., Klima, E. S., & Poizner, H. (1988). Sign language and the brain. In F. Plum (Ed.), *Language, communication and the brain*. New York, NY: Raven Press.

Bellugi, U., & Siple, P. (1974). Remembering with and without words. In F. Bresson (Ed.), *Current problems in psycholinguistics* (pp. 215–236). Paris, França: Centre National de la Recherche Scientifique.

Bellugi, U., O'Grady, L., Lillo-Martin, D., O'Grady, M., van Hoek, K., & Corina, D. (1989). Enhancement of spatial cognition in hearing and deaf children. In V. Volterra, & C. Erting (Eds.), *From gesture to language in hearing children*. New York, NY: Springer Verlag.

Bellugi, U., Poizner, H., & Klima, E. S. (1983). Brain organization for language: Clues from sign aphasia. *Human Neurobiology*, *2*, 155–170.

Bellugi, U., & Studdert-Kennedy, M. (1980). (Eds.), *Signed and spoken language: Biological constraints on linguistic form.* Weinheim and Deerfield Beach, FL: Verlag Chemie.

Bellugi, U., Tzeng, O., Klima, E. S., & Fok, A. (1989). Dyslexia: Perspective from sign and script. In A. M. Galaburda (Ed.), *From reading to neurons: Issues in the biology of language and cognition* (pp. 137–172). Cambridge, MA: Bradford Book & MIT Press.

Bellugi, U., van Hoek, K., Lillo-Martin, D., & O'Grady, L. (1993). The acquisition of syntax and space in young Deaf signers. In D. Bishop, & K. Mogford (Eds.), *Language development in exceptional circumstances*. London, UK: Lawrence Erlbaum.

Belmont, J. M., Karchmer, M. A., & Pilkonis, P. A. (1976). Instructed rehearsal strategies' influence on deaf memory processing. *Journal of Speech and Hearing Research*, *19*(1), 36–47.

Benson, D. F. (1979). Aphasia, alexia, agraphia. *Perceptual and motor skills*, *36*, 985–998.

Bertelson, P., & De Gelder, B. (1989). Learning about reading from illiterates. In A. M. Galaburda (Ed.), *From reading to neurons: Issues in the biology of language and cognition* (pp. 1–25). Cambridge, MA: The MIT Press.

Bess, F. H., & Humes, L. E. (1998). *Fundamentos da audiologia* (2a. edição). Porto Alegre, RS: Artes Médicas.

Bevilacqua, M. C., & Formigoni, G. M. P. (1997). *Audiologia educacional: Uma opção terapêutica para a criança deficiente auditiva*. São Paulo, SP: Pro-Fono.

Bevilacqua, M. C., & Moret, A. L. M. (1997). Reabilitação e implante coclear. Em O. C. Lopes Filho (Org.), *Tratado de fonoaudiologia*. São Paulo, SP: Roca.

Binder, J. R. (1997). Neuroanatomy of language processing studied with fMRI. *Clinical Neuroscience*, *4*, 87–94.

Bishop, D., & Mogford, K. (1993). *Language development in exceptional circumstances*. London, UK: Lawrence Erlbaum.

Blachman, B. (1991). Early intervention for children's reading problems: Clinical applications of the research in phonological awareness. *Topics in Language Disorders*, *12*, 51–65.

Blennerhassett, L., Strohmeier, S. J., & Hibbett, C. (1994). Criterion-related validity of Raven's Progressive Matrices with deaf residential school students. *American Annals of the Deaf*, *139*(1, 2), 104–110.

Blischak, D. M. (1994). Phonologic awareness: Implications for individuals with little or no functional speech. *Augmentative and Alternative Communication*, *10*, 245–254.

Boder, E. (1973). Developmental dyslexia: A diagnostic approach based on three atypical reading-spelling patterns. *Developmental Medicine and Child Neurology*, *15*, 663–687.

Boex, C., Pelizzone, M., & Montandon, P. (1996). Speech recognition with the CIS strategy for the Inneraid multi-channel cochlear implant. *American Journal of Otology*, *17*, 61–68.

Bonvillian, J. D., Orlansky, M. D., & Novack, L. L. (1983). Developmental milestones: Sign Language acquisition and motor development. *Child Development*, *54*, 1435.

Boothroyd, A., & Boothroyd-Turner, D. (2002). Post implantation audition and educational attainment in children with prelingually acquired profound deafness. *Annals of Otology Rhinology and Laryngology*, *111*(5), 79–81, Part 2, Supplement 189, May.

Bornstein, H. (1979). Systems of sign. In L. J. Bradford, & W. G. Hardy (Eds.), *Hearing and hearing impairments*. New York, NY: Grune and Stratton.

Bornstein, H., & Saulner, K. L. (1984). *Signed English: A basic guide*. New York, NY: Crown Trade Paperbacks.

Bornstein, H., Hamilton, L., Saulner, K. L., & Roy, H. (1975). *The Signed English dictionary for pre-school and elementary level.* Washington, DC: Gallaudet College Press.

Borstrom, I., & Elbro, C. (1997). Prevention of dyslexia in kindergarten: Effects of phoneme awareness training with children of dyslexic parents. In C. Hulme, & M. Snowling (Eds.), *Dyslexia: Biology, cognition and intervention*. London, UK: Whurr Publishers Ltd.

Bradley, L., & Bryant, P. (1983). Categorizing sounds and learning to read: A causal connection. *Nature, 301,* 419–421.

Braibant, J. M. (1997). A decodificação e a compreensão: Dois componentes essenciais da leitura no 2o. ano primário. Em J. Grégoire, & B. Piérart (Orgs.), *Avaliação dos problemas de leitura: Os novos modelos teóricos e suas implicações diagnósticas* (pp. 166–187). Porto Alegre, RS: Artes Médicas.

Brooks, G., Pugh, A. K., & Schagen, I. (1996). *Reading performance at nine*. Slough, UK: National Foundation for Educational Research.

Bruner, J. (1983). *Child's talk: Learning to use language*. New York, NY: Oxford University Press.

Byrne, B., & Fielding-Barnsley, R. (1993). Evaluation of a program to teach phonemic awareness to young children: A 1-year follow-up. *Journal of Educational Psychology, 1,* 104–111.

Byrne, B., Freebody, P., & Gates, A. (1992). Longitudinal data on the relations of word-reading strategies to comprehension, reading time, and phonemic awareness. *Reading Research Quarterly, 27,* 140–151.

Calfee, R., Lindamood, P., & Lindamood, C. (1973). Acoustic-phonetic skills and reading: Kindergarten through twelfth grade. *Journal of Educational Psychology, 64,* 293–298.

Campbell, D. T., & Stanley, J. C. (1979). *Delineamentos experimentais e quase-experimentais de pesquisa*. São Paulo, SP: EPU, Edusp.

Capovilla, A. G. S. (2003). (Org.), *Avaliação e intervenção em habilidades metafonológicas e de leitura e escrita*. São Paulo, SP: Memnon.

Capovilla, A. G. S., & Capovilla, F. C. (1997a). O desenvolvimento da consciência fonológica em crianças durante a alfabetização. *Temas sobre Desenvolvimento, 6*(35), 15–21.

Capovilla, A. G. S., & Capovilla, F. C. (1997b). Treino de consciência fonológica e seu impacto em habilidades fonológicas, de leitura e ditado de pré-3 a 2a. série. *Ciência Cognitiva: Teoria, Pesquisa e Aplicação, 1*(2), 461–532.

Capovilla, A. G. S., & Capovilla, F. C. (1998a). Consciência fonológica: Procedimentos de treino. *Ciência Cognitiva: Teoria, Pesquisa e Aplicação, 2*(3), 341–389.

Capovilla, A. G. S., & Capovilla, F. C. (1998b). Desenvolvimento de leitura e escrita de pré-3 a 2a. série: Tabelas preliminares de normatização de uma lista de itens psicolingüísticos. *Ciência Cognitiva: Teoria, Pesquisa e Aplicação, 2*(4), 821–840.

Capovilla, A. G. S., & Capovilla, F. C. (1998c). O desenvolvimento da consciência fonológica, correlações com leitura e escrita e tabelas de estandardização. *Ciência Cognitiva: Teoria, Pesquisa e Aplicação, 2*(3), 113–160.

Capovilla, A. G. S., & Capovilla, F. C. (1998d). Prova de Consciência Fonológica: Desenvolvimento de dez habilidades de pré-escola a 2a. série. *Temas sobre Desenvolvimento, 7*(37), 14–20.

Capovilla, A. G. S., & Capovilla, F. C. (1998e). Treino de consciência fonológica de pré-1 a 2a. série: Efeitos sobre habilidades fonológicas, leitura e escrita. *Temas sobre Desenvolvimento, 7*(40), 5–15.

Capovilla, A. G. S., & Capovilla, F. C. (2000). Efeitos do treino de consciência fonológica em crianças com baixo nível socioeconômico. *Psicologia: Reflexão e Crítica, 13*(1), 7–24.

Capovilla, A. G. S., & Capovilla, F. C. (2001). Intervenção em dificuldades de leitura e escrita com tratamento de consciência fonológica. Em M. T. M. Santos, & A. L. P. Navas (Orgs.), *Distúrbios de leitura e escrita: Teoria e prática* (pp. 225–261). São Paulo, SP: Manole.

Capovilla, A. G. S., & Capovilla, F. C. (2002a). Etiologia, avaliação e intervenção em dislexia do desenvolvimento. Em F. C. Capovilla (Org.), *Neuropsicologia e aprendizagem: Uma abordagem multidisciplinar* (pp. 49–76). São Paulo, SP: Sociedade Brasileira de Neuropsicologia, Scortecci.

Capovilla, A. G. S., & Capovilla, F. C. (2002b). Instrumentos para avaliar o desenvolvimento dos vocabulários receptivo e expressivo, e consciência fonológica, normatizados de maternal a 2a. série e validados com medidas de leitura e escrita. Em F. C. Capovilla (Org.), *Neuropsicologia e aprendizagem: Uma abordagem multidisciplinar* (pp. 305–316). São Paulo, SP: Sociedade Brasileira de Neuropsicologia, Scortecci.

Capovilla, A. G. S., & Capovilla, F. C. (2002c). Método fônico para prevenção e tratamento de atraso de leitura e escrita: Efeito em crianças de 4 a 8 anos. Em F. C. Capovilla (Org.), *Neuropsicologia e aprendizagem: Uma abordagem multidisciplinar* (pp. 155–168). São Paulo, SP: Sociedade Brasileira de Neuropsicologia, Scortecci.

Capovilla, A. G. S., & Capovilla, F. C. (2002d). Otimizando a aquisição da linguagem escrita: Comparação entre os métodos fônico e global de alfabetização. *Cadernos de Psicopedagogia, 2*(3), 68–97.

Capovilla, A. G. S., & Capovilla, F. C. (2002e). Perfil cognitivo de crianças com atraso de escrita no International Dyslexia Test. Em F. C. Capovilla (Org.), *Neuropsicologia e aprendizagem: Uma abordagem multidisciplinar* (pp. 283–298). São Paulo, SP: Sociedade Brasileira de Neuropsicologia, Scortecci.

Capovilla, A. G. S., & Capovilla, F. C. (2003a). *Alfabetização fônica: Construindo competência de leitura e escrita, Volume 1.* São Paulo, SP: Scortecci, Fapesp, CNPq.

Capovilla, A. G. S., & Capovilla, F. C. (2003b). *Alfabetização fônica: Construindo competência de leitura e escrita, Volume 2.* São Paulo, SP: Scortecci, Fapesp, CNPq.

Capovilla, A. G. S., & Capovilla, F. C. (2003c). *Alfabetização: Método fônico* (2a. edição). São Paulo, SP: Memnon, Fapesp, CNPq.

Capovilla, A. G. S., Capovilla, F. C. (2003d). *Problemas de leitura e escrita: Como identificar, prevenir e remediar numa abordagem fônica* (3a. edição). São Paulo, SP: Memnon, Fapesp.

Capovilla, A. G. S., & Capovilla, F. C. (2004a). *Alfabetização fônica: Construindo competência de leitura e escrita* (2a. edição). São Paulo, SP: Casa do Psicólogo, CNPq, Capes.

Capovilla, A. G. S., & Capovilla, F. C. (2004b). *Alfabetização: Método fônico* (3a. edição). São Paulo, SP: Memnon, Fapesp, CNPq, Capes.

Capovilla, A. G. S., & Capovilla, F. C. (2004c). *Problemas de leitura e escrita: Como identificar, prevenir e remediar numa abordagem fônica* (4a. edição). São Paulo, SP: Memnon, Capes, CNPq.

Capovilla, A. G. S., & Capovilla, F. C. (no prelo a). Padrão de leitura em mil leitores ouvintes de 1a. a 3a. série do Ensino Fundamental no Teste de Competência de Leitura Silenciosa de Palavras: Processamentos ideovisual, fonológico, e semântico. Em F. Capovilla, & A. Capovilla (Orgs.), *Compêndio de avaliação de desenvolvimento da linguagem oral, escrita e de sinais*. São Paulo, SP.

Capovilla, A. G. S., & Capovilla, F. C. (no prelo b). Prova de Consciência Fonológica por escolha de Figuras: Para avaliação coletiva em classe escolar, e individual em paralisia cerebral. Em F. Capovilla, & A. Capovilla (Orgs.), *Compêndio de avaliação de desenvolvimento da linguagem oral, escrita e de sinais*. São Paulo, SP.

Capovilla, A. G. S., & Capovilla, F. C. (no prelo c). Teste de Discriminação Fonológica Computadorizado. *Ciência Cognitiva: Teoria, Pesquisa e Aplicação*.

Capovilla, A. G. S., Capovilla, F. C., & Macedo, E. C. (1998). Validação do software CronoFonos para análise de tempo de reação, duração e freqüência de segmentação locucionais na leitura em voz alta de itens isolados. *Ciência Cognitiva: Teoria, Pesquisa e Aplicação*, *2*(3), 253–340.

Capovilla, A. G. S., Capovilla, F. C., Macedo, E. C., & Duduchi, M. (2000a). Avaliação psicométrica neuropsicológica e o uso de próteses sensoriomotoras e cognitivas para reabilitação em surdez congênita, paralisia cerebral, e esclerose lateral amiotrófica. Em M. J. Gonçalves, E. C. Macedo, A. L. Sennyey, & F. C. Capovilla (Orgs.), *Tecnologia em (re)habilitação cognitiva 2000: A dinâmica clínica, teoria e pesquisa* (pp. 127–140). São Paulo, SP: Edunisc, Sociedade Brasileira de Neuropsicologia.

Capovilla, A. G. S., Capovilla, F. C., Macedo, E. C., & Duduchi, M. (2000b). Instrumentos neuropsicológicos e psicométricos para diagnóstico diferencial de distúrbios de aquisição de leitura, e para avaliar a competência de leitura silenciosa e em voz alta. Em M. J. Gonçalves, E. C. Macedo, A. L. Sennyey, & F. C. Capovilla (Orgs.), *Tecnologia em (re)habilitação cognitiva 2000: A dinâmica clínica, teoria e pesquisa* (pp. 76–84). São Paulo, SP: Edunisc, Sociedade Brasileira de Neuropsicologia.

Capovilla, A. G. S., Capovilla, F. C., Macedo, E. C., Guedes, M, & Duduchi, M. (1998). Explorando a participação de processos imagéticos na resolução de problemas. *Ciência Cognitiva: Teoria, Pesquisa e Aplicação, 2*(4), 841–876.

Capovilla, A. G. S., Capovilla, F. C., & Silveira, F. B. (1998). O desenvolvimento da consciência fonológica, correlações com leitura e escrita e tabelas de estandardização. *Ciência Cognitiva: Teoria, Pesquisa e Aplicação, 2*(3), 113–160.

Capovilla, A. G. S., Capovilla, F. C., & Silveira, F. B. (2000). Distúrbios de discriminação e memória fonológica em problemas de leitura e escrita. Em M. J. Gonçalves, E. C. Macedo, A. L. Sennyey, & F. C. Capovilla (Orgs.), *Tecnologia em (re)habilitação cognitiva 2000: A dinâmica clínica, teoria e pesquisa* (pp. 236–246). São Paulo, SP: Edunisc, Sociedade Brasileira de Neuropsicologia.

Capovilla, A. G. S., Capovilla, F. C., Silveira, F. B., Vieira, R., & Matos, S. A. (1998). Processos fonológicos em paralisia cerebral: Efeitos de treino sobre a consciência fonológica, leitura e escrita. *Ciência Cognitiva: Teoria, Pesquisa e Aplicação*, *2*(3), 209–252.

Capovilla, A. G. S., Capovilla, F. C., & Soares, J. V. T. (no prelo). Consciência sintática no ensino fundamental: Correlações com consciência fonológica, vocabulário, leitura e escrita. *Revista Psico-USF*.

Capovilla, A. G. S., Capovilla, F. C., & Suiter, I. (no prelo). Processamento cognitivo em crianças com e sem dificuldade de leitura. *Psicologia em Estudo*.

Capovilla, A. G. S., Gütschow, C. R. D., & Capovilla, F. C. (2002a). Análise da validade e da fidedignidade de instrumentos de avaliação de habilidades relacionadas à alfabetização. Em E. C. Macedo, M. J. Gonçalves, F. C. Capovilla, & A. L. Sennyey (Orgs.), *Tecnologia em reabilitação cognitiva 2002: Um novo olhar para avaliação e intervenção* (pp. 173–188). São Paulo, SP: Sociedade Brasileira de Neuropsicologia, Edunisc.

Capovilla, A. G. S., Gütschow, C. R. D., & Capovilla, F. C. (2002b). Identificação de perfis cognitivos preditivos de dificuldades de leitura e escrita. Em E. C. Macedo, M. J. Gonçalves, F. C. Capovilla, & A. L. Sennyey (Orgs.), *Tecnologia em reabilitação cognitiva 2002: Um novo olhar para avaliação e intervenção* (pp. 173–188). São Paulo, SP: Sociedade Brasileira de Neuropsicologia, Edunisc.

Capovilla, A. G. S., Gütschow, C. R. D., & Capovilla, F. C. (2003a). Instrumentos de avaliação de habilidades cognitivas relacionadas à aquisição de leitura e escrita: Análise de validade e fidedignidade. Em A. G. S. Capovilla (Org.), *Avaliação e intervenção em habilidades metafonológicas e de leitura e escrita* (pp. 70–90). São Paulo, SP: Memnon.

Capovilla, A. G. S., Gütschow, C. R. D., & Capovilla, F. C. (2003b). Características cognitivas que predizem dificuldades de alfabetização. Em A. G. S. Capovilla (Org.), *Avaliação e intervenção em habilidades metafonológicas e de leitura e escrita* (pp. 91–105). São Paulo, SP: Memnon.

Capovilla, A. G. S., Machalous, N., & Capovilla, F. C. (2002a). Efeito das ortografias portuguesa e alemã sobre as estratégias de leitura de crianças bilíngües. Em E. C. Macedo, M. J. Gonçalves, F. C. Capovilla, & A. L. Sennyey (Orgs.), *Tecnologia em reabilitação cognitiva 2002: Um novo olhar para avaliação e intervenção* (pp. 137–154). São Paulo, SP: Sociedade Brasileira de Neuropsicologia, Edunisc.

Capovilla, A. G. S., Machalous, N., & Capovilla, F. C. (2002b). Instrumentos para avaliar desenvolvimento de competência de leitura e vocabulário em alemão e em português. Em E. C. Macedo, M. J. Gonçalves,

F. C. Capovilla, & A. L. Sennyey (Orgs.), *Tecnologia em reabilitação cognitiva 2002: Um novo olhar para avaliação e intervenção* (pp. 122–136). São Paulo, SP: Sociedade Brasileira de Neuropsicologia, Edunisc.

Capovilla, A. G. S., Machalous, N., & Capovilla, F. C. (2003a). Desenvolvimento e validação preliminar das versões em alemão do *Teste de Competência de Leitura Silenciosa de Palavras* e do *Teste de Vocabulário por Imagens Peabody.* Em A. G. S. Capovilla (Org.), *Avaliação e intervenção em habilidades metafonológicas e de leitura e escrita* (pp. 17–32). São Paulo, SP: Memnon.

Capovilla, A. G. S., Machalous, N., & Capovilla, F. C. (2003b). Estratégias de leitura fonológica e lexical em crianças bilíngües em português e alemão. Em A. G. S. Capovilla (Org.), *Avaliação e intervenção em habilidades metafonológicas e de leitura e escrita* (pp. 33–51). São Paulo, SP: Memnon.

Capovilla, A. G. S., Machalous, N., & Capovilla, F. C. (2003c). Leitura em crianças bilíngües: Uso das rotas fonológica e lexical em Português e Alemão. Em M. R. Maluf (Org.), *Metalinguagem e aquisição da escrita: Pesquisa e prática da alfabetização* (pp. 185–216). São Paulo, SP: Casa do Psicólogo.

Capovilla, A. G. S., Miyamoto, N. T., & Capovilla, F. C. (2003a). Alteração de equilíbrio e nistagmo pós-rotatório em crianças com dificuldades de leitura. *Revista de Fisioterapia da USP, 10*(2), 61–69.

Capovilla, A. G. S., Miyamoto, N. T., & Capovilla, F. C. (2003b). Identificação de crianças com dificuldade de leitura associada a distúrbio do sistema vestibular: *Teste de Equilíbrio* validado pelo subteste de *Nistagmo Pós-Rotatório* do SIPT e *Teste de Competência de Leitura Silenciosa de Palavras.* Em A. G. S. Capovilla (Org.), *Avaliação e intervenção em habilidades metafonológicas e de leitura e escrita* (pp. 106–121). São Paulo, SP: Memnon.

Capovilla, A. G. S., Miyamoto, N., & Capovilla, F. C. (2002). Desenvolvimento e validação do *Teste de Equilíbrio* por comparação com o subteste de *Nistagmo Pós-rotatório* do SIPT na identificação de crianças com dificuldades de leitura. Em E. C. Macedo, M. J. Gonçalves, F. C. Capovilla, & A. L. Sennyey (Orgs.), *Tecnologia em reabilitação cognitiva 2002: Um novo olhar para avaliação e intervenção* (pp. 108–121). São Paulo, SP: Sociedade Brasileira de Neuropsicologia, Edunisc.

Capovilla, A. G. S., Palacio, C., & Capovilla, F. C. (2003). Software para desenvolver habilidades metafonológica, de leitura e escrita. Em A. G. S. Capovilla (Org.), *Avaliação e intervenção em habilidades metafonológicas e de leitura e escrita* (pp. 122–144). São Paulo, SP: Memnon.

Capovilla, A. G. S., Smythe, I., Capovilla, F. C., & Everatt, J. (2001). Adaptação brasileira do International Dyslexia Test: Perfil cognitivo de crianças com escrita pobre. *Temas sobre Desenvolvimento, 10*(57), 30–37.

Capovilla, A. G. S., Suiter, I., & Capovilla, F. C. (2002). Comparando o processamento cognitivo de crianças com e sem dificuldade de leitura: Diferenças em estratégias de leitura, escrita sob ditado, consciência fonológica, vocabulário, memória fonológica, processamento visual, aritmética e seqüenciamento. Em E. C. Macedo, M. J. Gonçalves, F. C. Capovilla, A. L. & Sennyey (Orgs.), *Tecnologia em reabilitação cognitiva 2002: Um novo olhar para avaliação e intervenção* (pp. 155–172). São Paulo, SP: Sociedade Brasileira de Neuropsicologia, Edunisc.

Capovilla, A. G. S., Suiter, I., & Capovilla, F. C. (2003). Diferenças em processamento cognitivo entre crianças com e sem dificuldades de leitura. Em A. G. S. Capovilla (Org.), *Avaliação e intervenção em habilidades metafonológicas e de leitura e escrita* (pp. 52–69). São Paulo, SP: Memnon.

Capovilla, F. C. (1989). *On the context of discovery in experimentation with human subjects*. Ann Arbor, MI: UMI.

Capovilla, F. C. (1997a). Comunicação alternativa e facilitadora para as afasias: Histórico de pesquisa e aplicação. *Ciência Cognitiva: Teoria, Pesquisa e Aplicação, 1*(1), 29–80.

Capovilla, F. C. (1997b). Filosofias educacionais em surdez: Oralismo, Comunicação Total e Bilingüismo. *Ciência Cognitiva: Teoria, Pesquisa e Aplicação*, *1*(2), 561–588.

Capovilla, F. C. (1998a). A reabilitação cognitiva na abordagem de processamento de informação. Em F. C. Capovilla, M. J. Gonçalves, E. C. Macedo (Orgs.), *Tecnologia em (re)habilitação cognitiva: Uma perspectiva multidisciplinar* (pp. 33–41). São Paulo, SP: Sociedade Brasileira de Neuropsicologia, Edunisc.

Capovilla, F. C. (1998b). Implante coclear para criança surda: Questão para os pais e problema de pesquisa e aconselhamento para psicólogos. *Ciência Cognitiva: Teoria, Pesquisa e Aplicação*, *2*(4), 537–596.

Capovilla, F. C. (1998c). O implante coclear como ferramenta de desenvolvimento lingüístico da criança surda. *Revista Brasileira de Crescimento e Desenvolvimento Humano*, *8*(1,2), 76–88.

Capovilla, F. C. (1998d). O lugar das línguas de sinais e dos sistemas de sinais na educação do surdo. Em F. C. Capovilla, W. D. Raphael, & E. C. Macedo (Orgs.), *Manual ilustrado de sinais e sistema de comunicação em rede para surdos* (pp. 16–21). São Paulo, SP: Edipusp.

Capovilla, F. C. (2000a). Filosofias educacionais em relação ao surdo: Do oralismo à comunicação total ao bilingüismo. *Revista Brasileira de Educação Especial, 6*, 99–116.

Capovilla, F. C. (2000b). *Língua de Sinais Brasileira: Dicionário enciclopédico ilustrado trilíngüe – Abrindo o mundo do Surdo brasileiro à pesquisa e à intervenção psicológicas*. Tese de Livre Docência. São Paulo, SP: Universidade de São Paulo.

Capovilla, F. C. (2001a). A evolução nas abordagens à educação da criança surda: Do oralismo à comunicação total, e desta ao bilingüismo. Em F. C. Capovilla, & W. D. Raphael (Orgs.), *Dicionário enciclopédico ilustrado trilíngüe da Língua de Sinais Brasileira. Volume II: Sinais de M a Z* (Vol. 2, pp. 1479–1490). São Paulo, SP: Edusp, Fapesp, Fundação Vitae, Feneis, Brasil Telecom.

Capovilla, F. C. (2001b). Comunicação alternativa: Modelos teóricos e tecnológicos, filosofia educacional e prática clínica. Em K. Carrara (Org.), *Educação, universidade e pesquisa* (pp. 179–208). Marília, SP: Unesp Marília Publicações, Fapesp.

Capovilla, F. C. (2001c). O implante coclear em questão: Benefícios e problemas, promessas e riscos. Em F.

C. Capovilla, & W. D. Raphael (Orgs.), *Dicionário enciclopédico ilustrado trilíngüe da Língua de Sinais Brasileira. Volume II: Sinais de M a Z* (Vol. 2, pp. 1519–1546). São Paulo, SP: Edusp, Fapesp, Fundação Vitae, Feneis, Brasil Telecom.

Capovilla, F. C. (2002a). Dicionário enciclopédico ilustrado da Língua de Sinais Brasileira. *Integração: Secretaria de Educação Especial do Ministério da Educação*, *14*(24), 52–55.

Capovilla, F. C. (2002b). *Neuropsicologia e aprendizagem: Uma abordagem multidisciplinar.* São Paulo, SP: Sociedade Brasileira de Neuropsicologia, Scortecci.

Capovilla, F. C. (2002c). Processamento auditivo central: Demonstrando a validade de uma bateria de triagem para crianças de 6 a 11 anos. Em F. C. Capovilla (Org.), *Neuropsicologia e aprendizagem: Uma abordagem multidisciplinar* (pp. 121–146). São Paulo, SP: Sociedade Brasileira de Neuropsicologia, Scortecci.

Capovilla, F. C. (2002d). Triagem de processamento auditivo central em crianças de 6 a 11 anos. *Revista Brasileira de Crescimento e Desenvolvimento Humano*, *12*(2), 23–38.

Capovilla, F. C. (2003a). Destruindo mitos e construindo competências: Lições da França, Inglaterra e Estados Unidos para o alfabetizador brasileiro. *Revista Cultural do Sindicato dos Professores do Rio de Janeiro: Alfabetização em foco*, *4*(5), 42–70.

Capovilla, F. C. (2003b). Recursos para a avaliação e intervenção em habilidades metafonológicas e de leitura e escrita. Em A. G. S. Capovilla (Org.), *Avaliação e intervenção em habilidades metafonológicas e de leitura e escrita* (pp. 7–16). São Paulo, SP: Memnon.

Capovilla, F. C. (2004a). Apanhado histórico da educação de surdos no Brasil: 150 anos de alternância entre oralismo e sinal. Em F. Capovilla, & W. Raphael (Orgs.), *Enciclopédia da Língua de Sinais Brasileira: O mundo do surdo em Libras, Vol. 10: Sinais da Libras e o mundo dos substantivos; e Apanhado histórico da educação de surdos no Brasil: 150 anos de alternância entre oralismo e sinal.* São Paulo, SP: Edusp, Fundação Vitae, Feneis, Capes, CNPq, Fapesp.

Capovilla, F. C. (2004b). *Neuropsicologia e aprendizagem: Uma abordagem multidisciplinar* (2a. edição). São Paulo, SP: Memnon, Capes.

Capovilla, F. C. (2004c). O surdo e o implante coclear: Pesquisa, indicações e contra-indicações. Em F. Capovilla, & R. Luz (Orgs.), *Enciclopédia da Língua de Sinais Brasileira: O mundo do surdo em Libras, Vol. 12: Sinais da Libras e o universo do corpo humano, medicina e saúde, e sexualidade e reprodução; O surdo e o implante coclear: Pesquisa, indicações e contra-indicações.* São Paulo, SP: Edusp, Fundação Vitae, Feneis, Capes, CNPq, Fapesp.

Capovilla, F. C. (2004d). Responsabilidade pelo sofrimento e pela solução: Determinismo e livre arbítrio em modelos de psicologia e teologia protestante. Em J. G. Paiva (Org.), *Psicologia e senso religioso*. São Paulo, SP: Loyola.

Capovilla, F. C. (no prelo). Leitura e escrita na surdez: Evidências de processos logográfico, perilexical, lexical, quirêmico, ortográfico, semântico e sintático.

Capovilla, F. C., Bidá, M. P. R., Neves, M. V., Viggiano, K. Q., & Mauricio, A. C. (no prelo). *Desenvolvimento da compreensão de sinais da Libras em escolares surdos do Ensino Fundamental e Médio: Teste normatizado e validado com a população surda de 15 escolas*.

Capovilla, F. C., & Capovilla, A. G. S. (1996). Leitura, ditado e manipulação fonêmica em função de variáveis psicolingüísticas em escolares de 3a. a 5a. série com dificuldades de aprendizagem. *Revista Brasileira de Educação Especial*, *2*(4), 53–71.

Capovilla, F. C., & Capovilla, A. G. S. (1997). Desenvolvimento lingüístico da criança dos dois aos seis anos: Tradução e estandardização do Peabody Picture Vocabulary Test de Dunn & Dunn, e da Language Development Survey de Rescorla. *Ciência Cognitiva: Teoria, Pesquisa e Aplicação*, *1*(1), 353–380.

Capovilla, F. C., & Capovilla, A. G. S. (1998). Oralismo, Comunicação Total e Bilingüismo na educação do Surdo. *Temas sobre Desenvolvimento*, *7*(39) 15–22.

Capovilla, F. C., & Capovilla, A. G. S. (1999). Phonological awareness training: Effects on metaphonological, reading and spelling skills in Brazilian children. *Brazilian Journal of Dysmorphology and Speech-Hearing Disorders*, *3*, 45–66.

Capovilla, F. C., & Capovilla, A. G. S. (2001a). Compreendendo a natureza dos problemas de aquisição de leitura e escrita: Mapeando o envolvimento de distúrbios cognitivos de discriminação fonológica, velocidade de processamento e memória fonológica. *Cadernos de Psicopedagogia*, *1*(1), 14–37.

Capovilla, F. C., & Capovilla, A. G. S. (2001b). Compreendendo o processamento do código alfabético: Como entender os erros de leitura e escrita de crianças surdas. Em F. C. Capovilla, & W. D. Raphael (Orgs.), *Dicionário enciclopédico ilustrado trilíngüe* da *Língua de Sinais Brasileira. Volume II: Sinais de M a Z* (Vol. 2, pp. 1497–1516). São Paulo, SP: Edusp, Fapesp, Fundação Vitae, Feneis, Brasil Telecom.

Capovilla, F. C., & Capovilla, A. G. S. (2002a). Atraso na aquisição de leitura: Relação com problemas de discriminação fonológica, velocidade de processamento e memória fonológica. Em F. C. Capovilla (Org.), *Neuropsicologia e aprendizagem: Uma abordagem multidisciplinar* (pp. 173–192). São Paulo, SP: Sociedade Brasileira de Neuropsicologia, Scortecci.

Capovilla, F. C., & Capovilla, A. G. S. (2002b). Educação da criança surda: Evolução das abordagens. Em F. C. Capovilla (Org.), *Neuropsicologia e aprendizagem: Uma abordagem multidisciplinar* (pp. 229–256). São Paulo, SP: Sociedade Brasileira de Neuropsicologia, Scortecci.

Capovilla, F. C., & Capovilla, A. G. S. (2002c). Educação da criança surda. O bilingüismo e o desafio da descontinuidade entre língua de sinais e escrita alfabética. *Revista Brasileira de Educação Especial*, *8*(2), 127–156.

Capovilla, F. C., & Capovilla, A. G. S. (2002d). Problemas de aquisição de leitura e escrita: Efeitos de déficit de discriminação fonológica, velocidade de processamento e memória fonológica. *Estudos e Pesquisas em Psicologia*, *2*(1), 29–52.

Capovilla, F. C., & Capovilla, A. G. S. (2003a). Compreensão e tratamento de atraso na aquisição de leitura. Em M. C. Marquezine (Org.), *Educação Especial: Perspectivas Multidisciplinares III*. Londrina, PR: Editora da Universidade Estadual de Londrina.

Capovilla, F. C., & Capovilla, A. G. S. (2003b). Instrumentos para avaliar problemas subjacentes a dificuldades de alfabetização: Discriminação fonêmica, velocidade de processamento, memória de trabalho fonológica e processamento auditivo central. Em M. C. Marquezine (Org.), *Educação Especial: Perspectivas Multidisciplinares III*. Londrina, PR: Editora da Universidade Estadual de Londrina.

Capovilla, F. C., & Capovilla, A. G. S. (2004a). O desafio da descontinuidade entre a língua de sinais e a escrita alfabética na educação bilíngüe do surdo congênito. Em C. Rodrigues, & L. M. B. Tomitch (Orgs.), *A linguagem e o cérebro: Contribuições multidisciplinares* (pp. 19–51). Porto Alegre, RS: Artes Médicas.

Capovilla, F. C., & Capovilla, A. G. S. (2004b). Por que o Brasil precisa, mais do que nunca, do Método Fônico: PCNs na contramão da História, 89% a 96% de fracasso do ensino fundamental segundo Saeb, e recorde mundial de incompetência de leitura segundo OCDE. Em A. G. Capovilla & F. C. Capovilla (Orgs.), *Alfabetização: Método fônico* (3a. edição). São Paulo, SP: Memnon, Capes, CNPq, Fapesp.

Capovilla, F. C., & Capovilla, A. G. S. (2004c). Research on the role of phonology, orthography and cognitive skills upon reading, spelling and dyslexia in Brazilian Portuguese. In I. Smythe, J. Everatt, & R. Salter (Eds.), *International book of dyslexia: A cross language comparison and practice guide* (pp. 159–172). London, UK: John Wiley & Sons, Ltd.

Capovilla, F. C., & Capovilla, A. G. S. (no prelo a). (Orgs.), *Compêndio de avaliação da cognição e linguagem da criança*.

Capovilla, F. C., & Capovilla, A. G. S. (no prelo b). Teste de Vocabulário por Figuras USP: Normatização com ouvintes de Educação Infantil e Ensino Fundamental. Em F. Capovilla, & A. Capovilla (Orgs.), *Compêndio de avaliação da cognição e linguagem da criança*.

Capovilla, F. C., Capovilla, A. G. S., & Luz, R. D. (2004). Questões na educação de surdos: Sobre oralismo, comunicação total, bilingüismo, escrita de sinais e escrita alfabética. Em F. Capovilla, & R. Luz (Orgs.), *Enciclopédia da Língua de Sinais Brasileira: O mundo do surdo em Libras. Vol. 15: Sinais da Libras e o mundo dos transportes, economia, finanças e negócios; e Questões na educação de surdos: Sobre oralismo, comunicação total, bilingüismo, escrita de sinais e escrita alfabética*. São Paulo, SP: Edusp, Fundação Vitae, Capes, CNPq, Fapesp.

Capovilla, F. C., Capovilla, A. G. S., & Macedo, E. C. (1996). Língua de sinais ou sistema de sinais? *Reflexões e Pesquisa em Psicologia, 3*(1), 53–69.

Capovilla, F. C., Capovilla, A. G. S., & Macedo, E. C. (1998). O uso de sistemas alternativos e facilitadores de comunicação nas afasias. *Distúrbios da Comunicação, 9*(2), 233–259.

Capovilla, F. C., Capovilla, A. G. S., & Macedo, E. C. (2001a). Comunicação alternativa na USP na década 1991–2001: Tecnologia e pesquisa em reabilitação, educação e inclusão. *Temas sobre Desenvolvimento, 10*(58–59), 18CE–42CE.

Capovilla, F. C., Capovilla, A. G. S., & Macedo, E. C. (2001b). Rota perilexical na leitura em voz alta: Tempo de reação, duração e segmentação na pronúncia. *Psicologia: Reflexão e Crítica, 14*(2), 409–427.

Capovilla, F. C., Capovilla, A. G. S., & Macedo, E. C. (no prelo). Esclerose lateral amiotrófica: Declínio funcional com o tempo desde o diagnóstico. *Temas sobre Desenvolvimento*.

Capovilla, F. C., Capovilla, A. G. S., Macedo, E. C., Costa, C. E., & Duduchi, M. (1996). Manipulação de envolvimento de ego via para-instruções experimentais: Efeitos sobre estados de ânimo e desempenho edutivo em resolução de problemas. *Psicologia USP, 7*(1,2), 143–182.

Capovilla, F. C., Capovilla, A. G. S., Macedo, E. C., & Duduchi, M. (2000a). Avaliação psicométrica-neuropsicológica e o uso de próteses sensoriomotoras e cognitivas para reabilitação em surdez congênita, paralisia cerebral, dislexia, afasia e esclerose lateral amiotrófica. Em M. J. Gonçalves, E. C. Macedo, A. L. Sennyey, & F. C. Capovilla (Orgs.), *Tecnologia em (re)habilitação cognitiva 2000: A dinâmica clínica, teoria e pesquisa* (pp. 127–140). São Paulo, SP: Sociedade Brasileira de Neuropsicologia, Edunisc.

Capovilla, F. C., Capovilla, A. G. S., Macedo, E. C., & Duduchi, M. (2000b). Instrumentos neuropsicológicos e psicométricos para diagnóstico diferencial de distúrbios de aquisição de leitura, e para avaliar competência de leitura silenciosa e em voz alta. Em M. J. Gonçalves, E. C. Macedo, A. L. Sennyey, & F. C. Capovilla (Orgs.), *Tecnologia em (re)habilitação cognitiva 2000: A dinâmica clínica, teoria e pesquisa* (pp. 76–84). São Paulo, SP: Sociedade Brasileira de Neuropsicologia, Edunisc.

Capovilla, F. C., Capovilla, A. G. S., Nunes, L., Araújo, I., Nunes, D., Nogueira, D., & Bernat, A. B. (1997). Versão brasileira do Teste de Vocabulário por Imagens Peabody. *Distúrbios da Comunicação, 8*(2), 151–162.

Capovilla, F. C., Capovilla, A. G. S., Viggiano, K. Q. F., Bidá, M. C. P. R., & Mauricio, A. C. (2003a). Educação de surdos em São Paulo do Ensino Fundamental ao Médio: Características das escolas e de 1.158 alunos de 6 a 45 anos de idade. Em L. E. L. Ribeiro do Valle (Org.), *Temas multidisciplinares em neuropsicologia e aprendizagem* (pp. 79–97). São Paulo, SP: Sociedade Brasileira de Neuropsicologia, Scortecci.

Capovilla, F. C., Capovilla, A. G. S., Viggiano, K., Bidá, M. C. P. R., & Mauricio, A. C. (2003b). Ensino fundamental de surdos em São Paulo: Características de seis escolas municipais e filantrópicas e de seus 1.158 estudantes. *Cadernos de Psicopedagogia, 2*(4), 46–63.

Capovilla, F. C., Capovilla, A. G. S., Viggiano, K. Q. F., Bidá, M. C. P. R., & Mauricio, A. C. (2004a). Educação de surdos em São Paulo do Ensino Fundamental ao Médio: Características das escolas e de 1.158 alunos de 6 a 45 anos de idade. L. E. L. Ribeiro do Valle (Org.), *Temas multidisciplinares em neuropsicologia e aprendizagem* (2ª edição, pp. 91-110). São Paulo, SP: Robe Editorial e Sociedade

Brasileira de Neuropsicologia.

Capovilla, F. C., Capovilla, A. G. S., Viggiano, K. Q. F., Bidá, M. C. P. R., & Mauricio, A. C. (2004b). Leitura em surdos do Ensino Fundamental ao Médio: Processamento logográfico, perilexical e lexical. Em L. E. Ribeiro do Valle & F. C. Capovilla (Orgs.), *Temas multidisciplinares em neuropsicologia e aprendizagem* (pp. 173-180). São Paulo, SP: Tecmedd & Sociedade Brasileira de Neuropsicologia.

Capovilla, F. C., Capovilla, A. G. S., Viggiano, K. Q. F., Raphael, W. D., & Dente-Luz, R. (2002). O desafio do bilingüismo na educação do surdo: Descontinuidade entre a língua de sinais e a escrita alfabética e estratégias para resolvê-la. Em F. C. Capovilla (Org.), *Neuropsicologia e aprendizagem: Uma abordagem multidisciplinar* (pp. 261–274). São Paulo, SP: Sociedade Brasileira de Neuropsicologia, Scortecci.

Capovilla, F. C., Duduchi, M., & Macedo, E. C. (1998). Sistema de multimídia para comunicação pictossilábica: Análise de seis meses de uso domiciliar de ImagoVox por uma mulher com paralisia cerebral. *Ciência Cognitiva: Teoria, Pesquisa e Aplicação*, *2*(3), 21–112.

Capovilla, F. C., Duduchi, M., & Macedo, E. C. (2004). Como permitir a comunicação em Libras por surdos tetraplégicos e amputados: SignoFone – sistema de sinais falantes acionáveis pelo piscar para (tele)comunicação surdo–surdo e surdo–ouvinte. Em F. Capovilla, & R. Luz (Orgs.), *Enciclopédia da Língua de Sinais Brasileira: O mundo do surdo em Libras. Vol. 16: Sinais da Libras e o universo do trabalho, das profissões e dos equipamentos; e Como permitir comunicação em Libras por surdos tetraplégicos:* SignoFone – *(tele)comunicação por sinais falantes acionáveis pelo piscar*. São Paulo, SP: Edusp, Fundação Vitae, Feneis, Capes, CNPq, Fapesp.

Capovilla, F. C., Duduchi, M., Macedo, E. C., Capovilla, A. G. S., & Sazonov, G. C. (2000). Esclerose lateral amiotrófica: Como avaliar o declínio de funções e restabelecer o controle comunicativo por parte do paciente. Em M. J. Gonçalves, E. C. Macedo, A. L. Sennyey, & F. C. Capovilla (Orgs.), *Tecnologia em (re)habilitação cognitiva 2000: A dinâmica clínica, teoria e pesquisa* (pp. 333–342). São Paulo, SP: Sociedade Brasileira de Neuropsicologia, Edunisc.

Capovilla, F. C., Duduchi, M., Raphael, M., Luz, R. D., & Rozados, D. (2002). Enciclopédia digital da Língua de Sinais Brasileira e sistemas de indexação e busca de sinais baseadas em menus quirêmicos. *Espaço: Informativo Técnico–Científico do Instituto Nacional de Educação e Integração de Surdos*, *17*, 43–59.

Capovilla, F. C., Duduchi, M., Raphael, W. D., Luz, R. D., Rozados, D., & Macedo, E. C. (2001a). BuscaSigno: Sistema computadorizado de busca quirêmica da Libras que recupera sinais por forma de mão e não verbete ou classe semântica. Em F. C. Capovilla, & W. D. Raphael (Orgs.), *Dicionário Enciclopédico Ilustrado Trilíngüe* da *Língua de Sinais Brasileira. Volume II: Sinais de M a Z* (Vol. 2, pp. 1573–1602). São Paulo, SP: Edusp, Fapesp, Fundação Vitae, Feneis, Brasil Telecom.

Capovilla, F. C., Duduchi, M., Raphael, W. D., Luz, R. D., Rozados, D., & Macedo, E. C. (2001b). SignTracking: Computerized search system for retrieving Brazilian Sign Language signs based on cheremes and not on Portuguese glosses or semantic classes. Em G. H. G. Joachim, S. Prillwitz, & T. Hanke (Eds.), *International bibliography of Sign Language*. Institute of German Sign Language and Communication of the Deaf, University of Hamburg. Disponível na Internet no endereço: *http://www.sign-lang.uni-hamburg.de/bibweb/F-Search.html*.

Capovilla, F. C., Duduchi, M., Raphael, W. D., Luz, R. D., Rozados, D., Capovilla, A. G. S., & Macedo, E. C. (2003). Brazilian Sign Language lexicography and technology: Dictionary, digital encyclopedia, chereme-based sign-retrieval and quadriplegic deaf communication systems. *Sign Language Studies*, *3*(4), 393–430.

Capovilla, F. C., Duduchi, M., & Rozados, D. (2002). Como levar surdos a fazer acesso lexical direto aos sinais da Libras: Enciclopédia digital com sistema de indexação e busca de sinais por menus quirêmicos. Em E. C. Macedo, M. J. Gonçalves, F. C. Capovilla, & A. L. Sennyey (Orgs.), *Tecnologia em (re)habilitação cognitiva: Um novo olhar para avaliação e intervenção* (pp. 42–53). São Paulo, SP: Sociedade Brasileira de Neuropsicologia, Edunisc.

Capovilla, F. C., Duduchi, M., & Rozados, D. (2004). *Enciclopédia da Língua de Sinais Brasileira: O Mundo do Surdo em Libras, Vol. 18: Enciclopédia digital da Libras, Sistema de busca quirêmica de sinais, e Decodificador quirossemântico – Vol. 18a: Interface alfabética. Vol. 18b: Interface gráfica.* São Paulo, SP: Edusp, Fundação Vitae, Feneis, Capes, CNPq, Fapesp.

Capovilla, F. C., Gonçalves, M. J., & Macedo, E. C. (1998). (Orgs.), *Tecnologia em (re)habilitação cognitiva. Uma perspectiva multidisciplinar*. São Paulo, SP: Sociedade Brasileira de Neuropsicologia, Edunisc.

Capovilla, F. C., Gonçalves, M. J., Macedo, E. C., & Duduchi, M. (1997). Processos verbais de fala interna na codificação de mensagens picto-ideográficas por menina paralisada cerebral usando um sistema computadorizado de comunicação. *Ciência Cognitiva: Teoria, Pesquisa e Aplicação*, *1*(1), 141–200.

Capovilla, F. C., Gonçalves, M. J., Macedo, E. C., & Duduchi, M. (1998). Codificação de mensagens picto-ideográficas em paralisia cerebral: Participação de processos verbais. *Distúrbios da Comunicação*, *9*(2), 261–291.

Capovilla, F. C., & Luz, R. D. (2001). *Thesaurus* English–Portuguese – Dicionário Inglês–Português. Em F. C. Capovilla, & W. D. Raphael (Orgs.), *Dicionário enciclopédico ilustrado trilíngüe da Língua de Sinais Brasileira. Volume II: Sinais de M a Z* (Vol. 2, pp. 1315–1430). São Paulo, SP: Edusp, Fapesp, Fundação Vitae, Feneis, Brasil Telecom.

Capovilla, F. C., & Luz, R. D. (2004a). *Enciclopédia da Língua de Sinais Brasileira: O mundo do surdo em Libras, Vol. 11: Sinais da Libras e o mundo da natureza, corpo e animais; e Como acompanhar o desenvolvimento conjunto da compreensão de leitura e sinais (processos quirêmicos e ortográficos) de escolares surdos do Ensino Fundamental ao Médio.* São Paulo, SP: Edusp, Fundação Vitae, Feneis, Capes, CNPq, Fapesp.

Capovilla, F. C., & Luz, R. D. (2004b). *Enciclopédia da Língua de Sinais Brasileira: O mundo do surdo em*

Libras, Vol. 12: Sinais da Libras e o universo do corpo humano, medicina e saúde, e sexualidade e reprodução; O surdo e o implante coclear: Pesquisa, indicações e contra-indicações. São Paulo, SP: Edusp, Fundação Vitae, Feneis, Capes, CNPq, Fapesp.

Capovilla, F. C., & Luz, R. D. (2004c). *Enciclopédia da Língua de Sinais Brasileira: O mundo do surdo em Libras, Vol. 13: Sinais da Libras e o mundo da alimentação, quantidades, números e medidas; e Como ler e escrever os sinais da Libras em SignWriting: Manual completo do sistema de escrita visual direta de sinais.* São Paulo, SP: Edusp, Fundação Vitae, Feneis, Capes, CNPq, Fapesp.

Capovilla, F. C., & Luz, R. D. (2004d). *Enciclopédia da Língua de Sinais Brasileira: O mundo do surdo em Libras, Vol. 14: Sinais da Libras e tudo que se refere a lugares, orientação espacial, e orientação temporal; e Como acompanhar o desenvolvimento conjunto da produção de escrita e compreensão de sinais em escolares surdos do Ensino Fundamental ao Médio.* São Paulo, SP: Edusp, Fundação Vitae, Feneis, Capes, CNPq, Fapesp.

Capovilla, F. C., & Luz, R. D. (2004e). *Enciclopédia da Língua de Sinais Brasileira: O mundo do surdo em Libras. Vol. 15: Sinais da Libras e o mundo dos transportes, economia, finanças e negócios; e Questões na educação de surdos: Sobre oralismo, comunicação total, bilingüismo, escrita de sinais e escrita alfabética.* São Paulo, SP: Edusp, Fundação Vitae, Feneis, Capes, CNPq, Fapesp.

Capovilla, F. C., & Luz, R. D. (2004f). *Enciclopédia da Língua de Sinais Brasileira: O mundo do surdo em Libras. Vol. 16: Sinais da Libras e o universo do trabalho, das profissões e dos equipamentos; e Como permitir comunicação em Libras por surdos tetraplégicos:* SignoFone – *(tele)comunicação por sinais falantes acionáveis pelo piscar*. São Paulo, SP: Edusp, Fundação Vitae, Feneis, Capes, CNPq, Fapesp.

Capovilla, F. C., & Luz, R. D. (2004g). *Enciclopédia da Língua de Sinais Brasileira: O mundo do surdo em Libras, Vol. 17: Sinais da Libras e o mundo das leis e política, preocupações sociais, violência e drogas; e a importância da língua de sinais e de seu registro para a pessoa surda.* São Paulo, SP: Edusp, Fundação Vitae, Feneis, Capes, CNPq, Fapesp.

Capovilla, F. C., Macedo, E. C., & Capovilla, A. G. S. (1997). O processamento de informação no paralisado cerebral e o uso de sistemas de comunicação alternativa como próteses cognitivas. *Reflexões e Pesquisa em Psicologia, 4*(1), 161–184.

Capovilla, F. C., Macedo, E. C., & Capovilla, A. G. S. (2002a). Tecnologia para análise de emissões vocálicas em nomeação e leitura oral nas afasias e dislexias. Em F. C. Capovilla (Org.), *Neuropsicologia e aprendizagem: Uma abordagem multidisciplinar* (pp. 327–346). São Paulo, SP: Sociedade Brasileira de Neuropsicologia e Scortecci.

Capovilla, F. C., Macedo, E. C., & Capovilla, A. G. S. (2002b). Usando testes computadorizados de competência de leitura silenciosa e em voz alta para mapear desenvolvimento de rotas de leitura, e testes de compreensão auditiva e de leitura para diagnóstico diferencial de dislexia. Em F. C. Capovilla (Org.), *Neuropsicologia e aprendizagem: Uma abordagem multidisciplinar* (pp. 355–379). São Paulo, SP: Sociedade Brasileira de Neuropsicologia e Scortecci.

Capovilla, F. C., Macedo, E. C., Capovilla, A. G. S., & Charin, S. (1998). Competência de leitura: Modelos teóricos e sistemas computadorizados para avaliação de leitura silenciosa e em voz alta. *Ciência Cognitiva: Teoria, Pesquisa e Aplicação, 2*(4), 597–676.

Capovilla, F. C., Macedo, E. C., Capovilla, A. G. S., Thiers, V. O., & Duduchi, M. (1997). Versões computadorizadas de testes psicométricos tradicionais: Estendendo as fronteiras da psicometria para abarcar populações especiais. *Boletim de Psicologia, 47*(106), 1–19.

Capovilla, F. C., Macedo, E. C., Capovilla, A. G. S., Thiers, V. O., Raphael, W. D., & Duduchi, M. (1998). Avaliação computadorizada de leitura em dislexia, conhecimento de sinais em surdez, e habilidades escolásticas em paralisia cerebral. Em F. C. Capovilla, M. J. Gonçalves, & E. C. Macedo (Orgs.), *Tecnologia em (re)habilitação cognitiva: Uma perspectiva multidisciplinar* (pp. 83–91). São Paulo, SP: Sociedade Brasileira de Neuropsicologia, Edunisc.

Capovilla, F. C., Macedo, E. C., & Charin, S. (2001). Tecnologia e modelos na avaliação de compreensão em leitura silenciosa e de reconhecimento e decodificação em leitura em voz alta. Em M. T. M. Santos, & A. L. P. Navas (Orgs.), *Distúrbios de leitura e escrita: Teoria e prática* (pp. 97–167). São Paulo, SP: Manole.

Capovilla, F. C., Macedo, E. C., Duduchi, M., Capovilla, A. G. S., & Gonçalves, M. J. (1998). Sistemas de multimídia: Ferramentas para estudar processos cognitivos e próteses cognitivas em auxílio à aquisição de leitura e escrita em paralisia cerebral. Em F. C. Capovilla, M. J. Gonçalves, & E. C. Macedo (Orgs.), *Tecnologia em (re)habilitação cognitiva: Uma perspectiva multidisciplinar* (pp. 328–337). São Paulo, SP: Sociedade Brasileira de Neuropsicologia, Edunisc.

Capovilla, F. C., Macedo, E. C., Duduchi, M., Capovilla, A. G. S., & Thiers, V. O. (1997). Sistemas computadorizados para comunicação e aprendizagem pelo paralisado cerebral: Sua engenharia e indicações clínicas. *Ciência Cognitiva: Teoria, Pesquisa e Aplicação, 1*(1), 201–248.

Capovilla, F. C., Macedo, E. C., Duduchi, M., Capovilla, A. G. S., & Thiers, V. O. (1998). Sistemas de comunicação alternativa e suplementar: Princípios de engenharia e design. *Distúrbios da Comunicação, 9*(2), 185–231.

Capovilla, F. C., Macedo, E. C., Duduchi, M., Charin, S., & Raphael, W. D. (1998). Recursos tecnológicos para a inclusão escolar de paralisados cerebrais e surdos. Em M. J. Gonçalves, E. C. Macedo, A. L. Sennyey, & F. C. Capovilla (Orgs.), *Tecnologia em (re)habilitação cognitiva 2000: A dinâmica clínica, teoria e pesquisa* (pp. 388–394). São Paulo, SP: Edunisc, Sociedade Brasileira de Neuropsicologia.

Capovilla, F. C., Macedo, E. C., Duduchi, M., Raphael, W. D., Charin, S., & Capovilla, A. G. S. (2001). *SignoFone*: Sistema computadorizado de sinais da Libras animados, falantes e selecionáveis pelo piscar, para comunicação do Surdo paralisado com o ouvinte e telecomunicação de surdos. Em F. C. Capovilla, & W. D. Raphael (Orgs.), *Dicionário enciclopédico ilustrado trilíngüe da Língua de Sinais*

Brasileira. Volume II: Sinais de M a Z (Vol. 2, pp. 1547–1572). São Paulo, SP: Edusp, Fapesp, Fundação Vitae, Feneis, Brasil Telecom.

Capovilla, F. C., Macedo, E. C., Duduchi, M., & Sória, R. A. B. (1999). Desenvolvimento das rotas de leitura fonológica e lexical em escolares, e de seu comprometimento em disléxicos. Em L. Pasquali (Org.), *Instrumentos psicológicos: Manual prático de elaboração* (pp. 259–293). Brasília, DF: LabPAM, IBAPP, Universidade de Brasília.

Capovilla, F. C., Marcilio, L. F., & Capovilla, A. G. S. (2004a). Prova de Consciência Fonológica por Escolha de Figuras (PCFF) para avaliação coletiva em sala de aula e de crianças com paralisia cerebral. Em L. E. Ribeiro do Valle & F. C. Capovilla (Orgs.), *Temas multidisciplinares em neuropsicologia e aprendizagem* (pp. 655-679). São Paulo, SP: Tecmedd & Sociedade Brasileira de Neuropsicologia.

Capovilla, F. C., Marcilio, L. F., & Capovilla, A. G. S. (2004b). Teste de Competência de Leitura Silenciosa de Palavras (TCLP) para avaliação coletiva em sala de aula e de crianças com paralisia cerebral. Em L. E. Ribeiro do Valle & F. C. Capovilla (Orgs.), *Temas multidisciplinares em neuropsicologia e aprendizagem* (pp. 693-715). São Paulo, SP: Tecmedd & Sociedade Brasileira de Neuropsicologia.

Capovilla, F. C., & Mauricio, A. (2004). *Primeiro dicionário ilustrado Português – Inglês*. São Paulo, SP: Scortecci.

Capovilla, F. C., & Mauricio, A. (2004). *First illustrated dictionary English – Portuguese*. São Paulo, SP: Scortecci.

Capovilla, F. C., Negrão, V., & Oliveira, S. (no prelo). *Univocidade de 2.100 figuras: Nomeação por produção escrita livre de 1.000 universitários*.

Capovilla, F. C., Negrão, V., Oliveira, S., & Roberto, R. (no prelo). *Banco de 2.100 figuras e respectivos nomes atribuídos livremente por 1.000 universitários: Mapeamento de univocidade, extensão, e frequência de ocorrência no Português*.

Capovilla, F. C., & Nunes, L. R. O. P. (2001). A memória de trabalho no paralisado cerebral: Procedimento para avaliar habilidade e processos subjacentes. *Revista Brasileira de Educação Especial*, *7*(1), 1–23.

Capovilla, F. C., & Nunes, L. R. O. P. (2003). Sistemas de comunicação alternativa como próteses sensoriais, motoras e cognitivas em paralisia cerebral: Uma abordagem de processamento de informação. Em L. R. O. P. Nunes (Org.), *Favorecendo o desenvolvimento da comunicação em portadores de necessidades especiais* (pp. 49–61). Rio de Janeiro, RJ: Editora Dunya.

Capovilla, F. C., Nunes, L. R. O. P., Macedo, E. C., Nunes, D., Araújo, I., Bernat, A. B., Duduchi, M., Nogueira, D., Passos, M., Magalhães, A. P., & Madeira, S. (1997). Processamento de informação na memória de trabalho do paralisado cerebral: Efeitos de primazia e recência e a natureza da consolidação. *Ciência Cognitiva: Teoria, Pesquisa e Aplicação, 1*(1), 249–300.

Capovilla, F. C., Nunes, L. R. O. P., Nogueira, D., Nunes, D., Araújo, I., Bernat, A. B., & Capovilla, A. G. S. (1997). Análise da validade concorrente do Teste de Vocabulário por Imagens Peabody por comparação com o desempenho escolar de pré-escola a 8ª. série: Amostra fluminense. *Ciência Cognitiva: Teoria, Pesquisa e Aplicação, 1*(2), 533–560.

Capovilla, F. C., Nunes, L. R. O. P., Nunes, D., Araújo, I., Nogueira, D., Bernat, A. B., & Capovilla, A. G. S. (1997). O desenvolvimento do vocabulário receptivo auditivo da pré-escola à 8ª. série: Normatização fluminense baseada em aplicação coletiva da tradução brasileira do Teste de Vocabulário por Imagens Peabody. *Ciência Cognitiva: Teoria, Pesquisa e Aplicação, 1*(1), 381–440.

Capovilla, F. C., & Raphael, W. D. (2001a). Alfabeto manual da Libras, números em Libras, e formas de mão usadas em Libras. Em F. C. Capovilla, & W. D. Raphael (Orgs.), *Dicionário enciclopédico ilustrado trilíngüe da Língua de Sinais Brasileira. Volume I: Sinais de A a L* (Vol. 1, pp. 51–54). São Paulo, SP: Edusp, Fapesp, Fundação Vitae, Feneis, Brasil Telecom.

Capovilla, F. C., & Raphael, W. D. (2001b). (Orgs.), *Dicionário enciclopédico ilustrado trilíngüe da Língua de Sinais Brasileira. Volume I: Sinais de A a L* (2ª. edição, vol. 1, pp. 1–832). São Paulo, SP: Edusp, Imprensa Oficial, Feneis.

Capovilla, F. C., & Raphael, W. D. (2001c). (Orgs.), *Dicionário enciclopédico ilustrado trilíngüe da Língua de Sinais Brasileira. Volume II: Sinais de M a Z* (2ª. edição, vol. 2, pp. 847–1620). São Paulo, SP: Edusp, Imprensa Oficial, Feneis.

Capovilla, F. C., & Raphael, W. D. (2001d). Índice semântico dos sinais da Libras. Em F. C. Capovilla, & W. D. Raphael (Orgs.), *Dicionário enciclopédico ilustrado trilíngüe da Língua de Sinais Brasileira. Volume II: Sinais de M a Z* (2ª. edição, vol. 2, pp. 1431–1434). São Paulo, SP: Edusp, Imprensa Oficial, Feneis.

Capovilla, F. C., & Raphael, W. D. (2001e). Prefácio. Em F. C. Capovilla, & W. D. Raphael (Orgs.), *Dicionário enciclopédico ilustrado trilíngüe da Língua de Sinais Brasileira. Volume I: Sinais de A a L* (Vol. 1, pp. 29–36). São Paulo, SP: Edusp, Fapesp, Fundação Vitae, Feneis, Brasil Telecom.

Capovilla, F. C., & Raphael, W. D. (2004a). *Enciclopédia da Língua de Sinais Brasileira: O mundo do surdo em Libras, Vol. 1: Sinais da Libras e o universo da educação; e Como avaliar o desenvolvimento da competência de leitura de palavras (processos de reconhecimento e decodificação) em escolares surdos do Ensino Fundamental ao Médio*. São Paulo, SP: Edusp, Fundação Vitae, Capes, CNPq, Fapesp.

Capovilla, F. C., & Raphael, W. D. (2004b). *Enciclopédia da Língua de Sinais Brasileira: O mundo do surdo em Libras, Vol. 2: Sinais da Libras e o universo das artes e cultura, esportes, e lazer; e Como avaliar o desenvolvimento da compreensão de sinais (vocabulário em Libras) de escolares surdos da 1ª a 8ª série do Ensino Fundamental*. São Paulo, SP: Edusp, Fundação Vitae, Feneis, Capes, CNPq, Fapesp.

Capovilla, F. C., & Raphael, W. D. (2004c). *Enciclopédia da Língua de Sinais Brasileira: O mundo do surdo em Libras, Vol. 3: Sinais da Libras e a vida em família, relações familiares e casa; e Como avaliar o desenvolvimento da competência de leitura de sentenças (processamento sintático e semantico) de escolares surdos do Ensino Fundamental ao Médio*. São Paulo, SP: Edusp, Fundação Vitae, Feneis, Capes, CNPq, Fapesp.

Capovilla, F. C., & Raphael, W. D. (2004d). *Enciclopédia da Língua de Sinais Brasileira: O mundo do surdo em Libras, Vol. 4: Sinais da Libras e o universo da comunicação, eventos e religião; e Como avaliar a competência de leitura (processamento quirêmico e ortográfico) de escolares surdos do Ensino Fundamental ao Médio*. São Paulo, SP: Edusp, Fundação Vitae, Feneis, Capes, CNPq, Fapesp.

Capovilla, F. C., & Raphael, W. D. (2004e). *Enciclopédia da Língua de Sinais Brasileira: O mundo do surdo em Libras, Vol. 5: Sinais da Libras e a vida das pessoas; e Como avaliar a competência de escrita de escolares surdos do Ensino Fundamental ao Médio*. São Paulo, SP: Edusp, Fundação Vitae, Feneis, Capes, CNPq, Fapesp.

Capovilla, F. C., & Raphael, W. D. (2004f). *Enciclopédia da Língua de Sinais Brasileira: O mundo do surdo em Libras, Vol. 6: Sinais da Libras e o universo das relações humanas, objetos pessoais, documentos e vestuário; e Como avaliar em conjunto compreensão de sinais e de leitura (processos quirêmicos e ortográficos) de escolares surdos do Ensino Fundamental ao Médio.* São Paulo, SP: Edusp, Fundação Vitae, Feneis, Capes, CNPq, Fapesp.

Capovilla, F. C., & Raphael, W. D. (2004g). *Enciclopédia da Língua de Sinais Brasileira: O mundo do surdo em Libras, Vol. 7: Sinais da Libras e o mundo dos verbos; e Como avaliar em conjunto competência de escrita e compreensão de sinais em escolares surdos do Ensino Fundamental ao Médio.* São Paulo, SP: Edusp, Fundação Vitae, Feneis, Capes, CNPq, Fapesp.

Capovilla, F. C., & Raphael, W. D. (2004h). *Enciclopédia da Língua de Sinais Brasileira: O mundo do surdo em Libras, Vol. 8: Sinais da Libras e o mundo das palavras de função gramatical; e Como acompanhar o desenvolvimento da competência de leitura (processos quirêmicos e ortográficos) de escolares surdos do Ensino Fundamental ao Médio.* São Paulo, SP: Edusp, Fundação Vitae, Feneis, Capes, CNPq, Fapesp.

Capovilla, F. C., & Raphael, W. D. (2004i). *Enciclopédia da Língua de Sinais Brasileira: O mundo do surdo em Libras, Vol. 9: Sinais da Libras e o mundo dos adjetivos; e Como acompanhar o desenvolvimento da competência de escrita de escolares surdos do Ensino Fundamental ao Médio.* São Paulo, SP: Edusp, Fundação Vitae, Feneis, Capes, CNPq, Fapesp.

Capovilla, F. C., & Raphael, W. D. (2004j). *Enciclopédia da Língua de Sinais Brasileira: O mundo do surdo em Libras, Vol. 10: Sinais da Libras e o mundo dos substantivos; e Apanhado histórico da educação de surdos no Brasil: 150 anos de alternância entre oralismo e sinal.* São Paulo, SP: Edusp, Fundação Vitae, Feneis, Capes, CNPq, Fapesp.

Capovilla, F. C., Raphael, W. D., Luz, R. D., Schönwald, A. R., & Silva, R. S. (2001). Conteúdo semântico dos sinais da Libras. Em F. C. Capovilla, & W. D. Raphael (Orgs.), *Dicionário enciclopédico ilustrado trilíngüe da Língua de Sinais Brasileira. Volume II: Sinais de M a Z* (Vol. 2, pp. 1435–1476). São Paulo, SP: Edusp, Fapesp, Fundação Vitae, Feneis, Brasil Telecom.

Capovilla, F. C., Raphael, W. D., & Macedo, E. C. (1998). *Manual ilustrado de sinais e sistema de comunicação em redes para surdos*. São Paulo, SP: Editora do Instituto de Psicologia da USP.

Capovilla, F. C., Raphael, W. D., Su, Y. S., Rocha, M. P., Geraldes, A., Marques, S., Luz, R. D., Neves, S. L. G., & Viggiano, K. (1999). Dicionário da Língua de Sinais Brasileira: Ilustração e escrita visual direta de 3.500 sinais usados por Surdos em São Paulo. *Espaço: Informativo Técnico – Científico do Instituto Nacional de Educação de Surdos*, *11*, 84–88.

Capovilla, F. C., Raphael, W. D., Viggiano, K. Q., Neves, S. G., & Luz, R. D. (2000). *SignWriting*: Implicações psicológicas e sociológicas de uma escrita visual direta de sinais e de seus usos na educação do Surdo. *Espaço: Informativo Técnico–Científico do Instituto Nacional de Educação de Surdos*, *13*, 31–37.

Capovilla, F. C., Ribeiro do Valle, L. E., & Capovilla, A. G. S. (2004). Compreendendo o fracasso escolar no Brasil na década 1995-2004: PCNs na contramão da História, 89% a 96% de fracasso do ensino fundamental segundo Saeb, e recorde mundial de incompetência de leitura segundo OCDE. Em L. E. Ribeiro do Valle & F. C. Capovilla (Orgs.), *Temas multidisciplinares em neuropsicologia e aprendizagem* (pp. 23-69). São Paulo, SP: Tecmedd & Sociedade Brasileira de Neuropsicologia.

Capovilla, F. C., Sazonov, G. C., Raphael, W. D., Macedo, E. C., Charin, S., Marques, S., Capovilla, A. G. S., Luz, R. D., Geraldes, A., Shin, S. Y., Vieira, R., Rocha, M., Duduchi, M., Amorim, S., Mauricio, A., & Oliveira, H. (1997). A Língua de Sinais Brasileira e sua iconicidade: Análises experimentais computadorizadas de caso único. *Ciência Cognitiva: Teoria, Pesquisa e Aplicação*, *1*(2), 781–924.

Capovilla, F. C., & Sutton, V. (2001). Como ler e escrever os sinais da Libras: A escrita visual direta de sinais *SignWriting*. Em F. C. Capovilla, & W. D. Raphael (Orgs.), *Dicionário enciclopédico ilustrado trilíngüe da Língua de Sinais Brasileira. Volume I: Sinais de A a L* (Vol. 1, pp. 55–126). São Paulo, SP: Edusp, Fapesp, Fundação Vitae, Feneis, Brasil Telecom.

Capovilla, F. C., & Sutton, V. (2004). Como ler e escrever os sinais da Libras em *SignWriting*: Manual completo do sistema de escrita visual direta de sinais. Em F. Capovilla, & R. Luz (Orgs.), *Enciclopédia da Língua de Sinais Brasileira: O mundo do surdo em Libras, Vol. 13: Sinais da Libras e o mundo da alimentação, quantidades, números e medidas; e Como ler e escrever os sinais da Libras em SignWriting: Manual completo do sistema de escrita visual direta de sinais*. São Paulo, SP: Edusp, Fundação Vitae, Feneis, Capes, CNPq, Fapesp.

Capovilla, F. C., Thiers, V. O., & Capovilla, A. (2003). Avaliação cognitiva de crianças com severos distúrbios motores: Versões computadorizadas, normatizadas e validadas de cinco testes de vocabulário, compreensão auditiva, prontidão para a leitura e inteligência geral. Em L. R. O. P. Nunes (Org.), *Favorecendo o desenvolvimento da comunicação em portadores de necessidades especiais* (pp. 251–262). Rio de Janeiro, RJ: Editora Dunya.

Capovilla, F. C., Thiers, V. O., Capovilla, A., Macedo, E. C., Duduchi, M., & Guedes, M. (2002). Validação preliminar da adaptação computadorizada para paralisados cerebrais da Escala de Maturidade Mental Colúmbia. *Temas sobre Desenvolvimento*, *6*(35), 2–7.

Capovilla, F. C., Thiers, V. O., & Macedo, E. C. (2002). Avaliação cognitiva de crianças com severos distúrbios motores: Versões computadorizadas, normatizadas e validadas de testes de vocabulário, compreensão auditiva, leitura e inteligência geral. Em F. C. Capovilla (Org.), *Neuropsicologia e aprendizagem: Uma abordagem multidisciplinar* (pp. 205–218). São Paulo, SP: Sociedade Brasileira de Neuropsicologia, Scortecci.

Capovilla, F. C., Thiers, V. O., Macedo, E. C., & Duduchi, M. (1997). Sistema de multimídia para ensino de símbolos Bliss a paralisado cerebral: Explorando processos de aprendizagem direta e emergente. *Ciência Cognitiva: Teoria, Pesquisa e Aplicação, 1* (1), 301–352.

Capovilla, F. C., Thiers, V. O., Macedo, E. C., & Duduchi, M. (1998). Validações preliminares das adaptações computadorizadas, para paralisados cerebrais, do Reversal Test, do Teste de Prontidão para a Leitura, e do Teste de Maturidade para a Leitura. *Temas sobre Desenvolvimento*, *7*(36), 28–34.

Capovilla, F. C., Thiers, V. O., Macedo, E. C., Raphael, W. D., & Duduchi, M. (1998). Validação preliminar da adaptação computadorizada para paralisados cerebrais do Teste de Vocabulário por Imagens Peabody. *Temas sobre Desenvolvimento*, *7*(37), 36–41.

Capovilla, F. C., Thomazette, L. M. M. M., & Capovilla, A. G. S. (no prelo). *Alfabetização em paralisia cerebral: Como alfabetizar a criança com paralisia cerebral numa abordagem fônica* . São Paulo, SP: Memnon, Capes, CNPq.

Capovilla, F. C., & Viggiano, K. Q. (2004). *Enciclopédia da Língua de Sinais Brasileira: O Mundo do surdo em Libras, Vol. 19: Compêndio de avaliação do desenvolvimento de linguagem de sinais, leitura e escrita no surdo de 6 a 45 anos de idade.* São Paulo, SP: Edusp, Fundação Vitae, Capes, CNPq, Fapesp.

Capovilla, F. C., Viggiano, K. Q., Bidá, M. R., Capovilla, A. G. S., Raphael, W. D., Neves, M. V., & Mauricio, A. C. (2004). Como acompanhar o desenvolvimento da competência de leitura em surdos do Ensino Fundamental ao Médio, e analisar processos quirêmicos e ortográficos: Versão 2.1 do Teste de Nomeação de Figuras por Escolha de Palavras (TNF2.1–Escolha). Em F. Capovilla, & W. Raphael (Orgs.), *Enciclopédia da Língua de Sinais Brasileira: O mundo do surdo em Libras, Vol. 8: Sinais da Libras e o mundo das palavras de função gramatical; e Como acompanhar o desenvolvimento da competência de leitura (processos quirêmicos e ortográficos) de escolares surdos do Ensino Fundamental ao Médio.* São Paulo, SP: Edusp, Fundação Vitae, Capes, CNPq, Fapesp.

Capovilla, F. C., Viggiano, K. Q., Bidá, M. R., Luz, R. D., Capovilla, A. G. S., & Neves, M. V. (2004). Como acompanhar o desenvolvimento conjunto de compreensão de leitura e sinais em surdos do Ensino Fundamental ao Médio, e analisar processos quirêmicos e ortográficos: Versão 2.1 do Teste de Nomeação de Sinais por Escolha de Palavras (TNS2.1–Escolha) validada e normatizada para aplicação com sinalização ao vivo. Em F. Capovilla, & R. Luz (Orgs.), *Enciclopédia da Língua de Sinais Brasileira: O mundo do surdo em Libras, Vol. 11: Sinais da Libras e o mundo da natureza, cores e animais, e Como acompanhar o desenvolvimento conjunto da compreensão de leitura e sinais (processos quirêmicos e ortográficos) de escolares surdos do Ensino Fundamental ao Médio.* São Paulo, SP: Edusp, Fundação Vitae, Capes, CNPq, Fapesp.

Capovilla, F. C., Viggiano, K. Q., Bidá, M. R., Raphael, W. D., Capovilla, A. G. S., & Mauricio, A. C. (2004). Como avaliar em conjunto a competência de escrita e compreensão de sinais em surdos do Ensino Fundamental ao Médio: Versão 1.1 do Teste de Nomeação de Sinais por Escrita (TNS1.1–Escrita) validada e normatizada para aplicação com sinalização ao vivo. Em F. Capovilla, & W. Raphael (Orgs.), *Enciclopédia da Língua de Sinais Brasileira: O mundo do surdo em Libras, Vol. 7: Sinais da Libras e o mundo dos verbos; e Como avaliar em conjunto competência de escrita e compreensão de sinais em escolares surdos do Ensino Fundamental ao Médio.* São Paulo, SP: Edusp, Fundação Vitae, Capes, CNPq, Fapesp.

Capovilla, F. C., Viggiano, K. Q., Capovilla, A. G. S, Mauricio, A. C., & Vilalba, M. V. (2002). Como avaliar o vocabulário receptivo visual em sinais de escolares surdos de 7–33 anos: Teste de Vocabulário por Figuras USP em Libras. Em E. C. Macedo, M. J. Gonçalves, F. C. Capovilla, & A. L. Sennyey (Orgs.), *Tecnologia em reabilitação cognitiva 2002: Um novo olhar para avaliação e intervenção* (pp. 284–296). São Paulo, SP: Sociedade Brasileira de Neuropsicologia, Edunisc.

Capovilla, F. C., Viggiano, K. Q., Capovilla, A. G. S., Raphael, W. D., Bidá, M. R., & Mauricio, A. C. (2004). Como avaliar o desenvolvimento da compreensão de sinais da Libras em surdos de 1ª. a 8ª. série do Ensino Fundamental: Versão 1.1 do Teste de Vocabulário Receptivo de Sinais da Libras (TVRSL1.1) validada e normatizada para aplicação com sinalização ao vivo. Em F. Capovilla, & W. Raphael (Orgs.), *Enciclopédia da Língua de Sinais Brasileira: O mundo do surdo em Libras, Vol. 2: Sinais da Libras e o universo das artes e cultura, esportes, e lazer; e Como avaliar o desenvolvimento da compreensão de sinais (vocabulário em Libras) de escolares surdos de 1ª. a 8ª. série do Ensino Fundamental*. São Paulo, SP: Edusp, Fundação Vitae, Capes, CNPq, Fapesp.

Capovilla, F. C., Viggiano, K. Q., Capovilla, A. G. S., Raphael, W. D., Bidá, M. R, Neves, M. V., & Mauricio, A. C. (2004). Como avaliar o desenvolvimento da compreensão de leitura de sentenças em surdos do Ensino Fundamental ao Médio, e analisar processos sintáticos e semânticos: Teste de Competência de Leitura de Sentenças. Em F. Capovilla, & W. Raphael (Orgs.), *Enciclopédia da Língua de Sinais Brasileira: O mundo do surdo em Libras, Vol. 3: Sinais da Libras e a vida em família, relações familiares e casa, e Como avaliar o desenvolvimento da competência de leitura de sentenças (processamento sintático e semântico) de escolares surdos do Ensino Fundamental ao Médio* . São Paulo, SP: Edusp, Fundação Vitae, Capes, CNPq, Fapesp.

Capovilla, F. C., Viggiano, K. Q., Capovilla, A. G. S., Raphael, W. D., Mauricio, A. C., & Bidá, M. R. (2004) Como avaliar o desenvolvimento da competência de leitura de palavras em surdos do Ensino Fundamental ao Médio, e analisar processos de reconhecimento e decodificação: Teste de Competência de Leitura de Palavras. Em F. Capovilla, & W. Raphael (Orgs.), *Enciclopédia da Língua de Sinais Brasileira: O mundo do surdo em Libras, Vol. 1: Sinais da Libras e o universo da educação; e Como avaliar o desenvolvimento da competência de leitura de palavras (processos de reconhecimento e decodificação) em escolares surdos do Ensino Fundamental ao Médio*. São Paulo, SP: Edusp, Fundação Vitae, Capes, CNPq, Fapesp.

Capovilla, F. C., Viggiano, K. Q., Luz, R. D., Capovilla, A. G. S., Bidá, M. R., & Mauricio, A. C. (2004). Como acompanhar o desenvolvimento conjunto de produção de escrita e compreensão de sinais em surdos do Ensino Fundamental ao Médio: Versão 2.1 do Teste de Nomeação de Sinais por Escrita (TNS2.1-Escrita) validada e normatizada para aplicação com sinalização ao vivo. Em F. Capovilla, & R. Luz (Orgs.), *Enciclopédia da Língua de Sinais Brasileira: O mundo do surdo em Libras, Vol. 14: Sinais da Libras e tudo que se refere a lugares, orientação espacial, e orientação temporal; e Como acompanhar o desenvolvimento conjunto da produção de escrita e compreensão de sinais em escolares surdos do Ensino Fundamental ao Médio.* São Paulo, SP: Edusp, Fundação Vitae, Capes, CNPq, Fapesp.

Capovilla, F. C., Viggiano, K. Q., Raphael, W. D., Bidá, M., Capovilla, A., Mauricio, A., & Neves, M. (2004). Como avaliar a competência de escrita em surdos do Ensino Fundamental ao Médio: Versão 1.1 do Teste de Nomeação de Figuras por Escrita (TNF1.1-Escrita). Em F. Capovilla, & W. Raphael (Orgs.), *Enciclopédia da Língua de Sinais Brasileira: O mundo do surdo em Libras, Vol. 5: Sinais da Libras e a vida das pessoas; e Como avaliar a competência de escrita de escolares surdos do Ensino Fundamental ao Médio.* São Paulo, SP: Edusp, Fundação Vitae, Capes, CNPq, Fapesp.

Capovilla, F. C., Viggiano, K. Q., Raphael, W. D., Bidá, M., Capovilla, A. G. S., & Neves, M. (2004). Como acompanhar o desenvolvimento da competência de escrita em surdos do Ensino Fundamental ao Médio: Versão 2.1 do Teste de Nomeação de Figuras por Escrita (TNF2.1-Escrita). Em F. Capovilla, & W. Raphael (Orgs.), *Enciclopédia da Língua de Sinais Brasileira: O mundo do surdo em Libras, Vol. 9: Sinais da Libras e o mundo dos adjetivos; e Como acompanhar o desenvolvimento da competência de escrita de escolares surdos do Ensino Fundamental ao Médio.* São Paulo, SP: Edusp, Fundação Vitae, Capes, CNPq, Fapesp.

Capovilla, F. C., Viggiano, K. Q., Raphael, W. D., Bidá, M., Capovilla, A. G. S., Neves, M., & Mauricio, A. (2004). Como avaliar a competência de leitura em surdos do Ensino Fundamental ao Médio, e analisar processos quirêmicos e ortográficos: Versão 1.1 do Teste de Nomeação de Figuras por Escolha (TNF1.1-Escolha). Em F. Capovilla, & W. Raphael (Orgs.), *Enciclopédia da Língua de Sinais Brasileira: O mundo do surdo em Libras, Vol. 4: Sinais da Libras e o universo da comunicação, eventos e religião; e Como avaliar a competência de leitura (processamento quirêmico e ortográfico) de escolares surdos do Ensino Fundamental ao Médio*. São Paulo, SP: Edusp, Fundação Vitae, Capes, CNPq, Fapesp.

Capovilla, F. C., Viggiano, K. Q., Raphael, W. D., Mauricio, A. C., Capovilla, A. G. S., & Bidá, M. (2004). Como avaliar em conjunto a compreensão de sinais e de leitura em surdos do Ensino Fundamental ao Médio, e analisar processos quirêmicos e ortográficos: Versão 1.1 do Teste de Nomeação de Sinais por Escolha (TNS1.1-Escolha) validada e normatizada para aplicação com sinalização ao vivo. Em F. Capovilla, & W. Raphael (Orgs.), *Enciclopédia da Língua de Sinais Brasileira: O mundo do surdo em Libras, Vol. 6: Sinais da Libras e o universo das relações humanas, objetos pessoais, documentos e vestuário; e Como avaliar em conjunto compreensão de sinais e de leitura (processos quirêmicos e ortográficos) de escolares surdos do Ensino Fundamental ao Médio.* São Paulo, SP: Edusp, Fundação Vitae, Feneis, Capes, CNPq, Fapesp.

Capovilla, F. C., Viggiano, K. Q., Raphael, W. D., Neves, S. L. G., Mauricio, A. C., Vieira, R., & Sutton, V. (2001). A escrita visual direta de sinais *SignWriting* e seu lugar na educação da criança surda. Em F. C. Capovilla, & W. D. Raphael (Orgs.), *Dicionário enciclopédico ilustrado trilíngüe da Língua de Sinais Brasileira. Volume II: Sinais de M a Z* (Vol. 2, pp. 1491-1496). São Paulo, SP: Edusp, Fapesp, Fundação Vitae, Feneis, Brasil Telecom.

Caramazza, A. (1990). *Cognitive neuropsychology and neurolinguistics: Advances in models of cognitive function and impairment.* Hillsdale, NJ: Lawrence Erlbaum.

Caramazza, A. (1995). *The cognitive neurosciences.* Cambridge, MA: Bradford & MIT Press.

Cardoso-Martins, C. (1991). Awareness of phonemes and alphabetic literacy acquisition. *British Journal of Educational Psychology, 61*, 164-173.

Cardoso-Martins, C. (1995). Sensitivity to rhymes, syllables and phonemes in literacy acquisition in Portuguese. *Reading Research Quarterly, 30*(4), 808-827.

Cardoso-Martins, C., Capovilla, F. C., Gombert, J. E., Oliveira, J. B. A., Morais, J. C. J., Adams, M. J., & Beard, R. B. (2003). *Alfabetização infantil: Os novos caminhos*. Brasília, DF: Comissão de Educação e Cultura da Câmara dos Deputados, Congresso Nacional.

Catts, H., & Kamhi, A. (1986). The linguistic basis of reading disorders: Implications for the speech-language pathologist. *Language, Speech, and Hearing Services in Schools, 17*, 329-341.

Cederbaum, J. (1996). The amyotrophic lateral sclerosis functional rating scale (ALSFRS). *Archives of Neuropsychology, 53*(2), 141-147.

Chall, J. S. (1987). Two vocabularies for reading: Recognition and meaning. In M. McKeon, & M. Curtis (Eds.), *The nature of vocabulary acquisition*. Hillsdale, NJ: Erlbaum.

Charin, S., & Capovilla, F. C. (2000). Acesso ao computador por meio de acionadores eletrônicos. Em M. J. Gonçalves, E. C. Macedo, A. L. Sennyey, & F. C. Capovilla (Orgs.), *Tecnologia em (re)habilitação cognitiva 2000: A dinâmica clínica, teoria e pesquisa* (pp. 169-174). São Paulo, SP: Sociedade Brasileira de Neuropsicologia, Edunisc.

Chen, L. Y. (1968). Talking hands for aphasic patients. *Geriatrics, 23*, 145-148.

Chomsky, N. (1967). The general properties of language. In C. H. Millikan, & F. L. Darley (Eds.), *Brain mechanisms underlying speech and language* (pp. 73-80). New York, NY: Grune and Stratton.

Ciccone, M. (1990). *Comunicação total: Introdução e estratégia*. Rio de Janeiro, RJ: Cultura Médica.

Clark, M. D., Marschark, M., & Karchmer, M. (2001). (Eds.), *Context, cognition, and deafness*. Washington, DC: Gallaudet University Press.

Content, A. (1990). L'aquisition de la lecture: Approche cognitive. *Cahiers du Département des Langues et des Sciences du language de l 'Université de Lausanne*, *9*, 15–42.

Coplan, J., Gleason, J. R., Ryan, R., & Williams, M. L. (1982). Validation of an early language milestone scale in a high-risk population. *Pediatrics*, *70*, 677–683.

Corina, D., Kritchevsky, M., & Bellugi, U. (1996). Visual language processing and unilateral neglect from American Sign Language. *Cognitive Neuropsychology*, *13*(3), 321–356.

Corina, D., & Sandler, W. (1993). On the nature of phonological structure in Sign Language. *Phonology*, *10*, 165-207.

Cornett, O. (1975). What is cued speech? *Gallaudet Today*, *5*, 28–30.

Costa Filho, O. A., Bevilacqua, M. C., & Moret, A. L. M. (1996). Critérios de seleção de crianças candidatas ao implante coclear do Hospital de Pesquisa e Reabilitação de Lesões Lábio-palatais da USP. *Revista Brasileira de Otorrinolaringologia*, *62*(4), 306–313.

Costello, E. (1983). *Signing: How to speak with your hands*. New York, NY: Bantham Books.

Costello, E. (1994). *Random House American Sign Language Dictionary*. New York, NY: Random House.

Coulter, G. R. (1993). *Phonetics and phonology: Current issues in ASL phonology*. San Diego, CA: Academic Press.

Cronbach, L. J. (1996). *Fundamentos da testagem psicológica* (5a. edição). Porto Alegre, RS: Artes Médicas.

Dale, E., & Reichert, D. (1957). *Bibliography of vocabulary studies*. Columbus, OH: Ohio State University Bureau of Educational Research.

Dalgarno, G. (1661). *Ars signorum, vulgo character universalis philosophica et lingua*. London, UK: J. Hayes.

Davis, F. B. (1944). Fundamental factors of comprehension in reading. *Psychometrika*, *9*, 185–197.

Davis, F. B. (1968). Research in comprehension in reading. *Reading Research Quarterly*, *3*, 499–545.

Dockrell, J., & McShanne, J. (2000). *Crianças com dificuldade de aprendizagem: Uma abordagem cognitiva*. São Paulo, SP: Artes Médicas.

Downie, N. M., & Heath, R. W. (1979). *Basic statistical methods* (3rd edition). New York, NY: Harper & Row.

Duduchi, M., Capovilla, F. C., Macedo, E. C., & Raphael, W. D (2004). SignoFone: Sistema de comunicação para surdos com distúrbios motores. Em F. Capovilla, & R. Luz (Orgs.), *Enciclopédia da Língua de Sinais Brasileira: O mundo do surdo em Libras. Vol. 16: Sinais da Libras e o universo do trabalho, das profissões e dos equipamentos; e Como permitir comunicação em Libras por surdos tetraplégicos:* SignoFone – *(tele)comunicação por sinais falantes acionáveis pelo piscar*. São Paulo, SP: Edusp, Fundação Vitae, Feneis, Capes, CNPq, Fapesp.

Duduchi, M., Capovilla, F. C., Raphael, W. D., Luz, R. D., & Rozados, D. (2000). Língua de Sinais Brasileira: Sistema computadorizado de busca morfológica de sinais (RastreaMorfos). Em M. J. Gonçalves, E. C. Macedo, A. L. Sennyey, & F. C. Capovilla (Orgs.), *Tecnologia em (re)habilitação cognitiva 2000: A dinâmica clínica, teoria e pesquisa* (pp. 224–235). São Paulo, SP: Sociedade Brasileira de Neuropsicologia, Edunisc.

Duduchi, M., Capovilla, F. C., & Rozados, D. (2004). DQSG-A: Sistema de busca alfabético-quirêmica de sinais, e Decodificador quirossemânticografêmico – Interface Alfabética. Em F. C. Capovilla, M. Duduchi, & D. Rozados, D. (Orgs.), *Enciclopédia da Língua de Sinais Brasileira: O Mundo do Surdo em Libras, Vol. 18: Enciclopédia digital da Libras, Sistema de busca quirêmica de sinais, e Decodificador quirossemântico – Vol. 18a: Interface alfabética, Vol. 18b: Interface gráfica.* São Paulo, SP: Edusp, Fundação Vitae, Feneis, Capes, CNPq, Fapesp.

Duduchi, M., Capovilla, F. C., Rozados, D., & Mauricio, D. (2004). DQSG-G: Sistema de busca gráfico-quirêmica de sinais, e Decodificador quirossemânticografêmico – Interface Gráfica. Em F. C. Capovilla, M. Duduchi, & D. Rozados (Orgs.), *Enciclopédia da Língua de Sinais Brasileira: O Mundo do Surdo em Libras, Vol. 18: Enciclopédia digital da Libras, Sistema de busca quirêmica de sinais, e Decodificador quirossemântico – Vol. 18a: Interface alfabética, Vol. 18b: Interface gráfica.* São Paulo, SP: Edusp, Fundação Vitae, Feneis, Capes, CNPq, Fapesp.

Dunn, L. M., & Dunn, L. M. (1981). *Peabody Picture Vocabulary Test – Revised*. Circle Pines, MN: American Guidance Service.

Dunn, L. M., Dunn, D., Capovilla, F. C., & Capovilla, A. G. S. (2004a). *Manual do examinador para o Teste de Vocabulário por Figuras Peabody: Adaptação Brasileira*. São Paulo, SP: Casa do Psicólogo.

Dunn, L. M., Dunn, D., Capovilla, F. C., & Capovilla, A. G. S. (2004b). *Teste de Vocabulário por Figuras Peabody: Adaptação Brasileira*. São Paulo, SP: Casa do Psicólogo.

Dunn, L. M., Padilla, E. R., Lugo, D. E., & Dunn, L. M. (1986a). *Manual del examinador para el Test de Vocabulario en Imágenes Peabody*. Circle Pines, MN: American Guidance Service.

Dunn, L. M., Padilla, E. R., Lugo, D. E., & Dunn, L. M. (1986b). *Test de Vocabulario en Imágenes Peabody: Adaptación Hispanoamericana*. Circle Pines, MN: American Guidance Service.

Easterbrooks, S. (1999). Improving practices for students with hearing impairments. *Exceptional Children*, *65*(4), 537–554.

Easterbrooks, S. R., & Mordica, J. A. (2000). Teachers' ratings of functional communication in students with cochlear implants. *American Annals of the Deaf*, *145*(1), 54–59.

Easterbrooks, S. R., & O'Rourke, C. M. (2001). Gender differences in response to auditory-verbal intervention in children who are deaf or hard of hearing. *American Annals of the Deaf*, *146*(4), 309–319.

Eastman, G. H. (1989). *From mime to sign*. Silver Spring, MD: T. J. Publishers.

Ehri, L. (1992). Reconceptualizing the development of sight word reading and its relationships to recoding. In P. Gough, L. Ehri, & R. Treiman (Eds.), *Reading acquisition* (pp. 107–143). Hillsdale, NJ: Erlbaum.

Elbro, C., Rasmussen, I., & Spelling, B. (1996). Teaching reading to disabled readers with language disorders: A controlled evaluation of synthetic speech feedback. *Scandinavian Journal of Psychology*, *37*,

140–155.
Elliott, C. D. (1983). *The British ability scales. Manual 2: Technical and statistical information*. Windsor, UK: NFER–Nelson.
Ellis, A. W. (1995). *Leitura escrita e dislexia: Uma análise cognitiva*. Porto Alegre, RS: Artes Médicas.
Ellis, A. W., Miller, D., & Sin, G. (1983). Wernicke's aphasia and normal language processing: A case study in cognitive neuropsychology. *Cognition, 15*, 1/3, 111-144.
Ellis, A. W., & Young, A. W. (1988). *Human cognitive neuropsychology*. London, UK: Lawrence Erlbaum.
Emmorey, K., & Corina, D. (1990). Lexical recognition in sign language: Effects of phonetic structure and morphology. *Perceptual & Motor Skills, 71*, 1227–1252.
Emmorey, K., Corina, D., & Bellugi, U. (1995). Differential processing of topographic and referential functions of space. In K. Emmorey, & J. Reilly (Eds.), *Language, gesture, and space* (pp. 43–62). Hillsdale, NJ: Erlbaum.
Emmorey, K., & Reilly, J. (1995). *Language, gesture and space*. Hillsdale, NJ: Erlbaum.
Ensminger, J. (1987). *Comunicando com as mãos*. Piracicaba, SP: Editora Shekinah.
Eysenck, M. W., & Keane, M. T. (1990). *Cognitive psychology: A student's handbook*. New York, NY: Lawrence Erlbaum.
Fayol, M. (1992). La compréhension lors de la lecture: Un bilan provisoire et quelques questions. In P. Lecocq (Ed.), *La lecture: Processus, apprentissage, troubles* (pp. 79–101). Lille, France: Presses Universitaires de Lille.
Ferreira Brito, L. (1995). *Por uma gramática da língua de sinais*. Rio de Janeiro, RJ: Editora Tempo Brasileiro.
Ferreiro, E., & Teberosky, A. (1986). *Psicogênese da língua escrita*. Porto Alegre, RS: Artes Médicas.
Finn, P. J. (1977–1978). Word frequency, information theory, and close performance: A transfer feature theory of processing in reading. *Reading Research Quarterly, 23*, 510–537.
Fischer, S. D., & Siple, P. (1990). *Theoretical issues in Sign Language research* (Vol. 1, Linguistics). Chicago, IL: The University of Chicago Press.
Flood, C. M. (2002). *How do deaf and hard of hearing students experience learning to write using SignWriting: A way to read and write signs?* Unpublished Ph.D. Dissertation. University of New Mexico, New Mexico, USA.
Fodor, J. A. (1983). *The modularity of mind*. Cambridge, MA: MIT Press.
Fok, Y. Y., & Bellugi, U. (1986). The acquisition of visual-spatial script. In H. Kao, G. van Galen, & R. Hoosain (Eds.), *Graphonomics: Contemporary research in handwriting*. Amsterdam, North Holland: Elsevier.
Fok, Y. Y. A., Bellugi, U., & Lillo-Martin, D. (1986). Remembering in Chinese signs and characters. In H. Kao, & R. Hoosain (Eds.), *Linguistics, psychology and the Chinese Language* (pp. 336–362). Hong Kong, China: University of Hong Kong Press.
Freebody, P., & Byrne, B. (1988). Word reading strategies in elementary school children: Relationships to comprehension, reading time, and phonemic awareness. *Reading Research Quarterly, 24*, 441–453.
Frishberg, N. C. (1975). Arbitrariness and iconicity: Historical change in American Sign Language. *Language, 51*, 696–719.
Frith, U. (1985). Beneath the surface of developmental dyslexia. In K. Patterson, J. Marshall, & M. Coltheart (Eds.), *Surface dyslexia: Neuropsychological and cognitive studies of phonological reading*. London, UK: Erlbaum.
Frith, U. (1990). *Dyslexia as a developmental disorder of language*. London, UK: MRC, Cognitive Development Unit.
Fromklin, V. (1973). Slips of the tongue. *Scientific American, 229*, 109–117.
Frost, R., & Katz, L. (1992). *Orthography, phonology, morphology, and meaning*. Amsterdam, North Holland: Elsevier.
Fulan, M. G. (2000). The return of large-scale reform. *Journal of Educational Change*, *1*(1), 5–27.
Galaburda, A. M. (1989). *From reading to neurons: Issues in the biology of language and cognition*. Cambridge, MA: MIT Press.
Gallagher H. L. et al. (2000). Reading the mind in cartoons and stories: A fMRI study of "theory of mind" in verbal and non-verbal tasks. *Neuropsychologia, 38*, 11–21.
Gangel-Vasquez, J. (1998). *Literacy in Nicaraguan Sign Language: Assessing written sign recogn ition skills at the Escuelita de Bluefields*. Master's Thesis. Dominguez Hills, CA: California State University. Disponível na Internet no endereço: *http://www.SignWriting.org/rese004.html*.
Garcia, O., & Baker, C. (1995). *Policies and practice in bilingual education: Extending the foundations*. Clevedon: Multilingual Matters.
Gathercole, S. E., & Baddeley, A. D. (1993). *Working memory and language*. Hillsdale, NJ: Erlbaum.
Geers, A. E. (2002). Factors affecting the development of speech, language, and literacy in children with early cochlear implantation. *Language Speech and Hearing Services in Schools*, *33*(3), 172–183.
Gerber, A. (1996). *Problemas de aprendizagem relacionados à linguagem: Sua natureza e tratamento*. Porto Alegre, RS: Artes Médicas.
Gerken, L., Jusczyk, P. W., & Mandel, D. R. (1994). When prosody fails to cue syntactic structure: 9-month-olds' sensitivity to phonological versus syntactic phrases. *Cognition, 51*(3), 237–265.
Geschwind, N. (1965). Disconnection syndromes in animals and man. *Brain, 88*, 237–294.
Gil, R. (2002). *Neuropsicologia*. São Paulo, SP: Editora Santos.
Gillespie, C. W., & Twardosz, S. (1996). Survey of literacy environments and practices in residences at schools for the deaf. *American Annals of the Deaf, 141*(3), 224–230.
Gillespie, C. W., & Twardosz, S. (1997). A group storybook-reading intervention with children at a residential school for the deaf. *American Annals of the Deaf, 142*(4), 320–332.

Glass, G. V., McGaw, B., & Smith, M. L. (1981). *Meta-analysis in social research*. Beverly Hills, CA: Sage.

Gombert, J. E., Colé, P., Valdois, S., Goigoux,R., Mousty, P., & Fayol, M. (2000). *Enseigner la Lecture au cycle 2.* Paris: Nathan.

Gonçalves, M. J., Capovilla, F. C., Macedo, E. C., & Duduchi, M. (1997). Fatores relevantes à comunicação alternativa pictorial e semantográfica em paralisia cerebral. *Cadernos Faculdades Integradas São Camilo, 3*(1), 3–16.

Gonçalves, M. J., Macedo, E. C., Sennyey, A. L., & Capovilla, F. C. (2000). (Orgs.), *Tecnologia em (re)habilitação cognitiva 2000: A dinâmica clínica, teoria e pesquisa*. São Paulo, SP: Sociedade Brasileira de Neuropsicologia, Edunisc.

Goodglass, H., & Kaplan, E. (1974). *Evaluacion de la afasia y de trastornos similares*. Editorial Médica Panamericana: Buenos Aires, Argentina.

Goodman, K. S. (1965). A linguistic study of cues and miscues in reading. *Elementary English, 42*, 639–643.

Goodman, K. S. (1967). Reading: A psycholinguistic guessing game. *Journal of the Reading Specialist, 6*, 126–135.

Goswami, U. (1997). Learning to read in different orthographies: Phonological awareness, orthographic representations and dyslexia. In C. Hulme, & M. Snowling (Eds.), *Dyslexia: Biology, cognition and intervention* (pp. 131–152). London, UK: Whurr Publishers Ltd.

Goswami, U., & Bryant, P. (1990). *Phonological skills and learning to read*. Hillsdale, NJ: Erlbaum.

Gough, P. B., Ehri, L. C., & Treiman, R. (1992). *Reading acquisition*. Hillsdale, NJ: Erlbaum.

Gough, P. B., & Tunmer, W. (1986). Decoding, reading and reading disability. *Remedial and Special Education, 7*(1), 6–10.

Graham, S. (2000). Should the natural learning approach replace spelling instruction? *Journal of Educational Psychology, 92*, 235–247.

Graves, M. F., & Slater, W. H. (1991). A response to instructional texts rewritten by five expert teams. *Journal of Educational Psychology, 83*, 147–148.

Gray, C. D., Hosie, J. A., Russell, P. A., & Ormel, E. A. (2001). Emotional development in deaf children: Facial expressions, display rules, and theory of mind. In M. D. Clark, M. Marschark, & M. Karchmer (Eds.), *Context, cognition, and deafness* (pp. 135–160). Washington, DC: Gallaudet University Press.

Grégoire, J. (2000). (Org.), *Avaliando as aprendizagens: Os aportes da psicologia cognitiva* . Porto Alegre, RS: Artes Médicas.

Grégoire, J., & Piérart, B. (1997). (Orgs.), *Avaliação dos problemas de leitura: Os novos modelos teóricos e suas implicações diagnósticas*. Porto Alegre, RS: Artes Médicas.

Gregory, R. L. (1987). *The Oxford companion to the mind*. Oxford, UK: Oxford University Press.

Guedes, M., & Capovilla, F. C. (1997a). Imagética visual enquanto rotação mental: Uma revisão. *Ciência Cognitiva: Teoria, Pesquisa e Aplicação, 1*(2), 645–744.

Guedes, M., & Capovilla, F. C. (1997b). Imagética mental: Sua importância, sua história e a polêmica sobre a natureza das representações mentais. *Torre de Babel: Reflexões e Pesquisa em Psicologia, 4*(2), 295–320.

Guedes, M., Capovilla, F. C., & Macedo, E. C. (1998). Análise computadorizada da rotação de objetos tridimensionais I: Efeitos de diferença de angulação e eixo de rotação. *Ciência Cognitiva: Teoria, Pesquisa e Aplicação, 2*(3), 429–468.

Halliday, M. S., Hitch, G. H., Lennon, B., & Pettipher, C. (1990). Verbal short-term memory in children: The role of the articulatory loop. *European Journal of Cognitive Psychology, 2*, 23–38.

Hansen, B. (1990). Trends in the progress towards Bilingual education for Deaf children in Denmark. In S. Prillwitz, & T. Vollhaber (Eds.), *Sign Language research and application*. *International Studies on Sign Language and Communication of the Deaf* (Vol. 13, pp. 51–62). Hamburg, Germany: Signum Press.

Hanson, V. L. (1982). Short-term recall by Deaf signers of American Sign Language: Implications of encoding strategy for order recall. *Journal of Experimental Psychology, 8*, 572–583.

Hanson, V. L. (1990). Recall of order information by Deaf signers: Phonetic coding in temporal order recall. *Memory & Cognition, 18*, 604–610.

Hanson, V. L. (1991). Phonological processes without sound. In S. A. Brady, & D. P. Shankweiler (Eds.), *Phonological processes in literacy* (pp. 153–161). Hillsdale, NJ: Lawrence Erlbaum.

Hanson, V. L., & Fowler, C. A. (1987). Phonological coding in word reading: Evidence from hearing and deaf readers. *Memory & Cognition, 15*, 199–207.

Hase, U. (1990). Sign Language in the land of the "German method." In S. Prillwitz, & T. Vollhaber (Eds.), *Sign Language research and application*. *International Studies on Sign Language and Communication of the Deaf* (Vol. 13, pp. 227–240). Hamburg, Germany: Signum Press.

Hasuike, R., Tzeng, O. J. L., & Hung, D. L., (1986). Script effects and cerebral lateralization: The case of Chinese characters. In J. Vaid (Ed.), *Language processing in bilinguals: Psycholinguistic and neuropsychological perspectives*. Hillsdale, NJ: Erlbaum Press.

Hempenstall, K. (1997). The whole language – phonics controversy: An historical perspective. *Educational Psychology, 17*(4), 399–418.

Hickok, G., & Bellugi, U. (2001). The signs of aphasia. In R. S. Berndt (Ed.), *Handbook of neuropsychology, Volume 3* (2nd edition). Amsterdam, North Holland: Elsevier.

Hickok, G., Bellugi, U., & Klima, E. S. (1998). The neural organization of language: Evidence from sign language aphasia. *Trends in Cognitive Sciences, 2*(4), 129–136.

Hickok, G., Bellugi, U., & Klima, E. S. (2001). Sign language in the brain. *Scientific American*, June, 43–49.

Hickok, G., Kirk, K., & Bellugi, U. (1998). Hemispheric organization of local– and global–level visuospatial processes in deaf signers and its relation to sign language aphasia. *Brain and Language, 65*(2),

276–286.

Hickok, G., Love-Geffen, T., & Klima, E. S. (2002). Role of the left hemisphere in sign language comprehension. *Brain and Language, 82*(2), 167–178.

Hintz, J. (1997). Whole language vs. phonics. *Iowa Parent Family.* Disponível na Internet no endereço: *http://family.go.com/Features/family_1997_05/iowa/iowa57whole/iowa57whole.html.*

Hitch, G. J., Halliday, M. S., Dodd, A., & Litter, J. E. (1989). Development of rehearsal in short-term memory: Differences between pictorial and spoken stimuli. *British Journal of Developmental Psychology, 7,* 347–362.

Hitch, G. J., Halliday, M. S., Schaafstall, A. M., & Heffernan, T. M. (1991). Speech, "inner speech", and the development of short-term memory: Effects of picture labeling on recall. *British Journal of Experimental Child Psychology, 51,* 220–254.

Hitch, G. J., Halliday, M. S., Schaafstall, A. M., & Schraagen, J. M. (1988). Visual working memory in young children. *Memory and Cognition, 16,* 120–132.

Hoemann, H. W., Oates, E., & Hoemann, S. A. (1981). *Linguagem de Sinais do Brasil.* Mill Neck, NY: Mill Neck Foundation.

Hoggan, K. C., & Strong, C. J. (1994). The magic of "once upon a time": Narrative teaching strategies. *Language, Speech, and Hearing Services in Schools, 25*(2), 76–89.

Hohn, W. E., & Ehri, L. C. (1983). Do alphabet letters help prereaders acquire phonemic segmental skill? *Journal of Educational Psychology, 75,* 752–762.

Hoppe, K. (1997). *Cochlear implants: One family's decision for their Deaf child.* Disponível na Internet no endereço: *http://users.aol.com/bagograd/whynotci.htm.*

Hung, D. L., & Tzeng, O. J. L. (1981). Orthographic variations and visual information processing. *Psychological Bulletin, 90,* 377–414.

Hung, D. L., Tzeng, O. J. L., & Warren, D. H. (1981). A chronometric study of sentence processing in deaf children. *Cognitive Psychology, 13,* 583–610.

Huttenlocher, J., & Smiley, P. (1987). Early word meanings: The case of object names. *Cognitive Psychology, 19*(1), 63–89.

Instituto Antonio Houaiss (2001). *Dicionário eletrônico Houaiss da Língua Portuguesa.* São Paulo, SP: Editora Objetiva

Jardini, R. S. R. (2003a). *Método das boquinhas: Alfabetização e reabilitação dos distúrbios da leitura e escrita. Livro 1: Fundamentação teórica.* São Paulo, SP: Casa do Psicólogo.

Jardini, R. S. R. (2003b). *Método das boquinhas: Alfabetização e reabilitação dos distúrbios da leitura e escrita. Livro 2: Caderno de exercícios.* São Paulo, SP: Casa do Psicólogo.

Jenkins, R., & Bowen, L. (1994). Facilitating development of preliterate children's phonological abilities. *Topics in Language Disorders, 14*(2), 26–39.

Jeynes, W. H., & Littel, S. W. (2000). A meta-analysis of studies examining the effect of whole language instruction on the literacy of low-SES students. *Elementary School Journal, 101,* 21–33

Johnston, F. R. (2000). Word learning in predictable texts. *Journal of Educational Psychology, 92,* 248–255.

Jordan, I. K. (1990). The American way of Gallaudet: Learning and living with Sign Language. In S. Prillwitz, & T. Vollhaber (Eds.), *Sign Language research and application. International Studies on Sign Language and Communication of the Deaf* (Vol. 13, pp. 295–304). Hamburg, Germany: Signum Press.

Joseph, R. (1990). *Neuropsychology, neuropsychiatry, and behavioral neurology.* New York, NY: Plenum Press.

Jusczyk, P. W., Friederici, A. D., Wessels, J. M. I., Svenkerud, V. Y., & Jusczyk, A. M. (1993). Infants' sensitivity to the sound patterns of native language words. *Journal of Memory and Language, 32,* 402–420.

Just, M. A., & Carpenter, P. A. (1987). *The psychology of reading and language comprehension.* Boston, MA: Allyn and Bacon.

Kame'enui, E. J., Carnine, D. W., & Freshi, R. (1982). Effects of text construction and instructional procedures for teaching word meanings on comprehension of contrived passages. *Reading Research Quarterly, 17*(3), 367–388.

Kaminski, K., & Gil, P. (2001a). De mal a pior: Taxa de aprovação pode ser ainda menor nas próximas pesquisas, ao serem considerados os índices de evasão. *Educação, 28*(224), 56–57.

Kaminski, K., & Gil, P. (2001b). Questão de método: Eficiência do construtivismo é questionada por defensores do antigo método fônico. *Educação, 28*(224), 48–58.

Kandel, E. R., Schwartz, J. H., & Jessell, T. M. (1997). *Fundamentos da neurociência do comportamento.* Rio de Janeiro, RJ: Prentice Hall do Brasil.

Karchmer, M. A. (1974). Proportion of unitization as an index of cued recall level. *Journal of Experimental Psychology, 103*(2), 351–357.

Karchmer, M. A., Allen, T. E., Petersen, L. M., & Quaynor, A. (1982). Hearing-impaired children and youth in Canada: Student characteristics in relation to manual communication patterns in four special education settings. *American Annals of the Deaf, 127*(2), 89–104.

Kegl, J. (1994). The Nicaraguan Sign Language project: An overview. *Sign, 7,* 24–31.

Keith, R. W. (1986). SCAN: *A screening test for central auditory processing disorders.* San Antonio, TX: The Psychological Corporation.

Kelly, M. D., & Braden, J. P. (1990). Criterion-related validity of the WISC–R Performance scale with the Stanford Achievement Test - Hearing-Impaired Edition. *Journal of School Psychology, 28*(2), 147–151.

Kishor, N. (1995). Evaluating predictive validity by using different scales of the Stanford Achievement Test for the Hearing Impaired. *Journal of Psychoeducational Assessment, 13*(3), 241–249.

Khomsi, A. (1997). A propósito de estratégias de compensação nas crianças disléxicas. Em J. Grégoire, & B.

Piérart (Orgs.), *Avaliação dos problemas de leitura: Os novos modelos teóricos e suas implicações diagnósticas* (pp. 203–214). Porto Alegre, RS: Artes Médicas.

Kiernan, C., Reid, B., & Jones, L. (1982). Signs and symbols: Who uses what? *Special Education Forward Trends, 6*, 2–35.

Klima, E. S., & Bellugi, U. (1978). Poetry without sound. *Human Nature, 1*(10), 74–83.

Klima, E. S., & Bellugi, U. (1979). *The signs of language*. Cambridge, MA: Harvard University Press.

Klima, E. S., Bellugi, U., & Poizner, H. (1988). The neurolinguistic substrate for sign language. In L. N. M. Hyman, & C. N. Li (Eds.), *Language, speech and mind*. London, UK: Rutledge.

Kline, M., & Sapp, G. L. (1989). Carolina Picture Vocabulary Test: Validation with hearing-impaired students. *Perceptual and Motor Skills, 69*(1), 64–66.

Kluwin, T. N. (1994). The interaction of race, gender and social-class effects in the education of deaf students. *American Annals of the Deaf, 139*(5), 465–471.

Kosslyn, S. M. (1976). Can imagery be distinguished from other forms of internal representation: Evidence from studies of information retrieval time. *Memory and Cognition, 4*, 291–297.

Kosslyn, S. M. (1978). Measuring the visual angle of the mind's eye. *Cognitive Psychology, 10*, 356–389.

Kosslyn, S. M. (1980). *Image and mind*. Cambridge, MA: Harvard University Press.

Kosslyn, S. M. (1981). The medium and the message in mental imagery: A theory. *Psychological Review, 88*, 44–66.

Kosslyn, S. M. (1987). Seeing and imagining in the cerebral hemispheres: A computational approach. *Psychological Review, 94*, 148–175.

Kruse, O. (1853). *Über Taubstumme und Taubstummenanstalten nebst Notizen aus meinem Reisetagebuch*. Selbstverlag, Deutschland.

Kuntze, M. (1998). Literacy and deaf children: The language question. *Topics in Language Disorders, 18*(4), 1–15.

Kveton, J., & Balkany, T. J. (1991). Status of cochlear implantation in children: American Academy of Otolaryngology, Head and Neck Surgery, Subcommittee on cochlear implants. *Journal of Pediatry, 118*, 1.

Kyle, J. G., & Woll, B. (1983). *Language in sign: An international perspective on Sign Language.* London, UK: Croom Helm.

Laborit, E. (1994). *O vôo da gaivota*. São Paulo, SP: Best Seller.

Landsmann, L. T. (1995). *Aprendizagem da língua escrita: Processos evolutivos e implicações didáticas*. São Paulo, SP: Editora Ática.

Lane, H. (1984). *When the mind hears: A history of the deaf*. New York, NY: Vintage Books.

Layton, T. L., & Holmes, D. W. (1985). *Carolina Picture Vocabulary Test (CPVT, for Deaf And Hearing Impaired).* Austin, TX: PRO-ED.

Lecours, A. R., & Parente, M. A. M. P. (1997). *As dislexias no Português: As manifestações das dislexias adquiridas no sistema ortográfico do Português*. Porto Alegre, RS: Artes Médicas.

Lederberg, A. R., & Spencer, P. E. (2001). Vocabulary development of deaf and hard of hearing children. In M. D. Clark, M. Marschark, & M. Karchmer (Eds.), *Context, cognition, and deafness* (pp. 88–112). Washington, DC: Gallaudet University Press.

Lehr, M. (1994). *A comparative analysis examining the efficacy of whole-language reading instruction and skills-based reading instruction.* Disponível na Internet no endereço: *http://snow-hite.gac.peachnet.edu/gather/ ref_materials/ed.spapers/fall_Quarter_1994/Reading_Instr_Methodol.text.*

Lehman, N. (1997). The reading wars. *The Atlantic Monthly, November.* Disponível na Internet no endereço: *http://www.theatlantic.com/issues/97nov/read.htm*.

Lemle, M. (1991). *Guia teórico do alfabetizador*. Rio de Janeiro, RJ: Editora Ática.

Levine, D. N., Calvanio, R., & Poppovics, A. (1982). Language in the absence of inner speech. *Word, 15*, 19–44.

Leybaert, J., Alégria, J., Deltour, J. J., & Skinkel, R. (1997). Aprender a ler: O papel da linguagem, da consciência fonológica e da escola. Em J. Grégoire, & B. Piérart (Orgs.), *Avaliação dos problemas de escrita: Os novos modelos teóricos e suas implicações diagnósticas* (pp. 110–166). Porto Alegre, RS: Artes Médicas.

Liberman, A. M. (1974). The specialization of the language hemisphere. In F. O. Schmitt, & F. G. Worden (Eds.), *The neurosciences: Third study program*. Cambridge, MA: MIT Press.

Liberman, A. M. (1982). On finding that speech is special. *American Psychologist, 37*(2), 148–167.

Liberman, A. M., Cooper, F., Shankweiler, D., & Studdert-Kennedy, M. (1967). Perception of the speech code. *Psychological Review, 74*, 431–461.

Liberman, I. Y., Mann, V. A., Shankweiler, D., & Werfelman, M. (1982). Children's memory for recurring linguistic and nonlinguistic material in relation to reading ability. *Cortex, 18*, 367–375.

Liberman, I. Y., Shankweiler, D., Fischer, F., & Carter, B. (1974). Explicit syllable and phoneme segmentation in the young child. *Journal of Experimental Child Psychology, 18*, 201–212.

Lichtheim, L. (1885). On aphasia. *Brain, 7*, 433–484.

Liddell, S. (1984). Think and believe: Sequentiality in ASL. *Language, 60*, 372–399.

Lie, A. (1991). Effects of a training program for stimulation skills in word analysis in first-grade children. *Reading Research Quarterly, 26*, 234–250.

Lillo-Martin, D. (1991). *Universal grammar and American Sign Language: Setting the null argument parameters*. Dordrecht: Klüwer.

Lima, J. L. P., Macedo, E. C., Capovilla, F. C., & Sazonov, G. C. (2000). Implantação e adaptação do sistema de comunicação NoteVox para uma pessoa com esclerose lateral amiotrófica: Um relato de caso. Em

M. J. Gonçalves, E. C. Macedo, A. L. Sennyey, & F. C. Capovilla (Orgs.), *Tecnologia em (re)habilitação cognitiva 2000: A dinâmica clínica, teoria e pesquisa* (pp. 347–353). São Paulo, SP: Sociedade Brasileira de Neuropsicologia, Edunisc.

List, G. (1990). Immediate communication and script: Reflections on learning to read and to write by the Deaf. In S. Prillwitz, & T. Vollhaber (Eds.), *Sign Language research and application: International studies on Sign Language and communication of the Deaf* (Vol. 13, pp. 65–76). Hamburg, Germany: Signum Press.

Lloyd, L. L., Loeding, B., & Doherty, J. E. (1985). Role of iconicity in sign acquisition: A response to Orlansky and Bonvillian (1984). *Journal of Speech and Hearing Disorders, 50,* 299–301.

Logie, R. H. (1995). *Visuo-spatial working memory.* Hillsdale, NJ: Erlbaum.

Logie, R. H., & Marchetti, C. (1991). Visuo-spatial working memory: Visual, spatial or central executive? In R. H. Logie, & M. Denis (Eds.), *Mental images in human cognition* (pp. 105–115). Amsterdam, North Holland: Elsevier.

Luetke-Stahlman, B., Hayes, P. L., & Nielsen, D. C. (1996). Essential practices as adults read to meet the needs of deaf or hard of hearing students. *American Annals of the Deaf, 141*(4), 309–320.

Lundberg, I., Frost, J., & Petersen, O. (1988). Effects of an extensive program for stimulating phonological awareness in preschool children. *Reading Research Quarterly, 23,* 262–284.

Luria, A. R. (1970). *Traumatic aphasia: Its syndromes, psychology, and treatment.* The Hague, Netherlands: Mouton.

Luz, R. D., & Capovilla, F. C. (2004). *A importância da língua de sinais e de seu registro para a pessoa surda.* Em F. Capovilla, & R. Luz (Orgs.), *Enciclopédia da Língua de Sinais Brasileira: O mundo do surdo em Libras. Vol. 17: Sinais da Libras e o mundo das leis e política, preocupações sociais, violência e drogas; e a importância da língua de sinais e de seu registro para a pessoa surda* . São Paulo, SP: Edusp, Fundação Vitae, Feneis, Capes, CNPq, Fapesp.

Macedo, E. C., & Capovilla, F. C. (1998). Desenvolvimento de programas computacionais para (re)habilitação: Contribuições da ergonomia cognitiva. Em F. C. Capovilla, M. J. Gonçalves, & E. C. Macedo (Orgs.), *Tecnologia em (re)habilitação cognitiva: Uma perspectiva multidisciplinar* (pp. 167–172). São Paulo, SP: Edunisc, Sociedade Brasileira de Neuropsicologia.

Macedo, E. C., & Capovilla, F. C. (2000a). Desenvolvimento de sistemas de acionamento de computador via voz para pessoas com distúrbios sensoriomotores. Em M. J. Gonçalves, E. C. Macedo, A. L. Sennyey, & F. C. Capovilla (Orgs.), *Tecnologia em (re)habilitação cognitiva 2000: A dinâmica clínica, teoria e pesquisa* (pp. 141–145). São Paulo, SP: Sociedade Brasileira de Neuropsicologia, Edunisc.

Macedo, E. C., & Capovilla, F. C. (2000b). Possibilidades do uso da Internet: Integrando pacientes, auxiliando familiares e instrumentalizando profissionais. Em M. J. Gonçalves, E. C. Macedo, A. L. Sennyey, & F. C. Capovilla (Orgs.), *Tecnologia em (re)habilitação cognitiva 2000: A dinâmica clínica, teoria e pesquisa* (pp. 396–400). São Paulo, SP: Edunisc, Sociedade Brasileira de Neuropsicologia.

Macedo, E. C., Capovilla, F. C., Capovilla, A. G. S., Charin, S., Diana, C., Covre, P., & Duduchi, M. (2004). TCLP1.2–Comp: Versão computadorizada reordenada 1.2 do Teste de Competência de Leitura de Palavras. Em F. C. Capovilla, & K. Q. Viggiano (Orgs.), *Enciclopédia da Língua de Sinais Brasileira: O Mundo do surdo em Libras, Vol. 19: Compêndio de avaliação do desenvolvimento de linguagem de sinais, leitura e escrita no surdo de 6 a 45 anos de idade.* São Paulo, SP: Edusp, Fundação Vitae, Feneis, Capes, CNPq, Fapesp.

Macedo, E. C., Capovilla, F. C., Capovilla, A. G. S., Charin, S., Duduchi, M., Diana, C., & Covre, P. (2004). TCLS1.2–Comp: Versão computadorizada reordenada 1.2 do Teste de Competência de Leitura de Sentenças. Em F. C. Capovilla, & K. Q. Viggiano (Orgs.), *Enciclopédia da Língua de Sinais Brasileira: O Mundo do surdo em Libras, Vol. 19: Compêndio de avaliação do desenvolvimento de linguagem de sinais, leitura e escrita no surdo de 6 a 45 anos de idade.* São Paulo, SP: Edusp, Fundação Vitae, Feneis, Capes, CNPq, Fapesp.

Macedo, E. C., Capovilla, F. C., Charin, S., & Duduchi, M. (1998). Versões computadorizadas de testes neuropsicológicos: Teste Boston para Diagnóstico Diferencial das Afasias (Boston–Comp), Teste Boston de Nomeação (TBN–Comp), e Teste Token para Crianças (Token–Comp). Em F. C. Capovilla, M. J. Gonçalves, & E. C. Macedo (Orgs.), *Tecnologia em (re)habilitação cognitiva: Uma perspectiva multidisciplinar* (pp. 92–99). São Paulo, SP: Sociedade Brasileira de Neuropsicologia, Edunisc.

Macedo, E. C., Capovilla, F. C., Charin, S., Viggiano, K., Diana, C., Duduchi, M., Raphael, W. D., Capovilla, A. G. S., & Covre, P. (2004). TNS2.2–Escrita–Comp: Versão computadorizada reordenada 2.2 do Teste de Nomeação de Sinais por Escrita Livre. Em F. C. Capovilla, & K. Q. Viggiano (Orgs.), *Enciclopédia da Língua de Sinais Brasileira: O Mundo do surdo em Libras, Vol. 19: Compêndio de avaliação do desenvolvimento de linguagem de sinais, leitura e escrita no surdo de 6 a 45 anos de idade.* São Paulo, SP: Edusp, Fundação Vitae, Feneis, Capes, CNPq, Fapesp.

Macedo, E. C., Capovilla, F. C., Charin, S., Viggiano, K., Duduchi, M., Covre, P., Diana, C., Capovilla, A. G. S., & Raphael, W. D. (2004). TNF2.3–Escolha–Comp: Versão computadorizada revisada 2.3 do Teste de Nomeação de Figuras por Escolha de Palavras. Em F. C. Capovilla, & K. Q. Viggiano (Orgs.), *Enciclopédia da Língua de Sinais Brasileira: O Mundo do surdo em Libras, Vol. 19: Compêndio de avaliação do desenvolvimento de linguagem de sinais, leitura e escrita no surdo de 6 a 45 anos de idade.* São Paulo, SP: Edusp, Fundação Vitae, Feneis, Capes, CNPq, Fapesp.

Macedo, E. C., Capovilla, F. C., Diana, C., & Covre, P. (2002). Desenvolvimento de instrumentos computadorizados de avaliação de funções cognitivas na WWW: O possível e o necessário. Em E. C. Macedo, M. J. Gonçalves, & F. C. Capovilla, A. L. Sennyey (Orgs.), *Tecnologia em (re)habilitação cognitiva: Um novo olhar para avaliação e intervenção* (pp. 21–32). São Paulo, SP: Sociedade Brasileira de Neuropsicologia, Edunisc.

Macedo, E. C., Capovilla, F. C., Duduchi, M., & Gonçalves, M. J. (1998). Análises de desempenho de usuários de sistemas computadorizados de comunicação alternativa: Implicações metodológicas e éticas. Em F. C. Capovilla, M. J. Gonçalves, & E. C. Macedo (Orgs.), *Tecnologia em (re)habilitação cognitiva: Uma perspectiva multidisciplinar* (pp. 152–155). São Paulo, SP: Edunisc, Sociedade Brasileira de Neuropsicologia.

Macedo, E. C., Capovilla, F. C., Raphael, W. D., Viggiano, K., Charin, S., Capovilla, A. G. S., Duduchi, M., Diana, C., & Covre, P. (2004). TNF2.3–Escrita–Comp: Versão computadorizada revisada 2.3 do Teste de Nomeação de Figuras por Escrita Livre. Em F. C. Capovilla, & K. Q. Viggiano (Orgs.), *Enciclopédia da Língua de Sinais Brasileira: O Mundo do surdo em Libras, Vol. 19: Compêndio de avaliação do desenvolvimento de linguagem de sinais, leitura e escrita no surdo de 6 a 45 anos de idade.* São Paulo, SP: Edusp, Fundação Vitae, Feneis, Capes, CNPq, Fapesp.

Macedo, E. C., Capovilla, F. C., & Sazonov, G. C. (2000). Uso de bateria de testes e inventários informatizados na avaliação de pacientes institucionalizados. Em M. J. Gonçalves, E. C. Macedo, A. L. Sennyey, & F. C. Capovilla (Orgs.), *Tecnologia em (re)habilitação cognitiva 2000: A dinâmica clínica, teoria e pesquisa* (pp. 163–168). São Paulo, SP: Sociedade Brasileira de Neuropsicologia, Edunisc.

Macedo, E. C., Capovilla, F. C., Viggiano, K., Charin, S., Capovilla, A. G. S., Diana, C., Covre, P., Duduchi, M., & Raphael, W. D. (2004). TNS1.2–Escrita–Comp: Versão computadorizada reordenada 1.2 do Teste de Nomeação de Sinais por Escrita Livre. Em F. C. Capovilla, & K. Q. Viggiano (Orgs.), *Enciclopédia da Língua de Sinais Brasileira: O Mundo do surdo em Libras, Vol. 19: Compêndio de avaliação do desenvolvimento de linguagem de sinais, leitura e escrita no surdo de 6 a 45 anos de idade.* São Paulo, SP: Edusp, Fundação Vitae, Feneis, Capes, CNPq, Fapesp.

Macedo, E. C., Capovilla, F. C., Viggiano, K., Charin, S., Covre, P., Diana, C., Duduchi, M., Capovilla, A. G. S., & Raphael, W. D. (2004). TNF1.3–Escolha–Comp: Versão computadorizada revisada 1.3 do Teste de Nomeação de Figuras por Escolha de Palavras. Em F. C. Capovilla, & K. Q. Viggiano (Orgs.), *Enciclopédia da Língua de Sinais Brasileira: O Mundo do surdo em Libras, Vol. 19: Compêndio de avaliação do desenvolvimento de linguagem de sinais, leitura e escrita no surdo de 6 a 45 anos de idade.* São Paulo, SP: Edusp, Fundação Vitae, Feneis, Capes, CNPq, Fapesp.

Macedo, E. C., Capovilla, F. C., Viggiano, K., Charin, S., Diana, C., Covre, P., Duduchi, M., Capovilla, A. G. S., & Raphael, W. D. (2004). TNF1.3–Escrita–Comp: Versão computadorizada revisada 1.3 do Teste de Nomeação de Figuras por Escrita Livre. Em F. C. Capovilla, & K. Q. Viggiano (Orgs.), *Enciclopédia da Língua de Sinais Brasileira: O Mundo do surdo em Libras, Vol. 19: Compêndio de avaliação do desenvolvimento de linguagem de sinais, leitura e escrita no surdo de 6 a 45 anos de idade.* São Paulo, SP: Edusp, Fundação Vitae, Feneis, Capes, CNPq, Fapesp.

Macedo, E. C., Capovilla, F. C., Viggiano, K., Charin, S., Diana, C., Covre, P., Duduchi, M., Raphael, W. D., & Capovilla, A. G. S. (2004). TVRSL1.3–Comp: Versão computadorizada abreviada 1.3 do Teste de Vocabulário Receptivo de Sinais da Libras. Em F. C. Capovilla, & K. Q. Viggiano (Orgs.), *Enciclopédia da Língua de Sinais Brasileira: O Mundo do surdo em Libras, Vol. 19: Compêndio de avaliação do desenvolvimento de linguagem de sinais, leitura e escrita no surdo de 6 a 45 anos de idade.* São Paulo, SP: Edusp, Fundação Vitae, Feneis, Capes, CNPq, Fapesp.

Macedo, E. C., Capovilla, F. C., Viggiano, K., Duduchi, M., Raphael, W. D., Charin, S., Diana, C., Covre, P., & Capovilla, A. G. S. (2004). TNS2.2–Escolha–Comp: Versão computadorizada reordenada 2.2 do Teste de Nomeação de Sinais por Escolha de Palavras. Em F. C. Capovilla, & K. Q. Viggiano (Orgs.), *Enciclopédia da Língua de Sinais Brasileira: O Mundo do surdo em Libras, Vol. 19: Compêndio de avaliação do desenvolvimento de linguagem de sinais, leitura e escrita no surdo de 6 a 45 anos de idade.* São Paulo, SP: Edusp, Fundação Vitae, Feneis, Capes, CNPq, Fapesp.

Macedo, E. C., Capovilla, F. C., Viggiano, K., Raphael, W. D., Charin, S., Diana, C., Covre, P., Duduchi, M., & Capovilla, A. G. S. (2004). TNS1.2–Escolha–Comp: Versão computadorizada reordenada 1.2 do Teste de Nomeação de Sinais por Escolha de Palavras. Em F. C. Capovilla, & K. Q. Viggiano (Orgs.), *Enciclopédia da Língua de Sinais Brasileira: O Mundo do surdo em Libras, Vol. 19: Compêndio de avaliação do desenvolvimento de linguagem de sinais, leitura e escrita no surdo de 6 a 45 anos de idade.* São Paulo, SP: Edusp, Fundação Vitae, Feneis, Capes, CNPq, Fapesp.

Macedo, E. C., Gonçalves, M. J., Capovilla, F. C., & Sennyey, A. L. (2002) (Orgs.), *Tecnologia em (re)habilitação cognitiva: Um novo olhar para avaliação e intervenção*. São Paulo, SP: Sociedade Brasileira de Neuropsicologia, Edunisc.

Maia, E. M. (1985). *No reino da fala: A linguagem e seus sons*. São Paulo, SP: Ática.

Maller, S. J., & Braden, J. P (1993). The construct and criterion-related validity of the WISC–III with deaf adolescents. In B. A. Bracken, & R. S. McCallum (Eds.), *Advances in psychoeducational assessment* (pp. 105–113). Brandon, VT: Clinical Psychology Publishing Co, Inc.

Mann, V., & Brady, S. (1988). Reading disability: The role of language deficiencies. *Journal of Consulting and Clinical Psychology*, *56*, 811–816.

Marks, C. B., Doctorow, M. J., & Wittrock, M. C. (1974). Word frequency and reading comprehension. *Journal of Educational Research*, *67*(6), 259–262.

Marschark, M. (1993). *Psychological development of deaf children*. New York, NY: Oxford University Press.

Marschark, M., & Lukomski, J. (2001). Understanding language and learning in deaf children. In M. D. Clark, M. Marschark, & M. Karchmer (Eds.), *Context, cognition, and deafness* (pp. 71–87). Washington, DC: Gallaudet University Press.

Martin, J. (2000). *A linguistic comparison of two notation systems for Signed Languages: Stokoe Notation and Sutton SignWriting*. Disponível na Internet no endereço: *http://www.SignWriting.org*.

Mattoso-Camara Jr., J. (1953). *Para o estudo da fonêmica portuguesa*. Rio de Janeiro, RJ: Simões.

Mayberry, R. I. (1993). First-language acquisition after childhood differs from second-language acquisition:

The case of American Sign Language. *Journal of Speech and Hearing Research, 36*, 1258–1270.

Mayer, C., Akamatsu, C. T., & Stewart, D. (2002). A model for effective practice: Dialogic inquiry with students who are deaf. *Exceptional Children, 68*(4), 485–502.

McAdams, S., & Bigand, E. (1983). *Thinking in sound: The cognitive psychology of human audition.* Oxford, UK: Oxford University Press.

McCarthy, R. A., & Warrington, E. K. (1990). *Cognitive neuropsychology: A clinical introduction*. San Diego, CA: Academic Press.

McGuinness, D., McGuinness, C., & Donohue, J. (1995). Phonological training and the alphabet principle: Evidence for reciprocal causality. *Reading Research Quarterly, 30,* 830–852.

McKeever, W. F., Hoemann, H. W., Florian, V. A., & Van Deventer, A. D. (1976). Evidence of minimal cerebral asymmetries for the processing of English words and American Sign Language stimuli in the congenitally deaf. *Neuropsychologia, 14,* 413–423.

McKeon, M. G., Beck, I. L. Omanson, R. C., & Pople, M. T. (1985). Some effects of the nature and frequency of vocabulary instruction on the knowledge and use of words. *Reading Research Quarterly, 20*(5), 522–535.

McNeil, D. (1992). *Hand and mind: What gestures reveal about thought*. Chicago, IL: The University of Chicago Press.

Medicine Electronics (1998a). *Information for prospective patients*. Disponível na Internet no endereço: *http://www.medel.com/patient.html.*

Medicine Electronics (1998b). *Library*. Disponível na Internet no endereço: *http://www.medel.com/library.html.*

Mezynski, K. (1983). Issues concerning the acquisition of knowledge: Effects of vocabulary training on reading comprehension. *Review of Educational Research, 53*(2), 253–279.

Miller, J. M., Niparko, J. K., & Xue, X. (1991). Prosthetic stimulation of the central auditory system. In R. A. Altschuler, R. P. Bobbin, B. M. Clopton, & D. W. Hoffman (Eds.), *Neurobiology of hearing: The central auditory system* (pp. 439–460). New York, NY: Raven Press.

Ministério da Educação (2001). *Parâmetros Curriculares Nacionais*. Disponível na Internet no endereço: *http://www.mec.gov.br/nivemod/ensfund/paramnac.shtm*. Consultado em outubro de 2001.

Ministério da Educação (2002a). *Legislação específica/documentos internacionais: Leis: Lei nº. 10.172, de 9 de janeiro de 2001.* Disponível na Internet no endereço: *http://www.mec.gov.br/seesp/legislacao.shtm.* Consultado em junho de 2002.

Ministério da Educação (2002b). *Legislação específica/documentos internacionais: Leis: Lei nº. 10.436, de 24 de abril de 2002.* Disponível na Internet no endereço: *http://www.mec.gov.br/seesp/legislacao.shtm*. Consultado em junho de 2002.

Ministério da Educação (2002c). *Relatório Saeb 2001 – Língua Portuguesa*. Brasília, DF: Ministério da Educação. Disponível na Internet no endereço: *http://www.inep.gov.br*. Consultado em junho de 2003.

MJENR (2002). *Les nouveaux programes de l'école*. Direction de l'enseignement scolaire do Ministère de la Jeneusse, de l'Education Nationale et de la Recherche.

MJENR (2003a). *Choisir un manual de lecture au CP*. Direction de l'enseignement scolaire do Ministère de la Jeneusse, de l'Education Nationale et de la Recherche.

MJENR (2003b). *Lire au CP:Repérer les dificultés pour mieux agir*. Direction de l'enseignement scolaire do Ministère de la Jeneusse, de l'Education Nationale et de la Recherche.

MJENR–ONL (1998). *Apprendre à lire.* Ministère de la Jeneusse, de l'Education Nationale et de la Recherche, Observatoire National de la Lecture, Editions Odile Jacob. Disponível na Internet nos endereços: *http://www.inrp.fr/onl/ressources/publi/apprendre_tot.htm* e *http://www.inrp.fr/onl/ressources/publi/regard_tot.htm.*

Mody, M., Studdert-Kennedy, M., & Brady, S. A. (1997). Speech perception deficits in poor readers: Auditory processing or phonological coding? *Journal of Experimental Child Psychology, 64,* 199–231.

Moores, D. F., & Miller, M. S. (2001). Literacy publications: American Annals of the Deaf 1996 to 2000. *American Annals of the Deaf, 146*(2), 77–80.

Morais, J. (1996). *A arte de ler.* São Paulo, SP: Editora Unesp.

Morais, J., Cary, L., Alégria, J., & Bertelson, P. (1979). Does awareness of speech as a sequence of phones arise spontaneously? *Cognition, 7,* 323–331.

Morais, J., Cluytens, M., & Alégria, J. (1984). Segmentation abilities of dyslexics and normal readers. *Perceptual and Motor Skills, 58,* 221–222.

Morais, J., & Robillart, A. (1998). *Apprendre a lire au cycle des apprentissages fondamentaux* (GS, CP, CE1). Analysies, réflexions, propositions. Paris: Centre National de documentation Pedagogique et Editions Odile Jacob.

Morton, J. (1968). *Grammar an computation in language behavior.* Progress Report 6, Center for Research in Language ad Language Behavior, University of Michigan, Ann Arbor, MI.

Morton, J. (1969). The interaction of information in word recognition. *Psychological Review, 76,* 165–178.

Morton, J. (1989). An information-processing account of reading acquisition. In A. M. Galaburda (Ed.), *From reading to neurons: Issues in the biology of language and cognition* (pp. 43–66). Cambridge, MA: The MIT Press.

Moura-Castro, C. (2003). Lições do futebol. *Veja,* 18 de junho de 2003, p. 22.

Mullen, B., & Rosenthal, R. (1985). *Basic meta-analysis: Procedures and programs*. Hillsdale, NJ: Lawrence Erlbaum.

Nagy, W.E., & Herman, P. A. (1987). Breadth and depth of vocabulary knowledge: Implications for acquisition and instruction. In M. McKeon, & M. Curtis (Eds.), *The nature of vocabulary acquisition* (pp. 19–35). Hillsdale, NJ: Erlbaum Associates.

National Association for the Deaf (1997a). *Comments of the National Association for the Deaf regarding "Cochlear implants for use in children aged 2 to 17 years of age" before the advisory panel of the ear, nose and throat devices, Food and Drug Administration.* Disponível na Internet no endereço: *http://www.nad.org/ NADcitestimony.html.*

National Association for the Deaf (1997b). *Excerpts from the testimony of James E. Tucker regarding "Cochlear implants for use in children aged 2 to 17 years of age" before the advisory panel of the ear, nose and throat devices, Food and Drug Administration.* Disponível na Internet no endereço: *http://www.nad.org/tuckertestimony.html.*

National Association for the Deaf (1997c). *Testimony of Barbara Raimondo parent/advocate regarding "Cochlear implants for use in children aged 2 to 17 years of age" before the advisory panel of the ear, nose and throat devices, Food and Drug Administration.* Disponível na Internet no endereço: *http://www.nad.org/raimondotestimony.html.*

National Institute of Child Health and Human Development (2000). *Report of the National Reading Panel: Teaching Children to Read.* Disponível na Internet nos endereços: *http://www.nichd.nih.gov/ publications/nrppunskey.cfm, http://www.nationalreadingpanel.org/ Documents/pr_finalreport.htm,* e *http://www.nichd. nih.gov/new/releases/nrp.htm.*

National Institute of Health & National Institute on Deafness and Other Communication Disorders (1995). *100th Consensus Development Conference on Cochlear Implants in Adults and Children* . Disponível na Internet no endereço: *http://text.nlm.nih.gov/nih/cdc.*

National Institute of Health (1988). *68th Cochlear implants. Consensus Development Conference Statement* . Disponível na Internet no endereço: *http://text.nlm.nih.gov/nih/cdc/www/ 68txt.html.*

National Reading Panel (2000). *Teaching children to read: An evidence-based assessment of the scientific research literature on reading and its implications for reading instruction: Reports of the subgroups* . Washington, DC: National Institute of Child Health and Development.

Nelson, K. (1973). Structure and strategy in learning to talk. *Monographs of the Society for Research in Child Development, 38,* (1–2, Serial No. 149), 136.

Neville, H. J., Bavelier, D., Corina, D., Rauschecker, J., Karni, A., Lalwani, A., Braun, A., Clark, V., Jezzard, P., & Turner, R. (1998). Cerebral organization for language in deaf and bearing subjects: Biological constraints and effects of experience. *Proceedings of the National Academy of Sciences of the United States of America, 95*(3), 922–929.

Newkirk, D., Klima, E. S., Pedersen, C. C., & Bellugi, U. (1980). Linguistic evidence from slips of the hand. In V. A. Fromklin (Ed.), *Errors in linguistic performance* (pp. 165–197). New York, NY: Academic Press.

Newport, E. L. (1990). Maturational constraints on language learning. *Cognitive Science, 14,* 11–28.

Nicolson, R. I., & Fawcett, A. J. (1994). Reaction times and dyslexia. *Quarterly Journal of Experimental Psychology, 47,* 29–48.

Nielson, J. M. (1946). *Agnosia, apraxia, aphasia: Their value in cerebral organization* . New York, NY: Hoeber.

NRP–NICHHD (2000). *Report of the National Reading Panel: Teaching children to read* . Disponível na Internet nos endereços: *http://www.nichd.nih.gov/publications/nrppunskey.cfm* , e *http://www.national reading_panel.org/documents/pr_finalreport.htm,* e *http://www.nichd.nih.gov/new/ releases/nrp.htm.*

Nunes, L. R. O. P. (2003). (Org.), *Favorecendo o desenvolvimento da comunicação em crianças e jovens com necessidades educacionais especiais* . Rio de Janeiro, RJ: Dunya.

O'Donoghue, G. M., Nikolopoulos, T. P., Archbold, S. M., & Tait, M. (1998). Speech perception in children after cochlear implantation. *American Journal of Otology, 19*(6), 762–767.

Oates, E. (1989). *Linguagem das mãos* (4a. edição). Aparecida, SP: Santuário.

Observatoire National de la Lecture (1998). *Apprendre à lire.* Centre National de Documentation Pédagogique, Editions Odile Jacob. Disponível na Internet nos endereços: *http://www. inrp.fr/onl/ressources/ publi/apprendre_tot.htm* e *http://www.inrp.fr/onl/ressources/publi/ regard_tot.htm.*

Oksaar, E. (1990). Multilingualism and pedolinguistics. In S. Prillwitz, & T. Vollhaber (Eds.), *Sign Language research and application: International studies on Sign Language and communication of the Deaf* (Vol. 13, pp. 27–30). Hamburg, Germany: Signum Press.

Oléron, P. (1974). *Éléments de répertoire du langage gestuel des sourds muets.* Paris, France: Centre National de la Recherche Scientifique.

Oliveira, J. B. A. (2002). Construtivismo e alfabetização: Um casamento que não deu certo. *Ensaio, 10*(35), 161–200.

Oliveira, J. B. A. (2003). *ABC do Alfabetizador.* Belo Horizonte, MG: Alfa Educativa.

Orlansky, M. D., & Bonvillian, J. D. (1984). The role of iconicity in early sign language acquisition. *Journal of Speech and Hearing Disorders* , *49,* 287–292.

Ottenbacher, K. (1980). Excessive post-rotatory nystagmus duration in learning-disabled and normal children. *American Journal of Occupational Therapy* , *34,* 40–44.

Owens, R. E. (1994). *Language disorders: A functional approach to assessment and intervention.* Boston, MA: MIT Press.

Padden, C. (1983, 1988). *Interaction of morphology and syntax in ASL* (Garland Outstanding Dissertations in Linguistics, Series IV). New York, NY: Garland.

Paivio, A. (1983). The empirical case for dual coding. In J. C. Yullie (Ed.), *Imagery, memory and cognition: Essays in honour of Allan Paivio* . Hillsdale, NJ: Lawrence Erlbaum.

Paivio, A. (1990). *Mental representations: A dual coding approach* . Oxford, UK: Oxford University Press.

Parente, M. A. M. P., & Manarini, A. S. (no prelo). Processamentos iniciais de leitura: Um estudo das características da leitura por conversão grafofonêmica. Em F. C. Capovilla, & A. G. S. Capovilla (Orgs.), *Psicologia da leitura: Uma abordagem neuropsicolingüística cognitiva*. São Paulo, SP.

Paul, P. V. (1997). Reading for students with hearing impairments: Research review and implications. *Volta Review, 99*(2), 73–87.

Pereira, L. D., & Schochat, E. (1997). *Processamento auditivo central: Manual de avaliação*. São Paulo, SP: Lovise.

Perfetti, C. A. (1985). *Reading ability*. New York, NY: Oxford University Press.

Petitto, L. A, Zatorre, R. J., Gauna, K., Nikelski, E. J., Dostie, D., & Evans, A C. (2001). Speech-like cerebral activity in profoundly deaf people processing signed languages: Implications for the neural basis of human language. *PNAS, 97*(25), 13961–13966.

Pinheiro, A. M. V. (1994). *Leitura e escrita: Uma abordagem cognitiva*. Campinas, SP: Editorial Psy.

Piquee, C., & Suchaut, B. (2002). *Elements d'analyse de l'efficacite pedagogique du dispositif ARTE* (Aide à la reusitte de tous les eleves). Dijon: IREDU-CNRS et Universite de Bourgogne.

Pizzuto, E., Ardito, B., Caselli, M. C., & Volterra, V. (2001). Cognition and language in Italian deaf preschoolers of deaf and hearing families. In M. D. Clark, M. Marschark, & M. Karchmer (Eds.), *Context, cognition, and deafness* (pp. 49–70). Washington, DC: Gallaudet University Press.

Pliszka, S. R. (2003). *Neurociência para o clínico de saúde mental*. Porto Alegre, RS: Artes Médicas.

Poizner, H., Bellugi, U., & Tweney, R. D. (1981). Processing of formational, semantic and iconic information in American Sign Language. *Journal of Experimental Psychology: Human Perception & Performance, 7*, 1146–1159.

Poizner, H., Klima, E. S., & Bellugi, U. (1987). *What the hands reveal about the brain*. Cambridge, MA: MIT Press.

Portugal, A. C., & Capovilla, F. C. (2002a). Triagem audiológica na 1a. série: Efeitos de perda auditiva sobre vocabulário, consciência fonológica, articulação da fala e nota escolar. *Cadernos de Psicopedagogia, 1*(2), 60–97.

Portugal, A. C., & Capovilla, F. C. (2002b). Triagem audiológica: Efeitos de perda auditiva sobre vocabulário, consciência fonológica, articulação da fala e nota escolar de escolares de 1a. série. Em F. C. Capovilla (Org.), *Neuropsicologia e aprendizagem: Uma abordagem multidisciplinar* (pp. 87–110). São Paulo, SP: Scortecci, Sociedade Brasileira de Neuropsicologia.

Pratt, A., & Brady, S. (1988). Relation of phonological awareness to reading disability in children and adults. *Journal of Educational Psychology, 80*, 319–323.

Pressley, M. (2001). *Effective beginning reading instruction.* Executive summary paper commissioned by the National Reading Conference. Chicago, IL: National Reading Conference.

Prillwitz, S. (1990). The long road towards Bilingualism of the Deaf in the German-speaking area. In S. Prillwitz, & T. Vollhaber (Eds.), *Sign Language research and application: International studies on Sign Language and communication of the Deaf* (Vol. 13, pp. 13–27). Hamburg, Germany: Signum Press.

Prillwitz, S., & Vollhaber, T. (1990). *Sign Language research and application: International studies on Sign Language and communication of the Deaf* (Vol. 13). Hamburg, Germany: Signum Press.

Prillwitz, S., & Zienert, H. (1990). Hamburg Notation System for Sign Language: Development of a sign writing with computer application. In S. Prillwitz, & T. Vollhaber (Eds.), *Sign Language research and application: International studies on Sign Language and communication of the Deaf* (Vol. 13). Hamburg, Germany: Signum Press.

Quadros, R. M. (1999). *Phrase structure of Brazilian Sign Language*. Tese de doutorado. Porto Alegre, RS: Pontifícia Universidade Católica do Rio Grande do Sul.

Rao, P. R., & Horner, J. (1979). Gesture as a deblocking modality in a severe aphasic patient. In R. Brookshire (Ed.), *Clinical aphasiology*. Minneapolis, MN: BRK Publishers.

Rabelo, A. S. (1991). Minha cartilha sinalizada. Rio de Janeiro, RJ: Enelivros.

Rapin, I. (1979). Effects of early blindness and deafness on cognition. In R. Katzman (Ed.), *Congenital and acquired cognitive disorders*. New York, NY: Raven Press.

Rapin, I. (1994). Children with hearing impairment. In K. F. Swaiman (Ed.), *Pediatric neurology: Principles and practice* (Vol. 2). Minneapolis, MN: Mosby.

Raymann, B. C. W., & Warth, N. H. (1981). Educational applications of Sign Language: An experiment in Total Communication. In H. W. Hoemann, E. Oates, & S. A. Hoemann (Eds.), *The Sign Language of Brazil* (pp. 71–78). Mill Neck, NY: Mill Neck Foundation.

Read, C., Zhang, Y., Nie, H., & Ding, B. (1986). The ability to manipulate speech sounds depends on knowing alphabetic spelling. *Cognition, 24*, 31–44.

Rescorla, L. (1989). The Language Development Survey: A screening tool for delayed language in toddlers. *Journal of Speech and Hearing Disorders, 54*(4), 587–599.

Resnick, T., Allen, D. A., & Rapin, I. (1984). Disorders of language development: Diagnosis and intervention. *Pediatrics in Review, 6*(3), 85–92.

Restak, R. M. (1988). *The mind.* New York, NY: Bantham Books.

Ribeiro do Valle, L. E. L. & Capovilla, F. C. (2004). *Temas multidisciplinares de neuropsicologia e aprendizagem.* São Paulo, SP: Tecmedd & Sociedade Brasileira de Neuropsicologia.

Robinson, A. (1995). *The story of writing: Alphabets, hieroglyphs and pictograms*. London, UK: Thames & Hudson.

Roid, G., & Miller, M. (1997). *Parent Rating Scale of the Leiter International Performance Scale – Revised.*

Roid, G., Nellis, L., & McLellan, M. (2003). Assessment with the Leiter International Performance Scale – Revised and the S-BIT. In R. McCallum (Ed.), *Handbook of nonverbal assessment* (pp. 113–140). New York, NY: Kluwer Academic/Plenum Publishers.

Roland, J. T. Jr., Fishman, A. J., Waltzman, S. B., Alexiades, G., Hoffman, R. A., & Cohen, N. L. (1998). Stability of the cochlear implant array in children. *Laryngoscope, 108,* 1119–1123.

Rowe, J. (1982). The Paget–Gorman sign system. In M. Peter, & R. Barnes (Eds.), *Signs, symbols and schools*. London, UK: National Council for Special Education.

Russo, I., & Behlau, M. (1993). *Percepção da fala: Análise acústica do Português brasileiro*. São Paulo, SP: Editora Lovise.

Russo, I., & Santos, T. M. M. (1999). *A prática da audiologia clínica* (4ª. edição). São Paulo, SP: Cortez Editora.

Sacks, O. (1990). *Vendo vozes: Uma jornada pelo mundo dos surdos*. Rio de Janeiro, RJ: Editora Imago.

Sandler, W. (1995). One phonology or two? Sign Language and phonological theory. *Glot International, 1,* 3–8.

Santos, N. T. M., & Navas, A. L. P. (2002). (Orgs.), *Distúrbios de leitura e escrita: Teoria e prática*. São Paulo, SP: Manole.

Saussure, F. (1916, 1987). *Curso de Lingüística geral*. São Paulo, SP: Editora Cultrix.

Schaller, S. (1991). *A man without words*. London, UK: Ebury Press.

Schimmel, C. S., Edwards, S. G., & Prickett, H. T. (1999). Reading?... Pah! (I got it!) – Innovative reading techniques for successful deaf readers. *American Annals of the Deaf, 144*(4), 298–308.

Schlesinger, H. S., & Meadow, K. P. (1972). *Sound and sign: Childhood deafness and mental health.* Berkeley, CA: University of California Press.

Schlosser M. J. et al. (1998). Functional MRI studies of auditory comprehension. *Human Brain Mapping, 6,* 1–13.

Schneider, W., Küspert, P., Roth, E., Visé, M., & Marx, H. (1997). Short– and long–term effects of training phonological awareness in kindergarten: Evidence from two German studies. *Journal of Experimental Child Psychology, 66,* 311–340.

SEfUDEE (1997). *The Literacy Task Force final report*. London, UK: Standards and Effectiveness Unit do Department of Education and Employment.

SEfUDEE (1998a). *The National Literacy Strategy: Framework for teaching* London, UK: Standards and Effectiveness Unit do Department of Education and Employment.

SEfUDEE (1998b). *The National Literacy Strategy: Progression in Phonics* London, UK: Standards and Effectiveness Unit do Department of Education and Employment.

SEfUDEE (1999). *Excellence and enjoyment: A strategy for primary schools*. London, UK: Standards and Effectiveness Unit do Department of Education and Employment.

SEfUDEE (2000). *Literacy*. UK Standards and Effectiveness Unit do Department of Education and Employment. Disponível na Internet no endereço: *http://www.standards.dfee.gov.uk/literacy/publications/?pub_id= 135&top_id =337.*

SEfUDEE (2003). *The National Literacy Strategy: Literacy training pack*. UK Standards and Effectiveness Unit do Department of Education and Employment.

Sentidos (2002a). Racional: Lei 323/01 oficializa Libras no município de São Paulo, uma vitória da Comunidade Surda. Disponível na Internet em: *http://www.sentidos.com.br/canais/racional.asp?codpag=1529&codtipo=&subcat=58&canal=racional*. Consultado em: 19 de junho de 2002.

Sentidos (2002b). Racional: Libras Disponível na Internet no endereço: *http://www.sentidos.com.br/canais/racional.asp?codpag=1203&codtipo=&subcat=60&canal=racional*. Consultado em: 19 de junho de 2002.

Shallice, T. (1990). *From neuropsychology to mental structure*. Cambridge, MA: Cambridge University Press.

Shankweiler, D., & Liberman, I. Y. (1972). Misreading: A search for causes. In J. F. Kavanaugh, & I. G. Mattingly (Eds.), *Language by ear and by eye: The relationship between speech and reading*. Cambridge, MA: The MIT Press.

Share, D. (1995). Phonological recoding and self-teaching: Sine qua non of reading acquisition. *Cognition, 55*(2), 151–218.

Siegel, L. S. (1988). Evidence that IQ scores are irrelevant to the definition and analysis of reading disability. *Canadian Journal of Psychology, 40*(2), 201–215.

Siegel, L. S., & Ryan, E. B. (1989). Subtypes of developmental dyslexia: The influence of definitional variables. *Reading and Writing: An Interdisciplinary Journal, 2,* 257–287.

Siple, P. (1978). *Understanding language through Sign Language research*. New York, NY: Academic Press.

Smith, F. (1971). *Understanding reading*. New York, NY: Holt, Rinehart & Winston.

Smith, F. (1973). *Psycholinguistics and reading*. New York, NY: Holt, Rinehart & Winston.

Smith, J. D., Reisberg, D., & Wilson, M. (1992). Subvocalization and auditory imagery: Interactions between the inner ear and inner voice. In D. Reisberg (Ed.), *Auditory imagery* (pp. 95–119). Hillsdale, NJ: Erlbaum.

Smith, M. K. (1941). Measurement of the size of general English vocabulary through the elementary grades and high school. *Genetic Psychological Monograph, 24,* 311–345.

Snow, C. E., Burns, M. S., & Griffin, P. (1998). *Preventing reading difficulties in young children*. Washington, DC: National Academy Press.

Sohlberg, M. M., & Mateer, C. (1989). *Introduction to cognitive rehabilitation: Theory and practice.* New York, NY: Guilford Press.

Sperry, R. W., & Gazzaniga, M. S. (1967). Language following surgical disconnection of the hemispheres. In F. L. Darley (Ed.), *Brain mechanisms underlying speech and language* (pp. 108–121). New York, NY: Grune & Straton.

Spreen, O., Tupper, D., Risser, A., Tuokko, H., & Edgell, D. (1984). *Human developmental neuropsychology.* New York, NY: Oxford University Press.

Stahl, S. A., Duffy-Hester, A. M., & Stahl, K. A. D. (1998). Everything you wanted to know about phonics (but were afraid to ask). *Reading Research Quarterly, 33*(3), 338–355.

Stahl, S. A., & Fairbanks, M. M. (1986). The effects of vocabulary instruction: A model-based meta-analysis. *Review of Educational Research, 56*(1), 72–110.

Stahl, S. A., & Kuhn, M. R. (1995). Does whole language or instruction matched to learning styles help children learn to read? *School Psychology Review, 24*, 393–404.

Stahl, S. A., McKenna, M. C., & Pagnucco, J. R. (1994). The effects of whole language instruction: An update and reappraisal. *Educational Psychologist, 29*, 175–186.

Stahl, S. A., & Miller, P. D. (1989). Whole language and language experience approaches for beginning reading: A quantitative research synthesis. *Review of Educational Research, 59*, 87–116.

Staller, S. J., Dowell, R. C., Beiter, A. L., & Brimacombe, J. A. (1991). Perceptual abilities of children with the Nucleus 22-channel cochlear implant. *Ear hear, 12* (Suppl.), 34–47.

Stanovich, K. E. (1988). Explaining the differences between the dyslexic and the garden-variety poor reader: The phonological-core variable-difference model. *Journal of Learning Disabilities, 21*(10), 590–604.

Stanovich, K. E. (1991). Discrepancy definitions of reading disability: Has intelligence led us astray? *Reading Research Quarterly, 26*(1), 7–29.

Stanovich, K. E. (1993). Does reading make you smarter? Literacy and the development of verbal intelligence. In H. Reese (Ed.), *Advances in child development and behavior, 24* (pp. 133–180). San Diego, CA: Academic Press.

Stanovich, K. E., Cunningham, A. E, & Cramer, B. R. (1984). Assessing phonological awareness in kindergarten children: Issues of task comparability. *Journal of Experimental Child Psychology, 38*, 175–190.

Sternberg, M. L. A. (1990). *American Sign Language concise dictionary*. New York, NY: Harper & Row.

Sternberg, R. J. (1985). *Beyond I.Q.: A triarchic theory of human intelligence*. Cambridge, MA: Cambridge University Press.

Sternberg, R. J., & Grigorenko, E. L. (2003). *Crianças rotuladas: O que é necessário saber sobre as dificuldades de aprendizagem*. Porto Alegre, RS: Artes Médicas.

Stokoe, W. C. (1960). *Sign Language structure: An outline of the visual communication system for the American Deaf.* Buffalo, NY: Buffalo University.

Stokoe, W. (2001). Deafness, cognition, and language. In M. D. Clark, M. Marschark, & M. Karchmer (Eds.), *Context, cognition, and deafness* (pp. 6–13). Washington, DC: Gallaudet University Press.

Stokoe, W. C., Casterline, D., & Croneberg, C. G. (1965). *A dictionary of American Sign Language on linguistic principles*. Silver Spring, MD: Linstok Press.

Strong, M., & Prinz, P. M. (1997). A study of the relationship between American Sign Language and English literacy. *Journal of Deaf Studies and Deaf Education, 2* (1), 37–46.

Studdert-Kennedy, M. (1986). Sources of variability in early speech development. In J. S. Perkell, & D. H. Klatt (Eds.), *Invariance and variability in speech processes*. Hillsdale, NJ: Erlbaum.

Studdert-Kennedy, M., & Lane, H. (1980). Clues from the differences between signed and spoken language. In U. Bellugi, & M. Studdert-Kennedy (Eds.), *Signed and spoken language: Biological constraints on linguistic form* (pp. 29–39). Weinham and Deerfield Beach, FL: Verlag Chemie.

Supple, M. (1986). Reading and articulation. *British Journal of Audiology, 20*, 209–214.

Suwwan, L. (2001). Educação: Aluno brasileiro é mal avaliado em pesquisa: Brasil foi o pior colocado em prova que mediu desempenho de estudantes de 15 anos em 32 países nas redes pública e particular. *Folha de São Paulo*, 5 de dezembro, p. C11.

Swaiman, K. F. (1994). *Pediatric neurology: Principles and practice* (Vol. 2). Minneapolis, MN: Mosby.

Swanborn, M. S. L., & De Glopper, K. (1999). Incidental word learning while reading: A meta-analysis. *Review of Educational Research, 69*, 261–285.

Swanson, H. L., Ashbaker, M. H., & Lee, C. (1996). Learning-disabled readers' working memory as a function of processing demands. *Journal of Experimental Child Psychology, 61*, 242–275.

Supalla, T. (1982). *Structure and acquisition of verbs of motion and location in American Sign Language* . Ph. D. dissertation, Psychology Department, University of California, San Diego, CA.

Supalla, T. (1985). The classifier system in ASL. In C. Craig (Ed.), *Noun classification and categorization*. Philadelphia, PA: Benjamin North America.

Tallal, P. (1988). Developmental language disorders. In J. F. Kavanagh, & T. J. Truss Jr. (Eds.), *Learning disabilities: Proceedings of the National Conference*. Parkton, MD: York Press.

Tallal, P., Miller, S., & Fitch, R. H. (1993). Neurobiological basis of speech: A case for preeminence of temporal processing. In P. Tallal, A. M. Galaburda, R. R. Llinas, & C. von Euler (Eds.), *Temporal information processing in the nervous system* (v. 682, pp. 27–47). New York, NY: Annals of New York Academy of Sciences.

Tetzchner, S. von (1994b). Telecomunicações por meios visuais para pessoas surdas a 14,4 kbits/s na rede telefônica pública comutada. Em S. von Tetzchner (Org.), *Telecomunicações e incapacidade* (pp. 437–449). Lisboa, Portugal: Comissão das Comunidades Européias.

Tetzchner, S. von. (1994a). A história breve dos telefones de texto. In S. von Tetzchner (Org.), *Telecomunicações e incapacidade* (pp. 311–329). Lisboa, Portugal: Comissão das Comunidades Européias.

Thiers, V. O, Capovilla, F. C., Duduchi, M., & Macedo, E. C. (2000). O uso do computador na avaliação de candidatos a comunicação alternativa. Em M. J. Gonçalves, E. C. Macedo, A. L. Sennyey, & F. C. Capovilla (Orgs.), *Tecnologia em (re)habilitação cognitiva 2000: A dinâmica clínica, teoria e pesquisa* (pp. 157–162). São Paulo, SP: Edunisc, Sociedade Brasileira de Neuropsicologia.

Thiers, V. O., Capovilla, F. C., Charin, S., Duduchi, M., & Macedo, E. C. (2000). Efeito diferencial do uso de acionadores na avaliação cognitiva e motora de crianças pré-escolares. Em M. J. Gonçalves, E. C. Macedo, A. L. Sennyey, & F. C. Capovilla (Orgs.), *Tecnologia em (re)habilitação cognitiva 2000: A dinâmica clínica, teoria e pesquisa* (pp. 151–156). São Paulo, SP: Sociedade Brasileira de Neuropsicologia, Edunisc.

Torgesen, J. K. (1988). Studies of learning disabled children who perform poorly on memory span tasks. *Journal of Learning Disabilities*, *21*, 605–612.

Torgesen, J. K., & Davis, C. (1996). Individual difference variables that predict response to training in phonological awareness. *Journal of Experimental Child Psychology, 63*, 1–21.

Torgesen, J. K., Morgan, S., & Davis, C. (1992). The effects of two types of phonological awareness training on word learning in preschool children. *Journal of Educational Psychology, 84*, 364–370.

Torgesen, J. K., Wagner, R. K., & Rashotte, C. A. (1994). Longitudinal studies of phonological processing and reading. *Journal of Learning Disabilities*, *27*(5), 276–286.

Tresch, M. C., Sinnamon, H. M., & Seamon, J. G. (1993). Double dissociation of spatial and object visual memory: Evidence from selective interference in intact human subjects. *Neuropsychologia, 31*, 211–219.

Truy, E., Lina-Granade, G., Jonas, A. M., Martinon, G., Maison, S., Girard, J., Porot, M., & Morgan, A. (1998). Comprehension of language in congenitally deaf children with and without cochlear implants. *International Journal of Pediatric Otorhinolaryngology, 45*(1), 83–89.

Tulving, E. (1995). Introduction. In M. S. Caramazza (Ed.), *The cognitive neurosciences* (pp. 751–754). Cambridge, MA: MIT Press.

Tunmer, W. E., & Cole, P. G. (1985). Learning to read: A metalinguistic act. In C. Simon (Ed.), *Communication skills and classroom success*. San Diego, CA: College Hill Press.

Tunmer, W. E., Herriman, M. L., & Nesdale, A. R. (1988). Phonological awareness and reading acquisition. In D. J. Sawyer, & B. J. Fix (Eds.), *Phonological awareness in reading* (pp. 1–30). New York, NY: Springer-Verlag.

Twist, L., Sainsbury, M., Woodthorpe, A., & Whetton, C. (2003). *Reading all over the world: PIRLS National Report for England*. Slough, UK: National Foundation for Educational Research.

Tzeng, O. J. L., & Hung, D. L. (1984). Orthography, reading, and cerebral lateralization. In H. W. Stevenson, & Q. Jing (Eds.), *Issues in cognition: Proceedings of a joint conference in Psychology* . Washington, DC: National Academy of Sciences and American Psychological Association.

Tzeng, O. J. L., & Hung, D. L. (1988). Cerebral organization: Clues from scriptal effects on lateralization. In M. Liu, H. C. Chen, & M. J. Chen (Eds.), *Cognitive aspects of the Chinese language*. Hong Kong, China: Asian Research Service.

Tzeng, O. J. L., Hung, D. L., Chen, S., Wu, J., & Hsi, M. S. 1986). Processing Chinese logographs by Chinese brain-damaged patients. In H. Kao, G. van Galen, & R. Hoosain (Eds.), *Graphonomics: Contemporary research in handwriting*. Amsterdam, North Holland: Elsevier.

Tzeng, O. J. L., & Wang, W. S. Y. (1983). The first two Rs. *American Scientist, 71*, 238–243.

Tzeng, O. J. L., & Wang, W. S. Y. (1984). In search for common neurocognitive mechanisms for language and movement. *American Journal of Physiology: Regulatory, Integrative, and Comparative Physiology* , *246*, 904–911.

UK Government's Department for Education and Employment (2000). *Report of the Standards and Effectiveness Unit: Literacy*. Disponível na Internet no endereço: *http://www.standards. dfee.gov.uk/ literacy/publications/?pub_id=135 top_id=327.*

UNESCO–OCDE (2003). *Literacy skills for the world of tomorrow*. Sumário dos principais achados disponível no site da *Folha On Line*, nos endereços: *http://www1.folha.uol.com.br/folha/educacao/ ult305u13178.shtml* e *http://www1.folha.uol.com.br/folha/educacao/20030701-avaliacao_ internacional.shtml*.

Unesco–Orealc (2000). *Relatório de avaliação de desempenho dos alunos de países da América Latina.* Santiago, Chile: Unesco–Orealc.

Vandervelden, M. C., & Siegel, L. S. (1995). Phonological recoding and phoneme awareness in early literacy: A developmental approach. *Reading Research Quarterly*, *30*, 854–875.

Vellutino, F. R. (1979). *Dyslexia: Theory and research*. Cambridge, MA: The MIT Press.

Vellutino, F. R. (1991). Introduction to three studies on reading acquisition: Convergent findings on theoretical foundations of code-oriented versus whole-language approaches to reading acquisition. *Journal of Educational Psychology*, *83*, 437–443.

Volterra, V. (1990). Sign Language acquisition and bilingualism. In S. Prillwitz, & T. Vollhaber (Eds.), *Sign Language research and application. International Studies on Sign Language and Communication of the Deaf* (Vol. 13, pp. 39–50). Hamburg, Germany: Signum Press.

Volterra, V., & Erting, C. J. (1994). *From gesture to language in hearing and deaf children.* Washington, DC: Gallaudet University Press.

Vygotsky, L. S. (1993). *Pensamento e linguagem*. São Paulo, SP: Martins Fontes.

Walley, A. C. (1993). The role of vocabulary development in children's spoken word recognition and segmentation ability. *Developmental Review*, *13*(3), 286–350.

Walker, M., & Armfield, A. (1982). What is the Makaton vocabulary? In M. Peter, & R. Barnes (Eds.), *Signs, symbols and schools*. London, UK: National Council for Special Education.

Walker, M., Parsons, P., Cousins, S., Carpenter, B., & Park, K. (1985). *Symbols for Makaton*. Back Hill, UK: Earo.

Walsh, K. (1994). *Neuropsychology: A clinical approach* (3rd. edition). London, UK: Longman.

Walter, A. E. (1981). Reliability and concurrent validity of the Carolina Picture Vocabulary Test. *Dissertation*

Abstracts International, 42(5-A), 2096–2097.
Warrick, N., Rubin, H., & Rowe-Walsh, S. (1993). Phoneme awareness in language-delayed children: Comparative studies and intervention. *Annals of Dyslexia, 43,* 153–173.
Watkins, R. V., & Rice, M. L. (1994). *Specific language impairments in children.* Baltimore, MD: Paul Brooks.
Weber, D., & Avancini, M. (2001a). Educação: Estudantes brasileiros não entendem o que lêem. *O Estado de São Paulo,* 5 de dezembro, p. A9.
Weber, D., & Avancini, M. (2001b). Para alunos brasileiros, difícil é pensar: Teste de capacidade de leitura de jovens de 15 anos coloca o Brasil em último lugar, entre os 32 países avaliados. *Jornal da Tarde,* 5 de dezembro, p. A14.
Wechsler, D. (1984). *David Wechsler prueba de inteligencia para adultos.* Buenos Aires, Argentina: Paidós.
Wechsler, D. (1991). *David Wechsler prueba de inteligencia: Niños.* Buenos Aires, Argentina: Paidós.
Wernicke, C. (1874). *Der Aphasische Symptomenkomplex.* Breslau, Germany: Cohn Weigart. (Traduzido em Eggert, G. H. (1977). *Wernicke's work on aphasia.* The Hague, Netherlands: Mouton.)
White, A. H., & Tripoli, L. J. (1996). Classroom assessment of the use of compact language drills: A technique borrowed from foreign language teaching. *American Annals of the Deaf, 141*(5), 346–351.
White, A., & Tischler, S. (1999). Receptive sign vocabulary tests: Tests of single-word vocabulary or iconicity? *American Annals of the Deaf, 144*(4), 334–338.
Whitehouse, P. J. (1981). Imagery and verbal encoding in left and right hemisphere damaged patients. *Brain and Language, 14*(2), 315–332.
Wilbur, R. B. (1987). *American Sign Language: Linguistic and applied dimensions* (2nd edition). Boston, MA: Little, Brown.
Wilbur, R., Klima, E. S., & Bellugi, U. (1983). Roots: The search for origins of signs in ASL. In J. Richardson, M. Marks, & A. Chukerman (Eds.), *The parasession on the interplay of phonology, morphology and syntax* (pp. 314–336). Chicago, IL: Chicago Linguistics Society.
Wilcox, S. (1992). *The phonetics of fingerspelling.* Philadelphia, PA: John Benjamin's Publishing Co.
Williams, C. L., & McLean, M. M. (1997). Young deaf children's response to picture book reading in a preschool setting. *Research in the Teaching of English, 31*(3), 337–366.
Wilson, B. S., Finley, C. C., & Lawson, D. T. (1991). Better speech recognition with cochlear implants. *Nature, 352,* 236.
Wilson, M., & Emmorey, K. (1997). A visuospatial "phonological loop" in working memory: Evidence from American Sign Language. *Memory & Cognition, 25*(3), 313–320.
Wilson, T., & Hyde, M. (1997). The use of signed English pictures to facilitate reading comprehension by deaf students. *American Annals of the Deaf, 142*(4), 333–341.
Wimmer, H., Landerl, K., Linortner, R., & Hummer, P. (1991). The relationship of phonemic awareness to reading acquisition: More consequence than precondition but still important. *Cognition, 40,* 219–249.
Winefield, R. (1987). *Never the twain shall meet: Bell, Gallaudet, and the communications debate* . Washington, DC: Gallaudet University Press.
Wolk, S., & Zieziula, F. R. (1985). Reliability of the 1973 edition of the SAT-HI over time: Implications for assessing minority students. *American Annals of the Deaf, 130*(4), 285–290.
Woll, B., Kyle, J., & Deuchar, M. (1981). *Perspectives on British Sign Language and deafness.* London, UK: Croom Helm.
Wundt, W. (1911). *Die Sprache. Völkerpsychologie* (Vol. 1). Leipzig, Deutschland.
Yates, G. C. R. (1988). Classroom research into effective teaching. *Australian Journal of Remedial Education, 20,* 4–9.
Yopp, H. K. (1988). The validity and reliability of phoneme awareness tests. *Reading Research Quarterly, 23,* 159–177.
Zaidel, E. (1973). Linguistic competence and related functions in the right cererbral hemisphere of man following commissurotomy and hemispherectomy. *Dissertation Abstract International, 34,* 2350B.
Zaidel, E. (1978a). Auditory language comprehension in the right hemisphere following cerebral commissurotomy and hemispherectomy: A comparison with child language and aphasia. In A. Caramazza, & E. B. Zurif (Eds.), *Language acquisition and language breakdown: Parallels and divergencies* (pp. 229–275). Baltimore, MD: Johns Hopkins Press.
Zaidel, E. (1978b). Concepts of cerebral dominance in the split brain. In P. Buser, & A. Rougeul-Buser (Eds.), *Cerebral correlates of conscious experience* (pp. 263–284). Amsterdam, North Holland: Elsevier.
Zaidel, E. (1978c). Lexical organization in the right hemisphere. In P. Buser, & A. Rougeul-Buser (Eds.), *Cerebral correlates of conscious experience* (pp. 177–197). Amsterdam, North Holland: Elsevier.
Zaidel, E. (1981). Reading by the right hemisphere: A perspective from the normal brain. In U. Kirk (Ed.), *Neuropsychology of language and spelling.* New York, NY: Academic Press.
Zaidel, E., & Peters, A. M. (1981). Phonological encoding and ideographic reading by the disconnected right hemisphere: Two case studies. *Brain and Language, 14*(2), 205–234.

4.14.) Anexo 1: ***Caderno de resposta para escolha de figuras do TVRSL1.1***

Teste de Vocabulário Receptivo de Sinais da Libras versão 1.1

Nome: ______________________________Série: ________Data:___________

A

B

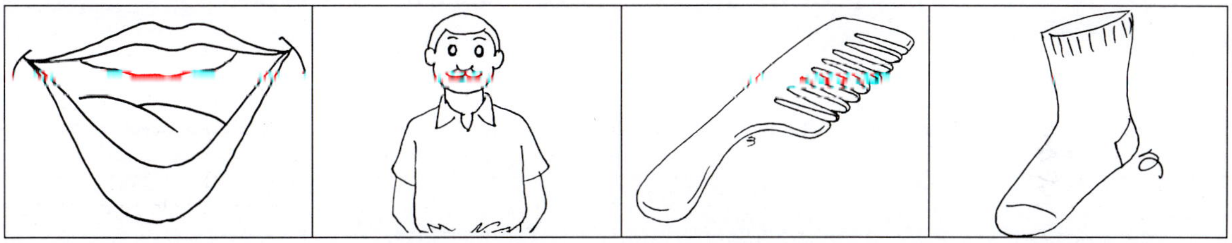

C

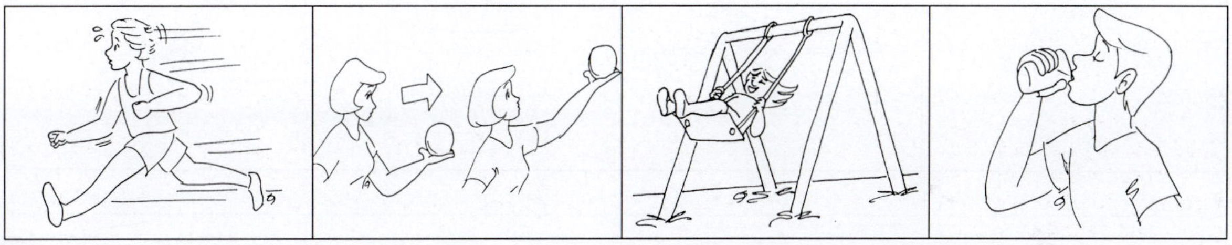

D

E

1

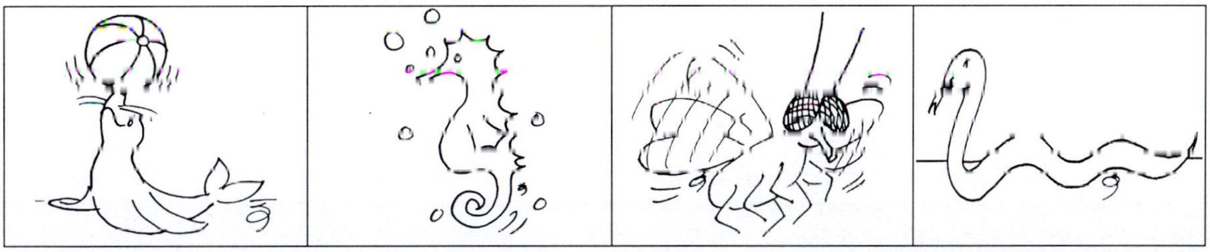

2

3

4

5

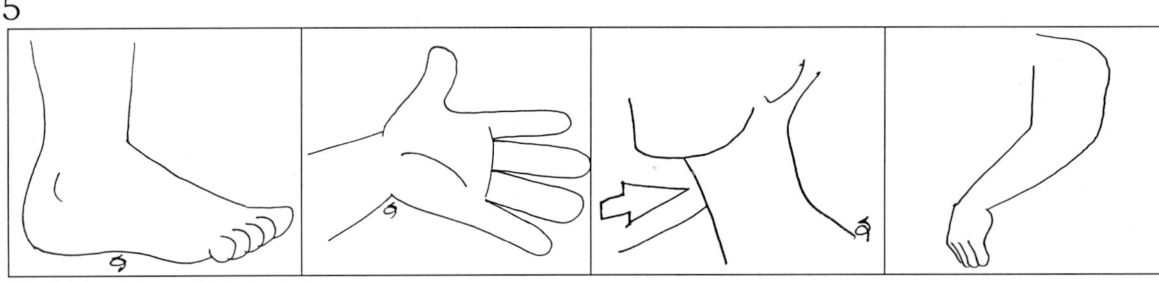

6

7

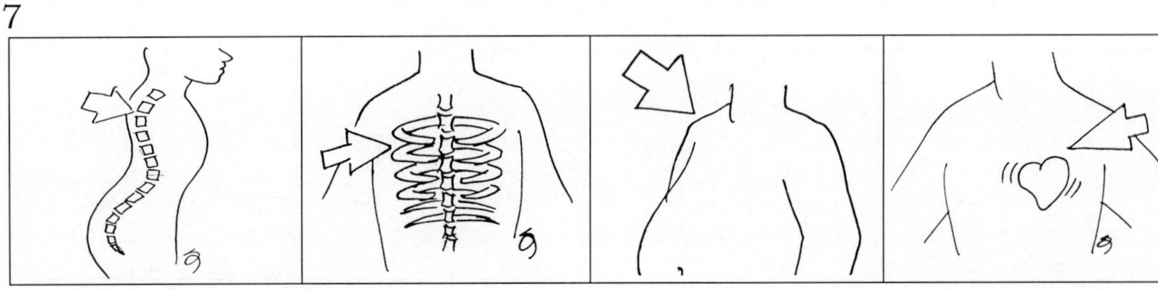

8

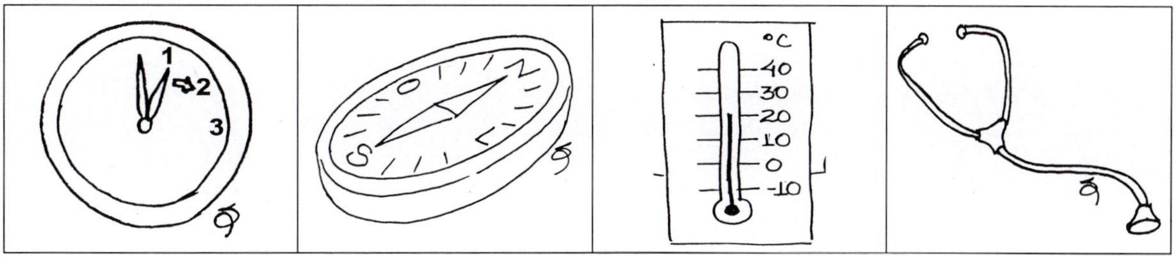

9

10

11

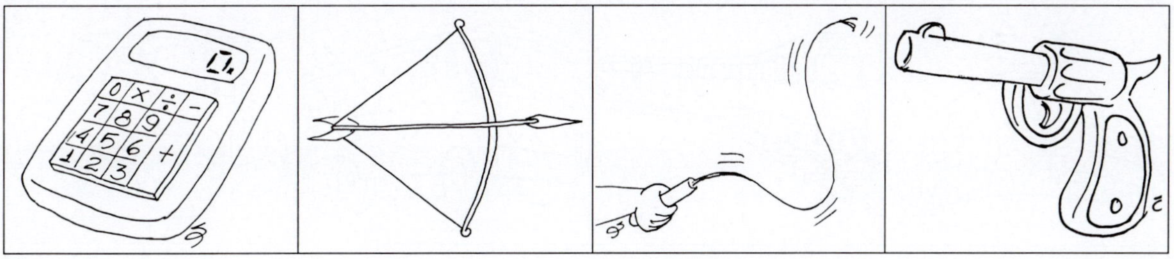

12

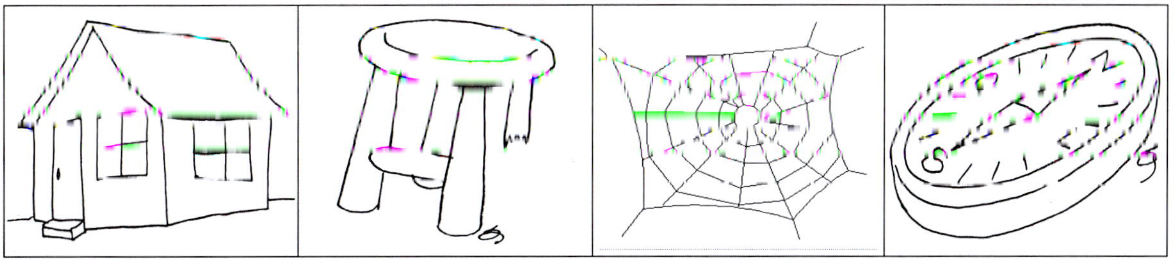

13

14

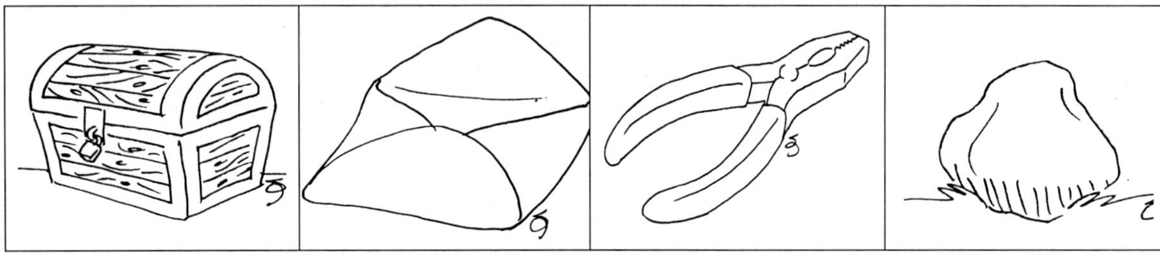

15

16

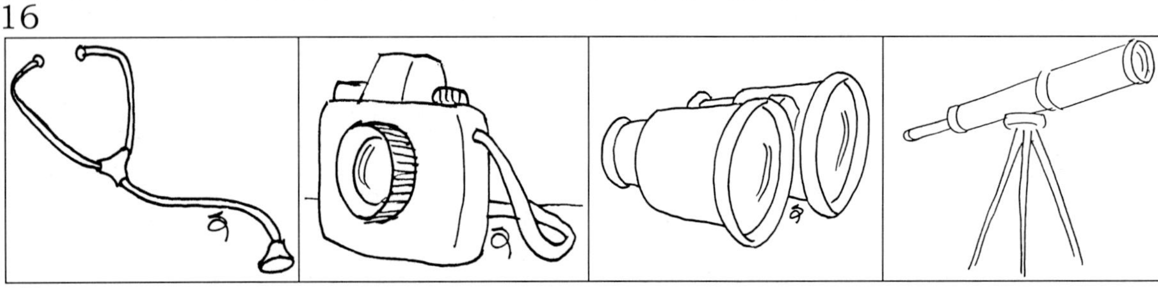

17

18

19

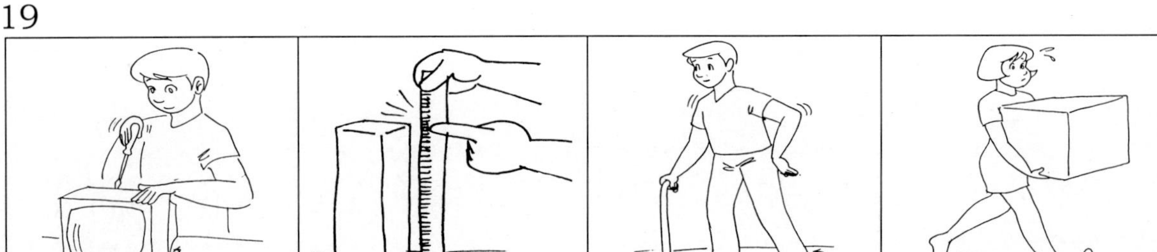

20

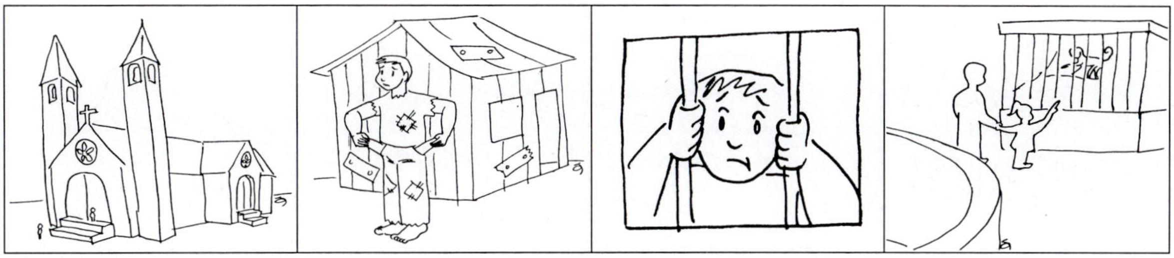

21

22

23

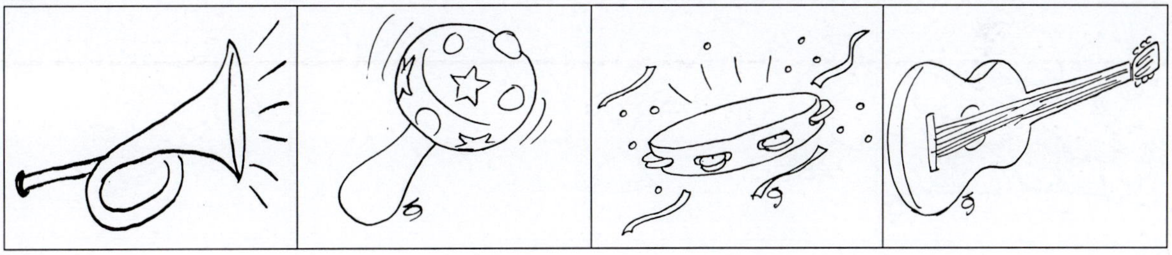

24

25

26

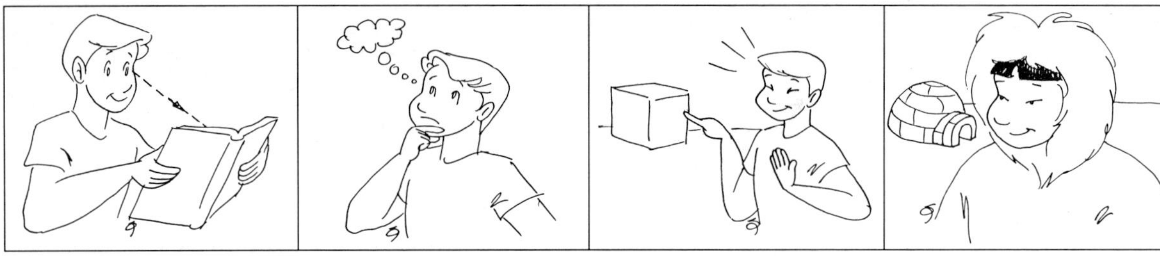

27

28

29

30

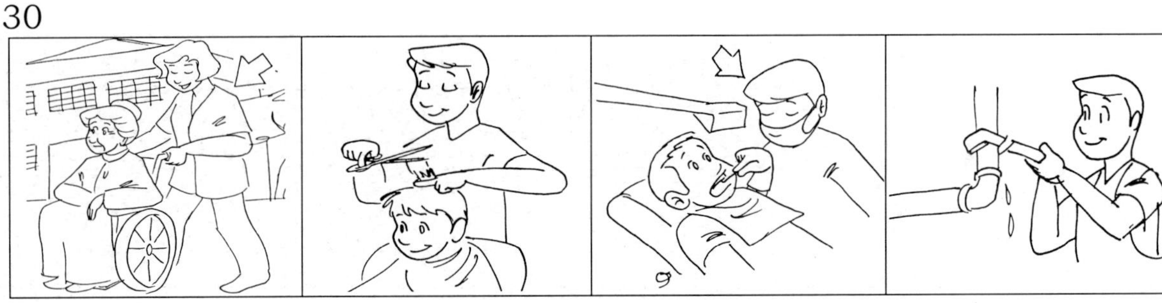

31

32

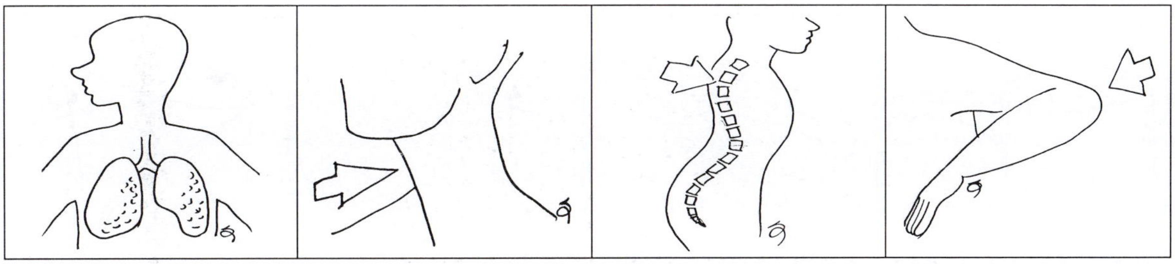

33

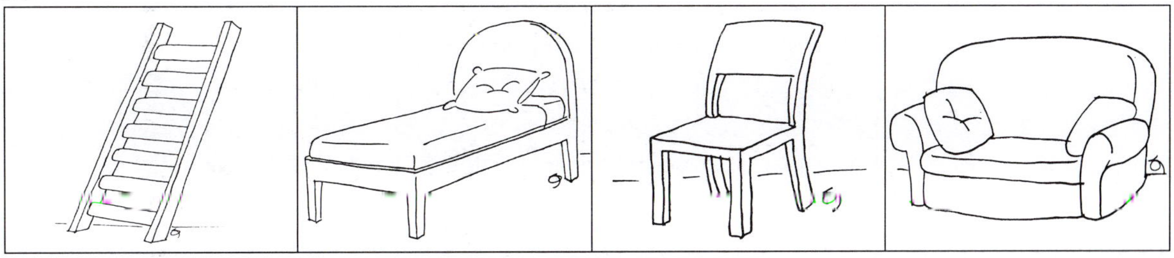

34

35

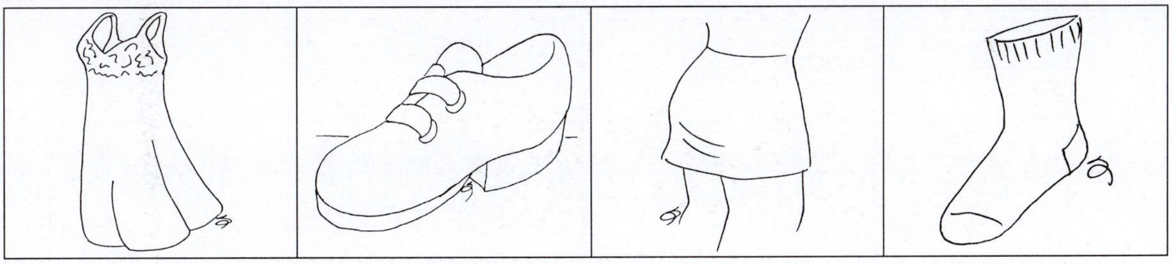

36

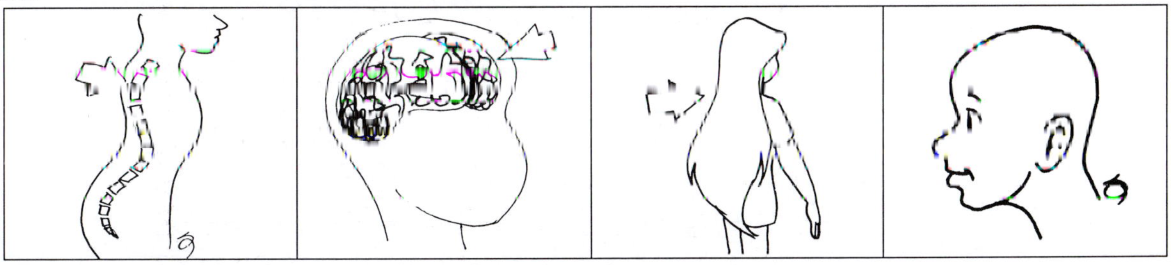

37

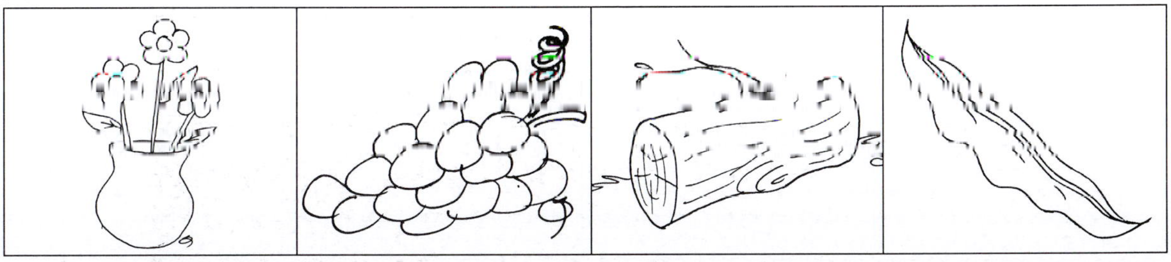

38

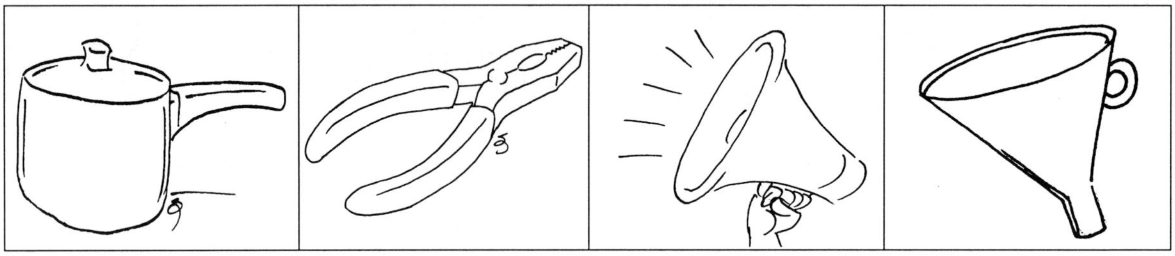

39

40

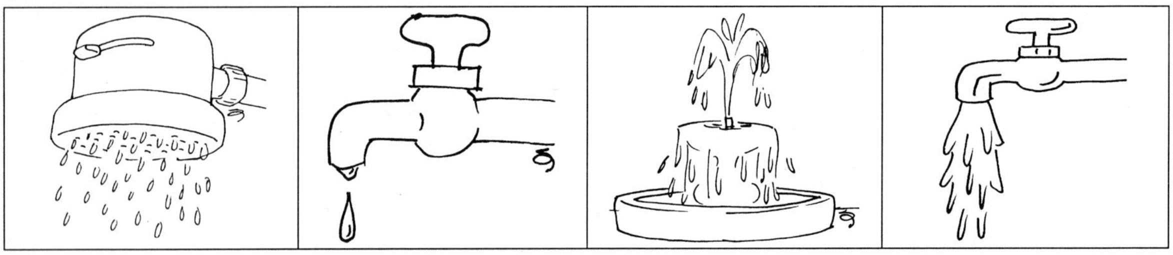

41

42

43

44

45

46

47

48

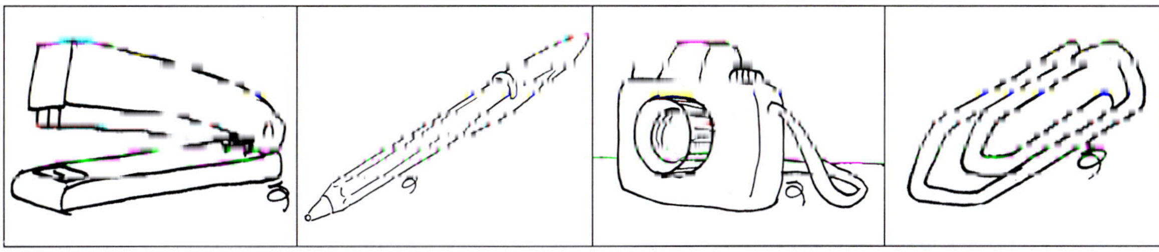

49

50

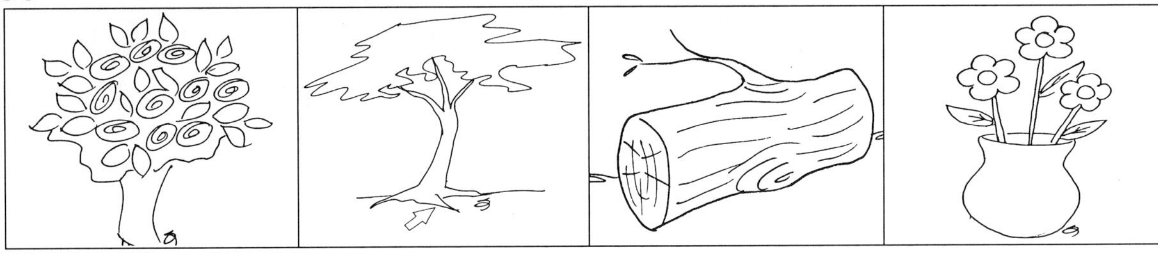

51

52

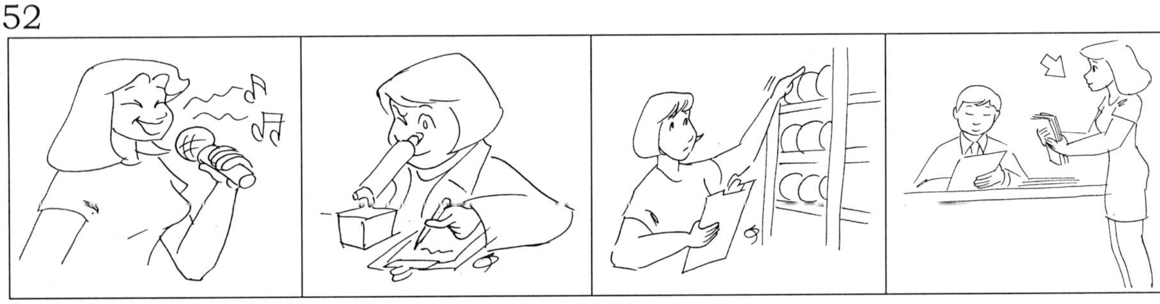

53

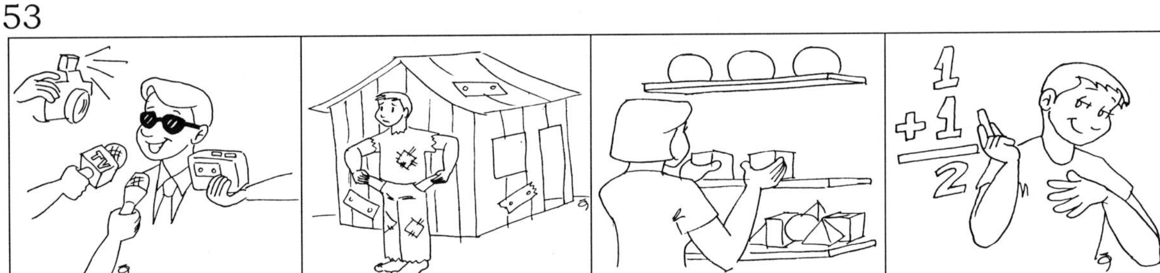

54

55

56

57

58

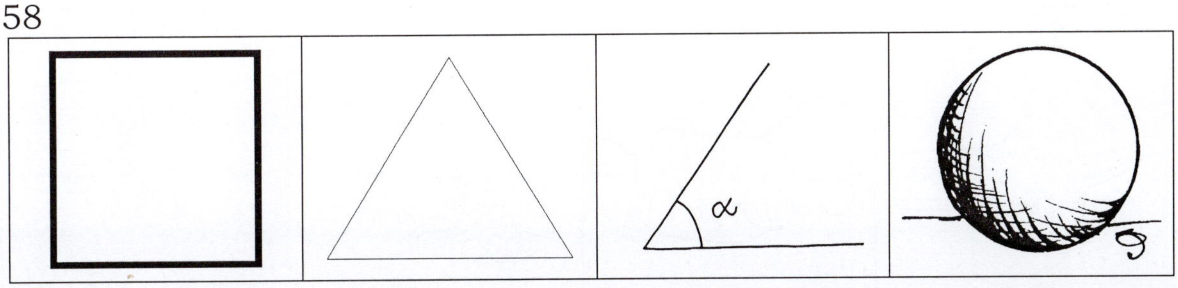

59

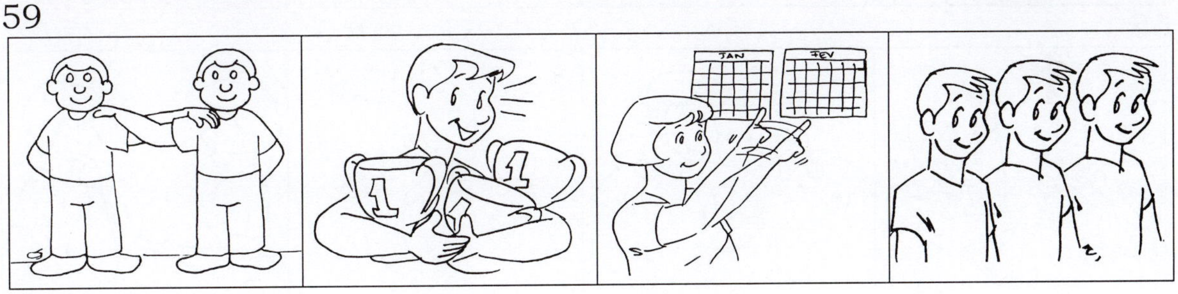

60

61

62

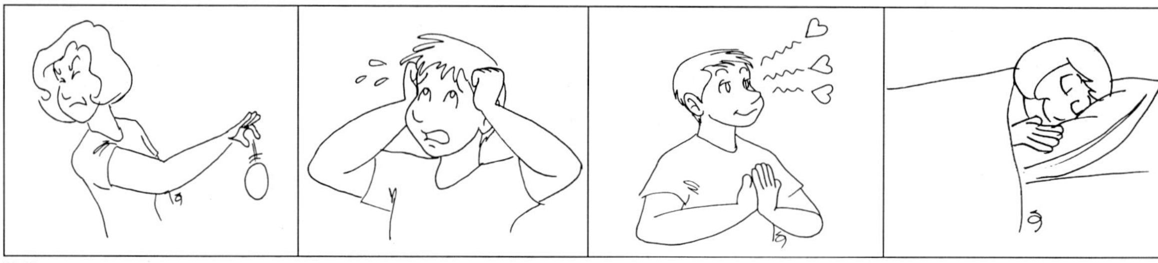

63

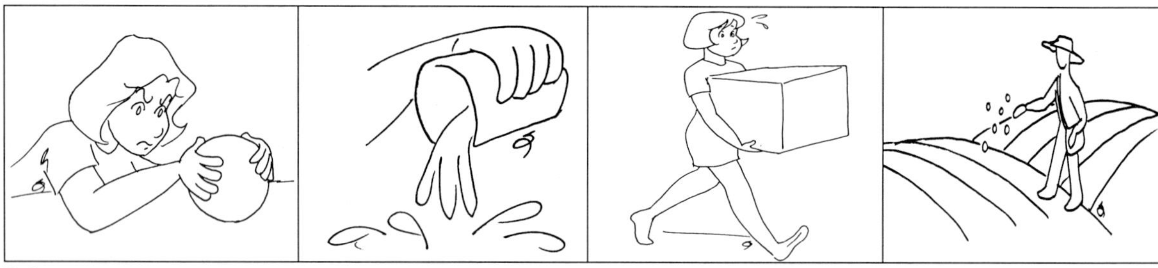

64

65

66

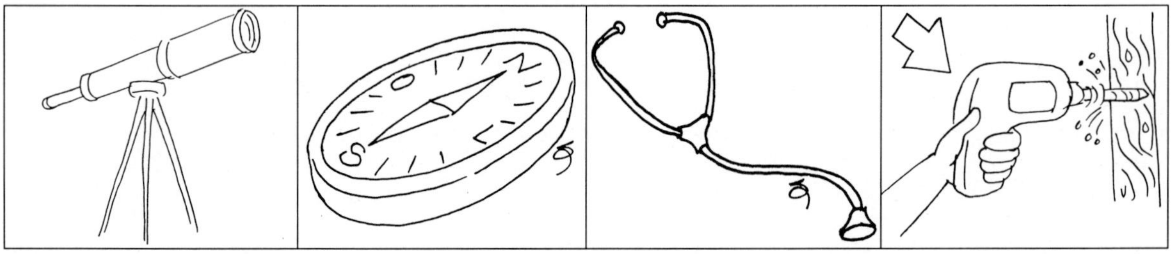

67

68

69

70

71

72

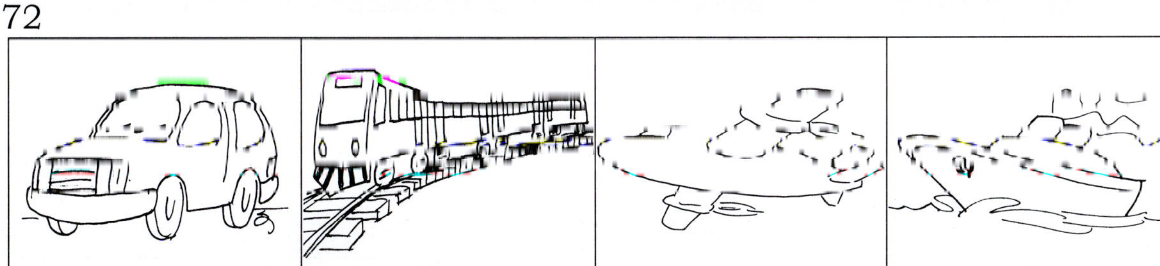

73

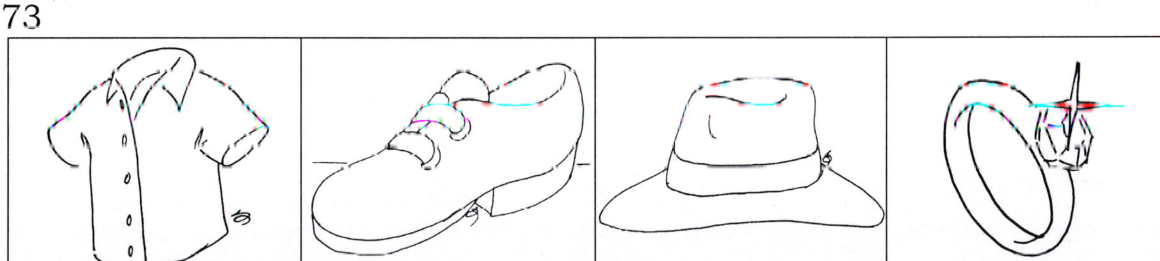

74

75

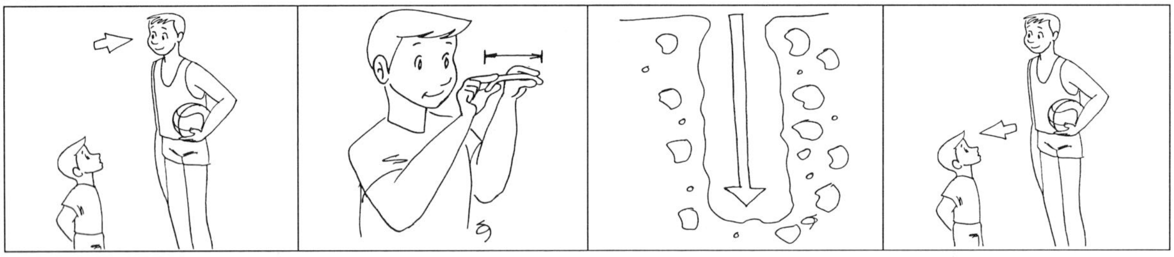

76

77

78

79

80

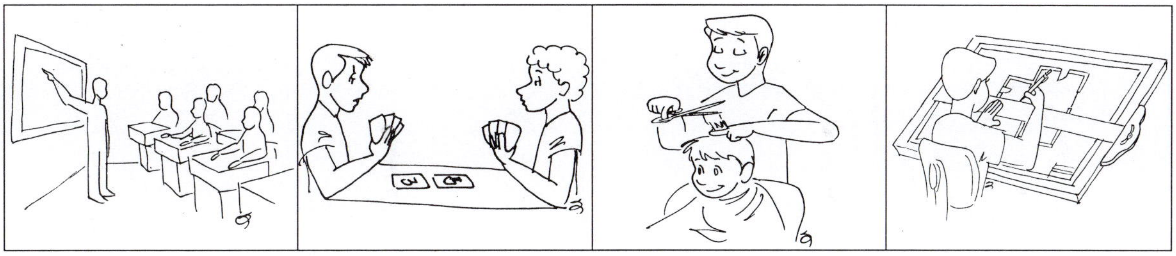

81

82

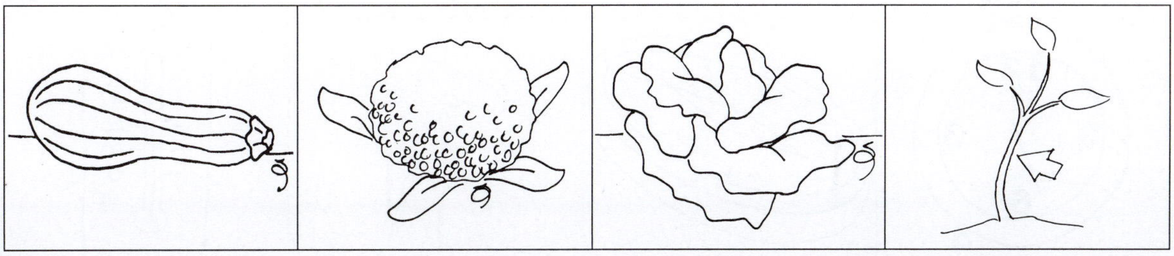

83

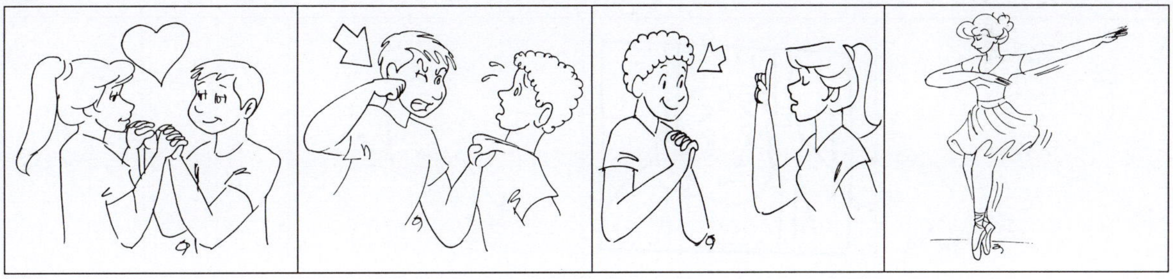

84

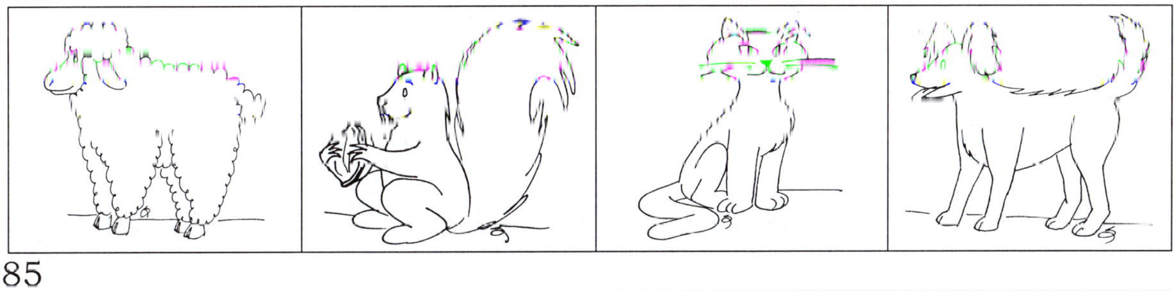

85

86

87

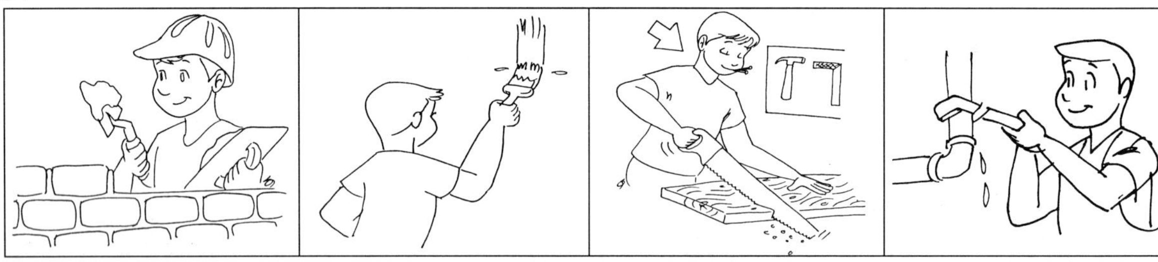

88

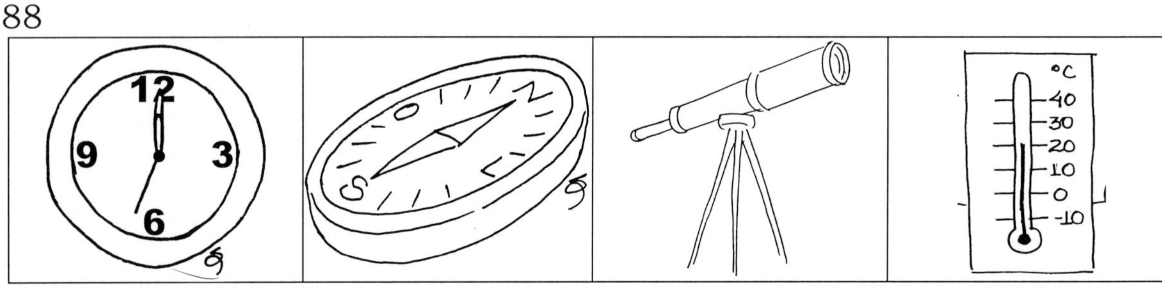

89

90

91

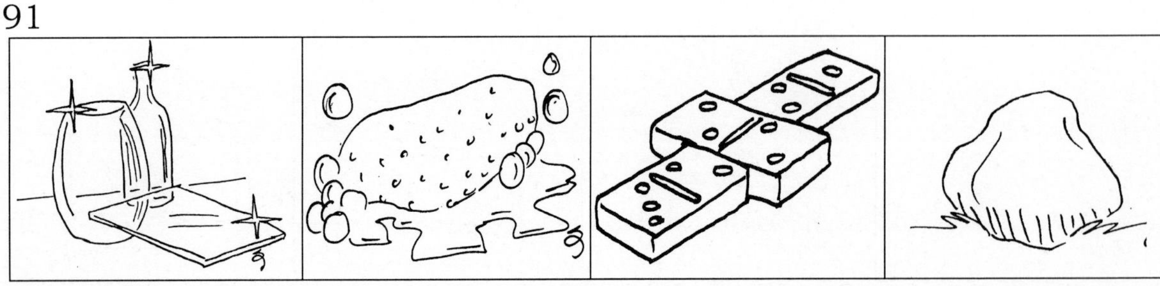

92

93

94

95

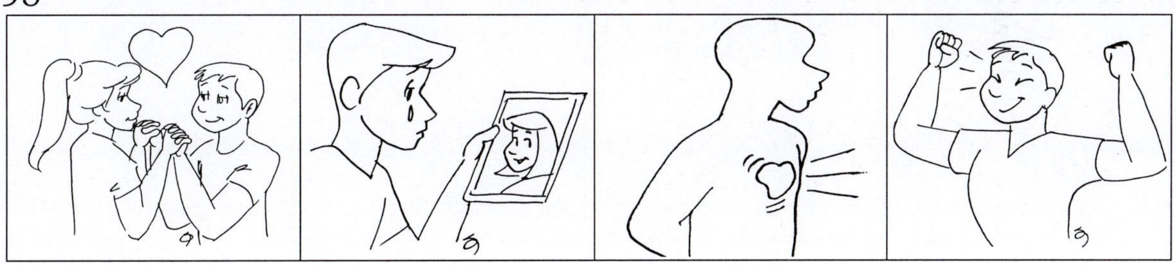

96

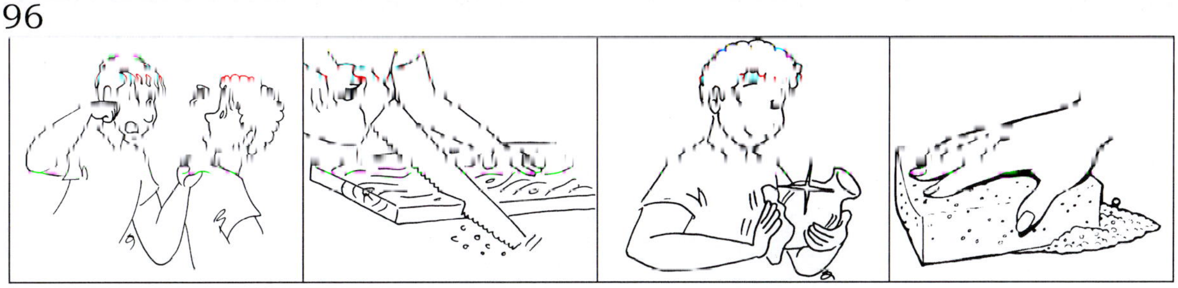

97

98

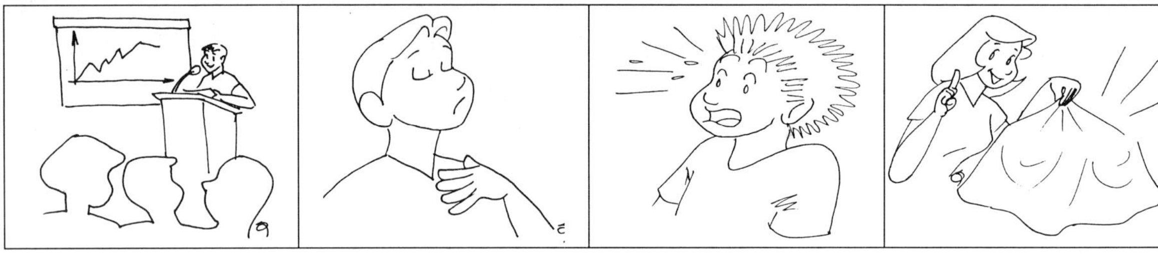

99

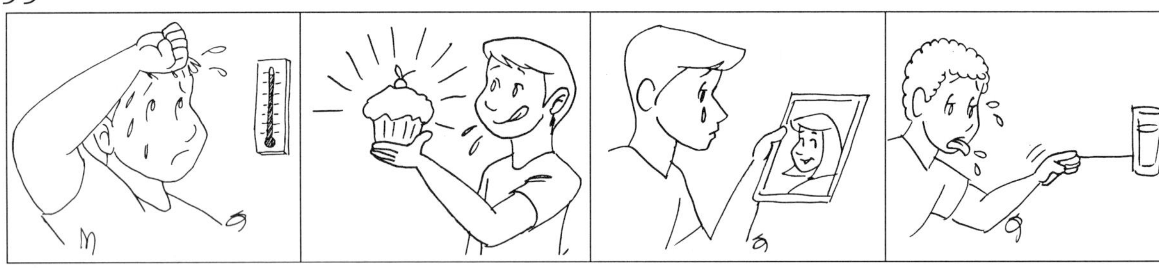

100

101

102

103

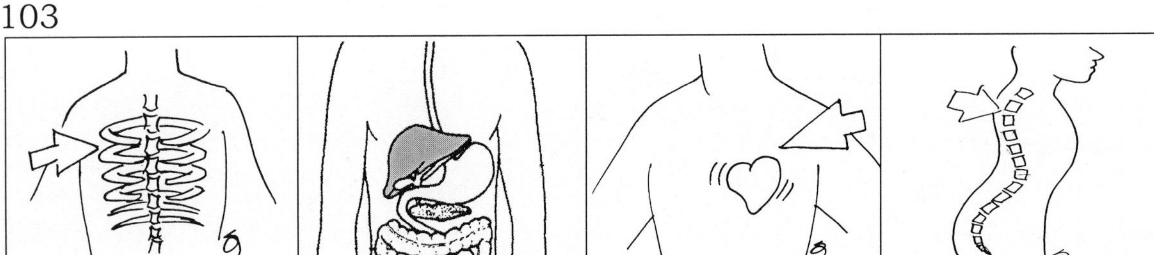

104

105

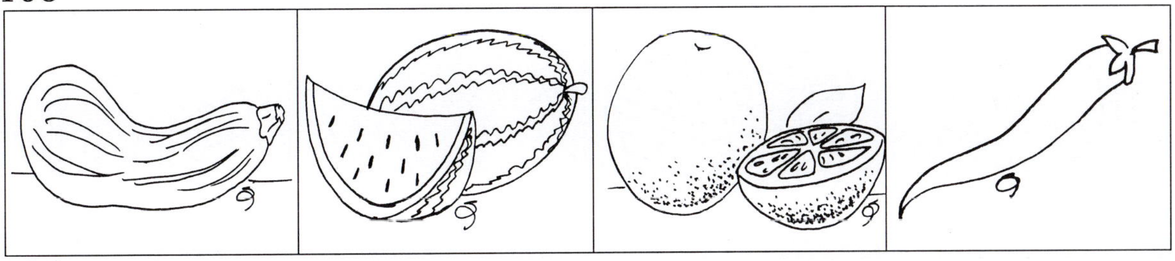

106

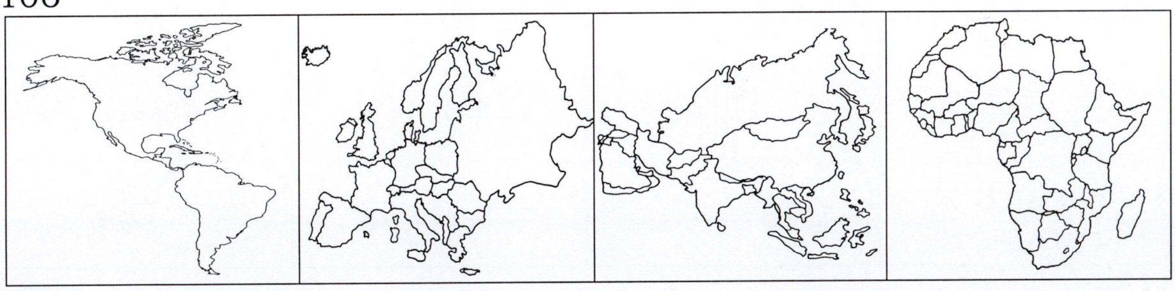

107

108

109

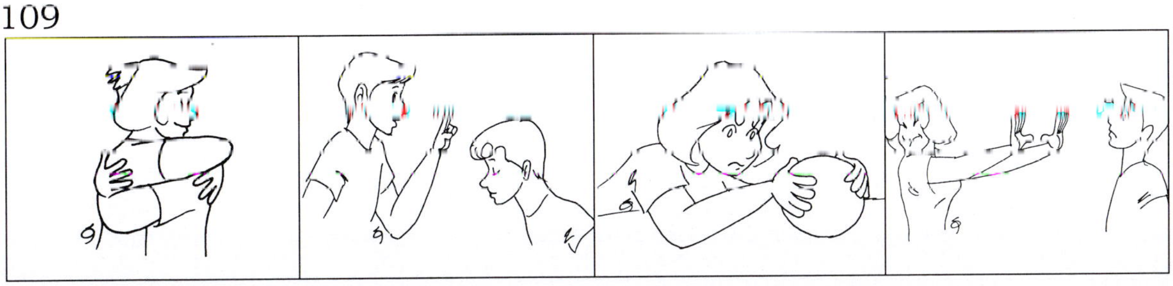

110

111

112

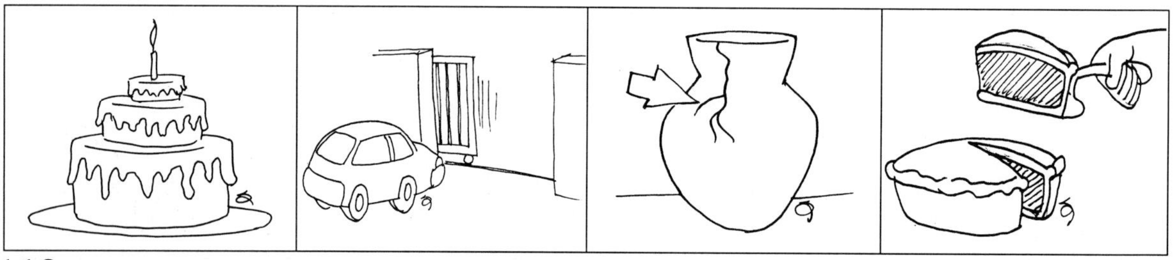

113

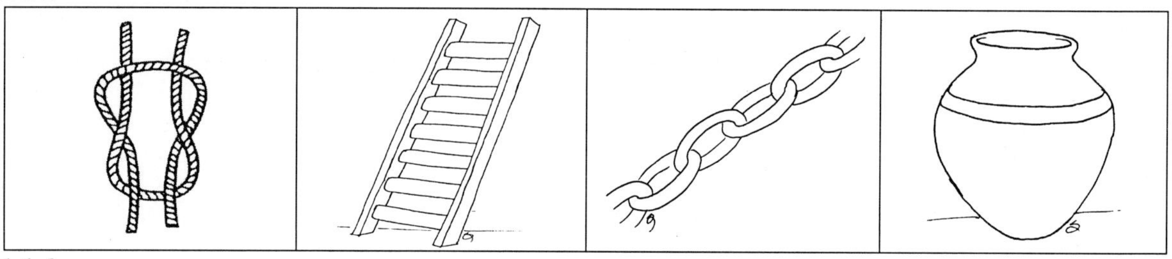

114

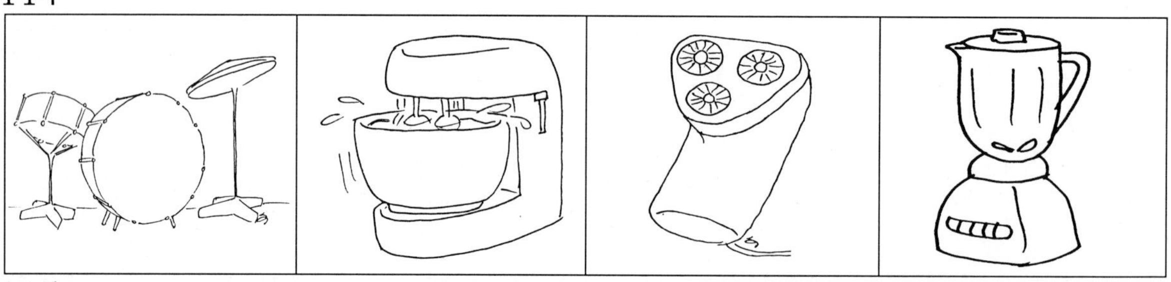

115

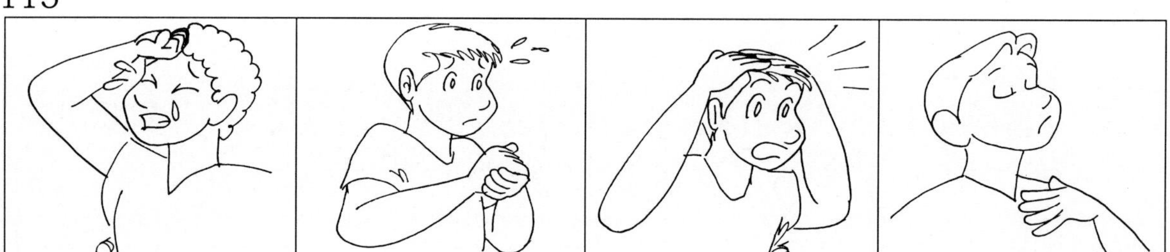

116

117

118

119

120

121

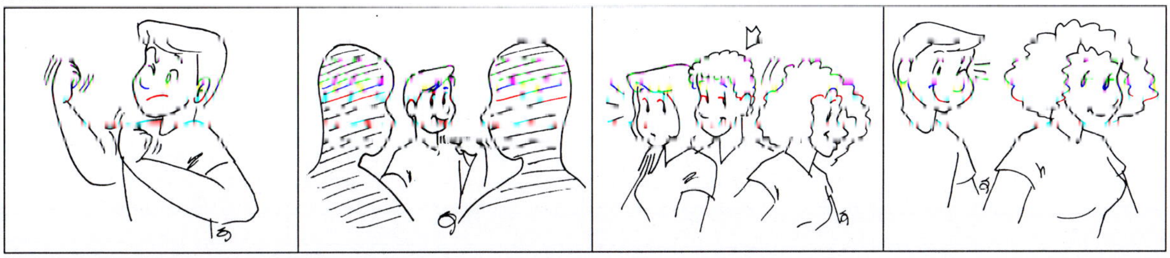

122

123

124

125

126

127

128

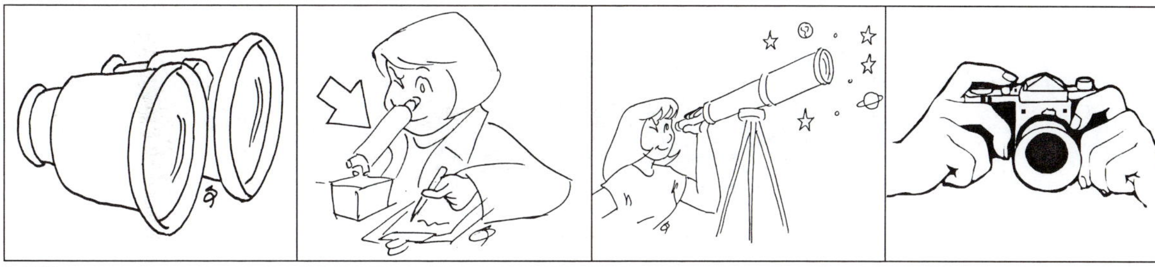

129

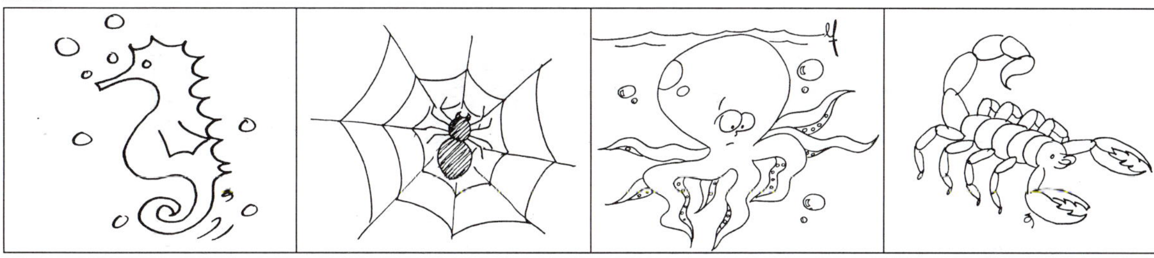

130

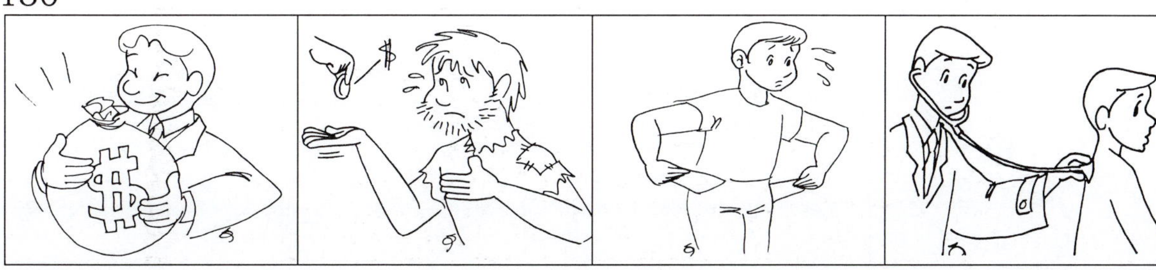

131

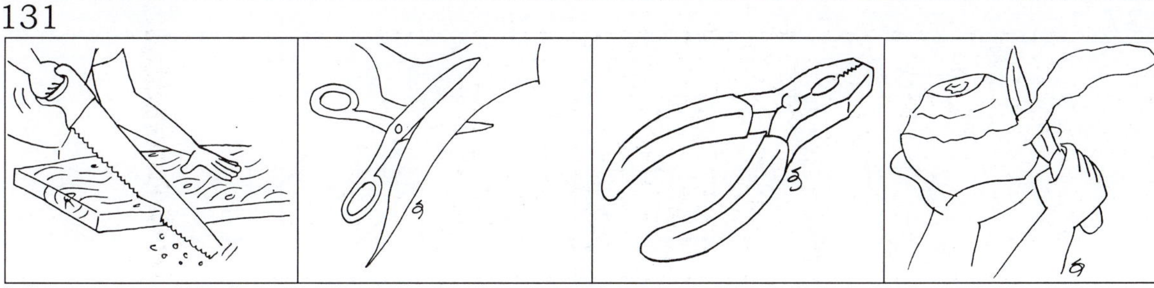

132

133

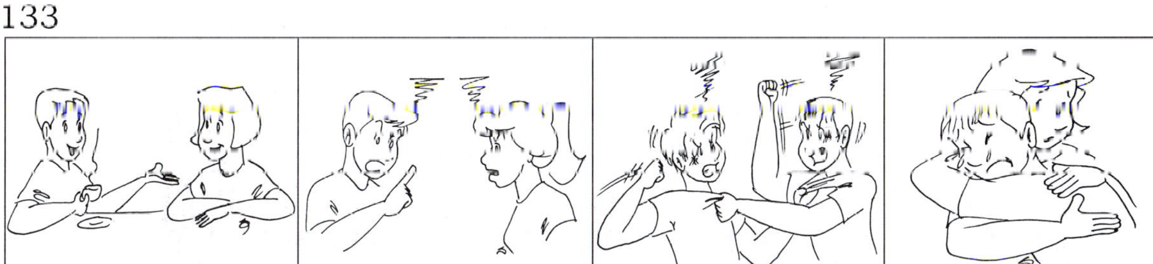

134

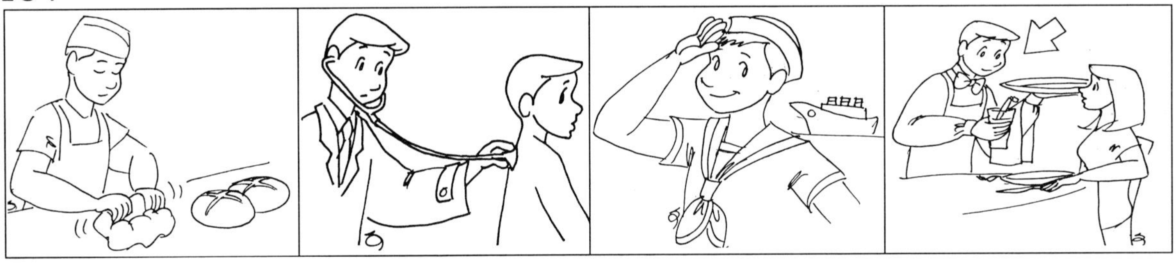

135

136

137

138

139

4.15.) Anexo 2: *Guia de articulação de sinais da versão original TVRSL1.1*

A. boneca

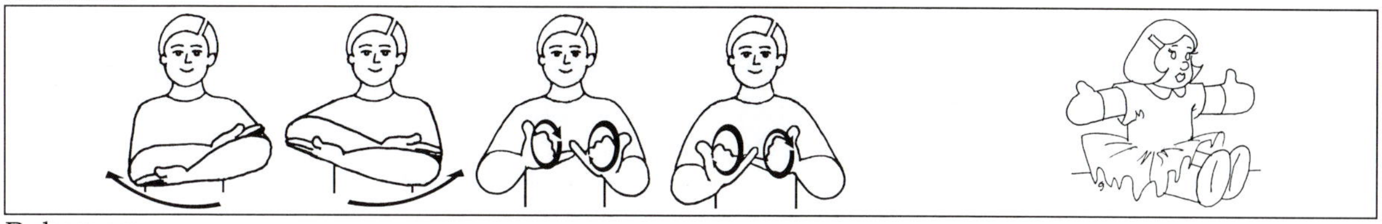

B. homem

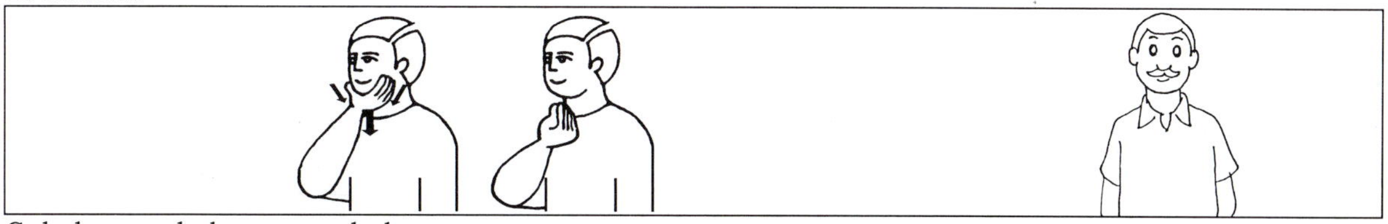

C. balançar, balançar-se, balanço

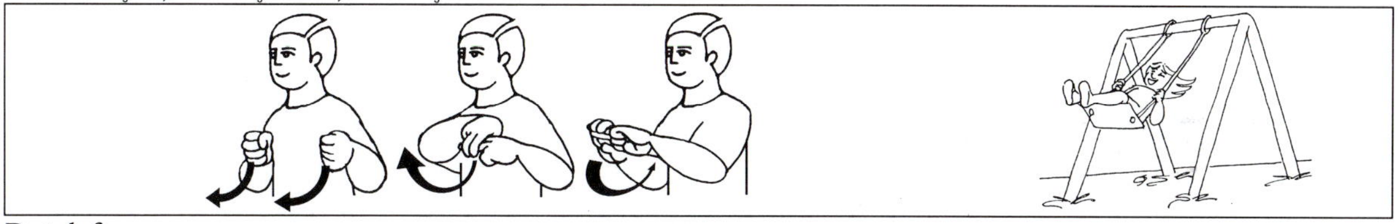

D. telefone

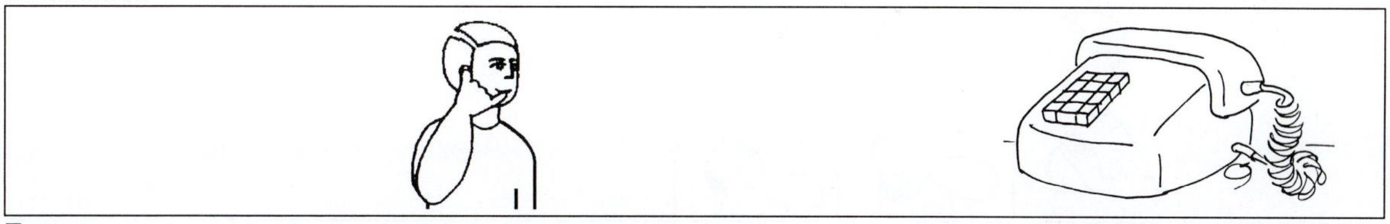

E. vaca

1. cobra

2. coruja

3. bebida, beber

4. barco

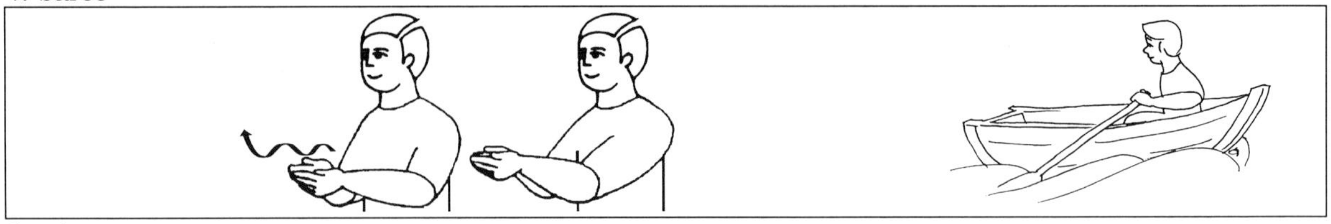

5. pé

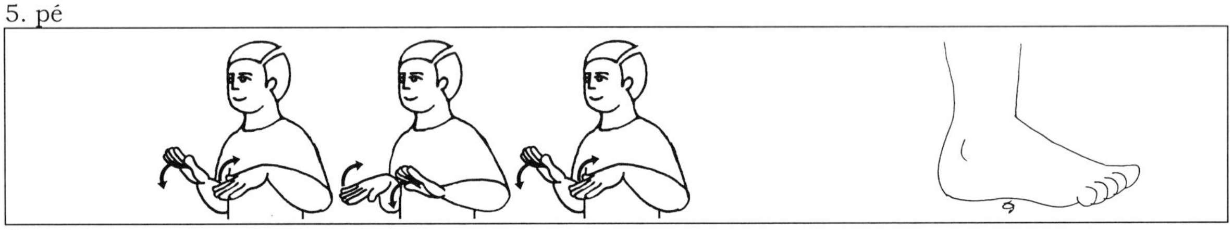

6. vela

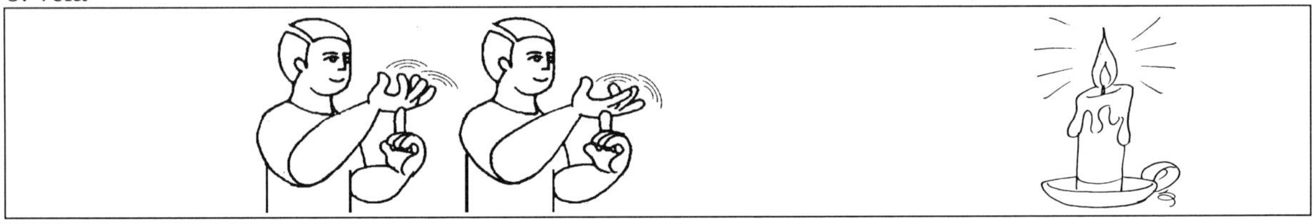

7. coração

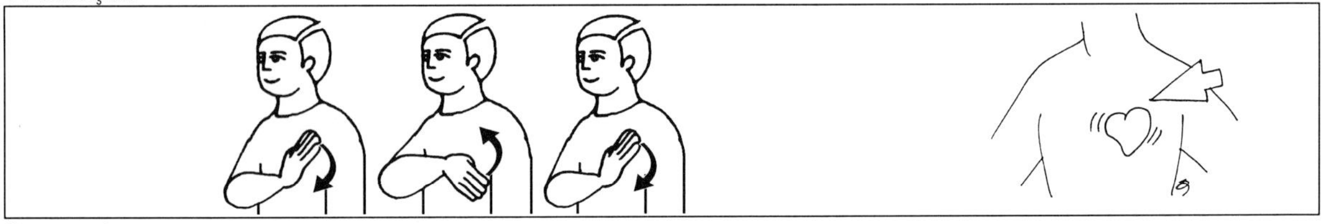

8. termômetro

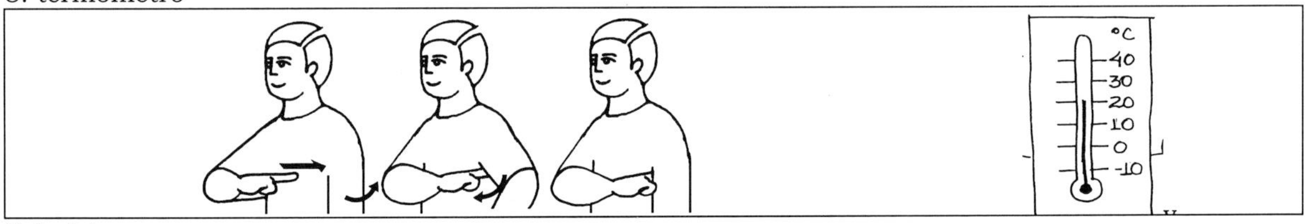

9. baleia

10. batida, bater, chocar, chocar-se, choque, colidir colisão

11. revólver

12. quebrado

13. descascar

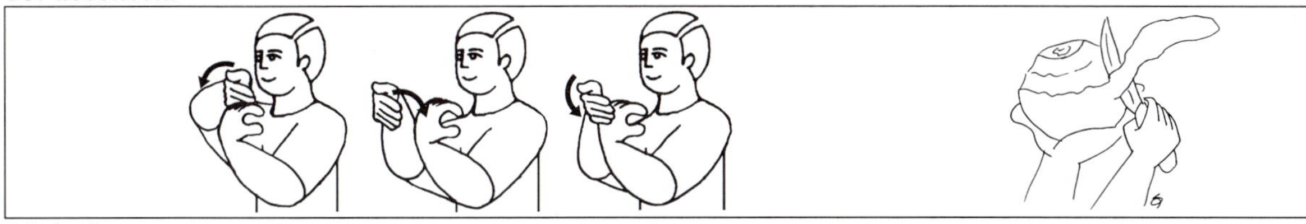

14. baú

15. abajur

16. binóculo

17. ambulância

18. rasgar (papel)

19. medir

20. cadeia

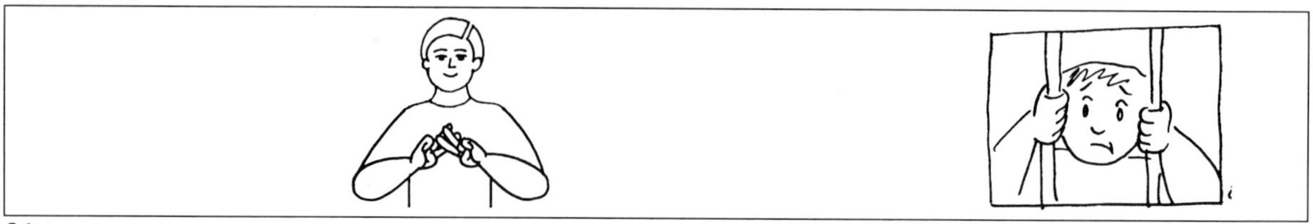

21. canguru

22. desenhista

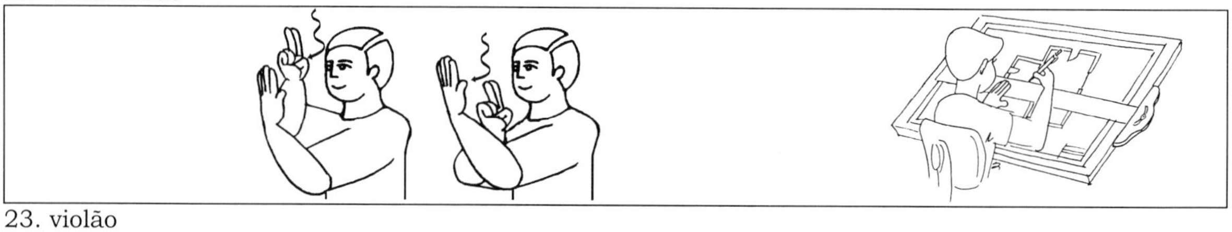

23. violão

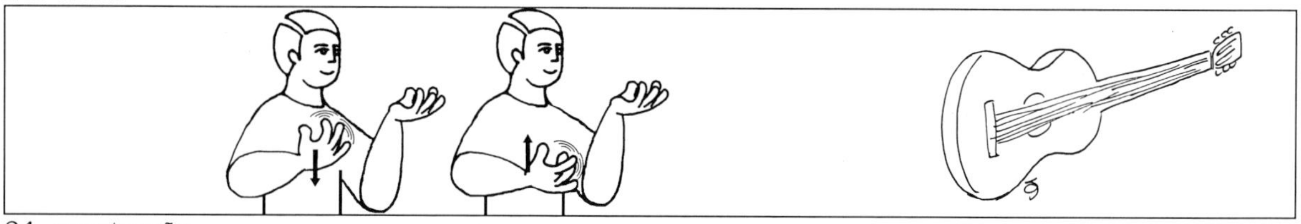

24. construção

25. vazio

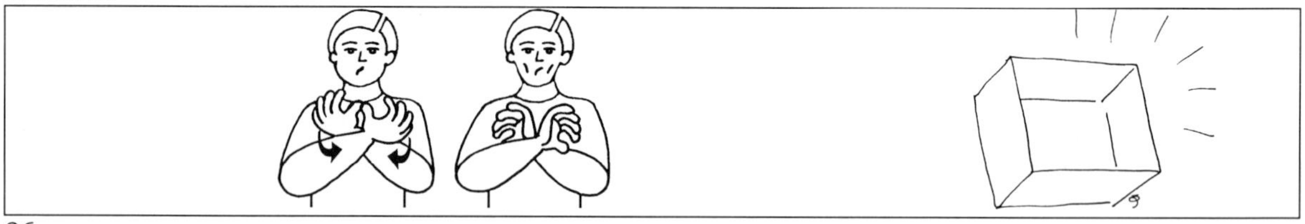

26. pensar

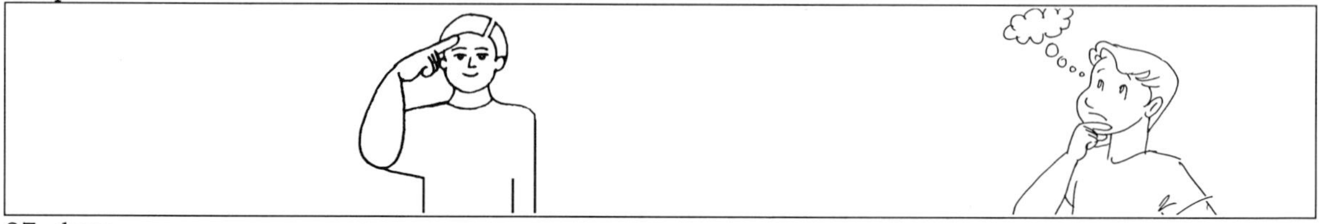

27. duro

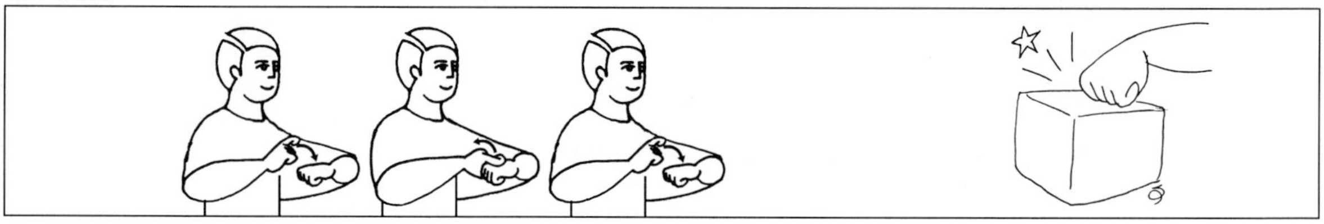

28. barbeiro

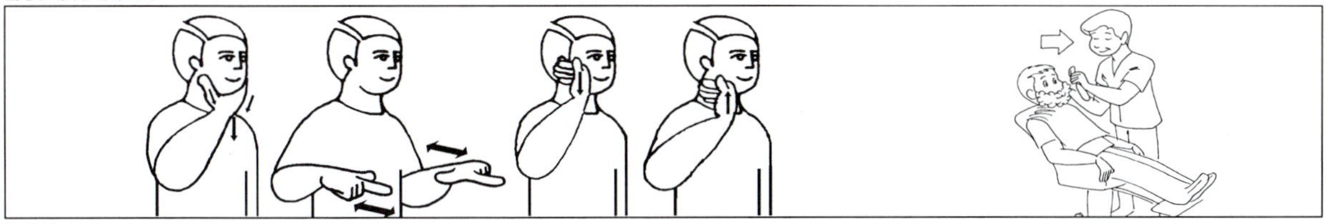

29. rio

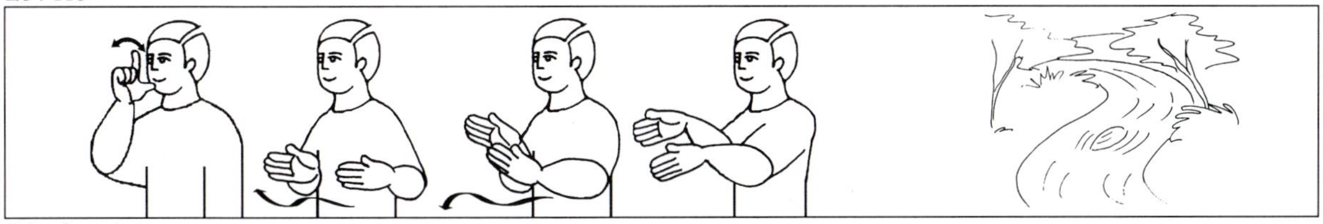

30. dentista

31. despertar

32. pulmão

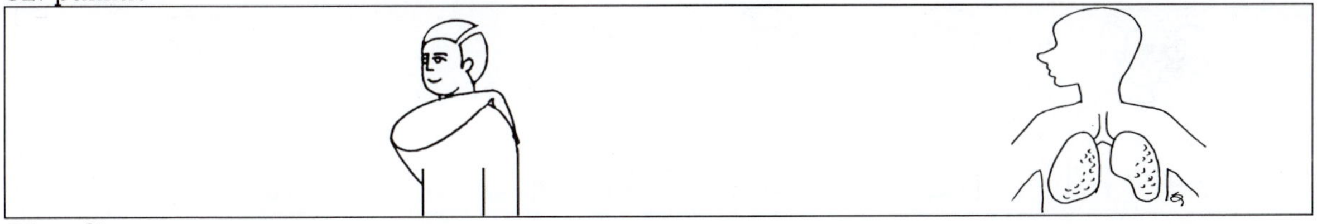

33. sofá

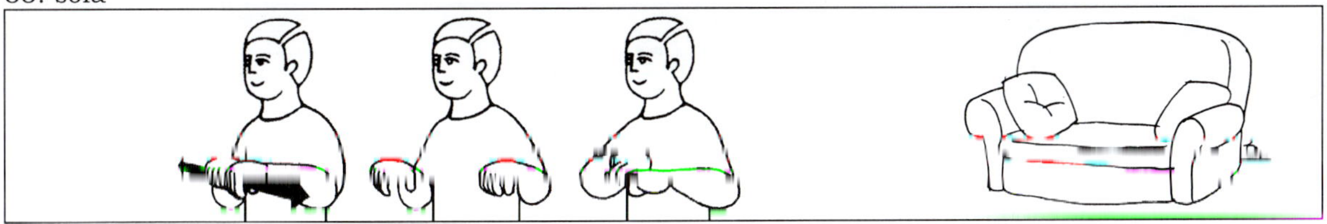

34. iluminar

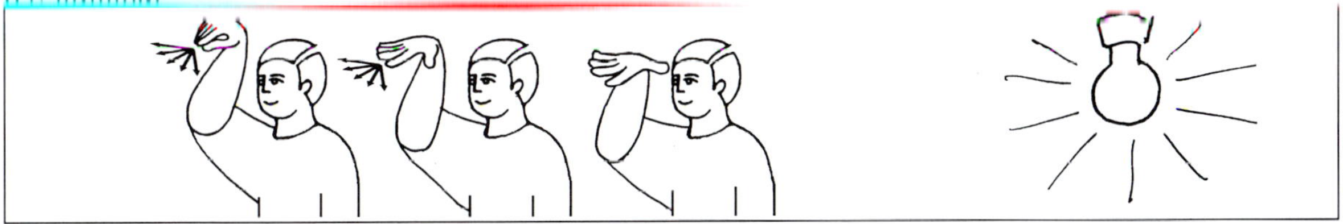

35. meia

36. cérebro

37. tronco

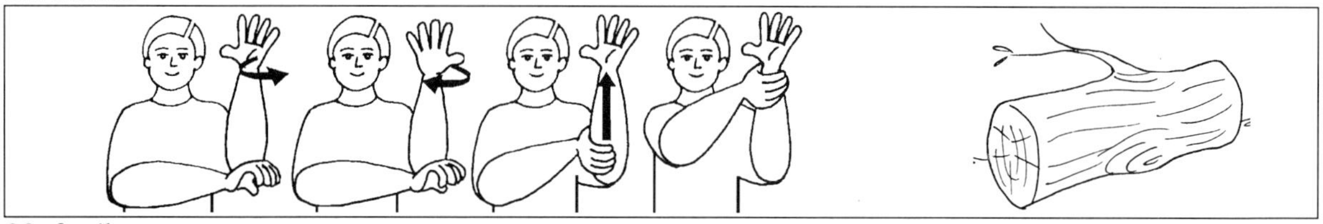

38. funil

39. parabenizar

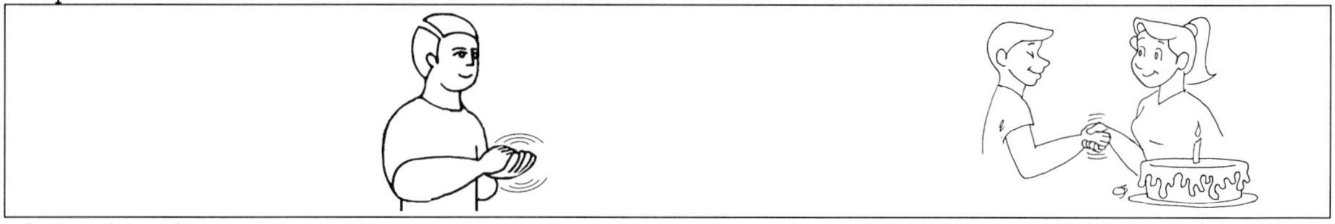

40. gotejar, pingar

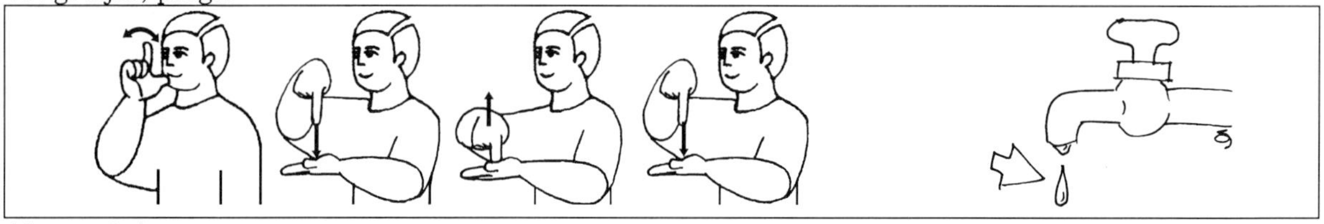

41. mecânico

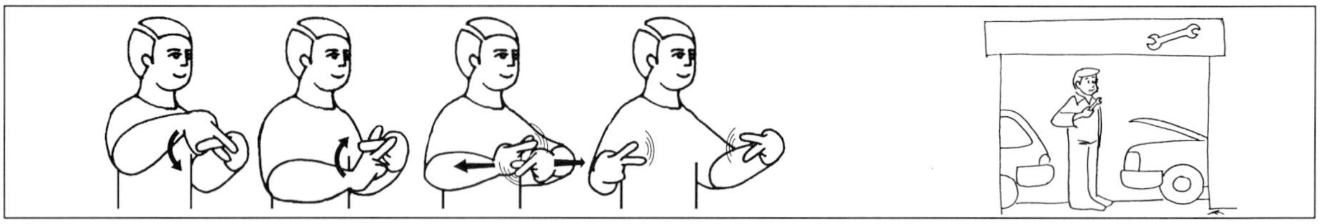

42. venenoso

43. grupo

44. pavão

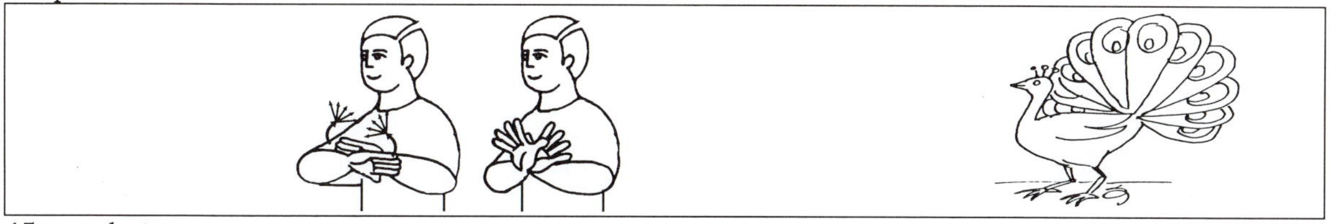

45. acrobata

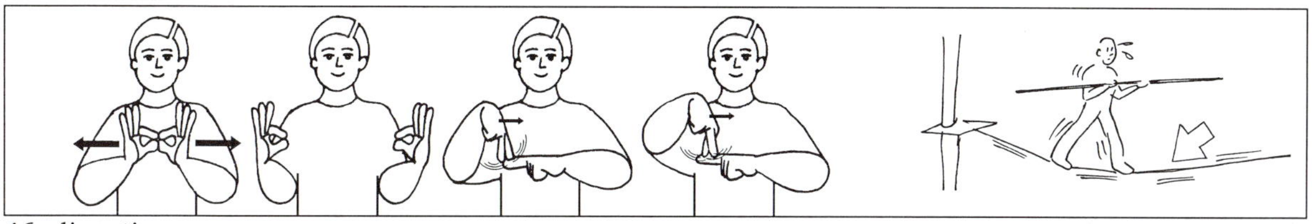

46. discutir

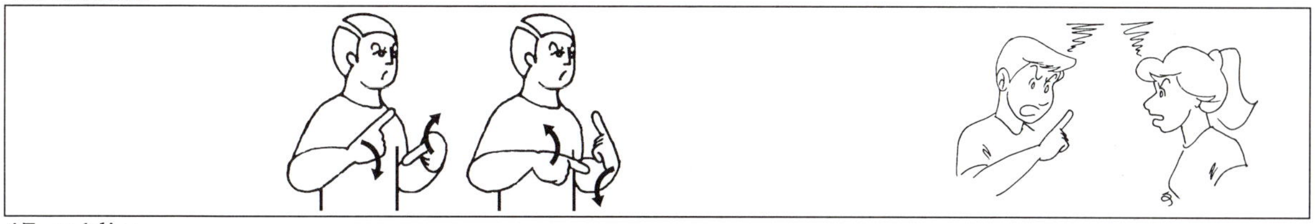

47. médico

48. grampeador

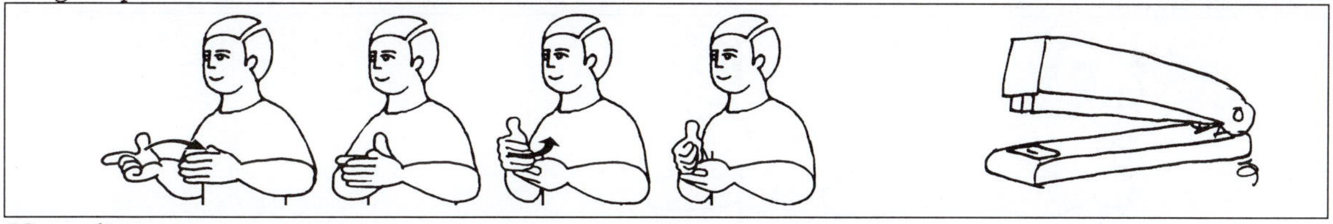

49. multa

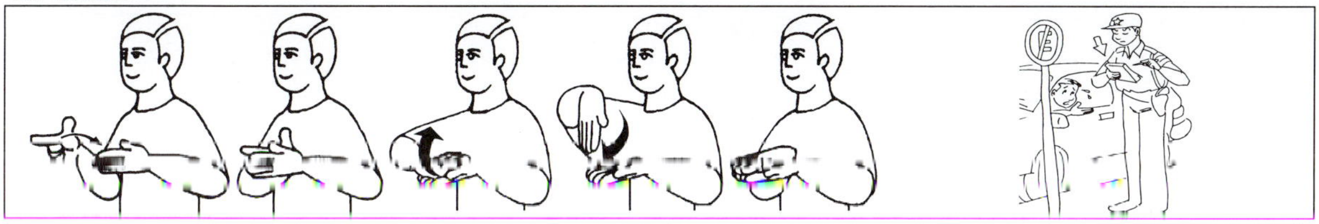

50. ramalhete

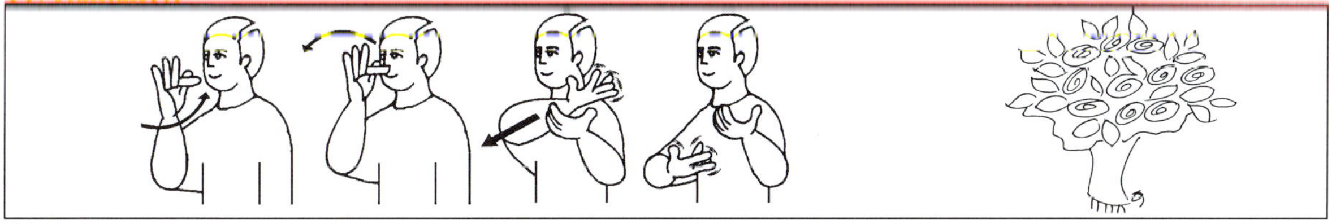

51. inaugurar

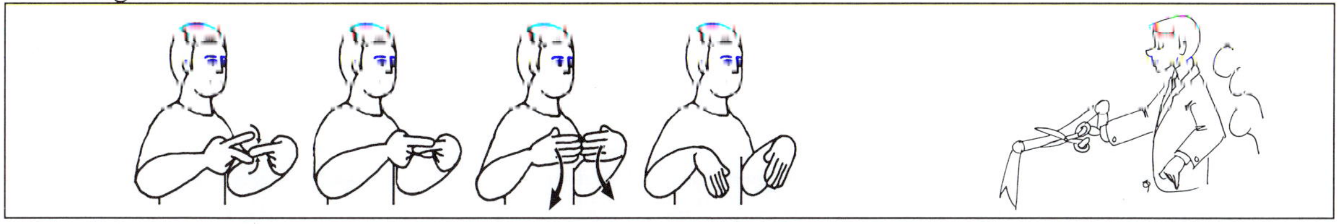

52. cientista

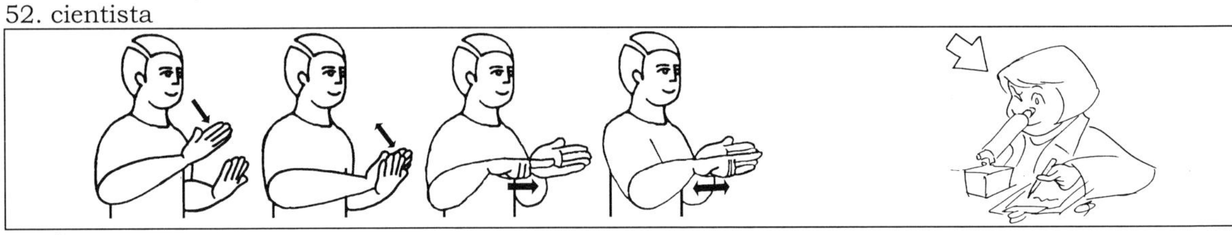

53. famoso

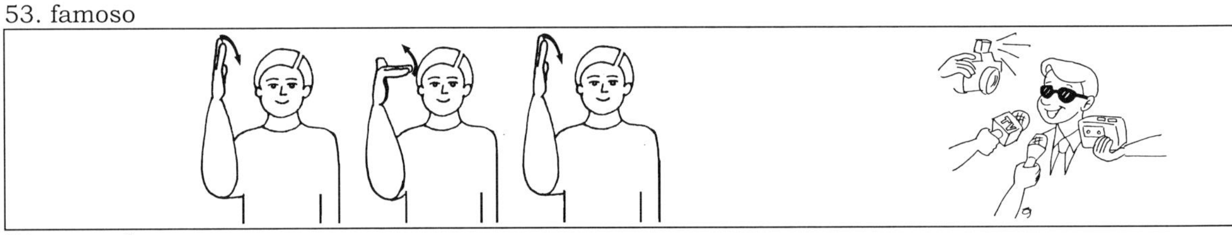

54. vencedor

55. dupla

56. guarda-chuva

57. girafa

58. ângulo

59. trigêmeo(a)

60. igreja

61. bicampeão, bicampeã

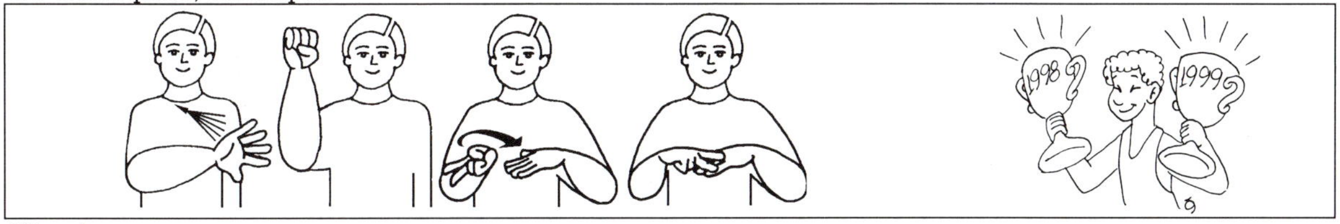

62. adorar

63. derramar

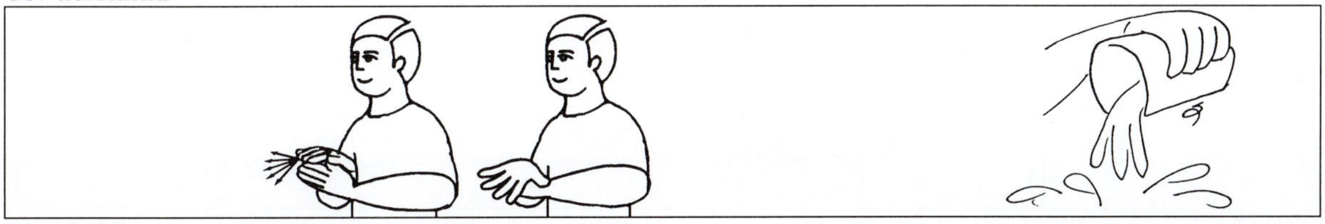

64. abridor

65. aconselhar (*advertir*)

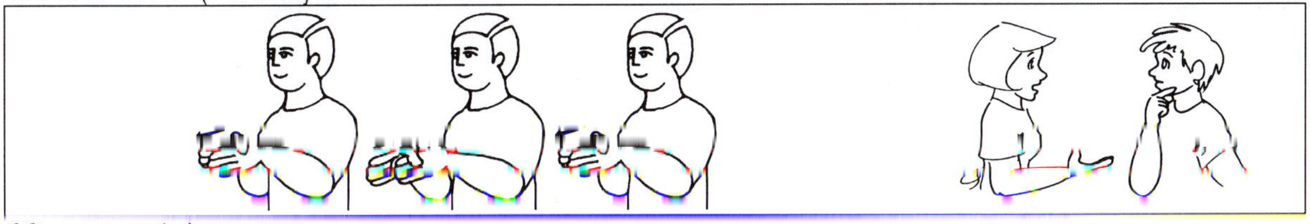

66. estetoscópio

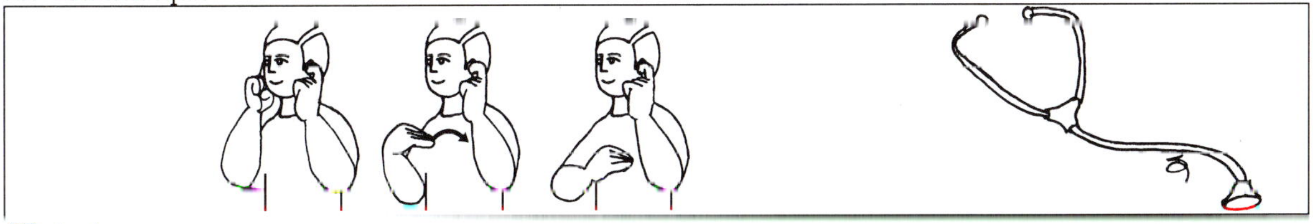

67. tartaruga

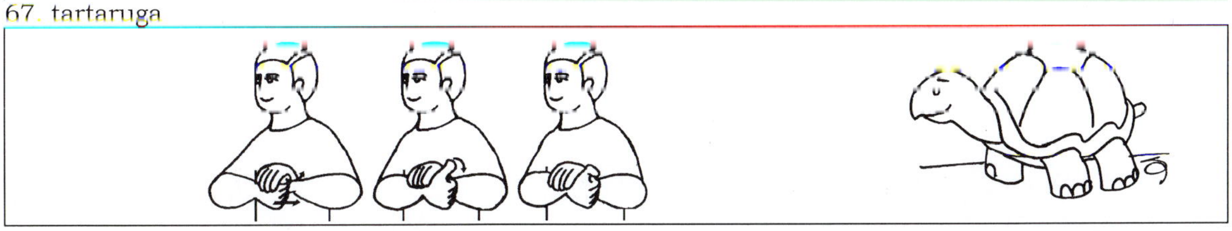

68. agricultura

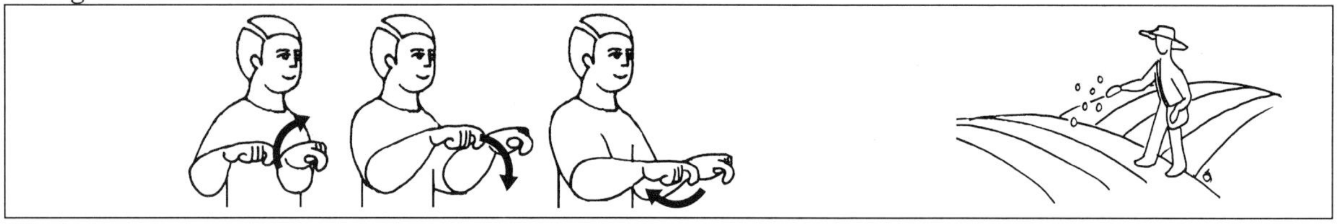

69. único

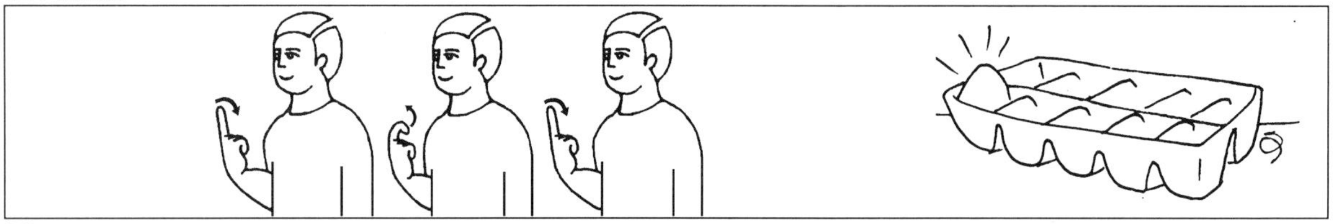

70. sapo

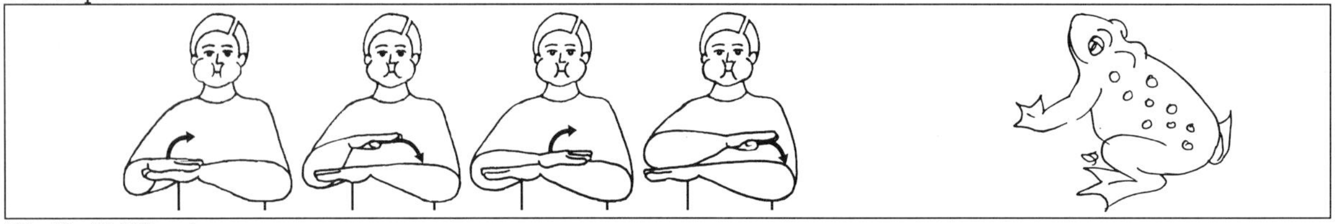

71. liqüidificador

72. trem

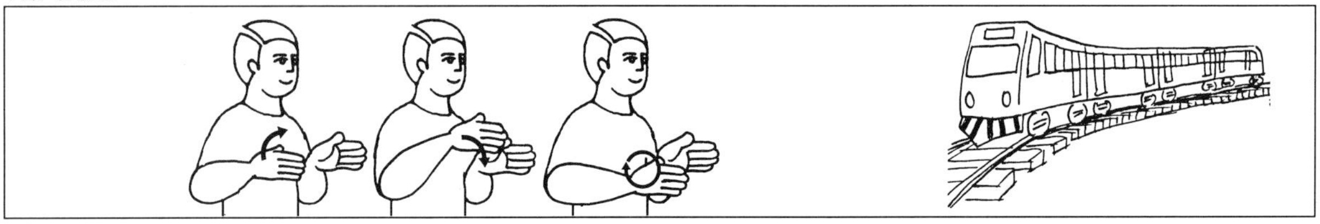

73. sapato

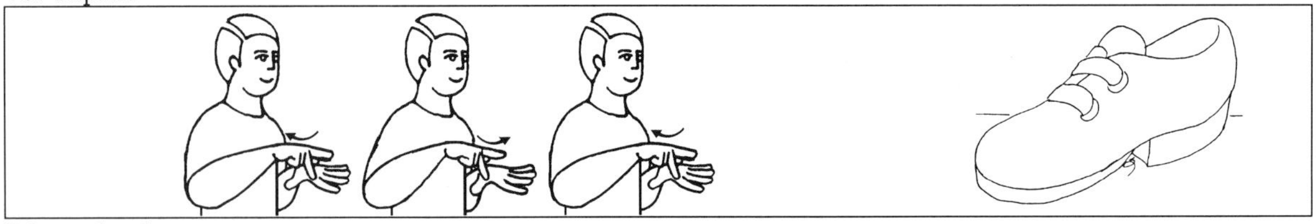

74. cachoeira

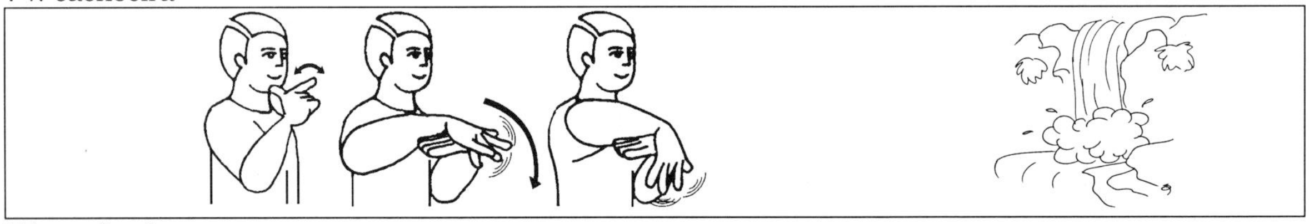

75. profundo

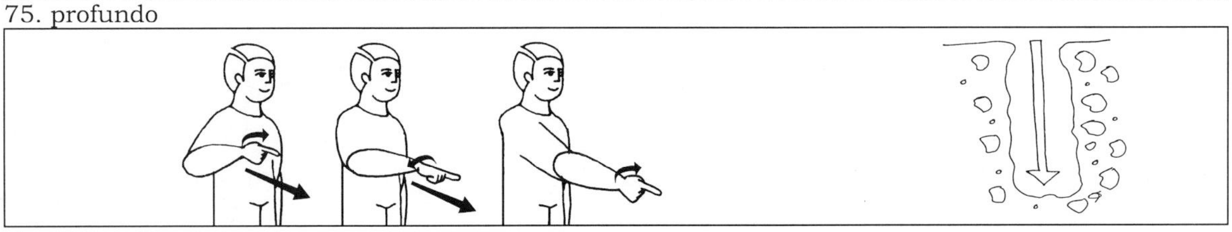

76. bosque

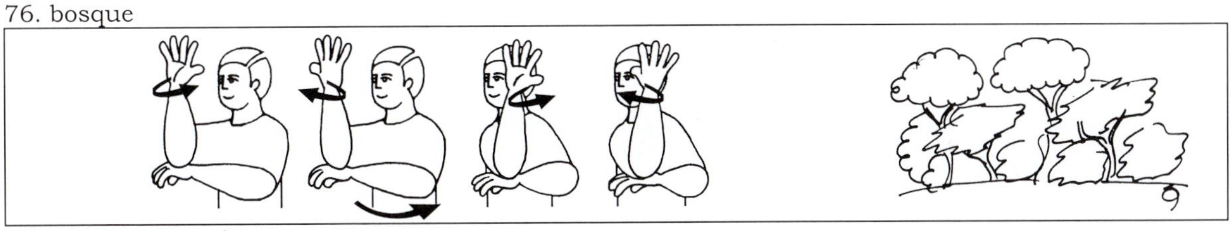

77. arquivar, arquivo

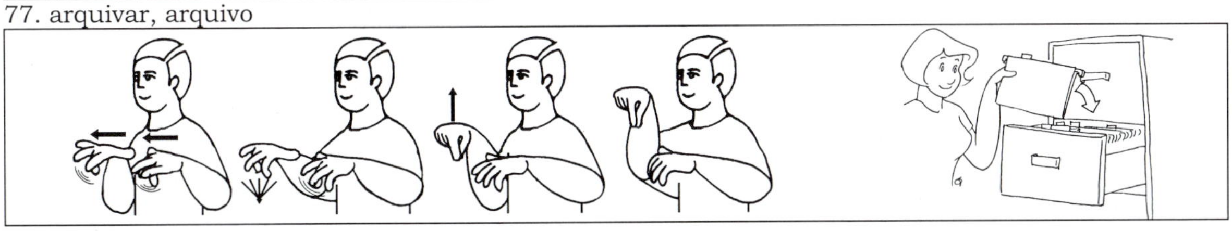

78. perfume

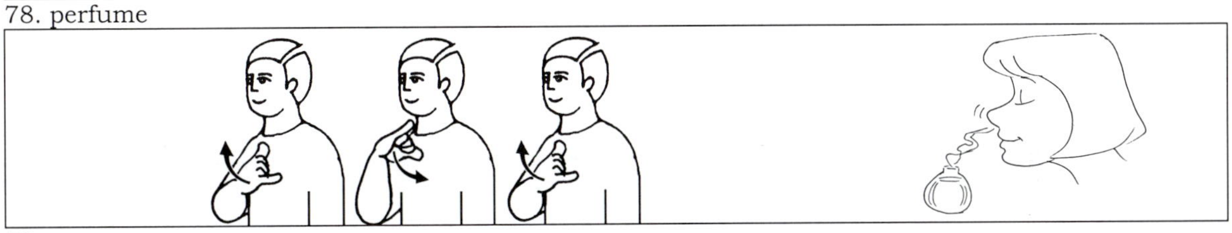

79. morcego

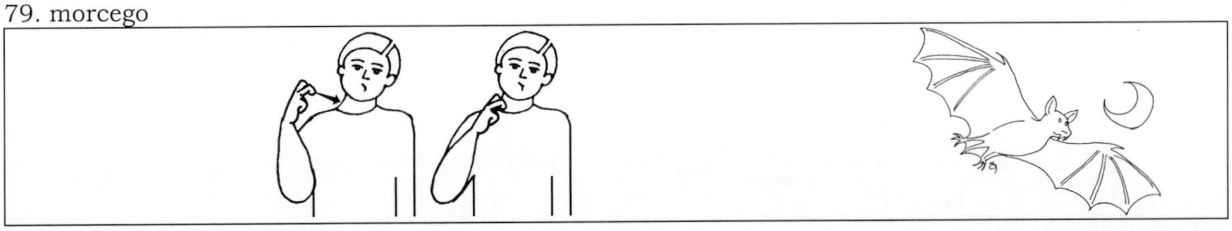

80. projeto

81. processo

82. caule

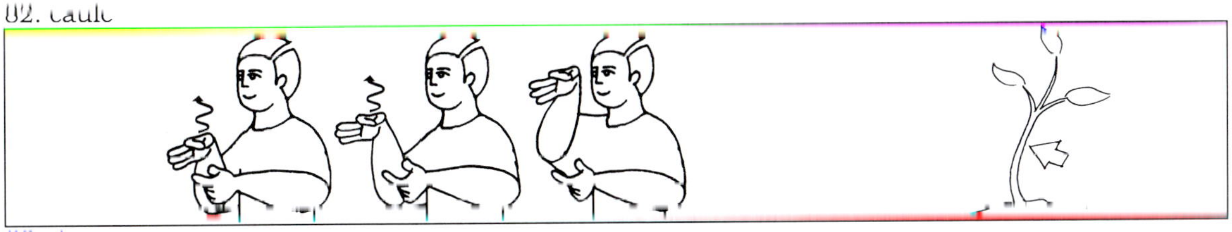

83. dança

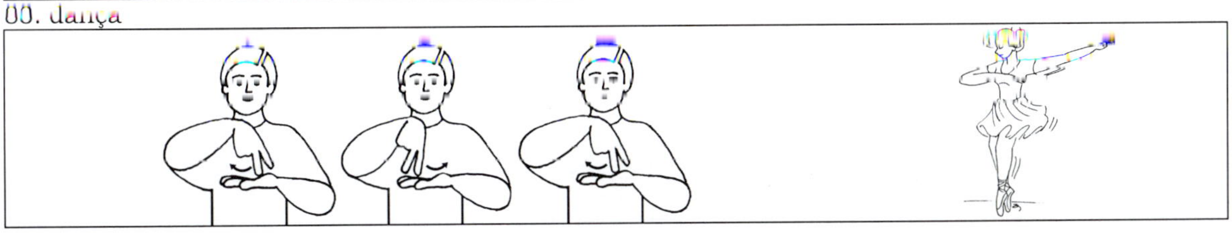

84. felino

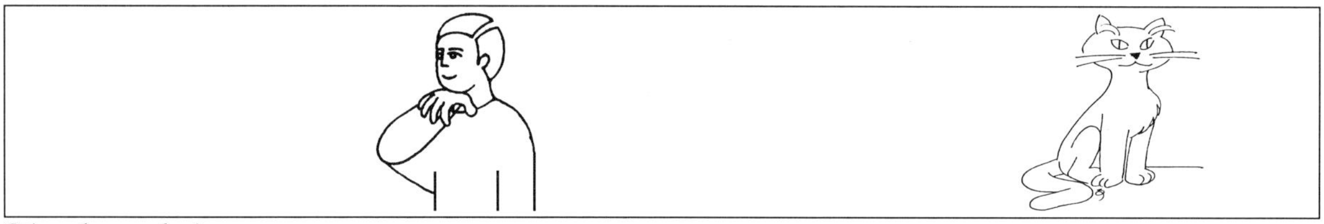

85. sob, embaixo

86. comércio

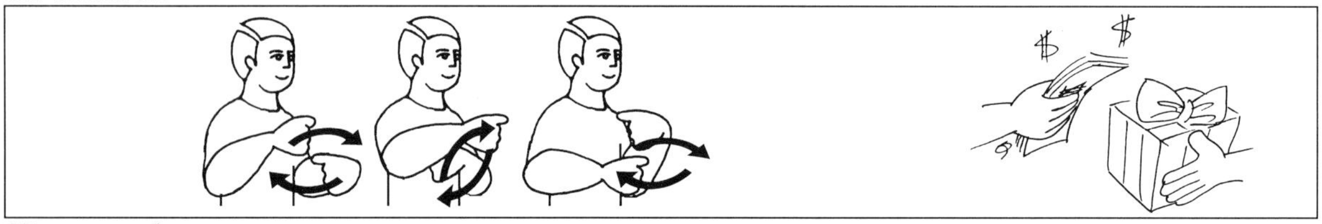

87. encanador

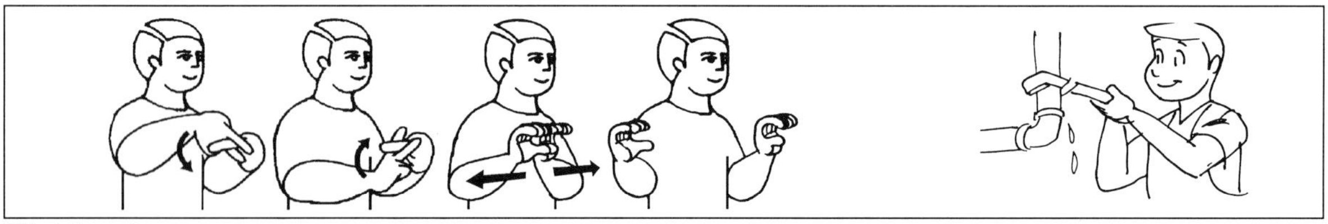

88. bússola

89. assustado

90. pesado

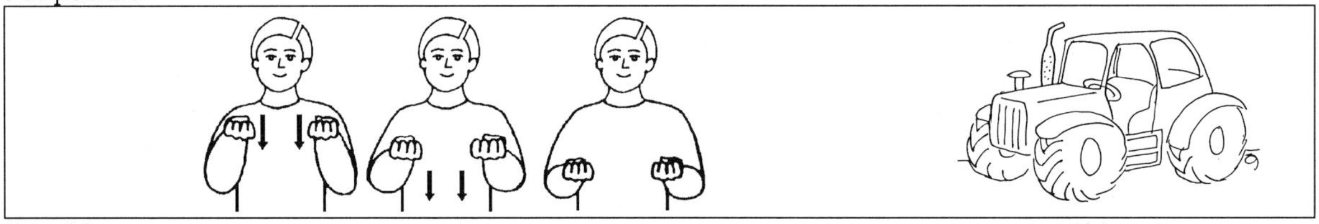

91. vidro

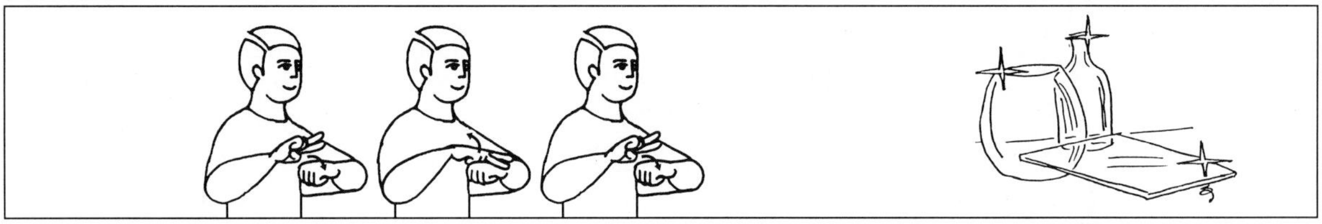

92. angústia

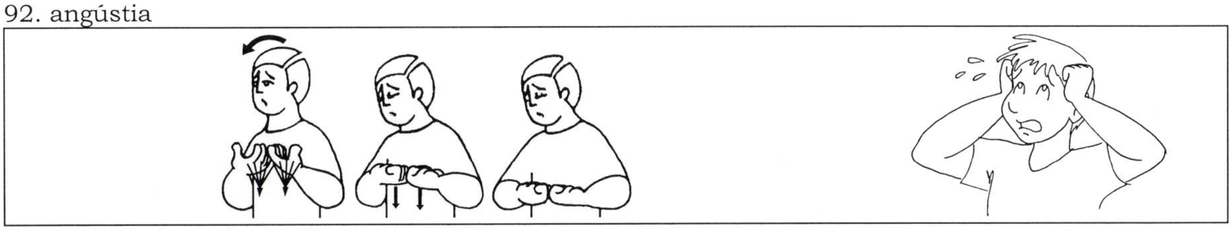

93. ensinar, instruir

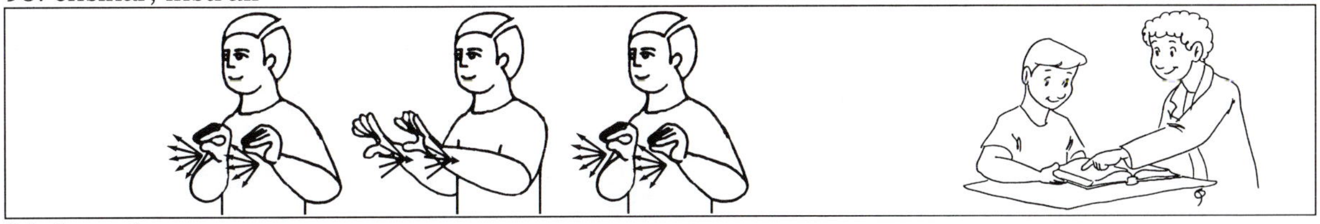

94. ira, raiva

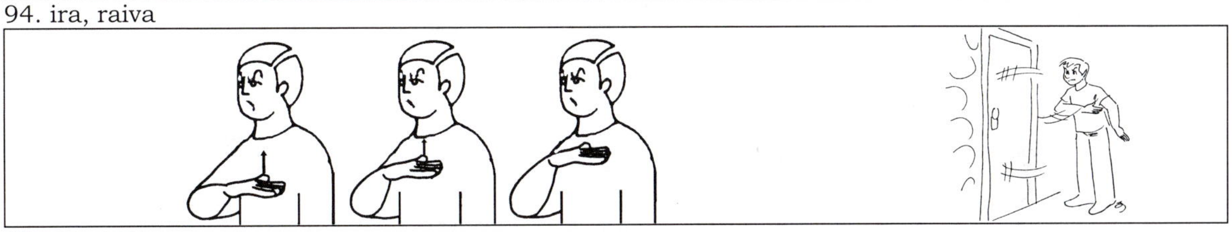

95. saudade

96. lustrar, polir

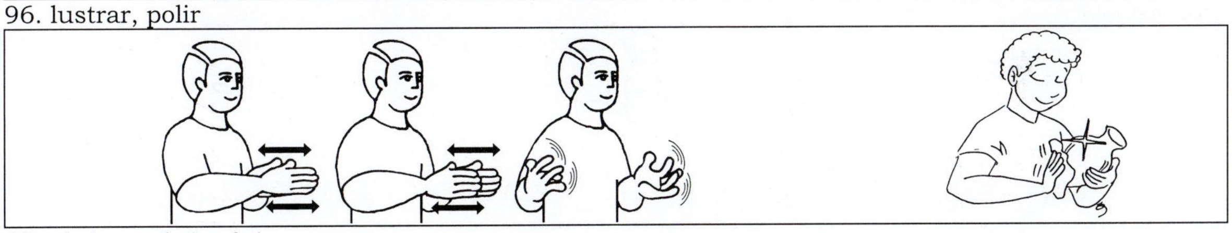

97. obrigar, obrigado(a

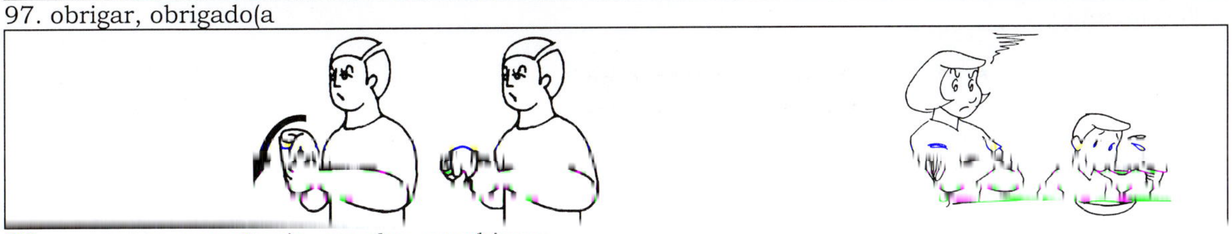

98. arrogante, arrogância, esnobe, esnobismo

99. sede

100. sonhar

101. marceneiro, marcenaria

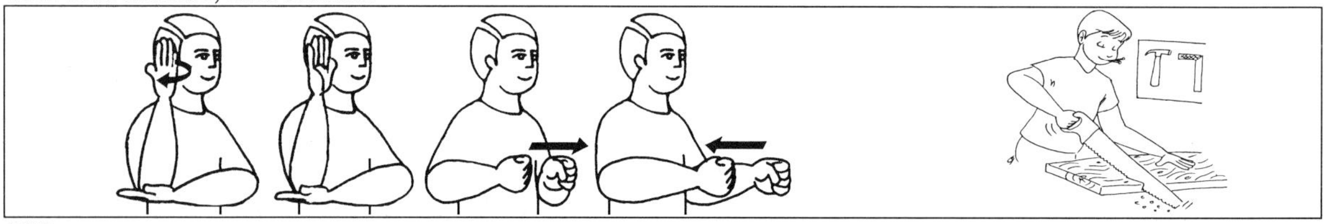

102. comprar

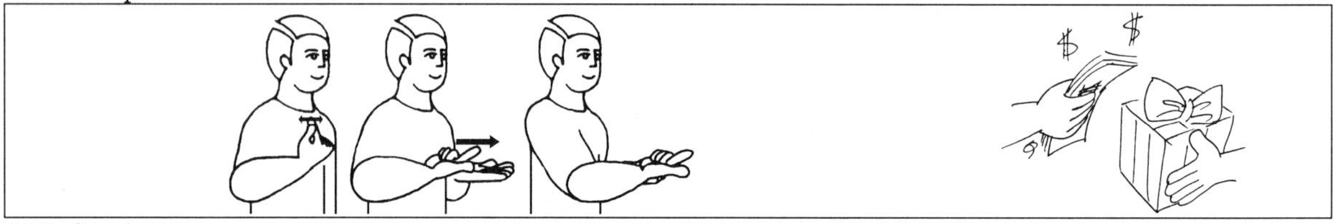

103. fígado

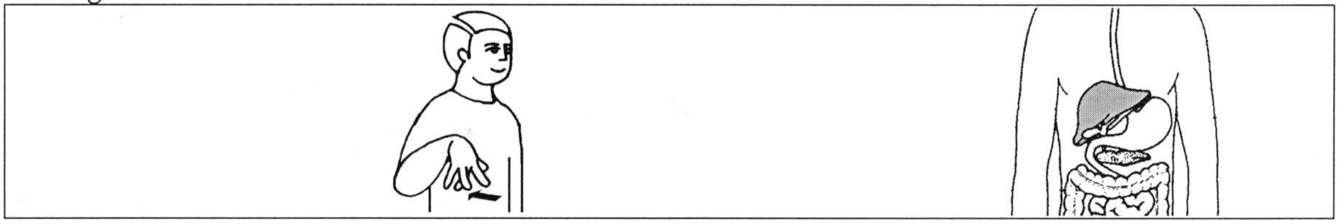

104. castelo

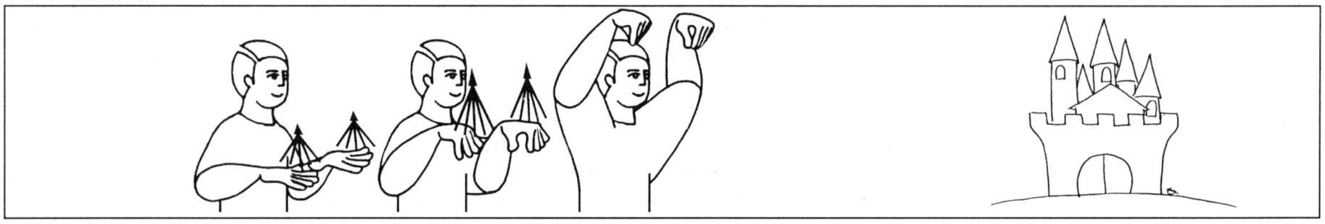

105. pimenta

106. Europa, europeu

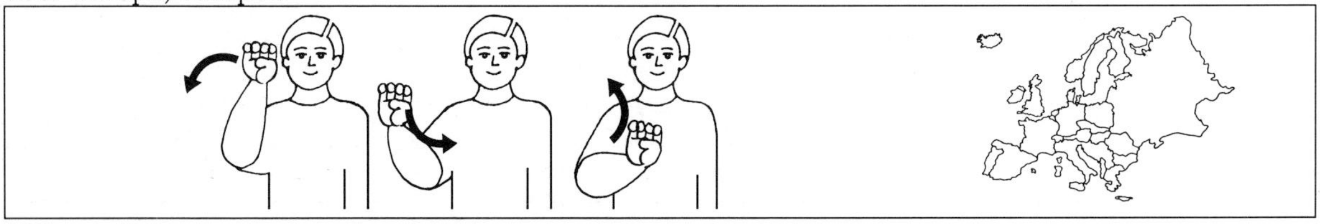

107. sapateiro

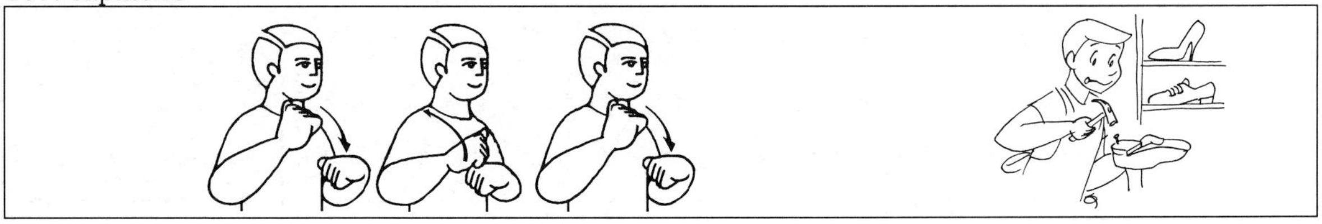

108. distração, distraído

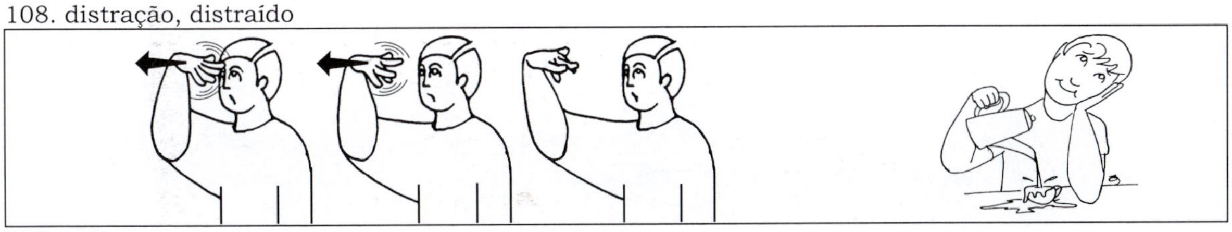

109. evitar

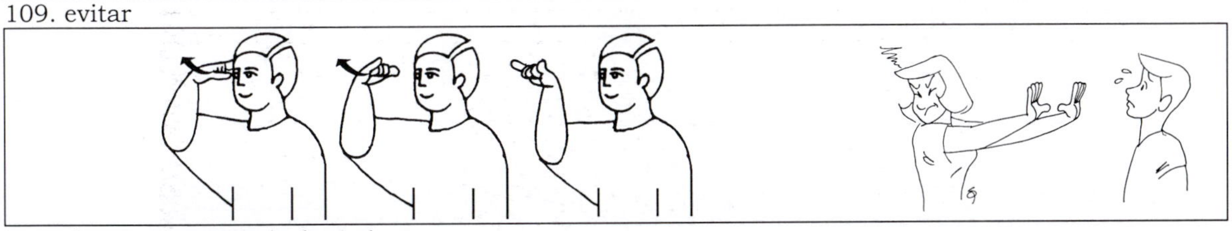

110. deserto (*natureza*), desértico

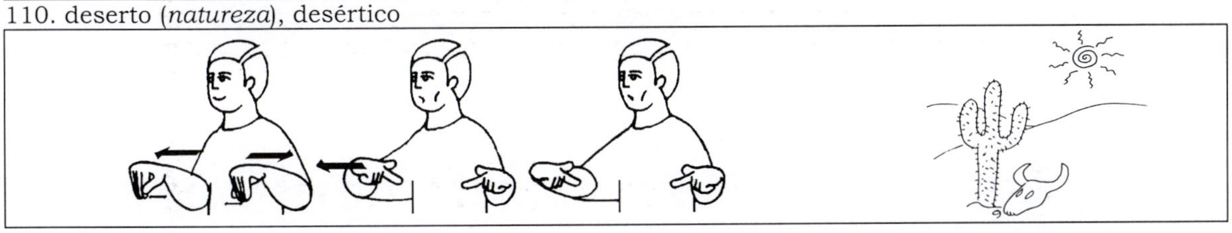

111. alarme

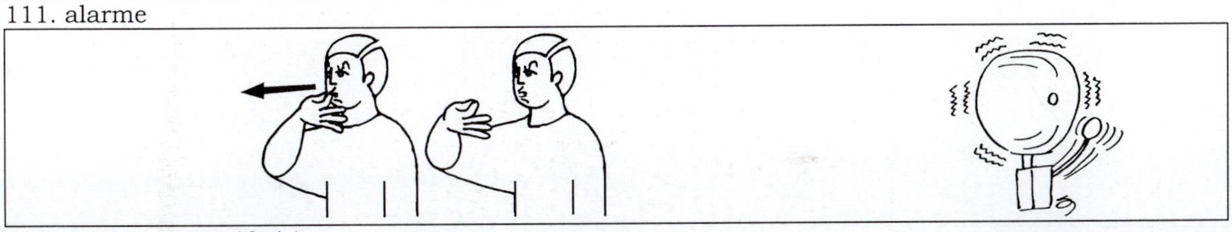

112. pedaço, parte (*fatia*)

113. corrente

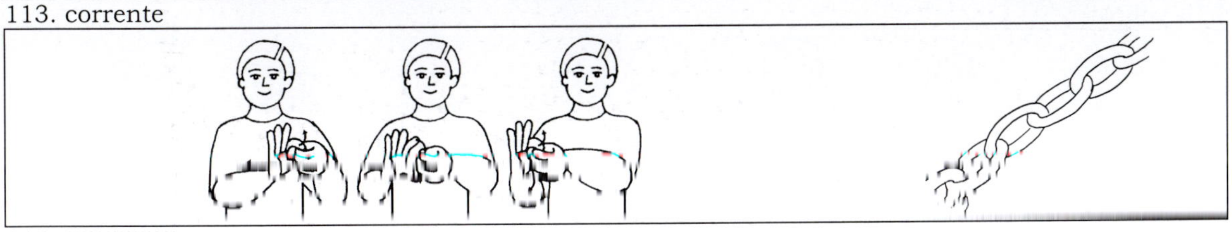

114. batedeira

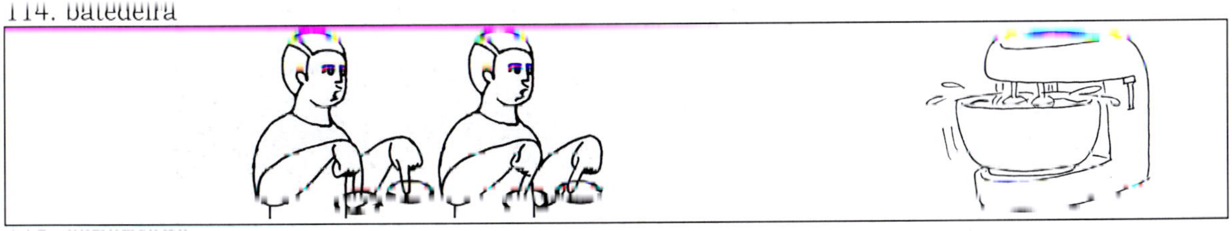

115. espantado

116. subornar, suborno

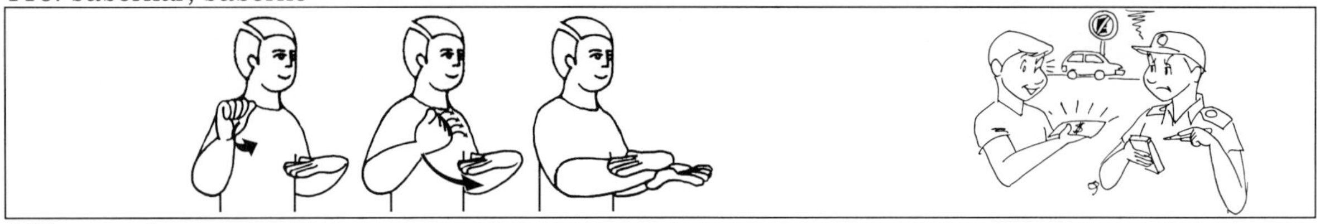

117. emergir

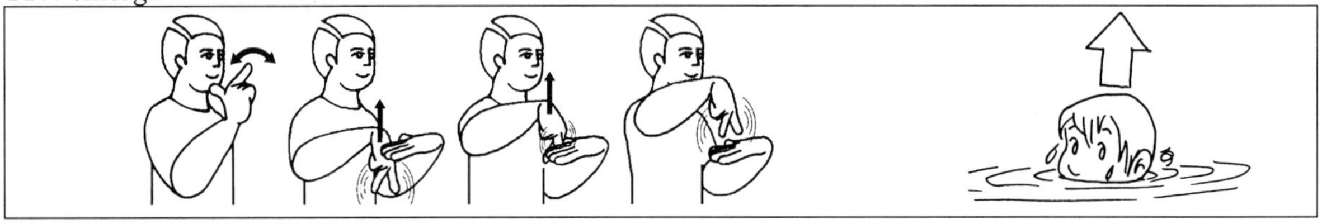

118. raposa

119. submergir

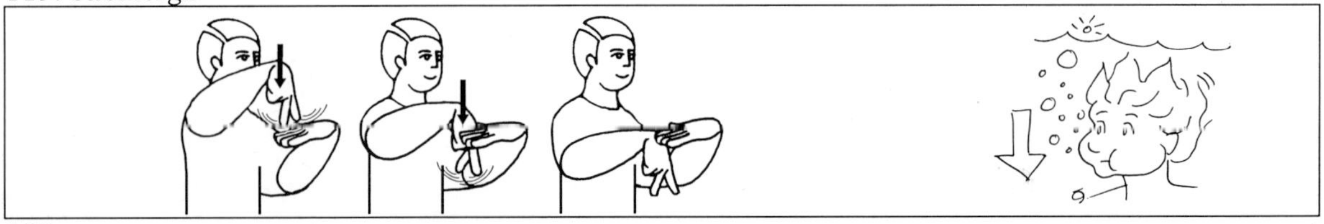

120. procurar

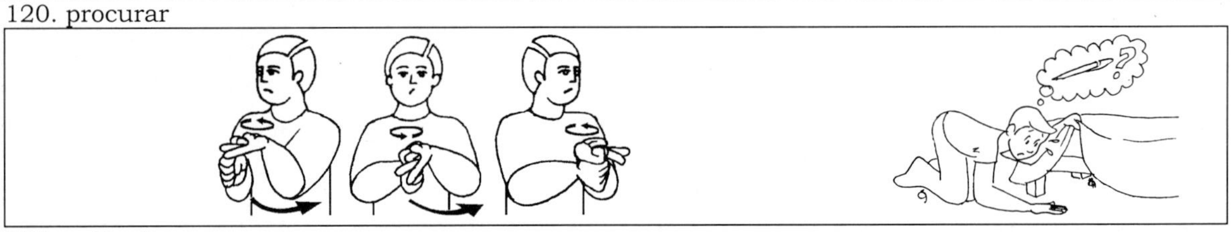

121. volúvel

122. batizar

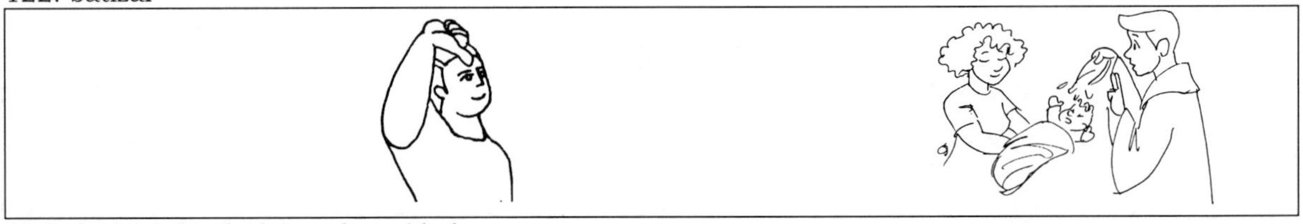

123. desleixado, desleixo, descuidado

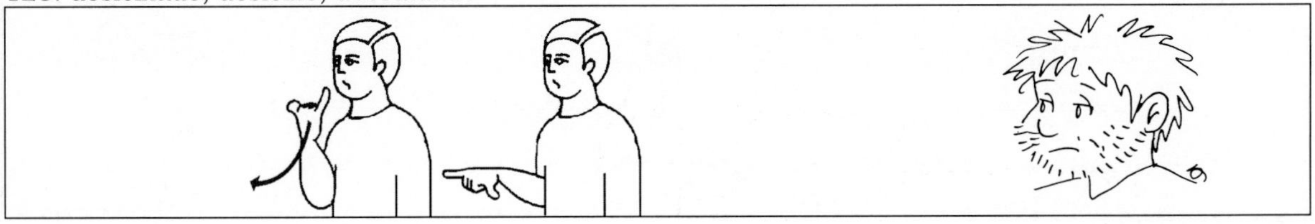

124. apelido

125. inocente, inocência

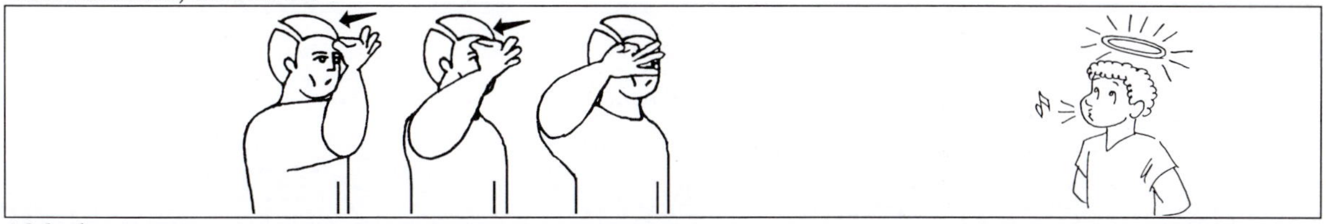

126. desprezar

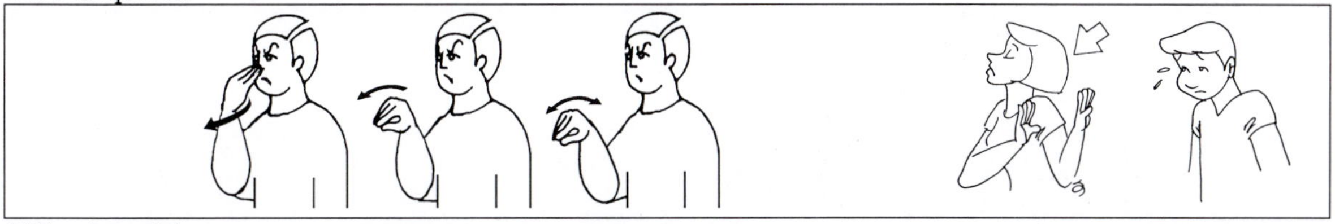

127. eterno(a)

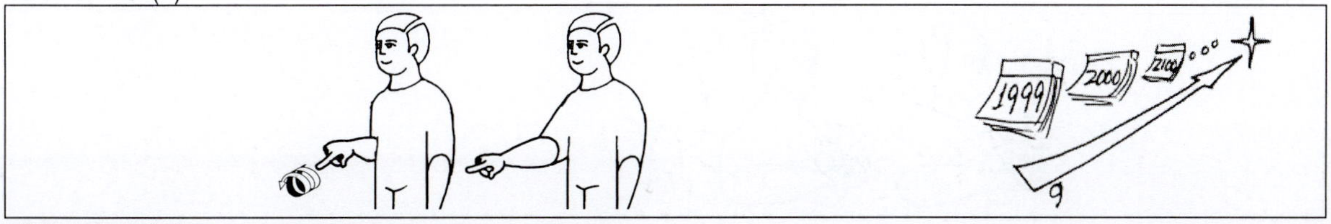

128. telescópio

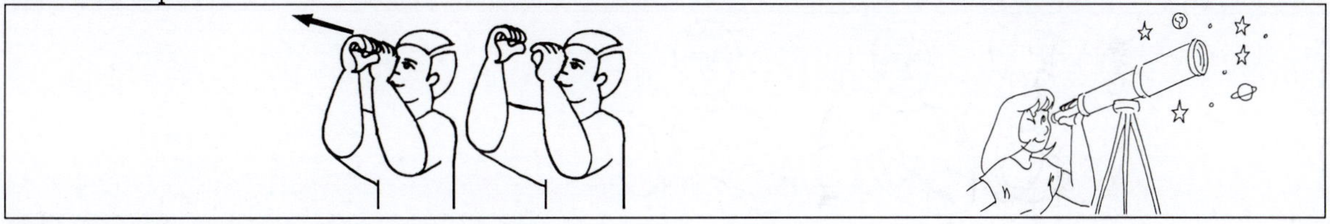

129. escorpião

130. rico

131. alicate

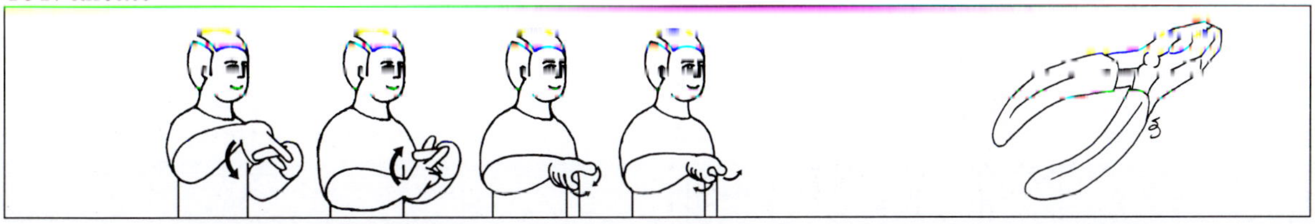

132. dicionário

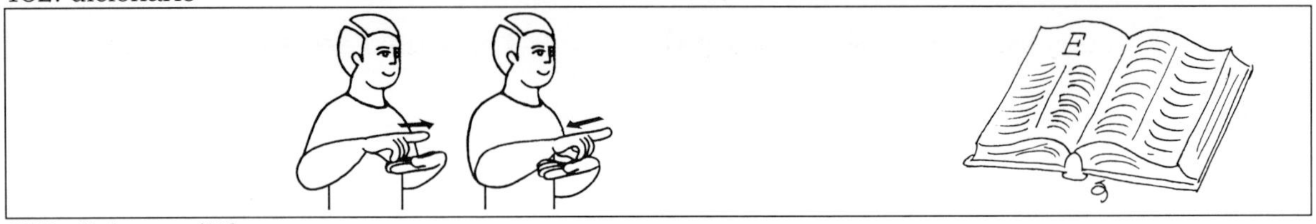

133. dialogar, diálogo

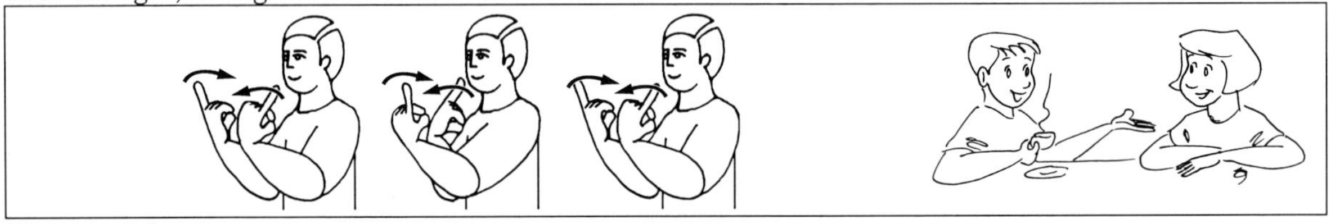

134. marinha

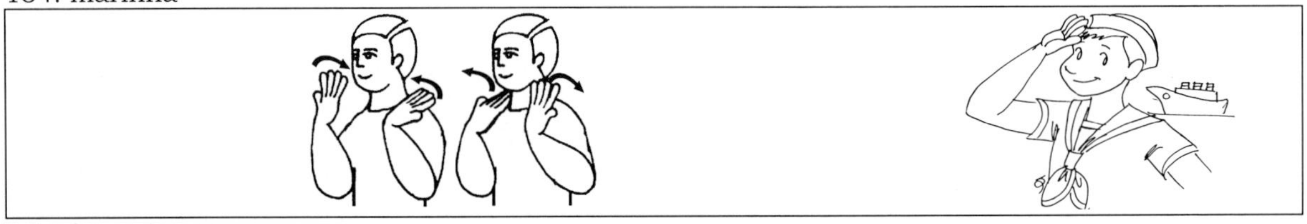

135. hipopótamo

136. hierarquia, diretoria, direção

137. greve

138. vertigem

139. rinoceronte

4.16.) Anexo 3: ***Caderno de resposta para escolha de figuras do TVRSL1.2***

Teste de Vocabulário Receptivo de Sinais da Libras versão 1.2

Nome: ______________________________ Série: ________ Data: ____________

A

B

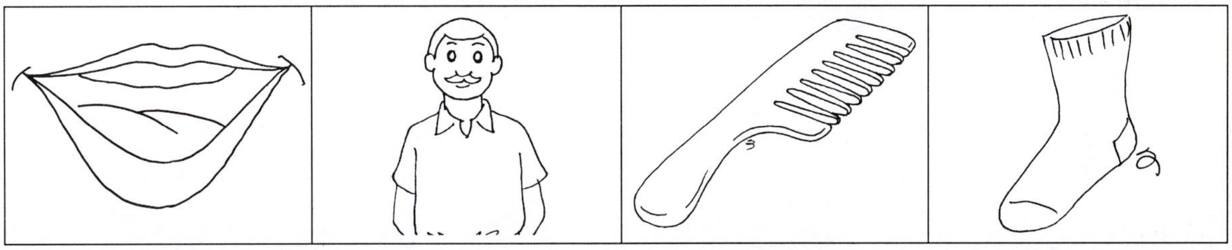

C

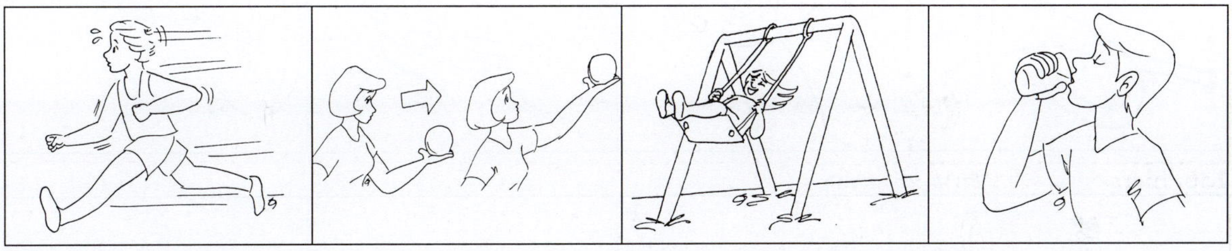

D

E

1

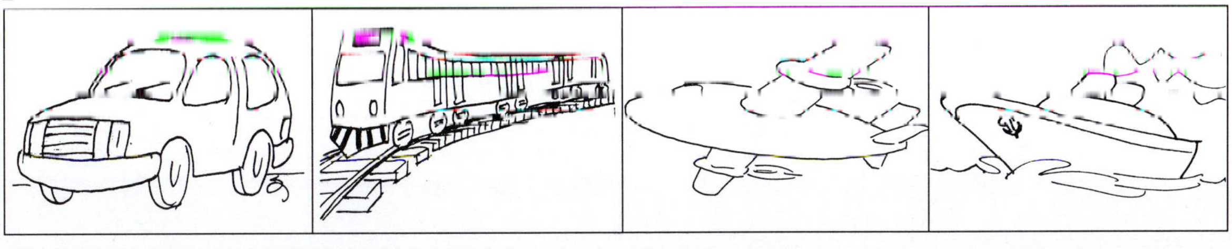

2

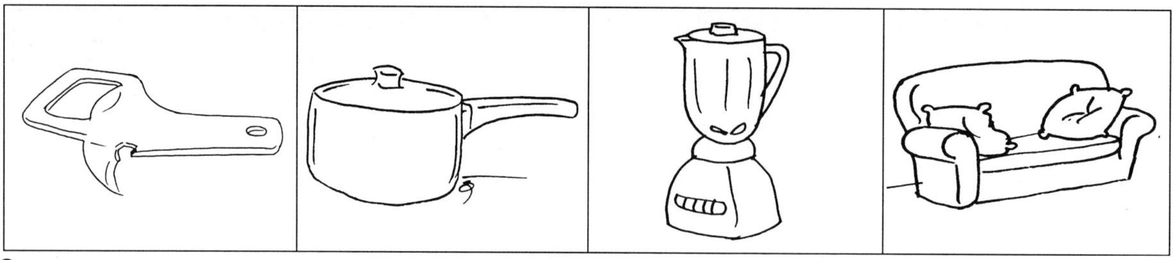

3

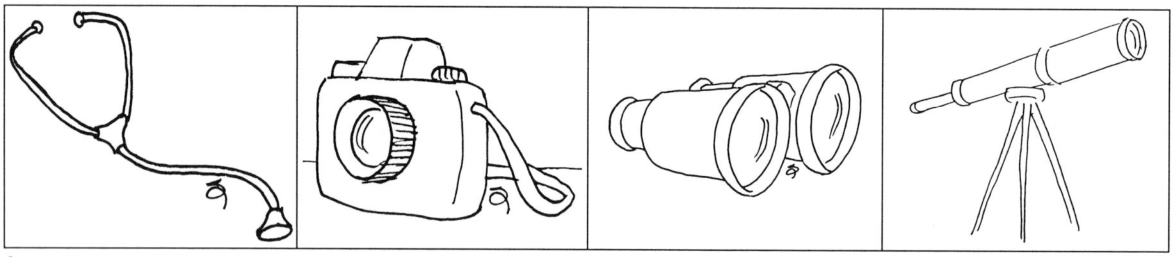

4

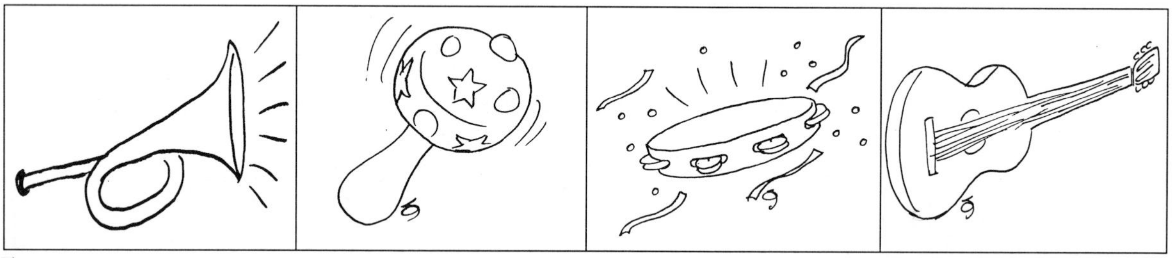

5

6

7

8

9

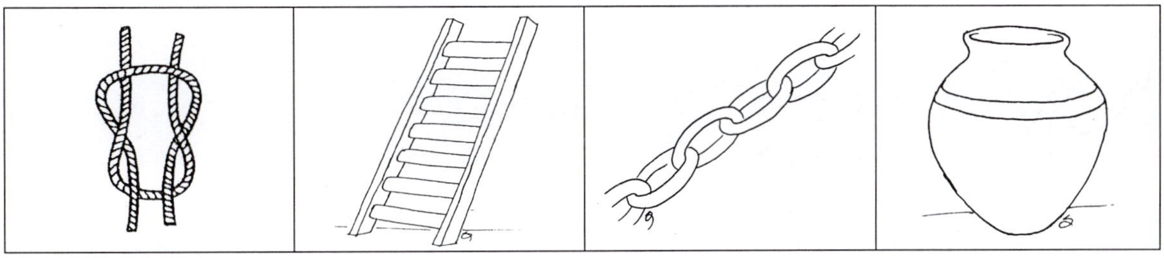

10

11

12

13

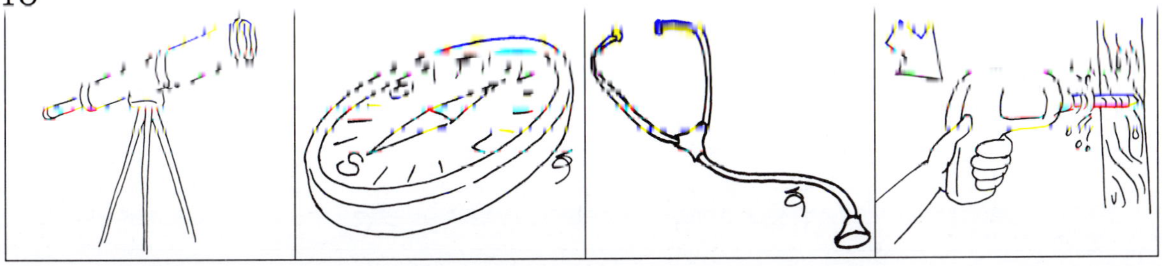

14

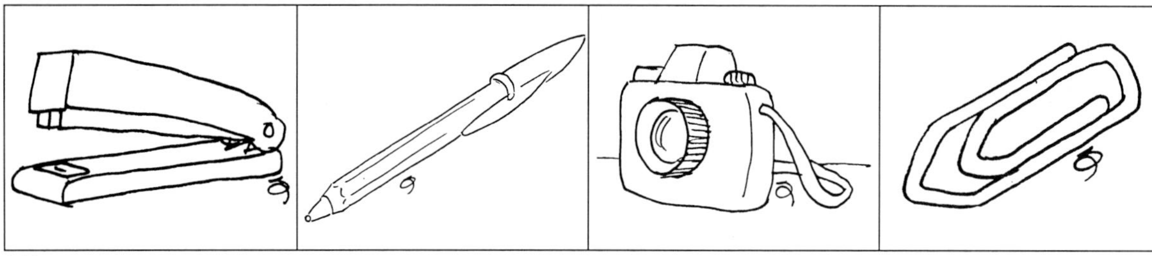

15

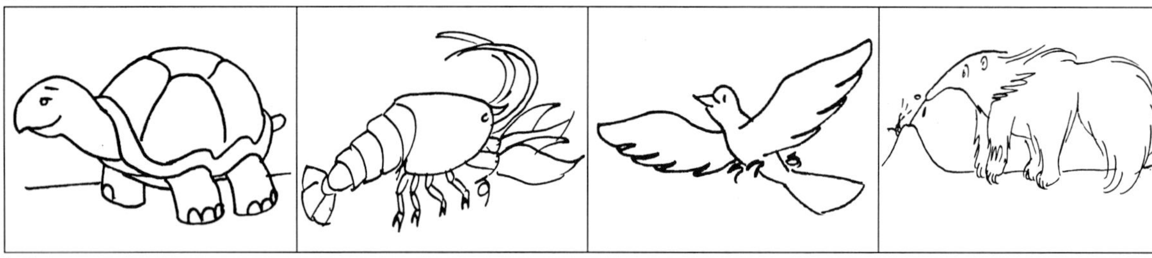

16

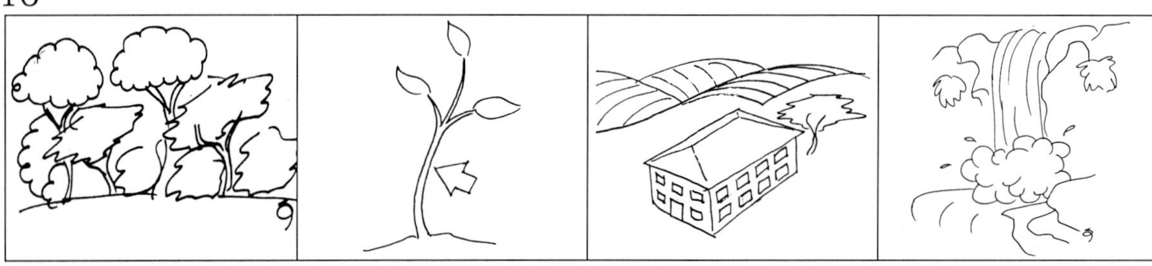

17

18

19

20

21

22

23

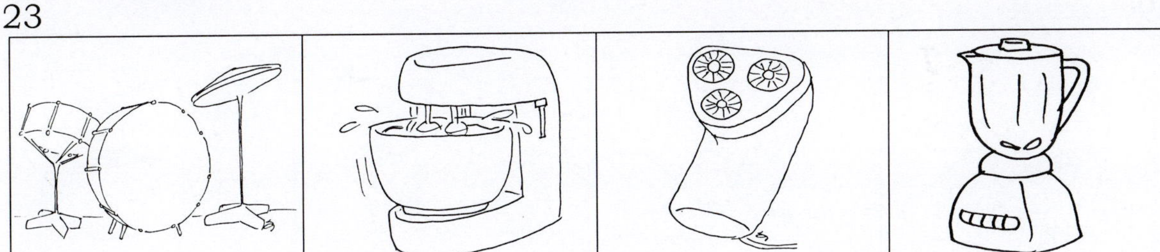

24

25

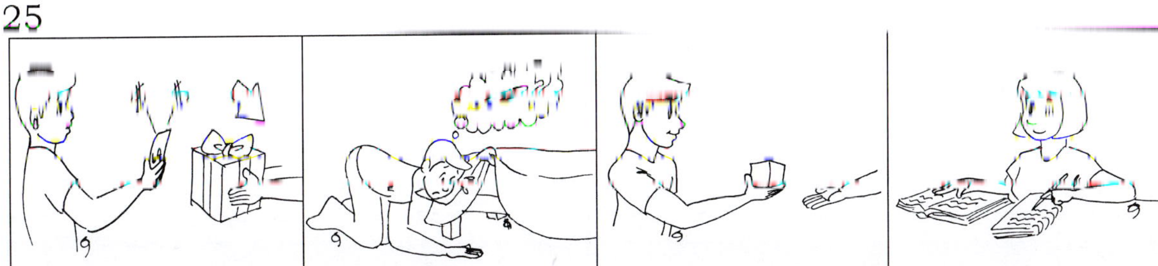

26

27

28

29

30

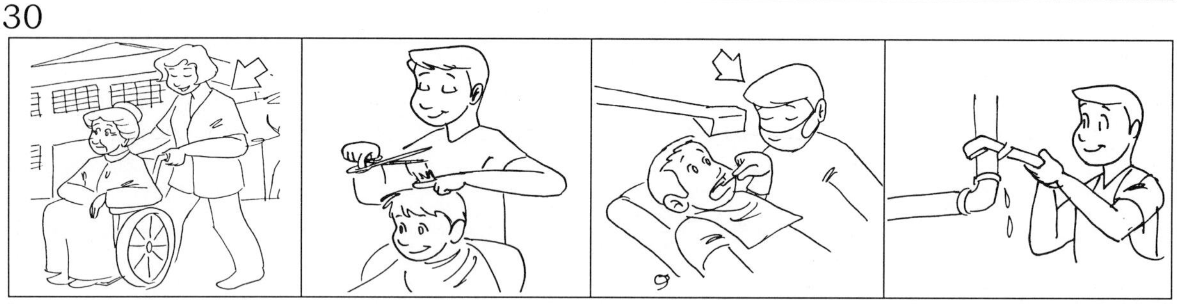

31

32

33

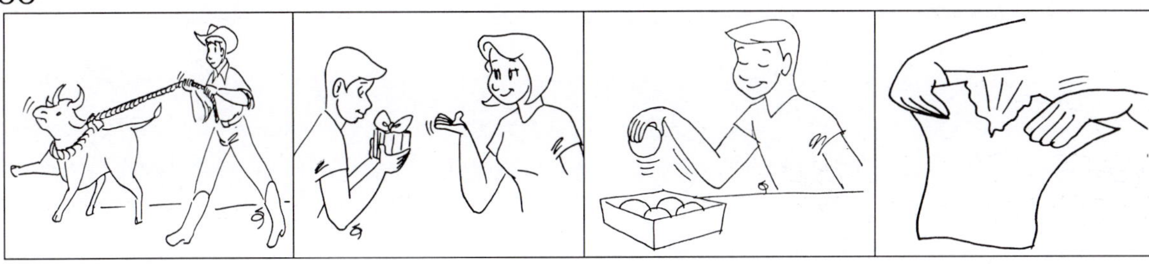

34

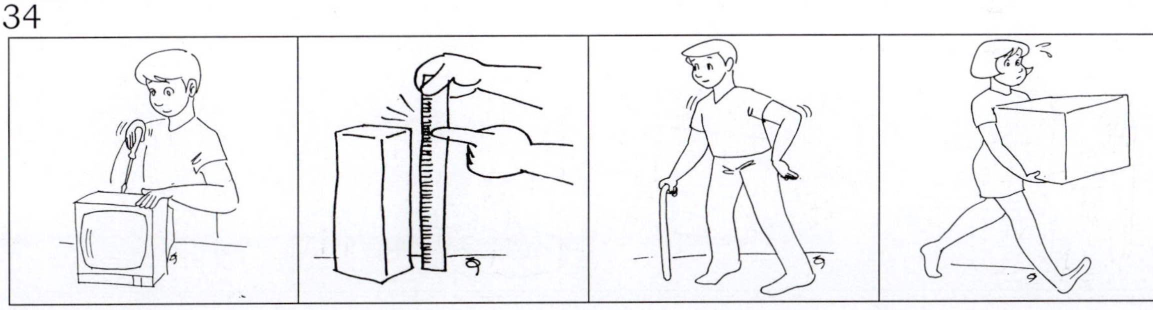

35

36

37

38

39

40

41

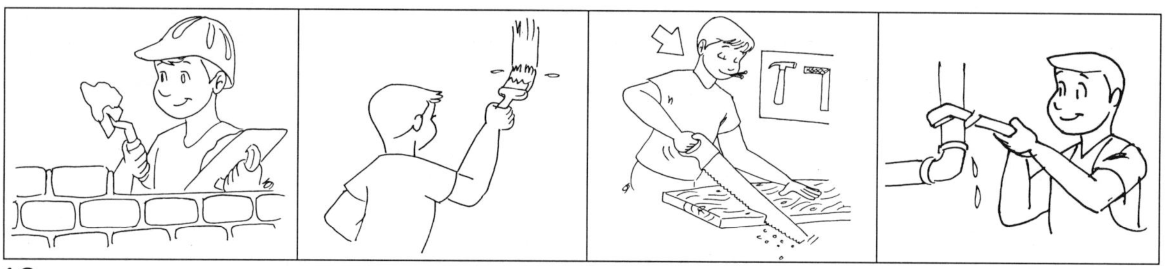

42

43

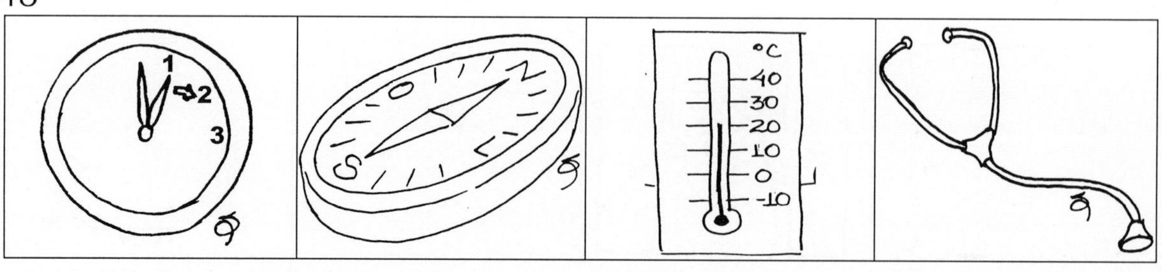

44

45

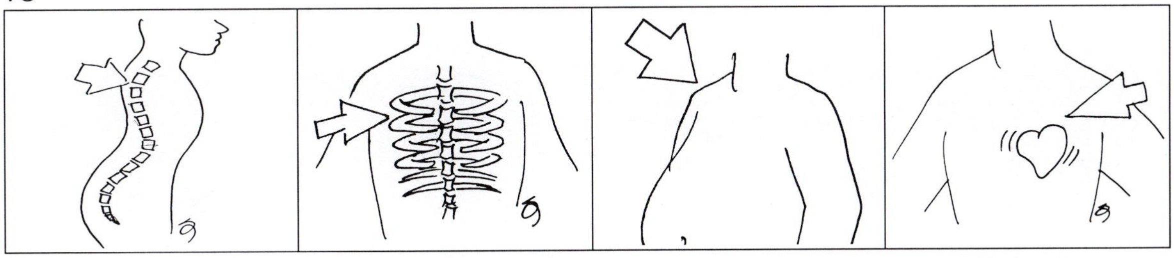

46

47

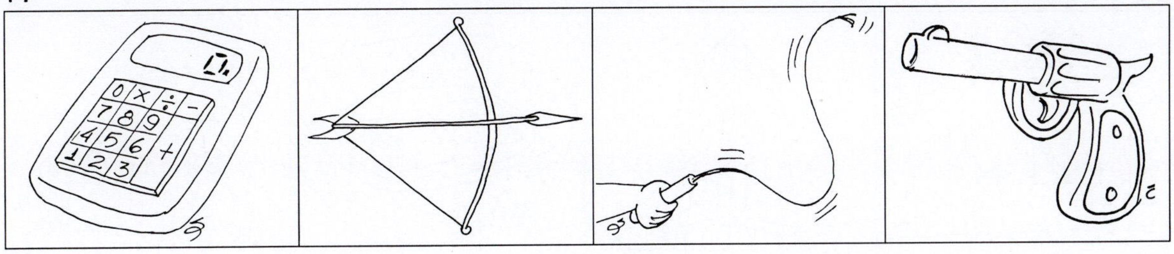

48

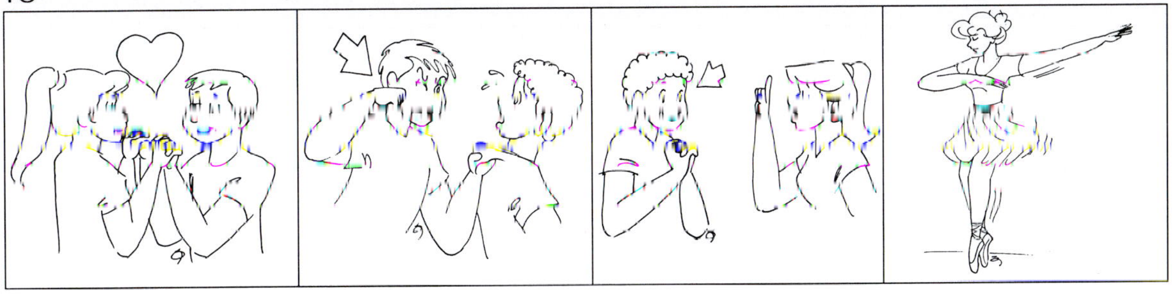

49

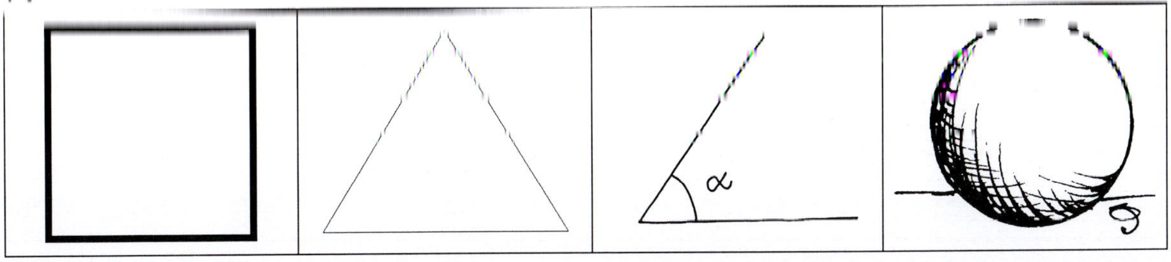

50

51

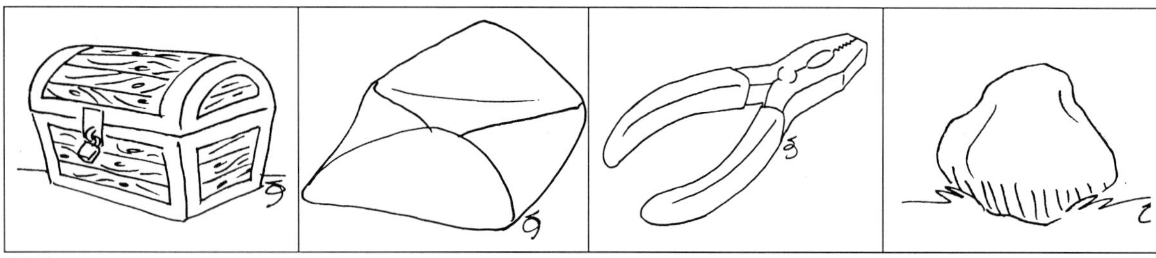

52

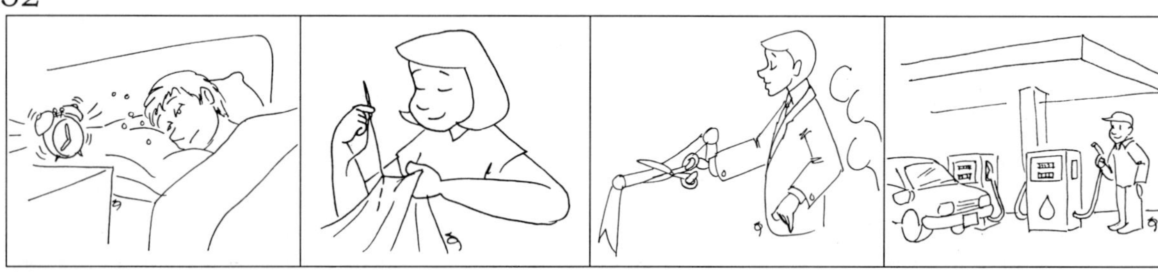

53

54

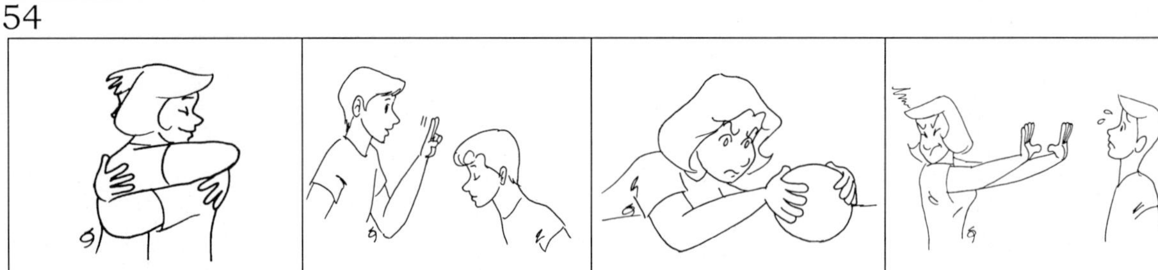

55

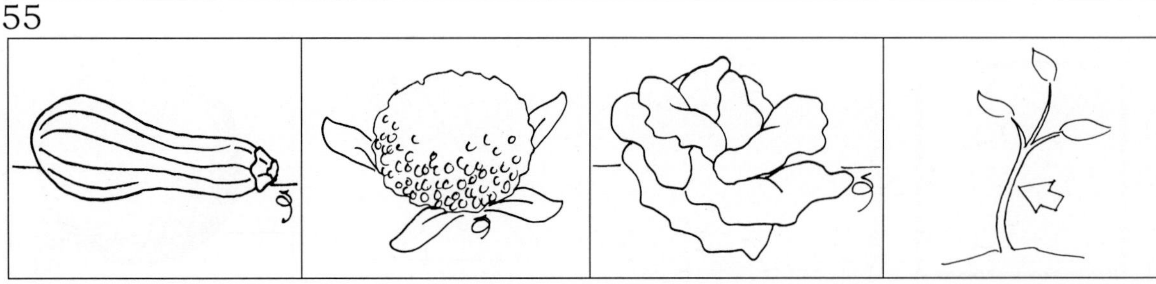

56

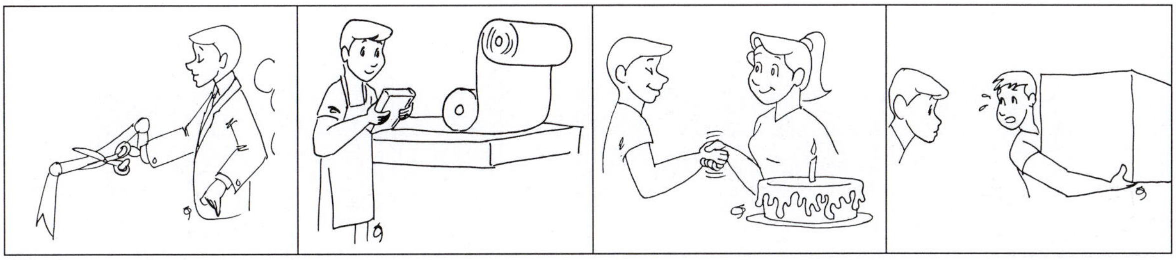

57

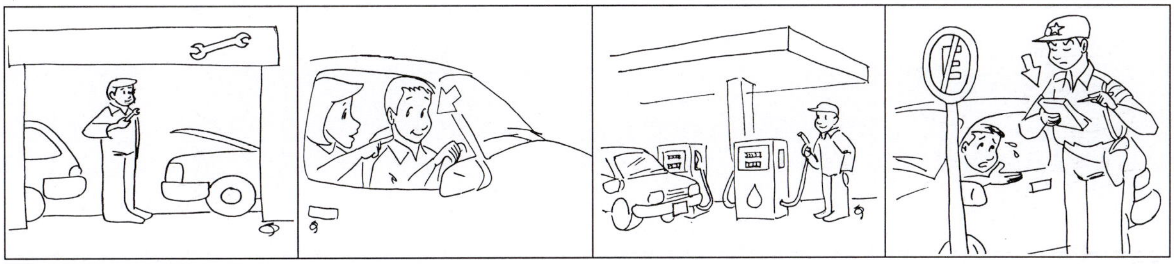

58

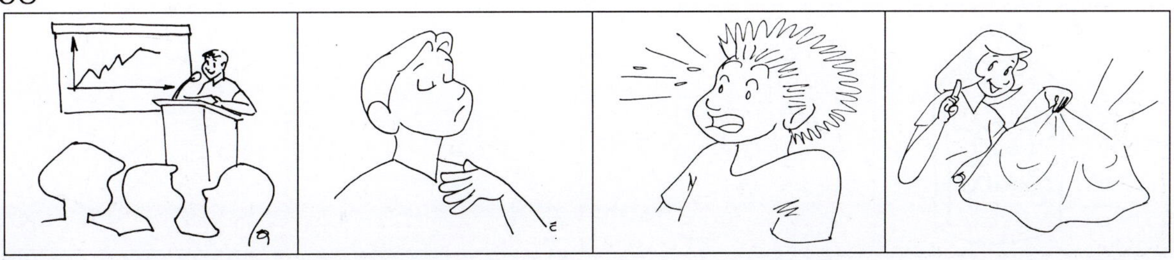

59

60

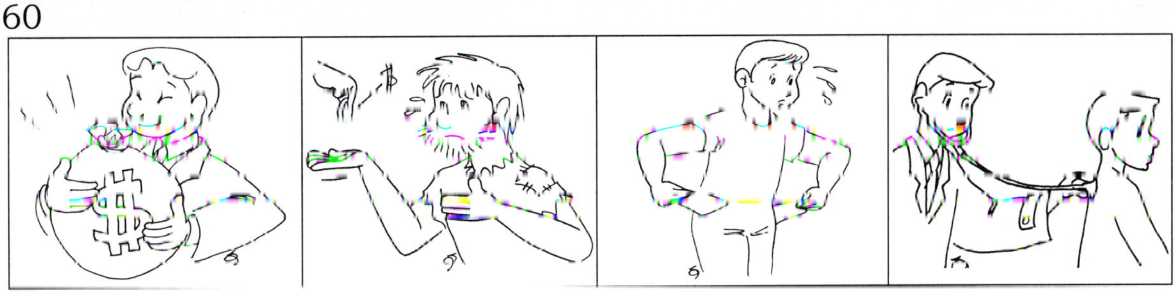

61

62

63

64

65

66

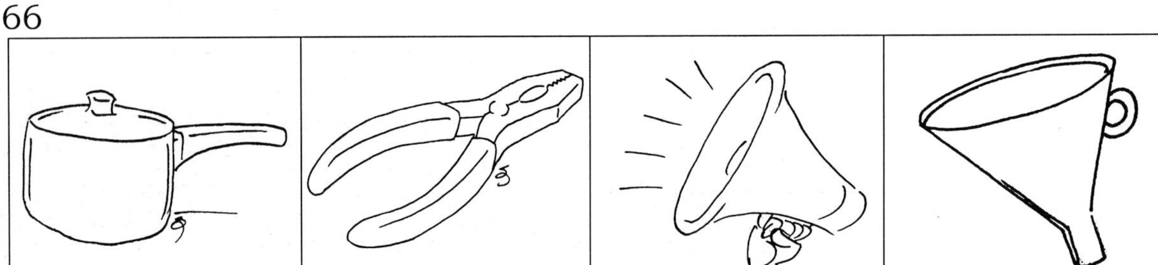

67

68

69

70

71

72

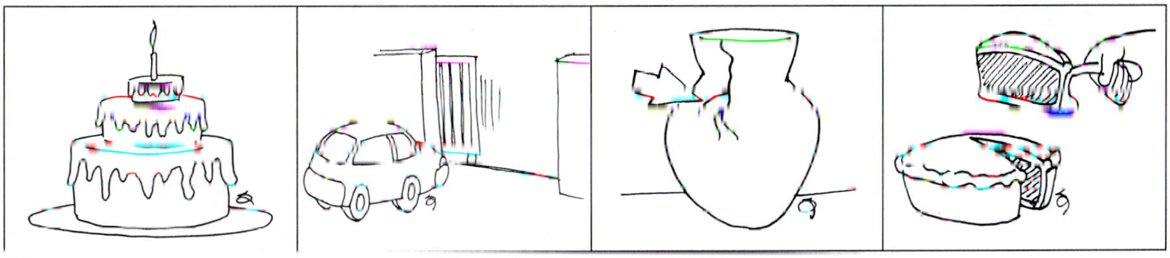

73

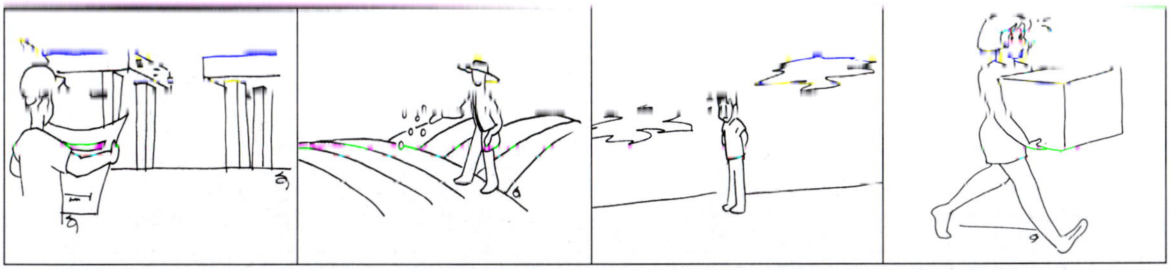

74

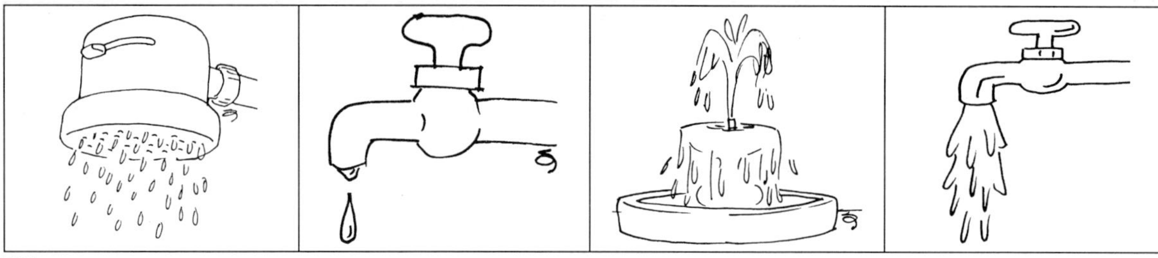

75

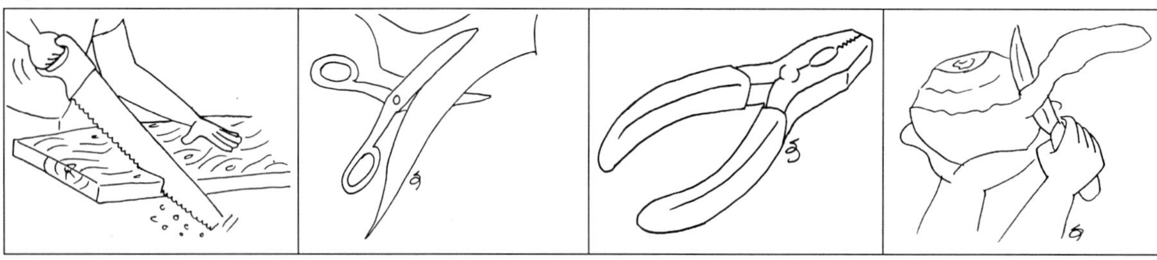

76

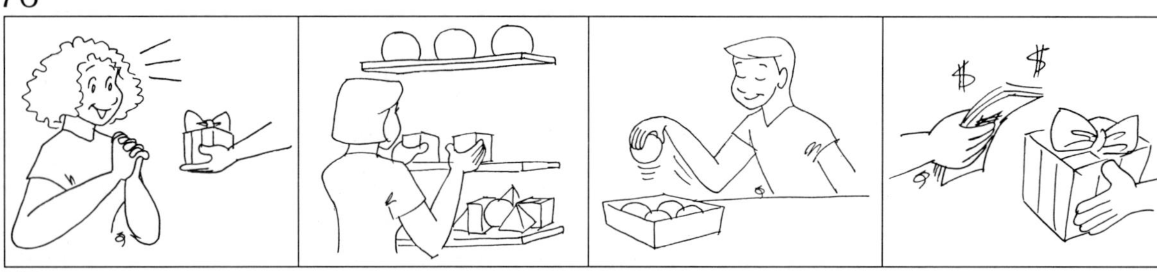

77

78

79

80

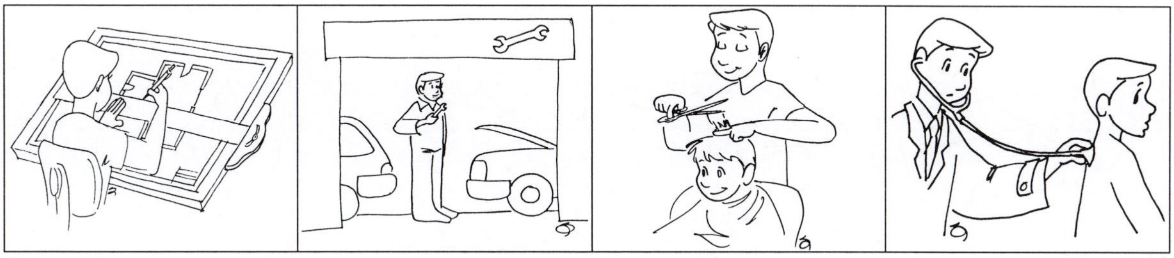

81

82

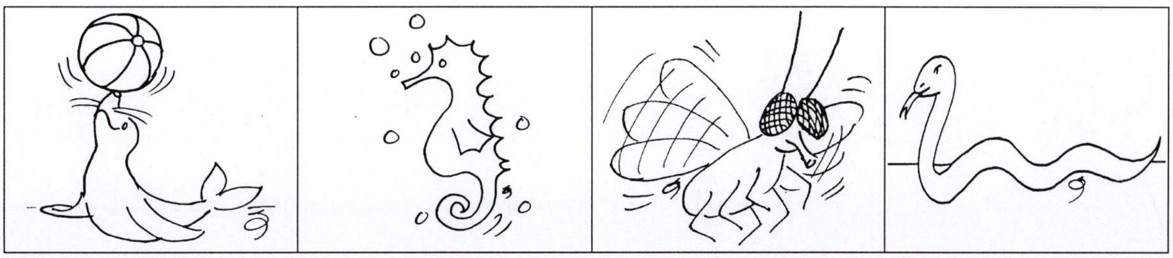

83

84

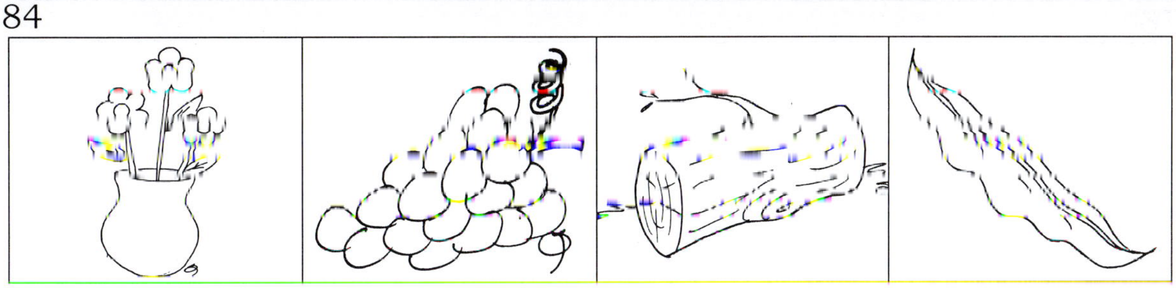

85

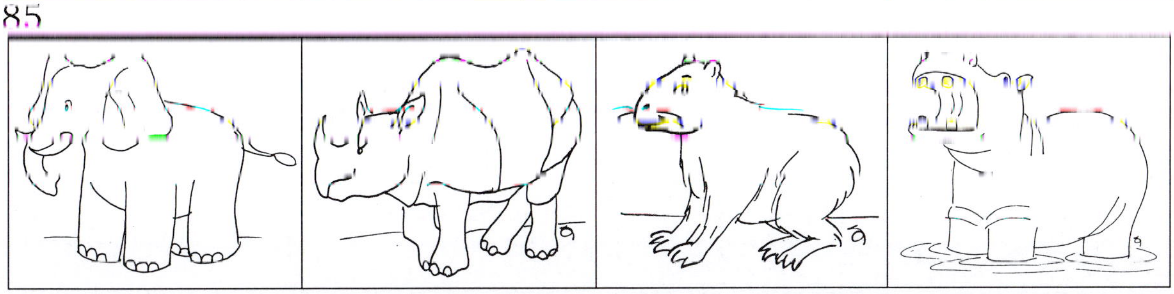

86

87

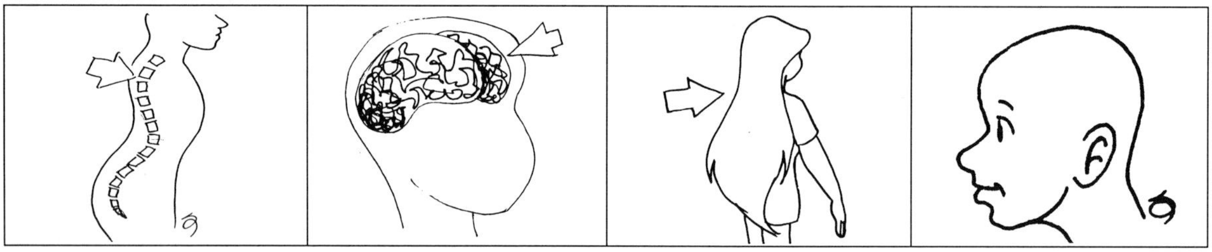

88

89

90

91

92

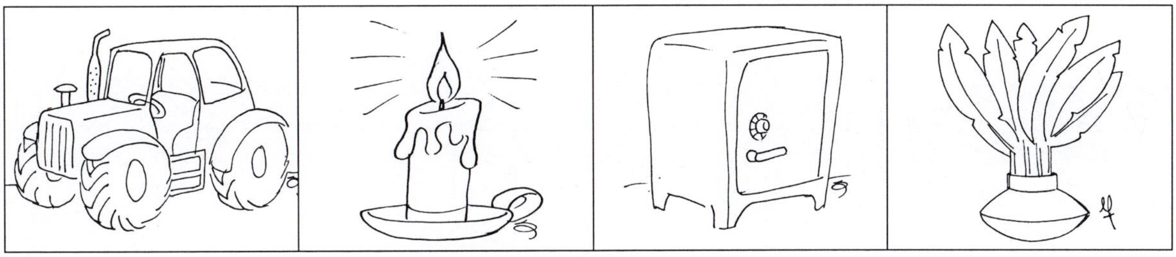

93

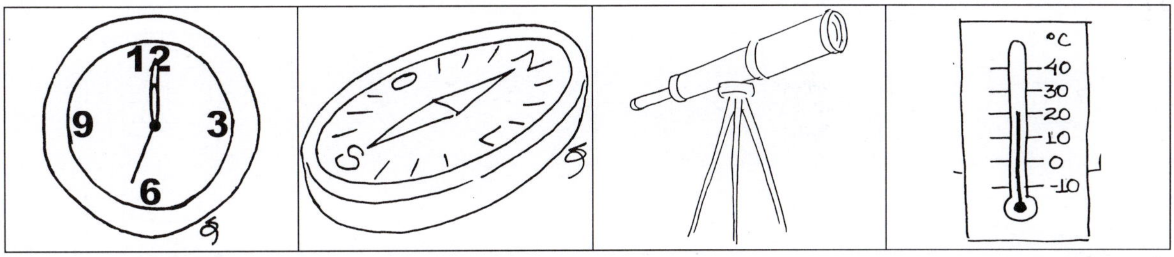

94

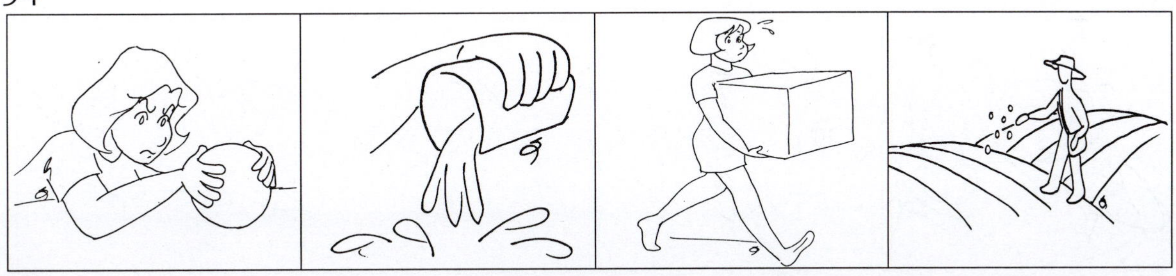

95

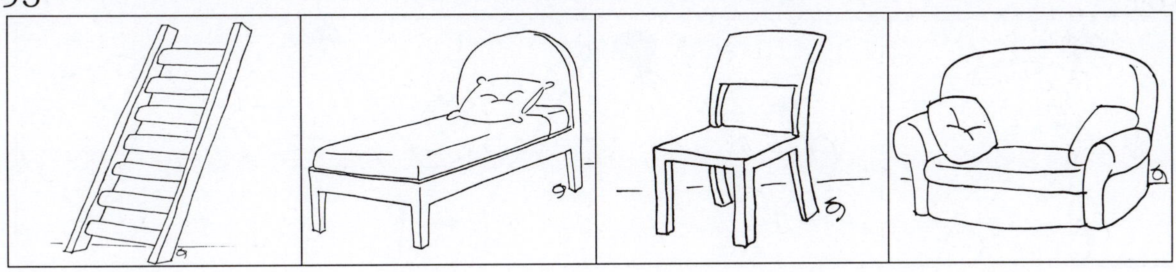

96

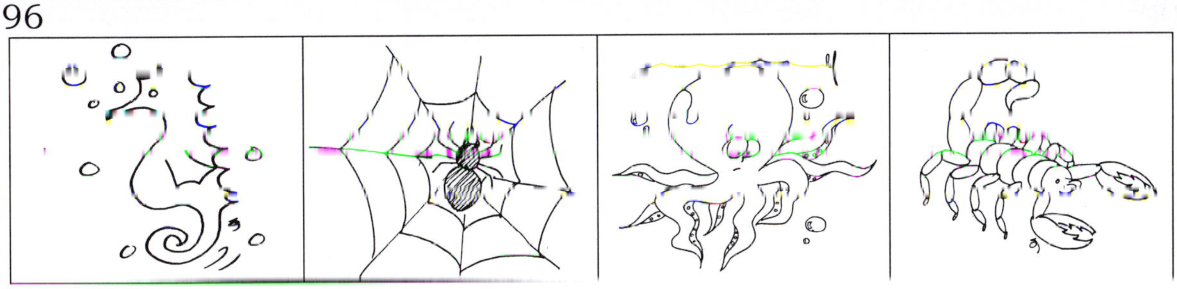

97

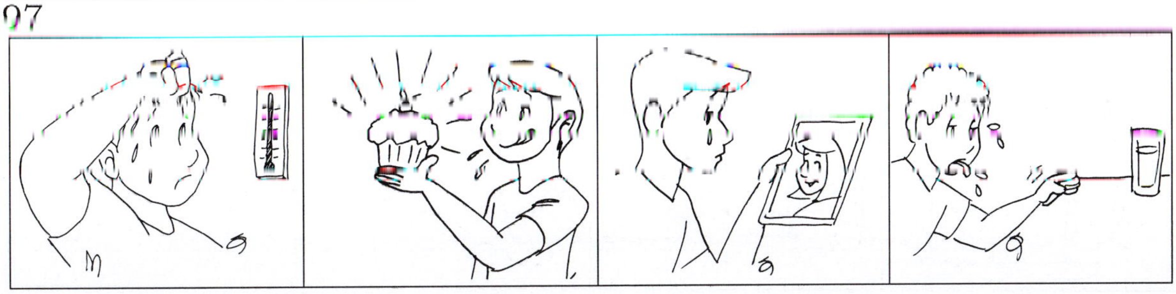

98

99

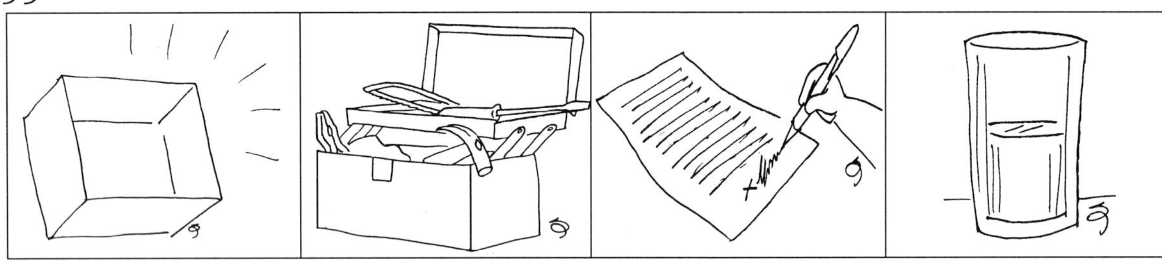

100

101

102

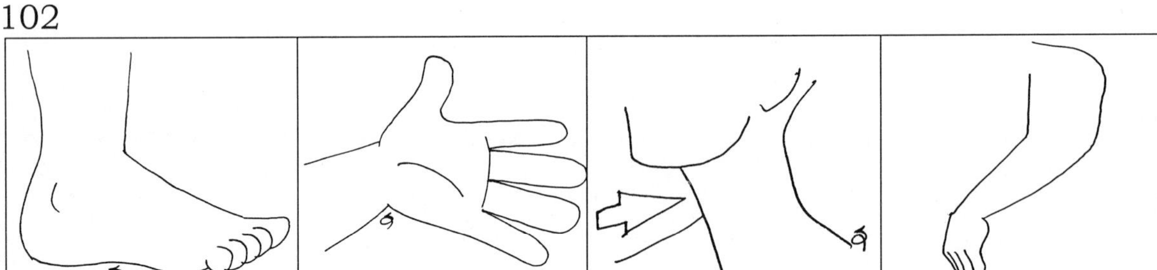

103

104

105

106

107

108

109

110

111

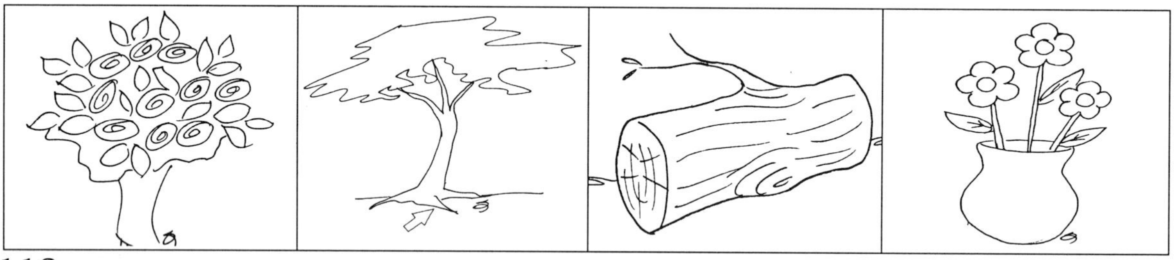

112

113

114

115

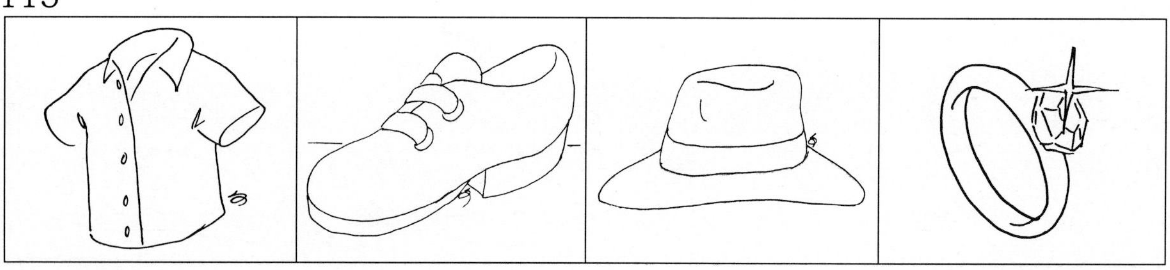

116

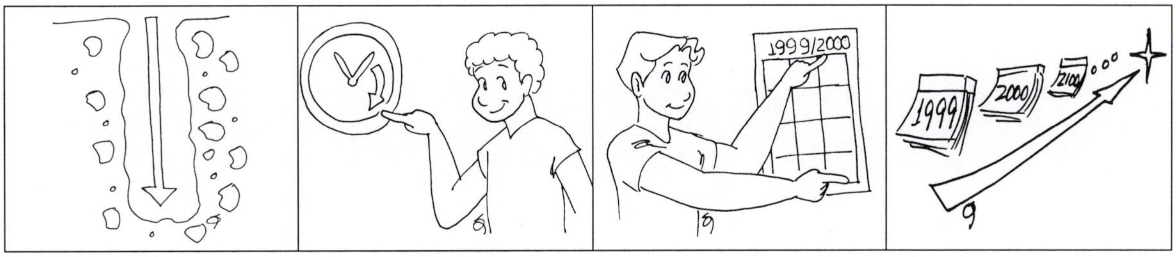

117

118

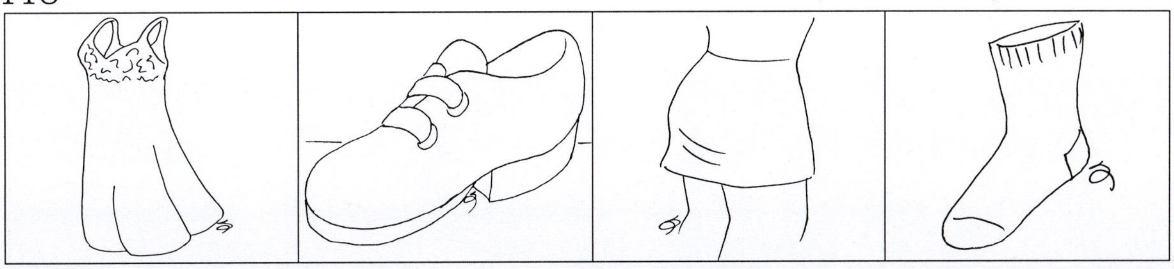

119

120

121

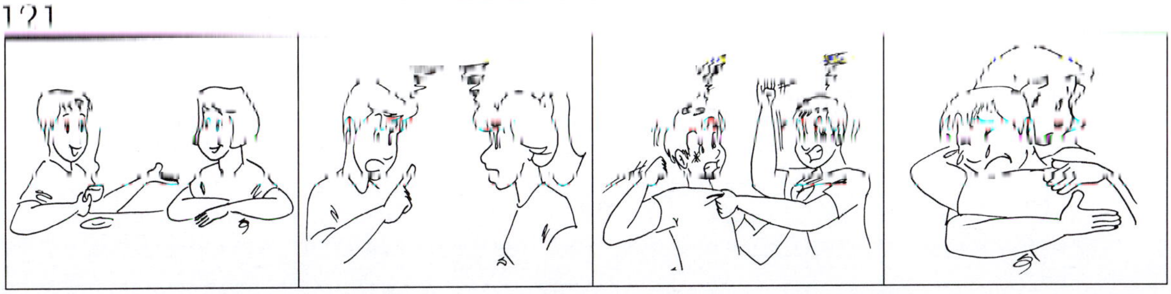

122

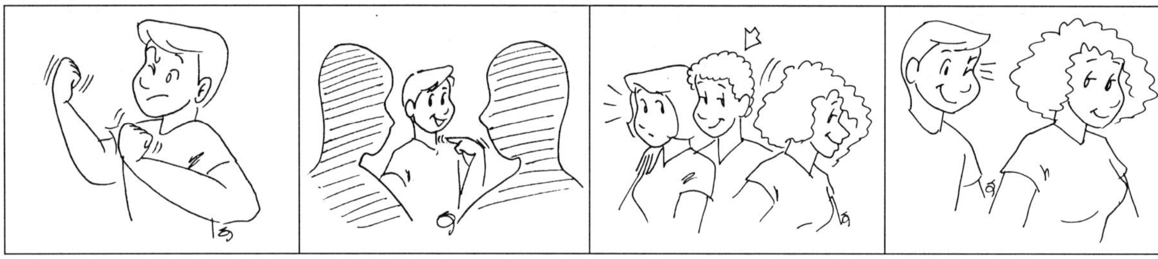

123

124

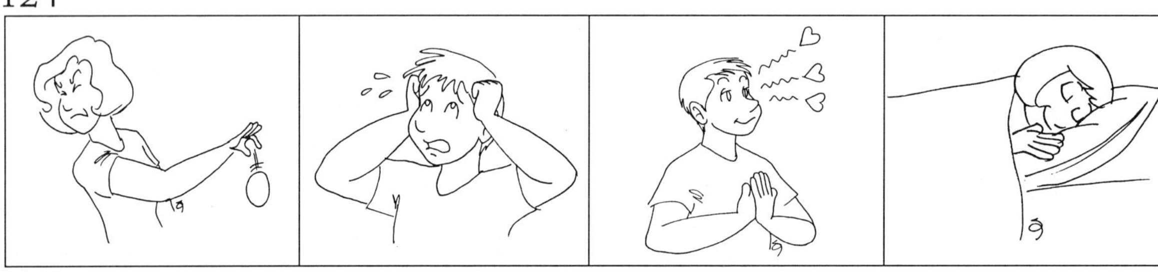

125

126

127

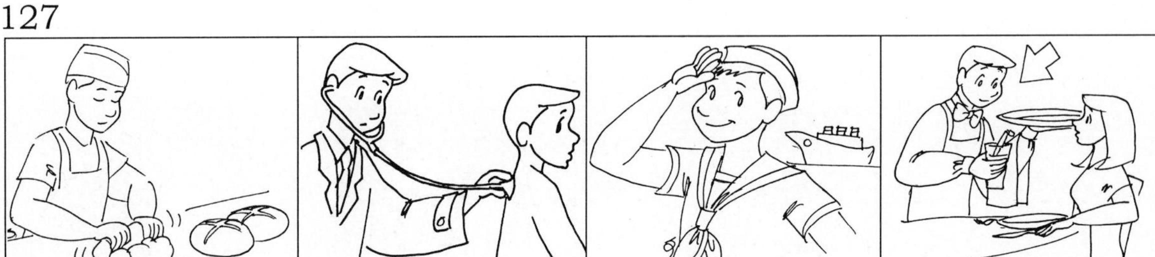

128

129

130

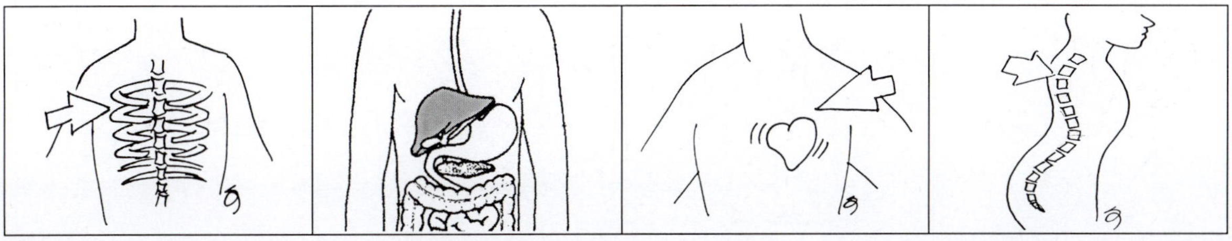

131

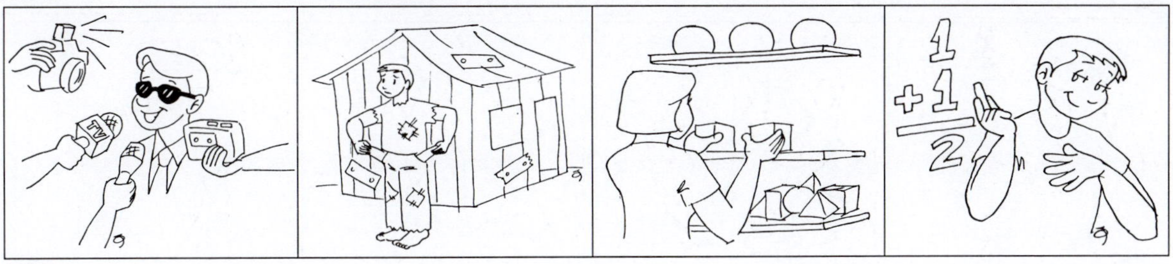

132

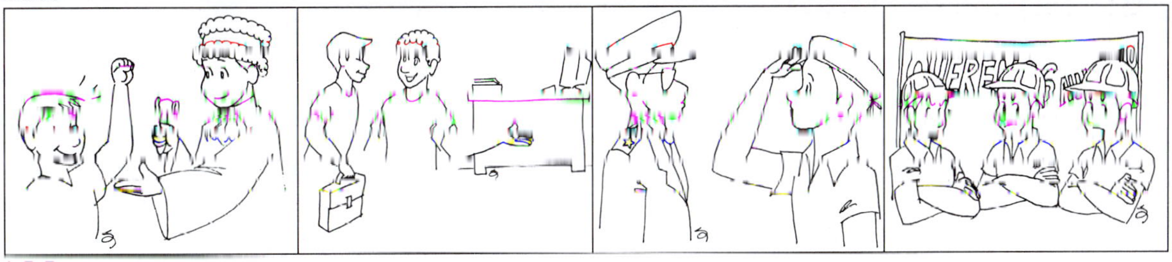

133

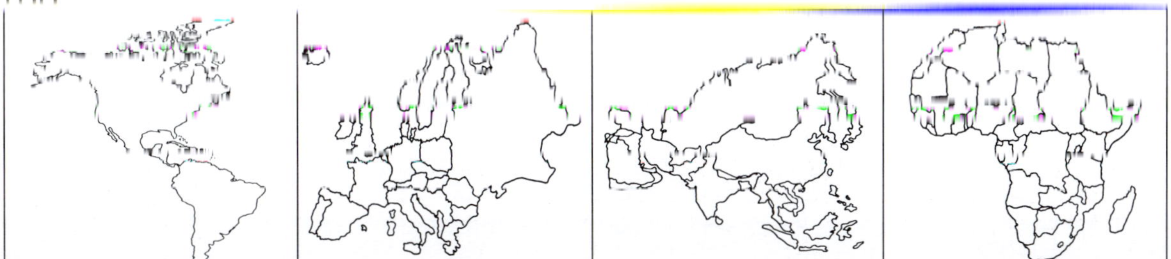

134

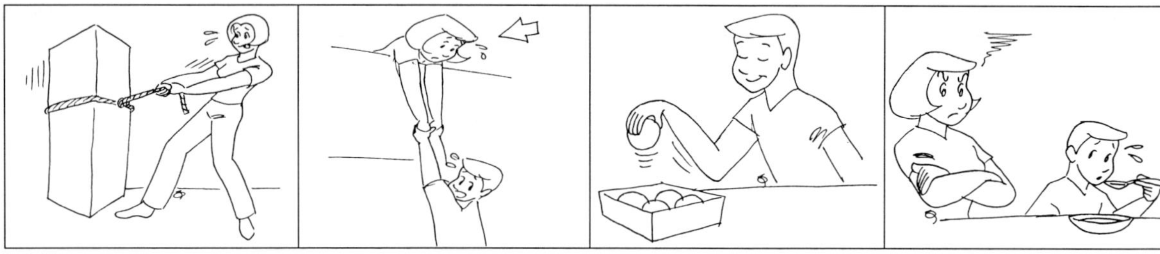

135

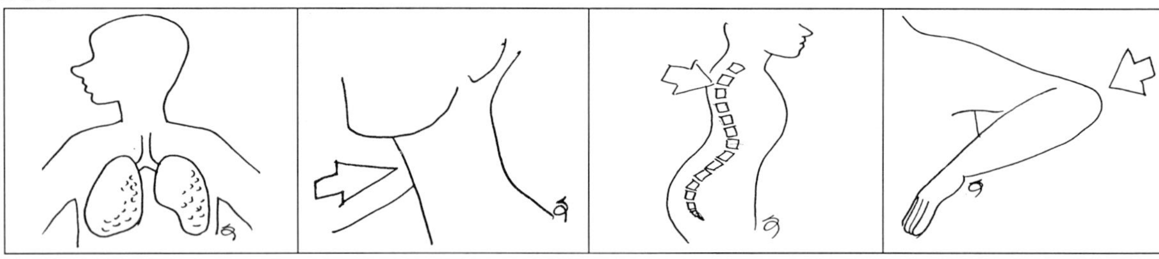

136

137

138

139

4.17.) Anexo 4: *Guia de articulação de sinais da versão reordenada TVRSL1.2*

A. boneca

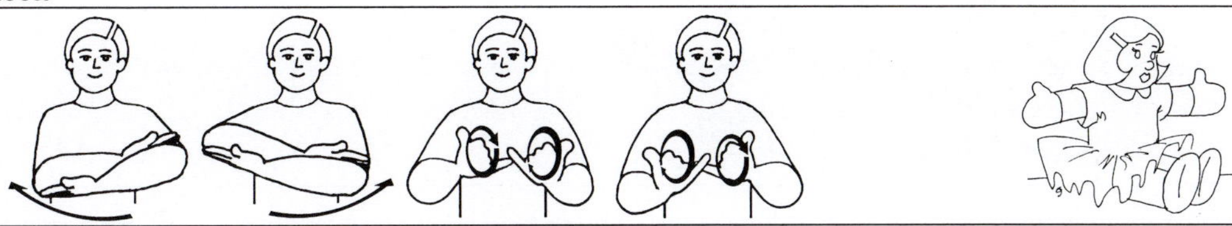

B. homem

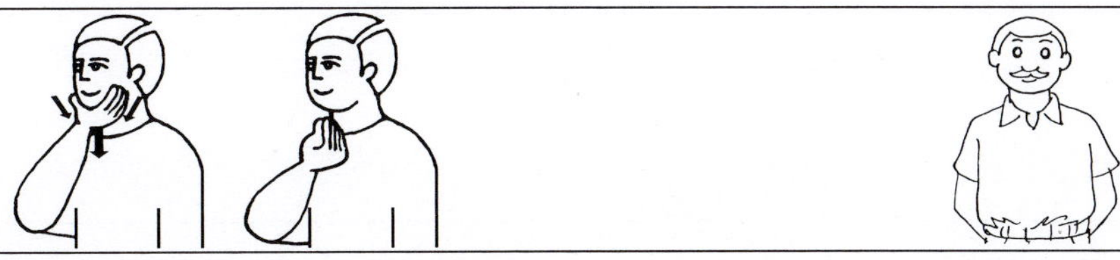

C. balançar, balançar-se, balanço

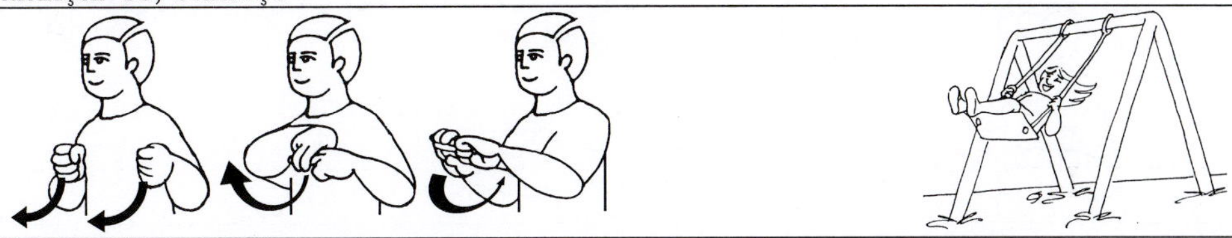

D. telefone

E. vaca

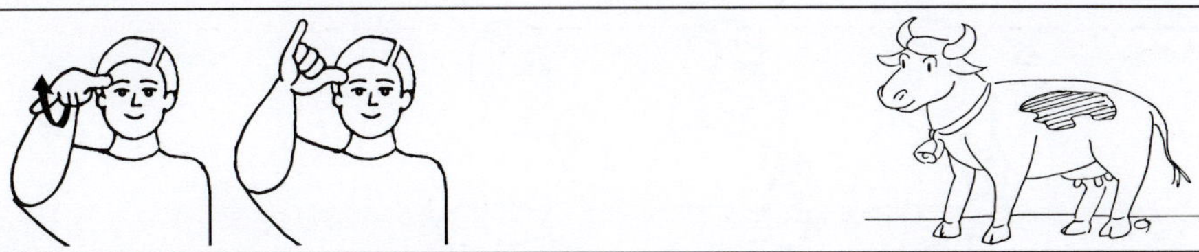

1. trem

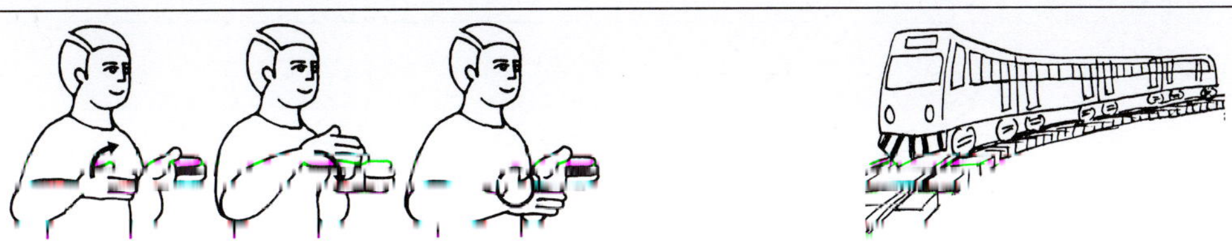

2. liqüidificador

3. binóculo

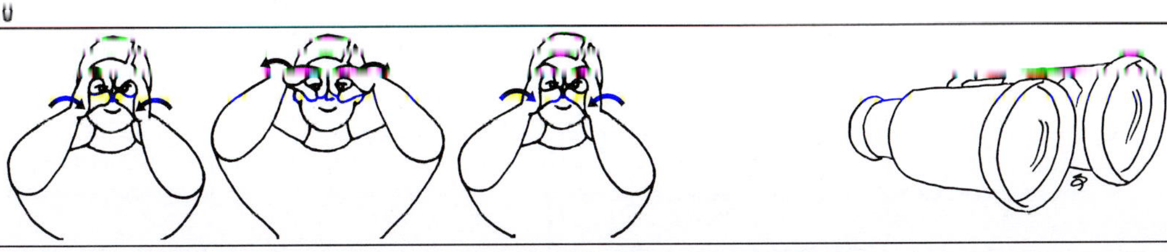

4. violão

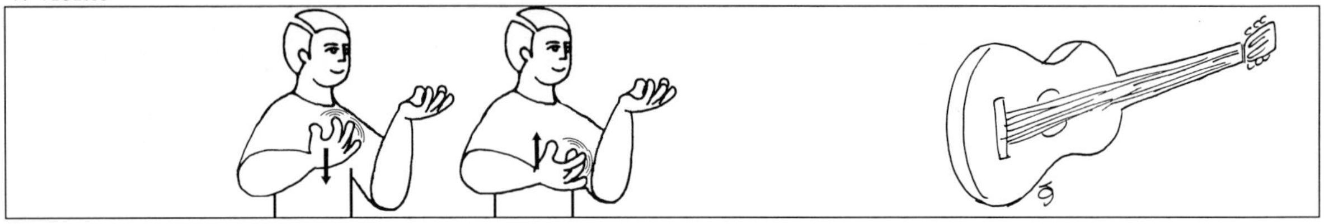

5. morcego

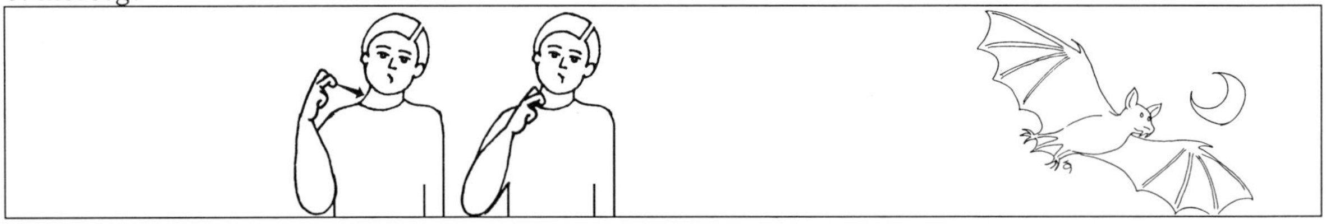

6. duro

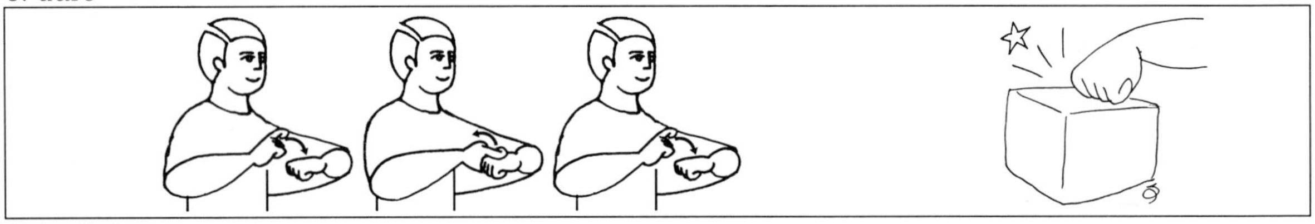

7. barbeiro

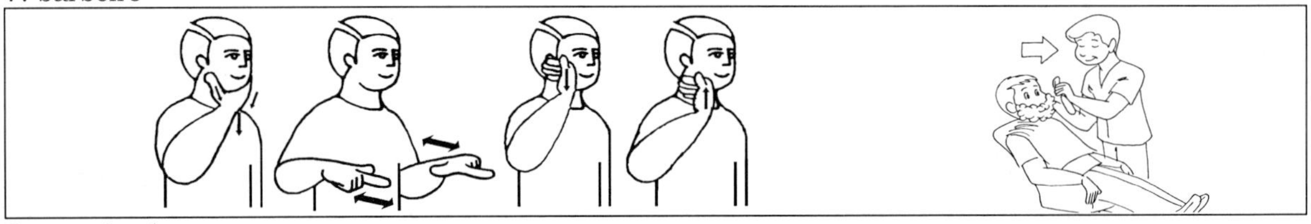

8. guarda-chuva

9. corrente

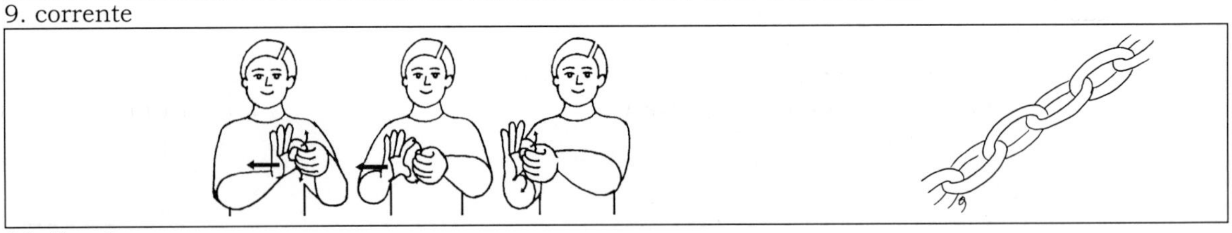

10. iluminar

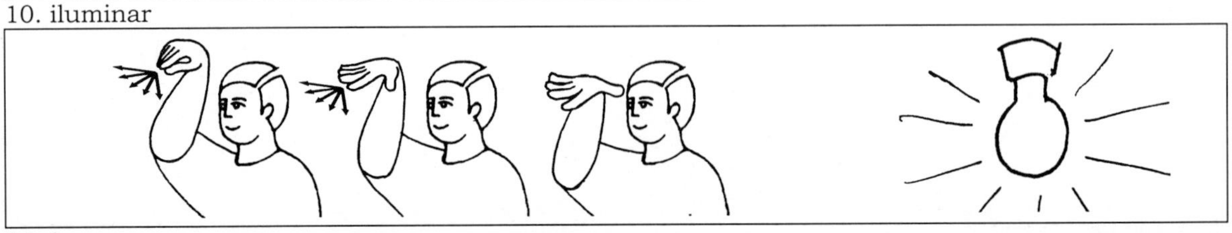

11. barco

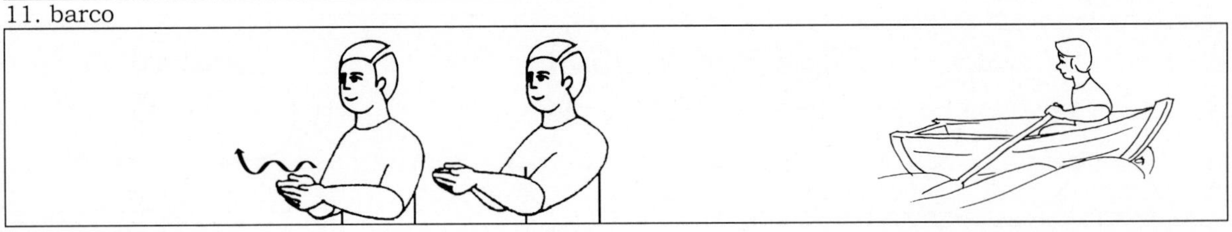

12. pavão

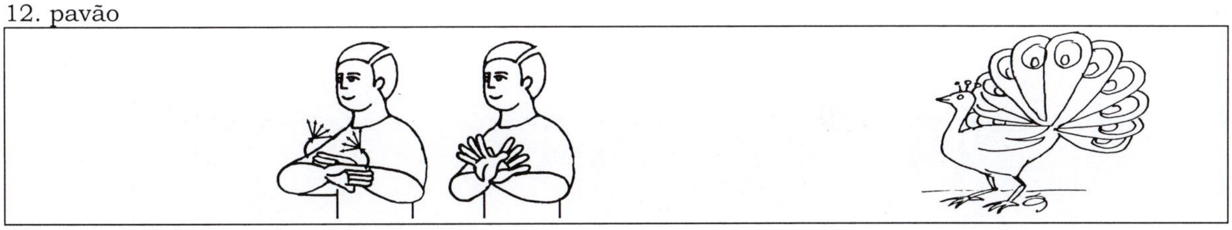

13. estetoscópio

14. grampeador

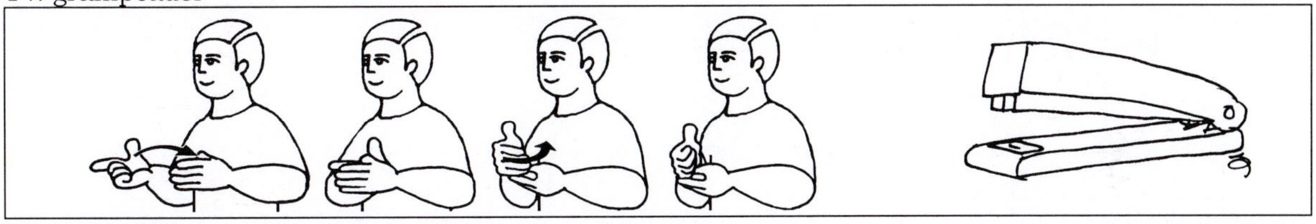

15. tartaruga

16. bosque

17. quebrado

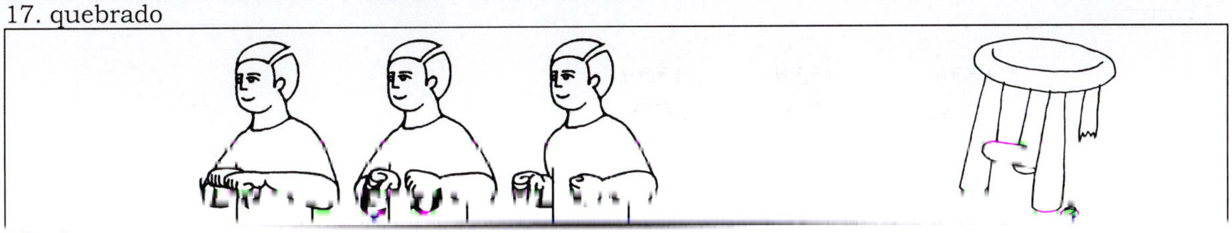

18. rio

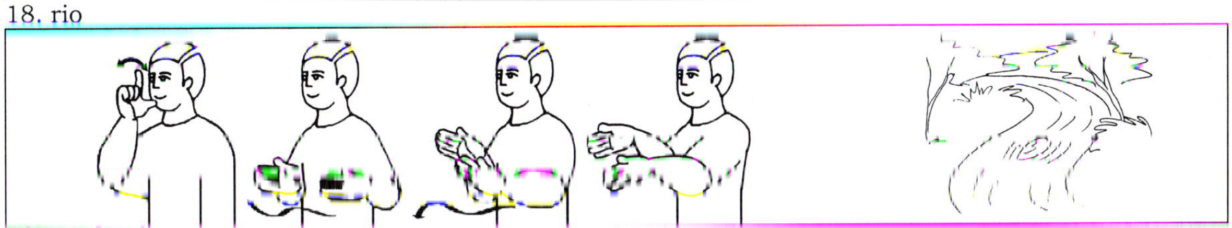

19. profundo

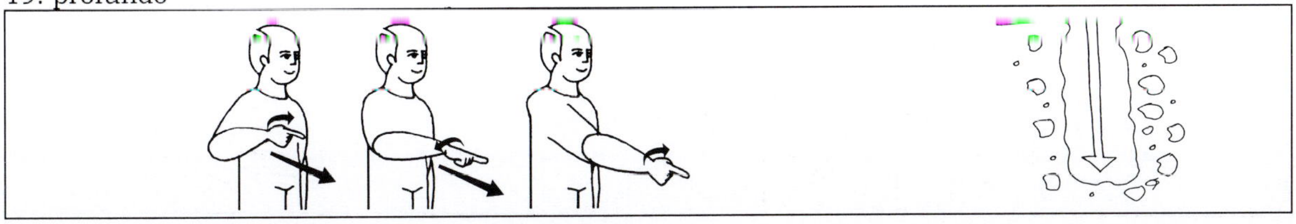

20. canguru

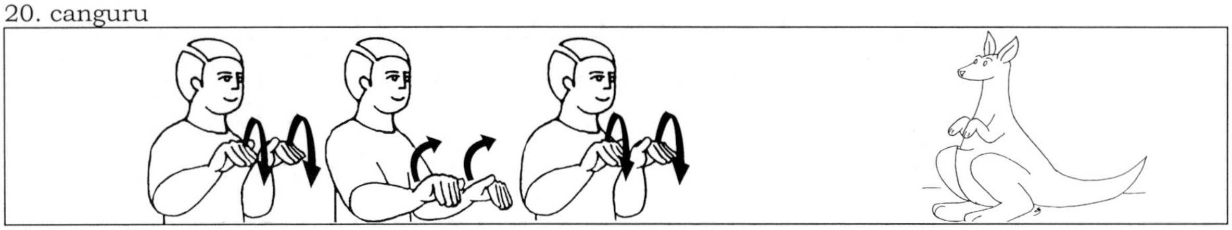

21. sapateiro

22. distração, distraído(a)

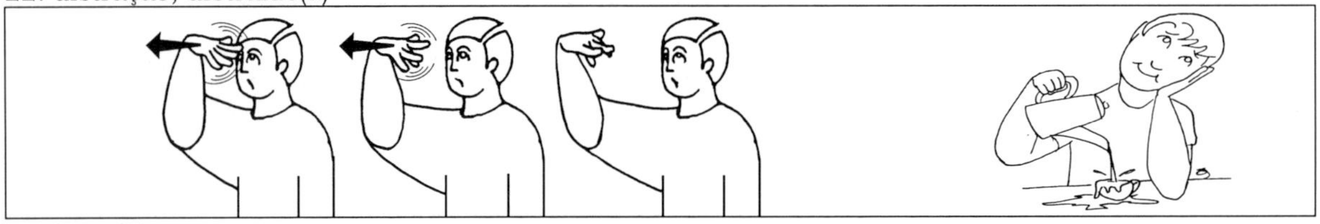

23. batedeira

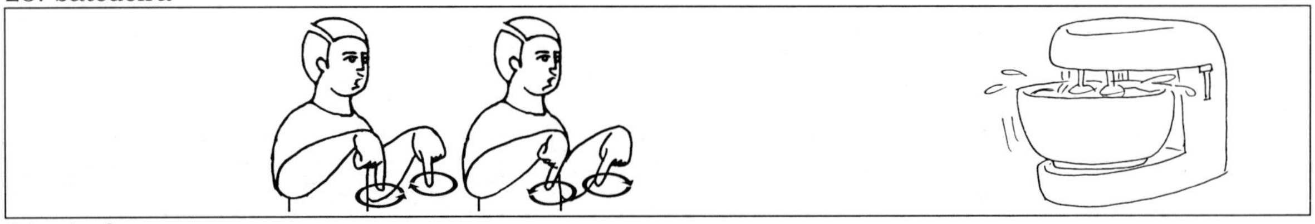

24. girafa

25. procurar

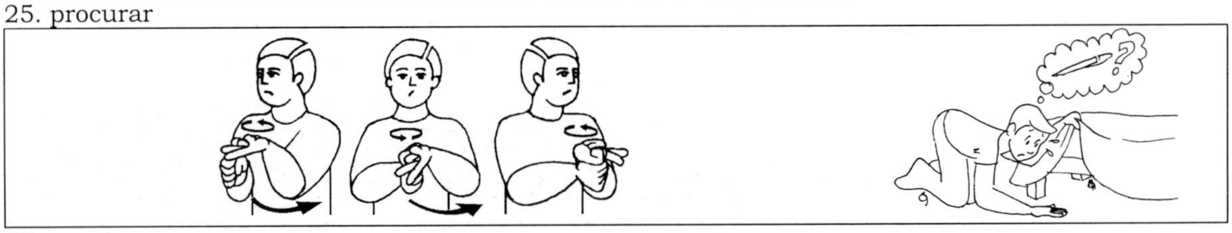

26. coruja

27. ambulância

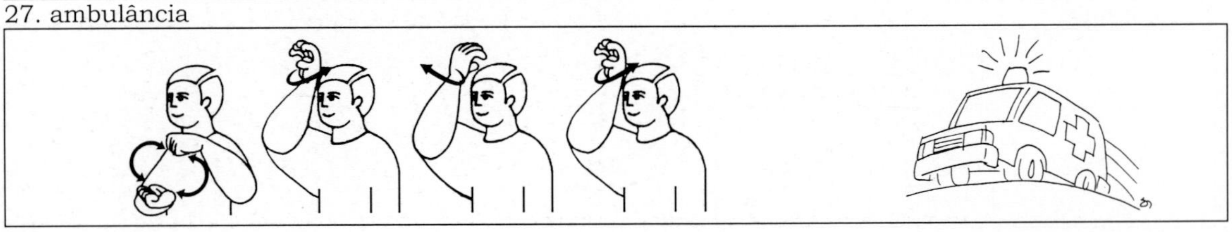

28. cadeia

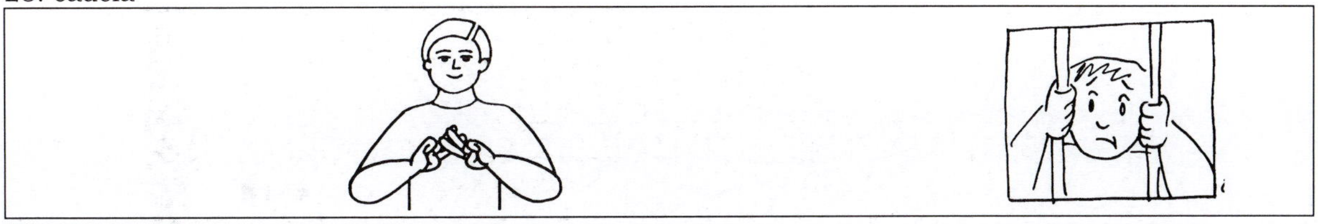

29. construção

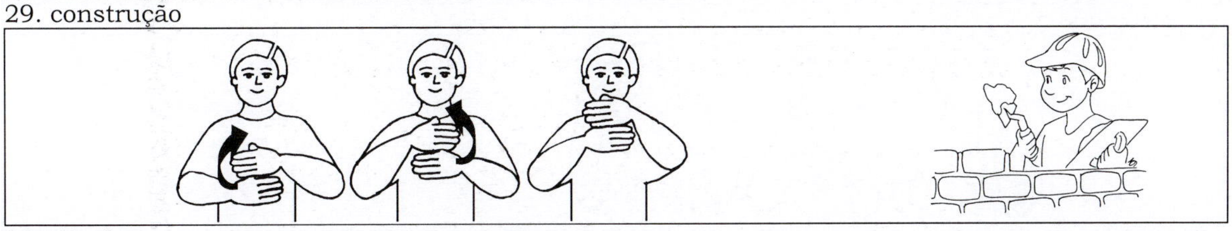

30. dentista

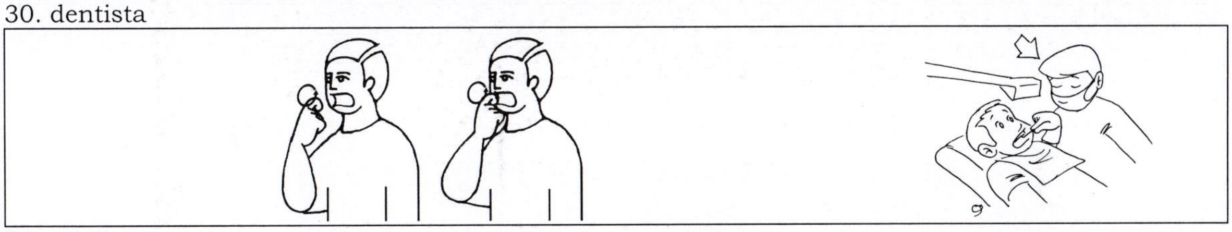

31. sapo

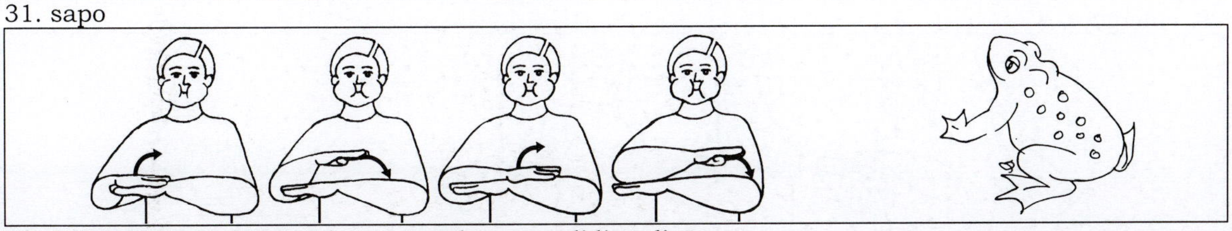

32. batida, bater, chocar, chocar-se, choque, colidir colisão

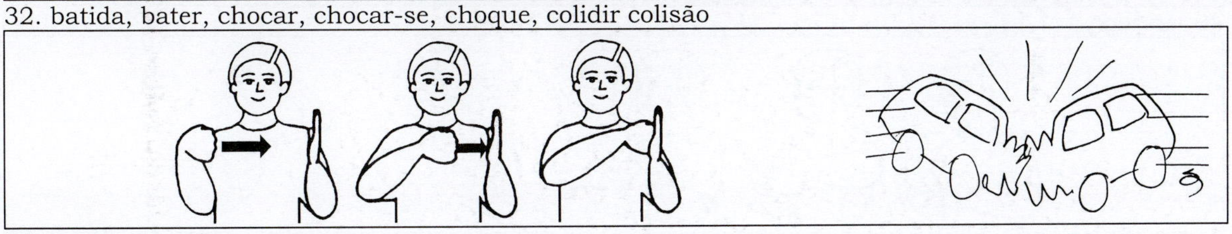

33. rasgar (papel)

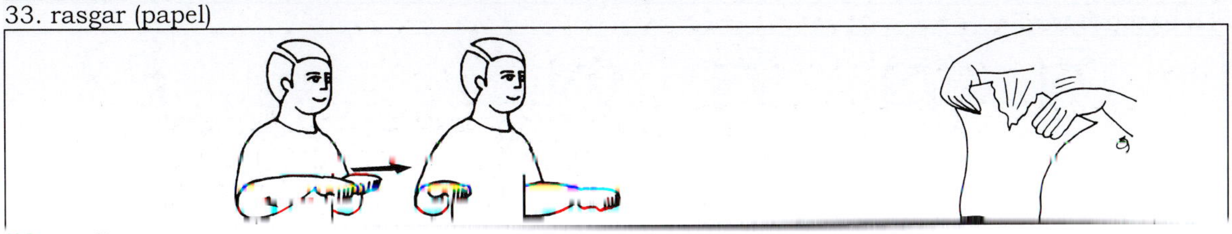

34. medir

35. pensar

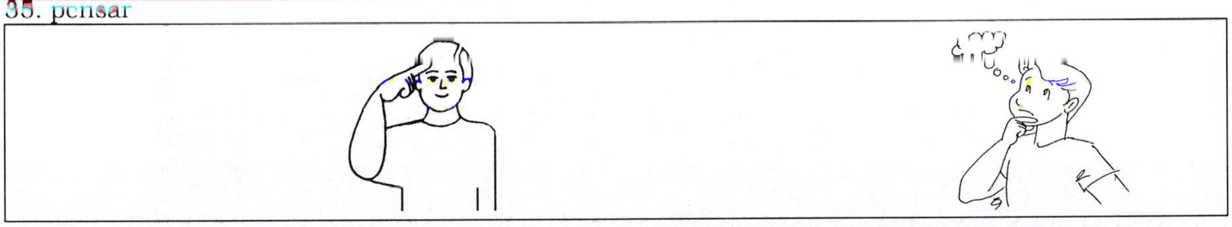

36. acrobata

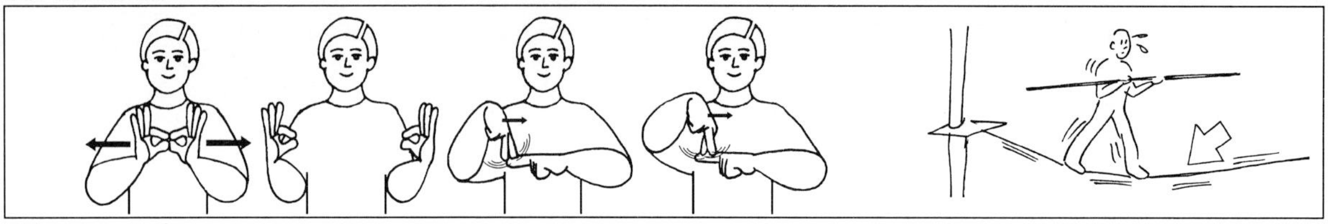

37. assustado

38. hipopótamo

39. emergir

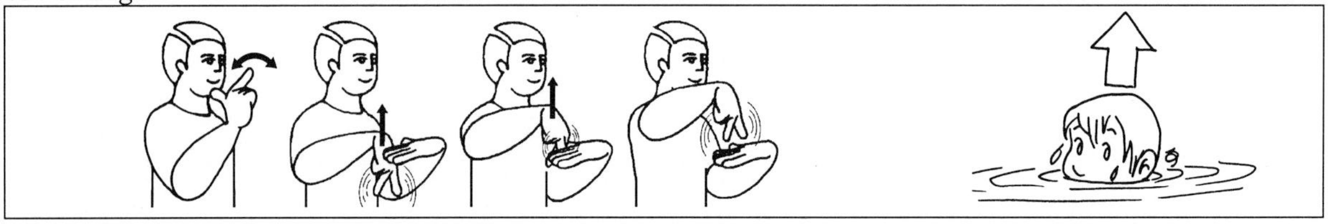

40. abridor

41. encanador

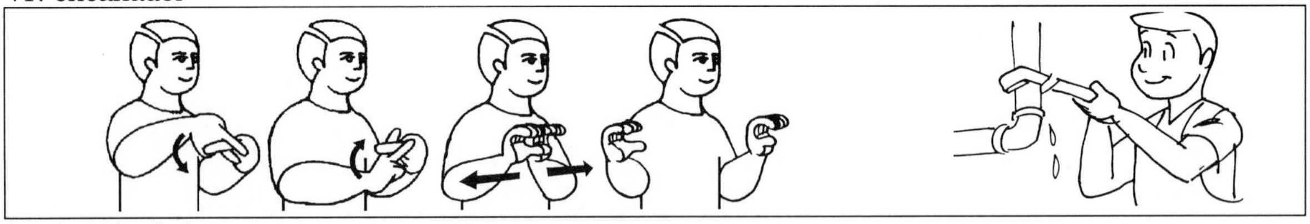

42. bebida, beber

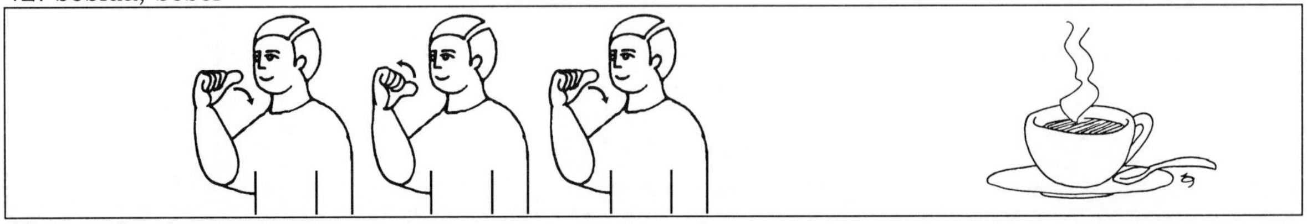

43. termômetro

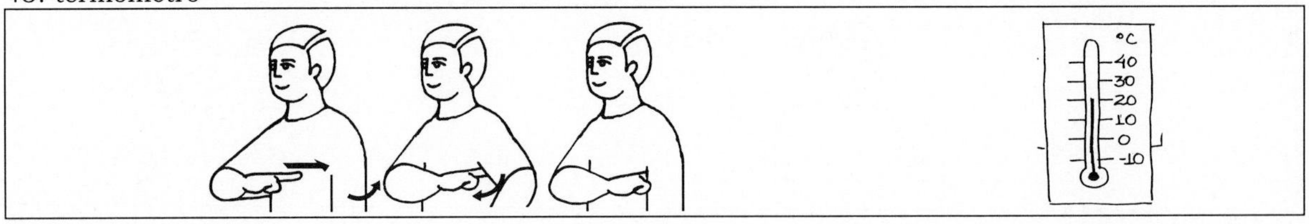

44. desprezar

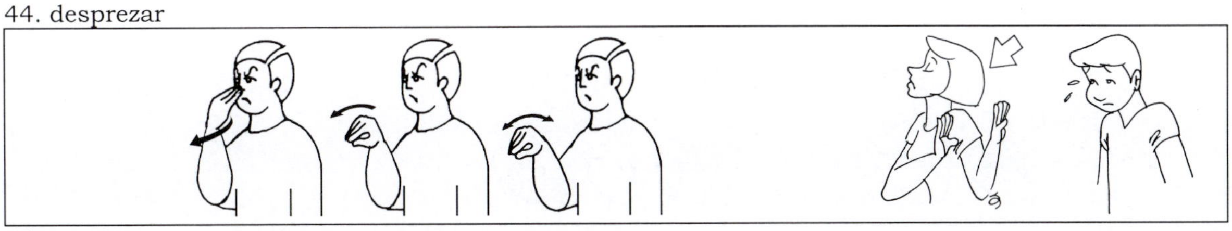

45. coração

46. marceneiro, marcenaria

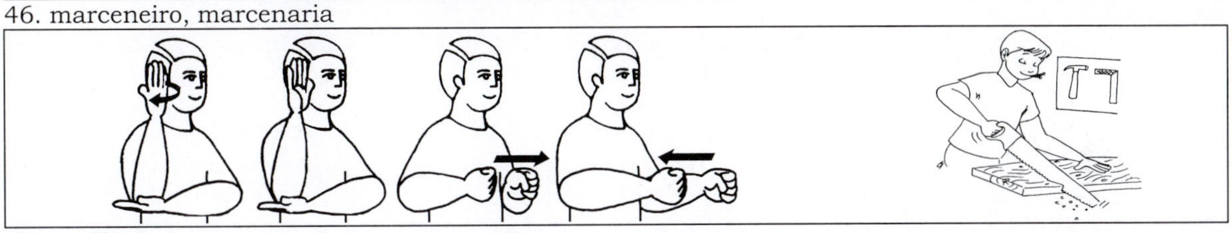

47. revólver

48. dança

49. ângulo

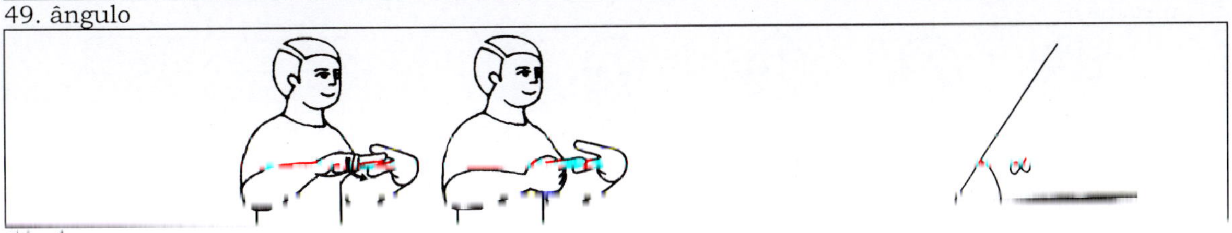

50. descascar

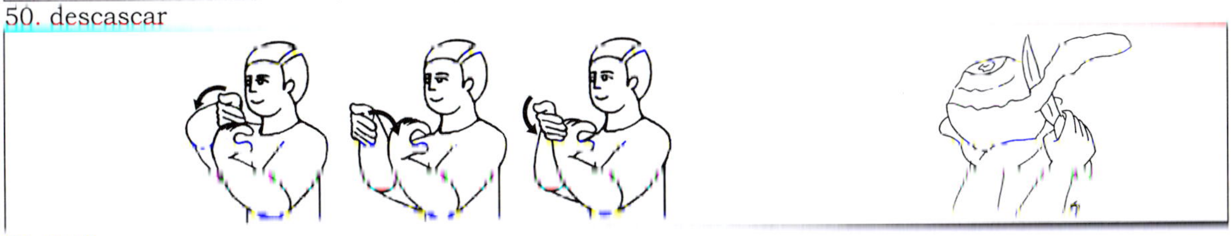

51. baú

52. inaugurar

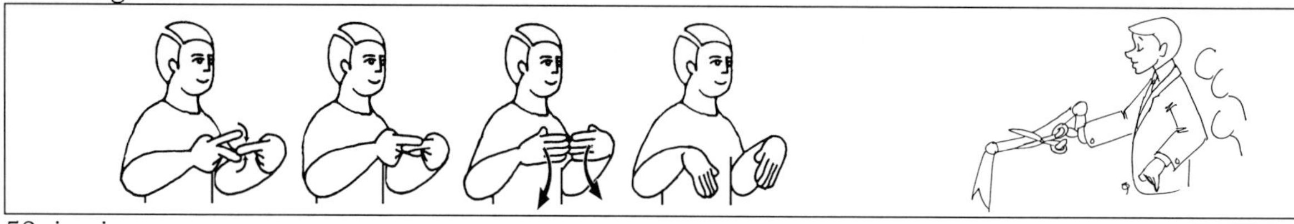

53. igreja

54. evitar

55. caule

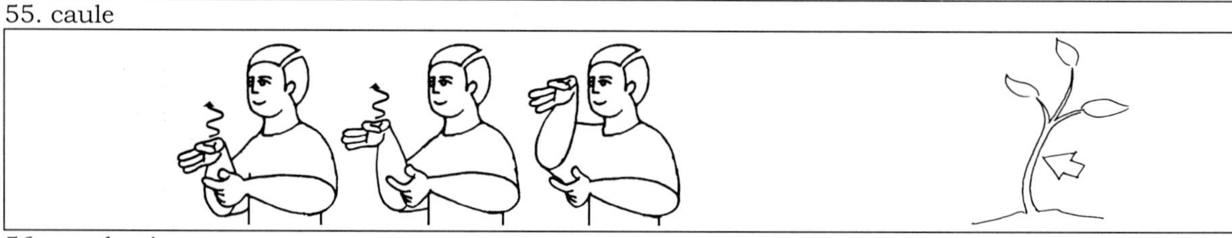

56. parabenizar

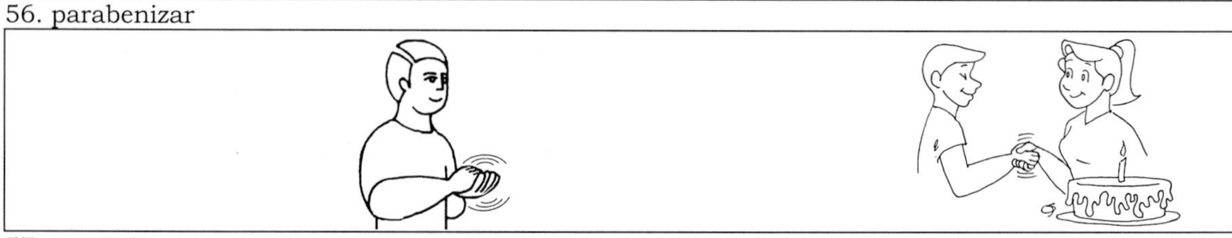

57. mecânico

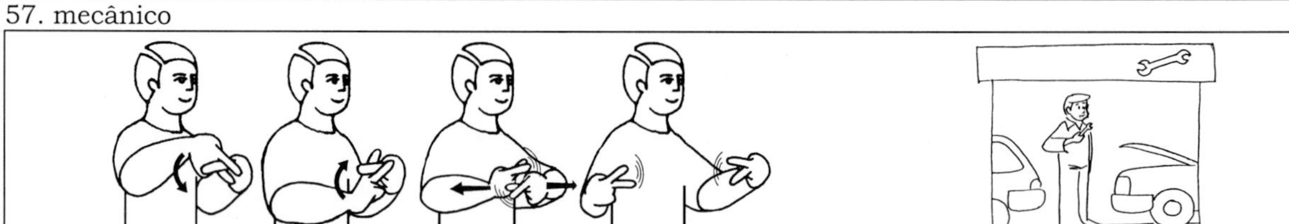

58. arrogante, arrogância, esnobe, esnobismo

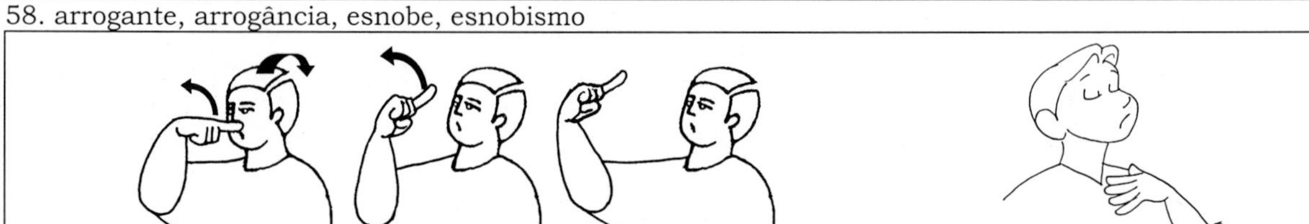

59. telescópio

60. rico

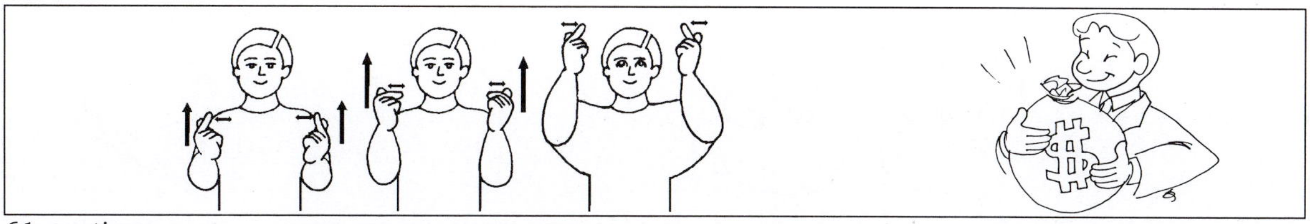

61. vertigem

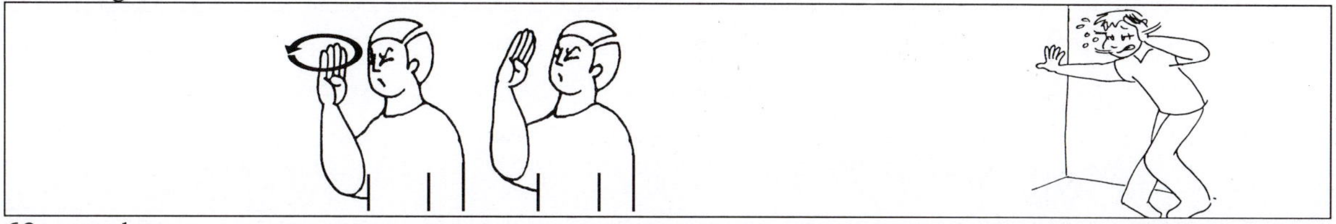

62. pesado

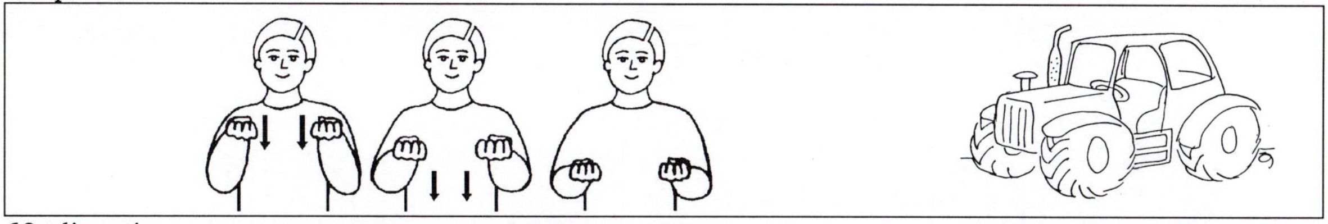

63. discutir

64. perfume

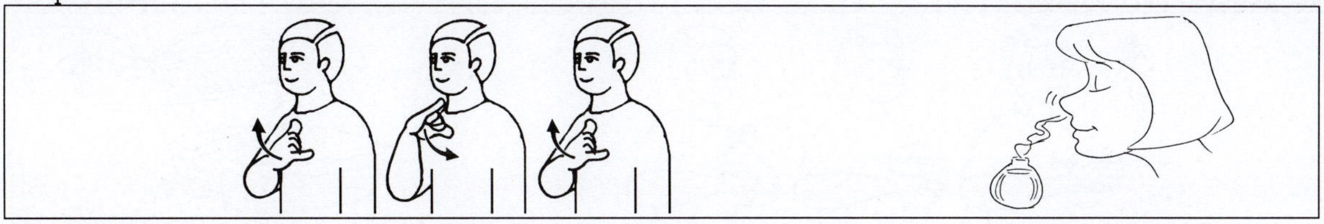

65. despertar

66. funil

67. arquivar, arquivo

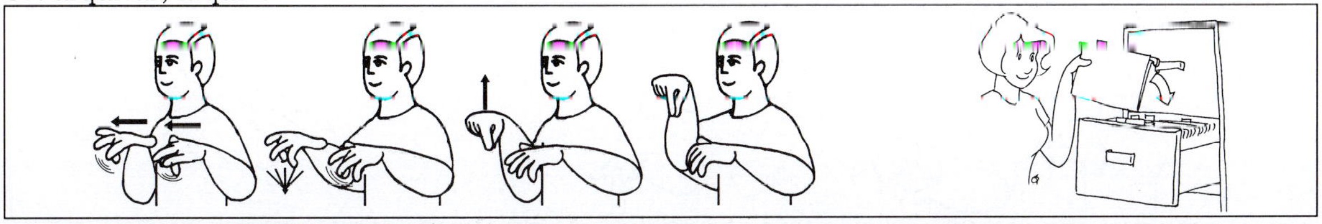

68. desenhista

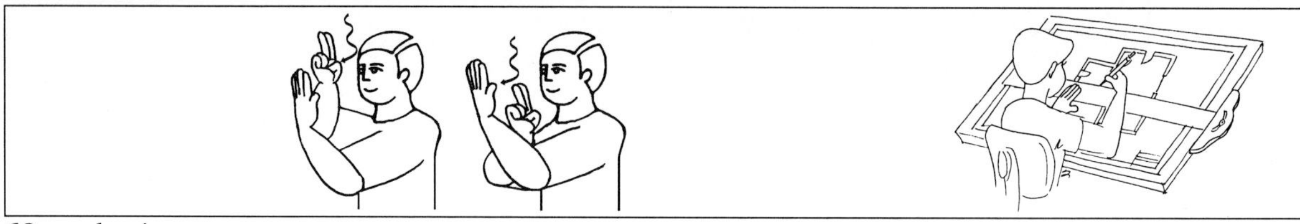

69. cachoeira

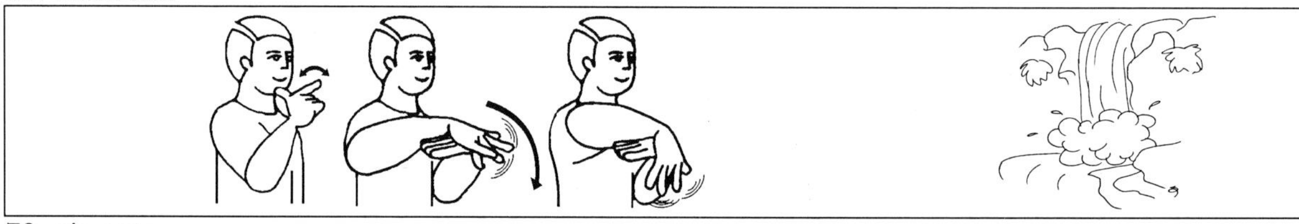

70. pimenta

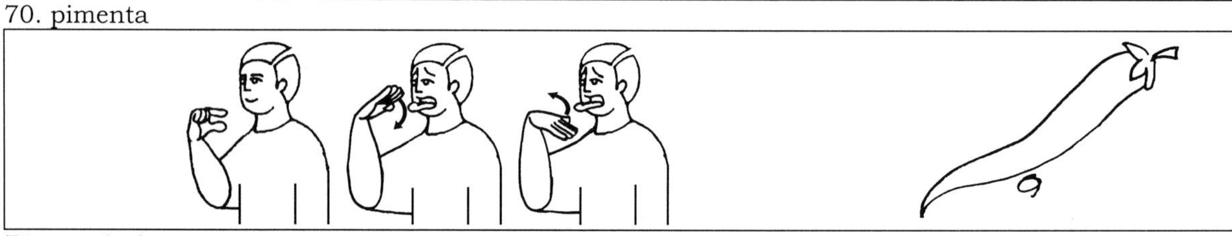

71. comércio

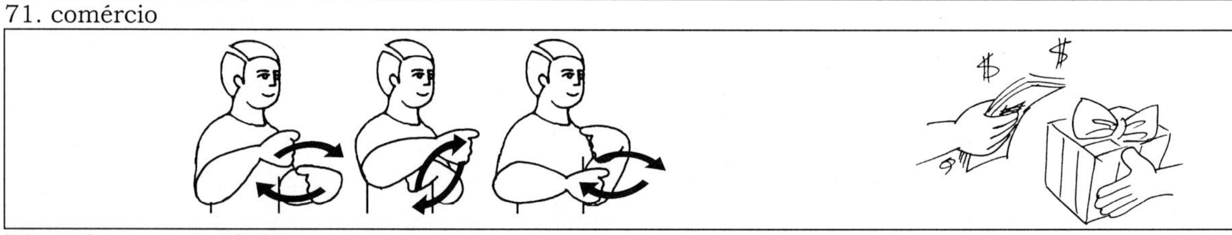

72. pedaço, parte (*fatia*)

73. agricultura

74. gotejar, pingar

75. alicate

76. comprar

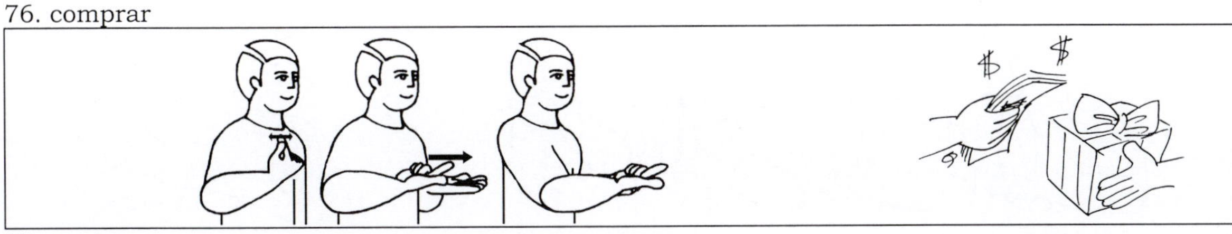

77. sonhar

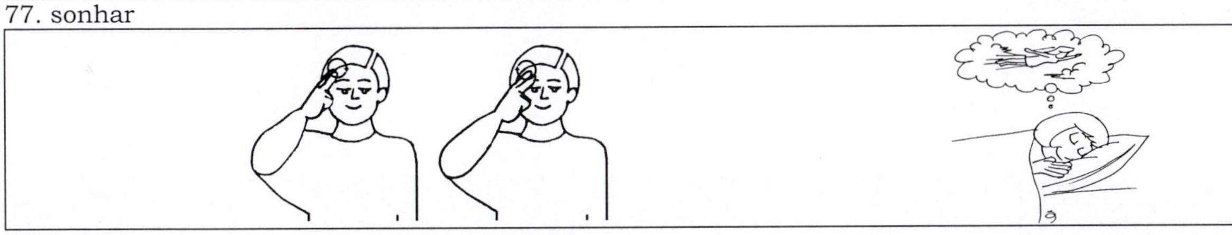

78. baleia

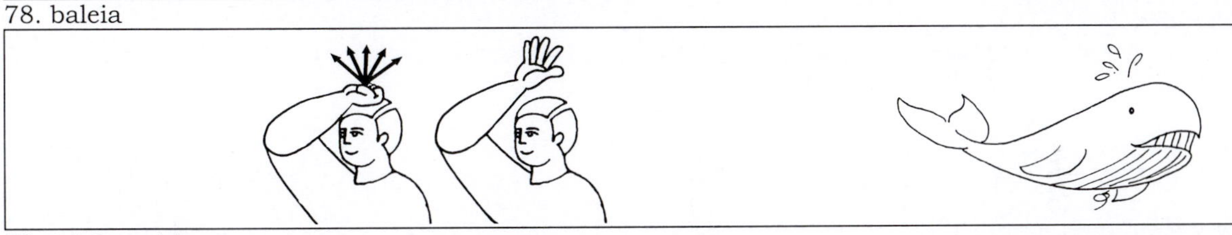

79. trigêmeo(a)

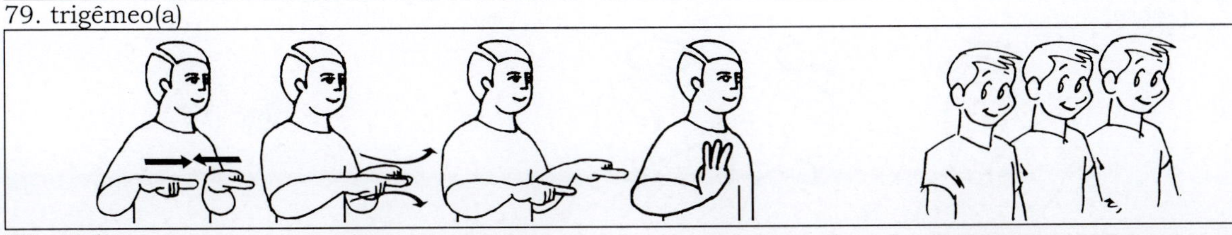

80. médico

81. batizar

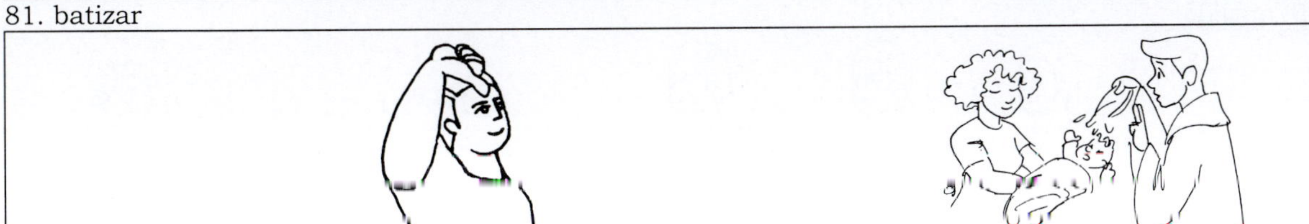

82. cobra

83. submergir

84. tronco

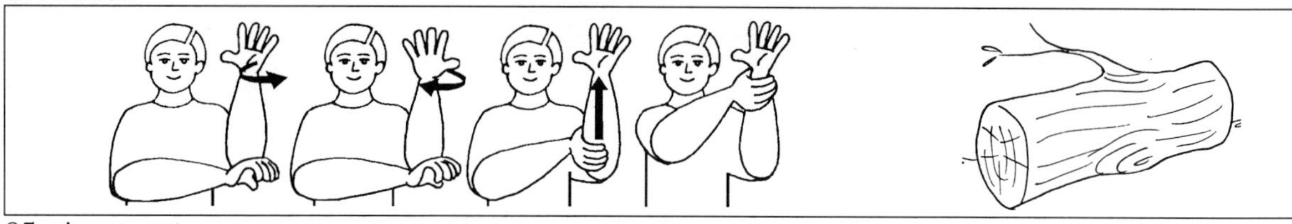

85. rinoceronte

86. único

87. cérebro

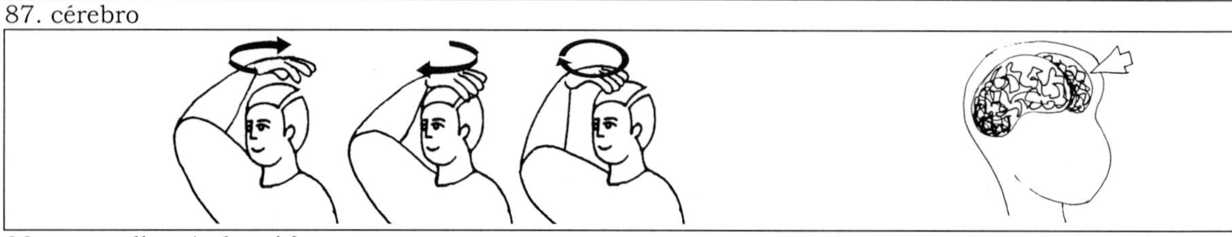

88. aconselhar (*advertir*]

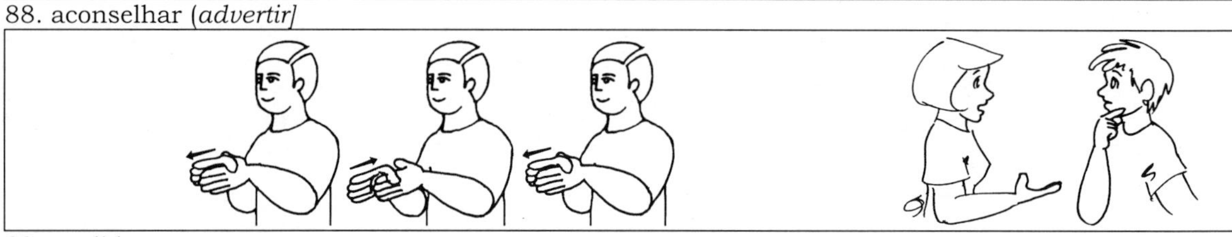

89. apelido

90. ensinar, instruir

91. vidro

92. vela

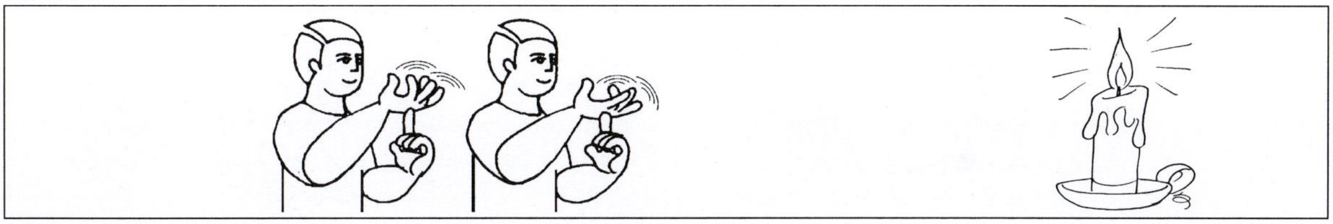

93. bússola

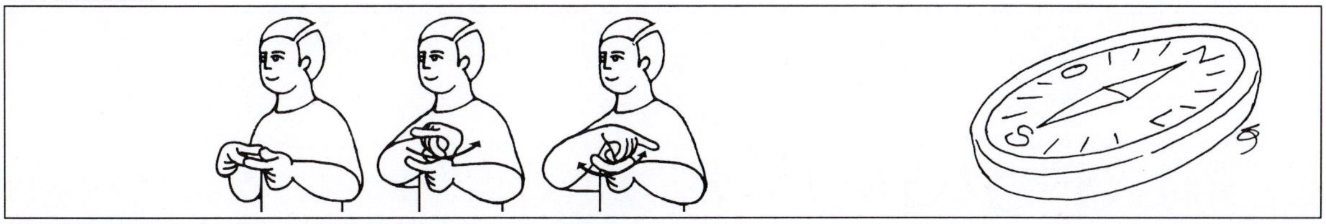

94. derramar

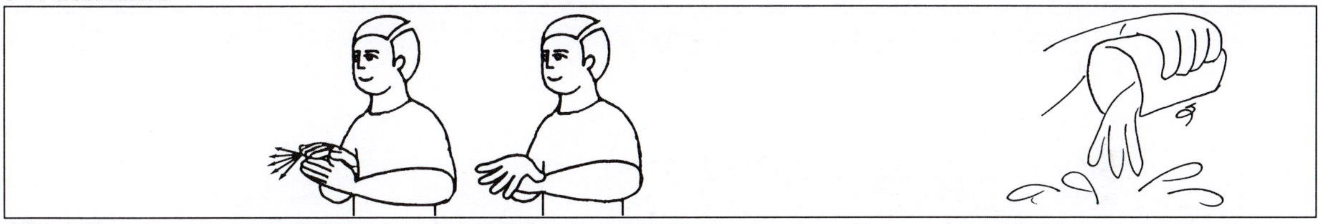

95. sofá

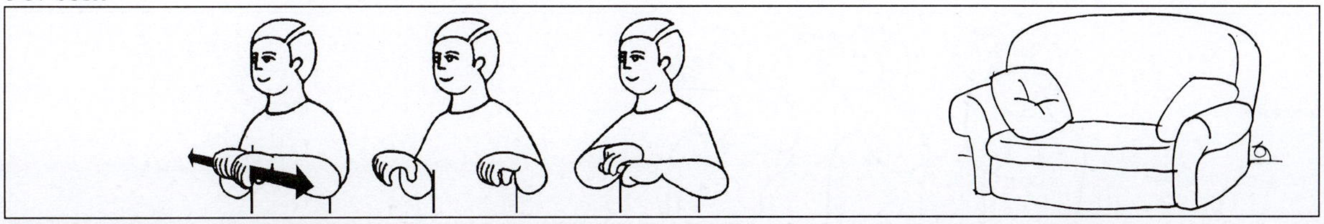

96. escorpião

97. sede

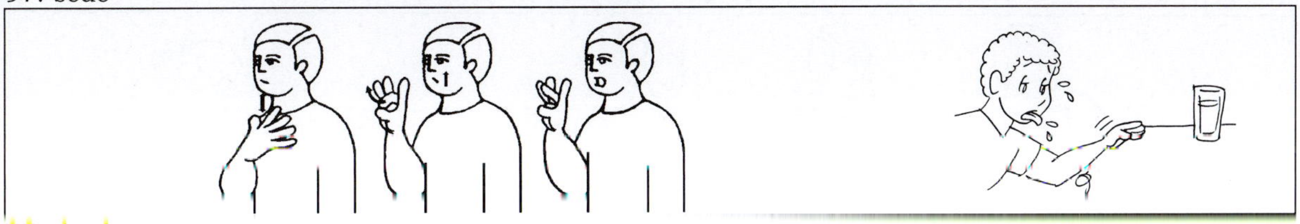

98. dupla

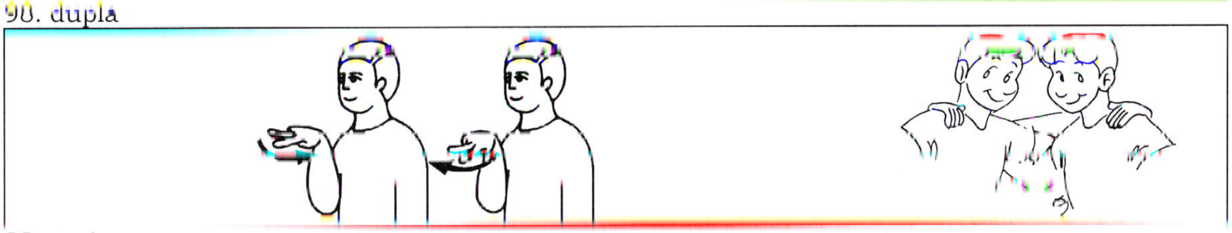

99. [illegible]

100. grupo

101. vencedor

102. pé

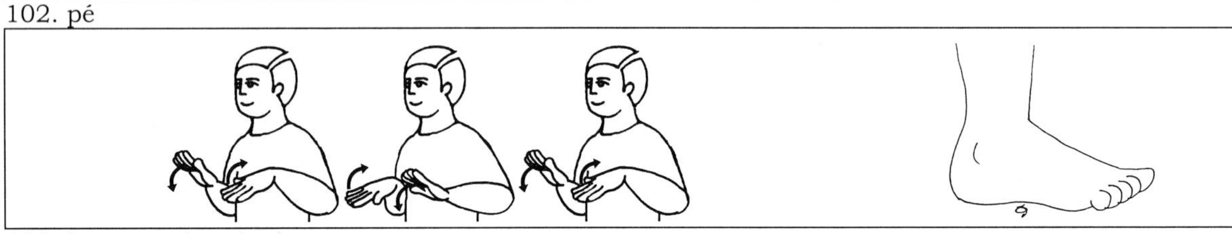

103. inocente, inocência

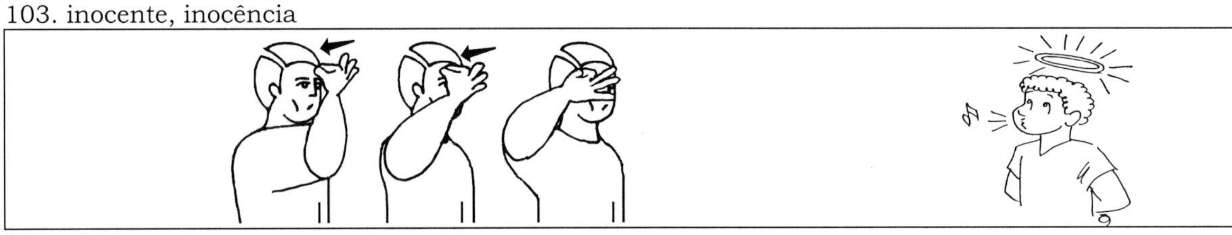

104. abajur

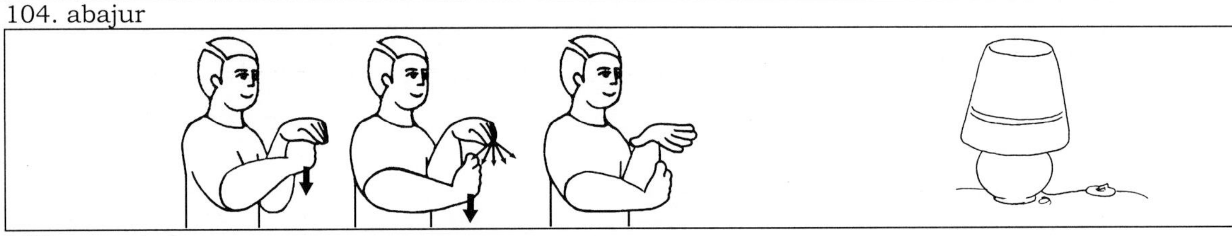

105. espantado

106. angústia

107. multa

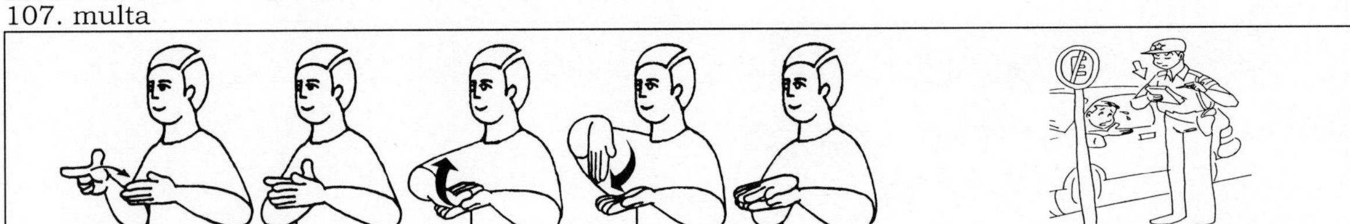

108. projeto

109. lustrar, polir

110. castelo

111. ramalhete

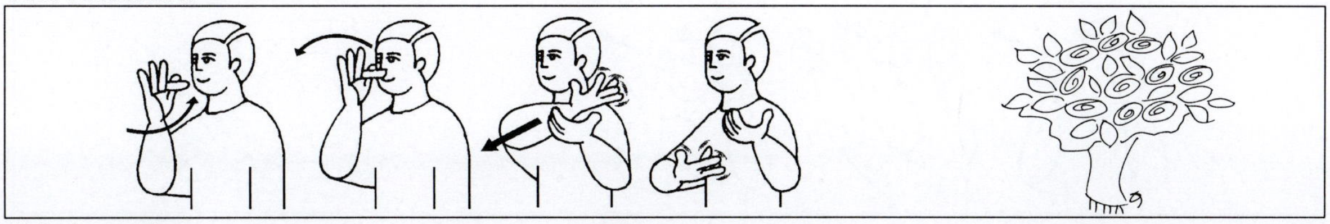

112. ira, raiva

113. sob, embaixo

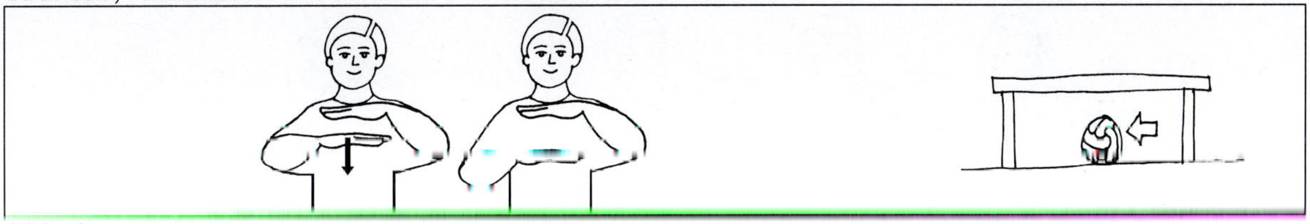

114. dicionário

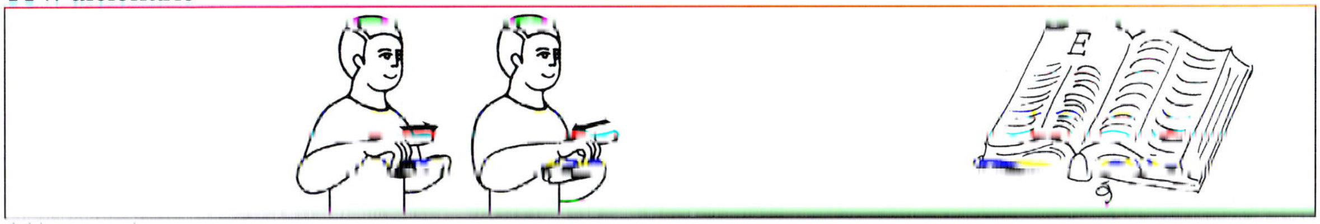

115. sapato

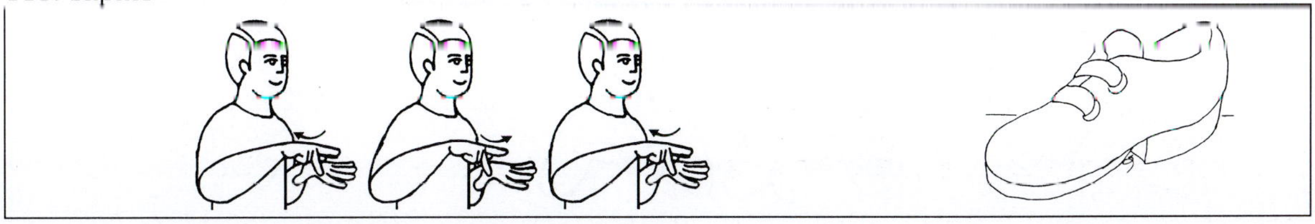

116. eterno(a)

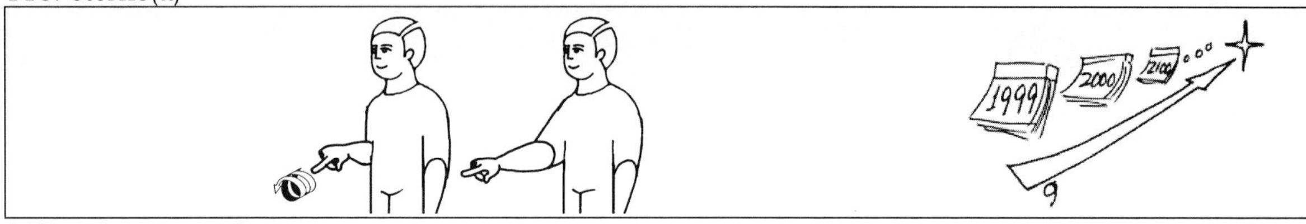

117. subornar, suborno

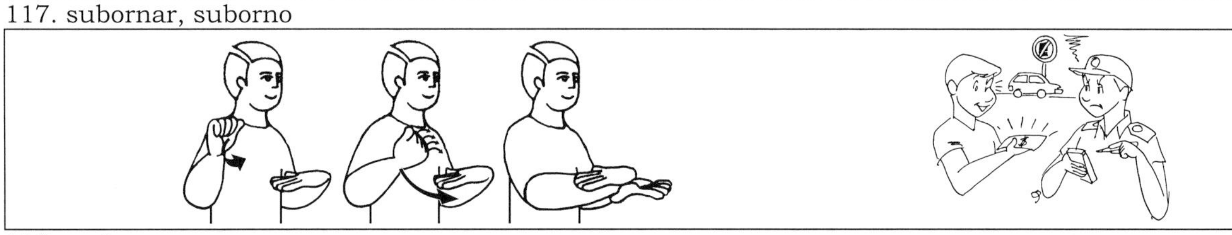

118. meia

119. greve

120. deserto (*natureza*), desértico

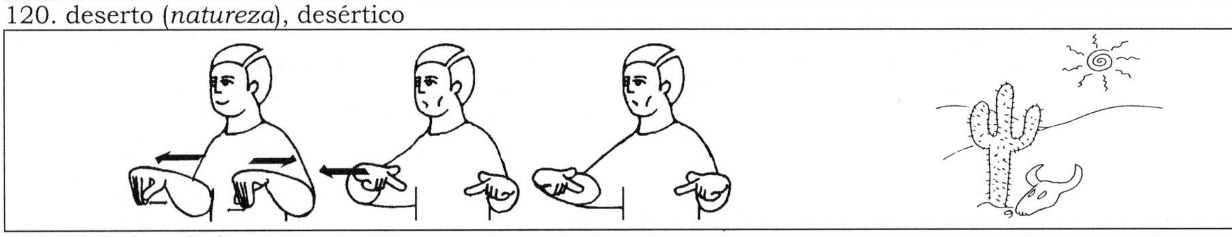

121. dialogar, diálogo

122. volúvel

123. bicampeão, bicampeã

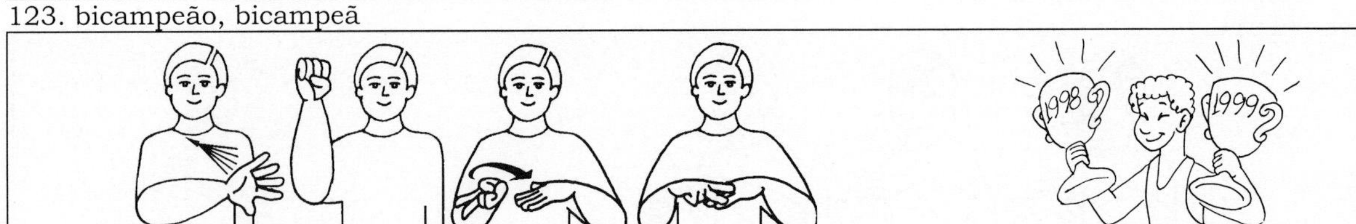

124. adorar

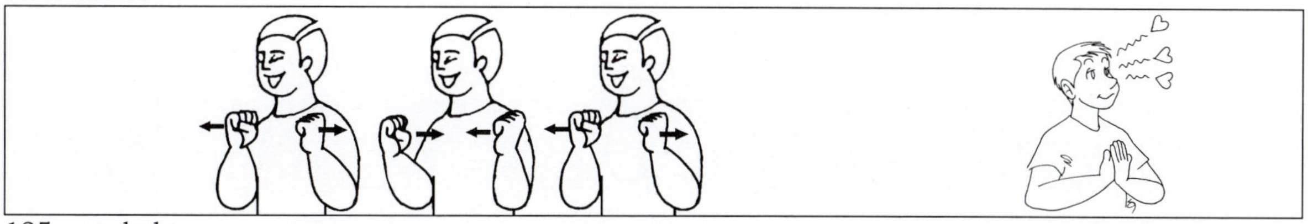

125. saudade

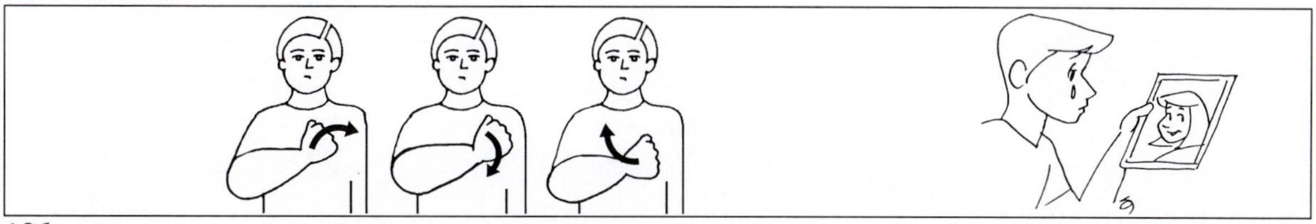

126. venenoso

127. marinha

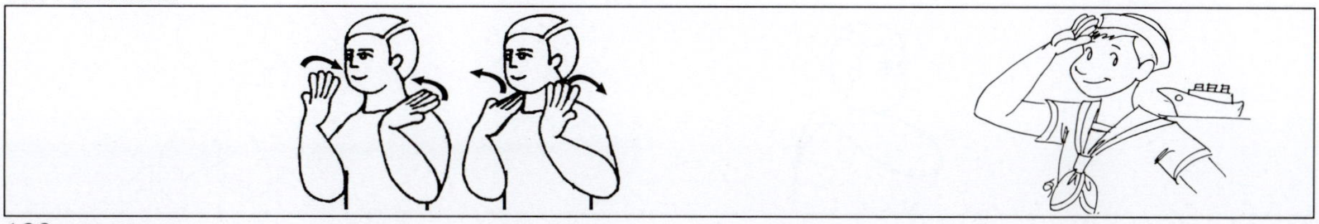

128. processo

129. desleixado(a), desleixo, descuidado(a)

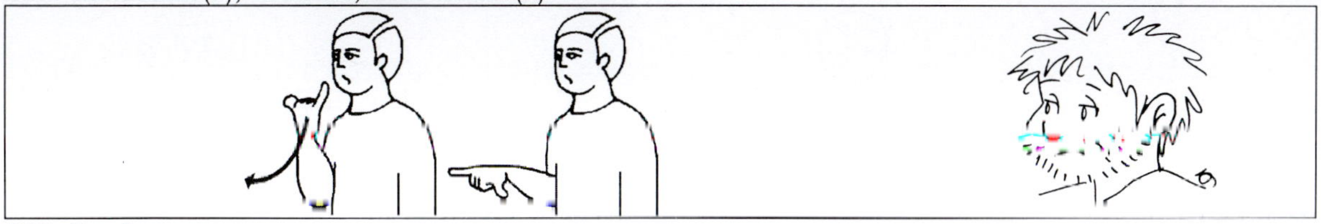

130. fígado

131. famoso

132. hierarquia, diretoria, direção

133. Europa, europeu, européia

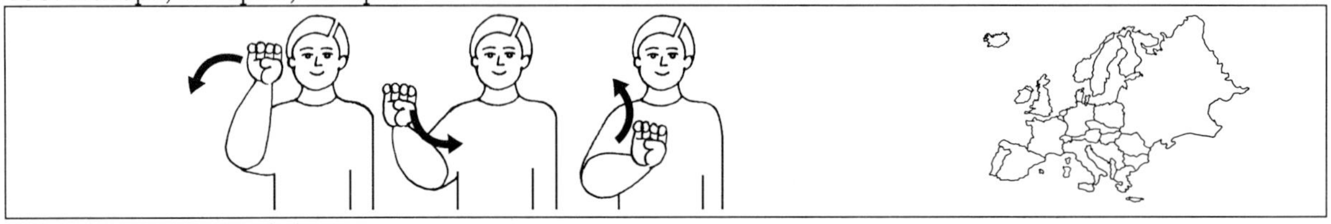

134. obrigar, obrigado(a

135. pulmão

136. cientista

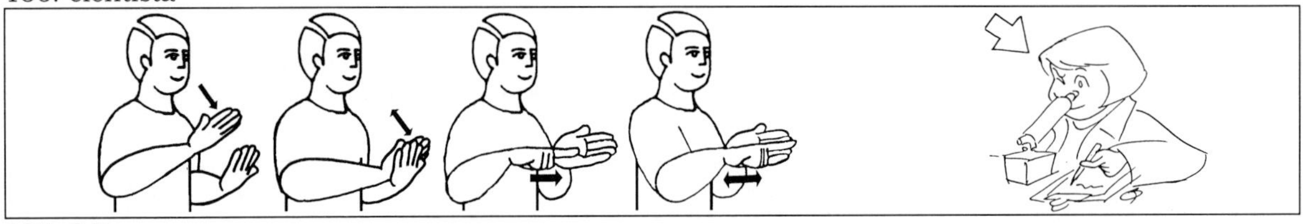

137. felino

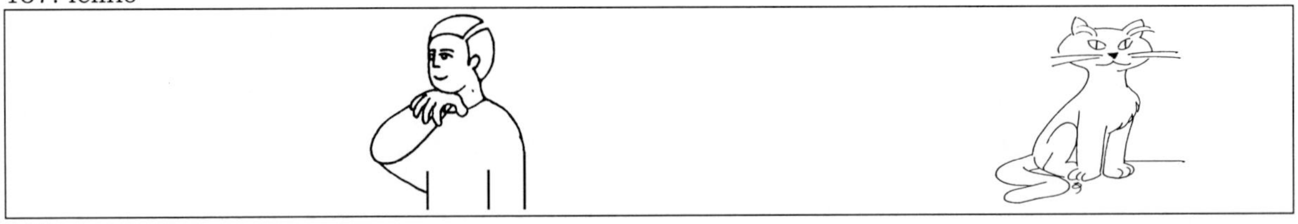

138. raposa

139. alarme

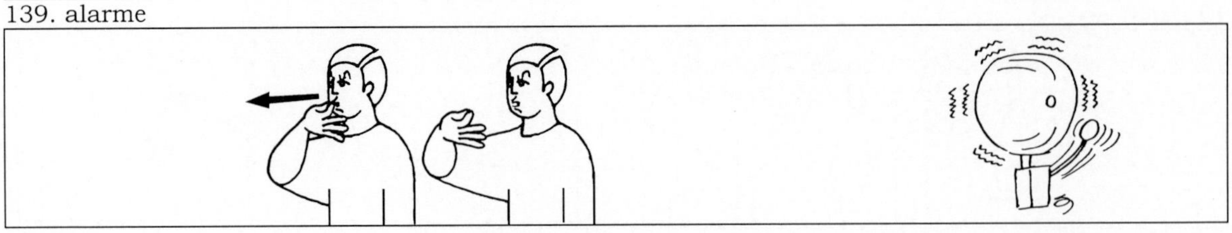

4.18.) Anexo 5: *Caderno completo de aplicação com sinais e figuras de escolha do TVRSL1.2*

Teste de Vocabulário Receptivo de Sinais da Libras versão 1.2

Nome: ______________________________ Série: ________ Data: ____________

Marque a figura que corresponde ao sinal

A

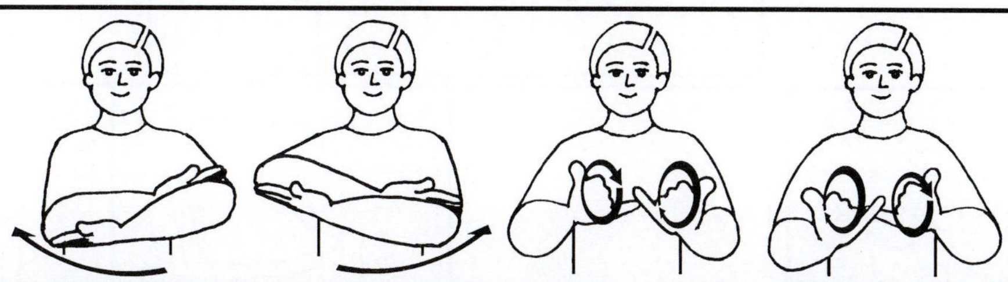

B

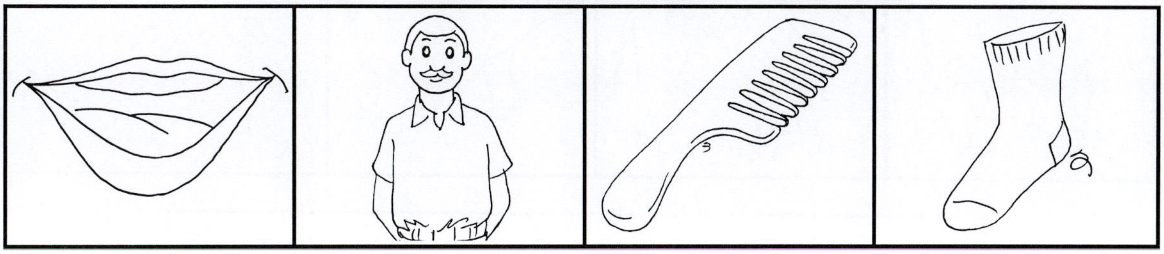

C

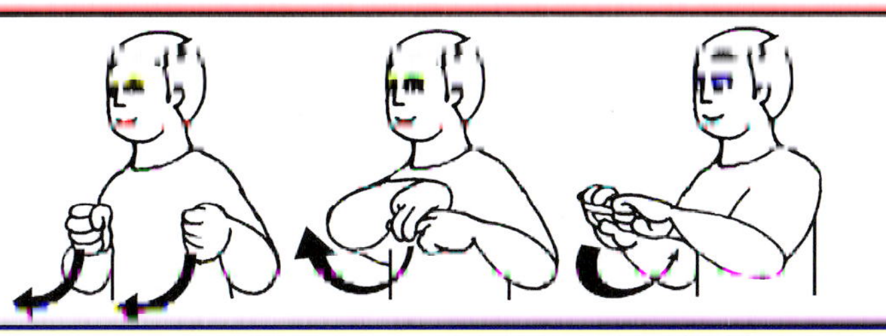

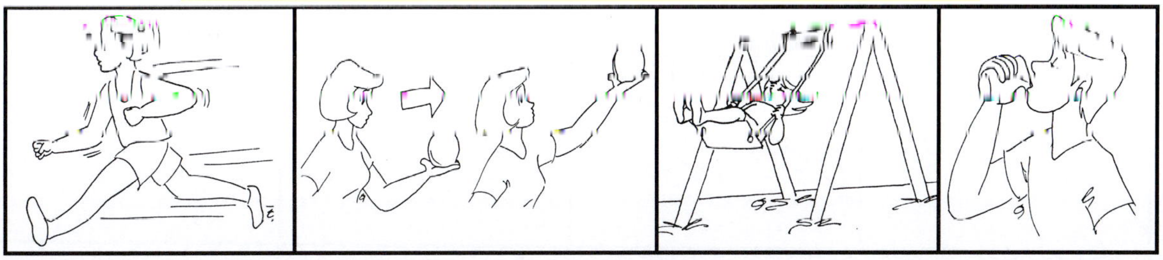

D

E

1

2

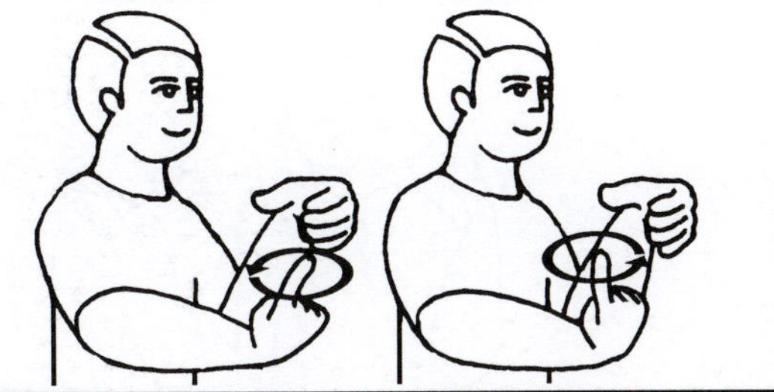

3

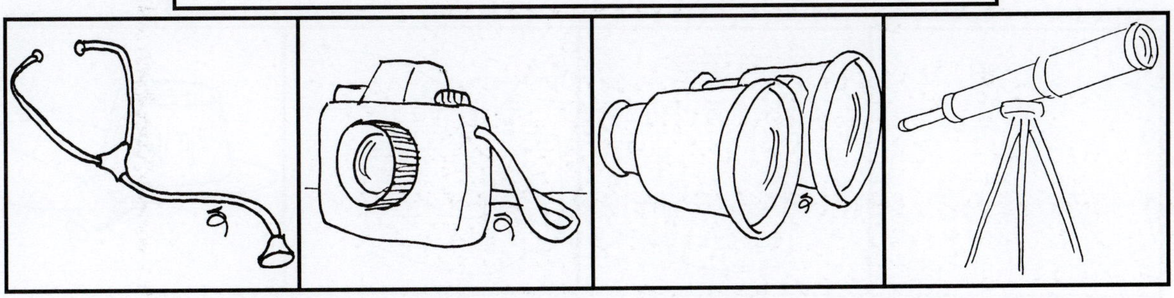

4

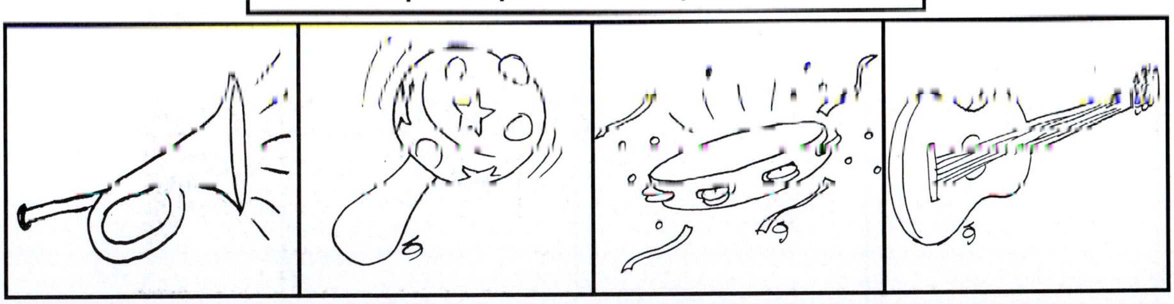

5

6

7

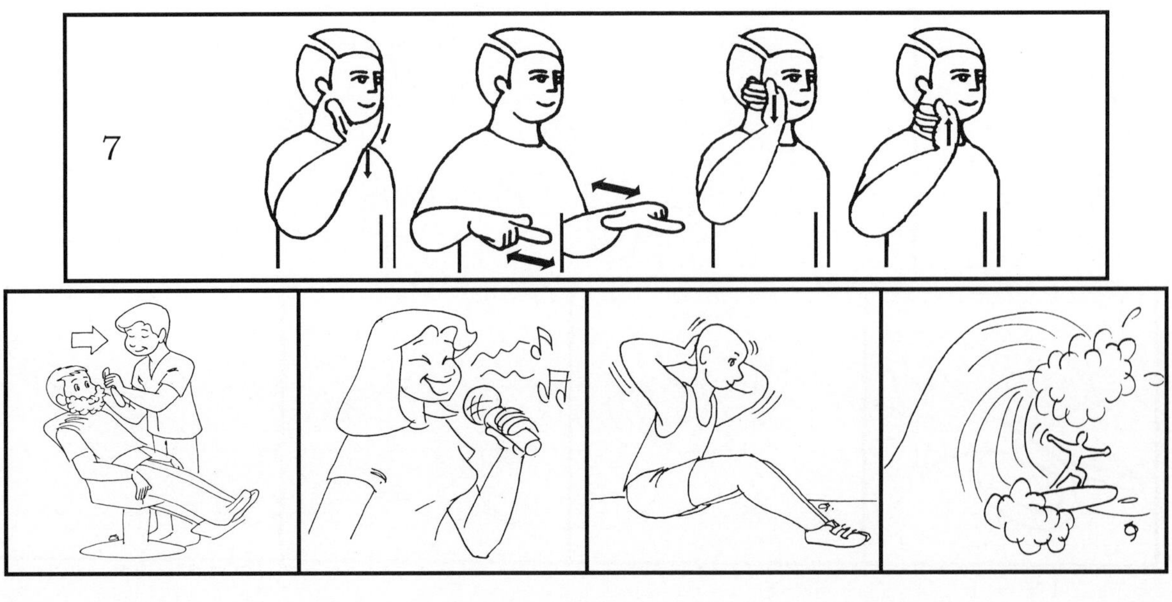

8

9

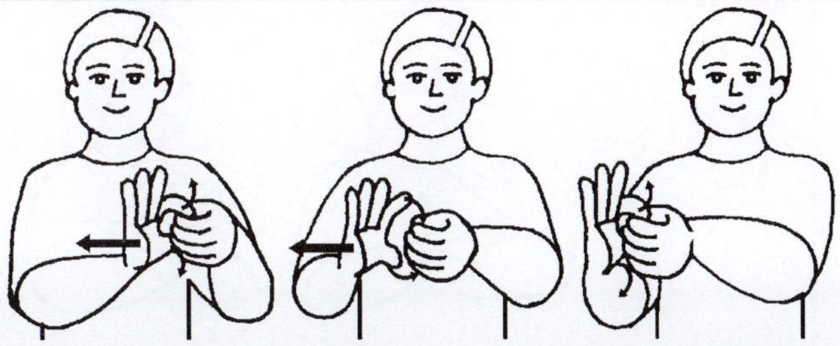

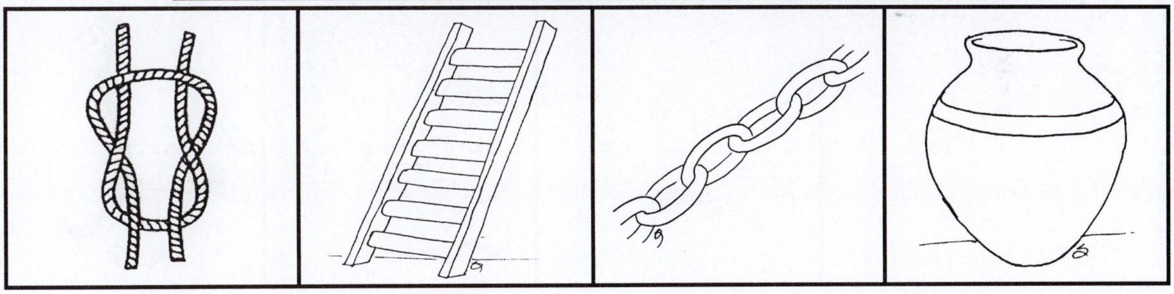

10

11

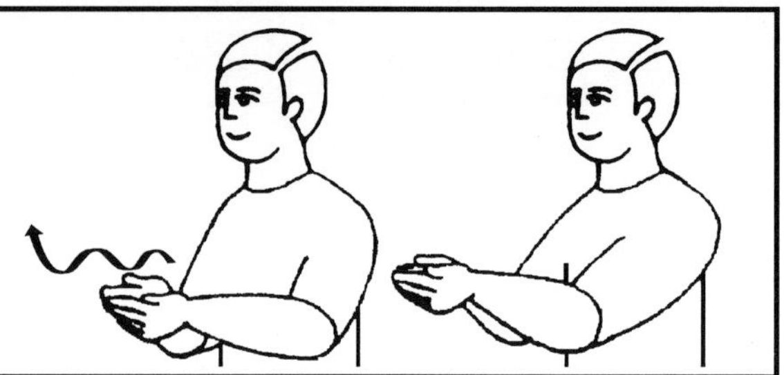

12

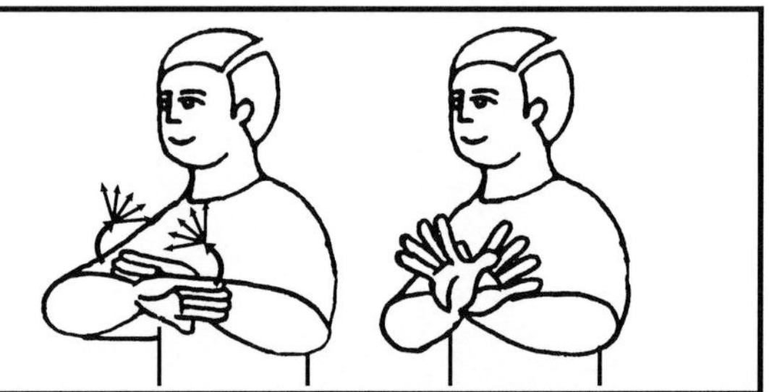

13

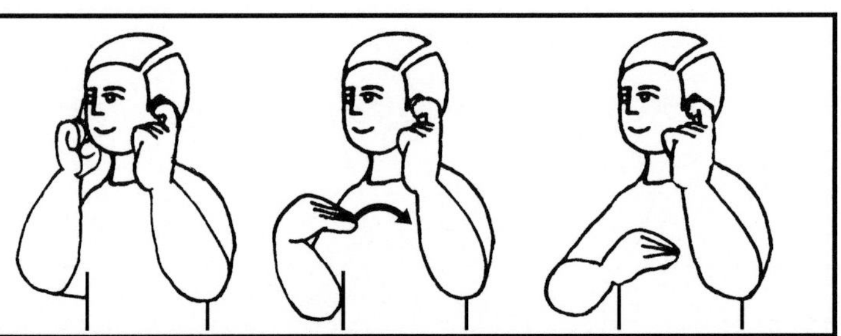

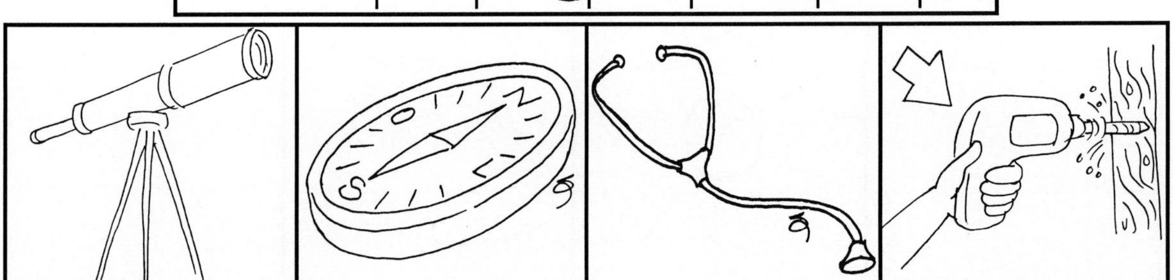

14

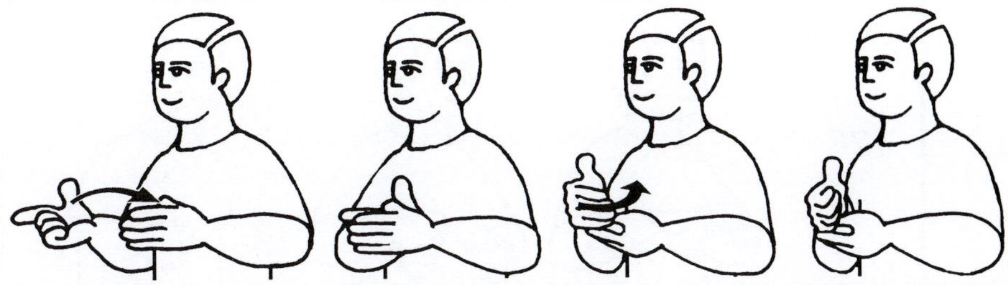

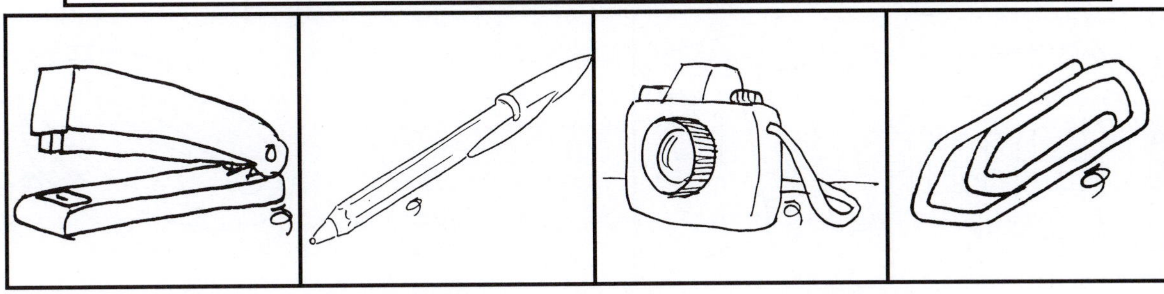

15

16

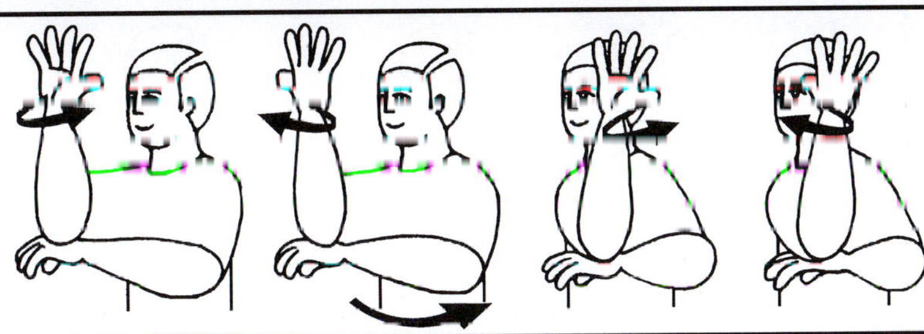

17

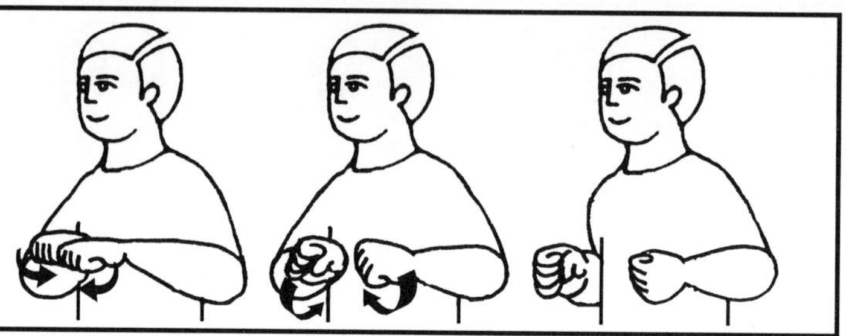

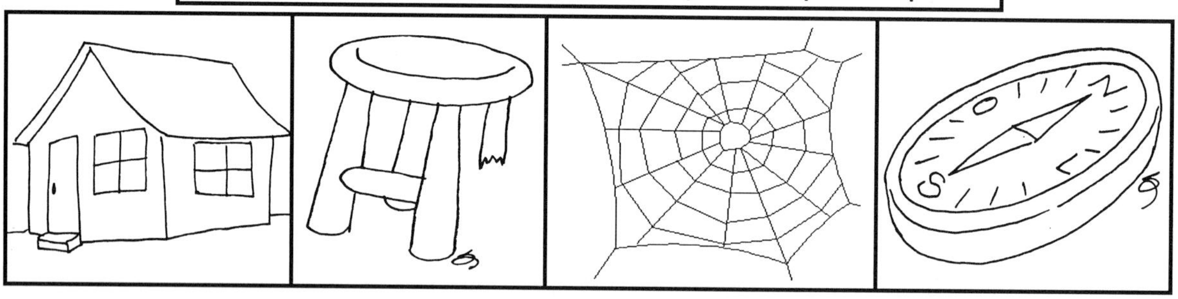

18

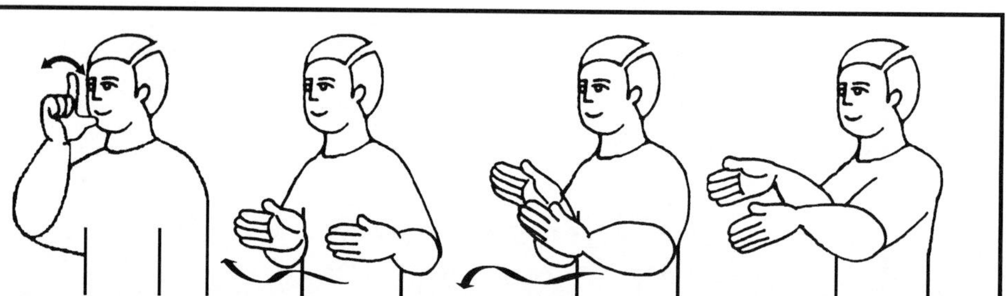

19

20

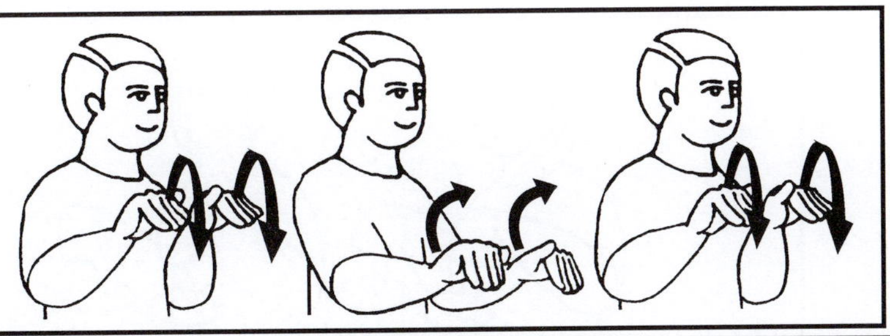

21

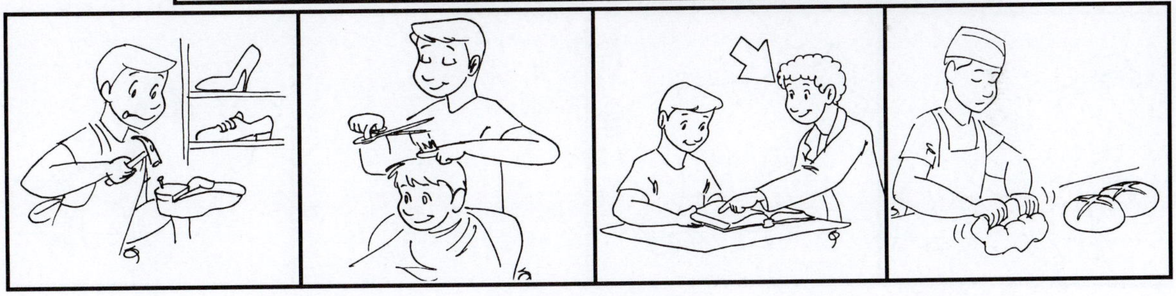

22

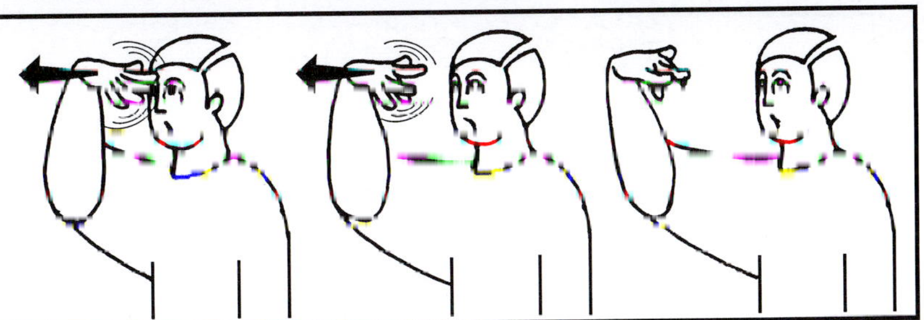

23

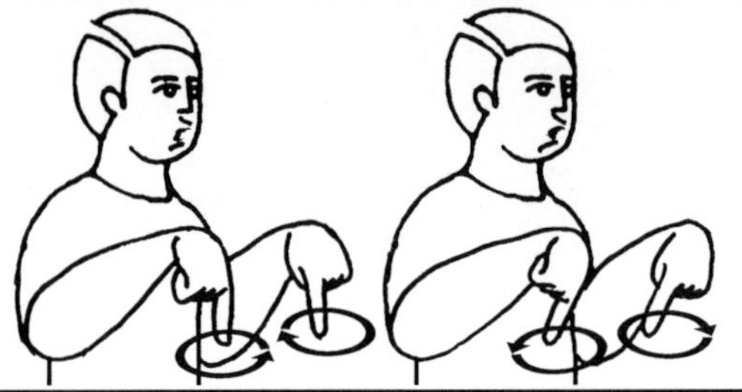

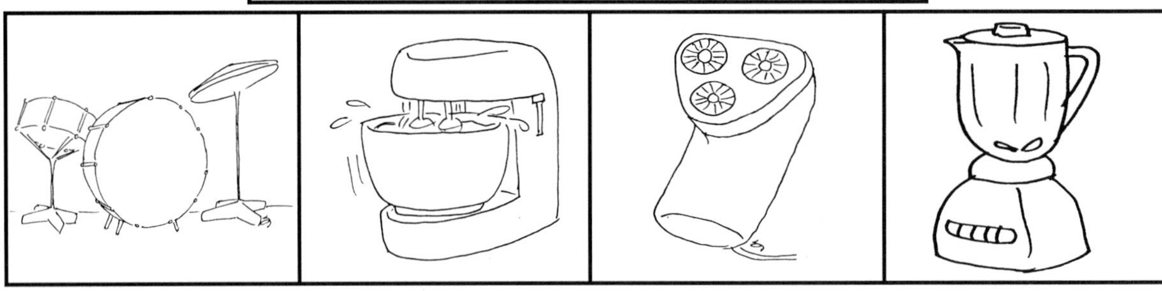

24

25

26

27

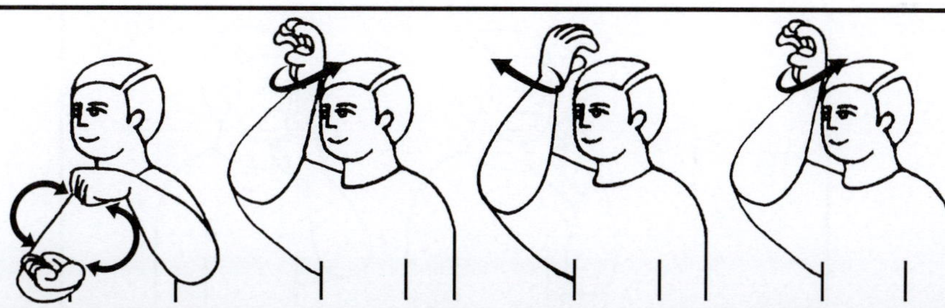

28

 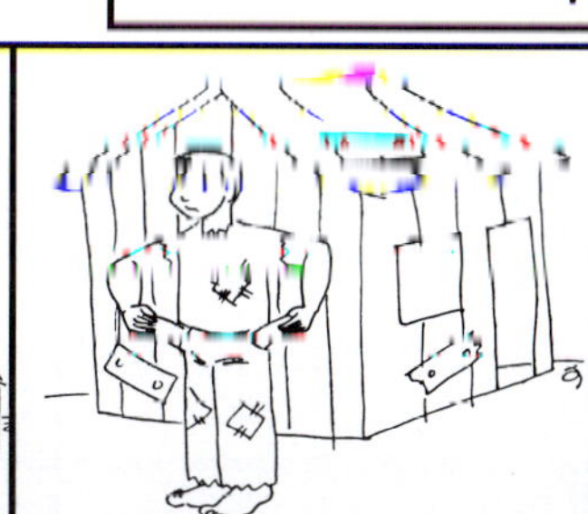  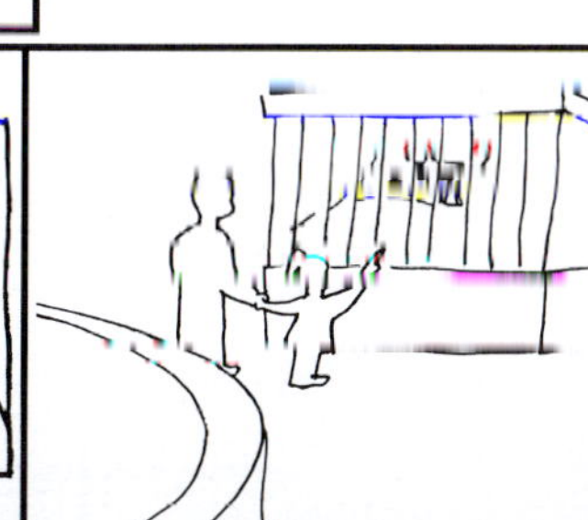

29

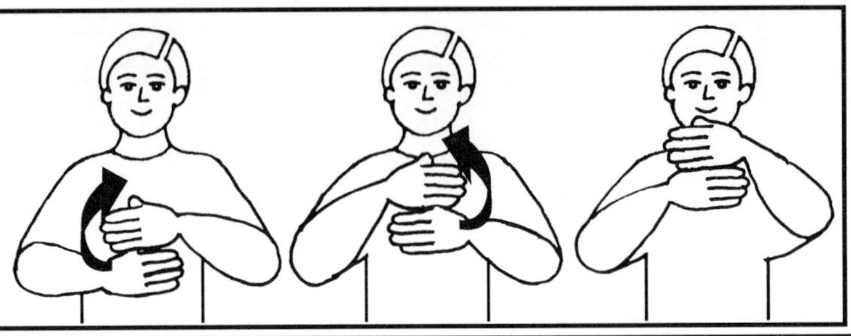

30

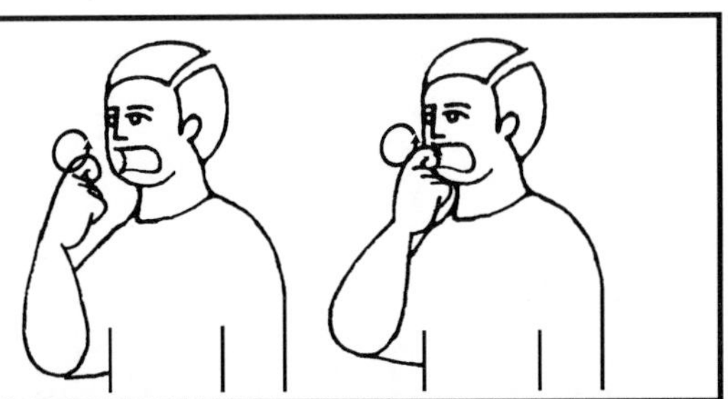

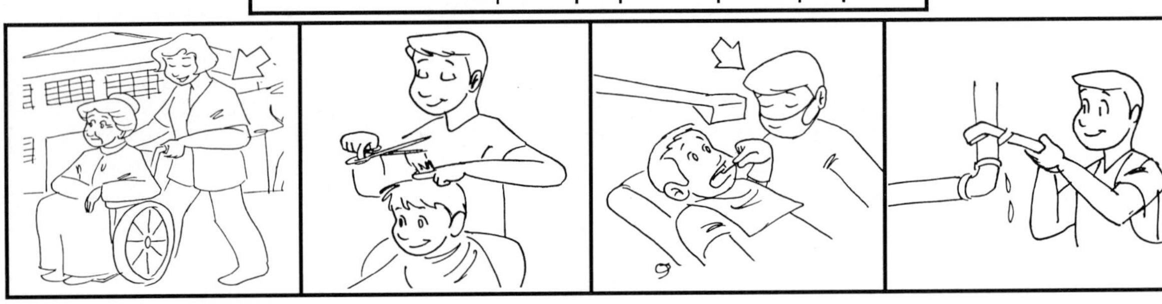

31

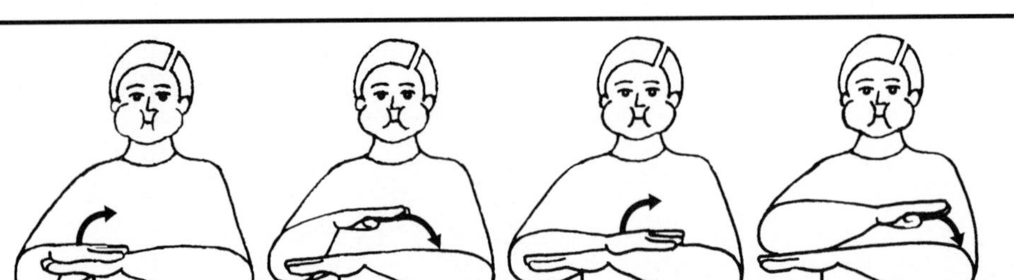

32

33

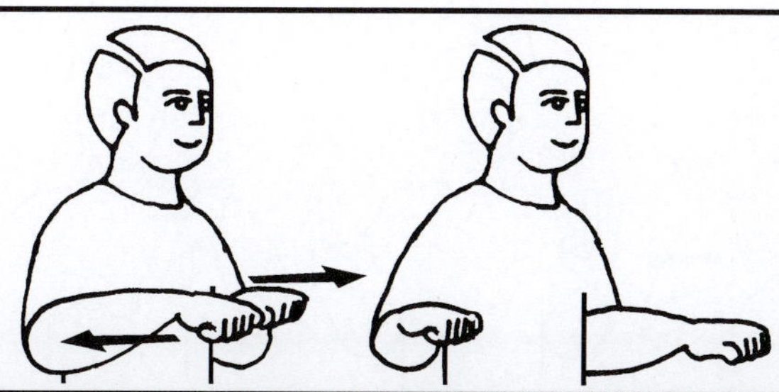

34

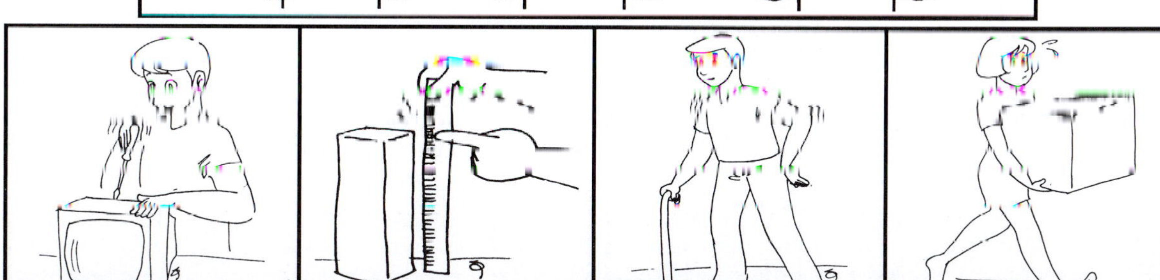

35

36

37

38

39

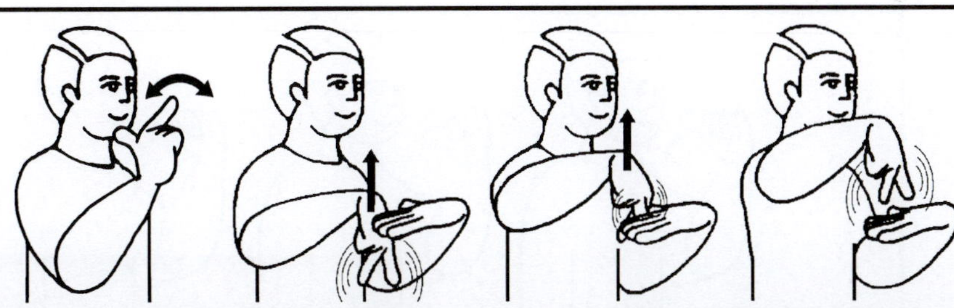

40

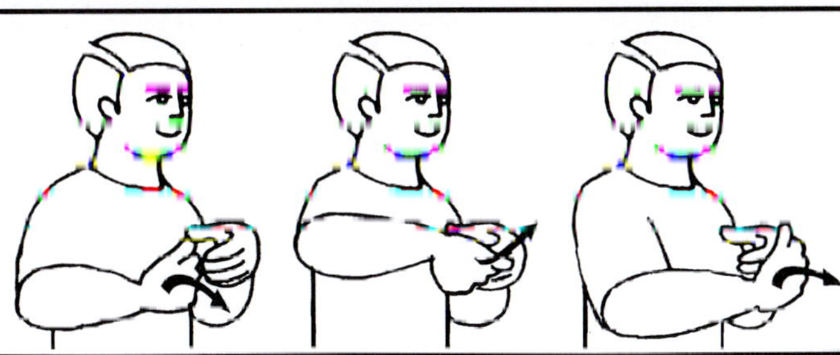

41

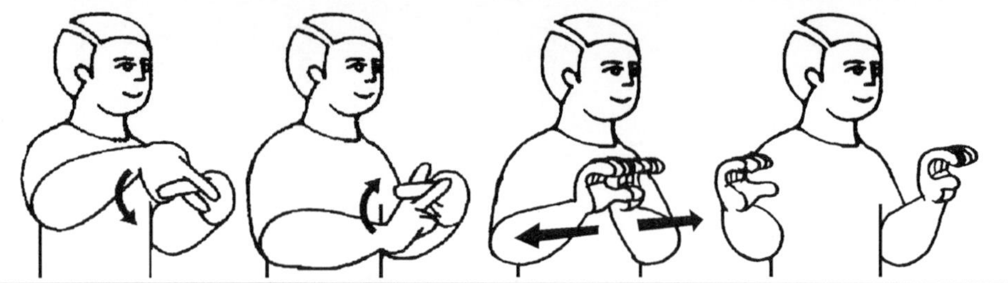

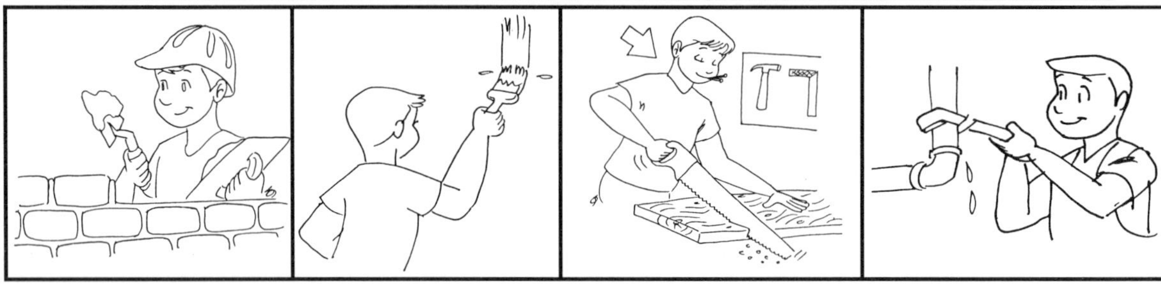

42

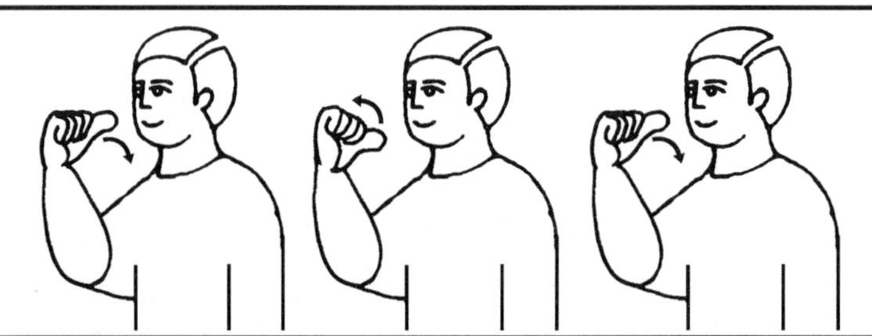

43

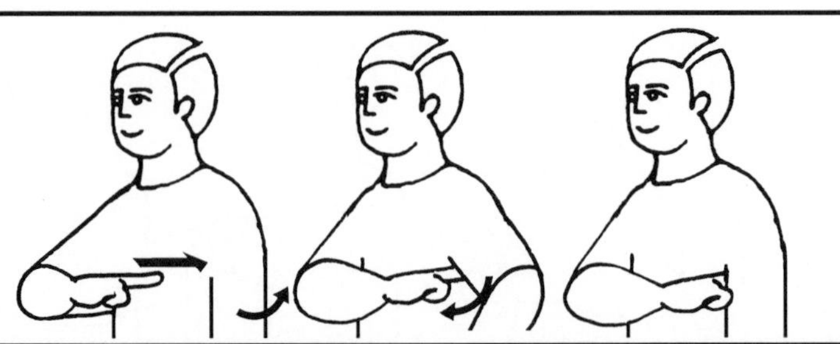

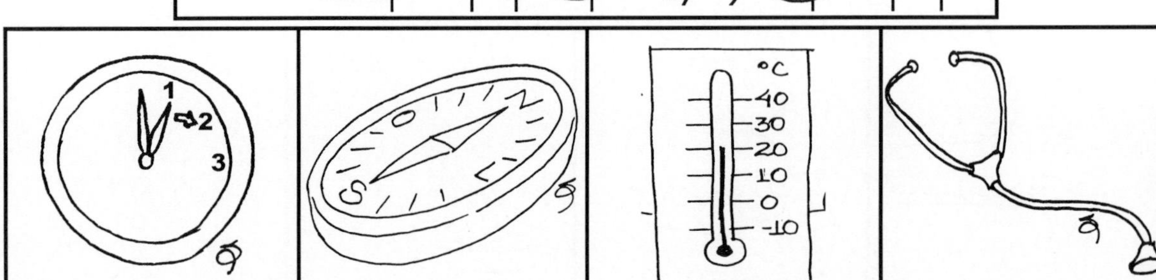

44

45

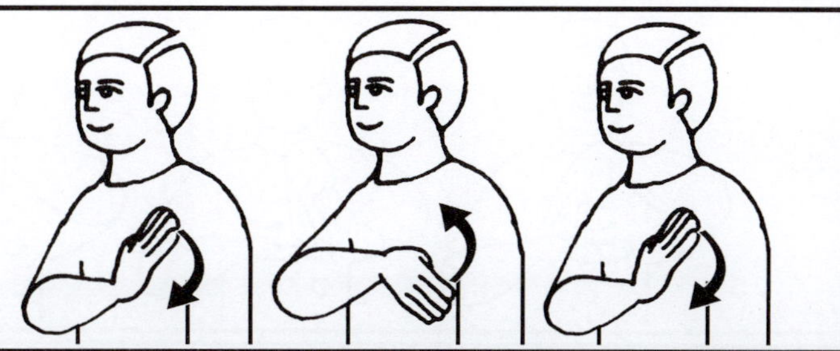

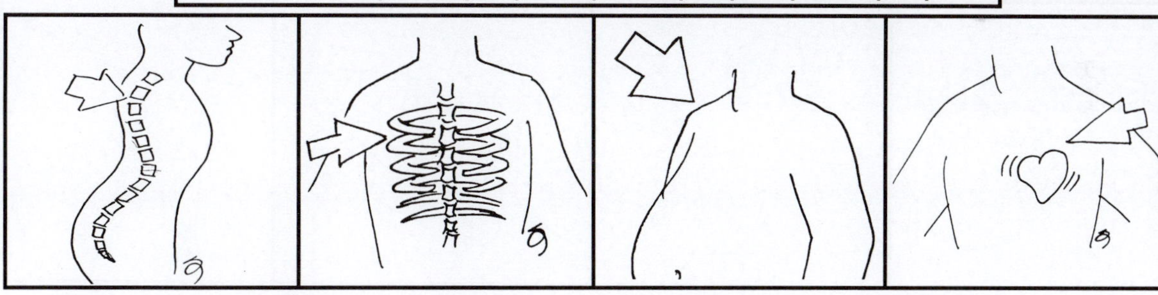

46

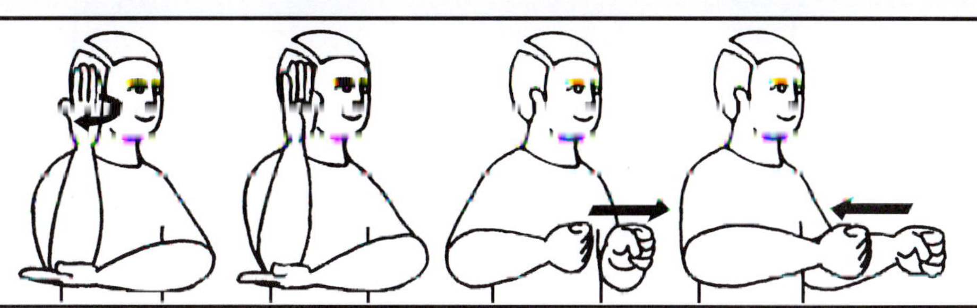

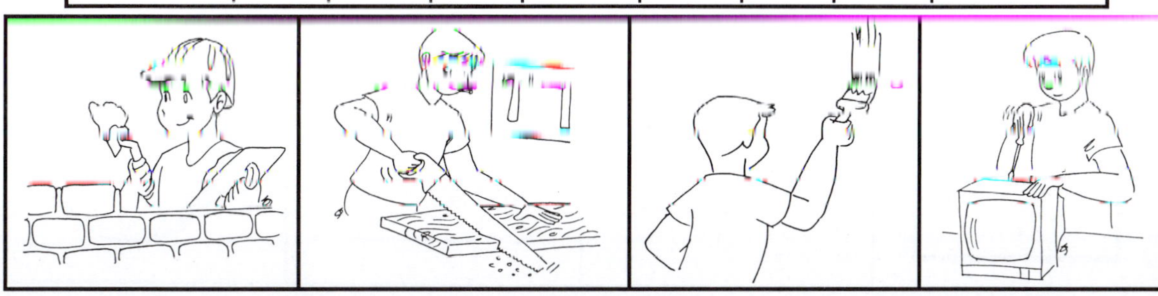

47

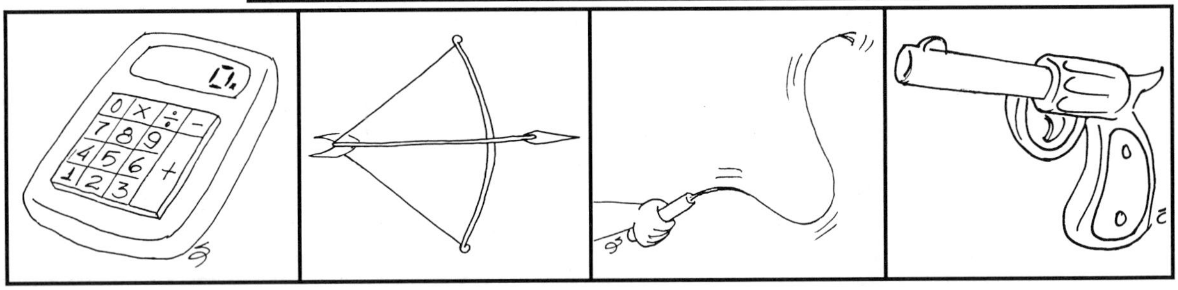

48

49

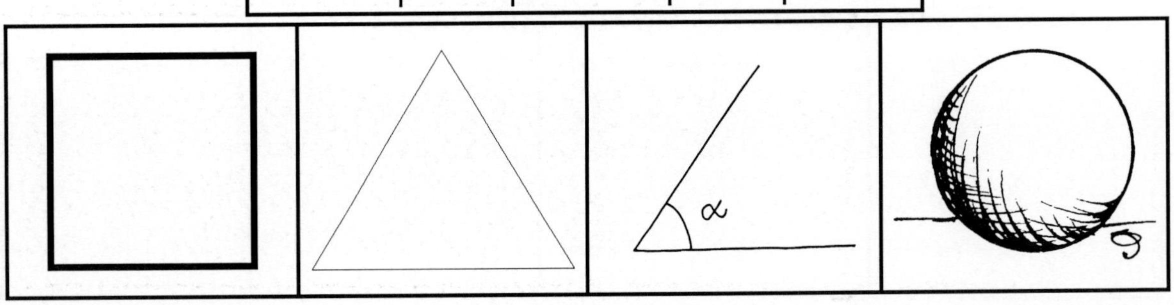

50

51

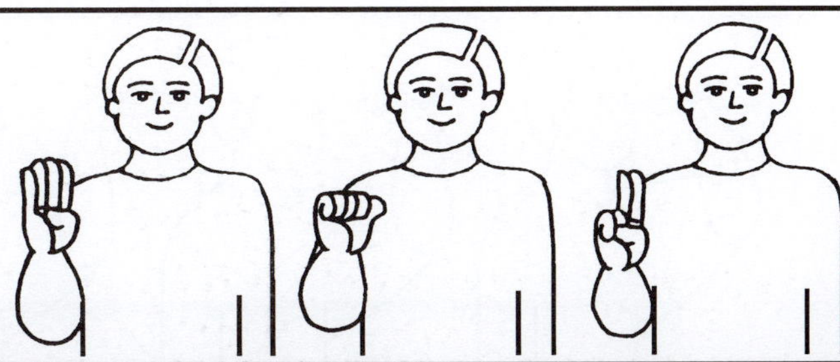

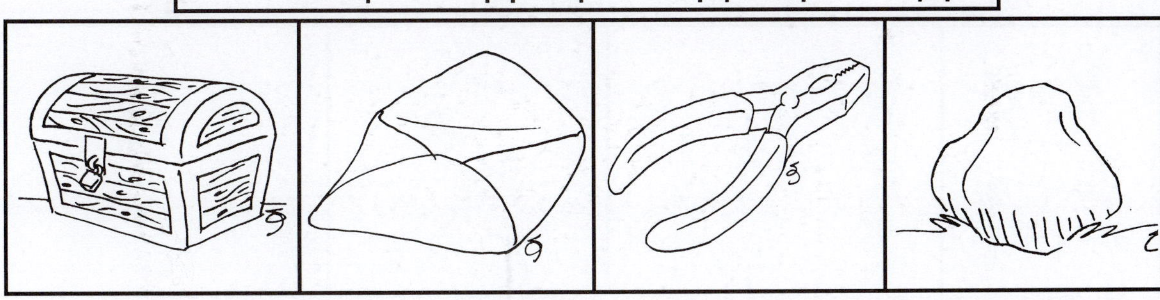

52

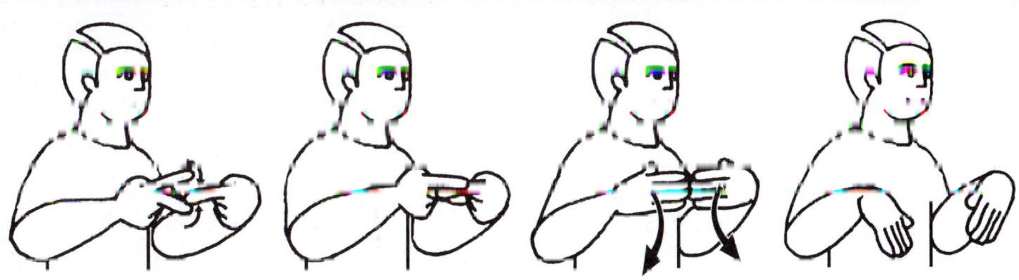

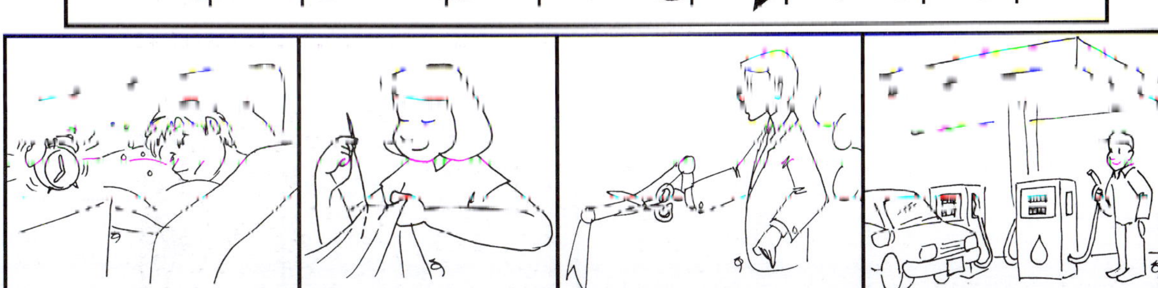

53

54

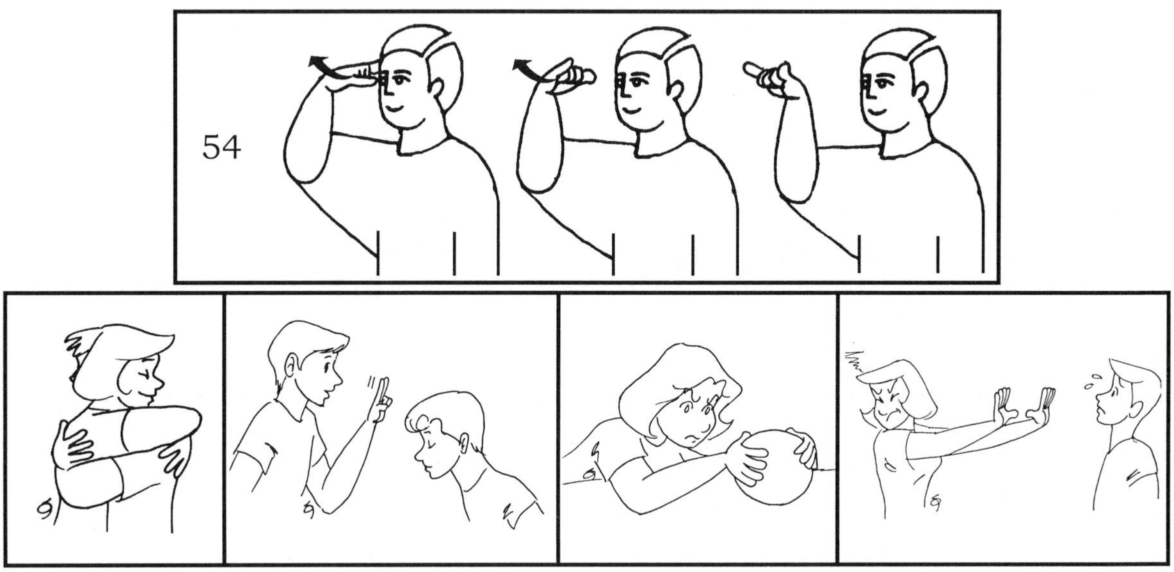

55

56

57

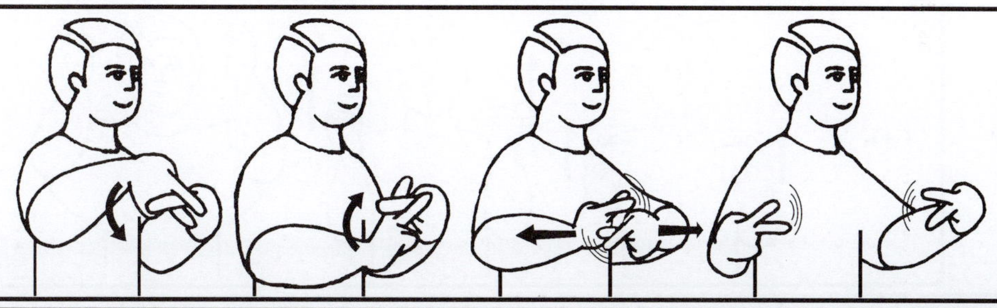

58

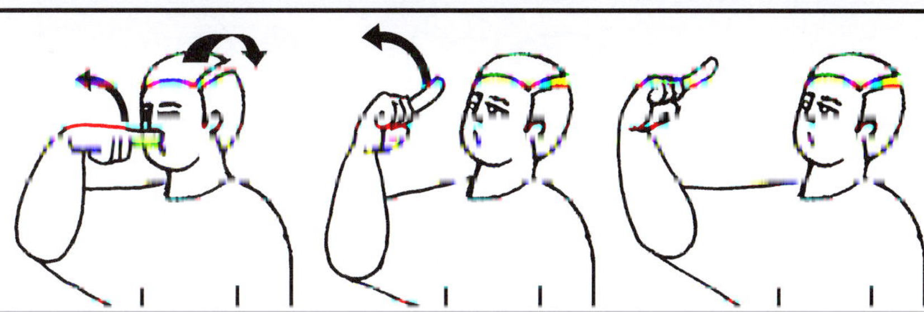

59

60

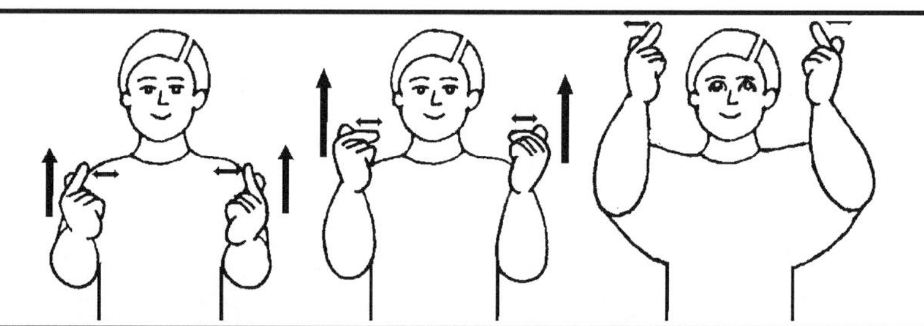

61

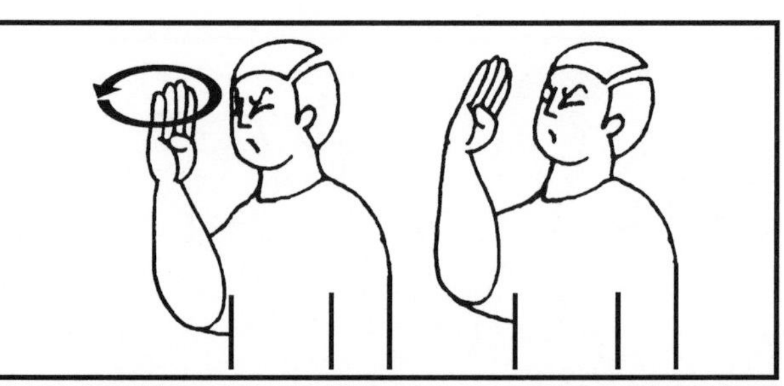

62

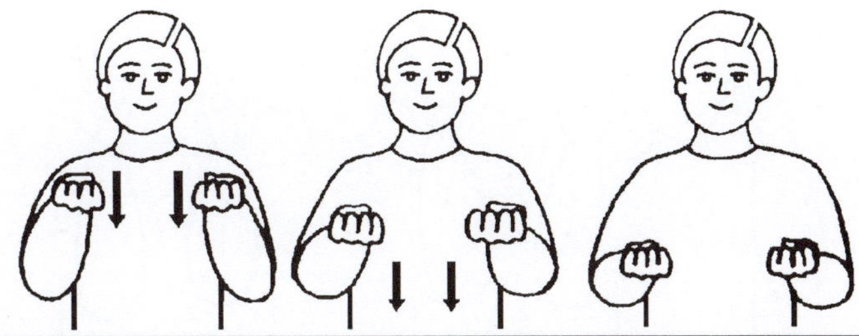

63

64

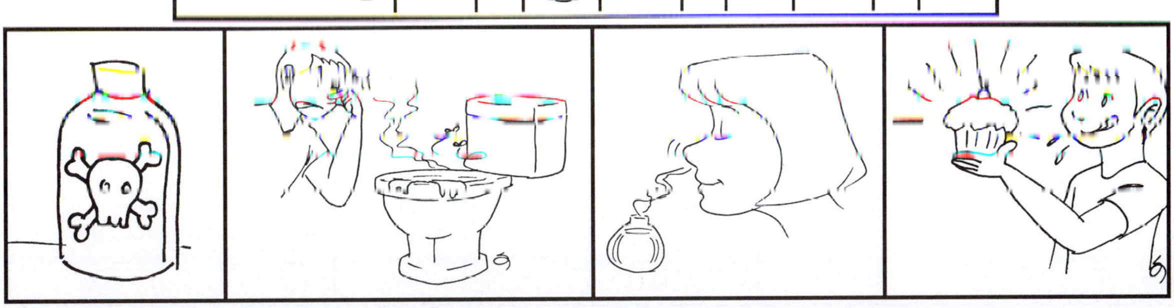

65

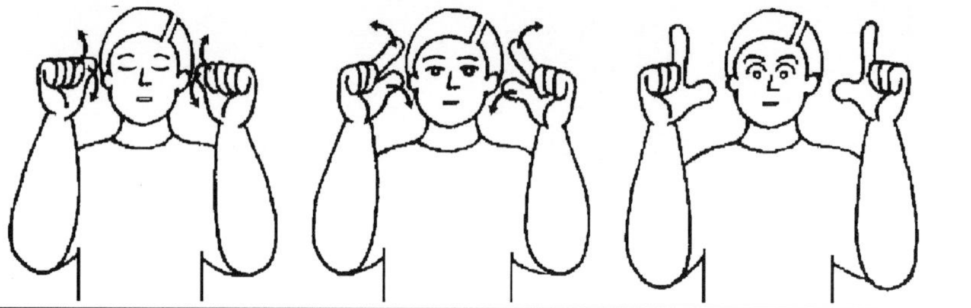

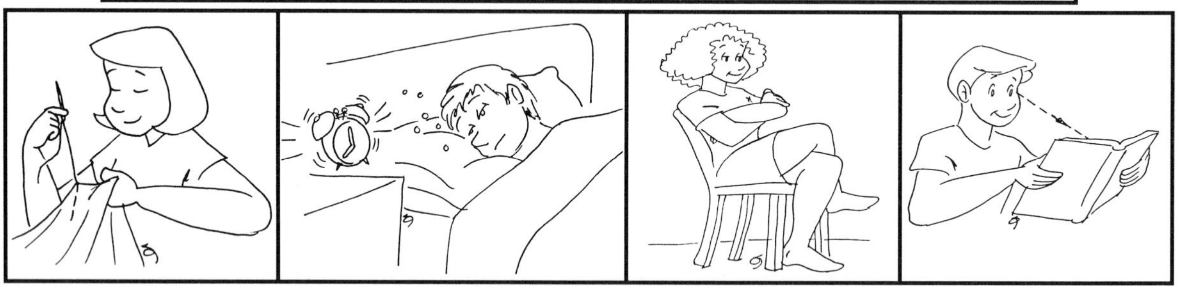

66

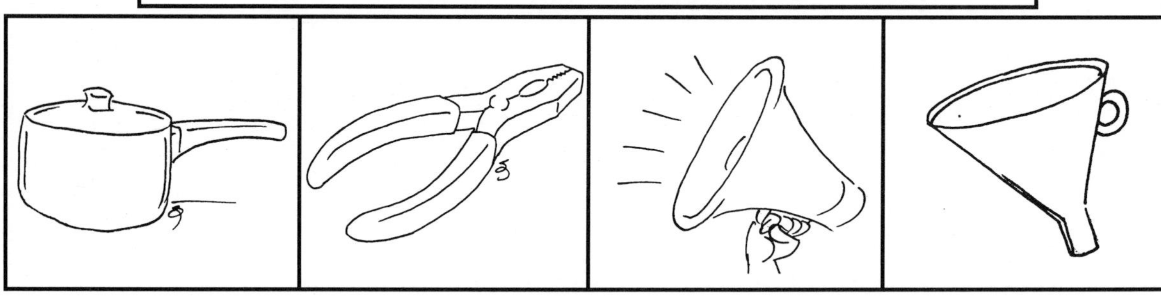

67

68

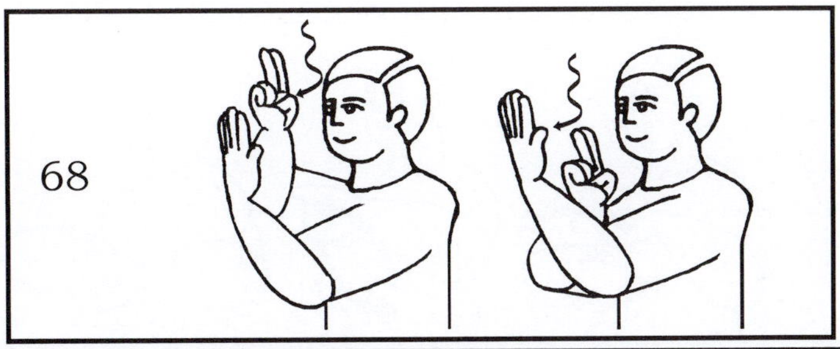

69

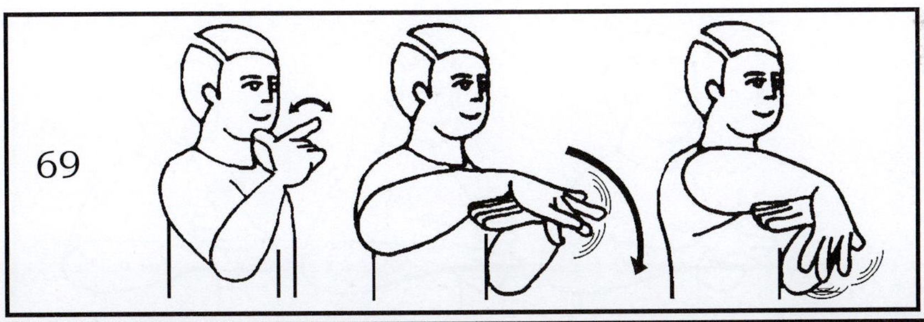

70

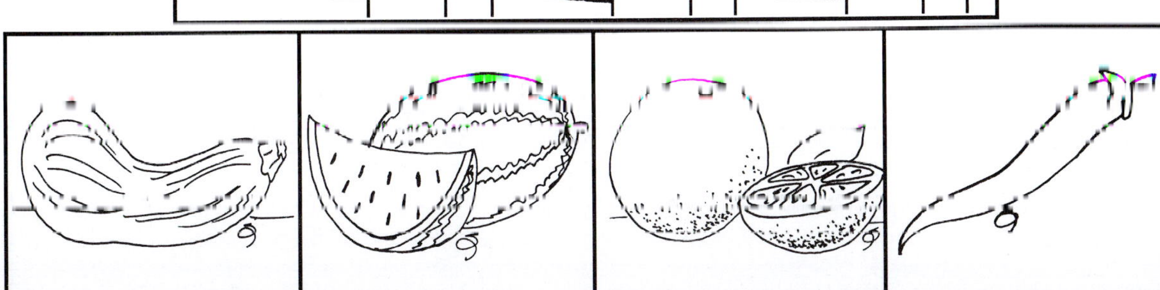

71

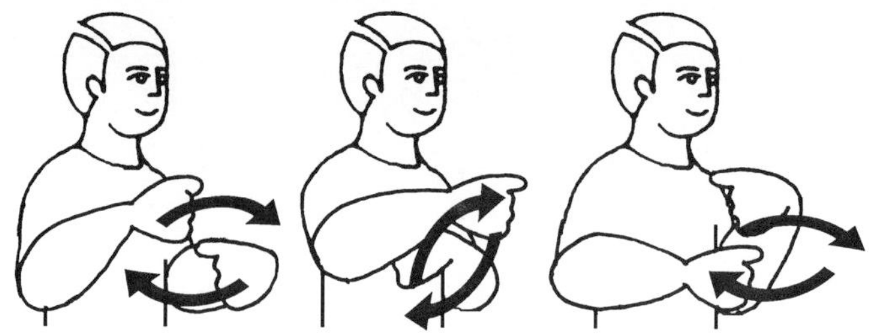

72

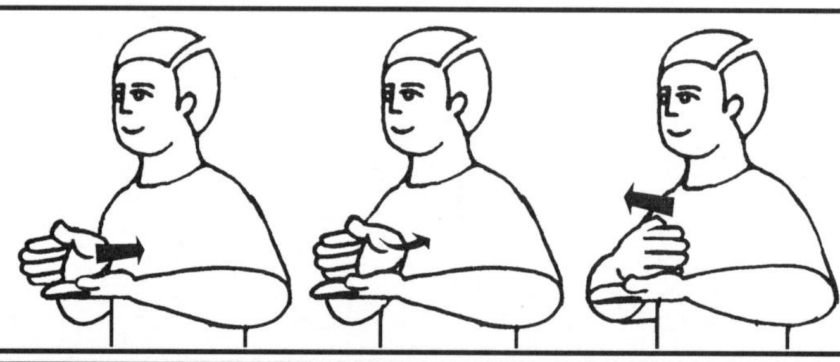

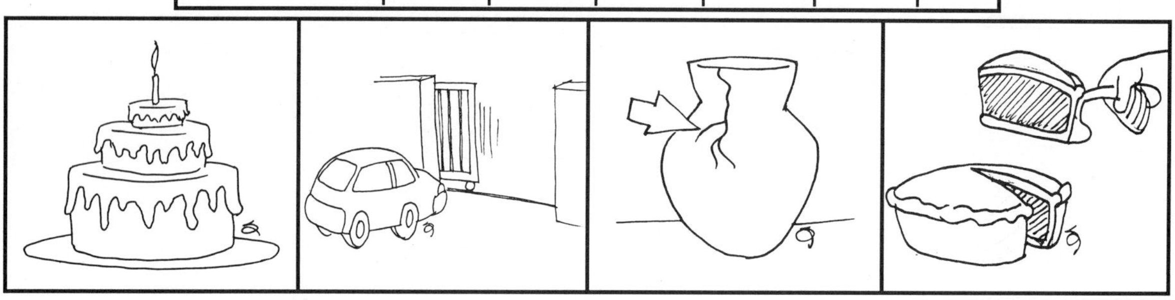

73

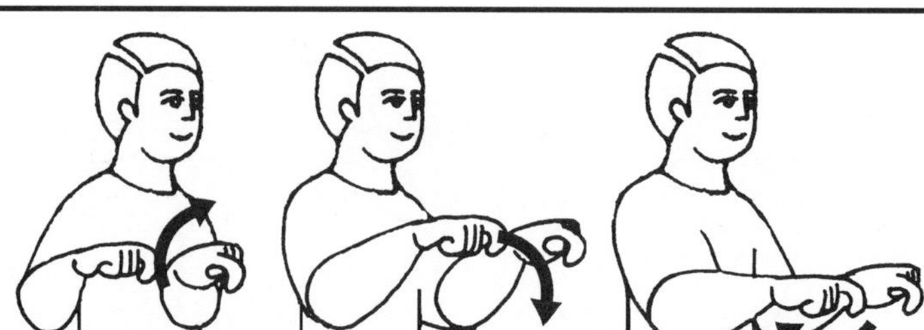

74

75

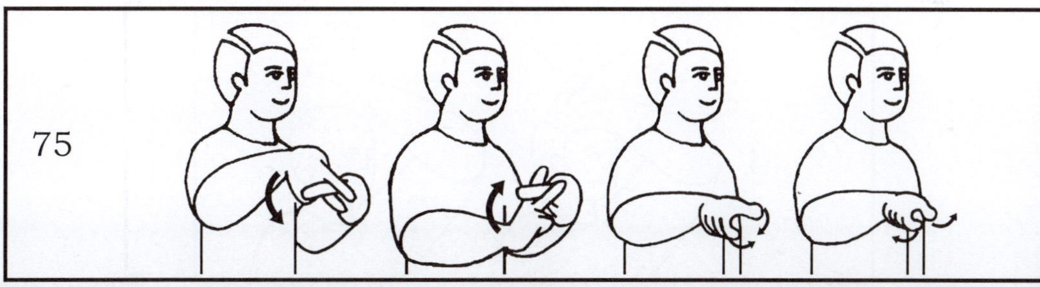

76

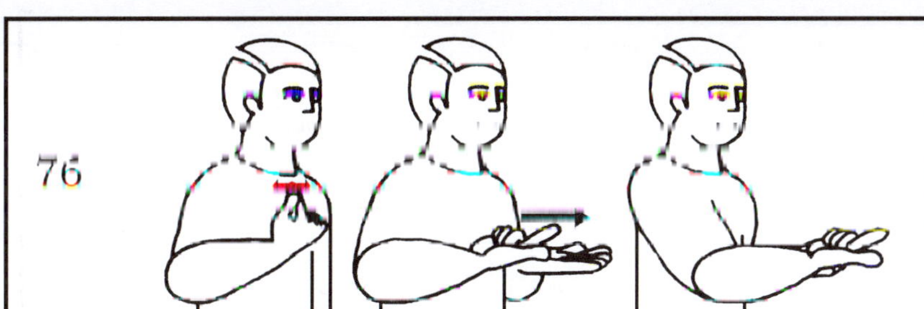

77

78

79

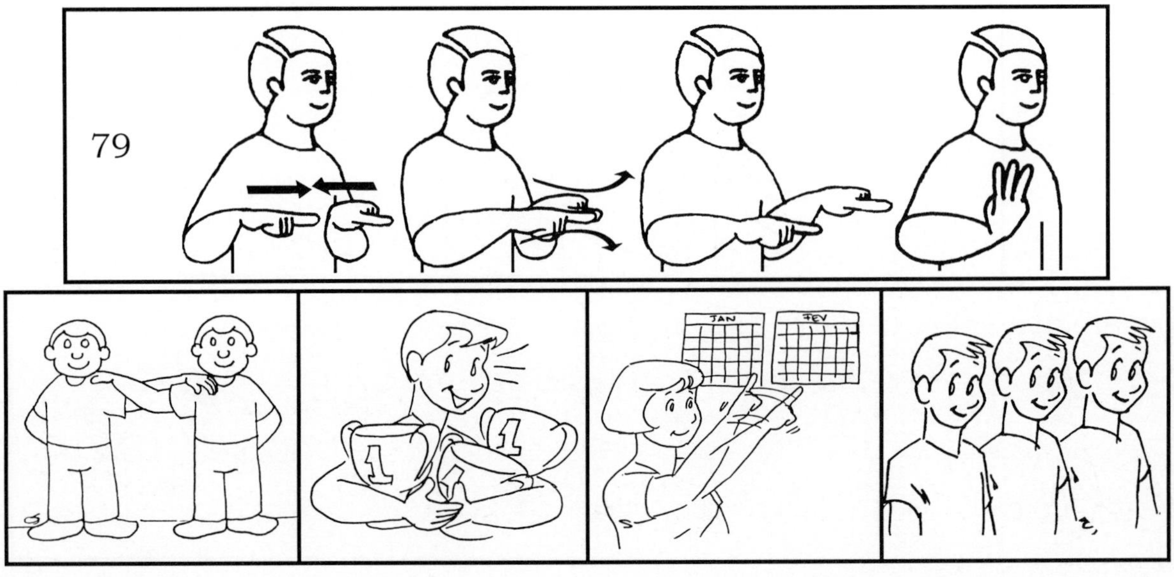

80

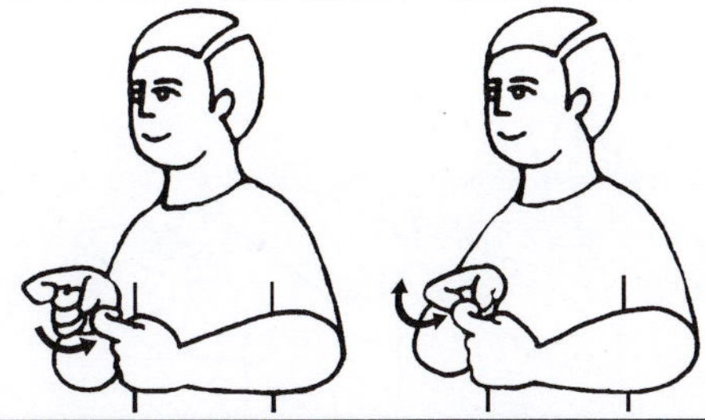

81

82

83

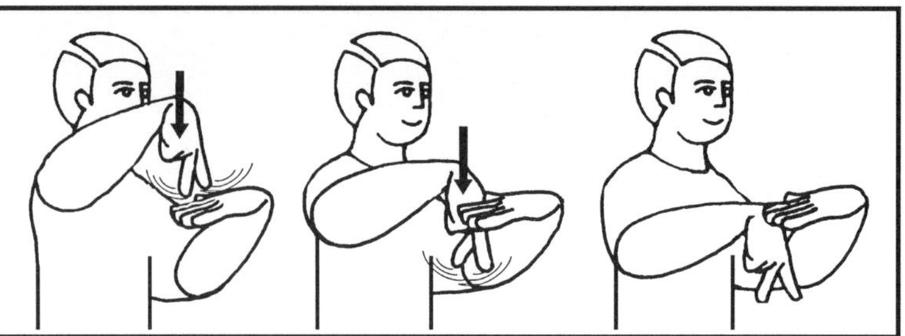

84

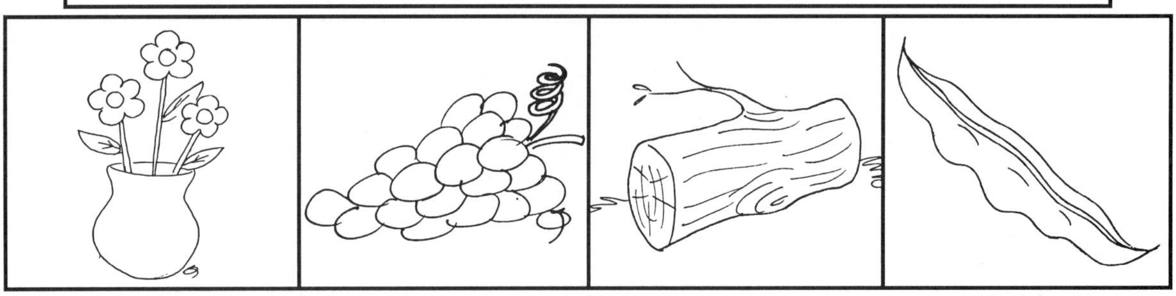

85

86

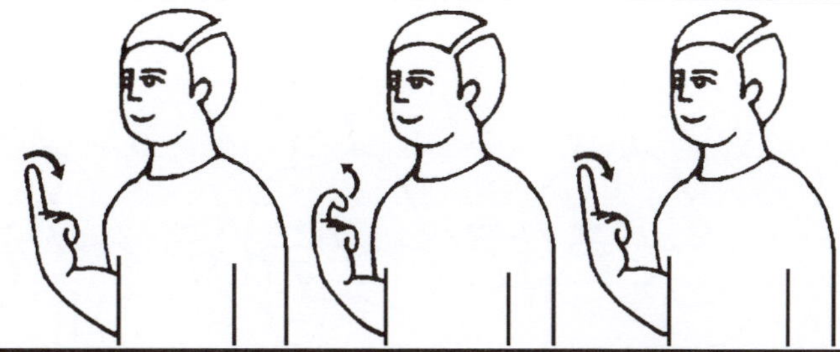

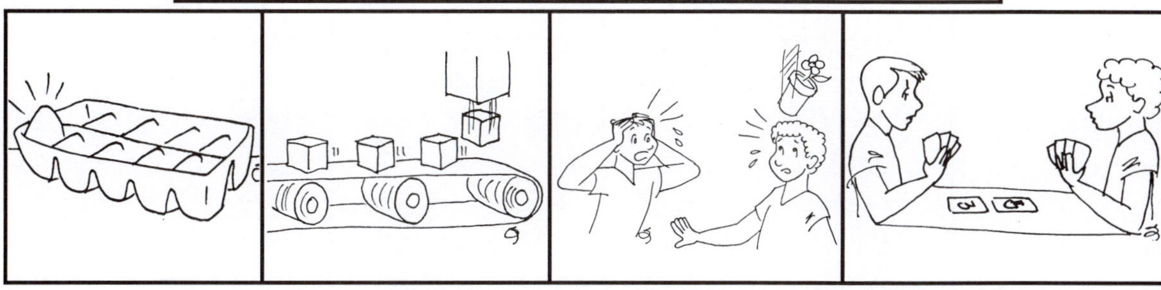

87

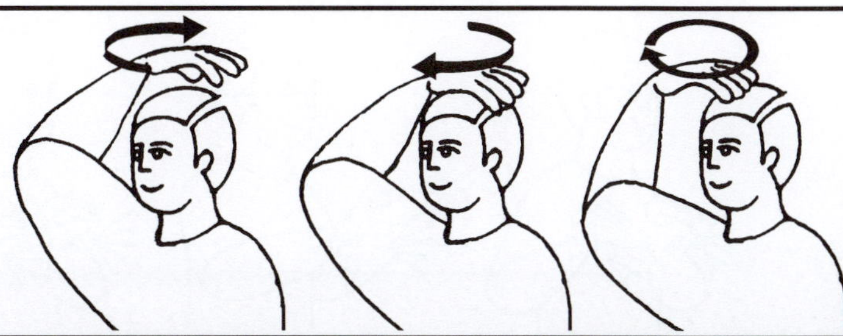

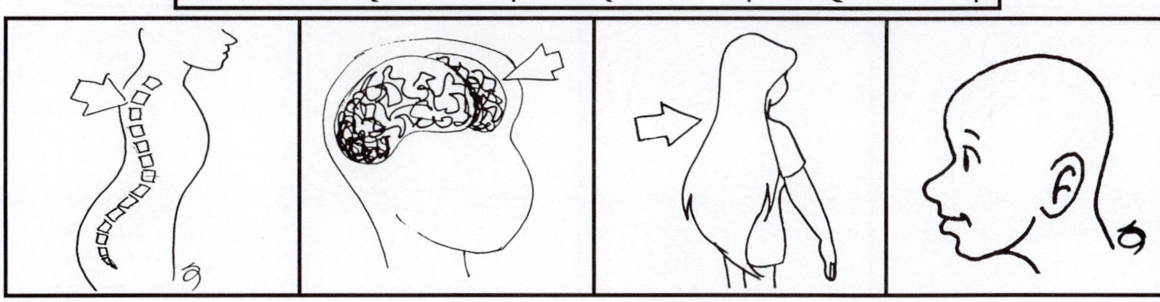

88

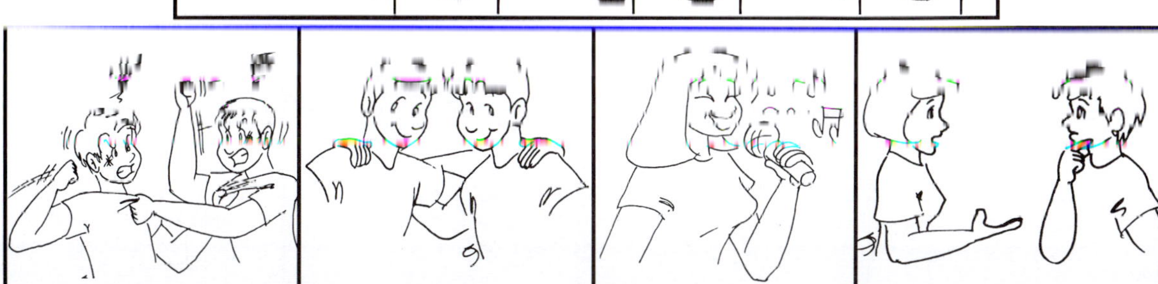

89

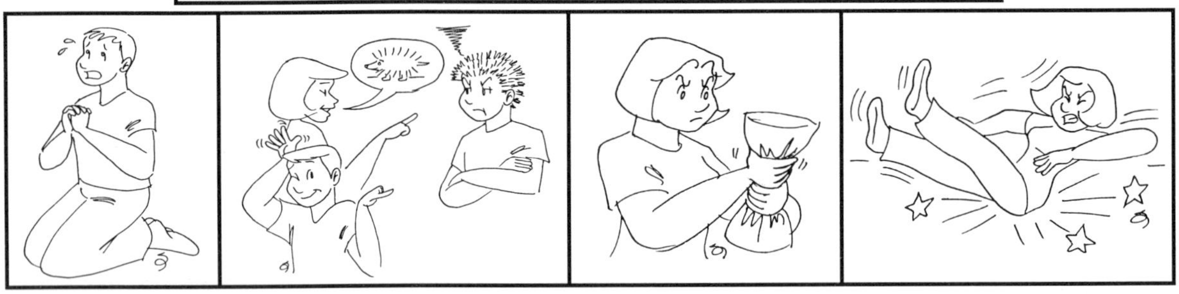

90

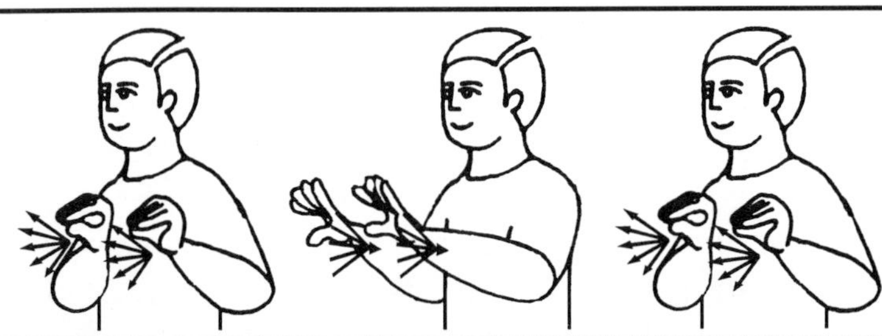

91

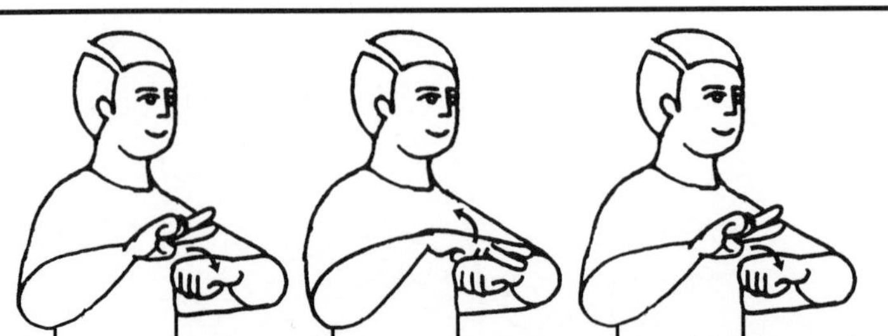

92

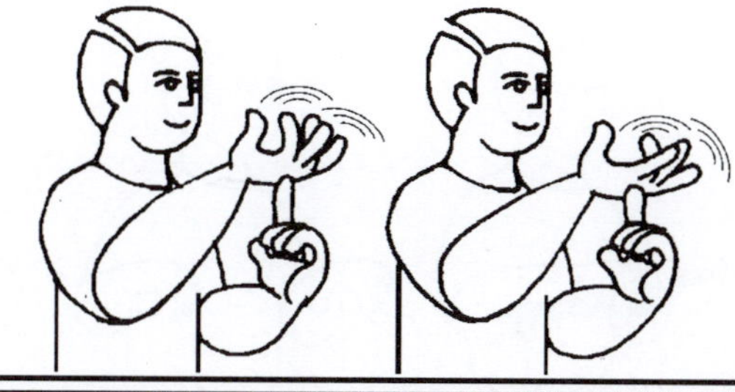

93

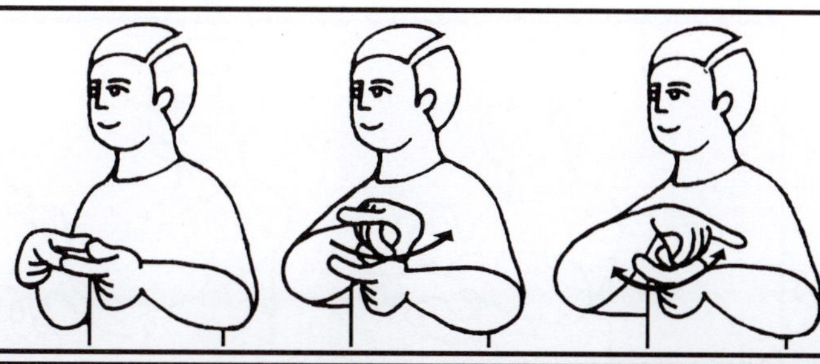

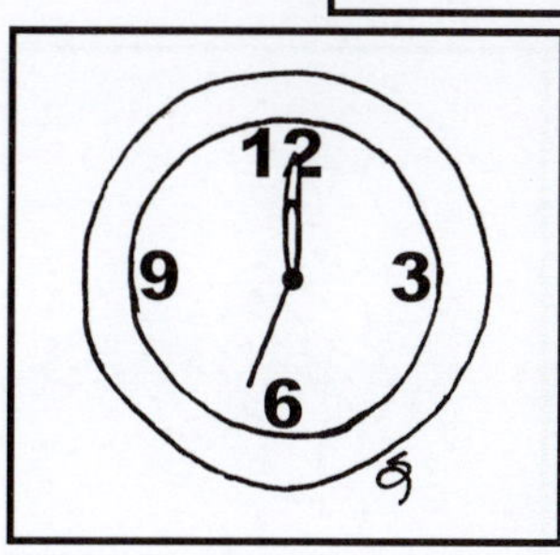

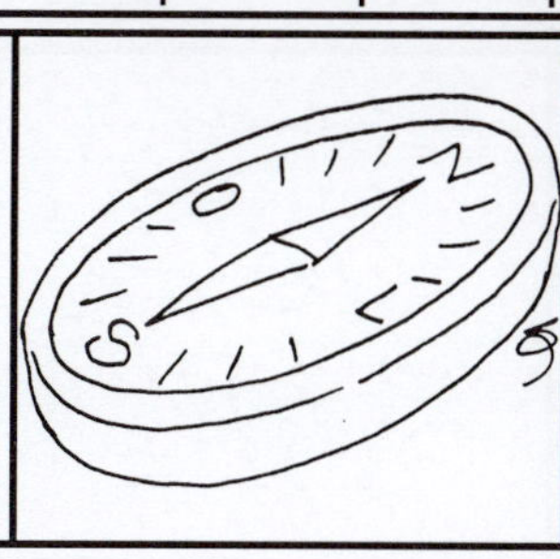

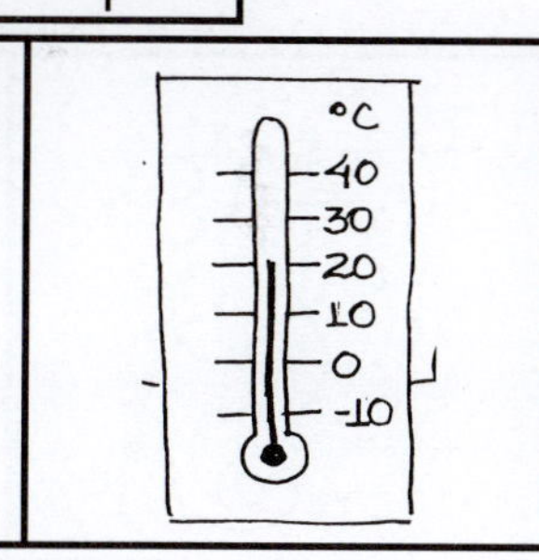

94

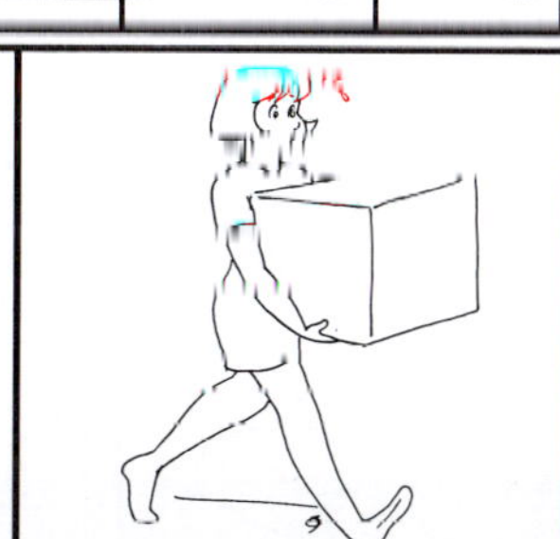

95

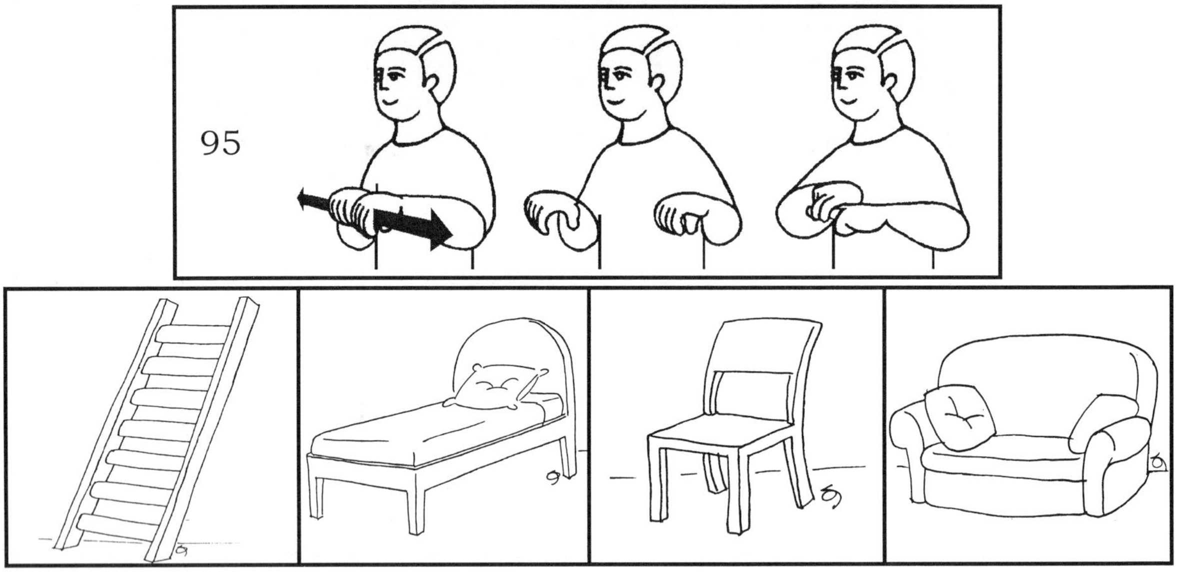

96

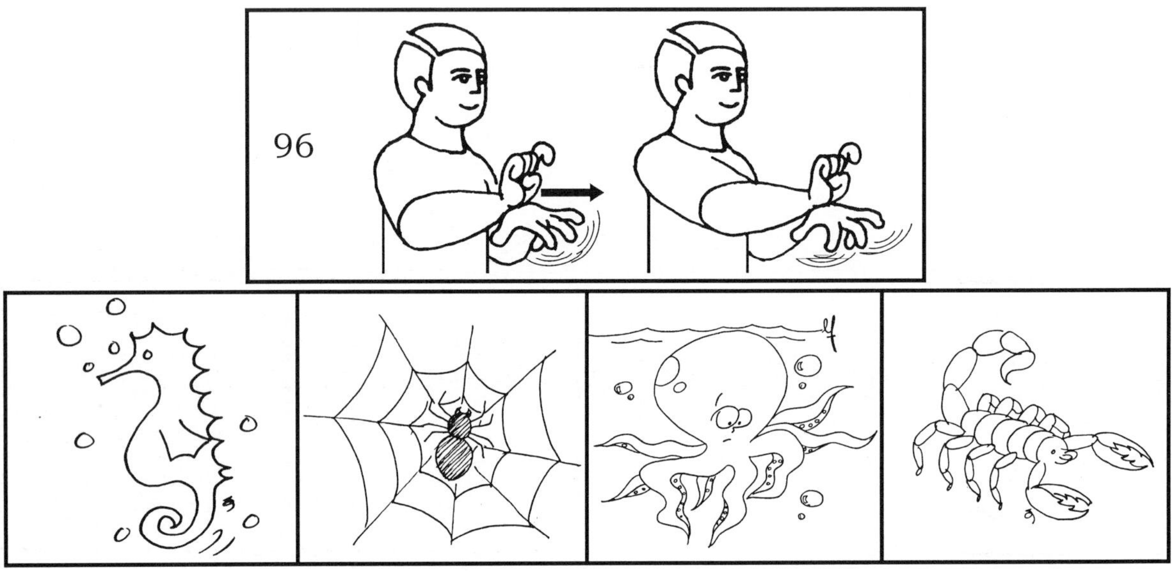

97

98

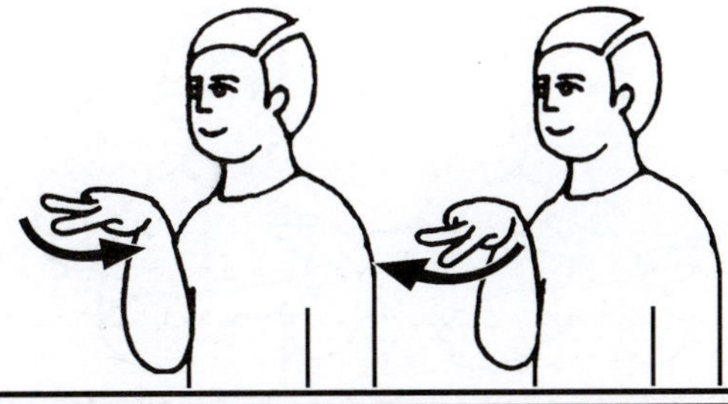

99

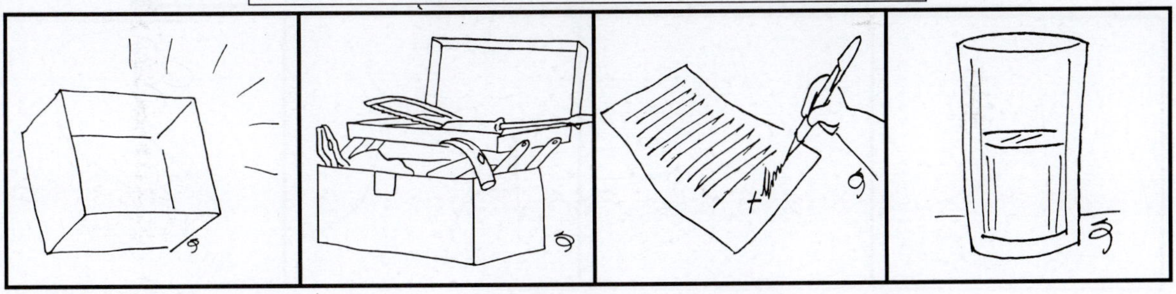

100

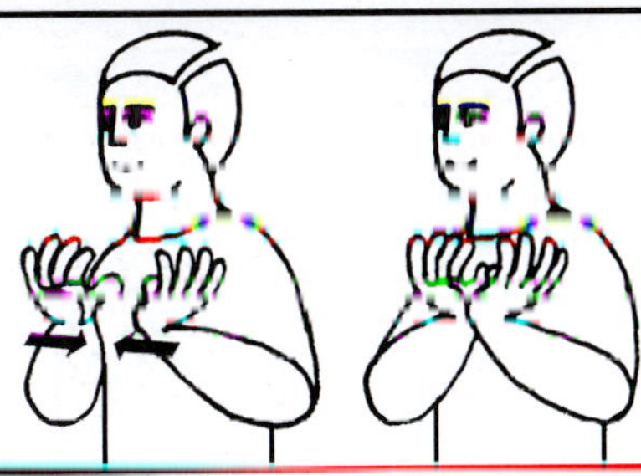

101

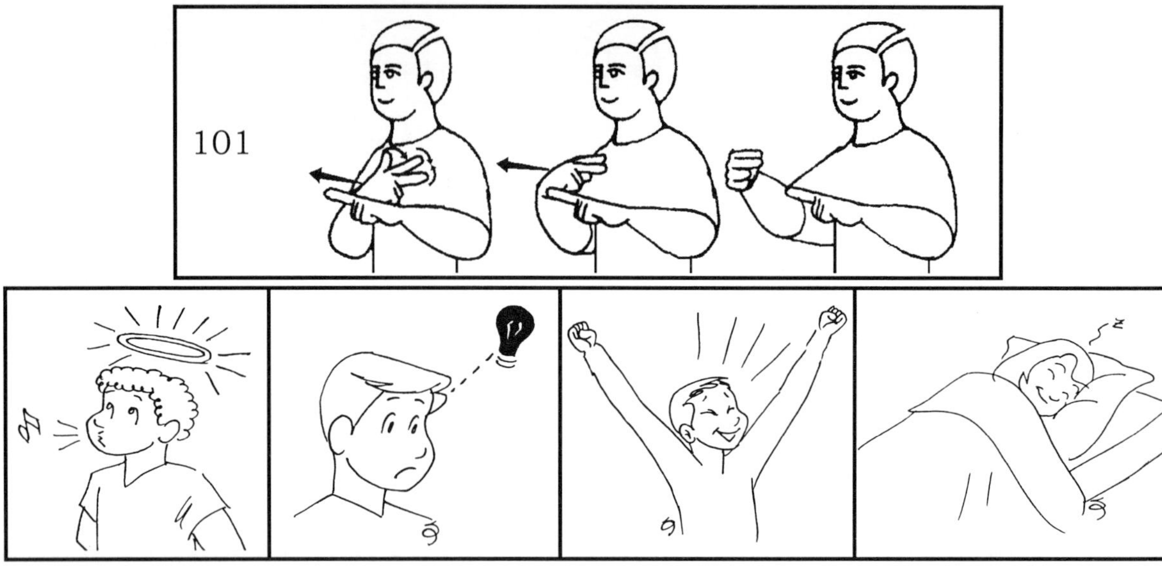

102

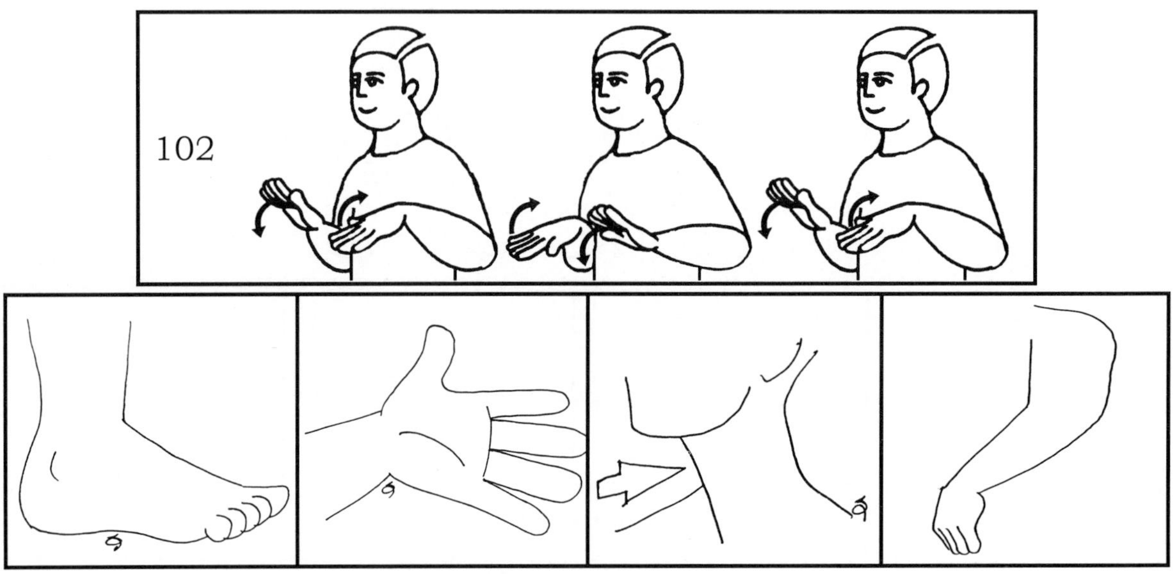

103

104

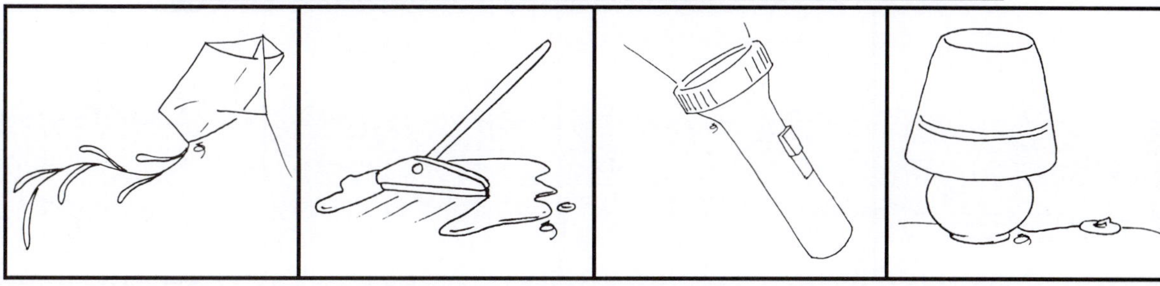

105

106

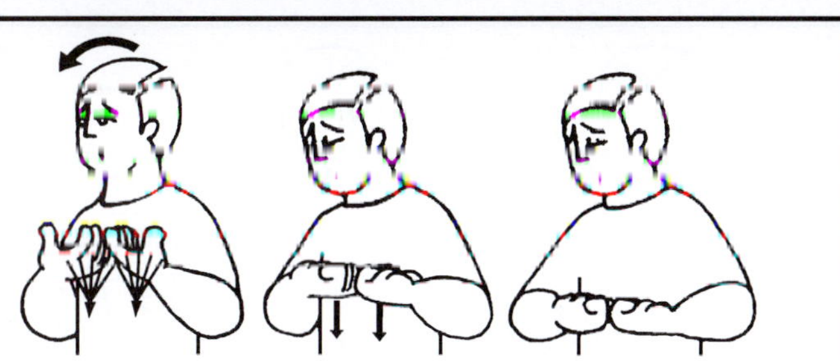

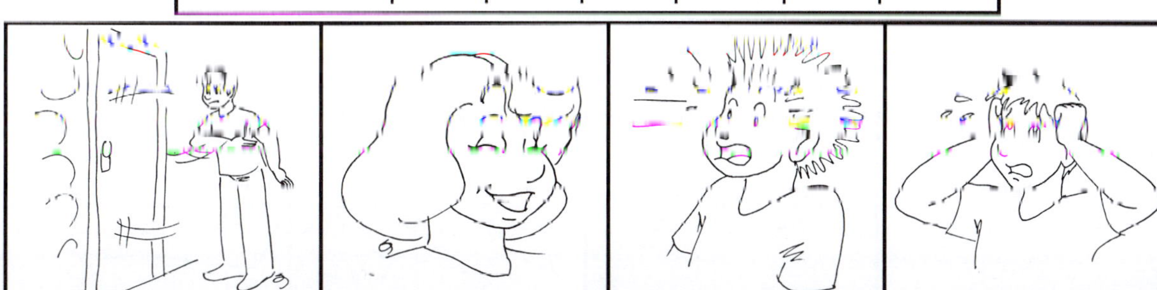

107

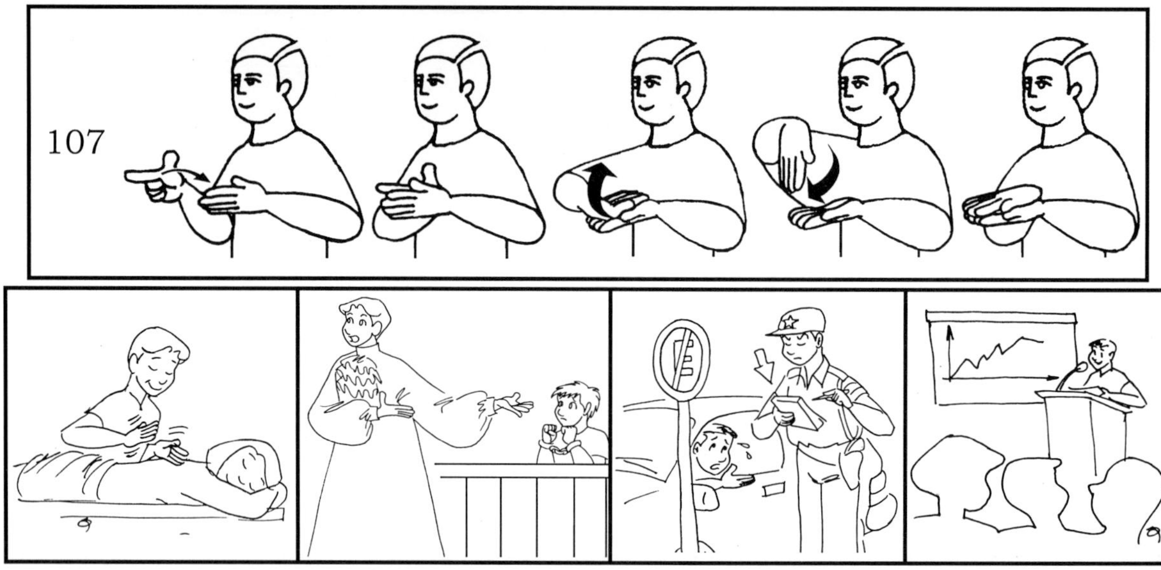

108

109

110

111

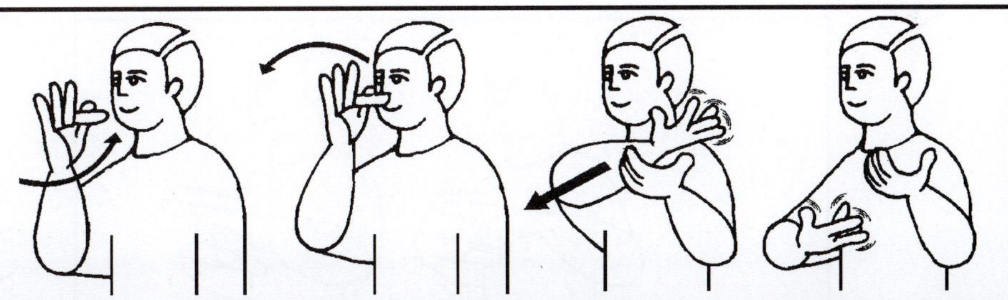

112

113

114

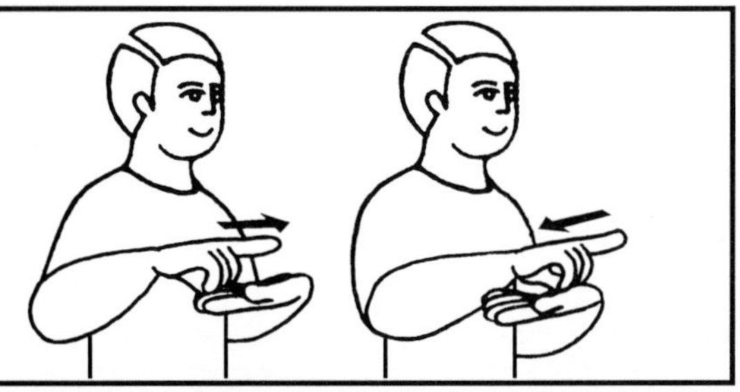

115

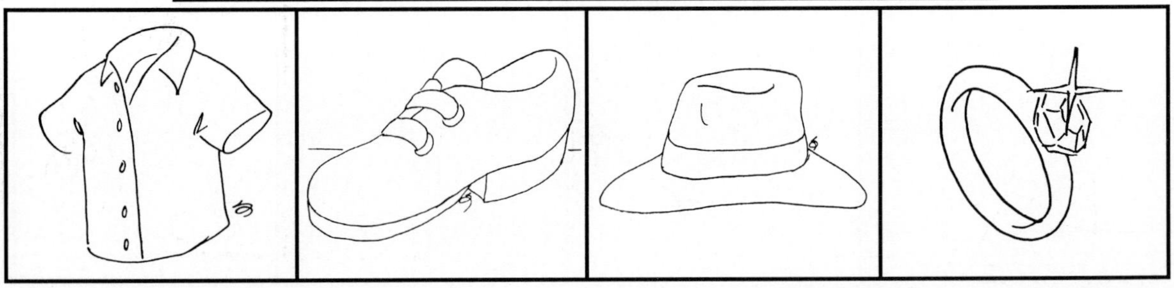

116

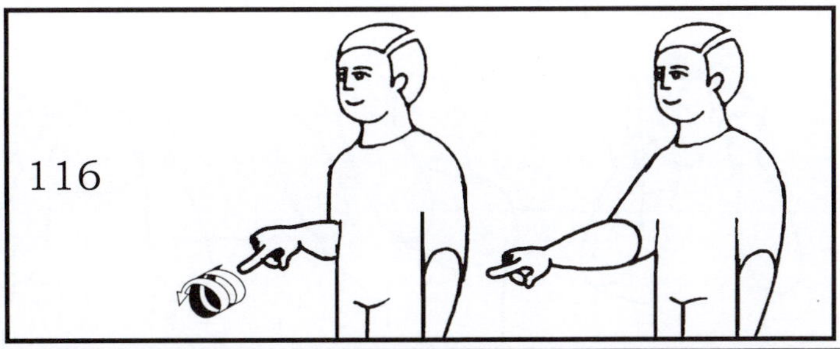

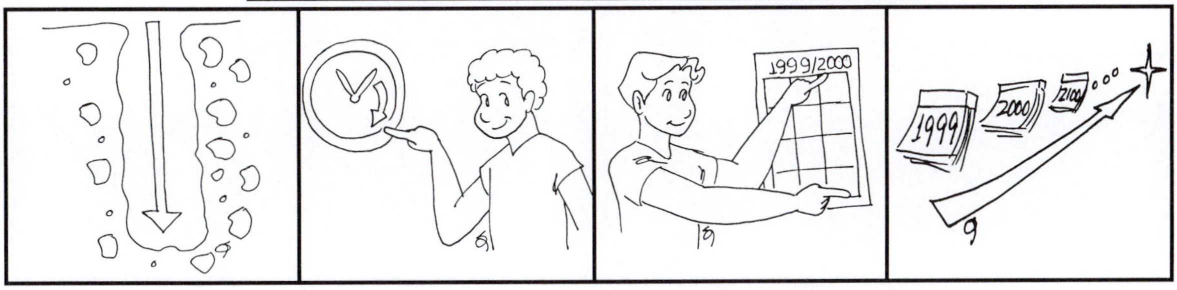

117

118

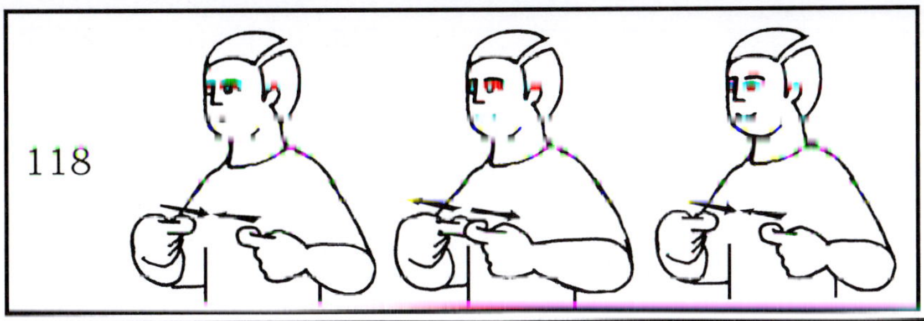

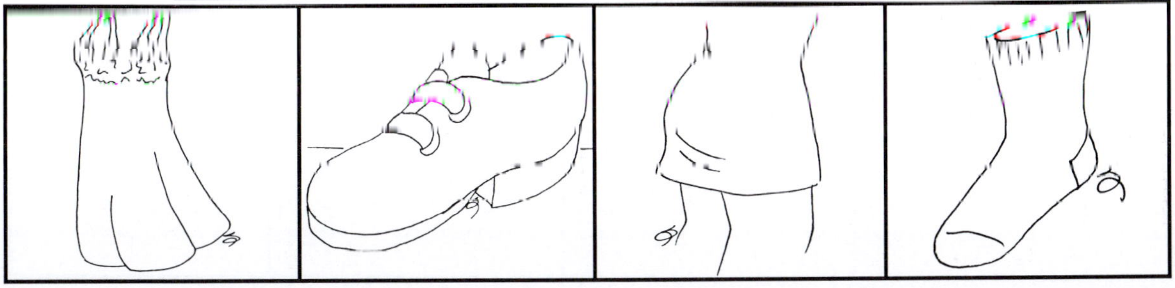

119

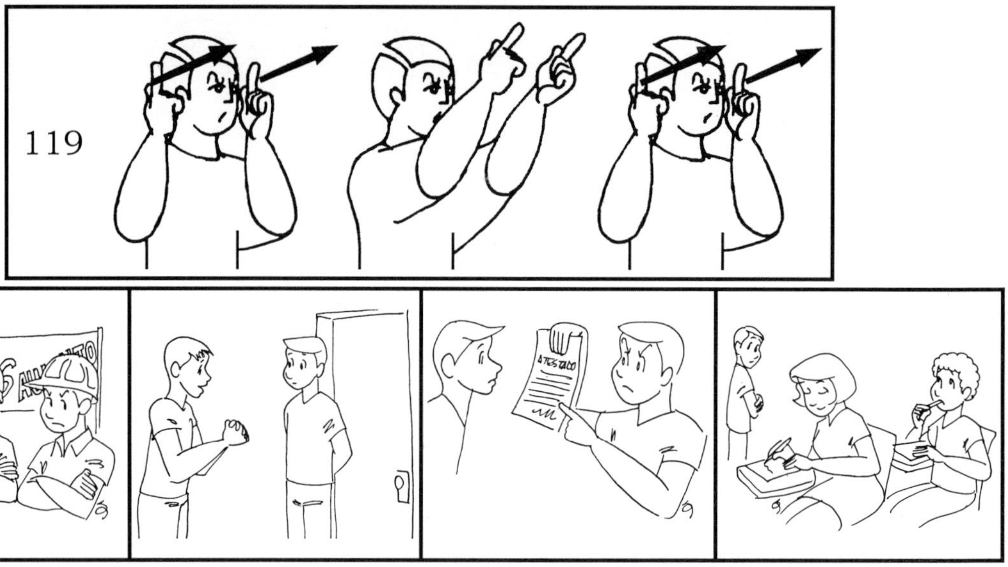

120

121

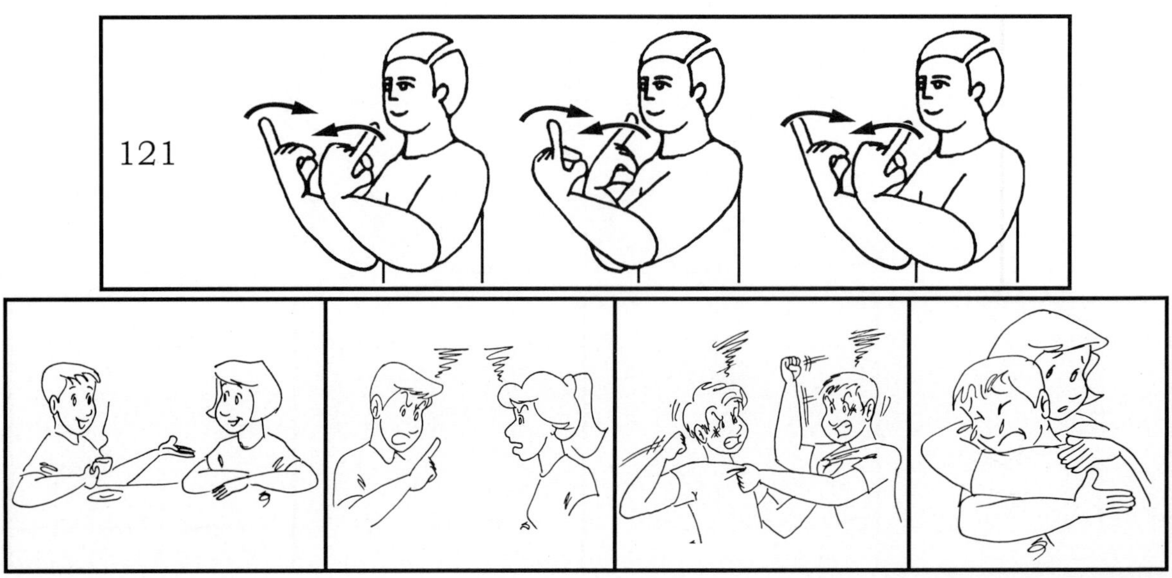

122

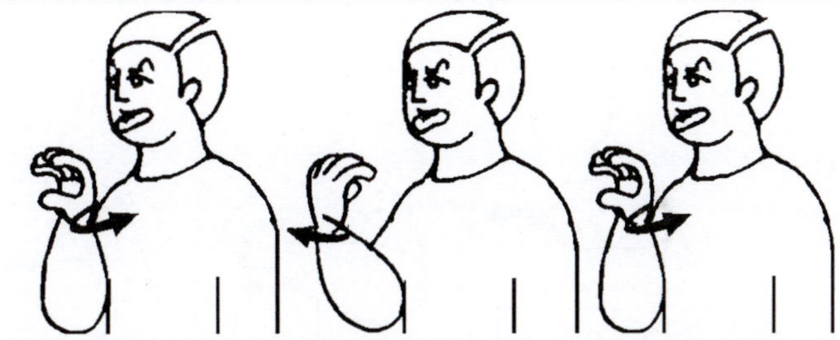

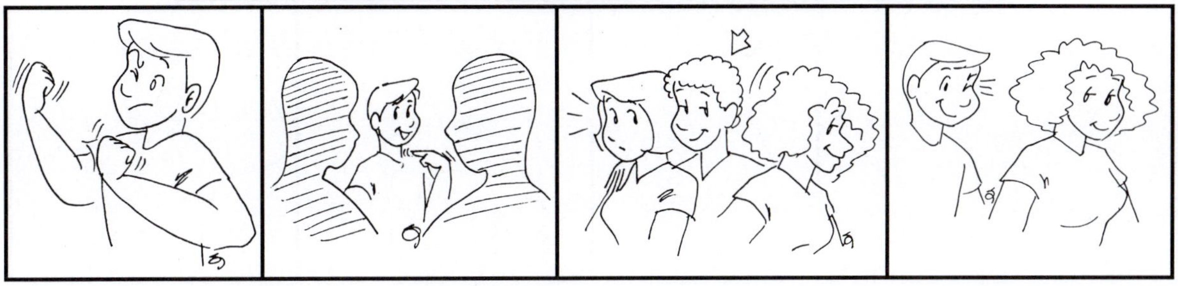

123

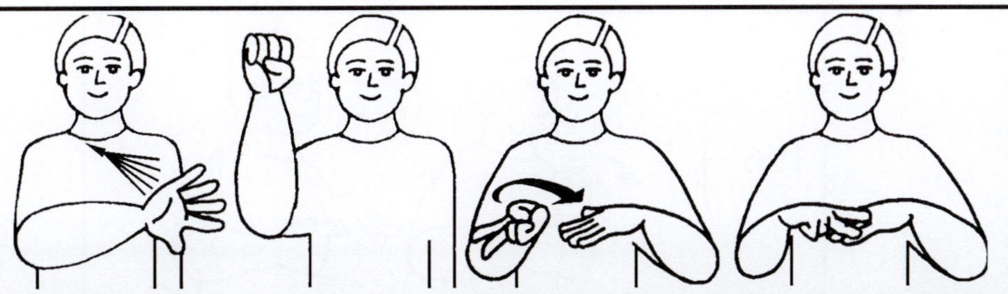

124

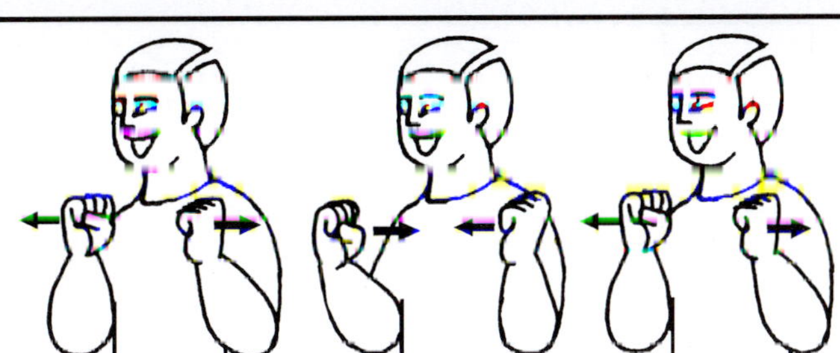

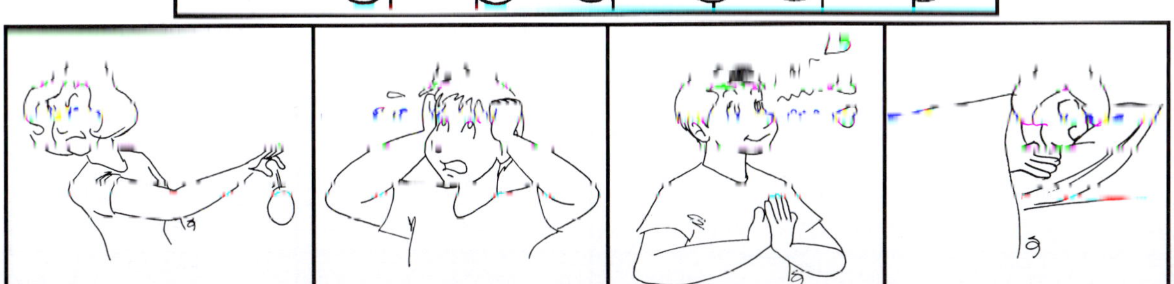

125

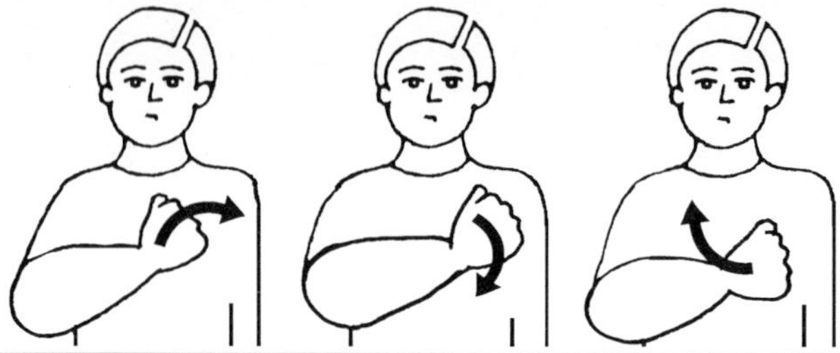

126

127

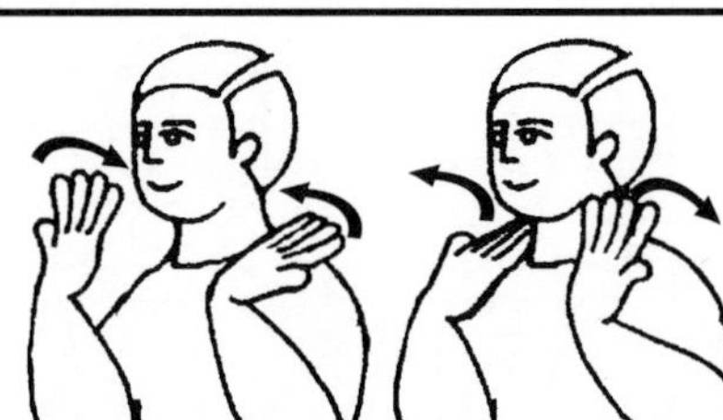

128

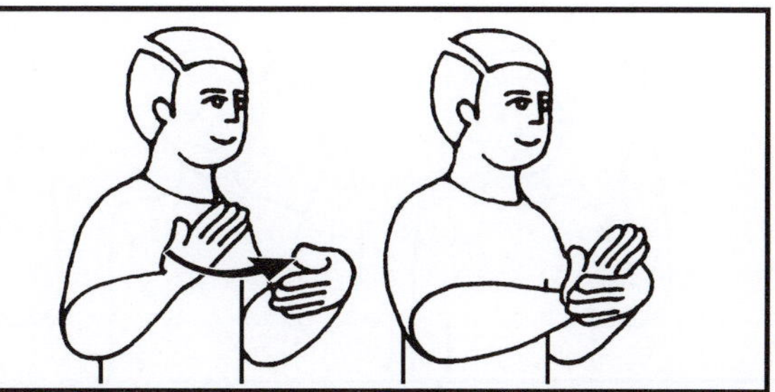

129

130

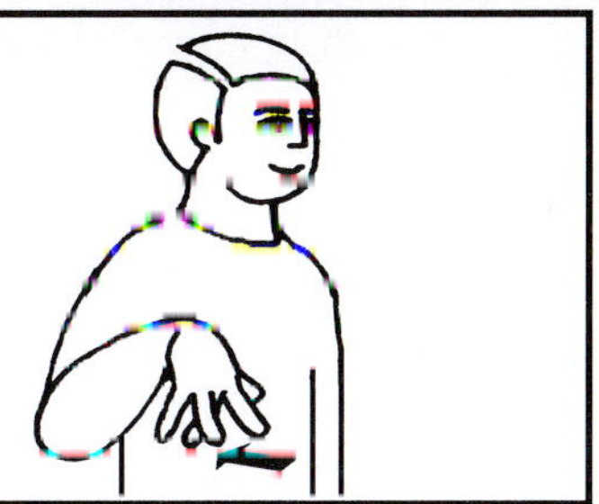

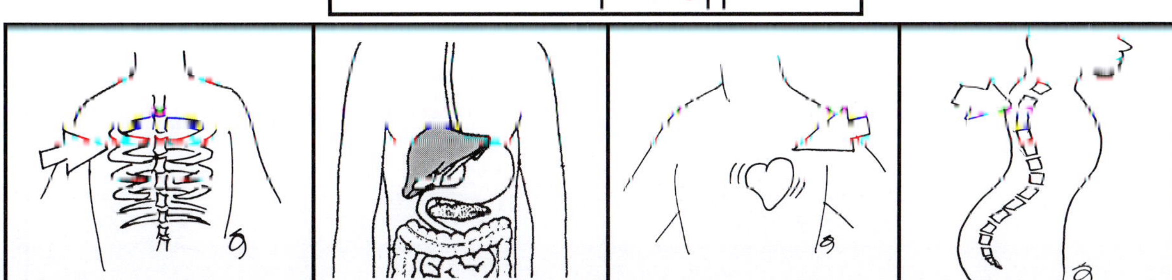

131

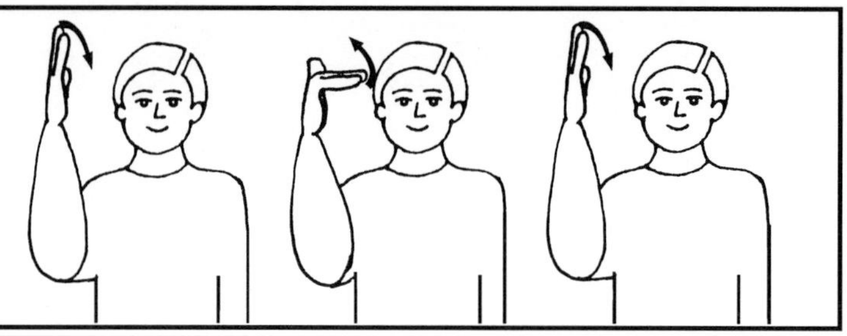

132

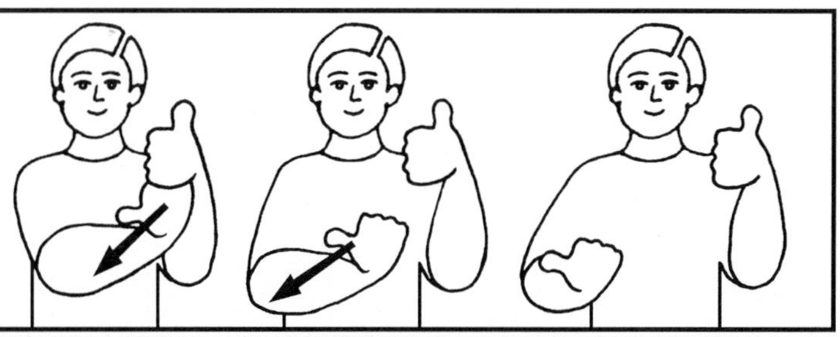

133

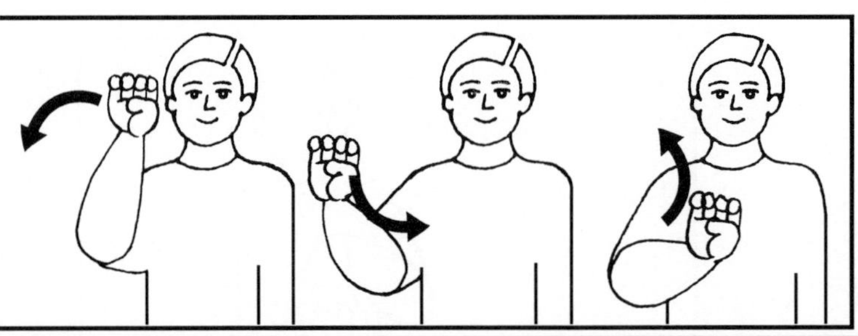

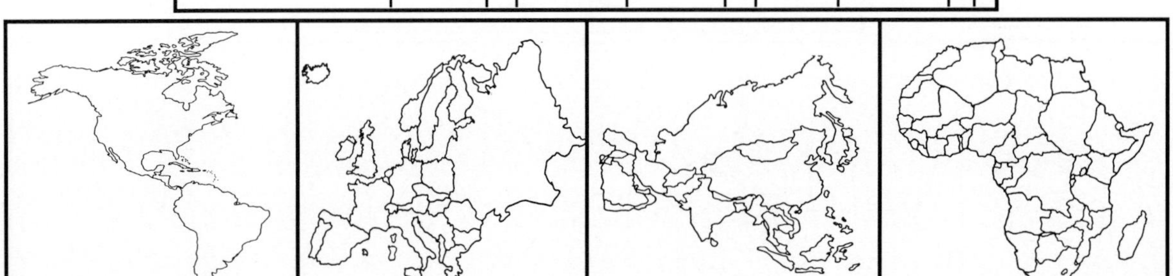

134

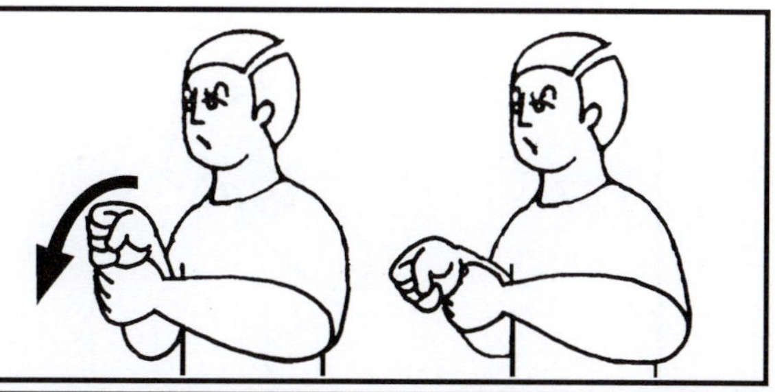

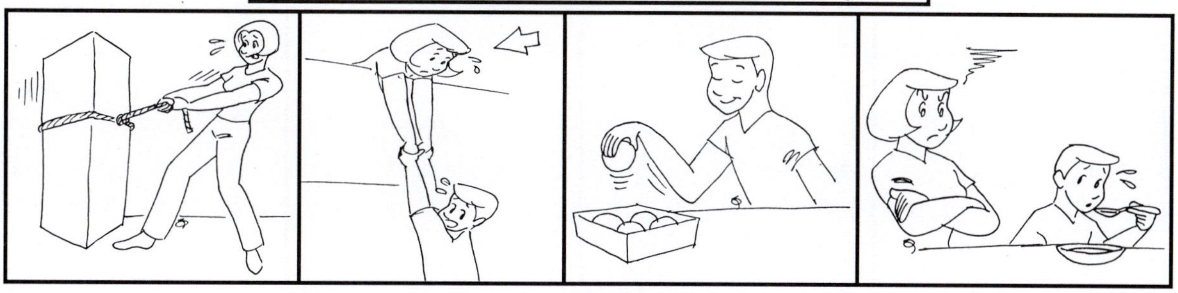

135

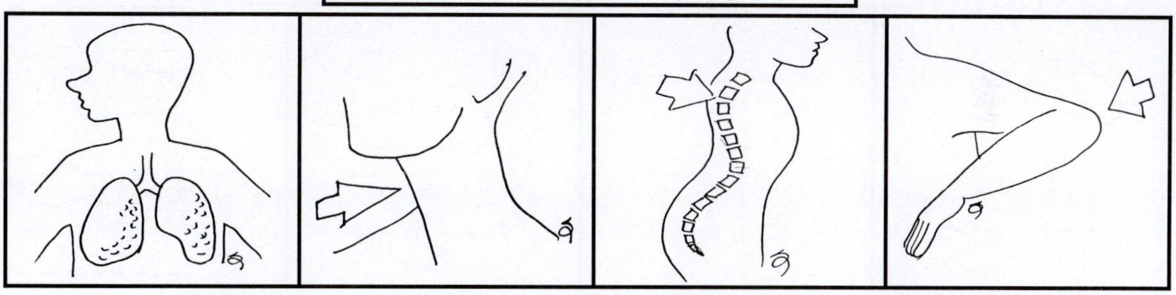

136

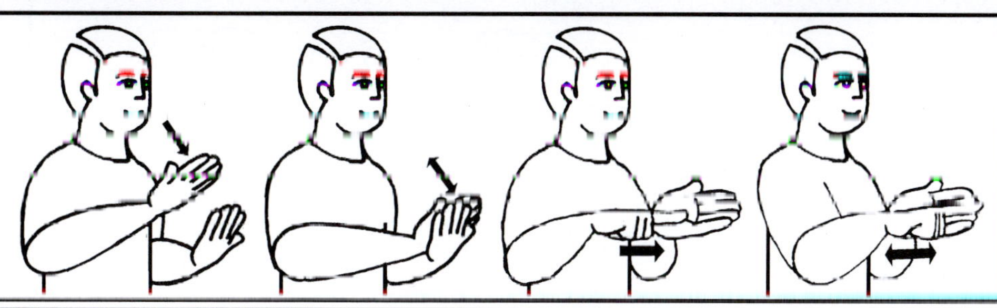

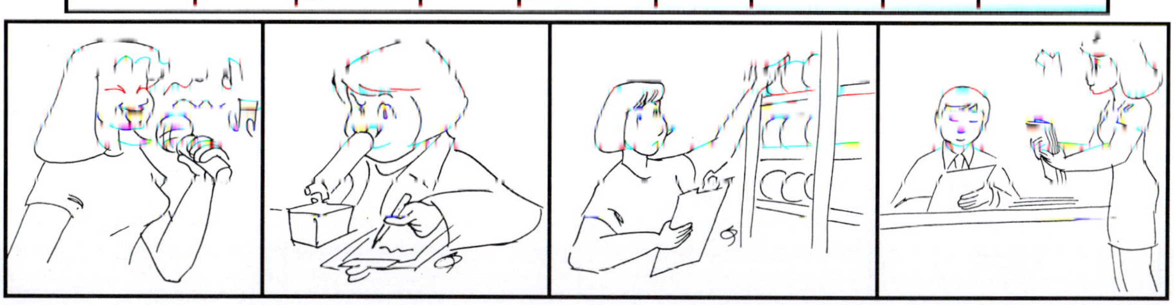

137

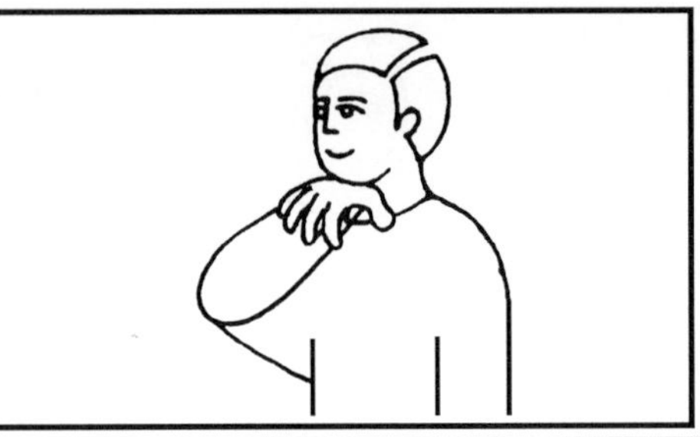

138

139

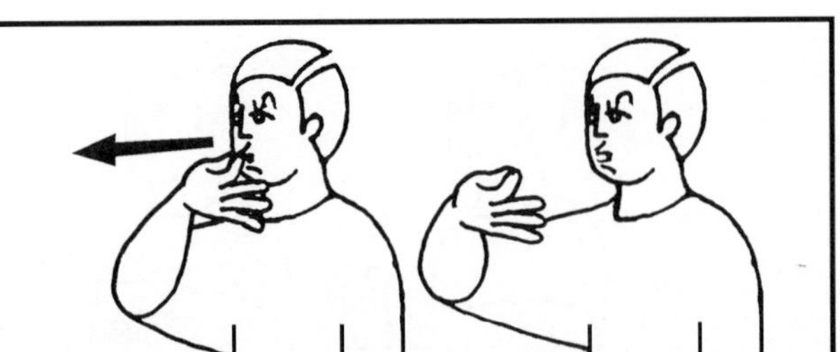

4.19.) Anexo 6: ***Caderno de resposta para escolha de figuras do TVRSL1.3***

Teste de Vocabulário Receptivo de Sinais da Libras versão 1.3

Nome: ______________________________ Série: ________ Data: ____________

A

B

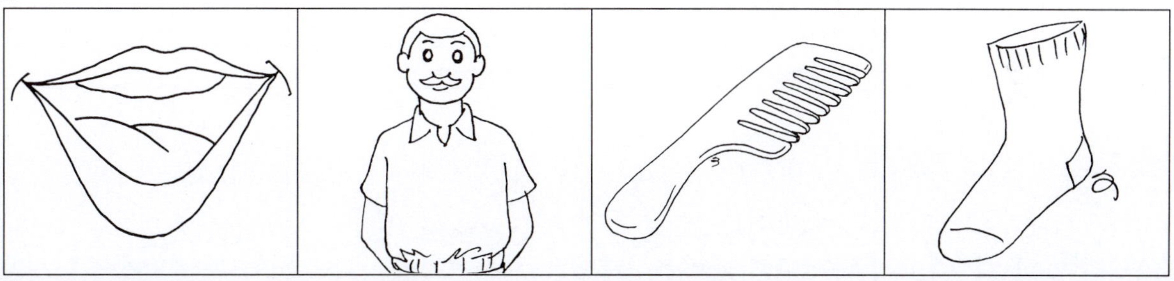

C

D

E

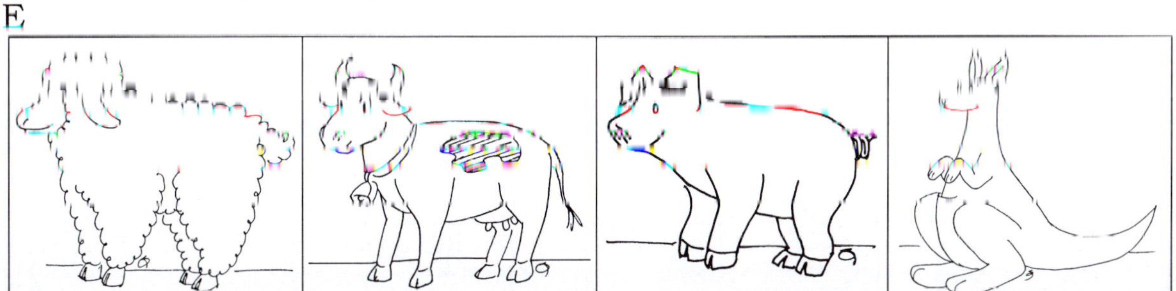

1

2

3

4

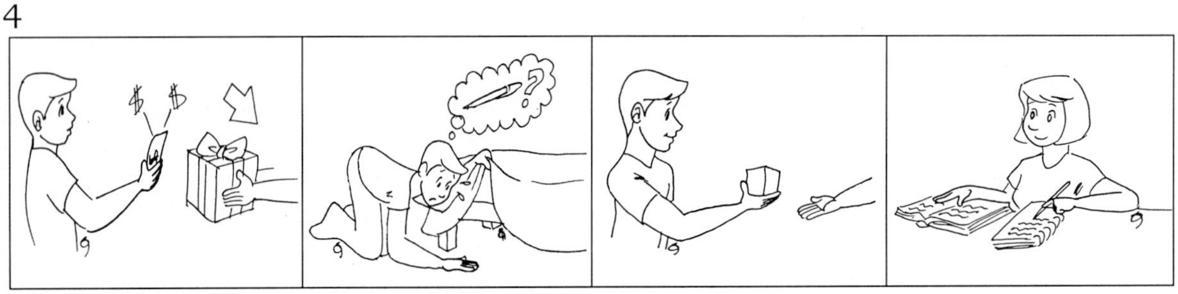

5

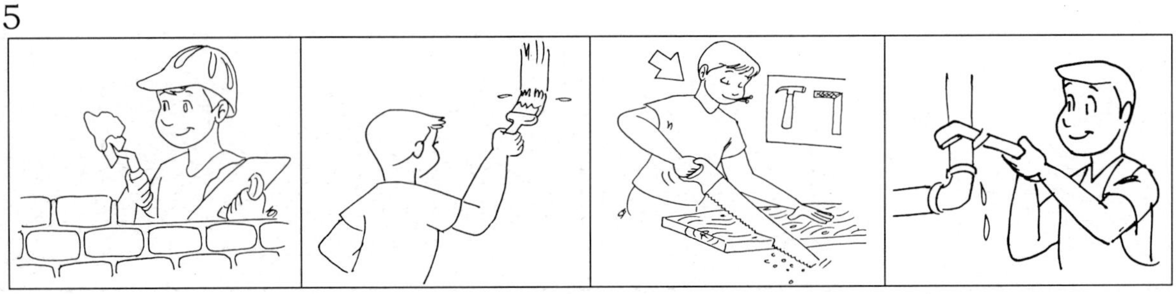

6

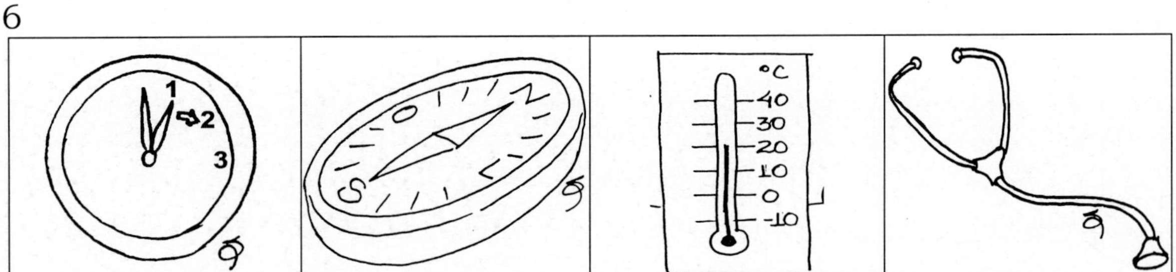

7

8

9

10

11

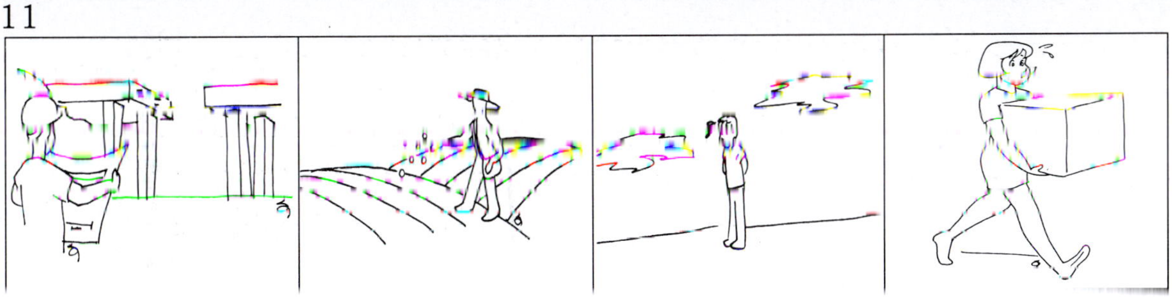

12

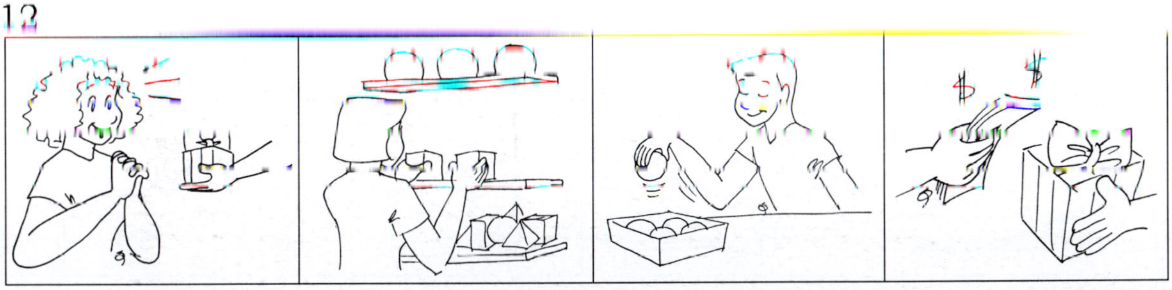

13

14

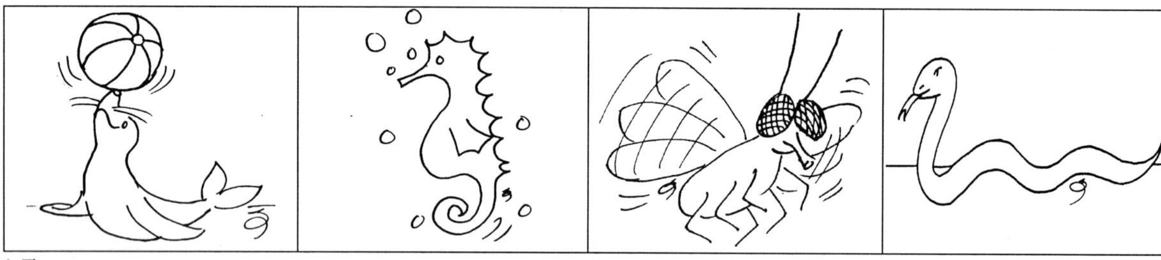

15

16

17

18

19

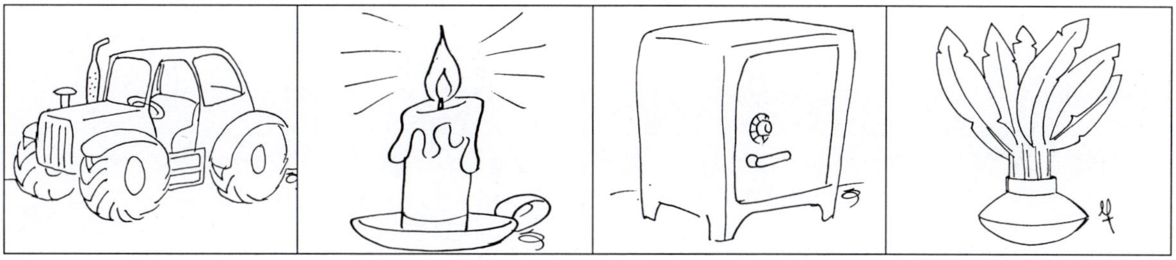

20

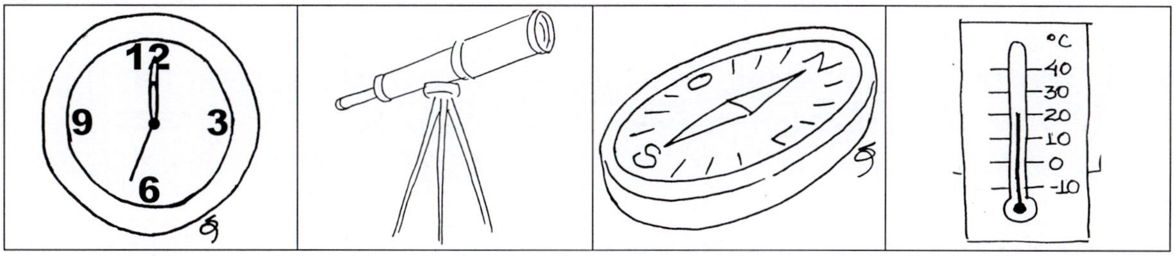

21

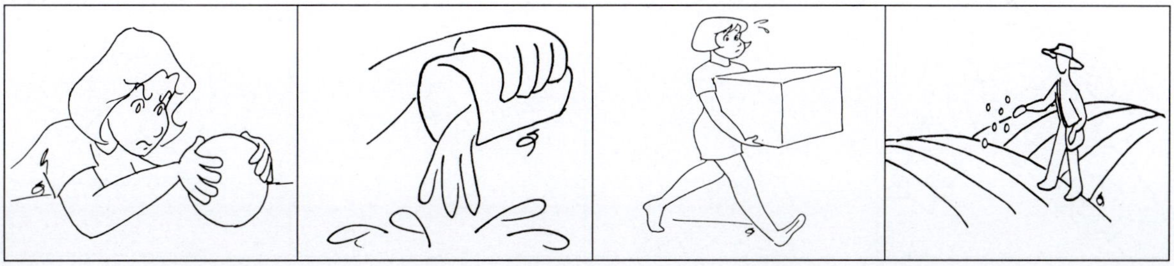

22

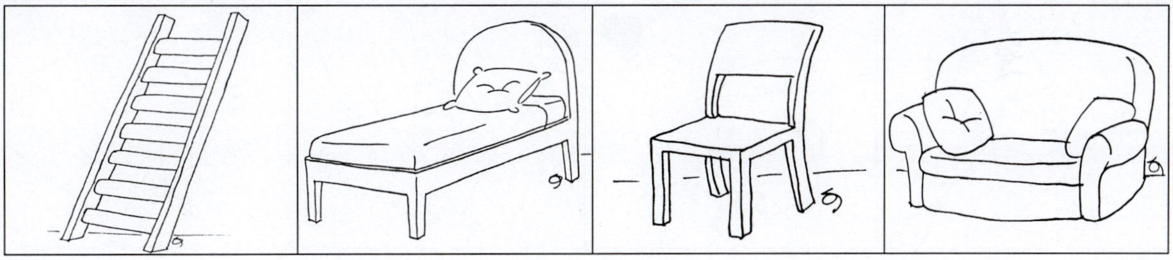

23

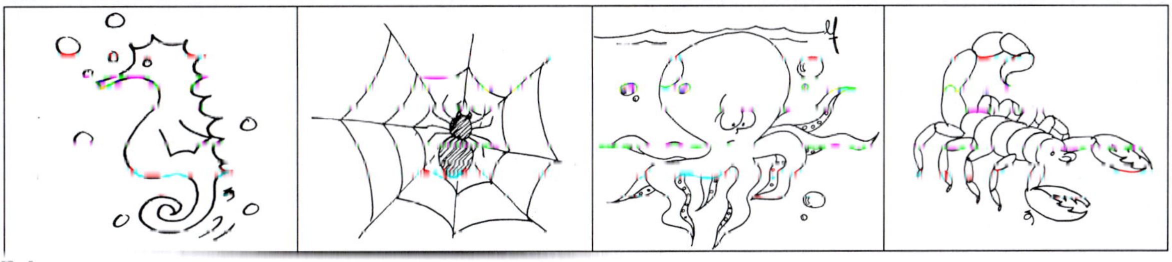

24

25

26

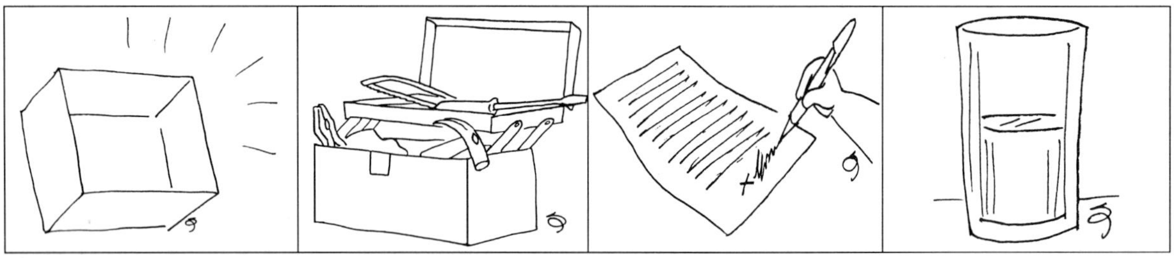

27

28

29

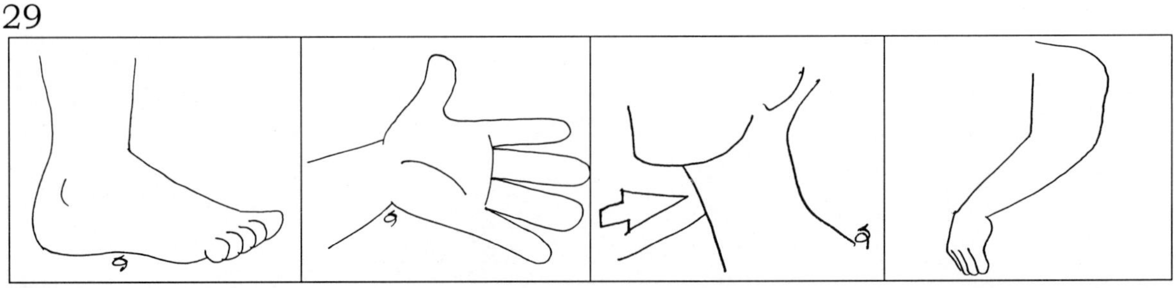

30

31

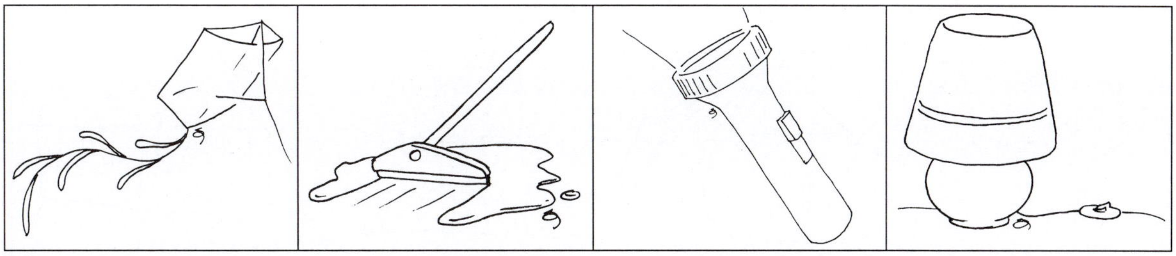

32

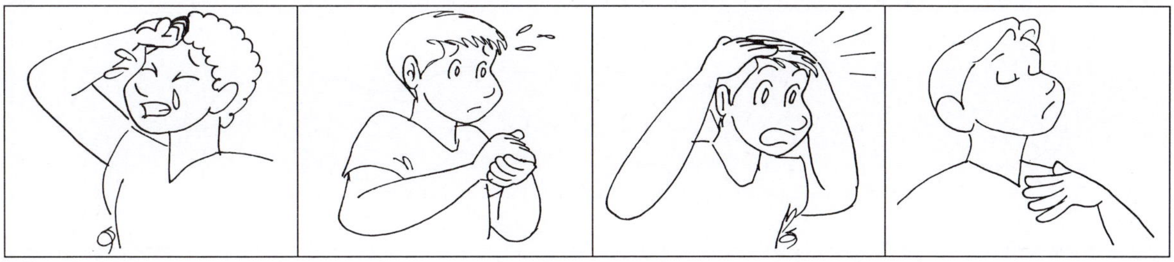

33

34

35

36

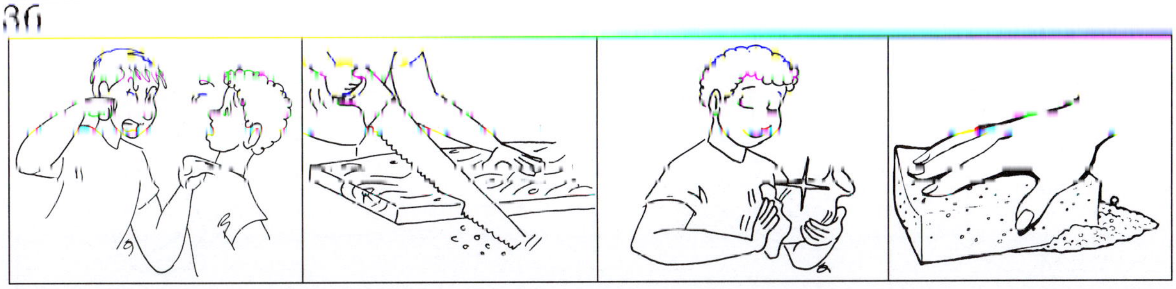

37

38

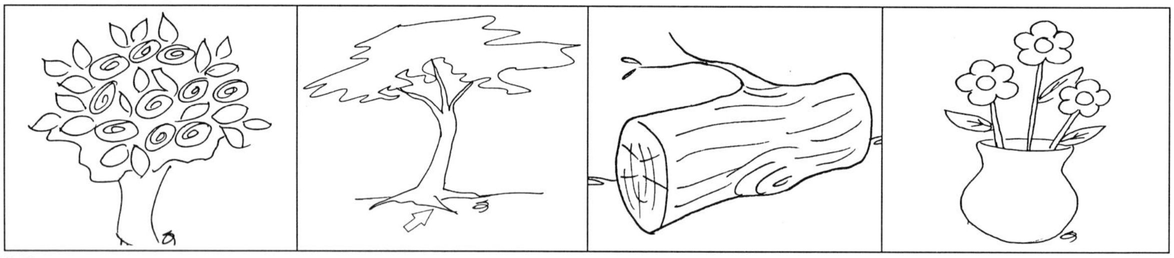

39

40

41

42

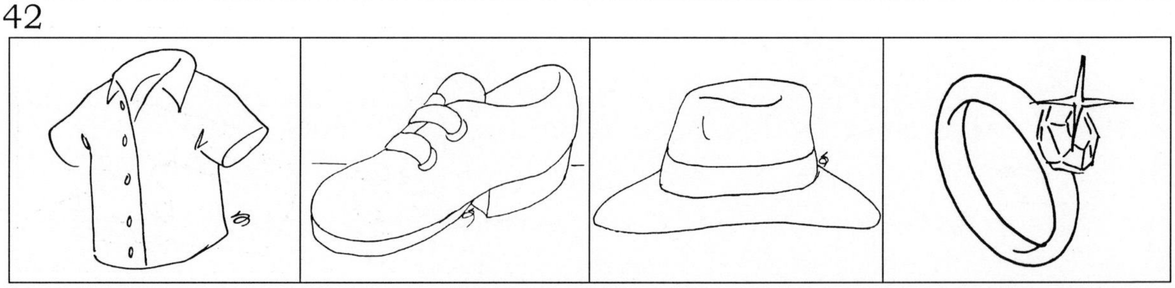

43

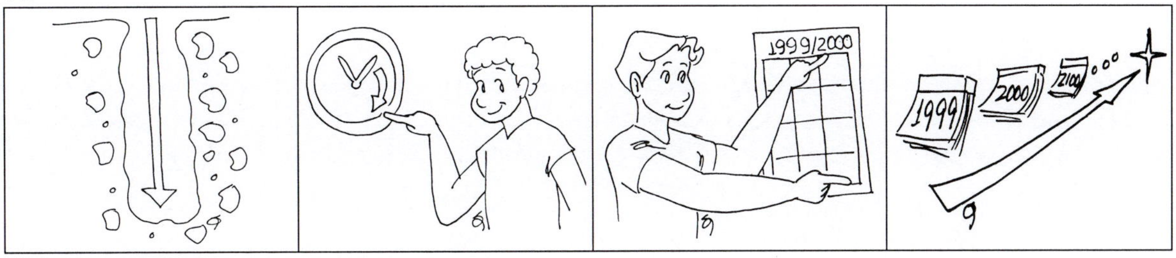

44

45

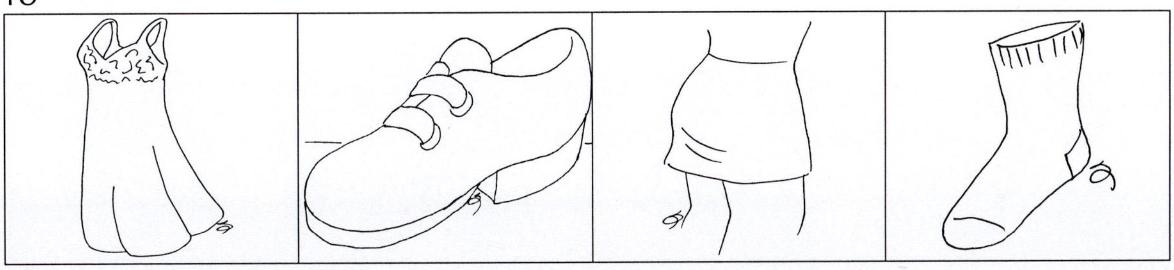

46

47

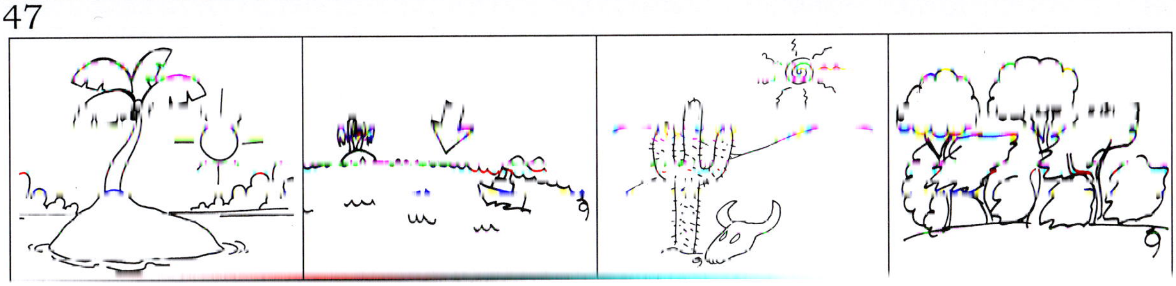

48

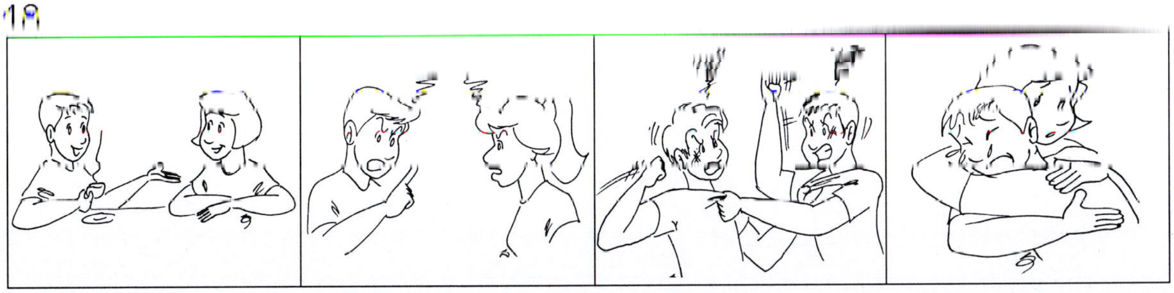

49

50

51

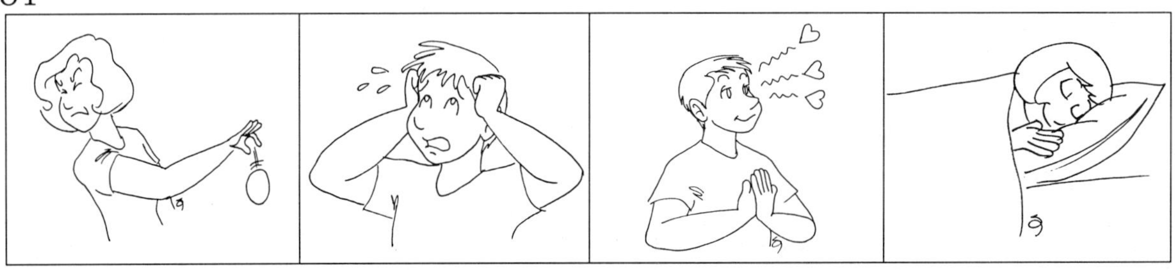

52

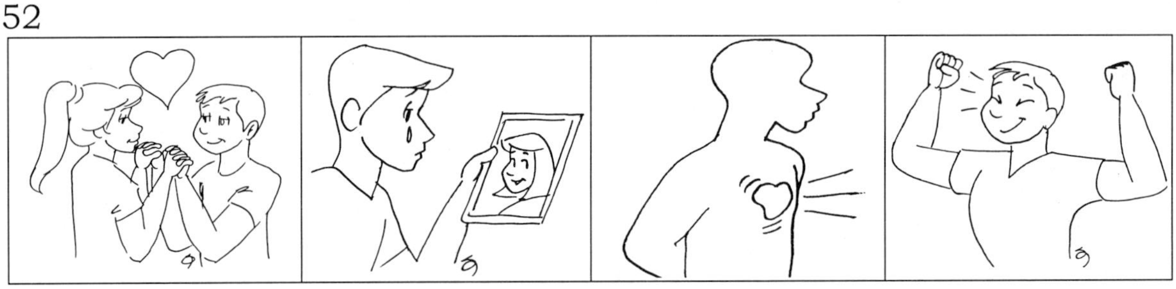

53

54

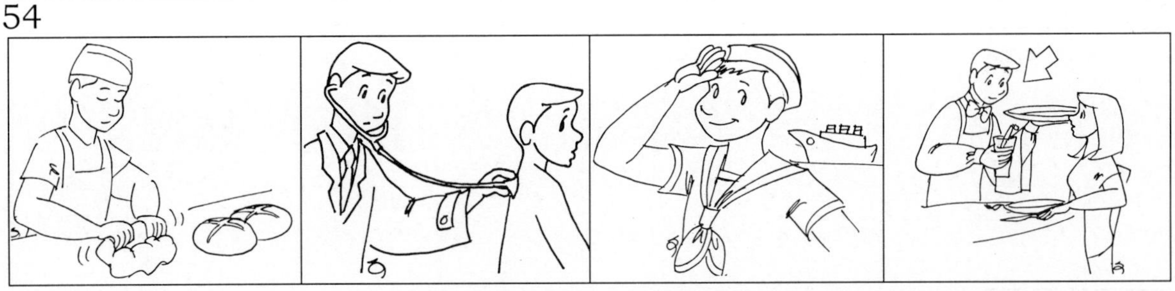

55

56

57

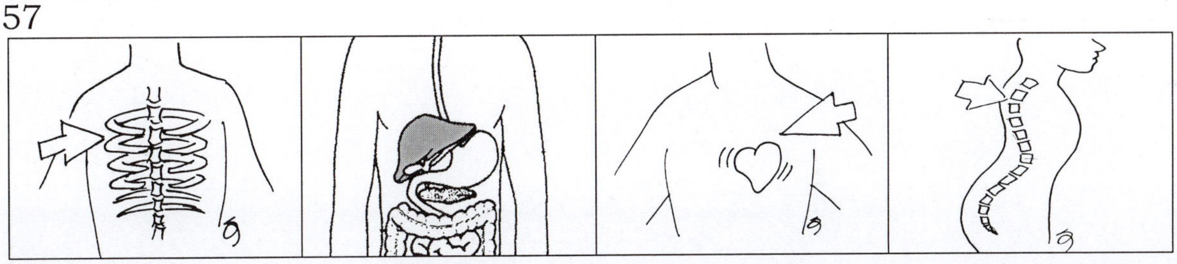

58

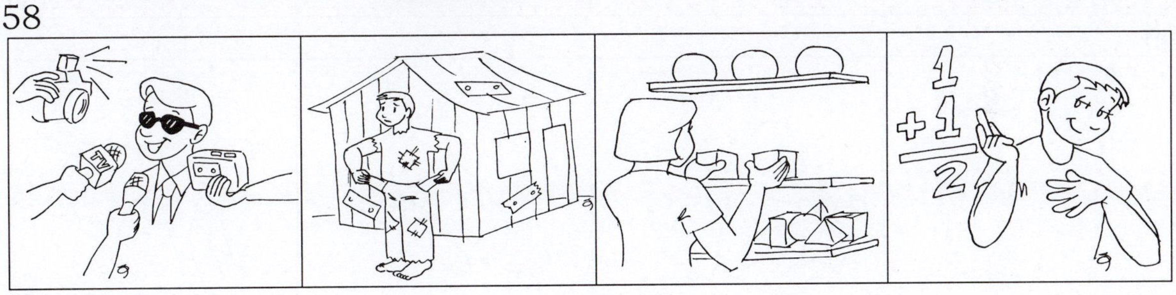

59

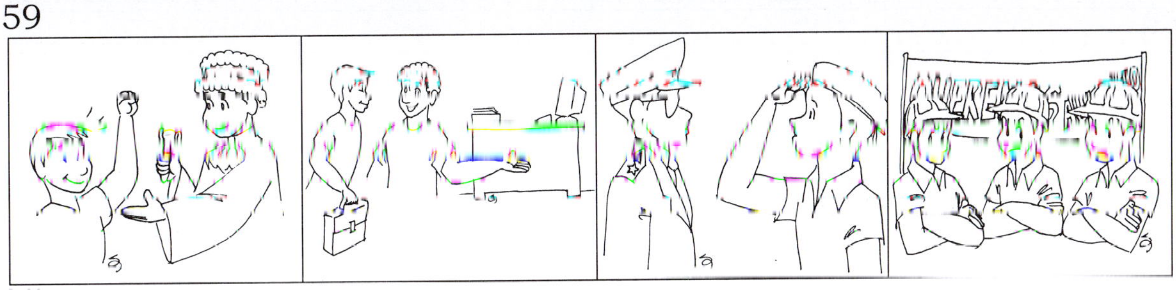

60

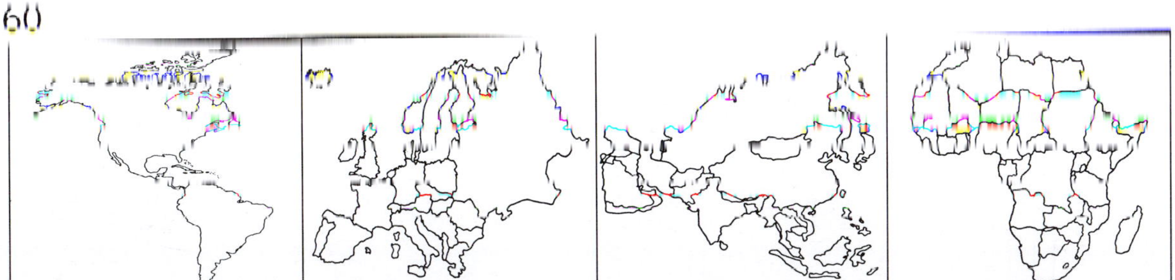

61

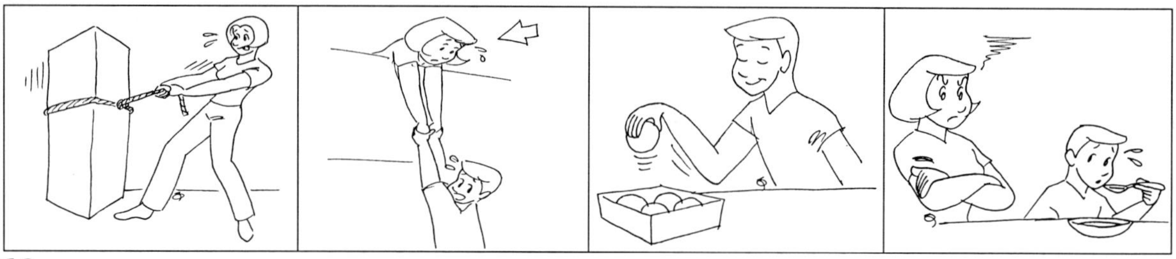

62

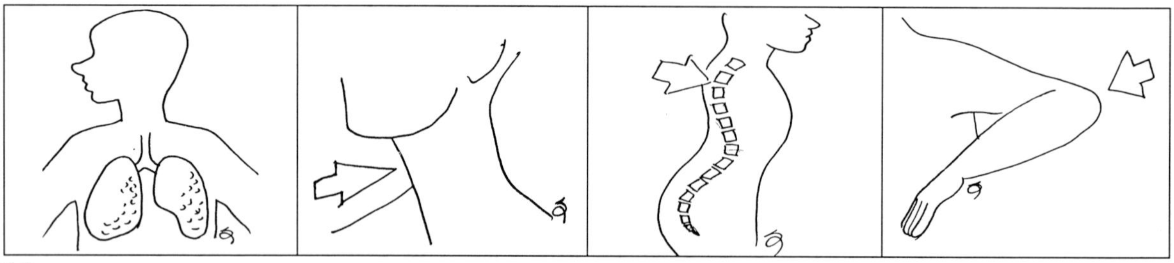

63

64

65

66

4.20.) Anexo 7: *Guia de articulação de sinais da versão abreviada TVRSL1.3*

A. boneca

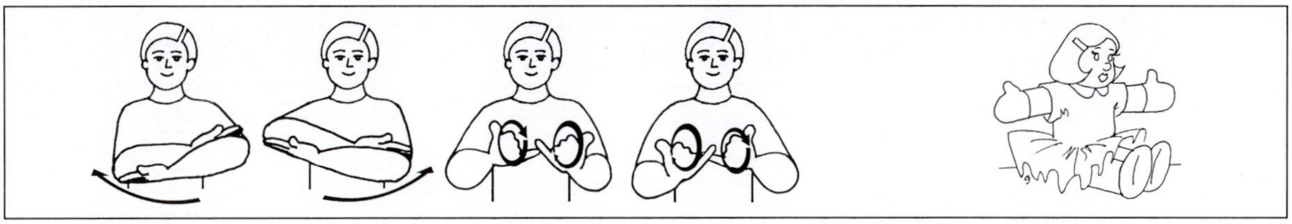

B. homem

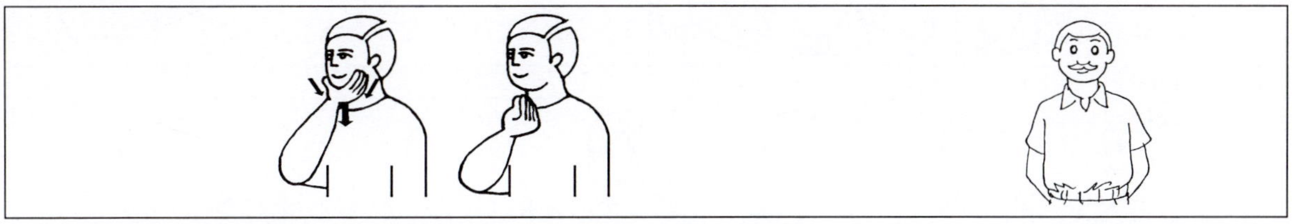

C. balançar, balançar-se, balanço

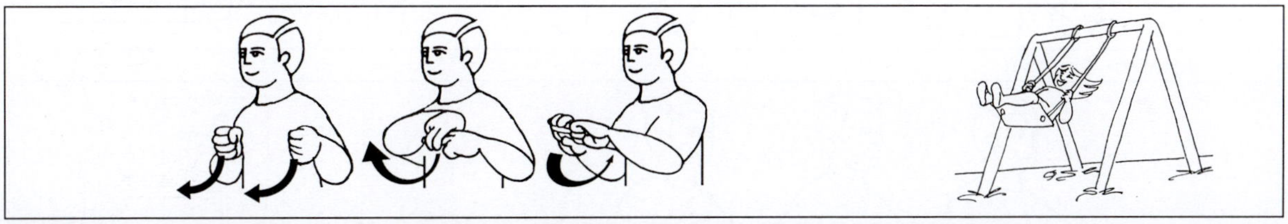

D. telefone

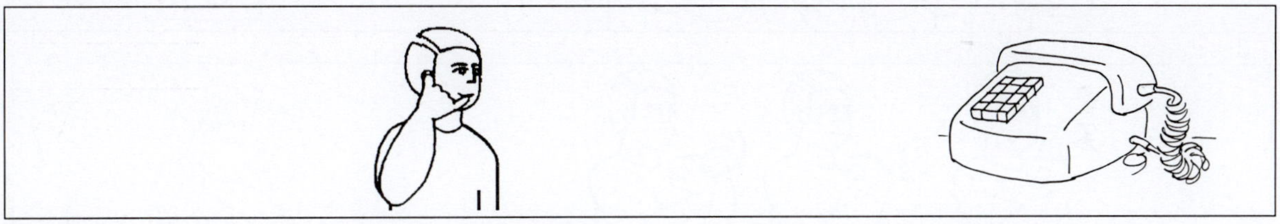

E. vaca

1. [illegible]

2. tartaruga

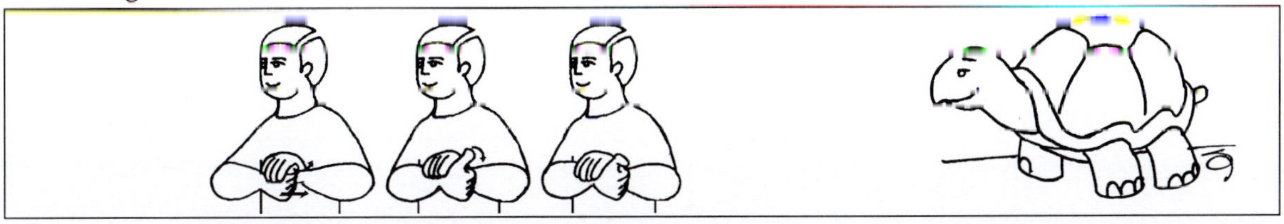

3. distração, distraído

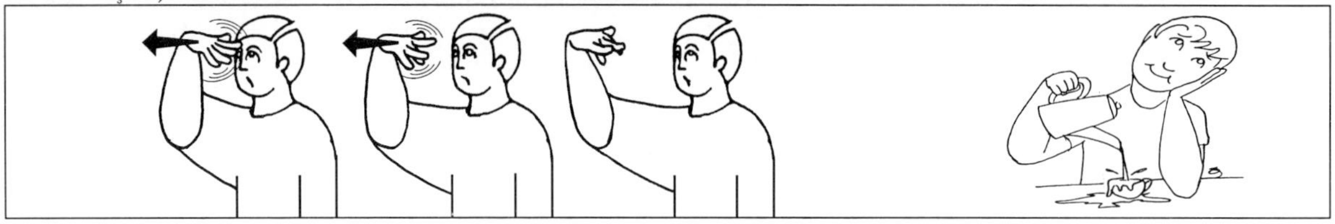

4. procurar

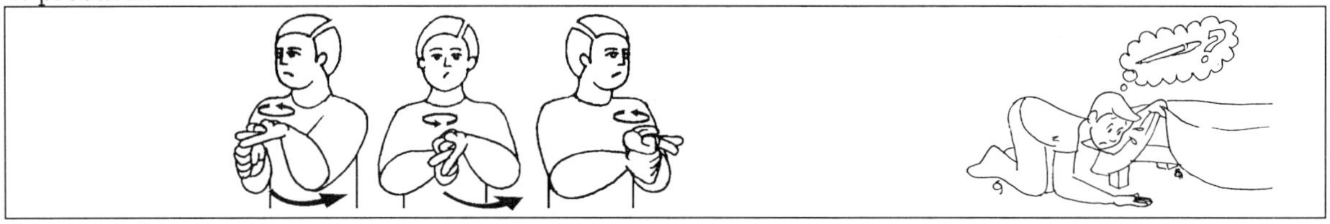

5. encanador

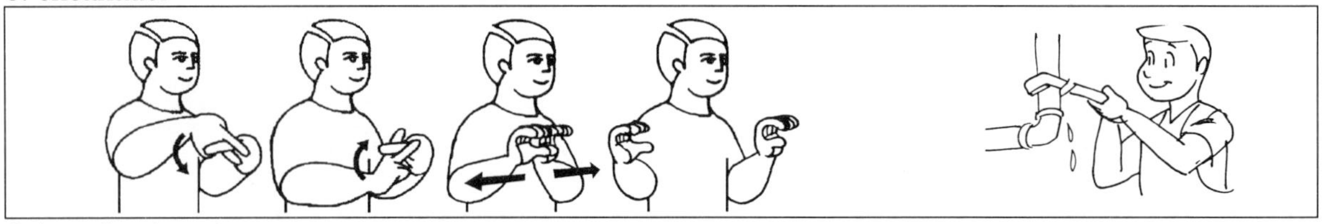

6. termômetro

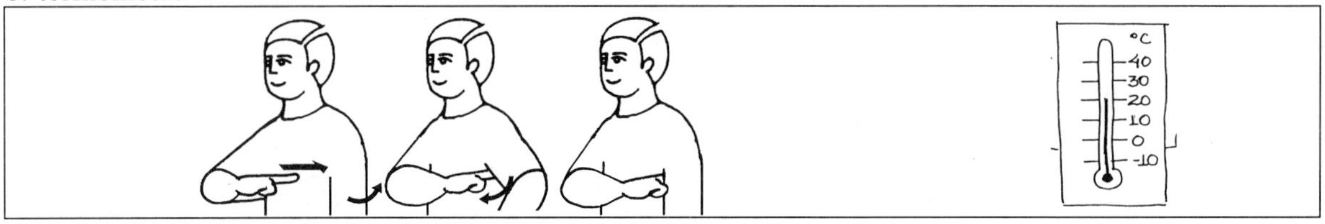

7. descascar

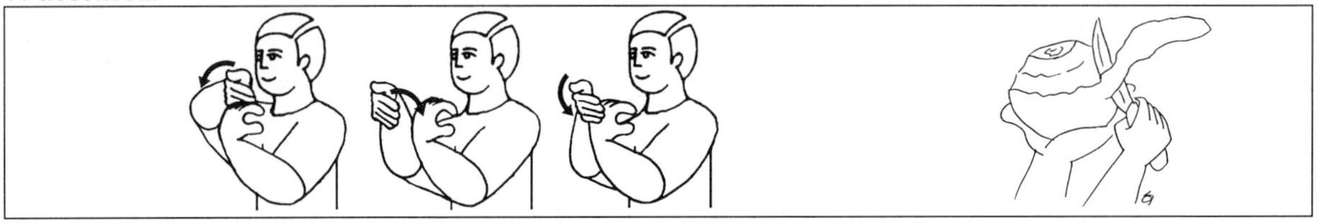

8. mecânico

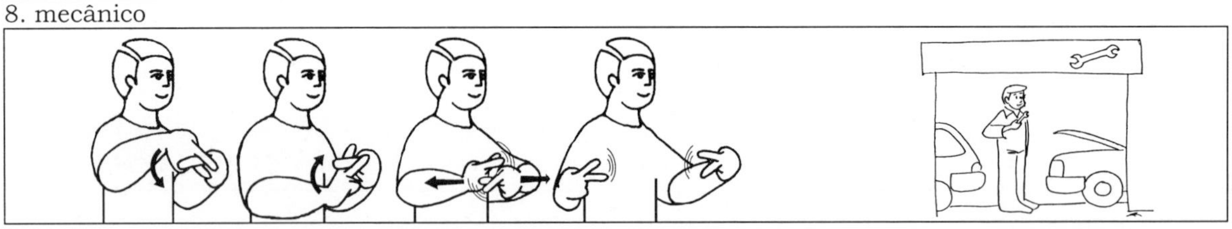

9. vertigem

10. desenhista

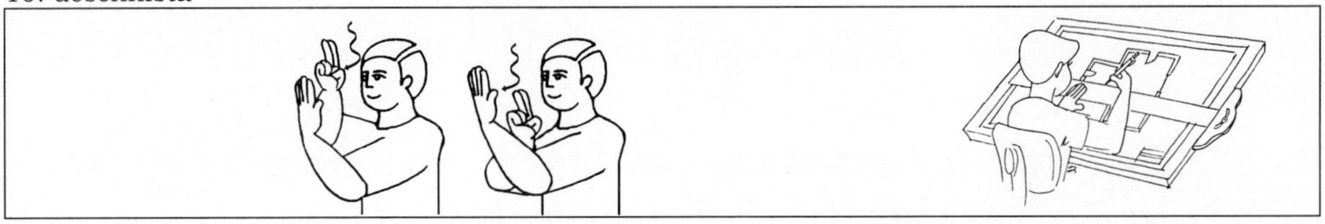

11. agricultura

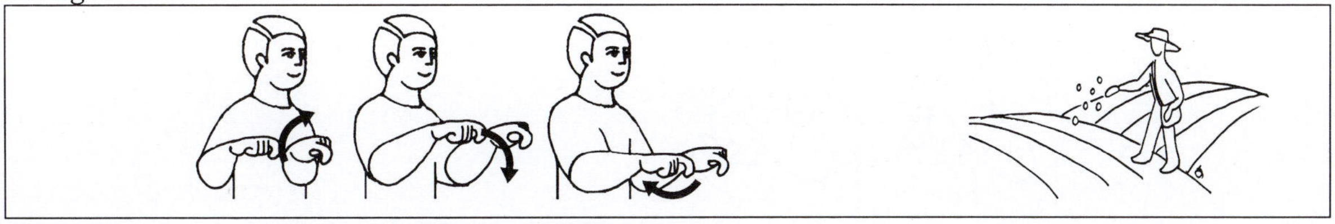

12. comprar

13. batizar

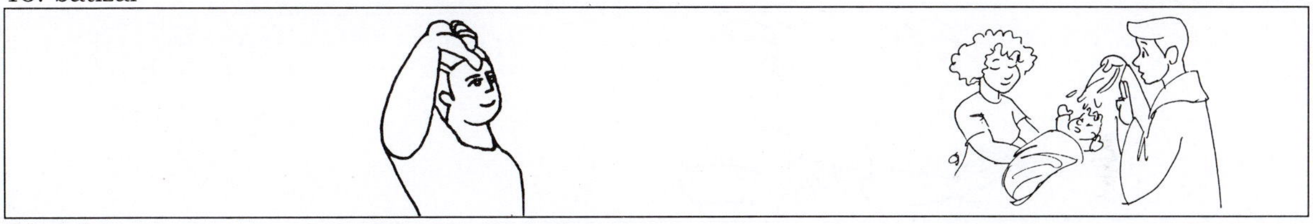

14. cobra

15. aconselhar (*advertir*)

16. apelido

17. ensinar, instruir

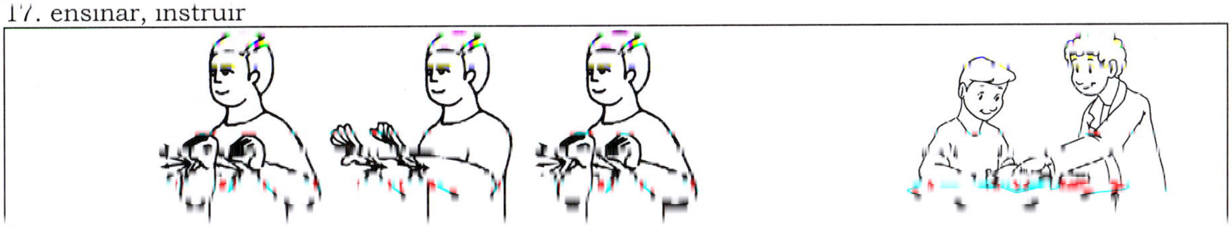

18. vidro

19. vela

20. bússola

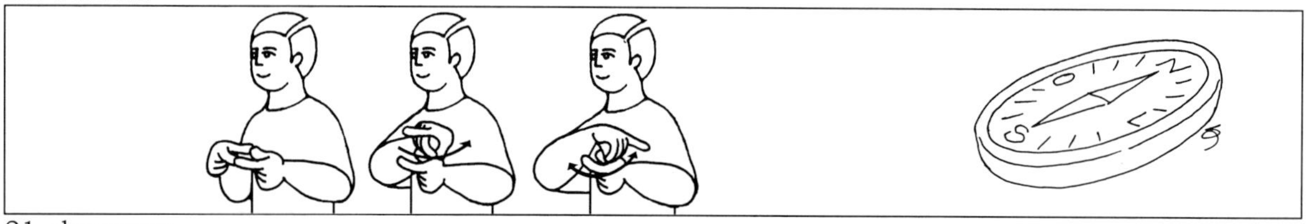

21. derramar

22. sofá

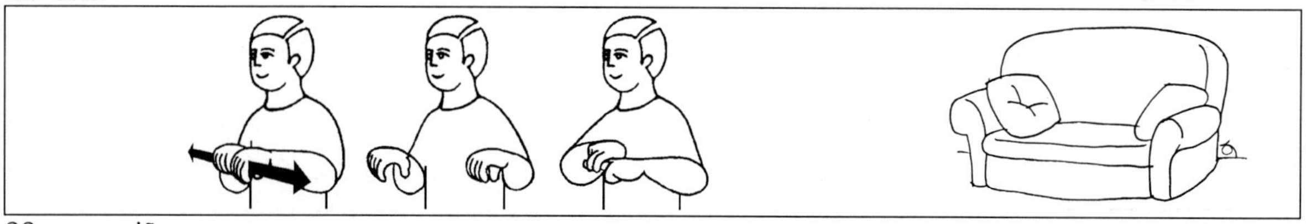

23. escorpião

24. sede

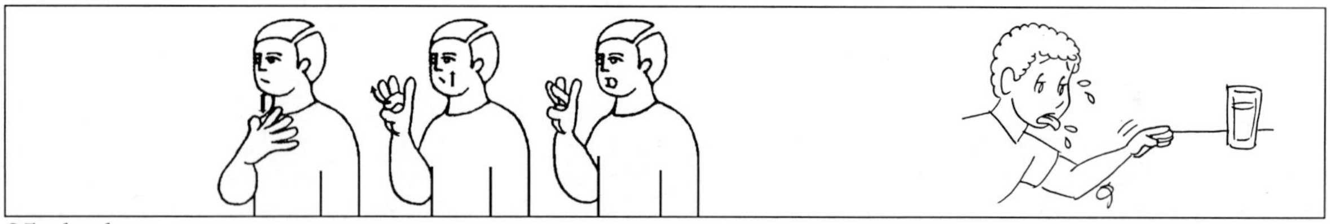

25. dupla

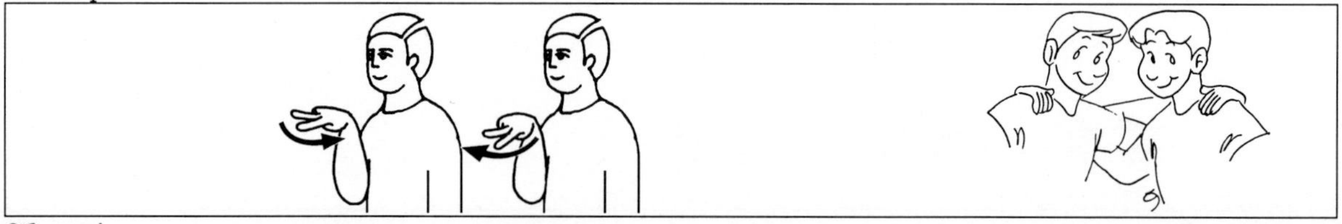

26. vazio

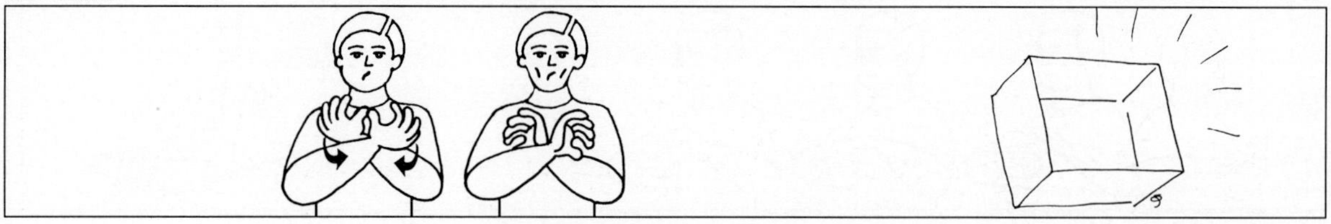

27. grupo

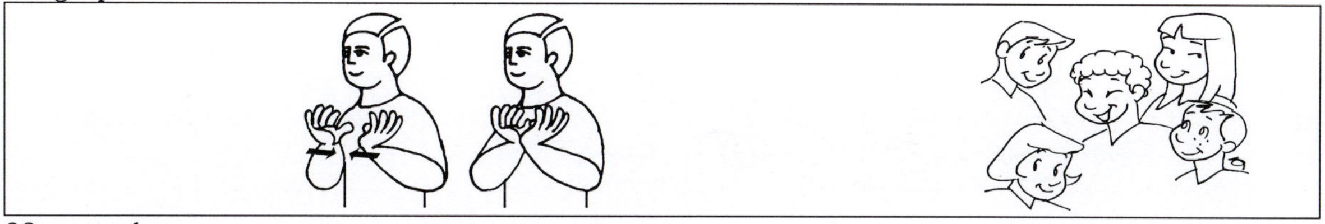

28. vencedor

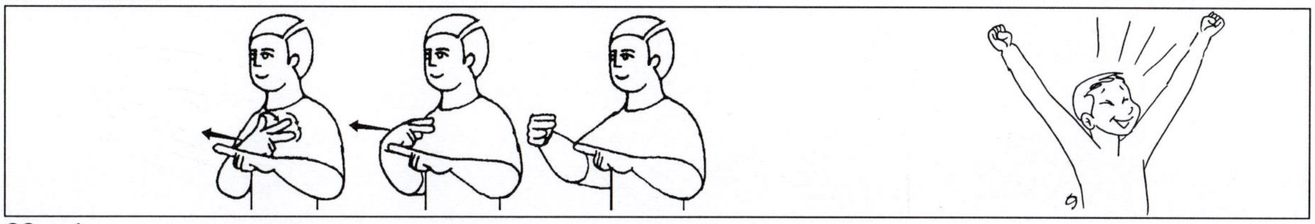

29. pé

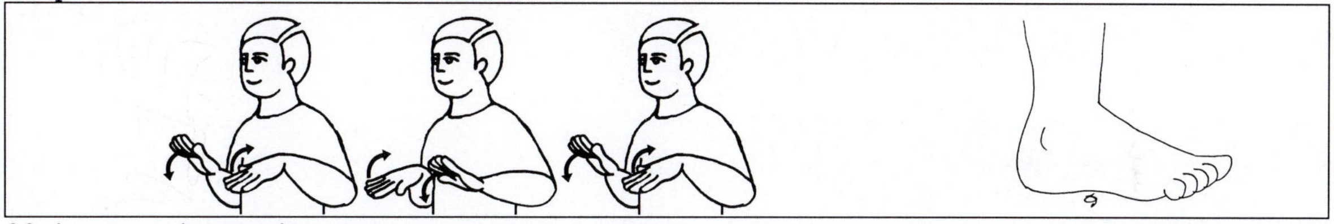

30. inocente, inocência

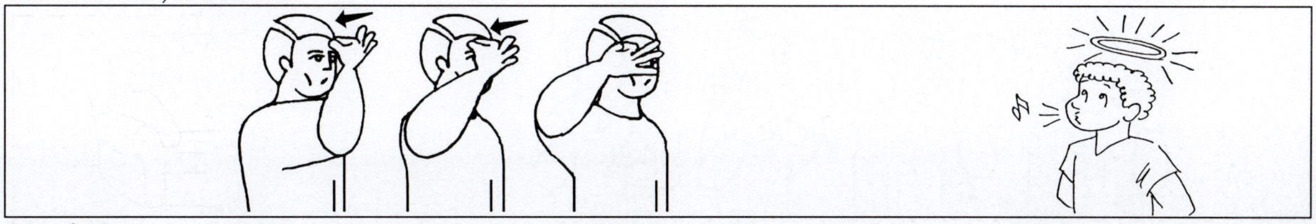

31. abajur

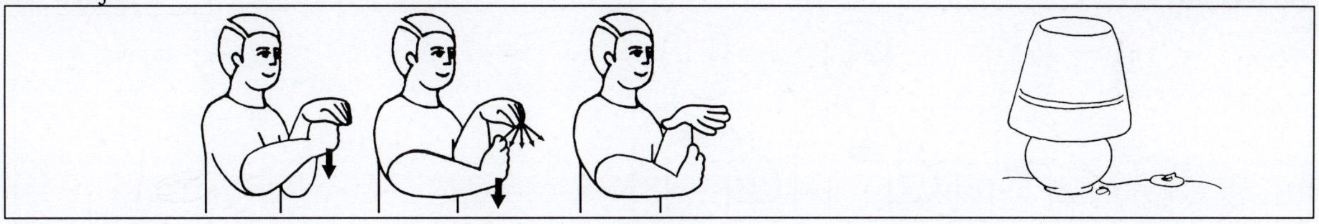

32. espantado

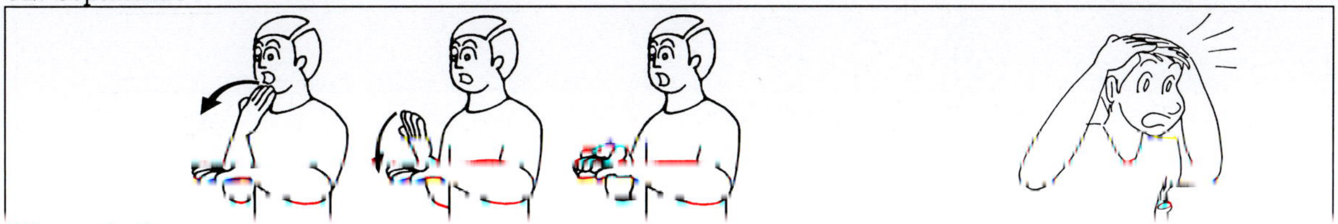

33. angústia

01. multa

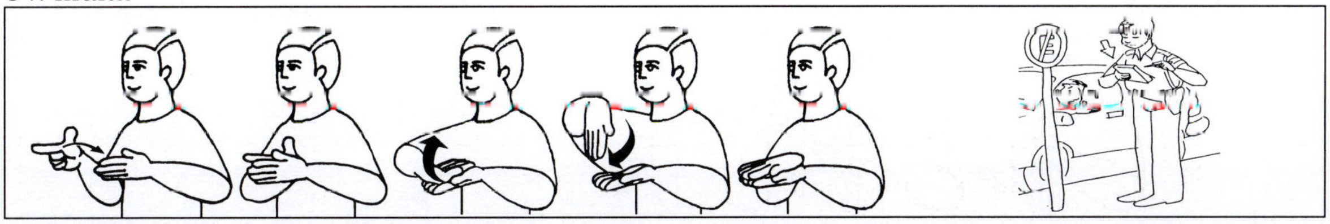

35. projeto

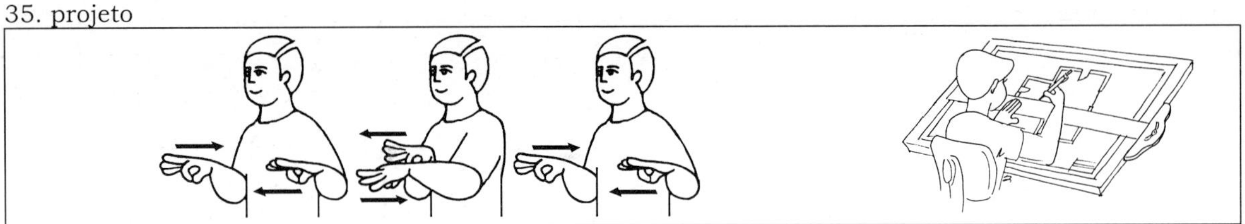

36. lustrar, polir

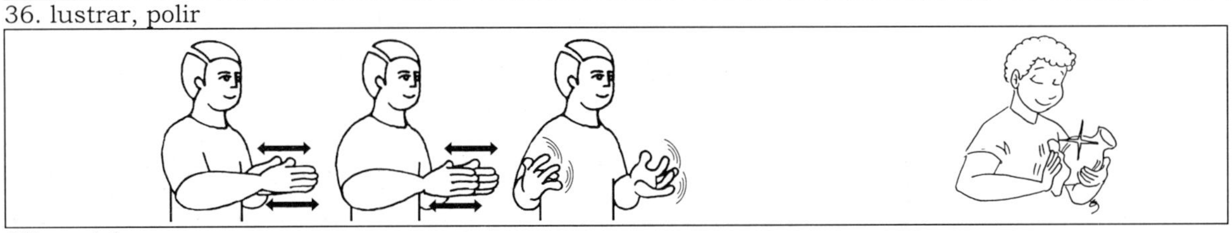

37. castelo

38. ramalhete

39. ira, raiva

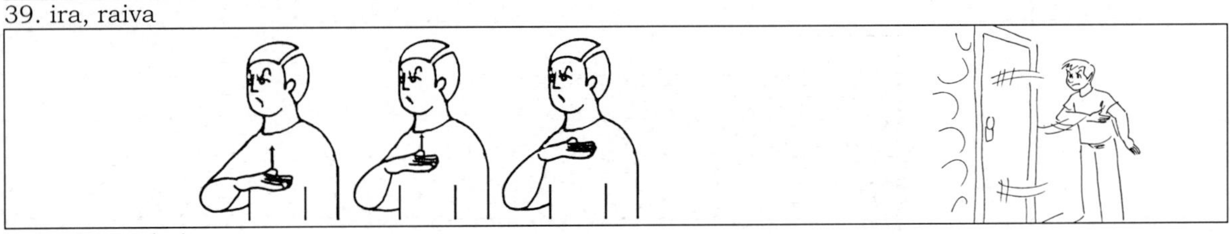

40. sob, embaixo

41. dicionário

42. sapato

43. eterno(a)

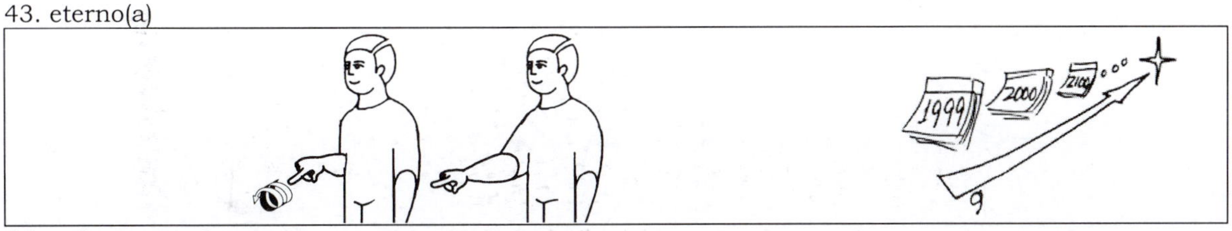

44. subornar, suborno

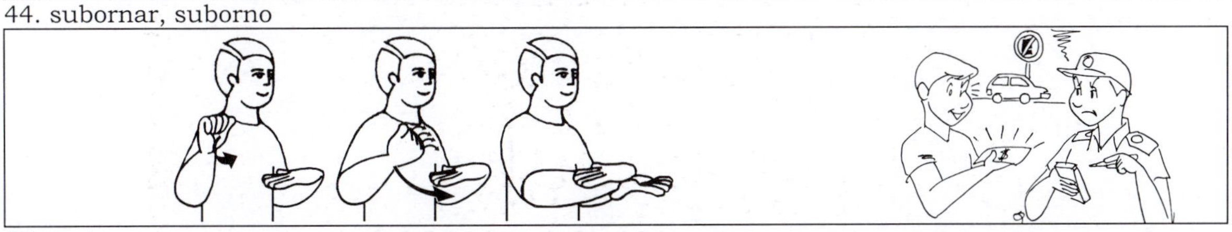

45. meia

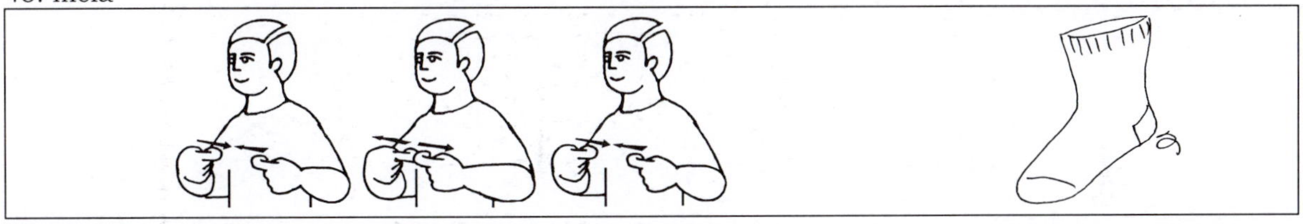

46. greve

47. deserto (*natureza*), desértico

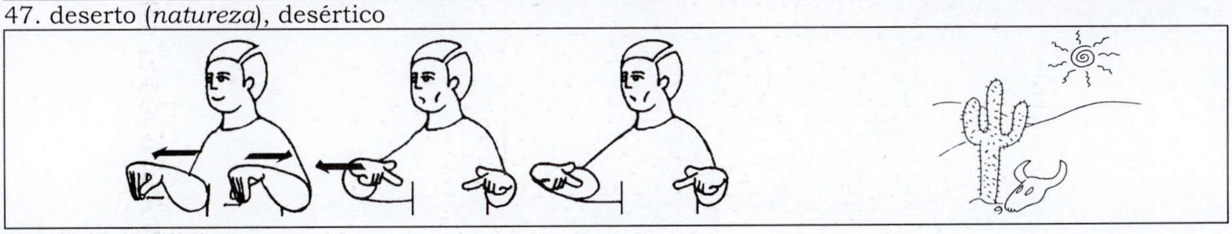

48. dialogar, diálogo

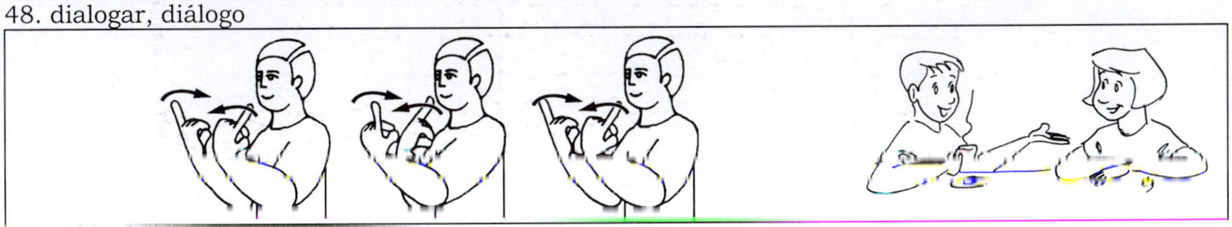

49. volúvel

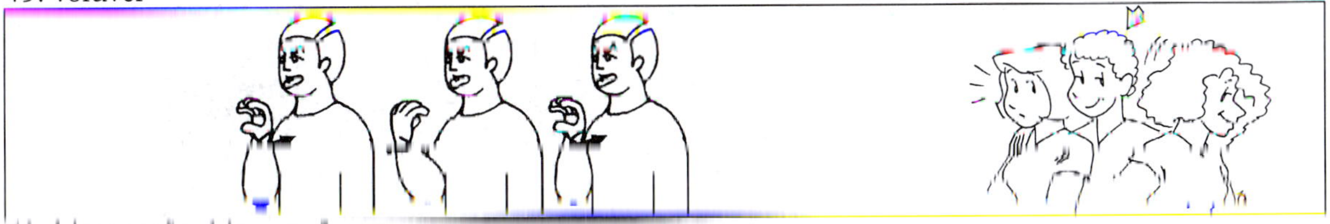

50. bicampeão, bicampeã

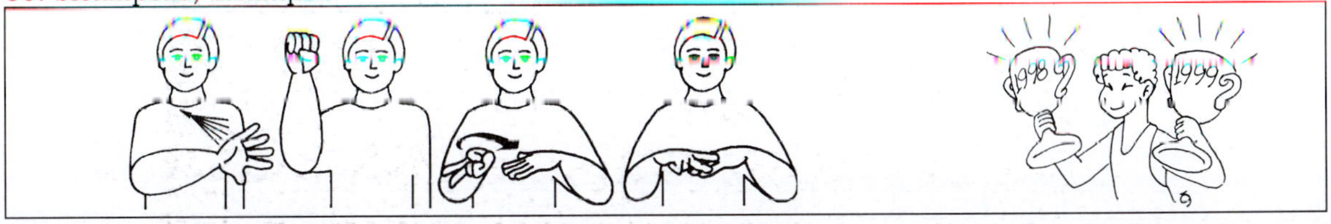

51. adorar

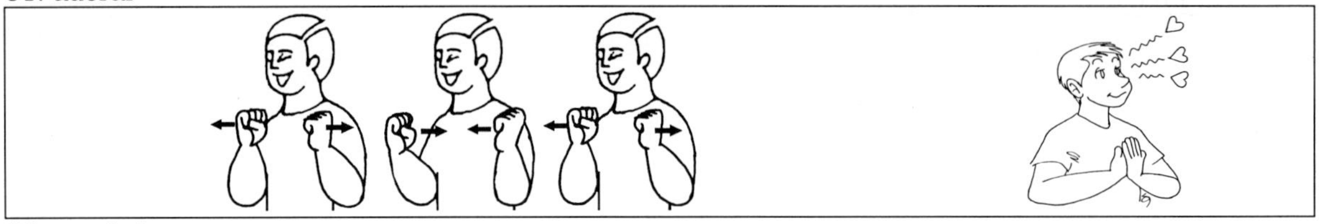

52. saudade

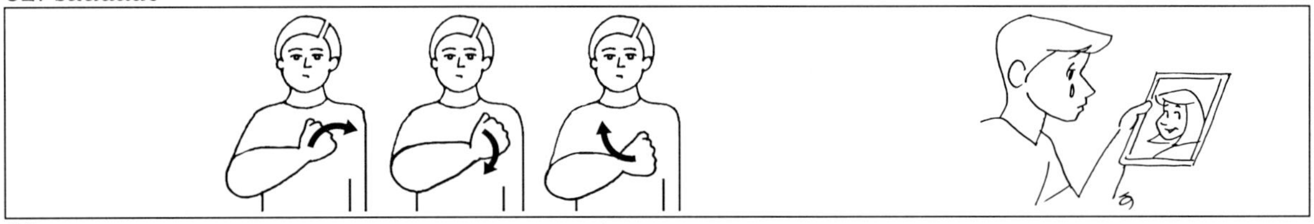

53. venenoso

54. marinha

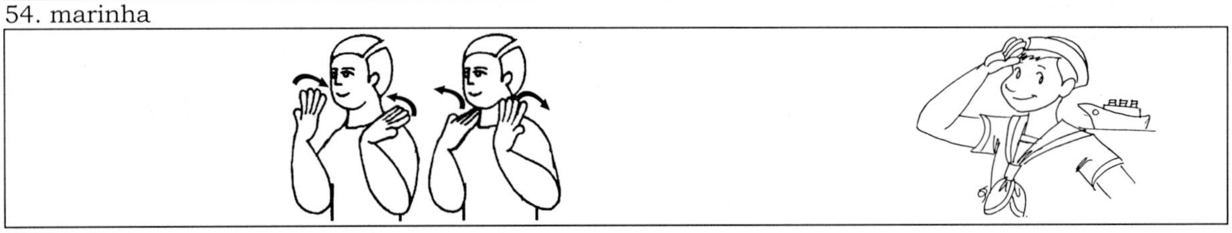

55. processo

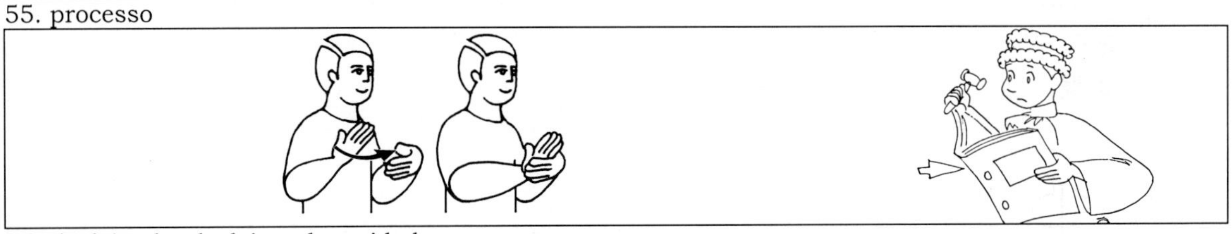

56. desleixado, desleixo, descuidado

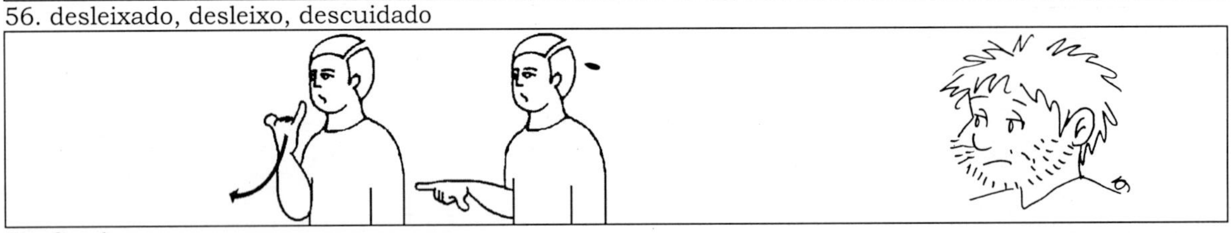

57. fígado

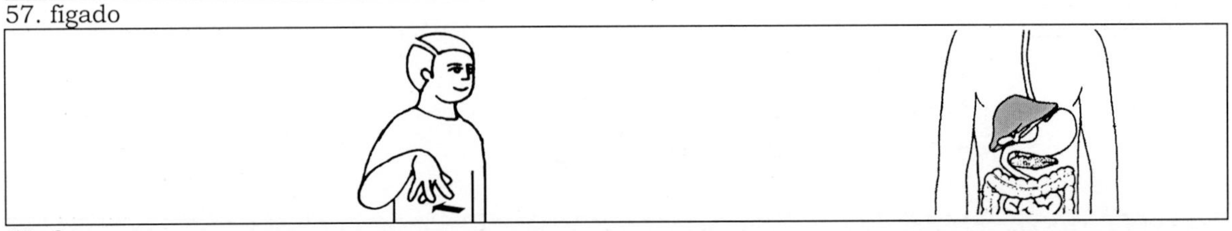

58. famoso

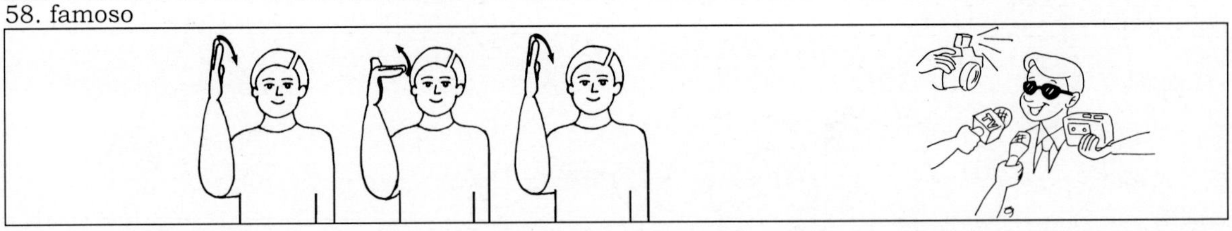

59. hierarquia, diretoria, direção

60. Europa, europeu

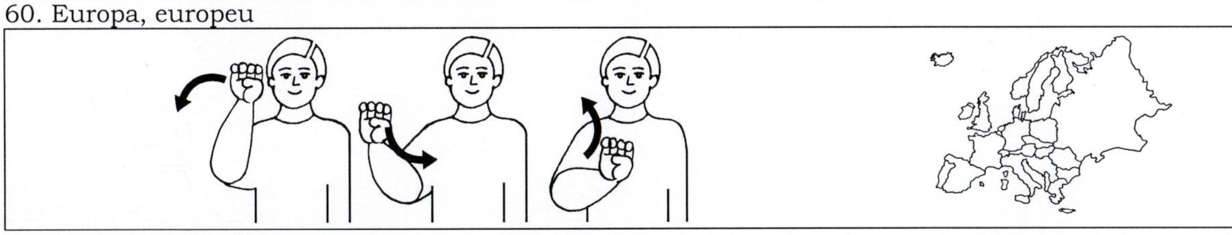

61. obrigar, obrigado(a

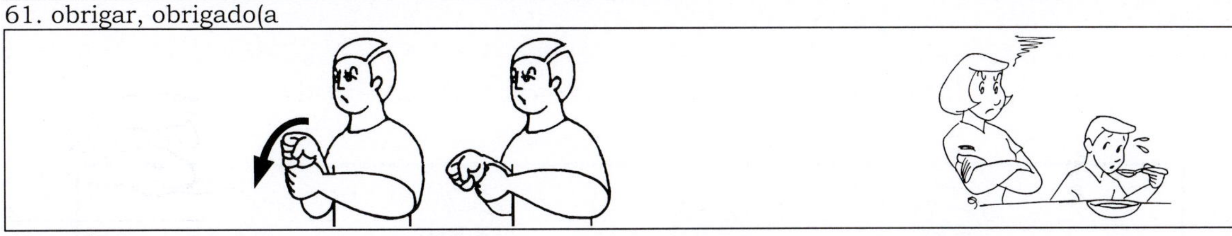

62. pulmão

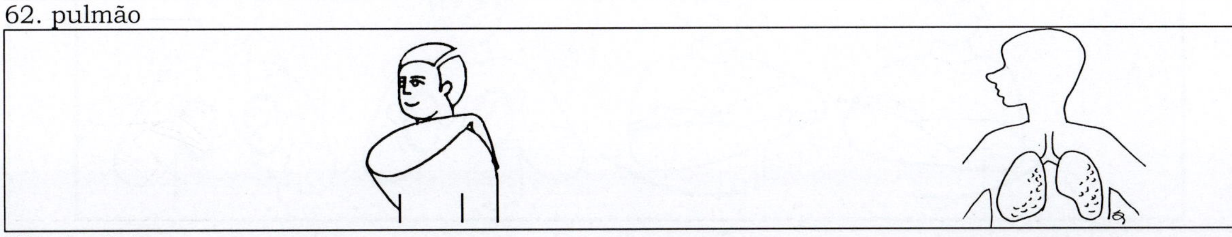

63. cientista

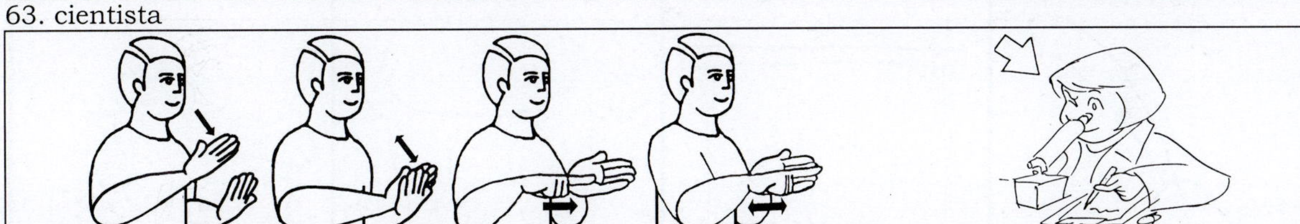

64. felino

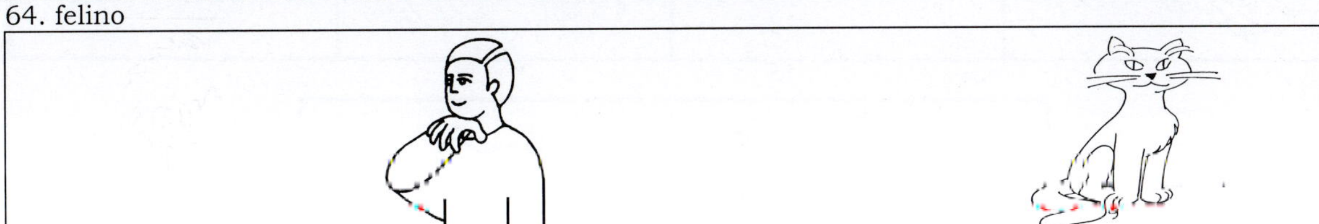

65. raposa

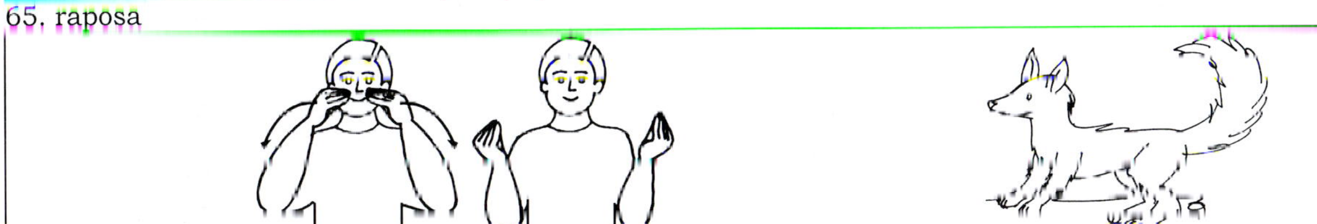

66. alarme

4.21.) Anexo 8: *Caderno completo de aplicação com sinais e figuras de escolha do TVRSL1.3*

Teste de Vocabulário Receptivo de Sinais da Libras versão 1.3

Nome: ______________________________ Série: ________ Data: ____________

Marque a figura que corresponde ao sinal

A

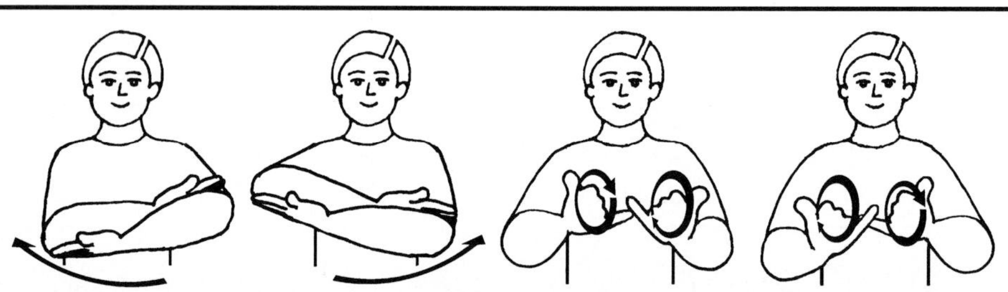

B

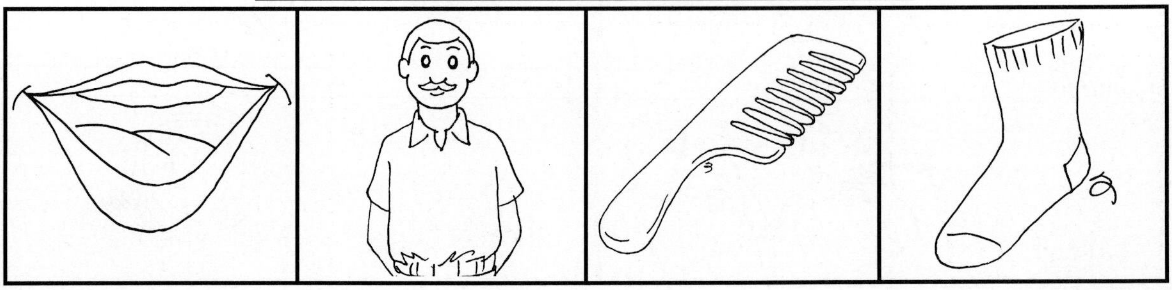

C

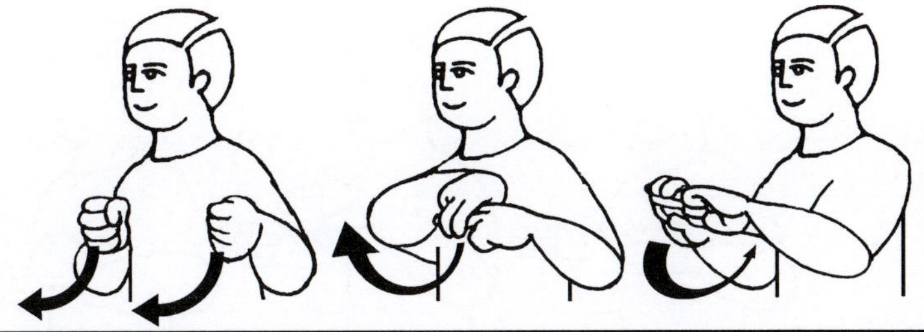

D

E

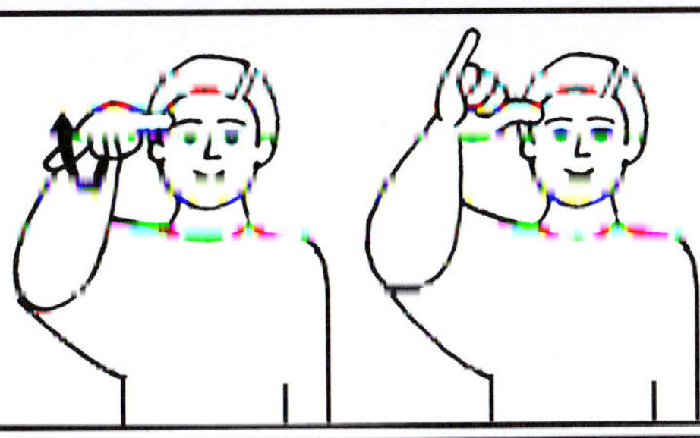

1

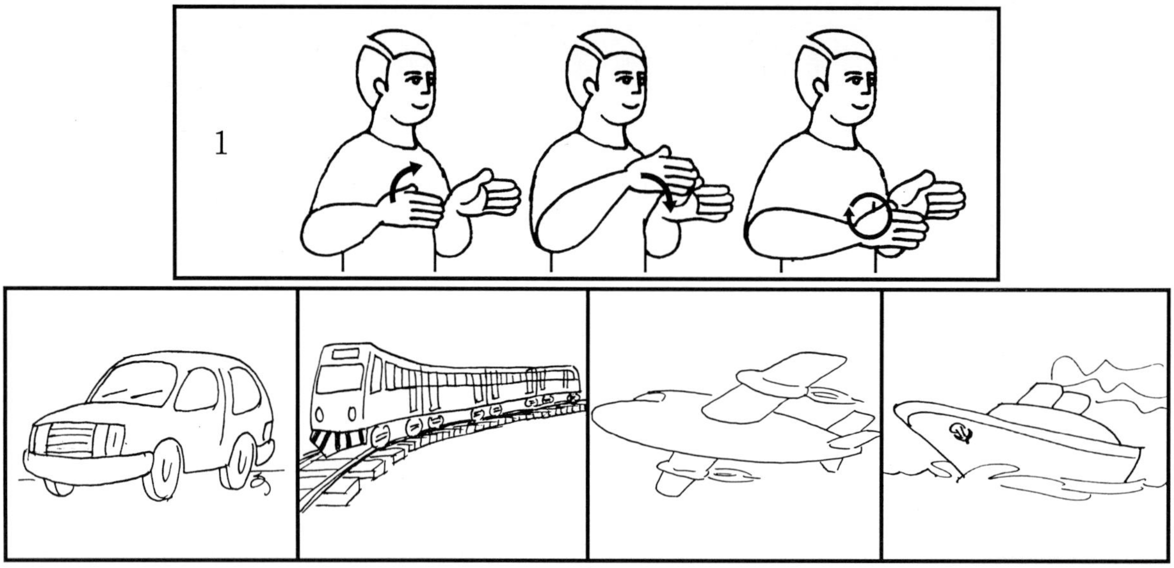

2

3

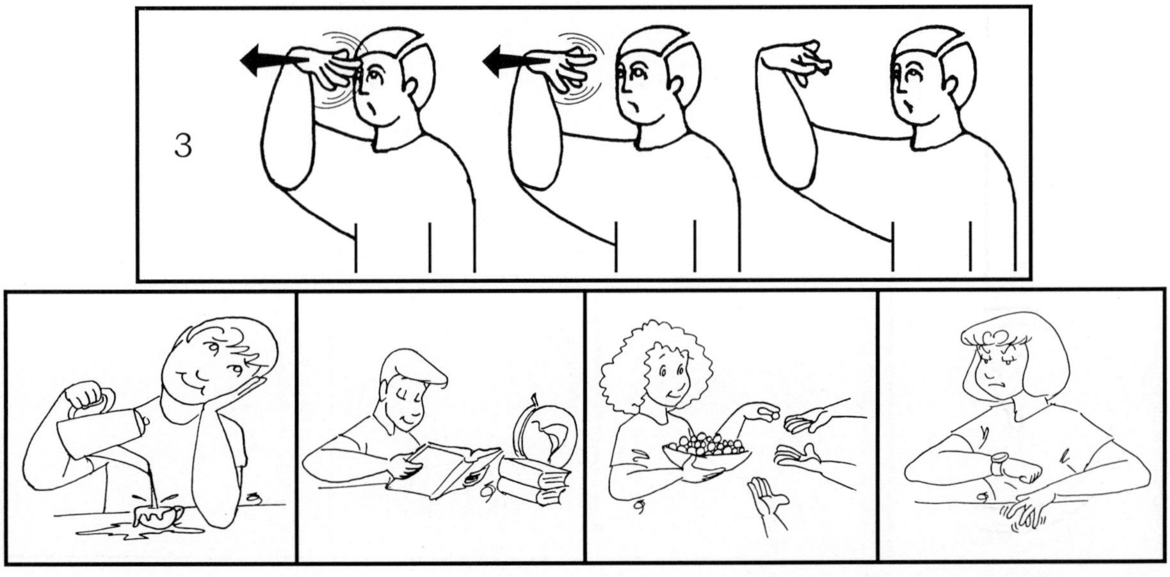

4

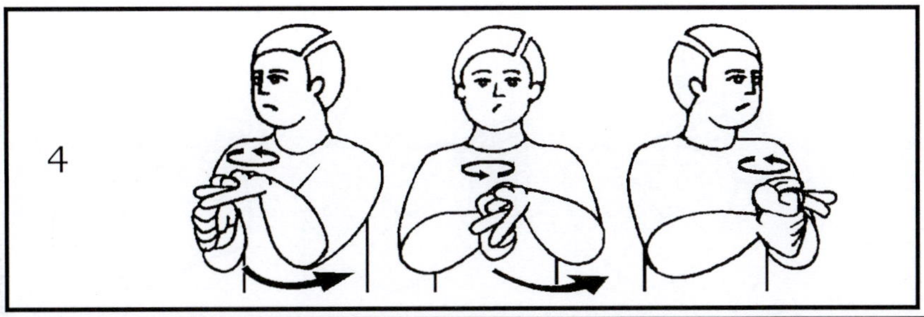

5

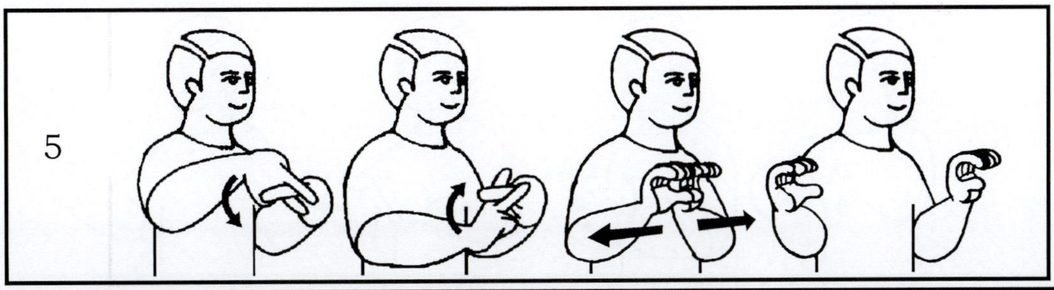

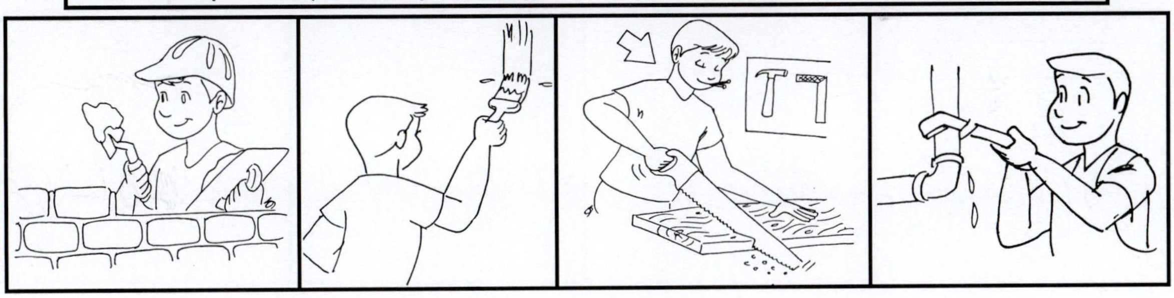

6

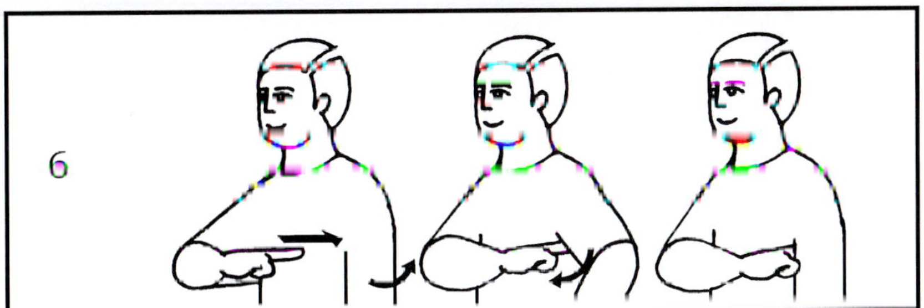

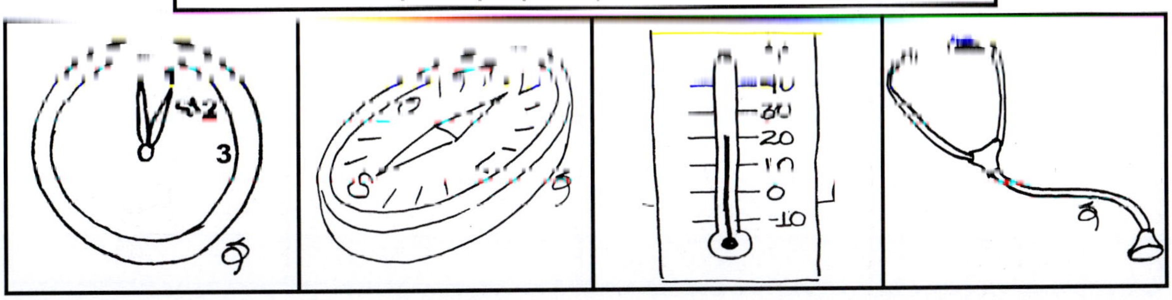

7

8

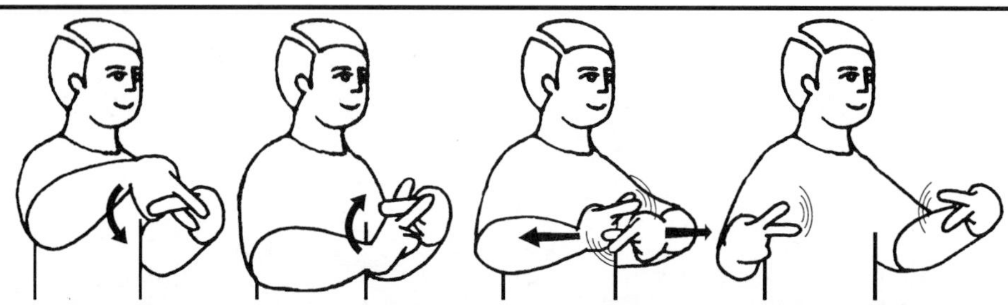

9

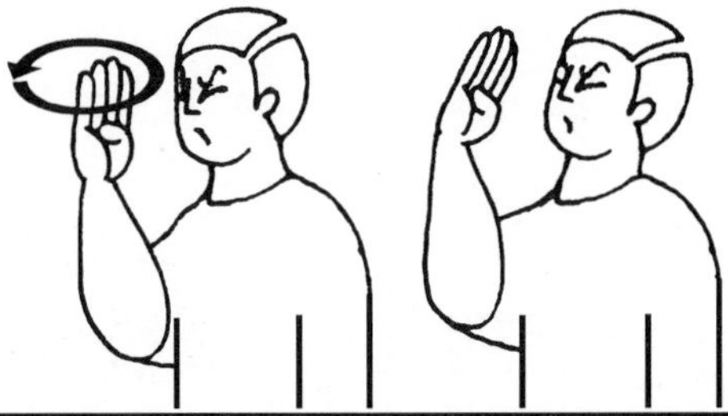

10

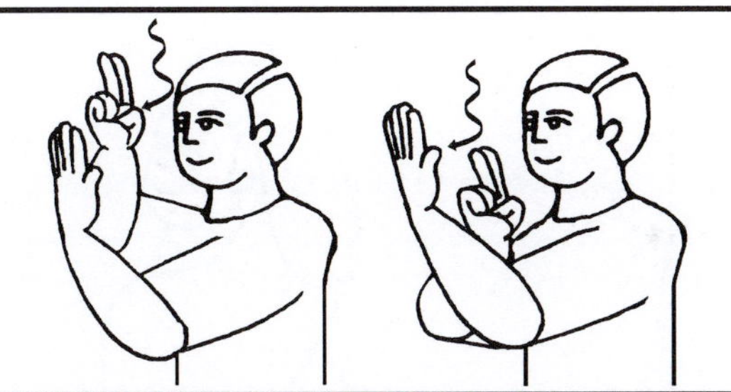

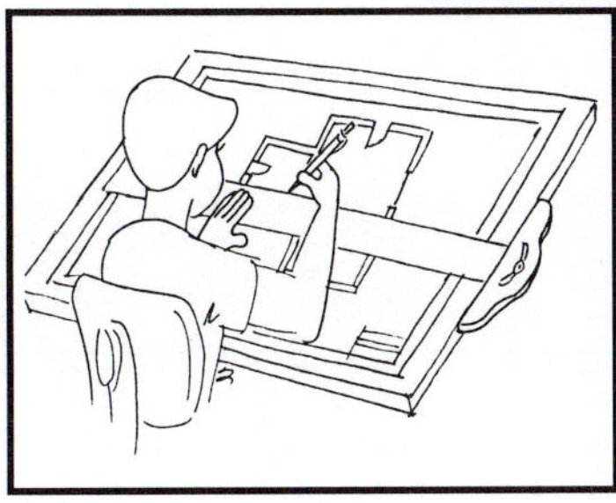

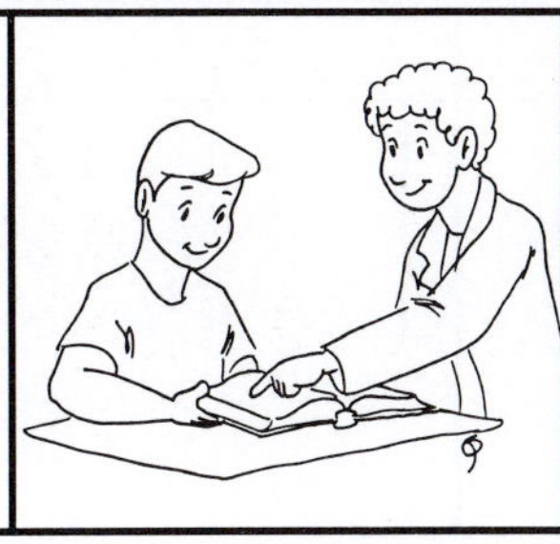
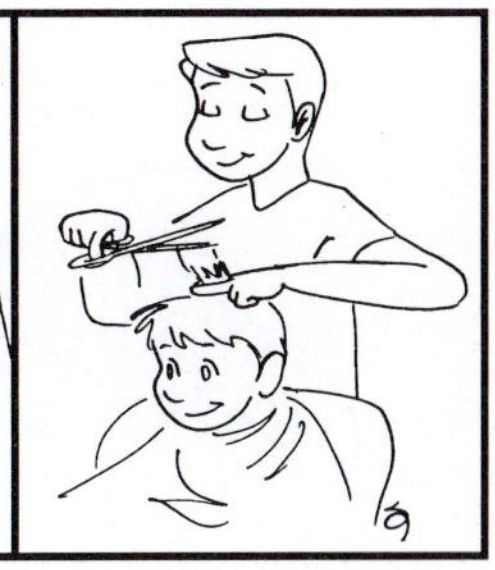

11

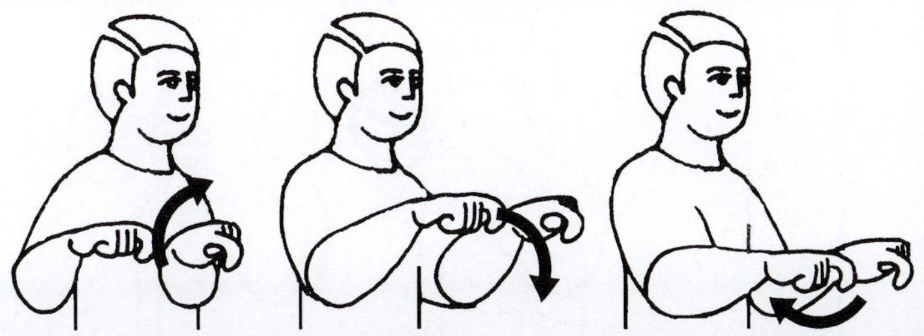

12

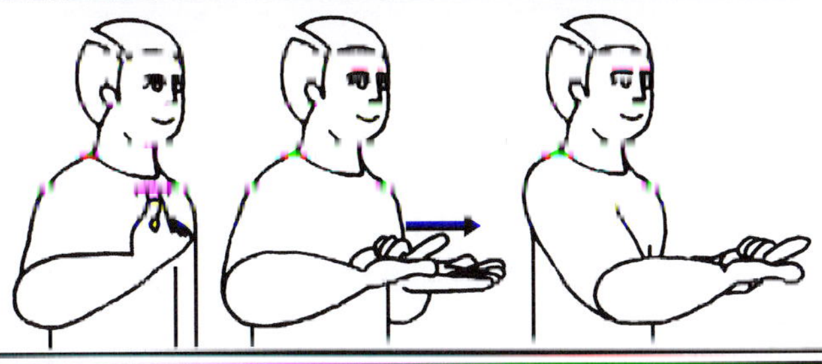

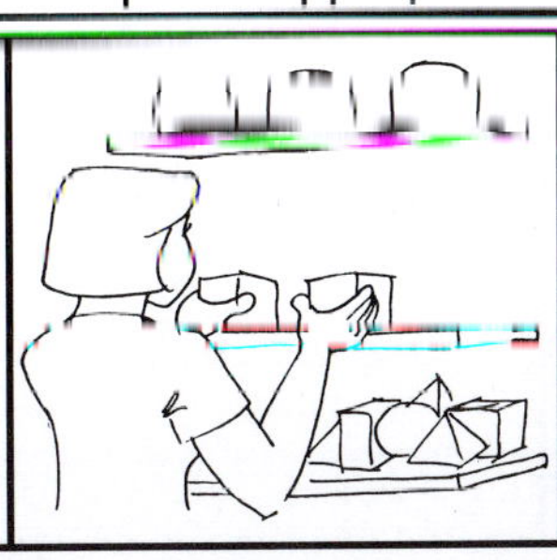
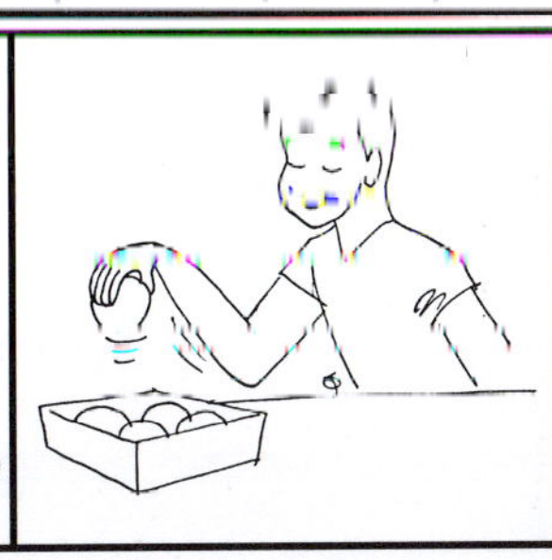

13

14

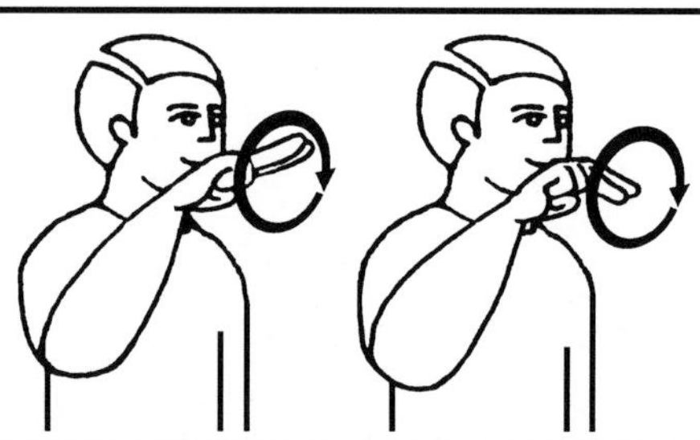

15

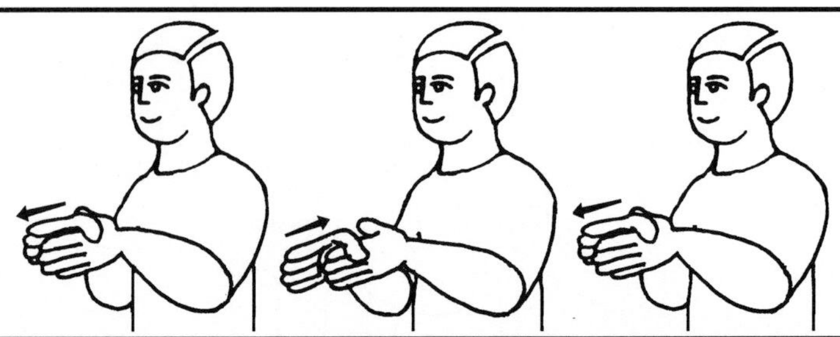

16

17

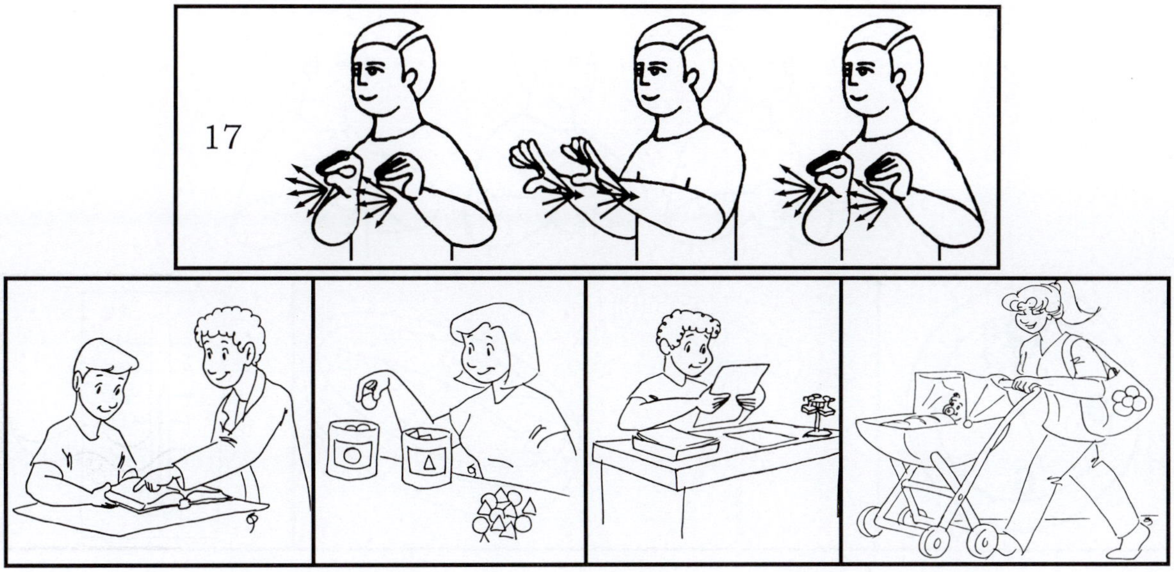

18

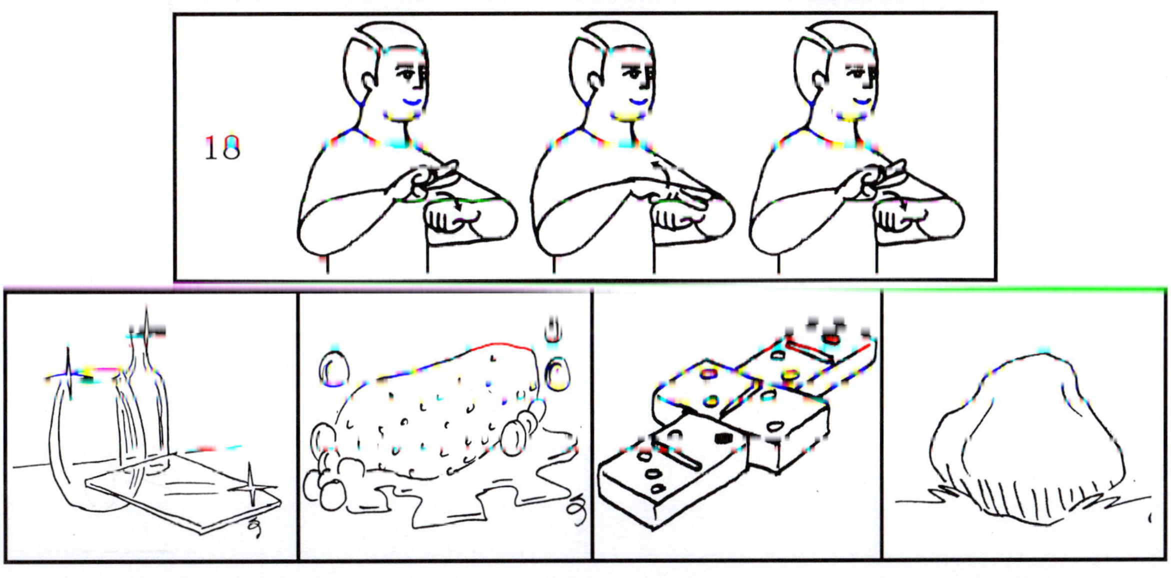

19

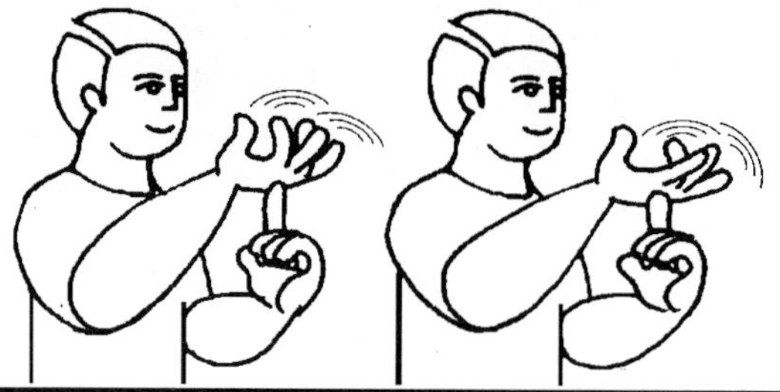

20

21

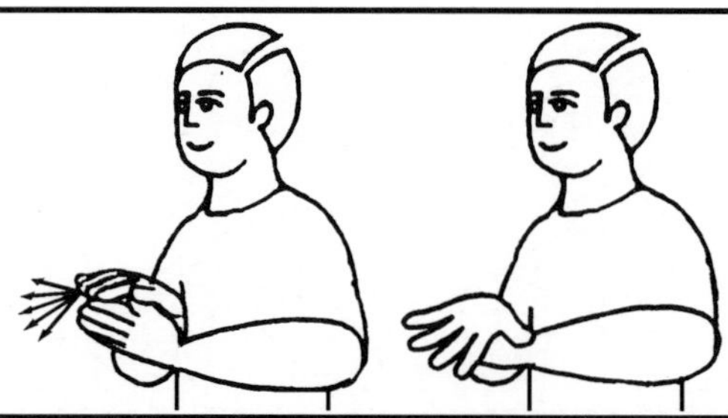

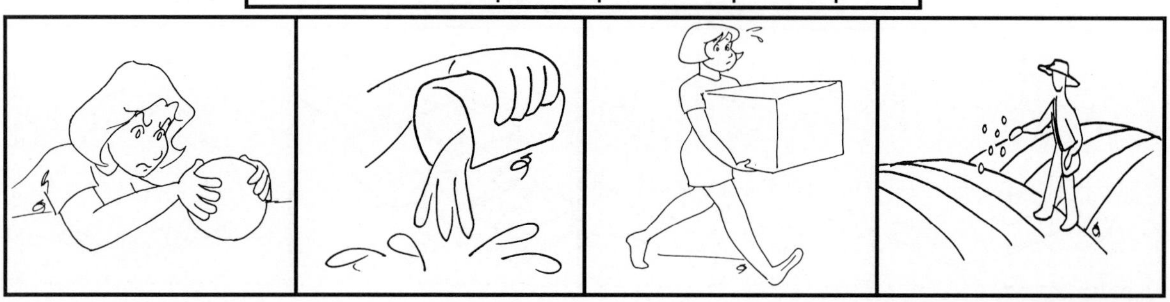

22

23

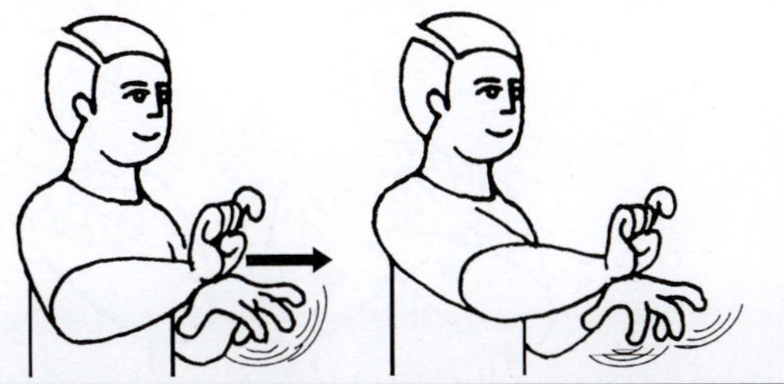

24

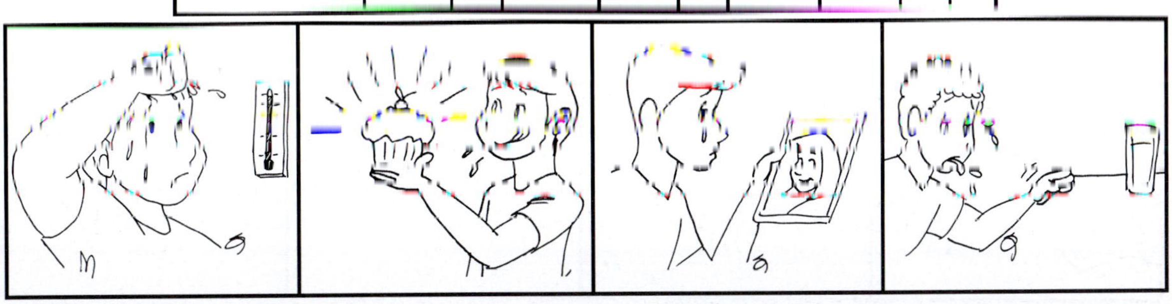

25

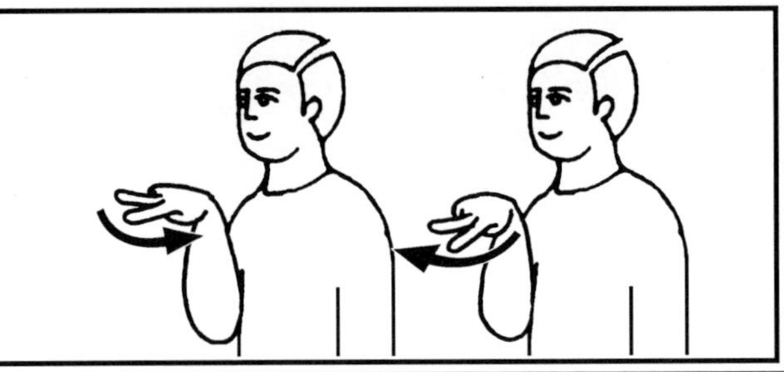

26

27

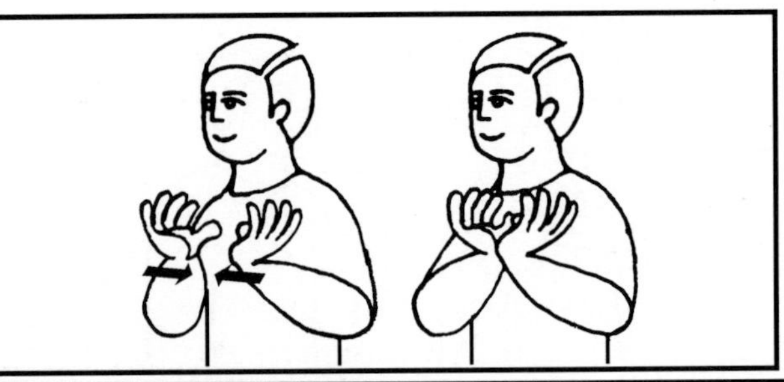

28

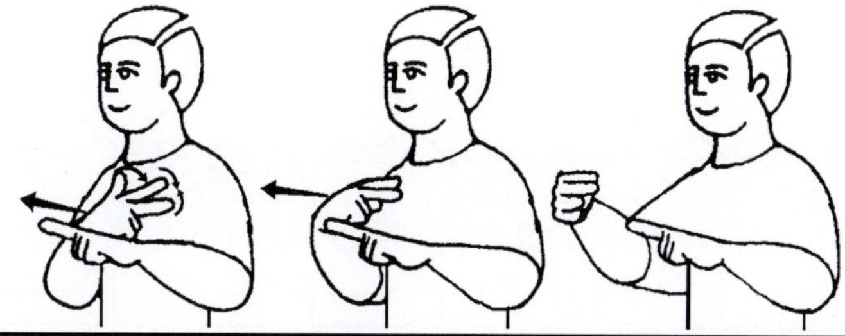

29

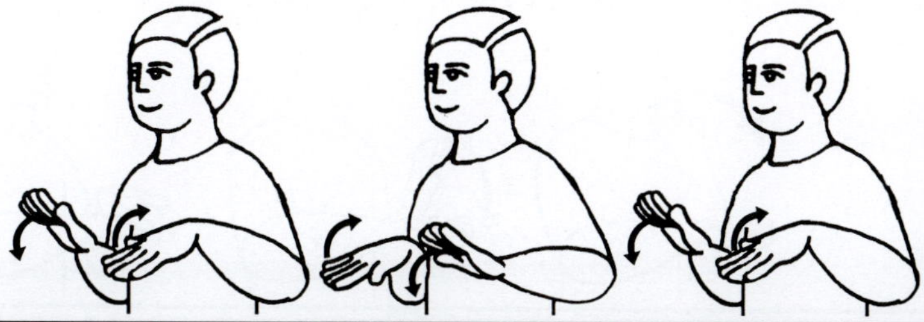

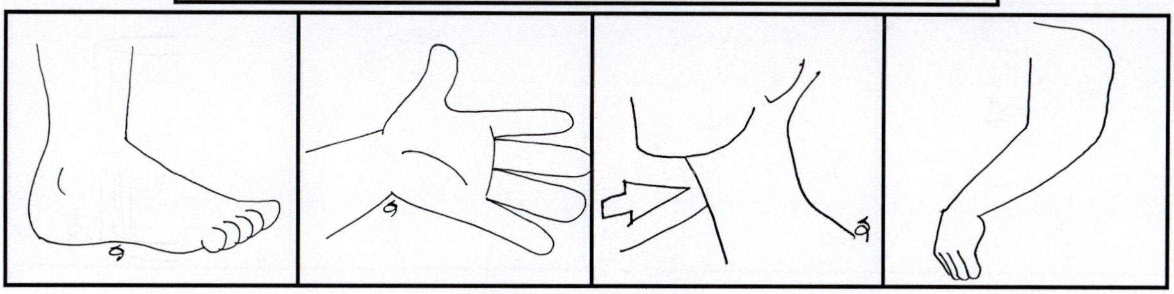

30

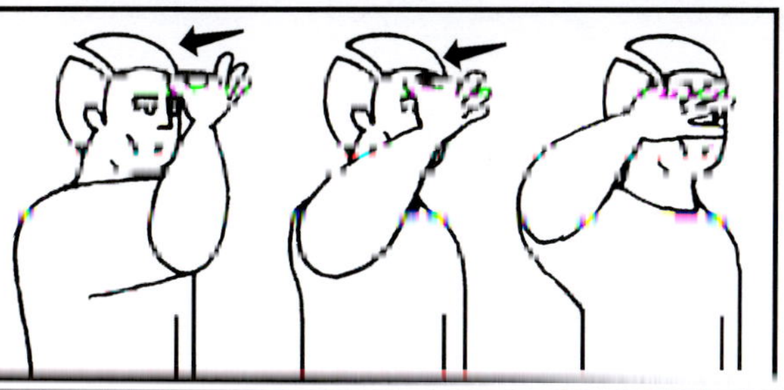

31

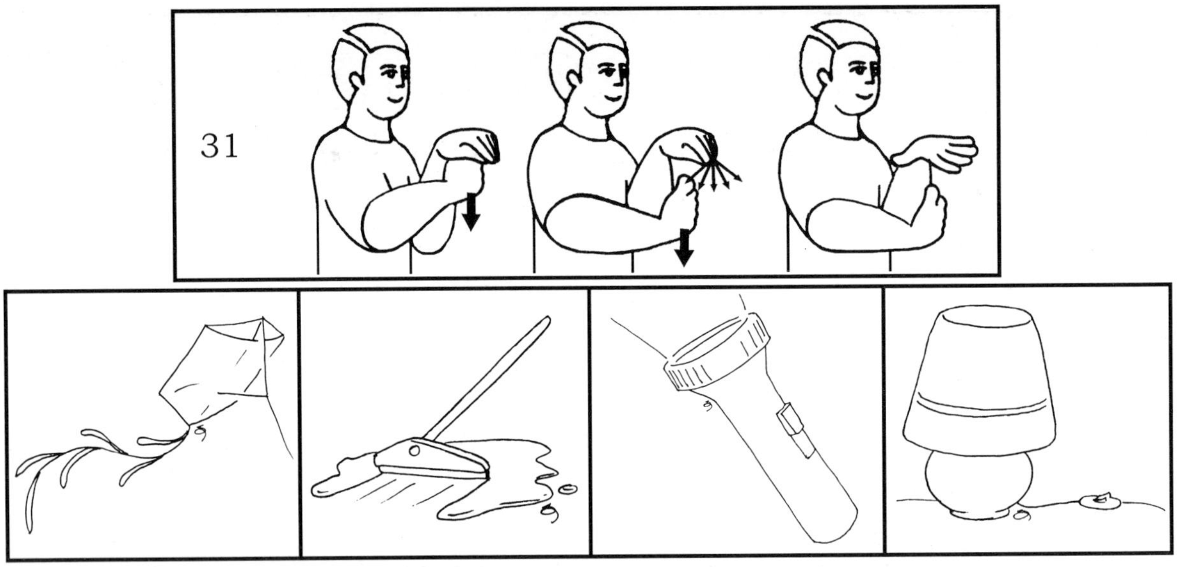

32

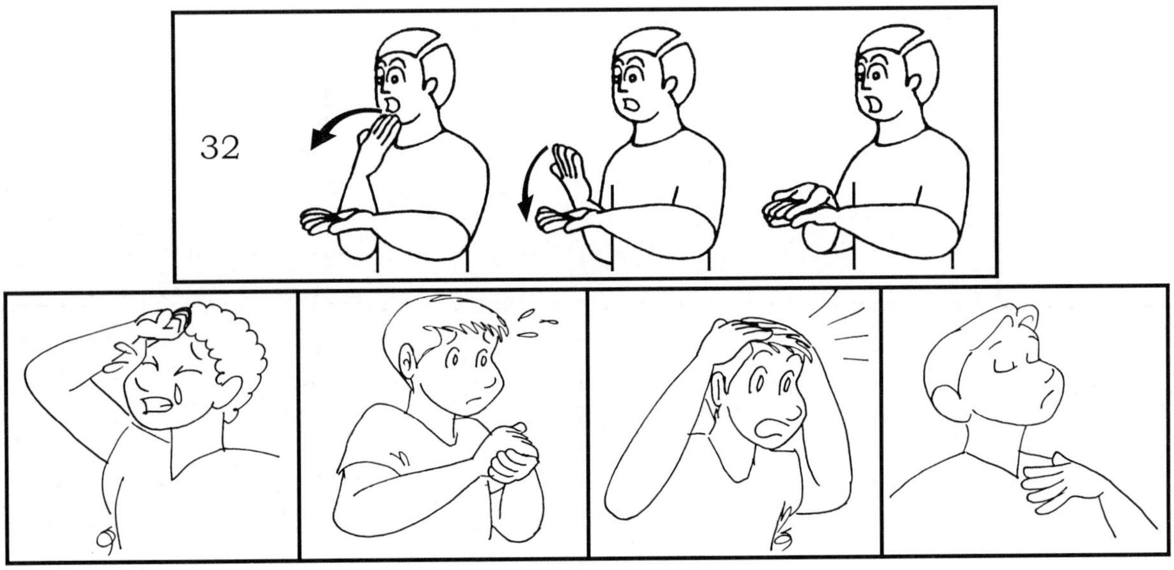

33

34

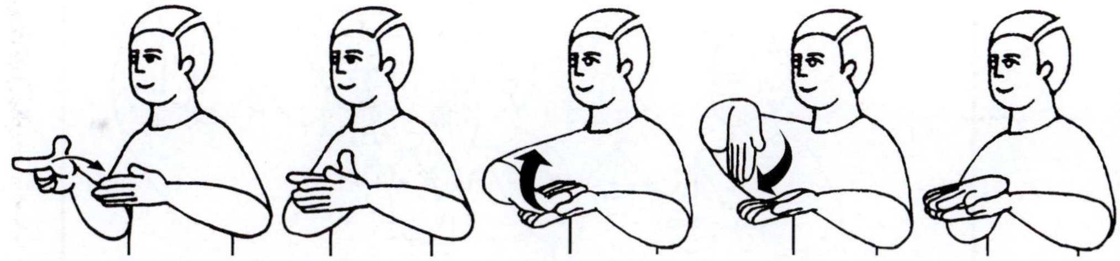

35

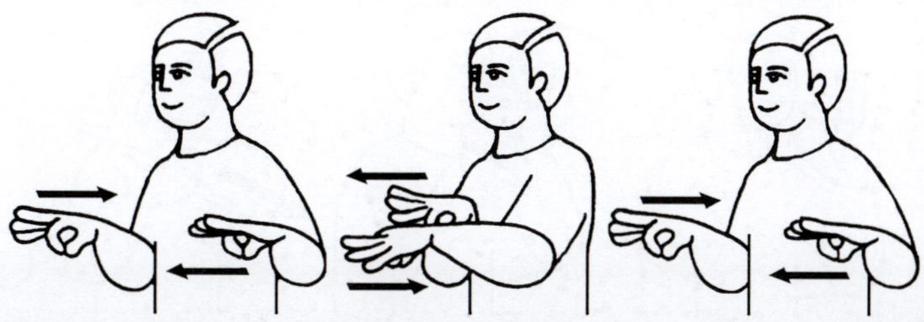

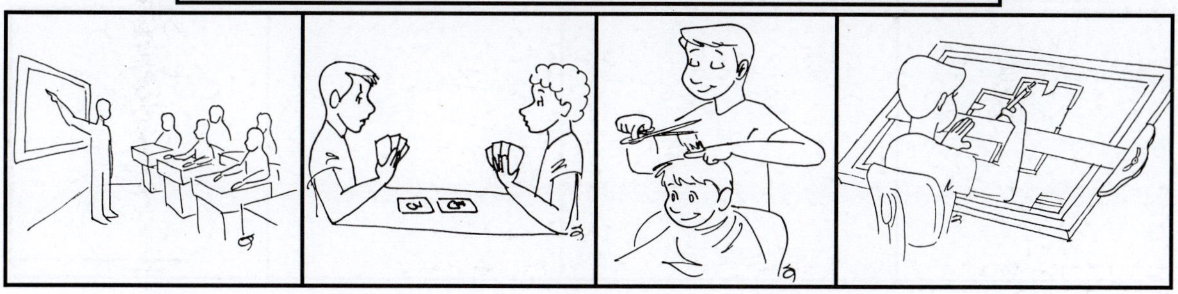

36

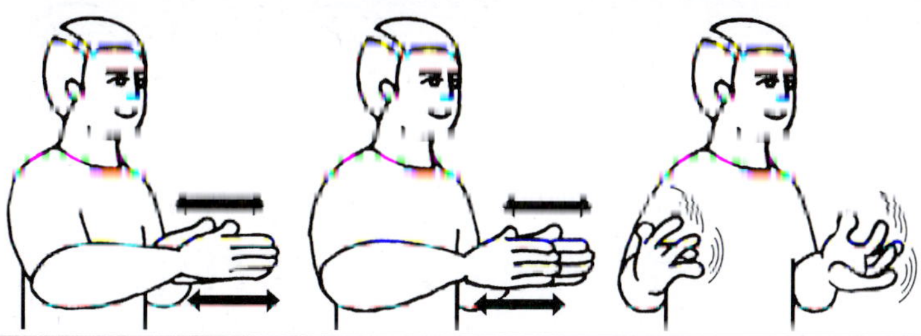

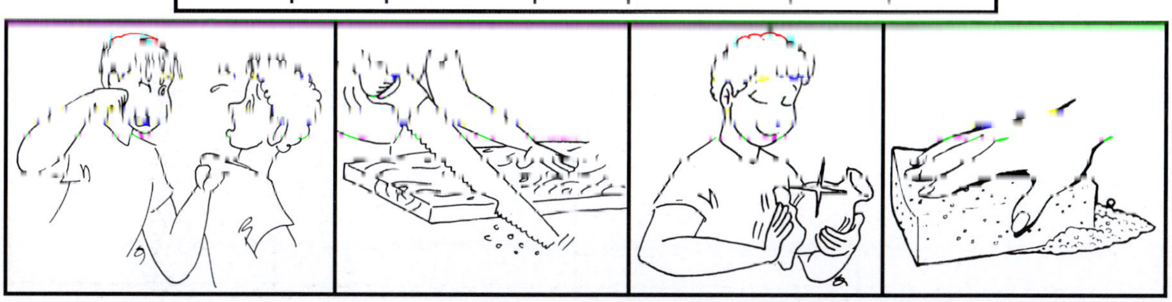

37

38

39

40

41

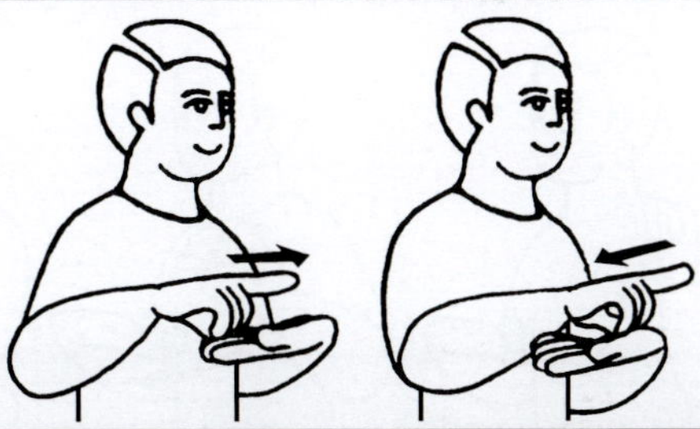

42

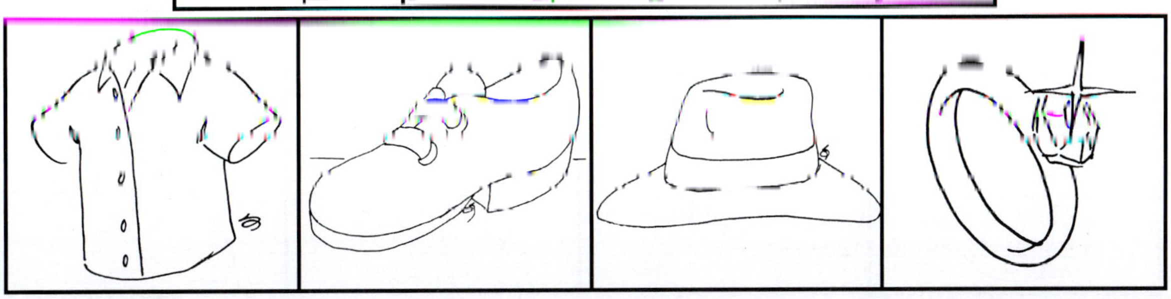

43

44

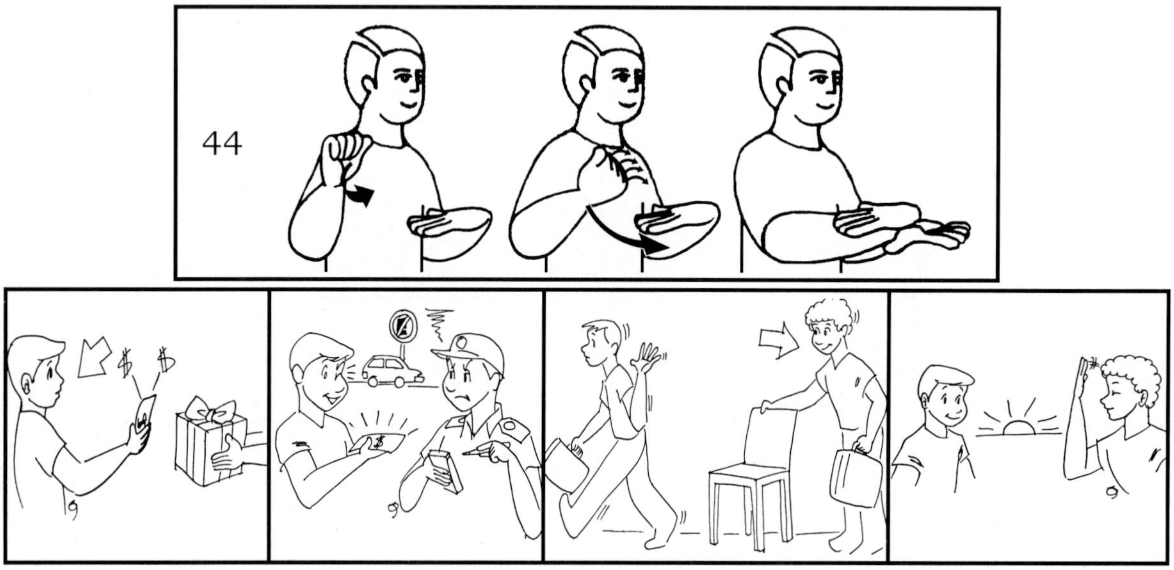

45

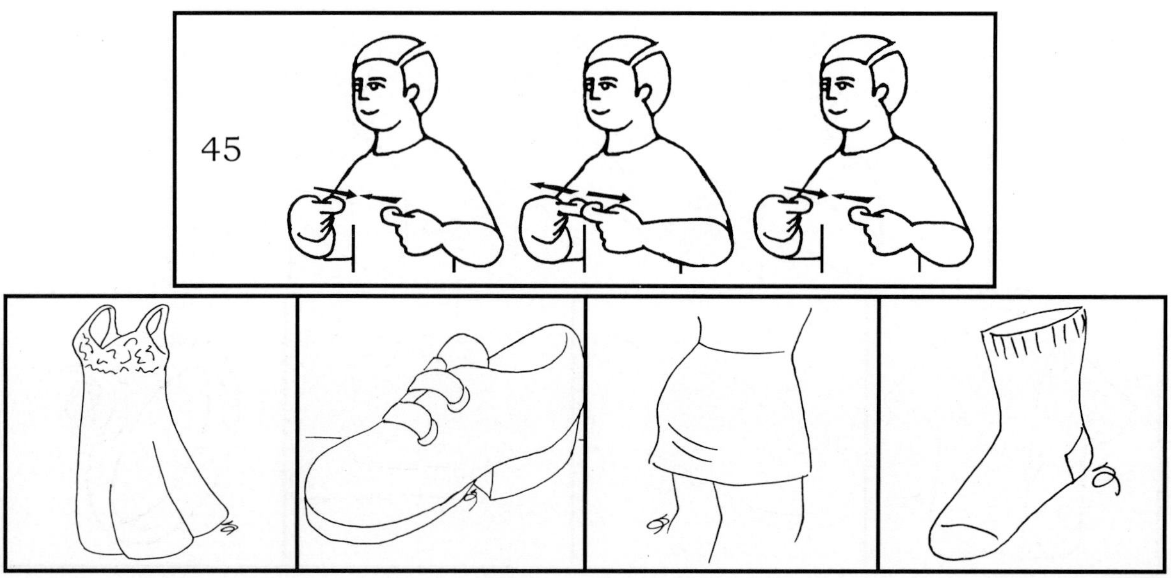

46

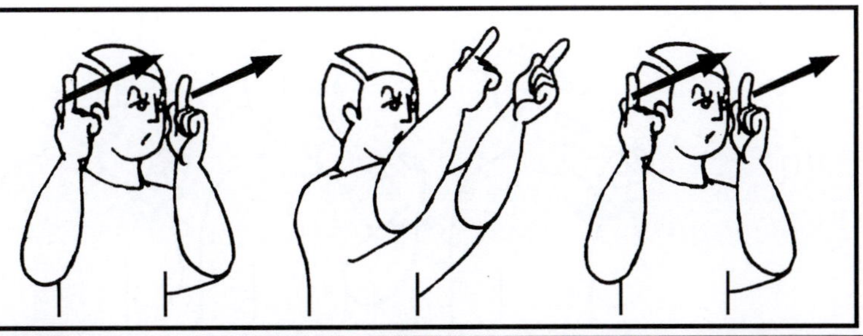

47

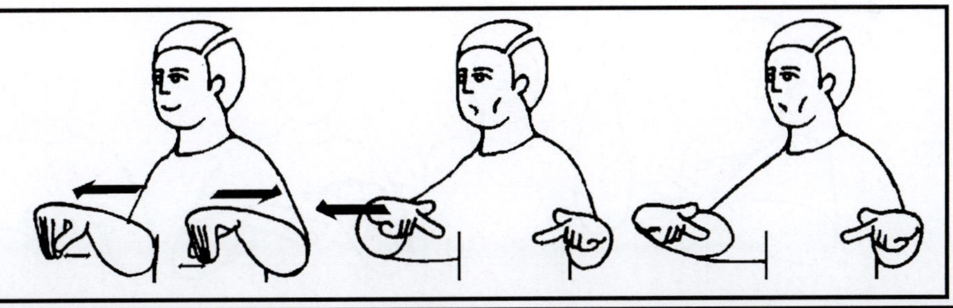

48

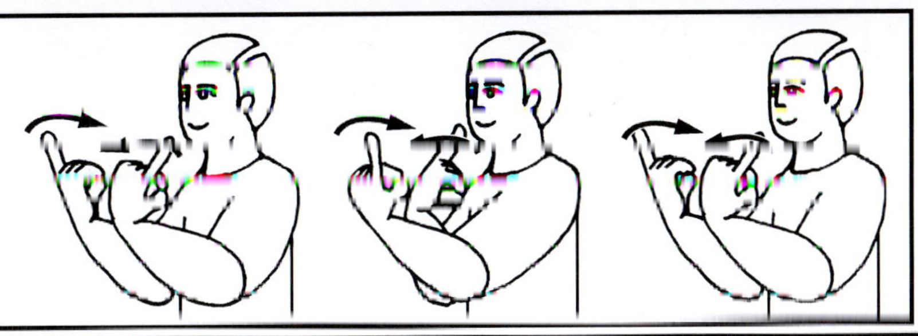

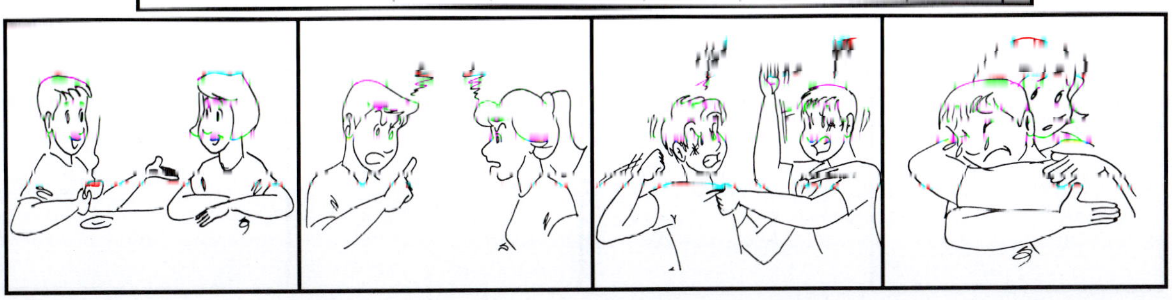

49

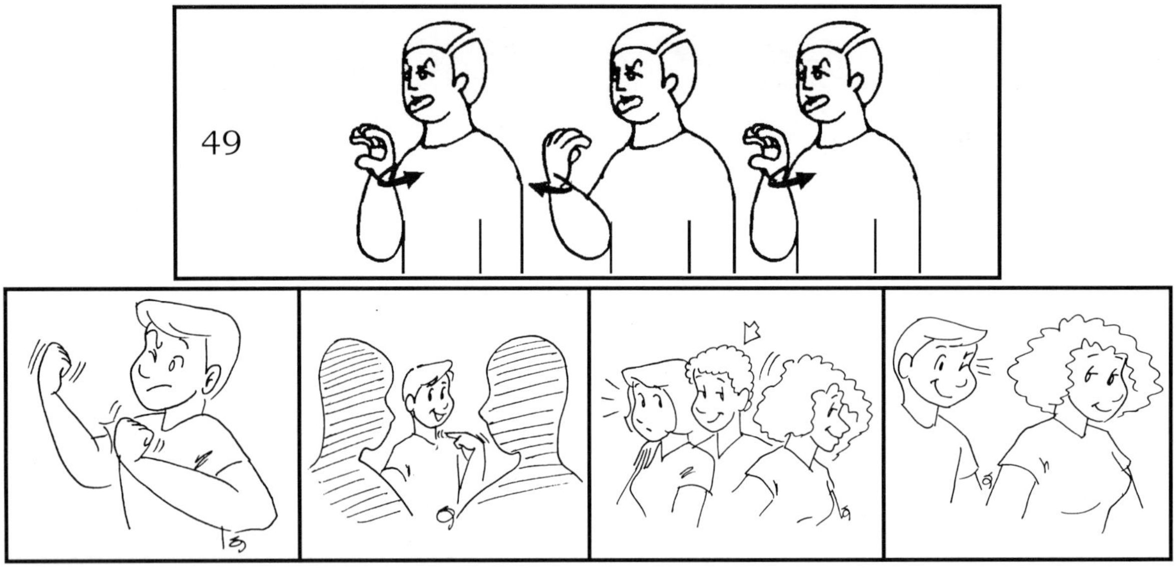

50

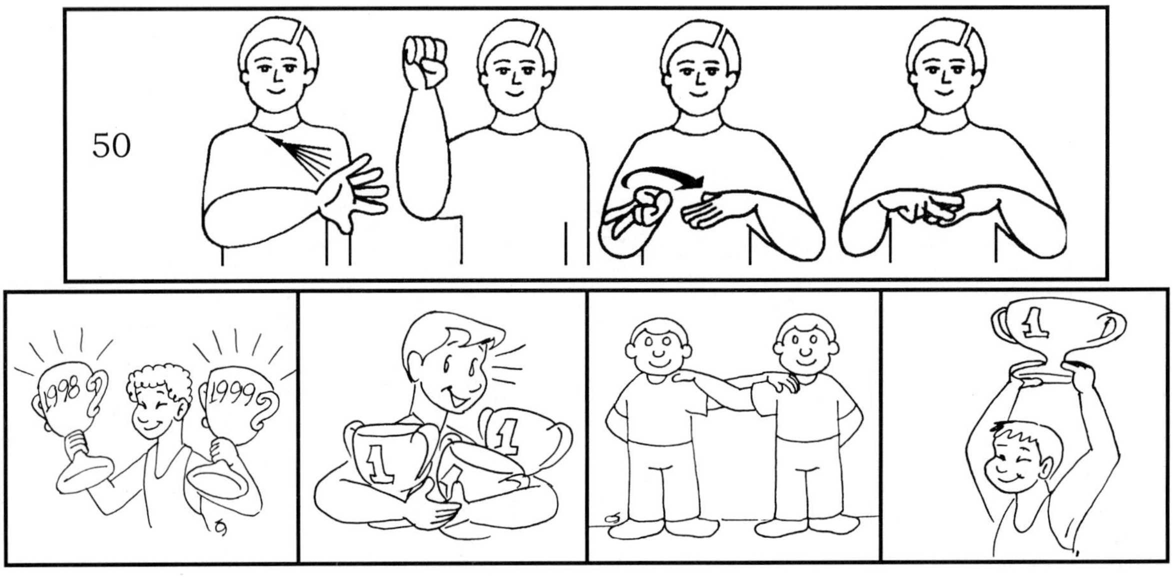

51

52

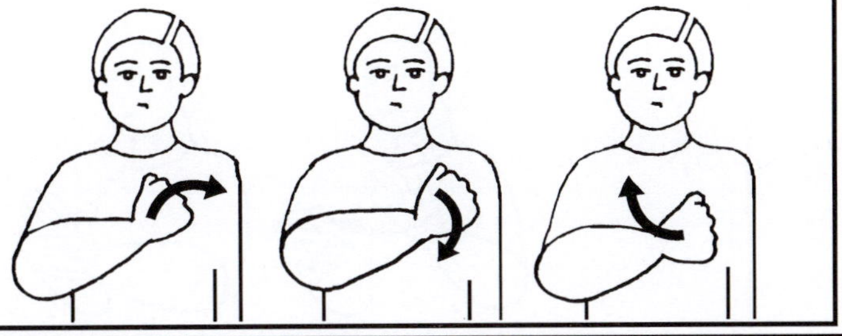

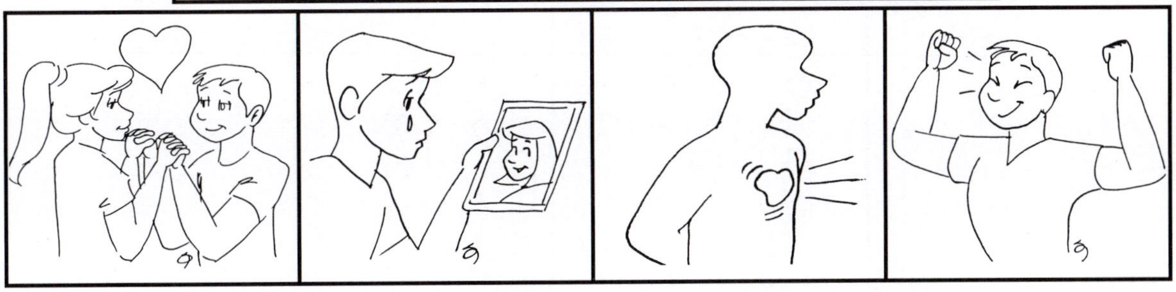

53

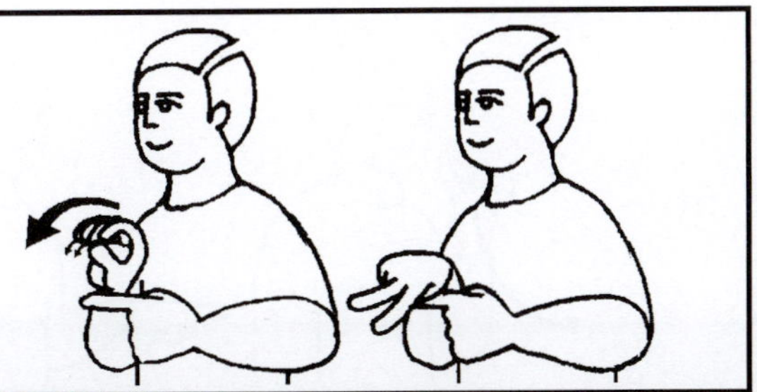

54

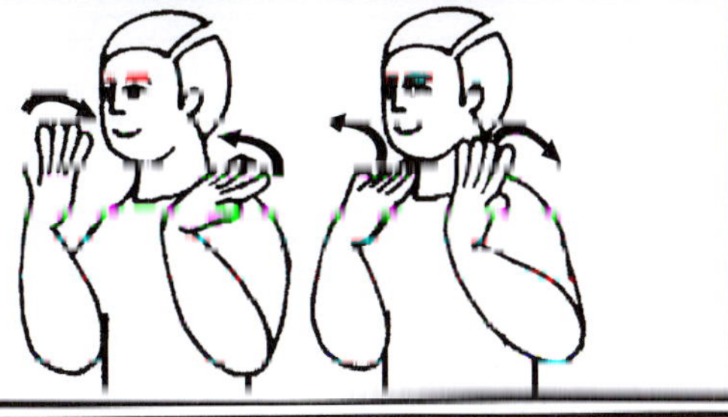

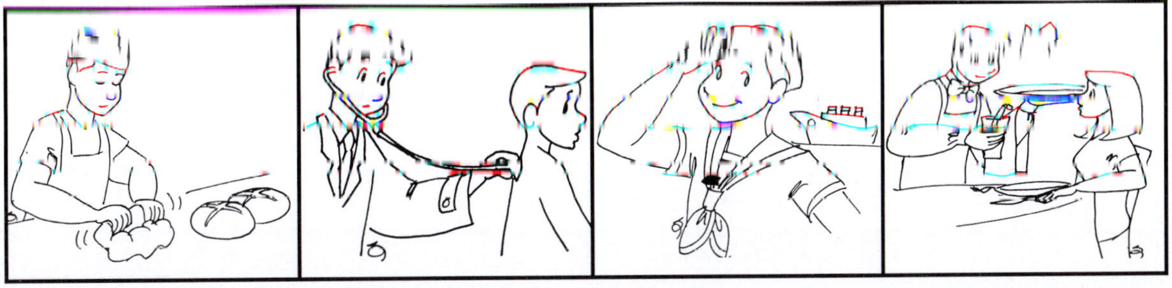

55

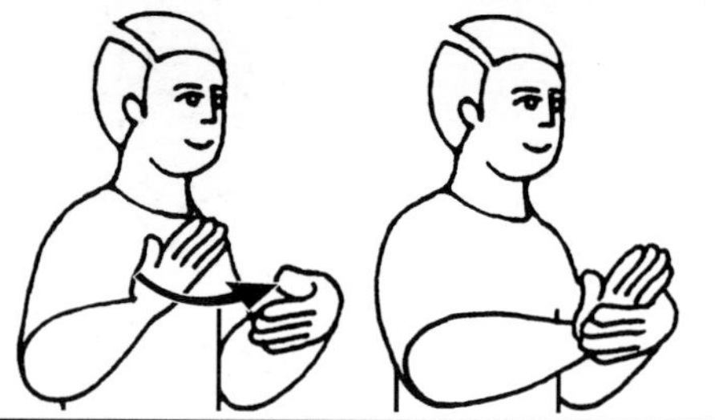

56

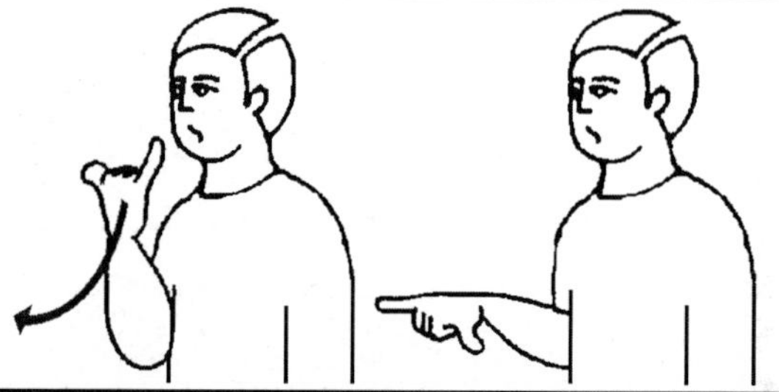

57

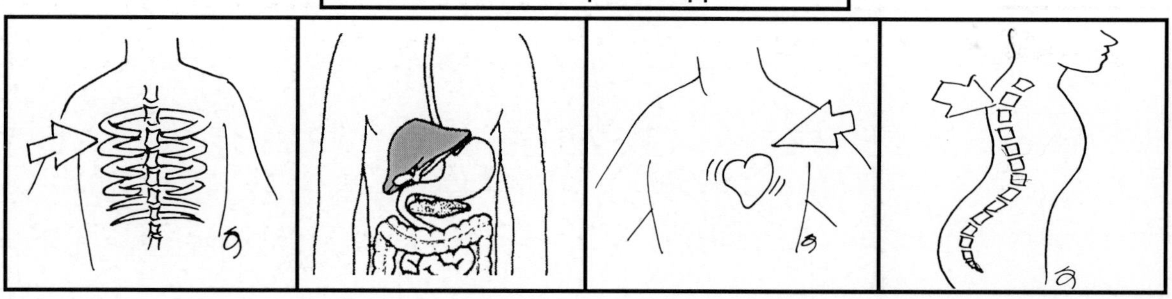

58

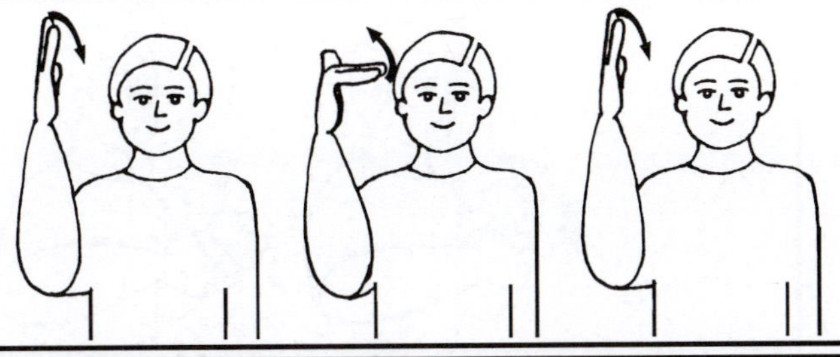

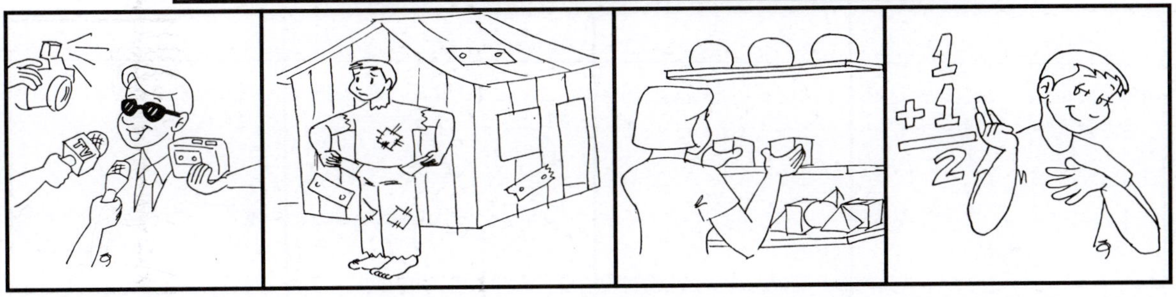

59

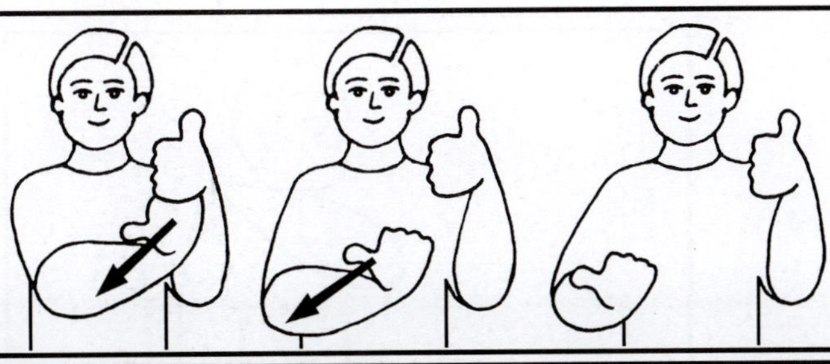

60

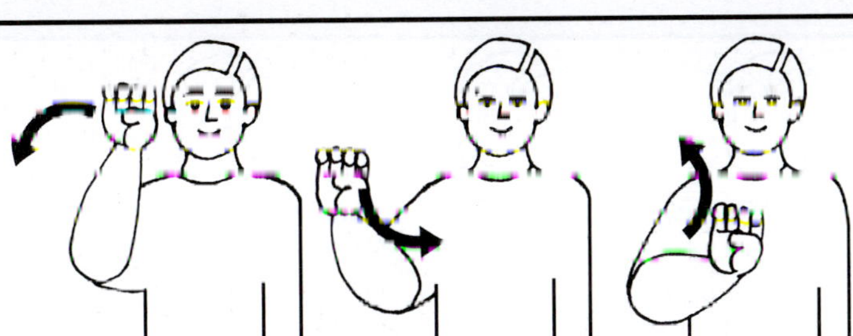

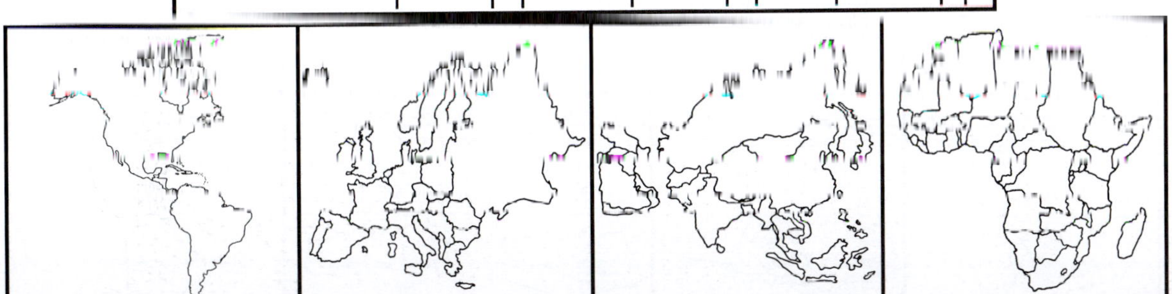

61

62

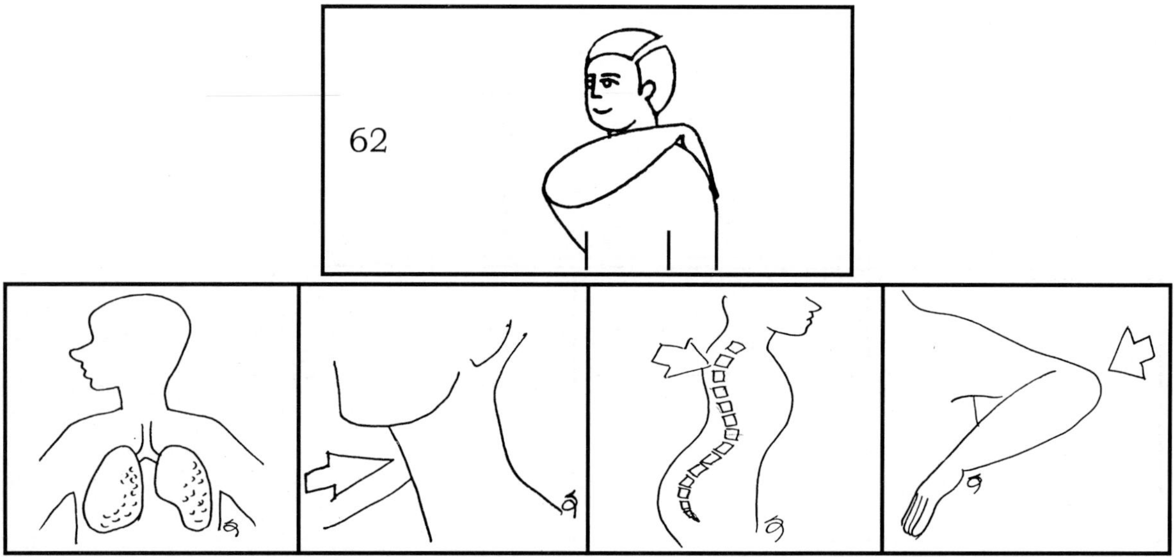

63

64

65

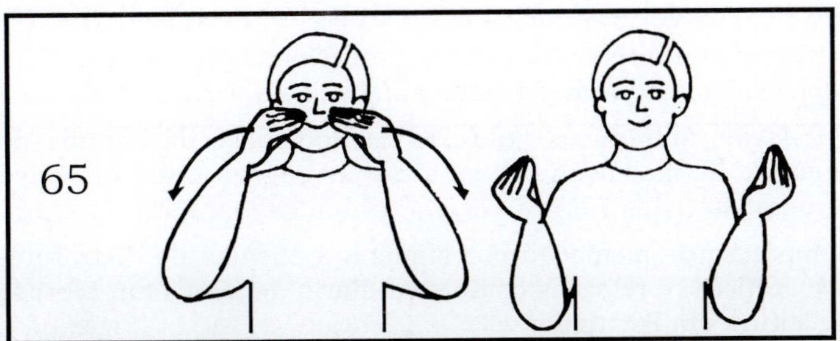

66

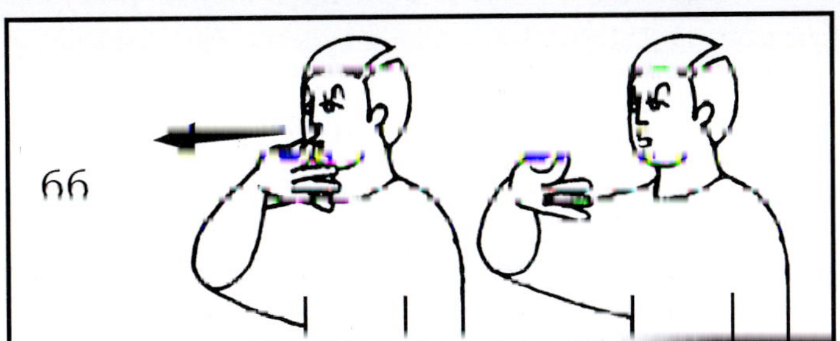

Índice: Teste de Vocabulário Receptivo de Sinais da Libras, versões original, reordenada, e abreviada

Título	*Enciclopédia da Língua de Sinais Brasileira – Vol. II*
Editores	Fernando Capovilla
	Walkiria Raphael
Produção	Fernando Capovilla
	Silvana Biral
Projeto Gráfico	Fernando Capovilla
Capa	Silvana Biral
Editoração Eletrônica	Fernando Capovilla
Editoração de Texto	Fernando Capovilla
Revisão de Texto e Provas	Fernando Capovilla
	Walkiria Raphael
Ilustrações	Silvana Marques
Divulgação	Regina Brandão
	Rodrigo S. Falcão
	Adriana M. Andrade
Secretaria Editorial	Eliane dos Santos
Formato	21 x 28 cm
Mancha	16,2 x 23,7 cm
Tipologia	Bookman Old Style
Papel	Cartão Supremo 450 g/m² (capa)
	Offset pigmentado 90 g/m² (miolo)
Número de Páginas	904
Tiragem	2000
Laserfilm	Edusp
Impressão e Acabamento	imprensaoficial